temachen (*Pläne usw.*) **4.** sinken (*into a chair* in einen Sessel) **5.** *my heart* (*oder spirits*) *sank* meine Stimmung sank **6.** bohren (*Brunnen usw.*) ~~**7.** *leave some-one to sink or swim* jemanden sich selbst überlassen~~

sink² [sɪŋk] Spülbecken, Spüle, Ⓒ Schüttstein

sinner ['sɪnə] Sünder(in)

sinus ['saɪnəs] *Medizin*: (Nasen)Nebenhöhle

sinusitis [ˌsaɪnə'saɪtɪs] *Medizin*: (Nasen)-Nebenhöhlenentzündung

sip¹ [sɪp], **sipped, sipped** nippen (an *oder von*), schluckweise trinken

sip² [sɪp] Schlückchen

sir [sɜː] **1.** *Anrede*: Sir; **Dear Sir or Madam** *Anrede in Briefen*: Sehr geehrte Damen und Herren **2.** **Sir** *BE*; *Adelstitel*: **Sir** [△ sə] **Winston** (**Churchill**)

Sir

Die Anrede **Sir** wird entweder dem Vornamen oder dem Vornamen + Nachnamen vorangestellt. Nie erscheint sie mit dem Nachnamen allein. Also: **Sir Winston** oder **Sir Winston Churchill** (nicht „Sir Churchill"!).

siren ['saɪrən] Sirene

sister ['sɪstə] **1.** Schwester **2.** *BE* Oberschwester **3.** *kirchlich*: (Ordens)Schwester; **Sister Mary** Schwester Mary

sister-in-law ['sɪstərɪnlɔː] *Pl.*: **sisters-in-law** Schwägerin

sisterly ['sɪstəlɪ] schwesterlich

sit [sɪt], **sat** [sæt], **sat** [sæt]; *ing-Form* **sitting 1.** *allg.*: sitzen (*auf einem Stuhl usw.*) **2.** sich setzen (*auf einen Stuhl usw.*) **3.** setzen (*Kind usw.*), stellen (*Gegenstand*) (*in* in; *on* auf) **4.** (*Gegenstand*) stehen, liegen (*an einem bestimmten Platz*) **5.** (*Versammlung usw.*) tagen **6.** *BE* ablegen, machen (*Prüfung*) **7. be sitting pretty** *umg.* (finanziell) gut dastehen

sit about *oder* **around** [ˌsɪt ə'baʊt *oder* ə'raʊnd] herumsitzen

sit back [ˌsɪt'bæk] sich zurücklehnen, *übertragen* die Hände in den Schoß legen

sit down [ˌsɪt'daʊn] **1.** sich setzen **2.** sitzen; **sitting down** im Sitzen

sit for ['sɪt fɔː] **1.** *BE* ablegen, machen (*Prüfung*) **2.** Modell sitzen für

sit in [ˌsɪt'ɪn] **sit in for someone** jemanden vertreten

sit on ['sɪt ɒn] **1.** *übertragen* (≈ *nicht*

Langenscheidt

Power Dictionary
Englisch

Englisch – Deutsch
Deutsch – Englisch

Völlige Neubearbeitung

Herausgegeben von der
Langenscheidt-Redaktion

Langenscheidt

Berlin · München · Wien · Zürich · New York

Konzeption: Dr. Vincent J. Docherty

Projektleitung: Dr. Wolfgang Walther

Lexikografische Arbeiten:
Dr. Sonia Brough, Martin Fellermayer, Dr. Helen Galloway, Wendalyn Nichols,
Eveline Ohneis, M.A., Eva-Maria Vennebusch, Dr. Wolfgang Walther,
Wolfgang Worsch

Muttersprachliche Durchsicht:
Thomas Bennett-Long, M.A., Dr. Sonia Brough, David Marks, M.A.

Didaktik und beratende Mitwirkung:
Thomas Bennett-Long, M.A., Dr. Sonia Brough, Dr. Vincent J. Docherty,
Professor Holger Freese, Dr. Werner Kieweg
Für Österreich: Professor Alois Breitfuß
Für die Schweiz: Eugen Hefti

Neue deutsche Rechtschreibung nach DUDEN-Empfehlungen (Stand 1.8.2006):
Susanne Billes, M.A.

Illustrationen:
Jürgen Bartz, Eva Gleifenstein, Kirill Chudinskiy

Umschlagfoto: zefa visual media gmbh

Ergänzende Hinweise, für die wir jederzeit dankbar sind,
bitten wir zu richten an:
Langenscheidt Verlag, Postfach 40 11 20, 80711 München
redaktion.wb@langenscheidt.de

© 2007 Langenscheidt KG, Berlin und München
Druck: Graph. Betriebe Langenscheidt, Berchtesgaden/Obb.
Printed in Germany
ISBN 978-3-468-13111-0

07 08 09 10 11 5. 4. 3. 2. 1.

Inhaltsverzeichnis

4

Farbillustrationen

Landkarten

Zeichnungen

Vorwort

Das **Power Dictionary Englisch** hat sich seit seinem ersten Erscheinen im Jahre 1997 zu einem Standard-Nachschlagewerk für Englischlernende entwickelt. Es handelt sich um ein Wörterbuch für deutsche Muttersprachler mit völlig neuem Konzept, das speziell auf den Einsatz in der Schule abgestimmt wurde, aber auch über diesen Bereich hinaus zahlreiche Interessenten gefunden hat.

Nach zehn erfolgreichen Jahren seit seinem Erscheinen liegt nun eine aktualisierte und erweiterte sowie den seit 1.8.2006 gültigen amtlichen Regelungen und DUDEN-Empfehlungen zur deutschen Rechtschreibung entsprechende Neubearbeitung des Buches vor, in die das Bearbeiterteam zahlreiche Benutzeranregungen hat einfließen lassen. Sowohl die Zahl der Stichwörter und Wendungen von nun rund 78.000 als auch die Fülle der rund 400 Info-Fenster zu sprachlichen und landeskundlichen Themen des britischen und amerikanischen Englisch machen das Wörterbuch zu einem wertvollen Hilfsmittel für alle Englischlernenden. Im Anhang befindet sich u. a. zudem eine separate Länderübersicht in beiden Sprachrichtungen (Englisch-Deutsch und Deutsch-Englisch). Damit wurde dem Wunsch vieler Benutzer nach einer Umfangserweiterung unter Beibehaltung des preisgekrönten didaktischen Grundkonzepts Rechnung getragen.

Neu: In diese überarbeitete und aktualisierte Ausgabe wurde noch mehr amerikanisches Englisch aufgenommen. Dies spiegelt die Rolle wider, die die US-Variante des „World English" mittlerweile spielt.
Völlig neu in dieser Ausgabe ist ein Extrateil mit verschiedenen Übungen und Rätseln zum Umgang mit dem Power Dictionary, die ideal sind zum Selbstlernen oder auch zum unterhaltsamen Einsatz im Unterricht.

Was macht das revolutionäre Power-Konzept aus? Das Power Dictionary Englisch unterscheidet sich von anderen Wörterbüchern vor allem darin, dass die beiden Teile Englisch-Deutsch und Deutsch-Englisch gezielt auf die unterschiedlichen Fähigkeiten ausgerichtet sind, die beim Verstehen englischer Texte einerseits und beim Formulieren in Englisch andererseits entwickelt werden müssen. Im englisch-deutschen Teil, in dem in erster Linie nachgeschlagen wird, um das zu **verstehen**, was man auf Englisch **liest** oder **hört**, wurde bei der Auswahl der Stichwörter großes Gewicht auf einen repräsentativen Querschnitt aus dem Wortschatz der englischen und amerikanischen Alltagssprache gelegt. Im deutsch-englischen Teil, in dem die Benutzer immer dann nachschlagen, wenn sie **aktiv** etwas auf Englisch **sagen** oder **schreiben** wollen, hat man sich bewusst auf den Sprachgebrauch der meist jugendlichen Benutzer konzentriert. Viel Wert wurde auch auf einen schnellen, benutzerfreundlichen Zugang zu den Einträgen und auf didaktische Hilfen gelegt. So werden die Stichwörter – wo nötig – durch die Angabe von

Wendungen, Beispielsätzen, typischen Wortverbindungen (Kollokationen), Synonymen und dazugehörigen Subjekten oder Objekten stets in ihren natürlichen sprachlichen Kontext gestellt. Weitere wertvolle Hilfen, die die Sicherheit bei der Sprachproduktion erhöhen, sind Hinweise auf typische Fehlerquellen, Warnhinweise und Informationen zu lexikalischen, grammatischen und stilistischen Besonderheiten.

Zum Power-Konzept gehören auch ausführliche Lautschriftangaben in voll ausgeschriebener Form bei den englischen Stichwörtern im Teil Englisch-Deutsch, aber ebenso bei schwierig auszusprechenden englischen Übersetzungen im Teil Deutsch-Englisch. Auf diese Weise entfällt nochmaliges Nachschlagen im Teil Englisch-Deutsch, wenn es „nur" um die Aussprache einer unbekannten englischen Übersetzung im Teil Deutsch-Englisch geht.

Betont schülerfreundliche Merkmale dieses Wörterbuchs sind außerdem die sehr leicht verständlichen Erklärungen und Abkürzungen sowie die ausführliche Behandlung der unregelmäßigen englischen Verben, die auch im deutsch-englischen Teil gekennzeichnet sind. Was deutsche Wörter betrifft, so wurde auf Angaben zur Wortart, zum Geschlecht der Substantive und zur Betonung bewusst verzichtet, weil diese von deutschen Wörterbuchbenutzern oft als „unnötiger Ballast" empfunden werden. Dadurch wurde mehr Raum für wichtige Hinweise zum Englischen gewonnen.

Das *Power Dictionary* beinhaltet **zahlreiche Besonderheiten, die es von traditionellen Wörterbüchern unterscheiden**:

- Alle Stichwörter sind stets voll ausgeschrieben.

- Jedes Stichwort erscheint gut erkennbar in Blau auf einer neuen Zeile.

- In sogenannten Info-Fenstern werden auf Deutsch sprachliche Zusatzinformationen gegeben (zu Wortschatz, Grammatik, Sprachgebrauch und Aussprache) sowie Wissenswertes aus der Landeskunde Großbritanniens und der USA im Zusammenhang mit dem Stichwortartikel präsentiert. Hierin sieht das Bearbeiterteam einen geeigneten Anknüpfungspunkt für den Einsatz im Unterricht einerseits und für das selbstständige Lernen andererseits. Info-Fenster geben z. B. Antwort auf die Frage:

  Wie führe ich mit meiner englischsprachigen Freundin / meinem englischsprachigen Freund ein Telefongespräch? Was bedeutet PC (political correctness)? Welche Entsprechungen gibt es für weibliche Berufsbezeichnungen im Englischen? Wie entschuldigt man sich für etwas? Wann sagt man England, wann (Great) Britain, wann UK?

- In 20 verschiedenen, für diese Ausgabe völlig neu gestalteten Farbillustrationen werden Begriffe aus alltags- und schülerrelevanten Themenbereichen in einen authentischen sprachlichen und kulturellen Kontext gestellt.

- Landkarten von *The British Isles, The United States of America, Australia and New Zealand* liefern mit zusätzlichen didaktischen Elementen und Erläuterungen Einstiegsmöglichkeiten in die Landeskunde. Die in den Illustrationen enthaltenen Begriffe werden stets an Ort und Stelle in Englisch und in Deutsch erklärt. Hieraus ergeben sich weitere interessante Ansätze für den Einsatz im Unterricht.

- In 20 Strichzeichnungen schließlich wird gezielt auf Verwechslungsmöglichkeiten im deutsch-englischen und englisch-deutschen Sprachgebrauch eingegangen. z. B. *deutsch* Chef = *englisch* boss; *englisch* chef = *deutsch* Koch.

Das *Power Dictionary* bietet Lehrenden und Lernenden eine Fülle didaktischer Hilfen für eine sichere, umfassende Sprachrezeption und eine korrekte, zuverlässige Sprachproduktion. Wir hoffen, dass wir mit der neuen, erweiterten Ausgabe zahlreiche Interessenten hinzugewinnen werden und sie davon überzeugen können, dass sich der Umgang mit dem *Power Dictionary* in jeder Hinsicht lohnt. In diesem Sinne wünschen wir allen viel Spaß beim Nachschlagen und Lernen.

LANGENSCHEIDT VERLAG

Abkürzungen und Symbole

Abk.	Abkürzung
Adj.	Adjektiv
AE	amerikanisches Englisch
allg.	allgemein
BE	britisches Englisch
bes.	besonders
brit.	britisch
bzw.	beziehungsweise
d.h.	das heißt
dt.	deutsch
engl.	englisch
GB	Großbritannien
Gen.	Genitiv
Illu	Illustration
Inf.	Infinitiv
Info	Information
mst.	meist, meistens
Pl.	Plural
®	eingetragene Marke
Sg.	Singular
Subst.	Substantiv
umg.	umgangssprachlich
USA	Vereinigte Staaten von Amerika
usw.	und so weiter
≈	ist in etwa gleich
→	Verweis auf
☞	Hinweis auf
↔	Gegenteil von
⚠	Achtung, aufgepasst!
Ⓐ	Österreich
ⓒⒽ	Schweiz
*	unregelmäßiges englisches Verb

Erklärung der Lautschriftzeichen

Laut-schrift-zeichen	Englische Beispielwörter	Wie wird das ausgesprochen?
ʌ	much [mʌtʃ], butter ['bʌtə]	sprichst du wie das **a** in Matsch, Quatsch
ɑː	father ['fɑːðə], after ['ɑːftə], bath [bɑːθ]	diesen langen a-Laut sprichst du wie **ah** in B**ah**n oder **a** in Kram, Scham, also immer recht dunkel, *niemals* so hell wie in „Sahne"!
æ	bad [bæd], flat [flæt], cat [kæt]	Achtung aufgepasst! Das ist eher ein sehr hell gesprochener a-Laut als ein deutsches „ä"! Sprichst du am besten wie das kurze **a** in Quatsch oder w**a**schen
ə	a [ə], an [ən], butter ['bʌtə]	der Laut heißt „Schwa" und ist ein *ganz schwaches* **e** wie am Ende von bitt**e**
e	bed [bed], head [hed]	wie **e** in w**e**tten oder **ä** in h**ä**tte
ɜː	first [fɜːst], bird [bɜːd], hurt [hɜːt], learn [lɜːn], her [hɜː]	sprichst du etwa so wie das **ö** in H**ö**rner, nur etwas länger (aber das „r" darfst du *nicht* mitsprechen!)
ɪ	in [ɪn], bit [bɪt], crisp [krɪsp]	kurzes **i** wie in b**i**tte, K**i**nd, **i**st
iː	see [siː], jeans [dʒiːnz], read [riːd]	wie langes **i** in n**ie**
ɒ	shop [ʃɒp], lot [lɒt]	sprichst du wie das *kurze* **o** in G**o**tt, L**o**tto, S**o**cken
ã	croissant ['kwæsã]	dieses *kurze* **a** oder **o** wird *„durch die Nase"* gesprochen
ɔː	morning ['mɔːnɪŋ], door [dɔː], naughty ['nɔːtɪ]	klingt wie *langes* **o** in fr**oh**, Z**oo**
ʊ	good [gʊd], put [pʊt]	wie das kurze **u** in M**u**tter

Laut-schrift-zeichen	Englische Beispielwörter	Wie wird das ausgesprochen?
uː	**too** [tuː], **shoot** [ʃuːt]	wie **uh** in Sch**uh**
aɪ	r**ide** [raɪd], m**y** [maɪ], br**igh**t [braɪt]	wie **ei** in l**ei**se, n**ei**disch
aʊ	n**ow** [naʊ], r**ou**nd [raʊnd], ab**ou**t [əˈbaʊt]	wie **au** in Fr**au**
əʊ	h**o**me [həʊm], r**oa**d [rəʊd], c**o**ld [kəʊld]	du sprichst erst ein „Schwa" (Erklärung ist oben bei „ə") und sofort darauf ein kurzes **u**; ist ganz einfach!
eə	h**air** [heə], p**ear** [peə], c**are** [keə]	klingt wie **-är** in B**är** oder **-er** in h**er**, das „r" darfst du aber **nicht** mitsprechen!
eɪ	**eigh**t [eɪt], s**ai**l [seɪl], p**a**le [peɪl]	klingt wie **äi**
ɪə	h**ere** [hɪə], b**eer** [bɪə], d**ear** [dɪə]	klingt wie **-ier** in h**ier**, das „r" wird aber **nicht** mitgesprochen!
ɔɪ	j**oin** [dʒɔɪn], b**oy** [bɔɪ]	du sprichst erst ein **o** wie das am Ende von Lott**o** und gleich darauf ein kurzes **i**
ʊə	t**our** [tʊə], s**ure** [ʃʊə]	klingt wie **-ur** in K**ur**, das „r" darfst du aber **nicht** mitsprechen!
j	**y**es [jes], be**y**ond [bɪˈjɒnd]	wie **j** in **j**etzt
v	**v**ery [verɪ], o**v**er [ˈəʊvə]	wie **v** in **V**ase oder **w** in **W**asser
w	**w**ay [weɪ], **w**ater [ˈwɔːtə]	musst du ganz anders als ein deutsches „w" sprechen! Ist im Englischen ein *kurzes* **u**!
ŋ	thi**ng** [θɪŋ], u**n**cle [ˈʌŋkl]	wie **-ng** in Di**ng**
r	**r**oom [ruːm], hu**rr**y [ˈhʌrɪ]	kein deutsches „r", weder ein gerolltes noch ein im Rachen gesprochenes! Man spricht es mit zurückgebogener Zunge.

Laut-schrift-zeichen	Englische Beispielwörter	Wie wird das ausgesprochen?
s	see [siː], glass [glɑːs]	wie in lassen, Liste, heiß
z	zero ['zɪərəʊ], news [njuːz]	wie in lesen, Sand
ʃ	shop [ʃɒp], fish [fɪʃ]	wie **sch** in **Sch**olle, Fi**sch**
tʃ	cheap [tʃiːp], much [mʌtʃ]	wie **tsch** in **tsch**üs!
ʒ	television ['telɪˌvɪʒn]	wie **g** in **G**enie und Eta**g**e
dʒ	just [dʒʌst], bridge [brɪdʒ]	wie **j** in **J**ob und **g** in **G**entle-man
θ	thanks [θæŋks], thought [θɔːt]	wie wenn du in „fassen" das stimmlose („scharfe") Dop-pel-s *lispeln* würdest
ð	the [ðə], that [ðæt]	wie wenn du in „Sense" die beiden weichen, stimmhaften s-Laute *lispeln* würdest
x	loch [lɒx]	wie **ch** in a**ch**

Längungszeichen

ː bedeutet, dass du den *vor* diesem Zeichen stehenden Laut *lang* sprechen musst

Betonungszeichen

ˈ ist der *Hauptakzent*, der *vor* der Stelle steht, wo du ein Wort *am stärksten betonen* musst

ˌ ist der *Nebenakzent*, der *vor* der Stelle steht, wo ein Wort die *zweitstärkste Betonung* hat

Du solltest jedoch immer daran denken, dass sich die Betonung der einzelnen Wörter in einem zusammenhängenden Satz verschieben kann!

Gelegentlich findest du einen Hauptakzent auch vor einem Wort eines Satz-beispiels und/oder seiner Übersetzung. So bewältigst du auch schwierigere oder zunächst unklare Satzbetonungsmuster.

Einführung in die Benutzung des Power Dictionary

Dieses Wörterbuch ist kein großes Puzzle-Spiel, das dich aufs Äußerste fordert und dir jegliche Lust zum Nachschlagen verdirbt. Im Gegenteil: **Du sollst es leicht haben**, und die Angst vor Wörterbüchern soll erst gar nicht aufkommen. Es gibt in diesem Buch keine ineinandergeschachtelten Stichwörter, auch keine fremdartigen Sonderzeichen. Wir haben die Stichwörter nicht abgekürzt, auch nicht die Lautschrift. Jeder Beispielsatz hat eine vollständige Übersetzung. Zahlreiche Erläuterungen zu den Übersetzungen führen dich zur jeweils passenden Bedeutung. In den Wörterbuchtext eingestreute Kurzinfos oder auch längere Info-Fenster zu bestimmten Themen lockern die Stichwortliste auf. Du bekommst den Wortschatz – nicht zu viel und nicht zu wenig –, den du wirklich brauchst, nicht nur, um englische Texte zu verstehen, sondern insbesondere auch, um dich auf Englisch unterhalten zu können.

Du musst auch nicht ständig in diesem Einführungsteil nachsehen, um zu verstehen, wie dies und das gemeint ist. Wir haben uns sehr bemüht, die Einträge so klar und eindeutig wie möglich zu gestalten, **sodass sie sich weitestgehend selbst erklären**. Die folgenden Erläuterungen dienen vor allem dazu, dir die wichtigsten Prinzipien des *Power Dictionary* näherzubringen und dich vor etwaigen Missverständnissen zu bewahren.

1. Stichwörter, Alphabetisierung

Alle blau gedruckten Stichwörter sind streng alphabetisch angeordnet. Im englisch-deutschen Teil gibt es bei der alphabetischen Anordnung nur eine Ausnahme: die so genannten *phrasal verbs* (Verben, die zusammen mit einer Präposition oder einem Adverb gebraucht werden), wie z. B. **get across**, **get away with**, **get round to**, **get up** und Verbindungen mit Verben wie **run out** in der wörtlichen Bedeutung „hinausrennen" oder **know about** usw. Diese erscheinen immer unmittelbar im Anschluss an das Stammverb (bei **get across** also unter **get**, bei **run out** unter **run** usw.), sind eingerückt und im Gegensatz zu den blauen Hauptstichwörtern schwarz gedruckt. So kommt es, dass etwa das blaue Stichwort **getaway** erst hinter **get up** im Wörterbuch steht.

Auch im deutsch-englischen Teil gibt es – ebenfalls eingerückte und schwarz gedruckte – Ausnahmen von der streng alphabetischen Reihenfolge der Einträge. Sie sind alle auf die Reform der deutschen Rechtschreibung zurückzuführen. So werden etwa Verben wie **stehen lassen** und **still sitzen** nach den neuen Regeln getrennt geschrieben, was Auswirkungen auf die Zuordnung zu einem Stichwort hat.

Gelegentlich findest du gleich geschriebene **Stichwörter mit hochgestellten Ziffern** (sogenannten „Exponenten") als blaue Stichwörter untereinander-stehend. Hier handelt es sich entweder um unterschiedliche Wortarten, um Wörter der gleichen Wortart mit **sehr** unterschiedlicher Bedeutung oder um Wörter derselben Wortart mit unterschiedlicher Betonung.

> **back¹** [bæk] **1.** *Körperteil*: Rücken …
> ⟨Substantiv⟩
> **back²** [bæk] rückwärtig, Hinter…; *back
> entrance* Hintereingang ⟨Adjektiv⟩
> **back³** [bæk] **1.** zurück, rückwärts… ⟨Ad-
> verb⟩
>
> **Bank¹ 1.** (≈ *Sitzbank*) bench **2.** (≈ *Schul-
> bank*) desk …
> **Bank² 1.** (≈ *Geldinstitut*) bank …
>
> **umgehen¹1.** go* round (*Hindernis usw.*) …
> **umgehen²:** *umgehen mit* handle (*Ding,
> Maschine, Person, Tier*) …

Stichwörter, die typisch für das **österreichische Deutsch** bzw. das **Schweizer-deutsch** sind, haben wir mit dem Auto-Länderkennzeichen Ⓐ für Österreich bzw. ⒸⒽ für die Schweiz versehen.

2. Stichwortsuche und neue deutsche Rechtschreibung

Die deutschsprachigen Bestandteile des *Power Dictionary* folgen den gültigen Regeln der neuen deutschen Rechtschreibung (Stand 1.8.2006) sowie den DUDEN-Empfehlungen.

Getrennt geschriebene deutsche Verben haben wir unter ihrem **ersten Wort** eingeordnet. Wenn es sich um nur **ein** getrennt geschriebenes Verb handelt, findest du es häufig auch als Unterpunkt mit einer neuen arabischen Ziffer im Stichwortartikel des Grundwortes. Es ist dann in *fetter Schrägschrift* gedruckt. Wenn es aber eine ganze Reihe solcher Verben gibt, findest du sie eingerückt und schwarz gedruckt gleich hinter dem Stichwortartikel des blauen Grundwortes. Willst du beispielsweise sagen, dass dir nichts anderes *übrig bleibt* als etwas zu tun, musst du unter dem blauen Stichwort **übrig** nachschlagen. Dort steht der gesuchte Begriff am Schluss der eingerückten und getrennt geschriebenen Zusammensetzungen. Das gilt auch für *leer stehend, liegen bleiben* usw.

Auch Begriffe wie *so viel, wie viel* findest du unter dem jeweils ersten Wort.

Zu beachten ist natürlich stets die korrekte Schreibung von Wörtern wie **Ass, nummerieren, rau, Stängel, Stopp, Ketschup,** *sich schnäuzen,* **Schiff-fahrt, Stillleben, Tipp.** Du findest sie nur an der alphabetisch richtigen Stelle.

3. Auswahl der Stichwörter

Die beiden Teile Englisch-Deutsch und Deutsch-Englisch sind bewusst auf die unterschiedlichen Bedürfnisse der Benutzer in beiden Sprachrichtungen zugeschnitten.

Im Teil Englisch-Deutsch schlägt man nach, wenn man etwas auf Englisch hört oder liest und wissen will, was ein Wort oder eine Wortgruppe bedeutet. Im Teil Deutsch-Englisch dagegen holt man sich Rat, wenn man etwas auf Englisch sagen oder schreiben will. Während für die deutschen Benutzer in der Richtung Englisch-Deutsch oft schon wenige Hinweise zur richtigen Übersetzung führen, müssen ihnen in der Richtung Deutsch-Englisch meist mehr Hinweise für richtiges, „gutes" Englisch gegeben werden, das sich so anhört oder liest, als hätte es ein englischer Muttersprachler formuliert. Aus diesem Grund sind die beiden Teile des Wörterbuchs unterschiedlich gestaltet. Es wurde daher auch nicht angestrebt, jede Übersetzung in der jeweils anderen Sprachrichtung als Stichwort oder Beispiel anzugeben.

Auch das zu den Farbillustrationen gehörige Vokabular auf der jeweils gegen-überliegenden Seite der Abbildung steht für sich und kann – unterstützt durch die Abbildung – an Ort und Stelle gelernt werden. Jeder Begriff hat eine Ziffer, eingekreiste Ziffern bezeichnen Oberbegriffe. Wir haben dar-auf geachtet, dass der in den Farbillustrationen enthaltene „Grundwort-schatz" auch in den beiden Teilen des Wörterbuchs enthalten ist. Auf Hinweise zu jeder Einzelabbildung in den Farbtafeln haben wir im Stichwort-teil bewusst verzichtet. Auf das Thema, also den Namen der Farbillustration, wird aber sowohl in der Richtung Englisch-Deutsch als auch in der Richtung Deutsch-Englisch verwiesen.

4. Ausspracheangaben

Die Stichwörter und auch die eingerückten *phrasal verbs* im Teil Englisch-Deutsch haben alle Ausspracheangaben in eckigen Klammern. Wir verwen-den dabei die Lautschriftzeichen der *International Phonetic Association* (IPA), wie sie auch in den Schulbüchern üblich sind. Eine Aufstellung der Lautschriftzeichen mit typischen Aussprachebeispielen findest du auf den Seiten 9 bis 11. Häufig werden englische Wörter ganz anders gesprochen, als man glaubt. In besonders krassen Fällen und dort, wo du wegen eines bes-ser bekannten und ähnlich geschriebenen englischen Wortes zu einer falschen Aussprache neigen könntest, haben wir vor der Lautschrift noch ein Warn-dreieck △ platziert.

Ganz neu an diesem Wörterbuch sind die **Ausspracheangaben auch im Teil Deutsch-Englisch bei schwierig auszusprechenden englischen Übersetzun-gen**. Das erspart dir ein Zurückblättern zu dem entsprechenden Stichwort im englisch-deutschen Teil.

5. Unregelmäßige Wortformen

Für alle Wortarten werden im **englisch-deutschen Teil** unregelmäßige Formen
angegeben, bei Substantiven also unregelmäßige Pluralbildungen, bei Verben
unregelmäßige Vergangenheits- und Partizipbildungen, bei Adjektiven unre-
gelmäßige Steigerungen:

> mouse [maʊs] *Pl.*: *mice* [maɪs] ...
> go[1] [gəʊ], *went* [went], *gone* [gɒn] ...
> get [get], *got* [gɒt], *got* [gɒt] *oder AE*
> gotten ['gɒtn]; *-ing-Form* getting ...
> bad [bæd], *worse* [wɜːs], *worst* [wɜːst] ...

Im Teil Englisch-Deutsch stehen unregelmäßige Formen zusätzlich als eigene
blaue Einträge im Wörterbuch, falls sie alphabetisch nicht unmittelbar hinter
dem Grundwort stehen. Bei **zusammengesetzten** Wörtern mit einem unregel-
mäßigen Bestandteil (z. B. **oversleep**, **businesswoman**) haben wir die unre-
gelmäßigen Formen allerdings nicht als eigene Stichwörter aufgenommen.

Bei den Übersetzungen im **Teil Deutsch-Englisch** gilt etwas Ähnliches. Auch
hier werden unregelmäßige Formen der englischen Wörter angegeben, aller-
dings **nicht** bei **zusammengesetzten** Wörtern mit einem unregelmäßigen Teil:

> schlecht 1. *allg.*: bad (△ *schlechter*
> worse, *schlechtest-* worst) ...
> Laus louse [laʊs] *Pl.*: lice

Damit du unregelmäßige englische Verben bei den Übersetzungen der deut-
schen Stichwörter und Anwendungsbeispiele erkennst, haben wir sie mit ei-
nem Sternchen (*) versehen. Die unregelmäßigen Formen kannst du in der
Liste der unregelmäßigen Verben im Anhang nachschlagen.

Wenn ein unregelmäßiges Verb in einer bestimmten Wendung im Wörterbuch
nur in der Grundform (im Infinitiv) verwendet wird, erhält es dort kein Stern-
chen.

6. Angaben in kursiver (= schräg gestellter) Schrift

Sehr häufig findest du Angaben *in kursiver Schrift* im Text eines Wörterbuch-
eintrags. Sie helfen zu verstehen, in welchem Zusammenhang die Bedeutung
oder Unterbedeutung eines Wortes angewendet wird oder wie sie eigentlich
gemeint ist. So kann auch die jeweilige Übersetzung richtig eingeordnet wer-
den. Zum anderen geben die kursiven Anmerkungen Hinweise zum richtigen
Gebrauch eines Wortes oder einer Übersetzung.

6.1 Angaben zur Grammatik

Auf komplizierte Grammatikangaben haben wir völlig verzichtet. Aus dem Stichwort **plus** der Übersetzung wird schnell klar, ob es sich um ein Substantiv, ein Adjektiv usw. handelt.

Die wenigen notwendigen Abkürzungen findest du in der Abkürzungsliste auf S. 8. Die wichtigsten Abkürzungen sind *Sg.* und *Pl.* Und die <u>Unterstreichungen</u> zur Verdeutlichung von Schwierigkeiten verstehen sich ja von selbst:

> **news** [nju:z] (△ *nur im Sg. verwendet*) **1.**
> Neuigkeit(en), Nachricht(en) …
> **Brille 1.** glasses, spectacles …, *umg.* specs
> (△ *alle Pl.*); *meine Brille ist kaputt* my
> glasses <u>are</u> broken …

Wird der unbestimmte Artikel (**a** bzw. **an**) oder der bestimmte Artikel (**the**) im Englischen weggelassen, weisen wir darauf hin:

> **Sauwetter**: *so ein Sauwetter! umg.* what
> lousy weather! (△ *ohne* a)
> **Landwirtschaft** …; *die Landwirtschaft*
> agriculture *oder* farming (△ *ohne the*)

Wir geben auch Hinweise zur Stellung eines Wortes oder Mehrwortausdrucks im englischen Satz:

> **käuflich 1.** for sale (△ *immer hinter dem
> Verb*) …
> **kein 1.** *vor Subst.*: no, not any …
> **kurzfristig 1.** *Lösung, Planung usw.*: …
> short-term (△ *nur <u>vor</u> dem Subst.*)

6.2 Angaben zum Sprachgebrauch

Wo ein englisches oder deutsches Wort von der Standardsprache abweicht bzw. wörtlich oder im übertragenen Sinn verstanden werden kann, haben wir eine oder mehrere der folgenden Bezeichnungen verwendet:

abwertend	*förmlich*	*frauenfeindlich*	*im negativen Sinn*
ironisch	*kritisch*	*salopp*	*tabu*
übertragen	*umg.* (= um-
gangssprachlich)	*vulgär*	*wörtlich*

Hat ein Wort eine **übertragene**, d. h. über den wörtlichen Sinn hinausgehende, bildliche Bedeutung, findest du die Bezeichnung *übertragen* oder *auch übertragen*:

> **point of view** … *übertragen* Gesichts-
> punkt, Standpunkt
> **bark**[1]… **1.** bellen (*auch übertragen*: brüllen)
> …

dehnen 1. stretch (*auch übertragen*) …
Rezept 1. *vom Arzt:* prescription … **2.** (≈
Kochrezept) recipe [△ 'resəpı] **3.** *übertragen* remedy …, cure

6.3 Angaben zu Sachgebieten und zum Bedeutungsumfeld

Wo ein englisches Wort bzw. eine seiner Bedeutungen einem Sachgebiet zugeordnet werden kann, ist dies angegeben. Beispiele für Sachgebiete sind: *Chemie*, *Computer*, *EDV*, *Kunst*, *Musik*, *Schule*, *Sport*, *Wirtschaft* usw.

Das Umfeld, den Zusammenhang, in dem eine spezielle Bedeutung eines Stichwortes häufig vorkommt, geben wir sehr oft statt mit einem Sachgebiet mit ganz „normalen" Wörtern an:

quay … *Hafenanlage:* Kai
Bar … **2.** *im Schrank usw.:* drinks cabinet
Gerippe 1. skeleton … **2.** *von Schiff usw.:* frame(work)

6.4 Angabe von Kollokatoren

Kollokatoren sind Wörter, die typischerweise mit einem oder mehreren Wörtern zusammen auftreten und eine sogenannte „Kollokation" bilden. Kollokatoren wären im Deutschen etwa „saftig" und „Gebühr", eine Kollokation wäre „eine saftige Gebühr".

Mithilfe solcher Kollokatoren lässt sich sehr gut zeigen, in welchem Zusammenhang die jeweilige Übersetzung eines Wortes auftritt. Zu beachten ist, dass wir Kollokatoren immer, auch vor den **englischen** Übersetzungen im Teil Deutsch-Englisch, **in Deutsch** angeben, damit du auf jeden Fall verstehst, was gemeint ist:

rampant … **1.** *Krankheit usw.:* grassierend
 2. *Pflanze:* wuchernd
firm[1] … **3.** *Beweise:* sicher **4.** *Angebot:* bindend
frisch … **2.** *Farbe:* bright …
überstürzt *Entscheidung usw.:* rash

6.5 Synonyme und Antonyme

Manchmal eignen sich **Synonyme** (= Wörter oder Wendungen mit gleicher oder ähnlicher Bedeutung) oder **Antonyme** (= Wörter mit gegensätzlicher Bedeutung) besser als alles andere, um die verschiedenen Bedeutungen eines Stichworts voneinander abzugrenzen.

Vor **Synonymen** haben wir das Symbol für „ist ungefähr gleich" (≈) verwendet, da die betreffenden kursiven Wörter die entsprechende Bedeutung oder Unterbedeutung des Stichworts nicht immer ganz exakt wiedergeben:

> **fabulous** … **1.** *umg.* (≈ *großartig*) fabelhaft **2.** (≈ *mythisch*) sagenhaft …
> **Gerät 1.** (≈ *Vorrichtung*) device … **2.** (≈ *Radio, Fernseher*) set **3.** (≈ *Elektrogerät, Haushaltsgerät*) appliance **4.** (≈ *Maschine*) machine …

Vor **Antonymen** steht das Zeichen ↔:

> **right¹** [raɪt] ↔ *left* **1.** rechte(r, -s), Rechts …
> **right³** [raɪt] ↔ *wrong* **1.** richtig, recht …
> **linke(r, -s) 1.** ↔ *rechte(r, -s)*: left …

6.6 Objekte und Subjekte bei Verben

Statt mit abstrakten Begriffen wie *transitiv* oder *intransitiv* zu arbeiten, ziehen wir es im *Power Dictionary* vor, dort, wo es nötig oder angebracht ist, zusätzlich typische Objekte bzw. Subjekte anzugeben. Wir verwenden dafür immer nur deutsche Wörter, auch vor bzw. hinter englischen Übersetzungen im Teil Deutsch-Englisch.

Objekte stehen in runden Klammern **hinter** der Übersetzung.

> **give** … **3.** spenden (*Blut*) … **6.** bieten (*Schutz*) …
> **run** … **2.** *Sport:* laufen (*Rennen, Strecke*) …
> **bannen** ward off (*Gefahr*)
> **bestellen** … **2.** book, *bes. AE* reserve (*Zimmer usw.*) …

Subjekte stehen in runden Klammern **vor** der Übersetzung:

> **give** … **9.** (*Material usw.*) nachgeben …
> **run** … **14.** (*Theaterstück usw.*) laufen …
> **laufen** … **3.** (*Motor usw.*) run* … **8.** (*Vertrag usw.*) be* valid, run* …

Manchmal kommen sowohl Subjekt- als auch Objektangaben bei einer Übersetzung vor:

> **run** … **18.** (*Zeitung usw.*) abdrucken, bringen (*Artikel usw.*) …

7. Britisches und amerikanisches Englisch

Unterschiede zwischen dem britischen und dem amerikanischen Englisch – sei es in Schreibweise, Bedeutung und gelegentlich auch Aussprache – werden mit den Kürzeln *BE* bzw. *AE* markiert. Im englisch-deutschen Teil des Wörterbuchs erhält die amerikanische Schreibvariante einen eigenen Stichworteintrag, falls sie alphabetisch von der britischen entfernt ist (z. B. *AE* **tire** – *BE* **tyre**). Im deutsch-englischen Teil werden aus Platzgründen amerikanische Schreibvarianten in der Regel nicht angeführt. Wo im Teil Deutsch-Englisch britisches und amerikanisches Englisch bei den Übersetzungen voneinander abweichen, wird die britische Übersetzung in der Regel nicht, die amerikanische mit *AE, auch AE* bzw. *AE mst.* markiert. In der folgenden Übersicht zur britischen und amerikanischen Schreibweise findest du die wichtigsten Unterschiede mit Beispielen.

Britische und amerikanische Schreibweise

Folgende wichtige Unterschiede zwischen den Schreibweisen des amerikanischen Englisch und dem britischen Englisch solltest du dir merken:

BE **-our**	*AE* **-or**	
behaviour	behavior	Benehmen
colour	color	Farbe
favour	favor	Gefallen
honour	honor	Ehre
neighbour	neighbor	Nachbar
usw.		
BE **-ce**	*AE* **-se**	
defence	defense	Verteidigung
licence	license	Lizenz
offence	offense	Verstoß
pretence	pretense	Vorwand
BE **-re**	*AE oft* **-er**	
centre	center	Mitte, Zentrum
fibre	fiber *oder* fibre	Faser
litre	liter *oder* litre	Liter
metre	meter *oder* metre	Meter
theatre	theater *oder* theatre	Theater
usw.		
BE **-ae, oe**	*AE* **-e**	
anaesthetic	anesthetic	Narkose
diarrhoea	diarrhea	Durchfall
encyclopaedia	encyclopedia	Enzyklopädie
manoeuvre	maneuver	Manöver
usw.		
BE **-ogue**	*AE* **-og**	
catalogue	catalog	Katalog
dialogue	dialog	Dialog
monologue	monolog	Monolog
usw.		

Fortsetzung nächste Seite

Britische und amerikanische Schreibweise

BE -ll-	*AE* -l-	
councillor	councilor	Stadtrat, Stadträtin
counsellor	counselor	Berater(in)
marvellous	marvelous	wunderbar
traveller	traveler	Reisende(r)
woollen	woolen	aus Wolle

BE -l-	*AE* -ll- *(gelegentlich auch -l-, mit Ausnahme von skillful)*	
enrol	enroll	sich einschreiben
fulfil	fulfill	erfüllen
instalment	installment	Sendefolge, Fortsetzung
skilful	skillful	geschickt

Weitere Unterschiede:

BE	*AE*	
analyse	analyze	analysieren
axe	ax	Axt
cheque	check	Scheck
cosy	cozy	gemütlich
draught	draft	Durchzug
grey	gray *oder* grey	grau
jewellery	jewelry	Schmuck
mould	mold	Schimmel
paralysed	paralyzed	gelähmt
plough	plow	Pflug
practise	practice	üben; ausüben
programme *(aber EDV:* program)	program	Programm

Weitere Unterschiede:

BE	*AE*	
sceptical	skeptical	skeptisch
storey	story	Etage
tyre	tire	Reifen
Mr	Mr.	Herr
Mrs	Mrs.	Frau
Ms	Ms.	Frau
Mt	Mt.	*Abk.* für Mount (=Berg)

8. Die Übersetzungen

8.1 Allgemeines

Im einfachsten Fall gibt es zu einem Stichwort eine einzige Übersetzung. Häufig hat ein Stichwort aber zwei oder mehr Übersetzungsmöglichkeiten. Handelt es sich dabei um bedeutungsgleiche Übersetzungen, werden sie einfach durch **Kommas** getrennt.

Gibt es zu einem Stichwort mehrere, von der Bedeutung her deutlich unterschiedliche Übersetzungen, werden sie durch **arabische Ziffern** untergliedert. Durch kursiv gedruckte Anmerkungen werden diese Bedeutungen erläutert und voneinander abgegrenzt:

> **wild**[1] [waɪld] **1.** *allg.:* wild … **2.** *Wetter,*
> *Applaus usw.:* stürmisch … **4.** *Idee usw.:*
> verrückt
> **reinigen 1.** *allg.:* clean **2.** (≈ *waschen*)
> clean, wash

Oft unterscheidet sich eine Übersetzungsvariante nur geringfügig von der vorhergehenden. In solchen Fällen wird die zweite Variante nur durch ein Komma abgetrennt und der Unterschied durch eine kursive Bemerkung verdeutlicht:

> **one-way** … **2.** ***one-way ticket*** *bes. AE*
> einfache Fahrkarte, *bei Flug:* einfaches
> Ticket …
> **tausend 1.** *allg.:* a thousand, *betont:* one
> thousand …
> **Verfallsdatum** … **2.** *von Gütern:* sell-by
> date, *von Lebensmitteln auch:* best-before
> date

Auch **Anwendungsbeispiele, typische Wendungen usw.**, können mehrere und deutlich unterschiedliche Übersetzungen haben, die ebenso wie die zweite (und dritte usw.) Übersetzung eines Stichworts nur durch eine kursive Bemerkung hinter dem Komma von der vorhergehenden unterschieden werden:

> **oil**[1] … **2.** Erdöl; ***strike oil*** auf Öl stoßen,
> *übertragen* Glück haben …
> **gehen** … **11. es geht nicht** (≈ *funktioniert*
> *nicht*) it doesn't (*oder* won't) work, (≈ *ist*
> *unmöglich*) it's impossible, *umg.* no way
> …

8.2 Annähernde Übersetzungen

Gibt es für das englische bzw. deutsche Stichwort oder eine Wendung keine direkte Entsprechung auf der Übersetzungsseite, sondern nur eine **annähernd „richtige" Übersetzung**, findest du das Wörtchen *„etwa"* vor der Übersetzung:

> **bankbook** … *etwa:* Sparbuch
> **pools** [puːlz] **the pools** *bes. BE; etwa:*
> (Fußball)Toto …
> **Studienrat, Studienrätin** *etwa:* secondary
> school teacher, *AE* high school teacher
> **Justizminister(in)** … **2.** *in GB etwa:* Lord
> Chancellor … **3.** *in USA etwa:* Attorney
> General …

8.3 Länderbezogene Übersetzungen

Vor Übersetzungen, die speziell in **Österreich** gebräuchlich sind, steht das Auto-Länderkennzeichen Ⓐ. Vor speziell **schweizerischen** Wörtern auf der Übersetzungsseite findest du das Länderkennzeichen ⒸⱧ.

9. Anwendungsbeispiele: Beispielsätze, idiomatische Wendungen und Kollokationen

Beispielsätze und typische Wendungen (*idioms*) bringen Leben in ein Wörterbuch. Sie zeigen dir – besonders wichtig im deutsch-englischen Teil –, wie ein englisches Wort im Satzzusammenhang verwendet wird und helfen dir dabei, selber korrektes Englisch zu sprechen oder zu schreiben.

Im *Power Dictionary* erscheinen Anwendungsbeispiele entweder als Satzmuster (als sogenanntes „pattern"), als knappe oder verkürzte Wendung oder, wo es sinnvoll ist, als kompletter Satz. Sie sind *in einer fetten Schrägschrift* gedruckt.

Beispiele für Satzmuster:

> *have something done* etwas tun lassen
> *take turns at doing something* oder *take it in turn(s) to do something* etwas abwechselnd tun
> *etwas hastig tun* do* something quickly ...
> *Eindruck machen auf* impress, make* an impression on

Beispiele für kurze Begriffe, verkürzte Wendungen und „Idioms":

> *in pairs* paarweise
> *on our left* zu unserer Linken
> *take captive* gefangen nehmen
> *be over the moon* *umg.* überglücklich sein
> *put up a good fight* sich tapfer schlagen
> *römische Ziffer* Roman numeral
> *auf (die) Dauer* in the long run
> *eine ganze Latte von Fragen* *usw.* a whole string of questions *usw.*

Beispiele für voll ausformulierte Sätze:

> *this is the last time I'm going to ask you* das ist das letzte Mal, dass ich dich frage
> *schlag dir das aus dem Kopf!* forget it!
> *er steht unter dem Pantoffel* he's a henpecked husband

In vielen Anwendungsbeispielen, insbesondere im Teil Deutsch-Englisch, sind Wörter oder Wortteile unterstrichen, um dir die Andersartigkeit und die Eigenheiten der englischen Wendungen und Übersetzungen vor Augen zu führen:

in his field auf seinem Gebiet, in seinem Fach
the police have caught the thieves die Polizei hat die Diebe verhaftet
über die Telefonzentrale <u>through</u> the switchboard
Thema Nummer eins <u>the</u> number one topic
eine Uhr auf Wasserfestigkeit testen test <u>whether</u> a watch is waterproof
anfangen zu arbeiten usw. start work<u>ing</u> *usw.*, start work *usw.*

Ausdrücke, deren einzelne Wörter häufig zusammen verwendet werden, geben wir in der Regel als kurze Wendungen wieder:

dead heat totes Rennen
meet a deadline einen Termin einhalten
a wide range of goods ein großes Warenangebot
unübersichtliche Kurve blind corner
toter Winkel blind spot
ein gerissener Bursche a shrewd operator

10. Präpositionale Anschlüsse und andere Ergänzungen

Sind englische Stichwörter oder Übersetzungen mit einer bestimmten **Präposition** verbunden, geben wir diese, zusammen mit der deutschen Entsprechung bzw. Konstruktion, in Klammern an:

accuse ... anklagen (*of* wegen) ...
brood[2]... brüten (*auch übertragen* *on*,
    over, *about* über)
horchen ... listen ... (*auf* to) ...
Abbau 1. (≈ *Reduzierung*) reduction
    (*+Gen. oder* *von* of, in) ...

Auch andere nützliche Ergänzungen geben wir in Klammern an:

vergewissern: *sich* *vergewissern*
make* sure, check (*ob* that)

11. Angabe möglicher Alternativen

11.1 Alternativen in runden Klammern

Alternativen oder Varianten **in Klammern** findest du besonders häufig bei den Anwendungsbeispielen und Übersetzungen:

Summer (*bzw.* *Winter*) *Olympics* Olympische Sommerspiele (*bzw.* Winterspiele)
Summer Olympics = Olympische Sommerspiele; *Winter Olympics* = Olympische Winterspiele.

einkaufen (*gehen*) go* shopping
Sowohl *einkaufen* als auch *einkaufen gehen* haben also die Übersetzung „go shopping".

(*mit jemandem*) **abrechnen** *übertragen* get* even (with someone)

abrechnen im übertragenen Sinn wird übersetzt mit „get even", während *mit jemandem abrechnen* mit „get even with someone" zu übersetzen ist.

(*sich*) **etwas patentieren lassen** take* a patent out on something

etwas patentieren lassen und *sich etwas patentieren lassen* haben die gleiche Übersetzung.

sich mit etwas abquälen struggle (*oder* have* a hard time) with something

Die Übersetzung lautet wahlweise „struggle with something" oder „have a hard time with something".

keep (*oder* **have**) **a file on** eine Akte führen über

Im Englischen kannst du entweder *keep a file on* oder *have a file on* sagen.

das ist überhaupt nicht vergleichbar you can't compare (the two)

Die Übersetzung lautet wahlweise „you can't compare" oder „you can't compare the two".

er trug eine Latzhose he was wearing overalls *oder* (a pair of) dungarees

Als Übersetzung werden drei Möglichkeiten angegeben: „he was wearing overalls" oder „he was wearing dungarees" oder „he was wearing a pair of dungarees".

Reihenhaus terrace(d) house …

Du kannst entweder mit „terrace house" oder „terraced house" übersetzen.

first … **1.** erste(r, -s) …

Das Stichwort kann sowohl mit „erste" als auch mit allen anderen Formen dieses Wortes, also z. B. mit „erster", „erstes", „ersten" und „erster" übersetzt werden.

leader … **3.** *Sport*: Spitzenreiter(in), Erstplatzierte(r) …

Das Stichwort lässt sich sowohl mit „Spitzenreiter" als auch mit „Spitzenreiterin" übersetzen. Entsprechend auch mit „Erstplatzierter" und „Erstplatzierte" (*der* oder *die* Erstplatzierte).

Auch **bei Stichwörtern** kommen gelegentlich Klammern vor:

einige(r, -s) …

Die folgenden Übersetzungen gelten sowohl für **einige** als auch für alle anderen Formen des Stichworts, also auch für **einiger**, **einiges**, **einigen** usw.

Maurer(in) …

Die Klammern sagen dir hier, dass **Maurer** und **Maurerin** dieselbe(n) Übersetzung(en) haben.

Angestellte(r) …

Der **Angestellte**, ein **Angestellter** und eine **Angestellte** haben alle dieselbe Übersetzung (wobei 'a' bzw. 'the' im Englischen dazukommt).

Wo die weibliche Form des Stichworts eine andere Übersetzung als die männliche Form hat, ist sie entweder ein eigenes Stichwort (z. B. bei **Arzt** und **Ärztin**), oder wir haben die Übersetzung der weiblichen Form durch kursive Anmerkungen deutlich gekennzeichnet:

> **Millionär(in)** millionaire …, *Frau auch*: millionairess …

Für **Millionärin** kannst du als Übersetzung entweder „millionaire" oder „millionairess" wählen.

> **Vorsitzende(r)** chairperson, *Mann auch*: chairman …, *Frau auch*: chairwoman

Das bedeutet, du kannst die Übersetzung „chairperson" sowohl für Männer als auch für Frauen verwenden. Einen **Vorsitzenden** kannst du zusätzlich mit „chairman" übersetzen, eine **Vorsitzende** zusätzlich mit „chairwoman".

Bei **Nationalitätenbezeichnungen** geben wir Varianten in Klammern an:

> **Inder** Indian; *er ist Inder* he's (an) Indian
> …

Die Übersetzung von *er ist Inder* lautet wahlweise „he's Indian" oder „he's an Indian".

> **Inderin** Indian woman (*oder* lady *bzw.*
> girl); *sie ist Inderin* she's (an) Indian …

Für **eine Inderin** gilt also die Übersetzung „an Indian woman" oder „an Indian lady". Wenn bekannt ist, dass es sich um eine sehr junge Frau oder ein Mädchen handelt, solltest du das „*bzw.*" beachten (es bedeutet ja: je nach Zusammenhang) und in diesem Fall **eine Inderin** mit „an Indian girl" übersetzen. *Sie ist Inderin* kannst du wieder wahlweise mit „she's Indian" oder „she's an Indian" übersetzen.

11.2 „auch"-Alternativen

Alternativen werden gelegentlich mit dem Wort *„auch"* eingeleitet:

> **oddly** … **2.** *auch* **oddly enough** seltsamerweise, merkwürdigerweise

Das bedeutet, sowohl für *oddly* als auch für *oddly enough* gelten die angegebenen deutschen Übersetzungen.

> **Tierfreund(in)** animal lover; *bist du ein*
> *Tierfreund? auch*: do you like animals?

Das „*auch*:" weist dich darauf hin, dass du als Übersetzung sowohl die vorausgehende Grundübersetzung – also „are you an animal lover" – als auch die hinter „*auch*:" stehende Übersetzung verwenden kannst.

12. „Falsche Freunde"

Manche englischen und deutschen Wörter ähneln sich so sehr, dass man sie für gleichbedeutend halten könnte. In Wirklichkeit sind sie aber „falsche Freunde", d. h. sie haben eine ganz andere Bedeutung als die vermutete. Um dir peinliche Verwechslungen zu ersparen, haben wir in kritischen Fällen einen Warnhinweis in Klammern angebracht:

> **gymnasium** … Turnhalle, Sporthalle
> (△ *dt. Gymnasium* = **grammar school**,
> *AE* **high school**)
> **actual** … **1.** wirklich, tatsächlich **2.** eigent-
> lich (△ *nicht* **aktuell**)
> **sensible** … vernünftig … (△ *sensibel* =
> **sensitive**)

> **Gymnasium** *etwa*: grammar school, *AE*
> high school (△ *engl.* gymnasium =
> **Sport-**, **Turnhalle**) …
> **pink, Pink** shocking pink (△ *engl.* pink =
> **rosa**)

13. Verweise und Hinweise

Verweise auf andere Stichwörter haben den Verweispfeil →. Er zeigt an, dass sich unter dem Stichwort, auf das verwiesen wird, detailliertere oder zusätzliche Angaben zur Übersetzung usw. finden.

Hinweise haben ein Handsymbol: ☞. Es bedeutet, dass sich bei dem betreffenden anderen Stichwort nützliche Zusatzinformationen oder auch eine genauere Erläuterung eines Themas in Form eines Info-Fensters usw. finden lassen.

Das Handsymbol findest du auch als Hinweis auf eine Farbillustration oder eine Landkarte.

Englisch – Deutsch

A

A [eɪ] *from A to Z umg.* von A bis Z

a [ə], *vor vokalischem Anlaut* **an** [ən] **1.** ein(e); *he's a doctor* er ist Arzt **2.** *half an hour* eine halbe Stunde; *quite a long time* eine ziemlich lange Zeit; *many a förmlich* manche(r, -s), manch ein(e) **3.** per, pro, je; *twice a week* zweimal die Woche; *he earns £300 a week* er verdient 300 Pfund pro Woche

A&E [ˌeɪ ənd ˈiː] (*Abk. für* **a**ccident and **e**mergency) *BE* Krankenhaus Notaufnahme

aback [əˈbæk] *taken aback Person*: überrascht, verblüfft, bestürzt

abandon [əˈbændən] **1.** verlassen (*Frau usw.*) **2.** aussetzen (*Tier, Kind*) **3.** aufgeben (*Hoffnung usw.*), einstellen (*Suche*) **4.** *Sport*: abbrechen (*Spiel*)

abattoir [△ ˈæbətwɑː] Schlachthof

abbess [ˈæbes] Äbtissin

abbey [ˈæbɪ] Abtei

abbot [ˈæbət] Abt

abbreviate [əˈbriːvɪeɪt] kürzen, abkürzen, verkürzen (*Wort, Geschichte usw.*); *abbreviated form* Kurzform

abbreviation [ə,briːvɪˈeɪʃn] Abkürzung; ☞ *Tabelle S. 28*

ABC [ˌeɪbiːˈsiː] **1.** *AE* **ABC's** *Pl.* Abc, Alphabet; (*as*) *easy as ABC* kinderleicht **2.** *übertragen* Abc, Anfangsgründe

abdicate [ˈæbdɪkeɪt] (*König usw.*) abdanken

abdication [ˌæbdɪˈkeɪʃn] *von König usw.*: Abdankung

abdomen [ˈæbdəmən] *Körper*: Unterleib

abdominal [æbˈdɒmɪnl] Unterleibs...

abduct [æbˈdʌkt] entführen (*Kind usw.*)

abhor [əbˈhɔː] *abhorred, abhorred* verabscheuen

abhorrent [əbˈhɒrənt] abscheulich, zuwider

abide [əˈbaɪd] *I can't abide him* ich kann ihn nicht ausstehen

---

abide by [əˈbaɪd_baɪ] sich halten an (*Regeln, ein Versprechen usw.*)

---

ability [əˈbɪlətɪ] Fähigkeit

abject [ˈæbdʒekt] **1.** *Verhältnisse*: elend, erbärmlich **2.** *abject poverty* bittere Armut

able [ˈeɪbl] fähig, tüchtig, geschickt; *be able to do something* etwas tun können, imstande *oder* in der Lage sein, etwas zu tun; *able to pay* zahlungsfähig

able-bodied [ˌeɪblˈbɒdɪd] **1.** kräftig **2.** *militärisch*: tauglich

abnormal [æbˈnɔːml] *Verhalten, Wetter usw.*: anormal, abnorm

aboard [əˈbɔːd] *Schiff, Flugzeug*: an Bord (+ *Genitiv*); *go aboard* an Bord gehen

abode [əˈbəʊd] *auch place of abode Recht*: Wohnsitz; *of* (*oder* *with*) *no fixed abode* ohne festen Wohnsitz

abolish [əˈbɒlɪʃ] abschaffen, aufheben (*Gesetz, Institution usw.*)

abolition [ˌæbəˈlɪʃn] Abschaffung, Aufhebung

abominable [əˈbɒmɪnəbl] *Verbrechen, umg. auch Wetter, Essen usw.*: abscheulich

aboriginal [△ ˌæbəˈrɪdʒnəl], **aborigine** [ˌæbəˈrɪdʒənɪ] *in Australien*: Ureinwohner(in)

abort [əˈbɔːt] **1.** *medizinisch*: abtreiben (*Embryo*) **2.** (*Frau*) eine Fehlgeburt haben **3.** abbrechen (*Raumflug, Programm usw.*)

abortion [əˈbɔːʃn] Schwangerschaftsabbruch, Abtreibung; *have an abortion* abtreiben lassen

abortive [əˈbɔːtɪv] *Versuch usw.*: erfolglos

abound [əˈbaʊnd] reichlich vorhanden sein

---

abound in *oder* **with** [əˈbaʊnd_ɪn *oder* wɪð] **1.** reich sein an **2.** voll sein von, wimmeln von

---

about [əˈbaʊt] **1.** über (*Thema usw.*); *talk about business* über Geschäfte reden **2.** *bes. BE, räumlich*: herum, umher; *run about in the garden* im Garten herumlaufen; *don't leave your books lying about* lass deine Bücher nicht herumliegen **3.** *zeitlich*: um, gegen; *about noon* um die Mittagszeit, gegen Mittag **4.** *umg.* ungefähr, etwa; *that's about right* das kommt so ungefähr hin; *he's about 50* er ist so um die 50 herum **5.** im Be-

abbreviations – gängige Abkürzungen im Englischen

In folgender Liste findest du eine kleine Auswahl von Abkürzungen, die du eventuell in englischen Texten antreffen wirst. Beachte, dass man heute im britischen Englisch die Punkte meist weglässt, sie dagegen im amerikanischen Englisch häufig setzt.

Abkürzung	Vollform / Lautschrift	Übersetzung
abbr	abbreviation	Abkürzung, Abk.
AD	(lateinisch **anno domini**) **in the year of our Lord**	im Jahre unseres Herrn, nach Christus, n. Chr.
am	(lateinisch **ante meridiem**) **in the morning**	morgens, vormittags
approx	approximately	ungefähr, circa, ca.
BC	before Christ	vor Christus, v. Chr.
C	century	Jahrhundert, Jh.
c/o	care of	bei; zu Händen, z. Hd.
Co	Company	Gesellschaft
Dept	Department	Abteilung, Abt.
Dr	Doctor	Doktor, Dr.
eg	(lateinisch **exempli gratia**) **for example**	zum Beispiel, z.B.
esp	especially	besonders, bes.
etc	et cetera	und so weiter, usw.
extn	extension	Nebenstelle, NSt
Fri	Friday	Freitag, Fr
GP	General Practitioner	Arzt für Allgemeinmedizin, Hausarzt
ie	(lateinisch **id est**) **that is**	das heißt, d. h.
incl	including	inklusiv, inkl.
LA	Los Angeles	
Mon	Monday	Montag, Mo
MP	Member of Parliament	Parlamentsmitglied
Mr	Mister	Herr
Mrs	['mɪsɪz]	Frau (bei verheirateter Frau)
Ms	[mɪz]	Frau (meist bei unverheirateter Frau)
no, No	number	Nummer, Nr.
NYC	New York City	*die Stadt* New York
p	page	Seite, S.
pm	(lateinisch **post meridiem**) **in the afternoon / evening**	nachmittags, abends
PO Box	Post Office Box	Postfach, PF
PTO	please turn over	bitte wenden, b.w.
Sat	Saturday	Sonnabend, Samstag, Sa
Sq	Square	Platz, Pl.
St	Street Saint	Straße, Str. Sankt, St.
Sun	Sunday	Sonntag, So
Thur, Thurs	Thursday	Donnerstag, Do
Tue, Tues	Tuesday	Dienstag, Di
Wed	Wednesday	Mittwoch, Mi

griff, dabei; *he was about to go out* er wollte gerade weggehen; *it's about to rain* es regnet gleich **6.** *be up and about* auf den Beinen sein **7.** in der Nähe, da; *there was no one about* es war kein Mensch da **8.** *what about ...?* wie wärs mit ...?; *how about a drink?* wie wärs mit einem Drink?

above[1] [ə'bʌv] **1.** über, oberhalb; *above sea level* über dem Meeresspiegel **2.** *above all* vor allem **3.** *be above something* über etwas stehen; *she thinks she's above doing the dishes* sie hält sich für zu gut, um abzuwaschen **4.** oben; *from above* von oben **5.** darüber (hinaus); *children aged six and above* Kinder im Alter von sechs Jahren und älter

above[2] [ə'bʌv], **above-mentioned** [ə,bʌv'menʃnd] obige(r, -s), oben erwähnte(r, -s)

abreast [ə'brest] **1.** Seite an Seite; *three abreast* zu dritt nebeneinander **2.** *keep abreast of* übertragen Schritt halten mit; *keep abreast of the times* auf dem Laufenden bleiben

abridge [ə'brɪdʒ] kürzen (*Buch, Rede usw.*); *abridged version* gekürzte Fassung

abridgement [ə'brɪdʒmənt] **1.** Kürzung **2.** *von Text:* Kurzfassung

abroad [ə'brɔːd] **1.** im Ausland; *from abroad* aus dem Ausland; *at home and abroad* im In- und Ausland **2.** ins Ausland; *go abroad* ins Ausland gehen **3.** *on a trip abroad* auf eine Auslandsreise

abrupt [ə'brʌpt] **1.** plötzlich, abrupt **2.** *Benehmen:* schroff

abs [æbz] *Pl.* (*Abk. für* abdominal muscles) *umg.* Bauchmuskeln *Pl.*

abscess [△ 'æbses] (≈ *Eiterbeule*) Abszess

abscond [əb'skɒnd] sich heimlich davonmachen

absence ['æbsəns] **1.** Abwesenheit, Ⓐ, Ⓒ *bes. von der Schule:* Absenz **2.** Fehlen, Mangel (*of* an); *in the absence of* aus Mangel an, in Ermangelung (+ *Genitiv*)

absent ['æbsənt] **1.** abwesend; *be absent* fehlen; *be absent from school* (*bzw. from work*) in der Schule (*bzw.* am Arbeitsplatz) fehlen **2.** *Blick usw.:* (geistes)abwesend

absentee [,æbsn'tiː] Abwesende(r)

absenteeism [,æbsən'tiːɪzm] häufiges (unentschuldigtes) Fehlen (*am Arbeitsplatz, in der Schule*)

absent-minded [,æbsənt'maɪndɪd] geistesabwesend, zerstreut

absolute ['æbsəluːt] **1.** *allg.:* absolut **2.** *Herrscher, Macht usw.:* unumschränkt **3.**

Unsinn usw.: vollkommen

absolutely ['æbsəluːtlɪ] **1.** absolut, vollkommen; *absolutely fantastic* ganz toll **2.** *absolutely!* [,æbsə'luːtlɪ] *als Antwort:* unbedingt!

absolution [,æbsə'luːʃn] *in der Kirche:* Absolution

absolve [△ əb'zɒlv] **1.** *absolve someone from something* jemanden von etwas freisprechen (*von einer Sünde usw.*) **2.** *absolve someone* (*Priester*) jemandem die Absolution erteilen (△ *nicht absolvieren*)

absorb [əb'sɔːb] **1.** aufsaugen (*Flüssigkeit*) **2.** übertragen in sich aufnehmen (*Wissen usw.*) **3.** *be absorbed in* übertragen vertieft sein in

absorbent [əb'sɔːbənt] saugfähig

absorbing [əb'sɔːbɪŋ] fesselnd

abstain [əb'steɪn] **1.** *abstain (from voting)* *bei der Wahl:* sich der Stimme enthalten **2.** *abstain from smoking usw.* das Rauchen *usw.* unterlassen

abstention [əb'stenʃn] *abstention (from voting)* (Stimm)Enthaltung

abstinence ['æbstɪnəns] *bes. von Alkohol:* Abstinenz, Enthaltsamkeit

abstinent ['æbstɪnənt] abstinent, enthaltsam

abstract ['æbstrækt] *Gemälde, Begriff usw.:* abstrakt

absurd [əb'sɜːd] **1.** (≈ *gegen jede Vernunft*) absurd **2.** *Aussehen, Situation usw.:* albern, lächerlich

abundance [ə'bʌndəns] (≈ *große Menge*) Fülle (*of* von), Überfluss; *in abundance* in Hülle und Fülle

abundant [ə'bʌndənt] *Vorräte usw.:* reich, reichlich

abuse[1] [ə'bjuːz] **1.** beschimpfen **2.** missbrauchen (*auch sexuell*) **3.** misshandeln

abuse[2] [△ ə'bjuːs] (△ *nur im Sg. verwendet*) **1.** Beschimpfungen *Pl.* **2.** Missbrauch; *drug abuse* Drogenmissbrauch

abusive [ə'bjuːsɪv] beleidigend; *use abusive language* jemanden beschimpfen

abysmal [ə'bɪzməl] miserabel

abyss [△ ə'bɪs] Abgrund (*auch übertragen*)

AC [,eɪ'siː] **1.** (*Abk. für* **a**lternating **c**urrent) Wechselstrom **2.** (*Abk. für* **a**ir **c**onditioning) Klimaanlage

academic[1] [,ækə'demɪk] **1.** *allg.:* akademisch **2.** wissenschaftlich **3.** theoretisch; *a purely academic question* eine rein theoretische Frage

academic[2] [,ækə'demɪk] Wissenschaftler(in), Hochschullehrer(in) (△ *Akademiker(in)* = *university graduate*)

academy [ə'kædəmɪ] Akademie; *acade-*

my of music Musikhochschule

accelerate [ək'seləreɪt] **1.** *im Auto usw.*: Gas geben **2.** *(Fahrzeug usw.)* (sich) beschleunigen, schneller werden *(auch übertragen Prozess, Entwicklung usw.)*

acceleration [ək͵selə'reɪʃn] Beschleunigung

accelerator [ək'seləreɪtə] Gaspedal

accent ['æksnt] Akzent

accentuate [ək'sentʃʊeɪt] hervorheben, betonen *(Gegensatz usw.)*

accept [ək'sept] **1.** annehmen *(Geld, Geschenk usw.)* **2.** akzeptieren *(Person, Entscheidung usw.)* **3.** hinnehmen, sich abfinden mit *(Tatsache, Schicksal usw.)* **4.** übernehmen *(Verantwortung)*

acceptable [ək'septəbl] **1.** *Leistung, Qualität usw.*: akzeptabel, ausreichend **2.** *Risiko, Benehmen usw.*: annehmbar, zu vertreten

acceptance [ək'septəns] **1.** Annahme, Entgegennahme **2. gain** *(oder* **find, win) acceptance** Anerkennung finden

accepted [ək'septɪd] allgemein anerkannt

access[1] [△ 'ækses] **1.** Zugang **(to** zu) **2.** *Computer*: Zugriff **(to** auf) **3. access only** Straßenschild: Anlieger frei

access[2] [△ 'ækses] *Computer*: zugreifen auf *(Datei, Informationen)*

accessible [ək'sesəbl] (leicht) erreichbar, zugänglich

accessory [ək'sesərɪ] **1.** *mst.* **accessories** *Pl.*; *beim Auto usw.*: Zubehör **2.** *mst.* **accessories** *Pl.* modisches Zubehör, Accessoires

access provider ['ækses͵prə͵vaɪdə] *Internet*: Provider

accident ['æksɪdənt] **1.** Unfall, Unglück, Unglücksfall **2.** Zufall; **by accident** durch Zufall, zufällig **3.** *in Kernkraftwerk*: Störfall

accidental [͵æksɪ'dentl] **1.** *Begegnung usw.*: zufällig **2.** *Fehler usw.*: versehentlich

accidentally [͵æksɪ'dentlɪ] **1.** zufällig **2.** versehentlich

acclimatize [ə'klaɪmətaɪz] sich gewöhnen **(to** an), sich eingewöhnen (in)

accommodate [ə'kɒmədeɪt] **1.** *in Wohnraum*: unterbringen **2.** Platz haben für, fassen *(Personen, Gegenstände)*; **the hall can accommodate four hundred people** der Saal hat Platz für vierhundert Personen

accommodation [ə͵kɒmə'deɪʃn] (≈ *Zimmer, Quartier*) Unterkunft; **look for accommodation** eine Unterkunft suchen

accompaniment [△ ə'kʌmpənɪmənt] *bes. musikalische*: Begleitung

accompany [△ ə'kʌmpənɪ] begleiten

(auch musikalisch)

accomplice [△ ə'kʌmplɪs] *bei Verbrechen*: Komplize, Komplizin

accomplish [△ ə'kʌmplɪʃ] erreichen *(Ziel, Zweck)*

accomplished [△ ə'kʌmplɪʃt] *Künstler, Vorstellung usw.*: vollendet, perfekt

accomplishment [△ ə'kʌmplɪʃmənt] Fähigkeit, Fertigkeit

accord [ə'kɔːd] **he did it of his own accord** er hat es freiwillig gemacht (△ *nicht* **Akkord**)

accordance [ə'kɔːdns] **in accordance with your wishes** Ihren Wünschen entsprechend

according [ə'kɔːdɪŋ] **according to** laut, nach; **according to John, she's a good pianist** laut John ist sie eine gute Pianistin

accordingly [ə'kɔːdɪŋlɪ] entsprechend *(handeln, sich verhalten)*

accordion [ə'kɔːdɪən] Akkordeon

accost [ə'kɒst] **1.** (in eindeutiger Absicht) ansprechen *(bes. eine Frau)* **2.** anpöbeln

account [ə'kaʊnt] **1.** *Bank usw.*: Konto **(with** bei); **savings account** Sparkonto **2.** Bericht; **give an account of** Bericht erstatten über **3. on account of** wegen; **on my account** meinetwegen; **on no account** auf keinen Fall **4. take into account** berücksichtigen

---

account for [ə'kaʊnt͵fɔː] **1.** Rechenschaft ablegen über **2.** erklären, begründen; **there's no accounting for taste** über Geschmack lässt sich (nicht) streiten **3. that accounts for ...** das ist der Grund für ...

---

accountable [ə'kaʊntəbl] verantwortlich **(for** für); **hold someone accountable for something** jemanden für etwas verantwortlich machen

accountant [ə'kaʊntənt] Buchhalter(in)

account number [ə'kaʊnt͵nʌmbə] Kontonummer

accumulate [△ ə'kjuːmjəleɪt] **1.** ansammeln *(Reichtümer, Schätze)* **2.** *(Gegenstände, Staub, Schulden usw.)* sich ansammeln

accuracy [△ 'ækjərəsɪ] Genauigkeit

accurate ['ækjərət] genau; **my watch is accurate** meine Uhr geht genau

accusation [͵ækjuː'zeɪʃn] **1.** Anklage; **bring an accusation against** Anklage erheben gegen **2.** Anschuldigung **3.** Vorwurf

accusative [△ ə'kjuːzətɪv] *auch* **accusative case** *Sprache*: Akkusativ, 4. Fall

accuse [ə'kjuːz] **1.** *Recht*: anklagen **(of**

wegen) **2.** beschuldigen (*of*; *dt. Genitiv*); *are you accusing me of stealing?* willst du etwa sagen, dass ich gestohlen habe?

accused [ə'kjuːzd] *the accused* der *oder* die Angeklagte, die Angeklagten *Pl.*

accusing [ə'kjuːzɪŋ] *Blick usw.*: anklagend, vorwurfsvoll

accustomed [ə'kʌstəmd] *be accustomed to doing something* gewohnt sein, etwas zu tun; *get accustomed to something* sich an etwas gewöhnen

ace [eɪs] **1.** *Spielkarte, auch Tennis*: Ass; *ace of hearts* Herzass; *have an ace up one's sleeve* übertragen noch einen Trumpf in der Hand haben **2.** *umg.* Ass, Kanone

ache[1] [eɪk] wehtun, schmerzen; *my head aches oder is aching* mir tut der Kopf weh; *I'm aching all over* mir tut alles weh

ache[2] [eɪk] Schmerz(en); *aches and pains* Wehwehchen

achieve [ə'tʃiːv] **1.** erreichen (*Ziel*) **2.** erzielen (*Erfolg*) **3.** leisten (*Großes usw.*)

achievement [ə'tʃiːvmənt] Leistung; *sense of achievement* Erfolgserlebnis

acid[1] [△ 'æsɪd] sauer

acid[2] [△ 'æsɪd] Säure

acid rain [ˌæsɪd'reɪn] saurer Regen

acid test [ˌæsɪd'test] *übertragen* Feuerprobe

acknowledge [ək'nɒlɪdʒ] **1.** anerkennen (*Autorität, Gericht usw.*) **2.** zugeben (*Fehler usw.*) **3.** bestätigen (*Brief, Empfang usw.*)

acknowledgement, acknowledgment [ək'nɒlɪdʒmənt] **1.** Anerkennung (*für Leistung usw.*) **2.** (≈ *Antwortschreiben*) Empfangsbestätigung

acne ['ækni] Akne

acorn [△ 'eɪkɔːn] Eichel

acoustics [△ ə'kuːstɪks] *Pl.* Akustik; *the acoustics aren't very good* die Akustik ist nicht sehr gut

acquaintance [ə'kweɪntəns] **1.** *Person*: Bekannte(r) **2.** Bekanntschaft; *make someone's acquaintance* jemandes Bekanntschaft machen (*with*; *dt. Genitiv*) (*einer Sprache usw.*)

acquainted [ə'kweɪntɪd] **1.** *be acquainted with someone* jemanden kennen; *become acquainted with someone* jemanden kennenlernen **2.** *be acquainted with something* mit etwas vertraut sein

acquire [ə'kwaɪə] **1.** erwerben (*Besitz, Vermögen usw.*) **2.** sich aneignen (*Kenntnisse usw.*)

acquisition [ˌækwɪ'zɪʃn] **1.** Erwerb **2.** Anschaffung

acquisitive [ə'kwɪzətɪv] habgierig

acquit [ə'kwɪt], *acquitted, acquitted* **1.** freisprechen (*Angeklagten*) (*of von*) **2.** *he acquitted himself well* er hat seine Sache gut gemacht

acquittal [ə'kwɪtl] *vor Gericht*: Freispruch

acre ['eɪkə] *Maßeinheit, 4047m²*: Acre

acrimonious [ˌækrɪ'məʊnɪəs] **1.** *Auseinandersetzung usw.*: erbittert **2.** *Worte usw.*: scharf, beißend

acrobat [△ 'ækrəbæt] Akrobat(in)

across [ə'krɒs] **1.** (quer) über (*die Straße usw.*) **2.** (quer) durch (*einen Fluss usw.*) **3.** auf der anderen Seite (*der Straße usw.*) **4.** hinüber; *go across* hinübergehen **5.** herüber; *come across* herüberkommen **6.** breit; *2 miles across* 2 Meilen breit **7.** im Durchmesser (*See usw.*) **8.** *im Kreuzworträtsel*: waagerecht

act[1] [ækt] **1.** (≈ *aktiv werden*) handeln **2.** *Theater usw.*: spielen; *act the part of Hamlet* den Hamlet spielen; *she can't act* sie ist eine schlechte Schauspielerin **3.** sich verhalten, sich benehmen; *she's always acting the martyr* sie spielt immer die Leidende **4.** (*Medikament usw.*) wirken (*on* auf) **5.** tätig sein; *act as* amtieren *oder* fungieren als

act up [ˌækt'ʌp] *umg.* **1.** Theater machen **2.** (*Gerät usw.*) verrücktspielen

act[2] [ækt] **1.** *Theater*: Aufzug, Akt **2.** *Act (of Parliament, AE of Congress)* Gesetz **3.** Tat, Handlung; *an act of God* höhere Gewalt

acting[1] ['æktɪŋ] stellvertretend, amtierend

acting[2] ['æktɪŋ] Schauspielerei, Spielen

action ['ækʃn] **1.** Handeln; *man of action* Mann der Tat; *put into action* in die Tat umsetzen; *take action* handeln, Schritte unternehmen **2.** *Roman usw.*: Handlung **3.** *im Film usw.*: Action; *where the action is* umg. wo was los ist **4.** (Ein)Wirkung (*on* auf) **5.** Klage, Prozess; *bring an action against* verklagen **6.** Gefecht, Einsatz; *killed in action* gefallen

action-packed ['ækʃnpækt] *Film usw.*: voller Action, actionreich

action replay ['ækʃnˌriːpleɪ] *BE* (Zeitlupen)Wiederholung (*einer Spielszene*)

activate ['æktɪveɪt] **1.** auslösen (*Alarm usw.*) **2.** *bes. Chemie, Technik*: aktivieren

active ['æktɪv] **1.** *allg.*: aktiv, *Vulkan auch*: tätig **2.** *Interesse, Beteiligung usw.*: lebhaft, rege **3.** *active (voice)* Sprache: Aktiv, Tatform

activist ['æktɪvɪst] *bes. in Zusammensetzungen*: Aktivist(in), Kämpfer(in); *anti-nuclear activist* Atomgegner(in)

activity [æk'tɪvətɪ] **1.** Aktivität **2.** *mst. ac-*

tivities *Pl. in Schule, Freizeit usw.*: Aktivität, Beschäftigung

actor ['æktə] Schauspieler

actress ['æktrəs] Schauspielerin

actual ['æktʃʊəl] **1.** wirklich, tatsächlich **2.** eigentlich (△ *nicht* **aktuell**)

actually ['æktʃʊəlɪ] **1.** *als Füllwort, oft nicht übersetzt*: **actually, I think that's a good idea** ich halte das für eine gute Idee! **2.** eigentlich; **what did she actually say?** was hat sie eigentlich gesagt? **3.** tatsächlich; **he actually did it** er hat es tatsächlich getan **4.** sogar; **oh, he's actually ready** oh, er ist sogar fertig!

acumen ['ækjʊmən] Scharfsinn; **business acumen** Geschäftssinn

acupressure ['ækjʊ,preʃə] Akupressur

acupuncture ['ækjʊ,pʌŋktʃə] Akupunktur

acute [ə'kjuːt] **1.** *Gehör usw.*: scharf **2.** *Analyse usw.*: scharfsinnig **3.** *Krankheit*: akut **4.** *Schmerzen*: stark **5.** *Mangel usw.*: erheblich **6.** *Winkel*: spitz

AD [,eɪ'diː] (*Abk. für* **a**nno **D**omini) n. Chr. (*nach Christus*)

ad [æd] *umg.* Anzeige, Inserat, Annonce

adapt [ə'dæpt] **1.** anpassen (**to** an) **2.** umbauen (*Auto, Gerät*) **3.** bearbeiten (*Text*) **4.** sich anpassen(**to** an)

adaptable [ə'dæptəbl] anpassungsfähig

adaptation [,ædæp'teɪʃn] **1.** *von Person, Tier*: Anpassung (**to** an) **2.** Bearbeitung (*eines Theaterstücks usw.*)

adapter, adaptor [ə'dæptə] Adapter, Zwischenstecker

add [æd] **1.** hinzufügen (**to** zu; **that** dass) **2.** addieren, zusammenzählen

> **add to** ['æd tə] vergrößern, noch hinzukommen zu (*Schwierigkeiten usw.*)
>
> **add up** [,æd'ʌp] **1.** addieren, zusammenzählen **2.** (*Rechnung*) aufgehen, stimmen **6.** *übertragen* einen Sinn ergeben
>
> **add up to** [,æd'ʌp tə] **1.** sich belaufen auf, betragen **2.** *übertragen* hinauslaufen auf

added ['ædəd] zusätzlich

adder ['ædə] *Schlange*: Natter

addict ['ædɪkt] **1.** *Drogen usw.*: Süchtige(r) **2.** *Fußball usw.*: Fanatiker(in)

addicted [ə'dɪktɪd] süchtig; **be addicted to drugs** drogensüchtig sein

addiction [ə'dɪkʃn] Sucht; **addiction to alcohol** Alkoholsucht

addictive [ə'dɪktɪv] **be addictive** (*Drogen, Fernsehen usw.*) süchtig machen

addition [ə'dɪʃn] **1.** Zusatz, Ergänzung; **an addition to the family** Familienzu-

wachs **2.** *Rechenart*: Addition **3.** *in addition* noch dazu, außerdem; **in addition to** außer, zusätzlich zu

additional [ə'dɪʃnəl] zusätzlich

additive ['ædətɪv] Zusatz (*bes. chemischer*)

add-on ['ædɒn] *für Computer*: Zusatzgerät

address[1] [ə'dres] **1.** *allg.*: Adresse, Anschrift **2.** *Computer*: Adresse **3.** *vor Versammlung usw.*: Ansprache, Rede

address[2] [ə'dres] **1.** adressieren (*Brief*) **2.** *mit Titel usw.*: anreden; **how should I address him?** wie soll ich ihn anreden? **3.** sprechen zu (*Zuhörern usw.*) **4.** **address to** richten an (*Worte usw.*)

addressee [△ ,ædres'iː] Empfänger(in)

adept[1] [ə'dept] erfahren, geschickt (**at, in** in)

adept[2] ['ædept] Meister(in), Experte, Expertin (**at, in** in)

adequate ['ædɪkwət] **1.** ausreichend **2.** (≈ *gerade genug*) hinreichend **3.** angemessen

adhere [əd'hɪə] kleben, haften (**to** an)

> **adhere to** [əd'hɪə tə] festhalten an, bleiben bei (*Plan, Überzeugung usw.*)

adherence [əd'hɪərəns] Festhalten (**to** an)

adhesive [əd'hiːsɪv] haftend, klebend, Haft..., Kleb(e)...; **adhesive plaster** (*AE* **bandage**) Heftpflaster; **adhesive tape** Klebstreifen

adjacent [ə'dʒeɪsnt] angrenzend; **it's adjacent to the station** es befindet sich direkt neben dem Bahnhof

adjective ['ædʒɪktɪv] *Sprache*: Adjektiv, Eigenschaftswort

adjoin [ə'dʒɔɪn] **1.** (*Raum, Garten usw.*) grenzen an **2.** (*Räume usw.*) aneinandergrenzen, nebeneinanderliegen

adjoining [ə'dʒɔɪnɪŋ] Nachbar..., Neben...

adjourn [ə'dʒɜːn] **1.** vertagen (**till, until** auf; **for** um), unterbrechen **2.** sich vertagen

adjust [ə'dʒʌst] **1.** (richtig) einstellen (*Bremse, Zündung usw.*) **2.** regulieren (*Ton, Farbe usw.*) **3.** anpassen (**to** an)

adjustable [ə'dʒʌstəbl] verstellbar, regulierbar

adjustment [ə'dʒʌstmənt] **1.** *technisch*: Einstellung (*einer Maschine usw.*) **2.** Anpassung (*an Lebensbedingungen usw.*)

adland ['ædlænd] *umg.* die Werbebranche

ad-lib [,æd'lɪb], **ad-libbed, ad-libbed** *umg.*; *Theater usw.*: improvisieren

admin[1] ['ædmɪn] *bes. BE*, *umg.* Verwaltung

admin² ['ædmɪn] *bes. BE, umg.* Verwaltungs...

administer [əd'mɪnɪstə] **1.** verwalten **2.** *administer justice* Recht sprechen **3.** verabreichen (*Medizin*)

administration [əd,mɪnɪ'streɪʃn] **1.** Verwaltung **2.** Amtsperiode, Regierung (*eines Präsidenten usw.*) **3.** *administration of justice* Rechtsprechung

administrative [əd'mɪnɪstrətɪv] Verwaltungs...

administrator [əd'mɪnɪstreɪtə] **1.** Verwalter(in) **2.** Verwaltungsbeamter, Verwaltungsbeamtin

admirable [△ 'ædmərəbl] bewundernswert

admiral ['ædmərəl] Admiral

admiration [,ædmə'reɪʃn] Bewunderung (*for* für)

admire [əd'maɪə] **1.** bewundern (*for* wegen) **2.** verehren

admirer [əd'maɪərə] **1.** Bewunderer, Bewunderin **2.** Verehrer(in)

admission [əd'mɪʃn] **1.** Eintritt, Zutritt; *admission free* Eintritt frei; *admission charge* (*oder* *fee*) Eintritt(sgeld) **2.** Eintritt(sgeld) **3.** *zum Studium usw.*: Zulassung **4.** Eingeständnis; *by his own admission* wie er selbst zugibt; *admission of guilt* Schuldbekenntnis

admit [əd'mɪt] *admitted, admitted* **1.** zugeben, (ein)gestehen; *he admitted breaking into the house* er gab zu, in das Haus eingebrochen zu sein **2.** *ins Kino usw.*: hereinlassen (*into* in) **3.** *ins Krankenhaus usw.*: aufnehmen (*into, to* in) **4.** *zum Studium usw.*: zulassen

admittance [əd'mɪtns] Eintritt, Zutritt; *no admittance* Eintritt verboten

admittedly [əd'mɪtɪdlɪ] zugegebenermaßen

admonish [əd'mɒnɪʃ] ermahnen (*for* wegen)

admonition [,ædmə'nɪʃn] Ermahnung

ado [ə'duː] *without further ado* ohne weitere Umstände

adolescent¹ [△ ,ædə'lesnt] Jugendliche(r) (*zwischen 13 und 16 Jahren*)

adolescent² [△ ,ædə'lesnt] pubertär

adopt [ə'dɒpt] **1.** adoptieren; *adopted child* Adoptivkind **2.** übernehmen (*Methode, Idee, Sitte usw.*) **3.** einnehmen (*Haltung, Standpunkt usw.*) **4.** annehmen (*anderen Namen usw.*)

adoption [ə'dɒpʃn] **1.** Adoption; *give a child up for adoption* ein Kind zur Adoption freigeben **2.** Übernahme (*einer Methode usw.*)

adoptive [ə'dɒptɪv] Adoptiv... (*Kind, Eltern*)

adorable [ə'dɔːrəbl] hinreißend, entzückend

adore [ə'dɔː] **1.** über alles lieben (*auch übertragen Schokolade usw.*) **2.** anbeten, schwärmen für (*Filmstar usw.*)

adorn [ə'dɔːn] schmücken, zieren

adornment [ə'dɔːnmənt] Schmuck, Verzierung

adroit [ə'drɔɪt] geschickt, gewandt (*at* in)

adult¹ ['ædʌlt] Erwachsene(r); *Adults only* Nur für Erwachsene

adult² ['ædʌlt] **1.** erwachsen **2.** *Film usw.*: (nur) für Erwachsene

adulterate [ə'dʌltəreɪt] **1.** panschen (*Milch, Wein usw.*) **2.** verfälschen (*Nahrungsmittel, Text usw.*)

adulterer [ə'dʌltərə] Ehebrecher

adulteress [ə'dʌltəres] Ehebrecherin

adultery [ə'dʌltərɪ] Ehebruch

advance¹ [əd'vɑːns] **1.** (*Truppen usw.*) vorrücken **2.** fördern (*Projekt, Interessen usw.*) **3.** vorschießen, als Vorschuss geben (*Geld*)

advance² [əd'vɑːns] **1.** Vorrücken, Vormarsch **2.** Vorschuss, Vorauszahlung **3.** *in advance* im Voraus

advance booking [əd,vɑːns'bʊkɪŋ] **1.** Vorbestellung **2.** *Theater usw.*: Vorverkauf

advanced [əd'vɑːnst] fortgeschritten; *advanced course* Kurs für Fortgeschrittene

advancement [əd'vɑːnsmənt] **1.** Fortschritt (*in der Forschung usw.*) **2.** *im Beruf*: Weiterkommen, Aufstieg

advance payment [əd,vɑːns'peɪmənt] Vorauszahlung

advantage [əd'vɑːntɪdʒ] Vorteil; *gain an advantage over someone* sich jemandem gegenüber einen Vorteil verschaffen; *have an advantage over someone* jemandem gegenüber im Vorteil sein; *it has the advantage of saving time* es hat den Vorteil, Zeit zu sparen; *take advantage of someone* jemanden ausnutzen

advantageous [△ ,ædvən'teɪdʒəs] vorteilhaft, günstig

adventure [əd'ventʃə] Abenteuer; *adventure holiday* Abenteuerurlaub; *adventure playground* Abenteuerspielplatz

adventurer [əd'ventʃərə] Abenteurer(in)

adventurous [əd'ventʃərəs] **1.** *Leben, Reise usw.*: abenteuerlich **2.** *Person*: abenteuerlustig

adverb ['ædvɜːb] *Sprache*: Adverb, Umstandswort

adverbial [əd'vɜːbɪəl] adverbial; *adverbial phrase* Adverbialbestimmung

adversary ['ædvəsərɪ] Gegner(in)

adverse ['ædvɜːs] **1.** *adverse conditions* widrige Umstände **2.** ungünstig, nachteilig (*to* für)

adversity [əd'vɜːsətɪ] Not, Unglück; *in times of adversity* in Zeiten der Not

advert ['ædvɜːt] *BE, umg.* Anzeige, Inserat, Annonce

advertise ['ædvətaɪz] **1.** Reklame machen für, werben für (*Produkt usw.*) **2.** *in Zeitung*: inserieren, annoncieren; *advertise for* durch Inserat suchen

advertisement [əd'vɜːtɪsmənt] Anzeige, Inserat, Annonce

advertising ['ædvətaɪzɪŋ] Werbung, Reklame; *advertising agency* Werbeagentur

advertorial [,ædvə'tɔːrɪəl] *Inserat in Form eines Zeitungsartikels*

advice [əd'vaɪs] (△ *kein Plural und kein unbestimmter Artikel*) **1.** Rat, Ratschlag; *a piece of advice* ein Ratschlag; *on someone's advice* auf jemandes Rat hin; *take my advice and ...* hör auf mich und ...; *take medical advice* einen Arzt zurate ziehen **2.** Ratschläge *Pl.*

advisable [əd'vaɪzəbl] ratsam

advise [əd'vaɪz] **1.** raten; *advise someone against (doing) something* jemandem von etwas abraten **2.** beraten; *be well advised* gut beraten sein, gut daran tun (*to do* zu tun)

adviser [əd'vaɪzə], *auch, bes. AE* **advisor** Berater(in)

advisory [əd'vaɪzərɪ] beratend

advocate[1] [△ 'ædvəkət] Verfechter(in), Befürworter(in)

advocate[2] [△ 'ædvəkeɪt] befürworten, eintreten für

aerial[1] ['eərɪəl] *bes. BE* Antenne

aerial[2] ['eərɪəl] Luft...; *aerial photograph* Luftbild

aerobics [eə'rəʊbɪks] (△ *mit -s, aber Sg.*) Aerobic

aerodynamic [,eərəʊdaɪ'næmɪk] aerodynamisch

aerodynamics [,eərəʊdaɪ'næmɪks] *Pl.* Aerodynamik

aeronautics [,eərə'nɔːtɪks] *Sg.* Aeronautik, Luftfahrt

aeroplane ['eərəpleɪn] *bes. BE* Flugzeug

aerosol [△ 'eərəsɒl] **1.** Spray **2.** Spraydose

aesthetic [iːs'θetɪk] ästhetisch

affable ['æfəbl] leutselig, umgänglich

affair [ə'feə] **1.** Angelegenheit, Sache **2.** *Liebe, Politik*: Affäre

affect [ə'fekt] **1.** sich auswirken auf, beeinflussen, in Mitleidenschaft ziehen **2.** (*Krankheit*) befallen **3.** *gefühlsmäßig*: bewegen, rühren; *be deeply affected* tief

bewegt sein (*by* von)

affectation [,æfek'teɪʃn] *abwertend* Affektiertheit

affection [ə'fekʃn] Zuneigung, Liebe (*for* zu)

affectionate [ə'fekʃnət] liebevoll

affectionately [ə'fekʃnətlɪ] *yours affectionately X Briefschluss*: in Liebe dein X

affiliated [ə'fɪlɪeɪtɪd] *Verein, Firma*: angeschlossen, angegliedert

affinity [ə'fɪnətɪ] **1.** (geistige) Verwandtschaft **2.** Neigung (*for, to* zu)

affirm [ə'fɜːm] **1.** (*Beschuldigter usw.*) versichern, beteuern (*Unschuld usw.*) **2.** *offiziell*: bestätigen

affirmation [,æfə'meɪʃn] **1.** Versicherung, Beteuerung **2.** *juristisch*: eidesstattliche Versicherung

affirmative [ə'fɜːmətɪv] bejahend, zustimmend; *answer in the affirmative* mit „ja" antworten

afflict [ə'flɪkt] plagen; *be afflicted with something* an etwas leiden

affliction [ə'flɪkʃn] **1.** *Krankheit usw.*: Gebrechen **2.** Not, Elend

affluent ['æfluənt] wohlhabend; *affluent society* Wohlstandsgesellschaft, *im negativen Sinn*: Überflussgesellschaft

afford [ə'fɔːd] sich leisten; *we can't afford it* wir können es uns nicht leisten

affordable [ə'fɔːdəbl] **1.** *Preis*: erschwinglich **2.** *Anschaffung usw*: finanziell tragbar

afforestation [ə,fɒrɪ'steɪʃn] Aufforstung

affront [△ ə'frʌnt] Beleidigung

afield [ə'fiːld] *far afield* weit weg, weit entfernt

afloat [ə'fləʊt] *be afloat* (*Boot*) schwimmen

afoot [ə'fʊt] *bes. negative Dinge*: im Gange

afraid [ə'freɪd] **1.** *be afraid (of something)* sich (vor etwas) fürchten, Angst (vor etwas) haben; *be afraid to do something* sich fürchten, etwas zu tun **2.** *I'm afraid...* leider; *I'm afraid I've got to go* leider muss ich jetzt gehen; *I'm afraid so als Antwort*: ich fürchte ja; *I'm afraid not als Antwort*: ich fürchte nein

afresh [ə'freʃ] von Neuem, von vorn

Africa ['æfrɪkə] Afrika

African[1] ['æfrɪkən] afrikanisch; *he's African* er ist Afrikaner

African[2] ['æfrɪkən] Afrikaner(in)

African American [,æfrɪkən_ə'merɪkən] Afroamerikaner(in)

African-American [,æfrɪkən_ə'merɪkən] afroamerikanisch

Afro ['æfrəʊ] *Frisur*: Afrolook

after ['ɑːftə] **1.** *zeitlich*: nach; *after break-*

fast nach dem Frühstück; *the day after tomorrow* übermorgen; *the week after next* übernächste Woche; *ten after five* AE zehn nach fünf; *day after day* Tag für Tag **2.** *räumlich:* hinter; *close the door after you* mach die Tür hinter dir zu **3.** *Reihenfolge:* nach, hinter; *after you* *Höflichkeitsfloskel:* nach Ihnen **4.** *be after someone* (*bzw.* *something*) hinter jemandem (*bzw.* etwas) her sein **5.** danach, hinterher; *shortly after* kurz darauf; *for months after* noch monatelang **6.** nachdem; *after you had left I felt lonely* nachdem du gegangen warst, fühlte ich mich einsam **7.** *after all* schließlich, immerhin (*ist er dein Bruder usw.*), schließlich doch (*etwas tun*) **8.** *look after someone* sich um jemanden kümmern

aftercare ['ɑ:ftəkeə] *medizinisch:* Nachbehandlung, Nachsorge

after-effect ['ɑ:ftərɪˌfekt] **1.** *von Medikament, Alkohol usw.:* Nachwirkung **2.** *von Ereignis:* Folge

afterlife ['ɑ:ftəlaɪf] Leben nach dem Tode

aftermath ['ɑ:ftəmæθ] Folgen *Pl.*, Nachwirkungen *Pl.*

afternoon [ˌɑ:ftə'nu:n] Nachmittag; *in the afternoon* am Nachmittag; *this afternoon* heute Nachmittag; *good afternoon!* guten Tag!

afters ['ɑ:ftəz] *Pl. BE, umg.* Nachtisch

after-sales service [ˌɑ:ftə'seɪlzˌsɜ:vɪs] Kundendienst

aftershock ['ɑ:ftəʃɒk] *bei Erdbeben:* Nachbeben

aftertaste ['ɑ:ftəteɪst] Nachgeschmack (*auch übertragen*)

afterthought ['ɑ:ftəθɔ:t] nachträglicher Einfall

afterwards ['ɑ:ftəwədz] danach, nachher

again [ə'gen] **1.** wieder, noch einmal; *again and again* immer wieder; *not again!* nicht schon wieder! **2.** *as much again* noch einmal so viel **3.** *now and again* ab und zu

against [ə'genst] **1.** gegen; *be against something* gegen etwas sein **2.** *räumlich:* gegen, an; *lean against the wall* sich an die Wand lehnen **3.** *as against* verglichen mit, im Vergleich zu

age¹ [eɪdʒ] **1.** *von Person:* Alter; *at the age of* im Alter von; *she's your age* sie ist in deinem Alter; *when I was your age* als ich so alt war wie du **2.** (≈ *Epoche*) Zeit, Zeitalter; *the atomic age* das Atomzeitalter **3.** *come of age* mündig (*oder* volljährig) werden; *under age* minderjährig, unmündig **4.** *ages Pl.* *umg.* eine Ewigkeit; *for ages Pl.* seit einer Ewigkeit

age² [eɪdʒ]

aged¹ [eɪdʒd] *aged ten* zehnjährig, zehn Jahre alt, im Alter von zehn Jahren

aged² [△ 'eɪdʒɪd] *Person:* betagt, alt

age group ['eɪdʒˌgru:p] Altersgruppe

ageism ['eɪdʒɪzm] *Diskriminierung alter Menschen*

age limit ['eɪdʒˌlɪmɪt] Altersgrenze

agency ['eɪdʒənsɪ] **1.** *für Werbung, Nachrichten, Künstlervermittlung:* Agentur; *news agency* Nachrichtenagentur **2.** *einer Firma:* Geschäftsstelle, Vertretung

agenda [△ ə'dʒendə] Tagesordnung; *be on the agenda* auf der Tagesordnung stehen

agent ['eɪdʒənt] **1.** *für Künstler:* Agent(in) **2.** *für Firmen:* Vertreter(in) **3.** *für Grundstücke:* Makler(in) **4.** (≈ *Spion*) Agent(in) **5.** *Substanz:* Wirkstoff, Mittel

aggravate ['ægrəveɪt] **1.** verschlimmern **2.** *umg.* (ver)ärgern

aggravating ['ægrəveɪtɪŋ] *umg.* **1.** ärgerlich **2.** *Kind, Lärm:* lästig

aggravation [ˌægrə'veɪʃn] **1.** Verschlimmerung (*einer Situation usw.*) **2.** *umg.* Ärger

aggregate ['ægrɪgət] Aggregat

aggression [ə'greʃn] Aggression

aggressive [ə'gresɪv] aggressiv

aggressiveness [ə'gresɪvnəs] Aggressivität

aggressor [ə'gresə] Angreifer, Aggressor

aggro ['ægrəʊ] *BE, salopp* **1.** Ärger; *we had so much aggro with ...* wir hatten so viel Ärger mit ... **2.** Zoff; *are you looking for aggro?* suchst du Streit?

aghast [ə'gɑ:st] entgeistert, entsetzt

agile [△ 'ædʒaɪl] beweglich, wendig

agitate ['ædʒɪteɪt] **1.** aufregen, aus der Fassung bringen (*Person*) **2.** hetzen (*against* gegen), Propaganda machen (*for* für)

agitation [ˌædʒɪ'teɪʃn] Erregung

agitator ['ædʒɪteɪtə] Agitator, Hetzer

ago [ə'gəʊ] *zeitlich:* vor; *a year ago* vor einem Jahr; *long ago* vor langer Zeit; *not long ago* (erst) vor Kurzem

agog [ə'gɒg] gespannt (*for* auf); *be all agog* *bei Neuigkeiten usw.:* ganz aus dem Häuschen sein

agonize ['ægənaɪz] sich den Kopf zermartern (*over* über)

agonized ['ægənaɪzd] *Blick, Laut usw.:* gequält

agonizing [△ 'ægənaɪzɪŋ] qualvoll

agony [△ 'ægənɪ] Qual (*auch seelisch*)

agony aunt ['ægənɪˌɑ:nt] *BE, umg.* Kummerkastentante (*einer Zeitung*)

agony column [△ 'ægənɪˌkɒləm] *BE,*

umg. Kummerkasten (*einer Zeitung*)

agony column

Neben der **agony column** ['ægənɪ-
ˌkɒləm] gibt es natürlich auch die **agony
aunt** [ɑːnt]: So heißt im britischen Eng-
lisch die Kummerkastentante. Wesent-
lich seltener trifft man den **agony
uncle** an. Im amerikanischen Englisch
spricht man von **advice column** bzw.
advice columnist, wenn man die Per-
son meint.

agree [əˈgriː] **1.** sich einig sein, einer Mei-
nung sein; **I agree!** der Meinung bin ich
auch **2.** zustimmen, einverstanden sein
(**to** mit); **agreed!** einverstanden! **3.** **agree
on something** sich auf etwas einigen;
agree to do something etwas (zu tun)
abmachen *oder* ausmachen **4.** (*Aussagen
usw.*) übereinstimmen; **... don't agree
(with each other)** ... stimmen nicht
(miteinander) überein **5.** **agree to differ**
sich auf verschiedene Standpunkte eini-
gen

---

agree with [əˈgriːˌwɪð] **something
doesn't agree with someone** *Speise,
Klima usw.*: etwas bekommt jemandem
nicht, jemand verträgt etwas nicht

---

agreeable [əˈgriːəbl] angenehm
agreed [əˈgriːd] **be agreed** sich einig sein,
gleicher Meinung sein
agreement [əˈgriːmənt] **1.** Übereinstim-
mung **2.** Vereinbarung, Abmachung **3.**
Einigung; **reach (an) agreement** *oder*
come to an agreement sich einigen (**on**
über) *Politik*: Abkommen, Vertrag
agricultural [ˌægrɪˈkʌltʃrəl] landwirt-
schaftlich
agriculture ['ægrɪkʌltʃə] Landwirtschaft
agritourism ['ægrɪˌtʊərɪzm] Ferien auf
dem Bauernhof
aground [əˈgraʊnd] **run aground** (*Schiff*)
auf Grund laufen
ahead [əˈhed] **1.** vorwärts, voraus; **ahead
of** vor; **get ahead** vorwärtskommen; **be
ahead of one's time** seiner Zeit voraus
sein **2.** **look** (*bzw.* **go**) **straight ahead**
nach vorne schauen (*bzw.* gehen) **3.** **be
thirty metres** (*bzw.* **ten points**) **ahead**
einen Vorsprung von 30 Metern (*bzw.* 10
Punkten) haben
aid[1] [eɪd] **1.** Hilfe, Unterstützung; **come
to someone's aid** jemandem zu Hilfe
kommen; **in aid of the homeless** zu-
gunsten der Obdachlosen **2.** Hilfsmittel
3. *bes. politisch*: Berater(in)

aid[2] [eɪd] **aid someone** jemanden unter-
stützen, jemandem helfen
aid agency ['eɪdˌeɪdʒənsɪ] Hilfsorganisa-
tion
aide [eɪd] *bes. politisch*: Berater(in)
AIDS, Aids [eɪdz] (*Abk. für* **A**cquired **Im**-
mune **D**eficiency **S**yndrome) Aids
AIDS victim ['eɪdzˌvɪktɪm] Aidskranke(r)
ailing ['eɪlɪŋ] *Mensch*: kränkelnd (*auch
übertragen Wirtschaft*)
ailment ['eɪlmənt] Gebrechen
aim[1] [eɪm] **1.** zielen (**at** auf) **2.** **aim a gun
usw. at someone** einen Revolver *usw.*
auf jemanden richten **3.** **was that re-
mark aimed at me?** *übertragen* war die-
se Bemerkung gegen mich gerichtet? **4.**
aim to do something beabsichtigen, et-
was zu tun
aim[2] [eɪm] **1.** Ziel; **take aim** (**at**) zielen
(auf) **2.** *übertragen* Ziel, Absicht
aimless ['eɪmləs] ziellos
ain't [eɪnt] *salopp* **1.** *Kurzform von* **am
not, is not, are not**; **I ain't** ich bin nicht;
he ain't er ist nicht *usw.* **2.** *Kurzform
von* **have not, has not**; **I ain't got it** ich
habe es nicht; **he ain't got it** er hat es
nicht *usw.*
air[1] [eə] **1.** Luft; **by air** auf dem Luftweg;
in the open air im Freien; **get some
fresh air** frische Luft schnappen **2.** **be
on the air** *Rundfunk, TV*: auf Sendung
sein **3.** Miene, Gehabe; **an air of impor-
tance** eine gewichtige Miene **4.** **put on
airs** *oder* **give oneself airs** vornehm tun
air[2] [eə] lüften; **this place needs airing**
hier muss mal gelüftet werden
air-bag ['eəbæg] *im Auto*: Airbag, Luft-
sack
air base ['eəˌbeɪs] Luftstützpunkt
airbed ['eəbed] Luftmatratze
air-conditioned ['eəkənˌdɪʃnd] mit Kli-
maanlage, klimatisiert
air conditioning ['eəkənˌdɪʃnɪŋ] Klima-
anlage
aircraft ['eəkrɑːft] *Pl.*: **aircraft** Flugzeug
aircraft carrier ['eəkrɑːftˌkærɪə] Flug-
zeugträger
air crash ['eəˌkræʃ] Flugzeugabsturz
air fare ['eəfeə] Flugpreis
airfield ['eəfiːld] Flugplatz
airforce ['eəfɔːs] Luftwaffe
airfreight ['eəfreɪt] Luftfracht
air gun ['eəˌgʌn] Luftgewehr
airhead ['eəhed] *umg.* Hohlkopf
air hostess ['eəˌhəʊstes] Stewardess
airing ['eərɪŋ] **1.** **the room needs a good
airing** das Zimmer muss anständig gelüf-
tet werden **2.** **give something an airing**
etwas zur Sprache bringen
air kiss ['eəˌkɪs] *humorvoll* Küsschen in

die Luft (*ohne gegenseitige Berührung*)

air-kiss ['eəkıs] *humorvoll* Küsschen austauschen (*ohne sich zu berühren*)

airless ['eələs] **1.** *Zimmer usw.*: stickig **2.** *it was an airless day* es wehte den ganzen Tag über kein Lüftchen

airlift[1] ['eəlıft] *airlift something to a disaster area* etwas per Luftbrücke in ein Katastrophengebiet bringen

airlift[2] ['eəlıft] Luftbrücke

airline ['eəlaın] Fluggesellschaft

airmail ['eəmeıl] Luftpost

air mattress ['eə‿mætrəs] *AE* Luftmatratze

airplane ['eəpleın] *AE* Flugzeug

air pocket ['eə‿pɒkıt] Luftloch

air pollution ['eə‿pə‿luːʃn] Luftverschmutzung

airport ['eəpɔːt] Flughafen; ☞ *Illu S. 982*

air pump ['eə‿pʌmp] Luftpumpe

air raid ['eə‿reıd] Luftangriff

air-raid shelter ['eəreıd‿ʃeltə] Luftschutzkeller, Luftschutzraum

airsick ['eəsık] *im Flugzeug*: luftkrank

airspace ['eəspeıs] Luftraum

air terminal ['eə‿tɜːmınl] Terminal (*Flughafenabfertigungsgebäude*)

air ticket ['eə‿tıkıt] Flugticket, Flugschein

airtight ['eətaıt] *Behälter usw.*: luftdicht

air-traffic control ['eə‿træfık‿kən'trəul] Flugsicherung

air-traffic controller ['eə‿træfık‿kən'trəulə] Fluglotse, Fluglotsin

airy ['eərı] **1.** *Raum*: luftig **2.** *Ansichten usw.*: überspannt **3.** *Art usw.*: lässig

aisle [△ aıl] **1.** *im Flugzeug, Theater*: Gang; *aisle seat* Gangplatz **2.** *Architektur*: Seitenschiff (*einer Kirche*)

ajar [△ ə'dʒɑː] *be ajar* (*Tür*) einen Spaltbreit offen stehen

akimbo [ə'kımbəʊ] *with arms akimbo* die Arme in die Hüften gestemmt

akin [ə'kın] **1.** ähnlich **2.** *geistig*: verwandt

alarm[1] [ə'lɑːm] **1.** Besorgnis, Beunruhigung **2.** Alarm; *give* (*oder* *raise*) *the alarm* Alarm geben, *übertragen* Alarm schlagen **3.** Alarmanlage **4.** Wecker

alarm[2] [ə'lɑːm] beunruhigen

alarm call [ə'lɑːm‿kɔːl] Weckruf; *alarm call service* Weckdienst

alarm clock [ə'lɑːm‿klɒk] Wecker

alarmist [ə'lɑːmıst] Panikmacher

alas [ə'læs] *förmlich oder humorvoll* ach!, leider!

Albania [æl'beınıə] Albanien

Albanian[1] [æl'beınıən] albanisch

Albanian[2] [æl'beınıən] *Sprache*: Albanisch

Albanian[3] [æl'beınıən] Albaner(in)

album ['ælbəm] Album (*auch LP*)

alcohol ['ælkəhɒl] Alkohol

alcohol-free [ˌælkəhɒl'friː] alkoholfrei

alcoholic[1] [ˌælkə'hɒlık] alkoholisch

alcoholic[2] [ˌælkə'hɒlık] Alkoholiker(in)

alcoholic

In Anlehnung an **alcoholic** sind andere Wörter entstanden, die auch etwas mit Sucht zu tun haben:

chocoholic	„Schokoladensüchtige(r)"
shopaholic	Kaufsüchtige(r)
workaholic	Arbeitssüchtige(r)

alcopop ['ælkəʊˌpɒp] *mst. Pl., BE* süßes, alkoholhaltiges Getränk

ale [eıl] Ale (*helles, starkes Bier*)

alert[1] [△ ə'lɜːt] **1.** wachsam; *be alert* (*to something*) (vor etwas) auf der Hut sein **2.** *geistig*: aufgeweckt, (hell)wach

alert[2] [ə'lɜːt] **1.** Alarmbereitschaft; *be on* (*the*) *alert* in Alarmbereitschaft sein, *übertragen* auf der Hut sein **2.** Alarm(signal)

alert[3] [ə'lɜːt] **1.** alarmieren **2.** *übertragen* warnen (*to* vor)

A level ['eı‿levl] *BE*; *etwa*: Abitur, ④, ⑥ Matura; *take oder do one's A levels* *etwa*: Abitur machen, ④, ⑥ maturieren

A level

A level ist die Kurzform von **advanced level** und bezeichnet eine Schulprüfung, die in England und Wales im Alter von ca. 18 Jahren abgelegt wird. Normalerweise werden **A levels** in drei (manchmal mehr) Fächern gemacht und qualifizieren zum Hochschulstudium.

algae [△ 'ældʒiː] *Pl.* Algen

algebra ['ældʒıbrə] Algebra

Algeria [æl'dʒıərıə] Algerien

alias ['eılıəs] Deckname

alibi ['æləbaı] **1.** Alibi **2.** *übertragen, umg.* Ausrede, Entschuldigung

alien[1] ['eılıən] **1.** *Sciencefiction*: außerirdisch **2.** *förmlich* ausländisch **3.** *übertragen* fremd; *that's alien to him* das ist ihm wesensfremd

alien[2] ['eılıən] **1.** *Sciencefiction*: außerirdisches Wesen **2.** *förmlich* Ausländer(in)

alienate ['eılıəneıt] vergraulen (*Wähler usw.*)

alienated ['eılıəneıtıd] *feel alienated* sich ausgeschlossen fühlen

alienation [ˌeılıə'neıʃn] Entfremdung

alight[1] [ə'laıt] *be alight* in Flammen stehen; *set alight* in Brand stecken, anzünden

alight² [ə'laɪt], *alighted, alighted förmlich* **1.** aussteigen (*from* aus) **2.** (*Vogel*) sich niederlassen (*on* auf)

align [ə'laɪn] ausrichten (*with* nach)

alike [ə'laɪk] **1.** ähnlich; *they look very much alike* sie sehen sich sehr ähnlich **2.** gleich; *they are all alike* sie sind alle gleich **3.** gleich, in gleicher Weise; *treat all the children alike* alle Kinder gleich behandeln

alimony [△ 'ælɪmənɪ] Unterhaltszahlung

alive [ə'laɪv] **1.** lebendig, am Leben; *they are still alive* sie leben noch **2.** *alive and kicking* umg. gesund und munter **3.** *be alive with* wimmeln von

all [ɔːl] **1.** ganz; *all day* den ganzen Tag; *all the time* die ganze Zeit **2.** *mit Pl.:* alle; *all the flowers* alle Blumen; *all of us* wir alle **3.** jede(r, -s); *at all hours* zu jeder Stunde **4.** ganz, völlig; *I'm all for it* ich bin voll und ganz dafür; *all in white* ganz in Weiß **5.** *two all* Sport: zwei beide **6.** *Wendungen:* *all at once* auf einmal; *all along* die ganze Zeit; *all the better* umso besser; *all over the world* überall auf der Welt; *all in all* alles in allem; *not at all* überhaupt nicht; *that's John all over* das ist typisch John

allegation [ˌælɪ'geɪʃn] Behauptung

allege [ə'ledʒ] behaupten

alleged [△ ə'ledʒd] (≈ *vermutet*) angeblich

allegiance [ə'liːdʒəns] Treue, Loyalität

allergic [ə'lɜːdʒɪk] allergisch (*to* gegen) (*auch übertragen, umg.*)

allergy ['ælədʒɪ] Allergie

alleviate [ə'liːvɪeɪt] mildern, lindern (*Schmerzen, Leid usw.*)

alley ['ælɪ] Gasse (△ *Allee = avenue*)

alliance [△ ə'laɪəns] Bund, Bündnis, *historisch*: Allianz

allied ['ælaɪd] verbündet, alliiert

Allies ['ælaɪz] *Pl. von* ☞ *ally¹*; *the Allies* die Alliierten

alligator ['ælɪgeɪtə] Alligator

all-night [ˌɔːl'naɪt] *Café, Bäckerei:* die ganze Nacht *oder* durchgehend geöffnet, *Party:* die ganze Nacht durch, bis zum nächsten Morgen

allocate ['æləkeɪt] zuteilen, zuweisen (*Geld, Wohnung*) (*to someone* jemandem)

allocation [ˌælə'keɪʃn] Zuteilung

allot [ə'lɒt] *allotted, allotted* **1.** zuteilen (*Arbeit, Aufgabe usw.*) (*to someone* jemandem) **2.** vorsehen (*Zeit*) **3.** bestimmen (*Geld, Mittel*) (*to, for* für)

allotment [ə'lɒtmənt] **1.** Zuteilung **2.** Par-

zelle, *BE* Schrebergarten

all-out [ˌɔːl'aʊt] *umg.; Krieg usw.:* total

allow [ə'laʊ] **1.** erlauben, gestatten; *be allowed to do something* etwas tun dürfen **2.** geben (*Geldsumme*) **3.** gewähren (*Rabatt*) **4.** einkalkulieren (*Zeit*) **5.** *allow in* hereinlassen; *allow past* vorbeilassen; *allow through* durchlassen

---

allow for [ə'laʊ fɔː] berücksichtigen, einkalkulieren (*Kosten usw.*)

---

allowance [ə'laʊəns] **1.** Zuschuss, Beihilfe **2.** Zulage **3.** *AE* Taschengeld **4.** *make allowance(s) for something* etwas berücksichtigen, etwas einkalkulieren

alloy [△ 'ælɔɪ] Legierung

all-purpose ['ɔːlpɜːpəs] Allzweck...

all right [ˌɔːl'raɪt] **1.** in Ordnung, okay **2.** unverletzt, heil; *are you all right?* ist dir was passiert?, geht es dir gut? **3.** ganz gut, nicht schlecht; *it's all right* es geht

all-round [ˌɔːl'raʊnd] vielseitig, Allround...

All Saints' Day [ˌɔːl'seɪnts deɪ] Allerheiligen

all-time ['ɔːltaɪm] *all-time high (bzw. low)* höchster (*bzw.* tiefster) Stand aller Zeiten

allude [ə'luːd] anspielen (*to* auf)

allure [ə'lʊə] Anziehungskraft, Zauber

alluring [ə'lʊərɪŋ] verlockend

allusion [ə'luːʒn] Anspielung (*to* auf)

ally¹ [△ 'ælaɪ] Verbündete(r); ☞ *Allies*

ally² [△ ə'laɪ] sich verbünden (*to, with* mit)

almighty [ɔːl'maɪtɪ] **1.** allmächtig; *the Al-*

alley

alley   ABER: avenue

mighty der Allmächtige 2. *umg.* mordsmäßig

almond [Δ 'ɑ:mənd] Mandel

almost ['ɔ:lməʊst] fast, beinahe

alms [Δ ɑ:mz] *Pl.* Almosen

alone [ə'ləʊn] 1. allein; *leave alone* allein lassen 2. *leave someone alone* jemanden in Ruhe lassen; *leave that alone* lass die Finger davon! 3. *let alone* geschweige denn

along [ə'lɒŋ] 1. entlang; *along the river* am *oder* den Fluss entlang 2. weiter..., dahin...; *he came running along* er kam angelaufen 3. *along with* zusammen mit 4. *I'll be along shortly* ich bin gleich da

alongside [ə,lɒŋ'saɪd] 1. neben 2. *Seefahrt*: längsseits

aloof [ə'lu:f] 1. *remain aloof* Distanz wahren 2. unnahbar

aloud [ə'laʊd] laut; *read aloud* (laut) vorlesen

alphabet ['ælfəbet] Alphabet

alphabetical [,ælfə'betɪkl] alphabetisch; *in alphabetical order* in alphabetischer Reihenfolge, alphabetisch geordnet

alpine ['ælpaɪn] 1. *allg.*: Alpen... 2. *Klima, Pflanzen usw.*: alpin, Hochgebirgs...

Alps [ælps] *the Alps* die Alpen

already [ɔ:l'redɪ] schon, bereits

alright [,ɔ:l'raɪt] → *all right*

Alsace [æl'sæs] das Elsass

Alsatian[1] [Δ æl'seɪʃn] 1. *BE* Deutscher Schäferhund 2. Elsässer(in)

Alsatian[2] [Δ æl'seɪʃn] elsässisch

also ['ɔ:lsəʊ] auch, ebenfalls, Ⓐ *auch*: weiters (Δ *nicht also*)

also-ran ['ɔ:lsəʊræn] *be an also-ran* unter 'ferner liefen' kommen (*bei Wettkämpfen* *oder übertragen*)

altar [Δ 'ɔ:ltə] Altar

alter [Δ 'ɔ:ltə] 1. *allg.*: ändern 2. umändern (*Kleidung*) 3. sich ändern, sich verändern

alteration [Δ ,ɔ:ltə'reɪʃn] 1. Änderung, Veränderung 2. *von Gebäude*: Umbau

alternate[1] [Δ ɔ:l'tɜ:nət] abwechselnd; *on alternate days* jeden zweiten Tag

alternate[2] [Δ 'ɔ:ltəneɪt] 1. (sich) abwechseln 2. *alternating current* Wechselstrom

alternation [,ɔ:ltə'neɪʃn] Abwechslung, Wechsel

alternative[1] [Δ ɔ:l'tɜ:nətɪv] 1. alternativ, Ersatz... 2. andere(r, -s) (*von zweien*)

alternative[2] [Δ ɔ:l'tɜ:nətɪv] Alternative (*to* zu); *have no alternative* keine andere Möglichkeit *oder* Wahl haben (*but to* als zu)

although [ɔ:l'ðəʊ] obwohl, obgleich

altitude [Δ 'æltɪtju:d] *Fliegen usw.*: Höhe (*über dem Meeresspiegel*)

altogether [,ɔ:ltə'geðə] 1. insgesamt 2. ganz (und gar), völlig 3. im Ganzen genommen

aluminium [,æljə'mɪnɪəm], *AE* **aluminum** [Δ ə'lu:mɪnəm] Aluminium

always ['ɔ:lweɪz] immer, stets; *as always* wie immer

am [æm] *I am* ich bin

am, AM, *auch* **a.m., A.M.** [,eɪ'em] (*Abk. für* **a**nte **m**eridiem) morgens, vormittags; *9 am* 9 Uhr (morgens)

amass [ə'mæs] anhäufen, aufhäufen

amateur [Δ 'æmətə] 1. *Sportler, Maler usw.*: Amateur(in) 2. *im negativen Sinn*: Dilettant(in)

amaze [ə'meɪz] in Erstaunen setzen, verblüffen

amazed [ə'meɪzd] erstaunt, verblüfft (*at* über)

amazement [ə'meɪzmənt] Erstaunen, Verblüffung

amazing [ə'meɪzɪŋ] erstaunlich, verblüffend

Amazon [Δ 'æməzən] *Fluss in Südamerika*: Amazonas

ambassador [æm'bæsədə] Botschafter(in) (*to* in)

amber[1] ['æmbə] 1. Bernstein 2. *BE*; *Verkehrsampel*: Gelb

amber[2] ['æmbə] 1. Bernstein... 2. bernsteinfarben 3. *Ampel*: gelb

ambidextrous [,æmbɪ'dekstrəs] beidhändig, mit beiden Händen gleichermaßen geschickt

ambience ['æmbɪəns] Ambiente, Atmosphäre

ambiguity [,æmbɪ'gju:ətɪ] Zweideutigkeit

ambiguous [æm'bɪgjʊəs] 1. zweideutig 2. unklar

ambition [æm'bɪʃn] 1. Ehrgeiz 2. Ziel

ambitious [æm'bɪʃəs] ehrgeizig (*auch Plan usw.*)

ambulance ['æmbjələns] Krankenwagen, Ⓐ Rettung (Δ *Ambulanz im Krankenhaus* = *outpatients' department*)

ambush[1] ['æmbʊʃ] aus dem Hinterhalt überfallen

ambush[2] ['æmbʊʃ] 1. Hinterhalt 2. Überfall (aus dem Hinterhalt)

amend [ə'mend] abändern (*Gesetz*)

amendment [ə'mendmənt] 1. *Parlament*: Ergänzungsantrag, Zusatzantrag 2. *AE*; *der Verfassung*: Zusatzartikel

amends [ə'mendz] *make amends* es wiedergutmachen; *make amends to someone for something* jemanden für etwas entschädigen

amenity [△ ə'mi:nətɪ] **1.** *oft* **amenities** *Pl. eines Hauses, Hotels usw.*: Annehmlichkeiten **2.** *oft* **amenities** *Pl. einer Stadt usw.*: Freizeiteinrichtungen

America [ə'merɪkə] Amerika

American[1] [ə'merɪkən] amerikanisch; *American Indian bes. in Nordamerika*: Indianer(in)

American[2] [ə'merɪkən] Amerikaner(in); *Native American in Nordamerika*: Indianer(in)

amiability [ˌeɪmɪə'bɪlətɪ] Liebenswürdigkeit

amiable ['eɪmɪəbl] freundlich

amicable [△ 'æmɪkəbl] **1.** *Gespräch usw.*: freundschaftlich **2.** *Regelung, Übereinkunft*: gütlich

amicably [△ 'æmɪkəblɪ] gütlich (*sich einigen usw.*); *part amicably* im Guten auseinandergehen

amid [ə'mɪd], amidst [ə'mɪdst] mitten in *oder* unter

amiss [ə'mɪs] **1.** *take something amiss* etwas übel nehmen **2.** *there's something amiss* da stimmt etwas nicht

ammonia [ə'məʊnɪə] *Chemie*: Ammoniak; *liquid ammonia* Salmiakgeist

ammunition [ˌæmjʊ'nɪʃn] Munition

amnesia [æm'ni:zɪə] Amnesie, Gedächtnisschwund

amnesty ['æmnəstɪ] (≈ *Straferlass*) Amnestie

amok [ə'mɒk] *run amok* Amok laufen

among [ə'mʌŋ], amongst [ə'mʌŋst] (mitten) unter, zwischen; *he's among the best swimmers* er gehört zu den besten Schwimmern; *among other things* unter anderem; *they were talking among(st) themselves* sie unterhielten sich miteinander

amorous ['æmərəs] *Blicke usw.*: verliebt

amount [ə'maʊnt] **1.** *einer Rechnung*: Betrag, Summe **2.** *von Waren*: Menge **3.** *an Vorsicht, Skepsis usw.*: Maß

---

amount to [ə'maʊnt_tə] **1.** (*Rechnung, Schulden*) sich belaufen auf, betragen **2.** (*Verhalten*) hinauslaufen auf, gleichkommen

---

ample ['æmpl] **1.** *Portion, Mahlzeit*: reichlich **2.** *Figur*: üppig

amplifier ['æmplɪfaɪə] *Hi-Fi usw.*: Verstärker

amplify ['æmplɪfaɪ] **1.** verstärken (*Lautstärke usw.*) **2.** näher erläutern (*Idee usw.*)

amputate ['æmpjʊteɪt] amputieren

amputation [ˌæmpjʊ'teɪʃn] Amputation

amuse [ə'mju:z] **1.** amüsieren, belustigen; *be amused by oder at something* sich

über etwas amüsieren; *she wasn't amused* sie fand das gar nicht komisch **2.** unterhalten; *they amused themselves with a guessing game* sie haben sich die Zeit mit einem Ratespiel vertrieben

amusement [ə'mju:zmənt] **1.** Belustigung; *to everyone's amusement* zur allgemeinen Belustigung **2.** (≈ *Freizeitbeschäftigung*) Unterhaltung, Zeitvertreib

amusement arcade [ə'mju:zmənt_ɑ:keɪd] *BE, etwa* Spielhalle

amusement park [ə'mju:zmənt_pɑ:k] *etwa*: Vergnügungspark

amusing [ə'mju:zɪŋ] lustig, unterhaltsam, amüsant

an [ən] *unbestimmter Artikel vor Wörtern, die in der Aussprache mit einem Selbstlaut beginnen*: *an apple* [△ ə'næpl] ein Apfel; *an hour* [△ ə'naʊə] eine Stunde

anaesthetic [△ ˌænəs'θetɪk] *bes. BE* Betäubungsmittel

analyse ['ænəlaɪz] *BE* analysieren

analysis [△ ə'næləsɪs] *Pl.*: *analyses* [ə'næləsi:z] **1.** *von Substanzen, Situationen usw.*: Analyse **2.** *seelische*: Psychoanalyse

analyze ['ænəlaɪz] *AE* analysieren

anarchist [△ 'ænəkɪst] Anarchist(in)

anarchy [△ 'ænəkɪ] Anarchie

anatomy [△ ə'nætəmɪ] **1.** *Wissenschaft, Lehrfach*: Anatomie **2.** *eines Menschen usw.*: Körperbau **3.** *eines Landes usw.*: Aufbau, Struktur

ancestor ['ænsestə] Vorfahr, Ahn

ancestral [△ æn'sestrəl] angestammt, Ahnen…; *ancestral home* Stammsitz

ancestry ['ænsestrɪ] **1.** Abstammung, Herkunft; *he's of noble ancestry* er ist von vornehmer Herkunft **2.** Vorfahren *Pl.*; *the family's Scottish ancestry* die schottischen Vorfahren der Familie

anchor[1] ['æŋkə] Anker

anchor[2] ['æŋkə] **1.** ankern **2.** (≈ *befestigen*) verankern **3.** *TV*: moderieren

anchorman ['æŋkəmæn] *Pl.*: **anchormen** ['æŋkəmen] *bes. AE TV*: Moderator

anchorwoman ['æŋkəˌwʊmən] *Pl.*: **anchorwomen** ['æŋkəˌwɪmɪn] *bes. AE TV*: Moderatorin

anchovy [△ 'æntʃəvɪ] An(s)chovis, Sardelle

ancient [△ 'eɪnʃənt] **1.** *Rom, Geschichte usw.*: alt, antik **2.** *Brauch, Ruine usw.*: alt, aus alter Zeit **3.** *humorvoll*; *Person, Auto usw.*: uralt

and [ænd] und; *better and better* immer besser; *he ran and ran* er lief immer weiter; *both his son and his daughter* sowohl sein Sohn als auch seine Tochter

St Andrew's Day

Der 30. November ist **St Andrew's Day** [snt'ændruːzdeɪ], der Nationalfeiertag der Schotten. Traditionalisten tragen an diesem Tag eine Distel (**thistle** ['θɪsl]) im Knopfloch, das Symbol Schottlands.

anecdote ['ænɪkdəʊt] Anekdote

anesthetic [△ ˌænəs'θetɪk] *AE* Betäubungsmittel

anew [ə'njuː] von Neuem, noch einmal

angel ['eɪndʒəl] Engel; *you're an angel* du bist ein Schatz

anger[1] ['æŋgə] Zorn, Wut (*at* über)

anger[2] ['æŋgə] verärgern, wütend machen

angina [△ æn'dʒaɪnə], **angina pectoris** [æn,dʒaɪnə'pektərɪs] *Herzkrankheit*: Angina Pectoris (△ *Angina* = **tonsillitis**)

angle[1] ['æŋgl] 1. Winkel; *at an angle* schräg; *at right angles to* im rechten Winkel zu 2. *übertragen* Gesichtspunkt

angle[2] ['æŋgl] *go angling bes. BE* angeln gehen

angler ['æŋglə] Angler(in)

Anglican ['æŋglɪkən] anglikanisch

anglicism ['æŋglɪsɪzm] *Sprache*: Anglizismus (*Übertragung aus dem Englischen*)

Anglo-Saxon[1] [ˌæŋgləʊ'sæksn] angelsächsisch

Anglo-Saxon[2] [ˌæŋgləʊ'sæksn] Angelsachse

angrily ['æŋgrəlɪ] wütend (*schreien usw.*)

angry ['æŋgrɪ] böse, verärgert; *get angry* ärgerlich werden; *be angry with* oder *at someone* jemandem oder auf jemanden böse sein; *be angry at* oder *about something* böse über etwas sein

anguish ['æŋgwɪʃ] seelische Qual

angular ['æŋgjʊlə] 1. *allg.*: eckig 2. *Gesicht*: kantig

animal ['ænɪml] Tier

animal rights activist ['ænɪmlˌraɪts'æktɪvɪst] Tierschützer(in)

animated ['ænɪmeɪtɪd] *Unterhaltung, Diskussion usw.*: lebhaft, angeregt

animated cartoon [ˌænɪmeɪtɪd_kɑː'tuːn] Zeichentrickfilm

animosity [ˌænɪ'mɒsətɪ] Feindseligkeit

ankle ['æŋkl] (Fuß)Knöchel

annex[1] [△ ə'neks] annektieren, sich einverleiben (*Gebiet*)

annex[2], **annexe** [△ 'æneks] Anbau, Nebengebäude

annexation [ˌænek'seɪʃn] Annektierung, Einverleibung

annihilate [△ ə'naɪəleɪt] vernichten

anniversary [ˌænɪ'vɜːsərɪ] Jahrestag;

(*wedding*) *anniversary* Hochzeitstag

annotated ['ænəteɪtɪd] *Ausgabe usw.*: kommentiert, mit Anmerkungen versehen

annotation [ˌænə'teɪʃn] Anmerkung, Kommentar

announce [ə'naʊns] 1. (≈ *öffentlich mitteilen*) bekannt geben 2. ankündigen (*Zukünftiges*) 3. *über Lautsprecher*: durchsagen 4. *Rundfunk, TV*: ansagen 5. *durch Zeitungsannonce*: anzeigen

announcement [ə'naʊnsmənt] 1. (≈ *öffentliche Mitteilung*) Bekanntgabe 2. *von Zukünftigem*: Ankündigung 3. *über Lautsprecher*: Durchsage 4. *Rundfunk, TV*: Ansage 5. *durch Zeitungsannonce*: Anzeige

announcer [ə'naʊnsə] *Rundfunk, TV*: Ansager(in)

annoy [ə'nɔɪ] ärgern; *be annoyed* sich ärgern (*at* oder *about something* über etwas; *with* oder *at someone* über jemanden)

annoyance [ə'nɔɪəns] 1. Verärgerung 2. *Lärm, Verkehr*: Ärgernis

annoying [ə'nɔɪɪŋ] 1. *Missstand, Störung usw.*: ärgerlich 2. *Angewohnheit usw.*: lästig, störend

annual ['ænjʊəl] jährlich, Jahres…; *annual report* Jahresbericht

annul [△ ə'nʌl] annullieren, für ungültig erklären (*Ehe, Vertrag, Gesetz usw.*)

anonymous [△ ə'nɒnɪməs] anonym

anorak ['ænəræk] Anorak

anorexia [ˌænə'reksɪə] Magersucht

anorexic[1] [ˌænə'reksɪk] magersüchtig

anorexic[2] [ˌænə'reksɪk] Magersüchtige(r)

another [ə'nʌðə] 1. noch ein(er, -e, -s), ein weiterer, eine weitere, ein weiteres; *she had another cup of tea* sie trank noch eine Tasse Tee 2. *nur mit Zahl* (*und Substantiv im Pl.*): noch, weitere; *another ten years* noch oder weitere zehn Jahre 3. ein anderer, eine andere, ein anderes; *another time* ein andermal

answer[1] [△ 'ɑːnsə] 1. *allg.*: Antwort (*to* auf) 2. *eines Problems usw.*: Lösung

answer[2] [△ 'ɑːnsə] 1. *allg.*: antworten 2. beantworten, antworten auf (*Brief, Frage usw.*) 3. *answer the door* die Tür öffnen, aufmachen; *answer the phone* ans Telefon gehen 4. erfüllen (*Wunsch, Bitte usw.*) 5. erhören (*Gebet*)

answer back [ˌɑːnsə'bæk] *umg.* (*bes. Kinder*) freche Antworten geben

answer for ['ɑːnsə_fɔː] *answer for something* für etwas die Verantwortung übernehmen

answer to ['ɑːnsə‿tə] **1.** *einer Beschrei-*
bung usw.: entsprechen **2.** *he answers*
to the name of Bob er hört auf den
Namen Bob

answerable ['ɑːnsərəbl] verantwortlich
(*to someone* jemandem)
answerer ['ɑːnsərə] *AE* Anrufbeantwor-
ter
answering machine ['ɑːnsərɪŋ‿mə,ʃiːn]
Anrufbeantworter
answerphone ['ɑːnsə,fəʊn] *BE* Anrufbe-
antworter

answerphone

Hier ein paar Beispiele für typische An-
sagen auf Anrufbeantwortern:

Thank you for ringing. I'm afraid I'm/
we're out at the moment, but please
leave a message after the tone/beep.
Danke für Ihren Anruf. Ich bin / Wir
sind leider im Moment nicht zu Hause.
Sie können nach dem Tonsignal gern
eine Nachricht hinterlassen.

Sorry we're not in. If you leave a mes-
sage after the beep, we'll get in touch
with you as soon as possible.
Wir sind leider nicht zu Hause. Wenn Sie
eine Nachricht nach dem Tonsignal hin-
terlassen, rufen wir Sie so bald wie mög-
lich zurück.

Hi. This is 09324 23761. Please leave a
message and we'll get back to you as
soon as we can.
Hallo. Hier ist die Nummer 09324
23761. Bitte hinterlassen Sie eine Nach-
richt und wir werden Sie sobald wie mög-
lich zurückrufen.

ant [△ ænt] Ameise
antagonist [△ æn'tægənɪst] Gegner(in),
Gegenspieler(in)
Antarctic[1] [ænt'ɑːktɪk] *the Antarctic* die
Antarktis
Antarctic[2] [ænt'ɑːktɪk] antarktisch
Antarctic Circle [ænt,ɑːktɪk'sɜːkl] südli-
cher Polarkreis
anteater ['ænt,iːtə] Ameisenbär
antelope ['æntɪləʊp] Antilope
antenna[1] [æn'tenə] *Pl.* **antennas** *bes. AE*
Antenne; ☞ *BE* **aerial**[1]
antenna[2] [æn'tenə] *Pl.* **antennae**
[æn'teniː] *bes. bei Insekten*: Fühler
anthem ['ænθəm] Hymne
anthill ['ænt‿hɪl] Ameisenhaufen
anti... ['æntɪ] *in Zusammensetzungen*:
Gegen..., Anti...

antiaircraft [,æntɪ'eəkrɑːft] Flugab-
wehr...
antibiotic [,æntɪbaɪˈɒtɪk] *Medizin*: Anti-
biotikum; *the doctor gave me antibiot-*
ics der Arzt hat mir Antibiotika gege-
ben
antibody ['æntɪ,bɒdɪ] *Medizin*: Antikör-
per, Abwehrstoff
anticipate [△ æn'tɪsɪpeɪt] **1.** erwarten,
rechnen mit (*Ärger, Regen usw.*) **2.** vor-
hersehen, vorausahnen (*was jemand tun*
wird) **3.** (≈ *vorzeitig tun*) vorwegnehmen
4. *jemandem, einem Wunsch usw.*: zuvor-
kommen
anticipation [△ æn,tɪsɪ'peɪʃn] Erwartung
anticlimax [,æntɪ'klaɪmæks] Enttäu-
schung
anticlockwise [,æntɪ'klɒkwaɪz] entgegen
dem *oder* gegen den Uhrzeigersinn
antics ['æntɪks] *Pl.* Mätzchen (△ *nicht*
antik, Antike)
antidote ['æntɪdəʊt] **1.** Gegengift, Gegen-
mittel (*for, against* gegen) **2.** *übertragen*
Gegenmittel (*to* gegen)
antifreeze ['æntɪfriːz] Frostschutzmittel
antipathy [△ æn'tɪpəθɪ] Antipathie, Ab-
neigung (*to, towards* gegen)
antiquated ['æntɪkweɪtɪd] veraltet, altmo-
disch
antique[1] [æn'tiːk] antik, alt
antique[2] [æn'tiːk] Antiquität (△ *die Anti-*
ke = *antiquity*)
antique dealer [æn'tiːk,diːlə] Antiquitä-
tenhändler(in)
antique shop [æn'tiːk‿ʃɒp] Antiquitä-
tenladen
antiquity [æn'tɪkwətɪ] **1.** das Altertum,
die Antike **2.** *antiquities Pl.* Altertümer
(△ *Antiquität* = *antique*[2])
anti-Semitic [,æntɪ‿sə'mɪtɪk] antisemi-
tisch
anti-Semitism [△ ,æntɪ'semətɪzm] Anti-
semitismus
antiseptic [,æntɪ'septɪk] *medizinisch*: an-
tiseptisch
antisocial [,æntɪ'səʊʃl] **1.** *Verhalten usw.*:
asozial **2.** *Mensch*: ungesellig **3.** *Miete*
usw.: unsozial
anti-virus program [,æntɪ'vaɪrəs,prəʊ-
græm] *Computer*: Virenschutzprogramm
antler ['æntlə] (*a pair of*) **antlers** (ein)
Geweih
antonym ['æntənɪm] Antonym (*Wort mit*
gegenteiliger Bedeutung)
anvil ['ænvɪl] Amboss
anxiety [△ æŋ'zaɪətɪ] **1.** Angst, Sorge
(*about, for* wegen, um) **2.** *Psychologie*:
Beklemmung, Angstzustand
anxious [△ 'æŋkʃəs] **1.** besorgt (*about,*
for wegen, um) **2.** *I'm so anxious to*

meet him ich bin so gespannt *oder* ich freue mich darauf, ihn kennenzulernen **3. she was anxious to please him** sie bemühte sich sehr, es ihm recht zu machen

any ['enɪ] **1.** *fragend, verneinend:* **has he got any money?** hat er Geld?; **he hasn't got any money** er hat kein Geld; **she likes grapes - do we have any?** sie isst gern Weintrauben - haben wir welche?; **any more questions?** noch weitere Fragen? **2.** *bejahend:* irgendein(e), jede(r, -s) beliebige; **at any time** jederzeit; **take any book on that subject** nimm jedes beliebige Buch zu dem Thema **3.** (noch) etwas; **any more?** noch (etwas) mehr?

anybody ['enɪbɒdɪ] **1.** (irgend)jemand; **is anybody at home?** ist jemand zu Hause? **2.** jeder (beliebige); **anybody who can drive knows that** jeder, der Auto fahren kann, weiß das **3. hardly anybody knew him** es hat ihn kaum jemand gekannt; **isn't there anybody you can ask?** gibt es denn niemanden *oder* keinen, den du fragen kannst?

anyhow ['enɪhaʊ] **1.** trotzdem; **they asked me not to go, but I went anyhow** sie baten mich, nicht hinzugehen, aber ich bin trotzdem hingegangen **2.** jedenfalls, wie dem auch sei; **anyhow, you're here now** jedenfalls bist du jetzt hier **3.** irgendwie; **she stuffed the things in the suitcase just anyhow** sie stopfte die Sachen völlig wahllos in den Koffer

anyone ['enɪwʌn] → **anybody**

anything ['enɪθɪŋ] **1.** (irgend)etwas; **isn't there anything I can do?** kann ich denn gar nichts tun?; **not for anything** um keinen Preis; **take anything you like** nimm, was du willst; **anything else?** sonst noch etwas? **2.** alles; **he'll believe anything you say** der glaubt dir doch alles; **she was anything but pleased** sie war alles andere als erfreut

anyway ['enɪweɪ] → **anyhow**

anywhere ['enɪweə] **1.** irgendwo(hin); **we didn't go anywhere last night** wir sind gestern Abend nirgendwo hingegangen; **hardly anywhere** fast nirgends **2.** überall; **you can get these batteries almost anywhere** man bekommt diese Batterien fast überall

apart [ə'pɑːt] **1.** auseinander; **they put the tables wide apart** sie stellten die Tische weit auseinander; **I can't tell the twins apart** ich kann die Zwillinge nicht auseinanderhalten **2.** getrennt; **live apart** getrennt leben **3. apart from a few mistakes** abgesehen von ein paar Fehlern;

everybody apart from her alle außer ihr

apartment [ə'pɑːtmənt] *AE* Wohnung; ☞ *BE* **flat¹**

apartment house [ə'pɑːtmənt_haʊs] *AE* Mietshaus; ☞ *BE* **block of flats**

apathetic [△ ˌæpə'θetɪk] apathisch, teilnahmslos, gleichgültig

apathy [△ 'æpəθɪ] Apathie, Teilnahmslosigkeit

ape [eɪp] (Menschen)Affe

apiece [ə'piːs] **1.** *Preis usw.:* pro Stück **2.** *beim Teilen:* pro Kopf, pro Person

apologize [ə'pɒlədʒaɪz] sich entschuldigen (**for** für; **to** bei)

apology [ə'pɒlədʒɪ] Entschuldigung

apostle [△ ə'pɒsl] Apostel

apostrophe [△ ə'pɒstrəfɪ] Apostroph, Auslassungszeichen

appal, *AE* appall [△ ə'pɔːl] **be appalled** entsetzt sein (**at, by** über)

appalling [△ ə'pɔːlɪŋ] **1.** *Verbrechen usw.:* entsetzlich **2.** *umg.; Essen usw.:* furchtbar, schrecklich

apparatus [ˌæpə'reɪtəs] Apparat, Gerät

apparent [ə'pærənt] **1.** offensichtlich; **for no apparent reason** ohne ersichtlichen Grund **2.** (≈ *nur dem Schein nach*) scheinbar

apparently [ə'pærəntlɪ] anscheinend

apparition [ˌæpə'rɪʃn] *von Gespenst usw.:* Erscheinung

appeal¹ [ə'piːl] **1. appeal to someone for something** jemanden (dringend) um etwas bitten **2. the idea doesn't appeal to me** die Idee gefällt mir nicht **3.** *Recht:* Berufung *oder* Revision einlegen

appeal² [ə'piːl] **1.** Anziehungskraft, Reiz **2.** Appell, dringende Bitte **3.** *Recht:* Berufung, Revision

appealing [ə'piːlɪŋ] **1.** *Idee usw.:* reizvoll, verlockend **2.** *Eigenschaften, Charakter usw.:* ansprechend **3.** *Blick usw.:* flehend

appear [ə'pɪə] **1.** (≈ *sichtbar werden*) erscheinen **2.** *unvermutet:* auftauchen **3.** *im Fernsehen usw.:* auftreten **4.** (≈ *sich darstellen*) (er)scheinen; **it appears to be all right** es scheint in Ordnung zu sein; **he appeared quite calm** er war äußerlich ganz ruhig **5.** (*Buch*) erscheinen, herauskommen

appearance [ə'pɪərəns] **1.** Erscheinen; **put in an appearance** sich kurz sehen lassen **2.** Auftreten; **make a public appearance** in der Öffentlichkeit auftreten **3.** (äußere) Erscheinung, Aussehen, Äußeres **4.** *mst.* **appearances** *Pl.* Anschein, (äußerer) Schein; **to all appearances** allem Anschein nach; **appearances are deceptive** der Schein trügt; **keep up appearances** den Schein wahren appease [ə'piːz] besänftigen, beschwichtigen (*Wut, Unzufriedenheit usw.*)

appendicitis [ə,pendɪ'saɪtɪs] *medizinisch*: Blinddarmentzündung

appendix [ə'pendɪks] *Pl.* **appendixes** *oder* **appendices** [ə'pendɪsiːz] **1.** *Körper*: Blinddarm **2.** Anhang (*eines Buchs*)

appetite ['æpɪtaɪt] Appetit (**for** auf); **she only had a small appetite** sie hatte nur wenig Appetit

appetizer ['æpɪtaɪzə] **1.** (kleine) Vorspeise, Appetithappen **2.** *Getränk*: Aperitif

appetizing ['æpɪtaɪzɪŋ] *Speise, Geruch*: appetitanregend, lecker

applaud [ə'plɔːd] applaudieren, Beifall spenden

applause [ə'plɔːz] Applaus, Beifall

apple ['æpl] Apfel; **apple juice** Apfelsaft

Big Apple

Big Apple ist eine liebevolle Bezeichnung für New York. Sie geht auf die Jazzmusiker der 20er und 30er Jahre zurück, für die New York die besten Karriereaussichten bot.

apple pie [,æpl'paɪ] gedeckter Apfelkuchen

apple sauce [,æpl'sɔːs] Apfelmus

appliance [ə'plaɪəns] Gerät

applicable ['æplɪkəbl] **1.** anwendbar (**to** auf) **2.** *in Formularen*: **not applicable** entfällt; **tick** (*AE* **check**) **where applicable** Zutreffendes bitte ankreuzen

applicant ['æplɪkənt] **1.** Bewerber(in) (**for** um) **2.** Antragsteller(in)

application [,æplɪ'keɪʃn] **1.** Bewerbung; (**letter of**) **application** Bewerbungsschreiben **2.** *von Regeln, Techniken usw.*: Anwendung **3.** *von Salbe, Farbe usw.*: Auftragen **4.** Antrag (**for** auf)

applied [ə'plaɪd] *Wissenschaft*: angewandt

apply [ə'plaɪ], **applied** [ə'plaɪd], **applied** [ə'plaɪd], **-ing-Form applying 1.** sich bewerben (**for** um) **2.** **apply for something** etwas beantragen (*Zuschuss, Ermäßigung usw.*) **3.** anwenden (*Kraft, Fähigkeiten usw.*) (**to** auf) **4.** betätigen (*Bremse usw.*) **5.** auftragen (*Salbe, Farbe usw.*) (**to** auf) **6.** (*Theorie, Beschreibung usw.*) zutreffen, sich anwenden lassen (**to** auf)

appoint [ə'pɔɪnt] **1.** einstellen (*Lehrer, Sekretärin usw.*) (**as** als) **2.** ernennen, berufen; **he was appointed chairman** er wurde zum Vorsitzenden ernannt **3.** festsetzen, bestimmen (*Termin, Zeitpunkt*)

appointment [ə'pɔɪntmənt] **1.** *geschäftlich, beim Arzt usw.*: Termin; **make an appointment** einen Termin vereinbaren

2. Ernennung, Berufung (**as** zum, zur)

appreciate [ə'priːʃɪeɪt] **1.** zu schätzen wissen, anerkennen (*jemandes Fähigkeiten usw.*) **2.** dankbar sein für (*jemandes Hilfsbereitschaft usw.*) **3.** Sinn haben für (*Musik usw.*) **4.** sich bewusst sein (*eines Problems usw.*) **5.** verstehen, Verständnis haben für (*jemandes Handlungsweise usw.*)

appreciation [ə,priːʃɪ'eɪʃn] **1.** Würdigung, Anerkennung **2.** Dankbarkeit (**of** für); **in appreciation of your help** zum Dank für Ihre Hilfe **3.** Sinn (**of** für) **4.** Verständnis (**of** für)

apprehension [,æprɪ'henʃn] Besorgnis

apprehensive [,æprɪ'hensɪv] besorgt (**for** um; **that** dass); **be apprehensive that** befürchten, dass

apprentice [ə'prentɪs] **1.** Auszubildende(r), Lehrling, ⊕ *Frau*: Lehrtochter **2.** **apprentice plumber** *usw.* Klempnerlehrling *usw.*

apprenticeship [ə'prentɪsʃɪp] **1.** Lehre, Lehrzeit; **at the end of your apprenticeship** am Ende deiner Lehrzeit **2.** Lehrstelle

approach¹ [ə'prəʊtʃ] **1.** sich nähern **2.** **approach someone** an jemanden herantreten, sich an jemanden wenden **3.** (*Flugzeug*) anfliegen **4.** **he's approaching 50** er geht auf die 50 zu

approach² [ə'prəʊtʃ] **1.** (Heran)Nahen, Näherkommen **2.** *Flugzeug*: Anflug **3.** *zu einer Problemlösung*: Ansatz, Methode

approach road [ə'prəʊtʃ ,rəʊd] Zufahrtsstraße

appropriate¹ [ə'prəʊprɪət] passend, geeignet (**for, to** für)

appropriate² [ə'prəʊprɪeɪt] sich aneignen

approval [⚠ ə'pruːvl] **1.** Anerkennung, Beifall; **meet with approval** Beifall finden **2.** Genehmigung **3.** **on approval** bei *Warenbestellung*: zur Ansicht

approve [⚠ ə'pruːv] **1.** einverstanden sein (**of** mit), zustimmen; **I don't approve of** ... ich halte nichts von ... **2.** genehmigen (*Pläne, Ausgaben usw.*) **3.** billigen (*Verhalten, Ansicht usw.*)

approx. *schriftliche Abk. für* → **approximately**

approximate [ə'prɒksɪmət] *Zahlen, Mengen usw.*: annähernd, ungefähr

approximately [ə'prɒksɪmətlɪ] *bei Zahlen, Mengen usw.*: ungefähr, etwa, circa

approximation [ə,prɒksɪ'meɪʃn] Annäherung (**to** an)

apricot ['eɪprɪkɒt] Aprikose, Ⓐ Marille

April ['eɪprəl] April; **in April** im April

April Fools' Day [,eɪprəl'fuːlz_deɪ] der 1. April

April Fools' Day

– der 1. April. Auch in den englischsprachigen Ländern ist es üblich, Aprilscherze zu machen, aber normalerweise nur bis 12.00 Uhr mittags. Ist einem der Scherz gelungen, ruft man **April fool!** (= April! April!).

apron ['eɪprən] Schürze

apt [æpt] **1.** *Bemerkung usw.*: treffend **2.** *Geschenk usw.*: passend **3.** *be apt to do something* dazu neigen, etwas zu tun

aptitude ['æptɪtjuːd] Begabung (**for** für)

aptitude test ['æptɪtjuːd_test] Eignungsprüfung

aquaerobics [ˌækweə'rəʊbɪks] *Sport*: Wasseraerobic

aqualung ['ækwəlʌŋ] Atemgerät, Sauerstoffgerät (*beim Tauchen*)

aquarium [ə'kweərɪəm] *Pl. aquariums oder aquaria* [ə'kweərɪə] Aquarium

Aquarius [ə'kweərɪəs] *Sternzeichen*: Wassermann

aquatic [ə'kwætɪk] **1.** Wasser...; *aquatic sports Pl.* Wassersport **2.** *Pflanzen, Tiere usw.*: im Wasser lebend

Arab ['ærəb] Araber(in)

Arabia [ə'reɪbɪə] Arabien

Arabian [ə'reɪbɪən] arabisch; *The Arabian Nights Märchen*: Tausendundeine Nacht

Arabic[1] [△ 'ærəbɪk] arabisch; *Arabic numeral* arabische Ziffer

Arabic[2] [△ 'ærəbɪk] *Sprache*: Arabisch

arable ['ærəbl] *arable land* Ackerland

arbitrary ['ɑːbɪtrərɪ] *oft abwertend* willkürlich (*auch bei Machtmissbrauch usw.*)

arbitrate ['ɑːbɪtreɪt] schlichten (*Streit usw.*)

arbitration [ˌɑːbɪ'treɪʃn] Schlichtung; *court of arbitration* Schiedsgericht

arc [ɑːk] **1.** *Linie*: Bogen **2.** Lichtbogen

arcade [ɑː'keɪd] Arkade; *shopping arcade* Einkaufspassage

arch[1] [ɑːtʃ] **1.** *Architektur*: Bogen **2.** *des Fußes usw.*: Wölbung

arch[2] [ɑːtʃ] beugen, krümmen; *the cat arched its back* die Katze machte einen Buckel

arch... [ɑːtʃ] *in Zusammensetzungen*: Erz...

archaeologist [△ ˌɑːkɪ'ɒlədʒɪst] Archäologe, Archäologin

archaeology [△ ˌɑːkɪ'ɒlədʒɪ] Archäologie

archaic [△ ɑː'keɪɪk] veraltet

archangel ['ɑːkˌeɪndʒəl] Erzengel

archbishop [ˌɑːtʃ'bɪʃəp] Erzbischof

archeologist [△ ˌɑːkɪ'ɒlədʒɪst] *bes. AE*

Archäologe, Archäologin

archer ['ɑːtʃə] Bogenschütze, Bogenschützin

architect [△ 'ɑːkɪtekt] **1.** Architekt(in) **2.** *übertragen* Urheber(in), Schöpfer(in)

architecture [△ 'ɑːkɪtektʃə] Architektur

archives [△ 'ɑːkaɪvz] *Pl.* Archiv

archway ['ɑːtʃweɪ] **1.** *zwischen Zimmern*: Türbogen **2.** *durch ein Gebäude*: Torbogen

arctic ['ɑːktɪk] arktisch, Polar...; *Arctic Ocean* Nördliches Eismeer

Arctic ['ɑːktɪk] *the Arctic* die Arktis

ardent ['ɑːdnt] *Verehrer, Bewunderer usw.*: leidenschaftlich, glühend

arduous ['ɑːdjʊəs] mühsam, anstrengend

are [ə, *betont* ɑː] *we are* wir sind; *you are* ihr seid; *they are* sie sind

area ['eərɪə] **1.** (Grund)Fläche **2.** Gebiet, Gegend; *I'm new to the area* ich bin neu hier **3.** *Sachgebiet usw.*: Bereich

area code ['eərɪə_kəʊd] *AE* Vorwahl; ☞ *BE dialling code*

arena [ə'riːnə] Arena

aren't [ɑːnt] **1.** *Kurzform von are not* **2.** *Kurzform von am not*; *I'm your friend, aren't I?* ich bin doch dein Freund, oder?

Argentina [ˌɑːdʒən'tiːnə] Argentinien

Argentinian[1] [ˌɑːdʒən'tɪnɪən] argentinisch

Argentinian[2] [ˌɑːdʒən'tɪnɪən] Argentinier(in)

arguable ['ɑːgjʊəbl] **1.** zweifelhaft, fraglich **2.** *it's arguable that* man kann durchaus die Meinung vertreten, dass

argue ['ɑːgjuː] **1.** streiten (*with* mit; *about* über); *stop arguing!* hört auf, euch zu streiten! **2.** argumentieren; *argue for* eintreten für; *argue against* Einwände machen gegen

argument ['ɑːgjʊmənt] **1.** Streit, Auseinandersetzung; *have an argument* sich streiten **2.** Argument **3.** *I don't want any arguments* ich will keine Diskussion

aria ['ɑːrɪə] Arie

arid ['ærɪd] *Land*: dürr, trocken

Aries [△ 'eəriːz] *Sternzeichen*: Widder

arise [ə'raɪz], *arose* [ə'rəʊz], *arisen* [ə'rɪzn] **1.** sich ergeben, entstehen; *arise from oder out of something* sich aus etwas ergeben **2.** (*Gedanke, Zweifel, Verdacht*) aufkommen

arisen [ə'rɪzn] *3. Form von → arise*

aristocracy [ˌærɪ'stɒkrəsɪ] Aristokratie

aristocrat [△ 'ærɪstəkræt] Aristokrat(in)

aristocratic [ˌærɪstə'krætɪk] aristokratisch

arithmetic [△ ə'rɪθmətɪk] Rechnen, Arithmetik

ark [ɑːk] *Noah's Ark* die Arche Noah

arm¹ [ɑːm] **1.** Arm **2.** *keep someone at arm's length* übertragen sich jemanden vom Leibe halten **3.** *von Kleidungsstück*: Ärmel **4.** *eines Sessels*: Armlehne

arm² [ɑːm] (sich) bewaffnen, rüsten

armament ['ɑːməmənt] Rüstung, Aufrüstung

armchair ['ɑːmtʃeə] Sessel

armed [ɑːmd] bewaffnet; *armed robbery* bewaffneter Raubüberfall; *armed to the teeth* bis an die Zähne bewaffnet

armed forces [,ɑːmd'fɔːsɪz] *Pl.* Streitkräfte

armistice ['ɑːmɪstɪs] Waffenstillstand

armour ['ɑːmə], *AE* armor **1.** *der Ritter*: Rüstung **2.** *von Tieren, Fahrzeugen*: Panzer

armoured ['ɑːməd], *AE* armored *Fahrzeug*: gepanzert (*für Geldtransporte usw.*)

armpit ['ɑːmpɪt] Achselhöhle

armrest ['ɑːmrest] Armlehne

arms [ɑːmz] *Pl.* **1.** *für Kampf*: Waffen **2.** *be up in arms* übertragen empört sein (*about, over* wegen) **3.** *als Symbol*: Wappen

arms control ['ɑːmz‿kən,trəʊl] Rüstungskontrolle

arms race ['ɑːmz‿reɪs] Wettrüsten, Rüstungswettlauf

army ['ɑːmɪ] Armee, Heer; *be in the army* Soldat sein; *join the army* Soldat werden

A-road ['eɪrəʊd] *BE*; *etwa*: Bundesstraße

arose [ə'rəʊz] **2.** *Form von* → *arise*

around [ə'raʊnd] **1.** umher, herum; *look around* sich umsehen **2.** um, um … herum; *he had a scarf wrapped around his neck* er hatte einen Schal um seinen Hals gebunden **3.** in … herum; *walk around the garden* im Garten herumgehen; *he's been around umg.* er ist ganz schön herumgekommen **4.** *all around* ringsherum **5.** *umg.* ungefähr; *it costs around five pounds* es kostet so um die fünf Pfund; *around two o'clock* so gegen zwei Uhr **6.** *umg.* in der Nähe, da, hier; *is she around?* ist sie da?

arouse [ə'raʊz] **1.** wecken **2.** *übertragen* erregen (*Misstrauen, Begierde usw.*)

arrange [ə'reɪndʒ] **1.** *alphabetisch usw.*: (an)ordnen **2.** hinstellen, aufstellen (*Bücher, Stühle usw.*) **3.** arrangieren (*Blumen*) **4.** organisieren (*Ausflug, Flucht, Urlaub usw.*) **5.** festsetzen, festlegen (*Termin usw.*); *I'll arrange an appointment* ich mache einen Termin aus **6.** verabreden, vereinbaren (*Treffen usw.*); *I'll arrange for him to meet you* ich werde dafür sorgen, dass er Sie trifft **7.** in die

Wege leiten, arrangieren (*Hilfsaktion usw.*) **8.** arrangieren, bearbeiten (*Musikstück*)

arrangement [ə'reɪndʒmənt] **1.** (*von Stühlen, Blumen usw.*) Anordnung **2.** (*von Urlaub, Flucht usw.*) Organisation **3.** *zeitlich*: Verabredung, Vereinbarung; *by arrangement* nach Vereinbarung *oder* Absprache; *make an arrangement* eine Verabredung treffen (*with* mit) **4.** *Musik*: Arrangement, Bearbeitung **5.** *arrangements Pl.* Vorkehrungen; *make arrangements* Vorkehrungen treffen

array [ə'reɪ] *von Gegenständen*: Ansammlung, (stattliche) Reihe

arrears [ə'rɪəz] *Pl.* *be in arrears* im Rückstand *oder* Verzug sein (*mit der Miete usw.*)

arrest¹ [ə'rest] verhaften, festnehmen

arrest² [ə'rest] Verhaftung, Festnahme; *be under arrest* verhaftet sein

arrival [ə'raɪvl] **1.** Ankunft; *on arrival* bei Ankunft **2.** *new arrival* Neuankömmling, neues Gesicht; *a new arrival* (*to the family*) Familienzuwachs

arrive [ə'raɪv] (an)kommen

arrive at [ə'raɪv‿ət] kommen *oder* gelangen zu (*einer Entscheidung usw.*)

arrogance ['ærəgəns] Arroganz, Überheblichkeit

arrogant ['ærəgənt] arrogant, überheblich

arrow ['ærəʊ] Pfeil

arse [ɑːs] *BE, tabu* Arsch; ☞ *AE ass²*

arsehole ['ɑːshəʊl] *BE, tabu* Arschloch; ☞ *AE asshole*

arsenic [△ 'ɑːsnɪk] *Chemie*: Arsen

arson ['ɑːsn] Brandstiftung

arsonist ['ɑːsnɪst] Brandstifter(in)

art [ɑːt] **1.** Kunst (*auch als Fach*); *work of art* Kunstwerk; *arts and crafts Pl.* Kunstgewerbe **2.** *arts Pl. Universität*: Geisteswissenschaften

artefact, artifact ['ɑːtɪfækt] *Archäologie*: (Kunst)Gegenstand, Artefakt

artery ['ɑːtərɪ] Arterie, Schlagader

artful ['ɑːtfl] *Person, Trick usw.*: schlau, listig, raffiniert

arthritis [ɑː'θraɪtɪs] Arthritis

artichoke [△ 'ɑːtɪtʃəʊk] Artischocke

article ['ɑːtɪkl] **1.** *in Zeitung usw.*: Artikel **2.** *Kleidung, Möbel usw.*: Gegenstand, Artikel; *article of clothing* Kleidungsstück **3.** *Sprache*: Artikel, Geschlechtswort **4.** *eines Gesetzes usw.*: Artikel, Paragraph

articulate¹ [ɑː'tɪkjʊlət] redegewandt

articulate² [ɑː'tɪkjʊleɪt] **1.** deutlich (aus)sprechen **2.** in Worte fassen, ausdrücken

(*Gedanken usw.*)

articulated lorry [ɑːˌtɪkjʊleɪtɪdˈlɒrɪ] *BE* Sattelschlepper; → *semi²*

artifice [ˈɑːtɪfɪs] **1.** List **2.** Kunstgriff, Kniff

artificial [ˌɑːtɪˈfɪʃl] **1.** *Blume, Beatmung, Befruchtung usw.*: künstlich **2.** *Seide, Haar, Dünger usw.*: Kunst… **3.** *Lächeln usw.*: gekünstelt

artisan [△ ˌɑːtɪˈzæn] (Kunst)Handwerker(in)

artist [ˈɑːtɪst] Künstler(in) (△ *Artist* = [*circus oder variety*] performer)

artistic [ɑːˈtɪstɪk] **1.** *Gestaltung, Form, Wert usw.*: künstlerisch, Kunst… **2.** künstlerisch veranlagt

as [əz, *betont* æz] **1.** *bei Vergleichen*: so; *as … as …* (genau)so … wie …; *as fast as I could* so schnell ich konnte; *as soon as possible* so bald wie möglich; *as far as I know* soviel ich weiß; (*as*) *soft as butter* butterweich; *just as good* genauso gut; *twice as big* zweimal so groß; *as if* als ob **2.** *bei Funktion usw.*: als; *use something as a tool* etwas als Werkzeug benutzen; *work as a teacher* als Lehrer arbeiten; *appear as Hamlet* als Hamlet auftreten **3.** *bei Beispielen*: *famous pop groups such as …* berühmte Popgruppen wie … **4.** (so) wie; *as follows* wie folgt; *as requested* wunschgemäß **5.** *zeitlich*: als, während; *as he was teaching* als er unterrichtete **6.** *Begründung*: da, weil; *as he's late again, we'll start without him* da er wieder zu spät kommt, fangen wir ohne ihn an **7.** was, wie; *as he himself admits* wie er selbst zugibt **8.** *impossible as it seems, …* so unmöglich es auch erscheint, … **9.** *as to … was …* (an)betrifft; *as for … oft im negativen Sinn*: und was … angeht; *as from …* vor Zeitangaben: von … an, ab … **10.** *as it is* wie die Dinge liegen; *it's bad enough as it is* es ist sowieso schon schlimm genug; *as it were* sozusagen

asap [ˌeɪeseɪˈpiː] (*Abk. für* **as** soon **as** possible) möglichst bald

ascend [△ əˈsend] *oft förmlich* **1.** (auf-)steigen, ansteigen **2.** besteigen (*den Thron*)

Ascension Day [əˈsenʃn‿deɪ] Himmelfahrt, Himmelfahrtstag

ascent [△ əˈsent] **1.** *eines Bergs*: Aufstieg, Besteigung **2.** *steile Stelle*: Steigung

ascertain [△ ˌæsəˈteɪn] ermitteln, feststellen

ascetic [△ əˈsetɪk] asketisch

ascribe to [əˈskraɪb‿tə] *ascribe something to someone* (*oder something*)

jemandem (*oder* etwas) etwas zuschreiben

ash¹ [æʃ] *oft* **ashes** *Pl.* Asche

ash² [æʃ] **1.** Esche **2.** Eschenholz

ashamed [əˈʃeɪmd] beschämt; *be* (*oder feel*) *ashamed* sich schämen (*of* für)

ashen [ˈæʃn], **ashen-faced** [ˈæʃnfeɪst] aschfahl, kreidebleich

ashore [əˈʃɔː] *go ashore* an Land gehen

ashtray [ˈæʃtreɪ] Aschenbecher

Ash Wednesday [ˌæʃˈwenzdeɪ] Aschermittwoch

Asia [ˈeɪʃə] Asien

Asia Minor [ˌeɪʃəˈmaɪnə] Kleinasien

Asian¹ [ˈeɪʃn] asiatisch

Asian² [ˈeɪʃn] Asiat(in)

Asiatic [ˌeɪʃɪˈætɪk] asiatisch

aside [əˈsaɪd] **1.** zur Seite, beiseite **2.** *aside from bes. AE* abgesehen von

ask [ɑːsk] **1.** *allg.*: fragen; *ask about someone oder something* sich nach jemandem *oder* etwas erkundigen; *don't ask me!* keine Ahnung!; *you may well ask!* das ist eine gute Frage! **2.** fragen nach, sich erkundigen nach (*dem Weg usw.*); *he asked (me) my name* er fragte nach meinem Namen **3.** bitten (um); *ask (someone) for something* (jemanden) um etwas bitten; *can I ask you a favour?* kann ich dich um einen Gefallen bitten?; *it's yours for the asking* du kannst es gerne haben **4.** fordern (*of* von); *that's asking too much* das ist zu viel verlangt **5.** einladen; *ask someone to dinner* jemanden zum Essen einladen

ask after [ˈɑːskˌɑːftə] *ask after someone* sich nach jemandem erkundigen

ask around [ˌɑːsk‿əˈraʊnd] herumfragen, sich umhören

ask for [ˈɑːsk‿fə] **1.** bitten um **2.** *you asked for it* du hast es ja nicht anders gewollt; *that was asking for trouble* das musste ja schiefgehen

ask in [ˌɑːskˈɪn] hereinbitten

ask out [ˌɑːskˈaʊt] einladen, ausführen (*in ein Lokal usw.*)

askance [əˈskæns] *look askance at someone* jemanden von der Seite ansehen; *übertragen* jemanden misstrauisch ansehen

askew [əˈskjuː] schief

asleep [əˈsliːp] *be asleep* schlafen; *fall asleep* einschlafen

asparagus [△ əˈspærəgəs] Spargel

aspect [ˈæspekt] Aspekt, Blickwinkel

aspen [ˈæspən] *Baum*: Espe

asphalt [ˈæsfælt] Asphalt

aspic ['æspɪk] Aspik, Gelee

aspirant ['æspərənt] Bewerber(in) (*to, for* um), Anwärter(in) (*to, for* auf)

aspiration [ˌæspə'reɪʃn] Ambition, Streben

aspire [ə'spaɪə] streben, trachten (*to, after* nach)

ass [æs] *AE, tabu* Arsch; ☞ *BE* **arse**

assail [ə'seɪl] 1. angreifen 2. *übertragen* bestürmen (*mit Fragen usw.*); *assailed by doubts* von Zweifeln gepackt

assassin [ə'sæsɪn] Attentäter(in)

assassinate [ə'sæsɪneɪt] ermorden; *be assassinated* einem Attentat zum Opfer fallen

assassination [əˌsæsɪ'neɪʃn] (politischer) Mord, Ermordung, Attentat

assault¹ [ə'sɔːlt] 1. Angriff (*auch übertragen*) 2. *Recht:* Körperverletzung 3. *militärisch:* Sturm(angriff)

assault² [ə'sɔːlt] 1. angreifen (*auch übertragen*) 2. *Recht:* tätlich werden gegen, herfallen über

assemble [ə'sembl] 1. sich versammeln 2. *Technik:* montieren, zusammensetzen

assembly [ə'semblɪ] 1. *mst. politisch:* Versammlung 2. *mst. morgendliche Zusammenkunft von Schülern und Lehrern einer Schule* 3. *Technik:* Montage

assembly line [ə'semblɪ ˌlaɪn] Montageband

assent¹ [ə'sent] zustimmen

assent² [ə'sent] Zustimmung

assert [ə'sɜːt] 1. behaupten 2. beteuern (*Unschuld*) 3. geltend machen (*Anspruch usw.*) 4. *assert oneself* sich (im Leben) durchsetzen

assertion [ə'sɜːʃn] 1. Behauptung 2. Beteuerung 3. Geltendmachung

assess [ə'ses] 1. abschätzen, beurteilen 2. schätzen, taxieren (*Wert*) 3. festsetzen (*Strafe, Steuer*) 4. (steuerlich) veranlagen (*Einkommen usw.*)

assessment [ə'sesmənt] 1. Abschätzung, Einschätzung, Beurteilung 2. Schätzung, Taxierung 3. Festsetzung 4. *steuerlich:* Veranlagung

asset ['æset] 1. *in der Bilanz:* Aktivposten; *assets Pl.* Vermögen 2. *bei Person, Eigenschaft:* Plus, Vorzug

asshole ['æshəʊl] *AE, tabu* Arschloch; ☞ *BE* **arsehole**

assiduous [ə'sɪdjʊəs] *Student, Nachforschungen usw.:* fleißig und gewissenhaft

assign [ə'saɪn] 1. *assign someone a job oder assign a job to someone* jemandem eine Aufgabe zuweisen 2. festsetzen (*Zeitpunkt usw.*)

assignment [ə'saɪnmənt] 1. Aufgabe, Auftrag 2. *AE; Schule:* Hausaufgabe

assimilate [ə'sɪmɪleɪt] 1. aufnehmen (*Wissen*) 2. sich angleichen (*to, with* an) 3. *in eine Gemeinschaft:* aufnehmen

assimilation [əˌsɪmɪ'leɪʃn] 1. Aufnahme (*von Wissen*) 2. Angleichung 3. Aufnahme (*in eine Gemeinschaft*)

assist [ə'sɪst] 1. helfen (*in, with* bei) 2. *bei Operation usw.:* assistieren (*in* bei)

assistance [ə'sɪstəns] Hilfe

assistant¹ [ə'sɪstənt] stellvertretend; *assistant editor* Redaktionsassistent(in); *assistant manager* stellvertretende(r) Geschäftsführer(in)

assistant² [ə'sɪstənt] 1. Assistent(in), Mitarbeiter(in) 2. (*shop*) *assistant BE* Verkäufer(in); ☞ *AE* **salesclerk**

associate¹ [ə'səʊʃɪeɪt] 1. assoziieren, (gedanklich) verbinden (*with* mit) 2. verkehren (*with* mit)

associate² [△ ə'səʊʃɪət] Teilhaber(in), Gesellschafter(in)

association [əˌsəʊsɪ'eɪʃn] 1. *Sport usw.:* Verein, Verband 2. *zu Geschäftspartnern usw.:* Verbindung, Kontakt 3. *übertragen* Gedankenverbindung, Assoziation

assorted [ə'sɔːtɪd] *Bonbons, Kekse usw.:* gemischt

assortment [ə'sɔːtmənt] Sortiment, Auswahl (*of* an)

assume [ə'sjuːm] 1. annehmen, voraussetzen; *assuming that* angenommen *oder* vorausgesetzt dass 2. übernehmen (*Amt, Verantwortung usw.*) 3. annehmen (*Eigenschaft, Gestalt usw.*)

assumption [△ ə'sʌmpʃn] Annahme, Voraussetzung; *on the assumption that* in der Annahme *oder* unter der Voraussetzung, dass

assurance [ə'ʃɔːrəns] 1. Zusicherung 2. Selbstsicherheit 3. *life assurance BE* Lebensversicherung

assure [ə'ʃɔː] versichern; *I can assure you* (*that*) *it's true* ich kann dir versichern, dass es wahr ist; *assure someone of something* jemandem etwas zusichern

assured [ə'ʃɔːd] 1. selbstsicher 2. *Zukunft:* gesichert 3. (*you can*) *rest assured that* Sie können sich darauf verlassen, dass

asterisk ['æstərɪsk] *Hinweis auf Fußnote:* Sternchen (*Zeichen* *)

asthma [△ 'æsmə] Asthma

asthma attack [△ 'æsmə ˌəˌtæk] Asthmaanfall

asthmatic¹ [△ æs'mætɪk] Asthmatiker(in)

asthmatic² [△ æs'mætɪk] *be asthmatic* Asthma haben

astonish [ə'stɒnɪʃ] in Erstaunen setzen;

*be **astonished*** erstaunt sein (***at*** über)
astonishing [əˈstɒnɪʒɪŋ] erstaunlich
astonishment [əˈstɒnɪʃmənt] Erstaunen, Verwunderung; ***to our astonishment*** zu unserer Verwunderung
astound [əˈstaʊnd] (*etwas Unerwartetes usw.*) verblüffen, in Erstaunen versetzen
astounding [əˈstaʊndɪŋ] verblüffend
astray [əˈstreɪ] **1.** ***go astray*** übertragen auf Abwege geraten **2.** ***lead someone astray*** übertragen jemanden vom rechten Weg abbringen
astride [əˈstraɪd] rittlings (*sitzen*)
astrology [△ əˈstrɒlədʒɪ] Astrologie
astronaut [ˈæstrənɔːt] Astronaut(in)
astronomy [△ əˈstrɒnəmɪ] Astronomie
astrophysics [ˌæstrəʊˈfɪzɪks] (△ *im Sg. verwendet*) Astrophysik
astute [əˈstjuːt] schlau, gerissen
asylum [əˈsaɪləm] (politisches) Asyl
asylum seeker [əˈsaɪləmˌsiːkə] Asylbewerber(in)
at [ət, *betont:* æt] **1.** *Ort:* in, an, bei, auf; ***at school*** in der Schule; ***at her birthday party*** auf ihrer Geburtstagsparty; ***I met him at the baker's*** ich traf ihn beim Bäcker; ***I was standing at the door*** ich stand an der Tür **2.** *Richtung:* auf, nach, gegen; ***he threw a stone at the door*** er warf einen Stein gegen die Tür **3.** *Uhrzeit:* um; ***at two o'clock*** um zwei Uhr; ***at the moment*** im Moment **4.** *Zeitpunkt:* ***at the age of 10*** im Alter von 10 Jahren; ***at his death*** bei seinem Tod **5.** *Zeitraum:* in, bei, während; ***at night*** nachts; ***at work*** bei der Arbeit **6.** *Maßeinheiten:* ***at full speed*** mit voller Geschwindigkeit; ***at a low price*** zu einem niedrigen Preis **7.** *Ursache:* über; ***they laughed at me*** sie haben über mich gelacht **8.** *Beschäftigung, Begabung:* in, bei; ***she's good at knitting*** sie kann gut stricken
ate [et, *bes. AE* eɪt] **2.** *Form von* → ***eat***
atheism [ˈeɪθɪɪzm] Atheismus
atheist [ˈeɪθɪɪst] Atheist(in)
Athens [ˈæθɪnz] Athen
athlete [ˈæθliːt] **1.** Athlet(in) **2.** Leichtathlet(in) **3.** Sportler(in)
athlete's foot [ˌæθliːtsˈfʊt] Fußpilz
athletic [æθˈletɪk] sportlich, athletisch
athletics [æθˈletɪks] *Pl.* (*auch als Sg. gebraucht*) *BE* Leichtathletik; ☞ *AE* **track and field**
Atlantic [ətˈlæntɪk], **Atlantic Ocean** [ətˌlæntɪkˈəʊʃn] Atlantik
atlas [ˈætləs] Atlas
ATM [ˌeɪtiːˈem] (*Abk. für* **a**utomated **t**eller **m**achine) *AE* Geldautomat
atmosphere [ˈætməsfɪə] Atmosphäre
atom [ˈætəm] Atom

atom bomb [ˈætəmˌbɒm] Atombombe
atomic [əˈtɒmɪk] atomar, Atom...
atomic bomb [əˌtɒmɪkˈbɒm] Atombombe
atomic energy [əˌtɒmɪkˈenədʒɪ] Atomenergie
atomizer [ˈætəmaɪzə] Zerstäuber
atrocious [əˈtrəʊʃəs] **1.** *Verbrechen usw.:* grauenhaft **2.** *umg.; Essen, Manieren usw.:* scheußlich, grässlich
atrocity [△ əˈtrɒsətɪ] **1.** *eines Verbrechens:* Grausamkeit **2.** Gräueltat **3.** *umg.; geschmackloser Gegenstand:* Scheußlichkeit
at sign [ˈætˌsaɪn] *E-Mail:* @-Zeichen, *umg.* Klammeraffe
attach [əˈtætʃ] befestigen, anbringen (***to*** an)

> **attach to** [əˈtætʃˌtə] **1.** beimessen (*Wert, Wichtigkeit*) **2.** ***be attached to someone*** *oder* ***something*** an jemandem *oder* etwas hängen

attaché [△ əˈtæʃeɪ] (≈ *Diplomat*) Attaché
attaché case [△ əˈtæʃeɪˌkeɪs] Aktentasche
attachment [əˈtætʃmənt] **1.** *Technik:* Zusatzgerät **2.** Anhänglichkeit (***to*** an) **3.** *E-Mail:* angehängtes Dokument, Anhang
attack[1] [əˈtæk] **1.** *allg.:* angreifen **2.** (*Krankheit*) befallen
attack[2] [əˈtæk] **1.** Angriff **2.** *Krankheit usw.:* Anfall
attain [əˈteɪn] erreichen (*Ziel usw.*)
attainment [əˈteɪnmənt] **1.** Erreichung (*eines Ziels usw.*) **2.** ***attainments*** *Pl.* Fertigkeiten *Pl.*
attempt[1] [əˈtempt] versuchen (*bes. erfolglos*)
attempt[2] [əˈtempt] **1.** Versuch **2.** ***an attempt on someone's life*** ein Mordanschlag *oder* Attentat auf jemanden
attend [əˈtend] **1.** teilnehmen an (*Unterricht usw.*) **2.** besuchen (*Vorlesungen, Kurs usw.*) **3.** pflegen, (ärztlich) behandeln

> **attend to** [əˈtendˌtə] ***attend to someone*** *oder* ***something*** sich um jemanden *oder* etwas kümmern

attendance [əˈtendəns] **1.** Anwesenheit, Erscheinen; ***attendance at school*** der Schulbesuch; ***attendance list*** Anwesenheitsliste **2.** Besucherzahl, Teilnehmerzahl
attendant [əˈtendənt] **1.** Aufseher(in), Wärter(in) **2.** Begleiter(in)

attention [ə'tenʃn] **1.** Aufmerksamkeit; **pay attention** aufpassen; **pay attention to the teacher** dem Lehrer aufmerksam zuhören; **attention, please!** Achtung, eine Durchsage! **2.** (**for the**) (*AE* **to the**) **attention of Mr X** *auf Briefen*: zu Händen von Herrn X

attentive [ə'tentɪv] *Zuhörer, auch Gastgeber usw.*: aufmerksam

attic ['ætɪk] **1.** Dachboden, ⊕ Estrich **2.** Mansarde

attitude ['ætɪtjuːd] Einstellung (**to, towards** zu), Haltung

attn, attn. (*Abk. für* for the **att**ention of) zu Händen von

attorney [△ ə'tɜːnɪ] **1.** *AE* Rechtsanwalt, Rechtsanwältin; ☞ *BE* **barrister 2.** Bevollmächtigte(r)

attract [ə'trækt] **1.** anziehen, anlocken (*Interessenten, Mitglieder usw.*) **2.** auf sich ziehen (*Blicke, Interesse usw.*); **attract attention** Aufmerksamkeit erregen **3. be attracted to someone** sich zu jemandem hingezogen fühlen **4.** *Physik*: anziehen

attraction [ə'trækʃn] **1.** Anziehungskraft, Reiz **2.** Attraktion **3.** *Physik*: Anziehung; **force of attraction** Anziehungskraft

attractive [ə'træktɪv] **1.** *Person*: attraktiv, gut aussehend, Ⓐ fesch **2.** *Idee, Angebot*: reizvoll **3.** *Physik*: anziehend **4.** ⊕ *Kandidat, Schlagwort usw.*: zügig

attribute ['ætrɪbjuːt] **1.** Eigenschaft, Merkmal **2.** *Sprache*: Attribut

---

attribute to [△ ə'trɪbjuːt_tə] **1. they attributed his success to hard work** sie führten seinen Erfolg auf seinen großen Fleiß zurück **2. this sonata is attributed to Bach** diese Sonate wird Bach zugeschrieben

---

aubergine [△ 'əʊbəʒiːn] Aubergine

auburn [△ 'ɔːbən] *Haar*: kastanienbraun

auction¹ ['ɔːkʃn] Auktion, Versteigerung

auction² ['ɔːkʃn] *mst.* **auction off** versteigern

auctioneer [ˌɔːkʃə'nɪə] Auktionator(in)

audacious [ɔː'deɪʃəs] **1.** kühn, verwegen **2.** *im negativen Sinn*: dreist, unverfroren

audacity [△ ɔː'dæsətɪ] **1.** Kühnheit, Verwegenheit **2.** *im negativen Sinn*: Dreistigkeit, Unverfrorenheit

audible ['ɔːdəbl] hörbar

audience ['ɔːdɪəns] **1.** Publikum, Zuhörer *Pl.*, Zuschauer *Pl.*; **the audience was** *oder* **were thrilled** das Publikum war begeistert **2.** Audienz (**with** bei)

audiovisual [ˌɔːdɪəʊ'vɪʒʊəl] audiovisuell; **audiovisual aids** *Pl.* audiovisuelle Hilfsmittel

audit¹ ['ɔːdɪt] *in Firma*: Buchprüfung, Bücherrevision

audit² ['ɔːdɪt] prüfen (*Firma, Kontoführung usw.*)

audition¹ [ɔː'dɪʃn] *Theater usw.*: Vorsprechen, Vorspielen, Vorsingen

audition² [ɔː'dɪʃn] *beim Theater usw.*: vorsprechen, vorspielen, vorsingen

auditor ['ɔːdɪtə] *Wirtschaft*: Buchprüfer(in)

auditorium [ˌɔːdɪ'tɔːrɪəm] Zuschauerraum

augment [△ ɔːg'ment] vermehren, vergrößern (*Wert, Menge, Einkommen uw.*)

August ['ɔːgəst] August; **in August** im August

aunt [ɑːnt] Tante

au pair [ˌəʊ'peə], **au pair girl** [ˌəʊ'peə ˌgɜːl] Aupairmädchen

aura ['ɔːrə] Aura

auspices [△ 'ɔːspɪsɪz] *Pl.* **under the auspices of** unter der Schirmherrschaft von

auspicious [ɔː'spɪʃəs] **1.** *Zeitpunkt usw.*: günstig **2.** *Start usw.*: vielversprechend

Aussie [△ 'ɒzɪ] *umg.* Australier(in)

austere [ɔː'stɪə] **1.** *Person*: streng **2.** *Lebensweise usw.*: asketisch **3.** *Stil*: nüchtern, streng

austerity [△ ɔː'sterətɪ] Strenge, *von Stil auch*: Nüchternheit

Australia [ɒ'streɪlɪə] Australien; ☞ *Karte S. 296*

Australian¹ [ɒ'streɪlɪən] Australier(in)

Australian² [ɒ'streɪlɪən] australisch

Austria ['ɒstrɪə] Österreich

Austrian¹ ['ɒstrɪən] Österreicher(in)

Austrian² ['ɒstrɪən] österreichisch

authentic [ɔː'θentɪk] authentisch

author ['ɔːθə] **1.** Autor(in), Verfasser(in) **2.** Schriftsteller(in)

authoritarian [ɔːˌθɒrɪ'teərɪən] *Regime, Verhalten*: autoritär

authority [ɔː'θɒrɪtɪ] **1.** *allg.*: Autorität **2.** Vollmacht; **without authority** unbefugt, unberechtigt **3.** Fachmann, Autorität (**on** in) **4.** *mst.* **authorities** *Pl.* Behörde

authorize ['ɔːθəraɪz] ermächtigen, bevollmächtigen

autobiography [ˌɔːtəʊbaɪ'ɒgrəfɪ] Autobiographie

Autocue® ['ɔːtəʊkjuː] *TV*: Teleprompter®

autogenic [△ ˌɔːtəʊ'dʒenɪk] **autogenic training** autogenes Training

autograph ['ɔːtəgrɑːf] Autogramm; **sign autographs** Autogramme geben

autograph hunter ['ɔːtəgrɑːfˌhʌntə] Autogrammjäger

automate ['ɔːtəmeɪt] automatisieren

automatic [ˌɔːtə'mætɪk] automatisch; **au-**

tomatic gear change *Auto*: Automatik-schaltung

automation [ˌɔːtəˈmeɪʃn] Automatisierung

automobile [△ ˈɔːtəməbiːl] *bes. AE* Auto(mobil)

autopilot [ˈɔːtəʊˌpaɪlət] Autopilot

autopsy [ˈɔːtɒpsɪ] *von Toten*: Autopsie

autumn [ˈɔːtəm] Herbst; *in (the) autumn* im Herbst; ☞ *AE fall¹ 3*

autumnal [ɔːˈtʌmnəl] herbstlich

auxiliary [△ ɔːgˈzɪlɪərɪ] Hilfs...

auxiliary verb [△ ɔːgˌzɪlɪərɪˈvɜːb] *Sprache*: Hilfsverb, Hilfszeitwort

avail [əˈveɪl] **1.** *be of no avail* nichts nützen, vergeblich sein **2.** *to no avail* vergeblich

available [əˈveɪləbl] **1.** verfügbar, vorhanden; *is his new book available yet?* gibt es sein neues Buch schon? **2.** *Waren*: lieferbar, vorrätig, erhältlich **3.** *Person*: erreichbar, abkömmlich

avalanche [△ ˈævəlɑːntʃ] **1.** Lawine **2.** *übertragen* Flut; *an avalanche of letters* eine Flut von Briefen

avarice [△ ˈævərɪs] Habsucht

avaricious [ˌævəˈrɪʃəs] habsüchtig, habgierig

Ave. *Abk. für* → *avenue*

avenge [əˈvendʒ] rächen

avenue [ˈævənjuː] **1.** Allee **2.** Hauptstraße

average¹ [ˈævərɪdʒ] Durchschnitt; *on average* durchschnittlich, im Durchschnitt

average² [ˈævərɪdʒ] durchschnittlich, Durchschnitts...; *of average height* mittelgroß

average³ [ˈævərɪdʒ] *we averaged 50 miles an hour* wir fuhren durchschnittlich 50 Stundenmeilen

average out [ˌævərɪdʒˈaʊt] **1.** den Durchschnitt ermitteln von **2.** (*Beträge usw.*) sich ausgleichen **3.** *average out at* im Durchschnitt liegen bei

averse [əˈvɜːs] *I'm not averse to a cognac* einem Cognac bin ich nicht abgeneigt

aversion [əˈvɜːʃn] Abneigung, Aversion (*to* gegen)

avert [əˈvɜːt] abwenden (*auch übertragen Unglück usw.*)

avian flu [ˌeɪvɪənˈfluː] Vogelgrippe

aviation [ˌeɪvɪˈeɪʃn] die Luftfahrt

avid [ˈævɪd] (be)gierig (*for* auf); *he's an avid reader* er liest leidenschaftlich gern

avocado [ˌævəˈkɑːdəʊ] Avocado

avoid [əˈvɔɪd] **1.** vermeiden; *avoid doing something* es vermeiden, etwas zu tun

2. meiden (*Ort*) **3.** aus dem Weg gehen (*einer Person*) **4.** ausweichen (*einem Hindernis*)

avoidable [əˈvɔɪdəbl] vermeidbar

avoidance [əˈvɔɪdns] Vermeidung, Umgehung

await [əˈweɪt] (≈ *warten auf*) erwarten

awake¹ [əˈweɪk] wach; *wide awake* hellwach

awake² [əˈweɪk], **awoke** [əˈwəʊk], **awoken** [əˈwəʊkən] **1.** wecken, aufwecken **2.** aufwachen **3.** *übertragen* wecken (*Gefühle usw.*)

awaken [əˈweɪkən] **1.** wecken, aufwecken **2.** aufwachen **3.** *übertragen* wecken (*Gefühle usw.*)

awakening [əˈweɪkənɪŋ] Erwachen; *a rude awakening übertragen* ein unsanftes Erwachen

award¹ [əˈwɔːd] verleihen (*Auszeichnung, Preis*)

award² [əˈwɔːd] Preis, Auszeichnung

aware [əˈweə] *be aware of something* etwas wissen, sich einer Sache bewusst sein; *become aware of something* etwas merken; *as far as I'm aware* soweit ich weiß

away [əˈweɪ] **1.** weg, fort (*from* von); *go away* weggehen **2.** (weit) entfernt; *six miles away* sechs Meilen entfernt **3.** weg, abwesend, verreist; *be away on business* geschäftlich unterwegs sein **4.** drauflos, immer weiter; *she knitted away all afternoon* sie hat den ganzen Nachmittag pausenlos gestrickt

away match [əˈweɪ_mætʃ] *Sport*: Auswärtsspiel

awe [ɔː] Ehrfurcht; *stand in awe of someone* gewaltigen Respekt vor jemandem haben

awesome [ˈɔːsəm] **1.** Furcht einflößend **2.** Ehrfurcht gebietend **3.** *AE, umg.* super, toll; *she's really awesome* sie ist echt cool drauf

awful [ˈɔːfl] **1.** furchtbar, schrecklich (*beide auch umg.*) **2.** *an awful lot of ... umg.* ein Haufen ..., jede Menge ...

awfully [ˈɔːflɪ] *umg.* furchtbar; *awfully nice* furchtbar nett

awkward [ˈɔːkwəd] **1.** ungeschickt, unbeholfen **2.** *Situation, Frage usw.*: peinlich, unangenehm **3.** *Gegenstand*: unhandlich, sperrig **4.** *Zeitpunkt*: ungünstig **5.** unangenehm, schwierig; *be awkward* Schwierigkeiten machen; *an awkward customer umg.* ein unangenehmer Zeitgenosse; *be at an awkward age* in einem schwierigen Alter sein

awning [ˈɔːnɪŋ] **1.** Plane **2.** Markise

awoke [əˈwəʊk] *2. Form von* → *awake²*

awoken [ə'wəʊkən] *3. Form von* → **awake**²

awry [△ ə'raɪ] **1.** schief **2.** *go awry* (*Pläne usw.*) schiefgehen

axe [æks], *AE auch* ax [æks] Axt, Beil

axis ['æksɪs] *Pl.* **axes** ['æksiːz] *gedachte Linie durch etwas:* Achse

axle ['æksl] (Rad)Achse

aye [△ aɪ] *im Parlament:* Jastimme

azure¹ ['æʒə] *Farbe:* Azur(blau)

azure² ['æʒə] azurblau; **azure skies** (ein) azurblauer Himmel

Ayers Rock

Ayers Rock [ˌeəz'rɒk] – fast genau in der Mitte des australischen Kontinents gelegener, 348 m hoher Felsen aus rotem Sandstein mit rund 9 km Umfang. Er ist für die Touristen eine Hauptattraktion, für die australischen Ureinwohner jedoch eine heilige Stätte; ☞ *Karte S. 296*

B

BA [ˌbiː'eɪ] **1.** (*Abk. für* **B**achelor of **A**rts) *akademischer Grad:* Bakkalaureus der philosophischen Fakultät **2.** (*Abk. für* **B**ritish **A**irways) *Britische Fluggesellschaft*

babble ['bæbl] **1.** plappern **2.** (*Bach usw.*) plätschern

babe [beɪb] *AE, umg.* (≈ *Mädchen*) Puppe, Kleine

baboon [bə'buːn] *Affenart:* Pavian

baby ['beɪbɪ] **1.** Baby, Säugling **2.** *bei Tieren:* …baby, …junges; **baby penguin** Pinguinbaby, Pinguinjunges **3.** **the baby of the family** der *oder* die Jüngste in der Familie **4.** *bes. AE, umg.* (≈ *Mädchen*) Puppe, Kleine **5.** *I was left holding the baby umg.* ich war am Ende der Dumme

baby boom ['beɪbɪ ˌbuːm] Babyboom

baby food ['beɪbɪ ˌfuːd] Babynahrung

baby carriage ['beɪbɪ ˌkærɪdʒ] *AE* Kinderwagen; ☞ *BE* **pram**

babyish ['beɪbɪɪʃ] *oft abwertend* kindisch

baby-minder ['beɪbɪ ˌmaɪndə] *BE* Tagesmutter

babysit ['beɪbɪsɪt], **babysat** ['beɪbɪsæt], **babysat** ['beɪbɪsæt]; *-ing-Form* **babysitting** babysitten

babysitter ['beɪbɪ ˌsɪtə] Babysitter(in)

bachelor ['bætʃələ] **1.** Junggeselle; **a confirmed bachelor** ein eingefleischter Junggeselle; **bachelor party** Abschiedsparty des Bräutigams vom Junggesellendasein am Vorabend der Hochzeit **2.** *akademischer Grad:* Bakkalaureus; **Bachelor of Arts** Bakkalaureus der philosophischen Fakultät

back¹ [bæk] **1.** *Körperteil:* Rücken; **back**

to back Rücken an Rücken; **she bought it behind his back** *übertragen* sie hat es hinter seinem Rücken gekauft; **he had his back to the wall** *übertragen* er stand mit dem Rücken zur Wand; **I was glad to see the back of her** *umg.*, *übertragen* ich war froh, sie nicht mehr sehen zu müssen; **you really have to put your back into it** *übertragen* man muss sich voll hineinknien **2.** hinterer *oder* rückwärtiger Teil; **the back of the head** der Hinterkopf; **at the back of the house** hinter dem Haus, hinten im Haus **3.** Rückseite; **he slapped my face with the back of his hand** er schlug mir mit dem Handrücken ins Gesicht; **she had her jumper on back to front** sie hatte ihren Pullover verkehrt herum an **4.** *von Stuhl, Sessel:* Rückenlehne **5.** *von Buch:* Rücken **6.** *Sport:* Verteidiger

back to front

Beachte den Unterschied in der Bedeutung:

back to front	verkehrt herum: mit dem hinteren Teil nach vorne, d. h. z. B. der V-Ausschnitt eines Pullovers ist hinten
inside out	verkehrt herum: mit dem inneren Teil nach außen

back² [bæk] rückwärtig, Hinter…; **back entrance** Hintereingang

back³ [bæk] **1.** zurück, rückwärts; **back and forth** hin und her, vor und zurück; **move back** zurückgehen **2.** (wieder) zu-

rück; *he's back* (*again*) er ist wieder da
3. zurückliegend, vorher; *20 years back*
umg. vor 20 Jahren; *back in 1900* damals
im Jahre 1900

back⁴ [bæk] **1.** unterstützen (*Person, Projekt*) **2.** wetten auf, setzen auf (*Pferd, Sieger usw.*) **3.** zurückfahren, zurücksetzen (*Auto usw.*); *back the car out of the garage* rückwärts aus der Garage herausfahren

---

back away [ˌbæk ə'weɪ] **1.** *aus Angst*:
zurückweichen **2.** *übertragen* zurück-
schrecken (*from* vor)
back down [ˌbæk'daʊn] *übertragen*
klein beigeben, nachgeben
back off [ˌbæk'ɒf] **1.** *aus Angst*: zurück-
weichen **2.** nachgeben, aufhören
back out [ˌbæk'aʊt] (≈ *nicht mehr mit-
machen*) abspringen (*of* von), aussteigen (*of* aus)
back up [ˌbæk'ʌp] **1.** unterstützen (*Person, Projekt*) **2.** *back someone up* je-
mandem den Rücken stärken **3.** bestätigen (*Bericht, Theorie usw.*) **4.** *Computer*: eine Sicherungskopie herstellen

---

backache ['bækˌeɪk] Rückenschmerzen
Pl.; *I've got* (*a*) *backache* ich habe Rü-
ckenschmerzen
backbencher [ˌbæk'bentʃə] *BE*; *im Par-
lament*: Hinterbänkler
backbiting ['bækˌbaɪtɪŋ] Lästern
backbone ['bækbəʊn] Rückgrat (*auch
übertragen*)
backbreaking ['bækˌbreɪkɪŋ] *Arbeit*: zer-
mürbend, mörderisch
backchat ['bæktʃæt] *BE* freche Ant-
wort(en *Pl.*)
backcomb ['bækˌkəʊm] toupieren
(*Haar*)
back door [ˌbæk'dɔː] Hintertür
backer ['bækə] Geldgeber(in)
backfire [ˌbæk'faɪə] **1.** (*Motor*) fehlzün-
den **2.** *übertragen* fehlschlagen; *it back-
fired on him* der Schuss ging nach hinten
los
background ['bækgraʊnd] **1.** Hintergrund
2. *übertragen* (geschichtlicher *usw.*) Hin-
tergrund, (damalige *usw.*) Umstände *Pl.*
3. Herkunft; *come from a poor back-
ground* aus ärmlichen Verhältnissen
stammen **4.** Ausbildung, beruflicher
Werdegang
backhand ['bækhænd] *Tennis*: Rück-
hand(schlag)
backing ['bækɪŋ] Unterstützung
backlash ['bæklæʃ] (heftige) Reaktion
(*to* auf)
backlog ['bæklɒg] *backlog of work* Ar-

beitsrückstand
backpack ['bækpæk] *bes. AE* Rucksack
backpacker ['bækpækə] Rucksacktou-
rist(in)
back seat [ˌbæk'siːt] Rücksitz
backside ['bæksaɪd] *umg.* Hintern
backslash ['bækslæʃ] *Zeichen*: Backslash,
umgekehrter Schrägstrich
backspace key ['bækspeɪsˌkiː] *Compu-
ter*: Rücktaste
backstage [ˌbæk'steɪdʒ] **1.** hinter der
(*oder* die) Bühne **2.** *übertragen* hinter
den Kulissen
back street ['bækˌstriːt] Seitenstraße
backstroke ['bækstrəʊk] Rückenschwim-
men; *do oder swim the backstroke* rü-
ckenschwimmen
back talk ['bækˌtɔːk] *bes. AE, umg.* fre-
che Antwort(en *Pl.*)
backtrack ['bæktræk] *von etwas Geplan-
tem*: einen Rückzieher machen
backup ['bækʌp] *Computer*: Sicherungs-
kopie
backward¹ ['bækwəd] **1.** *Bewegung, Blick
usw.*: rückwärtsgerichtet, Rückwärts... **2.**
Kind: zurück, zurückgeblieben **3.** *Land,
Region*: rückständig
backward² ['bækwəd], **backwards** ['bæk-
wədz] **1.** rückwärts; *walk backwards*
rückwärtsgehen **2.** *I know the story
backwards* ich kenne die Geschichte in- und auswendig
backyard [ˌbæk'jɑːd] **1.** *BE* Hinterhof **2.**
AE Garten hinter dem Haus
bacon ['beɪkən] **1.** (Frühstücks)Speck **2.**
she brings home the bacon *übertragen*
sie verdient die Brötchen
bacteria [bæk'tɪərɪə] *Pl.* Bakterien
bad [bæd], *worse* [wɜːs], *worst* [wɜːst] **1.**
allg.: schlecht; *not bad* nicht schlecht,
nicht übel; *smoking is bad for your
health* Rauchen ist ungesund; *he's bad
at maths* er ist schlecht in Mathe; *I feel
bad about having done that* ich habe
ein schlechtes Gewissen, dass ich das ge-
tan habe; *he's in a bad way* es geht ihm
schlecht **2.** *Verbrechen, Erkältung, Krise
usw.*: schlimm, schwer **3.** *Lebensmittel*:
schlecht, verdorben; *go bad* schlecht
werden, verderben **4.** *Kind, Hund*: unge-
zogen, böse **5.** *bad language* Kraftaus-
drücke *Pl.* **6.** unangenehm, ärgerlich;
that's too bad so ein Pech! **7.** *salopp* (≈
sehr gut) geil, stark; ☞ *Info S. 54*
bade [△ bæd, beɪd] **2.** *Form von* → *bid³*
badge [bædʒ] **1.** *an Uniform, Kleidung
usw.*: Abzeichen **2.** *Mode*: Button
badger ['bædʒə] Dachs
bad hair day [ˌbæd'heəˌdeɪ] *umg.* Tag, an
dem alles schiefgeht

bad: Tipps zur Aussprache

Wer **a** meint, darf nicht **äääh** sagen!

Wörter wie **bad** [bæd], **man** [mæn], **travel** ['trævl] haben einen kurzen **a-Laut**, den deutschsprachige Englischlerner fast immer wie ein gedehntes **ä** aussprechen, was zumindest für britische Ohren „ganz entsetzlich" klingt (die Amerikaner können so etwas viel eher akzeptieren).

Der Vokal in **bad** kommt einem hellen a-Laut wie in deutsch „fad" viel näher als etwa einem ä-Laut wie in deutsch „Bett"! (Dagegen haben englisch bed [bed] und deutsch Bett in etwa denselben ä-Laut).

Es ist also ratsam, Wörter wie **rat, glad, mattress, cat, stand** *usw.* lieber mit einem a-Laut als mit einem ä-Laut auszusprechen.

badly ['bædlı], **worse** [wɜːs], **worst** [wɜːst] **1.** schlecht, schlimm; **he's badly off** es geht ihm sehr schlecht **2.** dringend, sehr; **they badly need help** sie haben Hilfe dringend nötig **3.** schwer; **badly wounded** schwer verwundet

badminton ['bædmɪntən] **1.** *als Freizeitsport:* Federball **2.** *Sportart:* Badminton

bad-tempered [ˌbæd'tempəd] schlecht gelaunt

baffle ['bæfl] verwirren, verblüffen; **be baffled** vor einem Rätsel stehen

bag [bæg] **1.** Tasche, Sack; **bags of money** *umg.* jede Menge Geld; **he left home bag and baggage** mit Sack und Pack ging er von Zuhause weg **2.** *aus Papier, Plastik:* Tüte **3.** *zum Zuziehen:* Beutel **4.** Handtasche

bagel ['beɪgl] *kleines, rundes* Brötchen

baggage ['bægɪdʒ] *bes. AE* Gepäck

baggage allowance ['bægɪdʒ_əˌlaʊəns] *bei Flugreisen:* Freigepäck

baggage check ['bægɪdʒ_tʃek] *AE* Gepäckschein

baggage claim ['bægɪdʒ_kleɪm], **baggage reclaim** ['bægɪdʒ_riˌkleɪm] Gepäckausgabe

baggy ['bægɪ] *Hose:* ausgebeult

bag lady ['bægˌleɪdɪ] Stadtstreicherin

bag lady

Bag lady ist die Bezeichnung für eine Stadtstreicherin, die ihr gesamtes Hab und Gut in Plastiktüten mit sich herumträgt.

bagpipes ['bægpaɪps] *Pl.* Dudelsack

bail [beɪl] Kaution; **he's out on bail** er ist gegen Kaution auf freiem Fuß

bail out [ˌbeɪl'aʊt] **bail someone out** jemanden durch Kaution freibekommen

bailiff ['beɪlɪf] **1.** *BE* Gerichtsvollzieher **2.** (Guts)Verwalter **3.** *AE* Gerichtsdiener(in)

bait [beɪt] Köder; **take the bait** anbeißen (*auch auf verlockendes Angebot*)

bake [beɪk] **1.** backen **2.** *übertragen; in der Sonne:* braten

baked beans [ˌbeɪkt'biːnz] weiße Bohnen in Tomatensoße

baker ['beɪkə] Bäcker(in); **at the baker's** beim Bäcker

bakery ['beɪkərɪ] Bäckerei

baking powder ['beɪkɪŋˌpaʊdə] Backpulver

balance[1] ['bæləns] **1.** Gleichgewicht (*auch übertragen*); **I tried to keep my balance** ich versuchte, das Gleichgewicht zu halten **2.** *bei gegensätzlichen Eigenschaften usw.:* Gegengewicht (**to** zu), Ausgleich (**to** für) **3.** *von Unternehmen:* Bilanz **4.** *von Bankkonto:* Saldo, Guthaben **5.** Rest, Restbetrag (*einer Menge usw.*) **6.** **on balance we didn't do at all badly** alles in allem haben wir gar nicht schlecht abgeschnitten **7.** *Messinstrument:* Waage

balance[2] ['bæləns] **1.** balancieren (*Ball, Tablett usw.*) **2.** ausgleichen (*Konten usw.*) **3.** abwägen (*Vor- und Nachteile usw.*) (**against** gegen) **4.** das Gleichgewicht *oder* die Balance halten

balanced ['bælənst] *Person:* ausgeglichen

balance of power [ˌbæləns_əv'paʊə] *Politik:* Kräftegleichgewicht

balance sheet ['bæləns_ʃiːt] *von Unternehmen:* Bilanz

balcony ['bælkənɪ] Balkon

bald [⚠ bɔːld] kahl; **go bald** eine Glatze bekommen, kahl werden

bale [beɪl] Ballen (*Heu usw.*)

Balkans ['bɔːlkənz] *Pl.* **the Balkans** der Balkan

ball[1] [bɔːl] **1.** Ball; **set the ball rolling** *übertragen* den Stein ins Rollen bringen **2.** *Billard usw.:* Kugel **3.** *aus Wolle usw.:* Knäuel **4.** **ball of the foot** Fußballen; **ball of the thumb** Handballen

ball[2] [bɔːl] **1.** (≈ *Tanzveranstaltung*) Ball **2.** **have a ball** *umg.* sich amüsieren

ballad ['bæləd] *Gedicht, Lied:* Ballade

ball bearing [⚠ ˌbɔːl'beərɪŋ] *von Maschine:* Kugellager

ballet [⚠ 'bæleɪ] Ballett

ball game ['bɔːl‿geɪm] *AE* Baseballspiel; *it's a whole new ball game* das ist etwas ganz anderes

ballistic [bə'lɪstɪk] *go ballistic umg.* (vor Wut) ausflippen

balloon [bə'luːn] **1.** (Luft)Ballon **2.** (Heißluft)Ballon **3.** *in Comics*: Sprechblase

ballot ['bælət] *Politik usw.* **1.** (*bes.* geheime) Wahl **2.** Stimmzettel **3.** Gesamtzahl der abgegebenen Stimmen

ballot box ['bælət‿bɒks] Wahlurne

ballot paper ['bælət‿peɪpə] Stimmzettel

ballpark figure [ˌbɔːlpɑːk 'fɪgə] Richtzahl, ungefähre Zahl

ballpoint ['bɔːlpɔɪnt], **ballpoint pen** [ˌbɔːlpɔɪnt'pen] Kugelschreiber

ballroom dancing [ˌbɔːlruːm'dɑːnsɪŋ] Gesellschaftstänze

balm [△ bɑːm] Balsam (*auch übertragen für die Nerven usw.*)

balmy [△ 'bɑːmɪ] *Wind, Brise*: mild

Baltic [△ 'bɔːltɪk] *the Baltic (Sea)* die Ostsee

Baltic States [△ ˌbɔːltɪk'steɪts] *the Baltic States* die Baltischen Staaten

bamboo [△ ˌbæm'buː] *Pflanze*: Bambus

bamboozle [bæm'buːzl] *umg.* betrügen (*out of* um), übers Ohr hauen; *bamboozle someone into doing something* jemanden so einwickeln, dass er etwas tut

ban[1] ['bæn] **1.** verbieten; *he was banned from driving for a year* ihm ist für ein Jahr der Führerschein entzogen worden **2.** *Sport*: sperren

ban[2] [bæn] **1.** (amtliches) Verbot; *a total ban on smoking* totales Rauchverbot **2.** *Sport*: Sperre

banana [bə'nɑːnə] **1.** Banane **2.** *be bananas salopp* bekloppt sein; *go bananas salopp* überschnappen, durchdrehen

band[1] [bænd] **1.** *moderne Musik*: Band **2.** *herkömmliche Musik*: Kapelle

band[2] [bænd] **1.** *aus Stoff, Gummi usw.*: Band **2.** *Licht, Farbton usw.*: Streifen

bandage[1] ['bændɪdʒ] **1.** *für Wunde*: Verband, Binde **2.** *für Gelenk*: Bandage

bandage[2] ['bændɪdʒ] **1.** verbinden (*Wunde*) **2.** bandagieren (*Gelenk*)

Band-Aid® ['bændeɪd] *AE* Heftpflaster; ☞ *BE plaster*[1] 1

B&B [ˌbiː‿ən'biː] (*Abk. für* **b**ed **and** **b**reakfast) Zimmer mit Frühstück

bandit ['bændɪt] Bandit(in)

bandwagon ['bændˌwægən] *jump on the bandwagon* übertragen auf den fahrenden Zug aufspringen

bandy ['bændɪ] *bandy legs* O-Beine

bandy-legged [ˌbændɪ'legd] o-beinig

bang[1] [bæŋ] **1.** knallen, schlagen; *he banged his fist on the table* er schlug mit der Faust auf den Tisch; *I banged my head on oder against the door* ich bin mit dem Kopf gegen die Tür geknallt **2.** zuschlagen, zuknallen (*Tür usw.*)

bang[2] [bæŋ] Knall; *shut the door with a bang* die Tür zuknallen

banger ['bæŋə] *BE, umg.* **1.** Knallkörper **2.** *old banger Auto*: (alter) Klapperkasten **3.** (Brat)Wurst, Würstchen; *bangers and mash* Würstchen mit Kartoffelbrei

bangle ['bæŋgl] Armreif

bangs [bæŋz] *AE Pl.* Pony(frisur); ☞ *BE fringe*

banish ['bænɪʃ] verbannen (*auch übertragen: trübe Gedanken usw.*)

banishment ['bænɪʃmənt] Verbannung

banisters ['bænɪstəz] *Pl.* Treppengeländer

bank[1] [bæŋk] *Geldinstitut*: Bank (△ *Sitzbank = bench*)

bank: what kind of bank?

Neben der Bank, auf der man sein Geld aufbewahrt, gibt es inzwischen auch diverse Arten von „Banken" für ganz andere Zwecke:

bottle bank	Altglascontainer
can bank	Altmetallcontainer
paper bank	Altpapiercontainer
gene bank	Genbank
organ bank	Organbank
sperm bank	Samenbank

bank[2] [bæŋk] *bank with* ein Bankkonto haben bei

bank on ['bæŋk‿ɒn] sich verlassen auf

bank[3] [bæŋk] *eines Flusses*: Ufer

bank account ['bæŋk‿əˌkaʊnt] Bankkonto

bank balance ['bæŋk‿bæləns] Kontostand

bankbook ['bæŋkbʊk] *etwa*: Sparbuch

bank card ['bæŋk‿kɑːrd] Geldautomatenkarte

bank code ['bæŋk‿kəʊd] *BE* Bankleitzahl

banker ['bæŋkə] **1.** Bankier, leitende(r) Bankangestellte(r) **2.** *bei Glücksspielen*: Bankhalter(in)

bank holiday [ˌbæŋk'hɒlədeɪ] *BE* gesetzlicher Feiertag; ☞ *Info S. 56*

banking ['bæŋkɪŋ] das Bankwesen

banking hours ['bæŋkɪŋˌaʊəz] *Pl.* Banköffnungszeiten

bank manager ['bæŋkˌmænɪdʒə] Filialleiter(in) (*einer Bank*), Bankdirektor(in)

bank holiday

So heißen in Großbritannien die gesetzlichen Feiertage. Der Grund: Ursprünglich hatten an diesen Tagen in erster Linie die Banken geschlossen. Es gibt bei weitem nicht so viele **bank holidays** [ˌbæŋkˈhɒlədeɪz], wie es in den deutschsprachigen Ländern Feiertage gibt. Dafür wird ein **bank holiday**, der auf ein Wochenende fällt (z. B. der 1. oder 2. Weihnachtstag oder Neujahrstag), am darauffolgenden Montag nachgeholt. Die meisten anderen Feiertage fallen ohnehin auf einen Montag; ein solcher Montag wird folglich als **bank holiday Monday** bezeichnet, ein daraus resultierendes langes Wochenende als **bank holiday weekend**, an dessen Anfang und Ende auf den Autobahnen mit langen Staus zu rechnen ist.

bank note [ˈbæŋk‿nəʊt] Banknote, Geldschein

bank raid [ˈbæŋk‿reɪd] Banküberfall

bankrupt [ˈbæŋkrʌpt] bankrott; **go bankrupt** Bankrott machen, in Konkurs gehen

bankruptcy [ˈbæŋkrʌp(t)sɪ] Bankrott, Konkurs

bank sort code [ˌbæŋkˈsɔːt‿kəʊd] Bankleitzahl

bank statement [ˈbæŋkˌsteɪtmənt] Kontoauszug

banner [ˈbænə] **1.** *bei Demonstration*: Spruchband, Transparent **2.** *banner headline* Balkenüberschrift, breite Schlagzeile (*einer Zeitung*) **3.** Banner, Fahne (*auch übertragen*)

banner ad [ˈbænər‿æd] *Internet*: Werbeanzeige auf einer Internet-Seite

banns [bænz] *Pl.*, *für Hochzeit*: Aufgebot; **publish the banns** das Aufgebot verkünden

banquet [ˈbæŋkwɪt] Bankett, Festessen

banter [ˈbæntə] *spöttischer Dialog*: Geplänkel

baptism [ˈbæptɪzm] Taufe

baptize [△ bæpˈtaɪz] taufen

bar¹ [bɑː] **1.** Stange, Stab; **bars** *Pl.* Gitter; **behind bars** *im Gefängnis*: hinter Gittern **2.** **a bar of soap** ein Stück Seife; **a bar of chocolate** eine Tafel Schokolade; **a bar of gold** ein Goldbarren **3.** Kneipe **4.** *im Hotel, Flughafen usw.*: Bar **5.** *in Kneipe usw.*: Theke, Tresen **6.** *etwa*: Anklagebank; **prisoner at the bar** Angeklagte(r) **7.** *Musik*: Takt

bar² [bɑː], **barred, barred 1.** verriegeln (*Haus, Tür usw.*) **2.** sperren (*Straße, Innenstadt usw.*); **they barred my way** sie versperrten mir den Weg **3.** **bar children from taking part** Kinder von der Teilnahme ausschließen

barbarian [bɑːˈbeərɪən] Barbar(in)

barbaric [bɑːˈbærɪk], **barbarous** [ˈbɑːbərəs] barbarisch

barbecue [ˈbɑːbɪkjuː] **1.** *Ereignis*: Grillfest **2.** *Gerät*: Bratrost, Grill

barbed wire [ˌbɑːbdˈwaɪə] Stacheldraht

barber [ˈbɑːbə] (Herren)Friseur; **at the barber's** beim Friseur

bar chart [ˈbɑːˌtʃɑːt] *für Statistik usw.*: Balkendiagramm

bar code [ˈbɑː‿kəʊd] *Supermarkt*: Strichkode

bar crawl [ˈbɑː‿krɔːl] *AE* Kneipenbummel

bare¹ [beə] **1.** nackt, bloß; **with bare feet** barfuß; **with one's bare hands** mit bloßen Händen **2.** *Wände, Bäume usw.*: kahl **3.** *Tatsache, Wahrheit usw.*: nackt, ungeschminkt **4.** äußerst; **the bare necessities of life** das Allernotwendigste zum Leben

bare² [beə] **1.** entblößen **2.** **the dog bared its teeth** der Hund fletschte die Zähne

bareback [ˈbeəbæk] ohne Sattel

barefaced [ˈbeəfeɪst] *Lüge usw.*: unverschämt, schamlos

barefoot [ˈbeəfʊt], **barefooted** [ˌbeəˈfʊtɪd] barfuß, barfüßig

bareheaded [ˌbeəˈhedɪd] ohne Kopfbedeckung

barely [ˈbeəlɪ] **1.** kaum; **he had barely seen me when ...** er hatte mich kaum gesehen, als ... **2.** spärlich (*möbliert usw.*)

bargain¹ [ˈbɑːgɪn] **1.** vorteilhaftes Geschäft, Gelegenheitskauf; **go bargain hunting** auf Schnäppchensuche gehen **2.** Handel, Geschäft; **strike a bargain** ein Geschäft abschließen; **it's a bargain!** abgemacht!; **into the bargain** noch dazu, obendrein

bargain² [ˈbɑːgɪn] (≈ *feilschen*) handeln

bargain basement [ˈbɑːgɪnˌbeɪsmənt] *im Kaufhaus*: Niedrigpreisabteilung im Tiefgeschoss

bargain-basement [ˈbɑːgɪnˌbeɪsmənt] Billig...; **bargain-basement price** Tiefstpreis

bargain counter [ˈbɑːgɪnˌkaʊntə] *umg.*; *im Kaufhaus*: Wühltisch

bargain price [ˌbɑːgɪnˈpraɪs] Sonderpreis

barge [bɑːdʒ] Lastkahn, Schleppkahn

baritone [ˈbærɪtəʊn] *Singstimme*: Bariton

bark¹ [bɑːk] **1.** bellen (*auch übertragen*: brüllen); **the dog barked at the post-**

bath

man der Hund bellte den Briefträger an
2. bark up the wrong tree *umg.* auf dem Holzweg sein
bark[2] [bɑːk] Bellen (*eines Hundes usw.*)
bark[3] [bɑːk] (Baum)Rinde, Borke
barkeeper ['bɑːrkiːpər] *bes. AE* Barkeeper
barley ['bɑːlɪ] Gerste
barmaid ['bɑːmeɪd] *BE* Bardame
barman ['bɑːmən] *Pl.:* **barmen** ['bɑːmən] *BE* Barkeeper
barmy ['bɑːmɪ] *BE, salopp* bekloppt, verrückt
barn [bɑːn] **1.** Scheune, *bes.* Ⓐ, Ⓔ Stadel **2.** (Vieh)Stall
barometer [△ bə'rɒmɪtə] Barometer
baroque[1] [bə'rɒk] *Bauwerk usw.:* barock
baroque[2] [bə'rɒk] *Epoche, Kunst:* Barock
barracks ['bærəks] Kaserne; **the barracks is** *oder* **are outside the town** die Kaserne liegt außerhalb der Stadt (△ *nicht* **Baracke**)
barrel ['bærəl] **1.** *aus Holz:* Fass **2.** *aus Metall:* Tonne **3.** *Maßeinheit:* Barrel **4.** (Gewehr)Lauf
barrel organ ['bærəl,ɔːgən] Drehorgel, Leierkasten
barren ['bærən] *Land, Lebewesen:* unfruchtbar
barricade[1] [,bærɪ'keɪd] Barrikade
barricade[2] [,bærɪ'keɪd] verbarrikadieren
barrier ['bærɪə] **1.** *auf Straßen usw.:* Absperrung, Barriere **2.** *an der Grenze:* Schlagbaum, Schranke **3.** *vor Bahngleisen:* Schranke **4.** *im Bahnhof usw.:* Sperre **5.** *übertragen* Hindernis (**to** für)
barrister ['bærɪstə] *in GB:* Rechtsanwalt, Rechtsanwältin (*der/die vor höheren Gerichten zugelassen ist*)
barrow ['bærəʊ] (Hand)Karre(n)
bartender ['bɑːtendər] *AE* Barkeeper
barter[1] ['bɑːtə] tauschen (*Waren usw.,* △ *aber nicht Geld*) (**for** gegen)
barter[2] ['bɑːtə] Tausch(handel)
base[1] [beɪs] **1.** *Architektur:* Fundament, Sockel **2.** *einer Substanz:* Hauptbestandteil, Basis **3.** *Chemie:* Base **4.** *Mathematik:* Grundlinie **5.** *Militär:* Stützpunkt
base[2] [beɪs] **1. be based on** basieren auf **2. be based in** den Hauptsitz haben in
base[3] [beɪs] *literarisch:* gemein, niederträchtig
baseball ['beɪsbɔːl] **1.** *Ball:* Baseball **2.** Baseball(spiel)
baseline ['beɪslaɪn] *Tennis usw.:* Grundlinie
basement ['beɪsmənt] Souterrain, Kellergeschoss, Ⓐ Kellergeschoß
bases ['beɪsiːz] *Pl. von* → **basis**
bash[1] [bæʃ] **he bashed his head** (**on the**

door) *umg.* er hat sich den Kopf (an der Tür) angeschlagen
bash in [,bæʃ'ɪn] **1.** *umg.* einschlagen; **I'll bash your head in** ich schlag dir den Schädel ein **2. be bashed in** *Auto, Kotflügel:* verbeult sein
bash up [,bæʃ'ʌp] *umg.* (ver)hauen, verprügeln
bash[2] [bæʃ] **1.** *umg.* Schlag **2.** *Auto:* Beule, Delle **3. I'll have a bash at it** *umg.* ich probiers mal
bashful ['bæʃfl] schüchtern
basic ['beɪsɪk] grundlegend, Grund...; **have a basic knowledge of ...** Grundkenntnisse in ... haben
basically ['beɪsɪklɪ] im Grunde
basics ['beɪsɪks] *Pl.* **the basics** *Mathematik usw.:* die Grundlagen
basil ['bæzl] Basilikum
basin ['beɪsn] **1.** Schüssel, Schale **2.** (Wasch)Becken **3.** *Geographie:* Becken
basis ['beɪsɪs] *Pl.* **bases** ['beɪsiːz] Basis, Grundlage
bask [bɑːsk] **1. bask in the sun** sich in der Sonne aalen **2.** *übertragen* sich sonnen (*in etwas*)
basket ['bɑːskɪt] Korb
basketball ['bɑːskɪtbɔːl] **1.** *Ball:* Basketball **2.** Basketball(spiel)
Basque[1] [△ bæsk] baskisch
Basque[2] [△ bæsk] *Sprache:* Baskisch
Basque[3] [△ bæsk] Baske, Baskin
bass [△ beɪs] *Musik:* Bass
bassoon [bə'suːn] Fagott
bastard ['bɑːstəd] **1.** *salopp* Scheißkerl **2.** *abwertend* (≈ *uneheliches Kind*) Bastard **3. poor bastard** *salopp* armes Schwein
bat[1] [bæt] **1.** Fledermaus **2.** (**as**) **blind as a bat** stockblind
bat[2] [bæt] **1.** *Baseball, Kricket:* Schlagholz **2.** *Tischtennis:* Schläger **3. off one's own bat** *BE, übertragen* auf eigene Faust
bat[3] [bæt] **batted, batted** *Baseball, Kricket:* schlagen
bat[4] [bæt] **batted, batted**; **without batting an eyelid** ohne mit der Wimper zu zucken
batch [bætʃ] **1.** *Briefe, Bücher usw.:* Stapel, Stoß **2.** (≈ *Gruppe von Leuten*) Schub **3.** (≈ *größere Menge*) Schwung
bated ['beɪtɪd] **with bated breath** mit angehaltenem Atem
bath[1] [bɑːθ] *Pl.* **baths** [△ bɑːðz] **1.** (Wannen)Bad; **have** (*oder* **take**) **a bath** ein Bad nehmen, baden **2.** *BE* Badewanne **3.** Bad, Badezimmer **4.** (**public**) **baths** *Pl. bes. BE* Badeanstalt

bath² [bɑ:θ] *BE* **1.** baden (*Kind, Hund usw.*) **2.** *in der Wanne*: baden, ein Bad nehmen

bathe [△ beɪð] **1.** *BE; im Meer usw.*: baden, schwimmen **2.** *AE; in der Wanne*: baden, ein Bad nehmen **3.** *BE* baden (*Wunde usw.*) **4.** *AE* baden (*Kind, Hund usw.*)

bather [△ 'beɪðə] Badende(r)

bathing [△ 'beɪðɪŋ] **1.** (das) Baden **2.** Bade…

bathing cap [△ 'beɪðɪŋ‿kæp] Badekappe

bathing suit [△ 'beɪðɪŋ‿su:t] Badeanzug

bathing trunks [△ 'beɪðɪŋ‿trʌŋks] *Pl.* Badehose

bathrobe ['bɑ:θrəʊb] **1.** Bademantel **2.** *AE* Morgenrock

bathroom ['bɑ:θru:m] **1.** Badezimmer; *bathroom scales* Personenwaage **2.** *AE* Badezimmer, Toilette; ☞ *Illu S. 393*

---

bathroom

Bathroom bedeutet im amerikanischen Englisch außer Badezimmer auch Toilette. Wenn man also im amerikanischen Englisch hört **"He's/She's gone to the bathroom."**, dann bedeutet das aller Wahrscheinlichkeit nach nicht, dass sich die Person, von der gerade gesprochen wird, duscht oder ein Bad nimmt, sondern lediglich, dass er/sie die Toilette benutzt.

---

bath towel ['bɑ:θ‿taʊəl] Badetuch

bathtub ['bɑ:θtʌb] *bes. AE* Badewanne

baton ['bætɒn] **1.** Taktstock **2.** *Sport*: (Staffel)Stab **3.** *der Polizei*: Gummiknüppel, Schlagstock

batter¹ ['bætə] **1.** *allg.*: schlagen **2.** misshandeln, verprügeln (*Frau, Kind*) **3.** lädieren, ramponieren (*Fahrzeug usw.*)

batter² ['bætə] (Pfannkuchen)Teig (*auch zum Frittieren*)

battered ['bætəd] *battered baby* (*bzw. woman*) misshandeltes Baby (*bzw.* misshandelte Frau)

battery ['bætrɪ] Batterie

battery farming ['bætrɪ‿fɑ:mɪŋ] Massentierhaltung

battery hen ['bætrɪ‿hen] Batteriehenne

battery-operated ['bætrɪ‿ɒpəreɪtɪd] batteriebetrieben

battle¹ ['bætl] **1.** Schlacht (*of* bei) **2.** *übertragen* Kampf (*for* um)

battle² ['bætl] *bes. übertragen* kämpfen (*for* um)

battleaxe, *AE* auch **battleax** ['bætl‿æks] **1.** *früher*: Streitaxt **2.** *umg.; streitsüchtige*

Frau: (alter) Drachen

battlefield ['bætlfi:ld] Schlachtfeld

battleship ['bætl‿ʃɪp] Schlachtschiff

batty ['bætɪ] *BE, salopp* bekloppt, verrückt

Bavaria [bə'veərɪə] Bayern

Bavarian¹ [bə'veərɪən] bay(e)risch

Bavarian² [bə'veərɪən] Bayer(in)

bawdy ['bɔ:dɪ] unflätig, obszön

bawl [bɔ:l] brüllen

bawl out [‚bɔ:l'aʊt] *bawl someone out* *umg.* jemanden zusammenstauchen

bay¹ [beɪ] Bai, Bucht

bay² [beɪ] *hold* (*oder* keep) *someone at bay* jemanden in Schach halten

bay leaf ['beɪ‿li:f] *Gewürz*: Lorbeerblatt

bayonet ['beɪənɪt] Bajonett

bay window [‚beɪ'wɪndəʊ] Erkerfenster

bazaar [bə'zɑ:] Basar

BBC

Die **BBC** (**British Broadcasting Corporation**) ist eine staatlich finanzierte Rundfunk- und Fernsehanstalt, die über zahlreiche TV-Kanäle sowie überregionale und regionale Rundfunksender verfügt. Zu ihr gehört auch der **BBC World Service**, der über Rundfunk in mehr als 40 Sprachen sendet und seit 1991 auch über das Fernsehen (**BBC World Service TV**) zu empfangen ist.

BBQ *Abk. für* → *barbecue*

BC [‚bi:'si:] (*Abk. für* **B**efore **C**hrist) vor Christus

be [bi:], *was* [wəz, wɒz] *oder* **were** [wə, w3:], *been* [bi:n] **1.** sein; *he's my father* er ist mein Vater; *he's a teacher* er ist Lehrer; *are you English?* Sind Sie Engländer?; *we're late* wir kommen zu spät; *who is it?* wer ist da? **2.** sein, sich fühlen; *how are you?* wie geht es dir?; *she's ill* sie ist krank; *I'm hot* mir ist heiß **3.** *beruflich*: werden; *she wants to be a doctor* sie will Ärztin werden **4.** sein, sich befinden; *where's the toilet?* wo ist die Toilette?; *there's a bus stop near here* in der Nähe ist eine Bushaltestelle **5.** gehören; *it's mine* es gehört mir **6.** kosten; *how much is this record?* wie viel kostet diese Schallplatte? **7.** sein, da sein; *have you ever been to Berlin?* bist du schon einmal in Berlin gewesen? **8.** da sein, existieren; *there are two of them* es gibt zwei davon; *to be or not to be …* Sein oder Nichtsein … **9.** (*Versammlung usw.*) sein, stattfinden **10.** *be*

to sollen; *you're to see the headmaster* du sollst zum Direktor kommen; *it was not to be* es sollte nicht sein **11.** *zur Bildung des Passivs*: werden; *the house was built in 1953* das Haus wurde 1953 gebaut **12.** *zur Bildung der Verlaufsform*: *she's reading* sie liest gerade

beach [biːtʃ] Strand; *on the beach* am Strand

beach ball ['biːtʃ ˌbɔːl] Wasserball

beachchair ['biːtʃtʃeə] *AE* Liegestuhl

beachwear ['biːtʃweə] Strandkleidung

beacon ['biːkən] *für Schiffe, Flugzeuge usw.*: Leuchtfeuer

bead [biːd] **1.** *aus Glas usw.*: Perle **2.** *von Schweiß usw.*: Tropfen

beak [biːk] **1.** *eines Vogels*: Schnabel **2.** *umg.; Nase*: Zinken

beaker ['biːkə] Becher

beam[1] [biːm] **1.** *aus Holz*: Balken **2.** Strahl; *beam of light* Lichtstrahl; *on full beam* Autoscheinwerfer: aufgeblendet

beam[2] [biːm] strahlen, strahlend lächeln; *beaming with joy* freudestrahlend

bean [biːn] **1.** Bohne **2.** *she's full of beans* umg. sie ist putzmunter

bear[1] [beə] Bär

bear[2] [beə], *bore* [bɔː], *borne* [bɔːn] **1.** übernehmen, tragen (*Kosten usw.*) **2.** ertragen, aushalten (*Schmerz usw.*); *I can't bear him* ich kann ihn nicht ausstehen **3.** zur Welt bringen, gebären (*Kind, Junges*) **4.** *bear in mind* daran denken (*that* dass) **5.** *bear left* (*bzw. right*) sich links (*bzw. rechts*) halten

---

bear down [ˌbeə'daʊn] *bear down on bedrohlich*: sich (schnell) nähern, zusteuern auf

bear out [ˌbeər'aʊt] bestätigen; *I can bear you out on that* ich kann Sie darin bestätigen

bear up [ˌbeər'ʌp] (tapfer) durchhalten; *she bore up well under the circumstances* unter den gegebenen Umständen hielt sie sich tapfer

bear with ['beə ˌwɪð] **1.** Geduld haben mit **2.** *if you would bear with me for a moment* wenn Sie mit mir bitte für einen Augenblick gedulden

---

bearable ['beərəbl] *Klima, Umstände usw.*: erträglich

beard [△ bɪəd] Bart

bearded [△ 'bɪədɪd] bärtig

bearer ['beərə] Überbringer(in)

bearing ['beərɪŋ] **1.** Haltung, Auftreten **2.** Bedeutung (*on* für), Auswirkung (*on* auf) **3.** *Technik*: (Kugel)Lager **4.** *lose one's bearings* die Orientierung verlie-

ren

beast [biːst] **1.** (*auch wildes*) Tier; *beast of burden* Lasttier **2.** *umg.* Biest, Ekel

beastly ['biːstlɪ] *umg.* gemein, scheußlich

beat[1] [biːt], *beat, beaten* ['biːtn] **1.** schlagen, (ver)prügeln **2.** besiegen, schlagen (*at* in) **3.** schlagen (*Eier usw.*) **4.** (*Herz usw.*) schlagen **5.** *beat time* den Takt schlagen **6.** *that beats me* das ist mir zu hoch **7.** übertreffen; *that beats everything!* das ist doch der Gipfel! **8.** *beat it!* *salopp* hau ab!

---

beat back [ˌbiːt'bæk] zurückschlagen (*Gegner*)

beat down [ˌbiːt'daʊn] **1.** drücken (*Preis*), herunterhandeln (*to* auf) **2.** (*Sonne*) herunterbrennen (*on* auf), (*Regen*) niederprasseln (*on* auf)

beat in [ˌbiːt'ɪn] einschlagen (*Tür*)

beat off [ˌbiːt'ɒf] zurückschlagen (*Angriff, Gegner*)

beat out [ˌbiːt'aʊt] **1.** schlagen (*den Rhythmus*) **2.** ausschlagen (*Feuer*)

beat up [ˌbiːt'ʌp] zusammenschlagen (*Person*)

---

beat[2] [biːt] **1.** Schlag (*von Herz, Trommel usw.*) **2.** Takt, Rhythmus **3.** Runde, Revier (*eines Polizisten usw.*)

beat[3] [biːt] (*dead*) *beat umg.* (wie) erschlagen, fix und fertig

beaten[1] ['biːtn] *3. Form von →* **beat**[1]

beaten[2] ['biːtn] *off the beaten track* abgelegen, *übertragen* ungewohnt

beating ['biːtɪŋ] **1.** Prügel; *give someone a good beating* jemandem eine tüchtige Tracht Prügel verabreichen **2.** *übertragen* Niederlage

beautician [△ bjuː'tɪʃn] Kosmetiker(in)

beautiful ['bjuːtəfl] *allg.*: schön (△ *bei einem Mann spricht man von* **handsome**); ☞ **handsome**

beautify ['bjuːtɪfaɪ] verschönern

beauty ['bjuːtɪ] **1.** (die) Schönheit **2.** *Frau*: Schönheit **3.** *umg.* Prachtstück

beauty contest ['bjuːtɪˌkɒntest] Schönheitswettbewerb

beauty parlour, *AE* **beauty parlor** ['bjuːtɪˌpɑːlə] Kosmetiksalon

beauty queen ['bjuːtɪˌkwiːn] Schönheitskönigin

beauty salon ['bjuːtɪˌsælɒn], *AE* **beauty shop** ['bjuːtɪˌʃɒp] Schönheitssalon

beaver ['biːvə] Biber

became [bɪ'keɪm] *2. Form von →* **become**

because [bɪ'kɒz] weil, da; *because of* wegen (+ *Genitiv*)

beckon ['bekən] (zu)winken

B

become [bɪˈkʌm], *became* [bɪˈkeɪm], *become* [bɪˈkʌm] **1.** werden; *he wants to become a doctor* er will Arzt werden **2.** *what has become of him?* was ist aus ihm geworden? (△ *bekommen = get, receive*)

bed [bed] **1.** Bett (*auch von Fluss usw.*); *go to bed* ins Bett gehen (*with* mit); *make the bed* das Bett machen; *put to bed* ins Bett bringen **2.** (Garten)Beet

beds

single bed	Einzelbett
twin beds	zwei Einzelbetten
double bed	Doppelbett
bunk bed	Etagenbett
folding bed	Klappbett
camp bed	Campingliege
airbed, *AE*	Luftmatratze
air mattress	
cot, *AE* crib	Kinderbett

bed down [ˌbedˈdaʊn], *bedded down, bedded down* sein Nachtlager aufschlagen

bed and breakfast [ˌbed_nˈbrekfəst] *auch B&B* Zimmer mit Frühstück
bedbug [ˈbedbʌg] Wanze
bedclothes [ˈbedkləʊ(ð)z] *Pl.* Bettwäsche
bedcover [ˈbedˌkʌvə] Bettdecke
bedding [ˈbedɪŋ] Bettzeug
bedlam [ˈbedləm] *it was sheer bedlam* es herrschte das totale Chaos
bed linen [ˈbedˌlɪnɪn] Bettwäsche
bedraggled [bɪˈdrægld] **1.** durchnässt **2.** verdreckt **3.** *Person, Erscheinung usw.:* ungepflegt
bed rest [ˈbed_rest] *bei Krankheit:* Bettruhe
bedridden [ˈbedˌrɪdn] bettlägerig
bedroom [ˈbedruːm] Schlafzimmer
bed settee [ˈbed_seˌtiː] Schlafsofa
bedside [ˈbedsaɪd] *at the bedside* am Bett (*eines Kranken*); *bedside lamp* Nachttischlampe; *bedside table* Nachttisch
bedsit [ˌbedˈsɪt] *umg.,* bedsitter [ˌbedˈsɪtə] *BE* **1.** möbliertes Zimmer **2.** Einzimmerapartment
bedspread [ˈbedspred] Tagesdecke
bedstead [ˈbedsted] Bettgestell
bedtime [ˈbedtaɪm] Schlafenszeit; *bedtime story* Gutenachtgeschichte
bee [biː] **1.** Biene **2.** *have a bee in one's bonnet umg.* einen Tick haben
beech [biːtʃ] *Baum:* Buche
beef[1] [biːf] Rindfleisch

beef[2] [biːf] *salopp* meckern (*about* über)
beefburger [ˈbiːfˌbɜːgə] *bes. BE* Hamburger
Beefeater [ˈbiːfˌiːtə] *BE; Wächter im Londoner Tower mit traditioneller Uniform*
beef tea [ˌbiːfˈtiː] (Rind)Fleischbrühe
beefy [ˈbiːfɪ] *umg.* bullig
beehive [ˈbiːhaɪv] Bienenkorb, Bienenstock
beeline [ˈbiːlaɪn] *make a beeline for* schnurstracks zugehen auf
been [biːn] *3. Form von →* be
beep[1] [biːp] *beep one's horn Auto:* hupen
beep[2] [biːp] Piepston (*eines Geräts*)
beeper [ˈbiːpə] *AE; Gerät:* Piepser
beer [bɪə] Bier
beeswax [ˈbiːzˌwæks] Bienenwachs
beet [biːt] **1.** Rübe **2.** *AE* Rote Bete
beetle [ˈbiːtl] *Insekt:* Käfer
beetroot [ˈbiːtruːt] Rote Rübe, Rote Bete
before[1] [bɪˈfɔː] **1.** *zeitlich:* vor; *the week before last* vorletzte Woche; *before long* in Kürze, bald **2.** *räumlich:* vor; *before my eyes* vor meinen Augen **3.** *in einer bestimmten Situation:* vor, in Gegenwart von (*oder Genitiv*)
before[2] [bɪˈfɔː] *zeitlich:* vorher, zuvor; *the year before* das vorhergehende Jahr
before[3] [bɪˈfɔː] bevor, ehe; *not before* erst als *oder* wenn
beforehand [bɪˈfɔːhænd] zuvor, voraus, im Voraus
beg [beg], *begged, begged* **1.** betteln (um); *go begging* betteln gehen **2.** (dringend) bitten (*for* um) **3.** erbitten; *I beg your pardon* Verzeihung!, Entschuldigung!
began [bɪˈgæn] *2. Form von →* begin
beggar [ˈbegə] **1.** Bettler(in) **2.** *umg.* Kerl; *lucky beggar* Glückspilz
begin [bɪˈgɪn], *began* [bɪˈgæn], *begun* [bɪˈgʌn] beginnen, anfangen; *to begin with* zunächst (einmal), erstens (einmal)
beginner [bɪˈgɪnə] Anfänger(in); *beginner's luck* Anfängerglück
beginning [bɪˈgɪnɪŋ] Beginn, Anfang; *at the beginning* am Anfang; *from the beginning* (ganz) von Anfang an
begrudge [bɪˈgrʌdʒ] **1.** *begrudge someone something* jemandem etwas missgönnen **2.** *begrudge doing something* etwas nur widerwillig tun
beguile [bɪˈgaɪl] **1.** *beguile someone into doing something* jemanden dazu verleiten, etwas zu tun **2.** betören
beguiling [bɪˈgaɪlɪŋ] betörend
begun [bɪˈgʌn] *3. Form von →* begin
behalf [△ bɪˈhɑːf] *on (AE auch in)* be-

half of für, im Namen *oder* Auftrag von (*oder Genitiv*)

behave [bɪˈheɪv] **1.** *behave* (*oneself*) sich (gut) benehmen; *behave yourself!* benimm dich! **2.** *behave well* (*bzw.* *badly*) *to* (*oder* *towards*) *someone* sich gut (*bzw.* schlecht) jemandem gegenüber benehmen

behaviour, *AE* **behavior** [bɪˈheɪvjə] Benehmen, Verhalten; *be on one's best behaviour* sich von seiner besten Seite zeigen

behind[1] [bɪˈhaɪnd] **1.** *räumlich und zeitlich*: hinter; *get something behind one* etwas hinter sich bringen **2.** *Reihenfolge, Rang*: hinter

behind[2] [bɪˈhaɪnd] **1.** *bei Reihenfolge usw.*: hinten, dahinter **2.** *auf die Frage „wohin"*: nach hinten **3.** (≈ *verspätet*) im Rückstand *oder* Verzug (*in, with* mit) **4.** *stay usw. behind* zurückbleiben *usw.*, dableiben *usw.*

behind[3] [bɪˈhaɪnd] *salopp* Hintern

behindhand [bɪˈhaɪndhænd] im Rückstand (*with* mit) (*Zahlungen usw.*)

beige [△ beɪʒ] beige

being[1] [ˈbiːɪŋ] **1.** Dasein, Existenz; *call into being* ins Leben rufen; *come into being* entstehen **2.** (Lebe)Wesen, Geschöpf

being[2] [ˈbiːɪŋ] -*ing*-Form von → *be*

Belarus [ˌbeləˈruːs] Weißrussland

belated [bɪˈleɪtɪd] verspätet

belch [beltʃ] aufstoßen, rülpsen

belfry [ˈbelfrɪ] Glockenstuhl, Glockenturm

Belgian[1] [ˈbeldʒən] belgisch

Belgian[2] [ˈbeldʒən] Belgier(in)

Belgium [ˈbeldʒəm] Belgien

belief [bɪˈliːf] **1.** Glaube (*in* an) **2.** Vertrauen (*in* auf, zu) **3.** Überzeugung

believable [bɪˈliːvəbl] glaubhaft, glaubwürdig

believe [bɪˈliːv] **1.** glauben; *believe it or not!* ob Sie es glauben oder nicht!; *would you believe it!* ist das denn die Möglichkeit! **2.** *he's believed to be rich usw.* man hält ihn für reich *usw.*

believe in [bɪˈliːvˌɪn] **1.** glauben an (*Gott usw.*) **2.** Vertrauen haben zu

believer [bɪˈliːvə] **1.** Gläubige(r) **2.** *be a great believer in* viel halten von

Belisha beacon [bɪˌliːʃəˈbiːkən] *BE*; *gelbes Blinklicht an Zebrastreifen*

bell [bel] **1.** Glocke, Klingel; *was that the bell?* hat es geläutet *oder* geklingelt? **2.** *that rings a bell umg.* das kommt mir bekannt vor

bellow [ˈbeləʊ] (*Rind*) brüllen

belly [ˈbelɪ] **1.** *Körperteil*: Bauch **2.** *Organ*: Magen

bellyache[1] [ˈbelɪˌeɪk] *umg.* Bauchweh; *I've got a bellyache* ich habe Bauchweh

bellyache[2] [ˈbelɪˌeɪk] *umg.* meckern

belly button [ˈbelɪˌbʌtn] *umg.* Bauchnabel

belly dance [ˈbelɪˌdɑːns] Bauchtanz

belly flop [ˈbelɪˌflɒp] *umg.* Bauchklatscher

belong [bɪˈlɒŋ] gehören (*to* zu; *in* in); *he doesn't belong here* er ist hier fehl am Platz

belong to [bɪˈlɒŋˌtə] **1.** *belong to someone Eigentum*: jemandem gehören **2.** angehören (*einem Klub usw.*)

belongings [bɪˈlɒŋɪŋz] *Pl.* Habseligkeiten

beloved [△ bɪˈlʌvɪd] (innig) geliebt

below[1] [bɪˈləʊ] **1.** unten **2.** hinunter, nach unten

below[2] [bɪˈləʊ] unter, unterhalb (+ *Genitiv*)

belt [belt] **1.** *von Hose usw.*: Gürtel **2.** *in Auto usw.*: (Sicherheits)Gurt **3.** (≈ *Gebiet*) Gürtel; *green belt* Grüngürtel **4.** *Technik*: (Treib)Riemen

belt up [ˌbeltˈʌp] **1.** *belt up! salopp* halt die Schnauze! **2.** *umg.*; *in Auto usw.*: sich anschnallen

bemoan [bɪˈməʊn] beklagen

bemused [bɪˈmjuːzd] verwirrt

bench [bentʃ] **1.** (Sitz)Bank **2.** *Justiz*: Richter *Pl.*, Gericht; *be on the bench* Richter sein **3.** *in Werkstatt*: Werkbank, Werktisch

benchmark [ˈbentʃmɑːk] *übertragen* Bezugspunkt, Maßstab

bend[1] [bend], *bent* [bent], *bent* [bent] **1.** biegen, krümmen; *bend out of shape* verbiegen **2.** neigen (*Kopf*), beugen (*Knie*) **3.** sich biegen *oder* krümmen

bend[2] [bend] **1.** Biegung, *Straße*: Kurve **2.** *drive someone round the bend BE*, *umg.* jemanden verrückt machen

beneath[1] [bɪˈniːθ] unter, unterhalb (+ *Genitiv*)

beneath[2] [bɪˈniːθ] **1.** unten **2.** darunter

benefactor [ˈbenɪfæktə] Wohltäter

beneficial [ˌbenɪˈfɪʃl] nützlich, günstig (*to* für)

beneficent [bəˈnefɪsnt] wohltätig

benefit[1] [ˈbenɪfɪt] **1.** *allg.*: Vorteil, Nutzen; *be of benefit to someone* jemandem nützen **2.** *Geldleistung*: ...unterstützung, ...geld; *unemployment benefit* Arbeitslosenunterstützung; *sickness benefit*

Krankengeld

benefit² ['benɪfɪt] **1.** nützen, im Interesse (+ *Genitiv*) sein **2.** Vorteil haben (**from** von, durch), Nutzen ziehen (**from** aus)

benefit concert ['benɪfɪt‚kɒnsət] Benefizkonzert

benevolent [⚠ bə'nevələnt] **1.** *Verein, Stiftung usw.*: wohltätig **2.** *Lächeln usw.*: wohlwollend

benign [bə'naɪn] **1.** gütig, freundlich **2.** *Klima*: mild **3.** ↔ *malignant*; *Tumor usw.*: gutartig

bent¹ [bent] **2. und 3. Form von** → **bend¹**

bent² [bent] **bent on doing something** entschlossen, etwas zu tun

bent³ [bent] **1.** Neigung, Hang (**for** zu) **2.** Veranlagung; **musical** (*bzw.* **artistic**) **bent** musikalische (*bzw.* künstlerische) Veranlagung

bequeath [⚠ bɪ'kwiːð] vermachen (**something to someone** jemandem etwas)

bequest [bɪ'kwest] Vermächtnis

bereaved [bɪ'riːvd] **the bereaved** der *oder* die Hinterbliebene, die Hinterbliebenen

berry ['berɪ] Beere

berserk [bə'zɜːk] **go berserk** wild werden, durchdrehen

berth [bɜːθ] **1.** *von Schiff*: Liegeplatz, Ankerplatz **2.** *in Schiff*: Koje **3.** *Eisenbahn*: Schlafwagenbett **4.** **give a wide berth to** einen großen Bogen machen um

beseech [bɪ'siːtʃ] **beseeched, beseeched** *oder* **besought, besought** anflehen (**for** um)

beside [bɪ'saɪd] **1.** neben **2.** **be beside oneself** außer sich sein (**with** vor)

besides¹ [bɪ'saɪdz] außerdem

besides² [bɪ'saɪdz] außer, neben

besiege [bɪ'siːdʒ] **1.** *militärisch*: belagern (*auch übertragen*) **2.** *übertragen* bestürmen, bedrängen (**with** mit) (⚠ *besiegen* = *defeat*)

best¹ [best] *Superlativ von* **good** **1.** beste(r, -s) **2.** größte(r, -s); **the best part of** der größte Teil (+ *Genitiv*)

best² [best] *Superlativ von* → **well¹** **1.** am besten **2.** **like best** am liebsten mögen **3.** **as best they could** so gut sie konnten **4.** **best before** *auf Lebensmitteln*: mindestens haltbar bis

best³ [best] **1.** *der, die, das* Beste **2.** **at best** bestenfalls, höchstens **3.** **do one's best** sein Möglichstes tun **4.** **make the best of** das Beste machen aus **5.** **all the best!** alles Gute!

best man [‚best'mæn] Trauzeuge des Bräutigams

bestseller [‚best'selə] *Buch usw.*: Bestsel-

ler, Verkaufsschlager

bet¹ [bet] **1.** Wette; **have** (*oder* **make**) **a bet** eine Wette abschließen (**on** auf) **2.** Wetteinsatz **3.** *in Wendungen*: **it's a safe bet that** es steht so gut wie fest, dass; **your best bet is to take the car** *umg.* du nimmst am besten den Wagen

bet² [bet], **bet, bet** *oder* **betted, betted**; *-ing-Form* **betting** **1.** wetten (*Geld*), setzen (**on** auf); **I'll bet you £10 that** ich wette mit dir (um) 10 Pfund, dass **2.** **you can bet your bottom dollar that** *umg.* du kannst Gift darauf nehmen, dass **3.** **you bet!** *umg.* das kann man wohl sagen!, und wie!

betray [bɪ'treɪ] verraten (*Land, Freund usw.*) (*auch übertragen*)

betrayal [bɪ'treɪəl] Verrat (*von Land, Freund usw.*)

better¹ ['betə] *Komparativ von* **good** besser; **I'm better** es geht mir besser (*gesundheitlich*), *BE auch* ich bin wieder gesund; **get better** besser werden, *gesundheitlich*: sich erholen

better² ['betə] *Komparativ von* → **well¹** **1.** besser; **better off** besser dran, *finanziell*: bessergestellt **2.** **think better of it** es sich anders überlegen **3.** **you'd** (*oder* **you had**) **better go** es wäre besser, du gingest; **you'd** (*oder* **you had**) **better not!** lass das lieber sein!

better³ ['betə] **1.** *das* Bessere **2.** **get the better of someone** jemanden unterkriegen; **get the better of something** etwas überwinden

better⁴ ['betə] **better oneself** *finanziell*: sich verbessern

betting shop ['betɪŋ ‚ʃɒp] Wettbüro

between¹ [bɪ'twiːn] **1.** *räumlich und zeitlich*: zwischen **2.** unter; **between you and me** unter uns *oder* im Vertrauen (gesagt) **3.** **we had ten pounds between us** wir hatten zusammen zehn Pfund

between² [bɪ'twiːn] dazwischen; **in between** dazwischen

beverage ['bevərɪdʒ] Getränk

bevy ['bevɪ] *von Mädchen usw.*: Schar

beware [bɪ'weə] sich hüten, sich in Acht nehmen (**of** vor); **beware of the dog!** Vorsicht, bissiger Hund!; **beware of pickpockets!** vor Taschendieben wird gewarnt!

bewilder [⚠ bɪ'wɪldə] irremachen, verwirren

bewilderment [⚠ bɪ'wɪldəmənt] Verwirrung

bewitch [bɪ'wɪtʃ] *übertragen* bezaubern

beyond [bɪ'jɒnd] **1.** jenseits **2.** über … hinaus **3.** **that's beyond me** *umg.* das ist mir zu hoch, das geht über meinen Verstand

bias [△ 'baɪəs] Vorurteil, Voreingenommenheit

biased, biassed [△ 'baɪəst] voreingenommen, *Recht*: befangen

bib [bɪb] Lätzchen

Bible ['baɪbl] Bibel

biblical [△ 'bɪblɪkl] biblisch, Bibel…

bicker ['bɪkə] sich zanken (**about, over** um)

bicycle¹ ['baɪsɪkl] Fahrrad, ⓔ Velo; ☞ *Illu S. 685*

bicycle² ['baɪsɪkl] mit dem Rad fahren

bid¹ [bɪd], **bid, bid**; *-ing-Form* **bidding**; *bei Versteigerung:* bieten

bid² [bɪd] **1.** *Versteigerung:* Gebot, *Ausschreibung:* Angebot **2.** Versuch

bid³ [bɪd] **bade** [△ bæd *oder* beɪd] *oder* **bid, bidden** ['bɪdn]; *-ing-Form* **bidding**; **bid someone farewell** jemandem Lebewohl sagen

bidden ['bɪdn] *3. Form von* → **bid³**

bidding ['bɪdɪŋ] *bei Versteigerung:* Gebot

bide [baɪd] **bide one's time** den rechten Augenblick abwarten

bier [△ bɪə] (Toten)Bahre (△ *Bier = beer*)

big¹ [bɪg], **bigger, biggest 1.** *allg.:* groß (*auch übertragen*); **the biggest party** die stärkste Partei **2.** *Mensch:* groß, kräftig gebaut **3.** *Kleidung usw.:* breit, weit, groß; **the coat is too big for me** der Mantel ist mir zu groß **4.** *Baum usw.:* hoch, groß **5.** Mords…; **big eater** starker Esser **6.** *bes. zu Kindern:* (≈ *erwachsen*) groß; **you're big enough now** du bist jetzt groß genug **7.** *Ereignis:* wichtig, bedeutend **8.** *Mahlzeit:* ausgiebig, reichlich **9.** *Wendungen:* **have big ideas** Rosinen im Kopf haben; **get too big for one's boots** *umg.* größenwahnsinnig werden; **earn big money** *umg.* das große Geld verdienen

big² [bɪg] **act big** *umg.* sich groß aufspielen; **talk big** *umg.* große Töne spucken

Big Ben

Big Ben heißt die 13,5 Tonnen schwere Glocke im Uhrturm des Parlamentsgebäudes in London, die als Zeitzeichen der BBC dient.

big cheese [ˌbɪg'tʃiːz] *umg.; Person:* hohes Tier

big dipper [ˌbɪg'dɪpə] Achterbahn

bigmouth ['bɪgmaʊθ] *umg.* **1.** Großmaul, Angeber **2.** Schwätzer

big shot [ˌbɪg'ʃɒt], **bigwig** ['bɪgwɪg] *umg.; Person:* hohes Tier

bike¹ [baɪk] *umg.* **1.** (≈ *Fahrrad*) Rad **2.** (≈ *Motorrad*) Maschine

bike² [baɪk] *umg.* **1.** radeln **2.** (mit dem) Motorrad fahren

bike path ['baɪkpɑːθ] *AE* Radweg

biker ['baɪkə] **1.** Motorradfahrer(in) **2.** Radfahrer(in)

bikini [bɪ'kiːnɪ] Bikini

bilberry ['bɪlbərɪ] Blaubeere, Heidelbeere

bilingual [baɪ'lɪŋgwəl] zweisprachig

bill¹ [bɪl] **1.** *bes. BE* Rechnung; (**could I have) the bill, please** bitte zahlen! **2.** *politisch:* (Gesetzes)Vorlage, Gesetzentwurf **3.** *AE* Banknote, (Geld)Schein **4.** Plakat

bill² [bɪl] **bill someone for something** jemandem etwas in Rechnung stellen

bill³ [bɪl] Schnabel (*eines Vogels*)

billboard ['bɪlbɔːd] *bes. AE* Reklametafel

billfold ['bɪlfəʊld] *AE* Brieftasche; ☞ *BE* **wallet**

billiards ['bɪljədz] Billard(spiel)

billion ['bɪljən] Milliarde (△ *dt. Billion = trillion*)

billion

Billion bedeutet heute auf beiden Seiten des Atlantiks „Milliarde". Früher bedeutete jedoch **billion** im britischen Gebrauch „Billion" (also 1.000.000.000.000). Das Wort wird immer noch von manchen mit dieser Bedeutung verwendet. „Eine Milliarde" hieße nach dem alten System **a thousand million** (ohne „-s").

trillion = Billion
zillions = „zig Milliarden"

billow ['bɪləʊ] *auch* **billow out** (*Segel usw.*) sich bauschen *oder* blähen

billy goat ['bɪlɪ ˌgəʊt] Ziegenbock

bin [bɪn] **1.** Behälter **2.** *BE*; *für Abfall*: Mülleimer, Mülltonne, Papierkorb; **put something in the bin** etwas wegwerfen

bin bag ['bɪn ˌbæg] *BE* Müllsack

bind [baɪnd], **bound** [baʊnd], **bound** [baʊnd] **1.** binden (**to** an) **2.** verbinden (*Wunde*) **3.** binden (*Buch*) **4.** *Kochen usw.:* binden **5.** (*Beton, Zement usw.*) fest werden **6.** *durch Vertrag usw.:* binden, verpflichten

bind together [ˌbaɪnd təˈgeðə] zusammenbinden
bind up [ˌbaɪnd'ʌp] verbinden (*Wunde*)

binder ['baɪndə] Hefter, Mappe, Ordner

binding¹ ['baɪndɪŋ] **1.** (Buch)Einband **2.** *Nähen:* Einfassung, Borte **3.** *Ski:* Bindung

B

binding² ['baɪndɪŋ] *übertragen* bindend, verbindlich

binge on ['bɪndʒ‚ɒn] sich vollstopfen mit (*Schokolade usw.*)

binge drinking ['bɪndʒ‚drɪŋkɪŋ] Kampftrinken, Rauschtrinken

binoculars [baɪ'nɒkjʊləz] *Pl.* Fernglas; *a pair of binoculars* ein Fernglas

biochemistry [‚baɪəʊ'kemɪstrɪ] Biochemie

biodegradable [‚baɪəʊdɪ'greɪdəbl] biologisch abbaubar

biodiversity [‚baɪəʊdaɪ'vɜːsətɪ] Artenreichtum, Artenvielfalt

biofuel ['baɪəʊ‚fjuːəl] Biokraftstoff

biography [baɪ'ɒgrəfɪ] Biographie

biological [‚baɪə'lɒdʒɪkl] biologisch

biologist [△ baɪ'ɒlədʒɪst] Biologe, Biologin

biology [△ baɪ'ɒlədʒɪ] Biologie

biosphere ['baɪəsfɪə] Biosphäre

biotope ['baɪətəʊp] Biotop

biplane ['baɪpleɪn] *Flugzeug:* Doppeldecker

birch [bɜːtʃ] *Baum:* Birke

bird [bɜːd] **1.** Vogel; *bird of prey* Raubvogel; *a bird in the hand is worth two in the bush Sprichwort:* besser ein Spatz in der Hand als eine Taube auf dem Dach **2.** *frauenfeindlich* (≈ *Frau*) Biene, Mieze **3.** *give someone the bird umg.* jemanden auspfeifen

birdcage ['bɜːdkeɪdʒ] Vogelkäfig

birdie ['bɜːdɪ] *Kindersprache:* Vögelchen

bird sanctuary ['bɜːd‚sæŋktʃʊərɪ] Vogelschutzgebiet

birdseed ['bɜːdsiːd] Vogelfutter

bird's-eye view [‚bɜːdz‚aɪ'vjuː] Vogelperspektive

bird-watcher ['bɜːd‚wɒtʃə] Vogelkenner(in), Vogelfreund(in)

biro® ['baɪrəʊ] *Pl.: biros BE* Kugelschreiber

birth [bɜːθ] **1.** Geburt; *birth certificate* Geburtsurkunde; *from (oder since) birth* von Geburt an; *give birth to* gebären, zur Welt bringen **2.** Abstammung, Herkunft; *she's English by birth* sie ist gebürtige Engländerin **3.** *übertragen* Ursprung, Entstehung

birth control ['bɜːθ‚kən‚trəʊl] Geburtenkontrolle

birthday¹ ['bɜːθdeɪ] Geburtstag; *when is your birthday?* wann hast du Geburtstag?; *happy birthday!* alles Gute *oder* herzlichen Glückwunsch zum Geburtstag!

birthday² ['bɜːθdeɪ] Geburtstags...; *birth-*

day present Geburtstagsgeschenk

birthmark ['bɜːθmɑːk] Muttermal

birthplace ['bɜːθpleɪs] Geburtsort

birthrate ['bɜːθreɪt] Geburtenziffer

biscuit ['bɪskɪt] **1.** *BE* Keks (△ *nicht Biskuit*), ℗ Biscuit; ☞ *AE cookie* **2.** *AE* eine Art Brötchen

bishop ['bɪʃəp] **1.** *kirchlich:* Bischof **2.** *Schach:* Läufer

bit¹ [bɪt] **1.** Stück(chen) (*auch übertragen*) **2.** *a bit umg.* eine Weile **3.** *a bit* ein bisschen, ziemlich; *not a bit* überhaupt nicht; *a bit of a fool* ein bisschen dumm **4.** *bit by bit* Stück für Stück, nach und nach **5.** *do one's bit* seinen Beitrag leisten

bit² [bɪt] *am Pferdezaum:* Gebiss

bit³ [bɪt] *Computer:* Bit

bit⁴ [bɪt] *2. Form von* → *bite¹*

bitch [bɪtʃ] **1.** Hündin **2.** *frauenfeindlich* Miststück, Schlampe **3.** *vulgär son of a bitch* Scheißkerl, Hurensohn

bitchy ['bɪtʃɪ] **1.** *Frau, Mädchen:* gehässig **2.** *Bemerkung:* bissig, gehässig

bite¹ [baɪt], *bit* [bɪt], *bitten* ['bɪtn] **1.** beißen, zubeißen **2.** (*Insekt*) beißen, stechen **3.** (*Fisch*) anbeißen (*auch übertragen*)

bite² [baɪt] **1.** Biss, *eines Insekts auch:* Stich **2.** Bissen, Happen **3.** Biss(wunde)

biting ['baɪtɪŋ] *Kälte, Wind:* schneidend

bitten ['bɪtn] *2. Form von* → *bite¹*

bitter¹ ['bɪtə] **1.** bitter (*auch übertragen*) **2.** *Kritik usw.:* scharf **3.** *Feinde usw.:* erbittert **4.** verbittert (*about* wegen)

bitter² ['bɪtə] *bitter cold* bitterkalt

bitterly ['bɪtəlɪ] *weep bitterly* bitterlich weinen

biz [bɪz] *umg. für business* Geschäft (*bes. in der Unterhaltungsbranche*)

blab [blæb], *blabbed, blabbed*; *oft blab out* ausplaudern

blabbermouth ['blæbəmaʊθ] Klatschmaul, Plappermaul

black¹ [blæk] *allg.:* schwarz (*auch übertragen*); *black man* Schwarzer; *beat someone black and blue* jemanden grün und blau schlagen

black² [blæk] **1.** Schwarz; *dressed in black* schwarz *oder* in Schwarz gekleidet; *wear black* Trauer tragen **2.** Schwarze(r) **3.** *be in the black Wirtschaft:* mit Gewinn arbeiten

black out [‚blæk'aʊt] **1.** bewusstlos werden **2.** abdunkeln, *im Krieg:* verdunkeln

black and white [‚blæk‚ən'waɪt] **1.** schwarzweiß **2.** *in black and white* schwarz auf weiß, schriftlich

black-and-white [ˌblæk ən'waɪt] Schwarzweiß...; **black-and-white television** Schwarzweißfernsehen

blackberry ['blækbərɪ] Brombeere

blackbird ['blækbɜːd] Amsel

blackboard ['blækbɔːd] (Schul-, Wand-)Tafel (△ *Schwarzes Brett* = **notice board**, *AE* **bulletin board**)

blackcurrant [ˌblæk'kʌrənt] Schwarze Johannisbeere

blacken ['blækən] **1.** schwarz machen, schwärzen **2.** schwarz werden

black eye [ˌblæk'aɪ] blaues Auge

blackhead ['blækhed] *in der Haut*: Mitesser

black hole [ˌblæk'həʊl] *Astronomie*: schwarzes Loch

black ice [ˌblæk'aɪs] Glatteis

blackjack ['blækdʒæk] *Kartenspiel*: Siebzehnundvier

blackleg ['blækleg] *bes. BE* Streikbrecher

blackmail¹ ['blækmeɪl] Erpressung

blackmail² ['blækmeɪl] erpressen

blackmailer ['blækmeɪlə] Erpresser(in)

black market [ˌblæk'mɑːkɪt] schwarzer Markt, Schwarzmarkt

blackout ['blækaʊt] **1.** *medizinisch*: Ohnmacht(sanfall), Black-out **2.** *in Straße, Stadt*: Stromausfall **3.** *Theater usw.*: Black-out **4.** **news blackout** Nachrichtensperre

black pudding [ˌblæk'pʊdɪŋ] Blutwurst

blacksmith ['blæksmɪθ] (Huf)Schmied

bladder ['blædə] *im Körper*: Blase

blade [bleɪd] **1.** Klinge (*eines Messers usw.*) **2.** *Technik*: Blatt (*einer Säge, eines Ruders usw.*) **3.** *Technik*: Flügel (*eines Propellers*), Schaufel (*einer Turbine usw.*) **4.** *Pflanze*: Halm; **blade of grass** Grashalm

blader ['bleɪdə] *umg.* Inlineskater(in)

blah [blɑː] *umg.* Blabla, Geschwafel

blame¹ [bleɪm] **1.** **blame someone for something** *oder* **blame something on someone** jemanden für etwas verantwortlich machen, jemandem an etwas die Schuld geben; **he's to blame for it** er ist daran schuld; **he has only himself to blame** er hat es sich selbst zuzuschreiben **2.** **I don't blame you for being angry** *usw.* ich kann es gut verstehen, dass du verärgert *usw.* bist

blame² [bleɪm] Schuld; **lay** (*oder* **put**) **the blame on someone** jemandem die Schuld geben; **take the blame** die Schuld auf sich nehmen

blameless ['bleɪmləs] schuldlos

blanch [blɑːntʃ] **1.** erbleichen, bleich werden (**with** vor) **2.** *Kochen*: blanchieren (*Obst, Gemüse*)

blancmange [△ blə'mɒndʒ] Pudding

bland [blænd] *Geschmack, Verhalten usw.*: neutral, unaufdringlich

blank¹ [blæŋk] **1.** leer, unbeschrieben; **leave blank** frei lassen **2.** **blank cheque** Blankoscheck **3.** **blank CD** (CD-)Rohling **4.** *Gesicht usw.*: ausdruckslos **5.** **look blank** verdutzt aussehen

blank² [blæŋk] **1.** freier Raum, Lücke **2.** Platzpatrone **3.** *Verlosung*: Niete

blank cartridge [ˌblæŋk'kɑːtrɪdʒ] Platzpatrone

blanket¹ ['blæŋkɪt] Decke, *im engeren Sinn*: Bettdecke; **blanket of snow** Schneedecke

blanket² ['blæŋkɪt] umfassend, Pauschal...

blare [bleə] (*Radio usw.*) plärren, (*Trompete*) schmettern

blarney ['blɑːnɪ] Schmeichelei, Beschwatzung

blast¹ [blɑːst] **1.** *von Wind*: Windstoß **2.** *von Sprengstoff*: Explosion, Detonation **3.** Druckwelle (*einer Explosion*) **4.** (**at**) **full blast** auf Hochtouren (*laufen oder arbeiten*)

blast² [blɑːst] **1.** sprengen **2.** **blasted weather!** *salopp* verdammtes Wetter!; **blast it** (**all**)**!** *salopp* verdammt (nochmal)!

blast-off ['blɑːstɒf] Start (*einer Rakete*)

blatant ['bleɪtənt] *Ungerechtigkeit, Fehler usw.*: offenkundig, eklatant

blather ['blæðə] *umg.* quatschen

blaze¹ [bleɪz] **1.** (lodernde) Flamme **2.** **blaze of colour** Farbenpracht

blaze² [bleɪz] **1.** (*Feuer*) lodern **2.** leuchten, glühen (**with** vor) (*auch übertragen*)

blaze up [ˌbleɪz'ʌp] **1.** aufflammen, auflodern **2.** *vor Wut*: aufbrausen

blazer ['bleɪzə] Blazer

blazing ['bleɪzɪŋ] glühend; **blazing hot** glühend heiß; **in the blazing sun** in der prallen Sonne

bleach¹ [bliːtʃ] bleichen

bleach² [bliːtʃ] Bleichmittel

bleak [bliːk] **1.** *Gegend usw.*: öde **2.** *Wetter usw.*: rau **3.** *Dasein usw.*: trostlos **4.** *Aussichten*: düster

bleary ['blɪərɪ] *Augen*: verschlafen

bleary-eyed [ˌblɪərɪ'aɪd] verschlafen, mit verschlafenen Augen

bleat [bliːt] (*Schaf*) blöken, (*Ziege*) meckern

bled [bled] *2. und 3. Form von → **bleed**

bleed [bliːd], **bled** [bled], **bled** [bled] bluten; **bleed to death** verbluten

bleeding ['bliːdɪŋ] *BE, salopp* verdammt,

B

verflucht

bleep[1] [bliːp] Piepton

bleep[2] [bliːp] **1.** (*Gerät*) piepen **2.** anpiepsen (*Arzt usw.*)

bleeper ['bliːpə] Piepser (*Funkrufempfänger*)

blemish [△ 'blemɪʃ] *übertragen* Makel

blend[1] [blend] **1.** vermengen, (ver)mischen **2.** *bei Tee usw.*: eine Mischung zusammenstellen aus **3.** sich vermischen (**with** mit), gut passen (**with** zu) (△ *nicht* **blenden**)

blend[2] [blend] *Tee usw.*: Mischung

blender ['blendə] *Küchenmaschine*: Mixer

bless [bles], **blessed, blessed 1.** segnen (*auch übertragen*) **2. be blessed with** gesegnet sein mit **3. bless you!** Gesundheit!

blessed [△ 'blesɪd] **1.** gesegnet, selig; **the Blessed Virgin** die Heilige Jungfrau **2.** *umg.* verwünscht, verflixt

blessing ['blesɪŋ] Segen (*auch übertragen*)

blether ['bleðə] *umg.* quatschen

blew [bluː] *2. Form von* → **blow**[1]

blight[1] [blaɪt] schädlicher Einfluss

blight[2] [blaɪt] zunichtemachen, zerstören; **blight someone's life** jemandem das Leben vergällen

blimey ['blaɪmɪ] *BE, salopp* verdammt!

blind[1] [blaɪnd] **1.** blind (*auch übertragen* **to** gegenüber; **with** vor); **blind in one eye** auf einem Auge blind **2.** *Kurve usw.*: unübersichtlich **3. turn a blind eye** ein Auge zudrücken (**to** bei) **4. the blind** *Pl.* die Blinden

blind[2] [blaɪnd] **1.** blenden **2.** *übertragen* blind machen (**to** für, gegen)

blind[3] [blaɪnd] **1.** Rollo, Rouleau **2.** Jalousie

blind alley [ˌblaɪnd'ælɪ] Sackgasse (*auch übertragen*)

blindfold[1] ['blaɪndfəʊld] Augenbinde

blindfold[2] ['blaɪndfəʊld] **blindfold someone** jemandem die Augen verbinden

blink [blɪŋk] **1.** blinzeln, (mit den Augen) zwinkern **2.** *AE* (*Licht*) blinken

blinkers ['blɪŋkəz] *Pl.* **1.** Scheuklappen **2.** *AE; Auto*: Blinker *Pl.*

blinking ['blɪŋkɪŋ] *BE, umg.* verdammt

bliss [blɪs] (das) Glück, (die) Glückseligkeit

blissful ['blɪsfl] (glück)selig

blister ['blɪstə] *auf der Haut*: Blase

blithering ['blɪðərɪŋ] **blithering idiot** *BE, umg.* Vollidiot(in)

blizzard ['blɪzəd] Schneesturm

bloated ['bləʊtɪd] *Gesicht usw.*: aufgedunsen

blob [blɒb] Klecks

block[1] [blɒk] **1.** *aus Holz, Stein usw.*: Block, Klotz **2.** Baustein, (Bau)Klötzchen (*für Kinder*) **3. block (of flats)** *BE* Wohnhaus **4.** *bes. AE* (Häuser)Block **5.** *übertragen* Block, Gruppe

block[2] [blɒk] **1.** *auch* **block up** blockieren, verstopfen **2.** *Wirtschaft*: sperren (*Konto*)

blockade[1] [blɒ'keɪd] Blockade

blockade[2] [blɒ'keɪd] blockieren

blockage ['blɒkɪdʒ] **1.** *in Rohrleitung usw.*: Verstopfung **2.** *übertragen* Engpass

blockbuster[1] ['blɒk,bʌstə] Sensationshit, Knüller

blockbuster[2] ['blɒk,bʌstə] **blockbuster movie** Kinoknüller; **blockbuster novel** Erfolgsroman

blockhead ['blɒkhed] *umg.* Trottel

block letters [ˌblɒk'letəz] *Pl.* Blockschrift

blog [blɒg] *Computer*: Weblog, Blog, Online-Tagebuch

blogger ['blɒgə] *Computer*: Blogger (*Verfasser eines Weblogs*)

blogosphere ['blɒgəsfɪə] *Computer*: Blogosphäre

bloke [bləʊk] *BE, umg.* Kerl

blond [blɒnd] blond

blonde[1] [blɒnd] blond

blonde[2] [blɒnd] Blondine; **you're such a blonde!** *umg.* du bist ein echter Obertrottel!

blonde

Das Adjektiv **blond** wird meist für einen Mann verwendet (**he's blond**), während sich **blonde** als Adjektiv und Substantiv auf eine Frau bezieht (**Her hair is naturally blonde; I met a beautiful blonde last night**).

blood [blʌd] **1.** Blut (*auch übertragen*); **blood relation** Blutsverwandte(r); **give blood** Blut spenden; **it made my blood boil** es machte mich rasend **2.** Geblüt, Abstammung

blood count ['blʌd_kaʊnt] *medizinisch*: Blutbild

bloodcurdling ['blʌd,kɜːdlɪŋ] grauenhaft, grauenerregend

blood donor ['blʌd,dəʊnə] Blutspender(in)

blood group ['blʌd_gruːp] *BE; medizinisch*: Blutgruppe

bloodshed ['blʌdʃed] Blutvergießen

bloodshot ['blʌdʃɒt] *Augen*: rot, blutunterlaufen

blood sugar ['blʌd,ʃʊgə] *medizinisch*: Blutzucker

blood vessel ['blʌd,vesl] Blutgefäß

board

bloody ['blʌdɪ] **1.** *Messer, Schlacht usw.*: blutig **2.** *BE, salopp* verdammt, verflucht

bloom[1] [blu:m] Blüte

bloom[2] [blu:m] blühen *(auch übertragen)*

blooming ['blu:mɪŋ] **1.** blühend *(auch übertragen)* **2.** *umg.* verflixt

blossom[1] ['blɒsəm] Blüte; *be in full blossom* in voller Blüte stehen

blossom[2] ['blɒsəm] blühen *(auch übertragen)*

blot[1] [blɒt] **1.** Klecks **2.** *übertragen* Makel, Fleck

blot[2] [blɒt], *blotted, blotted* **1.** mit Tinte beklecksen **2.** (ab)löschen *(mit Löschpapier)*

blotch [blɒtʃ] *auf der Haut*: Fleck

blotter ['blɒtə] *AE* Kladde

blotting paper ['blɒtɪŋ,peɪpə] Löschpapier

blouse [△ blaʊz] Bluse

blow[1] [bləʊ], *blew* [blu:], *blown* [bləʊn] **1.** *(Wind)* blasen, wehen **2.** blasen *(Suppe usw.)* **3.** *(Pfiff usw.)* ertönen **4.** *(Sicherung)* durchbrennen **5.** *blow one's nose* sich schnäuzen **6.** *salopp* verpulvern *(Geld)* *(on* für) **7.** *salopp* vergeben *(Chance)*; *I blew it* ich hab's vermasselt

blow away [ˌbləʊ ə'weɪ] wegblasen

blow down [ˌbləʊ'daʊn] umwehen

blow in [ˌbləʊ'ɪn] *umg. (Besucher)* hereinschneien

blow off [ˌbləʊ'ɒf] wegblasen

blow out [ˌbləʊ'aʊt] ausblasen *(Kerze usw.)*

blow up [ˌbləʊ'ʌp] **1.** (in die Luft) sprengen **2.** explodieren *(auch übertragen Person)* **3.** aufblasen, aufpumpen **4.** vergrößern *(Foto)* **5.** *übertragen* aufbauschen *(into* zu) **6.** *(Sturm usw.)* losbrechen, *übertragen (Streit usw.)* ausbrechen

blow[2] [bləʊ] **1.** Schlag, Stoß; *come to blows* handgreiflich werden **2.** *übertragen* Schlag, Schicksalsschlag

blow-dry ['bləʊdraɪ] *blow-dry someone's hair* jemandem die Haare föhnen

blow dryer ['bləʊ,draɪə] Haartrockner

blown [bləʊn] **3.** *Form von* → *blow*[1]

blowout ['bləʊaʊt] *Auto*: Reifenpanne

blow-up ['bləʊʌp] **1.** *Foto*: Vergrößerung **2.** *umg.* Krach, Streit

blowy ['bləʊɪ] windig

BLT [ˌbi: el 'ti:] *(Abk. für* **b**acon, **l**ettuce, and **t**omato sandwich) Sandwich mit Frühstücksspeck, Kopfsalat und Tomaten

blubber ['blʌbə] flennen, heulen

bludgeon ['blʌdʒən] **1.** niederknüppeln **2.** *bludgeon someone into doing some-*

thing jemanden zwingen, etwas zu tun

blue[1] [blu:] **1.** blau **2.** *umg.* melancholisch, traurig

blue[2] [blu:] **1.** Blau; *dressed in blue* blau *oder* in Blau gekleidet **2.** *out of the blue übertragen* aus heiterem Himmel

blueberry ['blu:bərɪ] Blaubeere, Heidelbeere

blue cheese [ˌblu:'tʃi:z] Edelpilzkäse

blue-collar [ˌblu:'kɒlə] *blue-collar worker* Arbeiter *(im Gegensatz zu Büroangestellten usw.)*

blue-collar worker

Blue-collar worker heißt der Fabrikarbeiter nach dem blauen Arbeitsanzug, den er bei der Arbeit trägt. **White-collar worker** heißt dagegen der/die Büroangestellte nach dem weißen Kragen, der traditionell zur Bürokleidung gehörte.

blue movie [ˌblu:'mu:vɪ] Pornofilm

blueprint ['blu:prɪnt] **1.** *technisch*: Blaupause **2.** *übertragen* Plan, Entwurf

blues [blu:z] *Pl.* **1.** *have the blues umg.* niedergeschlagen sein, seinen Moralischen haben **2.** *(auch mit Sg. konstruiert) Musik*: Blues

bluff[1] [blʌf] bluffen

bluff[2] [blʌf] Bluff

bluish ['blu:ɪʃ] bläulich

blunder[1] ['blʌndə] (grober) Fehler

blunder[2] ['blʌndə] einen (groben) Fehler machen

blunt[1] [blʌnt] **1.** *Messer, Stift usw.*: stumpf **2.** *übertragen* offen, schonungslos; ☞ *bluntly*

blunt[2] [blʌnt] stumpf machen, abstumpfen *(auch übertragen to* gegen)

bluntly ['blʌntlɪ] freiheraus; *to put it bluntly* um es ganz offen zu sagen; *refuse bluntly* glatt ablehnen

blur [bl3:], *blurred, blurred* verwischen *(auch übertragen)*, verschmieren *(Schrift usw.)*

blurb [bl3:b] Informationstext, *auf Buchumschlag*: Klappentext

blurred [bl3:d] **1.** *Schrift*: verschmiert **2.** *Foto*: verwackelt

blurt out [ˌbl3:t'aʊt] herausplatzen mit *(einer Neuigkeit usw.)*

blush [blʌʃ] erröten, rot werden

blusher ['blʌʃə] *Schminke*: Rouge

BO [ˌbi: 'əʊ] *(Abk. für* **b**ody **o**dour) Körpergeruch

boar [bɔ:] Eber, *Wildschwein*: Keiler

board[1] [bɔ:d] **1.** Brett **2.** ...brett; *notice*

B

board Schwarzes Brett; **chessboard** Schachbrett **3.** (Wand)Tafel **4.** Kost, Verpflegung; **board and lodging** Unterkunft und Verpflegung **5.** Ausschuss, Kommission; **board of examiners** Prüfungskommission **6. on board** an Bord (*eines Schiffs, Flugzeugs*), im Zug *oder* Bus; **on board** (**a**) **ship** an Bord eines Schiffs **7.** (dicke) Pappe

board² [bɔːd] **1.** dielen, täfeln **2.** *Schiff, Flugzeug*: an Bord gehen **3.** einsteigen in (*ein Flugzeug, Schiff, einen Zug*)

boarder ['bɔːdə] **1.** *BE* Internatsschüler(in) **2.** Pensionsgast

board game ['bɔːd‿ɡeɪm] Brettspiel

boarding house ['bɔːdɪŋ‿haʊs] Pension

boarding pass ['bɔːdɪŋ‿pɑːs] Bordkarte

boarding school ['bɔːdɪŋ‿skuːl] Internat

boast [bəʊst] prahlen (**of, about** mit)

boaster ['bəʊstə] Prahler(in)

boastful ['bəʊstfl] prahlerisch

boat [bəʊt] Boot, *größer*: Schiff

University Boat Race

Das **University Boat Race** ist ein traditionelles Bootsrennen zwischen zwei Achtern. Es wird jedes Jahr im März oder April auf einer ca. 7 Kilometer langen Strecke der Themse in London zwischen den Universitäten Oxford und Cambridge ausgetragen. Der spannende Wettkampf wird international im Fernsehen übertragen.

boat people ['bəʊt‚piːpl] *Pl.* Bootsflüchtlinge *Pl.*

boat train ['bəʊt‿treɪn] Zug mit Schiffsanschluss

bob [bɒb], **bobbed, bobbed 1.** (*Boot usw.*) sich auf und ab bewegen **2.** *als höfliche Begrüßung*: knicksen

bob up [‚bɒb'ʌp] (plötzlich) auftauchen (*auch übertragen*)

bobbin ['bɒbɪn] *von Nähmaschine usw.*: Spule

bobby ['bɒbɪ] *BE, umg., veraltet* (≈ *Polizist*) Bobby

bobcat ['bɒbkæt] *in USA*: Luchs

bobsled ['bɒbsled], **bobsleigh** [⚠ 'bɒbsleɪ] *Sport*: Bob

bodily ['bɒdɪlɪ] körperlich; **bodily harm** *Recht*: Körperverletzung

body ['bɒdɪ] **1.** Körper, Leib; ☞ *Illu S. 97* **2.** *im engeren Sinn*: Rumpf **3.** (**dead**) **body** Leiche **4.** *Auto*: Karosserie **5.** Körperschaft, Gruppe, Gremium **6.** *Physik usw.*: Körper; **celestial** *oder* **heavenly**

body Himmelskörper

body double ['bɒdɪˌdʌbl] *Double, das einen Star in Stunt- oder Sexszenen vertritt*

bodyguard ['bɒdɪɡɑːd] **1.** Leibwächter **2.** Leibgarde, Leibwache

body language ['bɒdɪˌlæŋɡwɪdʒ] (die) Körpersprache

body odour ['bɒdɪˌəʊdə], *AE* **body odor** ['bɑːdɪoʊdər] Körpergeruch

bodywork ['bɒdɪwɜːk] *Auto*: Karosserie

bog [bɒɡ] **1.** Sumpf, Moor **2.** *BE, salopp* Klo

bog down [‚bɒɡ'daʊn] **bogged down, bogged down be** (*oder* **get**) **bogged down** stecken bleiben (*auch übertragen*)

bogeyman ['bəʊɡɪmæn] *Kinderschreck*: schwarzer Mann

boggle ['bɒɡl] fassungslos sein; **the mind boggles at the thought** es wird einem schwindlig bei dem Gedanken

boggy ['bɒɡɪ] sumpfig, morastig

bogus ['bəʊɡəs] **1.** falsch, unecht **2.** Schwindel..., Schein...

boil¹ [bɔɪl] **1.** (*Wasser usw.*) kochen, sieden **2.** kochen (lassen) (*Wasser usw.*) **3.** *übertragen* (*Person*) kochen (**with rage** vor Wut)

boil away [‚bɔɪl‿ə'weɪ] **1.** vor sich hin kochen **2.** verdampfen

boil down [‚bɔɪl'daʊn] **1.** einkochen **2.** *übertragen* zusammenfassen (**to a few sentences** in ein paar Sätzen)

boil down to [‚bɔɪl'daʊn‿tə] *übertragen* hinauslaufen auf

boil over [‚bɔɪl'əʊvə] **1.** (*Milch usw.*) überkochen, überlaufen **2.** (*Situation usw.*) sich auswachsen (**into** zu)

boil² [bɔɪl] **bring to the boil** zum Kochen bringen

boil³ [bɔɪl] *medizinisch*: Furunkel

boiler ['bɔɪlə] **1.** *Technik*: Dampfkessel **2.** Boiler, Heißwasserspeicher

boiler suit ['bɔɪlə‿suːt] Overall

boiling hot [‚bɔɪlɪŋ'hɒt] kochend heiß

boiling point ['bɔɪlɪŋ‿pɔɪnt] Siedepunkt (*auch übertragen*); **reach boiling point** den Siedepunkt erreichen

boisterous ['bɔɪstərəs] *Person, Party usw.*: ausgelassen, wild

bold [bəʊld] **1.** *Person, Tat usw.*: kühn, mutig **2.** abwertend dreist **3.** *Umrisse usw.*: scharf hervortretend **4. bold type** Fettdruck

Bolivia [bə'lɪvɪə] Bolivien

bolster¹ ['bəʊlstə] Nackenrolle (⚠ *nicht*

Polster)

bolster² ['bəʊlstə] *mst.* **bolster up** *übertragen* unterstützen

bolt¹ [bəʊlt] **1.** *Technik:* Bolzen, Schraube **2.** *Technik:* Riegel **3.** *a bolt from the blue übertragen* ein Blitz aus heiterem Himmel

bolt² [bəʊlt] **1.** *(Pferd)* durchgehen **2.** verriegeln, zuriegeln *(Tor, Fenster usw.)* **3.** *(Person)* sausen **4.** *oft* **bolt down** hinunterschlingen *(Essen)*

bolt³ [bəʊlt] *he made a bolt for the door* er machte einen Satz zur Tür

bolt⁴ [bəʊlt] *bolt upright* kerzengerade

bomb¹ [△ bɒm] Bombe; *bomb attack* Bombenanschlag

bomb² [△ bɒm] bombardieren

bombard [bɒm'bɑːd] beschießen, bombardieren *(auch übertragen* **with** mit)

bombastic [bɒm'bæstɪk] *abwertend* aufgeblasen

bombed [△ bɒmd] *salopp* **1.** besoffen **2.** *(≈ im Drogenrausch)* high

bombshell [△ 'bɒmʃel] *it went down like a bombshell* es schlug ein wie eine Bombe, *drop the bombshell* die Bombe platzen lassen

bomb threat [△ 'bɒm_θret] Bombendrohung

bonanza [bə'nænzə] *übertragen* Goldgrube

bond [bɒnd] **1.** *zwischen Personen:* Bindung **2.** *the bonds of love* die Bande der Liebe **3.** *Wirtschaft:* Schuldverschreibung, Obligation

bone¹ [bəʊn] **1.** Knochen; *bones Pl.* Gebeine **2.** *(Fisch)*Gräte **3.** *feel something in one's bones* etwas in den Knochen spüren **4.** *I've still got a bone to pick with him* mit ihm habe ich noch ein Hühnchen zu rupfen **5.** *chilled to the bone* völlig durchgefroren

bone² [bəʊn] entbeinen *(Fleisch usw.)*, entgräten *(Fisch)*

---

bone up [ˌbəʊn'ʌp] *bone up on something umg.* etwas pauken *oder* büffeln

---

boneshaker ['bəʊnˌʃeɪkə] *BE, humorvoll; altes Auto usw.:* Klapperkasten

bonfire ['bɒnˌfaɪə] **1.** Freudenfeuer **2.** Feuer im Freien *(zum Unkrautverbrennen usw.)*

Bonfire Night ['bɒnˌfaɪə_naɪt] *BE* Feierlichkeiten, *übertragen* kath. *usw.* zum Gedenken an die Pulververschwörung vom 5. November 1605; ☞ *Gunpowder Plot*

bonk¹ [bɒŋk] **1.** *BE, salopp* bumsen *(Sex mit jemandem haben)* **2.** *bonk one's head* sich am Kopf schlagen

---

Bonfire Night

Eine andere Bezeichnung für **Guy Fawkes Night** am 5. November. An diesem Abend feiern vor allem Kinder mit Freudenfeuern und Feuerwerk. Geschichtlicher Hintergrund ist die Vereitelung der katholischen Pulververschwörung gegen die britische Regierung im Jahr 1605, an der Guy Fawkes beteiligt war.

---

bonk² [bɒŋk] **1.** *give someone a bonk on the head umg.* jemanden am Kopf schlagen **2.** *have a bonk BE, salopp* bumsen

bonkers ['bɒŋkəz] *BE, salopp* verrückt

bonnet ['bɒnɪt] **1.** *BE; Auto:* Motorhaube **2.** Haube *(für Baby)*

bonus ['bəʊnəs] **1.** *Wirtschaft:* Bonus, Prämie **2.** Gratifikation

bony ['bəʊnɪ] knochendürr

boo¹ [buː] Buh(ruf)

boo² [buː] **1.** buhen **2.** ausbuhen *(Redner usw.)*

boob¹ [buːb] *BE, salopp* Schnitzer

boob² [buːb] *BE, salopp* einen Schnitzer machen

boobs [buːbz] *salopp* Titten

book¹ [bʊk] **1.** Buch; *the good Book* die Bibel; *a closed book übertragen* ein Buch mit sieben Siegeln *(to* für) **2.** Heft; *exercise book* Schreibheft, Schulheft **3.** Heft(chen); *book of tickets* Fahrscheinheft **4.** *that's cheating in my book übertragen* für mich ist das Betrug

book² [bʊk] **1.** bestellen *(Zimmer, Platz usw.)*, buchen *(Reise usw.)* **2.** sich vormerken lassen *(für eine Fahrt usw.)* **3.** verpflichten, engagieren *(Künstler usw.)* **4.** aufschreiben *(Verkehrssünder usw.)*, *Sport:* verwarnen

---

book in [ˌbʊk'ɪn] *bes. BE* sich eintragen *(im Hotel)*; *book in at* absteigen in

book up [ˌbʊk'ʌp] *booked up Künstler, Hotel:* ausgebucht

---

bookcase ['bʊk_keɪs] Bücherschrank

bookend ['bʊkend] Buchstütze

booking ['bʊkɪŋ] Buchung, (Vor)Bestellung; *make a (firm) booking* (fest) buchen

booking office ['bʊkɪŋˌɒfɪs] **1.** (Fahrkarten)Schalter **2.** *Theater usw.:* Kasse, Vorverkaufsstelle

bookkeeping ['bʊkˌkiːpɪŋ] *Wirtschaft:* Buchhaltung, Buchführung

booklet ['bʊklət] Broschüre, Bändchen

bookmaker ['bʊkˌmeɪkə] *im Wettbüro:*

Buchmacher

bookmark ['bʊkmɑːk] **1.** Lesezeichen **2.** *Computer*: Bookmark, Lesezeichen, Textmarke

bookmobile ['bʊkməʊˌbiːl] *AE* Bücherbus

books [bʊks] *Wirtschaft*: Geschäftsbücher

bookseller ['bʊkˌselə] Buchhändler(in)

bookshelf ['bʊkʃelf] *Pl.*: **bookshelves** ['bʊkʃelvz] Bücherbord, Bücherbrett; **bookshelves** *auch* Bücherregal

bookshop ['bʊkʃɒp] Buchhandlung

bookstall ['bʊkstɔːl] **1.** *auf dem Flohmarkt usw.*: Bücherstand **2.** *BE* Zeitungskiosk, Zeitungsstand

bookstore ['bʊkstɔː] *AE* Buchhandlung

book token ['bʊkˌtəʊkən] Buchgutschein

bookworm ['bʊkwɜːm] Bücherwurm

boom[1] [buːm] **1.** *(Stimme usw.)* dröhnen **2.** *(Geschütz)* donnern

boom[2] [buːm] *Wirtschaft* **1.** Boom, Aufschwung **2.** Hochkonjunktur

boom[3] [buːm] *Wirtschaft*: einen Boom erleben, boomen

boom[4] [buːm] **1.** Dröhnen **2.** Donnern *(von Geschützen)* **3.** Brausen *(der Wellen)*

boomerang ['buːməræŋ] Bumerang *(auch übertragen)*

boon [buːn] *übertragen* Segen *(to für)*

boorish ['bʊərɪʃ] ungehobelt

boost[1] [buːst] **1.** *umg.* in die Höhe treiben *(Preise)* **2.** *umg.* Auftrieb geben **3.** ankurbeln *(Produktion usw.)* **4.** *Elektrotechnik*: verstärken *(Spannung)*

boost[2] [buːst] *umg.* Auftrieb; **give someone a boost** jemanden aufmöbeln

booster ['buːstə] **1.** *auch* **booster shot** Wiederholungsimpfung **2.** *auch* **booster rocket** Zusatzrakete **3.** Zündstufe *(einer Rakete)*

boot[1] [buːt] **1.** Stiefel **2.** **get the boot** salopp gefeuert werden **3.** **he gave her the boot** *umg.* er hat ihr den Laufpass gegeben **4.** *BE*; *Auto*: Kofferraum (△ **Boot** = **boat**); ☞ *AE* **trunk**

boot[2] [buːt] **1.** *umg.* einen (Fuß)Tritt geben **2.** *auch* **boot up** *Computer*: booten, laden

booth [buːð] **1.** (Markt)Bude **2.** **phone booth** Telefonzelle **3.** **polling** *oder* **voting booth** Wahlkabine

bootlace ['buːtleɪs] Schnürsenkel

bootleg ['buːtleg] *Musik*: illegaler Mitschnitt von Konzerten

booze[1] [buːz] *umg.* Alkohol *(Getränk)*

booze[2] [buːz] *umg.* (≈ *sich betrinken*) saufen

booze-up ['buːzʌp] *BE*, *salopp* Besäufnis

border[1] ['bɔːdə] **1.** (Gebiets-, Landes-)

Grenze **2.** Rand **3.** Einfassung, Umrandung

border[2] ['bɔːdə] **1.** einfassen *(Beet usw.)* **2.** begrenzen, grenzen (an)

borderline ['bɔːdəlaɪn] **1.** *übertragen* Grenze; **borderline case** Grenzfall **2.** Grenzlinie

bore[1] [bɔː] **2.** *Form von* → **bear**[2]

bore[2] [bɔː] **1.** *Person*: Langweiler **2.** langweilige Sache, *bes. BE* lästige Sache

bore[3] [bɔː] langweilen, *bes. BE* lästig sein; ☞ **bored**

bore[4] [bɔː] bohren

bored [bɔːd] **be bored** sich langweilen; **be bored stiff** *umg.* sich zu Tode langweilen

boredom ['bɔːdəm] Langeweile

boring ['bɔːrɪŋ] langweilig, ⊛ fad

born [bɔːn] geboren *(auch übertragen)*

borne [bɔːn] *3. Form von* → **bear**[2]

borough [△ 'bʌrə] **1.** *BE*; *Verwaltungseinheit*: Stadt, Stadtteil, städtischer Wahlbezirk **2.** *AE*; *Verwaltungseinheit*: Stadtteil

borrow ['bɒrəʊ] (sich) (aus)borgen *oder* leihen (**from** von) (△ *jemandem etwas borgen* = **lend**)

Bosnia ['bɒznɪə] Bosnien

bosom [△ 'bʊzəm] Busen *(auch übertragen)*

boss [bɒs] *umg.* Chef(in), Boss

---

boss about *oder* **around** [ˌbɒs_ə'baʊt *oder* ə'raʊnd] *umg.* herumkommandieren

---

bossy ['bɒsɪ] *umg.* herrisch

botanical [bə'tænɪkl] **botanical garden** *oder* **gardens** *Pl.* botanischer Garten

botany [△ 'bɒtənɪ] (die) Botanik

botch[1] [bɒtʃ] *bes. BE*, *umg.*, *auch* **botched job** Pfusch, Pfuscharbeit

botch[2] [bɒtʃ] *umg.* **1.** *auch* **botch up** verpfuschen **2.** (≈ *schlecht arbeiten*) pfuschen

both[1] [bəʊθ] beide, beides; **both (of) my brothers** meine beiden Brüder; **both of them** alle beide

both[2] [bəʊθ] **both ... and ...** sowohl ... als auch ...

bother[1] ['bɒðə] **1.** belästigen, stören; **stop bothering me!** lass mich in Ruhe! **2.** **I can't be bothered** ich habe keine Lust (**to do something** etwas zu tun) **3.** **he doesn't bother about his family** er kümmert sich nicht um seine Familie

bother[2] ['bɒðə] Schwierigkeiten, Ärger; **I'm in a spot of bother** ich habe Schwierigkeiten

bottle[1] ['bɒtl] Flasche

bottle² ['bɒtl] in Flaschen abfüllen

bottle bank ['bɒtl_bæŋk] *BE* Altglascontainer

bottleneck ['bɒtlnek] Engpass (*einer Straße*) (*auch übertragen*)

bottle opener ['bɒtl,əʊpənə] Flaschenöffner

bottom¹ ['bɒtəm] **1.** Boden (*eines Gefäßes usw.*), Fuß (*eines Bergs usw.*); *from the bottom of one's heart* aus tiefstem Herzen **2.** unteres Ende (*einer Seite usw.*), Ende (*einer Straße usw.*); *at the bottom of the street* am Ende der Straße **3.** Unterseite (*eines Gegenstandes*) **4.** *umg.* Hintern, Po **5.** Boden, Grund; *bottom of the sea* Meeresboden, Meeresgrund **6.** *get to the bottom of something* einer Sache auf den Grund gehen *oder* kommen

bottom² ['bɒtəm] unterste(r, -s); *bottom line* letzte Zeile

bough [△ baʊ] Ast, Zweig

bought [bɔːt] *2. und 3. Form von* → *buy¹*

boulder ['bəʊldə] Felsblock

bounce¹ [baʊns] **1.** (*Ball usw.*) aufprallen, (auf)springen **2.** aufspringen lassen (*Ball*) **3.** hüpfen, springen (*over* über) **4.** *umg.* (*Scheck*) platzen **5.** *AE, Slang*: *I gotta bounce* ich mach 'nen Abgang

bounce off [,baʊns'ɒf] abprallen (von)

bounce² [baʊns] **1.** Sprung, Satz (*eines Balls*) **2.** *von Ball*: Sprungkraft **3.** *umg.*; *von Person*: Schwung

bouncer ['baʊnsə] *umg.*; *in der Bar usw.*: Rausschmeißer

bouncing ['baʊnsɪŋ] *a bouncing baby* ein strammer Säugling

bouncy castle ['baʊnsɪ,kɑːsl] *für Kinder*: Hüpfburg

bound¹ [baʊnd] *2. und 3. Form von* → *bind*

bound² [baʊnd] *be bound to do something* etwas bestimmt tun; *it's bound to rain* es wird bestimmt regnen

bound³ [baʊnd] hüpfen, springen

bound⁴ [baʊnd] *bound for* unterwegs nach

boundary ['baʊndərɪ] Grenze

boundless ['baʊndləs] grenzenlos (*auch übertragen*)

bounds [baʊndz] *Pl.* **1.** Grenze, *übertragen auch* Schranke; *keep something within bounds* etwas in (vernünftigen) Grenzen halten **2.** *out of bounds* Zutritt verboten

bountiful ['baʊntɪfl] *literarisch* **1.** *Ernte usw.*: reichlich **2.** *Person*: freigebig

bounty ['baʊntɪ] **1.** Prämie, Belohnung

(*bes. Kopfgeld*) **2.** *literarisch*: Freigebigkeit

bouquet [bʊ'keɪ] Bukett, (Blumen)Strauß

bourgeois [△ 'bʊəʒwaː] *mst. abwertend* (spieß)bürgerlich, spießig

bout [△ baʊt] **1.** *medizinisch*: Anfall **2.** (Box-, Ring)Kampf

boutique [bu:'ti:k] Boutique

bow¹ [△ baʊ] **1.** sich verbeugen (*to* vor) **2.** beugen, neigen (*Kopf*)

bow² [△ baʊ] Verbeugung

bow³ [bəʊ] **1.** *Waffe*: Bogen **2.** *Musik*: Bogen (*für Violine usw.*) **3.** Schleife

bow⁴ [△ baʊ] *Schiff*: Bug

bowel [△ 'baʊəl] *Körper*: Darm; *bowels Pl. auch* Eingeweide

bowl¹ [bəʊl] **1.** Schüssel, *für Obst usw.*: Schale; *sugar bowl* Zuckerdose **2.** Napf (*für Tiere usw.*)

bowl² [bəʊl] *Bowling, Kegeln*: Kugel

bow-legged [,bəʊ'legɪd] o-beinig

bowler ['bəʊlə] *auch bowler hat bes. BE* Bowler, Melone

bowling ['bəʊlɪŋ] Bowling, Kegeln

bowling alley ['bəʊlɪŋ,ælɪ] Bowlingbahn, Kegelbahn

bow tie [,bəʊ'taɪ] *Schleife*: Fliege

bow-wow 1. ['baʊwaʊ] (≈ *Hund*) Wauwau **2.** [,baʊ'waʊ] wauwau!

box¹ [bɒks] **1.** *aus Holz, Karton*: Kasten, Kiste **2.** *aus Pappe*: Schachtel; *box of chocolates* Schachtel Pralinen **3.** *aus Blech usw.*: Büchse, Dose, Kästchen **4.** *Technik*: Gehäuse **5.** *phone box BE* (Telefon)Zelle **6.** *Theater usw.*: Loge **7.** *witness box Recht*: Zeugenstand **8.** *für Pferd, Auto*: Box **9.** *umg.* Kasten (*Fernseher*), Fernsehen; *on the box* im Fernsehen

box in *oder* **up** [,bɒks'ɪn *oder* 'ʌp] einschließen, einsperren; *I feel boxed in übertragen* ich fühle mich eingeengt

box² [bɒks] **1.** *Sport*: boxen (mit *oder* gegen) **2.** *box someone's ears* jemanden ohrfeigen

box³ [bɒks] *box on the ears* Ohrfeige

boxcar ['bɒkskɑː] *AE* Güterwagen

boxer ['bɒksə] **1.** *Sport*: Boxer(in) **2.** *Hund*: Boxer

boxing ['bɒksɪŋ] Boxen, Boxsport

Boxing Day ['bɒksɪŋ,deɪ] *BE* der 2. Weihnachts(feier)tag; ☞ *Info S. 72*

boxing gloves ['bɒksɪŋ,glʌvz] *Pl.* Boxhandschuhe

boxing match ['bɒksɪŋ,mætʃ] Boxkampf

box number ['bɒks,nʌmbə] Chiffre(nummer)

box office ['bɒks,ɒfɪs] *Theater, Kino usw.*:

Kasse

Boxing Day

Boxing Day wird der 2. Weihnachtstag genannt, weil es früher an diesem Tag Tradition war, dem Hauspersonal sowie Lieferanten als kleine Aufmerksamkeit sogenannte **Christmas boxes** zu schenken.

box-office ['bɒks‚ɒfɪs] *box-office hit* *Theater usw.*: Kassenerfolg, Kassenschlager

boy [bɔɪ] Junge (*auch umg.* Sohn), Knabe

boycott¹ ['bɔɪkɒt] boykottieren

boycott² ['bɔɪkɒt] Boykott

boyfriend ['bɔɪfrend] Freund (*eines Mädchens*)

boyhood ['bɔɪhʊd] *eines Mannes*: Jugendzeit, Kindheit

boyish ['bɔɪɪʃ] **1.** jungenhaft **2.** *Frau*: knabenhaft

boy scout [‚bɔɪ'skaʊt] Pfadfinder

bra [brɑː] BH (*Büstenhalter*)

brace¹ [breɪs] **1.** *BE*; *für Zähne*: (Zahn)-Spange **2.** *Technik*: Strebe

brace² [breɪs] *brace oneself for übertragen* sich gefasst machen auf

bracelet ['breɪslət] Armband

braces ['breɪsɪz] *Pl.* **1.** *BE* Hosenträger **2.** *bes. AE* Zahnspange

bracket¹ ['brækɪt] **1.** *Mathematik, Schreiben*: Klammer; *in brackets* in Klammern; *round (bzw. square) brackets* runde (*bzw.* eckige) Klammern **2.** *age bracket* Altersgruppe; *tax bracket* Steuerklasse **3.** *Technik*: Träger, Stütze

bracket² ['brækɪt] einklammern

brag [bræg], *bragged, bragged* prahlen (*about, of* mit)

braggart ['brægət] Prahler(in), Angeber(in)

braid¹ [breɪd] *bes. AE* flechten (*Haar usw.*)

braid² [breɪd] *bes. AE* Zopf

brain [breɪn] **1.** *Körper*: Gehirn **2.** *oft brains Pl. übertragen* Verstand; *rack one's brains* sich den Kopf zerbrechen **3.** *he's got brains* er hat Köpfchen

brainless ['breɪnləs] hirnlos, geistlos

brainstorm ['breɪnstɔːm] *AE, umg.* Geistesblitz

brainteaser ['breɪn‚tiːzə] *umg.* schwieriges Rätsel

brainwash ['breɪnwɒʃ] *brainwash someone* jemanden einer Gehirnwäsche unterziehen

brainwave ['breɪnweɪv] *umg.* Geistesblitz

brainworker ['breɪn‚wɜːkə] Geistesarbei-

ter(in), Kopfarbeiter(in)

brainy ['breɪnɪ] *umg.* schlau, gescheit

braise [breɪz] *Kochen*: schmoren

brake¹ [breɪk] *Technik*: Bremse

brake² [breɪk] bremsen

bramble ['bræmbl] **1.** Brombeerstrauch **2.** Brombeere

bran [bræn] *aus Getreide*: Kleie

branch¹ [brɑːntʃ] **1.** Ast, Zweig **2.** *übertragen* Zweig, Linie (*einer Familie*) **3.** *übertragen* Zweig, Sparte (*einer Wissenschaft usw.*) **4.** *Wirtschaft*: Zweigstelle, Filiale, ⓖⓔ Ablage

branch² [brɑːntʃ] sich verzweigen

branch off [‚brɑːntʃ'ɒf] *Straße*: abzweigen

brand [brænd] **1.** *Waren*: Marke, Sorte **2.** Brandzeichen (△ *nicht* **Brand**)

brand name ['brænd‚neɪm] Markenname

brand-new [‚brænd'njuː] (funkel)nagelneu

brandy ['brændɪ] Weinbrand

brash [bræʃ] **1.** frech, unverfroren **2.** *Musik, Farben usw.*: aufdringlich

brass [brɑːs] **1.** Messing **2.** *the brass Musik*: das Blech (*im Orchester*), die Blechbläser **3.** *BE, umg.* Knete (*Geld*)

brass band [‚brɑːs'bænd] Blaskapelle

brass band

Brass bands (Blaskapellen) sind in ganz Großbritannien, aber besonders in den Industriegegenden Nordenglands, beliebt. Hauptsächlich aus Blechbläsern bestehend, stammten die meisten dieser Kapellen aus den Belegschaften von (ehemaligen) Kohlebergwerken und Fabriken.

brassed off [‚brɑːst'ɒf] *be brassed off with someone oder something umg.* von jemandem *oder* etwas die Nase voll haben

brassy ['brɑːsɪ] **1.** messingfarben **2.** *Klang*: blechern **3.** *umg.* frech

brat [bræt] *abwertend* Balg, Gör

brave¹ [breɪv] tapfer, mutig (△ *nicht* **brav**)

brave² [breɪv] trotzen (*Sturm usw.*)

bravery ['breɪvərɪ] Tapferkeit, Mut

bravo¹ [‚brɑː'vəʊ] bravo!

bravo² [‚brɑː'vəʊ] *Pl.: bravos* Bravo(ruf)

brawl¹ [brɔːl] Rauferei, Schlägerei

brawl² [brɔːl] raufen, sich schlagen

brawn [brɔːn] Muskeln *Pl.*, Muskelkraft

brawny ['brɔːnɪ] muskulös

bray [breɪ] (*Esel*) schreien

brazen ['breɪzn] *übertragen* unverschämt, unverfroren

Brazil [brə'zɪl] Brasilien

Brazilian[1] [brə'zɪlɪən] brasilianisch

Brazilian[2] [brə'zɪlɪən] *Sprache*: Brasilianisch

Brazilian[3] [brə'zɪlɪən] Brasilianer(in)

breach [briːtʃ] *übertragen* Bruch, Verletzung; *breach of confidence* Vertrauensbruch

bread [bred] **1.** Brot (*auch Lebensunterhalt*); (*a piece of*) *bread and butter* (ein) Butterbrot; *earn one's* (*daily*) *bread* sein Brot verdienen **2.** *salopp* Knete (*Geld*)

bread bin ['bred‿bɪn] Brotkasten

breadcrumb [△ 'bredkrʌm] Brotkrümel; *breadcrumbs Pl. auch* Paniermehl

breadth [bredθ] Breite; *measure ten yards in breadth* 10 Yards breit sein

breadwinner ['bred‿wɪnə] Ernährer (*einer Familie*)

break[1] [breɪk], *broke* [brəʊk], *broken* ['brəʊkən] **1.** (ab-, auf)brechen, (zer)brechen; *break one's arm* sich den Arm brechen **2.** zerschlagen, kaputt machen (*Gegenstand*) **3.** *break the law* das Gesetz brechen **4.** (*Gegenstand*) (zer)brechen, (zer)reißen, kaputtgehen **5.** (*Wetter*) umschlagen **6.** (*Tag*) anbrechen **7.** brechen (*Vertrag usw.*) **8.** knacken, entschlüsseln (*Kode usw.*) **9.** *break the* (*bad*) *news gently to someone* jemandem die schlechte Nachricht schonend beibringen

break away [ˌbreɪk‿ə'weɪ] **1.** sich losreißen **2.** abbrechen (*from* von) **3.** *übertragen* sich lossagen *oder* trennen (*from* von)

break down [ˌbreɪk'daʊn] **1.** zusammenbrechen (*auch übertragen*) **2.** (*Auto*) eine Panne haben **3.** (*Verhandlungen usw.*) scheitern

break in [ˌbreɪk'ɪn] **1.** einbrechen **2.** *break in on* unterbrechen (*Gespräch*) **3.** zureiten (*Pferd*) **4.** einlaufen (*Schuhe*)

break into ['breɪk‿ɪntə] einbrechen in (*ein Haus usw.*)

break off [ˌbreɪk'ɒf] **1.** (*Ast usw.*) abbrechen **2.** abbrechen (*Verhandlungen usw.*), (auf)lösen (*Verlobung*)

break out [ˌbreɪk'aʊt] (*Gefangener, Krieg usw.*) ausbrechen

break through [ˌbreɪk'θruː] durchbrechen

break up [ˌbreɪk'ʌp] **1.** (*Eis usw.*) aufbrechen **2.** *BE* (*Schule, Schüler*) aufhö-

ren (*wegen Ferien*); *we break up for Christmas in a fortnight* in zwei Wochen beginnen die Weihnachtsferien **3.** aufheben (*Sitzung usw.*), auflösen (*Versammlung*) **4.** (*Sitzung usw.*) aufgehoben werden, (*Versammlung*) sich auflösen **5.** (*Ehe usw.*) zerbrechen **6.** (*Ehepaar usw.*) sich trennen

break[2] [breɪk] **1.** Pause, Unterbrechung; *without a break* ohne Unterbrechung; *have* (*oder* *take*) *a break* Pause machen **2.** Bruch(stelle) **3.** *übertragen* Bruch (*from, with* mit) **4.** *at the break of day* bei Tagesanbruch

breakable ['breɪkəbl] zerbrechlich

breakaway group ['breɪkəweɪ‿gruːp] Splittergruppe

breakdown ['breɪkdaʊn] **1.** *Auto*: Panne; *breakdown service BE* Pannendienst **2.** Zusammenbruch (*auch übertragen*); *nervous breakdown* Nervenzusammenbruch

breakfast[1] [△ 'brekfəst] Frühstück, CH Morgenessen; *have breakfast* frühstücken; *breakfast TV* Frühstücksfernsehen; ☞ *Illu S. 196*

breakfast

Das traditionelle englische Frühstück ist vom Aussterben bedroht: Welche (meist berufstätige) Mutter hat morgens noch die Zeit, für die Familie Eier, Würstchen, Schinkenspeck, Tomaten, Pilze und anderes mehr in der Pfanne zu brutzeln – es sei denn am Wochenende!? Das zwar schmackhafte, aber fetttriefende **English** bzw. **cooked breakfast** [ˌkʊkt'brekfəst] wird natürlich noch in Hotels und Pensionen oft gegen Aufpreis angeboten, aber zu Hause gibt es meist **cornflakes** oder **muesli** ['mjuːzlɪ], gefolgt von **toast** mit Marmelade.

Übrigens: Ein **continental breakfast** in einem Hotel oder einer Pension besteht meist aus Brötchen bzw. Croissants mit Butter und Marmelade.

△ **marmalade** ['mɑːməleɪd] = Orangen- bzw. Zitronenkonfitüre

△ Marmelade = **jam**

☞ **At the Breakfast Table – Am Frühstückstisch** S. 196

breakfast[2] [△ 'brekfəst] frühstücken, CH zu Morgen essen

break-in ['breɪkɪn] Einbruch (*in ein Haus*)

breakneck ['breɪknek] *at breakneck speed* mit halsbrecherischer Geschwindigkeit

breakout ['breɪkaʊt] Ausbruch

breakthrough ['breɪkθruː] *übertragen* Durchbruch

breakup ['breɪkʌp] **1.** *von Ehe*: Scheitern **2.** *von Freundschaft*: Bruch **3.** *eines Reichs usw.*: Zerfall

breast [△ brest] *allg.*: Brust

breastfeed ['brestfiːd], **breastfed** ['brestfed], **breastfed** ['brestfed] stillen (*Baby*)

breast pocket [ˌbrest'pɒkɪt] Brusttasche

breaststroke ['brest‿strəʊk] *Sport*: Brustschwimmen

breath [△ breθ] **1.** Atem(zug); *in the same breath* im gleichen Atemzug; *be out of breath* außer Atem sein; *get one's breath back* wieder zu Atem kommen **2.** *übertragen* Hauch **3.** *auch breath of air* Lufthauch

breathalyse *BE* **breathalyze** *AE* ['breθə‿laɪz] ins Röhrchen blasen lassen

breathe [△ briːð] **1.** atmen **2.** flüstern

breather ['briːðə] *umg.* Atempause; *have* (*oder* *take*) *a breather* verschnaufen, (≈ *sich ausruhen*) eine Pause machen

breathing ['briːðɪŋ] Atmen, Atmung; *breathing space* Atempause

breathless [△ 'breθləs] atemlos (*auch übertragen*)

breathtaking ['breθˌteɪkɪŋ] atemberaubend

breath test ['breθ‿test] *für Autofahrer*: Alkoholtest

bred [bred] *2. und 3. Form von* → **breed¹**

breeches [△ 'brɪtʃɪz] *Pl.* (*a pair of* eine) Kniebundhose, Reithose

breed¹ [briːd], **bred** [bred], **bred** [bred] **1.** züchten (*Tiere, Pflanzen*) **2.** (*Tiere*) sich fortpflanzen **3.** *übertragen* verursachen

breed² [briːd] **1.** Rasse, Zucht **2.** Art, (*Menschen*)Schlag

breeder ['briːdə] **1.** Züchter(in) **2.** *Physik*: Brüter

breeding ['briːdɪŋ] **1.** Fortpflanzung (*von Tieren*) **2.** Züchtung, Zucht (*von Tieren*) **3.** (*good*) *breeding* eine (gute) Erziehung

breeze [briːz] Brise

breeze in [ˌbriːz'ɪn] *umg.* (*Person*) hereinschneien

breezy ['briːzɪ] **1.** *Wetter usw.*: windig **2.** *Person*: heiter, unbeschwert

brethren [△ 'breðrən] *Pl. von* → **brother** 2

brew¹ [bruː] **1.** brauen (*Bier*) **2.** zubereiten (*Tee usw.*) **3.** (*Tee*) ziehen **4.** *there's trouble brewing* es gibt bald Ärger **5.** (*Gewitter, Unheil*) sich zusammenbrauen

brew² [bruː] Gebräu

brewery ['bruːərɪ] Brauerei

bribe¹ [braɪb] bestechen

bribe² [braɪb] Bestechungsgeld

bribery ['braɪbərɪ] Bestechung

bric-a-brac ['brɪkəbræk] Krimskrams

brick [brɪk] **1.** Ziegel(stein), Backstein **2.** *BE*; *für Kinder*: Baustein, (Bau)Klötzchen; *box of bricks* Baukasten

brickie ['brɪkɪ] *BE*, *umg.* Maurer(in)

bricklayer ['brɪkˌleɪə] Maurer(in)

bridal ['braɪdl] Braut...

bride [braɪd] Braut

bridegroom ['braɪdgruːm] Bräutigam

bridesmaid ['braɪdzmeɪd] Brautjungfer

bridge¹ [brɪdʒ] **1.** Brücke **2.** *Schiff*: (Kommando)Brücke **3.** *bridge of the nose Körper*: Nasenrücken

bridge² [brɪdʒ] **1.** eine Brücke schlagen über **2.** *übertragen* überbrücken

bridge³ [brɪdʒ] *Kartenspiel*: Bridge

bridle¹ ['braɪdl] Zaum(zeug)

bridle² ['braɪdl] (auf)zäumen (*Pferd*)

bridle path ['braɪdl‿paːθ] Reitweg

brief¹ [briːf] **1.** kurz; *be brief!* fasse dich kurz! **2.** kurz angebunden (*with* mit) **3.** *in brief* kurz(um)

brief² [briːf] instruieren

briefcase ['briːfkeɪs] Aktentasche (△ *Brieftasche = wallet*, *AE* billfold)

briefing ['briːfɪŋ] Instruktionen, Anweisungen

briefs [briːfs] *Pl.* (*a pair of* ein) Slip (*kurze Unterhose*)

brigade [brɪ'geɪd] *militärisch*: Brigade

bright [braɪt] **1.** hell, leuchtend, strahlend **2.** *Wetter usw.*: heiter **3.** *Person*: gescheit, hell **4.** *Aussichten*: viel versprechend

brighten ['braɪtn] **1.** *auch brighten up* aufhellen (*auch übertragen*) **2.** *auch brighten up* aufheitern **3.** *auch brighten up* (*Gesicht, Wetter usw.*) sich aufhellen, (*Augen*) aufleuchten

brightness ['braɪtnəs] Helligkeit

brill [brɪl] *BE*, *salopp* super, toll

brilliance ['brɪljəns] **1.** Leuchten, Glanz **2.** *übertragen* Brillanz, Großartigkeit

brilliant ['brɪljənt] **1.** leuchtend, glänzend **2.** *übertragen* brillant, hervorragend

brim [brɪm] **1.** Rand (*eines Gefäßes*); *full to the brim* randvoll **2.** (Hut)Krempe

bring [brɪŋ], **brought** [brɔːt], **brought** [brɔːt] **1.** (her)bringen, mitbringen; *what brings you here?* was führt dich hierher? **2.** nach sich ziehen, bewirken **3.** (ein)bringen (*Gewinn usw.*) **4.** *I can't bring myself to do it* ich kann mich nicht dazu durchringen(, es zu tun)

Britain or the UK

Im Deutschen sagt man oft „England", wenn man „Großbritannien" meint. Hier die genauen Definitionen der einschlägigen Begriffe:

englische Bezeichnung	Bedeutung / deutsche Entsprechung	deutsche Erklärung
England	England	größtes Land Großbritanniens
(Great) Britain	Großbritannien; oft im Deutschen etwas ungenau auch einfach als England bezeichnet	steht für das britische „Festland", also England, Schottland und Wales.
The United Kingdom, the UK	England, Schottland, Wales und Nordirland	*kurz für* **The United Kingdom of Great Britain and Northern Ireland** das Vereinigte Königreich (von Großbritannien und Nordirland)

Die gebräuchlichsten Ausdrücke der Alltagssprache für „Großbritannien" sind im Englischen **Britain** und **the UK**.
England ist nur ein Teil von Großbritannien, und die Schotten, Waliser und Nordiren sind nach ihrem Selbstverständnis keineswegs Engländer!

---

bring about [ˌbrɪŋ_əˈbaʊt] verursachen (*Veränderungen usw.*)
bring along [ˌbrɪŋ_əˈlɒŋ] mitbringen
bring back [ˌbrɪŋˈbæk] **1.** zurückbringen (*Buch usw.*) **2.** wachrufen (*Erinnerungen*) (**of** an)
bring down [ˌbrɪŋˈdaʊn] **1.** herunterbringen **2.** stürzen (*Regierung usw.*)
bring forward [ˌbrɪŋˈfɔːwəd] vorverlegen (*Versammlung usw.*) (**to** auf)
bring in [ˌbrɪŋˈɪn] **1.** hereinbringen **2.** einbringen (*Gesetzesvorlage usw.*)
bring off [ˌbrɪŋˈɒf] zustande bringen
bring on [ˌbrɪŋˈɒn] **1.** verursachen (*bes. Krankheit*) **2.** *Theater:* auftreten lassen (*Person*)
bring out [ˌbrɪŋˈaʊt] **1.** herausbringen (*auch Buch usw.*) **2.** *it brought her out in spots* es hat bei ihr einen Ausschlag verursacht
bring round [ˌbrɪŋˈraʊnd] **1.** vorbeibringen **2.** wieder zu sich bringen (*Ohnmächtigen*) **3.** umstimmen (*Person*)
bring through [ˌbrɪŋˈθruː] durchbringen (*einen Kranken*)
bring up [ˌbrɪŋˈʌp] **1.** heraufbringen **2.** aufziehen, großziehen (*Kind*) **3.** erziehen **4.** zur Sprache bringen (*Thema usw.*) **5.** (≈ *sich übergeben*) (er)brechen

brink [brɪŋk] Rand (*auch übertragen*); **on the brink of ruin** am Rand des Ruins
brisk [brɪsk] **1.** *Schritt, Spaziergang:* flott **2.** *Luft usw.:* frisch
bristle [△ ˈbrɪsl] **1.** *von Bürste usw.:* Borste **2.** (Bart)Stoppel

bristly [△ ˈbrɪslɪ] borstig, stoppelig
Britain [ˈbrɪtn] Großbritannien
British[1] [ˈbrɪtɪʃ] britisch; *the British Isles* die Britischen Inseln; ☞ *Karte S. 293*

British Isles

The British Isles: Dazu gehören England, Schottland, Wales und Irland.

British[2] [ˈbrɪtɪʃ] *the British* *Pl.* die Briten
Briton [ˈbrɪtn] Brite, Britin (△ *historisch oder Zeitungssprache*)
Brittany [ˈbrɪtənɪ] die Bretagne
brittle [ˈbrɪtl] spröde, zerbrechlich
broach [brəʊtʃ] anschneiden (*Thema*)
broad[1] [brɔːd] **1.** *allg.:* breit; *a broad smile* ein breites Lächeln **2.** *Fläche, Ebene:* weit, ausgedehnt **3.** *übertragen* weit reichend; *in the broadest sense* im weitesten Sinne **4.** *in broad outline* in groben Umrissen **5.** *broad hint* Wink mit dem Zaunpfahl; *in broad daylight* am helllichten Tag **6.** *Akzent:* breit, stark
broad[2] [brɔːd] *AE, frauenfeindlich* Puppe, Mieze
broadcast[1] [ˈbrɔːdkɑːst] *Rundfunk, TV:* Sendung, Übertragung
broadcast[2] [ˈbrɔːdkɑːst], *broadcast, broadcast* **1.** senden **2.** im Rundfunk *oder* Fernsehen bringen, übertragen **3.** verbreiten (*Nachricht*), *im negativen Sinn:* ausposaunen
broadcaster [ˈbrɔːdkɑːstə] Rundfunksprecher(in), Fernsehsprecher(in)
broadcasting[1] [ˈbrɔːdkɑːstɪŋ] (der)

Rundfunk, (das) Fernsehen; *she works in broadcasting* sie arbeitet für den Rundfunk *bzw.* für das Fernsehen

broadcasting² ['brɔːdkɑːstɪŋ] Rundfunk…, Fernseh…; *broadcasting station* Sender

broaden ['brɔːdn] verbreitern; *broaden one's horizons* seinen Horizont erweitern

broadly ['brɔːdlɪ] **1.** *auch broadly speaking* allgemein (gesprochen) **2.** in groben Zügen

broad-minded [ˌbrɔːd'maɪndɪd] großzügig, tolerant

Broadway

Der **Broadway**, die längste Straße des Stadtteils Manhattan in New York, ist für seine zahlreichen Theater bekannt, an denen hauptsächlich Repertoirestücke sowie Musicals aufgeführt werden. Der Name wird auch als Sammelbegriff für die dortigen Theater und als Adjektiv benutzt: **Broadway show / musical / artist**.

broccoli ['brɒkəlɪ] (△ *im Sg. verwendet*) Brokkoli *Pl.*

brochure [△ 'brəʊʃə] Prospekt, Broschüre

brogue¹ [brəʊg] irischer Akzent

brogue² [brəʊg] *Herrenschuh mit Lochmuster*

broil [brɔɪl] *AE* grillen

broke¹ [brəʊk] *2. Form von* → *break¹*

broke² [brəʊk] *umg.* pleite, abgebrannt

broken¹ ['brəʊkən] *3. Form von* → *break¹*

broken² ['brəʊkən] **1.** zerbrochen, kaputt **2.** *Schlaf usw.:* unterbrochen, gestört **3.** *Bein, Versprechen usw.:* gebrochen **4.** *Ehe usw.:* zerrüttet **5.** *a broken man* ein gebrochener Mann **6.** *speak broken English* gebrochen Englisch sprechen

broker ['brəʊkə] *Wirtschaft:* Makler(in)

brokerage ['brəʊkərɪdʒ] Maklergebühr

brolly ['brɒlɪ] *BE, umg.* (Regen)Schirm

bronchitis [brɒŋ'kaɪtɪs] Bronchitis

bronze¹ [brɒnz] *allg.* Bronze

bronze² [brɒnz] **1.** bronzefarben **2.** Bronze…; *Bronze Age* Bronzezeitalter

bronze medal [ˌbrɒnz'medl] Bronzemedaille

bronze medallist [ˌbrɒnz'medlɪst] Bronzemedaillengewinner(in)

brooch [△ brəʊtʃ] Brosche

brood¹ [bruːd] Brut (*auch übertragen*)

brood² [bruːd] brüten (*auch übertragen on, over, about* über)

brook [brʊk] Bach

broom [bruːm] Besen

broomstick ['bruːmstɪk] Besenstiel

broth [brɒθ] (Fleisch)Brühe

brothel [△ 'brɒθl] Bordell

brother ['brʌðə] **1.** Bruder; *brothers and sisters Pl.* Geschwister; *Smith Brothers Firma:* Gebrüder Smith **2.** (*Pl. brethren*) *kirchlich:* Bruder

brotherhood ['brʌðəhʊd] **1.** *kirchlich:* Bruderschaft **2.** Brüderlichkeit

brother-in-law ['brʌðərɪnlɔː] *Pl.: brothers-in-law* Schwager

brotherly ['brʌðəlɪ] brüderlich

brought [brɔːt] *2. und 3. Form von* → *bring*

brow [△ braʊ] **1.** (Augen)Braue **2.** Stirn

browbeat ['braʊbiːt] *browbeat, browbeaten* einschüchtern; *browbeat someone into doing something* jemanden unter Druck setzen, bis er etwas tut

brown¹ [braʊn] braun; *brown bread etwa:* Mischbrot; *brown paper* Packpapier

brown² [braʊn] Braun; *dressed in brown* braun *oder* in Braun gekleidet

brown³ [braʊn] anbräunen (*Fleisch usw.*)

brownie ['braʊnɪ] *AE* Schokoladenkeks

brownie points ['braʊnɪ‿pɔɪnts] *earn oder gain brownie points umg.* Pluspunkte sammeln

browse [braʊz] *browse through a book* in einem Buch schmökern

browser ['braʊzə] *Internet:* Browser

bruise¹ [bruːz] **1.** Quetschung, blauer Fleck **2.** Druckstelle (*auf Früchten*)

bruise² [bruːz] *bruise one's leg usw.* sich das Bein *usw.* quetschen

brunch [brʌntʃ] *umg.* Brunch (*spätes reichliches Frühstück*)

brunch

Brunch kennst du vielleicht schon: Das Wort wird ja inzwischen auch im Deutschen verwendet. Es ist eine Zusammenziehung aus **breakfast** und **lunch** und wird hauptsächlich sonntags am späten Vormittag in verschiedenen Cafés, Restaurants und Hotels angeboten.

brunette [△ bruː'net] Brünette

brush¹ [brʌʃ] **1.** Bürste **2.** *zum Malen:* Pinsel **3.** *give something a brush* etwas (ab)bürsten

brush² [brʌʃ] **1.** bürsten; *brush one's teeth* sich die Zähne putzen **2.** streifen, leicht berühren

brush aside [ˌbrʌʃ‿ə'saɪd] *übertragen* abtun

brush down [ˌbrʌʃ'daʊn] abbürsten (*Kleidung usw.*)
brush off [ˌbrʌʃ'ɒf] **1.** abbürsten (*Staub, Krümel usw.*) **2. brush someone off** *salopp* jemandem eine Abfuhr erteilen
brush up [ˌbrʌʃ'ʌp] aufpolieren, auffrischen (*Kenntnisse*)

brush³ [brʌʃ], **brushwood** ['brʌʃwʊd] Gestrüpp, Unterholz
brusque [△ brʊsk, bruːsk] barsch, schroff
Brussels sprouts [ˌbrʌsl(z)'spraʊts] *Pl.* Rosenkohl, Ⓐ Kohlsprossen
brutal ['bruːtl] brutal
brutality [bruː'tælətɪ] Brutalität
brute¹ [bruːt] *Person:* Scheusal
brute² [bruːt] **brute force** rohe Gewalt
BSE [ˌbiːes'iː] (*Abk. für* **B**ovine **S**pongiform **E**ncephalopathy) *Krankheit:* BSE, *umg.* Rinderwahn(sinn); ☞ **mad cow disease**
bubble¹ ['bʌbl] (Luft)Blase; **bubble bath** Schaumbad
bubble² ['bʌbl] (*kochendes Wasser usw.*) sprudeln, (*Sekt*) perlen

bubble over [ˌbʌbl'əʊvə] *übertragen* übersprudeln (**with** vor)

buck¹ [bʌk] **1.** *Reh:* Bock, *Hase:* Rammler **2. pass the buck to someone** *umg.* jemandem den schwarzen Peter zuschieben **3.** *AE, umg.* Dollar

buck

Buck wird der Dollar umgangssprachlich nach dem Bock genannt, dessen Fell früher einen spanischen Dollar kostete (das war während des amerikanischen Unabhängigkeitskrieges im späten 18. Jahrhundert die gültige Währung).

buck² [bʌk] (*Pferd usw.*) bocken

buck up [ˌbʌk'ʌp] *umg.* **1.** *BE* sich ranhalten; **buck up!** Kopf hoch! **2. buck someone up** jemanden aufmuntern

bucket ['bʌkɪt] **1.** Eimer, Kübel **2. kick the bucket** *salopp* (≈ *sterben*) abkratzen, ins Gras beißen, den Löffel reichen

bucket down [ˌbʌkɪt'daʊn] **it's bucketing down** *BE, umg.* es gießt wie aus Kübeln

bucketful ['bʌkɪtfʊl] *ein* Eimer (voll)
buckle¹ ['bʌkl] *an* Gürtel, Tasche usw.: Schnalle, Spange
buckle² ['bʌkl] zuschnallen

buckle up [ˌbʌkl'ʌp] **1.** zuschnallen **2.** *in Auto, Flugzeug:* sich anschnallen

bud¹ [bʌd] Knospe; **be in bud** knospen
bud² [bʌd] **1.** (*Pflanze*) knospen **2. a budding poet** ein angehender Dichter
Buddhism ['bʊdɪzm] Buddhismus
Buddhist¹ ['bʊdɪst] Buddhist
Buddhist² ['bʊdɪst] buddhistisch
buddy ['bʌdɪ] *bes. AE, umg.* Kumpel
budge [bʌdʒ] **1.** (△ *mst. verneint*) sich (von der Stelle) rühren **2.** (vom Fleck) bewegen
budgerigar [△ 'bʌdʒərɪgaː] Wellensittich
budget¹ ['bʌdʒɪt] Budget, Etat
budget² ['bʌdʒɪt] verplanen (*Geld*), einplanen (*Kosten*)
budgie ['bʌdʒɪ] *umg.* Wellensittich
buffalo ['bʌfələʊ] *Pl.:* **buffalos** *oder* **buffaloes** Büffel
buffer ['bʌfə] *Technik:* Puffer (*auch übertragen*)
buffet [△ 'bʊfeɪ] **1.** Buffet, Büfett; **cold buffet** kaltes Buffet **2.** *AE* Anrichte
buffet car [△ 'bʊfeɪ_kaː] *im Zug:* Speisewagen
bug¹ [bʌg] **1.** *bes. AE; allg.:* Insekt **2.** *umg.* Bazillus, *übertragen auch* Fieber **3.** *Ungeziefer:* Wanze (*auch umg. Minispion*) **4. bugs** *Pl. umg.* Mucken **5.** *Computer:* Programmfehler
bug² [bʌg] **1.** abhören (*Telefon, Büro usw.*) **2.** *umg.* nerven; **it's really bugging me** es nervt mich echt
bugbear ['bʌgbeə] Schreckgespenst
bugging operation ['bʌgɪŋ_ɒpə,reɪʃn] Lauschangriff
buggy ['bʌgɪ] *Kinderwagen, Auto:* Buggy
bugle [△ 'bjuːgl] (Wald-, Jagd)Horn
build¹ [bɪld], **built** [bɪlt], **built** [bɪlt] bauen, errichten (△ *bilden* = **form, shape**)

build on ['bɪld_ɒn] **1.** *übertragen* bauen auf **2. build one's hopes on** seine Hoffnung setzen auf
build up [ˌbɪld'ʌp] **1.** bebauen (*Gelände*) **2.** aufbauen (*Geschäft usw.*) **3.** *in der Presse usw.:* aufbauen (*Person*)

build² [bɪld] Körperbau
builder ['bɪldə] **1.** *bes. BE* Bauunternehmer **2.** Erbauer
building¹ ['bɪldɪŋ] **1.** Gebäude **2.** (das) Bauwesen
building² ['bɪldɪŋ] Bau...; **building site** Baustelle; **building society** *BE* Bausparkasse

building block ['bɪldɪŋ_blɒk] *Spielzeug*: Bauklotz

built [bɪlt] *2. und 3. Form von* → **build¹**

built-in ['bɪlt_ɪn] eingebaut, Einbau…

built-up ['bɪlt_ʌp] *BE* **built-up area** bebautes Gebiet, *für Autos*: geschlossene Ortschaft

bulb [bʌlb] **1.** Glühbirne **2.** *Pflanze*: Knolle, Zwiebel

Bulgaria [bʌl'geərɪə] Bulgarien

Bulgarian¹ [bʌl'geərɪən] bulgarisch

Bulgarian² [bʌl'geərɪən] *Sprache*: Bulgarisch

Bulgarian³ [bʌl'geərɪən] Bulgare, Bulgarin

bulge¹ [bʌldʒ] Ausbuchtung

bulge² [bʌldʒ] **1.** *auch* **bulge out** sich (aus)bauchen, hervorquellen **2.** (*Taschen usw.*) vollgestopft sein (**with** mit) **3.** **bulging eyes** Glotzaugen

bulimia [buː'lɪmɪə] Bulimie

bulimic¹ [buː'lɪmɪk] bulimisch

bulimic² [buː'lɪmɪk] Bulimiker(in)

bulk [bʌlk] **1.** Größe, Masse **2.** *einer Aufgabe usw.*: Umfang **3.** Großteil (*einer Arbeit usw.*), Hauptteil (*von Schulden usw.*) **4.** **buy in bulk** en gros kaufen

bulky ['bʌlkɪ] **1.** massig **2.** unhandlich, sperrig, **bulky refuse** (*oder* **waste**) Sperrmüll

bull [△ 'bʊl] **1.** Bulle, (Zucht)Stier **2.** **like a bull in a china shop** wie ein Elefant im Porzellanladen

bulldog [△ 'bʊldɒg] Bulldogge

bulldoze ['bʊldəʊz] **1.** *mit der Planierraupe*: planieren, räumen **2.** **bulldoze someone into doing something** jemanden zwingen, etwas zu tun

bulldozer [△ 'bʊldəʊzə] Bulldozer, Planierraupe

bullet [△ 'bʊlɪt] *Gewehr, Pistole*: Kugel

bulletin ['bʊlətɪn] **1.** Bulletin, offizielle Bekanntmachung; **bulletin board** *AE* Schwarzes Brett **2.** *medizinisch*: Krankenbericht **3.** *in Firma usw.*: Mitteilungsblatt

bulletproof [△ 'bʊlɪtpruːf] kugelsicher

bullfight ['bʊlfaɪt] Stierkampf

bullfighter ['bʊl͵faɪtə] Stierkämpfer(in)

bullion [△ 'bʊlɪən] (Gold-, Silber)Barren

bullock [△ 'bʊlək] Ochse

bull's-eye ['bʊlzaɪ] *von Zielscheibe*: Zentrum, das Schwarze; **hit the bull's-eye** ins Schwarze treffen (*auch übertragen*)

bullshit ['bʊlʃɪt] **you're talking bullshit** *salopp* du redest Scheiß

bully¹ [△ 'bʊlɪ] brutaler Kerl

bully² [△ 'bʊlɪ] schikanieren, *umg.* mobben

bully³ [△ 'bʊlɪ] **bully for you!** *ironisch*: gratuliere!

bullying [△ 'bʊlɪɪŋ] *umg.* Mobbing

bum¹ [bʌm] *bes. BE*, *umg.* Hintern

bum² [bʌm] *AE* Penner, Gammler

---

bum around [͵bʌm_ə'raʊnd], **bummed around**, **bummed around** *umg.* (herum)gammeln

---

bumbag ['bʌmbæg] *BE*, *umg.* Gürteltasche

bumblebee ['bʌmblbiː] Hummel

bump¹ [bʌmp] **1.** stoßen, prallen (**against**, **into** gegen, an) (*gegen Wand usw.*) **2.** zusammenstoßen (**against**, **into** mit) (*mit Auto usw.*) **3.** **bump one's knee** *usw.* **against something** mit dem Knie *usw.* gegen etwas rennen

---

bump into [͵bʌmp'ɪntʊ] **1.** **bump into someone** *übertragen* jemanden zufällig treffen **2.** rammen, auffahren auf (*ein Auto usw.*)

bump off [͵bʌmp'ɒf] *salopp* (≈ *umbringen*) umlegen

---

bump² [bʌmp] **1.** heftiger Stoß **2.** *am Körper*: Beule **3.** *Straße usw.*: Unebenheit

bumper ['bʌmpə] **1.** *Auto*: Stoßstange **2.** *AE*; *Zug usw.*: Puffer

bumper car ['bʌmpə_kaː] (Auto)Skooter

bumper crop ['bʌmpə_krɒp] Rekordernte

bumptious ['bʌmpʃəs] *umg.* aufgeblasen, wichtigtuerisch

bumpy ['bʌmpɪ] **1.** holprig **2.** *Flug*: unruhig

bun [bʌn] **1.** süßes Brötchen **2.** (Haar-) Knoten **3.** **buns** *Pl. humorvoll* Hintern

bunch [bʌntʃ] **1.** Bündel, Bund; **bunch of flowers** Blumenstrauß; **bunch of grapes** Weintraube; **bunch of keys** Schlüsselbund **2.** *umg.* Verein, Haufen

bundle¹ ['bʌndl] **1.** Bündel, Bund **2.** **a bundle of nerves** *umg.* ein Nervenbündel

bundle² ['bʌndl] **1.** *oft* **bundle up** bündeln **2.** verfrachten (*mst. Kinder*) (**into** in)

---

bundle off [͵bʌndl'ɒf] **bundle someone off** jemanden eilig fortschaffen

---

bung [bʌŋ] *BE*, *umg.* werfen, schmeißen

---

bung up [͵bʌŋ'ʌp] **my nose is bunged up** *BE*, *umg.* meine Nase ist verstopft

---

bungalow ['bʌŋgələʊ] Bungalow

bungee jumping

bungee (*oder* **bungy**) **jumping** – **Bungeejumping** [ˌbʌndʒiːˈdʒʌmpɪŋ] – aus Neuseeland stammende Extremsportart; ☞ *Karte S. 296*

bunk[1] [bʌŋk] *Schiff*: Koje
bunk[2] [bʌŋk] **do a bunk** *BE, umg.* verduften
bunk bed [ˈbʌŋk ˌbed] Etagenbett
bunker [ˈbʌŋkə] *militärisch*: Bunker
bunny [ˈbʌnɪ] Häschen
buoy [bɔɪ, *AE* ˈbuːɪ] *auf dem Wasser*: Boje
buoyant [ˈbɔɪənt] **1.** *auf dem Wasser*: schwimmend **2.** *Stimmung*: beschwingt **3.** *Handel*: rege **4.** *Schritt*: federnd
burden[1] [ˈbɜːdn] Last, *übertragen auch* Bürde; **be a burden to** (*oder* **on**) **someone** jemandem zur Last fallen
burden[2] [ˈbɜːdn] belasten (*auch übertragen*)
burdensome [ˈbɜːdnsəm] lästig, beschwerlich
bureau [△ ˈbjʊərəʊ] *Pl.*: **bureaus** *oder* **bureaux** [ˈbjʊərəʊz] **1.** *BE* Schreibtisch, Schreibpult **2.** *AE* Kommode (*bes. für Wäsche*) **3.** (≈ *Agentur*) Büro **4.** *von Ministerium*: Amt, Abteilung
bureaucracy [△ bjʊˈrɒkrəsɪ] (die) Bürokratie
burger [ˈbɜːgə] *umg.* Hamburger, ④ Laiberl
burglar [ˈbɜːglə] Einbrecher
burglarize [ˈbɜːgləraɪz] *AE* einbrechen in
burglary [ˈbɜːglərɪ] Einbruch
burgle [ˈbɜːgl] einbrechen in; **his house was burgled** bei ihm wurde eingebrochen
burial [△ ˈberɪəl] Begräbnis, Beerdigung
burial ground [△ ˈberɪəl ˌgraʊnd] Friedhof
burn[1] [bɜːn], **burnt** [bɜːnt], **burnt** [bɜːnt] *oder* **burned, burned 1.** *allg.*: (*Feuer, Licht, Haus, Wunde usw.*) brennen **2.** verbrennen; **his house was burnt** sein Haus brannte ab; **burn a hole in something** ein Loch in etwas brennen **3.** (*Speise usw.*) verbrennen, anbrennen **4.** verbrennen, anbrennen lassen (*Speise*) **5.** **burn a CD** eine CD brennen **6.** *übertragen* brennen (**with** vor); **burning with anger** wutentbrannt; **be burning to do something** darauf brennen, etwas zu tun

burn down [ˌbɜːnˈdaʊn] abbrennen, niederbrennen

burn[2] [bɜːn] **1.** verbrannte Stelle **2.** *medizinisch*: Verbrennung, Brandwunde
burner [ˈbɜːnə] *von Heizung*: Brenner
burning [ˈbɜːnɪŋ] brennend (*auch übertragen*); **burning sensation** *medizinisch*: Brennen

Burns' Night

Am 25. Januar feiern die Schotten in aller Welt den Geburtstag ihres Nationaldichters **Robert** (**"Rabbie"**) **Burns** (1759–96). Dazu wird **haggis** mit Rüben und Kartoffeln gegessen, es werden eine Auswahl seiner Gedichte vorgetragen, meist gibt es einen Dudelsackspieler, und nach dem Essen wird getanzt.

burnt [bɜːnt] *2. und 3. Form von* → **burn**[1]
burp [bɜːp] *umg.* aufstoßen
burr [bɜː] *Pflanze*: Klette
burrow[1] [△ ˈbʌrəʊ] Bau (*eines Hasen usw.*)
burrow[2] [△ ˈbʌrəʊ] (*Tier*) graben
burst [bɜːst], **burst, burst 1.** (*Luftballon usw.*) (zer)platzen **2.** (*Wunde usw.*) aufplatzen **3.** (auf)sprengen, zum Platzen bringen; **the car burst a tyre** ein Reifen am Wagen platzte **4.** **be bursting with pride** *übertragen* vor Stolz platzen

burst into [ˈbɜːst ˌɪntə] **1.** **burst into tears** in Tränen ausbrechen **2.** **burst into flames** in Flammen aufgehen
burst open [ˌbɜːstˈəʊpən] (*Wunde usw.*) aufplatzen, (*Tür usw.*) aufspringen
burst out [ˌbɜːstˈaʊt] *übertragen* herausplatzen; **burst out laughing** (*bzw.* **crying**) in Gelächter (*bzw.* Tränen) ausbrechen

bury [ˈberɪ] **1.** *allg.*: begraben, beerdigen (*auch übertragen*) **2.** vergraben, eingraben (*Schatz, Knochen usw.*) **3.** (*Lawine usw.*) verschütten
bus [bʌs] *Pl.*: **buses** *oder AE* **busses** Bus; **bus driver** Busfahrer(in); **bus stop** Bushaltestelle
bush [△ bʊʃ] **1.** Busch, Strauch **2.** *Gebiet in Afrika usw.*: Busch
bushy [△ ˈbʊʃɪ] *Schwanz usw.*: buschig
business [ˈbɪznəs] **1.** Beruf, Geschäft; **on business** geschäftlich, beruflich **2.** *Wirtschaft*: (das) Geschäft, Geschäftsgang; **how's business?** wie geht die Geschäfte? **3.** *Wirtschaft*: Betrieb, Geschäft **4.** (die) Arbeit; **business before pleasure** erst die Arbeit, dann das Vergnügen **5.** Angelegenheit, Sache; **get down to business** zur Sache kommen; **that's**

none of your business das geht dich gar nichts an **6.** Aufgabe; *make it one's business to do something* es sich zur Aufgabe machen, etwas zu tun **7.** Recht; *have no business doing something* kein Recht haben, etwas zu tun

business hours ['bɪznəs‿aʊəz] *Pl.* Geschäftsstunden, Geschäftszeit

business letter ['bɪznəs‚letə] Geschäftsbrief

businesslike ['bɪznəslaɪk] sachlich, nüchtern

businessman ['bɪznəsmæn] *Pl.*: *businessmen* ['bɪznəsmen] Geschäftsmann, Unternehmer

businesswoman ['bɪznəs‚wʊmən] *Pl.*: *businesswomen* ['bɪznəs‚wɪmɪn] Geschäftsfrau, Unternehmerin

busker ['bʌskə] *BE* Straßenmusikant(in)

bus service ['bʌs‚sɜːvɪs] Busverbindung

bus station ['bʌs‚steɪʃn] Busbahnhof

bus stop ['bʌs‿stɒp] Bushaltestelle

bust[1] [bʌst] **1.** Büste **2.** *Körper*: Büste, Busen; *bust size* Oberweite (*eines Kleides*)

bust[2] [bʌst] *bust, bust* oder *AE, umg. busted, busted* **1.** *umg.* kaputt machen **2.** *AE, umg.* (*Ballon usw.*) platzen

bust[3] [bʌst] *umg.* **1.** kaputt **2.** *Firma usw.*: pleite; *go bust* pleitegehen

bustle[1] ['bʌsl] **1.** *auch bustle about* (*oder around*) geschäftig hin und her eilen **2.** *the streets were bustling with life* auf den Straßen herrschte geschäftiges Treiben

bustle[2] [△ 'bʌsl] geschäftiges Treiben

bustling [△ 'bʌslɪŋ] **1.** *Straße usw.*: belebt **2.** *Person*: geschäftig

busy[1] ['bɪzɪ] **1.** beschäftigt; *be busy doing something* damit beschäftigt sein, etwas zu tun; *are you busy?* hast du gerade Zeit? **2.** *Straße usw.*: belebt **3.** *Tag usw.*: arbeitsreich **4.** *bes. AE; Telefon*: besetzt; *busy signal* Besetztzeichen

busy[2] ['bɪzɪ] *busy oneself* sich beschäftigen (*with* mit)

busybody ['bɪzɪ‚bɒdɪ] *jemand, der sich in alles einmischt*

but[1] [bət, bʌt] **1.** aber, jedoch; *but then* (*again*) andererseits **2.** sondern; *not only ... but also ...* nicht nur ..., sondern auch ... **3.** als, außer; *he had no alternative but to pay* ihm blieb nichts anderes übrig, als zu zahlen **4.** *but for* ohne; *but for my parents* wenn meine Eltern nicht (gewesen) wären

but[2] [bət, bʌt] **1.** außer; *nothing but* nichts als, nur; *the last but one* der Vorletzte **2.** *all but* fast, beinahe

butch [△ bʊtʃ] maskulin

butcher[1] [△ 'bʊtʃə] Fleischer(in), Metzger(in), ⒶFleischhauer(in); *at the butcher's* beim Fleischer; *butcher's shop* Fleischerei, Metzgerei

butcher[2] [△ 'bʊtʃə] abschlachten, niedermetzeln

butler ['bʌtlə] Butler

butt[1] [bʌt] *übertragen* Zielscheibe

---

butt in [‚bʌt'ɪn] *butt in* (**on**) *umg.* unterbrechen, sich einmischen (in)

---

butt[2] [bʌt] **1.** *Zigarette usw.*: Stummel **2.** *AE, umg.* Hintern

butter[1] ['bʌtə] Butter

butter[2] ['bʌtə] mit Butter bestreichen

---

butter up [‚bʌtər'ʌp] *butter someone up umg.* jemandem schmeicheln, jemandem Honig ums Maul schmieren

---

butter dish ['bʌtə‿dɪʃ] Butterdose

butterfly ['bʌtəflaɪ] **1.** Schmetterling **2.** *auch butterfly stroke Schwimmen*: Schmetterlingsstil **3.** *have butterflies in one's stomach umg.* ein flaues Gefühl im Magen haben

buttocks ['bʌtəks] *Pl. Körper*: Gesäß

button[1] ['bʌtn] *allg.*: Knopf

button[2] ['bʌtn] *mst. button up* zuknöpfen

buttonhole ['bʌtnhəʊl] Knopfloch

buxom ['bʌksəm] *Frau*: drall, üppig

buy[1] [baɪ], *bought* [bɔːt], *bought* [bɔːt] **1.** kaufen (*off, from* von; *at* bei); *buy something from someone* jemandem etwas abkaufen **2.** lösen (*Fahrkarte usw.*) **3.** *umg.* glauben; *I won't buy that!* das kauf ich dir *usw.* nicht ab!

---

buy in ['baɪ‿ɪn] *buy in something BE* sich mit etwas eindecken

buy off [‚baɪ'ɒf] *buy someone off* jemanden kaufen *oder* bestechen

buy out [‚baɪ'aʊt] **1.** aufkaufen (*Firma*) **2.** abfinden, auszahlen (*Teilhaber*)

buy up [‚baɪ'ʌp] aufkaufen (*Grund und Boden usw.*)

---

buy[2] [baɪ] *umg.* Kauf; *a good buy* ein guter Kauf

buyer ['baɪə] Käufer(in)

buzz [bʌz] **1.** summen, surren **2.** *give someone a buzz umg.* jemanden anrufen

---

buzz off [‚bʌz'ɒf] *buzz off! umg.* hau ab!

---

buzzard ['bʌzəd] **1.** Bussard **2.** *AE* Geier

buzzword ['bʌzwɜːd] Modewort

by[1] [baɪ] **1.** *örtlich*: (nahe) bei *oder* an, neben; **side by side** Seite an Seite **2.** vorbei an, an … entlang **3.** *Verkehrsmittel*: per, mit **4.** *zeitlich*: bis (spätestens); **be here by 4.30** sei (spätestens) um 4 Uhr 30 hier; **by now** mittlerweile **5.** *Tageszeit*: während, bei; **by day** bei Tag **6.** *Menge*: …weise; **by the pound** pfundweise **7.** nach, gemäß; **it's half past ten by my watch** nach *oder* auf meiner Uhr ist es halb elf **8.** von; **by nature** von Natur (aus) **9.** mithilfe von, durch; **by listening** durch Zuhören **10.** *Größenverhältnisse*: um; **(too) short by an inch** um einen Zoll zu kurz **11.** *Mathematik*: mal; **6 (multiplied) by 5 is 30** 6 mal 5 ist 30 **12.** *Mathematik*: durch; **20 divided by 5 is 4** 20 (geteilt) durch 5 ist 4 **13.** *Fläche usw.*: **4 metres by 5** 4 Meter auf *oder* mal 5 Meter **14.** **all by myself** *usw.* ganz allein

by[2] [baɪ] **1.** vorbei, vorüber; **go by** vorbeigehen **2.** **by and large** im Großen und Ganzen

bye [baɪ], **bye-bye** [ˌbaɪˈbaɪ] *umg.* Wiedersehen!, Tschüs!, *bes.* Ⓐ Servus!

bye-byes [ˈbaɪbaɪz] **go (to) bye-byes** *Kindersprache*: in die Heia gehen

bygone[1] [ˈbaɪɡɒn] **bygone days** (längst) vergangene Tage

bygone[2] [ˈbaɪɡɒn] **let bygones be bygones** lass(t) das Vergangene ruhen

bypass [ˈbaɪpɑːs] **1.** Umgehungsstraße, Ⓐ Umfahrung(sstraße) **2.** *medizinisch*: Bypass

by-product [ˈbaɪˌprɒdʌkt] Nebenprodukt

bystander [ˈbaɪˌstændə] Zuschauer(in)

byte [baɪt] *Computer*: Byte

byword [ˈbaɪwɜːd] **be a byword for** stehen für, gleichbedeutend sein mit

C

cab [kæb] **1.** Taxi, Taxe **2.** *Zug*: Führerstand, *Lkw*: Fahrerhaus, Führerhaus

cabaret [ˈkæbəreɪ] *auch* **cabaret show** Varieteedarbietungen (*in einem Restaurant oder Nachtklub*)

cabbage [ˈkæbɪdʒ] Kohl

cabbie, cabby [ˈkæbɪ] *umg.* Taxifahrer(in)

cabdriver [ˈkæbˌdraɪvə] *bes.* AE Taxifahrer(in)

cabin [ˈkæbɪn] **1.** *Schiff*: Kabine, Kajüte **2.** *Flugzeug*: Kabine (*auch einer Seilbahn usw.*) **3.** Häuschen, Hütte

cabinet [ˈkæbɪnət] **1.** Vitrine **2.** *Büro usw.*: Schrank **3.** *oft* **Cabinet** *Politik*: Kabinett

cabinet-maker [ˈkæbɪnətˌmeɪkə] (Kunst)-Tischler(in), Möbelschreiner(in)

cable[1] [ˈkeɪbl] **1.** Kabel (*auch für Elektrik*), (Draht)Seil **2.** Telegramm

cable[2] [ˈkeɪbl] telegrafieren

cable car [ˈkeɪbl ˌkɑː] **1.** Drahtseilbahn **2.** Straßenbahn

cable television [ˌkeɪbl ˈtelɪvɪʒn], **cable TV** [ˌkeɪbl tiːˈviː] Kabelfernsehen

cab rank [ˈkæb ˌræŋk], AE **cabstand** [ˈkæbstænd] Taxistand

cache[1] [kæʃ] **1.** Versteck, geheimes Lager **2.** *Computer*: Cache-Speicher

cache[2] [kæʃ] verstecken

cackle [ˈkækl] **1.** (*Huhn*) gackern, (*Gans*) schnattern **2.** *übertragen* gackernd lachen

cactus [ˈkæktəs] *Pl.*: **cactuses** *oder* **cacti** [ˈkæktaɪ] Kaktus

caddy [ˈkædɪ] (Tee)Büchse, (Tee)Dose

cadet [kəˈdet] *militärisch*: Kadett

cadge [kædʒ] *umg.* erbetteln, abstauben, schnorren (**from** bei, von)

cadger [ˈkædʒə] Schnorrer(in)

caesarean [△ sɪˈzeərɪən], **caesarean section** [sɪˌzeərɪənˈsekʃn] *medizinisch*: Kaiserschnitt

café [ˈkæfeɪ] Café, kleines Restaurant, Ⓐ Kaffeehaus

cafeteria [ˌkæfəˈtɪərɪə] Cafeteria, Kantine

caffeine [△ ˈkæfiːn] *in Kaffee, Tee*: Koffein

cage[1] [keɪdʒ] **1.** Käfig **2.** Kabine (*eines Aufzugs*), *Bergwerk*: Förderkorb

cage[2] [keɪdʒ] in einen Käfig sperren, einsperren

cagey [ˈkeɪdʒɪ] *umg.* verschlossen, vorsichtig

cajole [kəˈdʒəʊl] **1.** schmeicheln **2.** **cajole someone into doing something** jemanden beschwatzen, etwas zu tun **3.** **cajole something out of someone** jemandem etwas abbetteln

cake [keɪk] Kuchen, Torte; **cake tin** BE Kuchenform; **go (oder sell) like hot cakes** weggehen wie die warmen Semmeln; **you can't 'have your cake and 'eat it** du kannst nur eines von beiden haben

cakes

cake	Kuchen
crumpet ['krʌmpɪt]	*kleiner Pfannkuchen, der getoastet und mit Butter (und Marmelade) gegessen wird*
Danish (pastry ['peɪstrɪ])	Plunderstück *(süßes Blätterteiggebäck)*
flan	(Obst)Torte
gateau ['gætəʊ]	Sahnetorte
pie	1. *meist gedeckter* Obstkuchen 2. Pastete
scone [skɒn]	*kleiner, brotähnlicher Kuchen, der mit Butter bzw. extra dicker Sahne und Marmelade gegessen wird*
Swiss roll	Biskuitrolle
tart	1. Obstkuchen 2. Mürbeteigkuchen mit Marmeladen- oder Cremefüllung

⚠ „Keks" heißt auf Englisch **biscuit** bzw. *AE* **cookie/cooky**.

cake

cake

ABER:

biscuits

calamity [kə'læmɪtɪ] Katastrophe

calculable ['kælkjʊləbl] *Kosten, Menge usw.*: berechenbar

calculate ['kælkjʊleɪt] **1.** berechnen, ausrechnen *(Kosten usw.)* **2.** kalkulieren *(Preise usw.)*, abwägen *(Chancen usw.)* **3.**

AE, umg. vermuten, glauben (**that** dass)

calculated ['kælkjʊleɪtɪd] **1.** *Handlung*: gewollt, beabsichtigt **2.** *Risiko*: kalkuliert

calculating ['kælkjʊleɪtɪŋ] berechnend

calculation [ˌkælkjʊ'leɪʃn] *mathematisch*: Berechnung *(auch übertragen)*, Kalkulation

calculator ['kælkjʊleɪtə] (Taschen)Rechner

calendar ['kæləndə] **1.** Kalender **2.** *übertragen* Zeitrechnung

calf¹ [kɑːf] *Pl.*: **calves** [kɑːvz] **1.** Kalb **2.** Kalbsleder

calf² [kɑːf] *Pl.*: **calves** [kɑːvz] *Körper*: Wade

calibre, *AE* caliber ['kæləbə] **1.** Kaliber **2.** *übertragen* Format *(eines Menschen)*

call¹ [kɔːl] **1.** *allg.*: rufen *(auch übertragen)*; **duty calls** die Pflicht ruft **2.** anrufen, telefonieren **3.** rufen, kommen lassen *(Arzt usw.)* **4.** aufrufen zu *(einem Streik usw.)* **5.** einberufen *(Versammlung usw.)* **6.** wecken; **please call me at 8 o'clock!** weck mich bitte um 8 Uhr! **7.** nennen, bezeichnen (als); **be called** heißen; **what do you call this?** wie nennt man das?, wie heißt das? **8.** finden, halten für; **I call that stupid** ich halte das für dumm

---

call at ['kɔːl ˌæt] **1.** *(Schiff)* anlaufen *(Hafen)* **2.** *(Zug)* halten in

call back [ˌkɔːl'bæk] **1.** *Telefon*: zurückrufen **2.** *BE* noch einmal vorbeikommen

call for ['kɔːl ˌfɔː] **1.** rufen um *(Hilfe)* **2.** (≈ *kommen lassen*) rufen *(Person)* **3.** **this calls for a celebration** das muss gefeiert werden! **4.** *BE* abholen *(Person, Sache)*

call in [ˌkɔːl'ɪn] **1.** hinzuziehen *(Arzt usw.)* **2.** **call in on someone** bei jemandem (kurz) vorbeischauen

call off [ˌkɔːl'ɒf] absagen *(Streik usw.)*, abbrechen *(Aktion usw.)*

call on ['kɔːl ˌɒn] **1.** **call on someone** jemanden besuchen, jemandem einen Besuch abstatten **2.** **call on someone** jemanden bitten (**to do** zu tun)

call out [ˌkɔːl'aʊt] **1.** rufen (**for help** um Hilfe) **2.** aufrufen *(Namen usw.)* **3.** aufbieten, alarmieren *(Polizei usw.)*

call up [ˌkɔːl'ʌp] **1.** *bes. AE; Telefon*: anrufen **2.** *Militär*: einberufen

---

call² [kɔːl] **1.** Ruf (**for** nach); **call for help** Hilferuf **2.** *Telefon*: Anruf; **give someone a call** jemanden anrufen; **make a call** telefonieren **3.** *übertragen* Ruf *(der Natur usw.)* **4. be on call** *(Arzt usw.)* Bereitschaftsdienst haben **5.** *am Flughafen usw.*: Aufruf (*auch übertragen*: *zur Pflicht usw.*) **6.** (kurzer) Besuch (**on someone, at someone's [house]** bei jemandem); **pay** (*oder* **make**) **a call on someone** jemanden besuchen, jemandem einen Besuch abstatten

call box ['kɔːl‿bɒks] *BE* Telefonzelle

caller ['kɔːlə] **1.** *Telefon*: Anrufer(in) **2.** Besucher(in)

call-in ['kɔːlɪn] *AE*; *Rundfunk, TV*: Sendung mit telefonischer Zuhörer- *oder* Zuschauerbeteiligung

calling ['kɔːlɪŋ] (≈ *Mission*) Berufung

calling card ['kɔːlɪŋ‿kɑːd] *AE* Visitenkarte

callous [△ 'kæləs] *übertragen* gefühllos (**to** gegenüber)

call-up ['kɔːlʌp] *Militär*: Einberufung

callus ['kæləs] Schwiele

calm¹ [△ kɑːm] **1.** *allg.*: still, ruhig (*auch die See*) **2.** *Wetter*: windstill

calm² [△ kɑːm] **1.** Stille, Ruhe **2.** Windstille

calm³ [△ kɑːm] beruhigen (*Baby, Ängste usw.*)

---

calm down [ˌkɑːm'daʊn] **1.** beruhigen (*Person usw.*) **2.** (*Person usw.*) sich beruhigen **3.** (*Sturm, Zorn usw.*) sich legen

---

calorie ['kælərɪ] Kalorie

calves [kɑːvz] *Pl. von* → **calf¹** *und* **calf²**

Cambodia [kæm'bəʊdɪə] Kambodscha

came [keɪm] *2. Form von* → **come**

camel ['kæml] Kamel

camera ['kæmərə] Kamera, Fotoapparat

cameraman ['kæmrəmæn] *Pl.*: **cameramen** ['kæmrəmen] Kameramann

cameraphone ['kæmərəˌfəʊn] Fotohandy

camomile [△ 'kæməmaɪl] Kamille; **camomile tea** Kamillentee

camouflage¹ ['kæməflɑːʒ] Tarnung

camouflage² ['kæməflɑːʒ] tarnen

camp¹ [kæmp] **1.** *allg.*: Lager (*auch übertragen Partei*) **2.** *für Kinder*: Ferienlager, Zeltlager

camp² [kæmp] **1.** zelten, kampieren **2.** *oft* **camp out** zelten, campen

campaign¹ [kæm'peɪn] **1.** Aktion; **advertising campaign** Werbekampagne; **election campaign** Wahlkampf **2.** *militärisch*: Feldzug

campaign² [kæm'peɪn] *übertragen* kämpfen (**for** für; **against** gegen)

camp bed [ˌkæmp'bed] *BE* Campingliege, Feldbett

camper ['kæmpə] **1.** *Person*: Camper(in) **2.** *AE* Wohnanhänger, Wohnmobil

campfire ['kæmpfaɪə] Lagerfeuer

campground ['kæmpgraʊnd] *bes. AE* Zeltplatz, Campingplatz

camping ['kæmpɪŋ] Camping, Zelten; **camping equipment** (*oder* **gear**) Campingausrüstung; **camping ground** (*oder* **site**) Zeltplatz, Campingplatz

campsite ['kæmpsaɪt] Zeltplatz, Campingplatz

campus ['kæmpəs] Campus (*Gesamtanlage einer Universität oder eines College*)

can¹ [kæn] *Hilfsverb* **1.** **I can** ich kann; **you can** du kannst *usw.* **2.** *verneint*: **I can't** *oder betont* **cannot** ich kann nicht *usw.*

can² [kæn] **1.** (Blech)Dose, (Konserven)-Büchse **2.** (Blech)Kanne **3.** Kanister

can³ [kæn], **canned, canned** *Lebensmittel*: einmachen, eindosen

Canada ['kænədə] Kanada

Canadian¹ [kə'neɪdɪən] kanadisch

Canadian² [kə'neɪdɪən] Kanadier(in)

canal [kə'næl] Kanal (*auch im Körper*)

canary [kə'neərɪ] Kanarienvogel

Canary Islands [kə‚neərɪ'aɪləndz] *die* Kanarischen Inseln

cancel [△ 'kænsl], **cancelled, cancelled**, *AE* **canceled, canceled 1.** absagen (*Verabredung usw.*), ausfallen lassen (*Veranstaltung usw.*) **2.** (durch)streichen (*Wort, Zeile usw.*) **3.** rückgängig machen (*Beschluss usw.*) **4.** kündigen (*Abonnement usw.*), stornieren (*Auftrag*) **5.** entwerten (*Briefmarke, Fahrschein*)

---

cancel out [ˌkænsl'aʊt] **1.** ausgleichen **2.** sich (gegenseitig) aufheben

---

cancellation [△ ‚kænsə'leɪʃn] **1.** Absage **2.** Streichung **3.** Kündigung (*eines Abonnements usw.*), Stornierung (*eines Auftrags*)

cancer [△ 'kænsə] *Krankheit*: Krebs

Cancer [△ 'kænsə] *Sternzeichen*: Krebs

candid ['kændɪd] *Person, Äußerung*: offen, aufrichtig

candidacy ['kændɪdəsɪ] Kandidatur

candidate ['kændɪdət] Kandidat(in) (**for** für), Bewerber(in) (**for** um)

candied ['kændɪd] *Kochen*: kandiert

candle ['kændl] **1.** Kerze **2.** **he can't hold a candle to Peter** er kann Peter nicht das Wasser reichen

candlelight ['kændl‿laɪt] Kerzenlicht; **by candlelight** bei Kerzenlicht

candlestick ['kændlstɪk] Kerzenständer

candour, *AE* **candor** ['kændə] Offenheit, Aufrichtigkeit

candy ['kændɪ] *bes. AE* **1.** *allg.*: Süßigkeiten **2.** Bonbon

candyfloss ['kændɪflɒs] *BE* Zuckerwatte

cane[1] [keɪn] **1.** Spazierstock **2.** (Rohr)-Stock **3.** *Pflanze:* ...rohr; **sugarcane** Zuckerrohr

cane[2] [keɪn] (mit dem Stock) züchtigen

cane sugar ['keɪnˌʃʊɡə] Rohrzucker

canister ['kænɪstə] Blechbüchse, Blechdose

canned [kænd] **1.** Dosen..., Büchsen..; **canned fruit** Obstkonserven; **canned meat** Büchsenfleisch **2.** **canned music** *umg.* Musik aus der Konserve; **canned laughter** Lachen vom Band, künstliches Lachen **3.** *salopp* betrunken

cannery ['kænərɪ] Konservenfabrik

cannibal ['kænɪbl] Kannibale

cannon ['kænən] *Pl.:* **cannons** *oder* **cannon** *militärisch:* Kanone, Geschütz

cannonball ['kænənbɔːl] Kanonenkugel

cannot ['kænɒt] *I cannot* ich kann nicht; **you cannot** du kannst nicht *usw.*

canny ['kænɪ] schlau, gerissen

canoe[1] [kə'nuː] Kanu, Paddelboot

canoe[2] [kə'nuː] paddeln

canoeing [kə'nuːɪŋ] Kanufahren

canon ['kænən] **1.** Kanon (*auch kirchlich*), Regel **2.** *Musik:* Kanon

can opener ['kænˌəʊpənə] Dosenöffner, Büchsenöffner

canopy ['kænəpɪ] **1.** Baldachin **2.** *Gebäude:* Vordach **3.** *Flugzeug:* Kabinenhaube

cant [kænt] Jargon, Kauderwelsch

can't [kɑːnt] *Kurzform von* → **cannot**

cantankerous [kæn'tæŋkərəs] zänkisch

canteen [kæn'tiːn] **1.** *bes. BE* Kantine, Mensa **2.** *militärisch:* Feldflasche **3.** Besteckkasten

canvas ['kænvəs] **1.** Segeltuch **2.** Zeltleinwand **3.** *Malerei:* Leinwand

canvass ['kænvəs] **1.** *Politik:* einen Wahlfeldzug veranstalten **2.** *Politik:* um Stimmen werben bei (*Wählern*) **3.** *Wirtschaft:* werben (**for** um, für), einen Werbefeldzug durchführen

canyon ['kænjən] Cañon, Schlucht

Grand Canyon

Der **Grand Canyon** ist wegen seiner dramatischen Felsformationen und leuchtenden Farben eine der beliebtesten Sehenswürdigkeiten in den USA. Über Jahrmillionen wurde diese riesige Schlucht im Nordwesten Arizonas vom **Colorado River** in den Fels gegraben.

cap[1] [kæp] **1.** Mütze, Kappe, Haube **2.** Deckel (*einer Flasche*), Verschlusskappe

cap[2] [kæp], **capped, capped 1.** oben liegen auf, bedecken **2.** *übertragen* übertreffen; **to cap it all** als Krönung des Ganzen

capability [ˌkeɪpə'bɪlətɪ] Fähigkeit

capable ['keɪpəbl] **1.** fähig, tüchtig **2.** **capable of something** zu etwas fähig; **capable of doing something** imstande, etwas zu tun

capacity [kə'pæsətɪ] **1.** Fassungsvermögen, Kapazität; **filled to capacity** ganz voll, *Theater usw.:* ausverkauft **2.** Leistungsfähigkeit (*auch Technik*) **3.** *übertragen* Auffassungsgabe; **that's beyond his capacity** das ist zu hoch für ihn **4.** **in his** *usw.* **capacity as ...** in seiner *usw.* Eigenschaft als ...

cape[1] [keɪp] Cape, Umhang

cape[2] [keɪp] *Geographie:* Kap

caper[1] ['keɪpə] *mst.* **capers** *Pl.* Kapern *Pl.*

caper[2] ['keɪpə] *auch* **caper about** herumtollen, herumhüpfen

capital[1] ['kæpɪtl] **1.** Hauptstadt **2.** (≈ *Geld, Vermögen*) Kapital **3.** Großbuchstabe

capital[2] ['kæpɪtl] **1.** Kapital...; **capital crime** Kapitalverbrechen **2.** **capital punishment** (die) Todesstrafe **3.** Haupt..., wichtigste(r, -s); **capital city** Hauptstadt **4.** **capital letter** Großbuchstabe; **capital B** großes B

capital[3] ['kæpɪtl] *Architektur:* Kapitell

capital investment [ˌkæpɪtl ɪn'vestmənt] Kapitalanlage

capitalism ['kæpɪtəlɪzm] Kapitalismus

capitalist[1] ['kæpɪtəlɪst] Kapitalist(in)

capitalist[2] ['kæpɪtlɪst], **capitalistic** [ˌkæpɪtə'lɪstɪk] kapitalistisch

---

capitalize on ['kæpɪtəlaɪz ˌɒn] **capitalize on something** aus etwas Kapital schlagen

---

Capitol ['kæpɪtl] Kapitol (*Kongresshaus in Washington und US-Hauptstädten*)

capitulate [kə'pɪtjʊleɪt, kə'pɪtʃʊleɪt] kapitulieren (**to** vor)

capricious [kə'prɪʃəs] launenhaft, launisch

Capricorn ['kæprɪkɔːn] *Sternzeichen:* Steinbock

capsize [kæp'saɪz] **1.** (*Boot usw.*) kentern **2.** zum Kentern bringen

capsule ['kæpsjuːl] *allg.:* Kapsel

captain ['kæptɪn] **1.** *militärisch:* Hauptmann **2.** *Schiff:* Kapitän, *Flugzeug:* (Flug)Kapitän **3.** *Sport:* (Mannschafts)Kapitän, Mannschaftsführer(in)

caption ['kæpʃn] **1.** *in Buch usw.:* Bildüberschrift, Bildunterschrift **2.** *in Film:* Untertitel

captivate ['kæptɪveɪt] (≈ *faszinieren*) fesseln, gefangen nehmen
captive[1] ['kæptɪv] gefangen (*auch übertragen* **to** von); **hold captive** gefangen halten (*auch übertragen*); **take captive** gefangen nehmen
captive[2] ['kæptɪv] Gefangene(r) (*auch übertr.*)
captivity [kæp'tɪvətɪ] Gefangenschaft
capture[1] ['kæptʃə] **1.** gefangen nehmen **2.** *militärisch*: erobern (*auch übertragen*) **3.** kapern (*Schiff*) **4.** einfangen (*Stimmung*)
capture[2] ['kæptʃə] **1.** Gefangennahme **2.** *militärisch*: Eroberung (*auch übertragen*)
car [kɑː] **1.** Auto, Wagen; **by car** mit dem Auto; ☞ *Illu S. 686* **2.** *AE*; *Eisenbahn*: Wagen, Waggon **3.** *BE*; *Eisenbahn*: ...wagen; **dining car** Speisewagen; **sleeping car** Schlafwagen **4.** *Straßenbahn usw.*: ...wagen

---

car boot sales

Car boot sales, eine Art Flohmarkt aus dem Kofferraum, werden in Großbritannien an Wochenenden und Feiertagen abgehalten. Gegen eine geringe Gebühr für einen Parkplatz auf einem Schulhof oder dergleichen darf man alles, was man selber nicht mehr braucht, aus dem Kofferraum seines Wagens zum Verkauf anbieten. Die amerikanische Entsprechung heißt **garage sale** (Garagenverkauf), der inzwischen auch in Großbritannien Anklang findet.

---

carafe [△ kə'ræf] Karaffe
caramel ['kærəmel] **1.** Karamell **2.** Karamellbonbon
carat ['kærət] Karat; **18-carat gold** 18-karätiges Gold
caravan ['kærəvæn] **1.** *BE* Wohnwagen, Wohnanhänger, Caravan; **caravan site** Platz für Wohnwagen **2.** Karawane
caraway ['kærəweɪ] Kümmel
carbine ['kɑːbaɪn] Karabiner
carbohydrate [ˌkɑːbəʊ'haɪdreɪt] Kohle(n)hydrat
carbon ['kɑːbən] **1.** Kohlenstoff; **carbon dioxide** Kohlendioxid **2.** *auch* **carbon paper** Kohlepapier **3.** *auch* **carbon copy** Durchschlag
carbonated ['kɑːbəneɪtɪd] kohlensäurehaltig
carbonic acid [kɑːˌbɒnɪk'æsɪd] Kohlensäure
carburettor, *AE* **carburetor** [ˌkɑːbə'retə] *Auto*: Vergaser
carcass ['kɑːkəs] **1.** Kadaver (*eines Tieres*) **2.** *humorvoll oder abwertend* Leich-

nam
carcinogenic [ˌkɑːsɪnə'dʒenɪk] *medizinisch*: krebserregend
card [kɑːd] **1.** *allg.*: Karte; **playing card** Spielkarte **2.** *BE* Pappe **3.** **get one's cards** *Arbeit*: entlassen werden
cardboard ['kɑːdbɔːd] Karton, Pappe; **cardboard box** Pappschachtel, Karton
card game ['kɑːd ɡeɪm] Kartenspiel
cardigan ['kɑːdɪɡən] Strickjacke, ④ Janker
cardinal[1] ['kɑːdɪnl] *kirchlich*: Kardinal
cardinal[2] ['kɑːdɪnl] Haupt...
cardinal[3] ['kɑːdɪnl], **cardinal number** [ˌkɑːdɪnl'nʌmbə] Kardinalzahl, Grundzahl
cardphone ['kɑːdfəʊn] Kartentelefon
care[1] [keə] **1.** Pflege (*eines Kranken usw.*) **2.** Fürsorge, Betreuung; **take care of** aufpassen auf **3.** Kummer, Sorge; **be free from care(s)** keine Sorgen haben **4.** Sorgfalt (*bei einer Arbeit*) **5.** Vorsicht; **take care** vorsichtig sein, aufpassen (**to do** zu tun; **that** dass) **6.** **take care!** *umg.* machs gut!
care[2] [keə] **1.** sich sorgen (**about** über, um); **I couldn't care less** das ist mir völlig egal **2.** **I don't care if ...** ich habe nichts dagegen *oder* es macht mir nichts aus, wenn ...

---

care for ['keə fɔː] **1.** sorgen für, sich kümmern um **2.** *verneint oder in Fragen*: Interesse haben an, gern mögen; **I don't care for ...** ich mache mir nichts aus ...

---

career [kə'rɪə] **1.** Karriere, Laufbahn **2.** Beruf; **careers advisor** *oder* **careers officer** Berufsberater(in)
carefree ['keəfriː] sorgenfrei
careful ['keəfl] **1.** vorsichtig, behutsam; **be careful!** pass auf!, gib acht!; **be careful to do** darauf achten *oder* nicht vergessen zu tun **2.** (≈ *gewissenhaft*) sorgfältig **3.** **be careful with** *BE* sparsam umgehen mit (*Geld usw.*)
carefulness ['keəflnəs] **1.** Vorsicht **2.** Sorgfalt, Gründlichkeit
careless ['keələs] **1.** *Arbeit, Arbeiter usw.*: nachlässig **2.** *Handlung usw.*: unüberlegt **3.** *beim Autofahren usw.*: unvorsichtig, leichtsinnig
carelessness ['keələsnəs] **1.** Nachlässigkeit **2.** Unüberlegtheit **3.** Leichtsinn
caress[1] [△ kə'res] Liebkosung
caress[2] [△ kə'res] liebkosen, streicheln
caretaker ['keəˌteɪkə] Hausmeister(in), ⑭, ④ Hauswart, ④ *auch*: Hausbesorger
cargo ['kɑːɡəʊ] *Pl.*: **cargoes** *oder* **cargos**

Ladung, Fracht

cargoes, **cargos** ['kɑːgəʊz] *Pl.*, *auch* ***cargo pants*** *Pl.* Cargohose

caricature ['kærɪkətʃʊə] Karikatur

caries [⚠ 'keəriːz] *medizinisch*: Karies

Carinthia [kə'rɪnθɪə] Kärnten

carnage ['kɑːnɪdʒ] Blutbad

carnation [kɑː'neɪʃn] *Blume*: Nelke

carnival ['kɑːnɪvl] **1.** Karneval, Fasching **2.** Volksfest

carnivore ['kɑːnɪvɔː] *Tier*: Fleischfresser

carol ['kærəl] Weihnachtslied

carousel [ˌkærə'sel] *bes. AE* Karussell

carp[1] [kɑːp] (herum)nörgeln (***at*** an)

carp[2] [kɑːp] Karpfen

car park ['kɑː ˌpɑːk] *offen*: Parkplatz, *überdacht*: Parkhaus (*für viele Autos*)

carpenter ['kɑːpəntə] Zimmermann, Tischler(in), Schreiner(in)

carpentry ['kɑːpəntrɪ] Schreinerei, Tischlerei, Zimmerhandwerk

carpet[1] ['kɑːpɪt] Teppich; ***fitted carpet*** *BE* Teppichboden

carpet[2] ['kɑːpɪt] mit einem Teppich auslegen

carpeting ['kɑːpɪtɪŋ] ***wall-to-wall carpeting*** *AE* Teppichboden

car pool ['kɑː ˌpuːl] **1.** *von Privatpersonen*: Fahrgemeinschaft **2.** *von Firma*: Fuhrpark

carport ['kɑːpɔːt] *für Auto*: überdachter Abstellplatz, Carport

carriage ['kærɪdʒ] **1.** Wagen, Kutsche (*von Pferden gezogen*) **2.** *BE*; *Eisenbahn*: Wagen **3.** Transport (*von Gütern*) **4.** Transportkosten, Fracht(gebühr)

carriageway ['kærɪdʒweɪ] *BE* Fahrbahn

carrier ['kærɪə] **1.** *auch* ***carrier bag*** *BE* (Plastik)Tragetasche **2.** *Unternehmen*: Spediteur, Transportunternehmen **3.** Überträger (*einer Krankheit*) **4.** *militärisch*: Flugzeugträger **5.** Gepäckträger (*am Fahrrad*)

carrier bag ['kærɪə ˌbæg] *BE* (Plastik)-Tragetasche

carrion ['kærɪən] Aas

carrot ['kærət] Karotte, Mohrrübe

carry ['kærɪ] **1.** *allg.*: tragen **2.** (*Transportmittel*) befördern, tragen **3.** (*Medien*) bringen (*Bericht usw.*) **4.** mitführen, mit *oder* bei sich tragen (*Ausweis usw.*) **5.** *Geschäft*: führen (*Ware*) **6.** erringen, gewinnen (*Preis usw.*) **7.** siegreich hervorgehen aus (*einer Wahl usw.*) **8.** *Parlament*: durchbringen (*Antrag usw.*); ***be carried*** *Antrag usw.*: durchgehen **9.** (*Stimme, Waffe usw.*) tragen (*über bestimmte Entfernung*) **10.** ***carry something too far*** *übertragen* etwas zu weit treiben

carry about *oder* **around** [ˌkærɪ ə'baʊt *oder* ə'raʊnd] herumtragen; ***carry about*** (*oder* ***around***) ***with one*** mit sich herumtragen, bei sich haben (*Pass usw.*)

carry away [ˌkærɪ ə'weɪ] **1.** wegtragen **2.** (*Sturm, Flut usw.*) wegreißen **3.** ***get carried away*** (*Person*) sich mitreißen lassen (*von Gefühlen usw.*)

carry off [ˌkærɪ'ɒf] **1.** wegtragen **2.** *umg.* hinkriegen (*Aufgabe usw.*) **3.** erringen, gewinnen (*Preis usw.*)

carry on [ˌkærɪ'ɒn] **1.** fortführen, fortsetzen **2.** weitermachen (***with*** mit) **3.** *umg.* eine Szene machen (***about*** wegen) **4.** betreiben (*Geschäft*)

carry out [ˌkærɪ'aʊt] **1.** ausführen, durchführen (*Plan usw.*) **2.** wahr machen (*Drohung*), erfüllen (*Versprechen*)

carry through [ˌkærɪ'θruː] durchführen (*Plan, Vorhaben*)

carryall ['kærɪˌɔːl] *bes. AE* Reisetasche

carrycot ['kærɪkɒt] *BE* Babytragetasche

carry-on[1] ['kærɪɒn] **1.** *Gepäckstück*: Bordcase **2.** *BE*, *umg.* Theater; ***what a carry-on!*** so ein Theater!

carry-on[2] ['kærɪɒn] ***carry-on baggage*** (*bes. BE* ***luggage***) Bordgepäck

carry-out ['kærɪaʊt] *AE* **1.** Essen zum Mitnehmen **2.** Restaurant mit Straßenverkauf

car seat ['kɑːsiːt] *AE*, *Auto*: Kindersitz

carsick ['kɑːsɪk] ***she gets carsick*** ihr wird beim Autofahren übel

cart [kɑːt] **1.** Karren **2.** (Hand)Wagen

carton ['kɑːtn] **1.** (Papp)Karton, Schachtel **2.** Tüte (*Milch*) **3.** Stange (*Zigaretten*)

cartoon [kɑː'tuːn] **1.** Cartoon, (politische) Karikatur **2.** *auch* ***animated cartoon*** Zeichentrickfilm **3.** ***cartoon character*** Comicfigur

cartridge ['kɑːtrɪdʒ] **1.** *Waffe*, *Füllhalter*: Patrone **2.** *Fotografie usw.*: Kassette **3.** Tonabnehmer (*eines Plattenspielers*)

cartwheel ['kɑːtwiːl] **1.** Wagenrad **2.** *Turnen*: Rad; ***turn cartwheels*** Rad schlagen

carve [kɑːv] **1.** (*in*) *Holz*: schnitzen, (*in*) *Stein*: Meißeln; ***carve one's name on a tree*** seinen Namen in einen Baum schnitzen **2.** zerlegen, transchieren (*Fleisch usw.*)

carver ['kɑːvə] (Holz)Schnitzer, Bildhauer

carving ['kɑːvɪŋ] **1.** *aus Holz*: Schnitzerei, *aus Stein*: Skulptur **2.** *Tätigkeit*: Schnitzen, Meißeln

car wash ['kɑːwɒʃ] Autowaschanlage

cascade [kæ'skeɪd] Kaskade, Wasserfall

case[1] [keɪs] Fall (*auch Recht*); ***it's a case***

of ... es handelt sich um ...; *in any case* auf jeden Fall, jedenfalls; *in case* falls; *in case of* im Falle von (*oder Genitiv*)

case² [keɪs] 1. Kiste, Kasten 2. *aus Pappe*: Schachtel 3. *für Brille usw.*: Etui, Futteral 4. ...mappe; *briefcase* Aktenmappe 5. ...bezug, ...überzug; *pillowcase* Kopfkissenbezug

casement ['keɪsmənt] *auch* **casement window** Flügelfenster

cash¹ [kæʃ] 1. Bargeld 2. Barzahlung; *for cash oder cash down* gegen bar, gegen Barzahlung; *in cash* bar 3. *umg.* Geld; *short of cash* knapp bei Kasse

cash² [kæʃ] *auch* **cash in** einlösen (*Scheck usw.*)

---

cash in [ˌkæʃ'ɪn] *cash in on umg.* profitieren von, ausnutzen

---

cash desk ['kæʃˌdesk] *im Warenhaus*: Kasse, Ⓐ Kassa

cash dispenser ['kæʃˌdɪˌspensə] *bes. BE* Geldautomat

---

cash dispenser

Neben **cash dispenser** heißt der Geldautomat auch:

cashpoint
hole-in-the-wall (*umg.*)

Im amerikanischen Englisch spricht man von **automated teller (machine)**. Die Abkürzung dafür ist **ATM**.

---

cashier [kæ'ʃɪə] Kassierer(in)
cashless ['kæʃləs] bargeldlos
cash machine ['kæʃˌməˌʃiːn] Geldautomat
cashmere ['kæʃmɪə] Kaschmir(wolle)
cash payment ['kæʃˌpeɪmənt] Barzahlung
cashpoint ['kæʃpɔɪnt] *BE* Geldautomat
cash price ['kæʃˌpraɪs] *beim Kauf*: Barzahlungspreis
cash register ['kæʃˌredʒɪstə] (Registrier)Kasse
casing ['keɪsɪŋ] *technisch*: Verkleidung, Mantel
casino [kə'siːnəʊ] *Pl.*: *casinos* (Spiel)Kasino
cask [kɑːsk] Fass
casket ['kɑːskɪt] 1. Schatulle, Kästchen 2. *bes. AE* Sarg
casserole ['kæsərəʊl] Kasserolle, Ⓐ Rein
cassette [kə'set] Kassette
cassette deck [kə'setdek] Kassettendeck
cassette recorder [kə'setˌrɪˌkɔːdə] Kassettenrekorder

cassock ['kæsək] *kirchlich*: Soutane

cast¹ [kɑːst], *cast, cast* 1. werfen; *cast light on something* übertragen auf etwas Licht werfen 2. *Fischen*: auswerfen (*Netz, Angel usw.*) 3. (*Schlange usw.*) abstreifen (*Haut*) 4. werfen (*Schatten usw.*) (*on* auf); *cast a glance at* einen Blick werfen auf 5. *Theater, Film*: besetzen (*Stück usw.*), verteilen (*Rollen*) (*to* an) 6. *Wahl*: abgeben (*Stimmzettel, Stimme*) 7. *Technik*: gießen, formen (*Metall, Statue usw.*)

cast² [kɑːst] 1. *Theater, Film*: Rollenverteilung, Besetzung 2. *Theater, Film*: (≈ *Mitwirkende*) Besetzung 3. *medizinisch*: Gips(verband) 4. *Technik*: Gussform, *Produkt*: Abdruck

---

cast about *oder* **around for** [ˌkɑːst‿ə'baʊt *oder* ə'raʊnd‿fə] suchen (nach), übertragen sich umsehen nach

cast aside [ˌkɑːst‿ə'saɪd] 1. ablegen (*Gewohnheit usw.*) 2. fallen lassen (*Freund usw.*)

cast away [ˌkɑːst‿ə'weɪ] *be cast away* *Schifffahrt*: gestrandet sein

cast off [ˌkɑːst'ɒf] *Schiff, Boot*: losmachen

---

castaway ['kɑːstəweɪ] Schiffbrüchige(r)
caster ['kɑːstə] 1. *Möbel*: Laufrolle 2. ...streuer; *sugar caster BE* Zuckerstreuer
casting ['kɑːstɪŋ] 1. *Technik*: Abguss, Gussstück 2. *Theater, Film*: (Rollen)Besetzung
cast iron [ˌkɑːst'aɪən] *Technik*: Gusseisen
cast-iron [ˌkɑːst'aɪən] 1. gusseisern 2. *Wille usw.*: eisern, *Alibi*: hieb- und stichfest
castle [△ 'kɑːsl] 1. Burg, Schloss; *build castles in the air* übertragen Luftschlösser bauen 2. *Schach*: Turm
cast-off ['kɑːstɒf] *Kleidungsstück*: abgelegt, ausrangiert
castoffs ['kɑːstɒfs] *Pl.* abgelegte Kleidung
castor ['kɑːstə] Laufrolle (*an Möbeln*)
castor oil [ˌkɑːstə(r)'ɔɪl] Rizinusöl
castrate [kæ'streɪt] kastrieren
casual [△ 'kæʒʊəl] 1. *Art usw.*: lässig 2. *Bemerkung*: beiläufig, *Blick*: flüchtig 3. *Kleidung*: leger, sportlich; *casual wear* Freizeitkleidung 4. *Arbeit*: gelegentlich; *casual labourer* Gelegenheitsarbeiter
casualty ['kæʒʊəltɪ] 1. Verunglückte(r); *casualties Pl.* Opfer *Pl.* (*einer Katastrophe usw.*) 2. *militärisch*: Verwundete(r), Gefallene(r) 3. *auch* **casualty ward** (*oder* **department**) Krankenhaus: Unfall-

station, Notaufnahme

cat [kæt] Katze; *let the cat out of the bag umg.* die Katze aus dem Sack lassen; *play cat and mouse with someone* mit jemandem Katz und Maus spielen

catalogue[1], *AE auch* catalog ['kætəlɒg] **1.** Katalog **2.** *AE; Universität:* Vorlesungsverzeichnis

catalogue[2], *AE auch* catalog ['kætəlɒg] katalogisieren

catalytic converter [ˌkætəlɪtɪk kənˈvɜːtə] *Auto:* Katalysator

cat-and-dog [ˌkæt ənˈdɒg] *lead a cat-and-dog life* wie Hund und Katze leben

catarrh [△ kəˈtɑː] *medizinisch:* Katarrh

catastrophe [△ kəˈtæstrəfi] Katastrophe

catastrophic [ˌkætəˈstrɒfɪk] katastrophal

catcall ['kætkɔːl] Buh(ruf), Pfiff

catch[1] [kætʃ], *caught* [kɔːt], *caught* [kɔːt] **1.** *allg.:* fangen **2.** auffangen (*Blick, Flüssigkeit*), (ein)fangen (*Tier usw.*) **3.** bekommen, erwischen; *catch the train* den Zug erreichen **4.** einholen (*Person*) **5.** *catch someone at something* jemanden bei etwas ertappen; *catch someone lying* jemanden bei einer Lüge ertappen **6.** sich holen (*eine Krankheit*), sich zuziehen (*eine Erkältung usw.*); *catch (a) cold* sich erkälten **7.** *catch fire* Feuer fangen, in Brand geraten **8.** sich verfangen, hängen bleiben (*on* an; *in* in); *my fingers got caught in the door* ich hab mir die Finger in der Tür geklemmt **9.** packen, ergreifen (*auch übertragen*) **10.** *catch someone's eye* (*oder* *attention*) übertragen jemandes Aufmerksamkeit auf sich lenken **11.** verstehen, mitkriegen (*was jemand sagt*)

---

catch on [ˌkætʃˈɒn] *umg.* **1.** Anklang finden **2.** *catch on to something* etwas kapieren, auf etwas kommen

catch out [ˌkætʃˈaʊt] *BE* ertappen (*bes. bei einer Lüge*)

catch up [ˌkætʃˈʌp] **1.** *BE* einholen (*auch bei der Arbeit*) **2.** aufholen; *catch up with* einholen (*auch bei der Arbeit*); *catch up on* (*oder* *with*) aufholen (*Arbeitsrückstand usw.*); *catch up on one's sleep* Schlaf nachholen **3.** *be caught up in* verwickelt sein in

---

catch[2] [kætʃ] **1.** *good catch! bei Ballspiel:* gut gefangen! **2.** Fangen **3.** Fang, Beute (*beide auch übertragen*) **4.** Haken (*auch übertragen*), Verschluss (*von Brosche usw.*)

catcher ['kætʃə] *Sport:* Fänger (△ *dt. Catcher = all-in wrestler*)

catching ['kætʃɪŋ] *Krankheit:* ansteckend

(*auch Lachen, Enthusiasmus usw.*)

catchment area ['kætʃmənt ˌeərɪə] Einzugsgebiet (*einer Schule usw.*)

catchword ['kætʃwɜːd] Schlagwort

catchy ['kætʃɪ] *Melodie:* eingängig

category ['kætəgəri] Kategorie, Klasse

cater ['keɪtə] Speisen und Getränke liefern (*for* für)

---

cater for ['keɪtə ˌfɔː] **1.** sorgen für **2.** eingestellt sein auf

---

catering ['keɪtərɪŋ] *do the catering für Fest usw.:* Speisen und Getränke liefern; *catering service* Partyservice

caterpillar ['kætəpɪlə] **1.** *Tier:* Raupe **2.** *Fahrzeug:* Raupenfahrzeug (*Warenzeichen*)

cat flap ['kæt ˌflæp] *kleiner Durchlass:* Katzentür

cathedral [kəˈθiːdrəl] Dom, Kathedrale

Catholic[1] ['kæθlɪk] katholisch

Catholic[2] ['kæθlɪk] Katholik(in)

Catholicism [kəˈθɒləsɪzm] Katholizismus

catkin ['kætkɪn] *Pflanze:* (Blüten)Kätzchen

catnap ['kætnæp] *have a catnap* ein Nickerchen machen

cat's eye ['kæts ˌaɪ] *auf der Fahrbahn, am Fahrrad:* Katzenauge, Rückstrahler

catsuit ['kætsuːt] *BE* einteiliger Hosenanzug

cattle ['kætl] *Pl.* (Rind)Vieh; *the cattle are in the meadow* das Vieh ist auf der Weide

catty ['kætɪ] boshaft

catwalk ['kætwɔːk] **1.** Steg **2.** *bei Modeschauen:* Laufsteg

caught [kɔːt] **2.** *und* **3.** *Form von* → *catch*[1]

cauldron ['kɔːldrən] großer Kessel

cauliflower ['kɒlɪˌflaʊə] Blumenkohl, Ⓐ Karfiol

cause[1] [kɔːz] **1.** Ursache (*of* für) **2.** Grund, Anlass (*for* für) **3.** (≈ *Ziel, Ideal*) Sache

cause[2] [kɔːz] **1.** verursachen **2.** veranlassen **3.** bereiten, zufügen (*Kummer usw.*)

causeway ['kɔːzweɪ] Damm

caustic ['kɔːstɪk] *Chemikalie:* ätzend **2.** *Bemerkung usw.:* bissig

caution[1] ['kɔːʃn] **1.** Vorsicht **2.** Warnung **3.** *BE* Verwarnung

caution[2] ['kɔːʃn] **1.** warnen (*against* vor) **2.** *BE* verwarnen

cautious ['kɔːʃəs] vorsichtig

cavalry ['kævlri] *militärisch* **1.** *historisch:* Kavallerie **2.** Panzertruppe(n)

cave [keɪv] Höhle

cavern ['kævən] (große) Höhle

cavity ['kævətɪ] **1.** Hohlraum **2.** *Zahn:*

Loch

cavort [kə'vɔːt] *umg.* herumtoben

cayenne [keɪ'en], **cayenne pepper** [ˌkeɪen'pepə] Cayennepfeffer

CD [ˌsiː'diː] (*Abk. für* **c**ompact **d**isc) CD

CD burner [siː'diːˌbɜːnə] CD-Brenner

CD player [ˌsiː'diːˌpleɪə] *Gerät:* CD-Spieler

CD-ROM [ˌsiːdiː'rɒm] (*Abk. für* **c**ompact **d**isc **r**ead-only **m**emory) CD-ROM

CD-ROM drive [ˌsiːdiː'rɒm_draɪv] *Computer:* CD-ROM-Laufwerk

CD writer [ˌsiː'diːˌraɪtə] CD-Brenner

cease [△ siːs] aufhören (**to do, doing** zu tun)

ceasefire [△ 'siːsˌfaɪə] *militärisch:* Feuerpause, Waffenstillstand

ceaseless [△ 'siːsləs] unaufhörlich

cede [siːd] **cede something** (**to someone**) (jemandem *oder* an jemanden) etwas abtreten, (jemandem) etwas überlassen

ceiling ['siːlɪŋ] **1.** Decke (*eines Raums*), ⓑ Plafond **2.** *übertragen* Höchstgrenze

celebrate ['seləbreɪt] **1.** feiern, preisen **2.** *kirchlich:* zelebrieren (*Messe*)

celebrated ['seləbreɪtɪd] berühmt (**for** für, wegen), gefeiert

celebration [ˌselə'breɪʃn] **1.** Feier **2.** *kirchlich:* Zelebrieren (*einer Messe*)

celebrity [sə'lebrətɪ] Berühmtheit (*auch Person*)

celery ['selərɪ] Sellerie

celestial [sə'lestɪəl] himmlisch, Himmels…; **celestial body** Himmelskörper

celibate[1] ['selɪbət] zölibatär, keusch

celibate[2] ['selɪbət] Zölibatär

cell [sel] **1.** *allg.:* Zelle **2.** *AE, umg.* Handy

cellar ['selə] Keller

cellist ['tʃelɪst] *Musik:* Cellist(in)

cello ['tʃeləʊ] *Pl.:* **cellos** *Musik:* Cello

cellophane ['seləfeɪn] Zellophan

cellphone ['selfəʊn] *bes. AE* Mobiltelefon, Handy

cellular phone [ˌseljʊlə'fəʊn] *bes. AE* Mobiltelefon, Handy

Celt [△ kelt] Kelte, Keltin

Celtic[1] [△ 'keltɪk] keltisch

Celtic[2] [△ 'keltɪk] *Sprache:* Keltisch

Celtic

Die Kelten haben vor Ankunft der Römer die britischen Inseln bewohnt. Keltische Sprachen werden noch in Teilen Schottlands, Irlands und Wales' gesprochen.

---

cement[1] [sə'ment] **1.** Zement **2.** Kitt

cement[2] [sə'ment] **1.** zementieren **2.** kitten

cemetery ['semətrɪ] Friedhof

censor ['sensə] zensieren

censorship ['sensəʃɪp] Zensur; **censorship of the press** Pressezensur

censure[1] ['senʃə] Tadel (△ *nicht* **Zensur**)

censure[2] ['senʃə] tadeln (**for** wegen)

census ['sensəs] *Pl.:* **censuses** ['sensəsɪz] (*bes.* Volks)Zählung

cent [sent] Cent (*auch Eurocent*)

centenary [sen'tiːnərɪ] Hundertjahrfeier, hundertjähriges Jubiläum

centennial [sen'tenɪəl] *bes. AE* Hundertjahrfeier, hundertjähriges Jubiläum

center ['sentə] *AE* → *BE* **centre**[1], **centre**[2]

centigrade ['sentɪɡreɪd] **20 degrees centigrade** 20 Grad Celsius

centimetre, *AE* **centimeter** ['sentɪˌmiːtə] Zentimeter

central ['sentrəl] **1.** zentral (gelegen) **2.** Haupt…, Zentral…

Central America [ˌsentrəl_ə'merɪkə] Mittelamerika

Central American [ˌsentrəl_ə'merɪkən] mittelamerikanisch

Central Europe [ˌsentrəl'jʊərəp] Mitteleuropa

central heating [ˌsentrəl'hiːtɪŋ] Zentralheizung

centralize ['sentrəlaɪz] zentralisieren

central locking [ˌsentrəl'lɒkɪŋ] *Auto:* Zentralverriegelung

central reservation [ˌsentrəlˌrezə'veɪʃn] *BE* Mittelstreifen (*einer Autobahn*)

central station [ˌsentrəl'steɪʃn] Hauptbahnhof

centre[1] ['sentə] *BE* **1.** Mitte (*von Kreis, Zimmer usw.*) **2.** *von Stadt usw.:* Zentrum, Mittelpunkt (*auch übertragen*); **in** (*oder* **at**) **the centre** in der Mitte **3.** **be at the centre of attention** im Mittelpunkt des Interesses stehen **4.** **centre forward** *Fußball:* Mittelstürmer(in)

centre[2] ['sentə] *BE; Technik:* zentrieren

---

centre on *oder* **round** [ˌsentə'ɒn *oder* 'raʊnd] *BE* (*Gedanken usw.*) sich konzentrieren auf, sich drehen um

---

centre forward [ˌsentə'fɔːwəd] *Sport:* Mittelstürmer(in)

century ['sentʃərɪ] Jahrhundert

ceramics [sə'ræmɪks] **1.** (△ *mit Sg. verwendet*) *Kunstform:* Keramik **2.** (△ *mit Pl. verwendet*) *Gegenstände:* Keramikwaren

cereal ['sɪərɪəl] **1.** Getreide **2.** Getreideflocken, Frühstückskost (*aus Getreide*)

ceremonial¹ [ˌserəˈməʊnɪəl] zeremoniell
ceremonial² [ˌserəˈməʊnɪəl] Zeremoniell
ceremonious [ˌserəˈməʊnɪəs] **1.** *Anlass usw.*: feierlich **2.** *Verhalten usw.*: förmlich
ceremony [ˈserəmənɪ] **1.** Zeremonie **2.** Förmlichkeit(en)
cert [sɜːt] *BE, umg.* sichere Sache; **it's a dead cert** (**that …**) es ist todsicher (, dass …)
certain [ˈsɜːtn] **1.** *Sache usw.*: sicher, bestimmt; **it's certain to happen** es wird mit Sicherheit geschehen; **for certain** mit Sicherheit **2.** *Person*: überzeugt, sicher; **make certain of something** sich einer Sache vergewissern, *auch*: sich etwas sichern; **make certain** (**that**) dafür sorgen, dass **3.** *Wissen, Gewissheit usw.*: zuverlässig, sicher **4.** (ganz) bestimmt; **a certain day** ein bestimmter Tag **5.** gewisse(r, -s); **a certain Mr Brown** ein gewisser Herr Brown; **for certain reasons** aus bestimmten Gründen
certainly [ˈsɜːtnlɪ] **1.** sicher, bestimmt **2.** *als Antwort*: aber sicher!, natürlich!
certainty [ˈsɜːtntɪ] Sicherheit, Bestimmtheit
certificate [səˈtɪfɪkət] **1.** *vom Arzt usw.*: Bescheinigung, Attest **2.** *Schule*: Zeugnis **3.** *wissenschaftlich*: Gutachten
certify [ˈsɜːtɪfaɪ] **1.** bescheinigen, attestieren; **this is to certify that** hiermit wird bescheinigt, dass **2.** beglaubigen
certitude [ˈsɜːtɪtjuːd] Sicherheit, Bestimmtheit
CFC [ˌsiːefˈsiː] (*Abk. für* chlorofluorocarbon) FCKW; **CFC-free** FCKW-frei
chafe [tʃeɪf] **1.** wund reiben, scheuern **2.** *gegen Kälte*: warm reiben, frottieren **3.** **my skin chafes easily** meine Haut wird leicht wund **4.** **chafe at** sich ärgern über
chain¹ [tʃeɪn] *allg.*: Kette (*auch übertragen*)
chain² [tʃeɪn] (an)ketten (**to** an)
chain reaction [ˌtʃeɪn rɪˈækʃn] Kettenreaktion
chain store [ˈtʃeɪn stɔː] Kettenladen
chair¹ [tʃeə] **1.** Stuhl, Sessel; **on a chair** auf einem Stuhl; **in a chair** in einem Sessel **2.** *übertragen* Vorsitz; **be in the chair** den Vorsitz führen **3.** *von Gremium usw.*: Vorsitzende(r) **4.** *Universität*: Lehrstuhl (**of** für) **5.** *AE, umg.* △ **the chair** der elektrische Stuhl
chair² [tʃeə] den Vorsitz führen bei; **chaired by** unter dem Vorsitz von
chairlift [ˈtʃeəlɪft] Sessellift
chairman [ˈtʃeəmən] *Pl.*: **chairmen** [ˈtʃeəmən] Vorsitzende(r)
chairmanship [ˈtʃeəmənʃɪp] **under the chairmanship of** unter dem Vorsitz von

chairperson [ˈtʃeəpɜːsn] Vorsitzende(r)

chairman/chairperson

Aus Gründen der Gleichberechtigung haben etliche Begriffe, für die es früher nur die Form gab, die auf **-man** endete, eine neutrale, nicht geschlechtsspezifische Bezeichnung erhalten.

traditionelle Form	neutrale Form
chairman	chairperson, *AE* chair
spokesman	spokesperson
salesman	salesperson
layman	layperson
fireman	firefighter
policeman	police officer
businessmen	businesspeople*
sportsmen	sportspeople*

* Hier unterscheidet man im Singular aber noch zwischen **businessman/ businesswoman** bzw. **sportsman/ sportswoman.**

chairwoman [ˈtʃeəˌwʊmən] *Pl.*: **chairwomen** [ˈtʃeəˌwɪmɪn] Vorsitzende
chalet [△ ˈʃæleɪ] **1.** Berghütte **2.** *BE* Ferienbungalow
chalice [ˈtʃælɪs] Kelch
chalk [tʃɔːk] Kreide
challenge¹ [ˈtʃælɪndʒ] **1.** herausfordern **2.** infrage stellen **3.** (*Aufgabe*) fordern
challenge² [ˈtʃælɪndʒ] **1.** Herausforderung (**to** an) **2.** (schwierige) Aufgabe
challenger [ˈtʃælɪndʒə] *bes. Sport*: Herausforderer
challenging [ˈtʃælɪndʒɪŋ] **1.** herausfordernd **2.** *Aufgabe*: schwierig, reizvoll
chamber [ˈtʃeɪmbə] **1.** *Technik, Biologie, Politik*: Kammer **2.** Sitzungssaal **3.** **Chamber of Commerce** Industrie- und Handelskammer
chambermaid [ˈtʃeɪmbəmeɪd] Zimmermädchen
chameleon [kəˈmiːlɪən] Chamäleon
chamois [△ ˈʃæmwaː] **1.** *Tier*: Gämse **2.** Fensterleder
champ [tʃæmp] *umg.; Sport*: Meister(in)
champagne [ˌʃæmˈpeɪn] Champagner, Sekt
champion¹ [ˈtʃæmpɪən] **1.** *Sport*: Meister(in) **2.** *einer Idee usw.*: Verfechter(in) (**of** von *oder Genitiv*)
champion² [ˈtʃæmpɪən] eintreten für
championship [ˈtʃæmpɪənʃɪp] *Sport*: Meisterschaft
chance¹ [tʃɑːns] **1.** Zufall; **by chance** zufällig; **game of chance** Glücksspiel **2.**

von Zukünftigem: Möglichkeit, Wahrscheinlichkeit **3**. Chance, Gelegenheit, Aussicht (**of** auf); *stand a chance* Aussichten *oder* eine Chance haben **4**. Risiko; *take a chance* es darauf ankommen lassen, etwas riskieren (**on** mit); *take no chances* nichts riskieren (wollen)

chance² [tʃɑːns] riskieren; *chance it* umg. es darauf ankommen lassen

---

chance on ['tʃɑːns‿ɒn] zufällig begegnen *oder* treffen, zufällig stoßen auf

---

chance³ [tʃɑːns] zufällig, Zufalls...

chancellor ['tʃɑːnsələ] *Politik*: Kanzler(in); *Chancellor of the Exchequer BE* Schatzkanzler(in), Finanzminister(in)

chancy ['tʃɑːnsɪ] *umg.* riskant

chandelier [△ ˌʃændə'lɪə] Kronleuchter

change¹ [tʃeɪndʒ] **1**. *allg.*: (ver)ändern **2**. (*Person*) sich (ver)ändern **3**. wechseln, (ver)tauschen; *change one's shirt* ein anderes Hemd anziehen; *change places with someone* mit jemandem den Platz tauschen; *change trains* (*bzw.* *planes*) umsteigen **4**. *bei Bus, Bahn, Flugzeug*: umsteigen **5**. sich umziehen (*for dinner* zum Abendessen) **6**. wechseln (*Bettzeug usw.*); *change the sheets* das Bett (*bzw.* die Betten) frisch beziehen **7**. wickeln (*Baby*) **8**. wechseln (*Geld*) (*into* in) **9**. *Technik*: (aus)wechseln (*Teile*) **10**. übergehen (*to* zu) (*neuen Methoden usw.*) **11**. (*Verkehrsampel*) wechseln, umspringen (*from ... to* von ... auf) **12**. *Auto*: schalten; *change into fifth* (*gear*) in den fünften Gang schalten

---

change into ['tʃeɪndʒˌɪntə] **1**. verwandeln in **2**. sich verwandeln in **3**. *I'll change into something more comfortable* ich werde mir etwas Bequemeres anziehen

change over to [ˌtʃeɪndʒ'əʊvə] *change over to* (sich) umstellen auf (*neues System*)

---

change² [tʃeɪndʒ] **1**. Veränderung; *change of air* Luftveränderung **2**. Abwechslung, etwas Neues; *for a change* zur Abwechslung **3**. Wechselgeld; *can you give me change for a £20 note?* können Sie mir auf zwanzig Pfund herausgeben? **4**. Kleingeld; *can you give me change for a pound?* können Sie mir ein Pfund wechseln?; *small change* Kleingeld

changeable ['tʃeɪndʒəbl] *allg.*: unbeständig, *Wetter auch*: veränderlich

changing room ['tʃeɪndʒɪŋ ˌruːm] *bes.*

Sport: Umkleideraum, Umkleidekabine

channel ['tʃænl] **1**. *Rundfunk, TV*: Programm, Kanal; *switch channels* umschalten; *channel hopping* (*oder AE surfing*) *TV*: Zappen, dauerndes Umschalten **2**. *the Channel* der Ärmelkanal; *the Channel Tunnel* der Kanaltunnel

---

Channel Tunnel

Channel Tunnel (oft auch verkürzt **Chunnel**) heißt der 1994 eröffnete Tunnel unter dem Ärmelkanal, der England per Bahn mit Frankreich und somit dem europäischen Festland verbindet; ☞ *Karte S. 293*

---

chant¹ [tʃɑːnt] **1**. Gesang **2**. *von Demonstranten usw.*: Sprechchor

chant² [tʃɑːnt] **1**. singen **2**. (*Demonstranten usw.*) in Sprechchören rufen

chaos ['keɪɒs] Chaos

chaotic [keɪ'ɒtɪk] chaotisch

chap¹ [tʃæp] *umg.* Typ, Kerl

chap² [tʃæp], **chapped**, **chapped 1**. rissig machen (*Haut*) **2**. (*Haut*) rissig werden

chapel ['tʃæpl] **1**. Kapelle **2**. Gottesdienst

chaplain ['tʃæplɪn] Kaplan

chapped [tʃæpt] *chapped lips* aufgesprungen

chapter ['tʃæptə] Kapitel (*auch übertragen*)

character ['kærəktə] **1**. *allg.*: Charakter **2**. Ruf, Leumund **3**. *Roman usw.*: Figur, Gestalt; *characters Pl. auch* Charaktere **4**. Schriftzeichen, Buchstabe

characteristic¹ [ˌkærəktə'rɪstɪk] typisch, charakteristisch (*of* für)

characteristic² [ˌkærəktə'rɪstɪk] charakteristisches Merkmal

characterize ['kærəktəraɪz] charakterisieren

charcoal ['tʃɑːkəʊl] Holzkohle

charge¹ [tʃɑːdʒ] **1**. berechnen (*for* für) **2**. *Wirtschaft*: in Rechnung stellen **3**. *AE* mit der Kreditkarte bezahlen **4**. *militärisch*: angreifen, stürmen **5**. *charge someone with something auch Recht*: jemanden einer Sache beschuldigen **6**. beauftragen (*with* mit) **7**. laden (*Gewehr*), (auf)laden (*Batterie usw.*)

charge² [tʃɑːdʒ] **1**. Gebühr; *free of charge* kostenlos, gratis **2**. *the person in charge* der *oder* die Verantwortliche; *be in charge of* verantwortlich sein für, leiten; *be in* (*oder* *under*) *someone's charge* von jemandem betreut werden **3**. *Person*: Schützling, Mündel **4**. Beschuldigung, *auch Recht*: Anklage; *be on a* *charge of murder* unter Mordanklage stehen **5.** *militärisch*: Angriff

charger ['tʃɑ:dʒə] Ladegerät (*für Batterie*)

charitable ['tʃærɪtəbl] **1.** *Verein usw.*: wohltätig **2.** gütig, nachsichtig (**to** gegenüber)

charity ['tʃærətɪ] **1.** Wohltätigkeitsverein **2.** *for charity* für die Wohlfahrt **3.** Nächstenliebe

charity shops

Zu den zahlreichen **charity shops** in Großbritannien kann man gebrauchte Kleider, Bücher, Spielwaren, Haushaltswaren usw. bringen, die dort von freiwilligen Helfern billig weiterverkauft werden. Die Erlöse gehen an die jeweilige Wohltätigkeitsgesellschaft, z. B. **Oxfam, Imperial Cancer Research Fund, Age Concern.**

charlatan ['ʃɑ:lətən] Scharlatan

charm[1] [tʃɑ:m] **1.** *von Person, Stadt usw.*: Charme, Zauber **2.** *Spruch usw.*: Zauber, Zauberformel **3.** *Gegenstand*: Talisman, Amulett

charm[2] [tʃɑ:m] **1.** bezaubern, entzücken

2. beschwören (*Schlangen*), verzaubern

charming ['tʃɑ:mɪŋ] **1.** charmant, bezaubernd **2.** *charming! ironisch*: wie nett!

charred [tʃɑ:d] verkohlt

chart [tʃɑ:t] **1.** Diagramm, Schaubild **2.** ...karte; *sea chart* Seekarte **3.** *charts Pl.* Charts, Hitliste(n)

charter[1] ['tʃɑ:tə] **1.** Urkunde **2.** *politisch*: Charta **3.** *Flugwesen usw.*: Chartern

charter[2] ['tʃɑ:tə] chartern (*Flugzeug usw.*); *chartered* Charter...

charter flight ['tʃɑ:tə_flaɪt] Charterflug

chase[1] [tʃeɪs] **1.** jagen, nachjagen (*auch einem Traum usw.*) **2.** *umg.* nachlaufen (*einem Mädchen usw.*) **3.** *umg.* rasen, rennen

chase after ['tʃeɪs‚ɑ:ftə] nachjagen
chase away [‚tʃeɪs_ə'weɪ] verjagen

chase[2] [tʃeɪs] (Hetz)Jagd, *übertragen auch*: Verfolgungsjagd

chasm [⚠ 'kæzəm] Kluft (*auch übertragen*)

chassis ['ʃæsɪ] *Pl.*: *chassis* ['ʃæsɪz] *Flugzeug, Auto*: Chassis, Fahrgestell

chaste [tʃeɪst] keusch

chasten ['tʃeɪsn] *übertragen* ernüchtern

chat[1] [tʃæt], *chatted, chatted* **1.** plaudern

chatting on the Internet

Beim Chatten im Internet wird man oft mit seltsamen Abkürzungen konfrontiert, deren originale Auflösungen folgendermaßen aussehen:

AFAIK	**as far as I know**	soweit ich weiß
B4	**before**	vor
BFN	**bye for now**	tschüs (erst mal)!
BION	**believe it or not**	ob du es glaubst oder nicht
BOT	**back on topic**	zurück zum Thema
BRB	**be right back**	bin gleich wieder da
BTW	**by the way**	übrigens
CU	**see you**	wir sehn uns
CUL	**see you later**	bis später
FOAF	**friend of a friend**	der Freund eines Freundes / einer Freundin *oder* die Freundin einer Freundin / eines Freundes
FOC	**free of charge**	kostenlos
4U	**for you**	für dich
FYE	**for your entertainment**	zu deiner Unterhaltung
FYI	**for your information**	zu deiner Information
GTG	**got to go**	ich muss jetzt Schluss machen
IMO	**in my opinion**	meiner Meinung nach
IOW	**in other words**	mit anderen Worten
LOL	**laughing out loud**	laut lachend
NW	**no way**	kommt nicht infrage
OIC	**oh I see**	aha, ich verstehe!
OTOH	**on the other hand**	andererseits
THX	**thanks**	danke
TIA	**thanks in advance**	danke im Voraus

cheek

2. *Internet*: chatten

chat up [ˌtʃætˈʌp] *BE*, *umg.* anquatschen (*ein Mädchen usw.*)

chat² [tʃæt] **1.** Plauderei; *have a chat* plaudern **2.** *Internet*: Chat
chat room ['tʃæt ˌruːm] *Internet*: Chatroom
chat show ['tʃæt ˌʃəʊ] *BE* Talkshow
chatter¹ ['tʃætə] (*Person*) schnattern, plappern
chatter² ['tʃætə] Geschnatter, Geplapper
chatterbox ['tʃætəbɒks] *umg.* Plappermaul
chatty ['tʃætɪ] **1.** geschwätzig, gesprächig **2.** *Text*: im Plauderton (geschrieben)
chauffeur¹ [△ ˈʃəʊfə] Chauffeur, Fahrer
chauffeur² [△ ˈʃəʊfə] chauffieren, fahren
cheap¹ [tʃiːp] **1.** billig, Billig…, minderwertig **2.** *Verhalten*: schäbig, gemein; *feel cheap* sich schäbig vorkommen
cheap² [tʃiːp] *on the cheap* billig
cheapen ['tʃiːpn] **1.** (sich) verbilligen **2.** *übertragen* herabsetzen **3.** *cheapen oneself* übertragen sich herabsetzen
cheapskate ['tʃiːpskeɪt] *umg.* Geizkragen, Knicker(in)
cheat¹ ['tʃiːt] **1.** schwindeln, betrügen (*out of* um) (*auch bei Prüfung*) **2.** (≈ fremdgehen) betrügen (*Ehepartner*); *cheat on someone* *umg.* jemanden betrügen (*seine Frau usw.*)
cheat² ['tʃiːt] Betrüger(in), Schwindler(in)
check¹ [tʃek] **1.** Kontrolle, Überprüfung; *keep a check on* unter Kontrolle halten **2.** Hemmnis, Hindernis (*on* für) **3.** Schach; *hold* (*oder keep*) *in check* übertragen in Schach halten **4.** *AE* Scheck (*for* über) **5.** *AE* Häkchen (*auf Liste usw.*) **6.** *bes. AE*; *im Restaurant*: Rechnung **7.** *bes. AE* Garderobenmarke **8.** *bes. AE* Gepäckschein **9.** Schachbrettmuster, Karomuster
check² [tʃek] **1.** checken, kontrollieren, überprüfen (*for something* auf etwas hin) **2.** zurückhalten (*Gefühle*); *check oneself* sich beherrschen **3.** *AE* abhaken

(*auf Liste usw.*) **4.** *bes. AE* (in der Garderobe) abgeben (*Mantel*) **5.** *bes. AE* (als Reisegepäck) aufgeben

check in [ˌtʃekˈɪn] **1.** *im Hotel*: sich anmelden **2.** *am Flughafen*: einchecken
check off [ˌtʃekˈɒf] *AE* abhaken
check out [ˌtʃekˈaʊt] **1.** *aus einem Hotel*: abreisen **2.** sich erkundigen nach, sich informieren über
check up on [ˌtʃekˈʌp ˌɒn] nachprüfen, überprüfen, Nachforschungen anstellen über (*Person*)

checkbook ['tʃekbʊk] *AE* Scheckbuch
checked [tʃekt] kariert; *checked pattern* Karomuster
checker ['tʃekə] *AE* Kassierer(in) (*bes. im Supermarkt*)
checkerboard ['tʃekəbɔːd] *AE* Schachbrett, Damebrett
checkered ['tʃekəd] *AE* kariert
checkers ['tʃekəz] *AE* Dame(spiel); *checkers is my favourite game* Dame ist mein Lieblingsspiel
check-in ['tʃekɪn] **1.** *im Hotel*: Rezeption, Anmeldung **2.** *Flughafen*: Einchecken; *check-in desk* Abfertigungsschalter
checking account ['tʃekɪŋ ˌəˌkaʊnt] *AE* Girokonto
checkmate¹ ['tʃekmeɪt] (Schach)Matt
checkmate² ['tʃekmeɪt] (schach)matt setzen, *übertragen*: mattsetzen
checkout ['tʃekaʊt] **1.** *auch checkout counter* Kasse, Ⓐ Kassa (*bes. im Supermarkt*) **2.** *aus dem Hotel*: Abreise; *checkout* (*time*) Zeit, zu der ein Hotelzimmer geräumt sein muss
checkpoint ['tʃekpɔɪnt] Kontrollpunkt (*an der Grenze*)
checkroom ['tʃekruːm] *bes. AE* **1.** Gepäckaufbewahrung **2.** *Theater*: Garderobe
checkup ['tʃekʌp] *medizinisch*: Untersuchung
cheek [tʃiːk] **1.** *Gesicht*: Backe, Wange **2.** *von Gesäß*: Backe **3.** *umg.* Frechheit;

---

check-in   **am Flughafen beim Einchecken**

Your ticket, please.	Deinen Flugschein, bitte.
How many pieces of luggage/baggage have you got?	Wie viele Gepäckstücke hast du?
Can I take this as hand luggage/baggage?	Kann ich das als Handgepäck nehmen?
Where would you like to sit?	Wo möchtest du gern sitzen?
I'd like to have a window seat / an aisle [aɪl] seat.	Ich hätte gern einen Fensterplatz / Gangplatz.

have the cheek to do something die Frechheit besitzen, etwas zu tun

cheekbone ['tʃiːkbəʊn] Backenknochen

cheeky ['tʃiːkɪ] *umg.* frech (**to** zu)

cheep[1] [tʃiːp] piepsen

cheep[2] [tʃiːp] Pieps, Piepser (*auch übertragen*)

cheer[1] [tʃɪə] **give three cheers for someone** jemanden hochleben lassen; ☞ **cheers**

cheer[2] [tʃɪə] **1.** Beifall spenden, jubeln **2.** anspornen, anfeuern **3.** aufmuntern

> **cheer on** [ˌtʃɪər'ɒn] anspornen, anfeuern
>
> **cheer up** [ˌtʃɪər'ʌp] **1.** aufmuntern **2.** bessere Laune bekommen; **cheer up!** Kopf hoch!

cheerful ['tʃɪəfl] **1.** fröhlich (*auch Lied usw.*), vergnügt **2.** *Raum usw.:* freundlich

cheerio [ˌtʃɪərɪ'əʊ] *bes. BE, umg.* tschüs!

cheerleader ['tʃɪəˌliːdə] *bes. USA, Sport:* Cheerleader

cheerleader

Ein **cheerleader** ist eine Teenagerin oder junge Frau, die bei Basketball-, Football- und Baseballspielen in den USA in einer Gruppe mit anderen **cheerleaders** die Anhänger des heimischen Teams anfeuert. Zur Aktion der **cheerleaders** gehören Synchronschritte, tänzerische Elemente, Jubelschreie und Sprechchöre.

cheerless ['tʃɪələs] freudlos, trüb

cheers [tʃɪəz] **1. cheers!** *beim Anstoßen:* prost! **2. cheers!** *BE, umg.; zum Abschied:* tschüs! **3. cheers!** *bes. BE, umg.; als Erwiderung:* danke!

cheery ['tʃɪərɪ] fröhlich, vergnügt

cheese [tʃiːz] **1.** Käse **2. say cheese!** *Fotografie:* bitte recht freundlich!

cheese!

Wenn man **cheese** [tʃiːz] sagt, erinnert der Gesichtsausdruck an ein Lächeln. Auf diese Weise macht man auf dem Foto auch dann einen freundlichen Eindruck, wenn ein spontanes Lächeln nicht gelingt.

cheesecake ['tʃiːzkeɪk] Käsekuchen

cheetah ['tʃiːtə] Gepard

chef [ʃef] Küchenchef(in), Koch, Köchin (△ *Chef* = **boss**)

chemical[1] ['kemɪkl] chemisch

chemical[2] ['kemɪkl] Chemikalie

chemist ['kemɪst] **1.** Chemiker(in) **2.** *BE* Apotheker(in), Drogist(in); **chemist's shop** Apotheke, Drogerie

chemistry ['kemɪstrɪ] Chemie

cheque [tʃek] *BE* Scheck

cheque account ['tʃek_əˌkaʊnt] *BE* Girokonto

chequebook ['tʃekbʊk] *BE* Scheckbuch

cheque card ['tʃek_kɑːd] Scheckkarte

cherish ['tʃerɪʃ] **1.** hegen (*Gefühl, Hoffnung*) **2.** in Ehren halten (*jemandes Andenken*) **3.** festhalten an (*Hoffnung usw.*) **4.** liebevoll sorgen für

cherry[1] ['tʃerɪ] Kirsche

cherry[2] ['tʃerɪ] kirschrot

chess [tʃes] Schach(spiel)

chessboard ['tʃesbɔːd] Schachbrett

chessman ['tʃesmæn] *Pl.:* **chessmen** ['tʃesmen] Schachfigur

chess piece ['tʃes_piːs] Schachfigur

chest [tʃest] **1.** *Körper:* Brust(kasten); **get something off one's chest** *umg.* sich etwas von der Seele reden **2.** Kiste, Kasten **3.** *Möbelstück:* Truhe

chest of drawers [△ ˌtʃest_əv'drɔːz] Kommode

chestnut[1] [△ 'tʃesnʌt] Kastanie

chestnut[2] [△ 'tʃesnʌt] kastanienbraun

chesty ['tʃestɪ] *umg.; Husten:* tief sitzend

chew [tʃuː] kauen, zerkauen; **chew one's nails** an den Nägeln kauen

chewing gum ['tʃuːɪŋ_gʌm] Kaugummi

chic [△ ʃiːk] schick, elegant

chick [tʃɪk] **1.** Küken, junger Vogel **2.** *umg., abwertend:* Mieze

chicken[1] ['tʃɪkɪn] **1.** Hühnchen, Hähnchen **2.** Huhn **3.** *umg.* Feigling

chicken[2] ['tʃɪkɪn] *umg.* feig

> **chicken out** [ˌtʃɪkɪn'aʊt] *umg.* kneifen (**of** vor)

chicken-livered [ˌtʃɪkɪn'lɪvəd] furchtsam, feig

cheesecake

Cheesecake entspricht allerdings nicht ganz dem Käsekuchen, so wie wir ihn kennen. Er sieht eher aus wie eine Torte, mit einem Boden aus zerbröselten Keksen und einer Obstschicht obendrauf.

chickenpox ['tʃɪkɪnpɒks] *Krankheit:* Windpocken

chief[1] [tʃiːf] **1.** *eines Stammes:* Häuptling **2.** *umg.* Chef, Boss chief² [tʃiːf] **1.** erste(r, -s), Ober…, Haupt… **2.** wichtigste(r, -s)

chiefly ['tʃiːflɪ] hauptsächlich, vor allem

child [tʃaɪld] △ *Pl.:* **children** ['tʃɪldrən] Kind; *be a good child!* sei artig *oder* brav!; *that's child's play* *übertragen* das ist ein Kinderspiel

child abuse ['tʃaɪld əˌbjuːs] Kindesmisshandlung, *sexuell*: Kindesmissbrauch

child benefit [ˌtʃaɪld'benɪfɪt] *BE* Kindergeld

childbirth ['tʃaɪldbɜːθ] Geburt, Entbindung

childhood ['tʃaɪldhʊd] Kindheit; *from childhood* von Kindheit an

childish ['tʃaɪldɪʃ] **1.** kindlich **2.** *Erwachsener*: kindisch

childlike ['tʃaɪldlaɪk] kindlich

childminder ['tʃaɪldˌmaɪndə] *BE* Tagesmutter

childproof ['tʃaɪldpruːf] kindersicher; *childproof lock* *Auto*: Kindersicherung

children ['tʃɪldrən] *Pl. von* → *child*; *children's home* Kinderheim

child seat ['tʃaɪld siːt] *Auto*: Kindersitz

chill¹ [tʃɪl] **1.** kühlen (*Getränk usw.*) **2.** *chilled to the bone* *Person*: (völlig) durchgefroren

chill² [tʃɪl] **1.** Erkältung; *catch a chill* sich erkälten **2.** Kälte (*auch übertragen*); *take the chill off something* etwas leicht anwärmen

chill³ [tʃɪl] *auch* **chill out** relaxen

chilly ['tʃɪlɪ] kalt, frostig (*auch übertragen*)

chime¹ [tʃaɪm] **1.** (Glocken)Schlag **2.** *oft*

chimes *Pl.* Glockenspiel

chime² [tʃaɪm] (*Glocken*) läuten, (*Uhr*) schlagen

chimney ['tʃɪmnɪ] Schornstein, Kamin

chimney-piece ['tʃɪmnɪpiːs] Kaminsims

chimney-sweep ['tʃɪmnɪswiːp] Schornsteinfeger(in), Kaminkehrer(in)

chimpanzee [△ ˌtʃɪmpæn'ziː] *umg. auch* **chimp** Schimpanse

chin [tʃɪn] **1.** Kinn **2.** (*keep your*) *chin up!* *umg.* Kopf hoch!, halt die Ohren steif!

China ['tʃaɪnə] China

china ['tʃaɪnə] **1.** Porzellan **2.** *auch* **chinaware** Porzellan(geschirr)

Chinatown ['tʃaɪnətaʊn] Chinatown, Chinesenviertel

Chinese¹ [ˌtʃaɪ'niːz] chinesisch

Chinese² [ˌtʃaɪ'niːz] *Sprache*: Chinesisch

Chinese³ [ˌtʃaɪ'niːz] Chinese, Chinesin; *the Chinese* *Pl.* die Chinesen

chink¹ [tʃɪŋk] Riss, Ritze, Spalt

chink² [tʃɪŋk] **1.** klirren, klimpern **2.** klirren *oder* klimpern mit

chinwag¹ ['tʃɪnwæg] *bes. BE, umg.* Plauderei, Plausch

chinwag² ['tʃɪnwæg] *bes. BE, umg.* plaudern, plauschen

chip¹ [tʃɪp] **1.** *an Tasse, Teller usw.*: angeschlagene Stelle **2.** *von Holz usw.*: Splitter, Span **3.** *chips Pl. BE* △ Pommes frites **4.** *chips Pl. AE* △ (Kartoffel)-Chips **5.** *beim Roulette usw.*: Chip, Spielmarke **6.** *Elektrotechnik*: Chip

chips

Achte auf den Unterschied

Englisch	Deutsch
BE **chips**	Pommes frites
AE (**potato**) **chips**	Kartoffelchips

Deutsch	Englisch
Kartoffelchips	*BE* **crisps**, *AE* (**potato**) **chips**
Pommes frites	*BE* **chips**, *AE* (**French**) **fries**

Übrigens: Auch in britischen Restaurants werden Pommes frites oft als **French fries** bzw. **French fried potatoes** bezeichnet.

chip² [tʃɪp], **chipped, chipped** anschlagen (*Geschirr usw.*)

chips

chip in [ˌtʃɪpˈɪn] *umg.* **1.** *im Gespräch:* einwerfen (*Bemerkung usw.*) **2.** sich einmischen (*in ein Gespräch*) **3.** beisteuern (*Geld usw.*)
chip off [ˌtʃɪpˈɒf] abbrechen, abbröckeln

chipmunk [ˈtʃɪpmʌŋk] (amerikanisches) Streifenhörnchen
chip pan [ˈtʃɪp_pæn] *BE* Fritteuse
chippy [ˈtʃɪpɪ] *BE, umg.* **1.** Frittenbude **2.** *umg.* Tischler, Schreiner
chip shop [ˈtʃɪp_ʃɒp] *BE* Imbissbude, Frittenbude
chirp [tʃɜːp] (*Grille*) zirpen, (*Vogel*) zwitschern
chirpy [ˈtʃɜːpɪ] *umg.* quietschvergnügt
chisel¹ [ˈtʃɪzl] Meißel
chisel² [ˈtʃɪzl] *chiselled, chiselled, AE chiseled, chiseled* (aus)meißeln
chit [tʃɪt] **1.** *bes. in Ferienclubs:* vom Gast abgezeichnete Rechnung **2.** (≈ *kurze schriftliche Nachricht*) Notiz, Zettel
chit-chat [ˈtʃɪt_tʃæt] Plauderei, Plausch
chivalrous [△ ˈʃɪvlrəs] ritterlich, galant
chivalry [ˈʃɪvlrɪ] **1.** Ritterlichkeit **2.** *historisch:* Rittertum
chives [tʃaɪvz] *Pl.* Schnittlauch
chlorinate [ˈklɔːrɪneɪt] chloren (*Wasser*)
chlorine [ˈklɔːriːn] *Chemie:* Chlor
choc-ice [ˈtʃɒk_aɪs] *BE* Eis mit Schokoladeüberzug
chock-a-block [ˌtʃɒkəˈblɒk] *umg.* vollgestopft (*with* mit)
chock-full [ˌtʃɒkˈfʊl] *umg.* zum Bersten voll (*of* mit)
chocolate¹ [△ ˈtʃɒklət] **1.** Schokolade

(*auch als Getränk*) **2.** Praline; *chocolates Pl.* Pralinen, Konfekt **3.** *chocolate bar* Schokoriegel
chocolate² [△ ˈtʃɒklət] schokoladenbraun
choice¹ [tʃɔɪs] **1.** (*auch freie*) Wahl; *make a choice* wählen, eine Wahl treffen; *take one's choice* sich etwas aussuchen; *have no choice* keine andere Wahl haben **2.** Auswahl (*of* an)
choice² [tʃɔɪs] *Ware:* auserlesen, ausgesucht (gut)
choir [△ ˈkwaɪə] *Musik, Architektur:* Chor
choke¹ [tʃəʊk] **1.** ersticken (*on* an) **2.** würgen, erwürgen **3.** *im weiteren Sinn:* ersticken (*Feuer*) **4.** verstopfen, vollstopfen

choke back *oder* **down** [ˌtʃəʊkˈbæk *oder* ˈdaʊn] unterdrücken (*Ärger usw.*), zurückhalten (*Tränen*)
choke off [ˌtʃəʊkˈɒf] *umg.* abwürgen
choke up [ˌtʃəʊkˈʌp] verstopfen, vollstopfen

choke² [tʃəʊk] *Auto:* Choke
choose [tʃuːz], *chose* [tʃəʊz], *chosen* [ˈtʃəʊzn] **1.** (aus)wählen, (sich) aussuchen; *there are three versions to choose from* es stehen drei Ausführungen zur Auswahl **2.** *choose to do something* es vorziehen *oder* beschließen, etwas zu tun
choosy, choosey [ˈtʃuːzɪ] *umg.* wählerisch
chop¹ [tʃɒp], *chopped, chopped* **1.** (zer)hacken; *chop wood* Holz hacken **2.**

The Body	Der Körper			
1	ankle	(Fuß)Knöchel	17 hand	Hand
2	arm	Arm	18 head	Kopf
3	back	Rücken	19 heel	Ferse
4	bottom	Po	20 hip	Hüfte
5	breasts (*Pl.*)	Busen, Brüste	21 knee	Knie
6	cheek	Wange	22 leg	Bein
7	chest	Brust	23 mouth	Mund
8	chin	Kinn	24 neck	Hals
9	ear	Ohr	25 (back of the) neck	Nacken
10	elbow	Ellbogen	26 nose	Nase
11	eye	Auge	27 shoulder	Schulter
12	face	Gesicht	28 stomach	Bauch
13	finger(s)	Finger	29 thigh	Oberschenkel
14	foot	Fuß	30 toe	Zehe
15	forehead	Stirn	31 waist	Taille
16	hair	Haare		

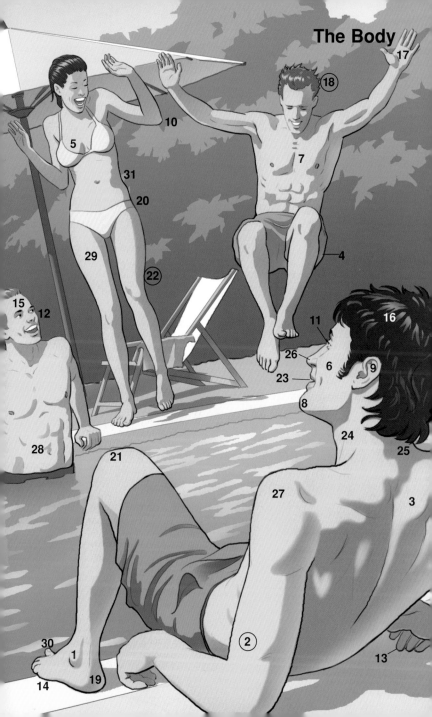

The Body

Clothes

chop and change BE, *umg.* dauernd seine Meinung ändern

chop down [ˌtʃɒp'daʊn] fällen (*Baum*)

chop² [tʃɒp] **1.** *Essen:* Kotelett **2.** Hieb, Schlag
chopper ['tʃɒpə] **1.** Hackmesser **2.** *umg.* Hubschrauber
chopstick ['tʃɒpstɪk] Essstäbchen
chord [△ kɔːd] *Musik:* Akkord
chore [△ tʃɔː] **1.** *chores Pl.* Hausarbeit; *do the chores* den Haushalt machen **2.** schwierige *oder* unangenehme Aufgabe
chorus ['kɔːrəs] **1.** Refrain (*eines Liedes*) **2.** Chor (*auch übertragen*); *in chorus* im Chor **3.** Tanzgruppe (*bes. einer Revue*)
chose [tʃəʊz] *2. Form von* → *choose*
chosen ['tʃəʊzn] *3. Form von* → *choose*
chowder ['tʃaʊdə] *bes. AE; dicke Suppe aus Meeresfrüchten*
Christ [kraɪst] Christus (△ *Christ = Christian*); *before Christ* vor Christi Geburt
christen [△ 'krɪsn] (auf den Namen ...) taufen
christening [△ 'krɪsnɪŋ] Taufe
Christian¹ ['krɪstʃən] Christ(in)
Christian² ['krɪstʃən] christlich
Christianity [ˌkrɪstɪ'ænətɪ] **1.** Christenheit **2.** Christentum
Christian name ['krɪstʃən ˌneɪm] Vorname
Christmas [△ 'krɪsməs] Weihnachten; *at Christmas* zu *oder* an Weihnachten; *merry Christmas!* frohe Weihnachten!
Christmas carol [ˌkrɪsməs'kærəl] Weihnachtslied

Christmas

Weihnachten wird in den englischsprachigen Ländern am 1. Weihnachtstag (**Christmas Day**) und nicht an Heiligabend (**Christmas Eve**) gefeiert. Die Geschenke werden nachts vom Weihnachtsmann (**Father Christmas / Santa Claus / Santa**) mithilfe seiner Rentiere (**reindeer**) vom Gebiet um den Nordpol aus in alle Welt geliefert. **Santa Claus** kommt durch den Schornstein ins Haus und füllt die Geschenke in die zu diesem Zweck aufgehängten Strümpfe.

Christmas Day [ˌkrɪsməs'deɪ] erster Weihnachtsfeiertag
Christmas Eve [ˌkrɪsməs'iːv] Heiliger Abend
Christmas pudding [ˌkrɪsməs'pʊdɪŋ] BE Plumpudding
Christmas tree ['krɪsməs ˌtriː] Christbaum, Weihnachtsbaum
chrome [krəʊm] Chrom
chromium-plated ['krəʊmɪəmˌpleɪtɪd] verchromt
chronic ['krɒnɪk] **1.** *Krankheit:* chronisch **2.** ständig, dauernd; *chronic unemployment* Dauerarbeitslosigkeit **3.** *Lügner usw.:* unverbesserlich **4.** BE, *umg.* miserabel
chubby ['tʃʌbɪ] pummelig, rundlich; *chubby cheeks Pl.* Pausbacken
chuck [tʃʌk] *umg.* **1.** schmeißen, werfen (*Ball usw.*) **2.** Schluss machen mit (*einer*

	Clothes	Kleidung			
1	bra	BH	14	skirt	Rock
2	briefs (*Pl.*)	(Herren)Slip	15	socks	Socken
3	coat	Mantel	16	sweatshirt	Sweatshirt
4	dress	Kleid	17	tights (*Pl.*),	Strumpfhose
5	handbag,	Handtasche		*AE* pantyhose	
	AE purse		18	trainers *AE*,	Turnschuhe
6	jacket	Jacke		tennis shoes	
7	jeans	Jeans	19	trousers (*Pl.*),	Hose
8	nylons,	Nylonstrümpfe		*AE* pants (*Pl.*)	
	nylon stockings			*oder* slacks (*Pl.*)	
9	pants (*Pl.*)	Damenslip	20	T-shirt	T-Shirt
10	pullover	Pullover	21	umbrella	Regenschirm
11	shirt	Hemd	22	vest, *AE*	(Herren)Unterhemd
12	shoes	Schuhe		undershirt	
13	shorts (*Pl.*)	Shorts	23	waistcoat,	Weste
		(= kurze Hose)		vest	

Freundin usw.) **3.** hinschmeißen *(Job usw.)*

---

chuck away [ˌtʃʌk_əˈweɪ] wegwerfen *(alte Sachen usw.)*
chuck in [ˌtʃʌkˈɪn] hinschmeißen *(Job usw.)*
chuck out [ˌtʃʌkˈaʊt] *umg.* **1.** rausschmeißen *(aus Lokal, Firma usw.)* **2.** wegschmeißen *(alte Sachen)*
chuck up [ˌtʃʌkˈʌp] **1.** *salopp* sich übergeben **2.** *umg.* hinschmeißen *(den Job)*

---

chuckle [ˈtʃʌkl] glucksen; **chuckle (to oneself)** in sich hineinlachen
chuffed [tʃʌft] *BE, umg.* hocherfreut, froh
chug [tʃʌg], **chugged, chugged** tuckern, tuckernd fahren
chum [tʃʌm] *umg.* Kumpel
chunk [tʃʌŋk] *umg.* Brocken, (dickes) Stück
chunky [ˈtʃʌŋkɪ] *umg.* klobig, klotzig
church [tʃɜːtʃ] Kirche; **at** *(oder* **in)** **church** in der Kirche; **go to church** in die Kirche gehen
churchgoer [ˈtʃɜːtʃˌgəʊə] Kirchgänger(in)
church wedding [ˌtʃɜːtʃˈwedɪŋ] kirchliche Trauung
churchyard [ˈtʃɜːtʃjɑːd] Kirchhof, Friedhof
churn¹ [tʃɜːn] **1.** Butterfass **2.** *BE* Milchkanne
churn² [tʃɜːn] *auch* **churn up** aufwühlen *(Meer usw.)*
chute [△ ʃuːt] **1.** Rutsche, Rutschbahn **2.** *umg.* Fallschirm
cider [ˈsaɪdə] **1.** Apfelwein **2.** *AE* Apfelmost; **hard cider** Apfelwein
cigar [sɪˈgɑː] Zigarre
cigarette, *AE auch* **cigaret** [ˌsɪgəˈret] Zigarette
cigarette case [ˌsɪgəˈret_keɪs] Zigarettenetui
cigarette end [ˌsɪgəˈret_end] Zigarettenstummel
cinch [sɪntʃ] *umg.* **1.** (≈ *leichte Sache)* Kinderspiel **2.** todsichere Sache
cinder [ˈsɪndə] **burnt to a cinder** verkohlt, verbrannt
cinders [ˈsɪndəz] *Pl.* Asche
Cinderella [ˌsɪndəˈrelə] Aschenputtel
cinder track [ˈsɪndə_træk] *Sport:* Aschenbahn
cinecamera [ˈsɪnɪˌkæmərə] (Schmal)-Filmkamera
cinema [ˈsɪnəmə] *bes. BE* Kino
cinnamon [ˈsɪnəmən] Zimt
cipher [ˈsaɪfə] **1.** Chiffre **2.** *Mathematik:*

Null **3.** (arabische) Ziffer **4.** (≈ *unwichtige Person)* Null
circle¹ [ˈsɜːkl] **1.** Kreis *(auch Freundeskreis usw.)*; **go round in circles** übertragen sich im Kreis bewegen **2.** *BE; Theater:* Rang; **upper circle** zweiter Rang
circle² [ˈsɜːkl] **1.** einen Kringel machen um **2.** umringen, umkreisen **3.** kreisen *(auch Flugzeug),* die Runde machen
circuit [△ ˈsɜːkɪt] **1.** Runde, Rundgang, Rundfahrt **2.** *Elektrotechnik:* Stromkreis, Schaltkreis **3.** *Elektrotechnik:* Schaltung
circular¹ [ˈsɜːkjʊlə] **1.** rund, kreisförmig **2.** Kreis..., Rund...; **circular letter** Rundschreiben; **circular saw** Kreissäge
circular² [ˈsɜːkjʊlə] **1.** Rundschreiben, Umlauf **2.** (Post)Wurfsendung
circulate [ˈsɜːkjʊleɪt] **1.** zirkulieren, kreisen **2.** *(Geld, Nachricht usw.)* im Umlauf sein, kursieren **3.** in Umlauf setzen *(auch übertragen),* zirkulieren lassen
circulation [ˌsɜːkjʊˈleɪʃn] **1.** Kreislauf *(auch Blutkreislauf),* Zirkulation **2.** *Wirtschaft:* Umlauf; **put into circulation** in Umlauf setzen *(auch übertragen);* **withdraw from circulation** aus dem Verkehr ziehen **3.** Auflage *(einer Zeitung usw.)*
circulatory [ˌsɜːkjʊˈleɪtərɪ] *medizinisch:* Kreislauf...
circumference [△ səˈkʌmfrəns] *Mathematik:* Umfang
circumscribe [ˈsɜːkəmskraɪb] **1.** einschränken *(Macht, Befugnisse usw.)* **2.** umschreiben *(auch Mathematik)*
circumspect [ˈsɜːkəmspekt] umsichtig
circumspection [ˌsɜːkəmˈspekʃn] Umsicht
circumstance [ˈsɜːkəmstəns] **1.** *mst.* **circumstances** *Pl.* (Sach)Lage, Umstände; **in** *(oder* **under)** **no circumstances** unter keinen Umständen, auf keinen Fall; **in** *(oder* **under)** **the circumstances** unter diesen Umständen **2.** **circumstances** *Pl.* (finanzielle) Verhältnisse
circumstantial [ˌsɜːkəmˈstænʃl] **1.** **circumstantial evidence** *Recht:* Indizien, Indizienbeweis(e) **2.** *Bericht usw.:* ausführlich **3.** nebensächlich
circus [ˈsɜːkəs] **1.** Zirkus **2.** *BE* runder, von Häusern umschlossener Platz
CIS [ˌsiːaɪˈes] *(Abk. für* **C**ommonwealth of **I**ndependent **S**tates) GUS *(Staaten der ehemaligen Sowjetunion)*
cistern [ˈsɪstən] **1.** *WC:* Spülkasten **2.** Zisterne
cite [saɪt] **1.** zitieren **2.** *Recht:* vorladen
citizen [ˈsɪtɪzn] **1.** Bürger(in) **2.** Staatsangehörige(r) *(eines Staates)*
citizenship [ˈsɪtɪznʃɪp] Staatsangehörigkeit

citrus fruit [⚠ 'sɪtrəs_fruːt] Zitrusfrucht

city ['sɪtɪ] Stadt, Großstadt; **the City** die (Londoner) City (⚠ *sonst: City* = **city centre**, *AE* **downtown**)

The City

The City bzw. **City of London** ist ein von der Londoner Stadtverwaltung unabhängiges Gebiet im Osten der Hauptstadt. Sie bildet den historischen Kern Londons und das Hauptfinanzzentrum Großbritanniens.

city centre [,sɪtɪ'sentə] *BE* Innenstadt, City

city hall [,sɪtɪ'hɔːl] Rathaus

civic ['sɪvɪk] **1.** bürgerlich, Bürger... **2.** städtisch, Stadt...

civics ['sɪvɪks] (*nur mit Sg.*) Staatsbürgerkunde

civil ['sɪvl] **1.** (staats)bürgerlich, Bürger... **2.** zivil, Zivil... (*Gegensatz zu militärisch, kirchlich*); **civil marriage** standesamtliche Trauung **3.** *Recht*: zivilrechtlich; **civil case** Zivilprozess **4.** höflich

civilian¹ [sɪ'vɪlɪən] Zivilist(in)

civilian² [sɪ'vɪlɪən] zivil, Zivil...

civilization [,sɪvlaɪ'zeɪʃn] Zivilisation, Kultur

civilize ['sɪvəlaɪz] zivilisieren

civil law [,sɪvl'lɔː] Zivilrecht, bürgerliches Recht

civil rights [,sɪvl'raɪts] *Pl.* **1.** (Staats)Bürgerrechte **2. civil rights movement** Bürgerrechtsbewegung

civil servant [,sɪvl'sɜːvənt] Beamter, Beamtin

civil service [,sɪvl'sɜːvɪs] Staatsdienst

civil war [,sɪvl'wɔː] Bürgerkrieg

CJD [,siːdʒeɪ'diː] (*Abk. für* **C**reutzfeldt-**J**akob **D**isease) *Krankheit*: Creutzfeldt-Jakob-Krankheit; ☞ **BSE**

claim¹ [kleɪm] **1.** verlangen, fordern **2.** (*Unglück*) fordern (*Todesopfer*) **3.** behaupten **4.** Anspruch erheben auf **5.** in Anspruch nehmen (*Aufmerksamkeit usw.*)

claim² [kleɪm] **1.** Forderung (**on, against** gegen); **make a claim** eine Forderung erheben **2.** Anrecht (**to** auf) **3.** Behauptung

clam [klæm] essbare Muschel

clamber ['klæmbə] (mühsam) klettern

clammy ['klæmɪ] *Wetter usw.*: feuchtkalt, *Hände, Kleider usw.*: klamm

clamour, *AE* **clamor** ['klæmə] **1.** Lärm, Geschrei **2.** lautstarker Protest (**against** gegen), Schrei (**for** nach)

clamorous ['klæmərəs] **1.** lärmend **2.** *Forderungen usw.*: lautstark

clam chowder

Clam chowder [,klæm'tʃaʊdə] ist eine dicke Suppe aus Muscheln sowie gehacktem Sellerie und Zwiebeln (und anderem Gemüse), die in den USA sehr beliebt ist. Sie kann entweder weißlich oder rötlich aussehen.

clamp¹ [klæmp] **1.** Klemme, Klammer **2.** *auch* **wheel clamp** *für Auto*: Radkralle (*gegen Diebstahl*)

clamp² [klæmp] festklemmen

clamp down [,klæmp'daʊn] **clamp down on** *umg.* scharf vorgehen gegen

clan [klæn] **1.** *Schottland*: Clan, Stamm **2.** *humorvoll* (≈ *Familie*) Sippe

clandestine [⚠ klæn'destɪn] heimlich

clang [klæŋ] Klingen, Klirren (*von Metall*)

clank [klæŋk] Klirren, Rasseln (*von Ketten usw.*)

clap¹ [klæp], **clapped, clapped 1.** klatschen **2.** (Beifall) klatschen, applaudieren **3. clap one's hands** in die Hände klatschen **4. clap someone on the back** *usw.* jemandem auf die Schulter *usw.* klopfen

clap² [klæp] **1. clap of thunder** Donnerschlag **2.** (Beifall)Klatschen **3.** Klaps

clapper ['klæpə] Klöppel (*einer Glocke*)

clarification [,klærəfɪ'keɪʃn] (Auf)Klärung, Klarstellung

clarify ['klærəfaɪ] (auf)klären, klarstellen

clarinet [,klærə'net] *Instrument*: Klarinette

clarity ['klærətɪ] Klarheit

clash¹ [klæʃ] **1.** zusammenstoßen (**with** mit) (*auch feindlich*) **2.** übertragen im Widerspruch stehen (**with** zu), unvereinbar sein (**with** mit) **3.** *übertragen* (zeitlich) zusammenfallen (**with** mit) **4.** nicht zusammenpassen (**with** mit), (*Farben*) sich beißen

clash² [klæʃ] **1.** Zusammenstoß (*auch feindlich*), Kollision (*auch übertragen*) **2.** *übertragen* Widerspruch

clasp¹ [klɑːsp] **1.** *an Handtasche usw.*: Verschluss, Schloss, Schnalle **2.** *mit der Hand*: Griff, Umklammerung

clasp² [klɑːsp] **1.** ergreifen, umklammern; **clasp someone's hand** jemandem die Hand drücken, jemandes Hand umklammern **2.** zuschnallen, festschnallen (*mit einer Schnalle usw.*)

clasp knife ['klɑːsp_naɪf] *Pl.*: **clasp**

knives Klappmesser, Taschenmesser

class[1] [klɑːs] **1.** Klasse (*auch Eisenbahn, Biologie usw.*) **2.** (Gesellschafts)Klasse **3.** soziale Stellung **4.** (Güte)Klasse; *she's in a class of her own* sie ist eine Klasse für sich **5.** *umg.* (≈ *Erstklassigkeit*) Klasse **6.** *Schule:* (Schul)Klasse; *the class of '97 AE* die Abschlussklasse von 1997, der Jahrgang 1997 **7.** *Schule:* (Unterrichts)Stunde; *attend classes* am Unterricht teilnehmen **8.** *AE* Kurs, Kursus

class[2] [klɑːs] klassifizieren; *class someone as ...* jemanden als ... einstufen

classic[1] ['klæsɪk] **1.** klassisch (*auch Literatur*) **2.** *Kleidung usw.:* zeitlos, klassisch

classic[2] ['klæsɪk] Klassiker (*Person und Werk*); ☞ *classics*

classical ['klæsɪkl] **1.** *Musik:* klassisch **2.** klassisch (*auch Kunst, Literatur*); *the classical languages* die alten Sprachen **3.** humanistisch (gebildet); *classical education* humanistische Bildung

classics ['klæsɪks] *Pl. Universität:* Altphilologie, alte Sprachen

classified ad [ˌklæsɪfaɪd'æd] *auch* **classified** *in Zeitung:* Kleinanzeige

classmate ['klɑːsmeɪt] Klassenkamerad(in), Mitschüler(in)

classroom ['klɑːsruːm] Klassenzimmer; ☞ *Illu S. 540*

classy ['klɑːsɪ] *umg.* klasse, Klasse...

clatter[1] ['klætə] **1.** klappern (mit) **2.** poltern

clatter[2] ['klætə] Geklapper, Gerassel

clause [klɔːz] **1.** *Sprache:* Satz(teil) **2.** *Recht:* Klausel

claw[1] [klɔː] **1.** Klaue, Kralle (*beide auch übertragen*) **2.** Schere (*von Krebs usw.*)

claw[2] [klɔː] kratzen, zerkratzen

clay [kleɪ] Ton, Lehm

clay court [ˌkleɪ'kɔːt] *Tennis:* Sandplatz

clean[1] [kliːn] **1.** rein, sauber **2.** *Wäsche usw.:* sauber, frisch (gewaschen) **3.** *Substanz:* unvermischt, rein **4.** makellos (*auch übertragen*) **5.** moralisch: anständig, sauber **6.** *Schnitt, Bruch:* glatt **7.** *salopp* (≈ *nicht mehr drogenabhängig*) clean

clean[2] [kliːn] reinigen, putzen

clean out [ˌkliːn'aʊt] (gründlich) sauber machen
clean up [ˌkliːn'ʌp] sauber machen, aufräumen

clean[3] [kliːn] völlig, total; *I clean forgot that ...* ich hab völlig vergessen, dass ...
clean-cut [ˌkliːn'kʌt] *bes. junger Mann:* gepflegt
cleaner ['kliːnə] **1.** *Person:* Putzfrau, ...putzer; *window cleaner* Fensterputzer

2. Reinigungsmittel, Reiniger

cleaners *Pl.,* **cleaner's** ['kliːnəz] **1.** *Geschäft:* Reinigung **2.** *take someone to the cleaner's umg.* jemanden ausnehmen

cleaning ['kliːnɪŋ] *do the cleaning* sauber machen, putzen

cleaning lady ['kliːnɪŋˌleɪdɪ] Putzfrau

cleanliness [△ 'klenlɪnəs] Reinlichkeit

cleanly [△ 'klenlɪ] sauber (*aus Gewohnheit*), *Person:* reinlich

cleanse [△ klenz] reinigen (*from, of* von) (*auch übertragen*)

cleanser [△ 'klenzə] Reinigungsmittel

clear[1] [klɪə] **1.** *allg.:* klar **2.** *Wetter:* heiter, klar **3.** *Stimme usw.:* klar, rein **4.** klar, verständlich; *make something clear (to someone)* (jemandem) etwas klarmachen; *make oneself clear* sich klar ausdrücken **5.** *Substanz:* klar; *clear soup Kochen:* klare Suppe **6.** *Foto usw.:* deutlich, scharf **7.** klar, offensichtlich; *a clear win* im klarer Sieg **8.** in Ordnung, klar **9.** frei (*of* von) (*auch übertragen*); *a clear conscience* ein reines Gewissen **10.** *clear profit Wirtschaft:* Reingewinn

clear[2] [klɪə] **1.** *loud and clear* laut und deutlich **2.** los, weg (*of* von) **3.** *keep* (*oder* *steer*) *clear of* sich fernhalten von

clear[3] [klɪə] **1.** (*Wetter*) aufklaren **2.** (*Nebel usw.*) sich verziehen **3.** wegräumen (*from* von), abräumen (*Geschirr*); *clear the table* den Tisch abräumen **4.** frei machen (*Straße usw.*), räumen (*Saal*) **5.** *clear one's throat* sich räuspern **6.** freisprechen (*of* von), entlasten (*Gewissen*)

clear away [ˌklɪərˌəˈweɪ] **1.** (*Nebel usw.*) sich verziehen **2.** wegräumen (*from* von), abräumen (*Geschirr*)
clear off [ˌklɪərˈɒf] *clear off! umg.* verschwinde!
clear out [ˌklɪərˈaʊt] **1.** ausräumen (*Schrank usw.*) **2.** ausmisten (*Kleidung usw.*) **3.** *clear out! umg.* verschwinde!
clear up [ˌklɪərˈʌp] **1.** aufklären (*Verbrechen usw.*) **2.** aufräumen (*Zimmer usw.*) **3.** (*Wetter*) aufklaren

clearance sale ['klɪərəns ˌseɪl] *Geschäft:* Räumungsverkauf
clear-cut [ˌklɪə'kʌt] **1.** *Umrisse usw.:* scharf geschnitten **2.** (≈ *verständlich*) klar, deutlich
clearly ['klɪəlɪ] **1.** (≈ *verständlich*) klar, deutlich; *speak clearly* deutlich sprechen **2.** offensichtlich, eindeutig; *that's clearly his mistake!* das ist eindeutig sein Fehler!

cleavage ['kliːvɪdʒ] *von Frau*: Dekolleté

clef [klef] *Musik*: (Noten)Schlüssel

cleft[1] [kleft] Spalte (*bes. im Felsen*)

cleft[2] [kleft] gespalten; *cleft palate* Gaumenspalte

clemency ['klemənsɪ] Milde, Nachsicht

clement ['klemənt] mild (*auch Wetter*), nachsichtig

clench [klentʃ] **1.** ballen (*Faust*), zusammenbeißen (*Zähne*) **2.** fest packen

clergy ['klɜːdʒɪ] *kirchlich*: Klerus

clergyman ['klɜːdʒɪmən] *Pl.*: *clergymen* ['klɜːdʒɪmən] Geistlicher

clerical ['klerɪkl] **1.** Schreib…, Büro…; *clerical work* Büroarbeit **2.** geistlich

clerk [△ klɑːk] **1.** (Büro)Angestellte(r) **2.** Schriftführer(in), Sekretär(in)

clever ['klevə] **1.** gescheit, klug **2.** *Bemerkung usw.*: geistreich **3.** geschickt (*at* in) **4.** *Gerät usw.*: raffiniert **5.** *clever dick bes. BE, salopp* Schlaumeier

click[1] [klɪk] Klicken

click[2] [klɪk] **1.** klicken **2.** *click one's tongue* mit der Zunge schnalzen **3.** *click one's heels* die Hacken zusammenschlagen **4.** zuschnappen, einschnappen; *click shut* ins Schloss fallen **5.** einschnappen lassen (*Schloss usw.*) **6.** *it finally clicked* es hat endlich gefunkt **7.** *they just clicked umg.* sie haben sich auf Anhieb verstanden

clickable ['klɪkəbl] *Computer*: zum Anklicken geeignet, anklickbar

client ['klaɪənt] **1.** *Recht*: Klient(in), Mandant(in) **2.** Kunde, Kundin

cliff [klɪf] Klippe, Felsen

cliffhanger ['klɪf,hæŋə] Superthriller

climate ['klaɪmɪt] Klima

climate change ['klaɪmɪt‿tʃeɪndʒ] Klimaveränderung

climax ['klaɪmæks] *allg.*: Höhepunkt, *sexuell auch*: Orgasmus

climb[1] [△ klaɪm] **1.** klettern **2.** besteigen, klettern auf **3.** (*Flugzeug usw.*) (auf)steigen **4.** (*Straße usw.*) (an)steigen

---

climb down [ˌklaɪm'daʊn] **1.** *climb down a tree* von einem Baum herunterklettern **2.** nachgeben, zurückstecken

climb up [ˌklaɪm'ʌp] *climb up a tree* auf einen Baum klettern

---

climb[2] [△ klaɪm] Aufstieg

climb-down [△ 'klaɪmdaʊn] *it was a climb-down for him* er hat arg zurückstecken müssen

climber [△ 'klaɪmə] Kletterer(in), Bergsteiger(in)

clinch[1] [klɪntʃ] **1.** entscheiden (*Spiel usw.*); *that clinched it* damit war die Sache entschieden **2.** *Boxen*: clinchen

clinch[2] [klɪntʃ] *Boxen*: Clinch

cling [klɪŋ], *clung* [klʌŋ], *clung* [klʌŋ] **1.** kleben, haften (*to* an) **2.** hängen (*to* an) (*auch übertragen*) **3.** sich anklammern (*to* an), festhalten (*to* an) (*auch übertragen*) **4.** (*Kleid usw.*) sich (an)schmiegen (*to* an)

clingfilm ['klɪŋfɪlm] *BE* Frischhaltefolie

clinic ['klɪnɪk] Klinik

clinical ['klɪnɪkl] klinisch

clink[1] [klɪŋk] **1.** klingen, klirren **2.** klingen lassen; *clink glasses beim Trinken*: anstoßen

clink[2] [klɪŋk] *salopp* Kittchen

clip[1] [klɪp] …klammer; *paper clip* Büroklammer; *hair clip* Haarklammer

clip[2] [klɪp], *clipped, clipped auch clip on* anklammern

clip[3] [klɪp], *clipped, clipped* **1.** schneiden (*Hecke usw.*) **2.** scheren (*Schaf usw.*) **3.** lochen (*Fahrschein*) **4.** *auch clip off* abschneiden

clip[4] [klɪp] **1.** *aus Film usw.*: Ausschnitt **2.** *clip round the ear* Ohrfeige

clipboard ['klɪpbɔːd] **1.** Klemmbrett **2.** *Computer*: Zwischenablage

clip joint ['klɪp‿dʒɔɪnt] *salopp* Nepplokal

clippers ['klɪpəz] *Pl.*, *auch pair of clippers* Nagelzwicker

clipping ['klɪpɪŋ] Zeitungsausschnitt

cloak [kləʊk] (loser) Mantel, Umhang

cloakroom ['kləʊkruːm] **1.** Garderobe; *cloakroom attendant* Garderobenfrau **2.** *BE, förmlich* Toilette

clobber ['klɒbə] *umg.* **1.** zusammenschlagen **2.** *Sport*: (haushoch) besiegen

clock[1] [klɒk] **1.** Uhr (*an der Wand usw.*) (△ *Armbanduhr* = *watch*); (a)*round the clock* rund um die Uhr, 24 Stunden (lang); *five o'clock* 5 Uhr **2.** *umg.* Kontrolluhr, Stoppuhr **3.** *Taxi*: Fahrpreisanzeiger, Taxameter

clock[2] [klɒk] *bes. Sport* **1.** stoppen **2.** erreichen (*Zeit, Kilometerzahl usw.*)

---

clock in [ˌklɒk'ɪn] *am Arbeitsplatz*: einstempeln

clock out [ˌklɒk'aʊt] *am Arbeitsplatz*: ausstempeln

clock up [ˌklɒk'ʌp] *bes. Sport*: erreichen (*Zeit, Kilometerzahl usw.*)

---

clock-radio [ˌklɒk'reɪdɪəʊ] Radiowecker

clockwise ['klɒkwaɪz] im Uhrzeigersinn

clockwork ['klɒkwɜːk] Uhrwerk; *like clockwork* wie am Schnürchen, wie geschmiert

clod [klɒd] **1.** Erdklumpen **2.** *übertragen* Trottel

clog¹ [klɒg] Holzschuh

clog² [klɒg] **clogged, clogged**, *auch* **clog up** verstopfen

cloister ['klɔɪstə] 1. *mst.* **cloisters** *Pl.* *Architektur*: Kreuzgang 2. Kloster

clone¹ [kləʊn] *Tiere, Pflanzen*: Klon

clone² [kləʊn] klonen (*Tiere, Pflanzen*)

close¹ [kləʊz] 1. *allg.*: (ab-, ver)schließen, zumachen 2. sperren (*Straße usw.*) (**to** für) 3. sich schließen (*auch Wunde usw.*) 4. *übertragen*; *bei Rede usw.*: schließen (**with the words**) mit den Worten)

---

close down [ˌkləʊz'daʊn] 1. schließen, stilllegen (*Betrieb*) 2. (*Betrieb*) schließen, stillgelegt werden

close in [ˌkləʊz'ɪn] 1. sich heranarbeiten (**on** an) 2. (*Tage*) kürzer werden 3. (*Dunkelheit, Nacht*) hereinbrechen

close up [ˌkləʊz'ʌp] 1. *in Reihe usw.*: aufschließen, aufrücken 2. (ab-, ver)schließen, zumachen 3. schließen (*Geschäft usw.*) 4. (*Wunde*) sich schließen

---

close² [△ kləʊs] 1. nah; **close to tears** den Tränen nahe 2. *Freund*: eng, *Verwandter*: nah 3. *Schrift*: eng, *Gewebe*: dicht 4. *Untersuchung usw.*: gründlich 5. *Sieg*: knapp

close³ [△ kləʊs] 1. nahe, dicht; **close by** ganz in der Nähe, nahe *oder* dicht bei; **close at hand** nahe bevorstehend 2. **I came close to losing my temper** ich hätte beinahe die Beherrschung verloren

close⁴ [kləʊz] Abschluss; **come** (*oder* **draw**) **to a close** sich dem Ende nähern

closed [kləʊzd] 1. geschlossen 2. gesperrt (**to** für)

closedown ['kləʊzdaʊn] Schließung (*eines Geschäfts*), Stilllegung (*einer Fabrik usw.*)

close-fisted [ˌkləʊs'fɪstɪd] geizig

close-fitting [ˌkləʊs'fɪtɪŋ] *Kleid*: eng anliegend

closet¹ ['klɒzɪt] *bes. AE* Wandschrank

closet² ['klɒzɪt] **closet homosexual** *usw.* heimlicher Homosexueller *usw.*

close-up ['kləʊsʌp] *Fotografie, Film*: Nahaufnahme, Großaufnahme

closing date ['kləʊzɪŋ ˌdeɪt] Frist, letzter Termin (**for** für)

closing time ['kləʊzɪŋ ˌtaɪm] 1. Geschäftsschluss 2. *BE*; *Kneipe*: Polizeistunde

closure ['kləʊʒə] Schließung (*von Betrieb*)

clot¹ [klɒt] 1. Klümpchen; **clot of blood** *medizinisch*: Blutgerinnsel 2. *BE, umg.* Trottel

clot² [klɒt] **clotted, clotted** 1. (*Blut*) ge-

rinnen 2. Klumpen bilden 3. **clotted cream** dicker Rahm

cloth [klɒθ] 1. Tuch, Stoff 2. ...tuch; **dishcloth** Geschirrtuch; **tablecloth** Tischtuch 3. *zum Putzen*: Lappen

clothe [kləʊð] 1. (be)kleiden 2. einkleiden

clothes [△ kləʊ(ð)z] *Pl.* Kleider, Kleidung, Ⓐ Gewand; **change one's clothes** sich umziehen; ☞ *Illu S. 98*

clothes hanger ['kləʊ(ð)z ˌhæŋə] Kleiderbügel

clotheshorse ['kləʊ(ð)zhɔːs] 1. Wäscheständer 2. *bes. AE*; *Person*: Modefreak

clothesline ['kləʊ(ð)zlaɪn] Wäscheleine

clothes peg ['kləʊ(ð)z ˌpeg] *BE*, **clothespin** ['kləʊ(ð)zpɪn] *AE* Wäscheklammer

clothing ['kləʊðɪŋ] Kleidung

cloud¹ [klaʊd] 1. Wolke; **cloud of dust** Staubwolke; **be on cloud nine** *umg.* im siebten Himmel schweben 2. **cast a cloud over** *übertragen* einen Schatten werfen auf

cloud² [klaʊd] 1. *auch* **cloud over** (*Himmel*) sich bewölken 2. *übertragen* verdunkeln, trüben 3. *auch* **cloud over** *übertragen* sich trüben

cloudburst ['klaʊdbɜːst] Wolkenbruch

cloudless ['klaʊdləs] *Himmel*: wolkenlos

cloudy ['klaʊdɪ] *Himmel*: wolkig, bewölkt

clout¹ [klaʊt] *umg.* 1. Schlag; **give someone a clout** jemandem eine runterhauen 2. *politisch usw.*: Einfluss

clout² [klaʊt] *umg.* schlagen; **clout someone one** jemandem eine runterhauen; **clout someone round the ears** jemandem eine Ohrfeige geben

clove¹ [kləʊv] (Gewürz)Nelke

clove² [kləʊv] **clove of garlic** Knoblauchzehe

clover ['kləʊvə] 1. Klee 2. **be** (*oder* **live**) **in clover** wie Gott in Frankreich leben

cloverleaf ['kləʊvəliːf] *Pl.*: **cloverleaves** ['kləʊvəliːvz] Kleeblatt

clown¹ [klaʊn] Clown (*auch übertragen*)

clown² [klaʊn] *auch* **clown about** (*oder* **around**) herumkaspern

club¹ [klʌb] 1. Klub, Verein 2. *Waffe*: Keule, Knüppel 3. **golf club** *Sport*: Golfschläger 4. **clubs** *Pl. Kartenspiel*: Kreuz, Eichel; **eight of clubs** Kreuzacht; **Jack of clubs** Kreuzbube 5. **join the club!** *bes. BE, umg.* du auch?

club² [klʌb] **clubbed, clubbed** einknüppeln auf, (nieder)knüppeln

---

club together [ˌklʌb tə'geðə] **they clubbed together to buy her some flowers** sie legten zusammen, um ihr Blumen zu kaufen

clubbing ['klʌbɪŋ] *go clubbing BE, umg.* in die Disko gehen
clue [kluː] **1.** Hinweis (**to** auf), Anhaltspunkt (**to** für) **2.** *I haven't got a clue umg.* ich hab keinen Schimmer
clump [klʌmp] Gruppe (*von Bäumen usw.*)
clumsy ['klʌmzi] **1.** *Gegenstand*: plump, unförmig **2.** *Person*: ungeschickt, tollpatschig
clung [klʌŋ] *2. und 3. Form von* → **cling**
cluster[1] ['klʌstə] Traube, Schwarm (*von Menschen, Bienen usw.*)
cluster[2] ['klʌstə] sich drängen (**round** um)
clutch[1] [klʌtʃ] **1.** packen, (er)greifen **2.** umklammern **3.** (gierig) greifen (**at** nach)
clutch[2] [klʌtʃ] *Auto*: Kupplung
clutter[1] ['klʌtə] *her room is cluttered* (**up**) *with clothes* in ihrem Zimmer liegen überall Kleidungsstücke herum
clutter[2] ['klʌtə] (unordentlicher) Kram
c/o [ˌsiːˈəʊ] (*Abk. von* **c**are **o**f) *in Adressen*: bei
coach[1] [kəʊtʃ] **1.** *BE* Reisebus **2.** *BE*, *Eisenbahn*: (Personen)Wagen **3.** *Sport*: Trainer(in) **4.** Nachhilfelehrer(in) **5.** Kutsche **6.** *AE, im Flugzeug*: Economy Class, Touristenklasse, *umg.* Holzklasse; *fly coach* Economy fliegen
coach[2] [kəʊtʃ] *coach someone* jemandem Nachhilfeunterricht geben, *Sport*: jemanden trainieren
coachwork ['kəʊtʃwɜːk] *BE*; *Auto*: Karosserie
coal [kəʊl] **1.** Kohle **2.** *carry coals to Newcastle übertragen* Eulen nach Athen tragen
coalition [ˌkəʊəˈlɪʃn] *politisch*: Koalition; *form a coalition* eine Koalition eingehen
coal mine ['kəʊlˌmaɪn] Kohlenbergwerk
coalpit ['kəʊlpɪt] Kohlenbergwerk
coarse [kɔːs] **1.** *Sand, Zucker*: grob(körnig), *Wolle usw.*: rau **2.** *Person*: ungehobelt, *Witz*: derb
coast [kəʊst] **1.** Küste **2.** *the coast is clear übertragen* die Luft ist rein
coaster ['kəʊstə] **1.** *für Gläser usw.*: Untersatz **2.** *AE* Berg-und-Tal-Bahn (*im Vergnügungspark*)
coastline ['kəʊstlaɪn] Küste
coat[1] [kəʊt] **1.** Mantel **2.** Jacke, Jackett **3.** *Tier*: Pelz, Fell **4.** Schicht, Anstrich (*von Farbe usw.*)
coat[2] [kəʊt] (an)streichen, überziehen
coated ['kəʊtɪd] **1.** überzogen (**with** mit); *sugar-coated* mit Zuckerüberzug **2.** *Zunge*: belegt

coat hanger ['kəʊtˌhæŋə] Kleiderbügel
coating ['kəʊtɪŋ] Schicht, Anstrich (*von Farbe usw.*)
coat of arms [ˌkəʊt əvˈɑːmz] Wappen
coatrack ['kəʊtˌræk] (Wand)Garderobe
coatstand ['kəʊtstænd] Garderobenständer
coax [kəʊks] beschwatzen (**into doing** zu tun); *coax something out of* (*oder* **from**) *someone* jemandem etwas abschwatzen
cob [kɒb] Maiskolben

cobble together [ˌkɒblˌtəˈgeðə] zusammenschustern

cobbled ['kɒbld] *cobbled street* Straße mit Kopfsteinpflaster
cobbler ['kɒblə] Schuhmacher, Schuster
cobblestones ['kɒblstəʊnz] *Pl.* Kopfsteinpflaster
cobweb ['kɒbweb] Spinnennetz
cocaine [△ kəʊˈkeɪn] Kokain
cock [kɒk] **1.** *Tier*: Hahn **2.** Männchen, Hahn (*von Vögeln*) **3.** *Technik*: Absperrhahn **4.** *vulgär* (≈ *Penis*) Schwanz
cockney ['kɒkni] **1.** (≈ *Ostlondoner*) Cockney **2.** *Sprache*: Cockney(dialekt)

Cockney

Traditionell ist ein **Cockney** ein Londoner, der in Hörweite von **Bow Bells** – den Glocken der Kirche St Mary-le-Bow im **East End** – geboren ist. **Cockneys** stammen hauptsächlich aus der Arbeiterklasse und zeichnen sich vor allem durch ihren starken Londoner Akzent aus.

cockpit ['kɒkpɪt] *Flugzeug usw.*: Cockpit
cockroach ['kɒkˌrəʊtʃ] *Ungeziefer*: (Küchen)Schabe, Kakerlak
cocktail ['kɒkteɪl] **1.** Cocktail (*Getränk oder Speise*) **2.** *übertragen* Mischung
cock-up ['kɒkˌʌp] *BE*, *salopp* Mist: Scheiße; *there's been a cock-up* da hat einer Scheiße gebaut
cocky ['kɒki] *umg.* großspurig, anmaßend
cocoa [△ 'kəʊkəʊ] Kakao(pulver)
coconut ['kəʊkənʌt] Kokosnuss
cocoon [kəˈkuːn] Kokon, Puppe (*der Seidenraupe*)
cod [kɒd] Kabeljau, Dorsch
COD [ˌsiːəʊˈdiː] (*Abk. für* **c**ash **o**n **d**elivery) *Sendung*: per Nachnahme
coddle ['kɒdl] verhätscheln, verzärteln
code[1] [kəʊd] **1.** Kode, Chiffre; *in code* verschlüsselt; *code number* Kennziffer **2.** *Recht*: Kodex (*auch moralisch*) **3.** *auch dialling* (*oder AE* **area**) *code* Telefon:

Vorwahl(nummer)

code² [kəʊd] verschlüsseln, chiffrieren

coed ['kəʊed] *umg.*; *Schule*: gemischt

coeducational [ˌkəʊedju:'keɪʃnəl] *coeducational school* gemischte Schule

coerce [kəʊ'ɜːs] (er)zwingen

coercion [kəʊ'ɜːʃn] Zwang

coercive [kəʊ'ɜːsɪv] Zwangs..., zwingend; *coercive measure* Zwangsmaßnahme

coexist [ˌkəʊɪg'zɪst] nebeneinander bestehen *oder* leben

coexistence [ˌkəʊɪg'zɪstəns] Koexistenz

coexistent [ˌkəʊɪg'zɪstənt] nebeneinander bestehend

coffee ['kɒfɪ] Kaffee

coffee bar ['kɒfɪˌbɑː] *BE* Café, Imbissstube

coffee break ['kɒfɪˌbreɪk] Kaffeepause

coffee cup ['kɒfɪˌkʌp] Kaffeetasse

coffee grinder ['kɒfɪˌgraɪndə] Kaffeemühle

coffeehouse ['kɒfɪhaʊs] Kaffeehaus, Café

coffee machine ['kɒfɪˌmə,ʃiːn] *in Kantine usw.*: Kaffeeautomat

coffeemaker ['kɒfɪˌmeɪkə] *bes. im Haushalt*: Kaffeemaschine

coffee pot ['kɒfɪpɒt] Kaffeekanne

coffee shop ['kɒfɪˌʃɒp] *AE* Café, Imbissstube

coffee table ['kɒfɪˌteɪbl] Couchtisch; *coffee-table book* oft abwertend (großer) Bildband

coffin ['kɒfɪn] Sarg

cog [kɒg] *Technik* **1.** Zahn (*eines Zahnrades*) **2.** Zahnrad

cogwheel ['kɒgwiːl] *Technik*: Zahnrad

cohere [kəʊ'hɪə] zusammenhängen

coherence [kəʊ'hɪərəns] Zusammenhang

coherent [kəʊ'hɪərənt] zusammenhängend (*auch übertragen*)

cohesion [kəʊ'hiːʒn] Zusammenhalt

coil¹ [kɔɪl] **1.** aufrollen, aufwickeln **2.** *auch coil up* sich zusammenrollen

coil² [kɔɪl] **1.** Spirale (*auch medizinisch*) **2.** Rolle, Spule

coin [kɔɪn] **1.** Münze **2.** *the other side of the coin* übertragen die Kehrseite der Medaille

coincide [ˌkəʊɪn'saɪd] **1.** örtlich oder zeitlich: zusammentreffen, zusammenfallen (*with* mit) **2.** (*Meinungen, Ideen*) übereinstimmen (*with* mit)

coincidence [kəʊ'ɪnsɪdəns] Zufall; *by sheer coincidence* rein zufällig

coincidental [kəʊˌɪnsɪ'dentl] *Begegnung, Ähnlichkeit usw.*: zufällig

coin-operated ['kɔɪnˌɒpəreɪtɪd] *Automat usw.*: Münz...

coke¹ [kəʊk] (≈ *Kohle*) Koks

coke² [kəʊk] **1.** *umg.* Cola **2.** *salopp* (≈ *Kokain*) Koks

colander [⚠ 'kʌləndə] Sieb, Durchschlag

cold¹ [kəʊld] **1.** kalt; (*as*) *cold as ice* eiskalt; *I feel* (*oder I'm*) *cold* mir ist kalt, ich friere; *get cold feet umg.* (≈ *Angst bekommen*) kalte Füße bekommen **2.** *Person usw.*: kalt, kühl; *it left me cold* es ließ mich kalt **3.** *Empfang usw.*: frostig, kalt

cold² [kəʊld] **1.** Kälte **2.** Erkältung; (*common*) *cold, cold* (*in the head*) Schnupfen; *catch* (*a*) *cold* sich erkälten **3.** *be left out in the cold* übertragen ignoriert werden

cold-blooded [ˌkəʊld'blʌdɪd] kaltblütig

cold cuts ['kəʊldˌkʌts] *Pl. bes. AE*; *Essen*: Aufschnitt

cold-hearted [ˌkəʊld'hɑːtɪd] kaltherzig

collaborate [kə'læbəreɪt] zusammenarbeiten (*with* mit; *in, on* bei)

collaboration [kəˌlæbə'reɪʃn] Zusammenarbeit

collapse¹ [kə'læps] **1.** (*Gebäude usw.*) zusammenbrechen, einstürzen **2.** *medizinisch*: einen Kollaps erleiden **3.** *übertragen* zusammenbrechen, scheitern **4.** (*Tisch usw.*) sich zusammenklappen lassen

collapse² [kə'læps] **1.** *von Haus usw.*: Einsturz **2.** *übertragen* Zusammenbruch **3.** *medizinisch*: Kollaps

collapsible [kə'læpsəbl] *Tisch usw.*: zusammenklappbar

collar¹ ['kɒlə] **1.** Kragen **2.** *für Hund*: Halsband

collar² ['kɒlə] **1.** beim Kragen packen **2.** *umg.* festnehmen, schnappen

collarbone ['kɒləbəʊn] *Knochen*: Schlüsselbein

colleague [⚠ 'kɒliːg] Kollege, Kollegin

collect¹ [kə'lekt] **1.** (ein)sammeln (*Hefte, Bücher usw.*) **2.** auflesen, aufsammeln (*Papierfetzen usw.*) **3.** (*Leute usw.*) sich (ver)sammeln **4.** *als Hobby*: sammeln (*Briefmarken usw.*) **5.** sich ansammeln **6.** abholen (*Person, Gegenstand*) **7.** (ein)kassieren (*Geld usw.*), sammeln (*für Spenden usw.*) **8.** zusammentragen (*Fakten usw.*) **9.** (≈ *ordnen*) sammeln (*Gedanken usw.*); *collect oneself* sich sammeln *oder* fassen

collect² [kə'lekt] *AE* Nachnahme...; *collect call* Telefon: R-Gespräch

collect³ [kə'lekt] *auch collect on delivery AE* per Nachnahme; *call collect AE*; Telefon: ein R-Gespräch führen

collected [kə'lektɪd] **1.** *the collected works of Charles Dickens* Charles Dickens' gesammelte Werke **2.** *Person*: gefasst, ruhig

collection [kə'lekʃn] **1.** Sammlung (*von Briefmarken usw.*) **2.** (Ein)Sammeln, *von Postkasten*: Leerung **3.** Abholung **4.** Kollekte, (Geld)Sammlung **5.** *Mode*: Kollektion **6.** Ansammlung (*von Leuten, Dingen*)

collective [kə'lektɪv] **1.** kollektiv, gemeinsam **2.** gesamte(r, -s) **3.** *collective bargaining* Tarifverhandlungen

collector [kə'lektə] Sammler(in)

college ['kɒlɪdʒ] **1.** College; *college of education* BE pädagogische Hochschule; *she goes to college* sie studiert **2.** Fachhochschule, *für Kunst*: Akademie **3.** *bes. in Namen von Privatschulen*: *Eton College* die Privatschule Eton

collide [kə'laɪd] zusammenstoßen (*with* mit), kollidieren (*with* mit) (*auch übertragen*)

collision [kə'lɪʒn] Kollision, Zusammenstoß (*beide auch übertragen*)

colloquial [kə'ləʊkwɪəl] umgangssprachlich

collywobbles ['kɒlɪˌwɒblz] *Pl.*, *have the collywobbles* umg. ein flaues Gefühl in der Magengegend haben

Cologne [kə'ləʊn] Köln

colon [△ 'kəʊlən] **1.** *Satzzeichen*: Doppelpunkt **2.** *im Körper*: Dickdarm

colonel ['kɜːnl] *militärisch*: Oberst

colonization [ˌkɒlənaɪ'zeɪʃn] Kolonisation, Besiedlung

colonize ['kɒlənaɪz] kolonisieren, besiedeln

colony ['kɒlənɪ] Kolonie

colossal [kə'lɒsl] riesig, Riesen... (*auch übertragen*)

colossus [kə'lɒsəs] *Pl.*: *colossi* [kə'lɒsaɪ] *oder* *colossuses* Koloss

colour[1], *AE* **color** ['kʌlə] **1.** *allg.*: Farbe; *what colour is ...?* welche Farbe hat ...?; ☞ *Illu S. 786* **2.** Gesichtsfarbe; *lose (all) one's colour* (ganz) blass werden **3.** Hautfarbe; ☞ *colours*

colour[2], *AE* **color** ['kʌlə] **1.** färben **2.** sich (ver)färben **3.** *auch colour in* anmalen (*Schwarzweißbild*) **4.** *auch colour up* erröten, rot werden (*with* vor)

colour-blind, *AE* **colorblind** ['kʌləblaɪnd] farbenblind

coloured, *AE* **colored** ['kʌləd] **1.** farbig, bunt (*beide auch übertragen*); *coloured pencil* Buntstift, Farbstift **2.** *Mensch*: farbig; *a coloured man* ein Farbiger (△ wird als abwertend empfunden)

colourfast, *AE* **colorfast** ['kʌləfɑːst] *Wäsche*: farbecht

colourful, *AE* **colorful** ['kʌləfl] **1.** farben-

prächtig **2.** *übertragen* farbig, bunt

colouring, *AE* **coloring** ['kʌlərɪŋ] **1.** Farbstoff (*in Lebensmitteln*) **2.** Gesichtsfarbe, Teint

colouring book, *AE* **coloring book** ['kʌlərɪŋˌbʊk] Malbuch

colourless, *AE* **colorless** ['kʌlələs] farblos (*auch übertragen*)

colours, *AE* **colors** ['kʌləz] *Pl.* **1.** Farben (*als Symbol einer Mitgliedschaft*) **2.** Flagge (*eines Schiffs usw.*) **3.** *show one's true colours übertragen* sein wahres Gesicht zeigen

colour television ['kʌləˌtelɪvɪʒn], **colour TV** ['kʌlətiːˌviː] **1.** Farbfernsehen **2.** *Gerät*: Farbfernseher

Columbus Day

Öffentlicher Feiertag in den USA am 12. Oktober, der an die Entdeckung Amerikas im Jahr 1492 durch Christoph Columbus erinnern soll. Berühmt ist der große Umzug, der in New York City an diesem Tag stattfindet.

column [△ 'kɒləm] **1.** *Architektur*: Säule **2.** *auf Buchseite usw.*: Spalte; *in double columns* zweispaltig **3.** *in Zeitung*: Kolumne **4.** *von Zahlen usw.*: Kolonne

columnist [△ 'kɒləmnɪst] Kolumnist(in)

coma ['kəʊmə] *medizinisch*: Koma

comb[1] [△ kəʊm] Kamm (*auch des Hahns*)

comb[2] [△ kəʊm] **1.** kämmen; *comb one's hair* sich kämmen **2.** *übertragen* durchkämmen (*Gegend*)

combat[1] ['kɒmbæt] Kampf

combat[2] ['kɒmbæt] bekämpfen, kämpfen gegen (*beide auch übertragen*)

combats ['kɒmbæts], **combat trousers** ['kɒmbætˌtraʊzəz] *Pl.* Armeehose

combination [ˌkɒmbɪ'neɪʃn] **1.** Verbindung, Kombination (*von Faktoren usw.*) **2.** Zusammenschluss (*von Organisationen usw.*)

combine [kəm'baɪn] **1.** verbinden, kombinieren **2.** sich verbinden **3.** in sich vereinigen (*Eigenschaften usw.*)

combustible[1] [kəm'bʌstəbl] brennbar

combustible[2] [kəm'bʌstəbl] Brennstoff

combustion [kəm'bʌstʃən] Verbrennung; *internal combustion engine* Verbrennungsmotor

come [kʌm], **came** [keɪm], **come** [kʌm] **1.** kommen; *someone's coming* es kommt jemand; *he came to see us* er besuchte uns; *come and go* kommen und gehen **2.** (dran)kommen, an die Reihe kommen **3.** kommen, gelangen (*to* zu) **4.** abstammen, kommen (*of, from* von) **5.** herrühren, kommen (*of* von) **6.** geschehen, sich ereignen, kommen; *come what may* komme, was da wolle; *how come …?* umg. wie kommt es, dass …? **7.** *salopp* (≈ *einen Orgasmus haben*) kommen **8.** *vor Infinitiv*: *come to know someone* jemanden kennenlernen; *come to know something* etwas erfahren; *I've come to believe that …* ich bin zu der Überzeugung gekommen, dass … **9.** *bes. vor Adjektiv*: werden; *come true* sich bewahrheiten **10.** *in the years usw. to come* in den kommenden Jahren *usw.* **11.** *don't come the innocent with me* BE, umg. spiel mir nicht den Unschuldigen bzw. die Unschuldige

come about [ˌkʌm ə'baʊt] geschehen, passieren

come across [ˌkʌm ə'krɒs] **1.** zufällig treffen *oder* finden, stoßen auf **2.** (*Idee usw.*) umg. (≈ *verstanden werden*) rüberkommen **3.** (*Rede usw.*) ankommen

come across with [ˌkʌm ə'krɒs wɪð] umg. **1.** herausrücken mit (*Informationen*) **2.** herausrücken (*Geld*)

come along [ˌkʌm ə'lɒŋ] **1.** *be coming along* (≈ *Fortschritte machen*) sich machen **2.** (*Chance usw.*) kommen, sich ergeben **3.** mitkommen, mitgehen; *come along!* umg. dalli!

come apart [ˌkʌm ə'pɑːt] auseinanderfallen

come away [ˌkʌm ə'weɪ] sich lösen, abgehen

come back [ˌkʌm'bæk] **1.** zurückkommen; *come back to something* auf eine Sache zurückkommen **2.** *it came back to him* es fiel ihm wieder ein **3.** (*Kleidung usw.*) wieder in Mode kommen **4.** (*Sänger usw.*) ein Come-back feiern

come by [ˌkʌm'baɪ] **1.** kriegen (*Job usw.*) **2.** sich holen (*Verletzung usw.*) **3.** (*Besucher*) vorbeikommen

come down [ˌkʌm'daʊn] **1.** herunterkommen, (*Regen, Schnee*) fallen **2.** (ein)stürzen, (ein)fallen **3.** umg. (*Preise*) sinken **4.** *übertragen* (*Person*) herunterkommen; *she has come down in the world* sie ist ganz schön tief gesunken **5.** (*Tradition usw.*) überliefert werden

come down on [ˌkʌm'daʊn ɒn] (hart) rannehmen (*als Strafe*)

come down with [ˌkʌm'daʊn wɪð] erkranken an; *I'm coming down with a cold* ich krieg eine Erkältung

come for ['kʌm fɔː] *come for some-*thing etwas abholen kommen

come forward [ˌkʌm'fɔːwəd] sich (freiwillig) melden, sich anbieten

come home [ˌkʌm'həʊm] **1.** nach Hause kommen **2.** *come home to someone* jemandem schmerzlich bewusst werden

come in [ˌkʌm'ɪn] **1.** hereinkommen; *come in!* herein! **2.** (*Nachricht usw.*) eingehen, eintreffen **3.** (*Zug*) einlaufen **4.** *come in second usw.* Sport: den zweiten *usw.* Platz belegen **5.** *where do I come in?* welche Rolle spiele ich?

come in for [ˌkʌm'ɪn fɔː] stoßen auf (*Kritik usw.*)

come in on [ˌkʌm'ɪn ɒn] mitmachen bei, sich beteiligen an

come into [ˌkʌm'ɪntʊ] **1.** kommen in (*Raum uw.*) **2.** *come into a fortune* ein Vermögen erben **3.** *in Wendungen*: *come into fashion* in Mode kommen; *come into being* entstehen

come off [ˌkʌm'ɒf] **1.** herunterfallen (von) **2.** sich lösen, (*Knopf usw.*) abgehen **3.** umg. (*Plan usw.*) glücken **4.** *come off it!* umg. hör schon auf damit!

come on [ˌkʌm'ɒn] **1.** *be coming on* (≈ *Fortschritte machen*) sich machen **2.** *Theater*: auftreten **3.** *come on!* komm!, los!, umg. na, na!

come out [ˌkʌm'aʊt] **1.** herauskommen **2.** (*Buch usw.*) erscheinen, herauskommen **3.** (*Wahrheit usw.*) herauskommen **4.** zugeben, dass man homosexuell bzw. lesbisch ist **5.** (*Farbe*) ausgehen, (*Fleck usw.*) herausgehen **6.** *come out against* (*bzw. for*) sich aussprechen gegen (*bzw. für*) **7.** (*Foto usw.*) gut *usw.* werden; *my photos didn't come out (very well)* meine Fotos sind nicht gut geworden **8.** *come out on strike* bes. BE streiken

come out in [ˌkʌm'aʊt ɪn] *come out in a rash* einen Ausschlag bekommen

come out with [ˌkʌm'aʊt wɪð] umg. herausrücken mit (*der Wahrheit usw.*), loslassen (*Bemerkung usw.*)

come over [ˌkʌm'əʊvə] **1.** *räumlich*: herüberkommen (*nach England usw.*) **2.** (*Rede usw.*) ankommen **3.** überkommen, befallen; *what has come over you?* was ist mit dir los?

come round [ˌkʌm'raʊnd] **1.** (*Bewusstloser*) wieder zu sich kommen **2.** (≈ *besuchen*) vorbeikommen

come through [ˌkʌm'θruː] **1.** (*Anruf, Patient usw.*) durchkommen **2.** überstehen (*Operation usw.*)

come to ['kʌm tə] **1.** *when it comes to paying usw.* wenn es ans Bezahlen usw. geht; *when it comes to politics* *usw.* wenn es um Politik *usw.* geht **2.** (*Rechnung usw.*) sich belaufen auf **3.** [ˌkʌmˈtuː] (*Bewusstloser*) wieder zu sich kommen

come under [ˈkʌmˌʌndə] **1.** fallen unter (*ein Gesetz usw.*) **2.** geraten unter

come up [ˌkʌmˈʌp] **1.** heraufkommen **2.** *auch* **come up for discussion** zur Sprache kommen **3.** herankommen; **come up to someone** auf jemanden zukommen **4.** *Recht*: zur Verhandlung kommen

come up to [ˌkʌmˈʌpˌtu] **1.** reichen bis an *oder* zu **2.** *übertragen* heranreichen an

come up with [ˌkʌmˈʌpˌwɪð] *umg.* daherkommen mit, auftischen

come upon [ˌkʌmˈəˈpɒn] überkommen, befallen **2.** [ˈkʌmˌəˌpɒn] zufällig treffen, stoßen auf

comeback [△ ˈkʌmbæk] Come-back; **stage** (*oder* **make**) **a comeback** ein Come-back feiern

comedian [kəˈmiːdɪən] **1.** Komiker(in) **2.** Witzbold (*auch abwertend*)

comedown [ˈkʌmdaʊn] **1.** *beruflich, sozial usw.*: Abstieg **2.** *umg.* Enttäuschung

comedy [ˈkɒmədɪ] **1.** Komödie (*auch übertragen*), Lustspiel **2.** Komik

comely [ˈkʌmlɪ] *literarisch* attraktiv, schön

comfort[1] [△ ˈkʌmfət] **1.** *auch* **comforts** *Pl.* Komfort; **with every modern comfort** (*oder* **all modern comforts**) mit allem Komfort; **live in comfort** sorgenfrei leben **2.** *gefühlsmäßig*: Trost, Beruhigung

comfort[2] [△ ˈkʌmfət] trösten

comfortable [△ ˈkʌmftəbl] **1.** bequem; **make oneself comfortable** es sich bequem machen; **are you comfortable?** haben Sie es bequem?, sitzen *oder* liegen Sie bequem?; **feel comfortable** sich wohlfühlen **2.** *Leben usw.*: sorgenfrei **3.** *Einkommen usw.*: ausreichend, recht gut; **be comfortable** (*oder* **comfortably off**) einigermaßen wohlhabend sein

comforter [△ ˈkʌmfətə] **1.** *Person*: Tröster(in) **2.** *AE* Steppdecke **3.** *BE, für Babys*: Schnuller

comfy [△ ˈkʌmfɪ] *umg.* komfortabel, bequem

comic[1] [ˈkɒmɪk] komisch

comic[2] [ˈkɒmɪk] **1.** *auch* **comic book** Comicheft **2.** *Person*: Komiker(in) **3.** **comics** *Pl. AE* Comics

comical [ˈkɒmɪkl] komisch, lustig

comic strip [ˈkɒmɪkˌstrɪp] *in Zeitung usw.*: Comicstrip

coming[1] [ˈkʌmɪŋ] Kommen; **the com-**

ings and goings das Kommen und Gehen

coming[2] [ˈkʌmɪŋ] **1.** zukünftig, kommend **2.** nächst, kommend; **the coming week** (die ganze) nächste Woche; **coming week** nächste Woche

coming-out [ˌkʌmɪŋˈaʊt] Coming-out, Outing (*Bekenntnis zur Homosexualität*)

comma [ˈkɒmə] *Satzzeichen*: Komma, Ⓐ Beistrich

command[1] [kəˈmɑːnd] **1.** befehlen **2.** *militärisch*: befehligen, das Kommando führen über **3.** **command respect** Achtung gebieten

command[2] [kəˈmɑːnd] **1.** Befehl (*auch in der EDV*); **at someone's command** auf jemandes Befehl **2.** *militärisch*: Kommando, (Ober)Befehl **3.** *Militäreinheit*: Kommando **4.** **his command of English** seine Englischkenntnisse

commander [kəˈmɑːndə] *militärisch*: Kommandant(in)

commanding [kəˈmɑːndɪŋ] **1.** *militärisch*: befehlshabend **2.** *Person, Tonfall usw.*: herrisch, gebieterisch

commandment [kəˈmɑːndmənt] Gebot, Vorschrift; **the Ten Commandments** *Bibel*: die Zehn Gebote

commemorate [kəˈmeməreɪt] gedenken (+ *Genitiv*)

commemoration [kəˌmeməˈreɪʃn] **in commemoration of** zum Gedenken an

commence [kəˈmens] *förmlich* anfangen, beginnen

commencement [kəˈmensmənt] **1.** *förmlich* Beginn **2.** *AE* Graduierungsfeier (*von Highschool, College usw.*)

commend [kəˈmend] *förmlich* empfehlen, loben (*Person, Leistung usw.*)

commendable [kəˈmendəbl] lobenswert

commendation [ˌkɒmenˈdeɪʃn] **1.** *offiziell*: Auszeichnung **2.** *förmlich* Lob

comment[1] [ˈkɒment] **1.** Kommentar, Bemerkung (**on** zu); **no comment!** kein Kommentar! **2.** Anmerkung (**on** zu)

comment[2] [ˈkɒment] bemerken (**that** dass)

---

comment on [ˈkɒmentˌɒn] einen Kommentar abgeben zu, kommentieren

---

commentary [ˈkɒməntrɪ] Kommentar (**on** zu)

commentator [ˈkɒmənteɪtə] Kommentator

commerce [△ ˈkɒmɜːs] Handel

commercial[1] [kəˈmɜːʃl] **1.** Geschäfts..., Handels...; **commercial correspondence** Geschäftskorrespondenz **2.** *Rundfunk, TV*: Werbe..., Reklame...; **com-**

mercial television kommerzielles Fernsehen, *auch*: Privatfernsehen **3.** kommerziell

commercial² [kə'mɜːʃl] *Rundfunk, TV*: Werbespot

commercialize [kə'mɜːʃəlaɪz] kommerzialisieren, vermarkten

commission¹ [kə'mɪʃn] **1.** *Wirtschaft*: Provision; **on commission** gegen Provision **2.** Auftrag (*für Arbeit*) **3.** Kommission, Ausschuss

commission² [kə'mɪʃn] **1.** beauftragen (*Person usw.*) **2.** in Auftrag geben (*Arbeit*)

commit [kə'mɪt], **committed, committed 1.** begehen, verüben (*Verbrechen usw.*) **2.** verpflichten (**to** zu), festlegen (**to** auf) **3.** *Recht*: einweisen (**to** in) (*Anstalt usw.*)

committed [kə'mɪtɪd] *Schriftsteller usw.*: engagiert

commitment [kə'mɪtmənt] **1.** Verpflichtung (*gegenüber der Familie usw.*) **2.** Engagement, Einsatz (*für eine Sache*)

committee [kə'mɪtɪ] Komitee, Ausschuss

commodity [kə'mɒdətɪ] *Wirtschaft*: Ware, (Handels)Artikel

common¹ ['kɒmən] **1.** allgemein (bekannt), alltäglich; **it's common knowledge** (*bzw.* **usage**) es ist allgemein bekannt (*bzw.* üblich); **common name** häufiger Name; **common sight** alltäglicher *oder* vertrauter Anblick **2.** (≈ *einfach*) gewöhnlich; **the common people** *Pl.* das einfache Volk **3.** gemeinsam, gemeinschaftlich; **common to all** allen gemeinsam; **common room** *BE* Gemeinschaftsraum **4.** **common cold** Erkältung

common² ['kɒmən] **have something in common** etwas gemein haben; **in common with ...** ebenso wie ...

commoner ['kɒmənə] Bürgerliche(r)

common law [ˌkɒmən'lɔː] *BE* Gewohnheitsrecht (*das gewachsene englische Rechtssystem*)

commonly ['kɒmənlɪ] gewöhnlich, im Allgemeinen

commonplace¹ ['kɒmənpleɪs] *Ereignis usw.*: alltäglich

commonplace² ['kɒmənpleɪs] **1.** *abwertend* nichtssagende Redensart **2.** alltägliche Sache

Commons ['kɒmənz] *Pl.* **the Commons** *BE; Parlament*: das Unterhaus

common sense [ˌkɒmən'sens] gesunder Menschenverstand

commonwealth ['kɒmənwelθ] **the Commonwealth (of Nations)** das Commonwealth; ☞ *CIS*

commotion [kə'məʊʃn] **1.** *geräuschvoll*: Aufregung **2.** Lärm (*von Menschen*)

British Commonwealth

Das **British Commonwealth** ist ein loser Verbund von ca. 50 Ländern, die früher zum **British Empire** (britischen Weltreich) gehörten und heute auf wirtschaftlicher und politischer Ebene kooperieren. Zum **Commonwealth** gehören z. B. Kanada, Australien, Neuseeland, Südafrika, Kenia, Malaysia, Zypern und Indien. Oberhaupt des **Commonwealth** ist die britische Königin bzw. der britische König.

communal ['kɒmjʊnl] **1.** Gemeinde... **2.** *Einrichtung usw.*: gemeinschaftlich, Gemeinschafts...

commune ['kɒmjuːn] Kommune

communicate [kə'mjuːnɪkeɪt] **1.** mitteilen (**to**; *dt. Dativ*) **2.** kommunizieren, sich verständigen (**with** mit)

communication [kəˌmjuːnɪ'keɪʃn] **1.** Verständigung, Kommunikation **2.** Mitteilung (**to** an)

communication cord [kəˌmjuːnɪ'keɪʃn_-kɔːd] *BE; Zug*: Notbremse

communicative [kə'mjuːnɪkətɪv] mitteilsam, gesprächig

communion [kə'mjuːnɪən] **1.** (Religions)Gemeinschaft **2.** **Communion** *kirchlich*: Abendmahl, Kommunion

communism ['kɒmjʊnɪzm] Kommunismus

communist¹ ['kɒmjʊnɪst] Kommunist(in)

communist² ['kɒmjʊnɪst] kommunistisch

community [kə'mjuːnətɪ] **1.** *soziale Gruppe*: Gemeinschaft, Gemeinde **2.** *die* Allgemeinheit

community service [kə'mjuːnətɪ 'sɜːvɪs] Gemeinschaftsdienst

commute [kə'mjuːt] **1.** *per Bahn usw.*: pendeln **2.** *Recht*: umwandeln (*Strafe*) (**to, into** in)

commuter [kə'mjuːtə] Pendler(in); **commuter train** Pendlerzug, Nahverkehrszug

compact¹ [kəm'pækt] **1.** kompakt **2.** *Wohnung usw.*: klein

compact² ['kɒmpækt] Puderdose

compact disc [ˌkɒmpækt'dɪsk] *auch* **CD** Compact Disc, CD

compact disc player [ˌkɒmpækt'dɪsk-ˌpleɪə] *auch* **CD player** CD-Spieler

companion [kəm'pænjən] **1.** Gefährte, Gefährtin, *auf Reisen*: Begleiter(in) (*auch* übertragen) **2.** (≈ *Freund[in]*) Kamerad(in) **3.** Gegenstück, Pendant (*von zusammengehörenden Dingen*) **4.** **the Angler's** *usw.* **Companion** *als Buchtitel*: „der Ratgeber für den Angler *usw.*"

companionship [kəm'pænjənʃɪp] Begleitung, Gesellschaft

company [△ 'kʌmpənɪ] **1.** *Wirtschaft*: Gesellschaft, Firma **2.** *Theater*: Truppe **3.** Gesellschaft; **keep someone company** jemandem Gesellschaft leisten; **present company excepted** Anwesende ausgenommen! **4.** Besuch, Gäste **5.** (≈ *Freunde usw.*) Umgang; **the company he keeps** sein Umgang **6.** *Militär*: Kompanie

comparable [△ 'kɒmpərəbl] vergleichbar (**with, to** mit)

comparative[1] [kəm'pærətɪv] **1.** relativ **2.** *Studie usw.*: vergleichend

comparative[2] [kəm'pærətɪv] *Sprache*: Komparativ, 1. Steigerungsstufe

comparatively [kəm'pærətɪvlɪ] verhältnismäßig, vergleichsweise

compare[1] [kəm'peə] **1.** vergleichen (**with, to** mit); **compared with** (*oder* **to**) im Vergleich zu **2.** gleichsetzen, vergleichen; **not to be compared with** (*oder* **to**) nicht zu vergleichen mit **3.** sich vergleichen lassen

compare[2] [kəm'peə] **beyond compare** unvergleichlich

comparison [kəm'pærɪsn] Vergleich; **in comparison with** im Vergleich mit *oder* zu

compartment [kəm'pɑːtmənt] **1.** *Zug*: Abteil **2.** *in Kühlschrank usw.*: Fach

compass [△ 'kʌmpəs] **1.** Kompass **2.** **compasses** *Pl., auch* **pair of compasses** Zirkel

compassion [kəm'pæʃn] Mitgefühl

compassionate [kəm'pæʃnət] mitfühlend

compatible [kəm'pætəbl] **1.** vereinbar (**with** mit), miteinander vereinbar **2.** **be compatible (with)** sich vertragen (mit), zusammenpassen **3.** *Computer*: kompatibel

compatriot [kəm'pætrɪət] Landsmann, Landsmännin

compel [kəm'pel], **compelled, compelled 1.** zwingen; **be compelled to do something** gezwungen sein, etwas zu tun **2.** erzwingen (*Gehorsam usw.*) **3.** abnötigen (*Bewunderung usw.*)

compendium [kəm'pendɪəm] *Pl.*: **compendiums** *oder* **compendia** [kəm'pendɪə] **1.** *Buch*: Kompendium, Handbuch **2.** *von Brettspielen*: Sammlung; **compendium of games** Spielesammlung

compensate ['kɒmpənseɪt] **1.** entschädigen (*Person*) (**for** für) **2.** ersetzen, vergüten (*Verlust, Schaden usw.*) **3.** kompensieren, ausgleichen (*Mangel usw.*)

compensate for ['kɒmpənseɪt ˌfɔː] kompensieren, ausgleichen

compensation [ˌkɒmpən'seɪʃn] **1.** (Schaden)Ersatz, Entschädigung; **as** (*oder* **by way of**) **compensation** als Ersatz **2.** **in compensation for** als Ausgleich für

compere [△ 'kɒmpeə] *BE*; *TV usw.*: Moderator(in)

compete [kəm'piːt] **1.** *geschäftlich*: konkurrieren (**with** mit) **2.** *übertragen* wetteifern (**with** mit) **3.** *Sport*: (am Wettkampf) teilnehmen, *auch im weiteren Sinn*: kämpfen (**for** um; **against** gegen)

competence ['kɒmpɪtəns] **1.** Fähigkeit, Tüchtigkeit **2.** *Recht*: Zuständigkeit

competent ['kɒmpɪtənt] **1.** fähig, tüchtig **2.** *Recht*: zuständig

competition [ˌkɒmpə'tɪʃn] **1.** *allg.*: Wettbewerb (**for** um), *Sport*: Wettkampf **2.** Preisausschreiben **3.** *Wirtschaft*: Wettbewerb, Konkurrenz **4.** *die anderen Firmen, Sportler usw.*: Konkurrenz

competitive [kəm'petətɪv] **1.** Wettbewerbs…, Konkurrenz… **2.** *Betrieb, Preise usw.*: konkurrenzfähig

competitor [kəm'petɪtə] **1.** *allg.*: Konkurrent(in) **2.** *bes. Sport*: Teilnehmer(in)

compile [kəm'paɪl] zusammenstellen, zusammentragen (*Material usw.*)

complacency [kəm'pleɪsnsɪ] Selbstzufriedenheit

complacent [kəm'pleɪsnt] selbstzufrieden

complain [kəm'pleɪn] **1.** sich beklagen *oder* beschweren (**of, about** über; **to** bei) **2.** *Wirtschaft*: reklamieren

complain of [kəm'pleɪn ˌəv] klagen über (*Schmerzen usw.*)

complaint [kəm'pleɪnt] **1.** Klage, Beschwerde; **make a complaint** sich (offiziell) beschweren **2.** *Wirtschaft*: Reklamation, Beanstandung **3.** *medizinisch*: Leiden

complement[1] ['kɒmplɪmənt] Ergänzung (**to**; *dt. Genitiv*) (*auch Sprache*)

complement[2] ['kɒmplɪment] ergänzen

complementary [ˌkɒmplɪ'mentərɪ] (einander) ergänzend

complete[1] [kəm'pliːt] **1.** komplett, vollständig, vollzählig **2.** *Arbeit*: fertig, beendet

complete[2] [kəm'pliːt] **1.** vervollständigen **2.** *übertragen* vollkommen machen (*Glück usw.*) **3.** fertigstellen, abschließen **4.** ausfüllen (*Formular*)

completely [kəm'pliːtlɪ] völlig, vollkommen

completion [kəm'pliːʃn] **1.** Vervollständigung **2.** Fertigstellung; **bring to completion** zum Abschluss bringen

complex[1] ['kɒmpleks] komplex, vielschichtig

complex² ['kɒmpleks] **1.** (Gebäude)Komplex **2.** *psychologisch:* Komplex

complexion [kəm'plekʃn] **1.** Gesichtsfarbe, Teint **2.** *übertragen* Aussehen, Anstrich **3.** *übertragen* (politische) Richtung

compliance [kəm'plaɪəns] **1.** Einwilligung (**with** in), Befolgung (**with**; *dt. Genitiv*) **2.** Fügsamkeit

compliant [kəm'plaɪənt] entgegenkommend, *stärker:* fügsam

complicate ['kɒmplɪkeɪt] komplizieren

complicated ['kɒmplɪkeɪtɪd] kompliziert

complication [ˌkɒmplɪ'keɪʃn] Komplikation (*auch medizinisch*)

complicity [kəm'plɪsətɪ] Mittäterschaft

compliment¹ ['kɒmplɪmənt] Kompliment; **pay someone a compliment** jemandem ein Kompliment machen; ☞ **compliments**

compliment² ['kɒmplɪment] **compliment someone** jemandem ein Kompliment *oder* Komplimente machen (**on** wegen)

complimentary [ˌkɒmplɪ'mentərɪ] **1.** lobend, schmeichelhaft **2.** Gratis..., Frei...; **complimentary ticket** Freikarte

compliments ['kɒmplɪmənts] *Pl.* Grüße; **with the compliments of the management** *usw. in Begleitschreiben zu Geschenk:* mit den besten Wünschen der Geschäftsleitung usw.

comply [kəm'plaɪ] einwilligen (**with** in); **comply with something** etwas erfüllen (*einen Wunsch usw.*), etwas einhalten (*eine Abmachung*)

component [kəm'pəʊnənt] (Bestand)Teil, Komponente

compose [kəm'pəʊz] **1.** *Musik:* komponieren **2.** verfassen (*Gedicht usw.*) **3.** **compose oneself** *gefühlsmäßig:* sich zusammennehmen *oder* fassen **4.** **be composed of** bestehen *oder* sich zusammensetzen aus

composed [kəm'pəʊzd] ruhig, gelassen

composer [kəm'pəʊzə] Komponist(in)

composite ['kɒmpəzɪt] zusammengesetzt

composition [ˌkɒmpə'zɪʃn] **1.** *Musik, Kunst:* Komposition **2.** Zusammensetzung, Beschaffenheit **3.** *Schule:* Aufsatz

compost ['kɒmpɒst] Kompost

composure [kəm'pəʊʒə] Fassung

compote ['kɒmpəʊt, 'kɒmpɒt] Kompott

compound¹ ['kɒmpaʊnd] **1.** *Chemie:* Verbindung **2.** *Sprache:* Kompositum, zusammengesetztes Wort

compound² ['kɒmpaʊnd] **1.** zusammengesetzt; **compound word** *Sprache:* zusammengesetztes Wort **2.** **compound fracture** *medizinisch:* komplizierter Bruch

compound³ [kəm'paʊnd] verschlimmern (*Problem usw.*)

comprehend [ˌkɒmprɪ'hend] *förmlich* begreifen, verstehen

comprehensible [ˌkɒmprɪ'hensəbl] begreiflich, verständlich

comprehension [ˌkɒmprɪ'henʃn] **1.** Verstand **2.** Verständnis (**of** für) **3.** **listening comprehension** Hörverstehen

comprehensive¹ [ˌkɒmprɪ'hensɪv] *Buch, Studie usw.:* umfassend; **comprehensive insurance** *für Auto:* Vollkasko(versicherung)

comprehensive² [ˌkɒmprɪ'hensɪv] *BE, auch* **comprehensive school** Gesamtschule

compress¹ [kəm'pres] *Technik:* komprimieren (*auch übertragen*); **compressed air** Pressluft, Druckluft

compress² ['kɒmpres] *bei Verletzung usw.:* Kompresse

comprise [kəm'praɪz] umfassen, bestehen aus

compromise¹ ['kɒmprəmaɪz] Kompromiss

compromise² ['kɒmprəmaɪz] **1.** einen Kompromiss schließen **2.** bloßstellen, kompromittieren **3.** gefährden (*Ruf usw.*)

compulsion [kəm'pʌlʃn] Zwang

compulsive [kəm'pʌlsɪv] zwanghaft

compulsory [kəm'pʌlsrɪ] **1.** Zwangs... **2.** obligatorisch, Pflicht...; **compulsory subject** *Schule, Universität:* Pflichtfach

computation [ˌkɒmpju:'teɪʃn] Berechnung

compute [kəm'pju:t] berechnen

computer [kəm'pju:tə] Computer, Rechner; **computer centre** (*AE* **center**) Rechenzentrum; **computer-controlled** computergesteuert; **computer science** Informatik; ☞ *Illu S. 539*

computer game [kəm'pju:tə_geɪm] Computerspiel

computerize [kəm'pju:təraɪz] computerisieren, auf Computer umstellen

computer programmer [kəm,pju:tə'prəʊgræmə] Programmierer(in)

comrade ['kɒmreɪd] **1.** Kamerad(in) **2.** *politisch:* Genosse, Genossin

comradeship ['kɒmreɪdʃɪp] Kameradschaft

con¹ [kɒn], **conned, conned** *salopp* betrügen (**out of** um), reinlegen

con² [kɒn] *salopp* Betrug, Schwindel

con³ [kɒn] → **pros and cons**

conceal [kən'si:l] **1.** verbergen, verstecken (*Dinge, Gefühle usw.*) (**from** vor) **2.** verheimlichen (**from** vor)

concede [kən'si:d] **1.** zugeben, einräumen (*dass jemand recht hat usw.*); **con-**

cede defeat bei Spiel usw.: sich geschlagen geben **2.** abtreten (*Land, Rechte usw.*)

conceit [kən'siːt] Einbildung, Dünkel

conceited [kən'siːtɪd] eingebildet

conceivable [kən'siːvəbl] denkbar, vorstellbar

conceive [kən'siːv] **1.** *auch* **conceive of** sich vorstellen, haben (*Idee*) **2.** (*Frau*) schwanger werden

concentrate[1] ['kɒnsəntreɪt] **1.** sich konzentrieren **2.** *allg.:* konzentrieren (*auch Gedanken usw.*) (**on** auf)

concentrate[2] ['kɒnsəntreɪt] Konzentrat

concentration [ˌkɒnsn'treɪʃn] *allg.:* Konzentration; *powers Pl.* **of concentration** Konzentrationsfähigkeit

concept ['kɒnsept] **1.** Begriff **2.** (≈ *Idee, Prinzip*) Gedanke, Vorstellung

conception [kən'sepʃn] **1.** Begriff, Vorstellung (**of** von) **2.** *biologisch:* Empfängnis

concern[1] [kən'sɜːn] **1.** handeln von; *this article concerns ...* in diesem Bericht geht es um ... **2.** angehen, betreffen **3.** *concern oneself with* sich befassen mit

concern[2] [kən'sɜːn] **1.** Angelegenheit, Sache; *that's no concern of mine* das geht mich nichts an; *a matter of national concern* ein nationales Anliegen **2.** Unruhe, Sorge (*at, about, for* wegen, um) **3.** *Wirtschaft:* Geschäft, Unternehmen (△ *nicht* **Konzern**)

concerned [kən'sɜːnd] **1.** besorgt (*about, at, for* um), beunruhigt (*about, at, for* wegen) **2.** *the people concerned* die betroffenen (*bzw.* betreffenden) Leute **3.** *as far as I'm concerned* was mich betrifft **4.** *be concerned with* (*Bericht usw.*) handeln von

concerning [kən'sɜːnɪŋ] betreffend, hinsichtlich, was ... (an)betrifft

concert ['kɒnsət] *Musik:* Konzert; *concert hall* Konzertsaal

concerted [kən'sɜːtɪd] gemeinsam

concerto [△ kən'tʃeətəʊ] *Pl.:* **concertos** *Musik:* (Solo)Konzert

concession [kən'seʃn] **1.** Konzession, Zugeständnis **2.** (amtliche) Konzession **3.** *BE* Ermäßigung

conciliate [kən'sɪlɪeɪt] **1.** aussöhnen, versöhnen **2.** in Einklang bringen (*verschiedene Meinungen usw.*)

conciliation [kənˌsɪlɪ'eɪʃn] Versöhnung

conciliator [kən'sɪlɪeɪtə] Vermittler

concise [kən'saɪs] *Erklärung usw.:* kurz, knapp, prägnant

conclude [kən'kluːd] **1.** folgern, schließen (*from* aus); *conclude that* zu dem Schluss kommen, dass **2.** beenden, be-

schließen (*Rede usw.*) **3.** (*Veranstaltung, Geschichte usw.*) enden, schließen (*with* mit) **4.** abschließen (*Vertrag usw.*)

concluding [kən'kluːdɪŋ] abschließend, Schluss...

conclusion [kən'kluːʒn] **1.** (Schluss)Folgerung; *come to the conclusion that* zu dem Schluss kommen, dass; *draw a conclusion* einen Schluss ziehen; *jump to conclusions* voreilige Schlüsse ziehen **2.** Abschluss, Ende; *in conclusion* zum Schluss **3.** Abschluss (*eines Vertrags usw.*)

conclusive [kən'kluːsɪv] *Beweis usw.:* schlüssig, eindeutig

concoct [kən'kɒkt] zusammenstellen, zurechtzaubern (*Essen usw.*)

concoction [kən'kɒkʃn] **1.** (≈ *Getränk*) Gebräu (*auch abwertend*) **2.** übertragen Erfindung

concourse ['kɒŋkɔːs] **1.** freier Platz (*für Versammlungen usw.*) **2.** *am Bahnhof:* Bahnhofshalle, *am Flughafen:* Flughafenhalle

concrete[1] ['kɒŋkriːt] konkret

concrete[2] ['kɒŋkriːt] Beton

concrete[3] ['kɒŋkriːt] betoniert, Beton...; *concrete mixer* Betonmischmaschine

concur [kən'kɜː] **1.** (*Ereignisse*) zusammentreffen **2.** zusammenwirken **3.** übereinstimmen (*with* mit; *in* in); *concur with someone auch:* jemandem beipflichten

concurrent [kən'kʌrənt] *zeitlich:* zusammentreffend

concuss [kən'kʌs] *he's concussed medizinisch:* er hat eine Gehirnerschütterung

concussion [kən'kʌʃn] *concussion (of the brain) medizinisch:* Gehirnerschütterung

condemn [kən'dem] **1.** verdammen, verurteilen **2.** *Recht:* verurteilen (*to death* zum Tode)

condemnation [ˌkɒndem'neɪʃn] Verdammung, Verurteilung

condensation [ˌkɒnden'seɪʃn] **1.** *physikalisch:* Kondensation **2.** Kondenswasser

condense [kən'dens] **1.** *physikalisch:* kondensieren **2.** *condensed milk* süße Dosenmilch **3.** zusammenfassen (*Bericht usw.*)

condescend [△ ˌkɒndɪ'send] **1.** *condescend to do something oft ironisch:* sich herablassen, etwas zu tun **2.** herablassend *oder* gönnerhaft sein (*to* gegen, zu)

condescending [△ ˌkɒndɪ'sendɪŋ] herablassend, gönnerhaft

condiment ['kɒndɪmənt] Gewürz, Würze

condition[1] [kən'dɪʃn] **1.** *conditions Pl.*

Bedingungen, Verhältnisse; **living conditions** Lebensbedingungen; **weather conditions** Wetterverhältnisse 2. Verfassung, Zustand (*auch gesundheitlich*); **out of condition** in schlechter Verfassung, untrainiert 3. Bedingung; **on condition that** unter der Bedingung, dass; **she makes it a condition that** sie macht es zur Bedingung, dass 4. **on no condition** unter keinen Umständen, keinesfalls 5. Krankheit; **a heart condition** ein Herzleiden

condition² [kən'dıʃn] programmieren (*Person, Tier*) (**to, for** auf)

conditional [kən'dıʃnəl] 1. bedingt (**on** durch), abhängig (**on** von); **make it conditional on** es abhängig machen von 2. *Sprache*: Konditional...; **conditional clause** Konditionalsatz, Bedingungssatz

conditioner [kən'dıʃnə] 1. *für Haare*: Spülung 2. *für Wäsche*: Weichspüler

condo ['kɒndəʊ] *umg. Kurzform von* → **condominium**

condolence [kən'dəʊləns] Beileid; **please accept my condolences** mein herzliches Beileid

condom ['kɒndəm] Kondom, Präservativ

condominium [ˌkɒndə'mınıəm] *AE* 1. Eigentumswohnung 2. Eigentumswohnanlage

conducive [kən'djuːsıv] *förmlich* dienlich, förderlich (**to**; *dt. Dativ*)

conduct¹ [kən'dʌkt] 1. führen; **conducted tour** Führung (**of** durch) 2. führen (*Verhandlungen usw.*), leiten (*Geschäft usw.*) 3. *Musik*: leiten, dirigieren 4. *Physik*: leiten (*Strom usw.*) 5. **conduct oneself** *förmlich* sich betragen *oder* verhalten

conduct² ['kɒndʌkt] 1. *von Person*: Betragen, Verhalten 2. Führung, Leitung (*eines Unternehmens usw.*)

conductor [kən'dʌktə] 1. *Musik*: Dirigent(in) 2. *Physik*: Leiter; **lightning conductor** Blitzableiter 3. *Bus, Straßenbahn*: Schaffner(in) 4. *AE* Zugbegleiter(in), Kondukteur(in)

cone [kəʊn] 1. *Geometrie und allg.*: Kegel; *auch* **traffic cone** *auf der Straße*: Leitkegel 2. Zapfen (*einer Tanne usw.*) 3. Waffeltüte (*für Speiseeis*)

confectioner [kən'fekʃnə] Konditor(in)

confectionery [kən'fekʃnərı] 1. Süßwaren 2. Süßwarengeschäft, Konditorei

confederacy [kən'fedərəsı] (Staaten)-Bund

confederate [kən'fedərət] Verbündete(r), Bundesgenosse

confederation [kənˌfedə'reıʃn] 1. Bund, Bündnis 2. (Staaten)Bund

confer [kən'fɜː], **conferred, conferred** 1. sich beraten (**with** mit) 2. verleihen (*Titel usw.*) (**on**; *dt. Dativ*)

conference ['kɒnfrəns] 1. Kongress, Tagung, Konferenz 2. *im kleineren Kreis*: Besprechung

confess [kən'fes] 1. bekennen, (ein)gestehen 2. zugeben (*auch* **that** dass) 3. **confess to something** etwas (ein)gestehen, sich zu etwas bekennen; **confess to doing something** (ein)gestehen, etwas getan zu haben 4. *kirchlich*: beichten (**to**; *dt. Dativ*)

confession [kən'feʃn] 1. Geständnis 2. *kirchlich*: Beichte 3. *kirchlich*: Glaubensbekenntnis

confessional [kən'feʃnəl] Beichtstuhl

confetti [kən'fetı] Konfetti

confidant ['kɒnfıdænt] Vertrauter

confidante ['kɒnfıdænt] Vertraute

confide [kən'faıd] **confide something to someone** jemandem etwas anvertrauen

confide in [kən'faıd ın] **confide in someone** sich jemandem anvertrauen

confidence ['kɒnfıdəns] 1. Vertrauen (**in** auf, zu); **have confidence in** Vertrauen haben zu; **take someone into one's confidence** jemanden ins Vertrauen ziehen 2. *auch* **confidence in oneself** Selbstvertrauen 3. vertrauliche Mitteilung

confident ['kɒnfıdənt] 1. selbstsicher 2. zuversichtlich, überzeugt (**of** von; **that** dass), sicher (**of**; *dt. Genitiv*; **that** dass)

confidential [ˌkɒnfı'denʃl] vertraulich

confidentially [ˌkɒnfı'denʃəlı] vertraulich, im Vertrauen

confine [kən'faın] 1. begrenzen, einschränken (**to** auf); **confine oneself to something** sich auf etwas beschränken (*ein Thema usw.*) 2. einschließen, einsperren (*Tier usw.*); **be confined to bed** übertragen ans Bett gefesselt sein (*wegen Krankheit*)

confinement [kən'faınmənt] 1. Gefängnisstrafe: Haft; **solitary confinement** Einzelhaft 2. *Geburtsvorgang*: Entbindung

confines ['kɒnfaınz] *Pl.* Grenzen

confirm [kən'fɜːm] 1. bestätigen (*Aussage, Verdacht usw.*) 2. bekräftigen (*Entschluss*) 3. bestärken (**in** in) 4. *kirchlich*: konfirmieren, firmen

confirmation [ˌkɒnfə'meıʃn] 1. Bestätigung (*einer Aussage usw.*) 2. *kirchlich*: Konfirmation, Firmung

confirmed [kən'fɜːmd] erklärt, überzeugt; **confirmed bachelor** eingefleischter

Junggeselle

confiscate ['kɒnfɪskeɪt] beschlagnahmen

confiscation [ˌkɒnfɪ'skeɪʃn] Beschlagnahme, Konfiszierung

conflict[1] ['kɒnflɪkt] Konflikt; *come into conflict with* in Konflikt geraten mit; *conflict of interests* Interessenkonflikt

conflict[2] [kən'flɪkt] kollidieren (*with* mit), im Widerspruch stehen (*with* zu)

conform [kən'fɔːm] **1.** sich anpassen (*to*; *dt. Dativ*) (*Zwängen usw.*) **2.** übereinstimmen (*to* mit) (*Erwartungen usw.*)

confound [kən'faʊnd] **1.** verblüffen **2.** verwirren, durcheinanderbringen (*Person*)

confront [kən'frʌnt] **1.** gegenübertreten, gegenüberstehen (*oft feindlich*); *be confronted with difficulties* usw. Schwierigkeiten usw. gegenüberstehen **2.** sich stellen (*einer Gefahr usw.*) **3.** konfrontieren (*with* mit)

confrontation [ˌkɒnfrʌn'teɪʃn] Konfrontation

confuse [kən'fjuːz] **1.** verwirren, aus der Fassung bringen (*Person*) **2.** verwechseln, durcheinanderbringen (*with* mit)

confused [kən'fjuːzd] **1.** *Person:* verwirrt, verlegen **2.** verworren, wirr

confusion [kən'fjuːʒn] **1.** *Gefühlszustand:* Verwirrung, Unklarheit **2.** Verwechslung (*zweier Dinge usw.*) **3.** *Situation:* Durcheinander

congeal [kən'dʒiːl] gerinnen, erstarren

congenial [kən'dʒiːnɪəl] **1.** (geistes)verwandt **2.** sympathisch, angenehm (*to*; *dt. Dativ*)

congenital [kən'dʒenɪtl] angeboren

congested [kən'dʒestɪd] *Straßen usw.:* verstopft

congestion [kən'dʒestʃən] *Verkehr:* Stau, *Leute:* Gedränge

conglomeration [kənˌglɒmə'reɪʃn] Ansammlung, Häufung

congrats [kən'græts] umg. gratuliere!

congratulate [kən'grætʃʊleɪt] gratulieren, beglückwünschen (*on* zu)

congratulations [kənˌgrætʃʊ'leɪʃnz] Pl. Glückwunsch; *congratulations!* ich gratuliere!, herzlichen Glückwunsch!

congregate ['kɒŋgrɪgeɪt] sich versammeln

congregation [ˌkɒŋgrɪ'geɪʃn] bes. beim Gottesdienst: (Kirchen)Gemeinde

congress ['kɒŋgres] **1.** Kongress, Tagung **2.** *Congress AE* (≈ *Parlament*) der Kongress

Congressman ['kɒŋgresmən], Pl.: *Congressmen* ['kɒŋgresmən] *AE* (≈ *Abgeordneter*) Mitglied des Repräsentantenhauses

Congresswoman ['kɒŋgresˌwʊmən], Pl.: *Congresswomen* ['kɒŋgresˌwɪmɪn] *AE* (≈ *Abgeordnete*) Mitglied des Repräsentantenhauses

conical ['kɒnɪkl] kegelförmig

conifer ['kɒnɪfə] Nadelbaum

conjecture[1] [kən'dʒektʃə] Mutmaßung

conjecture[2] [kən'dʒektʃə] mutmaßen

conjugal ['kɒndʒʊgl] ehelich, Ehe…

conjugate ['kɒndʒʊgeɪt] *Sprache* **1.** (*Verb*) konjugiert werden **2.** konjugieren

conjugation [ˌkɒndʒʊ'geɪʃn] *Sprache:* Konjugation, Beugung

conjunction [kən'dʒʌŋkʃn] **1.** *Sprache:* Konjunktion, Bindewort **2.** Verbindung **3.** Zusammentreffen (*von Ereignissen*)

conjunctivitis [kənˌdʒʌŋktɪ'vaɪtɪs] *medizinisch:* Bindehautentzündung

conjunctivitis

Viele Krankheiten und Leiden werden im Englischen von der lateinischen, manchmal auch der griechischen Bezeichnung abgeleitet, z. B.:

appendicitis	Blinddarmentzündung
[əˌpendə'saɪtɪs]	
tonsillitis	Mandelentzündung
[ˌtɒnsə'laɪtɪs]	
cystitis	Blasenentzündung
[sɪ'staɪtɪs]	*usw.*

conjure [△ 'kʌndʒə] zaubern

conjure up [ˌkʌndʒər'ʌp] **1.** heraufbeschwören (*Erinnerungen*) **2.** hervorzaubern, zusammenzaubern (*Essen usw.*)

conjurer, conjuror ['kʌndʒərə] Zauberer, Zauberin, Zauberkünstler(in)

conjuring trick ['kʌndʒərɪŋˌtrɪk] Zauberkunststück, Zaubertrick

conk [kɒŋk] *BE, salopp* (≈ *Nase*) Riecher

conk out [ˌkɒŋk'aʊt] *salopp* **1.** (*Fernseher usw.*) streiken, (*Motor*) absterben **2.** einschlafen, zusammenklappen (*vor Erschöpfung*)

conman ['kɒnmæn] Pl.: *conmen* ['kɒnmen] umg. Betrüger, Hochstapler

connect [kə'nekt] **1.** verbinden (*with* mit) (*auch übertragen*) **2.** übertragen in Zusammenhang *oder* Verbindung bringen (*with* mit) **3.** *Telefon:* verbinden (*to, with* mit) **4.** *Elektrotechnik:* anschließen (*to* an), zuschalten **5.** *Technik:* verbinden (*to* mit) **6.** *Eisenbahn usw.:* Anschluss haben (*with* an)

connected [kə'nektɪd] **1.** *Dinge:* verbunden 2. *Probleme usw.*: zusammenhängend 3. *Personen*: verwandt; **connected by marriage** verschwägert

connecting [kə'nektɪŋ] 1. Verbindungs...; **connecting door** Verbindungstür 2. **connecting flight** Anschlussflug; **connecting train** Anschlusszug

connection, *BE auch* connexion [kə'nekʃn] 1. Verbindung 2. Zusammenhang; **in connection with** in Zusammenhang mit 3. *Eisenbahn, Telefon usw.*: Verbindung, Anschluss 4. **connections** *Pl.* Beziehungen

conquer ['kɒŋkə] 1. erobern (*auch übertragen*) 2. besiegen, bezwingen

conqueror ['kɒŋkərə] Eroberer

conquest ['kɒŋkwest] 1. Eroberung (*auch übertragen Person*) 2. Bezwingung

conscience ['kɒnʃns] Gewissen; **a clear** (*bzw.* **guilty**) **conscience** ein reines (*bzw.* schlechtes) Gewissen

conscientious [△ ,kɒnʃɪ'enʃəs] 1. *Arbeiter(in), Schüler(in) usw.*: gewissenhaft 2. **conscientious objector** Wehrdienstverweigerer (*aus Gewissensgründen*)

conscious ['kɒnʃəs] 1. (≈ *nicht bewusstlos*) bei Bewusstsein 2. **be conscious of something** sich einer Sache bewusst sein 3. *Handlung usw.*: bewusst

consciousness ['kɒnʃəsnəs] Bewusstsein; **lose consciousness** das Bewusstsein verlieren; **regain consciousness** wieder zu sich kommen

conscript ['kɒnskrɪpt] Wehrpflichtiger

conscription [kən'skrɪpʃn] 1. Einziehung, Einberufung (*zum Militär*) 2. Wehrpflicht

consecrate ['kɒnsɪkreɪt] 1. *kirchlich*: weihen 2. *förmlich* weihen, widmen (*sein Leben usw.*) (**to**; *dt. Dativ*)

consecutive [kən'sekjʊtɪv] 1. aufeinanderfolgend; **for two consecutive days** zwei Tage hintereinander 2. *Zahlen usw.*: (fort)laufend

consecutively [kən'sekjʊtɪvlɪ] 1. nacheinander, hintereinander 2. (fort)laufend

consensus [kən'sensəs] *auch* **consensus of opinion** (allgemeine) Übereinstimmung

consent[1] [kən'sent] 1. zustimmen (**to**; *dt. Dativ*), einwilligen (**to** in) 2. sich bereit erklären (**to do** zu tun)

consent[2] [kən'sent] Zustimmung (**to** zu), Einwilligung (**to** in)

consequence ['kɒnsɪkwəns] 1. Folge, Konsequenz; **in consequence** folglich, daher; **as a consequence of** infolge von (*oder Genitiv*); **take the consequences** die Konsequenzen tragen 2. **of no** (*bzw.* **little**) **consequence** *förmlich* ohne (*bzw.*

von geringer) Bedeutung

consequent ['kɒnsɪkwənt] *förmlich* sich daraus ergebend, darauf folgend (△ *konsequent = consistent*)

consequently ['kɒnsɪkwəntlɪ] folglich

conservation [,kɒnsə'veɪʃn] 1. Erhaltung 2. Naturschutz, Umweltschutz; **conservation area** Naturschutzgebiet

conservationist [,kɒnsə'veɪʃnɪst] Naturschützer(in), Umweltschützer(in)

conservative[1] [kən'sɜːvətɪv] 1. *allg.*: konservativ 2. *Schätzung*: vorsichtig

conservative[2] [kən'sɜːvətɪv] *mst.* **Conservative** *politisch*: Konservative(r)

conservatoire [kən'sɜːvətwɑː] Konservatorium, Musik(hoch)schule

conservatory [kən'sɜːvətrɪ] 1. Wintergarten 2. *bes. AE* Konservatorium

conserve [kən'sɜːv] 1. erhalten, bewahren (*Natur, Bauwerk usw.*) 2. sparen (*Kraft, Energie*)

consider [kən'sɪdə] 1. nachdenken über (*Problem usw.*), überlegen 2. sich überlegen, erwägen (*Jobwechsel, Umzug usw.*) (**doing** zu tun) 3. berücksichtigen (*Kosten, Fakten usw.*) 4. in Betracht ziehen (*Idee usw.*) 5. Rücksicht nehmen auf, denken an (*Gefühle usw.*) 6. betrachten als, halten für; **be considered rich** als reich gelten

considerable [kən'sɪdərəbl] beachtlich, beträchtlich

considerate [kən'sɪdərət] aufmerksam, rücksichtsvoll (**to, towards** gegen)

consideration [kən,sɪdə'reɪʃn] 1. Rücksicht (**for, of** auf); **show consideration for** Rücksicht nehmen auf (*Gefühle usw.*) 2. Erwägung, Überlegung; **take into consideration** in Erwägung ziehen 3. **in consideration of** in Anbetracht (+ *Genitiv*)

considering[1] [kən'sɪdərɪŋ] 1. in Anbetracht (+ *Genitiv*) 2. **considering that** in Anbetracht der Tatsache, dass

considering[2] [kən'sɪdərɪŋ] *umg.* alles in allem, eigentlich

consignment [kən'saɪnmənt] *Wirtschaft* 1. (Waren)Sendung 2. Übersendung, Zusendung

consist of [kən'sɪst_əv] bestehen aus, sich zusammensetzen aus

consistency [kən'sɪstənsɪ] 1. Konsequenz (*von Handlung*) 2. Übereinstimmung (*von Meinungen usw.*) 3. Konsistenz, Festigkeit (*einer Substanz*)

consistent [kən'sɪstənt] 1. *Handeln*: konsequent 2. *Leistung usw.*: beständig 3. *Meinungen usw.*: übereinstimmend, vereinbar (**with** mit)

consolation [ˌkɒnsəˈleɪʃn] Trost; **consolation prize** Trostpreis

console[1] [kənˈsəʊl] trösten

console[2] [ˈkɒnsəʊl] **1.** *Elektrotechnik*: Steuerpult, Schaltpult **2.** (Fernseh-, Musik)Truhe, (Radio)Schrank

consolidate [kənˈsɒlɪdeɪt] **1.** festigen (*auch übertragen*) **2.** *Wirtschaft*: zusammenschließen (*Gesellschaften*)

consolidation [kənˌsɒlɪˈdeɪʃn] **1.** Festigung **2.** *Wirtschaft*: Zusammenschluss

consommé [kənˈsɒmeɪ] (klare) Kraftbrühe

consonant [ˈkɒnsənənt] *Sprache*: Konsonant, Mitlaut

consort [ˈkɒnsɔːt] Gemahl(in); **prince consort** Prinzgemahl

conspicuous [kənˈspɪkjʊəs] **1.** deutlich sichtbar **2.** *Kleidung usw.*: auffällig **3.** *be conspicuous by one's absence* durch Abwesenheit glänzen

conspiracy [kənˈspɪrəsɪ] Verschwörung

conspirator [kənˈspɪrətə] Verschwörer

conspire [kənˈspaɪə] sich verschwören (**against** gegen) (*auch übertragen*)

constable [△ ˈkʌnstəbl] *bes. BE* Polizist, Wachtmeister

constabulary [kənˈstæbjʊlərɪ] *bes. BE* Polizei (*eines Bezirks*)

Constance [ˈkɒnstəns] *Stadt*: Konstanz; **Lake Constance** der Bodensee

constant [ˈkɒnstənt] **1.** *Temperatur, Geschwindigkeit usw.*: konstant, gleichbleibend **2.** *Lärm usw.*: ständig, (an)dauernd

constellation [ˌkɒnstəˈleɪʃn] *Astronomie*: Konstellation (*auch übertragen*), Sternbild

consternation [ˌkɒnstəˈneɪʃn] Bestürzung

constipated [ˈkɒnstɪpeɪtɪd] *be constipated medizinisch*: an Verstopfung leiden

constipation [ˌkɒnstɪˈpeɪʃn] *medizinisch*: Verstopfung

constituency [kənˈstɪtjʊənsɪ] **1.** Wahlbezirk, Wahlkreis **2.** Wählerschaft

constituent[1] [kənˈstɪtjʊənt] **1.** *Politik*: Wähler(in) **2.** Bestandteil (*einer Substanz usw.*)

constituent[2] [kənˈstɪtjʊənt] **constituent part** Bestandteil

constitute [ˈkɒnstɪtjuːt] **1.** ausmachen, bilden (*ein Ganzes usw.*) **2.** einrichten, konstituieren (*Ausschuss, Komitee usw.*)

constitution [ˌkɒnstɪˈtjuːʃn] **1.** *politisch*: Verfassung, *eines Klubs usw.*: Satzung **2.** *gesundheitlich*: Konstitution **3.** Zusammensetzung, (Auf)Bau **4.** Einrichtung (*eines Komitees usw.*)

constitutional [ˌkɒnstɪˈtjuːʃnəl] **1.** *politisch*: verfassungsgemäß, Verfassungs… **2.** *politisch*: rechtsstaatlich; **constitutional state** Rechtsstaat **3.** *medizinisch*: konstitutionell, anlagebedingt

constrain [kənˈstreɪn] **1.** einschränken (*Möglichkeiten, Entwicklung usw.*) **2.** *feel constrained to do something* sich gezwungen fühlen, etwas zu tun

constraint [kənˈstreɪnt] **1.** Zwang **2.** Einschränkung

construct [kənˈstrʌkt] **1.** errichten, bauen **2.** *Technik usw.*: konstruieren, bauen

construction [kənˈstrʌkʃn] **1.** Errichtung, Konstruktion; **under construction** im Bau (befindlich) **2.** Bauweise; **steel construction** Stahlkonstruktion **3.** Bau (-werk) **4.** *Sprache*: Konstruktion

constructive [kənˈstrʌktɪv] konstruktiv

consul [ˈkɒnsl] Konsul

consulate [ˈkɒnsjʊlət] Konsulat

consult [kənˈsʌlt] **1.** konsultieren (**about** wegen) **2.** nachschlagen in (*einem Buch usw.*) **3.** (sich) beraten (**about** über)

consultant [kənˈsʌltənt] **1.** (fachmännischer) Berater **2.** *BE* Facharzt, Fachärztin (*an einem Krankenhaus*)

consultation [ˌkɒnslˈteɪʃn] Beratung, Konsultation

consulting [kənˈsʌltɪŋ] beratend; **consulting room** *BE* Sprechzimmer

consume [kənˈsjuːm] **1.** verbrauchen, konsumieren **2.** in Anspruch nehmen (*Zeit usw.*) **3.** aufzehren (*Energie*) **4.** aufessen, vertilgen **5.** (*Feuer*) zerstören, vernichten **6.** *be consumed with hatred usw.* von Hass *usw.* verzehrt werden

consumer [kənˈsjuːmə] Verbraucher(in); **consumer goods** *Pl.* Konsumgüter; **consumer protection** Verbraucherschutz

consummate [△ kənˈsʌmət] vollendet, vollkommen

consumption [kənˈsʌmpʃn] **1.** Verbrauch (**of** an), Konsum **2.** *unfit for human consumption* nicht für den menschlichen Verzehr geeignet

contact[1] [ˈkɒntækt] **1.** Kontakt (*auch übertragen*), Berührung; **make contacts** Verbindungen anknüpfen; **business contacts** *Pl.* Geschäftsverbindungen **2.** Kontaktperson

contact[2] [ˈkɒntækt] Kontakt aufnehmen mit, sich in Verbindung setzen mit

contact lens [ˈkɒntækt lenz] Kontaktlinse

contagious [kənˈteɪdʒəs] *Krankheit usw.*: ansteckend (*auch übertragen*)

contain [kənˈteɪn] **1.** enthalten **2.** (*Raum usw.*) fassen **3.** *übertragen* zügeln, zurück halten; **contain oneself** sich beherrschen

container [kən'teɪnə] 1. Behälter; ☞ *Illu S. 195* 2. *Transport*: Container; **container ship** Containerschiff

contaminate [kən'tæmɪneɪt] verunreinigen, (*auch* radioaktiv) verseuchen

contamination [kən,tæmɪ'neɪʃn] Verunreinigung, (*auch* radioaktive) Verseuchung

contemplate ['kɒntəmpleɪt] 1. (≈ *tun wollen*) erwägen, beabsichtigen (**doing** zu tun) 2. nachdenken über (*den Sinn des Lebens usw.*), denken an 3. betrachten

contemplation [,kɒntəm'pleɪʃn] 1. Nachdenken 2. Betrachtung

contemporaneous [kən,tempə'reɪnɪəs] gleichzeitig; **be contemporaneous with** zeitlich zusammenfallen mit

contemporary¹ [kən'temprərɪ] 1. *Autor, Kunst usw.*: zeitgenössisch, (≈ *von heute*) modern 2. *Ereignisse*: gleichzeitig

contemporary² [kən'temprərɪ] 1. *geschichtlich*: Zeitgenosse, Zeitgenossin 2. Altersgenosse, Altersgenossin

contempt [kən'tempt] Verachtung

contemptuous [kən'temptjʊəs] verächtlich

contend [kən'tend] 1. *bei Wettbewerb usw.*: kämpfen (**for** um) 2. behaupten (**that** dass)

> **contend with** [kən'tend‿wɪð] **have to contend with something** mit etwas fertig werden müssen (*mit Problem usw.*)

content¹ [kən'tent] zufrieden (**with** mit); **be content with** sich begnügen mit

content² [kən'tent] zufriedenstellen; **content oneself with** sich zufriedengeben mit

content³ ['kɒntent] 1. Gehalt, Aussage (*eines Buchs usw.*) 2. *Chemie*: Gehalt (**of** an); ☞ **contents**

contented [kən'tentɪd] zufrieden (**with** mit)

contention [kən'tenʃn] 1. *förmlich* Behauptung 2. Streit, Zank; **bone of contention** *übertragen* Zankapfel

contentment [kən'tentmənt] Zufriedenheit

contents ['kɒntents] *Pl.* Inhalt (*auch einer Tasche usw.*); (**table of**) **contents** Inhaltsverzeichnis

contest¹ ['kɒntest] 1. (Wett)Kampf (**for** um) 2. Wettbewerb

contest² [kən'test] 1. kämpfen um 2. bestreiten (*Behauptung*), *auch Recht*: anfechten

contestant [kən'testənt] 1. (Wettkampf-)Teilnehmer(in) 2. (Mit)Bewerber(in)

context ['kɒntekst] Zusammenhang, Kontext; **in this context** in diesem Zusammenhang; **out of context** aus dem Zusammenhang gerissen

continent ['kɒntɪnənt] 1. Kontinent, Erdteil 2. **the Continent** das (europäische) Festland

continental [,kɒntɪ'nentl] 1. kontinental 2. *mst.* **Continental** kontinental(europäisch); **continental breakfast** kleines Frühstück; **continental quilt** *BE* Federbett

continental breakfast

Ein **continental breakfast** besteht aus Brötchen oder Croissants mit Butter und Marmelade. Es ist wesentlich bescheidener als das traditionelle **English breakfast**.

continual [kən'tɪnjʊəl] dauernd, ständig

continuation [kən,tɪnjʊ'eɪʃn] 1. *von Vorherigem*: Fortsetzung 2. *von Tradition usw.*: Fortbestand, Fortdauer

continue [kən'tɪnju:] 1. fortfahren, weitermachen 2. fortsetzen, fortfahren mit; **to be continued** Fortsetzung folgt 3. andauern, anhalten 4. (fort)bestehen 5. **continue in office** im Amt bleiben 6. **continue to do** *oder* **continue doing** (auch) weiterhin tun 7. **continue to be** *oder* **continue being** weiterhin *oder* noch immer … sein

continuity [,kɒntɪ'nju:ətɪ] Kontinuität

continuous [kən'tɪnjʊəs] 1. ununterbrochen 2. kontinuierlich 3. **continuous form** *Sprache*: Verlaufsform

contorted [kən'tɔ:tɪd] *Gesicht*: verzerrt (**with** vor)

contortion [kən'tɔ:ʃn] 1. *bei Akrobatik usw.*: Verrenkung 2. *von Gesicht*: Verzerrung

contour ['kɒntʊə] Kontur, Umriss

contraband ['kɒntrəbænd] 1. Schmuggelware 2. Schmuggel

contraception [,kɒntrə'sepʃn] *medizinisch*: Empfängnisverhütung

contraceptive¹ [,kɒntrə'septɪv] empfängnisverhütendes Mittel

contraceptive² [,kɒntrə'septɪv] *Mittel*: empfängnisverhütend

contract¹ ['kɒntrækt] Vertrag; **enter into** *oder* **make a contract** einen Vertrag abschließen

contract² [kən'trækt] 1. (*Muskel usw.*) sich zusammenziehen, (*Pupillen*) sich verengen **2.** zusammenziehen (*Muskel usw.*) **3.** *geschäftlich*: sich vertraglich verpflichten (**to do** zu tun; **for** zu) **4.** sich zuziehen (*eine Krankheit*)

contraction [kən'trækʃn] **1.** Zusammenziehen **2.** *Wirtschaft*: Schrumpfung

contractor [kən'træktə] (Bau)Unternehmer

contradict [ˌkɒntrə'dɪkt] **1.** *contradict someone* oder *something* jemandem oder etwas widersprechen **2.** im Widerspruch stehen zu

contradiction [ˌkɒntrə'dɪkʃn] Widerspruch

contradictory [ˌkɒntrə'dɪktərɪ] *Aussagen usw.*: widersprüchlich, sich widersprechend

contraindication [ˌkɒntrəˌɪndɪ'keɪʃn] *bei Medikamenten*: Gegenanzeige

contraption [kən'træpʃn] *umg., oft abwertend* Apparat

contrary[1] ['kɒntrərɪ] Gegenteil; **on the contrary** im Gegenteil; **evidence** *usw.* **to the contrary** gegenteilige Beweise *usw.*

contrary[2] ['kɒntrərɪ] **1.** entgegengesetzt (**to**; *dt. Dativ*) **2.** gegensätzlich **3.** *it's contrary to ...* das verstößt gegen ..., das steht im Widerspruch zu ...

contrast[1] ['kɒntrɑːst] Kontrast (*auch TV usw.*), Gegensatz (**between** zwischen); **in contrast to** (*oder* **with**) im Gegensatz zu

contrast[2] [kən'trɑːst] **1.** (≈ *vergleichen*) gegenüberstellen (**with**; *dt. Dativ*) **2.** (*Farben usw.*) sich abheben, abstechen (**with** von, gegen) **3.** (*Taten usw.*) im Gegensatz stehen (**with** zu)

contravene [ˌkɒntrə'viːn] **1.** übertreten (*Gesetz*), verstoßen gegen **2.** im Widerspruch stehen zu

contribute [△ kən'trɪbjuːt] **1.** beitragen, beisteuern (**to** zu); **contribute to** (*oder* **towards**) **the expenses** sich an den Unkosten beteiligen **2.** spenden (**to** für) **3.** beitragen (*Artikel*) (**to** zu) (*einer Zeitung*)

contribution [ˌkɒntrɪ'bjuːʃn] **1.** Beitrag (*auch für Zeitung*) **2.** Spende

contributor [△ kən'trɪbjutə] **1.** Beitragende(r) **2.** Mitarbeiter(in) (**to a newspaper**) bei *oder* an einer Zeitung)

contrive [kən'traɪv] **1.** zustande bringen, es fertigbringen (**to do** zu tun) **2.** erfinden, sich ausdenken

control[1] [kən'trəʊl], **controlled, controlled 1.** beherrschen, die Herrschaft *oder* Kontrolle haben über **2.** kontrollieren, überwachen (*Verkehr, Maschine*) **3.** in Schranken halten; **control oneself** sich beherrschen **4.** *Technik usw.*: steu-

ern, regeln **5.** leiten, führen (*Geschäft usw.*)

control[2] [kən'trəʊl] **1.** Kontrolle, Herrschaft (**of, over** über); **bring** (*oder* **get**) **under control** unter Kontrolle bringen; **get out of control** außer Kontrolle geraten; **lose control of** (*oder* **over**) die Herrschaft *oder* Kontrolle verlieren über **2.** *gefühlsmäßig*: Beherrschung (**of, over**; *dt. Genitiv*); **lose control of oneself** die (Selbst)Beherrschung verlieren **3.** *politisch*: Macht, Gewalt (**of, over** über) **4.** *in Firma, Organisation*: Aufsicht, Kontrolle (**of, over** über); **be in control of something** etwas leiten *oder* unter sich haben **5.** *mst.* **controls** *Pl. Technik*: Steuerung, Steuervorrichtung **6.** *Technik*: Regler

control key [kən'trəʊl_kiː] *Computer*: Steuerungstaste

controller [kən'trəʊlə] **1.** Kontrolleur(in), Aufseher(in) **2.** *Wirtschaft*: Controller(in)

control stick [kən'trəʊl_stɪk] *Flugzeug*: Steuerknüppel

control tower [kən'trəʊl_taʊə] *Flughafen*: Kontrollturm, Tower

controversial [ˌkɒntrə'vɜːʃl] strittig, umstritten

controversy ['kɒntrəvɜːsɪ] Kontroverse

contusion [kən'tjuːʒn] *medizinisch*: Quetschung

conundrum [kə'nʌndrəm] (Scherz)Rätsel

conurbation [ˌkɒnɜː'beɪʃn] Ballungsraum

convalesce [ˌkɒnvə'les] gesund werden

convalescence [ˌkɒnvə'lesns] Genesung, Genesungszeit

convalescent [ˌkɒnvə'lesnt] **he's convalescent** er ist auf dem Wege der Besserung

convene [kən'viːn] **1.** zusammenkommen, sich versammeln **2.** zusammenrufen (*Leute usw.*), einberufen (*Versammlung*)

convenience [kən'viːnɪəns] **1.** Annehmlichkeit; **all** (**modern**) **conveniences** aller Komfort; **at your convenience** wenn es Ihnen passt; **at your earliest convenience** *formell, bes. in Geschäftsbriefen*: so bald wie möglich **2.** *auch*: **public convenience** *bes. BE* (öffentliche) Toilette

convenience food [kən'viːnɪəns_fuːd] Schnellgerichte *Pl.*

convenient [kən'viːnɪənt] **1.** bequem, praktisch **2.** günstig, passend; **be convenient for someone** jemandem passen

convent ['kɒnvənt] (Nonnen)Kloster

convention [kən'venʃn] **1.** Konvention, Sitte **2.** Tagung, Versammlung **3.** Kongress, *AE* Parteiversammlung **4.** Abkommen (*zwischen Staaten*)

conventional [kən'venʃnəl] **1.** konventionell (*auch Waffen usw.*) **2.** *oft abwertend* herkömmlich, unoriginell

converge [kən'vɜːdʒ] **1.** (*Straßen, Flüsse*) zusammenlaufen **2.** *Geometrie:* konvergieren (*auch übertragen*) **3.** *übertragen* sich annähern

conversation [ˌkɒnvə'seɪʃn] Konversation, Unterhaltung, Gespräch; *in conversation with* im Gespräch mit; *get into conversation with someone* mit jemandem ins Gespräch kommen; *make conversation* Konversation machen

conversational [ˌkɒnvə'seɪʃnəl] Unterhaltungs..., Gesprächs...; *conversational English* Umgangsenglisch; *conversational tone* Plauderton

converse [kən'vɜːs] sich unterhalten (*with* mit; *on, about* über)

conversion [kən'vɜːʃn] **1.** Umwandlung, Verwandlung (*into, to* in) **2.** Bekehrung, *kirchlich:* Konversion (*to* zu) **3.** Umbau (*eines Gebäudes*) (*into* zu) **4.** *Technik, Wirtschaft:* Umstellung (*to* auf) **5.** Umrechnung (*into, to* in)

convert [kən'vɜːt] **1.** *allg., auch chemisch:* umwandeln, verwandeln (*into, to* in) **2.** sich umwandeln *oder* verwandeln (*into, to* in) **3.** umbauen (*Gebäude*) (*into* zu) **4.** *Technik, Wirtschaft:* umstellen (*to* auf) **5.** umrechnen (*Maßeinheiten usw.*) (*into, to* in) **6.** *kirchlich usw.:* bekehren (*to* zu) **7.** sich bekehren, *kirchlich:* konvertieren, übertreten (*to* zu)

convertible¹ [kən'vɜːtəbl] **1.** verwandelbar **2.** *Währung usw.:* umrechenbar

convertible² [kən'vɜːtəbl] *Auto:* Kabrio(-lett), Cabrio(let)

convertible

Convertible heißt diese Art von Auto, weil man es zu einem Fahrzeug mit offenem Verdeck umwandeln (= **convert**) kann.

convey [kən'veɪ] **1.** befördern, transportieren (*Waren usw.*) **2.** überbringen (*Grüße usw.*) **3.** mitteilen, vermitteln (*Ideen usw.*)

conveyor belt [kən'veɪə_belt] *auch* **conveyor** *Technik:* Förderband

convict¹ [kən'vɪkt] *Recht* **1.** überführen (*of*; *dt. Genitiv*) **2.** verurteilen (*of* wegen)

convict² ['kɒnvɪkt] Strafgefangene(r)

conviction [kən'vɪkʃn] **1.** *Recht:* Verurteilung **2.** Überzeugung

convince [kən'vɪns] überzeugen (*of* von; *that* dass)

convincing [kən'vɪnsɪŋ] überzeugend

convoy ['kɒnvɔɪ] **1.** Konvoi **2.** Geleit

convulse [kən'vʌls] *be convulsed with* sich krümmen vor (*Lachen, Schmerzen usw.*)

convulsion [kən'vʌlʃn] **1.** *bes. medizinisch:* Zuckung **2.** *they were in convulsions* sie wanden sich vor Lachen (*auch übertragen*)

coo [kuː] gurren (*auch übertragen*)

cook¹ [kʊk] **1.** kochen, zubereiten **2.** (*Essen*) gekocht werden, kochen **3.** *umg.* (≈ *fälschen*) frisieren (*Abrechnung usw.*) **4.** *what's cooking? umg.* was ist los?

> **cook up** [ˌkʊk'ʌp] *umg.* erfinden, sich ausdenken (*Geschichte usw.*)

cook² [kʊk] **1.** Koch, Köchin **2.** *too many cooks spoil the broth Sprichwort:* viele Köche verderben den Brei

cookbook ['kʊkbʊk] *bes. AE* Kochbuch

cooker ['kʊkə] *BE* Kocher, Herd; *cooker hood* Abzugshaube

cookery ['kʊkərɪ] *bes. BE* Kochen, Kochkunst; *cookery book* Kochbuch

cookie ['kʊkɪ] **1.** *AE* Keks, Plätzchen **2.** *Internet:* Cookie

cooking ['kʊkɪŋ] **1.** Kochen **2.** *Italian usw.* **cooking** die italienische *usw.* Küche

cookout ['kʊkaʊt] *AE* Kochen am Lagerfeuer, *auch* Grillparty

cool¹ [kuːl] **1.** kühl, frisch; *get cool* sich abkühlen **2.** *übertragen* kühl, gelassen; *keep cool* einen kühlen Kopf behalten, sich nicht aufregen; *play it cool* ganz ruhig bleiben **3.** *abwertend* unverfroren, seelenruhig **4.** *umg.* glatt; *a cool thousand pounds* glatte tausend Pfund **5.** *umg.* klasse, prima; *Kleidung:* stylish

cool² [kuːl] **1.** (ab)kühlen, abkühlen lassen **2.** kühl werden, sich abkühlen **3.** *cool it! umg.* immer mit der Ruhe!, reg dich ab!

> **cool down** [ˌkuːl'daʊn] *umg.* sich abregen
> **cool off** [ˌkuːl'ɒf] **1.** sich abkühlen **2.** *übertragen* sich beruhigen

cool³ [kuːl] **1.** Kühle, Frische **2.** *umg.* (Selbst)Beherrschung; *lose one's cool* hochgehen; *keep one's cool* ruhig bleiben

coolbox ['kuːlbɒks] Kühlbox

cooler ['kuːlə] **1.** *AE* Kühlbox **2.** *salopp* Kittchen

coolheaded [ˌkuːl'hedɪd] besonnen

coolness ['kuːlnəs] **1.** Kühle (*auch übertragen*) **2.** Kaltblütigkeit

co-op ['kəʊɒp] *umg.* Co-op (*Genossenschaft und Laden*)

cooperate [kəʊ'ɒpəreɪt] **1.** zusammenarbeiten (**with** mit; **in** bei) **2.** mitwirken (**in** an)

cooperation [kəʊˌɒpəˈreɪʃn] **1.** Zusammenarbeit **2.** Mitarbeit, Hilfe

cooperative [kəʊˈɒpərətɪv] kooperativ, hilfsbereit

coordinate[1] [kəʊˈɔːdɪneɪt] koordinieren, aufeinander abstimmen

coordinate[2] [kəʊˈɔːdɪnət] *Geometrie:* Koordinate

coordination [kəʊˌɔːdɪˈneɪʃn] Koordinierung, Koordination

cop[1] [kɒp] *salopp* (≈ *Polizist*) Bulle

cop[2] [kɒp], **copped, copped** *salopp* erwischen (**at** bei)

cop[3] [kɒp] *salopp* **be not much cop** BE (*Buch, Film usw.*) nicht so toll sein

copartner [ˌkəʊˈpɑːtnə] Teilhaber(in), Mitinhaber(in)

cope [kəʊp] zurechtkommen, fertig werden (**with** mit)

Copenhagen [ˌkəʊpənˈheɪgən] Kopenhagen

copier [ˈkɒpɪə] Kopiergerät, Kopierer

copilot [ˈkəʊˌpaɪlət] *im Flugzeug:* Kopilot(in)

copper[1] [ˈkɒpə] **1.** *Metall:* Kupfer **2.** *mst.* **coppers** Pl., BE Kupfermünzen

copper[2] [ˈkɒpə] BE, *salopp* (≈ *Polizist*) Bulle

copulate [ˈkɒpjʊleɪt] sich paaren

copulation [ˌkɒpjʊˈleɪʃn] Paarung

copy[1] [ˈkɒpɪ] **1.** Kopie, Abschrift; **fair** (*oder* **clean**) **copy** Reinschrift **2.** Durchschlag, Durchschrift **3.** Nachbildung, Kopie (*eines Kunstwerks*) **4.** Exemplar (*eines Buchs usw.*) **5.** *Druck:* (Satz)Vorlage **6.** (Werbe)Text

copy[2] [ˈkɒpɪ] **1.** kopieren (*Brief usw.*) **2.** nachmachen, kopieren **3.** *bei Prüfung:* abschreiben (**off, from** von) **4.** eine Kopie anfertigen von, überspielen (*Kassette usw.*)

copycat [ˈkɒpɪkæt] *umg.* Nachahmer(in)

copy editor [ˈkɒpɪˌedɪtə] **1.** (Zeitungs)Redakteur(in) **2.** *im Verlag:* Lektor(in)

copyright[1] [ˈkɒpɪraɪt] *Recht:* Urheberrecht, Copyright

copyright[2] [ˈkɒpɪraɪt] *Recht:* urheberrechtlich schützen (lassen)

copywriter [ˈkɒpɪˌraɪtə] Werbetexter(in)

coral [ˈkɒrəl] Koralle

cord [kɔːd] **1.** Schnur (*auch Elektrokabel*), Kordel **2.** gerippter Stoff, *bes.* Kordsamt; **cords** Pl. Kordhosen

cordial[1] [ˈkɔːdɪəl] BE Fruchtsaftgetränk

cordial[2] [ˈkɔːdɪəl] *Empfang usw.:* herzlich

cordiality [ˌkɔːdɪˈælətɪ] Herzlichkeit

cordless phone [ˌkɔːdləsˈfəʊn] schnurloses Telefon

cordon [ˈkɔːdn] Postenkette (*als Absperrung*)

cordon off [ˌkɔːdnˈɒf] (*Polizei usw.*) absperren, abriegeln

corduroy [△ ˈkɔːdərɔɪ] **1.** Kord(samt), Ⓐ Schnürlsamt **2. corduroys** Pl. Kordhose

core[1] [kɔː] **1.** *Apfel usw.:* Kerngehäuse **2.** *übertragen* Kern, *das* Innerste; **to the core** bis ins Innerste, durch und durch

core[2] [kɔː] entkernen (*Obst*)

core[3] [kɔː] Kern...; **core business** Kerngeschäft

core time [ˈkɔːˌtaɪm] *Arbeit:* Kernzeit

cork[1] [kɔːk] **1.** *Material:* Kork **2.** *für Flasche:* Korken, Pfropfen

cork[2] [kɔːk] *oft* **cork up** zukorken

corkscrew [ˈkɔːkˌskruː] Korkenzieher

corn[1] [kɔːn] **1.** BE Korn, Getreide **2.** AE Mais

corn[2] [kɔːn] *medizinisch:* Hühnerauge

corn bread [ˈkɔːnˌbred] AE Maisbrot

corncob [ˈkɔːnkɒb] Maiskolben

corned beef [ˌkɔːndˈbiːf] Cornedbeef, gepökeltes Rindfleisch

corner[1] [ˈkɔːnə] **1.** Ecke; **turn the corner** um die Ecke biegen **2.** *bes. Straße:* Kurve; **take a corner** *Auto:* eine Kurve nehmen **3.** Winkel, Ecke; **corner of the mouth** Mundwinkel; **look at someone from the corner of one's eye** jemanden aus den Augenwinkeln (heraus) ansehen **4.** **drive** (*oder* **force**) **into a corner** in die Enge treiben; **be in a tight corner** in der Klemme sein **5.** *Fußball:* Eckball, Ecke, Ⓐ, ⒸⒽ Corner

corner[2] [ˈkɔːnə] **1.** in die Enge treiben **2.** *Auto:* eine Kurve nehmen; **corner well** (*Auto*) gut in der Kurve liegen

corner[3] [ˈkɔːnə] Eck...; **corner seat** Eckplatz

corner kick [ˈkɔːnəˌkɪk] *Fußball:* Eckstoß

corner shop [ˌkɔːnəˈʃɒp] BE Laden an der Ecke, Tante-Emma-Laden

cornerstone [ˈkɔːnəstəʊn] Grundstein (*auch übertragen*)

cornfield [ˈkɔːnfiːld] **1.** BE Kornfeld, Getreidefeld **2.** AE Maisfeld

cornflakes [ˈkɔːnfleɪks] Pl. Cornflakes

cornflower [ˈkɔːnflaʊə] Kornblume

Cornish [ˈkɔːnɪʃ] kornisch, aus Cornwall

corny [ˈkɔːnɪ] *umg.* kitschig, *Witz:* abgedroschen

coronary [ˈkɒrənərɪ] *medizinisch:* Herz...; **coronary disease** Herzkrankheit, *auch:* Herzinfarkt

coronation [ˌkɒrəˈneɪʃn] Krönung(sfeier)

coroner [ˈkɒrənə] Coroner (*Beamter, der*

die Todesursache in Fällen gewaltsamen oder unnatürlichen Todes untersucht)

corporal[1] ['kɔ:prəl] *militärisch:* Unteroffizier

corporal[2] ['kɔ:prəl] körperlich, leiblich; *corporal punishment* Prügelstrafe

corporate ['kɔ:pərət] 1. gemeinsam, kollektiv 2. *Wirtschaft:* Gesellschafts..., Firmen...

corporation [,kɔ:pə'reɪʃn] 1. *Recht:* Körperschaft, juristische Person 2. *auch* *stock corporation* AE; *Wirtschaft:* Kapitalgesellschaft, Aktiengesellschaft

corps [△ kɔ:] *Pl.:* **corps** [kɔ:z] *militärisch:* Korps

corpse [kɔ:ps] Leichnam, Leiche

corpulent ['kɔ:pjʊlənt] beleibt, korpulent

Corpus Christi [,kɔ:pəs'krɪstɪ] *kirchlich:* Fronleichnam

correct[1] [kə'rekt] 1. korrekt, richtig; *be correct Sachverhalt:* stimmen, *Person:* recht haben 2. *Benehmen:* einwandfrei, korrekt

correct[2] [kə'rekt] korrigieren, verbessern, berichtigen

correction [kə'rekʃn] Korrektur, Verbesserung, Berichtigung

correctness [kə'rektnəs] Korrektheit, Richtigkeit

correlate ['kɒrəleɪt] 1. übereinstimmen (*with* mit) 2. in Übereinstimmung bringen (*with* mit)

correlation [,kɒrə'leɪʃn] Übereinstimmung

correspond [,kɒrə'spɒnd] 1. entsprechen (*to, with*; *dt. Dativ*), übereinstimmen (*to, with* mit) 2. korrespondieren, in Briefwechsel stehen (*with* mit)

correspondence [,kɒrə'spɒndəns] 1. Briefwechsel, Korrespondenz; *be in correspondence* (*with*) korrespondieren (mit); *correspondence course* Fernkurs 2. Briefe, Korrespondenz 3. Übereinstimmung

correspondent [,kɒrə'spɒndənt] 1. Korrespondent(in) (*einer Zeitung usw.*); *foreign correspondent* Auslandskorrespondent(in) 2. Briefpartner(in); *I'm a bad correspondent* ich bin schreibfaul

corresponding [,kɒrə'spɒndɪŋ] entsprechend, gemäß (*to*; *dt. Dativ*)

corridor ['kɒrɪdɔ:] Korridor, Gang

corrode [kə'rəʊd] (*Metall*) korrodieren

corrosion [kə'rəʊʒn] *Metall:* Korrosion

corrugated ['kɒrəgeɪtɪd] gewellt; *corrugated iron* Wellblech

corrupt[1] [kə'rʌpt] 1. korrupt, bestechlich 2. (moralisch) verdorben

corrupt[2] [kə'rʌpt] (moralisch) verderben

corruptible [kə'rʌptəbl] bestechlich

corruption [kə'rʌpʃn] Korruption

corset ['kɔ:sɪt] Korsett

cos [kəz] *umg. Kurzform von* → *because*

cosiness ['kəʊzɪnəs] Behaglichkeit, Gemütlichkeit

cosmetic [kɒz'metɪk] kosmetisch (*auch übertragen*); *cosmetic surgery* Schönheitschirurgie

cosmetician [,kɒzmə'tɪʃn] Kosmetiker(in)

cosmetics [kɒz'metɪks] *Pl.* Kosmetika

cosmic ['kɒzmɪk] kosmisch

cosmopolitan [,kɒzmə'pɒlɪtən] kosmopolitisch, *im weiteren Sinn:* weltoffen

cosmos ['kɒzmɒs] Kosmos, Weltall

cost[1] [kɒst] 1. Kosten; *cost of living* Lebenshaltungskosten; *cost increase* Kostensteigerung; *at cost* zum Selbstkostenpreis; *cost price* Selbstkostenpreis, Einkaufspreis 2. *übertragen* Kosten; *at someone's cost* auf jemandes Kosten; *at the cost of his health* auf Kosten seiner Gesundheit 3. *übertragen* Preis; *at all costs oder at any cost* um jeden Preis

cost[2] [kɒst], **cost, cost** 1. kosten; *it cost me one pound* es kostete mich ein Pfund 2. *übertragen* kosten; *it cost him his life* es kostete ihn das Leben; *it cost him dearly* es kam ihn teuer zu stehen 3. *it cost me a lot of trouble* es kostete mich große Mühe

co-star ['kəʊstɑ:], **co-starred, co-starred** 1. *the film co-starred X* X spielte in dem Film eine der Hauptrollen 2. *co-star with* die Hauptrolle spielen neben

costly ['kɒstlɪ] 1. kostspielig, teuer 2. *Sieg usw.:* teuer erkauft

costume ['kɒstju:m] 1. *Theater usw.:* Kostüm; *costume ball* Kostümball 2. Tracht (*eines Landes*) 3. *costume jewellery* Modeschmuck (△ (*Damen)Kostüm* = *suit*)

cosy ['kəʊzɪ] *bes. BE* behaglich, gemütlich

cot [kɒt] 1. *BE* Kinderbett 2. *AE* Feldbett

cottage ['kɒtɪdʒ] 1. (kleines) Landhaus 2. *AE* Ferienhaus

cottage cheese [,kɒtɪdʒ't ʃi:z] Hüttenkäse

cotton[1] ['kɒtn] 1. Baumwolle 2. *AE* Watte; *cotton candy* Zuckerwatte

cotton[2] ['kɒtn] baumwollen, Baumwoll...

---

cotton on [,kɒtn'ɒn] *cotton on to something umg.* etwas kapieren

cotton to ['kɒtn _tʊ] *AE, umg.* sich anfreunden mit (*einer Idee usw.*)

cotton bud [ˌkɒtn'bʌd] *BE* Wattestäbchen

cotton candy [ˌkɒtn'kændɪ] *AE* Zuckerwatte

cotton wool [ˌkɒtn'wʊl] *BE* (Verband)-Watte

couch [kaʊtʃ] Couch, Liege(sofa)

couchette [kuːˈʃet] *BE*, *Bahn*: Liegewagenplatz

couch potato [ˈkaʊtʃ_pəˌteɪtəʊ] *he's a real couch potato umg.* er sitzt ständig vor dem Fernseher

cougar [ˈkuːgə] Puma

cough¹ [△ kɒf] 1. husten 2. (*Motor*) stottern

---

cough up [△ ˌkɒf'ʌp] 1. aushusten 2. *salopp* herausrücken mit (*der Wahrheit usw.*) 3. *salopp* herausrücken (*Geld*)

---

cough² [△ kɒf] Husten; *have a cough* Husten haben

cough drop [ˈkɒf_drɒp], **cough sweet** [ˈkɒfswiːt] Hustenbonbon

cough mixture [ˈkɒf‚mɪkstʃə], **cough syrup** [ˈkɒf‚sɪrəp] Hustensaft

could [kʊd] 1. 2. *Form von* → *can¹* 2. *konditional, vermutend oder fragend:* könnte *usw.;* *you could be right* du könntest recht haben

couldn't [ˈkʊdnt] *Kurzform von* **could not**

could've [ˈkʊdəv] *Kurzform von* **could have**

council [ˈkaʊnsl] 1. Rat(sversammlung) 2. Stadtrat, Gemeinderat; *council flat BE* Sozialwohnung; *council estate BE* soziale Wohnsiedlung 3. *Körperschaft:* Rat; *Council of Europe* Europarat

---

British Council

1934 gegründet, fördert das von der Regierung unterstützte **British Council** kulturelle Beziehungen zum Ausland und bietet weltweit Englischkurse an. Es entspricht etwa dem deutschen Goethe-Institut.

---

councillor, *AE* **councilor** [ˈkaʊnslə] Ratsmitglied, Stadtrat, Stadträtin

counsel¹ [ˈkaʊnsl] 1. Rat(schlag); *take counsel with* sich beraten mit 2. *Recht:* (Rechts)Anwalt

counsel² [ˈkaʊnsl], *counselled, counselled, AE counseled, counseled* 1. beraten 2. raten, einen Rat geben; *counsel someone to do something* jemandem raten, etwas zu tun

counsellor, *AE* **counselor** [ˈkaʊnslə] Be-

rater(in)

count¹ [kaʊnt] 1. (ab-, aus)zählen 2. nachzählen (*Wechselgeld*) 3. ausrechnen, berechnen (*Rechnungsbetrag usw.*) 4. *she can count (up) to ten* sie kann bis 10 zählen; *counting from today* von heute an (gerechnet) 5. mitzählen, mit einrechnen; *not counting those present* die Anwesenden nicht mitgerechnet; *without (oder not) counting* abgesehen von 6. halten für; *count oneself lucky* sich glücklich schätzen 7. wichtig sein, zählen 8. *that doesn't count im Spiel:* das zählt nicht

---

count against [ˌkaʊnt_əˈgenst] 1. sprechen gegen 2. sich nachteilig auswirken auf

count among [ˈkaʊnt_əˌmʌŋ] zählen zu

count down [ˌkaʊnt'daʊn] den Count-down durchführen (für)

count for [ˈkaʊnt_fɔː] *it doesn't count for much* es bedeutet nicht sehr viel

count in [ˌkaʊnt'ɪn] mitzählen, mit einrechnen; *count me in!* ich bin dabei!

count on [ˈkaʊnt_ɒn] zählen auf, sich verlassen auf, rechnen mit

count out [ˌkaʊnt'aʊt] 1. abzählen (*Münzen usw.*) 2. *Boxen:* auszählen 3. ausschließen; *count me out!* ohne mich!

count up [ˌkaʊnt'ʌp] zusammenzählen

---

count² [ˈkaʊnt] 1. Zählen, (Aus)Zählung; *keep count of* genau zählen, *übertragen* die Übersicht behalten über; *lose count* sich verzählen, *übertragen* die Übersicht verlieren (*of* über) 2. *Recht:* Anklagepunkt; *on all counts* in allen Anklagepunkten, *übertragen* in jeder Hinsicht

count³ [kaʊnt] Graf

countable [ˈkaʊntəbl] zählbar

countdown [ˈkaʊntdaʊn] Count-down

countenance [ˈkaʊntənəns] *förmlich* Gesichtsausdruck, Miene

counter¹ [ˈkaʊntə] 1. Ladentisch; *sell (bzw. buy) under the counter* unter dem Ladentisch verkaufen (*bzw.* kaufen) 2. Theke 3. *Bank, Post:* Schalter

counter² [ˈkaʊntə] 1. *Technik:* Zähler 2. Spielmarke, Jeton

counter³ [ˈkaʊntə] *auch Sport:* kontern

counter... [ˈkaʊntə] *in Zusammensetzungen:* Gegen..., Konter...

counteract [ˌkaʊntərˈækt] 1. entgegenwirken 2. neutralisieren (*Wirkung*)

counterbalance¹ [ˈkaʊntəˌbæləns] *übertragen* Gegengewicht (*to* zu)

counterbalance² [ˌkaʊntəˈbæləns] *über-*

tragen ein Gegengewicht bilden zu, ausgleichen

counterclockwise [ˌkaʊntəˈklɒkwaɪz] *AE* entgegen dem *oder* gegen den Uhrzeigersinn

counterfeit¹ [△ ˈkaʊntəfɪt] fälschen (*Geld usw.*)

counterfeit² [△ ˈkaʊntəfɪt] **1.** falsch, gefälscht; *counterfeit money* Falschgeld **2.** vorgetäuscht, falsch

counterfoil [ˈkaʊntəfɔɪl] *bes. BE* (Kontroll)Abschnitt

countermeasure [ˈkaʊntəˌmeʒə] Gegenmaßnahme

counterpart [ˈkaʊntəpɑːt] Gegenstück (*to* zu)

counterproductive [ˌkaʊntəprəˈdʌktɪv] *be counterproductive* nicht zum gewünschten Ziel führen, das Gegenteil bewirken

countersign [ˈkaʊntəsaɪn] gegenzeichnen (*Urkunde, Formular usw.*)

countess [ˈkaʊntɪs] Gräfin

countless [ˈkaʊntləs] zahllos, unzählig

country¹ [ˈkʌntrɪ] **1.** Land, Staat; *in this country* hierzulande; *country of birth* Geburtsland **2.** Land (*als Gegensatz zur Stadt*); *in the country* auf dem Land **3.** Gegend, Landschaft; *flat country* Flachland

country² [ˈkʌntrɪ] ländlich, Land...

country house [ˌkʌntrɪˈhaʊs] Landhaus

country music [ˈkʌntrɪˌmjuːzɪk] Countrymusic

country road [ˌkʌntrɪˈrəʊd] Landstraße

countryside [ˈkʌntrɪsaɪd] **1.** ländliche Gegend; *in the countryside* auf dem Land **2.** Landschaft

county [ˈkaʊntɪ] **1.** *BE* Grafschaft **2.** *AE* Verwaltungsbezirk

coup [△ kuː] **1.** Coup; *stage* (*oder pull off*) *a coup* einen Coup landen **2.** Staatsstreich

coupé [ˈkuːpeɪ] *BE; Auto:* Coupé

couple¹ [ˈkʌpl] **1.** *a couple of* zwei, *umg.* ein paar **2.** (Ehe-, Liebes)Paar, Tanzpaar

couple² [ˈkʌpl] (zusammen)koppeln, verbinden (*auch übertragen with* mit)

coupon [ˈkuːpɒn] **1.** Gutschein, Bon **2.** Kupon, Bestellzettel (*in Zeitungsinseraten*)

courage [△ ˈkʌrɪdʒ] Mut, Tapferkeit; *lose courage* den Mut verlieren; *pluck up courage* Mut fassen

courageous [△ kəˈreɪdʒəs] mutig

courgette [△ ˌkɔːˈʒet] *BE* Zucchini

courier [△ ˈkʊrɪə] **1.** Eilbote, Kurier **2.** *BE; für Touristen:* Reiseleiter

course [kɔːs] **1.** *of course* natürlich, selbstverständlich; *'Can I borrow your bike?'* - *'(Of) course you can.'* „Kann ich dein Rad ausleihen?" - „Natürlich.", „Klar doch." **2.** *Schule usw.:* Kurs, Lehrgang; *take an English course* einen Englischkurs besuchen; *a course of lectures* eine Vorlesungsreihe **3.** *Rennsport:* Bahn, Strecke **4.** *Golf:* Platz **5.** *zeitlich:* Verlauf; *in the course of time* im Laufe der Zeit; *the course of events* der Lauf der Dinge **6.** *im Menü:* Gang; *a four-course meal* ein Essen mit 4 Gängen **7.** *von Flugzeug, Schiff:* Kurs (*auch übertragen*); *change course* seinen Kurs ändern

court¹ [kɔːt] **1.** *Recht:* Gericht, Gerichtshof; *in court* vor Gericht; *appear in court* vor Gericht erscheinen; *go to court* vor Gericht gehen **2.** *Sport:* Spielfeld, *bei Squash, Tennis usw.:* Platz **3.** *von Monarch usw.:* Hof; *at court* bei Hofe **4.** *auch courtyard* (Innen)Hof

court² [kɔːt] **1.** *veraltet:* den Hof machen **2.** *court death* mit seinem Leben spielen; *court disaster* das Schicksal herausfordern

courteous [△ ˈkɜːtɪəs] *Person, Auftreten usw.:* höflich

courtesy [△ ˈkɜːtəsɪ] **1.** *von Person, Auftreten usw.:* Höflichkeit; *courtesy call* Höflichkeitsbesuch, Anstandsbesuch **2.** *all quotations (by) courtesy of the author* alle Zitate mit freundlicher Genehmigung des Verfassers

cousin [ˈkʌzn] **1.** *Verwandter:* Cousin, Vetter **2.** *Verwandte:* Cousine

courtyard [ˈkɔːtjɑːd] *von Schloss, Gebäudekomplex usw.:* (Innen)Hof

cover¹ [ˈkʌvə] **1.** *über Bett, Sofa usw.:* Decke **2.** *auf Topf usw.:* Deckel **3.** *von Buch:* Einband; *from cover to cover* von der ersten bis zur letzten Seite **4.** *von Kissen, Polster:* Überzug, Bezug **5.** *förmlich* Umschlag; *we will send the receipt under separate cover* wir schicken die Quittung mit getrennter Post; *under plain cover* in neutralem Umschlag **6.** *militärisch und allg.:* Deckung (*from* vor); *take cover* in Deckung gehen **7.** *vor Witterung usw.:* Schutz (*from* vor); *take cover* sich unterstellen; *under cover of darkness* im Schutz der Dunkelheit **8.** *gegen Schäden:* Versicherungsschutz; *take out oder get cover against theft* eine Diebstahlversicherung abschließen

cover² [ˈkʌvə] **1.** *mit Decke, Deckel usw.:* bedecken, zudecken (*with* mit) **2.** decken (*Dach*) **3.** bedecken (*Oberfläche*); *the floor was covered with cigarette ends* der Fußboden war mit Kippen übersät; *we were covered with mud* wir waren von oben bis unten voller Dreck **4.** (*Fläche, Großstadt usw.*) bedecken, sich erstrecken über **5.** *in Presse, TV usw.*: berichten über, behandeln (*Thema*) **6.** *Sport*: decken (*Gegenspieler*) **7.** (*Versicherung*) abdecken (*Schäden, Krankheitskosten usw.*)

cover up [ˌkʌvərˈʌp] **1.** verheimlichen, vertuschen (*Fehler, Panne usw.*) **2. cover up for someone** jemanden decken

coverage [ˈkʌvərɪdʒ] **1.** *in Presse, TV usw.*: Berichterstattung **2.** *durch Versicherung*: Versicherungsschutz, Schadensdeckung

coveralls [ˈkʌvərɔlz] △ *Pl. AE* Overall

cover charge [ˈkʌvə ˌtʃɑːdʒ] *im Restaurant*: (Kosten für das) Gedeck

covering [ˈkʌvərɪŋ] **1. covering of snow** Schneeschicht **2.** *Boden*: Belag

cover story [ˈkʌvəˌstɔːri] *von Magazin*: Titelgeschichte

covert [ˈkʌvət] heimlich, verborgen

cow [kaʊ] **1.** *allg.*: Kuh (*auch übertragen als Schimpfwort*) **2. till the cows come home** bis in alle Ewigkeit **3. have a cow** *AE, umg.* ausrasten, Zustände kriegen

coward [ˈkaʊəd] Feigling

cowardice [ˈkaʊədɪs] Feigheit

cowardly [ˈkaʊədli] *Person usw.*: feig

cowboy [ˈkaʊbɔɪ] Cowboy

cower [ˈkaʊə] kauern, (zusammengekauert) hocken

cowpat [ˈkaʊpæt] Kuhfladen

cowshed [ˈkaʊʃed] Kuhstall

cowslip [ˈkaʊslɪp] **1.** *BE* Schlüsselblume **2.** *AE* Sumpfdotterblume

cox [kɒks], **coxswain** [ˈkɒksn] *Rudern*: Steuermann, Steuerfrau

cozy [ˈkəʊzi] *AE* behaglich, gemütlich

crab [kræb] *Meerestier*: Krabbe

crack¹ [kræk] **1.** *Geräusch*: Krach, Knall; **a crack of the whip** ein Peitschenknall; **give someone a fair crack of the whip** *umg.* jemandem eine faire Chance geben **2.** *in Glas, Porzellan*: Sprung **3.** *in Mauer usw.*: Riss, Spalt **4.** *in Boden usw.*: Spalt, Ritze; **be open a crack** (*Tür*) einen Spaltbreit offen stehen **5.** *umg.* Versuch; **have a crack at something** *oder* **give something a crack** es einmal mit etwas versuchen **6.** *umg.* Witz; **make cracks about** Witze machen über **7.** (≈ *Rauschgift*) Crack

crack² [kræk] **1.** (*Zweig, Gelenk usw.*) krachen, knacken; **stop cracking your knuckles** hör auf, mit den Fingern zu knacken **2.** anbrechen (*Knochen*); **I've cracked a rib** ich habe mir eine Rippe angebrochen **3.** (*Schuss, Peitsche usw.*) knallen **4.** (*Glas, Porzellan*) springen, einen Sprung *oder* Sprünge bekommen **5.** (*Eisfläche*) Risse bekommen **6.** (*Stimme*) versagen, überschnappen (*vor Rührung usw.*) **7. get cracking** *umg.* loslegen; **let's get cracking!** auf gehts! **8. crack a joke** *umg.* einen Witz reißen **9.** knacken (*Nuss, Kode, Safe usw.*)

crack³ [kræk] *umg.* erstklassig; **crack tennis player** Tennisass

crack up [ˌkrækˈʌp] **1.** *vor Lachen*: zusammenbrechen **2.** *vor Stress usw.*: durchdrehen

crackdown [ˈkrækdaʊn] *umg.* scharfes Vorgehen (**on** gegen), Durchgreifen (**on** bei)

cracked [krækt] **1.** *Glas, Teller usw.*: gesprungen; **be cracked** einen Sprung haben **2.** *Wand, Eisfläche usw.*: rissig **3.** *umg.* (≈ *verrückt*) übergeschnappt

cracker [ˈkrækə] **1.** *Gebäck*: Kräcker **2.** *Feuerwerkskörper*: Kracher; **Christmas cracker** Knallbonbon **3.** *Internet*: Cracker

crackers [ˈkrækəz] *BE, umg.* übergeschnappt

crackle¹ [ˈkrækl] **1.** (*Feuer usw.*) knistern, prasseln **2.** (*Telefonleitung, Radio usw.*) knacken

crackle² [ˈkrækl] **1.** *von Feuer usw.*: Knistern, Prasseln **2.** *von Radio usw.*: Knacken

crackling [ˈkræklɪŋ] *von Schweinebraten*: Kruste

crackpot¹ [ˈkrækpɒt] *humorvoll* Verrückte(r)

crackpot² [ˈkrækpɒt] **crackpot ideas** *usw. humorvoll* verrückte Ideen *usw.*

cradle¹ [ˈkreɪdl] *für Babys*: Wiege (*auch übertragen*); **from the cradle to the grave** von der Wiege bis zur Bahre; **from the cradle** von Kindheit *oder* von Kindesbeinen an

cradle² [ˈkreɪdl] wiegen, schaukeln (*Baby*); **cradle to sleep** in den Schlaf wiegen

craft¹ [krɑːft] *Pl.*: **crafts** [krɑːfts] **1.** *künstlerisch*: Handwerk, Kunsthandwerk **2.** *Wirtschaft*: Gewerbe, Handwerk

craft² [krɑːft] △ *Pl.*: **craft** *allg. für kleineres Wasserfahrzeug*: Boot

craftsman [ˈkrɑːftsmən] *Pl.*: **craftsmen** [ˈkrɑːftsmən] Handwerker

craftsmanship [ˈkrɑːftsmənʃɪp] **1.** *allg.*: Handwerkskunst **2.** *von Person*: handwerkliches Können

craftswoman ['krɑːfts,wʊmən] *Pl.*: **craftswomen** ['krɑːfts,wɪmɪn] Handwerkerin

crafty ['krɑːftɪ] *Person, Plan usw.*: schlau, *umg.* clever (*mst. im negativen Sinn*)

craggy ['krægɪ] **1.** felsig, schroff **2.** *Gesicht*: zerfurcht

cram [kræm], **crammed, crammed 1.** vollstopfen, vollpacken (*Koffer usw.*) (**with** mit) **2.** hineinstopfen, hineinzwängen (*Personen*) (**into** in); **the train was crammed** der Zug war gerammelt voll **3.** *umg.; für eine Prüfung*: pauken, büffeln

cram-full [,kræm'fʊl] vollgestopft (**of** mit), zum Bersten voll

crammer ['kræmə] *umg.* Paukstudio

cramp [kræmp] *Medizin*: Krampf

crampon ['kræmpɒn] *zum Bergsteigen*: Steigeisen

cranberry ['krænbərɪ] *Frucht*: Preiselbeere

crane [kreɪn] **1.** *Vogel*: Kranich **2.** *Baumaschine*: Kran

crank [kræŋk] **1.** *an Maschine*: Kurbel **2.** *umg.* (≈ *seltsame Person*) Spinner(in)

cranky ['kræŋkɪ] **1.** (≈ *verrückt*) verschroben **2.** *AE* schlecht gelaunt **3.** *Maschine usw.*: wackelig, baufällig

cranny ['krænɪ] Riss, Spalt

crap¹ [kræp] *BE, vulgär* beschissen

crap² [kræp] *vulgär* Scheiße

crash¹ [kræʃ] **1.** *mit Auto usw.*: einen Unfall haben, zusammenstoßen; **he crashed the car into the wall** er knallte mit dem Auto gegen die Wand **2.** (*Flugzeug*) abstürzen **3.** (≈ *laut fallen, zerbersten usw.*) krachen, knallen (**against, into** gegen); **she crashed her head against the post** sie knallte mit dem Kopf gegen den Pfosten **4. crash a party** *umg.* uneingeladen zu einer Party gehen **5.** (*Computer, Programm*) abstürzen **6.** (*Firma, Aktienkurse*) zusammenbrechen

crash² [kræʃ] **1.** *von Autos*: Unfall, Zusammenstoß **2.** *von Flugzeug*: Absturz (*auch von Computer*) **3.** *lautes Geräusch*: Krachen **4.** *von Firma*: Zusammenbruch **5.** *am Aktienmarkt*: Börsenkrach

crash barrier ['kræʃ,bærɪə] *BE; am Straßenrand*: Leitplanke

crash course ['kræʃ_kɔːs] Intensivkurs

crash diet [,kræʃ'daɪət] radikale Schlankheitskur

crash helmet ['kræʃ,helmɪt] *für Motorradfahrer usw.*: Sturzhelm

crashing ['kræʃɪŋ] **crashing bore** *umg.* todlangweilige Person

crash-land ['kræʃlænd] eine Bruchlandung machen, bruchlanden

crash landing ['kræʃ,lændɪŋ] Bruchlan-

crater ['kreɪtə] *von Vulkan, auf dem Mond usw.*: Krater

crave [kreɪv] **1.** sich sehnen nach (*Liebe, Aufmerksamkeit usw.*) **2.** einen Heißhunger haben auf

craving ['kreɪvɪŋ] **1.** Sehnsucht (**for** nach) **2.** Heißhunger, starkes Verlangen (**for** nach)

crawl¹ [krɔːl] **1.** (≈ *robben*) kriechen **2.** (*Kleinkind, Insekt*) krabbeln **3.** *im Straßenverkehr*: im Schneckentempo fahren **4.** *Schwimmen*: kraulen **5. the sight of it made her flesh crawl** bei dem Anblick bekam sie eine Gänsehaut

crawl² [krɔːl] **1.** (≈ *Robben*) Kriechen **2. go at a crawl** *im Straßenverkehr*: im Schneckentempo vorankommen **3.** *Schwimmen*: Kraul, Kraulen, Kraulstil

crayfish ['kreɪfɪʃ] **1.** Flusskrebs **2.** Languste

crayon ['kreɪən] *zum Zeichnen*: Buntstift

craze [kreɪz] **be the craze** große Mode sein, in sein; **the latest craze** der letzte Schrei

crazy ['kreɪzɪ] **1.** *allg.*: verrückt, wahnsinnig (**with** vor); **drive someone crazy** jemanden wahnsinnig machen **2.** *umg.* (≈ *begeistert*) scharf (**about** auf), wild, verrückt (**about** nach); **I'm crazy for** oder **about you** ich bin verrückt nach dir

crazy golf ['kreɪzɪ_gɒlf] Minigolf

creak [kriːk] **1.** (*Holzboden usw.*) knarren **2.** (*Tür usw.*) quietschen

creaky ['kriːkɪ] *Bett usw.*: knarrend, quietschend

cream¹ [kriːm] **1.** Rahm, Sahne, Ⓐ Schlag(obers), Obers, Ⓒ Nidel; **cream cake** Sahnetorte **2.** *Kosmetik*: Hautcreme **3.** *übertragen* Creme, Elite

cream tea

Viele Teestuben und Hotels in Großbritannien bieten **cream tea** an, der aus **scones** [skɒnz] (kleinen runden Kuchen) mit Butter oder **clotted cream** (extra dicker Sahne) und Marmelade besteht. Dazu wird natürlich Tee getrunken.

cream² [kriːm] **1.** entrahmen (*Milch*) **2.** *Kochen*: zu Schaum schlagen, schaumig rühren (*Eier usw.*) **3.** pürieren (*Gemüse, Kartoffeln*) **4.** eincremen (*Gesicht usw.*)

cream³ [kriːm] *Farbton*: creme(farben)

crease¹ [kriːs] **1.** *in Stoff*: Falte **2.** *in Papier usw.*: Knick **3.** *in Hose*: Bügelfalte

crease² [kriːs] **1.** zerknittern (*Stoff*) **2.** (*Stoff*) knittern **3.** falten, knicken (*Papier* *usw.*)

creased [kriːst] zerknittert

create [kriːˈeɪt] **1.** *allg.*: schaffen (*Probleme, Arbeitsplätze usw.*) **2.** kreieren (*Mode, Stil usw.*) **3.** verursachen (*Lärm, Unruhe*)

creation [kriːˈeɪʃn] **1.** *von Arbeitsplätzen usw.*: Schaffung **2.** *von Mode usw.*: Kreation **3.** *von Unruhe usw.*: Verursachung **4. the Creation** *Religion*: die Schöpfung **5.** *Kunst*: Werk, Kreation

creative [kriːˈeɪtɪv] **1.** *Künstler usw.*: kreativ **2.** *Talent usw. auch*: schöpferisch; **creative streak** kreative Ader

creator [kriːˈeɪtə] **1.** Schöpfer(in), Urheber(in) **2. the Creator** (≈ *Gott*) der Schöpfer

creature [ˈkriːtʃə] *Mensch und Tier*: Geschöpf, Lebewesen, Kreatur; **he's a creature of habit** er ist ein Gewohnheitsmensch

crèche [kreʃ, ˈkreɪʃ] **1.** *BE* (Kinder)Krippe, Kinderhort **2.** *AE* (Weihnachts)Krippe

credence [ˈkriːdns] **give** (*oder* **attach**) **credence to something** einer Sache Glauben schenken

credentials [krəˈdenʃlz] *Pl., für Bewerbung usw.*: Referenzen, Empfehlungsschreiben

credibility [ˌkredəˈbɪlətɪ] *von Geschichte, Person, Politik usw.*: Glaubwürdigkeit

credible [ˈkredəbl] *Geschichte, Person usw.*: glaubwürdig

credit[1] [ˈkredɪt] **1.** *Wirtschaft*: Kredit; **buy on credit** auf Kredit kaufen **2.** *auf Bankkonto*: Guthaben; **be in credit** im Haben sein (= *Geld auf dem Konto haben*) **3.** Ehre; **be a credit to someone** *oder* **do someone credit** jemandem Ehre machen; **to his credit it must be said ...** zu seiner Ehre muss man sagen ...; **credit where credit is due** Ehre, wem Ehre gebührt **4.** *für eine Leistung*: Anerkennung, Lob; **get credit for** Anerkennung finden für; **that's very much to his credit** das ist sehr anerkennenswert von ihm; **give someone credit for something** jemandem etwas hoch anrechnen, jemandem für etwas Anerkennung zollen

credit[2] [ˈkredɪt] **1.** Glauben schenken, glauben; **'She's got a new boyfriend.' - 'Would you credit it?'** „Sie hat einen neuen Freund." - „Ist denn das zu glauben!" **2.** *auf Bankkonto*: gutschreiben (*Betrag, Scheck*) (**to**; *dt. Dativ*)

credit with [ˈkredɪt ˌwɪð] **credit someone with something** jemandem etwas zutrauen; **I credited you with more**

tact ich habe dir mehr Taktgefühl zugetraut

creditable [ˈkredɪtəbl] *Leistung usw.*: anerkennenswert

credit card [ˈkredɪt ˌkɑːd] Kreditkarte

creditor [ˈkredɪtə] *Wirtschaft*: Gläubiger(in)

credulous [ˈkredjʊləs] leichtgläubig

creek [kriːk] **1.** *AE* Bach **2.** *bes. BE* kleine Bucht **3. be up the creek** *umg.* in der Klemme sitzen

creep[1] [kriːp], **crept** [krept], **crept** [krept] **1.** (≈ *leise gehen*) schleichen **2.** (*Insekt usw.*) kriechen, krabbeln **3.** (*Auto, Zug usw.*) im Schneckentempo fahren **4. the sight made her flesh creep** *BE* bei dem Anblick bekam sie eine Gänsehaut

creep in [ˌkriːp ˈɪn] **1.** *in Zimmer usw.*: sich hineinschleichen **2.** *übertragen* (*Fehler usw.*) sich einschleichen

creep[2] [kriːp] **1. the sight gave her the creeps** *umg.* bei dem Anblick bekam sie eine Gänsehaut; → **crawl** 5 **2.** *umg.*; *als Schimpfwort*: Fiesling

creepy [ˈkriːpɪ] gruselig

creepy-crawly [ˌkriːpɪˈkrɔːlɪ] *umg.*; *Insekt usw.*: Krabbeltier

cremate [krəˈmeɪt] einäschern (*Leiche*)

crept [krept] **2. und 3.** Form von → **creep**[1]

crescent [ˈkreznt] Halbmond, Mondsichel

crest [krest] **1.** *von Berg, Welle*: Kamm **2.** *von Erfolg*: Gipfel **3.** (Familien)Wappen **4.** *von Vogel*: Haube, *von Hahn*: Kamm

crestfallen [ˈkrestˌfɔːlən] niedergeschlagen, geknickt

crew [kruː] **1.** *von Schiff, Flugzeug usw.*: Besatzung, Mannschaft, Crew **2.** *in Firma usw. auch*: Arbeitsgruppe **3.** *Sport*: Mannschaft, Crew

crew neck [ˈkruː ˌnek] *von Pulli usw.*: runder Ausschnitt

crib[1] [krɪb] **1.** Kinderbettchen **2.** *für Tiere*: Futterkrippe **3.** *bes. BE* Weihnachtskrippe **4.** *umg.* (≈ *geistiger Diebstahl*) Anleihe, Plagiat **5.** *umg.*; *in der Schule*: Spickzettel

crib[2] [krɪb], **cribbed, cribbed** *umg.*; *in der Schule*: abschreiben, spicken (**off, from** von)

cricket[1] [ˈkrɪkɪt] *Insekt*: Grille

cricket[2] [ˈkrɪkɪt] *Sport*: Kricket

crime [kraɪm] **1.** *allg.*: Verbrechen; **crime prevention** Verbrechensverhütung **2.** *Mord, Diebstahl usw.*: Straftat, Verbrechen **3.** *umg., übertragen* Verbrechen,

Schande

criminal[1] ['krɪmɪnl] **1.** kriminell, verbrecherisch (*beide auch übertragen*); **criminal act** Straftat, strafbare Handlung; **have a criminal record** vorbestraft sein **2.** *Recht*: strafrechtlich, Straf…; **criminal law** Strafrecht

criminal[2] ['krɪmɪnl] Verbrecher(in), Kriminelle(r)

crimson ['krɪmzn] purpurrot

cringe [krɪndʒ] **1.** zurückschrecken (**at** vor) **2.** schaudern (*bei einem Gedanken*) **3.** *übertragen* kriechen (**to** vor)

crinkle[1] ['krɪŋkl] **1.** (*Papier, Stoff usw.*) knittern **2.** zerknittern

crinkle[2] ['krɪŋkl] **1.** Falte **2.** *im Gesicht*: Fältchen

crinkly ['krɪŋklɪ] **1.** *Papier, Stoff usw.*: zerknittert **2.** *Haar*: gekräuselt

cripple[1] ['krɪpl] *abwertend* Krüppel

cripple[2] ['krɪpl] **1.** *durch Unfall usw.*: zum Krüppel machen, verkrüppeln **2.** *übertragen* lahmlegen (*Maschine, Organisation usw.*)

crisis ['kraɪsɪs] *Pl.*: **crises** ['kraɪsiːz] Krise; **economic crisis** Wirtschaftskrise; **crisis staff** Krisenstab

crisp[1] [krɪsp] **1.** *Gebäck usw.*: knusprig, Ⓐ resch **2.** *Gemüse, Obst*: frisch, knackig, fest **3.** *Auftreten*: forsch, schneidig, Ⓐ resch **4.** *Luft, Wetter*: frisch

crisp[2] [krɪsp] *bes. BE* Kartoffelchip

crispbread ['krɪspbred] Knäckebrot

crisscross[1] ['krɪskrɒs] **crisscross pattern** Kreuzmuster

crisscross[2] ['krɪskrɒs] Gewirr (*aus Linien*)

crisscross[3] ['krɪskrɒs] **1.** kreuz und quer ziehen durch **2.** kreuz und quer (ver)laufen

criterion [kraɪ'tɪərɪən] *Pl.*: **criteria** [kraɪ'tɪərɪə] Kriterium

critic ['krɪtɪk] **1.** *allg.*: Kritiker(in) (△ *Kritik* = **criticism**) **2.** *in Zeitung auch*: Rezensent(in)

critical ['krɪtɪkl] **1.** *allg.*: kritisch; **be critical of someone** jemanden kritisieren, jemandem kritisch gegenüberstehen **2.** *Moment*: kritisch, entscheidend **3.** *Situation*: gefährlich, bedenklich; **he's in a critical condition** *medizinisch*: sein Zustand ist kritisch; **she's critically injured** sie ist schwer verletzt

criticism ['krɪtɪsɪzm] *allg.*: Kritik; **constructive criticism** konstruktive Kritik

criticize ['krɪtɪsaɪz] **1.** *allg.*: kritisieren **2.** kritisch beurteilen (*Arbeit, Leistung usw.*)

critique [krɪ'tiːk] *von Buch usw.*: Kritik, kritische Analyse

croak [krəʊk] **1.** (*Frosch*) quaken **2.** (*Vo-*

gel, auch Person) krächzen

Croat[1] ['krəʊæt] *Sprache*: Kroatisch

Croat[2] ['krəʊæt] *Person*: Kroate, Kroatin

Croatia [krəʊ'eɪʃə] Kroatien

Croatian[1] [krəʊ'eɪʃn] kroatisch

Croatian[2] [krəʊ'eɪʃn] *Sprache*: Kroatisch

Croatian[3] [krəʊ'eɪʃn] *Person*: Kroate, Kroatin

crochet[1] ['krəʊʃeɪ] *auch* **crochet work** Häkelarbeit, Häkelei

crochet[2] ['krəʊʃeɪ] häkeln

crockery ['krɒkərɪ] *bes. BE* Geschirr

crocodile ['krɒkədaɪl] Krokodil

crocus ['krəʊkəs] *Blume*: Krokus

crook [krʊk] *umg.* Gauner

crooked [△ 'krʊkɪd] **1.** *Linie, Gebäude usw.*: krumm **2.** *umg.* betrügerisch, korrupt

crop [krɒp] **1.** *von Getreide, Gemüse, Obst*: Ernte; **crop failure** Missernte **2.** *oft* **crops** Feldfrüchte, Getreide

---

crop up [,krɒp'ʌp], **cropped up**, **cropped up** (*Frage, Problem*) auftauchen

---

cropper ['krɒpə] *BE, umg.* **1.** **come a cropper** schwer stürzen **2.** **come a cropper** versagen, *bei Prüfung*: durchfallen

croquet ['krəʊkɪ, 'krəʊkeɪ] Krocket(spiel)

cross[1] [krɒs] **1.** *Religion*: Kreuz; **the Cross** das Kreuz Christi, das Kruzifix; **make the sign of the cross** sich bekreuzigen **2.** *Zeichen*: Kreuz; **mark with a cross** ankreuzen **3.** *übertragen* Kreuz, Leiden; **bear** *oder* **carry one's cross** sein Kreuz tragen

cross[2] [krɒs] **1.** überqueren (*Straße, Fluss, Grenze usw.*) **2.** (*Straßen, Bahnlinien usw.*) sich kreuzen **3.** (miteinander) kreuzen (*Pflanzen, Tiere*) **4.** **cross oneself** *Religion*: sich bekreuzigen **5.** **cross one's arms** die Arme kreuzen *oder* verschränken; **cross one's legs** die Beine kreuzen *oder* übereinanderschlagen; **I'll keep my fingers crossed** (**for you**) *übertragen* ich drück dir den Daumen **6.** *in Formular usw.*: ankreuzen **7.** **it just crossed my mind that …** mir fiel gerade ein, dass …

---

cross off [,krɒs'ɒf] **1.** *auf Liste usw.*: ausstreichen, durchstreichen **2.** *übertragen* abhaken, abschreiben (*Vorhaben, Plan usw.*)

cross out [,krɒs'aʊt] durchstreichen (*Wörter, Zahlen usw. in einem Text*)

---

cross[3] [krɒs] *bes. BE, umg.* böse, sauer (**with** auf)

crossbar ['krɒsbɑː] 1. *Sport*: Querlatte 2. *von Herrenfahrrad*: Stange

crosscheck[1] [ˌkrɒs'tʃek] die Gegenprobe machen

crosscheck[2] ['krɒstʃek] Gegenprobe

cross-country [ˌkrɒs'kʌntrɪ] Querfeldein...; **cross-country skiing** Skilanglauf; **cross-country run** Crosslauf, Geländelauf

crossed cheque [ˌkrɒst'tʃek] *BE* Verrechnungsscheck

cross-examination [ˌkrɒsɪɡˌzæmə'neɪʃn] Kreuzverhör

cross-examine [ˌkrɒsɪɡ'zæmɪn] ins Kreuzverhör nehmen

crossing ['krɒsɪŋ] 1. *von Fluss, Gebirge usw.*: Überquerung 2. *mit Schiff auch*: Überfahrt; **rough crossing** stürmische Überfahrt 3. *von Straßen, Bahnlinien usw.*: Kreuzung 4. *für Fußgänger*: Straßenübergang, Überweg

cross-legged [ˌkrɒs'legd] 1. mit übereinandergeschlagenen Beinen 2. *am Boden*: im Schneidersitz

cross reference [ˌkrɒs'refrəns] *in Wörterbuch usw.*: Querverweis

crossroads ['krɒsrəʊdz] *Pl.*: **crossroads** 1. *von Straßen*: Kreuzung 2. *übertragen* Scheideweg

crosswalk ['krɒswɔːk] *AE* Fußgängerüberweg

crossword ['krɒswɜːd], **crossword puzzle** ['krɒswɜːdˌpʌzl] Kreuzworträtsel

crouch [kraʊtʃ] *auch* **crouch down** (≈ *in die Hocke gehen*) kauern, sich niederkauern

crow[1] [△ krəʊ] 1. *Vogel*: Krähe 2. **as the crow flies, it's about 10 kilometres** Luftlinie es etwa 10 km

crow[2] [△ krəʊ] 1. (*Hahn, auch Baby*) krähen 2. *vor Freude*: juchzen 3. *mit einer Leistung usw.*: angeben; **he keeps crowing about his exam results** er gibt ständig mit seinen Examensnoten an

crowd[1] [kraʊd] 1. (≈ *viele Menschen*) Menge, Masse 2. *bei Sportveranstaltung usw.*: Zuschauer *Pl.* 3. **the crowd** die Masse, das gemeine Volk; **go with** *oder* **follow the crowd** mit der Masse gehen

crowd[2] [kraʊd] 1. (*viele Menschen*) zusammenströmen, sich drängen (**into** in; **round** um) 2. bevölkern (*Platz, Straße usw.*); **thousands of sun-seekers crowded the beach** tausende von Sonnenhungrigen bevölkerten den Strand

crowded ['kraʊdɪd] *mit Menschen*: überfüllt (**with** mit), voll (**with** von); **the beach was crowded** *auch*: der Strand war proppenvoll

crown[1] [kraʊn] 1. *von Monarchen*: Krone

2. **the Crown** *Politik*: die Krone, der König, die Königin 3. *Währung*: Krone 4. *Zahnmedizin*: Krone

crown[2] [kraʊn] 1. krönen (*Monarch[in]*); **she was crowned Empress in 1712** sie wurde 1712 zur Kaiserin gekrönt; **crowned heads** *Pl.* gekrönte Häupter 2. *übertragen* krönen, den Höhepunkt bilden von; **crowned with success** von Erfolg gekrönt; **to crown it all** *umg.* zu allem Überfluss *oder* Unglück 3. *Zahnmedizin*: überkronen

crown jewels [ˌkraʊn'dʒuːəlz] *Pl.* Kronjuwelen

crucial ['kruːʃl] 1. *Entscheidung, Faktor usw.*: entscheidend (**to, for** für); **the crucial point** der springende Punkt 2. *Moment, Zeitpunkt auch*: kritisch

crucifix ['kruːsəfɪks] Kruzifix

crucifixion [ˌkruːsə'fɪkʃn] Kreuzigung

crucify ['kruːsɪfaɪ] kreuzigen

crude [kruːd] 1. *Witz, Geste usw.*: ordinär, derb 2. *Person, Benehmen*: ungehobelt, primitiv 3. (≈ *unverarbeitet*) roh; **crude oil** Rohöl

cruel ['kruːəl] 1. *Person, Schicksal usw.*: grausam (**to** zu, gegen) 2. *Entscheidung usw. auch*: unmenschlich, unbarmherzig

cruelty ['kruːəltɪ] Grausamkeit; **cruelty to animals** Tierquälerei

cruise[1] [kruːz] 1. *mit dem Schiff*: kreuzen, eine Kreuzfahrt machen 2. *mit dem Flugzeug* (*bzw. Auto*): mit Reisegeschwindigkeit fliegen (*bzw.* fahren); **cruising speed** Reisegeschwindigkeit

cruise[2] [kruːz] Kreuzfahrt, Seereise

cruise missile [ˌkruːz'mɪsaɪl] *Militär*: Marschflugkörper

cruiser ['kruːzə] 1. *Schlachtschiff*: Kreuzer 2. Kreuzfahrtschiff 3. *AE von Polizei*: Streifenwagen

crumb [△ krʌm] *von Brot, Kuchen*: Krume, Krümel, Brösel; **a few crumbs of information** *übertragen* ein paar Informationsbrocken

crumble[1] ['krʌmbl] 1. zerkrümeln, zerbröckeln (*Brot, Gebäck usw.*) 2. *auch* **crumble away** zerbröckeln, zerfallen (*Haus usw.*)

crumble[2] ['krʌmbl] *mit Streuseln bestreutes, überbackenes Kompott*

crumbly ['krʌmblɪ] krümelig, bröckelig

crummy ['krʌmɪ] *salopp* lausig, miserabel

crumple ['krʌmpl] 1. *auch* **crumple up** zerknittern, zerknüllen (*Stoff, Papier usw.*) 2. (*Person*) zusammenbrechen (*vor Erschöpfung usw.*)

crumple zone ['krʌmpl_zəʊn] *von Auto*: Knautschzone

crunch [krʌntʃ] 1. knirschend zerkauen,

mampfen (*Kekse, Nüsse usw.*) **2.** (*Schnee*) knirschen

crunchy ['krʌntʃɪ] *Gebäck usw.*: knusprig, knackig

crusade [kruːˈseɪd] *Geschichte*: Kreuzzug (*auch übertragen*)

crusader [kruːˈseɪdə] *Geschichte*: Kreuzfahrer, Kreuzritter

crush¹ [krʌʃ] **1.** *in Menschenansammlung*: Gedränge, Gewühl **2.** *have a crush on someone* umg. in jemanden verknallt sein

crush² [krʌʃ] **1.** zerquetschen, zerdrücken (*Obst, Gemüse usw., bei Unfall auch Körperteil*) **2.** zerkleinern, zerstoßen (*Gestein, Gewürze usw.*) **3.** *übertragen* zunichtemachen (*Hoffnungen usw.*) **4.** niederwerfen, unterdrücken (*Aufstand, Rebellion usw.*)

crushing ['krʌʃɪŋ] *Schicksalsschlag, Nachricht usw.*: niederschmetternd; *a crushing defeat bes. im Sport*: eine vernichtende Niederlage

crust [krʌst] *von Brot usw.*: Kruste, Rinde; *the earth's crust* die Erdkruste

crusty ['krʌstɪ] **1.** *Brot*: knusprig **2.** *übertragen; Person*: barsch

crutch [krʌtʃ] **1.** (≈ *Gehhilfe*) Krücke; *walk on crutches* auf oder an Krücken gehen **2.** *übertragen* Stütze, Hilfe

cry¹ [kraɪ] **1.** *allg.*: Schrei, Ruf (*for* nach); *a cry for help* ein Hilferuf **2.** *von Baby usw.*: Geschrei **3.** Weinen; *have a good cry* sich (mal richtig) ausweinen

cry² [kraɪ], **cried** [kraɪd], **cried** [kraɪd]; *-ing-Form* **crying** **1.** *allg.*: schreien, rufen (*for* nach); *cry for help* um Hilfe rufen **2.** *vor Schmerz, Verzweiflung usw.*: weinen, umg. heulen; *he cried for joy* er weinte vor Freude; *cry one's eyes out* sich die Augen ausweinen

---

cry out [ˌkraɪˈaʊt] **1.** *vor Schmerz usw.*: aufschreien **2.** *your car's crying out for the car-wash* dein Auto schreit ja geradezu nach der Waschanlage

---

crying ['kraɪɪŋ] **1.** *Unrecht usw.*: himmelschreiend; *it's a crying shame* es ist jammerschade oder ein Jammer **2.** *Bedarf, Bedürfnis usw.*: dringend

crystal ['krɪstl] **1.** *Mineral*: der Kristall **2.** *Material*: das Kristall, Kristallglas **3.** *AE* Uhrglas

CS gas [ˌsiːesˈgæs] *BE* Tränengas

cub [kʌb] *von Bär, Löwe usw.*: Junge(s)

Cuba ['kjuːbə] Kuba

cube¹ [kjuːb] **1.** *geometrische Form*: Würfel; *cube sugar* Würfelzucker; *ice cubes Pl.* Eiswürfel **2.** *Mathematik*: Ku-

bikzahl, dritte Potenz; *the cube of 2 is 8* zwei hoch drei ist acht; *cube root* Kubikwurzel

cube² [kjuːb] **1.** *Mathematik*: in die dritte Potenz erheben; *2 cubed is 8* zwei hoch drei ist acht **2.** würfeln, in Würfel schneiden (*Fleisch, Gemüse usw.*)

cubic ['kjuːbɪk] Kubik...; *cubic metre* Kubikmeter

cubicle ['kjuːbɪkl] Kabine

cuckoo¹ ['kʊkuː] *Vogel*: Kuckuck

cuckoo² ['kʊkuː] *umg.* bekloppt, plemplem

cuckoo clock ['kʊkuːˌklɒk] Kuckucksuhr

cucumber ['kjuːkʌmbə] Gurke, Salatgurke (△ *Gewürzgurke = gherkin, AE pickle*)

cuddle¹ ['kʌdl] **1.** *Zuneigung zeigend*: in den Arm nehmen, *umg.* drücken **2.** (*Liebespaar*) schmusen

cuddle² ['kʌdl] enge Umarmung; *let me give you a cuddle* lass dich umarmen

cue [kjuː] **1.** *Theater, Film usw.*: Stichwort, Einsatz **2.** *übertragen* Wink, Fingerzeig **3.** *take one's cue from someone* sich nach jemandem richten **4.** *beim Billard*: Queue

cuff [kʌf] **1.** *von Hemdsärmel*: Manschette; *cuff link* Manschettenknopf **2.** *AE; von Hose*: Aufschlag **3.** *off the cuff umg.* aus dem Stegreif

cuisine [kwɪˈziːn] *French usw. cuisine* die französische *usw.* Küche

cul-de-sac ['kʌldəsæk] *Pl.*: *cul-de-sacs* Sackgasse (*auch übertragen*)

cult [kʌlt] Kult (*auch übertragen*)

cultivate ['kʌltɪveɪt] **1.** bebauen, bestellen (*Boden, Feld*) **2.** züchten, anbauen (*Pflanzen*) **3.** *übertragen* entwickeln, ausbilden (*Fähigkeit, Talent usw.*) **4.** *übertragen* kultivieren, pflegen (*Freundschaft, gute Beziehungen usw.*)

cultivated ['kʌltɪveɪtɪd] **1.** *Person*: kultiviert, gebildet **2.** *Ackerland*: bebaut

cultivation [ˌkʌltɪˈveɪʃn] **1.** *von Ackerland*: Bebauung, Bestellung **2.** *von Pflanzen*: Züchtung, Anbau **3.** *übertragen* Kultivierung, Pflege (*von Beziehungen, Fähigkeit, Talent*)

cultural ['kʌltʃrəl] *allg.*: kulturell; *the cultural life of Munich* das Kulturleben Münchens; *the country's cultural heritage* das Kulturerbe des Landes

culture ['kʌltʃə] **1.** *allg.*: Kultur; *western culture* die westliche Kultur, der westliche Kulturkreis; *ancient cultures* antike Kulturen; *culture shock* Kulturschock **2.** *Biologie*: Kultur (*von Pilzen, Bakterien usw.*)

cultured ['kʌltʃəd] *Person*: kultiviert, gebildet

cunning ['kʌnɪŋ] schlau, listig

cup [kʌp] **1.** *Gefäß*: Tasse (*auch deren Inhalt*); **can I have another cup, please** kann ich bitte noch eine Tasse haben? **2. that's not my cup of tea** *BE*, *umg.* das ist nicht mein Fall **3.** *Sport*: Cup, Pokal; **cup final** Pokalendspiel

FA Cup

FA ist die Abkürzung von **Football Association**, dem englischen Fußballverband. Der **FA Cup** ist ein Wettbewerb, an dem alle Profi-, aber auch Amateurmannschaften (wie beim DFB-Pokal) teilnehmen können. Das Endspiel – **the FA Cup Final** – bildet den Höhepunkt der englischen Fußballsaison.

cupboard [△ 'kʌbəd] *allg.*: Schrank, ⒶKasten

cuppa ['kʌpə] *BE*, *umg.* Tasse Tee

curable ['kjʊərəbl] *Krankheit*: heilbar

curd [kɜːd] *oft* **curds** *Pl.* Quark

curdle ['kɜːdl] **1.** gerinnen lassen (*Milch*) **2.** (*Milch*) gerinnen, dick werden **3. the sight made my blood curdle** bei dem Anblick erstarrte mir das Blut in den Adern

cure[1] [kjʊə] **1.** *Medizin*: Heilung, Heilverfahren (**for** gegen) **2.** (≈ *Arznei*) Mittel, Heilmittel (**for** gegen) (*auch übertragen*) **3.** *zur Genesung usw.*: Kur; **take a cure** zur Kur gehen

cure[2] [kjʊə] **1.** *Medizin*: heilen, kurieren (*Person, Krankheit*) **2.** *übertragen auch*: kurieren, abbringen (**of** von); **I'm cured of smoking** was das Rauchen angeht, bin ich kuriert **3.** *von Lebensmitteln*: haltbar machen, *mit Rauch*: räuchern, *mit Salz*: einpökeln

cure-all ['kjʊərɔːl] Allheilmittel

curfew ['kɜːfjuː] *in Krisengebiet*: Ausgangssperre

curiosity [ˌkjʊərɪ'ɒsətɪ] **1.** *von Person*: Neugier **2.** *auffällige Sache oder Person*: Kuriosität, Kuriosum

curious ['kjʊərɪəs] **1.** neugierig; **I'm curious to know if …** ich möchte gern wissen, ob …; **I'm curious to meet** *oder* **see your new girlfriend** ich bin auf deine neue Freundin neugierig **2.** (≈ *merkwürdig*) kurios, seltsam; **curiously enough** merkwürdigerweise

curl[1] [kɜːl] **1.** in Locken legen (*Haare*) **2.** (*Haare*) sich locken, sich kräuseln

curl[2] [kɜːl] *im Haar*: Locke

curler ['kɜːlə] Lockenwickler

curly ['kɜːlɪ] *Haare*: gelockt, lockig

currency ['kʌrənsɪ] (≈ *Geld eines Landes*) Währung; **foreign currency** Devisen *Pl.*

current[1] ['kʌrənt] **1.** *Monat, Woche, Ausgaben usw.*: laufend **2.** *Krise, Preise, Entwicklung usw.*: gegenwärtig, augenblicklich, aktuell; **current events** *Pl.* Tagesereignisse

current[2] ['kʌrənt] **1.** *von Fluss usw.*: Strömung **2.** *von Luft*: Luftstrom, Luftzug **3.** *Elektrizität*: Strom

current account [ˌkʌrənt‿ə'kaʊnt] *BE*; *auf Bank*: Girokonto

curriculum [kə'rɪkjʊləm], *Pl.*: **curricula** [kə'rɪkjʊlə] *oder* **curriculums** *an Schule usw.*: Lehrplan, Studienplan

curriculum vitae [kəˌrɪkjʊləm'viːtaɪ], *Pl.* **curricula vitae** (*Abk.*: **CV**) Lebenslauf

curry[1] ['kʌrɪ] *Mahlzeit*: Currygericht (△ *Curry als Gewürz* = **curry powder**)

curry[2] ['kʌrɪ] *mit Curry zubereiten*: **curried chicken** Curryhuhn

curse[1] [kɜːs] **1.** (≈ *magischer Bann*) Fluch; **there's a curse on the house** *oder* **the house is under a curse** auf dem Haus lastet *oder* liegt ein Fluch **2.** (≈ *Schimpfwort*) Fluch, Verwünschung **3.** *Krankheit, Seuche*: Fluch, Plage, Unglück (**to** für)

curse[2] [kɜːs] **1.** (≈ *verwünschen*) verfluchen, mit einem Fluch belegen **2.** (≈ *schimpfen*) fluchen (**at** auf, über)

cursor ['kɜːsə] *Computer*: Cursor

cursory ['kɜːsərɪ] flüchtig, oberflächlich

curtain ['kɜːtn] **1.** *am Fenster*: Vorhang, Gardine; **draw the curtains** je nach Situation: die Vorhänge zuziehen *oder* aufziehen **2.** *im Theater*: Vorhang; **the curtain rises** (*bzw.* **falls**) der Vorhang geht auf (*bzw.* fällt)

curtsey[1], **curtsy** ['kɜːtsɪ] Knicks

curtsey[2], **curtsy** ['kɜːtsɪ] einen Knicks machen (**to** vor)

curve[1] [kɜːv] **1.** *von Straße*: Kurve (*auch mathematisch*) **2.** *von Fluss*: Biegung

curve[2] [kɜːv] (*Fluss, Straße*) eine Biegung machen, sich winden

cushion[1] [△ 'kʊʃn] **1.** *auf Stuhl usw.*: Kissen (△ *Kopfkissen im Bett* = **pillow**) **2.** *beim Billard*: Bande

cushion[2] [△ 'kʊʃn] **1.** dämpfen (*Stoß, Fall usw.*) **2.** *übertragen auch*: abmildern (*Enttäuschung, Negatives*)

cushy [△ 'kʊʃɪ] *umg.*; *Job usw.*: gemütlich, ruhig; **he's got a cushy number** er schiebt eine ruhige Kugel

custard ['kʌstəd] *etwa*: Vanillesoße; ☞ *Info S. 132*

custody ['kʌstədɪ] **1.** *für Kind*: Sorgerecht; *the baby was put in the custody of his aunt* das Baby wurde in die Obhut seiner Tante gegeben 2. *vor Strafprozess*: Untersuchungshaft 3. *für Wertsachen, Person usw.*: Obhut, Schutz

custard

Custard ist dicker und etwas dunkler als Vanillesoße und wird traditionell (warm oder kalt) zu vielen englischen Nachspeisen serviert.

custom ['kʌstəm] 1. (≈ *Konvention*) Sitte, Brauch 2. *von Person*: Angewohnheit; *I got up early, as was my custom* ich stand früh auf, wie ich es gewohnt war
customary ['kʌstəmərɪ] üblich, gebräuchlich
customer ['kʌstəmə] 1. *in Geschäft usw.*: Kunde, Kundin; *regular customer* Stammkunde 2. *umg.; Person*: Kerl, Kunde; *strange customer* komischer Kauz
customs ['kʌstəmz] *Pl.* Zoll; *customs clearance* Zollabfertigung; *customs inspection* Zollkontrolle
cut[1] [kʌt] 1. *in Papier, Stoff usw.*: Schnitt 2. *Verletzung*: Schnittwunde 3. *Frisur*: Haarschnitt; *cut and blow-dry* Waschen und Schneiden 4. *von Gehalt, staatlichen Leistungen usw.*: Kürzung, Senkung; *tax cut* Steuersenkung 5. *Fleisch*: Stück; *cold cuts Pl., bes. AE* Aufschnitt 6. *umg.* Anteil (*of, in* an)
cut[2] [kʌt], *cut* [kʌt], *cut* [kʌt]; *-ing*-Form *cutting* 1. *mit Messer, Schere usw.*: schneiden, anschneiden (*Kuchen*), abschneiden (*Stück Kuchen usw.*), durchschneiden (*Kabel, Schnur*); *cut one's finger* sich in den Finger schneiden; *cut something in half* etwas halbieren; *cut to pieces* zerstückeln 2. mähen (*Gras*), fällen (*Baum*) 3. schneiden, stutzen (*Hecke, Haar usw.*); *cut someone's hair* jemandem die Haare schneiden; *cut one's nails* sich die Nägel schneiden 4. kürzen (*Ausgaben, Löhne usw.*) 5. herabsetzen, senken (*Preise, Steuern usw.*) 6. *Film, TV*: schneiden 7. zusammenschneiden, kürzen (*Rede, Text usw.*) 8. abheben (*Karten*) 9. *beim Tennis, Fußball usw.*: anschneiden (*Ball*) 10. *cut one's teeth* (*Baby*) Zähne bekommen, zahnen; *cut one's teeth on something* übertragen seine ersten Erfahrungen mit etwas sammeln

cut back [ˌkʌt'bæk] 1. zurückschneiden, stutzen (*Hecke usw.*) 2. kürzen (*Ausgaben, Lohn usw.*)

cut down [ˌkʌt'daʊn] 1. fällen (*Bäume*), abholzen (*Wald*); *I'll cut him down to size* übertragen ich werde ihn zurechtstutzen, ich werde ihn in seine Schranken verweisen 2. verringern, einschränken (*Ausgaben*); *you really should cut down on smoking* du solltest wirklich weniger rauchen 3. kürzen (*Aufsatz, Buch usw.*)
cut in [ˌkʌt'ɪn] 1. *in Gespräch*: sich einmischen 2. *im Straßenverkehr*: schneiden; *he cut in right in front of us* er ist genau vor uns eingeschert
cut into [ˌkʌt'ɪntʊ] 1. anschneiden (*Braten, Kuchen usw.*) 2. *the repair cut into our savings* die Reparatur hat ein Loch in unsere Ersparnisse gerissen; *cut into a conversation* sich in ein Gespräch einmischen
cut off [ˌkʌt'ɒf] 1. *allg.*: abschneiden 2. absperren, abdrehen (*Gas, Strom usw.*) 3. abschneiden (*Verbindung, Versorgung, Weg usw.*); *he had his electricity cut off* ihm wurde der Strom gesperrt 4. *im Gespräch, am Telefon*: unterbrechen 5. *be cut off* (*Haus, Ortschaft*) abgelegen *oder* abgeschnitten sein
cut out [ˌkʌt'aʊt] 1. *allg.*: ausschneiden 2. herausschneiden (*Geschwür usw.*) 3. *be cut out for something* für etwas wie geschaffen sein 4. weglassen, verzichten auf (*Zigaretten, Alkohol usw.*) 5. *cut it out! umg.* hör auf damit!
cut up [ˌkʌt'ʌp] 1. zerschneiden, in Stücke schneiden (*Fleisch usw.*) 2. *he was pretty cut up about it* es hat ihn ziemlich mitgenommen

cutback ['kʌtbæk] *von Budget, Ausgaben usw.*: Kürzung
cute [kjuːt] *umg.* 1. *bes. Baby usw.*: niedlich, süß 2. *bes. AE* (≈ *gerissen*) schlau, clever
cutlery ['kʌtlərɪ] Besteck
cutlet ['kʌtlət] 1. *vom Lamm, Kalb usw.*: Kotelett (*mit Knochen*), Schnitzel (*ohne Knochen*) 2. *aus Hackfleisch*: Hacksteak
cut-price [ˌkʌt'praɪs], **cut-rate** [ˌkʌt'reɪt] ermäßigt, herabgesetzt; *cut-price offer* Billigangebot
cutter ['kʌtə] 1. *Werkzeug*: Schneidemaschine 2. *Film*: Cutter(in) 3. *Boot*: Kutter
cutthroat ['kʌtθrəʊt] *Wettbewerb, Konkurrenz*: mörderisch, unbarmherzig
cutting[1] ['kʌtɪŋ] 1. *von Pflanze*: Ableger 2. *bes. BE* Zeitungsausschnitt
cutting[2] ['kʌtɪŋ] 1. *Bemerkung usw.*: scharf, beißend 2. *Wind, Kälte*: schneidend
CV [ˌsiː'viː] (*Abk. für* **c**urriculum **v**itae)

BE; für Bewerbung usw.: Lebenslauf
cybercafé [ˈsaɪbəˌkæfeɪ] Internet-Café
cyberspace [ˈsaɪbəspeɪs] *Computer*: Cyberspace (*virtuelle Scheinwelt*)
cycle[1] [ˈsaɪkl] **1.** *von wiederkehrenden Ereignissen usw.*: Zyklus, Kreislauf **2.** *von Gedichten, Liedern usw.*: Zyklus **3.** Fahrrad; *cycle lane oder path* Radweg
cycle[2] [ˈsaɪkl] Rad fahren, radeln
cycling [ˈsaɪklɪŋ] Radfahren; *cycling tour* Radtour
cyclist [ˈsaɪklɪst] Radfahrer(in)
cyclone [ˈsaɪkləʊn] Zyklon, Wirbelsturm
cylinder [ˈsɪlɪndə] *Geometrie, von Motor*: Zylinder (△ *Zylinder* [*Hut*] = *top hat*)

cynic [ˈsɪnɪk] Zyniker(in)
cynical [ˈsɪnɪkl] zynisch
cynicism [ˈsɪnɪsɪzm] Zynismus
cypress [ˈsaɪprəs] *Baum*: Zypresse
Cypriot [ˈsɪprɪət], **Cypriote** [ˈsɪprɪəʊt] Zypriote, Zypriotin
Cyprus [ˈsaɪprəs] Zypern
cyst [sɪst] *Medizin*: Zyste
cystitis [sɪˈstaɪtɪs] Blasenentzündung
czar [△ zɑː] *Geschichte*: Zar
Czech[1] [tʃek] tschechisch; *the Czech Republic* die Tschechische Republik
Czech[2] [tʃek] *Sprache*: Tschechisch
Czech[3] [tʃek] Tscheche, Tschechin
Czechia [ˈtʃekɪə] Tschechien

D

dab[1] [dæb], *dabbed, dabbed* **1.** *mit Puder usw.*: betupfen **2.** *mit Watte, Tuch usw.*: abtupfen **3.** leicht auftragen (*Farbe usw.*)
dab[2] [dæb] (≈ *winzige Menge*) Klecks, *Parfüm usw.*: Spritzer
dabble in [ˈdæbl] **1.** *dabble in* sich aus Liebhaberei beschäftigen mit **2.** *im Wasser*: plan(t)schen
dabbler [ˈdæblə] Dilettant(in)
dab hand [ˌdæbˈhænd] *be a dab hand at something BE, umg.* etwas aus dem Effeff können
dachshund [ˈdæksnd] *Hund*: Dackel
dad [dæd], **daddy** [ˈdædɪ] *umg.* Vati, Papa

dad

Dad und **daddy** werden als Anrede großgeschrieben: **What's the time, Dad/Daddy?** Aber: **My dad/daddy works in Liverpool.**

daffodil [ˈdæfədɪl] *Blume*: gelbe Narzisse, Osterglocke
daft [dɑːft] *umg.* doof, dämlich; *he's not as daft as he looks* er ist nicht so doof, wie er aussieht
dagger [ˈdægə] **1.** *Waffe*: Dolch **2.** *be at daggers drawn* auf Kriegsfuß stehen (*with* mit); *look daggers at someone* jemanden mit (finsteren) Blicken durchbohren
daily[1] [ˈdeɪlɪ] **1.** täglich, Tages...; *daily newspaper* Tageszeitung; *there are two daily flights from Rome to Munich* pro

Tag gibt es zwei Flüge von Rom nach München; *the pub is open daily* das Lokal ist täglich *oder* jeden Tag geöffnet **2.** alltäglich; *the daily grind* der Alltagstrott
daily[2] [ˈdeɪlɪ] Tageszeitung
dainty [ˈdeɪntɪ] zierlich
dairy [ˈdeərɪ] **1.** *Milch verarbeitender Betrieb*: Molkerei **2.** *Laden*: Milchgeschäft
daisy [ˈdeɪzɪ] **1.** *Blume*: Gänseblümchen **2.** *be pushing up the daisies* (≈ *tot sein*) sich die Radieschen von unten ansehen
daisy wheel [ˈdeɪzɪ wiːl] *von Drucker, Schreibmaschine*: Typenrad
dam[1] [dæm] Staudamm, Talsperre
dam[2] [dæm], *dammed, dammed*; *auch dam up* stauen (*Fluss*)
damage[1] [ˈdæmɪdʒ] **1.** Schaden (*to* an); *the storm did a lot of damage* der Sturm hat großen Schaden angerichtet **2.** *damages Pl. Recht*: Schadenersatz; *sue someone for damages* jemanden auf Schadenersatz verklagen
damage[2] [ˈdæmɪdʒ] **1.** beschädigen (*Sache*) **2.** schaden (*Ruf, Gesundheit*)
damn[1] [dæm] **1.** (≈ *verfluchen*) verdammen **2.** (*Kritik*) verreißen (*Film, Buch usw.*) **3.** (≈ *ablehnen*) verurteilen (*Verhalten*) **4.** *damn it! umg.* verflucht!, verdammt!; *damn you! umg.* der Teufel soll dich holen!; *I'll be damned if I do that umg.* ich denk ja gar nicht daran, das zu tun
damn[2] [dæm] **1.** *I don't give a damn*

umg. das ist mir scheißegal; *not worth a damn umg.* keinen Pfifferling wert 2. *damn! umg.* verflucht!, verdammt!

damn³ [dæm] → *damned*

damnation [ˌdæm'neɪʃn] *Religion*: Verdammnis

damned [dæmd] 1. *allg.*: verdammt; *the damned Pl. Religion*: die Verdammten 2. *auch* **damn** *umg.*; *Fluch*: verflucht, verdammt; *damned fool* Vollidiot 3. *auch* **damn** *umg.*, *verstärkend*: *damned cold* verdammt *oder* lausig kalt

damp¹ [dæmp] 1. *Raum, Wand usw.*: feucht 2. *Stoff, Kleider usw. auch*: klamm 3. *damp squib BE, umg.* Pleite, Reinfall

damp² [dæmp] *an Wand usw.*: Feuchtigkeit

damp³ [dæmp], **dampen** ['dæmpən] 1. anfeuchten (*Stoff beim Bügeln usw.*) 2. dämpfen (*Geräusch usw.*)

dampen ['dæmpən] dämpfen (*Begeisterung usw.*)

damper ['dæmpə] 1. *Klavier*: Dämpfer 2. *the weather put a damper on our holiday* das Wetter dämpfte unsere Urlaubsfreude

dampness ['dæmpnəs] Feuchtigkeit

dance¹ [dɑːns] 1. tanzen; *dance a waltz* einen Walzer tanzen; *dance to someone's tune übertragen* nach jemandes Pfeife tanzen 2. *freudig, aufgeregt usw.*: tanzen, hüpfen (*with, for* vor)

dance² [dɑːns] 1. *allg.*: Tanz; *let's have a dance!* lass uns tanzen! 2. (≈ *Ball*) Tanzveranstaltung

dancing ['dɑːnsɪŋ] Tanzen; *dancing lesson* Tanzstunde; *dancing lessons Pl.* Tanzunterricht; *dancing partner* Tanzpartner(in); *dancing school* Tanzschule

dandelion ['dændɪlaɪən] *Blume*: Löwenzahn

dandruff ['dændrʌf] (△ *nur im Sg. verwendet*) (Kopf)Schuppen *Pl.*

Dane [deɪn] Däne, Dänin

danger ['deɪndʒə] Gefahr (*to* für); *danger of infection medizinisch*: Infektionsgefahr; *we were in danger of our lives* wir waren *oder* schwebten in Lebensgefahr; *danger money* Gefahrenzulage

dangerous ['deɪndʒərəs] gefährlich (*to, for* für)

dangle ['dæŋgl] 1. baumeln 2. baumeln lassen (*Beine usw.*) 3. *dangle something before someone* jemandem etwas in Aussicht stellen

Danish¹ ['deɪnɪʃ] dänisch; *Danish pastry* Plundergebäck

Danish² ['deɪnɪʃ] *Sprache*: Dänisch

Danish³ ['deɪnɪʃ] *the Danish Pl.* die Dänen

dank [dæŋk] (*unangenehm*) feucht, nasskalt

Danube ['dænjuːb] *die* Donau

dare [deə] es wagen, sich trauen; *how dare you!* untersteh dich!, was fällt dir ein!; *how dare you say that?* wie können Sie das sagen?; *don't you dare touch it!* rühr es ja nicht an!; *I didn't dare tell her the truth* ich traute mich nicht, ihr die Wahrheit zu sagen; *I dare say he'll be there* ich nehme an, dass er da sein wird

daring ['deərɪŋ] *Tat, Person*: kühn, gewagt, verwegen (*auch übertragen: Mode, Outfit*)

dark¹ [dɑːk] 1. *ohne Licht*: dunkel, finster; *it suddenly went dark* plötzlich wurde es dunkel; *it's getting dark* es wird dunkel 2. *Farbton*: dunkel; *dark green* dunkelgrün 3. *übertragen* düster, trüb (*Aussichten usw.*); *my darkest hour* meine schwärzeste Stunde 4. *übertragen* geheim, verborgen; *keep something dark* etwas geheim halten

dark² [dɑːk] 1. Dunkelheit, Finsternis; *in the dark* im Dunkeln; *after* (*bzw. before*) *dark* nach (*bzw.* vor) Einbruch der Dunkelheit 2. *be in the dark übertragen* im Dunkeln tappen; *keep someone in the dark* jemanden im Ungewissen lassen (*about* über)

darken ['dɑːkən] 1. (*Himmel usw.*) sich verdunkeln 2. (*Miene, Gesichtsausdruck*) sich verfinstern 3. verdunkeln (*Raum*)

darkness ['dɑːknəs] Dunkelheit, Finsternis; *the room was in complete darkness* im Zimmer war es stockdunkel

darkroom ['dɑːkruːm] *Fotografie*: Dunkelkammer

darling ['dɑːlɪŋ] Liebling, Schatz (*auch als Anrede*); *she's Daddy's darling* sie ist Papas Liebling

dart¹ [dɑːt] 1. *als Waffe*: Pfeil 2. *Sportgerät*: Wurfpfeil; *darts* (△ *im Sg. verwendet*) Darts (*Spiel*) 3. *Bewegung*: Satz, Sprung; *make a dart for* losstürzen auf

dart² [dɑːt] 1. (≈ *sich schnell bewegen*) sausen, flitzen; *dart to the door* zur Tür stürzen *oder* flitzen 2. *dart a look at someone* jemandem einen Blick zuwerfen

dartboard ['dɑːtbɔːd] Dartsscheibe

dash¹ [dæʃ] 1. (≈ *sich schnell bewegen*) sausen, flitzen; *he dashed into the room* er stürzte ins Zimmer 2. *I must dash* ich muss mich sputen 3. *gegen die Wand usw.*: schleudern (*Vase, Teller usw.*); *dash to pieces* zerschmettern 4. zerstören, zunichtemachen (*Hoffnungen usw.*)

dash² [dæʃ] 1. *Zeichen*: Gedankenstrich

2. *winzige Menge*: Schuss (*Essig, Rum usw.*), Prise (*Salz, Pfeffer usw.*) **3.** *make a dash for* losstürzen auf

dashboard ['dæʃbɔːd] *im Auto*: Armaturenbrett

data ['deɪtə] △ *Sg. und Pl.*; *Computer usw.*: Daten *Pl.*; *data bank* Datenbank; *data carrier* Datenträger; *data file* Datei; *data highway* Datenautobahn; *data processing* Datenverarbeitung; *data protection* Datenschutz; *data transmission* Datenübertragung

database ['deɪtəbeɪs] *Computer*: Datenbank

date¹ [deɪt] **1.** Datum, Tag; *what's the date today?* der Wievielte ist heute?, welches Datum haben wir heute? **2.** Datum, Zeitpunkt; *at a later date* zu einem späteren Zeitpunkt; *to date* bis heute; *date of delivery* Liefertermin **3.** *out of date* veraltet, unmodern; *go out of date* veralten; *up to date* zeitgemäß, modern, auf dem Laufenden; *bring up to date* auf den neuesten Stand bringen, modernisieren **4.** Verabredung, Rendezvous; *I've got a date with him* ich bin mit ihm verabredet; *make a date* sich verabreden; *who's your date?* mit wem bist du verabredet?

date² [deɪt] **1.** datieren (*Brief usw.*) **2.** *he's dating Jill bes. AE* er geht mit Jill

date back to [ˌdeɪt'bæk_tə], **date from** ['deɪt_frəm] (*Kunstwerk, historisches Gebäude usw.*) stammen aus

date³ [deɪt] *Frucht*: Dattel

dated ['deɪtɪd] **1.** *Kleidung, Ansichten*: altmodisch **2.** *Wort usw.*: veraltet

date rape ['deɪt_reɪp] Vergewaltigung nach einem Rendezvous

dative ['deɪtɪv] *auch* **dative case** *Sprache*: Dativ, 3. Fall

dating agency ['deɪtɪŋ ˌeɪdʒ(ə)nsɪ] Partnervermittlung

daughter ['dɔːtə] Tochter

daughter-in-law ['dɔːtərɪnlɔː] *Pl.*: **daughters-in-law** Schwiegertochter

daunting ['dɔːntɪŋ] *Aufgabe usw.*: beängstigend

St David's Day

Der 1. März ist der Nationalfeiertag der Waliser: Am **St David's Day** [snt-'deɪvɪdzdeɪ] trägt man traditionell Lauch (**leek**) oder eine Osterglocke (**daffodil** ['dæfədɪl]) im Knopfloch.

dawdle ['dɔːdl] (herum)trödeln, (herum)-bummeln

dawdle away [ˌdɔːdl_ə'weɪ] vertrödeln (*Zeit*)

dawn¹ [dɔːn] **1.** (*Morgen, Tag*) dämmern **2.** (*Epoche usw.*) heraufdämmern, erwachen

dawn on ['dɔːn_ɒn] (*Gedanke, Ahnung, usw.*) dämmern, zu Bewusstsein kommen (+ *Dativ*); *it gradually dawned on me that he'd been lying* mir dämmerte langsam, dass er gelogen hatte

dawn² [dɔːn] **1.** Morgendämmerung; *at dawn* bei Tagesanbruch **2.** *von Ära, Epoche usw.*: Beginn

day [deɪ] **1.** *allg.*: Tag; *by day* bei Tage, untertags; *night and day oder day and night* Tag und Nacht; *day after day* Tag für Tag; *the day after tomorrow* übermorgen; *the day before yesterday* vorgestern; *one (oder some) day I will …* eines Tages werde ich …; *the other day* neulich, letzthin; *let's call it a day* Feierabend!, Schluss für heute! **2.** (≈ *bestimmter Tag*) Termin; *day of delivery* Liefertermin **3.** *oft* days *Pl.* Zeit, Zeiten, Tage; *in my student days …* als ich Student war …; *in my day* zu meiner Zeit; *in those days* damals; *he's had his day* seine beste Zeit ist vorüber; *those were the days!* das waren noch Zeiten!; *these days* heutzutage; *how are things these days?* umg. wie gehts denn so?

daybreak ['deɪbreɪk] Tagesanbruch; *at daybreak* bei Tagesanbruch

day care ['deɪˌkeə] Tagesbetreuung

daydream¹ ['deɪdriːm] (≈ *geistig abwesend sein*) träumen

daydream² ['deɪdriːm] Tagtraum

daylight ['deɪlaɪt] Tageslicht; *by daylight* bei Tag, bei Tageslicht; *in broad daylight* am helllichten Tag; *daylight saving time bes. AE* Sommerzeit

day nursery ['deɪˌnɜːsrɪ] *für Kleinkinder*: Tagesheim, Tagesstätte

day return [ˌdeɪ_rɪ'tɜːn] *BE Zug, Bus usw.*: Tagesrückfahrkarte

day ticket ['deɪˌtɪkət] *zum Busfahren, für Skilift usw.*: Tageskarte

daytime ['deɪtaɪm] *in the daytime* bei Tag

day trip ['deɪ_trɪp] Tagesausflug

daze [deɪz] *in a daze* benommen

dazed [deɪzd] benommen

dazzle ['dæzl] *durch Licht*: blenden (*auch übertragen*)

D-day ['diːdeɪ] *umg.* der Tag X

dead¹ [ded] **1.** *allg.*: tot; ***shoot dead*** erschießen; ***over my dead body*** *umg.* nur über meine Leiche **2.** *Pflanze*: abgestorben, eingegangen **3.** *Brauch usw.*: ausgestorben; ***dead language*** tote Sprache **4.** *Finger, Füße*: gefühllos, abgestorben **5.** *verstärkend*: ***dead certainty*** absolute Gewissheit; ***dead silence*** Totenstille; ***he's a dead loss*** *umg.* er ist ein hoffnungsloser Fall; ***dead drunk*** *umg.* sinnlos betrunken; ***dead slow!*** *Straßenschild*: Schritt fahren!; ***dead tired*** *umg.* todmüde; ***dead opposite*** *umg.* genau gegenüber von (*oder Dativ*); ***it was dead easy*** *umg.* es war kinderleicht

dead² [ded] **1.** ***the dead*** *Pl.* die Toten **2.** ***in the dead of night*** mitten in der Nacht; ***in the dead of winter*** im tiefsten Winter

dead end [ˌdedˈend] Sackgasse (*auch übertragen*); ***come to a dead end*** in eine Sackgasse geraten

dead-end [ˈdedend] **1.** ***dead-end street*** Sackgasse **2.** ***dead-end job*** Stellung ohne Aufstiegschancen

deadline [ˈdedlaɪn] (letzter) Termin; ***set a deadline*** eine Frist setzen; ***meet the deadline*** den Termin einhalten

deadlock¹ [ˈdedlɒk] ***reach a deadlock*** (*Verhandlungen usw.*) sich festfahren

deadlock² [ˈdedlɒk] (*Verhandlungen usw.*) sich festfahren

deadlocked [ˈdedlɒkt] *Gespräche usw.*: festgefahren

deadly [ˈdedlɪ] **1.** tödlich, Tod…; ***deadly enemy*** Todfeind; ***deadly sin*** Todsünde **2.** *umg.* schrecklich, äußerst; ***deadly boring*** sterbenslangweilig; ***he was deadly serious*** er meinte es todernst

deaf¹ [def] (≈ *gehörlos*) taub (*auch übertragen*: **to** gegen); ***deaf and dumb*** taubstumm; ***deaf in one ear*** auf einem Ohr taub; ***turn a deaf ear*** sich taub stellen (**to** gegenüber); ***fall on deaf ears*** *Warnung usw.*: auf taube Ohren stoßen

deaf² [def] ***the deaf*** *Pl.* die Tauben *Pl.*

deaf-and-dumb [△ ˌdefˌənˈdʌm] taubstumm

deafening [ˈdefnɪŋ] *Lärm*: ohrenbetäubend

deaf-mute [ˌdefˈmjuːt] Taubstumme(r)

deafness [ˈdefnəs] Taubheit (*auch übertragen*: **to** gegen)

deal¹ [diːl], ***dealt*** [delt], ***dealt*** [delt] **1.** *bei Kartenspiel*: geben **2.** *mit Drogen*: dealen

---

deal in [ˈdiːl ɪn] handeln mit; ***she deals in antiques*** sie ist Antiquitätenhändlerin

deal with [ˈdiːl wɪð] **1.** *mit Angelegen-* heit, *Problem usw.*: sich befassen *oder* beschäftigen mit; ***I know how to deal with someone like him*** ich weiß, wie man mit so einem Typen fertig wird; ***your problem will be dealt with*** man wird sich um Ihr Problem kümmern **2.** (*Buch, Film usw.*) handeln von, behandeln, zum Thema haben **3.** ***deal with someone*** mit jemandem Geschäfte machen

---

deal² [diːl] **1.** *geschäftlich, politisch usw.*: Abkommen; ***make a deal*** ein Abkommen treffen; ***we've got a deal - I do the cooking, she does the dishes*** wir haben eine Abmachung - ich koche, sie spült ab **2.** *umg., auch* ***business deal*** Geschäft, Handel; ***it's a deal!*** abgemacht! **3.** ***I expect a fair deal*** ich erwarte eine gerechte Behandlung **4.** *Kartenspiel*: Geben; ***it's your deal*** du musst geben

deal³ [diːl] Menge; ***a great deal*** sehr viel; ***a good deal*** eine ganze Menge, ziemlich viel

dealer [ˈdiːlə] **1.** *allg.*: Händler(in); ***antique dealer*** Antiquitätenhändler(in) **2.** *Drogen*: Dealer **3.** *Kartenspiel*: Geber(in)

dealing [ˈdiːlɪŋ] *mst* ***dealings*** *Pl.* Beziehungen *Pl.*; ***have dealings with*** zu tun haben mit

dealt [delt] *2. und 3. Form von* → ***deal¹***

dear¹ [dɪə] **1.** lieb, teuer; ***my dear wife*** meine liebe Frau; ***my dearest wish*** mein innigster Wunsch **2.** *in Briefen*: ***Dear Sir***, Sehr geehrter Herr (+ *Name*), (△ *nächste Zeile beginnt im Englischen mit einem Großbuchstaben*) **3.** *BE*; *preislich*: teuer, kostspielig **4.** ***it cost him dear*** *übertragen* es kam ihm *oder* ihn teuer zu stehen

dear² [dɪə] **1.** Liebste(r), Schatz; ***you are a dear!*** du bist ein Schatz! **2.** ***oh dear!*** *oder* ***dear me!*** du liebe Zeit!, ach je!

dear/love

In Großbritannien ist es nicht ungewöhnlich, besonders von älteren Leuten mit **dear** angesprochen zu werden. Es ist so gut wie immer nett gemeint.
Auch Frauen sollten es nicht missverstehen, wenn jemand **love** zu ihnen sagt. Das ist besonders bei Busschaffnern, Ladenbesitzern usw. üblich und drückt ebenfalls auf harmlose Art aus, dass man zu jemand Unbekanntem einfach nur nett sein will.

dearly [ˈdɪəlɪ] **1.** von ganzem Herzen (*jemanden lieben*) **2.** liebend gern; ***I would***

dearly love to do it ich würde es liebend gern tun **2.** teuer; **I paid dearly for my mistake** ich habe für meinen Fehler teuer bezahlt

death [deθ] **1.** Tod; **you'll catch your death** durch Erkältung usw.: du wirst dir den Tod holen; **don't work yourself to death** arbeite dich (ja) nicht zu Tode **2.** Todesfall; **how many deaths were there?** bei Unfall usw.: wie viele Tote hat es gegeben?

deathly ['deθlɪ] **deathly pale** totenbleich

death penalty ['deθˌpenltɪ] Todesstrafe

death toll ['deθ ˌtəʊl] bei Unfall usw.: Zahl der Todesopfer

debatable [dɪ'beɪtəbl] Frage, Sachverhalt usw.: strittig, umstritten

debate[1] [dɪ'beɪt] debattieren, diskutieren (**on**, **about** über) (Thema, Streitfrage usw.)

debate[2] [dɪ'beɪt] Debatte, Diskussion; **be under debate** zur Debatte stehen

debit ['debɪt] belasten (Konto)

debris [△ 'debriː, 'deɪbriː] Trümmer Pl., Schutt

debt [△ det] Schuld; **be in debt** Schulden haben, verschuldet sein; **be out of debt** schuldenfrei sein; **it will take another year to pay off all our debts** es wird noch ein Jahr dauern, bis wir alle unsere Schulden bezahlt haben; **be in someone's debt** übertragen: in jemandes Schuld stehen

debtor [△ 'detə] Schuldner

debut [△ 'deɪbjuː] Debüt; **make one's debut** sein Debüt geben

decade ['dekeɪd] Jahrzehnt

decaf ['diːkæf] umg. koffeinfreier Kaffee

decaffeinated [ˌdiː'kæfɪneɪtɪd] Kaffee: koffeinfrei

decal ['diːkæl] AE Abziehbild

decamp [dɪ'kæmp] umg. sich aus dem Staub machen

decathlete [dɪ'kæθliːt] Sport: Zehnkämpfer(in)

decathlon [dɪ'kæθlɒn] Sport: Zehnkampf

decay[1] [dɪ'keɪ] **1.** (Aas, Leiche) verwesen **2.** (Fleisch, Pflanzen usw.) verfaulen **3.** (Holz) vermodern, morsch werden **4.** (Zähne) schlecht werden

decay[2] [dɪ'keɪ] allg.: Verwesung

deceased [dɪ'siːst] **the deceased** der oder die Verstorbene, die Verstorbenen Pl.

deceit [dɪ'siːt] Betrug, Täuschung

deceitful [dɪ'siːtfl] Person: falsch, hinterlistig

deceive [dɪ'siːv] **1.** täuschen, betrügen (Person); **deceive oneself** sich etwas vormachen **2.** (Eindruck usw.) trügen, täuschen

December [dɪ'sembə] Dezember; **in December** im Dezember

decency ['diːsnsɪ] (≈ Befolgen moralischer Standards) Anstand; **for decency's sake** anstandshalber

decent ['diːsnt] **1.** allg.: anständig **2.** Leistung, Kenntnisse usw.: passabel, annehmbar

deception [dɪ'sepʃn] Betrug, Täuschung

deceptive [dɪ'septɪv] täuschend, trügerisch; **it's deceptive** es täuscht

decide [dɪ'saɪd] **1.** beschließen, sich entscheiden, sich entschließen (**to do, on doing** zu tun; **against doing** nicht zu tun); **decide in favour of something** sich für etwas entscheiden; **we decided not to go to the party** wir entschieden uns, nicht zur Party zu gehen **2.** entscheiden (Frage, Konflikt usw.); **you decide what we do!** entscheide du, was wir machen!

decided [dɪ'saɪdɪd] (≈ eindeutig) entschieden (Verbesserung usw.)

deciding [dɪ'saɪdɪŋ] Faktor usw.: entscheidend, ausschlaggebend

decimal[1] ['desɪml] dezimal, Dezimal...; **go decimal** das Dezimalsystem einführen; **decimal fraction** Dezimalbruch; **decimal point** Komma vor der ersten Dezimalstelle (△ in GB und USA ist das ein Punkt)

decimal[2] ['desɪml] Dezimalzahl (2,1 usw.)

decipher [dɪ'saɪfə] entziffern (Handschrift usw.)

decision [dɪ'sɪʒn] **1.** Entscheidung, Entschluss; **make** oder **take a decision** eine Entscheidung treffen, einen Entschluss fassen; **come to** oder **reach a decision** zu einer Entscheidung oder einem Entschluss kommen **2.** von Jury, Gericht usw. auch: Beschluss **3.** Eigenschaft: Entschlusskraft, Entschlossenheit

decisive [dɪ'saɪsɪv] **1.** Faktor, Rolle, Sieg usw.: entscheidend, ausschlaggebend **2.** Haltung usw.: entschlossen, bestimmt

deck [dek] **1.** auf Schiff: Deck; **on deck** an Deck **2.** von doppelstöckigem Bus, Zug usw.: Deck **3.** **a deck of cards** bes. AE ein Spiel Karten oder ein Pack Spielkarten

deckchair ['dektʃeə] Liegestuhl

declaration [ˌdeklə'reɪʃn] **1.** allg.: Erklärung; **make a declaration** eine Erklärung abgeben; **declaration of independence** Unabhängigkeitserklärung **2.** am Zoll: Zollerklärung

declare [dɪ'kleə] **1.** erklären, verkünden; **I declare the buffet open** ich erkläre das Büfett für eröffnet; **declare someone**

the winner jemanden zum Sieger erklären; *declare war* den Krieg erklären; *the police* have *declared war on organized crime* die Polizei hat dem organisierten Verbrechen den Krieg erklärt **2.** *am Zoll*: deklarieren, verzollen; *do you have anything to declare?* haben Sie etwas zu verzollen?

declension [dɪˈklenʃn] *Sprache*: Deklination

decline¹ [dɪˈklaɪn] **1.** (*Preise, Umsätze usw.*) zurückgehen, fallen **2.** (*Qualität, Gesundheit usw.*) schlechter werden **3.** (*Bevölkerungszahl*) abnehmen, zurückgehen **4.** (höflich) ablehnen (*Einladung usw.*); *she declined* (*to accept*) *the offer* sie lehnte das Angebot ab **5.** *Sprache*: deklinieren

decline² [dɪˈklaɪn] **1.** *von Preisen, Umsatz usw.*: Rückgang **2.** *von Firma, Staat usw.*: Niedergang; *be on the decline* im Niedergang begriffen sein, sinken

decode [ˌdiːˈkəʊd] entschlüsseln (*Nachricht, Text usw.*)

decoder [ˌdiːˈkəʊdə] *TV*: Decoder

decompose [ˌdiːkəmˈpəʊz] zerfallen (*into*), sich zersetzen

decomposition [ˌdiːkɒmpəˈzɪʃn] Zersetzung, Zerfall

decontaminate [ˌdiːkənˈtæmɪneɪt] entgiften, dekontaminieren (*Haus, Gebiet*)

decontamination [ˌdiːkəntæmɪˈneɪʃn] Entgiftung, Dekontamination

decorate [ˈdekəreɪt] **1.** verzieren (*Kuchen usw.*) **2.** ausschmücken, dekorieren (*Zimmer, Haus*) **3.** tapezieren, streichen (*Zimmer, Wände*)

decoration [ˌdekəˈreɪʃn] **1.** *von Kuchen*: Verzierung **2.** *von Zimmer, Haus*: Schmuck, Dekoration **3.** *von Zimmer, Wänden*: Tapezieren, Streichen

decorator [ˈdekəreɪtə] **1.** Maler(in) und Tapezierer(in) **2.** *auch interior decorator* Raumausstatter(in), Innenarchitekt(in)

decrease¹ [ˌdiːˈkriːs] **1.** (*Menge, Anzahl, Interesse usw.*) abnehmen, sich verringern **2.** vermindern, verringern (*Menge, Anzahl, Ausgaben usw.*)

decrease² [ˈdiːkriːs] *von Menge, Anzahl usw.*: Abnahme, Verringerung; *the decrease in inflation* der Rückgang der Inflation

decrepit [dɪˈkrepɪt] *Person, Auto usw.*: altersschwach

dedicate [ˈdedɪkeɪt] **1.** widmen (*Buch, Leben, Zeit usw.*) (*to*; *dt. Dativ*) **2.** *AE* feierlich eröffnen *oder* einweihen (*Gebäude*)

dedicated [ˈdedɪkeɪtɪd] *Arbeiter usw.*: engagiert, einsatzfreudig; *she's a dedicat-*

ed teacher sie ist Lehrerin mit Leib und Seele

dedication [ˌdedɪˈkeɪʃn] **1.** *von Buch usw.*: Widmung **2.** (≈ *Engagement*) Hingabe

deduce [dɪˈdjuːs] folgern, schließen (*from* aus)

deduct [dɪˈdʌkt] **1.** abziehen (*Betrag*) (*from* von); *after deducting costs* nach Abzug der Kosten **2.** *vom Einkommen*: einbehalten (*Steuern*)

deduction [dɪˈdʌkʃn] **1.** *von Geldbetrag*: Abzug, Einbehaltung **2.** *Logik*: Folgerung, Schluss

deed [diːd] **1.** *a good deed* eine gute Tat **2.** *rechtlich*: Besitzurkunde (*für Haus usw.*)

deep [diːp] **1.** *allg.*: tief (*auch übertragen*); *deep breath* tiefer Atemzug; *deep disappointment* schwere *oder* bittere Enttäuschung; *I'm deeply disappointed* ich bin schwer enttäuscht; *deepest poverty* tiefste Armut; *he read deep into the night* er las bis tief in die Nacht hinein; *deep blue sky* tiefblauer Himmel; *she was deep in thought* sie war tief in Gedanken versunken **2.** *übertragen* schwer verständlich, schwierig; *that's too deep for me* das ist mir zu hoch

deepen [ˈdiːpən] **1.** (*Liebe, Kummer usw.*) stärker werden **2.** vertiefen (*Wissen*) **3.** (*Wasserstand*) tiefer werden

deep freeze¹ [ˌdiːpˈfriːz] Tiefkühltruhe, Gefrierschrank

deep-freeze² [ˌdiːpˈfriːz], *deep-froze* [ˌdiːpˈfrəʊz], *deep-frozen* [ˌdiːpˈfrəʊzn] tiefkühlen, einfrieren; *deep-frozen food* Tiefkühlkost

deep-fry [ˌdiːpˈfraɪ] frittieren (*Fisch, Pommes usw.*)

deep fryer [ˌdiːpˈfraɪə], **deep-frying pan** [ˈdiːpˌfraɪɪŋ pæn] Fritteuse

deer [dɪə] *Pl.*: *deer oder seltener deers* Tier: Hirsch; *roe deer* Reh

deface [dɪˈfeɪs] verschandeln (*Mauer usw.*)

default¹ [dɪˈfɔːlt] **1.** *allg.* (Pflicht)Versäumnis **2.** *win by default* *Sport*: kampflos gewinnen **3.** *Computer*: Default, Grundeinstellung

default² [dɪˈfɔːlt] seinen Verpflichtungen nicht nachkommen; *default on something* mit etwas im Rückstand sein (*bes. mit Zahlungen*)

defeat¹ [dɪˈfiːt] **1.** besiegen, schlagen (*Gegner*) **2.** vereiteln, zunichtemachen (*Hoffnung, Plan usw.*)

defeat² [dɪˈfiːt] **1.** *für Sieger*: Sieg; *the defeat of poverty* der Sieg über die Armut **2.** *für Verlierer*: Niederlage; *admit defeat* sich geschlagen geben; **the Tories' election defeat** die Wahlniederlage der Tories

defect[1] ['diːfekt] *an Maschine usw.*: Defekt, Fehler

defect[2] [dɪ'fekt] abtrünnig werden (*seinem Land, einem Ideal usw.*); **defect to the enemy** zum Feind überlaufen

defence, *AE* **defense** [dɪ'fens] *Sport, militärisch usw.*: Verteidigung; **in defence of** zur Verteidigung *oder* zum Schutz von (*oder Genitiv*); **come to someone's defence** jemandem zu Hilfe kommen

defend [dɪ'fend] **1.** *allg.*: verteidigen (**from**, **against** gegen) **2.** verteidigen, rechtfertigen (*Meinung, These usw.*) **3.** *Sport*: verteidigen (*auch: Titel, Meisterschaft*)

defendant [dɪ'fendənt] *vor Gericht*: Beklagte(r), Angeklagte(r)

defender [dɪ'fendə] **1.** *Sport*: Abwehrspieler(in), Verteidiger(in) **2.** *von Idee, These usw.*: Verteidiger(in)

defense [dɪ'fens] *AE* → **defence**

defensive[1] [dɪ'fensɪv] *Sport, militärisch usw.*: defensiv, Abwehr..., Verteidigungs...

defensive[2] [dɪ'fensɪv] Defensive; **on the defensive** in der Defensive (*auch in Diskussion usw.*)

defiant [dɪ'faɪənt] *Kind, Antwort usw.*: trotzig

deficiency [dɪ'fɪʃnsɪ] Mangel (*auch medizinisch*)

deficient [dɪ'fɪʃnt] mangelhaft, unzureichend; **vitamin-deficient** vitaminarm

deficit ['defəsɪt] *an Geld*: Defizit, Fehlbetrag

define [dɪ'faɪn] **1.** definieren (*Wort, Begriff usw.*) **2.** bestimmen, festlegen (*Kompetenz, Pflichten usw.*)

definite ['defənət] **1.** *Entscheidung, Bescheid usw.*: endgültig, definitiv **2.** **the definite article** *Sprache*: der bestimmte Artikel

definitely ['defənətlɪ] **1.** *entscheiden usw.*: endgültig, definitiv **2.** **definitely!** *als Antwort*: bestimmt!, aber klar!; **definitely not!** mit Sicherheit nicht!

definition [ˌdefə'nɪʃn] **1.** *von Wort*: Definition **2.** *von Kompetenzen usw.*: Festlegung **3.** *von Bildschirm usw.*: Bildschärfe

definitive [dɪ'fɪnətɪv] **1.** *Aussage usw.*: entschieden **2.** *Buch zu einem Thema*: maßgeblich

deflate [ˌdiː'fleɪt] **1.** (*Reifen, Ballon*) Luft verlieren **2.** *aus Reifen, Ballon*: die Luft ablassen aus

deforestation [ˌdiːfɒrɪ'steɪʃn] Abholzung

deformed [dɪ'fɔːmd] deformiert, *Person*

auch: missgestaltet

defraud [dɪ'frɔːd] betrügen (**of** um)

defrost [ˌdiː'frɒst] **1.** entfrosten (*Windschutzscheibe usw.*) **2.** abtauen (lassen) (*Kühlschrank usw.*) **3.** auftauen (lassen) (*Tiefkühlkost usw.*)

deft [deft] gewandt, geschickt

defuse [ˌdiː'fjuːz] entschärfen (*Bombe, Lage usw.*)

degradable [dɪ'greɪdəbl] *Müll usw.*: abbaubar

degree [dɪ'griː] **1.** (≈ *Intensität*) Grad, Stufe; **by degrees** allmählich, nach und nach; **to some** *oder* **a certain degree** ziemlich, bis zu einem gewissen Grad; **to a high degree** in hohem Maße **2.** *Maßeinheit*: Grad; **degree of latitude** (*bzw.* **longitude**) Breitengrad (*bzw.* Längengrad) **3.** *Universität*: Grad, Abschluss; **when did you take** *oder* **do** (*AE* **get**) **your degree?** wann hast du Examen gemacht?; **I've got a degree in history** ich habe ein abgeschlossenes Geschichtsstudium, *auch*: ich habe Geschichte studiert

dehydrate [ˌdiː'haɪdreɪt] Wasser entziehen, dehydrieren; **dehydrated vegetables** *Pl.* Trockengemüse

deice [ˌdiː'aɪs] enteisen (*Windschutzscheibe usw.*)

deign [△ deɪn] **deign to do something** sich herablassen, etwas zu tun (*auch humorvoll*)

dejected [dɪ'dʒektɪd] niedergeschlagen

delay[1] [dɪ'leɪ] **1.** verschieben, hinausschieben (*Entscheidung, Reise, Vorhaben usw.*); **be delayed** *Beginn einer Veranstaltung usw.*: sich verzögern **2.** aufhalten; **my train was delayed by fog** mein Zug hatte wegen Nebels Verspätung

delay[2] [dɪ'leɪ] **1.** Verschiebung, Verzögerung; **without delay** unverzüglich **2.** *von Zug, Flug usw.*: Verspätung; **all train services are subject to delay** bei allen Zügen ist mit Verspätungen zu rechnen

delaying tactics [dɪ'leɪɪŋˌtæktɪks] *Pl.* Hinhaltetaktik, Verzögerungstaktik

delegate[1] ['delɪgət] *für Versammlung, Parteitag usw.*: Delegierte(r)

delegate[2] ['delɪgeɪt] **1.** abordnen, delegieren (*Person*) **2.** übertragen (*Verantwortung, Vollmachten usw.*) (**to**; *dt. Dativ*)

delegation [ˌdelɪ'geɪʃn] **1.** Gruppe von Personen: Abordnung, Delegation **2.** *von Vollmacht usw.*: Übertragung

delete [dɪ'liːt] **1.** *in einem Text*: streichen, ausstreichen; **delete where inapplicable** Nichtzutreffendes bitte streichen **2.** *am Computer*: löschen

delete key [dɪ'liːt ˌkiː] *Computer*: Löschtaste

deli ['delɪ] *umg. Abk. für →* **delicatessen**

deliberate[1] [dɪ'lɪbərət] **1.** *Tat, Beleidigung usw.:* bewusst, absichtlich **2.** (≈ *langsam und vorsichtig)* bedächtig, besonnen

deliberate[2] [dɪ'lɪbəreɪt] nachdenken (**on** über) (*ein Problem usw.*), überlegen

delicacy ['delɪkəsɪ] **1.** *Speise:* Delikatesse, Leckerbissen **2.** (≈ *Feinfühligkeit)* Takt **3.** *a matter of great delicacy* eine sehr heikle Angelegenheit

delicate ['delɪkət] **1.** *Material usw.:* zart, fein, zerbrechlich **2.** *Problem, Frage usw.:* delikat, heikel **3.** *Person, bes. Kind:* zart, empfindlich (*gesundheitlich)* **4.** *Figur usw.:* zierlich **5.** *Speisen:* delikat, schmackhaft

delicatessen [,delɪkə'tesn] *Pl.* Feinkostgeschäft (△ *Delikatesse =* **delicacy**)

delicious [dɪ'lɪʃəs] *Speise, Getränk:* köstlich

delight[1] [dɪ'laɪt] Vergnügen, Entzücken; *to my delight* zu meiner Freude; *take delight in something* an etwas Freude haben

delight[2] [dɪ'laɪt] (*Buch, Film, Musik usw.*) erfreuen, entzücken (*Leser, Publikum usw.*); *I'm delighted* ich bin entzückt, das freut mich sehr

delightful [dɪ'laɪtfl] *Person, Landschaft usw.:* entzückend, reizend

delinquent[1] [dɪ'lɪŋkwənt] straffällig

delinquent[2] [dɪ'lɪŋkwənt] Delinquent(in), Straffällige(r)

deliver [dɪ'lɪvə] **1.** liefern (*Waren usw.*) **2.** zustellen (*Brief, Paket usw.*) **3.** halten (*Rede, Vortrag usw.*) (*to* vor) **4.** zur Welt bringen (*Baby*)

delivery [dɪ'lɪvərɪ] **1.** *von Waren:* Lieferung; *on delivery* bei Lieferung, bei Empfang; *cash on delivery* per Nachnahme **2.** *von Brief, Paket usw.:* Zustellung; *delivery charge* Zustellgebühr **3.** *von Rede usw.:* Vortragsweise **4.** (≈ *Geburt)* Entbindung; *delivery room* Kreißsaal

delta ['deltə] Delta, Flussdelta

delude [dɪ'luːd] *über einen Sachverhalt:* täuschen, irreführen; *stop deluding yourself* mach dir doch nichts vor!

deluge [△ 'deljuːdʒ] **1.** Überschwemmung **2.** *übertragen* Flut, Unmenge

delusion [dɪ'luːʒn] Illusion, Wahn; *delusions of grandeur* Größenwahn

deluxe [də'lʌks] Luxus..., De-Luxe-...; *we stayed in a deluxe hotel* wir wohnten in einem Luxushotel

delve [delv] **1.** *delve into* sich vertiefen in (*ein Thema usw.*); *delve into someone's past* in jemandes Vergangenheit nachforschen **2.** *delve in(to) one's pockets* in

seinen Taschen wühlen (*for* nach)

demand[1] [dɪ'mɑːnd] **1.** (*Person)* fordern, verlangen (*of, from* von) **2.** (*Problem, Situation usw.)* erfordern, verlangen

demand[2] [dɪ'mɑːnd] **1.** *von Person:* Forderung (*for* nach); *on demand* auf Verlangen; *make demands on someone* Forderungen an jemanden stellen **2.** *von Problem, Situation usw.:* Anforderung (*on* an), Beanspruchung; *make great demands on* stark in Anspruch nehmen, große Anforderungen stellen an **3.** *wirtschaftlich:* Nachfrage (*for* nach), Bedarf (*for* an); *be in great demand* sehr gefragt sein; *supply and demand* Angebot und Nachfrage

demanding [dɪ'mɑːndɪŋ] *Aufgabe, Arbeit usw.:* anspruchsvoll

demi... ['demɪ] *in Zusammensetzungen:* Halb..., halb...

demo ['deməʊ] *Pl.:* **demos** ['deməʊz] *umg.* Demo (*Demonstration)*

democracy [dɪ'mɒkrəsɪ] Demokratie

democrat ['deməkræt] Demokrat(in)

Democrat ['deməkræt] *in USA:* Demokrat(in) (*Mitglied bzw. Anhänger der demokratischen Partei)*

democratic [,demə'krætɪk] demokratisch

demolish [dɪ'mɒlɪʃ] **1.** abreißen, abbrechen (*Gebäude)* **2.** *übertragen* vernichten, zunichtemachen (*Plan, Theorie usw.)* **3.** *umg.* verdrücken (*Essen)*

demolition [,demə'lɪʃn] **1.** *von Gebäude:* Abriss, Abbruch **2.** *übertragen* Zerstörung

demonstrate ['demənstreɪt] **1.** demonstrieren, beweisen (*Tatsache, Sachverhalt)* **2.** *durch ein Beispiel, Experiment usw.:* darlegen, veranschaulichen **3.** *Politik:* demonstrieren

demonstration [,demən'streɪʃn] **1.** (≈ *Kundgebung)* Demonstration **2.** *von Gerät usw.:* Vorführung

demonstrator ['demənstreɪtə] *Politik:* Demonstrant(in)

demoralize [dɪ'mɒrəlaɪz] demoralisieren

demotivate [,diː'məʊtɪveɪt] demotivieren

den [den] **1.** *von Tier:* Höhle (*auch übertragen)*; *den of vice* Lasterhöhle **2.** *umg.* (≈ *kleines, gemütliches Zimmer)* Bude

denial [dɪ'naɪəl] **1.** *von Bitte usw.:* Ablehnung **2.** *von Schuld usw.:* Leugnung; *official denial* Dementi

Denmark ['denmɑːk] Dänemark

denominator [dɪ'nɒmɪneɪtə] *Mathematik:* Nenner; (*lowest) common denominator* (kleinster) gemeinsamer Nenner (*auch übertragen)*

denounce [dɪ'naʊns] **1.** (≈ *öffentlich kritisieren)* anprangern **2.** *bei den Behörden:*

anzeigen, denunzieren (**to** bei)

dense [dens] **1.** *allg.*: dicht; *densely populated* dicht bevölkert **2.** *umg.*, *übertragen* beschränkt, begriffsstutzig

density ['densətɪ] Dichte; *traffic density* Verkehrsdichte

dent[1] [dent] **1.** *in Oberfläche*: Beule, Delle, Einbeulung **2.** *the holiday has made a big dent in our finances* der Urlaub hat ein großes Loch in unsere Finanzen gerissen

dent[2] [dent] **1.** eindellen, verbeulen (*Oberfläche, bes. Karosserie*) **2.** *übertragen* anknacksen (*Stolz, Selbstvertrauen usw.*)

dental ['dentl] Zahn..., Mund...; *dental floss* Zahnseide

dentist ['dentɪst] Zahnarzt, Zahnärztin

dentistry ['dentɪstrɪ] Zahnmedizin

denunciation [dɪ,nʌnsɪ'eɪʃn] **1.** (≈ *öffentliche Kritik*) Anprangerung **2.** *bei Behörde*: Anzeige, Denunziation

deny [dɪ'naɪ] **1.** abstreiten, bestreiten (*Behauptung, Vermutung usw.*) **2.** *öffentlich auch*: dementieren **3.** *vor Gericht auch*: leugnen **4.** ablehnen (*Bitte usw.*); *I simply can't deny my daughter anything* ich kann meiner Tochter einfach nichts abschlagen

deodorant [diː'əʊdərənt] Deo, Deodorant

depart [dɪ'pɑːt] **1.** *allg.*: abreisen, abfahren (**for** nach) **2.** (*Flugzeug*) abfliegen **3.** *depart this life förmlich* dahinscheiden; *the departed* der (die) Verstorbene, die Verstorbenen *Pl.*

department [dɪ'pɑːtmənt] **1.** *in Firma, Kaufhaus, Behörde usw.*: Abteilung; *head of department* Abteilungsleiter(in) **2.** *Politik*: Ministerium; *Department of the Environment* Umweltministerium; *State Department AE* Außenministerium **3.** *an Universität*: Institut, Seminar; *German Department* deutsches Seminar; *History Department* Institut für Geschichte

department store [dɪ'pɑːtmənt ˌstɔː] Kaufhaus, Warenhaus

departure [dɪ'pɑːtʃə] **1.** *allg.*: Abreise, Abfahrt **2.** *mit Flugzeug*: Abflug **3.** *departures Pl., auf Fahrplan*: Abfahrt, *im Flughafen*: Abflug; *departure gate* Flugsteig; *departure lounge* Abflughalle; *departure time* Abflugzeit

depend [dɪ'pend] *it oder that depends* auf eine Frage: das kommt darauf an

---

depend on *oder* **upon** [dɪ'pend ɒn *oder* ə,pɒn] **1.** sich verlassen auf; *you can depend on her* man kann sich auf

---

sie verlassen **2.** abhängen von, abhängig sein von; *the region completely depends on tourism* die Region ist völlig auf den Tourismus angewiesen **3.** *it all depends on whether* (*oder* **how**) ... es kommt ganz darauf an, ob (*oder* wie) ...

dependable [dɪ'pendəbl] zuverlässig, verlässlich

dependant [dɪ'pendənt] Angehörige(r) (*bes. Kinder*)

dependence [dɪ'pendəns] **1.** Abhängigkeit (**on** von) **2.** Vertrauen (**on** auf)

dependent [dɪ'pendənt] *allg.*: abhängig (**on** von), angewiesen (**on** auf); *be dependent on heroin* heroinabhängig sein

depict [dɪ'pɪkt] **1.** *auf einem Bild*: darstellen **2.** *übertragen* schildern, beschreiben

deplorable [dɪ'plɔːrəbl] bedauerlich, bedauernswert

deplore [dɪ'plɔː] bedauern, beklagen

deport [dɪ'pɔːt] ausweisen, abschieben (*Ausländer*)

deportation [ˌdiːpɔː'teɪʃn] Ausweisung, Abschiebung

deposit[1] [dɪ'pɒzɪt] **1.** absetzen, abstellen (*Last*) **2.** *auf Konto, in Schließfach*: deponieren, hinterlegen (*Wertsachen, Geld*) (**with** bei) **3.** *in Flussbett usw.*: ablagern (*Sand, Geröll usw.*)

deposit[2] [dɪ'pɒzɪt] **1.** *bei Ratenkauf usw.*: Anzahlung; *put down a deposit* eine Anzahlung leisten (**on** für) **2.** *für Mietwohnung usw.*: Kaution **3.** *auf Bankkonto*: Guthaben; *deposit account* Sparkonto **4.** *für Mehrwegverpackungen*: Pfand, ⓔ Depot **5.** *in Flussbett, Leitung usw.*: Ablagerung

depreciate [dɪ'priːʃɪeɪt] **1.** im Wert mindern **2.** abwerten (*Währung*) **3.** (*Auto usw.*) an Wert verlieren

depreciation [dɪ,priːʃɪ'eɪʃn] **1.** Wertminderung **2.** *von Währung*: Abwertung

depress [dɪ'pres] (*Missgeschick, Wetter usw.*) deprimieren, bedrücken

depressant [dɪ'presnt] *medizinisch*: Beruhigungsmittel

depressed [dɪ'prest] **1.** *Person*: deprimiert, niedergeschlagen; *I'm* (*feeling*) *depressed* ich bin deprimiert **2.** *Geschäfte, Wirtschaft*: schleppend, flau **3.** *Industrie, Wirtschaftszweig*: Not leidend

depression [dɪ'preʃn] **1.** *psychisch*: Depression, Niedergeschlagenheit **2.** *im Boden*: Senkung, Vertiefung **3.** *wirtschaftlich*: Depression, Flaute **4.** *Wetter*: Tief, Tiefdruckgebiet

deprivation [ˌdeprɪ'veɪʃn] **1.** Beraubung (*von Rechten*), Entzug (*von Schlaf, Frei-*

heit) **2.** (≈ *Not*) Entbehrung

> **deprive of** [dɪ'praɪv‿əv] **deprive some-**
> **one of something** jemandem etwas
> entziehen; **be deprived of something**
> etwas entbehren (müssen)

deprived [dɪ'praɪvd] benachteiligt

depth [depθ] **1.** Tiefe (*auch übertragen*);
at a depth of in einer Tiefe von; **five**
feet in depth fünf Fuß tief; **in the**
depths of winter im tiefsten Winter **2.**
discuss something in depth etwas bis
in alle Einzelheiten *oder* eingehend dis-
kutieren

deputy ['depjʊtɪ] **1.** *von Führungskraft*:
Stellvertreter(in); **deputy head of de-**
partment stellvertretende(r) Abteilungs-
leiter(in) **2.** *in manchen Ländern*: Abge-
ordnete(r) **3.** *AE* Hilfssheriff

deranged [dɪ'reɪndʒd] *auch* **mentally de-**
ranged geistesgestört

derby [△ 'dɑːbɪ] *Sport*: Derby; **local der-**
by Lokalderby

derelict [△ 'derəlɪkt] *Gebäude*: herunter-
gekommen, baufällig

derision [dɪ'rɪʒn] Hohn, Spott

derisive [dɪ'raɪsɪv] höhnisch, spöttisch;
derisive laughter Hohngelächter

derisory [dɪ'raɪsərɪ] **1.** *Summe, Angebot*:
lächerlich **2.** spöttisch

derivation [ˌderɪ'veɪʃn] *von Wort*: Her-
kunft, Abstammung

derivative [dɪ'rɪvətɪv] **1.** *Wort*: Ableitung,
Derivat **2.** *Chemie*: Derivat

derive [dɪ'raɪv] **1.** (*Wort, Bedeutung usw.*)
sich herleiten, sich ableiten (**from** von);
the word 'father' derives from the Latin
'pater' das Wort 'Vater' leitet sich vom
lateinischen 'pater' her **2.** **derive pleas-**
ure from something an etwas Freude
finden *oder* haben **3.** ableiten (*Wort, Be-*
deutung usw.)

dermatologist [ˌdɜːmə'tɒlədʒɪst] Haut-
arzt, Hautärztin

derogatory [dɪ'rɒgətərɪ] *Bemerkung usw.*:
abfällig, geringschätzig

descend [dɪ'send] *mst. förmlich* (≈ *sich*
von oben nach unten bewegen) hinabstei-
gen, hinuntergehen

> **descend from** [dɪ'send‿frɒm] **1.** (*Per-*
> *son*) abstammen von **2.** (*Brauch, Tradi-*
> *tion, usw.*) stammen von

descendant [dɪ'sendənt] *von Vorfahren*:
Nachkomme, Abkömmling

descent [dɪ'sent] *von den Vorfahren*: Ab-
stammung, Herkunft; **Michael's of**
French descent Michael ist französi-

scher Herkunft

describe [dɪ'skraɪb] **1.** beschreiben (*Per-*
son, Gegenstand usw.) **2.** beschreiben,
schildern (*Situation, Sachverhalt*); **he de-**
scribed her as rather bitchy er schil-
derte sie als ziemlich gehässig

description [dɪ'skrɪpʃn] *allg.*: Beschrei-
bung, Schilderung; **beyond description**
unbeschreiblich

desert[1] [dɪ'zɜːt] **1.** verlassen (*Partner*) **2.**
auch: im Stich lassen (*Familie, Kinder*
usw.) **3.** *vom Militär*: desertieren

desert[2] [△ 'dezət] Wüste

deserted [dɪ'zɜːtɪd] *Insel, Geisterstadt*
usw.: verlassen, unbewohnt; **the streets**
were deserted die Straßen waren men-
schenleer *oder* wie ausgestorben

deserter [dɪ'zɜːtə] *vom Militär*: Deserteur

desertion [dɪ'zɜːʃn] **1.** *von Partner*: Ver-
lassen **2.** *vom Militär*: Desertion, Fah-
nenflucht

deserts [dɪ'zɜːts] *Pl.*, **get one's just de-**
serts *mst.*: seine verdiente Strafe bekom-
men

deserve [dɪ'zɜːv] verdienen, verdient ha-
ben (*Lob, Anerkennung, Erfolg usw.*) (△
Geld verdienen = **earn money**)

design[1] [dɪ'zaɪn] **1.** entwerfen (*Plan für*
Gebäude usw.) **2.** *auch*: konstruieren
(*Maschine*) **3.** ausdenken, ersinnen (*Plan,*
Konzept für ein Vorhaben usw.) **4.** **this**
dictionary is designed for intermediate
users dieses Wörterbuch ist für Benut-
zer mit Vorkenntnissen bestimmt *oder*
konzipiert

design[2] [dɪ'zaɪn] **1.** *von Bauplan usw.*:
Entwurf **2.** *für Maschine*: Konstruktions-
zeichnung **3.** *in der Mode usw.*: Design,
Muster

designer [dɪ'zaɪnə] **1.** *allg.*: Designer(in)
2. *von Maschinen*: Konstrukteur(in) **3.**
von Kleidern auch: Modeschöpfer(in)

designer drug [dɪˌzaɪnə'drʌg] Designer-
droge

designer stubble [dɪˌzaɪnə'stʌbl] Dreita-
gebart

desirable [dɪ'zaɪərəbl] **1.** *Kenntnisse, Fer-*
tigkeiten usw.: wünschenswert, erwünscht
2. *Person*: begehrenswert

desire[1] [dɪ'zaɪə] wünschen; **if desired** auf
Wunsch; **leave much** (*bzw.* **nothing**) **to**
be desired viel (*bzw.* nichts) zu wün-
schen übrig lassen

desire[2] [dɪ'zaɪə] **1.** Wunsch (**for** nach); **I**
have no desire to see her ich habe kein
Verlangen, sie zu sehen (= *ich will sie*
nicht sehen) **2.** Begierde (*auch sexuell*)
(**for** nach); **desire for knowledge** Wis-
sensdurst

desk [desk] **1.** *im Büro usw.*: Schreibtisch,

in Schule: Schulbank; ☞ *Illu S. 539 und 540* **2.** *im Hotel*: Empfang, Rezeption

desktop ['desktɒp] *mst.*: Desktop...; *desktop computer auch*: Tischrechner; *desktop publishing* Desktop-Publishing

desolate ['desələt] **1.** *Gegend usw.*: trostlos **2.** *Person*: einsam, verlassen **3.** *Reaktion usw.*: verzweifelt

despair [dɪ'speə] Verzweiflung (*about, at* über); *be in despair* verzweifelt sein; *drive someone to despair* jemanden zur Verzweiflung bringen

despatch [dɪ'spætʃ] → *dispatch¹, dispatch²*

desperate ['despərət] **1.** *Anstrengung, Lage, Person*: verzweifelt; *we're desperate for a holiday* wir haben dringend einen Urlaub nötig; *we're in desperate need of a larger flat* wir brauchen äußerst dringend eine größere Wohnung; *she's desperate to get this job* wir wollen diesen Job unbedingt haben **2.** *Notlage, Situation usw.*: hoffnungslos, schrecklich

desperation [ˌdespə'reɪʃn] Verzweiflung; *in desperation* verzweifelt; *drive someone to desperation* jemanden zur Verzweiflung bringen

despicable [dɪ'spɪkəbl] verachtenswert, verabscheuungswürdig

despise [dɪ'spaɪz] verachten (*Person*)

despite [dɪ'spaɪt] trotz (+ *Genitiv oder Dativ*); *despite my warning ...* trotz meiner Warnung ...; *despite what I said ...* trotz allem, was ich sagte, ...

despondent [dɪ'spɒndənt] mutlos, verzagt

dessert [△ dɪ'zɜːt] Dessert, Nachtisch, ⊛ Mehlspeise

destination [ˌdestɪ'neɪʃn] **1.** *von Waren usw.*: Bestimmungsort **2.** *von Personen*: Reiseziel

destined ['destɪnd] **1.** *be destined to do something* dazu bestimmt sein, etwas zu tun **2.** *destined for Schiff usw.*: unterwegs nach

destiny ['destənɪ] Schicksal; *he met his destiny* sein Schicksal ereilte ihn

destitute ['destɪtjuːt] (völlig) verarmt

destitution [ˌdestɪ'tjuːʃn] (völlige) Armut

destroy [dɪ'strɔɪ] **1.** *allg.*: zerstören, *auch*: kaputt machen (*Spielsachen usw.*) **2.** vernichten (*Feind, Ungeziefer usw.*) **3.** töten, einschläfern (*Tier*) **4.** ruinieren (*Gesundheit, Leben, Ruf usw.*) **5.** zunichtemachen, zerstören (*Hoffnungen, Erwartungen usw.*)

destruction [dɪ'strʌkʃn] *allg.*: Zerstörung

destructive [dɪ'strʌktɪv] **1.** zerstörend, vernichtend **2.** *Kritik usw.*: destruktiv

detach [dɪ'tætʃ] **1.** abtrennen (*Formular*

usw.), loslösen (*from* von) **2.** abnehmen (*Teil eines Geräts usw.*) (*from* von)

detachable [dɪ'tætʃəbl] abnehmbar

detached [dɪ'tætʃt] **1.** *Verhalten, Person*: kühl, distanziert **2.** *Urteil, Meinung*: distanziert, unvoreingenommen **3.** *detached house* frei stehendes Haus, Einzelhaus

detachment [dɪ'tætʃmənt] *gefühlsmäßig*: Abstand, Distanz

detail ['diːteɪl] Detail, Einzelheit; *details Pl.* Näheres; *for further details contact our personnel manager* Näheres erfahren Sie bei unserem Personalchef; *in detail* ausführlich, in allen Einzelheiten; *go into detail* ins Einzelne gehen, auf Einzelheiten eingehen

detailed ['diːteɪld] *Bericht, Darstellung usw.*: detailliert, ausführlich, eingehend

detain [dɪ'teɪn] **1.** (≈ *am Gehen hindern*) aufhalten; *I won't detain you long* ich halte dich nicht lang auf **2.** (*Polizei*) in Haft nehmen, festhalten

detect [dɪ'tekt] **1.** bemerken, wahrnehmen (*Gefühlsregung, Geruch usw.*) **2.** entdecken, erkennen (*Krankheit, bislang Unbekanntes*)

detection [dɪ'tekʃn] *von Krankheit usw.*: Entdeckung, Erkennung

detective [dɪ'tektɪv] Detektiv(in), Kriminalbeamte(r); *detective story* Kriminalroman

détente ['deɪtɒnt] *Politik*: Entspannung

detention [dɪ'tenʃn] **1.** *polizeiliche Maßnahme*: Inhaftierung **2.** *Freiheitsstrafe*: Haft **3.** *in der Schule*: Nachsitzen

deter [dɪ'tɜː] *deterred, deterred* abschrecken (*from* von)

detergent [dɪ'tɜːdʒənt] Reinigungsmittel, Waschmittel, *für Geschirr*: Spülmittel

deteriorate [dɪ'tɪərɪəreɪt] **1.** sich verschlechtern, schlechter werden **2.** (*Material*) verderben

deterioration [dɪˌtɪərɪə'reɪʃn] Verschlechterung

determination [dɪˌtɜːmɪ'neɪʃn] **1.** *Charaktermerkmal*: Entschlossenheit, Bestimmtheit **2.** *von Persönlichkeitsentwicklung, Zukunft usw.*: Determinierung, Bestimmung

determine [dɪ'tɜːmɪn] **1.** (≈ *entscheidend sein für*) bestimmen, determinieren (*Persönlichkeit, Zukunft*) **2.** (≈ *beschließen*) bestimmen, festsetzen (*Zeitpunkt usw.*) **3.** festlegen, festsetzen (*Preis, Bedingungen usw.*)

determined [dɪ'tɜːmɪnd] *Person, Auftreten usw.*: entschlossen

deterrent¹ [dɪ'terənt] Abschreckungsmittel (*to* für)

deterrent[2] [dɪ'terənt] abschreckend, Abschreckungs...

detest [dɪ'test] verabscheuen, hassen; *I detest having to work under pressure* ich hasse es, unter Zeitdruck arbeiten zu müssen

detestable [dɪ'testəbl] abscheulich

detonate [⚠ 'detəneɪt] **1.** zünden (*Sprengsatz*) **2.** (*Bombe usw.*) detonieren, explodieren

detonation [⚠ ,detə'neɪʃn] Detonation, Explosion

detour[1] ['diːtʊə] **1.** Umweg; *make a detour* einen Umweg machen **2.** *im Straßenverkehr:* Umleitung

detour[2] ['diːtʊə] **1.** *bes. AE* einen Umweg machen **2.** umleiten (*Verkehr*)

detox [,diː'tɒks] *umg.* eine Entziehungskur machen

detoxify [,diː'tɒksɪfaɪ] entgiften

detoxification [diː,tɒksɪfɪ'keɪʃn] Entgiftung

detrimental [,detrɪ'mentl] nachteilig (*to* für); *detrimental to one's health* gesundheitsschädlich

deuce [djuːs] *Tennis:* Einstand

devaluation [,diːvæljʊ'eɪʃn] *von Währung:* Abwertung

devalue [,diː'væljuː] abwerten (*Währung*) (*against* gegenüber)

devastate ['devəsteɪt] **1.** verwüsten (*Region, Land*) **2.** *umg.* (≈ *schockieren*) umhauen

devastating ['devəsteɪtɪŋ] **1.** *Flut, Sturm usw.:* verheerend, vernichtend (*auch Kritik usw.*) **2.** *Nachricht usw.:* niederschmetternd

devastation [,devə'steɪʃn] Verwüstung

develop [dɪ'veləp] **1.** *allg.:* entwickeln (*Plan, Produkt; auch: Film*) **2.** (*Kinder; auch: Angelegenheit, Vorhaben usw.*) sich entwickeln **3.** bekommen (*Krankheit, Fieber usw.*) **4.** erschließen (*Bauland*) **5.** sanieren (*Altstadt usw.*)

developer [dɪ'veləpə] **1.** Häusermakler **2.** *Fotografie:* Entwickler **3.** *late developer Kind:* Spätentwickler

developing [dɪ'veləpɪŋ] *developing country* Entwicklungsland

development [dɪ'veləpmənt] **1.** *allg.:* Entwicklung; *development aid* Entwicklungshilfe **2.** *von Bauland:* Erschließung **3.** *von Altstadt usw.:* Sanierung

deviate ['diːvɪeɪt] *von Norm, Route, Plan usw.:* abweichen (*from* von)

deviation [,diːvɪ'eɪʃn] *von Norm, Route, Plan usw.:* Abweichung

device [dɪ'vaɪs] (≈ *Apparatur*) Vorrichtung, Gerät

devil ['devl] **1.** *allg.:* Teufel **2.** *in Wendun-*

gen: *he's a poor devil* er ist ein armer Teufel; *like the devil umg.* wie der Teufel, wie verrückt; *go to the devil!* scher dich zum Teufel!; *speak oder talk of the devil!* wenn man vom Teufel spricht!

devious ['diːvɪəs] verschlagen, unaufrichtig; *by devious means* auf krummen Wegen

devise [dɪ'vaɪz] (sich) ausdenken, ersinnen

devoid [dɪ'vɔɪd] *devoid of* ohne; *devoid of feeling* gefühllos

devolution [,diːvə'luːʃn] *Politik:* Dezentralisierung

devote [dɪ'vəʊt] widmen (*Energie, Leben, Zeit usw.*) (*to; dt. Dativ*); *she devoted herself to literature* sie widmete sich der Literatur

devoted [dɪ'vəʊtɪd] **1.** *Mutter, Vater usw.:* hingebungsvoll, aufopfernd **2.** *Freund:* treu **3.** *Anhänger, Verfechter:* eifrig, begeistert

devotion [dɪ'vəʊʃn] **1.** *bezüglich Arbeit, Aufgabe usw.:* Hingabe, Aufopferung **2.** *an Person:* Treue

devour [dɪ'vaʊə] verschlingen (*Essen, Buch usw.*)

dew [djuː] (≈ *Wassertröpfchen an Pflanzen usw.*) *der* Tau

dexterity [dek'sterətɪ] Gewandtheit, Geschicklichkeit

dexterous ['dekstərəs], **dextrous** ['dekstrəs] gewandt, geschickt

diabetes [,daɪə'biːtiːz] *Medizin:* Diabetes, Zuckerkrankheit; *he suffers from diabetes* er hat Zucker

diabetic[1] [,daɪə'betɪk] zuckerkrank; *she's diabetic* sie ist zuckerkrank, sie ist Diabetikerin

diabetic[2] [,daɪə'betɪk] Diabetiker(in), Zuckerkranke(r)

diabolic [,daɪə'bɒlɪk], **diabolical** [,daɪə'bɒlɪkl] **1.** *Tat, Absicht, Schmerzen usw.:* diabolisch, teuflisch **2.** *umg.; Wetter usw.:* scheußlich, widerlich

diagnose ['daɪəgnəʊz] *Medizin:* diagnostizieren (*auch übertragen*)

diagnosis [,daɪəg'nəʊsɪs] *Pl.:* **diagnoses** [,daɪəg'nəʊsiːz] *Medizin:* Diagnose (*auch übertragen*); *give oder make a diagnosis* eine Diagnose stellen

diagonal[1] ['daɪəgnəʊz] diagonal

diagonal[2] [daɪ'ægənl] *Mathematik:* Diagonale

diagram ['daɪəgræm] Diagramm, grafische Darstellung

dial[1] ['daɪəl] **1.** *von Uhr:* Zifferblatt **2.** *von Messinstrument:* Skala **3.** *von älteren Telefonen:* Wählscheibe

dial[2] ['daɪəl], **dialled, dialled**, *AE* **dialed**,

dialed *Telefon*: wählen; *dial direct* durchwählen (*to* nach); *dial the wrong number* sich verwählen

dialect ['daɪəlekt] Dialekt, Mundart

dialling code ['daɪəlɪŋ_kəʊd] *BE*; *Telefon*: Vorwahl, Vorwahlnummer

dialling tone ['daɪəlɪŋ_təʊn] *BE*; *Telefon*: Wählton

dialogue, *AE* dialog ['daɪəlɒg] Dialog

diameter [daɪ'æmɪtə] Durchmesser; *be two metres in diameter* einen Durchmesser von zwei Metern haben

diamond ['daɪəmənd] **1.** *Edelstein*: Diamant **2.** *Geometrie*: Raute, Rhombus **3.** *diamonds Pl. Kartenspiel*: Karo; *eight of diamonds* Karoacht; *Jack of diamonds* Karobube

diaper ['daɪəpə] *AE*; *für Babys*: Windel

diaphragm [△ 'daɪəfræm] **1.** Zwerchfell **2.** *zur Verhütung*: Diaphragma, Pessar

diarrhoea, *AE* diarrhea [,daɪə'rɪə] *Medizin*: Durchfall

diary ['daɪərɪ] **1.** *für persönliche Notizen*: Tagebuch **2.** *zum Notieren von Terminen usw.*: Taschenkalender, Terminkalender

dice[1] [daɪs] *Pl.*: *dice für Spiele*: Würfel; *play dice* würfeln

dice[2] [daɪs] **1.** in Würfel schneiden (*Fleisch*) **2.** (≈ *spielen*) würfeln, knobeln (*for* um); *dice with death* übertragen mit dem Leben spielen

dicey ['daɪsɪ] *umg.*; *Situation usw.*: heikel

dickens ['dɪkɪnz] *who* (*bzw.* *what*) *the dickens ...?* *umg.* wer (*bzw.* was) zum Teufel ...?

dictate [dɪk'teɪt] **1.** diktieren (*Brief usw.*) (*to*; *dt. Dativ*) **2.** *übertragen* diktieren, vorschreiben; *dictate to someone* jemandem Vorschriften machen

dictation [dɪk'teɪʃn] *in Schule, Büro*: Diktat

dictator [dɪk'teɪtə] *Politik*: Diktator

dictatorship [dɪk'teɪtəʃɪp] *Politik*: Diktatur

dictionary ['dɪkʃənrɪ] Wörterbuch

did [dɪd] *2. Form von → do[1]*

diddle ['dɪdl] *umg.* übers Ohr hauen; *diddle someone out of something* jemanden um etwas betrügen

didn't ['dɪdnt] *Kurzform von did not*

die [daɪ], died [daɪd], died [daɪd]; *-ing--Form dying* **1.** sterben (*of* an); *die of hunger* (*bzw.* *thirst*) verhungern (*bzw.* verdursten); *he died a broken man* er starb als gebrochener Mann **2.** (*Pflanze, Tier*) eingehen, (*Tier auch*) verenden **3.** *I'm dying for a cup of tea* ich brauche jetzt unbedingt eine Tasse Tee; *she's dying to meet you* sie brennt darauf, dich kennenzulernen

die away [,daɪ_ə'weɪ] **1.** (*Lärm, Wind usw.*) sich legen **2.** (*Ton*) verhallen, leiser werden **3.** (*Ärger, Verstimmung*) sich legen

die out [,daɪ'aʊt] aussterben (*auch übertragen*)

diesel ['diːzl] Diesel (*Motor, Fahrzeug, Kraftstoff*)

diet[1] ['daɪət] **1.** *allg.*: Nahrung, Ernährung **2.** *medizinisch*: Diät; *be on a diet* auf Diät gesetzt sein, Diät leben, *zum Abnehmen*: eine Diät machen

diet[2] ['daɪət] Diät halten, Diät leben

differ ['dɪfə] **1.** *in Aussehen, Wesen usw.*: sich unterscheiden, verschieden sein (*from* von) **2.** (*Meinungen*) auseinandergehen **3.** *über Streitpunkt usw.*: sich nicht einig sein (*on, about, over* über)

difference ['dɪfrəns] **1.** *allg.*: Unterschied; *difference in age* oder *age difference* Altersunterschied; *difference in price* oder *price difference* Preisunterschied; *it makes no difference to me* das ist mir gleich **2.** *auch difference of opinion* Meinungsverschiedenheit; *we settled our differences* wir haben unsere Meinungsverschiedenheiten beigelegt

different ['dɪfrənt] (≈ *unterschiedlich*) verschieden, verschiedenartig, anders; *be different from* oder *to* anders sein als; *he's different* er ist anders; *that's different!* das ist etwas anderes!

differentiate [,dɪfə'renʃɪeɪt] **1.** differenzieren, unterscheiden (*between* zwischen) **2.** (≈ *auseinanderkennen*) unterscheiden (*from* von)

difficult ['dɪfɪklt] **1.** ↔ *easy*; schwierig, schwer; *it was quite difficult for me to ...* es fiel mir schwer, zu ... **2.** *Person*: schwierig

difficulty ['dɪfɪkltɪ] **1.** Schwierigkeit, Mühe; *with difficulty* mühsam, nur schwer; *have difficulty (in) doing something* Mühe haben, etwas zu tun **2.** *oft difficulties Pl.* Probleme, Schwierigkeiten (*auch finanziell*)

diffident ['dɪfɪdənt] schüchtern, zurückhaltend

diffuse[1] [dɪ'fjuːz] **1.** verbreiten (*Ideen usw.*) **2.** (*Ideen usw.*) sich verbreiten

diffuse[2] [dɪ'fjuːs] **1.** *Stil, Autor*: weitschweifig, langatmig **2.** *Gedanken usw.*: unklar **3.** *diffuse light* diffuses Licht

dig[1] [dɪg], dug [dʌg], dug [dʌg]; *-ing--Form digging* **1.** graben (*Loch usw.*); *dig for something* nach etwas graben; *dig one's own grave* sich sein eigenes Grab schaufeln **2.** *mit Ellbogen usw.*: einen Stoß geben; *dig someone in the ribs* jemandem einen Rippenstoß geben **3.** (**have to**) **dig deep in**(**to**) **one's pocket** tief in die Tasche greifen (müssen)

dig in [ˌdɪgˈɪn] **1.** *in Gartenerde:* eingraben, untergraben (*Kompost usw.*) **2.** *umg.; beim Essen:* reinhauen

dig up [ˌdɪgˈʌp] ausgraben (*Pflanze usw.; auch übertragen: fast Vergessenes*)

dig² [dɪg] **1.** Rempler, Stoß; **a dig in the ribs** ein Rippenstoß **2.** *übertragen* Seitenhieb (**at** auf)

digest¹ [daɪˈdʒest] verdauen (*auch übertragen*)

digest² [ˈdaɪdʒest] **1.** *Zeitschrift:* Digest, Auswahl (*aus verschiedenen Texten*) **2.** *kurzer Bericht:* Abriss

digestible [daɪˈdʒestəbl] *Nahrung:* verdaulich

digestion [daɪˈdʒestʃən] Verdauung

digit [ˈdɪdʒɪt] *1, 2, 3, 4, 5 usw.:* Ziffer; **a five-digit number** eine fünfstellige Zahl

digital [ˈdɪdʒɪtl] Digital-(); **digital watch** Digitaluhr; **digital camera** Digitalkamera

digital projector [ˈdɪdʒɪtl prəˈdʒektə] Beamer

dignified [ˈdɪgnɪfaɪd] *Person, Benehmen:* würdevoll

dignity [ˈdɪgnətɪ] *Haltung:* Würde; **it's beneath our dignity** das ist unter unserer Würde

dilapidated [dɪˈlæpɪdeɪtɪd] *Haus usw.:* verfallen, baufällig

dilate [daɪˈleɪt] sich weiten, (*Pupillen*) sich erweitern

dilemma [dɪˈlemə] Dilemma

diligence [ˈdɪlɪdʒəns] **1.** Fleiß **2.** Sorgfalt

diligent [ˈdɪlɪdʒənt] fleißig

dillydally [ˈdɪlɪˌdælɪ] *umg.* trödeln, herumtrödeln

dilute [daɪˈluːt] verdünnen (*Flüssigkeit*)

dim¹ [dɪm] **1.** *Licht, Lampe usw.:* schwach (*auch Erinnerung usw.*); **dimly lit** schwach erleuchtet **2.** *Gestalt, Umrisse usw.:* undeutlich, verschwommen **3.** *Farben:* matt **4.** *umg.* schwer von Begriff

dim² [dɪm] **1.** dimmed, dimmed **1.** dämpfen (*Licht*) **2.** (*Licht*) verlöschen, dunkler werden **3. dim the headlights** *AE; Auto:* abblenden

dime [daɪm] *AE* Zehncentstück; **dime novel** Groschenroman

dimension [daɪˈmenʃn] **1.** *allg.:* Dimension (*auch übertragen*) **2.** *räumlich:* Maß, Ausmaß; **what are the house's dimensions?** wie sind die Abmessungen des Hauses?

diminish [dɪˈmɪnɪʃ] **1.** vermindern, verrin-

gern (*Enthusiasmus, Engagement usw.*) **2.** (*Anzahl, Kräfte, Vorräte usw.*) sich verringern, weniger werden; **diminish in numbers** weniger werden; **diminish in value** an Wert verlieren **3.** schmälern (*Ansehen, Leistung usw.*)

dimmer [ˈdɪmə] **1.** (≈ *Helligkeitsregler*) Dimmer **2. dimmers** *Pl., AE* Abblendlicht, Standlicht (*am Auto*)

dimple [ˈdɪmpl] *in der Wange:* Grübchen

dimwit [ˈdɪmwɪt] *umg.* Schwachkopf

dim-witted [ˌdɪmˈwɪtɪd] *umg.* beschränkt, schwachsinnig

din [dɪn] Lärm, Getöse

dine [daɪn] speisen, essen; **dine out** auswärts essen

diner [ˈdaɪnə] **1.** *in Restaurant:* Gast **2.** *AE; Eisenbahn:* Speisewagen **3.** *AE* kleines Restaurant

dinette [daɪˈnet] *in Küche:* Essecke

dinghy [ˈdɪŋɪ] **1.** *Segelboot:* Dingi **2.** Schlauchboot

dingy [ˈdɪndʒɪ] *Zimmer, Straße, Stadtviertel usw.:* schmuddelig

dining car [ˈdaɪnɪŋ_kɑː] *Eisenbahn:* Speisewagen

dining room [ˈdaɪnɪŋ_ruːm] Esszimmer

dining table [ˈdaɪnɪŋ_teɪbl] Esstisch

dinkies [ˈdɪŋkɪz] *Pl.*, **dinks** [dɪŋks] *Pl.* (*Abk. für double income no kids*) *etwa:* kinderlose Doppelverdiener

dinky [ˈdɪŋkɪ] *umg.* **1.** *BE* niedlich **2.** *AE, abwertend:* klein, unbedeutend

dinner [ˈdɪnə] **1.** *Hauptmahlzeit des Tages:* Mittag- oder Abendessen; **after dinner** nach dem Essen, nach Tisch; **at dinner** bei Tisch **2.** (≈ *Festessen*) Diner; **at a dinner** auf oder bei einem Diner

dinner jacket [ˈdɪnəˌdʒækɪt] Smoking

dinner table [ˈdɪnəˌteɪbl] Esstisch

dinnertime [ˈdɪnətaɪm] Essenszeit

dinosaur [ˈdaɪnəsɔː] Saurier, Dinosaurier

dip¹ [dɪp], **dipped, dipped 1.** *in Flüssigkeit, Soße usw.:* eintauchen (*Hand, Brotstück usw.*) (**in, into** in) **2. dip the headlights** *bes. BE; am Auto:* abblenden

dip into [ˈdɪpˌɪntʊ] **1.** *mit Buch, Zeitschrift usw.:* sich flüchtig befassen mit, einen Blick werfen in **2. dip into one's pocket** *oder* **purse** *übertragen* tief in die Tasche greifen; **dip into one's savings** an seine Ersparnisse gehen

dip² [dɪp] **1.** *Soße:* Dip **2. have** (*AE* **take**) **a dip** mal schnell ins Wasser springen

diploma [dɪˈpləʊmə] Diplom

diplomacy [dɪˈpləʊməsɪ] *Politik:* Diplomatie (*auch übertragen*)

diplomat [ˈdɪpləmæt] Diplomat(in)

disapprove

diplomatic [ˌdɪplə'mætɪk] diplomatisch; *diplomatic corps* diplomatisches Korps; *diplomatic relations* diplomatische Beziehungen

dire ['daɪə] 1. grässlich, schrecklich 2. *in dire poverty* in äußerster Armut 3. *be in dire need of something* etwas ganz dringend brauchen

direct[1] [də'rekt] 1. richten, lenken (*Aufmerksamkeit, Lichtstrahl, Schritte usw.*) (*to, towards* auf) 2. richten (*Worte*), adressieren (*Brief*) (*to* an) 3. führen, leiten (*Betrieb usw.*) 4. *bei einem Film usw.*: Regie führen bei; *directed by* unter der Regie von

direct[2] [də'rekt] 1. *allg.*: direkt 2. (≈ *ohne Unterbrechung*) direkt, unmittelbar; *direct flight* Direktflug; *direct train* durchgehender Zug 3. *Person, Bemerkung, Wesen*: direkt, offen; *she asked directly if ...* sie fragte direkt, ob ... 4. *the direct opposite* das genaue Gegenteil 5. *Sprache*: *direct speech* direkte Rede; *direct object* direktes Objekt, Akkusativobjekt 6. *dial direct Telefon*: durchwählen (*to* nach)

direction [də'rekʃn] 1. *räumlich*: Richtung; *in the direction of* in Richtung auf *oder* nach; *from* (*bzw. in*) *all directions* aus (*bzw.* nach) allen Richtungen *oder* Seiten; *sense of direction* Ortssinn, Orientierungssinn 2. *von Firma usw.*: Führung, Leitung 3. *bei Film, Theater*: Regie 4. (≈ *Instruktion*) Anweisung, Anleitung; *directions for use* Gebrauchsanweisung

director [də'rektə, daɪ'rektə] 1. *von Firma*: Direktor(in), Leiter(in); *board of directors Gremium*: Vorstand 2. *bei Film, Theater usw.*: Regisseur(in)

directory [də'rektərɪ] 1. Adressbuch; *directory inquiries Pl., AE directory assistance* (Telefon)Auskunft; *telephone directory* Telefonbuch 2. *Computer*: Directory, Inhaltsverzeichnis

dirt [dɜːt] Schmutz, Dreck (*auch übertragen*); *treat someone like dirt* jemanden wie (den letzten) Dreck behandeln

dirt-cheap [ˌdɜːt'tʃiːp] *umg.* spottbillig

dirty[1] ['dɜːtɪ] 1. schmutzig, dreckig (*auch übertragen*); *get dirty* schmutzig werden; *don't get your trousers dirty!* mach deine Hose nicht schmutzig!; *she gave me a dirty look* sie sah mich böse an; *he's got a dirty mind* er hat eine schmutzige Fantasie; *dirty old man umg.* geiler alter Bock 2. *Handlung, Trick*: gemein, niederträchtig

dirty[2] ['dɜːtɪ] beschmutzen (*auch übertragen*); *dirty one's hands* sich die Hände

schmutzig machen (*auch übertragen*)

disability [ˌdɪsə'bɪlətɪ] *körperlich, geistig*: Behinderung

disable [dɪs'eɪbl] 1. *he was disabled in an accident* er wurde durch einen Unfall zum Invaliden 2. unbrauchbar machen (*Waffen, Maschinen usw.*)

disabled [dɪs'eɪbld] *körperlich, geistig*: behindert; *the disabled* die Behinderten

disadvantage [ˌdɪsəd'vɑːntɪdʒ] Nachteil (*to* für); *this would be to our disadvantage* das wäre zu unserem Nachteil *oder* Schaden; *be at a disadvantage* im Nachteil sein, benachteiligt sein

disadvantaged [ˌdɪsəd'vɑːntɪdʒd] benachteiligt

disadvantageous [ˌdɪsædvən'teɪdʒəs] nachteilig, ungünstig (*to* für)

disagree [ˌdɪsə'griː] *mit Meinung, Person*: nicht übereinstimmen (*with* mit), anderer Meinung sein

disagree with [ˌdɪsə'griː_wɪð] (*Klima, Essen usw.*) nicht bekommen (*dt. Dativ*)

disagreeable [ˌdɪsə'griːəbl] 1. *Wetter, Umstände usw.*: unangenehm 2. *Person*: unsympathisch

disagreement [ˌdɪsə'griːmənt] 1. *zwischen Meinungen*: Unstimmigkeit; *be in disagreement with someone* mit jemandem nicht übereinstimmen 2. *zwischen Berichten, Zahlenangaben usw.*: Diskrepanz, Widerspruch 3. (≈ *Streit*) Meinungsverschiedenheit (*over, on* über)

disappear [ˌdɪsə'pɪə] *allg.*: verschwinden; *the moon disappeared behind the clouds* der Mond verschwand hinter den Wolken

disappearance [ˌdɪsə'pɪərəns] Verschwinden

disappoint [ˌdɪsə'pɔɪnt] 1. enttäuschen (*Person*) 2. enttäuschen, zunichtemachen (*Hoffnungen usw.*) 3. *be disappointed in oder with someone* von *oder* über jemanden enttäuscht sein

disappointing [ˌdɪsə'pɔɪntɪŋ] enttäuschend

disappointment [ˌdɪsə'pɔɪntmənt] Enttäuschung

disapproval [ˌdɪsə'pruːvl] (≈ *Ablehnung*) Missbilligung (*of; dt. Genitiv*), Missfallen (*of* über); *in oder with disapproval* missbilligend

disapprove [ˌdɪsə'pruːv] missbilligen, dagegen sein; *I strongly disapprove of you* (*bzw. your*) *smoking* ich bin strikt dagegen, dass du rauchst

D

disarm [dɪsˈɑːm] **1.** entwaffnen (*auch übertragen*) **2.** *militärisch*: abrüsten

disarmament [dɪsˈɑːməmənt] *militärisch*: Abrüstung; ***nuclear disarmament*** atomare Abrüstung

disaster [dɪˈzɑːstə] **1.** *Sturm, Flut, Erdbeben, schwerer Unfall usw.*: Katastrophe, Unglück; ***disaster area*** Katastrophengebiet **2.** *übertragen* Desaster, Fiasko

disastrous [dɪˈzɑːstrəs] *allg.*: katastrophal, verheerend

disc, *AE auch* **disk** [dɪsk] **1.** *allg.*: Scheibe **2.** *mit Musik*: CD, *früher*: Schallplatte **3.** *am Rückgrat*: Bandscheibe

discharge [dɪsˈtʃɑːdʒ] **1.** *aus Klinik, Armee usw.*: entlassen **2.** ausstoßen (*Rauch, Schadstoffe*)

discipline[1] [ˈdɪsəplɪn] **1.** Disziplin; ***keep discipline*** Disziplin halten **2.** (≈ *Wissensgebiet*) Disziplin

discipline[2] [ˈdɪsəplɪn] disziplinieren; ***badly disciplined*** undiszipliniert; ***you must discipline yourself to work less*** du musst dich zwingen, weniger zu arbeiten

disc jockey [ˈdɪskˌdʒɒkɪ] Diskjockey

disclose [dɪsˈkləʊz] **1.** bekannt geben, bekannt machen (*Neuigkeiten, Plan usw.*) **2.** enthüllen, aufdecken (*Geheimnis usw.*)

disclosure [dɪsˈkləʊʒə] **1.** *von Neuigkeit, Plan usw.*: Bekanntgabe **2.** *von Geheimnis usw.*: Enthüllung

disco [ˈdɪskəʊ] *umg.* Disko

discolour, *AE* **discolor** [dɪsˈkʌlə] **1.** verfärben **2.** sich verfärben

discomfort [△ dɪsˈkʌmfət] **1.** Unbehagen **2.** *gesundheitlich*: Beschwerden *Pl.*, (leichte) Schmerzen *Pl.*

disconnect [ˌdɪskəˈnekt] **1.** trennen (*Verbindung, Leitung usw.*) **2.** *von elektrischen Geräten*: ausstecken, den Stecker herausziehen **3.** *bei Zahlungsrückstand*: abstellen (*Gas, Strom, Telefon*); ***we've been disconnected*** uns ist das Gas (*bzw. der Strom, das Telefon*) abgestellt worden **4.** ***we've been disconnected*** *bei Telefongespräch*: wir wurden (*bzw. das Gespräch wurde*) unterbrochen

discord [ˈdɪskɔːd] **1.** Uneinigkeit **2.** (≈ *Streit*) Zwietracht **3.** *Musik*: Missklang (*auch übertragen*)

discotheque [ˈdɪskətek] Diskothek

discount [ˈdɪskaʊnt] *Wirtschaft*: Preisnachlass, Rabatt, Skonto (**on** auf)

discourage [dɪsˈkʌrɪdʒ] **1.** *von einem Vorhaben*: abraten (**from** von) **2.** (≈ *mutlos machen*) entmutigen **3.** (≈ *hindern*) abschrecken, abhalten (**from** von)

discover [dɪsˈkʌvə] **1.** entdecken (*Geheimnis, etwas Neues*) **2.** *durch Suche*: ausfindig machen, herausfinden

discoverer [dɪsˈkʌvərə] Entdecker(in)

discovery [dɪsˈkʌvərɪ] Entdeckung

discreet [dɪsˈkriːt] *Verhalten*: diskret, taktvoll

discretion [△ dɪsˈkreʃn] **1.** Ermessen; ***at someone's discretion*** in jemandes Ermessen **2.** (≈ *Taktgefühl*) Diskretion

discriminate [dɪsˈkrɪmɪneɪt] unterscheiden, einen Unterschied machen (***between*** zwischen)

---

discriminate against [dɪsˈkrɪmɪneɪt‿əˌgenst] *wegen Rasse, Geschlecht usw.*: benachteiligen, diskriminieren

---

discrimination [dɪˌskrɪmɪˈneɪʃn] Diskriminierung; ***discrimination against women*** Diskriminierung *oder* Benachteiligung von Frauen

discus [ˈdɪskəs] *Pl.*: **discuses 1.** *Sportgerät*: Diskus; ***discus thrower*** Diskuswerfer(in) **2.** *Disziplin*: Diskuswerfen

discuss [dɪsˈkʌs] **1.** besprechen (*Thema, Problem usw.*) **2.** *kontrovers*: diskutieren (über) **3.** *in Aufsatz usw.*: erörtern

discussion [dɪsˈkʌʃn] **1.** *von Thema, Problem usw.*: Besprechung **2.** *kontrovers*: Diskussion; ***be under discussion*** zur Diskussion stehen **3.** *in Aufsatz usw.*: Erörterung

disdain[1] [dɪsˈdeɪn] Verachtung; ***a look of disdain*** ein verächtlicher Blick

disdain[2] [dɪsˈdeɪn] verachten

disdainful [dɪsˈdeɪnfl] *Blick usw.*: verächtlich

disease [dɪˈziːz] *vom Mensch, Tier, Pflanze*: Krankheit; ***a contagious*** *oder* ***infectious disease*** eine ansteckende Krankheit

diseased [dɪˈziːzd] krank

disfigure [dɪsˈfɪgə] entstellen, verunstalten (**with** durch)

disfigurement [dɪsˈfɪgəmənt] Entstellung

disgrace[1] [dɪsˈgreɪs] *allg.*: Schande (**to** für)

disgrace[2] [dɪsˈgreɪs] Schande bringen über; ***don't disgrace us!*** mach uns keine Schande!

disgraceful [dɪsˈgreɪsfl] schändlich

disgruntled [dɪsˈgrʌntld] verärgert, verstimmt (**at** über)

disguise[1] [dɪsˈgaɪz] **1.** verkleiden, maskieren; ***he disguised himself as a woman*** er verkleidete sich als Frau **2.** verstellen (*Handschrift, Stimme*) **3.** verbergen (*Absichten, Gefühle usw.*)

disguise[2] [dɪsˈgaɪz] Verkleidung; ***in disguise*** verkleidet, maskiert; ***in the disguise of*** verkleidet als, *übertragen* unter dem Deckmantel von

disgust¹ [dɪs'ɡʌst] **1.** (*Person, Anblick, Geruch usw.*) anekeln, anwidern; *be disgusted with* Ekel empfinden über **2.** (*Tat, Skandal usw.*) empören, entrüsten; *be disgusted with* empört *oder* entrüstet sein über

disgust² [dɪs'ɡʌst] Ekel (*at, for* vor)

disgusting [dɪs'ɡʌstɪŋ] ekelhaft, widerlich

dish [dɪʃ] **1.** Schüssel, *zum Servieren:* Platte **2. dishes** *Pl.* Geschirr; *wash oder do the dishes* abspülen **3.** *Essen:* Gericht, Speise; *a restaurant with vegetarian dishes* ein Restaurant mit vegetarischen Gerichten **4.** *Radio, TV:* Satellitenschüssel

dishcloth ['dɪʃklɒθ] Geschirrtuch

dishearten [dɪs'hɑːtn] entmutigen

dishevelled, *AE* **disheveled** [△ dɪ'ʃevld] **1.** *Haar:* zerzaust **2.** unordentlich, ungepflegt

dishonest [dɪs'ɒnɪst] *Person, Geschäftspraktiken usw.:* unehrlich

dishonesty [dɪs'ɒnəstɪ] Unehrlichkeit

dish towel ['dɪʃ‚tauəl] *AE* Geschirrtuch

dishwasher ['dɪʃ‚wɒʃə] **1.** Geschirrspülmaschine, Geschirrspüler **2.** *Person:* Tellerwäscher(in), Spüler(in)

dishy ['dɪʃɪ] *umg.* (≈ *attraktiv*) dufte

disinfect [‚dɪsɪn'fekt] *Medizin:* desinfizieren (*Wunde, Hautpartie usw.*)

disinfectant [‚dɪsɪn'fektənt] *Medizin:* Desinfektionsmittel

disinformation [‚dɪsɪnfə'meɪʃn] *absichtliches Verbreiten falscher Informationen*

disinherit [‚dɪsɪn'herɪt] enterben (*bes. Sohn, Tochter*)

disintegrate [dɪs'ɪntɪɡreɪt] sich auflösen, zerfallen (*auch übertragen*)

disinterested [dɪs'ɪntrəstɪd] **1.** *Beobachter, Ratschlag usw.:* unvoreingenommen, objektiv, unparteiisch **2.** *umg.* desinteressiert (*in* an)

disk [dɪsk] **1.** *AE* → **disc 2.** *Computer:* Diskette; *floppy disk* Floppydisk, Diskette; *hard disk* Festplatte

disk drive ['dɪsk‚draɪv] *Computer:* Diskettenlaufwerk

diskette [dɪ'sket] *Computer:* Diskette

disk operating system [‚dɪsk'ɒpəreɪtɪŋ‚sɪstəm] (*Abk.* **DOS**) *Computer:* Betriebssystem

dislike¹ [dɪs'laɪk] nicht leiden können, nicht mögen: *dislike doing something* etwas nicht gern *oder* nur ungern tun

dislike² [dɪs'laɪk] Abneigung, Widerwille (*of, for* gegen); *take a dislike to someone* eine Abneigung gegen jemanden entwickeln

dislocate ['dɪsləkeɪt] verrenken, ausrenken (*Arm, Schulter usw.*)

dislocation [‚dɪslə'keɪʃn] *Verletzung:* Verrenkung

dismal ['dɪzməl] düster, trostlos

dismantle [dɪs'mæntl] zerlegen, auseinandernehmen (*Maschine, Motor usw.*)

dismay¹ [dɪs'meɪ] Schrecken, Bestürzung; *in* (*oder* *with*) *dismay* bestürzt

dismay² [dɪs'meɪ] erschrecken, bestürzen

dismiss [dɪs'mɪs] **1.** (≈ *wegschicken*) entlassen, gehen lassen **2.** (≈ *kündigen*) entlassen (*from* aus) (*einem Amt usw.*) **3.** abtun (*Frage usw.*) (*as* als) **4.** (*Gericht*) abweisen (*Klage usw.*)

dismissal [dɪs'mɪsl] **1.** (≈ *Kündigung*) Entlassung **2.** *einer Klage usw.:* Abweisung

dismount [dɪs'maunt] **1.** *von Pferd, Fahrrad usw.:* absteigen, absitzen (*from* von) **2.** (*Pferd*) abwerfen (*Reiter*)

Disney World

Disney World – offizielle Bezeichnung **Walt Disney World** – riesengroßer Vergnügungspark bei Orlando im US-Bundesstaat Florida. Disney World wurde (nach Disneyland in Anaheim in Kalifornien) als zweiter Park nach Walt Disneys Plänen errichtet und 1971 eröffnet; ☞ *Karte S. 295*

disobedience [‚dɪsə'biːdɪəns] *von Kind usw.:* Ungehorsam

disobedient [‚dɪsə'biːdɪənt] *Kind usw.:* ungehorsam (*to* gegenüber)

disobey [‚dɪsə'beɪ] **1.** nicht gehorchen (*Eltern, Lehrer*) **2.** nicht befolgen, missachten (*Gesetz usw.*)

disorder [dɪs'ɔːdə] **1.** *in Haus, Zimmer usw.:* Unordnung, Durcheinander **2.** *politisch:* Aufruhr, Unruhen **3.** *Medizin:* Krankheit, Störung

disorderly [dɪs'ɔːdəlɪ] **1.** *Haus, Zimmer usw.:* unordentlich **2.** *Person:* schlampig, liederlich (*auch Leben usw.*)

dispatch¹ [dɪ'spætʃ] *förmlich* **1.** senden, schicken (*Nachricht, Schreiben usw.*) **2.** entsenden (*Beobachter, Truppen usw.*)

dispatch² [dɪ'spætʃ] **1.** *von Nachricht usw.:* Absendung **2.** *offiziell:* Bericht (*auch von Korrespondent einer Zeitung usw.*)

dispensable [dɪ'spensəbl] entbehrlich (*mst. auf Personen bezogen*)

dispense [dɪ'spens] **1.** *förmlich* austeilen, verteilen (*Geld, Sachen, Ratschläge usw.*) **2. dispense justice** Recht sprechen

dispenser [dɪ'spensə] **1.** *für Papiertücher usw.:* Spender **2.** *für Briefmarken, Ge-*

tränke usw.: Automat; **cash dispenser** Geldautomat

dispensing chemist [dɪˌspensɪŋˈkemɪst] *BE* Apotheker(in)

dispirited [dɪˈspɪrɪtɪd] (≈ *deprimiert*) mutlos, niedergeschlagen

displace [dɪsˈpleɪs] 1. (≈ *ersetzen*) verdrängen, *im Sport auch*: ablösen (*als Spitzenreiter, Rekordhalter usw.*) 2. *aus angestammtem Lebensraum*: vertreiben; **displaced persons** *Pl.* Vertriebene, Zwangsumsiedler

display[1] [dɪˈspleɪ] 1. zeigen, an den Tag legen (*Aktivität, Geschick usw.*) 2. auslegen, ausstellen (*Waren*) 3. *auf Monitor usw.*: zeigen (*Informationen, Daten*)

display[2] [dɪˈspleɪ] 1. *von Fertigkeit, Kunststücken usw.*: Vorführung, Demonstration 2. *von Waren usw.*: Ausstellung; **be on display** ausgestellt sein 3. *am Computer*: Display

displease [dɪsˈpliːz] **be displeased at** (*oder* **with**) unzufrieden sein mit

disposable [dɪˈspəʊzəbl] 1. *Geldmittel usw.*: verfügbar 2. *von Verpackungen usw.*: Einweg…, Wegwerf…

disposal [dɪˈspəʊzl] 1. *von Müll usw.*: Entsorgung 2. **be at someone's disposal** jemandem zur Verfügung stehen

---

dispose of [dɪˈspəʊz ˌəv] 1. beseitigen (*Müll usw.*) 2. aus dem Weg schaffen (*Problem, Widersacher*) 3. (≈ *ermorden*) beseitigen

---

disposed [dɪˈspəʊzd] 1. **be well disposed to someone** jemandem wohlgesinnt sein 2. **feel disposed to do something** etwas tun wollen

disposition [ˌdɪspəˈzɪʃn] (≈ *Charaktereigenschaft*) Veranlagung; **her cheerful disposition** ihre heitere Art

disproportionate [ˌdɪsprəˈpɔːʃnət] *Aufwand an Zeit, Geld usw.*: unverhältnismäßig (*groß oder klein*); **the party's influence is disproportionate to its size** der Einfluss der Partei steht in keinem Verhältnis zu ihrer Größe

disprove [dɪsˈpruːv] widerlegen (*Argument usw.*)

disputable [dɪˈspjuːtəbl] *Ansicht, These usw.*: strittig

dispute[1] [dɪˈspjuːt] 1. bestreiten, bezweifeln (*Ansicht, These usw.*) 2. streiten (**on**, **about** über)

dispute[2] [dɪˈspjuːt] 1. *allg.*: Disput; **be in** *oder* **under dispute** umstritten sein; **this is beyond dispute** das ist unbestritten 2. *unter Wissenschaftlern, Fachleuten auch*: Streit, Kontroverse

disqualification [dɪsˌkwɒlɪfɪˈkeɪʃn] *im Sport*: Disqualifikation, Disqualifizierung

disqualify [dɪsˈkwɒlɪfaɪ] *im Sport*: disqualifizieren (*Mannschaft, Sportler*)

disregard[1] [ˌdɪsrɪˈgɑːd] 1. nicht beachten, ignorieren (*Warnung, Tatsachen usw.*) 2. *auch*: missachten (*Gefahr, Ratschlag usw.*)

disregard[2] [ˌdɪsrɪˈgɑːd] Nichtbeachtung, Ignorierung (**of**, **for**; *dt. Genitiv*); **he shows complete disregard for her feelings** ihre Gefühle sind ihm völlig gleichgültig

disrepair [ˌdɪsrɪˈpeə] **be in** (**a state of**) **disrepair** (*Gebäude usw.*) baufällig sein

disreputable [⚠ dɪsˈrepjʊtəbl] 1. *Person, Firma usw.*: zwielichtig 2. *Gegend, Stadtviertel usw.*: verrufen

disrepute [ˌdɪsrɪˈpjuːt] *von Person, Firma usw.*: schlechter Ruf; **bring into disrepute** in Verruf bringen

disrespect [ˌdɪsrɪˈspekt] Respektlosigkeit

disrespectful [ˌdɪsrɪˈspektfl] respektlos (**to** gegenüber)

disrupt [dɪsˈrʌpt] unterbrechen, stören (*Gespräch, Sitzung, Verkehr usw.*)

disruption [dɪsˈrʌpʃn] *von Ablauf, Fahrplan, Sitzung usw.*: Störung, Unterbrechung

disruptive [dɪsˈrʌptɪv] störend; **disruptive student** *in Klasse*: Störenfried

dissatisfaction [ˌdɪssætɪsˈfækʃn] *allg.*: Unzufriedenheit

dissatisfied [ˌdɪsˈsætɪsfaɪd] *allg.*: unzufrieden (**at**, **with** mit)

dissect [dɪˈsekt] 1. sezieren (*Leichnam, Kadaver*) 2. *übertragen* zerlegen (*Argument, Bericht, These usw.*)

dissension [dɪˈsenʃn] Meinungsverschiedenheit

dissent[1] [dɪˈsent] *bes. ideologisch und religiös*: anderer Meinung sein (**from** als), nicht übereinstimmen (**from** mit)

dissent[2] [dɪˈsent] *bes. ideologisch und religiös*: Dissens, Meinungsverschiedenheit

dissenter [dɪˈsentə] *bes. ideologisch und religiös*: Andersdenkende(r), Abweichler(in)

dissertation [ˌdɪsəˈteɪʃn] 1. *allg.*: wissenschaftliche Abhandlung 2. *für Doktortitel*: Dissertation 3. *für Magister*: Magisterarbeit 4. *für Diplom*: Diplomarbeit

disservice [dɪˈsɜːvɪs, ˌdɪsˈsɜːvɪs] **do someone a disservice** jemandem einen schlechten Dienst erweisen

dissident [ˈdɪsɪdənt] *mst. politisch*: Andersdenkende(r), Dissident(in), Regimekritiker(in)

dissolution [ˌdɪsəˈluːʃn] 1. *von Parlament usw.*: Auflösung 2. (≈ *Auseinanderfallen*)

Auflösung (*eines Reiches, Staates usw.*) **3.** *von Vertrag, Ehe usw.*: Annullierung, Aufhebung

dissolve [△ dɪˈzɒlv] **1.** (*Salz, Zucker, Tablette usw.*) sich auflösen (*auch Parlament*); **dissolve into tears** in Tränen zerfließen **2.** auflösen (*Tabletten in Wasser usw., auch: Parlament*) **3.** annullieren, aufheben (*Vertrag, Ehe usw.*)

distance[1] [ˈdɪstəns] **1.** *räumlich*: Entfernung; **at a distance** in einiger Entfernung; **at a distance of 100 metres** in einer Entfernung von 100 Metern; **from a distance** aus der Ferne, von Weitem; **the pub is within walking distance** zu der Kneipe kann man laufen **2.** **keep one's distance** *übertragen* Abstand wahren, Distanz halten; **he tries to keep his classmates at a distance** er versucht, zu seinen Klassenkameraden Distanz zu halten **3.** *Boxen usw.*: Distanz; **go the distance** über die volle Distanz gehen, *übertragen* durchhalten

distance[2] [ˈdɪstəns] **distance oneself** sich distanzieren (**from** von)

distant [ˈdɪstənt] **1.** *räumlich*: weit entfernt, fern **2.** *zeitlich*: weit zurückliegend, fern (*auch in der Zukunft*); **in the not too distant future** in nicht allzu ferner Zukunft **3.** *Verwandtschaft*: entfernt **4.** *Person, Verhalten usw.*: distanziert, kühl

distaste [dɪsˈteɪst] Widerwille, Abneigung (**for** gegen)

distasteful [dɪsˈteɪstfl] unangenehm; **be distasteful to someone** jemandem zuwider sein

distil [dɪsˈtɪl], **distilled, distilled 1.** *Chemie*: destillieren (*auch übertragen*) **2.** brennen (*Branntwein usw.*) (**from** aus)

distillation [ˌdɪstɪˈleɪʃn] **1.** *Chemie*: Destillation **2.** *von Branntwein usw.*: Brennen

distinct [dɪsˈtɪŋkt] **1.** (≈ *anders*) verschieden (**from** von); **techno rhythms are quite distinct from heavy metal** Technorhythmen unterscheiden sich deutlich von Heavymetal **2.** *Merkmal, Eigenschaft usw.*: ausgeprägt, klar, deutlich; **she's got a distinct Franconian accent** sie hat einen ausgeprägten fränkischen Akzent

distinction [dɪsˈtɪŋkʃn] **1.** (≈ *das Unterscheiden*) Unterscheidung **2.** Unterschied; **draw** *oder* **make a distinction between ...** einen Unterschied machen zwischen ...

distinguish [dɪsˈtɪŋgwɪʃ] **1.** unterscheiden (**between** zwischen; **from** von); **I can't distinguish Joan from Kate** ich kann Joan und Kate nicht auseinander-

halten **2.** (≈ *hören oder sehen*) wahrnehmen, erkennen

distinguished [dɪsˈtɪŋgwɪʃt] **1.** *Leistung, Persönlichkeit usw.*: herausragend, namhaft **2.** *äußere Erscheinung, Auftreten usw.*: vornehm

distract [dɪsˈtrækt] ablenken (*Aufmerksamkeit, Person usw.*) (**from** von)

distracted [dɪsˈtræktɪd] **1.** *wegen Problem, Sorgen usw.*: beunruhigt **2.** *vor Verzweiflung, Sorge usw.*: außer sich (**with, by** vor)

distraction [dɪsˈtrækʃn] **1.** *vom Arbeiten, Lernen usw.*: Ablenkung **2.** *oft* **distractions** *Pl.* (≈ *Zeitvertreib*) Zerstreuung, Ablenkung **3.** **drive someone to distraction** *übertragen* jemanden zum Wahnsinn treiben

distress [dɪsˈtres] **1.** Verzweiflung, (starke) Betroffenheit **2.** (≈ *Armut*) Not, Elend **3.** **in distress** *Schiff*: in Seenot

distressed [dɪsˈtrest] **1.** *Person*: betroffen, erschüttert **2.** **distressed area** Notstandsgebiet

distressing [dɪsˈtresɪŋ] bedrückend, *stärker*: erschreckend

distribute [dɪsˈtrɪbjuːt] **1.** *an Bedürftige usw.*: verteilen, austeilen (*Hilfsgüter, Lebensmittel usw.*) (**among** unter; **to** an); **demonstrators distributed leaflets among the crowd** Demonstranten verteilten Flugblätter unter der Menge **2.** vertreiben (*Waren*)

distribution [ˌdɪstrɪˈbjuːʃn] **1.** *von Hilfsgütern usw.*: Verteilung, Austeilung **2.** *von Waren*: Vertrieb

district [ˈdɪstrɪkt] **1.** *verwaltungstechnisch*: Distrikt, Bezirk, Kreis **2.** *von Stadt*: Bezirk, Viertel **3.** *von Land*: Gegend, Gebiet

district attorney [ˌdɪstrɪkt_əˈtɜːnɪ] *AE* Staatsanwalt, Staatsanwältin

distrust[1] [dɪsˈtrʌst] Misstrauen (**of** gegenüber)

distrust[2] [dɪsˈtrʌst] misstrauen; **why do you distrust her?** warum traust du ihr nicht?

disturb [dɪsˈtɜːb] **1.** *allg.*: stören; **sorry to disturb you, but ...** entschuldige die Störung, aber ...; **please do not disturb** *Aufschrift*: bitte nicht stören **2.** (*Vorfall, Nachricht usw.*) beunruhigen, Sorgen machen

disturbance [dɪsˈtɜːbəns] **1.** *von Arbeit, Ruhe usw.*: Störung **2.** *durch Lärm, Nachbarn auch*: Ruhestörung **3.** *oft* **disturbances** *Pl.*, *politisch, sozial usw.*: Unruhen

disuse [ˌdɪsˈjuːs] **fall into disuse** ungebräuchlich werden

disused [ˌdɪsˈjuːzd] **1.** *Maschine usw.*: nicht mehr benutzt **2.** *Bergwerk, Fabrik*: stillgelegt

ditch[1] [dɪtʃ] **1.** *zur Ent- oder Bewässerung usw.*: Graben **2.** *an Straße*: Straßengraben

ditch[2] [dɪtʃ] **1.** den Laufpass geben (*Freund, Freundin*) **2.** wegschmeißen (*Gerümpel usw.*) **3.** stehen lassen (*Auto*)

dither[1] [ˈdɪðə] zaudern, sich nicht entscheiden können

dither[2] [ˈdɪðə] *be in a dither* aufgeregt sein

dive[1] [daɪv], *dived oder AE dove* [dəʊv], *dived* **1.** *in Schwimmbecken usw.*: einen Hecht- oder Kopfsprung machen **2.** (≈ *unter Wasser schwimmen*) tauchen (*for* nach) **3.** (*U-Boot usw.*) tauchen, untertauchen **4.** (*bes. Torwart*) sich werfen, hechten (*for* nach)

dive[2] [daɪv] **1.** *in Schwimmbecken usw.*: Kopfsprung **2.** *make a dive for* hechten nach **3.** *umg.* Spelunke **4.** *take a dive umg.*; *Fußball*: eine Schwalbe bauen

diver [ˈdaɪvə] **1.** Taucher(in) **2.** *Sport*: Wasserspringer(in)

diverse [daɪˈvɜːs] *Stile, Interessen usw.*: verschiedenartig, unterschiedlich

diversion [daɪˈvɜːʃn] **1.** *von Arbeit, Lernen usw.*: Ablenkung **2.** *bes. BE*; *im Straßenverkehr*: Umleitung

diversity [daɪˈvɜːsətɪ] *von Meinungen usw.*: Vielfalt; *London's cultural diversity* Londons kulturelle Vielfalt

divert [daɪˈvɜːt] **1.** ablenken (*Aufmerksamkeit*) **2.** lenken (*Aufmerksamkeit, Kritik usw.*) (*to* auf) **3.** *BE* umleiten (*Verkehr*)

divide [dɪˈvaɪd] **1.** *allg.*: teilen, aufteilen; *Berlin was divided for almost 30 years* Berlin war fast dreißig Jahre lang geteilt **2.** *mst. zu gleichen Teilen*: teilen; *divide an apple in half* einen Apfel halbieren **3.** *Mathematik*: dividieren, teilen (*by* durch); *20 divided by 5 is 4* 20 (geteilt) durch 5 ist 4 **4.** (*Fluss, Gang, Straße usw.*) sich teilen **5.** *be divided into* (*Bericht, Buch, Film usw.*) sich unterteilen in, sich gliedern in **6.** *be divided over something* über etwas verschiedener Meinung sein; *scientists are divided over the issue* die Meinungen der Wissenschaftler über diese Sache gehen auseinander

divine [dɪˈvaɪn] göttlich (*auch übertragen*)

diving [ˈdaɪvɪŋ] **1.** Tauchen; *diving suit* Taucheranzug **2.** *Sport*: Kunstspringen, Turmspringen; *diving board* *in Schwimmbad*: Sprungbrett; *diving tower* Sprungturm

division [dɪˈvɪʒn] **1.** *allg.*: Teilung, Aufteilung; *division of labour* Arbeitsteilung **2.** *Mathematik*: Division **3.** *militärisch*: Division **4.** *Sport*: Liga

divorce[1] [dɪˈvɔːs] *von Ehe*: Scheidung; *get a divorce* geschieden werden, sich scheiden lassen (*from* von)

divorce[2] [dɪˈvɔːs] scheiden (*Personen, Ehe*); *she has divorced her husband* sie hat sich (von ihrem Mann) scheiden lassen; *the Wilsons are getting divorced* Wilsons lassen sich scheiden

DIY [ˌdiː aɪˈwaɪ] *Abk. für* → *do-it-yourself*; *DIY store* Heimwerkermarkt, Baumarkt

dizziness [ˈdɪzɪnəs] Schwindelgefühl

dizzy [ˈdɪzɪ] schwindlig; *I feel a bit dizzy* mir ist ein bisschen schwindlig

DNA [ˌdiːenˈeɪ] (*Abk. für* **d**eoxyribo**n**ucleic **a**cid) DNS; *DNA file* Gendatei; *DNA fingerprint* genetischer Fingerabdruck

do[1] [duː], *did* [dɪd], *done* [dʌn] **1.** *allg.*: tun, machen; *have you done your homework?* hast du deine Hausaufgaben gemacht?; *I've got nothing to do* ich habe nichts zu tun; *what can I do for you?* was kann ich für dich tun?, *in Geschäft*: was darfs denn sein? **2.** (≈ *tätig sein*) ausführen, verrichten (*Arbeiten usw.*); *who's doing the dishes?* wer spült ab?; *what does he do?* *beruflich*: was macht er denn so?; *I'll do my best* ich tue mein Bestes, ich werde mir die größte Mühe geben **3.** *Körperpflege*: *do one's face* sich schminken; *do one's hair* sich frisieren; *do one's teeth* sich die Zähne putzen **4.** zurücklegen (*Strecke*); *on the first day of our cycling tour we did 55 km* am ersten Tag unserer Radtour haben wir 55 km geschafft **5.** (*Auto, Motorrad usw.*) fahren, schaffen; *the car does 100 mph* der Wagen fährt 160 km/h **6.** *umg.*; *auf einer Reise*: besichtigen (*Sehenswürdigkeiten*); *tomorrow we'll do the museum* morgen gehen wir ins Museum **7.** (≈ *etwas schaffen, erreichen*) vorankommen; *the essay's done* der Aufsatz ist fertig; *well done* gut gemacht; *how are you doing at your new school?* wie kommst du denn an deiner neuen Schule klar? **8.** genügen, reichen (*for* für); *two fried chickens should do for the three of us* zwei Brathähnchen sollten für uns drei reichen; *that'll do* das reicht, *ärgerlich*: jetzt reichts aber! **9.** *in Wendungen*: *how do you do?* *bei Vorstellung*: guten Tag!; *how're you doing?* wie gehts denn so?; *nothing doing!* *auf Vorschlag, Bitte*: nichts da!, ausgeschlossen! **10.** *als Er-*

satzverb; mst. unübersetzt: **"I love pizza."** - **"So do I."** „Ich liebe Pizza." - „Ich auch."; **he works hard, doesn't he?** er arbeitet viel, nicht wahr? **11.** *in Fragesätzen:* **do you know him?** kennst du ihn? **12.** *in Verneinungen:* **I don't believe it** ich glaube es nicht **13.** *verstärkend:* **I 'did like it** mir gefiel es wirklich; **I 'did like it but ...** mir gefiel es zwar, aber ...; **do have a seat** setzen Sie sich doch; ☞ *Info unter* dt. **machen**

---

do away with [,du:_ə'weɪ_wɪð] **1.** abschaffen (*Brauch, Gesetz, Regelung*) **2.** *umg.* (≈ *töten*) wegschaffen, beseitigen
do down [,du:'daʊn] *BE, umg.* (≈ *kritisieren*) runtermachen
do in [,du:'ɪn] **1.** *I'm done in umg.* ich bin geschafft **2.** *umg.* (≈ *töten*) um die Ecke bringen
do up [,du:'ʌp] **1.** verschnüren, zusammenschnüren (*Paket*) **2.** zumachen (*Kleid, Mantel, Reißverschluss usw.*) **3.** **do oneself up** *vor dem Ausgehen usw.:* sich zurechtmachen **4.** wieder herrichten (*altes Auto, Haus usw.*)
do with ['du:_wɪð] **1.** **I can't do anything with him** (*bzw.* **it**) ich kann nichts mit ihm (*bzw.* damit) anfangen; **I won't have anything to do with it** ich will nichts damit zu tun *oder* schaffen haben; **it has nothing to do with you** es hat nichts mit dir zu tun **2.** **we could do with the money** *umg.* wir können das Geld sehr gut brauchen; **I could do with a cup of tea** ich könnte eine Tasse Tee vertragen
do without [,du:_wɪð'aʊt] auskommen ohne; **I simply can't do without my computer** ohne meinen Computer komme ich einfach nicht mehr aus; **I can do without your silly comments** auf deine blöden Kommentare kann ich verzichten

---

do² [du:] *Pl.:* **dos** *oder* **do's** [du:z]; **dos** (*bzw.* **do's**) **and don'ts** *umg.* Gebote und Verbote, Spielregeln

---

do

Beim Plural wird manchmal ein Apostroph eingesetzt (**do's**), da man **dos** ohne Apostroph sonst als [dɒs] lesen könnte.

---

doc [dɒk] *umg.* → **doctor¹ 1**
dock¹ [dɒk] *zum Be- und Entladen von Schiffen:* Dock, Kai; **docks** *Pl.* Docks *Pl.*, Hafenanlagen

dock² [dɒk] **1.** (*Schiff*) anlegen **2.** (*Raumschiffe*) andocken, ankoppeln
dock³ [dɒk] kürzen (*Lohn, Gehalt usw.*)
dock⁴ [dɒk] **be in the dock** auf der Anklagebank sitzen
docker ['dɒkə] Hafenarbeiter
dockyard ['dɒkjɑːd] *für den Schiffbau:* Werft
doctor¹ ['dɒktə] **1.** *Medizin:* Doktor, Arzt, Ärztin; **go to** *oder* **see the doctor** den Arzt aufsuchen; **doctor's certificate** ärztliches Attest **2.** *akademischer Grad:* Doktor; **doctor's degree** Doktortitel; **take** (*AE* **earn**) **one's doctor's degree** promovieren, *umg.* seinen Doktor machen
doctor² ['dɒktə] **1.** *umg.* panschen (*Wein usw.*) **2.** *umg.* frisieren (*Abrechnung usw.*)
doctorate ['dɒktərət] Doktortitel; **Susan is working on her doctorate** Susan sitzt an ihrer Doktorarbeit
document¹ ['dɒkjʊmənt] Dokument, Urkunde
document² ['dɒkjʊment] dokumentieren, urkundlich belegen (*Rechtsanspruch, Sachverhalt usw.*)
documentary¹ [,dɒkjʊ'mentərɪ] **1.** *Beweis usw.:* dokumentarisch, urkundlich **2.** *Bericht usw.:* Dokumentar...; **documentary film** Dokumentarfilm
documentary² [,dɒkjʊ'mentərɪ] Dokumentarfilm
dodge¹ [dɒdʒ] **1.** (≈ *rasch zur Seite springen*) ausweichen **2.** *übertragen* sich drücken vor (*Arbeit, Militär usw.*) **3.** *übertragen* ausweichen (*Frage, Problem usw.*)
dodge² [dɒdʒ] **1.** Sprung zur Seite; **make a dodge** zur Seite springen **2.** *umg.* Kniff, Trick
dodger ['dɒdʒə] *mst. in Zusammensetzungen:* **fare dodger** *in Bus usw.:* Schwarzfahrer; **tax dodger** Steuerhinterzieher
dodgy ['dɒdʒɪ] **1.** *umg.; Person:* verschlagen, gerissen **2.** *umg.; Situation:* unsicher, verzwickt
doe [dəʊ] **1.** Geiß, Rehgeiß **2.** Häsin
doer ['du:ə] Tatmensch, Macher(in)
does [dʌz] *3. Person, Präsens, Singular von* → **do¹**
doesn't ['dʌznt] *Kurzform von* **does not**
dog [dɒg] **1.** *allg.:* Hund **2.** *männlicher Hund:* Rüde **3.** *umg. für Personen:* **dirty dog** Mistkerl; **lazy dog** fauler Hund; **lucky dog** Glückspilz **4.** **the dogs** *Pl.*, *BE* das Hunderennen **5.** *in Wendungen:* **go to the dogs** vor die Hunde gehen; **lead a dog's life** ein Hundeleben führen; **let sleeping dogs lie** schlafende Hunde soll man nicht wecken

dog-eared ['dɒgɪəd] *Buch*: voll Eselsohren

doggy, doggie ['dɒgɪ] *Kindersprache*: Wauwau; **doggy bag** *Beutel für Essensreste, die aus einem Restaurant mit nach Hause* (Ⓐ, Ⓒ *nachhause*) *genommen werden*

dogma ['dɒgmə] *religiös, politisch usw.*: Dogma

dogmatic [dɒg'mætɪk] *Person, Ansicht, Aussage usw.*: dogmatisch

dogsbody ['dɒgz,bɒdɪ] *umg.* Mädchen für alles

dog-tired [,dɒg'taɪəd] *umg.* hundemüde

doing ['du:ɪŋ] **1.** Tun; **it was your doing** das war dein Werk; **that takes some doing** dazu gehört schon etwas **2.** **doings** *Pl., umg.* Taten

do-it-yourself [,du:ɪtjə'self] *(Abk. **DIY**)* Heimwerken; **do-it-yourself kit** Heimwerkerausrüstung, *für Gerät usw.*: Bausatz

doldrums ['dɒldrəmz] *Pl.*, **be in the doldrums** *umg.* deprimiert sein, Trübsal blasen

dole [dəʊl] *BE, umg.* Arbeitslosenunterstützung, *umg.* Stempelgeld; **be on the dole** stempeln gehen

doll [dɒl] *Spielzeug*: Puppe; **doll's house** *BE* Puppenhaus

dollar ['dɒlə] *Währung*: Dollar

dollhouse ['dɒlhaʊs] *AE* Puppenhaus

dolly ['dɒlɪ] *Kindersprache*: Püppchen

dolphin ['dɒlfɪn] *Meerestier*: Delphin

domain [də'meɪn] *übertragen* Domäne, Wissensgebiet, Arbeitsbereich

dome [dəʊm] *von Bauwerk*: Kuppel (△ *Dom = **cathedral**)*

domestic [də'mestɪk] **1.** (≈ *zum Haushalt gehörend*) häuslich, Haushalts...; **domestic servant** *oder* **help** Hausangestellte(r); **domestic waste** Hausmüll; **domestic science** *früher*: Hauswirtschaftslehre **2.** *Politik, Wirtschaft*: inländisch, Inlands...; **domestic flight** Inlandsflug; **domestic products** inländische Erzeugnisse; **domestic trade** Binnenhandel; **domestic policy** Innenpolitik

dominance ['dɒmɪnəns] *allg.*: Vorherrschaft, Dominanz

dominant ['dɒmɪnənt] **1.** *Person*: dominierend, tonangebend **2.** *Erbanlage*: dominant **3.** *Gebäude, Farbton usw.*: dominierend, beherrschend

dominate ['dɒmɪneɪt] *allg.*: dominieren, beherrschen

Dominican Republic [də,mɪnɪkən rɪ'pʌblɪk] *die* Dominikanische Republik

dominion [də'mɪnjən] **1.** *politisch*: Herr-

schaft **2.** *Land*: Herrschaftsgebiet **3.** *historisch*: Dominion (*im Commonwealth*)

domino ['dɒmɪnəʊ] *Pl.*: **dominoes** ['dɒmɪnəʊz] **1.** Dominostein **2.** **dominoes** (△ *im Sg. verwendet*) *Spiel*: Domino

donate [dəʊ'neɪt] **1.** *an Person, Organisation*: spenden, schenken, stiften **2.** **donate blood** Blut spenden

donation [dəʊ'neɪʃn] *an Person, Organisation*: Schenkung, Spende, Stiftung

done[1] [dʌn] **3.** *Form von* → **do**[1]

done[2] [dʌn] **1.** getan, erledigt; **get something done** etwas erledigen, mit etwas fertig werden **2.** *Speisen*: gar; **well done** *Steak*: durchgebraten **3.** **done!** *umg.* abgemacht! **4.** **I'm done in.** (≈ *erschöpft*) ich bin total erledigt

donkey ['dɒŋkɪ] *Tier*: Esel (*auch übertragen*); **it's donkey's years since ...** *BE, umg.* es ist eine Ewigkeit her, seit ...

donkeywork ['dɒŋkɪwɜ:k] *umg.* Drecksarbeit

donor ['dəʊnə] **1.** *von Spende usw.*: Spender(in), Stifter(in) **2.** *von Blut*: Spender(in); **donor card** Organspenderausweis

don't [dəʊnt] *Kurzform von* **do not**

donut ['dəʊ,nʌt] *AE* Berliner, Krapfen, Donut ['dəʊ:nat]

doodah ['du:dɑ:] *umg.; kleiner Gegenstand*: Dingsbums

doodle[1] ['du:dl] Männchen malen, kritzeln

doodle[2] ['du:dl] Gekritzel

doom[1] [du:m] Schicksal, Verhängnis; **he met his doom** sein Schicksal ereilte ihn

doom[2] [du:m] **we're doomed** wir sind verloren; **be doomed to failure** *oder* **to fail** zum Scheitern verurteilt sein

doomsday ['du:mzdeɪ] *Religion*: das Jüngste Gericht, der Jüngste Tag

door [dɔ:] **1.** *allg.*: Tür; **please close the door** mach bitte die Tür zu; **there's someone at the door** da ist jemand an der Tür (= *es hat geklopft usw.*); **answer the door** aufmachen; **I'll drop you at the door** ich fahre dich bis nach Hause; **she lives two doors down** sie wohnt zwei Häuser weiter; **the girl next door** das Mädchen von nebenan; **out of doors** im Freien **2.** *in Wendungen*: **close** *oder* **shut the door on someone** jemanden abweisen; **show someone the door** jemandem die Tür weisen

doorbell ['dɔ:bel] Türklingel; **ring the doorbell** (an der Tür) klingeln

doorknob ['dɔ:nɒb] Türgriff

doorman ['dɔ:mən] *Pl.*: **doormen** Portier

doormat ['dɔ:mæt] Fußabtreter (*auch übertragen für Person*)

doorstep ['dɔ:step] Türstufe; **we've got a**

supermarket right on our doorstep wir haben einen Supermarkt direkt vor unserer Haustür

door-to-door [,dɔː_tə'dɔː] **door-to-door salesman** Vertreter

doorway ['dɔːweɪ] (offene) Tür, Eingang

dope¹ [dəup] **1.** *umg.* (≈ *Rauschgift*) Stoff; **dope addict** *umg.* Rauschgiftsüchtige(r) **2.** *Medizin*: Betäubungsmittel **3.** *umg.* Trottel

dope² [dəup] **1.** *Sport*: dopen **2.** *einem Getränk usw.*: ein Betäubungsmittel untermischen

dope test ['dəup_test] *Sport*: Dopingkontrolle

dopey, dopy ['dəupɪ] *umg.* **1.** benommen, benebelt **2.** dämlich, doof

dormitory ['dɔːmɪtrɪ] **1.** *in Internat usw.*: Schlafsaal **2.** *AE* Studentenwohnheim

dormitory town ['dɔːmətrɪ_taʊn] Schlafstadt

dorsal ['dɔːsl] *von Tier*: Rücken...; **dorsal fin** Rückenflosse

DOS® [dɒs] (*Abk. für* **d**isk **o**perating **s**ystem) *Computer*: Betriebssystem

dosage ['dəusɪdʒ] *von Arznei*: Dosierung

dose [dəus] *von Arznei*: Dosis (*auch von Strahlung usw.*)

doss [dɒs] *BE, salopp* **1.** Schlafplatz **2.** Schlaf **3.** (≈ *leichte Sache*) Kinderspiel

doss down [,dɒs'daʊn] *BE, salopp* sich hinhauen (*zum Schlafen*)

dosser ['dɒsə] *BE, salopp* (≈ *Obdachloser*) Penner(in)

dosshouse ['dɒshaʊs] *BE, salopp* (≈ *Obdachlosenheim*) Penne

dot¹ [dɒt] **1.** *über i, ö usw.*: Punkt, Pünktchen **2.** *in Internetadressen*: Punkt **3.** **on the dot** *umg.* auf die Sekunde pünktlich; **at 8 o'clock on the dot** *umg.* Punkt 8 Uhr

dot² [dɒt], **dotted, dotted 1.** *mit einem Stift usw.*: punktieren; **dotted line** punktierte Linie; **sign on the dotted line** unterschreiben, *übertragen* formell zustimmen **2.** sprenkeln, übersäen (*Fläche*) (**with** mit)

dot-com¹ ['dɒtkɒm] *Internet*...; **dot-com company** Internetfirma

dot-com² ['dɒtkɒm] Internetfirma

dote on ['dəut_ɒn] **dote on someone** in jemanden vernarrt sein

double¹ ['dʌbl] **1.** (≈ *zweifach*) doppelt, Doppel..., zweifach; **double murder** Doppelmord; **double the amount** die zweifache Menge; **it costs double what**

---

it did last time es kostet doppelt so viel wie letztes Mal; **see double** doppelt sehen; **his remark has a double meaning** seine Bemerkung ist doppeldeutig **2.** *für 2 bestimmt*: Doppel...; **double bed** Doppelbett; **double room** Doppelzimmer, Zweibettzimmer **3.** *BE, bei Telefonnummern usw.*: **the number is eight double five seven** die Nummer ist 8557

double² ['dʌbl] **1.** *von Anzahl, Größe usw.*: das Doppelte, das Zweifache **2.** *Person*: Doppelgänger(in) **3.** *in Film, TV*: Double **4.** *mst.* **doubles** *Pl., Tennis usw.*: Doppel; **a doubles match** ein Doppel; **men's doubles** Herrendoppel

double³ ['dʌbl] **1.** verdoppeln (*Preis, Anstrengungen usw.*) **2.** (*Preise, Menge, Anzahl usw.*) sich verdoppeln **3.** *oft* **double over** falten (*Papier usw.*)

double up [,dʌbl'ʌp] **1.** *vor Lachen, Schmerzen usw.*: sich krümmen **2.** teilen (*je nach Kontext: Zimmer, Bett, Buch usw.*); **you'll have to double up with Jenny** du wirst dir mit Jenny ein Zimmer teilen müssen

double-check [,dʌbl'tʃek] zweimal *oder* genau nachprüfen

double chin [,dʌbl'tʃɪn] Doppelkinn

double click ['dʌbl_klɪk] *Computer*: Doppelklick

double-click ['dʌblklɪk] *Computer*: doppelklicken **double-click on something** auf etwas doppelklicken

double-cross [,dʌbl'krɒs] **double-cross someone** ein doppeltes *oder* falsches Spiel mit jemandem treiben

double-dealing¹ [,dʌbl'diːlɪŋ] Betrug

double-dealing² [,dʌbl'diːlɪŋ] betrügerisch

double-decker [,dʌbl'dekə] *Bus, Flugzeug*: Doppeldecker

double fault [,dʌbl'fɔːlt] *Tennis*: Doppelfehler

double feature [,dʌbl'fiːtʃə] *im Kino*: Doppelprogramm (*2 Spielfilme pro Vorstellung*)

double glazing [,dʌbl'gleɪzɪŋ] *bes. BE* Doppelfenster *Pl.*

double-park [,dʌbl'pɑːk] in zweiter Reihe parken

double-quick [,dʌbl'kwɪk] *umg.* **1.** im Eiltempo, fix **2.** **in double-quick time** im Eiltempo, fix

double-take ['dʌblteɪk] **do a double-take** zweimal hinsehen müssen (*vor Verblüffung*)

doubt¹ [⚠ daʊt] **1.** bezweifeln (**that** dass), zweifeln; **I doubt it** das bezweifle ich, da habe ich meine Zweifel **2.** anzweifeln (*Behauptung, Aussage usw.*)

doubt² [△ daʊt] Zweifel (*about* hinsichtlich); *no doubt* zweifellos, fraglos; *I have no doubt about that* ich bezweifle das nicht; *her reliability is beyond doubt* ihre Verlässlichkeit steht außer Zweifel; *the school's future is in doubt* die Zukunft der Schule ist ungewiss; *leave no doubts about something* an etwas keinen Zweifel lassen

doubtful [△ 'daʊtfl] **1.** *allg.*: zweifelhaft (*auch Ruf, Charakter usw.*) **2.** *Person*: zweifelnd, skeptisch; *be doubtful about something* an etwas zweifeln, über etwas im Zweifel sein

doubtless [△ 'daʊtləs] zweifellos, sicherlich

dough [△ dəʊ] **1.** *für Brot usw.*: Teig **2.** *umg.* (≈ *Geld*) Kohle, Knete

doughnut ['dəʊˌnʌt] *BE* Berliner, Krapfen, Donut ['doːnat]

dove [△ dʌv] **1.** *Vogel*: Taube; *dove of peace* übertragen Friedenstaube **2.** *Politik*: Taube (*gemäßigter Politiker*)

down¹ [daʊn] **1.** *räumlich allg.*: nach unten, herunter, hinunter **2.** *im Aufzug usw.*: abwärts **3.** *in Kreuzworträtsel*: senkrecht **4.** *auf die Frage „wo?"*: unten, drunten; *down there* dort unten **5.** *geographisch*: *down the river* flussabwärts; *down under* *umg.* in *oder* nach Australien *oder* Neuseeland **6.** *eine Strecke*: entlang; *go down the street till you reach the bank* gehen Sie die Straße entlang, bis Sie die Bank erreichen **7.** *Preise, Aktienkurse usw.*: gefallen; *the temperature is down by 10 degrees* die Temperatur ist um 10 Grad gefallen **8.** *psychisch*: niedergeschlagen, down **9.** *Sport*: im Rückstand; *we were 2 goals down* wir lagen mit 2 Toren zurück **10.** *down with …!* nieder mit …!

down² [daʊn] **1.** abschießen (*Flugzeug*) **2.** *umg.* runterkippen (*Getränk*)

down³ [daʊn] **1.** *von Vögeln*: Daunen *Pl.*; *down quilt* Daunendecke **2.** (≈ *Härchen*) Flaum

downcast ['daʊnkɑːst] **1.** deprimiert, niedergeschlagen **2.** *Blick*: gesenkt

downer ['daʊnə] **1.** Beruhigungsmittel **2.** *be on a downer* *umg.* down sein

downfall ['daʊnfɔːl] **1.** *sozial, finanziell*: Sturz, Ruin **2.** starker Regenguss, Platzregen

downhearted [ˌdaʊn'hɑːtɪd] niedergeschlagen, entmutigt

downhill [ˌdaʊn'hɪl] **1.** abwärts, bergab (*beide auch übertragen*), den Berg hinunter; *he's going downhill* übertragen es geht bergab mit ihm **2.** *Skisport*: Abfahrts…: *downhill race* Abfahrtslauf

Downing Street

Falls du in den englischen Nachrichten den Ausdruck **Number Ten** hören oder lesen solltest: Er steht für den offiziellen Sitz des **Prime Minister** (Premierminister, Premierministerin) in der **Downing Street**, wo er bzw. sie traditionell das Haus Nummer 10 bewohnt. Schriftlich wird es oft zu **No 10** abgekürzt (**no** ist die Abkürzung des französischen „numéro").

download¹ [ˌdaʊn'ləʊd] *Computer, Multimedia*: herunterladen (*Daten usw.*)

download² ['daʊnləʊd] *Computer, Multimedia*: Download

downloadable [ˌdaʊn'ləʊdəbl] *Computer, Multimedia*: herunterladbar

downmarket [ˌdaʊn'mɑːkɪt] *Waren, Restaurant usw.*: billig, Billig…

down payment [ˌdaʊn'peɪmənt] *beim Kauf*: Anzahlung

downplay [ˌdaʊn'pleɪ] herunterspielen, bagatellisieren

downpour ['daʊnpɔː] Platzregen

downright ['daʊnraɪt] *Frechheit, Rücksichtslosigkeit usw.*: absolut, ausgesprochen; *a downright lie* eine glatte Lüge

downriver [ˌdaʊn'rɪvə] flussabwärts

downside ['daʊnsaɪd] (≈ *Nachteil*) Kehrseite

downsize ['daʊnsaɪz] **1.** (*Firma*) abbauen (*Arbeitskräfte, Stellen*) **2.** *beim Umziehen*: in eine kleinere Wohnung ziehen, sich verkleinern

downsizing [ˌdaʊnˌsaɪzɪŋ] **1.** *in Firma*: Stellenabbau **2.** *Umzug in eine kleinere Wohnung*

downstairs [ˌdaʊn'steəz] ↔ **upstairs 1.** *auf die Frage „wohin?"*: nach unten, die Treppe herunter *oder* hinunter; *let's go downstairs* gehen wir nach unten **2.** *auf die Frage „wo?"*: unten, im unteren Stockwerk; *the downstairs flats* die unteren Wohnungen

down-to-earth [ˌdaʊntʊ'ɜːθ] realistisch

downtown [ˌdaʊn'taʊn] *bes. AE* im *oder* ins Stadtzentrum; *in downtown Los Angeles* im Innenstadt von Los Angeles; *live downtown* im Stadtzentrum *oder* in der Innenstadt wohnen

down under [ˌdaʊn'ʌndə] *umg.* für Australien *oder* Neuseeland; ☞ **down¹** 5

downward ['daʊnwəd] **1.** *auch* **downwards** *fallen, gehen, sehen usw.*: nach unten **2.** *übertragen* abwärts, bergab; *the* *team is on the downward path* mit der Mannschaft geht es bergab

dowry ['daʊrɪ] *von Braut*: Mitgift, Aussteuer

doze[1] [dəʊz] dösen, ein Nickerchen machen

---

doze off [ˌdəʊz'ɒf] einnicken, eindösen

---

doze[2] [dəʊz] Nickerchen; *have a doze* dösen, ein Nickerchen machen

dozen [△ 'dʌzn] *12 Stück*: Dutzend; *I've told you dozens of times …* umg. ich hab dir x-mal gesagt, …

dozy ['dəʊzɪ] **1.** schläfrig, verschlafen **2.** *BE, umg.* schwer von Begriff

drab [dræb] **1.** *Stadt usw.*: grau, trist **2.** *Farben*: düster **3.** *Dasein usw.*: freudlos

draft[1] [drɑːft] **1.** *für einen Brief, Plan usw.*: Entwurf **2.** *AE; von Wehrpflichtigen*: Einberufung, Einziehung **3.** *AE* Zugluft; ☞ *BE* **draught**

draft[2] [drɑːft] **1.** entwerfen (*Schriftstück, Plan usw.*) **2.** *AE* einziehen, einberufen (*Wehrpflichtige*)

drafty ['drɑːftɪ] *AE; in Zimmer usw.*: zugig; ☞ *BE* **draughty**

drag[1] [dræg] **1.** *be a drag* umg. stinklangweilig sein; *what a drag!* so ein Mist!, *auf Person bezogen*: so ein Langweiler! **2.** *it was quite a drag getting there* es war ein ziemlicher Schlauch, dorthin zu kommen **3.** *umg.; an Zigarette*: Zug; *give me a drag* lass mich mal ziehen

drag[2] [dræg], *dragged, dragged* **1.** (≈ *mit Mühe ziehen*) schleppen, zerren; *we dragged the desk into the study* wir schleppten den Schreibtisch ins Arbeitszimmer **2.** *drag through the mud* übertragen in den Schmutz ziehen (*Person, Namen usw.*) **3.** *drag one's feet oder heels* übertragen sich Zeit lassen **4.** *in unangenehme Situation usw.*: hineinziehen (*into* in)

---

drag down [ˌdræg'daʊn] **1.** in den Schmutz ziehen (*Namen, Ruf, Person*) **2.** (*Rückschläge, Krankheit usw.*) zermürben, entmutigen; *don't let his criticisms drag you down* lass dich durch seine Kritik nicht entmutigen

drag on [ˌdræg'ɒn] (*Sitzung, Abend usw.*) sich dahinschleppen, sich in die Länge ziehen; *his speech dragged on for two hours* seine Rede zog sich über zwei Stunden hin

---

drag lift [ˌdræg'lɪft] Schlepplift

dragon ['drægən] *Fabelwesen*: Drache

dragonfly ['drægənflaɪ] *Insekt*: Libelle

drag queen ['dræg_kwiːn] *umg.* Travestiekünstler, Transvestit

drain[1] [dreɪn] **1.** *auch* **drain off** *oder* **away** abfließen lassen (*Flüssigkeit*) **2.** austrinken, leeren (*Glas usw.*) **3.** entwässern (*Grundstück, Acker usw.*) **4.** abtropfen lassen (*Gemüse, Nudeln usw.*)

---

drain away [ˌdreɪn_ə'weɪ] **1.** (*Flüssigkeit*) abfließen, ablaufen **2.** (*Kräfte usw.*) schwinden

drain off [ˌdreɪn'ɒf] abgießen, abtropfen lassen (*Gemüse, Nudeln usw.*)

---

drain[2] [dreɪn] **1.** *unter Spüle usw.*: Abfluss, Abflussrohr, *auf Straße*: Gully, ⓷ Dole **2.** *übertragen* Belastung; *the arms race was a constant drain on the national budgets* das Wettrüsten war eine ständige Belastung der Staatshaushalte **3.** *umg., in Wendungen*: *she throws her money down the drain* sie wirft ihr Geld zum Fenster hinaus; *this club's going down the drain* dieser Verein geht vor die Hunde

drainpipe ['dreɪnpaɪp] Abflussrohr

drainpipes ['dreɪnpaɪps] *Pl.*, *auch* **drainpipe trousers** Röhrenhosen *Pl.*

drake [dreɪk] Enterich, Erpel

dram [dræm] *umg.; von Alkohol*: Schluck

drama ['drɑːmə] Drama (*auch übertragen*)

dramatic [drə'mætɪk] *allg.*: dramatisch (*auch übertragen*)

dramatize ['dræmətaɪz] **1.** für die Bühne *usw.* bearbeiten (*ein Stück*) **2.** (≈ *übertreiben*) dramatisieren, aufbauschen

drank [dræŋk] *2. Form von → drink*[2]

drastic ['dræstɪk] drastisch

draught [drɑːft] *BE* **1.** *in Zimmer*: Zug, Luftzug; *there's a draught in here* hier ziehts **2.** *draughts* (△ *im Sg. verwendet*) *Brettspiel*: Dame **3.** *on draught Bier*: vom Fass; *draught beer* Bier vom Fass **4.** *formell; beim Trinken*: Schluck

draughty ['drɑːftɪ] *BE; Haus, Raum*: zugig

draw[1] [drɔː], *drew* [druː], *drawn* [drɔːn] **1.** ziehen (*Waffe, Wagen usw., auch*: *Schlussfolgerung, Vergleich*); *draw someone into something* übertragen jemanden in etwas hineinziehen *oder* verwickeln **2.** *mit Bleistift usw.*: zeichnen **3.** ziehen (*Linie, Strich*); *draw a line under something* übertragen unter etwas einen Schlussstrich ziehen **4.** *für Sportwettbewerb*: auslosen **5.** *beim Fußball usw.*: unentschieden spielen **6.** *übertragen* anziehen; *feel drawn to someone* sich zu jemandem hingezogen fühlen **7.** ausstellen (*Scheck*)

draw aside [ˌdrɔː_əˈsaɪd] beiseitenehmen (*Person*)

draw in [ˌdrɔːˈɪn] **1.** einziehen (*Atem, Luft*) **2.** (*Tage*) abnehmen, kürzer werden

draw out [ˌdrɔːˈaʊt] **1.** *allg.*: herausziehen **2.** *übertragen* hinausziehen, in die Länge ziehen (*Sitzung usw.*) **3.** *they drew him out of his shell* übertragen sie zogen ihn aus der Reserve gelockt **4.** (*Tage*) länger werden

draw up [ˌdrɔːˈʌp] **1.** abfassen, aufsetzen (*Rede, Schriftstück*) **2.** aufstellen, erstellen (*Liste*) **3.** (*Wagen*) anhalten

draw² [drɔː] **1.** *bei Lotterie usw.*: Ziehung, Auslosung **2.** *Künstler, Ereignis*: Attraktion **3.** *Sport*: das Unentschiedene; *end in a draw* unentschieden ausgehen

drawback [ˈdrɔːbæk] Nachteil

drawer [△ drɔː] *in Schrank, Kommode usw.*: Schublade, Schubfach

drawing [ˈdrɔːɪŋ] **1.** Zeichnen; *be good at drawing* gut zeichnen können **2.** *Bild*: Zeichnung

drawing board [ˈdrɔːɪŋ_bɔːd] **1.** *für Architekten, Planer usw.*: Reißbrett **2.** *go back to the drawing board* wieder ganz von vorn anfangen

drawing pin [ˈdrɔːɪŋ_pɪn] *BE* Reißzwecke, Reißnagel

drawl¹ [drɔːl] gedehnt sprechen (*bes. beim Amerikanischen*)

drawl² [drɔːl] gedehnte Aussprache (*bes. des Amerikanischen*)

drawn [drɔːn] *3. Form von → draw¹*

dread¹ [dred] *dread something* vor etwas (große) Angst haben, sich vor etwas fürchten

dread² [dred] (große) Angst, Furcht (*of* vor)

dreadful [ˈdredfl] *Anblick, Problem, Wetter usw.*: furchtbar, schrecklich; *the team played dreadfully* die Mannschaft spielte schrecklich

dream¹ [driːm] **1.** *im Schlaf*: Traum; *have a dream about something* von etwas träumen; *sweet dreams!* träum was Schönes!; *have a bad dream* schlecht träumen **2.** *übertragen* Traum, Wunschtraum; *that's beyond my wildest dreams* das übertrifft meine kühnsten Träume; *may all your dreams come true* mögen alle deine Träume in Erfüllung gehen

dream² [driːm], *dreamt* [dremt], *dreamt* [dremt] *oder dreamed, dreamed* **1.** *im Schlaf*: träumen (*of, about* von); *I dreamt about you* ich habe von dir geträumt **2.** *übertragen* träumen; *I dream*

of living on Lanzarote ich träume davon, auf Lanzarote zu leben; *I wouldn't dream of it* mir würde das nicht im Traum einfallen; *who would have dreamt it!* wer hätte sich das träumen lassen!

dream up [ˌdriːmˈʌp] sich ausdenken (*Plan, Idee*)

dreamer [ˈdriːmə] Träumer(in)

dreamt [dremt] *2. und 3. Form von → dream²*

dreary [ˈdrɪərɪ] **1.** *Tag usw.*: trüb **2.** *Arbeit usw.*: langweilig

drenched [drentʃt] durchnässt; *be drenched to the skin* bis auf die Haut durchnässt sein

dress¹ [dres] **1.** *für Frauen*: Kleid; *evening dress* Abendkleid **2.** (≈ *Kleidung*) *in evening dress* in Abendkleidung; *national dress* Landestracht

dress² [dres] **1.** anziehen (*Kind*) **2.** *get dressed* sich anziehen; *dress well* (*bzw. badly*) sich geschmackvoll (*bzw.* geschmacklos) kleiden; *dress for dinner* sich zum Abendessen umziehen **3.** anmachen (*Salat*) **4.** verbinden, behandeln (*Wunde*)

dress down [ˌdresˈdaʊn] **1.** sich leger kleiden (*legerer als sonst*) **2.** *dress someone down* umg. jemandem eine Standpauke halten

dress up [ˌdresˈʌp] **1.** *für festlichen Anlass*: sich fein machen, sich herausputzen **2.** *im Karneval usw.*: sich kostümieren, sich verkleiden

dresser [ˈdresə] **1.** *BE* Geschirrschrank **2.** *AE* Frisierkommode **3.** *be a stylish dresser* immer modisch gekleidet sein **4.** *beim Theater*: Garderobier, Garderobiere

dressing [ˈdresɪŋ] **1.** (≈ *Salatsoße*) Dressing **2.** *auf Wunde*: Verband

dressing-down [ˌdresɪŋˈdaʊn] *give someone a dressing-down* umg. jemandem eine Standpauke halten

dressing gown [ˈdresɪŋ_gaʊn] Morgenmantel

dressing room [ˈdresɪŋ_ruːm] **1.** *im Theater*: Künstlergarderobe **2.** *Sport*: Umkleidekabine

dressmaker [ˈdresˌmeɪkə] (Damen-)Schneider(in)

dress rehearsal [ˌdres_rɪˈhɜːsl] *Theater*: Generalprobe

drew [druː] *2. Form von → draw¹*

dribble¹ [ˈdrɪbl] **1.** (*Baby usw.*) sabbern **2.**

(*Flüssigkeit*) tröpfeln **3**. *in Ballsportarten*: dribbeln; *dribble past someone* jemanden umdribbeln

dribble² ['drɪbl] *Sport*: Dribbling

dribs and drabs [ˌdrɪbz_ən'dræbz] *Pl.*, *in dribs and drabs* *umg.* kleckerweise

dried [draɪd] getrocknet; *dried fruit* Dörrobst; *dried milk* Trockenmilch

drier ['draɪə] → *dryer*

drift¹ [drɪft] **1**. *von Schnee*: Verwehung, Wehe **2**. *von Entwicklung, Meinung usw.*: Tendenz, Richtung

drift² [drɪft] **1**. (*Schiff, Floß usw.*) treiben **2**. (*Person*) sich treiben lassen; *let things drift* den Dingen ihren Lauf lassen

drill¹ [drɪl] **1**. *Werkzeug*: Bohrer **2**. *militärisch*: Drill (*auch übertragen*)

drill² [drɪl] **1**. bohren (*Loch*); *drill for oil* nach Öl bohren **2**. *militärisch*: drillen (*auch übertragen*) **3**. *Schule*: pauken, drillen; *a tutor drilled me in grammar* ein Nachhilfelehrer paukte mit mir Grammatik

drink¹ [drɪŋk] **1**. *allg.*: Getränk; *would you like a drink?* möchtest du etwas zu trinken?; *food and drink* Essen und Getränke **2**. *mst.* Alkohol: Glas, Drink; *shall we go for a drink?* gehen wir einen trinken?; *she has a drink problem* sie trinkt

drink² [drɪŋk], *drank* [dræŋk], *drunk* [drʌŋk] **1**. *allg.*: trinken; *what would you like to drink?* was möchten Sie trinken? **2**. trinken (*Alkohol*), *auch*: ein Trinker *bzw.* eine Trinkerin sein; *thank you, I don't drink* danke, ich trinke keinen Alkohol; *don't drink and drive!* kein Alkohol am Steuer!

drink to ['drɪŋk_tʊ] (≈ *zuprosten*) trinken *oder* anstoßen auf; *drink to someone* auf jemanden trinken

drink up [ˌdrɪŋk'ʌp] austrinken (*Getränk*)

drink-driving [ˌdrɪŋk'draɪvɪŋ] *BE* Trunkenheit am Steuer

drinking¹ ['drɪŋkɪŋ] das Trinken (*von Alkohol*); *she has a drinking problem* sie trinkt

drinking² ['drɪŋkɪŋ] Trink...; *drinking straw* Trinkhalm; *drinking water* Trinkwasser

drip¹ [drɪp], *dripped, dripped* **1**. (*Wasserhahn usw.*) tropfen, tröpfeln **2**. triefen (*with* von, vor); *be dripping with sweat* schweißüberströmt sein

drip² [drɪp] **1**. *Geräusch*: Tropfen, Tröpfeln **2**. *Medizin*: Infusion, *umg.* Tropf; *be on a drip* am Tropf hängen

drip-dry¹ [ˌdrɪp'draɪ] *Wäsche*: bügelfrei

drip-dry² ['drɪpdraɪ] *those shirts will drip-dry* diese Hemden sind bügelfrei

dripping¹ ['drɪpɪŋ] (abtropfendes) Bratenfett

dripping² ['drɪpɪŋ] **1**. *Wasserhahn usw.*: tropfend **2**. triefend (nass), tropfnass **3**. *dripping wet* tropfnass

drive¹ [draɪv], *drove* [drəʊv], *driven* ['drɪvn] **1**. fahren (*Auto, Bus, Lkw usw.*); *drive into a wall* gegen eine Mauer fahren **2**. *im Auto*: fahren, befördern (*Person*); *he'll drive you home* er fährt dich nach Hause **3**. treiben (*Menge, Viehherde usw.*) (*auch übertragen*); *the refugees had been driven out of their home town* die Flüchtlinge waren aus ihrer Heimatstadt vertrieben worden **4**. antreiben (*Maschine*) **5**. *gefühlsmäßig*: treiben; *drive someone to despair* jemanden zur Verzweiflung treiben; *you're driving me mad!* du machst mich wahnsinnig!

drive at ['draɪv_æt] abzielen auf; *what are you driving at?* worauf willst du hinaus?

drive away [ˌdraɪv_ə'weɪ] **1**. *im Auto usw.*: wegfahren **2**. vertreiben (*Personen, auch*: Sorgen usw.) **3**. zerstreuen (*Bedenken usw.*)

drive up [draɪv'ʌp] in die Höhe treiben (*Preise, Mieten usw.*)

drive² [draɪv] **1**. *im Auto*: Fahrt; *a two-hour drive* zwei Stunden mit dem Auto, zwei Autostunden **2**. *vor dem Haus*: Zufahrt, Auffahrt **3**. *übertragen* Schwung, Elan **4**. *psychisch*: Trieb **5**. *von Maschine*: Antrieb; *disk drive* Computer: Diskettenlaufwerk **6**. *right-hand drive* *im Auto*: Rechtssteuerung

drive-by ['draɪv_baɪ] *Schießerei, Mordanschlag usw.*: aus dem fahrenden Auto heraus (begangen)

drive-in ['draɪv_ɪn] **1**. Drive-in-Restaurant **2**. Autokino

drivel¹ ['drɪvl] Gefasel, Unsinn

drivel² ['drɪvl] *BE* **drivelled, drivelled**, *AE* **driveled, driveled** faseln, Unsinn reden

driven ['drɪvn] *3. Form von* → *drive¹*

driver ['draɪvə] **1**. *von Auto, Bus usw.*: Fahrer(in) **2**. *Computer*: Treiber

driver's license ['draɪvəzˌlaɪsns] *AE* Führerschein; ☞ *BE* **driving licence**

driveway ['draɪvweɪ] *vor Haus*: Auffahrt, *länger*: Zufahrtsstraße

driving ['draɪvɪŋ] **1**. *allg.*: Autofahren; *I enjoy driving* ich fahre gern Auto **2**. *Art des Fahrens*: Fahrweise, Fahrstil

driving instructor ['draɪvɪŋ_ɪn,strʌktə] Fahrlehrer(in)

driving lesson ['draɪvɪŋ,lesn] Fahrstunde; **take driving lessons** Fahrunterricht nehmen, den Führerschein machen

driving licence ['draɪvɪŋ,laɪsns] BE Führerschein

driving school ['draɪvɪŋ_sku:l] Fahrschule

driving test ['draɪvɪŋ_test] Fahrprüfung; **take one's driving test** die Fahrprüfung oder den Führerschein machen

drizzle¹ ['drɪzl] (≈ leicht regnen) nieseln

drizzle² ['drɪzl] Sprühregen, Nieselregen

drone¹ [drəʊn] **1.** männliche Biene: Drohne **2.** Person: Schmarotzer(in)

drone² [drəʊn] **1.** brummen, summen **2.** herunterleiern (seinen Text usw.)

drone³ [drəʊn] Brummen, Summen

droop [dru:p] **1.** (schlaff) herabhängen **2.** (Mut) sinken, (Interesse) erlahmen **3.** den Kopf hängen lassen (auch Blume) **4.** **droop one's head** den Kopf hängen lassen

drop¹ [drɒp] **1.** kleine Flüssigkeitsmenge: Tropfen; **only a drop of milk for me** in Tee usw.: für mich nur einen Tropfen Milch; **a drop in the bucket** oder **ocean** übertragen ein Tropfen auf den heißen Stein; **he emptied the bottle to the last drop** er hat die Flasche bis auf den letzten Tropfen geleert; **I haven't touched a drop** ich habe keinen Tropfen getrunken **2.** Fall; **a drop of ten metres** ein Fall aus 10 Metern Höhe **3.** (≈ Abnahme) Fall, Sturz; **a drop in prices** ein Preissturz; **a drop in temperature** ein Temperatursturz

drop² [drɒp], **dropped, dropped 1.** von Tisch, Schrank usw.: fallen, herunterfallen **2.** aus der Hand: fallen lassen; **let something drop** etwas fallen lassen; **sorry, I dropped the cup** tut mir leid, ich habe die Tasse fallen lassen; **drop everything** übertragen alles liegen und stehen lassen **3.** (Preise, Kurse usw.) sinken, fallen **4.** **I dropped onto the sofa** ich ließ mich aufs Sofa fallen **5.** vor Müdigkeit usw.: umfallen; **drop dead** tot umfallen **6.** (Flüssigkeit) tropfen, tröpfeln **7.** fallen lassen (Bemerkung); **drop someone a line** oder **note** jemandem ein paar Zeilen schreiben **8.** (≈ aufgeben) fallen lassen (Absicht, Plan usw.); **next year I'll drop maths** nächstes Jahr wähl ich Mathe ab; **drop it!** hör auf damit! **9.** absetzen (Last, auch Passagiere); **you can drop me at the station** du kannst mich am Bahnhof rauslassen

drop by [,drɒp'baɪ], **drop in** [,drɒp'ɪn] umg. (≈ besuchen) kurz hereinschauen, vorbeikommen (on bei); **I'll just drop in at the newsagent's** ich schau nur schnell zum Zeitungshändler

drop off [,drɒp'ɒf] **1.** (Umsatz usw.) zurückgehen **2.** (Interesse) nachlassen **3.** vor Müdigkeit: einschlafen, einnicken **4.** absetzen (Fahrgast); **just drop me off at the supermarket** setz mich einfach am Supermarkt ab

drop out [,drɒp'aʊt] **1.** aus Gesellschaft, Projekt, Wettbewerb usw.: aussteigen (of aus) **2.** die Schule oder das Studium abbrechen

drop-down menu ['drɒpdaʊn,menjuː] Computer: Drop-Down-Menü

droplet ['drɒplət] Tröpfchen

dropout ['drɒpaʊt] **1.** gesellschaftlich: Aussteiger(in) **2.** Schulabbrecher(in), Studienabbrecher(in)

droppings ['drɒpɪŋz] Pl., von Tieren: Kot

drought [△ draʊt] klimatisch: Trockenheit, Dürreperiode, Dürre

drove [drəʊv] 2. Form von → **drive¹**

drown [draʊn] **1.** sterben: ertrinken **2.** töten: ertränken; **drown one's sorrows** übertragen seine Sorgen im Alkohol ertränken

drowsiness ['draʊzɪnəs] Schläfrigkeit

drowse [draʊz] dösen

drowsy ['draʊzɪ] **1.** Person: schläfrig, verschlafen **2.** Atmosphäre, Stimmung: einschläfernd

drudge¹ [drʌdʒ] übertragen; Person: Arbeitstier

drudge² [drʌdʒ] sich placken, sich schinden

drudgery ['drʌdʒərɪ] (stumpfsinnige) Schinderei

drug¹ [drʌg] **1.** illegales Rauschmittel: Droge, Rauschgift; **be on drugs** rauschgiftsüchtig sein, drogensüchtig sein; **take** oder **use drugs** Drogen nehmen **2.** Medizin: Arzneimittel, Medikament **3.** Sport: Dopingmittel; **drug test** Dopingtest

drug² [drʌg], **drugged, drugged** zur Ruhigstellung: unter Drogen setzen, mit Medikamenten betäuben

drug abuse ['drʌg_ə,bjuːs] Drogenmissbrauch

drug addict ['drʌg,ædɪkt] Drogensüchtige(r), Rauschgiftsüchtige(r)

drug addiction ['drʌg_ə,dɪkʃn] Drogensucht, Rauschgiftsucht

drug dealer ['drʌg,diːlə] Drogenhändler, Rauschgifthändler

drug squad ['drʌg_skwɒd] Rauschgiftdezernat

drugstore ['drʌgstɔː] *AE* Drugstore (*Kombination aus Drogerie, Apotheke, Supermarkt und oft Imbiss*)

drugstore

Der amerikanische **drugstore** hat weniger mit Drogen als mit „Drogerie" zu tun: Es ist ein Laden, in dem man Körperpflegeartikel, rezeptfreie Medikamente, Lebensmittel, Kleider, Schreibwaren, Zeitschriften usw. kaufen kann. Oft befindet sich innerhalb eines **drugstore** eine Apotheke (**pharmacy**). Daher auch der Name, denn **drug** heißt neben „Droge" auch „Medikament".

drug trafficking ['drʌg,træfɪkɪŋ] Drogenhandel
drum¹ [drʌm] **1.** *Musikinstrument*: Trommel; **drums** *Pl.* Schlagzeug **2.** *Geräusch*: Trommeln (*von Regen, Hagel usw.*) **3.** *für Öl usw.*: Fass, Tonne
drum² [drʌm], **drummed, drummed** trommeln (*Rhythmus*)

drum up [,drʌm'ʌp] auftreiben (*Unterstützung usw.*), hereinholen (*Aufträge usw.*)

drummer ['drʌmə] *in Band*: Schlagzeuger(in)
drumstick ['drʌmstɪk] **1.** Trommelstock **2.** *von Geflügel*: Keule
drunk¹ [drʌŋk] *3. Form von* → **drink²**
drunk² [drʌŋk] **1.** betrunken; **get drunk** sich betrinken; **she gets drunk on one glass of wine** sie ist schon nach einem Glas Wein betrunken **2.** *übertragen* berauscht (**with** von); **drunk with joy** freudetrunken
drunk³ [drʌŋk] **1.** Betrunkene(r) **2.** *aus Gewohnheit, Sucht*: Trinker(in), Säufer(in)
drunkard ['drʌŋkəd] *aus Gewohnheit, Sucht*: Trinker(in), Säufer(in)
drunk-driving [,drʌŋk'draɪvɪŋ] *AE* Trunkenheit am Steuer
drunken ['drʌŋkən] betrunken; **drunken driving** Trunkenheit am Steuer
dry¹ [draɪ] **1.** *allg.*: trocken (*Boden, Wetter, Wein, auch übertragen: Humor usw.*) **2.** *umg.* durstig; **feel dry** Durst haben **3.** *umg.; Alkoholiker*: trocken, weg vom Alkohol
dry² [draɪ], **dried** [draɪd], **dried** [draɪd] **1.** *allg.*: trocknen; **dry oneself** (*bzw.* **one's hands**) sich (*bzw.* sich die Hände) abtrocknen (**on** an) **2.** (*Wäsche usw.*) trock-

nen, trocken werden **3.** dörren (*Obst usw.*)

dry up [,draɪ'ʌp] **1.** (*See, Fluss*) austrocknen **2.** (*Geldquelle, Nachschub usw.*) versiegen **3.** abtrocknen (*Geschirr*)

dry-clean [,draɪ'kliːn] chemisch reinigen
dry cleaner's [,draɪ'kliːnəz] chemische Reinigung
dryer ['draɪə] *für Wäsche usw.*: Trockner
dual ['djuːəl] doppelt, zweifach; **dual carriageway** *BE* (zweispurige) Schnellstraße
dub [dʌb], **dubbed, dubbed** synchronisieren (*Film*)
dubious ['djuːbɪəs] **1.** *Angelegenheit*: zweifelhaft, ungewiss; **I had the dubious pleasure ...** ich hatte das zweifelhafte Vergnügen ... **2.** *Firma, Person, Ruf*: zweifelhaft, fragwürdig, dubios **3.** **be dubious** (*Person*) unschlüssig *oder* im Zweifel sein (**about** über)
duchess ['dʌtʃɪs] *Adelstitel*: Herzogin
duchy ['dʌtʃɪ] *Land*: Herzogtum
duck¹ [dʌk] **1.** *Schwimmvogel*: Ente; *Essen*: Ente; **roast duck** Entenbraten
duck² [dʌk] **1.** (≈ *den Kopf einziehen*) sich ducken; **duck your head!** *oder* **duck down!** duck dich! **2.** (≈ *unter Wasser drücken*) tauchen **3.** *umg.* sich drücken vor, ausweichen (*Streitpunkt, Konflikt, Thema usw.*)
dud [dʌd] *umg.* **1.** *Rakete usw.*: Blindgänger **2.** *Person*: Niete **3.** ungedeckter Scheck
dude [duːd] *AE, salopp* Typ, Kerl
due [djuː] **1.** *zeitlich*: fällig; **the ferry is due at ...** die Fähre soll laut Plan um ... ankommen; **when's your baby due?** wann kommt denn dein Baby?, wann hast du Termin? **2.** **be due** (*Betrag, Zahlung*) fällig sein **3.** **due to** *ursächlich*: wegen (+ *Genitiv*), infolge *oder* aufgrund (von *oder* *Genitiv*); **be due to** zuzuschreiben sein, zurückzuführen sein auf; **it's due to him that ...** es ist ihm zu verdanken, dass ... **4.** (≈ *angemessen*) gebührend, zustehend (*Achtung, Anerkennung, Berücksichtigung usw.*); **with all due respect** *Floskel vor Kritik*: bei allem Respekt; **after due consideration** nach reiflicher Überlegung; **in due course** zur rechten *oder* gegebenen Zeit
dug [dʌg] *2. und 3. Form von* → **dig¹**
duke [djuːk] *Adelstitel*: Herzog
dull [dʌl] **1.** (≈ *etwas dumm*) langsam, beschränkt **2.** *Buch, Film, Abend usw.*: langweilig; **never a dull moment** *humor-*

voll immer was los **3.** *Farbe, Licht*: matt, trüb **4.** *Wetter, Tag*: trüb, grau **5.** *Schmerz, Klang*: dumpf

duly ['dju:lɪ] **1.** ordnungsgemäß **2.** (≈ *pünktlich*) wie erwartet

dumb [△ dʌm] **1.** *Person*: stumm (*auch übertragen*); **deaf and dumb** taubstumm; **be struck dumb** sprachlos sein (**with** vor) **2.** *bes. AE, umg.* doof, dumm; **what a dumb thing to do!** wie kann man nur so blöd sein!

dumbass [△ 'dʌm‚æs] *AE, salopp* Nullchecker

dumbbell [△ 'dʌmbel] **1.** *Sportgerät*: Hantel **2.** *bes. AE, salopp* Trottel

dumbfound [△ dʌm'faʊnd] verblüffen

dumbfounded [△ dʌm'faʊndɪd] verblüfft, sprachlos

dummy ['dʌmɪ] **1.** *von Buch, Gerät usw.*: Attrappe **2.** *für Kleider*: Schaufensterpuppe **3.** *BE; für Babys*: Schnuller **4.** *bes. AE* Idiot

dump[1] [dʌmp] **1.** *unordentlich*: hinwerfen, hinschmeißen; **she came in and dumped her sports gear on the floor** sie kam herein und schmiss ihre Sportsachen auf den Boden **2.** auskippen, abladen (*Schutt, Müll usw.*)

dump[2] [dʌmp] **1.** *für Abfälle*: Schuttabladeplatz, Müllkippe, Müllhalde **2.** *Militär*: Depot **3.** *abwertend; Ortschaft*: Kaff **4.** *umg.; unordentliches Zimmer usw.*: Dreckloch

dumping ['dʌmpɪŋ] **1.** **dumping ground** Schuttabladeplatz, Müllkippe, Müllhalde **2.** *Wirtschaft*: Dumping

dumpling ['dʌmplɪŋ] *Essen*: Knödel, Kloß

dumps [dʌmps] *Pl.*, **down in the dumps** *umg.* down, niedergeschlagen

dune [dju:n] *aus Sand*: Düne

dungarees [‚dʌŋgə'ri:z] *Pl. BE* Latzhose

dungeon ['dʌndʒən] (≈ *Gefängnis*) Verlies

dunk [dʌŋk] **1.** eintunken, stippen (*Brot usw.*) **2.** *Basketball*: ein Dunking machen, *umg.* stopfen (*Ball*)

dupe[1] [dju:p] Betrogene(r)

dupe[2] [dju:p] betrügen; **he was duped** er wurde hereingelegt

duplex[1] ['dju:pleks] doppelt, Doppel...; **duplex apartment** Maisonette; **duplex house** Doppelhaus

duplex[2] ['dju:pleks] *bes. AE* **1.** *Wohnung*: Maisonette **2.** *Haus*: Doppelhaus

duplicate[1] ['dju:plɪkət] doppelt, zweifach; **duplicate key** Zweitschlüssel

duplicate[2] ['dju:plɪkət] **1.** Duplikat, Abschrift, Kopie; **in duplicate** in zweifacher Ausfertigung **2.** *Schlüssel*: Zweitschlüssel

duplicate[3] ['dju:plɪkeɪt] **1.** ein Duplikat anfertigen von (*Schriftstück*) **2.** *maschinell*: kopieren, vervielfältigen

durable ['djʊərəbl] **1.** *Material usw.*: haltbar, langlebig **2.** *Frieden, Freundschaft usw.*: dauerhaft

during ['djʊərɪŋ] während (+ *Genitiv*); **during the holiday we met some interesting people** während der Ferien lernten wir einige interessante Leute kennen

dusk [dʌsk] Abenddämmerung; **at dusk** bei Einbruch der Dunkelheit

dust[1] [dʌst] **1.** *allg.*: Staub **2.** **the dust has settled** *übertragen* die Aufregung hat sich gelegt, die Wogen haben sich geglättet; **bite the dust** *umg.* ins Gras beißen

dust[2] [dʌst] **1.** abstauben (*Schrank, Zimmer*) **2.** *mit Puderzucker usw.*: bestreuen, bestäuben

dustbin ['dʌstbɪn] *BE* Abfalleimer, Mülleimer, Mülltonne; **dustbin man** *umg.* Müllmann

dust cart ['dʌst‚kɑ:t] *BE* Müllwagen

dustman ['dʌstmən] *Pl.*: **dustmen** ['dʌstmən] *BE* Müllwerker, Arbeiter der Müllabfuhr

dustpan ['dʌstpæn] Kehrschaufel, Müllschaufel

dusty ['dʌstɪ] *Bücher, Schrank, Straße usw.*: staubig

Dutch[1] [dʌtʃ] **1.** holländisch, niederländisch **2.** **go Dutch** *in Lokal*: getrennt zahlen

Dutch[2] [dʌtʃ] *Sprache*: Holländisch, Niederländisch

Dutch[3] [dʌtʃ] **the Dutch** *Pl.* die Holländer *Pl.*, die Niederländer

Dutchman ['dʌtʃmən] *Pl.*: **Dutchmen** ['dʌtʃmən] Holländer, Niederländer

Dutchwoman ['dʌtʃ‚wʊmən] *Pl.*: **Dutchwomen** ['dʌtʃ‚wɪmɪn] Holländerin, Niederländerin

dutiful ['dju:tɪfl] pflichtbewusst

duty ['dju:tɪ] **1.** (≈ *Verpflichtung*) Pflicht, Schuldigkeit (**to, towards** gegenüber) **2.** *beruflich*: Pflicht, Aufgabe; **do one's duty** seine Pflicht tun **3.** *Arbeitszeit*: Dienst; **be on duty** Dienst haben, im Dienst sein; **be off duty** nicht im Dienst sein, dienstfrei haben; **duty doctor** *in Klinik*: Bereitschaftsarzt **4.** *für Importe*: Zoll

duty-free[1] [‚dju:tɪ'fri:] *Waren*: zollfrei; **duty-free shop** Dutyfreeshop

duty-free[2] [‚dju:tɪ'fri:] *mst.* **duty-frees** *Pl., umg.* zollfreie Waren

duvet ['du:veɪ] Federbett

DVD [‚di:vi:'di:] (*Abk. für* **d**igital **v**ersatile *oder* **v**ideo **d**isc); **DVD player** DVD-Spieler; **DVD drive** DVD-Laufwerk dwarf [dwɔːf] *Pl.*: **dwarves** [dwɔːvz] *oder* **dwarfs** *im Märchen usw.*: Zwerg

dwell [dwel], **dwelt** [dwelt], **dwelt** [dwelt] *oder* **dwelled, dwelled** *förmlich* wohnen, leben

> **dwell on** ['dwel,ɒn] nachgrübeln über (*Problem, Vergangenheit usw.*)

dweller ['dwelə] **cave dweller** Höhlenbewohner; **city dweller** Stadtbewohner

dwelling ['dwelɪŋ] Wohnung

dwelt [dwelt] *2. und 3. Form von* → **dwell**

dwindle ['dwɪndl] (*Anzahl, Gewinn, Hoffnungen usw.*) abnehmen, schwinden

dye[1] [daɪ] *zum Färben von Haaren usw.*: Farbstoff

dye[2] [daɪ] färben (*Haare, Stoffe usw.*)

dying ['daɪɪŋ] sterbend; **be dying** im Sterben liegen

dynamic [daɪ'næmɪk] *Person, Entwicklung usw.*: dynamisch

dynamite ['daɪnəmaɪt] *Sprengstoff*: Dynamit (*auch übertragen*)

dynasty ['dɪnəstɪ, *AE* 'daɪnəstɪ] Dynastie

dyslexia [dɪs'leksɪə] (≈ *Lese-Rechtschreib-Schwäche*) Legasthenie

dyslexic[1] [dɪs'leksɪk] (≈ *an einer Lese-Rechtschreib-Schwäche leidend*) legasthenisch; **be dyslexic** Legastheniker(in) sein

dyslexic[2] [dɪs'leksɪk] Legastheniker(in)

E

each [iːtʃ] **1.** jede(r, -s); **each one** jede(r) Einzelne; **each entry in this dictionary starts with a new line** jeder Artikel in diesem Wörterbuch beginnt mit einer neuen Zeile **2.** **each of us** jede(r) von uns; **each of the kids got a little present** jedes der Kinder bekam ein kleines Geschenk **3.** **they hugged each other** sie umarmten einander *oder* sich **4.** je, pro Person *oder* Stück; **admission is £10 each** der Eintritt kostet 10 Pfund pro Person

eager ['iːgə] **1.** *Arbeiter, Schüler usw.*: eifrig; **eager beaver** *umg.* Arbeitstier, *Schüler*: Streber(in) **2.** begierig (**for** nach), gespannt (**for** auf); **be eager to do something** darauf brennen, etwas zu tun; **eager to learn** wissbegierig **3.** *Aufmerksamkeit, Blick usw.*: gespannt **4.** **she's eager to please** sie möchte es jedem recht machen

eagerness ['iːgənəs] *von Schüler usw.*: Eifer

eagle ['iːgl] *Greifvogel*: Adler

ear[1] [ɪə] **1.** Ohr; **I'm all ears** *umg.* ich bin ganz Ohr; **he's up to his ears in debt** er steckt bis über die Ohren in Schulden; **fall on deaf ears** auf taube Ohren stoßen; **turn a deaf ear to** die Ohren verschließen vor **2.** *übertragen* Gehör, Ohr; **play by ear** nach dem Gehör spielen (*Melodie*); △ *aber*: **play it by ear** *übertragen* improvisieren

ear[2] [ɪə] *von Getreide*: Ähre

earache ['ɪəreɪk] (△ *nur im Sg.*) Ohrenschmerzen

eardrum ['ɪədrʌm] *im Ohr*: Trommelfell

earl [ɜːl] *in GB*: Graf

earlobe ['ɪələʊb] Ohrläppchen

early ['ɜːlɪ] **1.** früh, frühzeitig; **early in the morning** früh am Morgen; **in the early morning** am frühen Morgen; **early riser** *oder* **early bird** Frühaufsteher(in); **the early bird catches the worm** *Sprichwort*: Morgenstund hat Gold im Mund; **in his early days** in seiner Jugend; **at the (very) earliest** (aller)frühestens **2.** **as early as possible** so bald wie möglich **3.** zu früh; **sorry - I know I'm early** tut mir leid - ich weiß, ich bin zu früh dran **4.** vorzeitig; **his early death** sein früher Tod **5.** (≈ *in ferner Vergangenheit*) anfänglich, Früh...; **in early Christian times** in frühchristlicher Zeit

earmark ['ɪəmɑːk] bestimmen, vorsehen (*bes. Geld*) (**for** für)

earn [ɜːn] **1.** verdienen (*Geld usw.*): **I earn my living by writing dictionaries** ich verdiene meinen Lebensunterhalt mit dem Schreiben von Wörterbüchern (△ *Lob usw. verdienen* = **deserve**) **2.** einbringen (*Zinsen, Profit usw.*)

earnest[1] ['ɜːnɪst] **1.** (≈ *nicht fröhlich*) ernst **2.** (≈ *seriös*) ernsthaft, gewissenhaft

earnest[2] ['ɜːnɪst] **in earnest** im Ernst; **in dead earnest** in vollem Ernst

earnings ['ɜːnɪŋz] *Pl.* Verdienst, Einkommen

earphones ['ɪəfəʊnz] *Pl.* Kopfhörer

earring ['ɪərɪŋ] Ohrring

earshot ['ɪəʃɒt] *within earshot* in Hörweite; *out of earshot* außer Hörweite

earsplitting ['ɪəˌsplɪtɪŋ] *Lärm*: ohrenbetäubend

earth¹ [ɜ:θ] **1.** Erde; *the earth oder Earth* die Erde, die Welt; *on earth* auf Erden; *what on earth …?* was in aller Welt …? **2.** Erde, Erdboden; *come back oder down to earth übertragen* auf den Boden der Wirklichkeit zurückkehren **3.** *bes. BE; Elektrotechnik*: Erde, Erdung

earth² [ɜ:θ] *bes. BE; Elektrotechnik*: erden

earthenware ['ɜ:θnweə] *auch earthenware pottery* Tonwaren

earthly ['ɜ:θlɪ] **1.** irdisch, weltlich **2.** *there's no earthly reason umg.* es gibt nicht den geringsten Grund **3.** *of no earthly use umg.* völlig unnütz

earthquake ['ɜ:θkweɪk] Erdbeben

earthworm ['ɜ:θwɜ:m] Regenwurm

ease¹ [i:z] **1.** *at ease* ruhig, entspannt; *be oder feel at ease* sich wohlfühlen; *be oder feel ill at ease* sich in seiner Haut nicht wohlfühlen **2.** *with ease* leicht, mühelos

ease² [i:z] **1.** erleichtern (*Arbeit, Aufgabe, Mühe usw.*) **2.** *it would ease my mind if you rang him up* es würde mich beruhigen, wenn Sie ihn anrufen würden **3.** lindern (*Schmerzen, Kummer*) **4.** *they eased the injured child onto the stretcher* sie legten das verletzte Kind behutsam auf die Trage

easel ['i:zl] *Malerei*: Staffelei

easily ['i:zɪlɪ] leicht, mühelos; *he learnt Spanish easily* er hat mühelos Spanisch gelernt; *I easily get tired* ich werde leicht müde; *it might easily be that …* es kann leicht sein, dass …

east¹ [i:st] **1.** Osten; *in the east of* im Osten von (*oder Genitiv*); *to the east of* östlich von (*oder Genitiv*) **2.** *auch East* Osten, östlicher Landesteil; *the East Coast AE* die Oststaaten **3.** *the East auch:* der Osten (*die Staaten Osteuropas bzw. Asiens*)

east² [i:st] Ost…, östlich; *the east side of the church* die Ostseite der Kirche

east³ [i:st] **1.** *Richtung:* ostwärts, nach Osten **2.** *east of* östlich von (*oder Genitiv*)

eastbound ['i:stbaʊnd] nach Osten gehend *oder* fahrend

Easter ['i:stə] Ostern, Osterfest; *at Easter* zu Ostern; *happy Easter* frohe Ostern!; *Easter egg* Osterei

easterly ['i:stəlɪ] *Richtung, Wind:* östlich, Ost…

East End

Das **East End** von London mit seinen **docklands** (dem alten Hafenareal Londons) war früher als ein armes, aber ausgesprochen freundliches Arbeiterviertel bekannt. Aus dieser Gegend stammen die Londoner **cockneys**. Inzwischen hat sich das **East End** in eine hochmoderne Stadtgegend mit anspruchsvollen Wohnungs- und Bürohochhäusern sowie einem Flughafen (**London City Airport**) verwandelt. Hier haben sich inzwischen auch die Redaktionen bekannter Zeitungen, die früher in der **Fleet Street** zu Hause waren, angesiedelt.

eastern ['i:stən] östlich, Ost…; *the former Eastern bloc* der frühere Ostblock

eastward ['i:stwəd], **eastwards** ['i:stwədz] östlich, ostwärts, nach Osten; *in an eastward direction* in östlicher Richtung, Richtung Osten

easy ['i:zɪ] **1.** ↔ *difficult* leicht, mühelos; *as easy as anything* kinderleicht; *that's easy for you to say* du hast leicht reden; *that's easier said than done* das ist leichter gesagt als getan; *easy money* leicht verdientes Geld **2.** (≈ *sorgenfrei*) bequem, angenehm; *be on easy street umg.* in guten Verhältnissen leben **3.** *take it easy oder take things easy* nach *Krankheit usw.*: sich nicht übernehmen, sich schonen; *take it easy! beruhigend:* immer mit der Ruhe!, *warnend:* langsam! **4.** *easy come, easy go* wie gewonnen, so zerronnen

easy chair [ˌi:zɪ'tʃeə] Sessel

easygoing [ˌi:zɪ'gəʊɪŋ] *charakterlich:* gelassen

eat [i:t], *ate* [et], *eaten* ['i:tn] **1.** (*Mensch*) essen; *shall we eat at six o'clock?* wollen wir um sechs Uhr essen?; *eat out* auswärts essen, essen gehen; *you're eating us out of house and home scherzhaft:* du frisst uns noch die Haare vom Kopf **2.** (*Tier*) fressen **3.** *in Wendungen:* *eat one's words* alles, was man gesagt hat, zurücknehmen; *what's eating him? umg.* was hat er denn?; *I'll eat my hat if … umg.* ich fresse einen Besen, wenn …

eat up [ˌi:t'ʌp] **1.** *bei Mahlzeit:* aufessen **2.** völlig aufbrauchen, auffressen (*Reserven usw.*); *be eaten up with übertragen* sich verzehren vor, zerfressen werden von (*Neid, Eifersucht, Neugier usw.*)

eatable ['iːtəbl] *die Qualität einer Mahlzeit betreffend*: essbar, genießbar (△ „*essbar*" *im Sinne von* „*nicht giftig*" *heißt* **edible**)

eat-by date ['iːtbaɪ ˌdeɪt] *von Lebensmitteln*: Haltbarkeitsdatum

eaten ['iːtn] *3. Form von* → **eat**

eavesdrop ['iːvzdrɒp] **eavesdropped**, **eavesdropped** (heimlich) horchen; **eavesdrop on** belauschen

ebb [eb] **1.** *auch* **ebb tide** Ebbe **2.** *übertragen* Tiefstand; **be at a low ebb** auf einem Tiefpunkt angelangt sein

e-cash ['iːkæʃ] *Internet*: E-Cash, elektronisches Geld

echo ['ekəʊ] *Pl.*: **echoes** ['ekəʊz] Echo, Widerhall (*beide auch übertragen*)

eclipse [ɪ'klɪps] **1.** *von Sonne, Mond*: Finsternis; **eclipse of the sun** Sonnenfinsternis **2.** *von Person, Institution usw.*: Niedergang; **be in eclipse** in der Versenkung verschwunden sein

ecocide ['iːkəʊsaɪd] Umweltzerstörung

ecofriendly ['iːkəʊˌfrendlɪ] umweltfreundlich

ecological [ˌiːkə'lɒdʒɪkl] ökologisch, Umwelt...; **ecological balance** ökologisches Gleichgewicht; **ecologically beneficial** (*bzw.* **harmful**) umweltfreundlich (*bzw.* umweltschädigend)

ecologist [ɪ'kɒlədʒɪst] Ökologe, Ökologin

ecology [ɪ'kɒlədʒɪ] Ökologie

e-commerce ['iːˌkɒmɜːs] E-Commerce, Internethandel

economic [ˌiːkə'nɒmɪk] **1.** ökonomisch, wirtschaftlich, Wirtschafts...; **economic aid** Wirtschaftshilfe **2.** (≈ *gewinnbringend*) rentabel, wirtschaftlich

economic/economical

Economic und **economical** sind sich äußerlich sehr ähnlich, jedoch besteht zwischen ihnen ein Unterschied in der Bedeutung.

economic	ökonomisch, die Wirtschaft betreffend, z. B.: **economic growth** (= Wirtschaftswachstum)
economical	wirtschaftlich, sparsam, z. B.: **an economical heating system** (= eine sparsame Heizungsanlage)

economical [ˌiːkə'nɒmɪkəl] *Person, Auto, Heizung usw.*: wirtschaftlich, sparsam; **be economical with** sparsam umgehen

oder wirtschaften mit

economics [ˌiːkə'nɒmɪks] *Pl.* (△ *im Sg. verwendet*) Wirtschaftswissenschaft (*je nach Schwerpunkt Volkswirtschafts- oder Betriebswirtschaftslehre*)

economist [ɪ'kɒnəmɪst] Wirtschaftswissenschaftler(in) (*je nach Schwerpunkt Volks- oder Betriebswirt, -in*)

economize [ɪ'kɒnəmaɪz] sparsam umgehen, wirtschaften (**on** mit)

economy [ɪ'kɒnəmɪ] **1.** *eines Staates*: Wirtschaft, Wirtschaftssystem **2.** *bezüglich Geldausgaben, Zeitaufwand usw.*: Sparsamkeit; **make economies** zu Sparmaßnahmen greifen, sparen; **economy pack** Sparpackung

ecosystem ['iːkəʊˌsɪstəm] Ökosystem

ecotourism ['iːkəʊˌtʊərɪzm] Ökotourismus

ecstasy ['ekstəsɪ] Ekstase (*auch religiös usw.*)

eczema ['eksɪmə] *Hautausschlag*: Ekzem

eddy ['edɪ] *von Wind*: Wirbel, *von Wasser*: Strudel

edge¹ [edʒ] **1.** *von Tisch, Felsen usw.*: Kante **2.** *von Vorhang, Tuch, Kleidungsstück usw.*: Rand, Saum **3.** *von Messer usw.*: Schneide; **have no edge** stumpf sein, nicht schneiden **4.** *in Wendungen*: **be on the edge of despair** am Rande der Verzweiflung sein; **on edge** nervös, gereizt; **set someone's teeth on edge** jemanden nervös machen

edge² [edʒ] **1.** umsäumen, einfassen (*Tuch, Kleidungsstück usw.*) **2.** (≈ *sich langsam bewegen*) schieben, drängen; **we slowly edged our way towards the exit** wir schoben uns langsam in Richtung Ausgang; **he tried to edge out of the room** er versuchte sich aus dem Zimmer zu stehlen

edgeways ['edʒweɪz] *BE*, edgewise ['edʒwaɪz] *bes. AE* **I could hardly get a word in edgeways** ich bin kaum zu Wort gekommen

edgy ['edʒɪ] nervös

edible ['edəbl] (≈ *ungiftig*) essbar, genießbar; ☞ **eatable**

edifice ['edɪfɪs] Gebäude

edifying ['edɪfaɪɪŋ] *Buch, Film usw.*: erbaulich (*auch humorvoll*)

edit ['edɪt] **1.** herausgeben, als Herausgeber leiten (*Zeitung, Zeitschrift usw.*) **2.** bearbeiten, redigieren (*Text eines Buches, einer Zeitung usw.*) **3.** schneiden (*Film*)

edition [ɪ'dɪʃn] **1.** *von Zeitung usw.*: Ausgabe; **morning edition** Morgenausgabe **2.** *von Buch*: Auflage; **first edition** Erstausgabe, erste Auflage

editor ['edɪtə] **1.** *auch* **editor in chief** *von Buch, Reihe*: Herausgeber(in) **2.** *von Zeitung*: Redakteur(in); **editor in chief** Chefredakteur(in); **letter to the editor** Leserbrief; **the editors** *Pl.* die Redaktion **3.** *bei Buchverlag*: Lektor(in) **4.** *Film, TV*: Cutter(in)

editorial[1] [,edɪ'tɔːrɪəl] *in Zeitung*: Leitartikel

editorial[2] [,edɪ'tɔːrɪəl] **editorial office** Redaktion, *in Buchverlag*: Lektorat; **editorial work** Redaktionsarbeit, *in Buchverlag*: Lektorentätigkeit

EDP [,iːdiː'piː] (*Abk. für* **e**lectronic **d**ata **p**rocessing) elektronische Datenverarbeitung, EDV

educate ['edjʊkeɪt] *bes. schulisch*: ausbilden; **she was educated at Summerhill** sie ging in Summerhill zur Schule

educated ['edjʊkeɪtɪd] *Person*: gebildet

education [,edjʊ'keɪʃn] **1.** *an Schule usw.*: Ausbildung; **compulsory education** allgemeine Schulpflicht **2.** (≈ *kulturelles Wissen*) Bildung, Bildungsstand; **general education** Allgemeinbildung **3.** *System*: Bildungswesen, Schulwesen **4.** *Studienfach*: Erziehungswissenschaft, Pädagogik

educational [,edjʊ'keɪʃnəl] **1.** pädagogisch; **educational film** Lehrfilm **2.** *Erfahrung usw.*: lehrreich **3.** *Bildungs...*; **educational level** (*oder* **standard**) Bildungsniveau

edutainment [,edjʊ'teɪnmənt] Edutainment (*Zusammensetzung aus* **edu**cation *und* enter**tainment**, *Oberbegriff für elektronische Medien, die auf unterhaltsame Weise Wissen vermitteln*)

eel [iːl] *Fisch*: Aal

eerie ['ɪərɪ] unheimlich, *Schrei usw.*: schaurig

effect [ɪ'fekt] *allg.*: Wirkung, Effekt (**on** auf); **the effects of acid rain on the forests** die Auswirkungen des sauren Regens auf die Wälder

effective [ɪ'fektɪv] **1.** *Medikament, Werbung usw.*: wirksam, wirkungsvoll, effektiv **2.** (≈ *real*) tatsächlich, effektiv

effervescent [,efə'vesnt] **1.** *vor Begeisterung*: überschäumend **2.** **effervescent powder** Brausepulver; **effervescent tablets** Brausetabletten

efficacious [,efɪ'keɪʃəs] *Methode usw.*: wirksam

efficiency [ɪ'fɪʃnsɪ] *von Person, Organisation, Produktion usw.*: Effizienz, Leistungsfähigkeit, rationale Arbeitsweise

efficient [ɪ'fɪʃnt] *Person, Organisation, Produktion usw.*: effizient, leistungsfähig, rationell

effort ['efət] **1.** *körperlich oder geistig*: Anstrengung, Mühe; **make an effort** sich bemühen, sich anstrengen; **make every effort** sich alle Mühe geben; **without effort** mühelos **2.** (≈ *Bemühen, etwas zu tun*) Versuch; **let's make one last effort** versuchen wir es ein letztes Mal

effortless ['efətləs] mühelos

effusive [ɪ'fjuːsɪv] *Begrüßung usw.*: überschwänglich

eg, *bes. AE* **e.g.** [,iː'dʒiː] (*Abk. für* exempli gratia = **for example**) z.B.

egg [eg] *allg.*: Ei; **fried eggs** Spiegeleier; **scrambled egg(s)** Rührei; **put all one's eggs in one basket** *übertragen* alles auf eine Karte setzen

eggcup ['egkʌp] Eierbecher

eggplant ['egplɑːnt] *AE* Aubergine

eggshell ['egʃel] Eierschale

egg timer ['eg,taɪmə] Eieruhr

ego ['iːgəʊ] **1.** *Psychologie*: Ich, Ego **2.** *umg.* Selbstwertgefühl, Selbstbewusstsein; **the new job will boost her ego** der neue Job wird ihr Selbstbewusstsein stärken; **what he needs is a boost for his ego** *auch*: was er braucht, ist ein Erfolgserlebnis

egoism ['iːgəʊɪzm], **egotism** ['egətɪzm] Egoismus

egoist ['iːgəʊɪst], **egotist** ['egətɪst] Egoist(in)

egoistic [,iːgəʊ'ɪstɪk], **egotistic** [,egə'tɪstɪk] egoistisch

Egypt ['iːdʒɪpt] Ägypten

Egyptian[1] [ɪ'dʒɪpʃn] ägyptisch

Egyptian[2] [ɪ'dʒɪpʃn] *Person*: Ägypter(in)

eight[1] [eɪt] acht

eight[2] [eɪt] **1.** *Buslinie, Spielkarte usw.*: Acht **2.** *Rudern*: Achter

eighteen[1] [,eɪ'tiːn] achtzehn

eighteen[2] [,eɪ'tiːn] *Buslinie usw.*: Achtzehn

eighth[1] [eɪtθ] achte(r, -s)

eighth[2] [eɪtθ] **1.** Achte(r, -s); **the eighth of May** der 8. Mai **2.** *Bruchteil*: Achtel

eighty[1] ['eɪtɪ] achtzig

eighty[2] ['eɪtɪ] Achtzig; **be in one's eighties** in den Achtzigern sein; **in the eighties** in den Achtzigerjahren (*eines Jahrhunderts*)

either ['aɪðə] **1.** *von zweien*: jede(r, -s), beide; **on either side** auf beiden Seiten; **I haven't seen either** ich habe beide nicht gesehen, ich habe keinen (von beiden) gesehen **2.** *als Alternative*: eine(r, -s), irgendeine(r, -s); **there are two keys on the table, take either** es liegen zwei Schlüssel auf dem Tisch, nimm einen davon **3.** **either ... or** entweder ... oder, *verneinend*: weder ... noch **4.** **'I don't know her.' - 'I don't either.'** „Ich kenne sie nicht." - „Ich auch nicht."

eject [ɪ'dʒekt] **1.** *in Flugzeug*: den Schleudersitz betätigen **2.** (*Maschine*) ausstoßen, auswerfen **3.** *formell* hinauswerfen (*Randalierer usw.*)

ejector seat [ɪ'dʒektə_siːt] Schleudersitz

eke out [ˌiːk'aʊt] **1.** strecken (*Vorräte usw.*) **2.** *eke out a living* sich (mühsam) durchschlagen

elaborate¹ [ɪ'læbərət] **1.** sorgfältig gearbeitet *oder* ausgeführt **2.** *Plan usw.*: ausgeklügelt **3.** *Muster usw.*: kompliziert **4.** *Festessen usw.*: üppig

elaborate² [ɪ'læbəreɪt] nähere Angaben machen, ins Detail gehen; *elaborate on* näher eingehen auf

elapse [ɪ'læps] (*Zeit*) vergehen, verstreichen

elastic¹ [ɪ'læstɪk] **1.** *allg.*: elastisch, dehnbar (*auch übertragen*) **2.** Gummi...; *elastic band* Gummiring, Gummiband

elastic² [ɪ'læstɪk] **1.** Gummiband **2.** *Material*: Gummi

elated [ɪ'leɪtɪd] begeistert (*at, by* von), in Hochstimmung

elbow¹ ['elbəʊ] *Körperteil*: Ellbogen

elbow² ['elbəʊ] *mit den Ellbogen*: stoßen, drängen (*auch übertragen*); *elbow someone out* jemanden hinausdrängen; *we elbowed our way through the crowd* wir bahnten uns unseren Weg durch die Menge, wir kämpften uns durch die Menge

elbow grease ['elbəʊ_griːs] *humorvoll* **1.** (≈ *Kraft*) Armschmalz **2.** Schufterei

elbow room ['elbəʊruːm] **1.** Ellbogenfreiheit **2.** *übertragen* Spielraum

elder¹ ['eldə] *Bruder, Schwester usw.*: ältere(r, -s)

elder

Elder und eldest werden bei Geschwistern und Kindern gebraucht. Universell einsetzbar sind older und oldest. Older und oldest können also ebenso bei Geschwistern und Kindern verwendet werden.

elder² ['eldə] *Pflanze*: Holunder

elderly¹ ['eldəlɪ] *höflich* (≈ *alt*) *an elderly lady* eine ältere Dame

elderly² ['eldəlɪ] (⚠ *nur im Pl. verwendet*) *the elderly* ältere Menschen

eldest ['eldɪst] *Bruder, Schwester usw.*: älteste(r, -s)

elect¹ [ɪ'lekt] *Politik usw.*: wählen; *she was elected chairperson* sie wurde zur Vorsitzenden gewählt

elect² [ɪ'lekt] *Politik usw.*: *the president elect* der gewählte *oder* zukünftige Präsident

election [ɪ'lekʃn] *Politik usw.*: Wahl; *election campaign* Wahlkampf

elector [ɪ'lektə] *Politik usw.*: Wähler(in)

electorate [ɪ'lektərət] *Politik*: Wähler *Pl.*, Wählerschaft

electric [ɪ'lektrɪk] **1.** *allg.*: elektrisch; *electric chair* elektrischer Stuhl; *electric current* elektrischer Strom; *electric shock* Stromschlag, *Medizin*: Elektroschock; *electric blanket* Heizdecke **2.** *übertragen*; *Wirkung einer Nachricht usw.*: elektrisierend **3.** *übertragen* spannungsgeladen (*Atmosphäre, Stimmung usw.*)

electrical [ɪ'ləktrɪkl] elektrisch, Elektro...; *electrical engineer* Elektroingenieur(in), *ohne Studium*: Elektrotechniker(in); *electrical engineering* Elektrotechnik

electrician [ɪˌlek'trɪʃn] Elektrotechniker(in), Elektriker(in)

electricity [ɪˌlek'trɪsətɪ] Elektrizität, Strom

electrify [ɪ'lektrɪfaɪ] **1.** *übertragen* elektrisieren (*Menschenmenge usw.*) **2.** elektrifizieren (*Bahnstrecke usw.*)

electron [ɪ'lektrɒn] *Physik*: Elektron; *electron microscope* Elektronenmikroskop

electronic [ɪˌlek'trɒnɪk] elektronisch; *electronic data processing* elektronische Datenverarbeitung

electronics [ɪˌlek'trɒnɪks] (⚠ *nur im Sg. verwendet*) Elektronik

elegance ['elɪgəns] Eleganz

elegant ['elɪgənt] *Person, Kleidung, Lösung eines Problems usw.*: elegant

element ['elɪmənt] **1.** *allg.*: Element **2.** *the elements Pl.* die Anfangsgründe (*einer Wissenschaft usw.*) **3.** (≈ *Umstand*) Faktor; *there's always an element of uncertainty* es gibt immer einen Unsicherheitsfaktor; *element of surprise* Überraschungselement; *an element of truth* ein Körnchen *oder* Fünkchen Wahrheit **4.** *be in one's element* in seinem Element sein; *be out of one's element* sich fehl am Platz fühlen **5.** *the elements Pl.* (≈ *Wetter*) die Elemente, die Naturkräfte

elementary [ˌelɪ'mentərɪ] **1.** *Tatsachen, Wissen*: grundlegend, elementar; *an elementary mistake* ein grober Fehler, ein Elementarfehler **2.** *Lehrbuch usw.*: elementar, Einführungs...; *elementary school* *AE* Grundschule **3.** *Chemie*,

Physik: Elementar...; **elementary parti-cle** Elementarteilchen

elephant ['elɪfənt] Elefant

elevated ['elɪveɪtɪd] **1.** erhöht; **elevated railway** (*oder AE* **railroad**) Hochbahn **2.** *Position, Stil usw.*: gehoben, *Gedanken*: erhaben

elevation [,elɪ'veɪʃn] **1.** Höhe (*über dem Meeresspiegel*) **2.** (Boden)Erhebung **3.** Beförderung, Erhebung (*in einen höheren Rang*)

elevator ['elɪveɪtə] *AE* Aufzug, Fahrstuhl

eleven[1] [ɪ'levn] elf

eleven[2] [ɪ'levn] *Buslinie usw.*: Elf (*auch Sport*: *Mannschaft aus elf Spielern*)

elevenses [ɪ'levnzɪz] *Pl. BE, umg.* zweites Frühstück

eleventh [ɪ'levnθ] elfte(r, -s); **at the eleventh hour** *übertragen* in letzter Minute

elf [elf] *Pl.*: **elves** [elvz] **1.** Elf, Elfe **2.** Kobold

eligible ['elɪdʒəbl] **1.** *für ein Amt, einen Posten usw.*: geeignet, infrage kommend (**for** für) **2.** *für staatliche Leistungen usw.*: berechtigt; **be eligible for social security** Anspruch auf Sozialhilfe haben; **be eligible to vote** wahlberechtigt sein **3.** **eligible bachelor** begehrter Junggeselle

eliminate [ɪ'lɪmɪneɪt] **1.** beseitigen, eliminieren (*Problem, Fehlerquelle usw.*) (**from** aus) **2.** (≈ *töten*) eliminieren **3.** *Sport*: ausschalten (*Gegner*); **be eliminated** ausscheiden

elimination [ɪl,ɪmɪ'neɪʃn] **1.** *von Problem, Fehlerquelle usw.*: Beseitigung, Eliminierung **2.** (≈ *Tötung*) Eliminierung **3.** *Sport*: Ausscheidung

elite [ɪ'liːt, eɪ'liːt] Elite; **the country's intellectual elite** die geistige Elite des Landes

elk [elk] *Hirschart*: Elch

elm [elm] *Baum*: Ulme

elongate ['iːlɒŋgeɪt] **1.** verlängern **2.** länger werden

elope [ɪ'ləʊp] (*junges Paar*) durchbrennen (*um zu heiraten*)

eloquence ['eləkwəns] Redegewandtheit

eloquent ['eləkwənt] redegewandt

else [els] **1.** *mst. in Fragen und Verneinungen*: sonst, weiter, außerdem; **who else was there?** wer war sonst noch da?; **no one else** sonst *oder* weiter niemand; **anything else?** sonst noch etwas?, *in Geschäft usw.*: darf es sonst noch etwas sein?; **what else can we do?** was können wir sonst noch tun?; **what else could I do?** was hätte ich sonst tun sollen? **2.** andere(r, -s); **that's something else** das ist etwas anderes; **everybody else** alle anderen; **someone else**

should do it jemand anders sollte es machen **3.** **or else** *drohend*: sonst, andernfalls; **you'd better go now, or else!** du gehst jetzt besser, andernfalls ...!

elsewhere [,els'weə] sonstwo, anderswo; **go and play elsewhere** geh und spiel woanders; **the restaurant was full, so we went elsewhere** das Restaurant war voll, deshalb gingen wir woandershin

elusive [ɪ'luːsɪv] **1.** *Dieb usw.*: schwer fassbar **2.** *Antwort*: ausweichend **3.** *Idee usw.*: schwer erfassbar

e-mail[1] ['iːmeɪl] (*Abk. für* **e**lectronic **mail**) *Computer*: E-Mail

e-mail[2] ['iːmeɪl] *Computer*: per E-Mail schicken, mailen **e-mail something to someone** jemandem etwas mailen

e-mail address ['iːmeɪl ə,dres] *Computer*: E-Mail-Adresse

emancipated [ɪ'mænsɪpeɪtɪd] *Person*: emanzipiert

emancipation [ɪ,mænsɪ'peɪʃn] *allg.*: Emanzipation

embargo [ɪm'bɑːgəʊ] *Pl.*: **embargoes** [ɪm'bɑːgəʊz] Embargo; **place** *oder* **put** *oder* **impose an embargo on a country** über ein Land ein Embargo verhängen

embark [ɪm'bɑːk] **1.** (*Passagiere von Schiff oder Flugzeug*) an Bord gehen **2.** *für Seereise*: an Bord gehen, sich einschiffen (**for** nach)

embarrass [ɪm'bærəs] in Verlegenheit bringen, verlegen machen

embarrassed [ɪm'bærəst] verlegen; **an embarrassed smile** ein verlegenes Lächeln; **I was embarrassed by the situation** die Situation war mir peinlich; **I'm so embarrassed!** das ist mir so peinlich!

embarrassing [ɪm'bærəsɪŋ] *Fragen, Situation usw.*: unangenehm, peinlich

embarrassment [ɪm'bærəsmənt] Verlegenheit; **be an embarrassment to someone** jemanden in Verlegenheit bringen, jemandem peinlich sein

embassy ['embəsɪ] *Politik*: Botschaft

embellish [ɪm'belɪʃ] **1.** verschönern, schmücken **2.** ausschmücken (*Erzählung usw.*)

embezzle [ɪm'bezl] veruntreuen, unterschlagen (*Geld*)

embezzlement [ɪm'bezlmənt] *von Geld*: Veruntreuung, Unterschlagung

embitter [ɪm'bɪtə] verbittern

emblem ['embləm] Emblem, Symbol; **national emblem** Hoheitszeichen

embody [ɪm'bɒdɪ] (*Person, Symbol usw.*) verkörpern (*Ideal, Idee usw.*)

embrace[1] [ɪm'breɪs] **1.** umarmen; **they embraced** (**each other**) sie umarmten sich **2.** (*Seminar, Sachgebiet usw.*) ein-

emoticons

Will man bestimmte Emotionen in einer E-Mail vermitteln, kann man sich der sogenannten „Emoticons" bedienen, auch „Smileys" genannt, die durch eine Tastenkombination erzeugt werden. Man muss den Kopf allerdings um 90 Grad nach links neigen, um sie richtig zu sehen. Hier eine kleine Auswahl:

:-)	glücklich	:-(	unglücklich, traurig; enttäuscht
:-))	sehr glücklich (aber auch Doppelkinn)	:-<	traurig, enttäuscht
		:-((	sehr unglücklich, sehr enttäuscht
:'-)	Weinen vor Freude	:'-(	Weinen
:-D	lautes Lachen	:-/	skeptisch; „nicht so gut"
;-)	Augenzwinkern	:-I	ernst; „finde ich nicht so komisch"
:-*	Küsschen	:-X	Lippen versiegelt
:-x	Küsschen		(auch dicker Kuss)
:-@	Schrei	:->	boshafte, ironische Bemerkung
:-o	überrascht; schockiert	+O:-)	der Papst

schließen, umfassen (*Aspekte, Details usw.*)

embrace² [ɪmˈbreɪs] Umarmung

embroidery [ɪmˈbrɔɪdərɪ] Stickerei(arbeit)

embryo [ˈembrɪəʊ] 1. (≈ *Fötus*) Embryo 2. *in embryo* *Plan, Projekt usw.*: im Entstehen *oder* Werden

emerald¹ [ˈemrəld] *Edelstein*: Smaragd

emerald² [ˈemrəld] *Farbe*: smaragdgrün

emerge [ɪˈmɜːdʒ] 1. auftauchen; *the moon emerged from behind the clouds* der Mond kam hinter den Wolken hervor 2. (*Tatsachen, Wahrheit*) sich herausstellen, herauskommen; *it emerged that ...* es stellte sich heraus, dass ...

emergency [ɪˈmɜːdʒənsɪ] Notlage; *in an emergency oder in case of emergency* im Notfall; *state of emergency* nach *Katastrophe*: Notstand, *politisch auch*: Ausnahmezustand; *emergency brake AE*; *Auto*: Handbremse; *emergency call* *Telefon*: Notruf; *emergency doctor* Notarzt, Notärztin; *emergency door oder emergency exit* Notausgang; *emergency landing* mit dem Flugzeug: Notlandung; *make an emergency landing* notlanden; *emergency room bes. AE*; *Krankenhaus*: Notaufnahme; *emergency telephone* Notrufsäule

emigrant [ˈemɪɡrənt] 1. Auswanderer 2. *bes. aus politischen Gründen*: Emigrant(in) (△ *Menschen, die ihr Land verlassen, weil sie dort verfolgt werden, werden häufiger refugees genannt*)

emigrate [ˈemɪɡreɪt] 1. auswandern 2. *bes. aus politischen Gründen*: emigrieren

emigration [ˌemɪˈɡreɪʃn] 1. Auswanderung 2. *bes. aus politischen Gründen*: Emigration

eminence [ˈemɪnəns] 1. (≈ *Ansehen*) Berühmtheit; *achieve eminence* hohes Ansehen erlangen (*as* als) 2. *His Emi-*

nence (≈ *Kardinal*) Seine Eminenz

eminent [ˈemɪnənt] *Persönlichkeit*: hoch angesehen, bedeutend

emission [ɪˈmɪʃn] 1. *von Abgasen, Schadstoffen usw.*: Emission, Ausstoß 2. *von Licht*: Ausstrahlung 3. *von Flüssigkeit, Lava usw.*: Ausströmen

emission-free [ɪˌmɪʃnˈfriː] *Auto usw.*: schadstofffrei

emit [ɪˈmɪt], *emitted, emitted* 1. ausstoßen (*Lava, Rauch usw.*) 2. ausstrahlen (*Licht, Wärme usw.*) 3. ausstoßen (*Schrei usw.*)

emoticon [ɪˈməʊtɪkɒn] *Computer*: Emoticon

emotion [ɪˈməʊʃn] Emotion, Gefühl

emotional [ɪˈməʊʃnəl] 1. *allg.*: emotional, gefühlsmäßig 2. *Charakter*: gefühlsbetont, empfindsam 3. *Film, Buch usw.*: gefühlvoll, rührselig

emperor [ˈempərə] Kaiser

emphasis [ˈemfəsɪs] *Pl.*: *emphases* [△ ˈemfəsiːz] 1. *in der Aussprache*: Betonung 2. *übertragen auch*: Schwerpunkt, Nachdruck; *place oder put emphasis on* hervorheben, unterstreichen; *with emphasis* nachdrücklich, mit Nachdruck

emphasize [ˈemfəsaɪz] nachdrücklich betonen, hervorheben, unterstreichen

emphatic [ɪmˈfætɪk] nachdrücklich, eindringlich

empire [ˈempaɪə] Reich, Imperium (*beide auch übertragen*); *the former British Empire* das ehemalige britische Weltreich; ☞ *Info S. 170*

employ [ɪmˈplɔɪ] 1. (*Arbeitgeber*) beschäftigen (*as* als); *our company employs nearly 1000 people* unsere Firma beschäftigt fast 1000 Leute 2. anwenden, gebrauchen (*Gewalt, bestimmte Methode usw.*)

Empire State Building

Das im Jahr 1931 eröffnete **Empire State Building** in New York war mit seinen 102 Stockwerken lange Zeit das höchste Gebäude der Welt. Von der 86. Etage aus kann man den Stadtteil Manhattan überblicken. Der Staat New York wird auch **Empire State** genannt, daher der Name für den Wolkenkratzer.

employee [ɪm'plɔiː] Arbeitnehmer(in), Angestellte(r), Arbeiter(in); **the employees** Pl. die Belegschaft

employer [ɪm'plɔiə] Arbeitgeber(in)

employment [ɪm'plɔimənt] Beschäftigung, Arbeit; **full employment** Vollbeschäftigung; **employment agency** in GB: Stellenvermittlung, private Arbeitsvermittlung

empower [ɪm'pauə] bevollmächtigen, ermächtigen

empress ['emprəs] Kaiserin

empties ['emptɪz] Pl. Flaschen usw.: Leergut

emptiness ['emptɪnəs] Leere (auch übertragen)

empty[1] ['emptɪ] **1.** allg.: leer (auch übertragen: Versprechungen, Worte usw.); **feel empty** sich innerlich leer fühlen, ugs. (≈ Hunger haben) Kohldampf schieben; **on an empty stomach** auf nüchternen Magen, mit nüchternem Magen **2.** Haus usw.: leer, leer stehend

empty[2] ['emptɪ] **1.** allg.: leeren (**into** in) **2.** ausräumen (Fach, Schublade usw.) **3.** austrinken (Tasse, Glas usw.)

empty-handed [,emptɪ'hændɪd] mit leeren Händen, unverrichteter Dinge

enable [ɪ'neɪbl] **1.** möglich machen, ermöglichen; **enable something to be done** es ermöglichen, dass etwas getan wird; **the inheritance enabled us to buy a house** die Erbschaft ermöglichte es uns, ein Haus zu kaufen **2.** Recht: berechtigen, ermächtigen (**to do** zu tun)

enact [ɪ'nækt] **1.** juristisch: erlassen (Gesetz) **2.** Theater: aufführen (Stück) **3.** Theater: spielen (Rolle)

enamel[1] [△ ɪ'næml] **1.** auf Ton, Metall usw.: Email, Emaille **2.** auf Holz, Fliesen: Glasur **3.** Zahnschmelz

enamel[2] [△ ɪ'næml], **enamelled, enamelled**, AE **enameled, enameled** emaillieren

enchant [ɪn'tʃɑːnt] (Anblick, reizende Person usw.) bezaubern, entzücken; **be enchanted** entzückt sein (**by, with** von)

enchanting [ɪn'tʃɑːntɪŋ] bezaubernd, entzückend

encircle [ɪn'sɜːkl] umgeben; **encircled by** oder **with** umgeben von; **the inner city is encircled by a broad ring road** die Innenstadt ist von einer breiten Ringstraße umschlossen

enclose [ɪn'kləuz] **1.** (≈ einsperren) einschließen (**in** in) **2.** (≈ einfassen) umgeben (**in** mit) **3.** in Brief, Paket: beilegen, beifügen (**in, with**; dt. Dativ); **please find enclosed …** in der Anlage erhalten Sie …

enclosure [ɪn'kləuzə] Anlage (zu einem Brief usw.)

encore [△ 'ɒŋkɔː] nach Konzert: Zugabe

encounter[1] [ɪn'kauntə] **1.** stoßen auf (Probleme, Widerstand usw.) **2.** treffen auf, stoßen auf (Gegner, Feind)

encounter[2] [ɪn'kauntə] **1.** Begegnung (**of, with** mit) **2.** feindlich: Zusammenstoß

encourage [ɪn'kʌrɪdʒ] **1.** ermutigen, ermuntern (**to** zu); **she encouraged me not to give up** sie ermutigte mich, nicht aufzugeben **2.** bei einem Vorhaben: unterstützen, bestärken

encouragement [ɪn'kʌrɪdʒmənt] **1.** Ermutigung, Ermunterung **2.** von Vorhaben: Unterstützung, Bestärkung

encyclopaedia, encyclopedia [ɪn,saɪklə'piːdiə] Enzyklopädie

Encyclopaedia Britannica

Die berühmteste und umfangreichste englischsprachige Enzyklopädie ist die **Encyclopaedia Britannica**. In Buchform besteht sie aus etwa 40 Bänden.

end[1] [end] **1.** (≈ zu Ende gehen) enden, aufhören; **World War I ended in 1918** der Erste Weltkrieg ging 1918 zu Ende **2.** (≈ zu Ende bringen) beenden; **after six months she ended the affair** nach sechs Monaten beendete sie die Affäre

end in ['end ˌɪn] **end in disaster** Ehe, Vorhaben usw.: mit einem Fiasko enden; **it'll all end in tears** es wird Tränen geben! (Warnung an Kinder)

end up [,end'ʌp] umg. enden, landen; **if he goes on like this he'll end up in hospital** wenn er so weitermacht, landet er im Krankenhaus; **we wanted to see a film, but we ended up going to the pub** eigentlich wollten wir einen Film anschauen, aber schließlich gingen wir doch in die Kneipe

end[2] [end] **1.** räumlich: Ende; **we joined**

the end of the queue wir stellten uns am Ende der Schlange an 2. *zeitlich*: Ende; *in the end* am Ende, schließlich; *at the end of May* Ende Mai 3. *übertragen* Ende, Schluss; *at the end of the film* am Schluss des Films; *read a book to the end* ein Buch bis zum Ende lesen; *come oder draw to an end* zu Ende gehen; *the news put an end to all his hopes* die Nachricht setzte allen seinen Hoffnungen ein Ende; *come to a bad end* ein schlimmes Ende nehmen 4. (≈ *Tod*) Ende 5. *auch ends Pl.* Absicht, Zweck, Ziel; *the end justifies the means* der Zweck heiligt die Mittel; *to this end* zu diesem Zweck; *as an end in itself* als Selbstzweck; *he tried everything to achieve his own ends* er versuchte alles, um sein Ziel zu erreichen 6. *in Wendungen*: *go off at the deep end* umg. hochgehen, wütend werden; *make (both) ends meet* durchkommen, finanziell über die Runden kommen; *at the end of the day* schließlich und endlich; *you are the (absolute) end!* negativ: du bist (wirklich) der *oder* die *oder* das Letzte!

endanger [ɪn'deɪndʒə] gefährden; *whales are an endangered species* Wale gehören zu den bedrohten Arten

endearing [ɪn'dɪərɪŋ] 1. *Lächeln usw.*: gewinnend 2. *Eigenschaft usw.*: liebenswert

endearment [ɪn'dɪəmənt] *term of endearment* Kosewort

endeavour[1], *AE* endeavor [△ ɪn'devə] bemüht *oder* bestrebt sein

endeavour[2], *AE* endeavor [△ ɪn'devə] Bemühung, Bestrebung

ending ['endɪŋ] 1. *von Geschichte, Film*: Ende, Schluss; *happy ending* Happyend 2. *eines Wortes*: Endung

endless ['endləs] *allg.*: endlos

endurance [ɪn'djʊərəns] Ausdauer, Durchhaltevermögen

endure [ɪn'djʊə] 1. (*Freundschaft, Brauch usw.*) andauern, Bestand haben 2. aushalten, ertragen, erdulden (*Schmerz, Leid usw.*)

end user ['end,juːzə] *Wirtschaft*: Endverbraucher(in)

enemy ['enəmɪ] Feind, Gegner (*auch militärisch*); *make an enemy of someone* sich jemanden zum Feind machen

energetic [,enə'dʒetɪk] 1. *Person*: energiegeladen, aktiv 2. *Manager, Politiker usw.*: tatkräftig 3. *Einsatz für oder gegen etwas*: energisch

energy ['enədʒɪ] *allg.*: Energie; *energy-saving* energiesparend; *energy crisis* Energiekrise

engage [ɪn'geɪdʒ] engagieren (*Künstler usw.*)

engaged [ɪn'geɪdʒd] 1. *get engaged* sich verloben (*to* mit); *engaged to be married* verlobt 2. beschäftigt (*in, on* mit); *be engaged in doing something* damit beschäftigt sein, etwas zu tun 3. *sorry, but I'm otherwise engaged* tut mir leid, aber ich habe schon etwas anderes vor 4. *Toilette, Telefon*: besetzt; *engaged tone Telefon*: Besetztzeichen

engagement [ɪn'geɪdʒmənt] 1. Verlobung (*to* mit); *engagement ring* Verlobungsring 2. Termin, Verabredung; *have an engagement* verabredet sein 3. *von Künstler*: Engagement, Auftritt

engaging [ɪn'geɪdʒɪŋ] *Wesen usw.*: einnehmend, *Lächeln usw.*: gewinnend

engine ['endʒɪn] 1. *von Auto, Flugzeug usw.*: Motor; *petrol engine* Benzinmotor; *engine oil* Motoröl 2. *von Schiff*: Maschine 3. *von Zug*: Lokomotive

engineer [,endʒɪ'nɪə] 1. *mit Studium*: Ingenieur(in); *mechanical engineer* Maschinenbauingenieur 2. *ohne Studium*: Techniker(in), Mechaniker(in) 3. *AE* Lokomotivführer

engineering [,endʒɪ'nɪərɪŋ] Ingenieurwesen; *mechanical engineering* Maschinenbau

England ['ɪŋglənd] England; ☞ *Karte S. 293*

English[1] ['ɪŋglɪʃ] englisch

English[2] ['ɪŋglɪʃ] *Sprache*: Englisch; *in English* auf Englisch; *in plain English etwa*: auf gut Deutsch; *the Queen's oder King's English* hochsprachliches Englisch

English[3] ['ɪŋglɪʃ] *the English Pl.* die Engländer

Englishman ['ɪŋglɪʃmən] *Pl.*: *Englishmen* ['ɪŋglɪʃmən] Engländer

Englishwoman ['ɪŋglɪʃ,wʊmən] *Pl.*: *Englishwomen* ['ɪŋglɪʃ,wɪmɪn] Engländerin

engrave [ɪn'greɪv] 1. *in Metall, Stein*: eingravieren, *in Holz*: einschnitzen (*on* in) 2. *it's engraved on (oder in) his memory* es hat sich ihm tief eingeprägt

enigma [ɪ'nɪgmə] (≈ *Geheimnis*) Rätsel

enigmatic [,enɪg'mætɪk] rätselhaft

enjoy [ɪn'dʒɔɪ] 1. Freude haben an; *enjoy doing something* daran Vergnügen finden, etwas zu tun; *I enjoy dancing* ich tanze gern, Tanzen macht mir Spaß; *did you enjoy the book?* hat dir das Buch gefallen? 2. *enjoy oneself* sich amüsieren, Spaß haben; *enjoy yourself!* viel Spaß! 3. genießen (*Urlaub, Freizeit usw.*) 4. sich schmecken lassen (*Mahlzeit, Getränk usw.*); *enjoy your meal* guten Appetit! (*wird oft von Kellnerinnen und Kellnern gesagt*)

enjoyable [ɪn'dʒɔɪəbl] **1.** *Arbeit, Abend usw.*: angenehm, schön **2.** *Film, Buch usw.*: unterhaltsam

enjoyment [ɪn'dʒɔɪmənt] Vergnügen, Freude (*of* an)

enlarge [ɪn'lɑːdʒ] vergrößern (*auch Foto*)

enlargement [ɪn'lɑːdʒmənt] Vergrößerung (*auch Foto*)

enlightenment [ɪn'laɪtnmənt] Aufklärung; *the Age of Enlightenment* das Zeitalter der Aufklärung

enmity ['enmɪtɪ] Feindschaft

enormous [ɪ'nɔːməs] *Größe, Menge*: enorm, ungeheuer, gewaltig

enough [ɪ'nʌf] **1.** genug, genügend; *be enough* (aus)reichen, genügen; *is there enough sugar?* ist genügend Zucker da?; *i've had enough, thank you* beim *Essen*: danke, ich bin satt!; *enough of that! oder that's enough!* verärgert: genug davon!, Schluss damit! **2.** *he was kind* (*bzw. good*) *enough to do it for me* er hat es freundlicherweise für mich erledigt; *strangely enough* merkwürdigerweise

enquire [ɪn'kwaɪə] → *inquire*

enquiry [ɪn'kwaɪərɪ] → *inquiry*

enraged [ɪn'reɪdʒd] wütend, aufgebracht (*at, by* über)

enraptured [ɪn'ræptʃəd] hingerissen, entzückt (*by* von)

enrich [ɪn'rɪtʃ] **1.** bereichern (*auch übertragen*) **2.** *chemisch*: anreichern (*mit Nährstoffen usw.*)

enrol, *bes. AE* **enroll** [ɪn'rəʊl], *enrolled, enrolled* **1.** *in Teilnehmerliste usw.*: einschreiben, eintragen (*Namen, Teilnehmer usw.*) **2.** *für einen Kurs usw.*: sich einschreiben; *enrol for a course* einen Kurs belegen

ensemble [ɒn'sɒmbl] **1.** *von Gebäudekomplex usw.*: Gesamteindruck **2.** *Musik*: Ensemble

ensue [ɪn'sjuː] folgen, sich ergeben (*from* aus)

ensuing [ɪn'sjuːɪŋ] *the ensuing years* die (darauf) folgenden Jahre

ensure [ɪn'ʃʊə] sicherstellen, gewährleisten; *could you ensure that ...* könntest du dafür sorgen, dass ...?

entail [ɪn'teɪl] mit sich bringen, zur Folge haben

enter ['entə] **1.** *in einen Raum usw.*: hineingehen, *von innen gesehen*: hereinkommen **2.** betreten (*Raum, Gebäude*) **3.** einreisen in (*Land*) **4.** (*Schiff*) einlaufen in (*Hafen*) **5.** (*Zug*) einfahren in (*Bahnhof*) **6.** *übertragen* eintreten in (*Militär usw.*);

after university he wants to enter politics nach dem Studium will er in die Politik (gehen) **7.** *in Liste*: eintragen, einschreiben (*Namen usw.*) **8.** *Theater*: auftreten; *enter Hamlet* Hamlet tritt auf **9.** *in Computer*: eingeben (*Daten, Befehle usw.*); *enter key* Enter-Taste

enter into ['entər ˌɪntʊ] **1.** anfangen, beginnen (*Debatte, Diskussion usw.*); *enter into correspondence with* in Briefwechsel treten mit **2.** eingehen (*Verpflichtung, Partnerschaft, Ehe usw.*)

enter key ['entə ˌkiː] *Computer*: Eingabetaste, Enter-Taste

enterprise ['entəpraɪz] **1.** (≈ *Projekt*) Unternehmen **2.** *Firma*: Unternehmen, Betrieb **3.** *von Person*: Unternehmungsgeist

enterprising ['entəpraɪzɪŋ] *Person*: unternehmungslustig

entertain [ˌentə'teɪn] **1.** (≈ *amüsieren*) unterhalten **2.** bewirten (*Gäste*) **3.** in Betracht *oder* Erwägung ziehen (*Vorschlag usw.*); *entertain an idea* sich mit einem Gedanken tragen

entertainer [ˌentə'teɪnə] Entertainer(in), Unterhaltungskünstler(in)

entertaining [ˌentə'teɪnɪŋ] unterhaltend, unterhaltsam

entertainment [ˌentə'teɪnmənt] **1.** Unterhaltung; *the world of entertainment* die Unterhaltungsbranche, die Welt des Showbusiness; *entertainment industry* Unterhaltungsindustrie; *entertainment tax* Vergnügungssteuer **2.** *öffentliche Darbietung*: Unterhaltungsshow **3.** *I paint for my own entertainment* ich male nur so zu meinem Vergnügen

enthusiasm [ɪn'θjuːzɪæzm] Enthusiasmus, Begeisterung (*for* für; *about* über)

enthusiast [ɪn'θjuːzɪæst] Enthusiast(in); *she's a basketball enthusiast* sie ist eine begeisterte Basketballerin

enthusiastic [ɪnˌθjuːzɪ'æstɪk] begeistert (*about, over* von), enthusiastisch

entice [ɪn'taɪs] **1.** locken (*into* in); *entice away* weglocken (*from* von) **2.** verleiten, verführen

enticing [ɪn'taɪsɪŋ] verlockend, verführerisch

entire [ɪn'taɪə] *allg.*: ganz, komplett; *he took the entire week off* er nahm die ganze Woche frei; *there are only three hospitals in the entire country* im gesamten Land gibt es nur drei Krankenhäuser

entirely [ɪn'taɪəlɪ] völlig, gänzlich; *that's an entirely different matter* das ist etwas ganz anderes; *it's entirely up to you* es liegt ganz bei dir; *I'm not entirely happy with their plans* ich bin über ihre Pläne nicht unbedingt glücklich

entitle [ɪn'taɪtl] **1.** betiteln (*Buch usw.*); *a film entitled ...* ein Film mit dem Titel ... **2.** berechtigen (*to* zu); *be entitled to ...* ein Anrecht *oder* (einen) Anspruch haben auf ...; *be entitled to do something* (dazu) berechtigt sein *oder* das Recht haben, etwas zu tun; *entitled to vote* wahlberechtigt

entrance ['entrəns] **1.** *Tür, Tor usw.*: Eingang; *entrance hall Hotel usw.*: Eingangshalle, *Haus*: Hausflur **2.** *von Person*: Eintreten **3.** *an Schule, Universität usw.*: Aufnahme; *entrance exam* Aufnahmeprüfung **4.** *zu Veranstaltung usw.*: Einlass, Eintritt; *entrance fee* Eintrittsgeld, *in Verein usw.*: Aufnahmegebühr **5.** *am Theater*: Auftritt; *make one's entrance* auftreten

entrant ['entrənt] **1.** Berufsanfänger(in) (*to* in) **2.** *bei Wettbewerb*: Teilnehmer(in)

entree ['ɒntreɪ] *AE* Hauptgericht

entrepreneur [ˌɒntrəprə'nɜː] *Wirtschaft*: Unternehmer(in)

entrust [ɪn'trʌst] **1.** anvertrauen (*Wertgegenstände, Kind usw.*) (*to someone* jemandem) **2.** *entrust someone with a task* jemanden mit einer Aufgabe betrauen

entry ['entrɪ] **1.** *Tür, Tor usw.*: Eingang, Einfahrt **2.** *von Person*: Eintreten **3.** *in ein Land*: Einreise; *entry visa* Einreisevisum **4.** *Theater*: Auftritt **5.** *zu Verein usw.*: Beitritt (*into* zu) **6.** Einlass, Zutritt; *gain oder obtain entry* Einlass finden; *no entry!* Zutritt verboten **7.** *in Telefonbuch usw.*: Eintrag **8.** *in Wörterbuch*: Stichwort

entryphone ['entrɪfəʊn] Türsprechanlage

enumerate [ɪ'njuːməreɪt] aufzählen

envelop [△ ɪn'veləp] **1.** einwickeln, (ein-)hüllen; *he was enveloped in a woollen blanket* er war in eine Wolldecke gehüllt **2.** *übertragen* verhüllen, einhüllen; *enveloped in fog* vom Nebel eingehüllt

envelope ['envələʊp] **1.** *für Briefe usw.*: Briefumschlag, Kuvert **2.** *allg.*: Hülle

enviable ['envɪəbl] beneidenswert

envious ['envɪəs] neidisch (*of* auf); *an envious look* ein neidischer Blick

environment [ɪn'vaɪrənmənt] **1.** (≈ Ökosystem) Umwelt **2.** (≈ Lebensumstände) Umfeld, Umgebung, Milieu

environmental [ɪnˌvaɪrən'mentl] Umwelt...; *environmental compatibility* Umweltverträglichkeit; *environmental pollution* Umweltverschmutzung; *environmental protection* Umweltschutz

environmentalist [ɪnˌvaɪrən'mentlɪst] Umweltschützer(in)

environmentally friendly [ɪnˌvaɪrən'mentlɪ ˌfrendlɪ] umweltfreundlich

environs [ɪn'vaɪrənz] *Pl.* Umgebung (*eines Ortes usw.*)

envy¹ ['envɪ] Neid (*of* auf); *his car is the envy of all his friends* alle seine Freunde beneiden ihn um seinen Wagen

envy² ['envɪ] beneiden; *I don't envy you this job* ich beneide dich nicht um diese Aufgabe

ephemeral [ɪ'femərəl] *Mode, Trend usw.*: flüchtig, kurzlebig

epicentre, *AE* **epicenter** ['epɪˌsentə] *von Erdbeben*: Epizentrum

epidemic [ˌepɪ'demɪk] *Medizin*: Epidemie, Seuche (*beide auch übertragen*)

Epiphany [ɪ'pɪfənɪ] Dreikönigsfest

episode ['epɪsəʊd] **1.** *allg.*: Episode **2.** *Rundfunk, TV usw.*: Folge

epitaph ['epɪtɑːf] Grabinschrift

epoch ['iːpɒk] Epoche

equal¹ ['iːkwəl] **1.** *allg.*: gleich; *be equal to* gleichen, gleich sein; *a pint is roughly equal to half a litre* ein Pint entspricht in etwa einem halben Liter; *equal opportunities Pl.* Chancengleichheit; *equal rights for women* die Gleichberechtigung der Frau; *equal in size oder of equal size* (von) gleicher Größe, gleich groß **2.** *be equal to a task* einer Aufgabe gewachsen sein **3.** *in Qualität, Leistung usw.*: ebenbürtig (*to*; *dt. Dativ*), gleichwertig **4.** *be on equal terms with someone* mit jemandem auf gleicher Stufe stehen

equal² ['iːkwəl] Gleichgestellte(r); *your equals Pl.* deinesgleichen

equal³ ['iːkwəl], *equalled, equalled*, *AE equaled, equaled*; *-ing-Form equalling*, *AE equaling* **1.** gleichen, gleichkommen (*in* an) **2.** *Sport*: einstellen (*Rekord*)

equality [ɪ'kwɒlətɪ] *allg.*: Gleichheit

equalize ['iːkwəlaɪz] **1.** *in Wert, Größe, Menge usw.*: gleichmachen, angleichen **2.** *BE; Fußball usw.*: ausgleichen

equalizer ['iːkwəlaɪzə] *BE; beim Fußball usw.*: Ausgleich, Ausgleichstor

equally ['iːkwəlɪ] **1.** gleich; *equally expensive* gleich teuer **2.** ebenso; *he's equally stupid* er ist genauso dumm **3.** *aufteilen, verteilen*: gleichmäßig

equals sign ['iːkwəlz ˌsaɪn] *Mathematik*: Gleichheitszeichen

equation [ɪ'kweɪʒn] *Mathematik*: Gleichung

equator [ɪ'kweɪtə] *Geographie*: Äquator

equatorial [△ ˌekwə'tɔːrɪəl] äquatorial, Äquatorial...

equestrian [ɪˈkwestrɪən] Reit…, Reiter…; *equestrian sports Pl.* Reitsport, Pferdesport

equinox [ˈiːkwɪnɒks] Tagundnachtgleiche

equip [ɪˈkwɪp] *, equipped, equipped* 1. ausrüsten (*Expedition, Schiff usw.*) 2. ausstatten (*Werkstatt, Küche, Labor usw.*) 3. *übertragen*; *mit Wissen usw.*: das (nötige) Rüstzeug geben (*for* für); *be well equipped for* das nötige Rüstzeug haben für

equipment [ɪˈkwɪpmənt] 1. *von Schiff usw.*: Ausrüstung 2. *von Labor usw.*: Ausstattung; *office equipment* Büroeinrichtung 3. *übertragen*; *Wissen usw.*: (geistiges *oder* nötiges) Rüstzeug

equivalent[1] [ɪˈkwɪvələnt] 1. gleichbedeutend (*to* mit) 2. gleichwertig

equivalent[2] [ɪˈkwɪvələnt] (genaue) Entsprechung (*of* zu)

ER [ˌiːˈɑːr] (*Abk. für* **E**mergency **R**oom) *AE Krankenhaus*: Notaufnahme

era [△ ˈɪərə] Ära, Zeitalter

eradicate [ɪˈrædɪkeɪt] ausrotten

erase [ɪˈreɪz] 1. ausstreichen, ausradieren (*Schrift usw.*) 2. *Computer*: löschen (*Daten*) 3. *erase something from one's memory* etwas aus dem Gedächtnis streichen

eraser [ɪˈreɪzə] Radiergummi

erect[1] [ɪˈrekt] 1. aufrichten (*Mast, Gerüst usw.*) 2. errichten (*Gebäude usw.*) 3. aufstellen (*Zelt usw.*)

erect[2] [ɪˈrekt] 1. aufgerichtet, aufrecht; *with head erect* erhobenen Hauptes 2. *Penis*: erigiert

erection [ɪˈrekʃn] 1. *von Gebäude*: Errichtung 2. *von Penis*: Erektion

ergonomic [ˌɜːɡəˈnɒmɪk] ergonomisch

ergonomics [ˌɜːɡəˈnɒmɪks] (△ *im Sg. verwendet*) Ergonomie

erosion [ɪˈrəʊʒn] 1. *durch Wasser und Wind*: Erosion 2. *von Selbstbewusstsein, Freiheitsrechten usw.*: Aushöhlung

erotic [ɪˈrɒtɪk] erotisch

eroticism [ɪˈrɒtɪsɪzm] Erotik

errand [ˈerənd] Botengang, Besorgung; *go on oder run an errand* einen Botengang *oder* eine Besorgung machen

erratic [ɪˈrætɪk] sprunghaft, unberechenbar

erroneous [ɪˈrəʊnɪəs] irrig, falsch; *erroneous belief* Irrglaube

error [ˈerə] 1. Fehler; *grave error* schwerer Fehler; *human error* menschliches Versagen 2. Irrtum, Versehen; *be in error* im Irrtum sein, sich im Irrtum befinden; *error of judgement* Fehleinschätzung, falsche Beurteilung; ☞ *Info unter dt.* **Fehler**

error message [ˈerə‿mesɪdʒ] *Computer*: Fehlermeldung

erupt [ɪˈrʌpt] 1. (*Vulkan, Krieg usw.*) ausbrechen; *erupt in anger* einen Wutanfall bekommen 2. (*Pickel, Hautausschlag*) sich plötzlich ausbreiten

eruption [ɪˈrʌpʃn] 1. *von Vulkan usw.*: Ausbruch 2. *auf Haut*: Ausschlag

escalate [ˈeskəleɪt] 1. (*Krieg, Konflikt usw.*) eskalieren 2. eskalieren lassen (*Krieg, Konflikt usw.*) 3. (*Preise, Kosten usw.*) steigen, in die Höhe gehen

escalation [ˌeskəˈleɪʃn] Eskalation

escalator [ˈeskəleɪtə] Rolltreppe

escalope [ˈeskəlɒp] *zum Essen*: Schnitzel

escape[1] [ɪˈskeɪp] 1. fliehen, entfliehen, entkommen (*from* aus *oder Dativ*) 2. einer Strafe, einem Schicksal: entgehen; *you can't escape the fact that …* es lässt sich nicht leugnen, dass … 3. *dem Gedächtnis*: entfallen; *his name escapes me* sein Name ist mir entfallen 4. sich retten (*from* vor); *she escaped with her life* sie kam mit dem Leben davon 5. (*Flüssigkeit*) ausfließen 6. (*Gas*) entweichen, ausströmen (*from* aus)

escape[2] [ɪˈskeɪp] 1. Entkommen, Flucht; *have a narrow oder near escape* mit knapper Not davonkommen *oder* entkommen; *that was a narrow escape!* das war knapp! 2. *an escape from reality* Drogen, Alkohol usw.: eine Flucht vor der Realität 3. *von Gas, Flüssigkeiten*: Entweichen, Ausströmen

escape chute [ɪˈskeɪp‿ʃuːt] *im Flugzeug*: Notrutsche

escape key [ɪˈskeɪp‿kiː] *Computer*: Escape-Taste

escort[1] [ˈeskɔːt] 1. *mst. militärisch*: Eskorte, Geleitschutz 2. *zu offiziellem Anlass*: Begleiter(in)

escort[2] [ɪˈskɔːt] 1. *militärisch*: eskortieren, Geleitschutz geben 2. *mst. zu offiziellem Anlass*: begleiten

especially [ɪˈspeʃlɪ] besonders, hauptsächlich; *this holiday resort is very expensive, especially in summer* dieser Ferienort ist sehr teuer, vor allem im Sommer

espionage [△ ˈespɪənɑːʒ] Spionage

essay [ˈeseɪ] Essay, *bes. in der Schule*: Aufsatz

essence [ˈesns] 1. *von Buch, Theorie usw.*: Wesentliche(s), Kern; *in essence* im Wesentlichen 2. *aus Pflanzen, Fleisch gewonnen*: Essenz, Extrakt

essential[1] [ɪˈsenʃl] 1. (≈ *unverzichtbar*) wesentlich, unentbehrlich (*to* für) 2. *Bestandteil von etwas*: wesentlich, grundlegend

essential[2] [ɪˈsenʃl] **1.** *mst.* **essentials** *Pl.* Wesentliche(s), Notwendigste(s); **be an essential** lebensnotwendig sein **2.** **the essentials of French grammar** die Grundlagen der französischen Grammatik

essentially [ɪˈsenʃlɪ] im Wesentlichen

establish [ɪˈstæblɪʃ] **1.** gründen (*Firma*) **2.** beweisen, nachweisen (*Tatsache, Unschuld usw.*) **3.** einführen, erlassen (*Gesetz usw.*) **4.** aufstellen (*Rekord, Theorie*) **5.** bilden, einsetzen (*Ausschuss usw.*) **6.** (wieder)herstellen (*Frieden, Ordnung*) **7.** **establish oneself** beruflich usw.: sich etablieren; **establish one's reputation as ...** sich einen Namen machen als ...

establishment [ɪˈstæblɪʃmənt] **1.** *von Firma, Institution usw.:* Gründung, Bildung, Einführung **2.** **the Establishment** das Establishment

estate [ɪˈsteɪt] **1.** (≈ *Grundbesitz auf dem Land*) Landgut, Gut **2.** *BE* (≈ *bebautes Gebiet in der Stadt*) Siedlung; **housing estate** Wohnsiedlung; **industrial estate** Industriegebiet **3.** *Recht:* Besitz, Besitztümer

estate agent [ɪˈsteɪtˌeɪdʒənt] *BE* Grundstücksmakler(in), Immobilienmakler(in)

estate car [ɪˈsteɪtˌkɑː] *BE*; *Auto:* Kombi

esteem[1] [ɪˈstiːm] Achtung (**for** vor)

esteem[2] [ɪˈstiːm] achten, (hoch) schätzen

estimate[1] [ˈestɪmeɪt] schätzen, veranschlagen (*Preis, Kosten usw.*) (**at** auf); **estimated value** Schätzwert; **an estimated 200 people** schätzungsweise 200 Leute

estimate[2] [ˈestɪmət] Schätzung, Kostenvoranschlag; **rough estimate** grober Überschlag; **at a rough estimate** grob geschätzt

estimation [ˌestɪˈmeɪʃn] **1.** Einschätzung, Meinung; **in my estimation** nach meiner Ansicht **2.** *von Person:* Achtung, Wertschätzung

Estonia [eˈstəʊnɪə] Estland

Estonian[1] [eˈstəʊnɪən] estnisch

Estonian[2] [eˈstəʊnɪən] **1.** *Sprache:* Estnisch **2.** *Person:* Este, Estin

estuary [ˈestjʊrɪ] *von Fluss:* Mündung

eternal [ɪˈtɜːnl] **1.** (≈ *ohne Ende*) ewig **2.** *umg.* ewig, unaufhörlich (*Klagen, Gejammer usw.*)

eternity [ɪˈtɜːnətɪ] Ewigkeit (*auch übertragen*)

ethical [ˈeθɪkl] ethisch

ethics [ˈeθɪks] **1.** (△ *im Sg. verwendet*) Ethik (*auch Schulfach*) **2.** *auch* **professional ethics** *Pl.* Berufsethos

ethnic [ˈeθnɪk] **1.** ethnisch; **ethnic group** Volksgruppe **2.** *Kleidung usw.:* folkloris-

tisch **3.** **ethnic cleansing** (≈ *Völkermord*) ethnische Säuberung

etiquette [ˈetɪket] Etikette, Verhaltensregeln *Pl.*

EU [ˌiːˈjuː] (*Abk. für* **E**uropean **U**nion) EU

euphoria [juːˈfɔːrɪə] Euphorie

euphoric [juːˈfɒrɪk] euphorisch

euro [ˈjʊərəʊ] *Pl.:* **euros** *Währung:* Euro

euro banknote [ˈjʊərəʊˌbæŋknəʊt] Euroschein

euro cent [ˈjʊərəʊˌsent] Eurocent

Eurocheque [ˈjʊərəʊtʃek] Eurocheque; **Eurocheque card** Eurochequekarte

euro coin [ˈjʊərəʊˌkɔɪn] Euromünze

Eurocurrency [ˈjʊərəʊˌkʌrənsɪ] Eurowährung

euro note [ˈjʊərəʊˌnəʊt] Euroschein

Europe [ˈjʊərəp] Europa

European[1] [ˌjʊərəˈpiːən] europäisch; **European Union** Europäische Union; **European Commission** Europäische Kommission; **European Parliament** Europäisches Parlament; **European champion** *Sport:* Europameister(in); **European championship** *Sport:* Europameisterschaft

European[2] [ˌjʊərəˈpiːən] Europäer(in)

euthanasia [ˌjuːθəˈneɪzɪə] Sterbehilfe, Euthanasie

evacuate [ɪˈvækjʊeɪt] **1.** evakuieren (*Gebiet, Personen usw.*) **2.** *auch:* räumen (*Haus*)

evacuation [ɪˌvækjʊˈeɪʃn] **1.** *von Personen, Gebiet usw.:* Evakuierung **2.** *von Haus auch:* Räumung

evade [ɪˈveɪd] **1.** **evade a duty** usw. sich einer Pflicht usw. entziehen **2.** **evade taxes** Steuern hinterziehen **3.** **evade a question** einer Frage ausweichen

evaporate [ɪˈvæpəreɪt] **1.** verdampfen, verdunsten **2.** **evaporated milk** Kondensmilch **3.** (*Gefühl, Hoffnung usw.*) sich zerschlagen, sich in Luft auflösen

evasive [ɪˈveɪsɪv] *Antwort:* ausweichend; **be evasive** (≈ *nicht auf Fragen eingehen*) ausweichen

eve [iːv] **1.** *mst. in Zusammensetzungen:* **Christmas Eve** Heiligabend; **New Year's Eve** Silvester **2.** *übertragen* Vorabend; **on the eve of the final** am Vorabend des Endspiels

even[1] [ˈiːvn] **1.** *verstärkend:* sogar, selbst; **she works a lot, even at weekends** sie arbeitet viel, sogar am Wochenende; **not even he managed it** nicht einmal er schaffte es; **even as a child he was ...** schon als Kind war er ... **2.** **even if** *einschränkend:* sogar wenn, selbst wenn; **even if he were rich, ...** selbst wenn er reich wäre, ... **3. *even though he's on holiday, he's still working*** obwohl (*oder stärker*: trotzdem) er im Urlaub ist, arbeitet er weiter **4.** *mit Steigerungsformen*: sogar, noch; ***that's even better*** das ist (sogar) noch besser

even² ['iːvn] **1.** *Fläche*: eben, flach **2.** *Geschwindigkeit, Atmung usw.*: gleichmäßig **3.** *im Sport*: ausgeglichen (*Wettbewerb, Spielverlauf usw.*) **4. *now we're even*** jetzt sind wir quitt; ***get even with someone*** es jemandem heimzahlen **5.** *Zahl*: gerade

even out [ˌiːvn'aʊt] **1.** (ein)ebnen, glätten (*Oberfläche*) **2.** ausgleichen (*Unterschiede*) **3.** gleichmäßig verteilen (*Reichtum usw.*)
even up [ˌiːvn'ʌp] begleichen (*Rechnung usw.*)

evening ['iːvnɪŋ] Abend; ***in the evening*** abends, am Abend; ***this evening*** heute Abend; ***all evening*** den ganzen Abend lang; ***evenings*** *AE* abends
evening classes ['iːvnɪŋˌklɑːsɪz] *Pl.* Abendunterricht
evening dress ['iːvnɪŋ ˌdres] **1.** *einer Frau*: Abendkleid **2.** (≈ *Kleidung für festliche Anlässe*) Abendkleidung
event [ɪ'vent] **1.** (≈ *etwas Besonderes*) Ereignis; ***the biggest musical event of the year*** das größte musikalische Ereignis des Jahres; ***a happy event*** ein freudiges Ereignis (*Geburt*) **2.** (≈ *Geschehen*) Fall; ***in the event of my death*** im Falle meines Todes; ***at all events*** auf alle Fälle; ***before the event*** vorher, im Voraus; ***after the event*** hinterher, im Nachhinein **3.** *Sport*: Disziplin, Wettbewerb; ***the first event of the decathlon*** die erste Disziplin des Zehnkampfs
eventful [ɪ'ventfl] *Tag, Reise usw.*: ereignisreich
eventual [ɪ'ventʃʊəl] ***it caused his illness and eventual death*** es führte zu seiner Erkrankung und schließlich zu seinem Tode (△ *eventuell = possible*)
eventually [ɪ'ventʃʊəlɪ] schließlich, am Ende, letztendlich (△ *eventuell = possibly*)
ever ['evə] **1.** je, jemals; ***have you ever been to London?*** bist du schon einmal in London gewesen?; ***rarely if ever*** fast nie, so gut wie nie; ***it's worse than ever*** es ist schlimmer als je zuvor; ***I've never ever seen such a thing*** *umg.* ich habe so was wirklich noch nie gesehen **2.** immer; ***she said she would love me for ever*** sie sagte, sie würde mich immer lie-

ben; ***the ever-increasing unemployment figures*** die ständig ansteigende Arbeitslosenzahl **3. *ever so*** *bes. BE, umg.; verstärkend*: ***you're ever so kind*** das ist wirklich sehr nett von dir (*auch ironisch*); ***ever so many*** unendlich viele; ***thanks ever so much*** tausend Dank! **4. *ever since I was a child*** schon seit ich ein Kind war; ***he wrote his first big hit last summer and he's been in the charts ever since*** er schrieb seinen ersten großen Hit im letzten Sommer und ist seitdem ständig in den Hitparaden **5. *Yours ever, ...*** *Briefschluss*: Viele Grüße, dein(e) *oder* Ihr(e) ...
everlasting [ˌevə'lɑːstɪŋ] **1.** *bes. religiös*: ewig **2.** *übertragen* unaufhörlich **3.** unverwüstlich, unbegrenzt haltbar
evermore [ˌevə'mɔː] ***for evermore*** *literarisch* für immer
every ['evrɪ] **1.** jede(r, -s); ***every day*** jeden Tag, alle Tage; ***every five minutes*** alle fünf Minuten; ***every fourth day*** jeden vierten Tag; ***every other day*** jeden zweiten Tag **2.** *verstärkend*: ***her every wish*** jeder ihrer Wünsche, alle ihre Wünsche; ***every bit as much*** *umg.* ganz genauso viel; ***you've got every reason to be happy*** du hast allen Grund, dich zu freuen
everybody ['evrɪˌbɒdɪ] → *everyone*
everyday ['evrɪdeɪ] alltäglich, Alltags...; ***everyday language*** Alltagssprache, Umgangssprache; ***in everyday life*** im Alltag
everyone ['evrɪwʌn] jeder, alle; ***be on everyone's lips*** in aller Munde sein; ***to everyone's amazement*** zum allgemeinen Erstaunen; ***listen everyone!*** alles mal herhören!
everything ['evrɪθɪŋ] alles; ***everything else*** alles andere; ***in spite of everything*** trotz allem; ***everything all right?*** alles klar?; ***my son means everything to me*** *umg.* mein Sohn ist mein Ein und Alles; ***I don't like gardening and everything*** *umg.* ich arbeite nicht gern im Garten und so
everywhere ['evrɪweə] **1.** überall; ***I've looked everywhere for the book*** ich habe überall nach dem Buch gesucht **2.** überallhin; ***everywhere he goes*** wo er auch hingeht
evidence ['evɪdəns] **1.** *vor Gericht*: Beweis, Beweismaterial, Beweise *Pl.*; ***for lack of evidence*** aus Mangel an Beweisen **2.** *von Zeugen*: Aussage; ***give evidence*** aussagen (***for*** für; ***against*** gegen) **3.** *allg.*: Anzeichen, Spur (***of*** von *oder Genitiv*); ***there's no firm evidence of***

life on Mars es gibt keine festen Anzeichen für Leben auf dem Mars

evident ['evɪdənt] augenscheinlich, offensichtlich

evil¹ ['iːvl] **1.** *Person:* übel, böse, schlimm **2.** *evil day* Unglückstag; *the evil eye* der böse Blick

evil² ['iːvl] Übel, das Böse; *do evil* Böses tun; *the lesser of two evils* das kleinere von zwei Übeln

evoke [ɪ'vəʊk] **1.** hervorrufen (*Gefühle usw.*) **2.** wachrufen (*Erinnerungen*)

evolution [ˌiːvə'luːʃn] **1.** *allg.:* Entwicklung **2.** *Biologie:* Evolution; *the theory of evolution* die Evolutionstheorie

ex [eks] *umg.* (≈ *Ex-Partner, -in*) Verflossene(r), Ex

ex- [eks] *in Zusammensetzungen:* Ex..., ehemalig; *her ex-husband* ihr Exmann

exacerbate [ɪg'zæsəbeɪt] verschlimmern (*Schmerzen usw.*), verschärfen (*Situation*)

exact [ɪg'zækt] *allg.:* exakt, genau; *the exact opposite* das genaue Gegenteil

exacting [ɪg'zæktɪŋ] *Person, Arbeit:* anspruchsvoll; *be exacting* hohe Anforderungen stellen

exactly [ɪg'zæktlɪ] **1.** exakt, genau **2.** *'So you think I misunderstood her.' - 'Exactly!'* „Du glaubst also, ich hätte sie missverstanden." - „Genau!" **3.** *he's not exactly an Adonis ironisch:* er ist nicht gerade eine Schönheit **4.** *where exactly did you study in Scotland?* wo genau *oder* eigentlich hast du in Schottland studiert?

exaggerate [ɪg'zædʒəreɪt] übertreiben

exaggeration [ɪgˌzædʒə'reɪʃn] Übertreibung

exaltation [ˌegzɔːl'teɪʃn] Begeisterung

exalted [ɪg'zɔːltɪd] **1.** *Rang, Ideal usw.:* hoch **2.** begeistert

exam [ɪg'zæm] Examen, Prüfung; *take oder sit an exam* eine Prüfung machen; *pass* (*bzw.* *fail*) *an exam* eine Prüfung bestehen (*bzw.* nicht bestehen)

examination [ɪgˌzæmɪ'neɪʃn] **1.** Untersuchung (*auch medizinisch*), Überprüfung; *on closer examination* bei näherer Prüfung **2.** *an der Schule:* Prüfung **3.** *an der Universität:* Examen

examine [ɪg'zæmɪn] **1.** *allg.:* untersuchen (*auch medizinisch*), prüfen (*for* auf) **2.** *an der Schule:* prüfen (*on* über, in)

examinee [ɪgˌzæmɪ'niː] Prüfling, (Examens)Kandidat(in)

examiner [ɪg'zæmɪnə] Prüfer(in)

example [ɪg'zɑːmpl] **1.** Beispiel (*of* für); *for example* zum Beispiel **2.** (≈ *Ideal*) Vorbild, Beispiel; *set a good example* ein gutes Beispiel geben, mit gutem Bei-

spiel vorangehen **3.** warnendes Beispiel; *make an example of someone* an jemandem ein Exempel statuieren; *let this be an example to you* lass dir das eine Warnung sein

exasperate [ɪg'zæspəreɪt] wütend machen

exasperated [ɪg'zæspəreɪtɪd] wütend, aufgebracht (*at, by* über)

excavate ['ekskəveɪt] **1.** aushöhlen **2.** ausgraben, ausbaggern

excavation [ˌekskə'veɪʃn] Ausgrabung; *excavation site* Ausgrabungsstätte

excavator ['ekskəveɪtə] *Maschine:* Bagger

exceed [ɪk'siːd] **1.** überschreiten (*Tempolimit usw.*) **2.** übersteigen, überschreiten (*Höchstbetrag, Zeitlimit usw.*)

excel [ɪk'sel] *excelled, excelled* **1.** übertreffen (*oneself* sich selbst) **2.** sich auszeichnen (*in, at* in; *as* als)

excellent ['eksələnt] ausgezeichnet, hervorragend, vorzüglich

except¹ [ɪk'sept] ausnehmen, ausschließen (*from* von); *..., present company excepted* ..., Anwesende ausgenommen

except² [ɪk'sept] ausgenommen, außer, mit Ausnahme von (*oder Genitiv*); *the bank is open every day except Sunday* außer Sonntag ist die Bank täglich geöffnet; *except for the driver, the tram was empty* bis auf den Fahrer war die Straßenbahn leer

exception [ɪk'sepʃn] Ausnahme; *the exception to the rule* die Ausnahme von der Regel; *without exception* ohne Ausnahme, ausnahmslos; *make an exception* eine Ausnahme machen; *the exception proves the rule* Ausnahmen bestätigen die Regel

exceptional [ɪk'sepʃnəl] **1.** (≈ *ungewöhnlich gut*) *she's an exceptional athlete* sie ist eine Ausnahmeathletin **2.** *exceptional case* Ausnahmefall

excerpt ['eksɜːpt] *aus Buch, Aufsatz:* Exzerpt, Auszug (*from* aus)

excess [ɪk'ses] **1.** Übermaß; *excess luggage* Übergepäck; *he drinks to excess* er trinkt übermäßig **2.** *excesses Pl. negativ:* Exzesse, Ausschweifungen

excessive [ɪk'sesɪv] *Trinken, Rauchen usw.:* übermäßig

exchange¹ [ɪks'tʃeɪndʒ] **1.** austauschen, umtauschen (*for* gegen) **2.** *von fremder Währung:* eintauschen, wechseln (*for* gegen) **3.** tauschen (*die Plätze usw.*), wechseln (*Blicke*); *exchange words* einen Wortwechsel haben

exchange² [ɪks'tʃeɪndʒ] **1.** *von Waren usw.:* Tausch **2.** *von Gekauftem:* Umtausch; *in exchange for* als Ersatz für; *exchange of letters* Briefwechsel; *exchange of views* Gedankenaustausch, Meinungsaustausch 3. *von Schülern*: Austausch; *exchange student* Austauschschüler(in) 4. *von Devisen*: Wechseln; *exchange rate* Wechselkurs

Exchequer [ɪks'tʃekə] *the Exchequer BE* das Finanzministerium

excitable [ɪk'saɪtəbl] reizbar, (leicht) erregbar

excite [ɪk'saɪt] 1. (*Nachricht, Neuigkeit usw.*) aufregen, aufgeregt machen 2. (≈ *faszinieren*) begeistern 3. erregen, erwecken (*Interesse, Bewunderung usw.*) 4. anregen (*Appetit, Fantasie*)

excited [ɪk'saɪtɪd] 1. *allg.*: aufgeregt; *don't get excited - I'm only kidding* reg dich nicht (gleich) auf - ich mache bloß Spaß 2. (≈ *fasziniert*) begeistert

excitement [ɪk'saɪtmənt] 1. *allg.*: Aufregung 2. (≈ *Faszination*) Begeisterung

exciting [ɪk'saɪtɪŋ] *Buch, Film, Spiel usw.*: aufregend, spannend

exclaim [ɪk'skleɪm] 1. aufschreien 2. ausrufen, rufen

exclamation [ˌeksklə'meɪʃn] Ausruf, (Auf)Schrei

exclamation mark [ˌeksklə'meɪʃn maːk] *Satzzeichen*: Ausrufezeichen, Ⓐ Rufzeichen

exclude [ɪk'skluːd] *allg.*: ausschließen (*Person, Möglichkeit usw.*) (*from* von, aus)

excluding [ɪk'skluːdɪŋ] ausgenommen, außer

exclusion [ɪk'skluːʒn] Ausschluss (*from* von, aus)

exclusive [ɪk'skluːsɪv] 1. *Kleidung, Verein usw.*: exklusiv, vornehm 2. *Macht, Kontrolle*: alleinig, ausschließlich; *exclusive interview* Exklusivinterview

excruciating [ɪk'skruːʃieɪtɪŋ] qualvoll

excursion [ɪk'skɜːʃn] 1. Ausflug; *a day's excursion* ein Tagesausflug; *go on an excursion* einen Ausflug machen 2. Ausflug, Exkurs (*zu einem anderen Thema*)

excusable [ɪk'skjuːzəbl] entschuldbar, verzeihlich

excuse¹ [ɪk'skjuːz] 1. entschuldigen (*Tat, Fehler, Person*); *I must excuse myself for being late* ich muss mich für mein Zuspätkommen entschuldigen; *I cannot excuse your conduct* ich kann dein Verhalten nicht entschuldigen; *excuse me for asking* entschuldige, dass ich gefragt habe 2. *excuse someone* jemandem verzeihen 3. *excuse me AE*; *Höflichkeitsfloskel*: entschuldigen Sie!, entschul-

dige!, Verzeihung! 4. *excuse me, what time is it?* entschuldigen Sie, wie spät ist es? 5. *excuse someone wegen Krankheit usw.*: jemanden entschuldigen; *excuse someone from something* jemanden von etwas befreien, jemandem etwas erlassen

excuse² [ɪk'skjuːs] 1. *allg.*: Entschuldigung; *there's no excuse for ...* es gibt keine Entschuldigung für ... (*schlechtes Benehmen usw.*); *offer one's excuses* förmlich sich entschuldigen 2. Ausrede; *the weather is a good excuse for not going to the party* das Wetter ist eine gute Ausrede, nicht zur Party zu gehen

execute ['eksɪkjuːt] 1. hinrichten (*Mörder usw.*) 2. *förmlich* ausführen, durchführen (*Beschluss, Plan usw.*)

execution [ˌeksɪ'kjuːʃn] 1. *von Mörder usw.*: Hinrichtung 2. *förmlich* Ausführung, Durchführung (*von Beschluss, Plan usw.*)

executive [ɪg'zekjʊtɪv] 1. *Politik*: Exekutive 2. *Wirtschaft*: Manager(in), leitende(r) Angestellte(r)

exemplary [ɪg'zemplərɪ] 1. *Verhalten, Schüler usw.*: beispielhaft, musterhaft 2. *Strafe*: abschreckend

exempt¹ [ɪg'zempt] 1. befreien (*from* von) (*Verpflichtungen usw.*) 2. *exempt from military service* vom Wehrdienst freistellen

exempt² [ɪg'zempt] befreit (*from* von)

exemption [ɪg'zempʃn] Befreiung, Freistellung; *exemption from taxes* Steuerfreiheit

exercise¹ ['eksəsaɪz] 1. (≈ *Sport*) (körperliche) Bewegung; *I could do with some exercise - shall we go jogging?* ich brauche etwas Bewegung - gehen wir joggen? 2. (≈ *das Üben*) Übung; *do exercise B on page 57* machen Sie Übung B auf Seite 57 3. *militärisch*: Übung, Manöver

exercise² ['eksəsaɪz] 1. (≈ *Sport treiben*) trainieren, *an Geräten auch*: üben 2. ausüben (*Amt, Recht, Macht usw.*)

exercise book ['eksəsaɪz bʊk] *Schule*: Heft

exert [ɪg'zɜːt] 1. *exert pressure (on)* Druck ausüben (auf) 2. *exert oneself* sich bemühen (*for* um), sich anstrengen

exhaust¹ [ɪg'zɔːst] 1. (≈ *aufbrauchen*) erschöpfen (*Ressourcen, Rohstoffe usw.*); *exhaust all possibilities* alle Möglichkeiten ausschöpfen 2. *körperlich*: ermüden, entkräften

exhaust² [ɪg'zɔːst] 1. *auch exhaust pipe von Motor*: Auspuff 2. *auch exhaust fumes Pl.* Abgase

expensive

exhausted [ɪgˈzɔːstɪd] **1.** *Person*: erschöpft, entkräftet **2.** *Vorräte usw.*: verbraucht, erschöpft

exhausting [ɪgˈzɔːstɪŋ] *Tätigkeit, Reise usw.*: anstrengend, strapaziös

exhaustion [ɪgˈzɔːstʃn] *allg.*: Erschöpfung

exhaustive [ɪgˈzɔːstɪv] erschöpfend

exhibit[1] [ɪgˈzɪbɪt] ausstellen (*Bilder usw.*)

exhibit[2] [ɪgˈzɪbɪt] **1.** *in Museum, Galerie usw.*: Ausstellungsstück **2.** *vor Gericht*: Beweisstück **3.** *AE* Ausstellung

exhibition [ˌeksɪˈbɪʃn] Ausstellung; *be on exhibition Bilder usw.*: ausgestellt *oder* zu sehen sein; *make an exhibition of oneself* sich lächerlich *oder* zum Gespött machen

exhilarating [ɪgˈzɪləreɪtɪŋ] berauschend

exhumation [ˌekshjuːˈmeɪʃn] *einer Leiche*: Exhumierung

exhume [eksˈhjuːm] exhumieren (*Leiche*)

exile[1] [ˈeksaɪl] **1.** Exil, *erzwungen*: Verbannung; *go into exile* ins Exil gehen; *live in exile* im Exil leben; *send into exile* ins Exil schicken, verbannen; *government in exile* Exilregierung **2.** *Person*: Exilierte(r), Verbannte(r)

exile[2] [ˈeksaɪl] ins Exil schicken, verbannen (*from* aus)

exist [ɪgˈzɪst] **1.** *allg.*: existieren, vorkommen; *do such things exist?* gibt es so etwas?; *UFOs do exist* Ufos gibt es wirklich **2.** (≈ *überleben*) existieren, leben (*on* von); *man can't exist without water* der Mensch kann ohne Wasser nicht leben **3.** (*Brauch, Tradition, Gewohnheit usw.*) bestehen

existence [ɪgˈzɪstəns] **1.** *allg.*: Existenz, Vorkommen; *come into existence* entstehen; *be in existence* existieren; *remain in existence* weiter bestehen **2.** *eines Individuums*: Existenz, Leben, Dasein; *an unhappy existence* ein unglückliches Dasein **3.** *von Brauch, Tradition usw.*: Existenz, Bestehen

existent [ɪgˈzɪstənt] *Gesetz usw.*: gegenwärtig, bestehend

exit[1] [ˈeksɪt] **1.** *von Gebäude, Raum*: Ausgang **2.** *auf Autobahn*: Ausfahrt **3.** *Theater*: Abgang **4.** Ausreise; *exit visa* Ausreisevisum

exit[2] [ˈeksɪt] Bühnenanweisung in einem *Drama*: (er *oder* sie geht) ab; *exit Macbeth* Macbeth ab

exodus [ˈeksədəs] Abwanderung; *exodus from the cities* Stadtflucht

exorbitant [ɪgˈzɔːbɪtənt] *Preis, Miete, Forderung usw.*: unverschämt, maßlos übertrieben; *exorbitant price* auch: Wucherpreis

exotic [ɪgˈzɒtɪk] exotisch (*auch übertragen*)

expand [ɪkˈspænd] **1.** (*Gas, Wasser usw.*) sich ausdehnen **2.** *Wirtschaft*: ausweiten, erweitern (*Geschäftskontakte, Aktivitäten*) **3.** (*Branche, Firma usw.*) sich ausdehnen, expandieren

expansion [ɪkˈspænʃn] **1.** *von Gas, Wasser usw.*: Ausdehnung **2.** *Wirtschaft*: Ausweitung, Erweiterung, Expansion

expect [ɪkˈspekt] **1.** erwarten (*Ereignis, Person*); *that was to be expected* von etwas Negativem: das war zu erwarten, damit war zu rechnen; *I expect you to do something* ich erwarte von dir, dass du etwas tust; *what else can you expect?* resignierend usw.: was kann man schon erwarten? **2.** *umg.* vermuten, glauben; *I expect so* ich nehme es an **3.** *be expecting* umg. (≈ *schwanger sein*) in anderen Umständen sein

expectant [ɪkˈspektənt] **1.** erwartungsvoll **2.** *expectant mother* werdende Mutter

expectation [ˌekspekˈteɪʃn] Erwartung; *my expectation is that ...* ich erwarte, dass ...; *in expectation of* in Erwartung (+ *Genitiv*); *beyond expectations* über Erwarten; *against all oder contrary to all expectations* wider Erwarten; *the film didn't come up to our expectations* der Film hat nicht unseren Erwartungen entsprochen; *the pay rise fell short of our expectations* die Lohnerhöhung ist hinter unseren Erwartungen zurückgeblieben

expedient[1] [ɪkˈspiːdɪənt] (Hilfs)Mittel, Notbehelf

expedient[2] [ɪkˈspiːdɪənt] **1.** ratsam, angebracht **2.** zweckdienlich, nützlich

expedition [ˌekspəˈdɪʃn] (≈ *Forschungsreise*) Expedition (*auch die Teilnehmer*); *on an expedition* auf einer Expedition

expel [ɪkˈspel], *expelled, expelled* **1.** *she was expelled from school when she was 17* mit 17 wurde sie von der Schule verwiesen **2.** *gewaltsam*: vertreiben (*Volk, Minderheit usw.*) (*from* aus) **3.** *durch Behörde*: ausweisen, ⓖⓑ ausschaffen (*from* aus), verweisen (*des Landes usw.*) **4.** *aus Partei usw.*: ausschließen (*from* aus)

expenditure [ɪkˈspendɪtʃə] **1.** *an Zeit, Energie*: Aufwand (*of* an) **2.** *Geld*: Ausgaben *Pl.*, Kostenaufwand

expense [ɪkˈspens] **1.** *Geld usw.*: Kosten *Pl.*; *at my expense* auf meine Kosten (*auch übertragen*); *spare no expense* keine Kosten scheuen **2.** *expenses Pl.* Unkosten, Spesen; *travelling expenses* Reisespesen

expensive [ɪkˈspensɪv] teuer, kostspielig

experience¹ [ɪk'spɪərɪəns] **1.** *allg.*: Erfahrung; *I know from experience that ...* ich weiß aus Erfahrung, dass ...; *in my experience* nach meiner Erfahrung **2.** (≈ *Fachkenntnis*) Erfahrung, Routine; *computing experience* Erfahrungen im Umgang mit Computern **3.** (≈ *beeindruckendes Geschehen*) Erlebnis; *an unforgettable experience* ein unvergessliches Erlebnis

experience² [ɪk'spɪərɪəns] **1.** *allg.*: erleben **2.** (≈ *erleiden*) erfahren (*Schmerz, Enttäuschung usw.*) **3.** durchmachen (*Krise usw.*)

experienced [ɪk'spɪərɪənst] erfahren; *she's an experienced teacher* sie ist eine erfahrene Lehrerin; *be experienced in something* in etwas erfahren sein, in etwas Erfahrung haben

experiment¹ [ɪk'sperɪmənt] *allg.*: Experiment, Versuch (*on* an; *with* mit); *do an experiment* ein Experiment machen; *conduct* oder *perform experiments* Experimente durchführen

experiment² [ɪk'sperɪment] experimentieren, Versuche anstellen (*on* an; *with* mit)

expert¹ ['ekspɜːt] (≈ *professionell*) fachmännisch, fachkundig, sachkundig; *expert knowledge* Fachkenntnis, Sachkenntnis; *expert opinion* Gutachten

expert² ['ekspɜːt] **1.** Fachmann, Expertin, Experte (*at, in, on* in); *she's an expert in heavy metal* sie kennt sich gut in Heavymetal aus **2.** *in Rechtsstreit usw.*: Sachverständige(r), Gutachter(in)

expertise [,ekspɜː'tiːz] **1.** Fachkenntnis **2.** Geschicklichkeit, Können

expiration [,ekspə'reɪʃən] *AE* → *expiry*

expire [ɪk'spaɪə] **1.** (*Zeitvertrag, Pass usw.*) ablaufen, ungültig werden **2.** (*Konzession, Patent usw.*) erlöschen **3.** (*Amtszeit*) enden, auslaufen

expiry [ɪk'spaɪərɪ] *von Frist, Vertrag usw.*: Ablauf; *expiry date von Pass, Kreditkarte usw.*: Verfallsdatum

explain [ɪk'spleɪn] **1.** *allg.*: erklären; *explain something to someone* jemandem etwas erklären; *I can explain everything* ich kann alles erklären **2.** erläutern (*Gedanken, Pläne usw.*) **3.** *explain oneself* sich rechtfertigen; *please let me explain myself* bitte lassen Sie mich das erklären

explanation [,eksplə'neɪʃn] **1.** *allg.*: Erklärung **2.** *von Gedanken, Plänen usw.*: Erläuterung **3.** *für Tat*: Rechtfertigung

explicit [ɪk'splɪsɪt] *Aussage, Warnung, Anweisung usw.*: ausdrücklich, deutlich, explizit

explode [ɪk'spləʊd] **1.** (*Bombe usw.*) ex-plodieren, in die Luft fliegen; *the bomb was exploded by firemen* Feuerwehrleute brachten die Bombe zur Explosion **2.** (≈ *wütend werden*) explodieren, platzen, in die Luft gehen; *explode with fury* vor Wut platzen **3.** *übertragen* sprunghaft ansteigen, sich explosionsartig vermehren (*bes. Bevölkerung*) **4.** widerlegen, zerstören (*Theorie, Mythos usw.*)

exploit [ɪk'splɔɪt] *allg.*: ausbeuten (*Arbeiter, Bodenschätze usw.*)

exploitation [,eksplɔɪ'teɪʃn] *allg.*: Ausbeutung

exploration [,eksplə'reɪʃn] *von unbekanntem Land*: Erforschung

explore [ɪk'splɔː] erforschen (*Land*)

explorer [ɪk'splɔːrə] Forscher(in)

explosion [ɪk'spləʊʒn] **1.** Explosion, *kontrolliert*: Sprengung **2.** *übertragen* sprunghafter Anstieg; *population explosion* Bevölkerungsexplosion **3.** *von Gefühlen*: Ausbruch

explosive¹ [ɪk'spləʊsɪv] **1.** explosiv (*auch übertragen*); *an explosive problem* ein brisantes Problem **2.** *Temperament*: aufbrausend

explosive² [ɪk'spləʊsɪv] Sprengstoff

export¹ [ɪk'spɔːt] **1.** exportieren, ausführen (*Waren*); *exporting country* Ausfuhrland **2.** *Computer*: exportieren (*Daten*)

export² ['ekspɔːt] **1.** *von Waren*: Export, Ausfuhr **2.** *exports Pl., eines Landes usw.*: Gesamtexport, Gesamtausfuhr **3.** *exports Pl.* Exportgüter, Ausfuhrwaren **4.** *export trade* Exportgeschäft, Ausfuhrhandel

exporter [ɪk'spɔːtə] Exporteur

expose [ɪk'spəʊz] **1.** freilegen (*Ruinen, Mosaik, Fachwerk usw.*) **2.** *einer Gefahr, dem Wetter usw.*: aussetzen (*to*; *dt. Dativ*); *expose oneself to ridicule* sich zum Gespött (der Leute) machen **3.** *übertragen* bloßstellen, entlarven (*als Lügner usw.*) **4.** *expose oneself* (*Exhibitionist*) sich entblößen **5.** *beim Fotografieren*: belichten

exposed [ɪk'spəʊzd] **1.** *gegen Witterungseinflüsse*: ungeschützt **2.** *übertragen* exponiert (*öffentliche Stellung usw.*)

exposure [ɪk'spəʊʒə] **1.** *einer Gefahr usw.*: Aussetzen, Ausgesetztsein; *die of exposure* an Unterkühlung sterben **2.** *von Person*: Bloßstellung, Entlarvung **3.** *des Körpers*: Entblößung; *indecent exposure* Erregung öffentlichen Ärgernisses **4.** *beim Fotografieren*: Belichtung

express¹ [ɪk'spres] *mit Worten*: ausdrücken, äußern; *express the hope that ...* der Hoffnung Ausdruck geben, dass ...;

express oneself sich äußern, sich ausdrücken

express² [ɪk'spres] **1.** *Anweisung, Verbot usw.*: ausdrücklich **2.** *Post usw.*: Express…, Schnell…; ***express delivery*** *BE* Eilzustellung; ***send a parcel express*** ein Paket per Express schicken; ***express train*** Schnellzug

express³ [ɪk'spres] **1.** *BE*; *Post*: Eilbote; ***send a parcel by express*** ein Paket per Express schicken **2.** Schnellzug

expression [ɪk'spreʃn] **1.** *mit Worten*: Ausdruck, Äußerung; ***find expression in*** übertragen sich ausdrücken *oder* äußern in **2.** (≈ *Wendung*) Ausdruck, Redensart **3.** (≈ *Mimik*) Gesichtsausdruck

expressway [ɪk'spresweɪ] *AE* (Stadt)Autobahn

expulsion [ɪk'spʌlʃn] **1.** *von Volk, Minderheit*: Vertreibung (**from** aus) **2.** *aus einem Land*: Ausweisung (**from** aus) **3.** *aus Schule usw.*: Ausschluss (**from** aus, von)

exquisite [ɪk'skwɪzɪt] **1.** exquisit, erlesen **2.** *Geschmack usw.*: äußerst fein

extend [ɪk'stend] **1.** (*Grundstück, Fläche usw.*) sich erstrecken, sich ausdehnen **2.** vergrößern, erweitern (*Betrieb, Haus usw., auch*: *Wissen, Wortschatz usw.*) **3.** ausdehnen (*Besuch, Macht, Vorsprung usw.*) **4.** verlängern (*Frist, Pass usw.*)

extension [ɪk'stenʃn] **1.** *von Haus*: Erweiterung, Anbau **2.** *Telefon*: Nebenanschluss, Apparat **3.** *auch* **extension lead** (*AE* **cord**) Verlängerungskabel **4.** *von Einfluss, Macht, Grenze*: Ausdehnung **5.** *von Firma*: Vergrößerung, Erweiterung **6.** *von Frist*: Verlängerung

extent [ɪk'stent] **1.** *von Fläche, Gebäude usw.*: Ausdehnung **2.** *übertragen* Umfang, Ausmaß, Grad; ***to a large extent*** in hohem Maße, weitgehend; ***to what extent is he to blame for this mistake?*** inwieweit ist er an diesem Fehler schuld?; ***to some*** *oder* ***a certain extent*** in gewissem Maße; ***he bullied her to such an extent that …*** er tyrannisierte sie so sehr, dass …

exterior¹ [ɪk'stɪərɪə] äußere(r, -s), Außen…

exterior² [ɪk'stɪərɪə] **1.** *von Gebäude usw.*: Äußere(s), Außenseite **2.** *von Person*: äußere Erscheinung

exterminate [ɪk'stɜːmɪneɪt] **1.** ausrotten (*Tiere, auch übertragen*) **2.** vertilgen (*Ungeziefer, Unkraut usw.*)

extermination [ɪkˌstɜːmɪ'neɪʃn] **1.** *von Tieren*: Ausrottung (*auch übertragen*) **2.** *von Ungeziefer, Unkraut*: Vertilgung

external [ɪk'stɜːnl] äußere(r, -s), äußerlich, Außen…; ***for external use*** *Medizin*:

zum äußerlichen Gebrauch

extinct [ɪk'stɪŋkt] **1.** *Pflanzen, Tiere usw.*: ausgestorben; ***become extinct*** aussterben **2.** *Vulkan*: erloschen

extinction [ɪk'stɪŋkʃn] *von Tieren, Pflanzen usw.*: Aussterben, Ausrottung

extinguish [ɪk'stɪŋgwɪʃ] **1.** auslöschen (*Feuer, Licht*) **2.** ausmachen (*Zigarette*) **3.** zunichtemachen (*Hoffnungen, Pläne usw.*)

extinguisher [ɪk'stɪŋgwɪʃə] *umg.* Feuerlöscher

extort [ɪk'stɔːt] erpressen (*Geld, Geständnis usw.*) (**from** von)

extortion [ɪk'stɔːʃn] Erpressung

extra¹ ['ekstrə] **1.** zusätzlich, Extra…, Sonder…; ***drinks are extra*** Getränke werden gesondert berechnet *oder* kosten extra; ***extra charge*** Zuschlag; ***extra charges*** *Pl.* Nebenkosten; ***extra pay*** Zulage; ***if you pay an extra ten pounds*** wenn Sie noch zehn Pfund dazulegen; ***we need an extra table*** wir brauchen noch einen Tisch **2.** extra, besonders; ***charge extra for*** gesondert berechnen; ***please be extra careful*** sei bitte besonders vorsichtig

extra² ['ekstrə] **1.** *allg.*: Sonderleistung **2.** *mst.* **extras** *bes. bei Autos*: Extras, Sonderausstattung **3.** *auf Rechnung usw.*: Zuschlag; ***be an extra*** gesondert berechnet werden **4.** *Zeitung*: Extrablatt, Extraausgabe **5.** *Film, Theater*: Statist(in), Komparse, Komparsin

extract¹ [ɪk'strækt] **1.** herausziehen (*Korken usw.*) (**from** aus) **2.** ziehen (*Zahn*) **3.** *übertragen* herausholen, entlocken (*Informationen, Geständnis*)

extract² ['ekstrækt] **1.** *aus Buch, Film*: Ausschnitt **2.** *Substanz*: Extrakt

extraordinary [ɪk'strɔːdnərɪ] **1.** außerordentlich, außergewöhnlich; ***a girl of extraordinary beauty*** ein Mädchen von außergewöhnlicher Schönheit **2.** (≈ *eigenartig*) ungewöhnlich, seltsam; ***his behaviour was a bit extraordinary*** sein Benehmen war etwas seltsam

extra time [ˌekstrə'taɪm] *Sport*: Verlängerung; ***after extra time*** nach Verlängerung; ***the game went into extra time*** das Spiel ging in die Verlängerung

extreme¹ [ɪk'striːm] **1.** äußerste(r, -s), extrem; ***he's the extreme opposite of his brother*** er ist das genaue Gegenteil von seinem Bruder; ***extreme poverty*** extreme Armut; ***extreme sports*** Extremsportarten **2.** *politische Meinung*: extrem, radikal

extreme² [ɪk'striːm] Extrem; ***go to extremes*** vor nichts zurückschrecken; ***go***

from one extreme to the other von einem Extrem ins andere fallen
extremely [ɪkˈstriːmlɪ] äußerst, höchst; *a cordless phone is extremely useful* ein schnurloses Telefon ist äußerst nützlich; *an extremely tempting offer* ein höchst verlockendes Angebot
extremism [ɪkˈstriːmɪzm] *bes. politisch*: Extremismus
extricate [ˈekstrɪkeɪt] befreien (*from* aus, von)
exuberant [ɪgˈzjuːbrənt] *Person, Fantasie*: übersprudelnd
eye¹ [aɪ] **1.** *Organ*: Auge; *with the naked eye* mit bloßem Auge; *before oder under someone's eyes* vor jemandes Augen; *they were all eyes as ...* sie sahen gespannt zu, wie ...; *be up to one's eyes in work* bis über die Ohren in Arbeit stecken; *cry one's eyes out* sich die Augen ausweinen; *keep one's eyes open oder peeled* die Augen offenhalten; *his eyes are bad* er sieht schlecht **2.** *übertragen* Blick, Augenmerk; *her eye fell on a little boy* ihr Blick fiel auf einen kleinen Jungen; *have an eye for* ein Auge *oder* einen Blick haben für; *can you keep an eye on the dog?* kannst du auf den Hund aufpassen? **3.** *von Nadel*: Öhr, Öse **4.** *von Kartoffel, Knospe*: Auge
eye² [aɪ] anstarren, mustern
eyeball¹ [ˈaɪbɔːl] **1.** Augapfel **2.** *I'm up to my eyeballs in work umg.* ich stecke bis über die Ohren in Arbeit **3.** *drugged up to the eyeballs* mit Beruhigungsmitteln *usw.* vollgepumpt
eyeball² [ˈaɪbɔːl] *eyeball someone umg.* jemanden mit durchdringendem Blick ansehen
eyebrow [ˈaɪbraʊ] Augenbraue
eyeful [ˈaɪfʊl] *get an eyeful umg.* was zu sehen bekommen
eyeglasses [ˈaɪˌglɑːsɪz] *Pl., auch pair of eyeglasses AE* Brille
eyelash [ˈaɪlæʃ] Wimper
eyelet [ˈaɪlət] Öse
eyelid [ˈaɪlɪd] Augenlid
eye liner [ˈaɪˌlaɪnə] Eyeliner, Lidstrich
eye-opener [ˈaɪˌəʊpənə] *be an eye-opener for someone umg.* (*Erfahrung usw.*) jemandem die Augen öffnen
eye shadow [ˈaɪˌʃædəʊ] *Schminke*: Lidschatten
eyesight [ˈaɪsaɪt] Sehkraft; *have good* (*bzw. poor oder bad*) *eyesight* gute (*bzw. schlechte*) Augen haben
eyesore [ˈaɪsɔː] *hässliches Gebäude usw.*: Schandfleck
eyestrain [ˈaɪstreɪn] Überanstrengung der Augen
eyewitness [ˈaɪˌwɪtnəs] Augenzeuge; *eyewitness account* Augenzeugenbericht

F

fable [ˈfeɪbl] **1.** *literarisch*: Fabel **2.** *übertragen* Märchen
fabric [ˈfæbrɪk] **1.** (≈ *Tuch*) Gewebe, Stoff **2.** *von Gesellschaft usw.*: Gefüge, Struktur
fabricate [ˈfæbrɪkeɪt] **1.** (≈ *sich ausdenken*) erfinden (*Geschichte, Ausrede usw.*) **2.** *in Fabrik usw.*: fabrizieren, herstellen
fabrication [ˌfæbrɪˈkeɪʃn] **1.** *Geschichte, Ausrede*: Erfindung, Märchen **2.** *in Fabrik*: Fabrikation, Herstellung
fabulous [ˈfæbjʊləs] **1.** *umg.* (≈ *großartig*) fabelhaft **2.** (≈ *mythisch*) sagenhaft; *fabulous creature* Fabelwesen, Fabeltier
façade, facade [fəˈsɑːd] *von Gebäude*: Fassade (*auch übertragen*)
face¹ [feɪs] **1.** *allg.*: Gesicht; *face to face with ...* Auge in Auge mit ...; *say something to someone's face* jemandem etwas ins Gesicht sagen; *I'll tell her to her face what I think of it* ich werde es ihr ins Gesicht sagen, was ich davon halte; *he's vanished off the face of the earth* er ist wie vom Erdboden verschwunden **2.** Gesichtsausdruck, Miene; *make oder pull a face* ein Gesicht machen **3.** *he had the face to ask for a pay rise* er hatte die Stirn, eine Gehaltserhöhung zu verlangen **4.** (≈ *Prestige*) Ansehen; *save face* das Gesicht wahren; *lose face* das Gesicht verlieren **5.** *in the face of the new situation ...* angesichts der neuen Lage ...; *in the face of tremendous problems ...* trotz erheblicher Probleme ...
face² [feɪs] **1.** *jemandem*: gegenüberste-

hen **2.** (*Gebäude, Raum usw.*) gegenüberstehen, gegenüberliegen; *my office faces west* mein Büro geht nach Westen **3.** (≈ *konfrontiert sein mit*) entgegentreten, begegnen, sich stellen (*Konflikt, Problem usw.*); *be faced with* konfrontiert sein mit; *many school leavers are faced with unemployment* viele Schulabgänger stehen vor der Arbeitslosigkeit; *be faced with ruin* vor dem Ruin stehen; *let's face it!* machen wir uns doch nichts vor!

face up to [feɪsˈʌpˌtə] sich auseinandersetzen mit (*Person, Situation*); *face up to the facts* den Tatsachen ins Auge sehen

facecloth [ˈfeɪsklɒθ] *BE* Waschlappen
face cream [ˈfeɪsˌkriːm] Gesichtscreme
facelift [ˈfeɪslɪft] **1.** Facelifting, Gesichtsstraffung; *have a facelift* sich das Gesicht liften lassen **2.** *übertragen* Renovierung (*einer Wohnung usw.*)
facetious [fəˈsiːʃəs] spöttisch
facilitate [fəˈsɪlɪteɪt] erleichtern
facility [fəˈsɪlətɪ] **1.** *mst.* *facilities Pl. in Hotel, Wohnanlage, Urlaubsgebiet usw.*: Einrichtungen, Möglichkeiten; *cooking facilities* Kochgelegenheit; *sports facilities* Sportanlagen; *shopping facilities* Einkaufsmöglichkeiten; *facilities for the disabled* Einrichtungen für Behinderte **2.** *von Gerät*: Funktion; *my telephone has a memory facility* mein Telefon hat einen Anrufspeicher **3.** *von Person*: Fähigkeit; *he's got a facility for languages* er tut sich mit Sprachen leicht
fact [fækt] **1.** Tatsache, Faktum; *be based on fact* (*Roman, Film*) auf Tatsachen beruhen; *know something for a fact* etwas (ganz) sicher wissen; *tell someone the facts of life sexuell:* jemanden aufklären **2.** *as a matter of fact* eigentlich, *verstärkend* sogar; *I'm not feeling particularly well, as a matter of fact I'm feeling really ill* ich fühle mich nicht so besonders, eigentlich fühle ich mich richtig krank; *'Do you know her?' - 'Oh yes, as a matter of fact she's a former student of mine.'* „Kennst du sie?" - „Oh ja, sie ist sogar eine ehemalige Schülerin von mir." **3.** *in fact* tatsächlich, in Wirklichkeit; *you said the hotel would be expensive, but in fact it was relatively cheap* du hattest gesagt, das Hotel sei teuer, tatsächlich aber war es relativ billig
factor [ˈfæktə] Faktor
factory [ˈfæktrɪ] Fabrik
faculty [ˈfækltɪ] **1.** (≈ *natürliche Anlage*)

Fähigkeit, Vermögen; *faculty of hearing* Hörvermögen; *mental faculties Pl.* Geisteskräfte; *be in possession of one's faculties* im Vollbesitz seiner Kräfte sein **2.** *Universität*: Fakultät
fad [fæd] Modeerscheinung, *umg.* Masche
fade [feɪd] **1.** (*Blumen usw.*) verwelken **2.** (*Farben*) verbleichen, verblassen **3.** *auch* *fade away körperlich:* immer schwächer werden **4.** *auch* *fade away* (*Hoffnungen*) zerrinnen

fade in [ˌfeɪdˈɪn] *Radio, TV*: einblenden (*Musik, Bild*)
fade out [ˌfeɪdˈaʊt] *Radio, TV*: ausblenden (*Musik, Bild*)

faeces [ˈfiːsiːz] *Pl.* Fäkalien, Kot
fag [fæg] **1.** *umg.* (≈ *Zigarette*) Kippe **2.** *AE, abwertend* Schwuler
fag end [ˈfæɡˌend] *BE, umg.* **1.** (≈ *Zigarettenstummel*) Kippe **2.** *mst.* *fag ends Pl.* letzter oder schäbiger Rest
fail¹ [feɪl] **1.** (*Stimme, Organ, Motor usw.*) versagen **2.** *in der Schule usw.:* durchfallen; *I failed my driving test twice* ich bin zweimal durch die Führerscheinprüfung gefallen **3.** (*Verhandlungen, Pläne usw.*) fehlschlagen, scheitern; *if all else fails* wenn alle Stricke reißen **4.** (≈ *erfolglos sein*) (*Kandidat bei einer Wahl, Theaterstück usw.*) durchfallen **5.** (*Gesundheit, Kräfte*) nachlassen, schwinden **6.** (*Sehkraft*) abnehmen, schwächer werden **7.** *fail to do something* etwas nicht tun oder es versäumen, etwas zu tun; *he failed to hand in his essay in time* er hat seinen Aufsatz nicht rechtzeitig abgegeben; *I fail to see why* ich sehe nicht ein, warum **8.** *words fail me* mir fehlen die Worte
fail² [feɪl] **1.** *without fail* mit Sicherheit, ganz bestimmt, garantiert **2.** *he got a fail in geography* er ist in Erdkunde durchgefallen oder durchgerasselt
failing [ˈfeɪlɪŋ] mangels (+ *Genitiv*); *failing that* andernfalls
fail-safe [ˈfeɪlseɪf] pannensicher (*auch übertragen Plan usw.*)
failure [ˈfeɪljə] **1.** Misserfolg **2.** *von Verhandlungen, Plan usw. auch*: Fehlschlag, Fehlschlagen, Scheitern **3.** *von Maschine, Organ usw.*: Versagen; *crop failure* Missernte **4.** *Person*: Versager(in)
faint¹ [feɪnt] **1.** *Stimme usw.*: schwach, matt **2.** *I feel a bit faint* mir ist ganz komisch, ich fühle mich ziemlich matt **3.** *Geräusch, Hoffnung, Verdacht*: leise; *I haven't the faintest idea* ich habe nicht die leiseste Ahnung

F

faint² [feɪnt] ohnmächtig werden, in Ohnmacht fallen (**with, from** vor)

faint³ [feɪnt] Ohnmacht; *fall in a faint* ohnmächtig werden

faint-hearted [ˌfeɪntˈhɑːtɪd] **1.** *Versuch usw.*: zaghaft **2.** *it's not for the faint-hearted* Horrorfilm usw.: das ist nichts für Zartbesaitete

fair¹ [feə] **1.** *Behandlung, Bezahlung usw.*: gerecht, fair; *that's not fair!* das ist ungerecht! **2.** *Haar*: blond **3.** *Haut*: hell **4.** *Himmel*: klar, heiter **5.** *Wetter*: schön, trocken **6.** *Chance*: reell **7.** *im Sport*: anständig, fair; *play fair* fair spielen, *auch übertragen*: sich an die Spielregeln halten **8.** *Qualität, Leistung usw.*: nicht schlecht, ganz gut **9.** *'Let's talk about it tomorrow.' - 'Fair enough.'* „Reden wir morgen darüber." - „Einverstanden." *oder* „Na schön."

fair² [feə] **1.** (≈ *Rummel*) Volksfest, Jahrmarkt **2.** (≈ *Ausstellung*) Messe

fairground [ˈfeəgraʊnd] Rummelplatz

at the fairground
auf dem Rummelplatz

roller coaster [ˈrəʊləˌkəʊstə], **big dipper**, **switchback**	Achterbahn
bumper cars, **dodgems** [ˈdɒdʒəmz]	Autoskooter
ghost train	Geisterbahn
big wheel, **Ferris wheel**	Riesenrad
hall of mirrors	Spiegelkabinett
merry-go-round [ˈmerɪgəʊˌraʊnd], **carousel** [ˌkærəˈsel]	Karussell
shooting gallery	Schießbude

fairly [ˈfeəlɪ] **1.** *verstärkend*: ziemlich; *my bike's fairly old* mein Fahrrad ist schon ziemlich alt **2.** *behandeln, beurteilen, bezahlen usw.*: gerecht

fairness [ˈfeənəs] Gerechtigkeit, Fairness; *in all fairness* fairerweise

fairy [ˈfeərɪ] **1.** *Märchengestalt*: Fee **2.** *abwertend* Schwuler

fairy tale [ˈfeərɪˌteɪl] Märchen (*auch übertragen*)

faith [feɪθ] **1.** *religiös usw.*: Glaube(n) (*in* an) **2.** Vertrauen; *have faith in someone* jemandem Vertrauen haben; *many ...s have lost faith in the govern- ...* viele Wähler haben das Vertrauen

zur Regierung verloren **3.** *in good faith* in gutem Glauben, gutgläubig (*beide auch Recht*)

faithful [ˈfeɪθfl] **1.** treu (*to*; *dt. Dativ*); *remain faithful to someone* jemandem treu bleiben **2.** *Yours faithfully*, *Briefschluss*: Mit freundlichen Grüßen, Hochachtungsvoll,

faithful

Der Briefschluss **Yours faithfully** bzw. im amerikanischen Englisch **Sincerely yours** *oder* **Yours truly** wird verwendet, wenn der Name des Adressaten nicht bekannt ist und der Brief demzufolge „anonym" mit **Dear Sir**, **Dear Madam** *oder* **Dear Sir or Madam** beginnt. Bei einer Anrede wie **Dear Mr Smith** *oder* **Dear Mrs Martin** würde man den Brief mit **Yours sincerely**, im amerikanischen Englisch unverändert mit **Sincerely yours** *oder* **Yours truly** schließen. Allerdings wird diese starre Regel heute nicht immer eingehalten. Man findet im britischen Englisch trotz anonymer Anrede im Briefschluss oft auch **Yours sincerely** usw.

faithless [ˈfeɪθləs] treulos (*to* gegenüber)

fake¹ [feɪk] **1.** fälschen (*Pass, Unterschrift usw.*) **2.** vortäuschen (*Interesse usw.*) **3.** simulieren (*Krankheit usw.*)

fake² [feɪk] **1.** *von Pass, Unterschrift usw.*: Fälschung **2.** *Person*: Schwindler, Simulant

falcon [ˈfɔːlkən] *Greifvogel*: Falke

fall¹ [fɔːl] **1.** *von Person*: Fall, Sturz; *have a (bad oder heavy) fall* (schwer) stürzen **2.** *übertragen* Fallen, Sinken; *a sudden fall in temperature* ein plötzlicher Temperatursturz; *the fall of the Roman Empire* der Untergang des Römisches Reiches **3.** *bes. AE*; *Jahreszeit*: Herbst; *in (the) fall* im Herbst **4.** *falls Pl.* Wasserfall; *Niagara Falls* die Niagarafälle

fall² [fɔːl], **fell** [fel], **fallen** [ˈfɔːlən] **1.** *allg.*: fallen; *he fell to his death* er stürzte tödlich ab **2.** *durch Stolpern usw.*: hinfallen; *she fell and cut her elbow* sie fiel hin und schlug sich den Ellbogen auf **3.** (*Blätter von den Bäumen*) fallen, abfallen **4.** (*Preise, Temperatur*) fallen, sinken **5.** (*Soldaten*) fallen, umkommen **6.** (*Regierung usw.*) gestürzt werden **7.** (*Nacht, Dämmerung*) hereinbrechen **8.** *in Wendungen*: *fall asleep* einschlafen; *fall ill* krank werden; *fall in love* sich verlieben (*with* in); *fall on deaf ears* (*Plan, Vorschlag usw.*) auf taube Ohren stoßen

fall apart [ˌfɔːl əˈpɑːt] **1.** (*Buch usw.*) auseinanderfallen; (*Auto, Gerät usw.*) kaputtgehen **2.** *emotional* zusammenbrechen

fall behind [ˌfɔːl bɪˈhaɪnd] zurückfallen; *fall behind with something* mit etwas in Rückstand geraten

fall down [ˌfɔːlˈdaʊn] **1.** hinunterfallen (*Treppe, Leiter usw.*) **2.** (*Gebäude*) umfallen, einstürzen **3.** *umg.* (*Plan, Theorie usw.*) versagen

fall for [ˈfɔːl fɔː] **1.** hereinfallen auf; *it was a trick, but she didn't fall for it* es war ein Trick, doch sie ist nicht darauf hereingefallen **2.** *umg.* sich verknallen in

fall in [ˌfɔːlˈɪn] (*Gebäude, Dach usw.*) einfallen, einstürzen

fall on [ˈfɔːl ɒn] **1.** *räumlich, zeitlich:* fallen auf; *his glance fell on Joan* sein Blick fiel auf Joan **2.** (≈ *angreifen*) herfallen über **3.** (*Aufgabe, Verpflichtung usw.*) zufallen (+ *Dativ*) (*to do* zu tun)

fall out [ˌfɔːlˈaʊt] **1.** (*Haar usw.*) ausfallen **2.** *fall out with someone* sich mit jemandem zerstreiten

fall over [ˌfɔːlˈəʊvə] **1.** (*Person*) hinfallen **2.** (*Vase usw.*) umfallen

fall through [ˌfɔːlˈθruː] (*Plan, Vorhaben usw.*) missglücken, ins Wasser fallen

---

fallen [ˈfɔːlən] *3. Form von →* **fall²**

fallible [ˈfæləbl] fehlbar, nicht unfehlbar

fallout [ˈfɔːlaʊt] Fall-out, radioaktiver Niederschlag

false [fɔːls] **1.** *allg.:* falsch (*auch Person, Bescheidenheit usw.*); *under false pretences* unter Vorspiegelung falscher Tatsachen **2.** *false alarm* falscher *oder* blinder Alarm (*auch übertragen*); *false bottom* in *Koffer usw.:* doppelter Boden; *false start* *Sport:* Fehlstart; *false teeth* *Pl.* (künstliches) Gebiss

falsification [ˌfɔːlsɪfɪˈkeɪʃn] *von Wahrheit, Dokument, Unterlagen:* Verfälschung

falsify [ˈfɔːlsɪfaɪ] fälschen, verfälschen (*Dokumente, Unterlagen usw.*)

falter [ˈfɔːltə] **1.** schwanken, taumeln **2.** zögern, zaudern **3.** (*Stimme*) stocken

fame [feɪm] Ruhm

familiar [fəˈmɪliə] **1.** *Umgebung, Melodie, Anblick usw.:* vertraut, bekannt (*to*; *dt. Dativ*; *with* mit); *are you familiar with this machine?* kennst du dich mit dieser Maschine aus?; *make oneself familiar with* sich vertraut machen mit (△ *familiäre Probleme* = *family problems*) **2.** *lockerer Umgangston:* vertraulich, ungezwungen; *be on familiar terms with someone* mit jemandem auf vertrautem Fuß stehen **3.** *Umgangston:* plumpvertraulich, aufdringlich

familiarize [fəˈmɪliəraɪz] vertraut *oder* bekannt machen (*with* mit)

family [ˈfæmlɪ] **1.** Familie; *a family of four* eine vierköpfige Familie **2.** *übertragen* Familie, Herkunft **3.** *family allowance* Kindergeld; *family doctor* Hausarzt; *family name* Nachname, Familienname; *family planning* Familienplanung; *family tree* Stammbaum

famine [ˈfæmɪn] Hungersnot

famous [ˈfeɪməs] berühmt (*for* wegen, für); *a world-famous pop star* ein weltberühmter Popstar

fan¹ [fæn] **1.** *zum Fächeln:* Fächer **2.** *Gerät:* Ventilator; *fan belt* *Motor:* Keilriemen

fan² [fæn] (≈ *Anhänger*) Fan; *fan club* Fan-klub; *fan mail* Verehrerpost

fanatic [fəˈnætɪk] Fanatiker(in)

fanatical [fəˈnætɪkl] fanatisch

fanaticism [fəˈnætɪsɪzm] Fanatismus

fancier [ˈfænsɪə] Liebhaber(in), Züchter(in) (*einer Tierart, Blumenart usw.*); *pigeon-fancier* Taubenzüchter(in)

fanciful [ˈfænsɪfl] **1.** fantasiereich **2.** *Idee usw.:* fantastisch, wirklichkeitsfremd

fancy¹ [ˈfænsɪ] **1.** *Hotel, Essen, Geschmack usw.:* fein, ausgefallen, schick; *fancy prices* gepfefferte Preise **2.** *Design, Gerät usw.:* raffiniert

fancy² [ˈfænsɪ] *BE* **1.** *fancy that!* stell dir vor!, denk nur!, sieh mal einer an! **2.** Lust haben auf, scharf sei auf; *I don't really fancy that job* ich bin auf diesen Job wirklich nicht scharf; *fancy a cup of tea?* *umg.* Lust auf ne Tasse Tee? **3.** *she fancies him* er hats ihr angetan **4.** *he really fancies himself* er hält sich für den Größten

fancy³ [ˈfænsɪ] *I've taken a fancy to Chinese food* ich habe an chinesischem Essen Gefallen gefunden, das chinesische Essen hat es mir angetan

fancy dress [ˌfænsɪˈdres] *BE* (Masken)-Kostüm

fancy-free [ˌfænsɪˈfriː] frei und ungebunden

fancy goods [ˈfænsɪ ˌɡʊdz] *Pl.* kleine Geschenkartikel *Pl.*

fang [fæŋ] **1.** *von Raubtier:* Reißzahn, Fangzahn **2.** *von Eber:* Hauer (*umg. auch humorvoll: von Person*) **3.** *von Schlange:* Giftzahn

fanny pack [ˈfænɪ ˌpæk] *AE, umg.* Gürteltasche

fantastic [fænˈtæstɪk] **1.** *umg.* fantastisch, toll **2.** (≈ *unwirklich*) fantastisch

fantasy ['fæntəsɪ] (≈ *Illusion*) Fantasie, Hirngespinst; *pure fantasy* reine Einbildung (△ *Fantasie als Fähigkeit =* **imagination**)

fanzine ['fænziːn] Fan-Magazin

FAQ [,efeɪ'kjuː] *Pl. auch* **FAQs** (*Abk. für* **f**requently **a**sked **q**uestion[s]) *Internet*: häufig gestellte Frage(n)

far [fɑː], **farther** ['fɑːðə] *oder* **further** ['fɜːðə], **farthest** ['fɑːðɪst] *oder* **furthest** ['fɜːðɪst] **1.** *räumlich*: fern, weit entfernt, weit; *far away oder off* weit weg, weit entfernt; *do you live far away?* wohnst du weit weg?; *at the far end of town* am anderen Ende der Stadt **2.** *zeitlich*: weit; *far into the night* bis spät *oder* tief in die Nacht hinein **3.** *übertragen* weit; *how far has he got with the project?* wie weit ist er mit dem Projekt?; *it's far from finished* es ist noch längst nicht fertig **4.** *in Wendungen*: *as far as* soweit, soviel wie; *as far as I know, ...* soweit ich weiß, ...; *as far as I'm concerned ...* was mich betrifft *oder* angeht, ...; *this train goes as far as Munich* dieser Zug fährt bis nach München; *so far so good* so weit, so gut; *she's by far the best* sie ist bei Weitem die Beste

fare [feə] *allg.*: Fahrpreis, *bei Flug*: Flugpreis; *what's the fare?* was kostet die Fahrt *oder* der Flug?; *travel half-fare* zum halben Preis fahren; *any more fares, please? BE* noch jemand zugestiegen?; *fare dodger BE* Schwarzfahrer(in)

farewell [,feə'wel] Abschieds...; *farewell party* Abschiedsparty

far-fetched [,fɑː'fetʃt] *Argument usw.*: weit hergeholt, an den Haaren herbeigezogen

farm[1] [fɑːm] Farm, Bauernhof

farm[2] [fɑːm] **1.** *allg.*: Landwirtschaft betreiben **2.** bebauen, bewirtschaften (*Land*)

farm out [,fɑːm'aʊt] *Wirtschaft*: vergeben (*Arbeit*)

farmer ['fɑːmə] Bauer, Landwirt, Farmer

farmhouse ['fɑːmhaʊs] Bauernhaus

farming ['fɑːmɪŋ] **1.** Landwirtschaft, Ackerbau **2.** *von Tieren*: Viehzucht

far-reaching ['fɑː,riːtʃɪŋ] *Folgen usw.*: weitreichend

fart[1] [fɑːt] *vulgär* **1.** Furz **2.** *Schimpfwort*: *old fart* alter Scheißer

fart[2] [fɑːt] *vulgär* furzen

farther[1] ['fɑːðə] *Komparativ von* → **far**

farther[2] ['fɑːðə] **1.** *nur räumlich*: weiter weg liegend, entfernter; *at the farther*

end am anderen Ende **2.** *so far and no farther* bis hierher und nicht weiter

farthest[1] ['fɑːðɪst] *Superlativ von* → **far**

farthest[2] ['fɑːðɪst] *nur räumlich*: weitest, entferntest; *his balloon flew the farthest* sein Ballon flog am weitesten

fascinate ['fæsɪneɪt] faszinieren

fascination [,fæsɪ'neɪʃn] Faszination

fashion ['fæʃn] **1.** (≈ *Zeitgeschmack*) Mode; *come into fashion* in Mode kommen, modern werden; *go out of fashion* aus der Mode kommen, unmodern werden; *fashion show* Modenschau **2.** Art und Weise; *in an orderly fashion* ordnungsgemäß, diszipliniert

fashionable ['fæʃnəbl] **1.** *Kleidung, Stil, Design usw.*: modisch, in Mode; *be very fashionable* große Mode sein **2.** *Person, deren Äußeres usw.*: modisch, elegant

fast[1] [fɑːst] **1.** *allg.*: schnell; *a fast car* ein schneller Wagen; *I'm a fast reader* ich lese schnell; *we ran as fast as we could* wir rannten, so schnell wir konnten **2.** *my watch is (ten minutes) fast* meine Uhr geht (10 Minuten) vor **3.** *he's trying to pull a fast one on us* umg. er versucht, uns übers Ohr zu hauen

fast[2] [fɑːst] **1.** *hold on fast* sich gut festhalten **2.** *be fast asleep* fest *oder* tief schlafen

fast[3] [fɑːst] (≈ *nicht essen*) fasten

fast[4] [fɑːst] Fasten, Fastenzeit

fasten [△ 'fɑːsn] **1.** befestigen, festmachen (*to, on* an); *she fastened the badge on his coat* sie befestigte die Plakette an seinem Mantel **2.** *auch fasten up* schließen (*Fenster usw.*), zuknöpfen (*Jacke, Mantel usw.*); *fasten your seatbelt, please!* bitte anschnallen! **3.** (*Hemd, Jacke, Tür*) sich schließen lassen; *the button won't fasten* der Knopf lässt sich nicht zumachen

fastener [△ 'fɑːsnə] Verschluss

fastidious [fæ'stɪdɪəs] anspruchsvoll, wählerisch (*beide about* in)

fast lane ['fɑːst ,leɪn] **1.** Überholspur **2.** *live one's life in the fast lane* umg. sein Leben auf vollen Touren genießen

fat[1] [fæt], **fatter, fattest 1.** *Körperstatur*: dick, fett; *get fat* dick werden **2.** *Speise*: fett, fetthaltig **3.** *umg.*; *Gehalt, Profit usw.*: fett, satt

fat[2] [fæt] **1.** Fett **2.** *now the fat is in the fire* jetzt ist der Teufel los **3.** *live off the fat of the land* in Saus und Braus *oder* wie Gott in Frankreich leben

fatal ['feɪtl] **1.** *Krankheit, Unfall*: tödlich; *he was fatally injured* er wurde tödlich verletzt **2.** *Fehler, Irrtum*: fatal, verhängnisvoll (*to* für)

fatality [fə'tælətı] **1.** tödlicher Unfall **2.** *bei Unfall usw.*: (Todes)Opfer

fate [feɪt] Schicksal; *he met his fate* das Schicksal ereilte ihn

father[1] ['fɑːðə] **1.** Vater; *I'm going to be a father* ich werde Vater; *like father like son* Sprichwort: der Apfel fällt nicht weit vom Stamm **2.** *übertragen* Begründer **3.** *Father Christmas BE* der Weihnachtsmann

Father Christmas

Der Weihnachtsmann hat im englischsprachigen Raum verschiedene Namen:

Father Christmas (GB)
Santa Claus (USA und GB)
Santa (USA und GB)

Santa Claus stammt von **Saint Nicholas** und entspricht somit dem deutschen Nikolaus. Er soll in der Nordpolgegend leben, von wo aus er mithilfe seiner Rentiere jedes Jahr Weihnachtsgeschenke in alle Welt liefert. Dazu muss er – trotz seines beachtlichen Umfangs – meistens durch den Kamin ins Wohnzimmer vordringen, wo ihn als Erfrischung meist ein Glas Whisky und einige Kekse erwarten.

father[2] ['fɑːðə] **1.** zeugen (*Kind*) **2.** ins Leben rufen (*Idee, Plan, Projekt usw.*)

fatherhood ['fɑːðəhʊd] Vaterschaft

father-in-law ['fɑːðərɪnlɔː] *Pl.* **fathers-in-law** Schwiegervater

fathom ['fæðəm] *auch* **fathom out** ergründen, verstehen

fatigue[1] [fə'tiːg] Ermüdung (*auch von Material*)

fatigue[2] [fə'tiːg] ermüden (*auch Material*)

fatso ['fætsəʊ] *umg., abwertend* Dicke(r), Dickerchen

fattening ['fætnɪŋ] *it's fattening* es macht dick

fatty[1] ['fætɪ] *umg., abwertend* Dicke(r), Dickerchen

fatty[2] ['fætɪ] *Lebensmittel*: fett, fettreich

faucet ['fɔːsɪt] *AE* Wasserhahn

fault [fɔːlt] **1.** Schuld, Verschulden; *it's my fault* es ist meine Schuld, ich bin schuld **2.** *she finds fault with everything I do* sie hat an allem, was ich tue, etwas auszusetzen **3.** *von Maschine*: Defekt **4.** *Tennis, beim Aufschlag*: Fehler; ☞ *Info unter dt.* **Fehler**

faultfinder ['fɔːlt,faɪndə] Nörgler(in), Krittler(in)

faultfinding[1] ['fɔːlt,faɪndɪŋ] Nörgelei, Krittelei

faultfinding[2] ['fɔːlt,faɪndɪŋ] nörglerisch, krittelig

faultless ['fɔːltləs] fehlerfrei, fehlerlos

faulty ['fɔːltɪ] **1.** *Maschine usw.*: fehlerhaft, defekt **2.** *Argumentation usw. auch*: falsch

fave [feɪv] *umg. für* **favourite** Lieblings...

favour[1], *AE* **favor** ['feɪvə] **1.** (≈ *vorziehen*) favorisieren, bevorzugen **2.** (≈ *von Vorteil sein*) günstig sein für, begünstigen; *the new law favours the rich* das neue Gesetz begünstigt die Reichen **3.** (≈ *fördern*) unterstützen, dafür sein (*Plan, Vorschlag*)

favour[2], *AE* **favor** ['feɪvə] **1.** (≈ *Hilfeleistung*) Gefallen, Gefälligkeit; *ask someone a favour oder ask a favour of someone* jemanden um einen Gefallen bitten; *do someone a favour* jemandem einen Gefallen tun; *do me a favour and go!* *umg.* tu mir einen Gefallen und geh! **2.** Gunst, Wohlwollen; *be in (bzw. out of) someone's favour oder be in (bzw. out of) favour with someone* bei jemandem gut (*bzw.* schlecht) angeschrieben sein **3.** *be in favour of* dafür sein (*Vorschlag usw.*); *all those in favour - raise your hands* alle, die dafür sind, Hand hoch! **4.** *she resigned in favour of her son* sie trat zugunsten ihres Sohnes zurück; *an error in my favour* ein Irrtum zu meinen Gunsten

favourable, *AE* **favorable** ['feɪvərəbl] **1.** *Bedingungen usw.*: günstig **2.** *Kritik, Eindruck usw.*: positiv

favourite[1], *AE* **favorite** ['feɪvrət] Lieblings...; *my favourite author* mein Lieblingsautor; *favourite food* Lieblingsgericht, Leibspeise

favourite[2], *AE* **favorite** ['feɪvrət] **1.** *Person*: Liebling **2.** *bes. Sport*: Favorit(in)

fax[1] [fæks] **1.** *Nachricht*: Fax; *fax number* Faxnummer **2.** *auch fax machine Gerät*: Fax

fax[2] [fæks] faxen

faze ['feɪz] *umg.* aus der Fassung bringen

fear[1] [fɪə] **1.** Furcht, Angst; *for fear that ...* aus Furcht, dass ...; *be in fear of someone* sich vor jemandem fürchten, vor jemandem Angst haben **2.** Befürchtung, Sorge; *I didn't reply for fear of hurting her feelings* ich antwortete nicht, um sie nicht zu verletzen

fear[2] [fɪə] **1.** fürchten, sich fürchten, Angst haben; *but what I fear most is ...* wovor ich am meisten Angst habe, ist ... **2.** (≈ *sich sorgen*) befürchten; *I fear the worst* ich befürchte das Schlimmste

fearful ['fɪəfl] **1.** *be fearful* in Sorge sein (*of, for* um) **2.** *be fearful of* sich fürchten vor

fearless ['fɪələs] furchtlos

feasible ['fiːzəbl] machbar, *Plan usw.*: durchführbar

feast[1] [fiːst] **1.** *bei Hochzeit usw.*: Festessen, Festmahl **2.** *a feast for the eyes* eine Augenweide **3.** *religiös*: Fest, Feiertag

feast[2] [fiːst] **1.** sich gütlich tun (*on* an) **2.** sich weiden (*on* an)

feat [fiːt] **1.** Kunststück, Meisterstück **2.** *in der Technik usw.*: große Leistung

feather ['feðə] *von Vögeln*: Feder; **feathers** *Pl.* Gefieder; **feather bed** Federbett

feature[1] ['fiːtʃə] **1.** Merkmal, Charakteristikum; **this dictionary has some new features** dieses Wörterbuch weist einige neue Besonderheiten auf **2.** *Radio*, *TV*: Beitrag, Feature **3.** *auch* **feature film** Spielfilm, *im Kino*: Hauptfilm

feature[2] ['fiːtʃə] *in Ausstellung*, *Show*, *Konzert usw.*: zeigen, bringen; **an exhibition featuring the early works of Picasso** eine Ausstellung mit dem Frühwerk Picassos; **a film featuring X** ein Film mit X in der Hauptrolle

February ['februərɪ] Februar, ⒶⒺ Feber; **in February** im Februar

fed [fed] *2. und 3.Form von* → **feed**

federal ['fedərəl] *Politik*: föderal, Bundes...; **Federal Republic of Germany** Bundesrepublik Deutschland

federalism ['fedərəlɪzm] *Politik*: Föderalismus

federation [ˌfedə'reɪʃn] **1.** *Politik*: Bundesstaat, Föderation, Staatenbund **2.** *Sport*: Verband

fed up [ˌfed'ʌp] **be fed up** *umg.* es satthaben, die Nase voll haben (**with** von)

fee [fiː] **1.** *Anwalt*, *Arzt*, *Übersetzer usw.*: Honorar **2.** *Künstler usw.*: Gage **3.** *in Verein usw.*: Beitrag **4.** *für Dienstleistung*: Gebühr

feeble ['fiːbl] schwach (*auch übertragen*)

feed [fiːd], **fed** [fed], **fed** [fed] **1.** füttern (*Tier*, *Kind usw.*) **2.** ernähren, unterhalten (*Familie usw.*) **3.** *übertragen* versorgen (**with** mit); **feed someone with information** jemanden mit Informationen versorgen; **feed something into a computer** etwas in einen Computer eingeben *oder* einspeisen

feedback ['fiːdbæk] **1.** (≈ *Reaktion*) Feedback, Rückmeldung; **how's the feedback to your suggestions?** wie ist das Feed-back auf deine Vorschläge? **2.** *in Lautsprecheranlage*: Rückkoppelung

feel [fiːl], **felt** [felt], **felt** [felt] **1.** *allg.*: fühlen, befühlen; **feel one's way** sich tasten

vor, **through** durch) **2.** (≈ *empfinden*) fühlen, verspüren (*Schmerz usw.*); **I feel cold** mir ist kalt **3.** sich anfühlen; **it feels like leather** es fühlt sich an wie Leder **4.** (≈ *meinen*) finden, glauben (**that** dass); **I feel it (to be) my duty** ich halte es für meine Pflicht; **how do you feel about it?** was meinst du dazu? **5.** sich fühlen; **feel ill** sich krank fühlen **6.** **do you feel like going for a walk?** hast du Lust spazieren zu gehen?; **'Can I use your phone?' – 'Feel free.'** „Kann ich mal telefonieren?" – „Natürlich!"

---

feel for ['fiːl_fɔː] **1.** tasten nach **2.** **feel for someone** mit jemandem Mitleid haben

---

feeler ['fiːlə] *von Insekten*: Fühler (*auch übertragen*); **put out feelers** (*oder* **a feeler**) seine Fühler ausstrecken

feeling ['fiːlɪŋ] Gefühl; **have a feeling (that)** das Gefühl haben, dass

feet [fiːt] *Pl. von* → **foot**

feign [feɪn] vortäuschen (*Interesse*, *Krankheit usw.*); **feign death** sich tot stellen

feint [feɪnt] *Sport*: Finte (*auch übertragen*)

fell[1] [fel] *2. Form von* → **fall**[2]

fell[2] [fel] fällen (*Baum*), fällen, niederstrecken (*Gegner usw.*)

fellow[1] ['feləʊ] *umg.* Kerl, Typ; **old fellow** alter Knabe; **he's a funny fellow** er ist ein komischer Kauz

fellow[2] ['feləʊ] Mit...; **fellow citizen** Mitbürger(in); **fellow countryman** Landsmann; **fellow student** Kommilitone, Kommilitonin

felt [felt] *2. und 3. Form von* → **feel**

felt-tip pen [ˌfelt_tɪp'pen] Filzstift, Filzschreiber

female[1] ['fiːmeɪl] **1.** weiblich; **female bear** Bärin **2.** Frauen...

female[2] ['fiːmeɪl] **1.** *bei Tieren*: Weibchen **2.** *frauenfeindlich*: Weib, Weibsbild

feminine ['femɪnɪn] **1.** weiblich (*auch grammatikalisch*) **2.** *äußere Erscheinung*: feminin (*auch abwertend*), weiblich

feminism ['femɪnɪzm] Feminismus, Frauenbewegung

feminist[1] ['femənɪst] Feminist(in), Frauenrechtler(in)

feminist[2] ['femənɪst] feministisch

fence[1] [fens] **1.** Zaun; **sit on the fence** *übertragen* sich neutral verhalten, unentschlossen sein **2.** *salopp* Hehler

fence[2] [fens] *Sport*: fechten

fencer ['fensə] *Sport*: Fechter(in)

fencing ['fensɪŋ] **1.** *Sport*: Fechten **2.** Zaun, Einzäunung **3.** *salopp* Hehlerei

fend [fend] **fend for oneself** für sich

selbst sorgen

fend off [fend'ɒf] abwehren (*Angreifer, Fragen usw.*)

ferment[1] [fə'ment] **1.** *Chemie*: gären, gären lassen, vergären **2.** *übertragen* in Wallung bringen (*Gefühle, Zorn usw.*) **3.** *übertragen* (*Gefühle, Zorn usw.*) gären
ferment[2] ['fɜ:ment] **1.** *Chemie*: Gärstoff, Ferment **2.** *Prozess*: Gärung (*auch übertragen*) **3.** *übertragen* innere Unruhe, Aufruhr
fermentation [ˌfɜ:men'teɪʃn] *Chemie*: Gärung, Gärungsprozess (*auch übertragen*)
ferocious [fə'rəʊʃəs] **1.** *Tier usw.*: wild **2.** *Blick usw.*: wild, grimmig
ferret[1] ['ferɪt] Frettchen
ferret[2] ['ferɪt] *mst.* **ferret about** (*oder* **around**) herumstöbern (**among** in, **for** nach)

ferret out [ˌferɪt'aʊt] aufspüren, herausfinden (*Wahrheit usw.*)

ferry[1] ['ferɪ] Fähre, Fährschiff, Fährboot
ferry[2] ['ferɪ] (mit einer Fähre) übersetzen

ferry

Fährverbindungen bestehen seit langer Zeit auch zwischen den britischen Inseln und dem europäischen Kontinent. Die wichtigste von ihnen ist nach wie vor die zwischen Dover an der englischen Südküste und Calais in Frankreich; ☞ *Karte S. 293*

ferryboat ['ferɪbəʊt] Fähre, Fährboot
ferryman ['ferɪmən] *Pl.*: **ferrymen** ['ferɪmən] Fährmann
fertile ['fɜ:taɪl] **1.** *allg.*: fruchtbar **2.** *übertragen* produktiv, schöpferisch; *a fertile imagination* eine rege Fantasie
fertility [fɜ:'tɪlətɪ] Fruchtbarkeit
fertilize ['fɜ:təlaɪz] **1.** befruchten (*Tier, Pflanze*) **2.** düngen (*Acker*)
fertilizer ['fɜ:təlaɪzə] Dünger, Kunstdünger
fervent ['fɜ:vənt] **1.** *Verehrer usw.*: glühend, leidenschaftlich **2.** *Gebet, Verlangen usw.*: inbrünstig
festival ['festɪvl] **1.** Fest **2.** *Kulturveranstaltung*: Festival, Festspiele
festive ['festɪv] **1.** festlich, Fest… **2.** *the festive season* die Festzeit, *bes.*: die Weihnachtszeit
festivity [fe'stɪvətɪ] **1.** Feier; *festivities Pl.* Festlichkeiten *Pl.* **2.** festliche Stimmung

festoon[1] [fe'stu:n] Girlande
festoon[2] [fe'stu:n] mit Girlanden schmücken
fetch [fetʃ] **1.** (herbei)holen, (her)bringen; (*go and*) *fetch a doctor* einen Arzt holen; *I'll fetch another glass* ich hole noch ein Glas **2.** erzielen, einbringen (*Preis usw.*)
fetching ['fetʃɪŋ] **1.** *Person*: bezaubernd, reizend **2.** *Kleid usw.*: entzückend **3.** *Lächeln usw.*: gewinnend
fetus ['fi:təs] *AE* Fötus
fever ['fi:və] *bei Krankheit*: Fieber (*auch übertragen*); *have a fever* Fieber haben; *be in a fever (of excitement)* in fieberhafter Aufregung sein, vor Aufregung fiebern; *reach fever pitch übertragen* den Siedepunkt erreichen
feverish ['fi:vərɪʃ] **1.** *bei Krankheit*: fieberkrank, fiebrig; *be feverish* Fieber haben; *have a feverish cold* eine fiebrige Erkältung haben **2.** *übertragen* fieberhaft; *be feverish with excitement* vor Aufregung fiebern
few [fju:] **1.** wenige; *I have few real friends* ich habe wenige echte Freunde **2.** *a few* einige, ein paar; *a good few oder quite a few* ziemlich viele, eine ganze Menge; *every few days* alle paar Tage
fiancé [fɪ'ɒnseɪ] *der* Verlobte
fiancée [fɪ'ɒnseɪ] *die* Verlobte
fiasco [fɪ'æskəʊ] Fiasko
fib[1] [fɪb] *umg.* Flunkerei, Schwindelei; *tell a fib oder tell fibs* flunkern
fib[2] [fɪb], **fibbed, fibbed** *umg.* flunkern, schwindeln
fibber ['fɪbə] *umg.* Flunkerer, Schwindler
fibre, *bes. AE* **fiber** ['faɪbə] **1.** *bei Pflanzen, Kunststoff usw.*: Faser **2.** *übertragen* Charakter; *moral fibre* Charakterstärke **3.** *high-fibre diet* ballaststoffreiche Ernährung
fickle ['fɪkl] **1.** *Person*: launisch, launenhaft **2.** *Wetter*: unbeständig
fiction ['fɪkʃn] **1.** (freie) Erfindung, Fiktion; *it's pure fiction* es ist reine Erfindung **2.** *Literaturgattung*: erzählende Literatur, Romane und Erzählungen
fictional ['fɪkʃnəl] erdichtet, erfunden
fictitious [fɪk'tɪʃəs] (frei) erfunden
fiddle[1] ['fɪdl] **1.** *umg.*: *Musikinstrument*: Fiedel, Geige; *play first (second) fiddle übertragen* die erste (zweite) Geige spielen **2.** *be (as) fit as a fiddle* kerngesund sein **3.** *it was a fiddle* es war Schiebung
fiddle[2] ['fɪdl] **1.** fiedeln, geigen **2.** *BE, umg.* frisieren (*Bilanzen*)

fiddle about *oder* **around** [ˌfɪdl̩_ə'baʊt *oder* ə'raʊnd] **1.** herumfummeln (**with** an), spielen (**with** mit) **2.** (≈ *Zeit vergeuden*) herumtrödeln

fiddler ['fɪdlə] *umg.* **1.** Fiedler, Geiger **2.** *BE, umg.* Schwindler, Betrüger
fidget[1] ['fɪdʒɪt] (herum)zappeln, unruhig sein; *fidget with something* mit etwas herumspielen
fidget[2] ['fɪdʒɪt] *umg.* Zappelphilipp
fidgety ['fɪdʒətɪ] zappelig, nervös
field [fiːld] **1.** Acker, Feld; *in the field* auf dem Feld **2.** *übertragen* Bereich, Fachgebiet; *in his field* auf seinem Gebiet, in seinem Fach **3.** *Sport:* Spielfeld **4.** *Sport:* Feld (*alle Läufer, Fahrer usw.*)
field day ['fiːld_deɪ] *have a field day umg.* seinen großen Tag haben
field hockey ['fiːld,hɒkɪ] *bes. AE; Sport:* (Feld)Hockey
field trip ['fiːld_trɪp] *Schule usw.:* Exkursion
fierce [fɪəs] **1.** *Tier usw.:* wild **2.** *Gesichtsausdruck:* böse **3.** *Wettbewerb:* scharf **4.** *Angriff:* heftig
fiery ['faɪərɪ] **1.** brennend, glühend **2.** *Temperament:* feurig, hitzig **3.** *Essen:* scharf, *alkoholisches Getränk:* hochprozentig
fifteen[1] [ˌfɪf'tiːn] fünfzehn
fifteen[2] [ˌfɪf'tiːn] *Buslinie usw.:* Fünfzehn
fifth[1] [fɪfθ] fünfte(r, -s)

Fifth Avenue

Fifth Avenue heißt New Yorks berühmteste Straße. Für ihre schicken Geschäfte und Luxushotels bekannt, teilt diese breite Allee den New Yorker Bezirk **Manhattan** in zwei Teile: den Westen (**West Side**) und den Osten (**East Side**).

fifth[2] [fɪfθ] **1.** Fünfte(r, -s); *the fifth of May* der 5. Mai **2.** *Bruchteil:* Fünftel
fifthly ['fɪfθlɪ] fünftens
fiftieth ['fɪftɪəθ] fünfzigste(r, -s)
fifty[1] ['fɪftɪ] fünfzig
fifty[2] ['fɪftɪ] Fünfzig; *he's in his fifties* er ist in den Fünfzigern; *in the fifties* in den Fünfzigerjahren (*eines Jahrhunderts*)
fifty-fifty [ˌfɪftɪ'fɪftɪ] *umg.* fifty-fifty; *go fifty-fifty* (**with**) halbe-halbe machen (mit)
fig [fɪg] *Frucht:* Feige
fight[1] [faɪt] **1.** Kampf (**for** um, für; *against* gegen) (*auch übertragen*); *put up a good fight* sich tapfer schlagen **2.** Rauferei, Schlägerei; *have a fight* sich raufen *oder* prügeln (**with** mit)

fight[2] [faɪt], **fought** [fɔːt], **fought** [fɔːt] **1.** kämpfen (**for** um, für) **2.** bekämpfen, kämpfen gegen *oder* mit (*Gegner, Krankheit usw.*) **3.** *mit Fäusten:* sich raufen *oder* schlagen *oder* prügeln (**with** mit) **4.** *mit Worten:* (sich) streiten (**over** *oder* **about** über); *stop fighting!* hört auf, euch zu streiten!

fight back [ˌfaɪt'bæk] unterdrücken (*Enttäuschung, Tränen usw.*)
fight off [ˌfaɪt'ɒf] abwehren (*Angriff*)

fighter ['faɪtə] **1.** Kämpfer **2.** *Sport:* Boxer
fighting[1] ['faɪtɪŋ] Kampf, Kämpfe
fighting[2] ['faɪtɪŋ] Kampf...; *have a fighting chance* eine reelle Chance haben (*wenn man sich anstrengt*); *fighting spirit* Kampfgeist
figurative ['fɪɡərətɪv] bildlich, übertragen
figure[1] ['fɪɡə], *AE* ['fɪɡjər] **1.** *von Person:* Figur, Gestalt; *have a good figure* eine gute Figur haben **2.** *übertragen* Figur, Persönlichkeit; *an important political figure* eine wichtige Persönlichkeit des politischen Lebens **3.** *1, 2, 3 usw.:* Zahl, Ziffer; *run into three figures* in die Hunderte gehen; *six-figure income* sechsstelliges Einkommen
figure[2] ['fɪɡə], *AE* ['fɪɡjər] **1.** *bes. AE, umg.* meinen, glauben **2.** *Person, Name:* erscheinen, vorkommen

figure out [ˌfɪɡər'aʊt] *umg.* **1.** begreifen, kapieren; *I can't figure him out* ich werde aus ihm nicht schlau **2.** ausknobeln, rauskriegen (*Plan, Lösung eines Problems usw.*)

figure skating ['fɪɡə,skeɪtɪŋ] *Sport:* Eiskunstlauf
filch [fɪltʃ] *umg.* klauen, stibitzen
file[1] [faɪl] **1.** *für Akten usw.:* Ordner **2.** *Schriftstück:* Akte; *keep* (*oder* *have*) *a file on* eine Akte führen über; *on file* bei den Akten **3.** *in Computer:* Datei
file[2] [faɪl] **1.** *auch file away* ablegen, zu den Akten nehmen (*Briefe usw.*) **2.** *file a complaint* Beschwerde einlegen
file[3] [faɪl] *Werkzeug:* Feile
file[4] [faɪl] feilen
filet [fə'leɪ] *AE* Filet
filing cabinet ['faɪlɪŋ,kæbɪnət] Aktenschrank
fill [fɪl] **1.** *allg.:* füllen **2.** plombieren (*Zahn*) **3.** besetzen, bekleiden (*Posten, Amt*)

fill in [ˌfɪl'ɪn] **1.** *bes. BE* ausfüllen (*Formular usw.*) **2.** *fill in for someone* für

jemanden einspringen
fill out [ˌfɪl'aʊt] *bes.*
fill up [ˌfɪl'ʌp] vollfüllen; *fill it up,*
please umg. bitte volltanken!

fillet ['fɪlɪt] *BE* Filet; *fillet steak* Filetsteak
filling¹ ['fɪlɪŋ] **1.** Füllung, Füllmasse **2.** *für Zahn*: Füllung, Plombe
filling² ['fɪlɪŋ] *Speise*: sättigend
filling station ['fɪlɪŋˌsteɪʃn] Tankstelle
film¹ [fɪlm] **1.** *allg., im Kino usw.*: Film **2.** *hauchdünner Belag*: Schicht, Film
film² [fɪlm] **1.** verfilmen (*Roman usw.*) **2.** filmen (*Szene usw.*)
filter¹ ['fɪltə] **1.** Filter **2.** Filterzigarette
filter² ['fɪltə] filtern
filter tip ['fɪltə_tɪp] **1.** *von Zigarette*: Filter **2.** Filterzigarette
filth [fɪlθ] Schmutz, Dreck
filthy ['fɪlθɪ] **1.** schmutzig, dreckig (*auch übertragen*) **2.** *bes. BE, umg.* ekelhaft, scheußlich; *filthy weather* Sauwetter; *filthy rich* stinkreich
fin [fɪn] **1.** *von Fisch*: Flosse **2.** *Sport*: Schwimmflosse; ☞ *flipper 2*
final¹ ['faɪnl] **1.** letzte(r, -s) **2.** End..., Schluss...; *final examination* Abschlussprüfung; *final whistle Sport*: Schlusspfiff **3.** *Entscheidung*: endgültig
final² ['faɪnl] **1.** *Sport*: Finale, Endrunde, Endspiel *usw.* **2.** *finals Pl. an Universität usw.*: Abschlussprüfung
finalist ['faɪnəlɪst] *Sport*: Finalist(in)
finally ['faɪnəlɪ] **1.** *nach langem Warten*: endlich, schließlich **2.** *zeitlich usw.*: zuletzt, zum Schluss
finance¹ ['faɪnæns] **1.** Finanz(wesen) **2.** *finances Pl.* Finanzen, Geld(mittel)
finance² [faɪ'næns] finanzieren
financial [faɪ'nænʃl] finanziell, Finanz...
finch [fɪntʃ] *Vogel*: Fink
find¹ [faɪnd], *found* [faʊnd], *found* [faʊnd] **1.** *allg.*: finden; *she was found dead* sie wurde tot aufgefunden **2.** bemerken, herausfinden (*Sachverhalt, Grund usw.*); *you'll find that ...* du wirst feststellen, dass ... **3.** *I find it easy (bzw. difficult) to ...* mir fällt es leicht (*bzw.* schwer) zu ... **4.** *vor Gericht*: *find someone guilty* jemanden für schuldig befinden

find out [ˌfaɪnd'aʊt] **1.** herausfinden (*Geheimnis, Wahrheit*) **2.** *be found out* (*als Täter*) erwischt werden

find² [faɪnd] Fund
finding ['faɪndɪŋ] **1.** *mst. findings Pl.* Befund **2.** *juristisch*: Feststellung (*des Gerichts*), Spruch (*der Geschworenen*)
fine¹ [faɪn] **1.** *allg.*: gut, fein; *'How are you?' - 'Fine.'* „Wie gehts?" - „Gut." **2.** *Wetter*: schön **3.** *Sportler, Künstler*: großartig, ausgezeichnet **4.** *Haar, Linie usw.*: fein, dünn **5.** *umg., im negativen Sinn* fein, schön; *a fine friend you are!* du bist mir ein schöner Freund!
fine² [faɪn] Geldstrafe, Bußgeld
fine³ [faɪn] zu einer Geldstrafe verurteilen; *he was fined £50* er musste 50 Pfund Strafe bezahlen
finger ['fɪŋgə] **1.** Finger; *little finger* kleiner Finger **2.** *in Wendungen*: *have a (oder one's) finger in the pie* die Hand im Spiel haben; *keep one's fingers crossed (for someone)* (jemandem) die Daumen drücken *oder* halten; *she didn't lift a finger* sie hat keinen Finger gerührt; *he's all fingers and thumbs umg.* er hat zwei linke Hände; *give someone the finger umg., bes. AE* jemandem den Stinkefinger zeigen
fingernail ['fɪŋgəneɪl] Fingernagel
fingerprint ['fɪŋgəprɪnt] Fingerabdruck; *take someone's fingerprints* von jemandem Fingerabdrücke machen
fingertip ['fɪŋgətɪp] **1.** Fingerspitze **2.** *have something at one's fingertips* etwas aus dem Effeff beherrschen, etwas parat haben
finicky ['fɪnɪkɪ] **1.** *Person*: pingelig, wählerisch (*about* in) **2.** *eine Arbeit*: knifflig
finish¹ ['fɪnɪʃ] **1.** beenden, aufhören mit; *finish working usw.* mit der Arbeit *usw.* aufhören **2.** *auch finish off* vollenden, zu Ende führen **3.** erledigen (*Arbeit*) **4.** auslesen (*Buch usw.*) **5.** *auch finish off (oder up)* aufbrauchen (*Vorräte*) **6.** *bei Mahlzeit usw.*: aufessen, austrinken **7.** enden, aufhören (*with* mit); *have you finished?* bist du fertig?
finish² ['fɪnɪʃ] **1.** Ende, Schluss **2.** *Sport, Endphase eines Rennens*: Endspurt, Finish **3.** *Sport, Endpunkt eines Rennens*: Ziel
Finland ['fɪnlənd] Finnland
Finn [fɪn] Finne, Finnin
Finnish¹ ['fɪnɪʃ] finnisch
Finnish² ['fɪnɪʃ] *Sprache*: Finnisch
fir [fɜː] Tanne
fire¹ ['faɪə] **1.** Feuer (*auch übertragen*), Brand; *be on fire* in Flammen stehen, brennen; *catch fire* Feuer fangen, in Brand geraten; *set on fire oder set fire to* anzünden, in Brand setzen; *play with fire übertragen* mit dem Feuer spielen **2.** *militärisch*: Feuer; *come under fire* unter Beschuss geraten (*auch übertragen*); ☞ *Info S. 192*

The Great Fire of London

1666 brach in einer Londoner Bäckerei ein Feuer aus, das mehr als die Hälfte der Stadt, unter anderem auch die **St Paul's Cathedral**, zerstörte. Trotz des verheerenden Sachschadens kamen bei dieser Katastrophe nur vier Menschen ums Leben.

fire² ['faɪə] **1.** (ab)feuern, abgeben (*Schuss*) (*at, on* auf) **2.** *mit Schusswaffe:* feuern, schießen **3.** *umg.* feuern, rausschmeißen (*Arbeitnehmer*)
fire alarm ['faɪər_ə,lɑːm] **1.** Feueralarm **2.** *Gerät:* Feuermelder
fire brigade ['faɪə_brɪ,geɪd] *BE* Feuerwehr
fire department ['faɪə_dɪ,pɑːtmənt] *AE* Feuerwehr
fire engine ['faɪər,endʒɪn] Löschfahrzeug
fire escape ['faɪər_ɪ,skeɪp] Feuerleiter, Feuertreppe
fire extinguisher ['faɪər_ɪk,stɪŋgwɪʃə] Feuerlöscher
fire fighter ['faɪə,faɪtə] Feuerwehrmann
fireman ['faɪəmən] *Pl.:* **firemen** ['faɪəmən] Feuerwehrmann
fireplace ['faɪəpleɪs] (offener) Kamin
fireproof ['faɪəpruːf] feuerfest, feuersicher
fireside ['faɪəsaɪd] **1.** (offener) Kamin; *by the fireside* am Kamin **2.** *übertragen* häuslicher Herd, Daheim
fire station ['faɪə,steɪʃn] Feuerwache
firework ['faɪəwɜːk] **1.** Feuerwerkskörper **2.** *fireworks Pl.* Feuerwerk (*auch übertragen*)
firm¹ [fɜːm] **1.** *allg.:* fest, stabil **2.** *von Gesinnung, Haltung:* standhaft; *stand firm* festbleiben, hart bleiben **3.** *Beweise:* sicher **4.** *Angebot:* bindend
firm² [fɜːm] Firma
firmness ['fɜːmnəs] Festigkeit
first¹ [fɜːst] **1.** erste(r, -s); *for the first time* zum ersten Mal; *first thing tomorrow* gleich morgen früh **2.** zuerst; *go first* vorangehen **3.** als erste(r, -s), an erster Stelle; *first come, first served* wer zuerst kommt, mahlt zuerst; *first of all* vor allen Dingen, zuallererst **4.** *know something at first hand* etwas aus erster Hand wissen
first² [fɜːst] **1.** Erste(r, -s); *the first of May* der 1. Mai; *at first* (zu)erst, anfangs; *from the first* von Anfang an **2.** *von Kraftfahrzeug:* erster Gang; *in first* im ersten Gang **3.** *übertragen* Beste(r, -s)
first aid [,fɜːst'eɪd] Erste Hilfe; *give someone first aid* jemandem Erste Hil-

fe leisten
first-aid box [,fɜːst'eɪd_bɒks], **first-aid kit** [,fɜːst'eɪd_kɪt] Verband(s)kasten
first-class [,fɜːst'klɑːs] **1.** erstklassig, erstrangig **2.** *Fahrkarte usw.:* erster Klasse
first floor [,fɜːst'flɔː] **1.** *BE* erster Stock **2.** *AE* Erdgeschoss
first-hand [,fɜːst'hænd] *first-hand information* Informationen aus erster Hand
firstly ['fɜːstlɪ] erstens
first name ['fɜːst_neɪm] Vorname; *what's his first name?* wie heißt er mit Vornamen?
first night [,fɜːst'naɪt] Premiere, Uraufführung
fish¹ [fɪʃ] *Pl.:* **fish**, (*bes. Fischarten*) **fishes 1.** Fisch **2.** *in Wendungen: drink like a fish umg.* saufen wie ein Loch; *have other fish to fry umg.* Wichtigeres zu tun haben; *that's a different kettle of fish* das ist etwas ganz anderes

fish

Der Plural von **fish** lautet meist **fish**. Nur wenn von verschiedenen Fischarten die Rede ist, gebraucht man die Pluralform **fishes**.

fish² [fɪʃ] fischen, angeln
fish and chips [,fɪʃ_ən'tʃɪps] *BE* frittiertes Fischfilet mit Pommes frites

fish and chips

… – auch **fish 'n' chips** geschrieben – gehört nach wie vor zu den beliebtesten britischen Gerichten. Zu einem frittierten Fischfilet – meist Kabeljau (**cod**), Scholle (**plaice**) oder Schellfisch (**haddock**) – isst man dicke Pommes frites, die mit Salz und Malzessig gewürzt werden. Richtig deftig sind die **fish and chips** meist im **fish and chip shop**, wo man sie in Papier eingewickelt bekommt, um sie gleich auf der Straße oder im Auto essen bzw. mit nach Hause nehmen zu können.

fishbone ['fɪʃbəʊn] Gräte
fisherman ['fɪʃəmən] *Pl.:* **fishermen** ['fɪʃəmən] Fischer, Angler
fish finger [,fɪʃ'fɪŋgə] *BE* Fischstäbchen
fishhook ['fɪʃhʊk] Angelhaken
fishing ['fɪʃɪŋ] Fischen, Angeln
fishing boat ['fɪʃɪŋ_bəʊt] Fischerboot
fishing line ['fɪʃɪŋ_laɪn] Angelschnur
fishing rod ['fɪʃɪŋ_rɒd] Angelrute
fishmonger ['fɪʃ,mʌŋgə] *bes. BE* Fischhändler(in)

flare

fish stick [ˈfɪʃ_stɪk] *AE* Fischstäbchen

fist [fɪst] Faust

fit[1] [fɪt], **fitter, fittest 1.** *für eine Aufgabe usw.*: geeignet, tauglich; *fit to drink* trinkbar; *that food's not fit to eat* das Essen ist ungenießbar; *fit to drive* fahrtüchtig **2.** *körperlich*: fit, (gut) in Form; *keep fit* sich fit halten

fit[2] [fɪt], **fitted, fitted,** *AE auch* **fit, fit 1.** (*Kleid, Hose usw.*) passen, sitzen **2.** (*Beschreibung usw.*) zutreffen auf, entsprechen **3.** einbauen (*Schloss usw.*) (*into* in)

---

fit in [ˌfɪt'ɪn] **1.** *he just doesn't fit in at school* er passt sich der Klassengemeinschaft einfach nicht an **2.** *fit someone in terminlich*: jemanden einschieben; *I can fit you in on Friday* am Freitag hätte ich Zeit für Sie

---

fit[3] [fɪt] *von Kleidung*: Passform, Sitz; *be a perfect fit* genau passen, tadellos sitzen; *be a tight fit* sehr eng sein

fit[4] [fɪt] **1.** *bei Krankheit*: Anfall; *coughing fit* Hustenanfall **2.** *fit of anger übertragen* Wutanfall; *they collapsed into fits of laughter* sie bogen sich vor Lachen

fitness [ˈfɪtnəs] (≈ *Kondition*) Fitness, (gute) Form; *fitness test* Fitnesstest

fitted [ˈfɪtɪd] **1.** zugeschnitten; *fitted carpet* Teppichboden **2.** *fitted kitchen* Einbauküche

fitter [ˈfɪtə] Monteur, Installateur(in)

fitting[1] [ˈfɪtɪŋ] **1.** Zubehörteil **2.** *fittings Pl., von Haus usw.*: Ausstattung, Einrichtung

fitting[2] [ˈfɪtɪŋ] passend, geeignet

fitting room [ˈfɪtɪŋ_ruːm] Umkleidekabine

five[1] [faɪv] fünf; *five-day week* Fünftagewoche

five[2] [faɪv] *Buslinie, Spielkarte usw.*: Fünf

fiver [ˈfaɪvə] *umg.* **1.** *BE* Fünfpfundschein **2.** *AE* Fünfdollarschein

fix[1] [fɪks] **1.** *mit Schrauben, Nägeln usw.*: befestigen, festmachen, anbringen (*to* an) **2.** festsetzen (*Preis, Zinssatz usw.*) (*at* auf) **3.** festlegen, ausmachen (*Termin usw.*) **4.** reparieren (*Radio usw.*) **5.** *bes. AE* zubereiten, machen (*Mahlzeit usw.*); *can I fix you a drink?* kann ich dir was zu trinken bringen? **6.** *fix one's hair* sich frisieren **7.** *I'll fix him! umg.* dem werd ich's zeigen!

fix[2] [fɪks] *umg.* **1.** Klemme; *be in a fix* in der Klemme *oder* Patsche stecken **2.** *the match was a fix* das Spiel war eine abgekartete Sache

fixed [fɪkst] **1.** fest, unveränderlich; *fixed costs* fixe Kosten; *fixed star* Fixstern **2.** *Blick*: starr **3.** *fixed menu* (Tages)Menü

fixings [ˈfɪksɪŋz] *Pl., AE; von Speise*: Beilagen *Pl.*

fixture [ˈfɪkstʃə] **1.** *mst. fixtures Pl.* Ausstattung, Inventar; *lighting fixtures* Beleuchtungskörper **2.** *BE; Sport*: Spiel, Veranstaltung

fizz [fɪz] **1.** *Getränk*: sprudeln **2.** *Geräusch*: zischen

---

fizzle out [ˌfɪzl'aʊt] *umg.* verpuffen, im Sand verlaufen

---

flabbergast [ˈflæbəgɑːst] *umg.* verblüffen; *be flabbergasted* platt sein

flabby [ˈflæbɪ] *Muskeln usw.*: schlaff, *umg.* wabbelig

flag [flæg] **1.** Fahne **2.** *eines Staates*: Flagge

flagpole [ˈflægpəʊl], **flagstaff** [ˈflægstɑːf] Fahnenstange, Flaggenmast

flair [fleə] **1.** Veranlagung; *have a flair for art* künstlerisch veranlagt sein **2.** (≈ *besondere Ausstrahlung*) *das* Flair

flake[1] [fleɪk] *von Schnee, Seife*: Flocke

flake[2] [fleɪk] **1.** *auch flake off* (*Farbe, Verputz*) abblättern **2.** (*Haut*) sich schuppen

flaky [ˈfleɪkɪ] **1.** flockig; *flaky pastry* Blätterteig **2.** *Farbe, Putz*: bröcklig

flame[1] [fleɪm] **1.** Flamme; *be in flames* in Flammen stehen **2.** *Leidenschaft*: Feuer, Glut **3.** *an old flame of mine umg.* eine alte Liebe von mir

flame[2] [fleɪm] **1.** (*Feuer*) lodern, flammen **2.** *übertragen* aufbrausen

flammable [ˈflæməbl] *Material*: brennbar, leicht entzündlich

---

flammable

Inflammable bedeutet wie **flammable** auch „leicht entzündlich". Das Gegenteil, nämlich „nicht entzündbar", heißt **non-flammable**.

---

flan [flæn] **1.** Kuchen; *strawberry flan* Erdbeertorte **2.** *cheese flan* Käsepastete, Quiche

flannel [ˈflænl] **1.** Flanell **2.** *flannels Pl.* (*auch pair of flannels*) Flanellhose **3.** *BE* Waschlappen

flap[1] [flæp] **1.** *an Tasche usw.*: Klappe **2.** *be in a flap* ganz aufgeregt *oder* in heller Aufregung sein; *get into a flap* sich aufregen

flap[2] [flæp], **flapped, flapped** mit den Flügeln schlagen, flattern

flapjack [ˈflæpdʒæk] *AE* Pfannkuchen

flare[1] [fleə] Flackern, Lichtschein

flare² [fleə] (*Feuer usw.*) lodern

---

flare up [ˌfleərˈʌp] **1.** aufflammen, auflodern (*auch übertragen*) **2.** (*Person*) aufbrausen

---

flare-up [ˈfleərʌp] Aufflammen, Auflodern (*auch übertragen, von Konflikt usw.*)

flash¹ [flæʃ] **1.** Aufblitzen, Aufleuchten **2.** Blitzlicht **3.** *bei Gewitter usw.*: *a flash of lightning* ein Blitz; *a flash of genius oder inspiration* übertragen ein Geistesblitz **4.** *im Auto*: Lichthupe; *give someone a flash* jemanden anblinken **5.** *news flash* Kurzmeldung

flash² [flæʃ] **1.** aufleuchten *oder* aufblitzen lassen; *flash one's headlights at someone* jemanden anblinken **2.** (*Lichtquelle*) aufflammen, (auf)blitzen

flashback [ˈflæʃbæk] *in einem Film usw.*: Rückblende

flashbulb [ˈflæʃbʌlb] *von Fotoapparat*: Blitzbirne

flasher [ˈflæʃə] **1.** *im Auto*: Blinker **2.** *umg.* Exhibitionist

flashlight [ˈflæʃlaɪt] **1.** *BE* Blitzlicht **2.** *AE* Taschenlampe

flashy [ˈflæʃi] *umg.* **1.** *Klamotten*: schrill, grell **2.** *Wagen*: protzig

flask [flɑːsk] **1.** Thermosflasche **2.** *auch* **hip flask** Taschenflasche

flat¹ [flæt] **1.** *BE* Wohnung **2.** *bes. AE* Reifenpanne; *we've got a flat* wir haben einen Platten

flat² [flæt], **flatter, flattest 1.** flach, eben, platt; *flat feet* Plattfüße **2.** *Reifen*: platt **3.** *Batterie*: leer **4.** *Getränk*: schal, abgestanden **5.** *Absage usw.*: klar, glatt

flatlet [ˈflætlət] *BE* Apartment

flatmate [ˈflætmeɪt] *BE* Mitbewohner(in)

flat screen monitor [ˌflætskriːn ˈmɒnɪtə] *Computer*: Flachbildschirm

flat screen TV [ˌflætskriːn ˌtiːˈviː] Flachbildschirm-Fernseher

flatten [ˈflætn] flach *oder* platt drücken

flatter [ˈflætə] schmeicheln; *be flattered* sich geschmeichelt fühlen

flatterer [ˈflætərə] Schmeichler(in)

flattering [ˈflætərɪŋ] **1.** *Foto usw.*: schmeichelhaft **2.** *Kleidung, Frisur usw.*: vorteilhaft

flattery [ˈflætəri] Schmeichelei(en); *flattery will get you nowhere* mit Schmeicheleien kommst du bei mir nicht an!

flatware [ˈflætweə] *AE* Besteck

flaunt [flɔːnt] protzen mit

flavour¹, *AE* **flavor** [ˈfleɪvə] Geschmack, Aroma; *six different flavours* sechs Geschmacksrichtungen

flavour², *AE* **flavor** [ˈfleɪvə] würzen (*auch übertragen*)

flavouring, *AE* **flavoring** [ˈfleɪvərɪŋ] Aroma, Aromastoff

flaw [flɔː] **1.** *bei Material, Ware*: Fehler, Mangel **2.** *von Person*: Schwäche

flawless [ˈflɔːləs] **1.** *Verhalten usw.*: einwandfrei, tadellos **2.** *Edelstein*: lupenrein

flea [fliː] Floh

flea market [ˈfliːˌmɑːkɪt] Flohmarkt

fled [fled] *2. und 3. Form von* → **flee**

flee [fliː], **fled** [fled], **fled** [fled] fliehen, flüchten (*from* vor *oder* aus)

fleece¹ [fliːs] **1.** Vlies, Schaffell **2.** *auch* **fleece jacket** Fleecejacke

fleece² [fliːs] *fleece someone* *umg.* jemanden ausnehmen

fleet [fliːt] **1.** *Schiffe*: Flotte **2.** *fleet of cars* Fuhrpark, Wagenpark

---

	Containers	**Behälter und Gefäße**			
1	bag	Tasche	12	glass	Glas
2	basket	Korb	13	jar	(Vorrats)Glas
3	biscuit barrel, *AE* cookie jar	Keksdose	14	jug, *AE* pitcher	Krug
4	bottle	Flasche	15	kettle	(Wasser)Kessel
5	bowl	Schüssel	16	mug	Becher
6	box (of matches)	(Streichholz-)Schachtel	17	packet, *AE* pack (of sugar)	Paket (Zucker)
7	can (of cola)	(Cola)Dose	18	pot	Topf
8	carton	Karton, Tüte	19	saucepan	(Stiel)Topf
9	colander	Durchschlag, Sieb	20	teapot	Teekanne
10	cup	Tasse	21	tin	Dose
11	frying pan, *AE* skillet	(Brat)Pfanne	22	tube	Tube
			23	vase	Vase
			24	waste bin	Abfalleimer

Containers

At the Breakfast Table

Would you like some more bacon, dear?

Fleet Street ['fli:t_stri:t] *nach der Straße, in der früher die meisten Londoner Zeitungen residierten*: die britische Presse

Fleet Street

Fleet Street war lange das Zentrum der englischen Zeitungsindustrie. In und um diese Straße in der Londoner **City** waren viele der führenden Zeitungen angesiedelt. Nach der Einführung neuer Computertechnologien und Arbeitsregelungen siedelten die Zeitungen in den Achtzigerjahren allmählich nach **Wapping** ['wɒpɪŋ] im Londoner Osten um. Der Begriff **Fleet Street** wird jedoch immer noch im übertragenen Sinn für die britische Presse verwendet.

flesh [fleʃ] **1.** Fleisch (*auch übertragen, im Gegensatz zur Seele*); *my own flesh and blood* mein eigen Fleisch und Blut; *it made my flesh creep* es jagte mir eine Gänsehaut über den Rücken **2.** *von Obst*: Fruchtfleisch **3.** *in the flesh* in natura
flesh-eating ['fleʃ͜i:tɪŋ] fleischfressend
flesh wound ['fleʃ͜wu:nd] Fleischwunde
flew [flu:] *2. Form von* → *fly²*
flexible ['fleksəbl] **1.** *Material*: biegsam, elastisch **2.** *übertragen* flexibel; *flexible working hours* gleitende Arbeitszeit
flexitime ['fleksɪtaɪm] *BE*, **flextime** ['flekstaɪm] *AE* gleitende Arbeitszeit, Gleitzeit; *be on flexitime* gleitende Arbeitszeit haben
flicker¹ ['flɪkə] **1.** (*Feuer*) flackern **2.** (*Fernsehbild*) flimmern

flicker² ['flɪkə] **1.** *von Feuer*: Flackern **2.** *von Fernsehbild*: Flimmern
flicker-free [ˌflɪkə'fri:] *Bildschirm*: flimmerfrei
flick knife ['flɪk_naɪf] *Pl.*: *flick knives* ['flɪk_naɪvz] *BE* Schnappmesser
flight¹ [flaɪt] **1.** Flug; *in flight* im Flug; *a direct flight to London* ein Direktflug nach London **2.** *flight of stairs* Treppe
flight² [flaɪt] Flucht; *put to flight* in die Flucht schlagen; *take flight* die Flucht ergreifen
flight attendant ['flaɪt_ə,tendənt] Flugbegleiter(in)
flight recorder ['flaɪt_rɪˌkɔːdə] Flugschreiber
flighty ['flaɪtɪ] *Person*: flatterhaft, launisch
flimsy ['flɪmzɪ] **1.** *Material, Stoff*: dünn, zart **2.** *Ausrede*: fadenscheinig
flinch [flɪntʃ] **1.** zurückschrecken (*from, at* vor) **2.** *without flinching* ohne mit der Wimper zu zucken
fling¹ [flɪŋ], *flung* [flʌŋ], *flung* [flʌŋ] werfen, schleudern (*at* nach)

fling open [ˌflɪŋ'əʊpən] aufreißen (*Tür usw.*)

fling² [flɪŋ] **1.** Wurf **2.** *umg.* Versuch; *have a fling at something* etwas versuchen *oder* probieren
flip [flɪp], *flipped, flipped* auch: *flip out* salopp ausflippen, durchdrehen
flip-flop ['flɪpflɒp] Zehensandale, Badelatsche
flippant ['flɪpənt] leichtfertig
flipper ['flɪpə] **1.** *von Seehund, Pinguin*:

At the Breakfast Table   Am Frühstückstisch

1	bacon	Frühstücksspeck	12	(jug of, *AE* pitcher of) milk	(Krug) Milch
2	bowl	Schüssel			
3	(loaf of) bread	(Laib) Brot	13	(glass of) orange juice	(Glas) Orangensaft
4	butter	Butter			
5	cornflakes	Cornflakes	14	plate	Teller
6	cup and saucer	Tasse und Untertasse	15	sausage	Bratwürstchen
7	fork	Gabel	16	spoon	Löffel
8	fried eggs	Spiegelei	17	sugar	Zucker
9	honey	Honig	18	tea	Tee
10	jam	Marmelade	19	toast	Toast
11	knife	Messer	20	toaster	Toaster

Would you like some more bacon, dear?   Möchtest du noch etwas Speck, Schatz?

Flosse 2. *von Taucher*: Schwimmflosse

flirt¹ [flɜːt] 1. flirten 2. *übertragen auch*: spielen, liebäugeln (**with** mit)

flirt² [flɜːt] *be a flirt* gern flirten

flirtatious [flɜːˈteɪʃəs] *Mädchen, Frau*: kokett

flit [flɪt] *flitted, flitted* flitzen, huschen

float [fləʊt] 1. (*Holz usw.*) auf dem Wasser schwimmen, im Wasser treiben 2. zu Wasser bringen (*Boot*)

floating voter [ˌfləʊtɪŋˈvəʊtə] *Politik*: Wechselwähler(in)

flock¹ [flɒk] 1. *Schafe, Ziegen usw.*: Herde 2. *Vögel*: Schwarm 3. *come in flocks* umg. in (hellen) Scharen herbeiströmen

flock² [flɒk] *übertragen* in Scharen kommen

flog [flɒg] *flogged, flogged* 1. *als Strafe*: auspeitschen, schlagen; *you're flogging a dead horse übertragen* Sie verschwenden Kraft und Zeit (*da es unmöglich zu machen ist*) 2. *BE, umg.* (≈ *verkaufen*) verscheuern

flood¹ [flʌd] 1. Überschwemmung, Hochwasser; *the Flood* die Sintflut 2. *auch flood tide* (↔ *Ebbe*) Flut 3. *übertragen* Flut, Strom, Schwall; *flood of tears* Tränenstrom

flood² [flʌd] 1. überschwemmen, überfluten (*Land, Stadt usw.*); *the cellars were flooded* die Keller standen unter Wasser 2. (*Fluss*) anschwellen (*oder* über die Ufer treten)

flood into [ˈflʌdˌɪntʊ] *thousands flooded into the stadium* Tausende strömten ins Stadion

floodlight [ˈflʌdlaɪt] Flutlicht; *under floodlights* unter Flutlicht

floor¹ [flɔː] 1. (Fuß)Boden 2. *im Gebäude*: Stock(werk), Geschoss; *first floor* BE erster Stock, AE Erdgeschoss 3. *Politik*: Sitzungssaal, Plenarsaal; *take the floor* das Wort ergreifen

floor² [flɔː] 1. *he floored his opponent in the first round* umg. er schickte seinen Gegner in der ersten Runde zu Boden 2. *the news really floored me* umg. die Nachricht hat mich voll umgehauen

floor leader [ˈflɔːˌliːdə] AE *Politik*: Fraktionsführer

flop¹ [flɒp] 1. umg.; *von Theaterstück, Party usw.*: Flop, Reinfall 2. *Person*: Versager

flop² [flɒp], *flopped, flopped* 1. plumpsen, fallen 2. (*Person*) sich plumpsen lassen 3. umg. (*Film, Theaterstück usw.*) durchfallen, umg. floppen 4. allg.: eine Pleite (*oder* ein Reinfall) sein

floppy [ˈflɒpɪ] 1. *floppy (disk) Computer*: Diskette 2. *floppy hat* Schlapphut

Florence [ˈflɒrəns] Florenz

florist [ˈflɒrɪst] Blumenhändler(in)

flour [ˈflaʊə] Mehl

flourish [△ ˈflʌrɪʃ] 1. (*Pflanzen*) gedeihen 2. (*Wirtschaft usw.*) blühen, florieren

flow¹ [fləʊ] 1. fließen, strömen (*auch übertragen*) 2. *flow freely* (*Sekt usw.*) in Strömen fließen

flow² [fləʊ] Fluss, Strom (*mst. übertragen*); *flow of information* Informationsfluss; *flow of traffic* Verkehrsfluss, Verkehrsstrom

flower¹ [ˈflaʊə] 1. *Pflanze*: Blume 2. *Teil der Pflanze*: Blüte; *be in flower* in Blüte stehen

flower² [ˈflaʊə] 1. blühen 2. *übertragen* blühen, in voller Blüte stehen

flowerbed [ˈflaʊəbed] Blumenbeet

flowerpot [ˈflaʊəpɒt] Blumentopf

flowery [ˈflaʊərɪ] 1. *Wiese*: voller Blumen 2. *Muster*: geblümt, Blumen… 3. *Ausdrucksstil*: blumig

on which floor?

Achte auf die unterschiedliche Bezeichnung von Stockwerken in den USA und Großbritannien. In Klammern werden die üblichen Abkürzungen im Lift angegeben.

	britisch	amerikanisch
Untergeschoss	basement (B) bzw. lower ground floor (LG)	basement (B)
Erdgeschoss	ground floor (G bzw. O)	first floor (1)
1. Etage	first floor (1)	second floor (2)
2. Etage	second floor (2)	third floor (3)
3. Etage	third floor (3)	fourth floor (4) usw.

In Großbritannien zählt man also wie im Deutschen, in Amerika zählt man immer eins dazu.

Die Abkürzung **M** im Lift bedeutet **mezzanine floor**, das ist eine Art Zwischengeschoss zwischen Erdgeschoss und erster Etage.

flown [fləʊn] *3. Form von* → **fly²**

flu [fluː] (*kurz für* **influenza**) Grippe; **he's got (the) flu** er hat (die) Grippe

fluctuate ['flʌktʃʊeɪt] (*Preis, Menge usw.*) schwanken (**between** zwischen)

fluctuation [ˌflʌktʃʊ'eɪʃn] Schwankung, Fluktuation: **fluctuation in prices** *Wirtschaft*: Preisschwankung

fluent ['fluːənt] 1. fließend; **speak fluent German** *oder* **be fluent in German** fließend Deutsch sprechen 2. *Stil usw.*: flüssig

fluff¹ [flʌf] 1. Staubflocke, Fussel, Fusseln *Pl.* 2. Flaum (*auch erster Bartwuchs*)

fluff² [flʌf] *umg.* verpatzen; **fluff one's lines** sich versprechen, sich verhaspeln

fluff up *oder* **out** [ˌflʌf'ʌp *oder* 'aʊt] 1. (*Vogel*) aufplustern (*die Federn*) 2. aufschütteln (*Kopfkissen*)

fluffy ['flʌfɪ] flaumig, kuschelig

fluid ['fluːɪd] Flüssigkeit

flung [flʌŋ] *2. und 3. Form von* → **fling¹**

flunk [flʌŋk] *bes. AE*; *in Fach, Prüfung*: durchfallen

flurry ['flʌrɪ] 1. **snow flurry** Schneegestöber 2. *übertragen* Aufregung, Unruhe

flush¹ [flʌʃ] **flush (the toilet)** spülen

flush² [flʌʃ] erröten, rot werden

fluster ['flʌstə] nervös machen, durcheinanderbringen

flustered ['flʌstəd] aufgeregt, nervös, durcheinander

flute [fluːt] Querflöte

flutter ['flʌtə] 1. (*Vogel, Fahne usw.*) flattern 2. (*Herz*) schneller schlagen

fly¹ [flaɪ] *Pl.*: **flies** [flaɪz] 1. *Insekt*: Fliege; **he wouldn't hurt a fly** der kann keiner Fliege etwas zuleide tun 2. *auch* **flies** *BE* Hosenschlitz

fly² [flaɪ], **flew** [fluː], **flown** [fləʊn] 1. fliegen; **fly into Gatwick** in Gatwick landen; **fly Lufthansa** mit Lufthansa fliegen 2. (*Zeit*) fliegen, verfliegen; **time flies** wie die Zeit vergeht!

flying¹ ['flaɪɪŋ] 1. fliegend, Flug…; **flying saucer** fliegende Untertasse 2. *übertragen* kurz, flüchtig; **flying visit** Stippvisite, Blitzbesuch 3. **get off to a flying start** *übertragen* einen glänzenden Einstand haben

flying² ['flaɪɪŋ] Fliegen

flyover ['flaɪˌəʊvə] *BE* Überführung

flyweight ['flaɪweɪt] *Sport* 1. *Gewichtsklasse*: Fliegengewicht 2. *Sportler*: Fliegengewichtler

FM [ˌef'em] (*Abk. für* **f**requency **m**odulation) *beim Radio*: UKW

foal [fəʊl] (≈ *junges Pferd*) Fohlen

foam¹ [fəʊm] Schaum

foam² [fəʊm] schäumen (*auch übertragen* **with rage** vor Wut)

fob off [ˌfɒb'ɒf] **fobbed off, fobbed off** 1. **fob something off on someone** jemandem etwas andrehen 2. **fob someone off** jemanden abwimmeln (**with** mit)

focus¹ ['fəʊkəs] *Pl.*: **focuses** ['fəʊkəsɪz] *oder* **foci** ['fəʊsaɪ] 1. Brennpunkt 2. *beim Fotografieren usw.*: Brennweite, Scharfeinstellung; **in focus** scharf; **out of focus** unscharf, verschwommen 3. *übertragen* Mittelpunkt; **be the focus of attention** im Mittelpunkt des Interesses stehen

focus² ['fəʊkəs] **focused, focused** *oder* **focussed, focussed** 1. einstellen (*Kamera*) 2. *übertragen* sich konzentrieren (**on** auf)

fog [fɒg] (dichter) Nebel

foggy ['fɒgɪ] 1. neblig; **foggy day** Nebeltag 2. *übertragen* nebelhaft; **I haven't the foggiest (idea)** *umg.* ich hab keinen blassen Schimmer

foghorn ['fɒghɔːn] Nebelhorn; **he's got a voice like a foghorn** der hat vielleicht ein Organ!

fog lamp ['fɒgˌlæmp], *bes. AE* **fog light** ['fɒgˌlaɪt] *am Auto*: Nebelscheinwerfer; **rear fog lamp** Nebelschlusslicht

foil¹ [fɔɪl] vereiteln (*Versuch*), durchkreuzen (*Plan usw.*); **foiled again!** schon wieder nichts!

foil² [fɔɪl] (Alu)Folie (△ *Folie für Tageslichtprojektor* = **transparency, overhead**)

foist [fɔɪst] 1. **foist something (off) on someone** jemandem etwas andrehen 2. **foist oneself** (*oder* **one's company**) **on someone** sich jemandem aufdrängen

fold¹ [fəʊld] 1. falten (*Papier usw.*) 2. *auch* **fold up** zusammenlegen (*Wäsche, Tischdecke usw.*) 3. *auch* **fold up** zusammenklappen (*Klappbett usw.*) 4. *auch* **fold up** *umg.* (*Firma*) eingehen

fold² [fəʊld] Falte

folder ['fəʊldə] *für Akten*: Mappe, Aktendeckel

folding ['fəʊldɪŋ] zusammenklappbar; **folding bicycle** Klapprad; **folding chair** Klappstuhl

foliage ['fəʊlɪɪdʒ] Laub, Blätter

folk [△ fəʊk] 1. **folks** *Pl.*, *bes. AE* Leute; **OK folks, let's go** O.K. Leute, gehn wir 2. **my folks** *umg.* (≈ *meine Verwandten*) meine Leute 3. Folk-Musik

folk music [△ 'fəʊkˌmjuːzɪk] Folk-Musik

follow ['fɒləʊ] **1.** *allg.*: folgen (*auch räumlich, zeitlich usw.*); **as follows** wie folgt; **we're being followed** wir werden verfolgt **2.** verfolgen (*Politik usw.*) **3.** befolgen (*Rat*) **4.** verstehen; **I don't quite follow (you)** ich verstehe Sie nicht ganz

follower ['fɒləʊə] Anhänger(in)

following[1] ['fɒləʊɪŋ] **1.** folgend; **the following day** am darauf folgenden Tag **2.** **the following** *Sache*: Folgendes, *Personen*: Folgende

following[2] ['fɒləʊɪŋ] nach, im Anschluss an

following[3] ['fɒləʊɪŋ] Anhängerschaft, Gefolgschaft

follow-up ['fɒləʊʌp] **1.** *Film, Buch usw.*: Fortsetzung **2.** *medizinisch*: Nachbehandlung

folly ['fɒlɪ] Torheit

fond [fɒnd] **be fond of** mögen, gernhaben; **be fond of doing something** etwas gern tun

food [fuːd] **1.** Essen, Nahrung (*auch übertragen*); **how was the food in the hotel?** wie war das Essen im Hotel? **2.** Lebensmittel; **I need some food for the weekend** ich muss was zu essen fürs Wochenende einkaufen; **canned** (*oder* **tinned**) **foods** Konserven

food poisoning ['fuːd,pɔɪznɪŋ] *Medizin*: Lebensmittelvergiftung

food processor ['fuːd,prəʊsesə] Küchenmaschine

foodstuff ['fuːdstʌf] Lebensmittel

foodie ['fuːdɪ] *umg.* Feinschmecker(in)

fool[1] [fuːl] Dummkopf, Idiot; **make a fool of someone** jemanden veräppeln, jemanden zum Narren halten; **make a fool of oneself** sich lächerlich machen

fool[2] [fuːl] *umg.* hereinlegen; **you almost had me fooled** ich hab dir fast geglaubt!

fool about *oder* **around** [,fuːl_ə'baʊt *oder* ə'raʊnd] **1.** Unsinn machen, herumalbern **2.** herumspielen, *umg.* rummachen (**with** mit, an)

foolish ['fuːlɪʃ] dumm, töricht

foolproof ['fuːlpruːf] **1.** *Plan usw.*: todsicher **2.** *Gerät usw.*: idiotensicher

foot [fʊt] *Pl.*: **feet** [fiːt] **1.** Fuß; **on foot**, *AE auch* **by foot** zu Fuß **2.** *in Wendungen*: **stand on one's own two feet** *übertragen* auf eigenen Füßen stehen; **be back on one's feet** wieder auf den Beinen sein; **put one's foot in it** ins Fettnäpfchen treten **3.** △ *Pl. auch* **foot**; *Längenmaß*: Fuß (= 0, 3048 m)

foot-and-mouth disease [,fʊtən'maʊθ_-dɪ,ziːz] *Tierkrankheit*: Maul- und Klauenseuche

---

foot als Längenmaß

1 foot = 30,48 cm
Vergleiche folgende Pluralbildungen:

It's three foot/feet long.	Es ist drei Fuß lang.
A two-foot plank.	Ein zwei Fuß langes Brett.
He's six foot/feet six tall.	Er ist sechseinhalb* Fuß groß.

Wenn **foot** vor dem Substantiv steht (**two-foot plank**) bleibt die Singularform **foot** erhalten. Wenn eine Größen- oder Längenangabe mit **inches** erfolgt, kann die Singular- oder die Pluralform verwendet werden (**six foot/feet six**).

* Ein Fuß hat 12 Inches, also bedeutet die Maßangabe **six foot/feet six** sechseinhalb Fuß (etwa 1,98 m).

---

football ['fʊtbɔːl] **1.** *BE* Fußball(spiel), *AE* Football(spiel) **2.** *der Ball*: *BE* Fußball, *AE* Football

football pools ['fʊtbɔːl_puːlz] *Pl. BE*; *etwa*: Fußballtoto

footbridge ['fʊtbrɪdʒ] Fußgängerbrücke

footing ['fʊtɪŋ] **1.** Stand; **lose one's footing** den Halt verlieren **2.** *übertragen* Basis, Grundlage; **be on a friendly footing with someone** ein freundschaftliches Verhältnis zu jemandem haben

footloose ['fʊtluːs] **footloose and fancy-free** frei und ungebunden

footnote ['fʊtnəʊt] Fußnote

footpath ['fʊtpɑːθ] *bes. BE*; *über Wiese, durch Wald usw.*: (Fuß)Pfad, (Fuß)Weg

footprint ['fʊtprɪnt] *sichtbar*: Fußabdruck

footsie ['fʊtsɪ] **play footsie** *umg.* füßeln (**with** mit)

footsore ['fʊtsɔː] **be footsore** wunde Füße haben

footstep ['fʊtstep] **1.** *hörbar*: Tritt, Schritt **2.** **follow in someone's footsteps** *übertragen* in jemandes Fußstapfen treten

footwear ['fʊtweə] Schuhwerk

for [fə, *betont*: fɔː] **1.** *allg.*: für; **this is for you** das ist für dich **2.** *Zweck usw.*: **what's this for?** wofür ist denn das?; **the doctor gave me some pills for my flu** der Arzt hat mir Tabletten gegen meine Grippe gegeben **3.** *Begründung*: **for a number of reasons** aus verschiedenen Gründen **4.** *zeitlich*: **how long have you been here for?** wie lange bist du schon da?; **we've been waiting for hours** wir warten schon seit Stunden **5.** *räumlich*:

we drove for about 10 miles before reaching the motel wir fuhren etwa 10 Meilen, bis wir das Motel erreichten **6.** *formell, verbindet Satzteile*: denn **7. that's for you to decide** das musst du entscheiden **8.** *feste Wendungen*: **he might be dead for all I know** er könnte schon tot sein, was weiß denn ich!; **he's a bit lazy, but I like him for all that** er ist ein bisschen faul, aber ich mag ihn trotzdem; **as for you, you should be ashamed of yourself** was dich angeht, du solltest dich schämen!; **but for her we'd never have made it** wenn sie nicht gewesen wäre, hätten wir es nie geschafft; **what's for lunch?** (*bzw.* **dinner** *usw.*) was gibts zum Mittagessen? (*bzw.* Abendessen *usw.*)

forbad(e) [fə'bæd] *2. Form von* → **forbid**

forbid [fə'bɪd], **forbade** [△ fə'bæd], **forbidden** [fə'bɪdn] verbieten, untersagen; **I forbid you to go to the disco!** ich verbiete dir, in die Disko zu gehen!

forbidden [fə'bɪdn] *3. Form von* → **forbid**

force[1] [fɔːs] **1.** *allg.*: Stärke **2.** *von Explosion*: Wucht **3.** *übertragen* Kraft; **forces of nature** Naturgewalten; **join forces** sich zusammentun **4.** Gewalt; **by force** gewaltsam, mit Gewalt **5. armed forces** Streitkräfte

force[2] [fɔːs] **1.** *allg.*: zwingen; **you don't have to eat it – nobody's forcing you** du brauchst es nicht zu essen – niemand zwingt dich; **he was forced to resign** er musste zurücktreten, er wurde zum Rücktritt gezwungen **2. force one's way** (**into**) drängen (in), sich einen Weg bahnen (in)

---

force down [ˌfɔːs'daʊn] **force wages down** Löhne drücken
force up [ˌfɔːs'ʌp] hochtreiben (*Preise*)

---

forced [fɔːst] **1.** erzwungen, Zwangs…; **forced landing** Notlandung **2.** *Lächeln usw.*: gezwungen, gequält

forceful ['fɔːsfl] **1.** *Person*: energisch, kraftvoll **2.** *Rede usw.*: eindringlich **3.** *Argumentation*: überzeugend

fore [fɔː] **1. to the fore** im Vordergrund **2. come to the fore** sich hervortun

forearm ['fɔːrɑːm] Unterarm

forecast[1] ['fɔːkɑːst], **forecast, forecast** *oder* **forecasted, forecasted 1.** voraussagen (*Ergebnis*), vorhersehen **2.** vorhersagen (*Wetter usw.*)

forecast[2] ['fɔːkɑːst] **1.** Voraussage **2.** (**weather**) **forecast** (Wetter)Vorhersage

forefather ['fɔːˌfɑːðə] Ahn, Vorfahr

forefinger ['fɔːˌfɪŋgə] Zeigefinger

foreground ['fɔːgraʊnd] Vordergrund (*auch übertragen*)

forehand ['fɔːhænd] *Tennis usw.*: Vorhand, Vorhandschlag

forehead [△ 'fɒrɪd, 'fɔːhed] Stirn

foreign [△ 'fɒrən] fremd, ausländisch, Auslands…; **foreign affairs** Außenpolitik; **foreign aid** Entwicklungshilfe; **foreign correspondent** *TV*: Auslandskorrespondent(in); **foreign currency** *oder* **exchange** Devisen; **foreign language** Fremdsprache; **Foreign Office** *BE* Außenministerium; **foreign policy** Außenpolitik; **Foreign Secretary** *BE* Außenminister; **foreign trade** Außenhandel; **foreign worker** Migrant(in), Gastarbeiter(in)

foreigner [△ 'fɒrənə] Ausländer(in)

foreman ['fɔːmən] *Pl.*: **foremen** ['fɔːmən] **1.** Vorarbeiter **2.** *am Bau*: Polier

foresee [fɔː'siː], **foresaw** [fɔː'sɔː], **foreseen** [fɔː'siːn] vorhersehen, voraussehen (*Ereignis usw.*)

foreseeable [fɔː'siːəbl] **in the foreseeable future** in absehbarer Zeit

foresight ['fɔːsaɪt] Weitblick; **with foresight** in weiser Voraussicht

forest ['fɒrɪst] Wald, Forst

forester ['fɒrɪstə] Förster

forever, *BE auch* **for ever** [fər'evə] **1.** für *oder* um immer, (auf) ewig **2.** *negativ empfunden*: ständig, (an)dauernd; **he's forever moaning** er ist ein ewiger Nörgler!

foreword ['fɔːwɜːd] Vorwort (**to** zu)

forfeit[1] ['fɔːfɪt] (≈ *verlieren*) einbüßen

forfeit[2] ['fɔːfɪt] **1.** *juristisch*: Strafe, Buße **2.** *beim Spiel*: Pfand; **play forfeits** ein Pfänderspiel machen

forge [fɔːdʒ] fälschen

---

forge ahead [ˌfɔːdʒˌə'hed] sich vorankämpfen

---

forgery ['fɔːdʒərɪ] **1.** *Bild usw.*: Fälschung **2.** *das* Fälschen; **forgery-proof** *Ausweis, Banknoten usw.*: fälschungssicher

forget [fə'get], **forgot** [fə'gɒt], **forgotten** [fə'gɒtn] **1.** *allg.*: vergessen; **I forget his name** sein Name fällt mir im Moment nicht ein **2.** es vergessen; **'Why didn't you call?' – 'I forgot.'** „Warum hast du nicht angerufen?" – „Ich habs vergessen." **3. forget about something** etwas vergessen **4. forget oneself** (≈ *die Fassung verlieren*) sich vergessen

forgetful [fə'getfl] vergesslich

forgive [fə'gɪv], **forgave** [fə'geɪv], **forgiven** [fə'gɪvn] verzeihen, vergeben; **I forgive you** ich verzeihe dir

forgot [fə'gɒt] 2. *Form von* → **forget**

forgotten [fə'gɒtn] 3. *Form von* → **forget**

fork [fɔːk] 1. Gabel 2. *von Straße*: Gabelung, Abzweigung

form[1] [fɔːm] 1. *allg.*: Form, Gestalt; *in the form of a cross* in Form eines Kreuzes 2. (≈ *System*) Form, Art; *form of government* Regierungsform 3. Formular, Vordruck 4. (≈ *Kondition*) Verfassung; *in form* in Form; *he's out of form, he's off form* er ist außer Form, er ist nicht in Form 5. *bes. BE* (Schul)Klasse

form[2] [fɔːm] 1. *allg.*: bilden (*auch Satz, Regierung usw.*); *the children formed a circle* die Kinder stellten sich im Kreis auf *oder* bildeten einen Kreis 2. sich bilden; *storm clouds formed on the horizon* am Horizont bildeten sich dicke Wolken

formal ['fɔːml] 1. (≈ *steif*) förmlich, formell (*auch Kleidung*) 2. (≈ *offiziell*) formell (*Entscheidung, Ankündigung usw.*) 3. (≈ *Vorschriften entsprechend*) formal (*Ausbildung, Qualifikation*)

formality [fɔː'mælətɪ] Formalität, Formsache; *it's a mere formality* es ist (eine) reine Formsache

format[1] ['fɔːmæt] *von Buch usw.*: Aufmachung, Format

format[2] ['fɔːmæt], *formatted, formatted EDV*: formatieren (*Diskette*)

former ['fɔːmə] 1. früher, ehemalig; *the former GDR* die ehemalige DDR; *in former times* früher, in der Vergangenheit 2. erstere(r, -s); *the former ..., the latter ...* der erstere ..., der letztere ...

formerly ['fɔːməlɪ] früher, ehemals

forth [fɔːθ] (*and so on*) *and so forth* und so weiter (und so fort)

forthcoming [ˌfɔːθ'kʌmɪŋ] *Ereignis*: bevorstehend, kommend

fortieth ['fɔːtɪəθ] vierzigste(r, -s)

fortitude ['fɔːtɪtjuːd] (innere) Kraft *oder* Stärke

fortnight ['fɔːtnaɪt] *bes. BE* vierzehn Tage; *in a fortnight* in 14 Tagen

fortnightly ['fɔːtnaɪtlɪ] *bes. BE* alle zwei Wochen, alle 14 Tage

fortress ['fɔːtrəs] Festung

fortunate ['fɔːtʃənət] 1. *be fortunate* Glück haben; *we're fortunate in having a large garden* wir haben das Glück, einen großen Garten zu besitzen 2. *Wahl, Zufall usw.*: glücklich

fortunately ['fɔːtʃənətlɪ] glücklicherweise, zum Glück; *fortunately for me* zu meinem Glück

fortune ['fɔːtʃən] 1. Vermögen; *make a fortune* ein Vermögen verdienen 2. *we had the good fortune to find a hotel room* wir hatten das Glück, ein Hotelzimmer zu finden 3. *tell someone's fortune* jemandem wahrsagen

fortune teller ['fɔːtʃənˌtelə] Wahrsager(in)

forty[1] ['fɔːtɪ] vierzig

forty[2] ['fɔːtɪ] Vierzig; *be in one's forties* in den Vierzigern sein; *in the forties* in den Vierzigerjahren (*eines Jahrhunderts*)

forward[1] ['fɔːwəd] nach vorn, vorwärts

forward[2] ['fɔːwəd] Vorwärts...; *forward planning* Vorausplanung

forward[3] ['fɔːwəd] *Sport*: Stürmer

forward[4] ['fɔːwəd] 1. nachsenden (*Brief usw.*); *please forward* bitte nachsenden! 2. befördern (*Waren*)

forwards ['fɔːwədz] nach vorn, vorwärts

foster[1] ['fɒstə] 1. in Pflege haben *oder* nehmen (*Kind*) 2. hegen (*Plan, Gefühle usw.*)

foster[2] ['fɒstə] Pflege...; *foster child* Pflegekind; *foster mother* Pflegemutter

fought [fɔːt] 2. *und* 3. *Form von* → **fight**[2]

foul[1] [faʊl] 1. *Geruch usw.*: abscheulich, übel 2. *Wetter usw.*: miserabel 3. *do the police suspect foul play?* geht die Polizei von einem Gewaltverbrechen aus?

foul[2] [faʊl] *Sport*: Foul; *commit a foul* ein Foul begehen, (jemanden) foulen

foul[3] [faʊl] 1. *Sport*: foulen (*Gegner*) 2. *foul one's (own) nest* das eigene Nest beschmutzen

foul-mouthed [ˌfaʊl'maʊðd] unflätig

found[1] [faʊnd] 1. gründen (*Unternehmen*) 2. (≈ *stiften*) begründen, errichten (*Schule, karitative Einrichtung usw.*)

found[2] [faʊnd] 2. *und* 3. *Form von* → **find**[1]

foundation [faʊn'deɪʃn] 1. *Bauwesen*: Fundament; *lay the foundation(s) of* übertragen den Grund(stock) legen zu 2. *von Schule, Glaubenslehre usw.*: Gründung 3. *Institution*: Stiftung 4. *übertragen* Grundlage, Basis

founder ['faʊndə] Gründer(in), Stifter(in)

fountain ['faʊntɪn] 1. Springbrunnen 2. *aufsteigender Wasserstrahl*: Fontäne

fountain pen ['faʊntɪnˌpen] Füller, Füllhalter

four[1] [fɔː] vier

four[2] [fɔː] 1. *Buslinie, Spielkarte usw.*: Vier 2. *Rudern*: Vierer

four-handed [ˌfɔː'hændɪd] *am Klavier usw.*: vierhändig

four-leaf clover [ˌfɔːliːf'kləʊvə] vierblättriges Kleeblatt

four-legged [ˌfɔː'legɪd] vierbeinig; *four-legged friend umg.* Hund

four-letter word ['fɔːˌletə'wɜːd] unanständiges Wort

four-letter word

Der Begriff stammt von den vielen „unanständigen Wörtern" im Englischen, die aus vier Buchstaben bestehen. Es kann aber auch ein Wort mit weniger oder mehr als vier Buchstaben als **four-letter word** bezeichnet werden – nur muss es unanständig sein.

four star ['fɔː_staː] *BE, umg.; Benzin:* Super

four-star ['fɔːstaː] *four-star petrol BE* Superbenzin

four star

In Großbritannien gibt es folgende Kraftstoffbezeichnungen:

four star *oder* **premium**	Super
unleaded	bleifreies Normalbenzin
super unleaded	Super bleifrei
diesel *oder* **derv®**	Diesel

In den USA wird **gas** (Benzin) in folgenden Kategorien angeboten:

regular	Normal
premium	Super
unleaded *oder* **lead-free**	Bleifrei
diesel	Diesel

fourteen[1] [ˌfɔː'tiːn] vierzehn
fourteen[2] [ˌfɔː'tiːn] *Buslinie usw.:* Vierzehn
fourth[1] [fɔːθ] vierte(r, -s)
fourth[2] [fɔːθ] **1.** Vierte(r, -s) **2.** *Bruchteil:* Viertel
fourthly ['fɔːθlɪ] viertens
four-wheel drive [ˌfɔːwiːl'draɪv] Allradantrieb
fowl [faʊl] Geflügel
fox [fɒks] **1.** Fuchs **2.** *übertragen, oft sly old fox* gerissener *oder* verschlagener Kerl
foxglove ['fɒksglʌv] *Blume:* Fingerhut
fox hunting ['fɒks,hʌntɪŋ] Fuchsjagd
fraction ['frækʃn] **1.** *Mathematik:* Bruch **2.** Bruchteil (△ *parlamentarische Fraktion* = **parliamentary party**)
fracture[1] ['fræktʃə] *Medizin:* Bruch, *Fachbegriff:* Fraktur
fracture[2] ['fræktʃə] *he fractured his skull* er erlitt einen Schädelbruch; *she fractured a rib* sie brach sich eine Rippe
fragile ['frædʒaɪl] **1.** zerbrechlich (*auch übertragen*) **2.** *Gesundheit:* schwach, zart **3.** *Person:* gebrechlich

fragment ['frægmənt] **1.** *allg.:* Bruchstück **2.** *unvollendetes Kunstwerk:* Fragment
fragmentary ['frægməntərɪ] fragmentarisch, bruchstückhaft
fragrance ['freɪgrəns] Wohlgeruch, Duft
fragrant ['freɪgrənt] wohlriechend, duftend
frail [freɪl] schwach, gebrechlich
frame[1] [freɪm] **1.** *Bild usw. und übertragen:* Rahmen **2.** *Brille usw.:* Gestell **3.** *frame of mind* (Gemüts)Verfassung
frame[2] [freɪm] **1.** (ein)rahmen (*Bild usw.*) **2.** *frame someone* jemandem etwas anhängen; *I've been framed!* ich bin reingelegt worden!
frame-up ['freɪmʌp] *umg.* abgekartetes Spiel
franc [fræŋk] **1.** (französischer *usw.*) Franc **2.** (Schweizer) Franken
France [frɑːns] Frankreich
franchise ['fræntʃaɪz] **1.** *Politik:* Wahlrecht **2.** *Wirtschaft:* Konzession
Franco- [ˌfræŋkəʊ-] *in Zusammensetzungen* französisch, franko...
frank [fræŋk] offen, aufrichtig
frankly ['fræŋklɪ] offen; *frankly, I think he's a bore* ehrlich gesagt halte ich ihn für einen Langweiler
frankfurter ['fræŋkfɜːtə] Frankfurter (Würstchen), Wiener (Würstchen)
frankness ['fræŋknəs] Offenheit
frantic ['fræntɪk] **1.** außer sich, rasend (*with* vor) **2.** *Aktivität usw.:* hektisch
fraud [frɔːd] **1.** *kriminelle Handlung:* Betrug **2.** *umg.* Betrüger(in)
fraudulent ['frɔːdjʊlənt] betrügerisch
fray [freɪ] (*Stoff usw.*) ausfransen; *frayed nerves Pl.* strapazierte Nerven
freak [friːk] **1.** Missgeburt **2.** *salopp; Musik, Tennis usw.:* ...freak, ...fanatiker

freak out [ˌfriːk'aʊt] *salopp, allg.:* ausflippen

freckle ['frekl] *mst.* **freckles** *Pl.* Sommersprosse
free[1] [friː] *freer, freest* **1.** *allg.:* frei **2.** umsonst, kostenlos, unentgeltlich; *free copy* Freiexemplar; *for free umg.* umsonst **3.** frei, ohne Verpflichtungen; *I'll be free all morning* ich bin den ganzen Vormittag verfügbar **4.** *Stuhl usw.:* unbesetzt; *is this seat free?* ist dieser Platz frei? **5.** (≈ *nicht wörtlich*) frei; *free translation* freie Übersetzung **6.** *free skating Sport:* Kür(laufen) **7.** *he's free to go* es steht ihm frei, zu gehen; *feel free to ask* fragen Sie ruhig!; *'Can I use your phone?' – 'Feel free.'* - „Kann ich mal telefonieren?" – „Natürlich!"

F

free² [friː], *freed, freed* **1.** freilassen (*Tier, Gefangenen*) **2.** *übertragen* befreien (*of, from* von, aus); *she can't free herself from the idea that she's too fat* sie kann sich nicht von dem Gedanken befreien, dass sie zu dick ist

-free

Im Englischen werden viele Adjektive mit **-free** gebildet. Diese werden fast immer mit „...frei" im Deutschen wiedergegeben. Einige wichtige Beispiele:

duty-free	zollfrei
tax-free	steuerfrei
rent-free	mietfrei
lead-free*	bleifrei

aber:

sugar-free	ohne Zucker
trouble-free	*Reise*: problemlos, *Gegend*: ruhig, *in der Technik*: störungsfrei

* üblicher ist jedoch die Form **unleaded**.

freebie [ˈfriːbi] **1.** Gratisgeschenk **2.** Freikarte

freedom [ˈfriːdəm] **1.** Freiheit; *freedom of speech* Redefreiheit; *freedom of the press* Pressefreiheit **2.** Freisein (*from something* von etwas)

freefone, freephone [ˈfriːfəʊn] *BE* gebührenfreie Telefonnummer; *call freefone 0800 1234* rufen Sie gebührenfrei die Nummer 0800 1234 an

free kick [ˌfriːˈkɪk] *beim Fußball*: Freistoß

freelance¹ [ˈfriːlɑːns] **1.** freiberuflich tätig, freischaffend; *he's a freelance writer* er ist freier Schriftsteller; *work freelance* freiberuflich tätig sein

freelance² [ˈfriːlɑːns] freiberuflich arbeiten (*for* für)

freelance³ [ˈfriːlɑːns], **freelancer** [ˈfriːlɑːnsə] Freierufler(in), Freischaffende(r), freie(r) Mitarbeiter(in)

free-range [ˈfriːreɪndʒ] *Hühner*: frei laufend; *free-range eggs* Freilandeier

freeway [ˈfriːweɪ] *AE* Autobahn, Schnellstraße

freeze¹ [friːz], **froze** [frəʊz], **frozen** [ˈfrəʊzn] **1.** frieren; *it'll freeze tonight* heute Nacht friert es *oder* gibt es Frost **2.** *it's freezing* es ist eiskalt; *I'm freezing* mir ist eiskalt, ich friere; *a freezing cold morning* ein eiskalter Morgen **3.** *freeze to death* erfrieren **4.** (*Wasser*) (ge)frieren, zu Eis werden **5.** *auch freeze up*

(*Türschloss usw.*) einfrieren **6.** einfrieren, tiefkühlen (*Fleisch usw.*) **7.** *Wirtschaft*: einfrieren (*Preise usw.*)

freeze over [ˌfriːzˈəʊvə] (*See usw.*) zufrieren
freeze up [ˌfriːzˈʌp] (*Windschutzscheibe usw.*) vereisen

freeze² [friːz] **1.** Frost(periode) **2.** *freeze on wages*, *AE* *wage freeze* *Wirtschaft*: Lohnstopp

freezer [ˈfriːzə] **1.** Gefriertruhe, Gefrierschrank **2.** *im Kühlschrank*: Gefrierfach

freezer bag [ˈfriːzə‿bæg] Gefrierbeutel

freezing compartment [ˈfriːzɪŋ‿kəm‿ˌpɑːtmənt] Gefrierfach

freezing point [ˈfriːzɪŋ‿pɔɪnt] Gefrierpunkt

freight [△ freɪt] (△ *nur im Sg. verwendet*) **1.** Fracht(gebühr) **2.** *Seefahrt, Luftfahrt, Bahn*: Fracht, Ladung

freighter [△ ˈfreɪtə] **1.** Frachter, Frachtschiff **2.** Transportflugzeug

freight train [ˈfreɪt‿treɪn] *AE* Güterzug

French¹ [frentʃ] **1.** französisch **2.** *take French leave* *BE* sich (auf) Französisch empfehlen **3.** *French kiss* Zungenkuss

French² [frentʃ] *Sprache*: Französisch; *in French* auf Französisch

French³ [frentʃ] *the French* *Pl.* die Franzosen

French fries [ˌfrentʃˈfraɪz] *Pl.*, *bes. AE* Pommes frites; ☞ *chip*¹ *3*

Frenchman [ˈfrentʃmən] *Pl.*: **Frenchmen** [ˈfrentʃmən] Franzose

French windows [ˌfrentʃˈwɪndəʊz] *Pl.* Terrassentür, Balkontür

Frenchwoman [ˈfrentʃˌwʊmən] *Pl.*: **Frenchwomen** [ˈfrentʃˌwɪmɪn] Französin

frenzy [ˈfrenzi] **1.** Raserei **2.** *in a frenzy* in heller Aufregung

frequency [ˈfriːkwənsi] **1.** Häufigkeit **2.** *Elektronik, Physik*: Frequenz

frequent [ˈfriːkwənt] häufig

frequently [ˈfriːkwəntli] häufig, oft

fresh [freʃ] **1.** *allg.*: frisch **2.** *fresh off the press* druckfrisch **3.** *don't you get fresh with me* umg. werd bloß nicht frech!

freshen up [ˌfreʃnˈʌp] sich frisch machen

freshman [ˈfreʃmən] *Pl.*: **freshmen** [ˈfreʃmən] **1.** (≈ *Student*[*in*] im ersten Jahr) *etwa*: Erstsemester **2.** *AE*; *an Highschool*: Schüler(in) der 9. Klasse

freshness [ˈfreʃnəs] Frische

freshwater [ˈfreʃwɔːtə] Süßwasser

Friday: Präposition bei Wochentagen

Im britischen Englisch wird in der Regel die Präposition **on** vor Wochentagen verwendet:

I'll see you on Friday.	Wir sehen uns (am) Freitag.
I don't work on Saturdays.	Ich arbeite samstags nicht.

Im amerikanischen Englisch wird die Präposition **on** häufig weggelassen:

We arrive Monday evening.	Wir kommen am Montagabend an.
We're paid Fridays.	Wir werden freitags bezahlt.

Auch im britischen Englisch kann man immer häufiger beobachten, dass auf den Gebrauch der Präposition **on** verzichtet wird.

F

fret [fret] *fretted, fretted* sich Sorgen machen (*about, at, for, over* wegen)

friction ['frɪkʃn] (△ *nur im Sg. verwendet*) **1.** *Technik, Physik*: Reibung **2.** *übertragen* (≈ *Streit*) Reibereien

Friday ['fraɪdeɪ] Freitag

fridge [frɪdʒ] Kühlschrank

friend [frend] **1.** Freund(in); *be friends with someone* mit jemandem befreundet sein; *make friends with someone* sich mit jemandem anfreunden **2.** Bekannte(r)

friends

Für die unterschiedlichen Phasen einer Beziehung gibt es auch die entsprechenden Ausdrücke. Gleich am Anfang wird man gefragt: **Do you fancy him/her?** (Magst du ihn/sie?) Wenn die Antwort ja lautet, kann ein **hug** (Umarmung) oder ein einfacher **kiss** (Kuss) sich schnell zu einem **French kiss** (Zungenkuss) entwickeln – und schon wird dies ein **snog**. **Snog** ist in Großbritannien ein geläufiger Ausdruck für langes, intensives Küssen. Ist man mit jemandem das erste Mal so zusammen, sagt man ganz locker **to get off** (*AE* **make out**) **with someone** – *jemanden aufreißen*, also z. B. **I got off** (*AE* **made out**) **with him** – *Ich hab ihn aufgerissen.* Wenn man mit der/dem anderen (aus)gehen möchte, fragt man **Do you want to / Will you go out with me?**

Bitte merken: **boyfriends** und **girlfriends** sind die, mit denen man (aus)geht (**I'm going out with him/her.**) **Ein** Freund oder **eine** Freundin im Sinne von „gute(r) Bekannte(r)" ist immer nur **a friend**.

friendliness ['frendlɪnəs] Freundlichkeit

friendly[1] ['frendlɪ] **1.** freundlich (*auch übertragen Zimmer usw.*) **2.** freundschaftlich; *friendly game oder match Sport*: Freundschaftsspiel **3.** *be friendly with someone* mit jemandem befreundet sein

friendly[2] ['frendlɪ] *BE*; *Sport*: Freundschaftsspiel

friendship ['frendʃɪp] Freundschaft

fries [fraɪz] *Pl. bes. AE* Fritten, Pommes

fright [fraɪt] Schreck(en); *I got a fright* ich habe einen Schreck bekommen; *give someone a fright* jemandem einen Schrecken einjagen

frighten ['fraɪtn] erschrecken; *frighten someone to death* jemanden zu Tode erschrecken

frightened ['fraɪtnd] **1.** verängstigt **2.** *be frightened* (*of something*) Angst haben (vor etwas)

frightful ['fraɪtfl] schrecklich, fürchterlich

frigid ['frɪdʒɪd] **1.** kalt, frostig, eisig (*alle auch übertragen*) **2.** *sexuell:* frigid

frigidity [frɪ'dʒɪdətɪ] **1.** Kälte, Frostigkeit (*beide auch übertragen*) **2.** *sexuell:* Frigidität

frill [frɪl] **1.** Krause, Rüsche **2.** *a car with no* (*oder without the*) *frills* ein Auto ohne Extras (*oder* ohne Sonderausstattung *oder* ohne Schnickschnack)

fringe [frɪndʒ] **1.** *an Tuch usw.:* Fransen *Pl.* **2.** *BE*; *Frisur:* Pony **3.** *übertragen* Rand

fringe benefits ['frɪndʒ,benɪfɪts] *Pl.* Gehaltsnebenleistungen, Lohnnebenleistungen (*z. B. verbilligtes Mittagessen*)

frisk [frɪsk] *frisk someone* jemanden filzen *oder* durchsuchen

frisky ['frɪskɪ] lebhaft, munter

fritter away [,frɪtər_ə'weɪ] vertun, vergeuden (*Geld, Zeit usw.*)

frivolous ['frɪvələs] **1.** *Benehmen, Bemerkung:* albern, leichtfertig **2.** *Charakter:* leichtfertig, leichtsinnig

frizzy ['frɪzɪ] *Haar:* gekräuselt, kraus

fro [frəʊ] *to and fro* hin und her

frog [frɒg] **1.** Frosch **2.** *have a frog in one's throat* einen Frosch im Hals haben

frolic ['frɒlɪk] *frolicked, frolicked, auch frolic about (oder around)* herumtoben, herumtollen

from [frəm, *betont:* frɒm] **1.** *allg.:* von; *from now on* von jetzt an **2.** aus; *I come from Scotland* ich komme aus Schottland; *the train from Bristol* der Zug aus Bristol; *he took a knife from his pocket* er zog ein Messer aus der Tasche **3.** ab; *T-shirts from £4.99* T-Shirts ab 4,99 Pfund **4.** *she suffers from headaches* sie leidet unter Kopfschmerzen **5.** *protect someone from something* jemanden vor etwas schützen **6.** *different from* anders als **7.** *from what he said* nach dem, was er sagte

front [△ frʌnt] **1.** *allg.:* Vorderseite, Front **2.** *Gebäude:* Front, Fassade **3.** *im Krieg:* Front; *on all fronts* an allen Fronten (*auch übertragen*) **4.** *in front of* vor; *in front of the church* vor der Kirche **5.** *at the front* vorne; *I hate sitting at the front* im Klassenzimmer, Kino usw.: ich hasse es, vorne zu sitzen **6.** *sit in front* im Auto: vorne sitzen

front door [ˌfrʌnt'dɔː] Haustür, Vordertür

front entrance [ˌfrʌnt'entrəns] Vordereingang

frontier ['frʌntɪə] Grenze (*auch übertragen*)

front page [ˌfrʌnt'peɪdʒ] erste Seite, Titelseite (*einer Zeitung usw.*)

front-page ['frʌntpeɪdʒ] *Nachrichten:* wichtig, aktuell

front-wheel drive [ˌfrʌntwiːl'draɪv] Vorderradantrieb, Frontantrieb

frost [frɒst] **1.** *Temperatur unter dem Gefrierpunkt:* Frost **2.** *gefrorener Tau:* Reif

frost over *oder* **up** [ˌfrɒst'əʊvə *oder* 'ʌp] (*Fenster usw.*) zufrieren

frostbite ['frɒstbaɪt] (△ *nur im Sg. verwendet*) *von Händen und Füßen:* Erfrierungen *Pl.*, Frostbeulen *Pl.*

frosting ['frɒstɪŋ] *bes. AE* Zuckerguss, Glasur

frosty ['frɒstɪ] eisig, frostig (*auch Empfang usw.*)

froth [frɒθ] *von Bier usw.:* Schaum

frown[1] [fraʊn] die Stirn runzeln (*at* über) (*auch übertragen*)

frown[2] [fraʊn] *with a frown* stirnrunzelnd

froze [frəʊz] *2. Form von → freeze*[1]

frozen ['frəʊzn] *3. Form von → freeze*[1]

frozen food [ˌfrəʊzn'fuːd] Tiefkühlkost

frugal ['fruːgl] *Mahlzeit:* einfach, bescheiden

fruit [fruːt] **1.** Obst **2.** Frucht; *tropical fruits* tropische Früchte **3.** *his efforts bore fruit* übertragen seine Bemühungen haben Früchte getragen; ☞ *Illu S. 883*

fruitcake ['fruːtkeɪk] englischer Kuchen

fruitful ['fruːtfl] *Diskussion usw.:* fruchtbar, erfolgreich

fruition [fruːˈɪʃn] *come to fruition* (*Plan, Idee usw.*) sich verwirklichen

fruitless ['fruːtləs] *Verhandlungen, Versuch usw.:* fruchtlos, erfolglos

fruit machine [ˈfruːt məˌʃiːn] *BE* (Geld)-Spielautomat

fruit salad [ˌfruːt'sæləd] Obstsalat

fruit tree [ˈfruːt triː] Obstbaum

fruity ['fruːtɪ] *Geschmack:* fruchtig

frustrate [frʌˈstreɪt] **1.** frustrieren, entmutigen, enttäuschen (*Person*) **2.** zunichtemachen (*Hoffnungen, Pläne*)

frustration [frʌˈstreɪʃn] **1.** Frustration **2.** *von Hoffnungen, Plänen:* Zerschlagung, Scheitern

fry [fraɪ] *fried* [fraɪd], *fried* [fraɪd] braten; *fried eggs* Spiegeleier; *fried potatoes* Bratkartoffeln

frying pan ['fraɪɪŋ ˌpæn] Bratpfanne

frypan ['fraɪpæn] *AE* Bratpfanne

ft *Abk. für → foot 3, feet*

fuck [fʌk] *vulgär* ficken, vögeln; *fuck off!* verpiss dich!

fucking ['fʌkɪŋ] *vulgär* Scheiß..., verflucht

fuel ['fjuːəl] **1.** *allg.:* Brennstoff, Brennmaterial **2.** *für Kraftfahrzeuge:* Treibstoff, Kraftstoff; *fuel gauge* [geɪdʒ] Benzinuhr **3.** *add fuel to the fire* (*oder flames*) übertragen Öl ins Feuer gießen

fug [fʌg] *BE, umg.* Mief

fugitive[1] ['fjuːdʒətɪv] Flüchtling

fugitive[2] ['fjuːdʒətɪv] flüchtig, auf der Flucht

fulfil, *AE auch* **fulfill** [fʊl'fɪl], *fulfilled, fulfilled* **1.** erfüllen (*Bedingung, Versprechen usw.*) **2.** ausführen (*Befehl usw.*)

full[1] [fʊl] **1.** (≈ *ganz gefüllt*) voll; *full of* voll von, voller; *he's so full of himself* er ist total von sich eingenommen **2.** (≈ *vollständig*) voll, ganz; *a full hour* eine volle (*oder geschlagene*) Stunde. **3.** *Figur:* füllig, vollschlank **4.** *Gesicht:* voll **5.** *übertragen* erfüllt (*of* von) **6.** *I'm full umg.* ich bin satt **7.** *Kompetenzen usw.:* voll, unbeschränkt; *have full authority to do something* bevollmächtigt sein, etwas zu tun

full[2] [fʊl] *in full* vollständig, ganz; *spell* (*oder write*) *in full* ausschreiben; *to the full* vollständig, bis ins Letzte (*oder Kleinste*); *live life to the full* das Leben in vollen Zügen genießen

fullback ['fʊlbæk] *Fußball*: (Außen)Verteidiger

full-grown [,fʊl'grəʊn] ausgewachsen

full-length [,fʊl'leŋθ] **1.** *Porträt*: lebensgroß **2.** *Film*: abendfüllend

full moon [,fʊl'mu:n] Vollmond; *at* **(the) full moon** bei Vollmond

full-page ['fʊlpeɪdʒ] *Artikel, Inserat usw.*: ganzseitig

full stop [,fʊl'stɒp] *am Satzende*: Punkt

full-time [,fʊl'taɪm] **1.** *Arbeitsplatz*: ganztägig, Ganztags… **2.** *work full-time* ganztags arbeiten

fully ['fʊlɪ] voll, völlig, ganz; *fully automatic* vollautomatisch

fumble ['fʌmbl] **1.** *auch fumble about* (*oder around*) herumtasten **2.** (herum)fummeln (*at* an) **3.** *fumble in one's pockets* in seinen Taschen (herum)wühlen **4.** *fumble for words* nach Worten suchen

fume [fju:m] *übertragen* (vor Wut) kochen

fumes [fju:mz] *unangenehm riechend bzw. gefährlich*: Dämpfe, Abgase

fun [fʌn] **1.** Spaß; *for fun* aus (*oder* zum) Spaß; *reading is fun* Lesen macht Spaß; *have fun!* viel Spaß! **2.** *in fun* im Scherz; *make fun of* sich lustig machen über

fun

Achte auf den Unterschied:

it was fun	es hat Spaß gemacht
it was funny	es war lustig/komisch

function[1] ['fʌŋkʃn] *allg.*: Funktion

function[2] ['fʌŋkʃn] **1.** *allg.*: funktionieren **2.** *function as* tätig sein (*oder* fungieren) als

fund [fʌnd] **1.** *Wirtschaft*: Fonds **2.** *funds Pl.* (Geld)Mittel *Pl.*; *be short of funds* knapp bei Kasse sein **3.** *übertragen* Vorrat (*of* an)

fundamental [,fʌndə'mentl] grundlegend, fundamental (*to* für); *fundamental research* Grundlagenforschung

funeral ['fju:nrəl] Begräbnis, Beerdigung; *that's your funeral umg.* das ist dein Problem

funfair ['fʌnfeə] *bes. BE* Rummelplatz

funicular [fju:'nɪkjʊlə] *auch funicular railway* (Draht)Seilbahn

funnies ['fʌnɪz] *Pl. AE, umg.*; *in der Zeitung*: Comics *Pl.*

funny ['fʌnɪ] **1.** komisch, lustig **2.** (≈ *schwer erklärbar*) seltsam, komisch **3.** *gesundheitlich*: unwohl; *I feel a bit funny*

mir ist irgendwie komisch

fur [fɜ:] Pelz, Fell; *fur coat* Pelzmantel

furious ['fjʊərɪəs] **1.** wütend, zornig (*with someone* auf *oder* über jemanden; *at something* über etwas) **2.** *Kampf usw.*: wild, heftig

furnish ['fɜ:nɪʃ] **1.** einrichten, möblieren (*Wohnung usw.*); *furnished room* möbliertes Zimmer **2.** liefern (*Informationen usw.*)

furnishings ['fɜ:nɪʃɪŋz] *Pl.* Einrichtung, Mobiliar

furniture ['fɜ:nɪtʃə] Möbel *Pl.*; *piece of furniture* Möbelstück

further ['fɜ:ðə] **1.** *zeitlich und räumlich*: weiter, weiter entfernt **2.** *übertragen* ferner, weiterhin; *further education BE* Fortbildung, Weiterbildung

furthermore [,fɜ:ðə'mɔ:] ferner, weiterhin, Ⓐ weiters

furthermost ['fɜ:ðəməʊst] äußerste(r, -s)

furthest ['fɜ:ðɪst] **1.** *zeitlich und räumlich*: weiteste(r, -s), entfernteste(r, -s) **2.** am weitesten (*oder* entferntesten)

furtive ['fɜ:tɪv] **1.** heimlich, *Blick auch*: verstohlen **2.** *Person*: heimlichtuerisch

fury ['fjʊərɪ] Wut, Zorn; *fly into a fury* einen Wutanfall bekommen

fuse[1] [fju:z] **1.** *von Sprengkörper*: Zünder **2.** *in Stromkreislauf*: Sicherung; *fuse box* Sicherungskasten

fuse[2] [fju:z] (*Sicherung usw.*) durchbrennen

fusion ['fju:ʒn] **1.** *von Metallen*: Schmelzen **2.** *Atomphysik*: Fusion; *nuclear fusion* Kernverschmelzung

fuss [fʌs] **1.** (unnötige) Aufregung **2.** Wirbel, Theater; *make a fuss* viel Wirbel machen (*about, over* um); *kick up a fuss* Krach schlagen

fusspot ['fʌspɒt], *AE* fussbudget ['fʌs,bʌdʒɪt] *umg.* Kleinlichkeitskrämer(in), Pedant(in)

fussy ['fʌsɪ] **1.** eigen, wählerisch **2.** (≈ *übergenau*) kleinlich, pedantisch

fusty ['fʌstɪ] **1.** moderig, muffig **2.** *Ideen usw.*: verstaubt **3.** *Person*: rückständig

futile ['fju:taɪl] *Bemühungen usw.*: nutzlos, vergeblich

futility [fju:'tɪlətɪ] Nutzlosigkeit

future[1] ['fju:tʃə] **1.** Zukunft; *in (the) future* in Zukunft **2.** *Sprache*: Futur, Zukunft

future[2] ['fju:tʃə] **1.** (zu)künftig, Zukunfts… **2.** *future tense Sprache*: Futur, Zukunft

fuzz [fʌz] **1.** Flaum **2.** *AE* Fusseln *Pl.*

fuzzy ['fʌzɪ] **1.** *Haar*: kraus, wuschelig **2.** *Foto usw.*: unscharf, verschwommen **3.** *Beschreibung usw.*: undeutlich

G

gab [gæb] *umg.* Gequassel, Gequatsche; **she's got the gift of the gab** sie ist nicht auf den Mund gefallen, *abwertend* sie redet wie ein Wasserfall

gabble ['gæbl] 1. (≈ *schnell reden*) brabbeln, schnattern 2. *auch* **gabble out** herunterleiern (*Gebet usw.*)

gable ['geɪbl] Giebel; **gable window** Giebelfenster

gadget ['gædʒɪt] *umg.* 1. Apparat, Gerät 2. *oft im negativen Sinn* technische Spielerei

Gaelic

Gaelic ist eine keltische Sprache, die noch von etwa einer halben Million Iren und ca. 75.000 Schotten im Hochland und im Westen gesprochen wird. Irisches Gälisch unterscheidet sich aber sehr stark vom schottischen. Auch auf der Isle of Man gibt es noch Gaelic--Sprecher.

gaffe [gæf] Fauxpas, taktlose Bemerkung; **commit a gaffe** einen Fauxpas begehen, *umg.* ins Fettnäpfchen treten

gag¹ [gæg], **gagged, gagging** 1. knebeln (*auch übertragen*) 2. *übertragen* mundtot machen

gag² [gæg] 1. Knebel (*auch übertragen*) 2. *umg.* (≈ *Scherz*) Gag

gaga ['gɑːgɑː] *umg.* 1. plemplem, übergeschnappt 2. *älterer Mensch*: verblödet, verkalkt 3. **she's really gaga about him** *umg.* sie fährt voll auf ihn ab

gage [geɪdʒ] *AE* → **gauge¹, gauge²**

gain¹ [geɪn] 1. gewinnen (*Zeit, Vertrauen usw.*); **gain ground** *übertragen* an Boden gewinnen 2. erwerben (*Vermögen*) 3. sammeln (*Erfahrungen*) 4. **gain speed** schneller werden; **gain weight** zunehmen; **he gained 10 pounds** er nahm 10 Pfund zu 5. (*Uhr*) vorgehen

gain² [geɪn] 1. Gewinn; **be to someone's gain** für jemanden von Vorteil sein 2. Zunahme (**in** an); **gain in weight** Gewichtszunahme

gainful ['geɪnfl] **gainful employment** Erwerbstätigkeit

gal [gæl] *bes. AE, umg.* Mädchen

gala ['gɑːlə] 1. großes Fest, Festlichkeit 2. *in Theater, Oper usw.*: Galaveranstaltung 3. *BE* Sportfest; **swimming gala** Schwimmfest

galaxy ['gæləksɪ] Galaxis; **the Galaxy** die Milchstraße

gale [geɪl] 1. Sturm; **gale force 7** Sturmstärke 7 2. **gales of laughter** stürmisches Gelächter

gall bladder ['gɔːl,blædə] Gallenblase

gallery ['gælərɪ] 1. *für Kunstwerke*: Galerie 2. *Architektur*: Galerie 3. *in Kirche*: Empore 4. *in Theater*: Galerie (*auch Publikum*); **play to the gallery** *übertragen* für die Galerie spielen

galley ['gælɪ] 1. *Schiff*: Galeere 2. (≈ *Schiffsküche*) Kombüse

gallon ['gælən] *Maßeinheit*: die Gallone (*GB: 4,55l, USA: 3,79l*)

gallop¹ ['gæləp] galoppieren, (im) Galopp reiten; **galloping inflation** galoppierende Inflation

gallop² ['gæləp] Galopp; **at a gallop** im Galopp, *übertragen, umg.* hastig

gallows ['gæləʊz] Galgen

gallstone ['gɔːlstəʊn] Gallenstein

gamble¹ ['gæmbl] (um Geld) spielen; **gamble with something** *übertragen* etwas aufs Spiel setzen

gamble² ['gæmbl] 1. Glücksspiel 2. *übertragen* Hasardspiel, Risiko

gambler ['gæmblə] 1. (Glücks)Spieler(in) 2. *übertragen* Hasardeur

gambol ['gæmbl] **gambolled, gambolled,** *AE mst.* **gamboled, gamboled** (herum)hüpfen, Luftsprünge machen

game¹ [geɪm] 1. *allg.*: Spiel; **play the game** *übertragen* sich an die Spielregeln halten 2. **a game of chess** eine Partie Schach 3. *übertragen* Spiel, Plan; **the game's up** das Spiel ist aus; **beat someone at his own game** jemanden mit seinen eigenen Waffen schlagen 4. *umg.* Branche; **be in the advertising game** in Werbung machen 5. *BE* **games** *Pl. an der Schule*: Sport; **games teacher** Sportlehrer(in) 6. (△ *nur im Sg.*) Wild(bret); **big game** Großwild

game² [geɪm] **be game to do something** bereit *oder* entschlossen sein, etwas zu tun; **are you game?** machst du mit?

game show ['geɪm,ʃəʊ] *im Fernsehen*: Spielshow, Gameshow

gammon ['gæmən] Räucherschinken

gander ['gændə] Gänserich

gang [gæŋ] 1. *von Kriminellen*: Gang, Bande 2. *Freundeskreis*: Clique

gang up [ˌɡæŋˈʌp] *im negativen Sinn* sich zusammenrotten; **gang up against** *oder* **on** sich verbünden (*oder* verschwören) gegen

gangster [ˈɡæŋstə] Gangster, Verbrecher

gangway [ˈɡæŋweɪ] **1.** *Schifffahrt*: Landungsbrücke, *die* Gangway **2.** *BE*; *zwischen zwei Sitzreihen*: Gang

gaol [△ dʒeɪl] *BE* Gefängnis; ☞ **jail¹**, **jail²**

gap [ɡæp] Lücke (*auch übertragen*)

gape [ɡeɪp] **1.** *vor Erstaunen usw.*: den Mund aufreißen **2.** gaffen, glotzen; **gape at someone** jemanden angaffen (*oder* anglotzen) **3.** (*Wunde*) klaffen

gaping [ˈɡeɪpɪŋ] **1.** *Personen*: gaffend, glotzend **2.** *Wunde*: klaffend **3.** *Abgrund*: gähnend

gap year [ˈɡæpˌjɪə] *BE; Jahr zwischen Schulabschluss und Universität, das mst. zu Auslandsaufenthalten genutzt wird*

garage [ˈɡærɑːʒ] **1.** *zum Parken*: Garage **2.** *für Reparaturen*: Werkstatt **3.** *zum Tanken*: Tankstelle

garbage [ˈɡɑːbɪdʒ] **1.** *bes. AE* Abfall, Müll **2.** *umg., übertragen* Blödsinn, Unfug

garbage can [ˈɡɑːbɪdʒ_kæn] *bes. AE* **1.** *im Haus*: Abfalleimer, Mülleimer **2.** *vor dem Haus*: Abfalltonne, Mülltonne

garbage collection [ˈɡɑːbɪdʒ_kəˌlekʃn] *bes. AE* Müllabfuhr

garbage dump [ˈɡɑːbɪdʒ_dʌmp] *AE* Mülldeponie

garbage truck [ˈɡɑːbɪdʒ_trʌk] *bes. AE* Müllwagen

garden¹ [ˈɡɑːdn] **1.** Garten **2.** *oft* **gardens** *Pl.* Park, Gartenanlagen; **botanical gardens** botanischer Garten; **zoological gardens** Tierpark

garden² [ˈɡɑːdn] im Garten arbeiten

garden city [ˌɡɑːdnˈsɪtɪ] *BE* Gartenstadt

gardener [ˈɡɑːdnə] Gärtner(in)

gardening [ˈɡɑːdnɪŋ] Gartenarbeit

garden party [ˈɡɑːdnˌpɑːtɪ] *mst. förmlich* Gartenfest, Gartenparty

gargle [ˈɡɑːɡl] gurgeln (**with** mit)

garish [ˈɡeərɪʃ] *Licht, Farben*: grell

garlic [ˈɡɑːlɪk] Knoblauch

garment [ˈɡɑːmənt] Kleidungsstück

garnish¹ [ˈɡɑːnɪʃ] garnieren (*Braten usw.*)

garnish² [ˈɡɑːnɪʃ] *von Braten usw.*: Garnierung, Garnitur

garrulous [ˈɡærələs] geschwätzig

gas¹ [ɡæs] *Pl.*: **gases** *oder* **gasses 1.** Gas **2.** *AE* Benzin

gas² [ɡæs], **gassed, gassed** vergasen; **be gassed** vergast werden, eine Gasvergiftung erleiden

gasbag [ˈɡæsbæɡ] *umg.* Quatscher(in)

gas cooker [ˈɡæsˌkʊkə] Gasherd

gash¹ [ɡæʃ] **1.** klaffende Wunde **2.** tiefer Riss *oder* Schnitt

gash² [ɡæʃ] **gash one's knee** *usw.* sich das Knie *usw.* aufschlagen

gas heating [ˈɡæsˌhiːtɪŋ] Gasheizung

gas meter [ˈɡæsˌmiːtə] Gasuhr, Gaszähler

gasoline [ˈɡæsəliːn] *AE* Benzin

gasp¹ [ɡɑːsp] **1.** keuchen, schwer atmen; **gasp for breath** nach Luft schnappen **2.** (keuchend) hervorstoßen (*Worte*)

gasp² [ɡɑːsp] Keuchen; **she gave a gasp of surprise** es verschlug ihr den Atem; **be at one's last gasp** in den letzten Zügen liegen

gas station [ˈɡæsˌsteɪʃn] *AE* Tankstelle

gate [ɡeɪt] **1.** Tor, *von Gartenzaun auch*: Pforte **2.** *in Bahnhöfen*: Sperre **3.** *in Flughäfen*: Flugsteig **4.** *Sport*: Zuschauerzahl **5.** *auch*: **gate money** Einnahmen

gatecrash [ˈɡeɪtkræʃ] *umg.* uneingeladen kommen (zu) (*jemandes Party usw.*)

gatecrasher [ˈɡeɪtˌkræʃə] uneingeladener Gast

gather [ˈɡæðə] **1.** sammeln (*Erfahrungen, Informationen*) **2.** (*Menschenmenge*) sich versammeln *oder* scharen (**round someone** um jemanden) **3.** einbringen (*Ernte*) **4.** pflücken (*Blumen*) **5.** übertragen folgern, schließen; **as far as I can gather** soweit ich weiß **6.** **gather dust** verstauben; **gather speed** schneller werden

gathering [ˈɡæðərɪŋ] Versammlung, Zusammenkunft

gaudy [ˈɡɔːdɪ] **1.** auffällig bunt **2.** *Farben*: grell

gauge¹ [△ ɡeɪdʒ] **1.** Messgerät **2.** Eichmaß **3.** *übertragen* Maßstab, Norm

gauge² [△ ɡeɪdʒ] **1.** *mit einem Messgerät*: messen **2.** eichen (*Messgerät*) **3.** einschätzen, beurteilen (*Fähigkeiten usw.*)

gaunt [ɡɔːnt] **1.** hager **2.** ausgemergelt (*durch Krankheit usw.*)

gauze [ɡɔːz] **1.** *Material*: Gaze **2.** *für Wunden*: Verbandsmull; **gauze bandage** Mullbinde

gave [ɡeɪv] *2. Form von →* **give**

gawk [ɡɔːk] glotzen

gay¹ [ɡeɪ] **1.** (≈ *homosexuell*) schwul **2.** *heute selten*: lustig, fröhlich **3.** *selten*; *Farben usw.*: leuchtend, bunt

gay² [ɡeɪ] Schwuler

gaze¹ [ɡeɪz] starren; **gaze at** anstarren

gaze² [ɡeɪz] starrer Blick

gazette [ɡəˈzet] *BE* Amtsblatt, Staatsanzeiger

GB [ˌdʒiːˈbiː] *Abk. für →* **Great Britain**

GCSE [ˌdʒiː siː es ˈiː] (*Abk. für* **G**eneral **C**ertificate of **S**econdary **E**ducation) *BE*;

G

etwa: mittlere Reife; ☞ **A level, sixth form**

gear [gɪə] **1.** *bei Kraftfahrzeugen*: Gang; **change gear** *oder* **gears** schalten; **change into second gear** den zweiten Gang einlegen, in den zweiten Gang schalten **2. gears** *auch* Getriebe **3.** *für bestimmte Tätigkeiten*: Ausrüstung **4.** *umg.* Klamotten

gearbox ['gɪəbɒks] Getriebe

gear lever ['gɪə,liːvə] *BE* Gangschaltung, Schalthebel

gear shift ['gɪəʃɪft] *AE* Gangschaltung, Schalthebel

gee [dʒiː] *bes. AE, umg.; Ausruf des Erstaunens*: na so was!, Mann!

geese [giːs] *Pl. von* → **goose**

gem [dʒem] **1.** Edelstein **2.** *übertragen* Perle, Juwel (*beide auch Person*)

Gemini ['dʒemɪnaɪ] *Pl.* (*mst. im Sg. verwendet*); *Sternbild*: Zwillinge *Pl.*; **I'm (a) Gemini** ich bin Zwilling

gender ['dʒendə] *Sprache*: Genus, Geschlecht

gene [dʒiːn] Gen, Erbfaktor

general[1] ['dʒenrəl] **1.** allgemein, üblich; **as a general rule** im Allgemeinen, üblicherweise; **in general** im Allgemeinen, meistens **2.** (≈ *allumfassend*) allgemein, generell; **general education** Allgemeinbildung; **the general public** die breite Öffentlichkeit **3.** (≈ *nicht spezialisiert*) allgemein; **the general reader** der Durchschnittsleser **4.** (≈ *nicht präzise*) allgemein gehalten, ungefähr; **a general idea** eine ungefähre Vorstellung **5.** *bei Titeln auch*: Haupt..., General...; **general manager** Generaldirektor

general[2] ['dʒenrəl] *Offizier*: General

general election [,dʒenrəl_ɪ'lekʃn] Parlamentswahl (*im gesamten Land*)

generalize ['dʒenrəlaɪz] verallgemeinern

generally ['dʒenrəlɪ] *auch* **generally speaking** im Allgemeinen, allgemein

general practitioner [,dʒenrəl_-præk'tɪʃnə] (*Abk.: GP*) Arzt *oder* Ärztin für Allgemeinmedizin, Hausarzt *oder* Hausärztin

general strike [,dʒenrəl'straɪk] Generalstreik

generate ['dʒenəreɪt] **1.** erzeugen (*Energie*) **2.** *übertragen* bewirken, verursachen

generation [,dʒenə'reɪʃn] **1.** *allg.*: Generation; **generation gap** Generationskonflikt **2.** *von Energie usw.*: Erzeugung

generator ['dʒenəreɪtə] Generator

generosity [,dʒenə'rɒsətɪ] Großzügigkeit, Freigebigkeit

generous ['dʒenrəs] **1.** *Person*: großzügig, freigebig **2.** *Mahlzeit, Geldmittel usw.*:

reichlich, üppig

genesis ['dʒenəsɪs] **1.** *förmlich* Entstehung, Ursprung **2. Genesis** (≈ *1. Buch Mose*) die Schöpfungsgeschichte

genetic [dʒə'netɪk] genetisch; **genetic code** genetischer Code; **genetic engineering** Gentechnologie; **genetic fingerprint** genetischer Fingerabdruck

genetically-modified [dʒə,netɪklɪ 'mɒdɪ-,faɪd] genmanipuliert

genetics [dʒə'netɪks] *Pl.* (△ *im Sg. verwendet*) Genetik, Vererbungslehre

Geneva [dʒə'niːvə] Genf

genial ['dʒiːnɪəl] *Person, Lächeln usw.*: freundlich (△ *genial = **ingenious***)

geniality [,dʒiːnɪ'ælətɪ] Freundlichkeit (△ *Genialität = **genius, ingenuity***)

genitals ['dʒenɪtlz] *Pl.* Genitalien

genitive ['dʒenətɪv] *auch* **genitive case** *Sprache*: Genitiv, zweiter Fall

genius ['dʒiːnɪəs] **1.** *Person, Begabung*: Genie **2.** *Begabung*: Genialität

genocide ['dʒenəsaɪd] Völkermord

genome ['dʒiːnəʊm] *Biologie*: Genom

genre ['ʒɒnrə] *in der Kunst, Literatur usw.*: Genre, Gattung

gent [dʒent] **1.** *umg. oder humorvoll für* → **gentleman; gents' hairdresser** Herrenfriseur **2. gents** *Pl.* (*im Sg. verwendet*) *BE, umg.* Herrenklo

gentle ['dʒentl] **1.** *Berührung usw.*: sanft, zart, behutsam **2.** *Person, Verhalten*: freundlich, liebenswürdig **3.** *Brise, Klaps usw.*: leicht

gentleman ['dʒentlmən] *Pl.*: **gentlemen** ['dʒentlmən] **1.** Gentleman, Ehrenmann **2.** Herr; **Gentlemen!** *Anrede*: meine Herren!, Sehr geehrte Herren (*in Briefen*)

genuine ['dʒenjʊɪn] **1.** *Kunstwerk*: echt, authentisch **2.** *Person, Mitgefühl, Freude*: aufrichtig

geography [dʒɪ'ɒgrəfɪ] Geographie, Erdkunde

geology [dʒɪ'ɒlədʒɪ] Geologie

geometry [dʒɪ'ɒmətrɪ] Geometrie

St George's Day

Der 23. April ist **St George's Day** [snt'dʒɔː'dʒɪzdeɪ], der Nationalfeiertag der Engländer. Traditionalisten tragen eine Rose (**rose**) im Knopfloch.

germ [dʒɜːm] *Medizin*: Bazillus, (Krankheits)Erreger, Keim (*auch übertragen*); **don't spread your germs around** behalte deine Bazillen für dich

German[1] ['dʒɜːmən] deutsch; **I'm German** ich bin Deutsche(r); **German stud-**

ies Pl. Germanistik; **German measles** (⚠ *nur im Sg. verwendet*) Röteln; **German shepherd** (Deutscher) Schäferhund

German[2] ['dʒɜːmən] *Sprache*: Deutsch; **in German** auf Deutsch

German[3] ['dʒɜːmən] *Person*: Deutsche(r)

German-speaking ['dʒɜːmən‚spiːkɪŋ] *Person, Land*: deutschsprachig

Germany ['dʒɜːmənɪ] Deutschland

gesture ['dʒestʃə] Geste (*auch übertragen*)

get [get], **got** [gɒt], **got** [gɒt] *oder AE* **gotten** ['gɒtn]; *-ing-Form* **getting** 1. *allg.*: bekommen (*auch Krankheit*), kriegen, erhalten 2. holen, besorgen; **I'll get you a taxi** ich rufe dir ein Taxi; **can I get you a drink?** möchtest du etwas zu trinken? 3. *zu einem Ort*: kommen, gelangen; **we got home very late** wir kamen sehr spät nach Hause 4. erwerben, sich aneignen (*Geld, Reichtum, Wissen*) 5. werden; **I'm getting old** ich werde alt; **they got caught** sie wurden geschnappt 6. **get married** heiraten; **get married to someone** jemanden heiraten 7. **get ready** sich fertig machen; **get something ready** etwas fertig machen 8. **get one's hair cut** sich die Haare schneiden lassen 9. **get something going** in Gang bringen (*Maschine, Verhandlungen usw.*) 10. **have got** haben; **have you got a light?** hast du mal Feuer? 11. **have got to** müssen; **I've got to go** ich muss gehen 12. *umg.* kapieren, (*auch akustisch*) verstehen; **got it?** *umg.* kapiert?; **don't get me wrong** versteh mich nicht falsch 13. **get to know** kennenlernen 14. **get lost** sich verirren *oder* verlaufen 15. **get lost!** verschwinde(t)!

get across [‚get‿ə'krɒs] 1. *umg.* (*Idee, Gedanken*) rüberkommen 2. *umg.* rüberbringen (*Idee, Gedanken*)

get along [‚get‿ə'lɒŋ] 1. *mit Arbeit usw.*: vorankommen; **get along well** Fortschritte machen 2. *mit Person*: auskommen, sich vertragen (**with** mit); **I just don't get along with the new teacher** ich komme mit dem neuen Lehrer einfach nicht klar

get at ['get‚æt] **what are you getting at?** was willst du damit sagen?

get away with [‚get‿ə'wei‿wɪð] (ungestraft) davonkommen mit; **you won't get away with that** damit kommst du nicht durch

get back [‚get'bæk] 1. zurückbekommen (*Besitz usw.*) 2. zurückkommen; **when did you get back?** seit wann

bist du wieder zurück?; **I'll have to get back to you about that** darauf komme ich später zurück, das kann ich dir erst später beantworten

get by [‚get'bai] durchkommen, zurechtkommen

get down [‚get'daun] 1. runterkriegen (*Essen, Tabletten usw.*) 2. notieren (*Bemerkung, Äußerung*); **get down every word he says** schreib alles auf, was er sagt 3. *umg.* (≈ *deprimieren*) fertigmachen; **this continual noise is getting me down** dieser ständige Lärm macht mich fertig

get in [‚get'ɪn] 1. heimkommen; **we didn't get in until 11 o'clock** wir kamen nicht vor 11 Uhr nach Hause 2. einreichen (*Antrag, Bewerbung usw.*); **can you get the essay in by Friday?** kannst du den Aufsatz bis Freitag abgeben?

get into ['get‚ɪntʊ] 1. *in Auto usw.*: einsteigen in 2. hineinbekommen, reinkriegen; **I can't get all my stuff into that case** ich krieg mein ganzes Zeug nicht in den Koffer 3. geraten in (*Zorn, Wut, Panik usw.*) 4. **he always gets himself into trouble** er bringt sich ständig in Schwierigkeiten; **you got us into that!** du hast uns das eingebrockt!

get off [‚get'ɒf] 1. aussteigen aus (*Bus, Zug*) 2. absteigen von (*Pferd, Fahrrad*) 3. *zu einer Reise usw.*: aufbrechen; **we should get off before six** wir sollten vor sechs aufbrechen 4. **get a week off** eine Woche freibekommen

get off with [‚get'ɒf‿wɪð] **get off with someone** *umg.*; *sexuell*: jemanden aufreißen, jemanden bumsen

get on [‚get'ɒn] 1. einsteigen (in) (*Bus, Zug*) 2. aufsteigen (auf) (*Pferd, Fahrrad*) 3. vorwärtskommen, vorankommen; **how's the project getting on?** wie gehts mit dem Projekt voran? 4. *mit Person*: auskommen, sich vertragen (**with** mit)

get out [‚get'aut] 1. herauskommen, aussteigen; **the door's locked and I can't get out** die Tür ist verriegelt, und ich komm nicht raus! 2. hinausgehen; **get out!** raus! 3. herausbringen (*Bericht, Buch*)

get out of [‚get'aut‿əv] 1. verlassen (*Zimmer, Haus*) 2. **you'd better get that out of your head!** schlag dir das lieber aus dem Kopf! 3. **what do you get out of smoking?** was hast du vom Rauchen?

get round to [‚get'raund‿tʊ] **as soon**

G

as I get round to it I'll phone him sobald ich dazu komme, rufe ich ihn an; *I simply don't get round to writing letters these days* ich komme zurzeit einfach nicht zum Briefeschreiben

get together [ˌgetˈtəˈgeðə] *mit anderen Menschen:* zusammenkommen, sich treffen (**with** mit)

get up [ˌgetˈʌp] *aus dem Bett, von einem Stuhl:* aufstehen; *I get up at 6 o'clock* ich stehe um 6 Uhr auf

G

getaway [ˈgetəweɪ] Flucht; *getaway car* Fluchtauto

get-together [ˈgetˌtəˌgeðə] *umg.* Zusammenkunft, gemütliches Beisammensein; *have a get-together* sich treffen, zusammenkommen

ghastly [ˈgɑːstlɪ] *allg.:* scheußlich, schauderhaft (*auch übertragen, Wetter usw.*)

gherkin [ˈgɜːkɪn] Gewürzgurke, Essiggurke (△ *Salatgurke* = **cucumber**)

ghetto [ˈgetəʊ] *Pl.:* *ghettos oder ghettoes* [ˈgetəʊz] Getto

ghost [gəʊst] 1. Geist, Gespenst 2. *give up the ghost* (≈ *sterben*) den Geist aufgeben (*auch umg. von Auto, Maschine usw.*)

ghost train [ˈgəʊstˌtreɪn] *BE* Geisterbahn; *go on the ghost train* Geisterbahn fahren

giant[1] [ˈdʒaɪənt] Riese

giant[2] [ˈdʒaɪənt] riesig, *umg.* Riesen...

giant slalom [ˌdʒaɪəntˈslɑːləm] *Skisport:* Riesenslalom

giddiness [△ ˈgɪdɪnəs] 1. *körperlich:* Schwindel, Schwindelgefühl 2. (≈ *Übermut*) Leichtsinn

giddy [△ ˈgɪdɪ] *I feel giddy* mir ist schwindlig

gift[1] [gɪft] 1. *allg.:* Geschenk; *the exam was a gift umg.* die Prüfung war geschenkt; *I wouldn't have this as a gift* das würde ich nicht mal geschenkt nehmen 2. *übertragen* Begabung, Talent (*for, of* für); *gift for languages* Sprachtalent

gift[2] [gɪft] 1. geschenkt, Geschenk...; *gift voucher* Geschenkgutschein 2. *don't look a gift horse in the mouth* Sprichwort: einem geschenkten Gaul schaut man nicht ins Maul

gifted [ˈgɪftɪd] begabt, talentiert

gift voucher [ˈgɪftˌvaʊtʃə] Geschenkgutschein

gigantic [dʒaɪˈgæntɪk] gigantisch, riesig

giggle[1] [ˈgɪgl] kichern

giggle[2] [ˈgɪgl] Gekicher

gimmick [ˈgɪmɪk] *umg.* (≈ *origineller Einfall*) Gag; *that's just a public relations gimmick* das ist nur ein PR-Gag

ginger [ˈdʒɪndʒə] Ingwer

gipsy [ˈdʒɪpsɪ] Zigeuner(in)

giraffe [dʒəˈrɑːf] Giraffe

girl [gɜːl] 1. Mädchen 2. *my little girl* meine kleine Tochter

girlfriend [ˈgɜːlfrend] Freundin

girlhood [ˈgɜːlhʊd] Mädchenjahre; *in her girlhood* in ihrer Jugend

giro [ˈdʒaɪrəʊ] *BE* Postgirodienst; *giro account* Postgirokonto; *giro cheque* Postscheck

gist [dʒɪst] *the gist* das Wesentliche, der Kern (*einer Aussage usw.*)

give [gɪv], *gave* [geɪv], *given* [ˈgɪvn] 1. *allg.:* geben 2. *zum Geburtstag usw.:* schenken 3. spenden (*Blut*) 4. von sich geben; *give a cry* einen Schrei ausstoßen; *give a deep sigh* tief seufzen 5. gewähren, leisten (*Hilfe*) 6. bieten (*Schutz*) 7. *he's given us a lot of homework* (*Lehrer*) er hat uns eine Menge Hausaufgaben aufgegeben 8. übermitteln (*Grüße usw.*); *give him my best regards* bestelle ihm herzliche Grüße von mir 9. (*Material usw.*) nachgeben 10. *give a paper* ein Referat halten 11. *give it to someone umg.* jemandem die Meinung sagen 12. *don't give me that! umg.* erzähl mir doch nichts! 13. *I don't give a damn! umg.* das ist mir scheißegal!

give away [ˌgɪvˈəˈweɪ] 1. *allg.:* verschenken, weggeben 2. vergeben, verteilen (*Preise, Zeugnisse usw.*) 3. verraten (*Geheimnis, Täter*)

give back [ˌgɪvˈbæk] zurückgeben

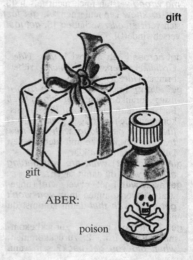

gift

gift

ABER:

poison

give in [ˌgɪvˈɪn] **1.** einreichen, abgeben (*Prüfungsarbeit usw.*) **2.** *in einem Kampf usw.*: aufgeben, sich geschlagen geben

give off [ˌgɪvˈɒf] **1.** verbreiten, ausströmen (*Geruch*) **2.** ausstoßen (*Rauch usw.*) **3.** abgeben (*Wärme usw.*)

give out [ˌgɪvˈaʊt] austeilen, verteilen (*Geld, Prüfungstexte*)

give up [ˌgɪvˈʌp] **1.** aufgeben, aufhören mit (*Rauchen, Trinken usw.*) **2.** *give oneself up* (*Täter*) sich stellen **3.** abgeben (*Amt, Posten*); *give up one's seat usw. to someone* jemandem seinen Sitz *usw.* überlassen **4.** *in einem Kampf usw.*: aufgeben, sich geschlagen geben

give-and-take [ˌgɪv_ənˈteɪk] beiderseitiges Entgegenkommen, Kompromiss

giveaway ['gɪvəweɪ] **1.** *it was a giveaway* *Gesichtsausdruck, Äußerung usw.*: es verriet alles **2.** Werbegeschenk

giveaway price ['gɪvəweɪˌpraɪs] Schleuderpreis

given[1] ['gɪvn] **3.** *Form von → give*

given[2] ['gɪvn] **1.** gegeben; *given name bes. AE* Vorname; *at the given time* zur festgesetzten Zeit; *within a given time* innerhalb einer bestimmten Zeit **2.** *she's given to depression* sie neigt zu Depressionen; *be given to doing something* die Angewohnheit haben, etwas zu tun **3.** vorausgesetzt; *given time, I could do the shopping* wenn ich Zeit hätte, könnte ich die Einkäufe erledigen **4.** *given that he ...* in Anbetracht der Tatsache, dass er ...

giver ['gɪvə] Geber(in), Spender(in)

glacier ['glæsɪə, *AE* 'gleɪʃə] Gletscher

glad [glæd], *gladder, gladdest* **1.** froh, erfreut (*about* über); *I'm glad to hear that ...* es freut mich zu hören, dass ...; (*I'm*) *glad to meet you* ich freue mich, Sie kennenzulernen **2.** *be glad of something* für etwas dankbar sein; *I'd be glad of your help* ich wäre für deine Hilfe dankbar **3.** *I'll be glad to!* als Antwort auf Bitte: aber gerne!

gladly ['glædlɪ] gern, mit Freuden

gladness ['glædnəs] Freude

glamorize ['glæməraɪz] (≈ *idealisieren*) verherrlichen

glamour ['glæmə] *von Erfolg usw.*: Zauber, (falscher) Glanz

glance[1] [glɑːns] (kurz) blicken, schauen (*at* auf); *glance at something* einen kurzen Blick auf etwas werfen; *glance over* (*oder* *through*) *a report* einen Bericht überfliegen, einen Bericht kurz durchsehen

glance[2] [glɑːns] (schneller *oder* flüchtiger) Blick (*at* auf); *at a glance* auf einen Blick; *at first glance* auf den ersten Blick

gland [glænd] Drüse

glare[1] [gleə] **1.** (*Sonne usw.*) grell scheinen *oder* leuchten **2.** *glare at someone* jemanden wütend anstarren, jemanden anfunkeln

glare[2] [gleə] **1.** greller Schein, grelles Leuchten **2.** wütender Blick

glaring ['gleərɪŋ] **1.** *Licht*: grell **2.** *Fehler, Ungerechtigkeit usw.*: eklatant, krass

G

glass [glɑːs] **1.** *Material, Gefäß*: Glas **2.** *glasses Pl.* (*auch* *pair of glasses*) Brille

glasshouse ['glɑːshaʊs] *bes. BE* Gewächshaus, Glashaus

glassy ['glɑːsɪ] **1.** gläsern **2.** *Augen*: glasig

glaze [gleɪz] **1.** verglasen (*Fenster, Tür*) **2.** glasieren (*Kacheln, Speisen*)

glazing ['gleɪzɪŋ] **1.** *von Gebäuden*: Verglasung **2.** *von Kacheln, Speisen*: Glasur

gleam[1] [gliːm] Schein, Schimmer; *a gleam of hope* ein Hoffnungsschimmer

gleam[2] [gliːm] scheinen, schimmern

glee [gliː] **1.** Freude **2.** Schadenfreude

gleeful ['gliːfl] **1.** fröhlich **2.** schadenfroh

glide [glaɪd] **1.** gleiten **2.** *in der Luft*: schweben **3.** (*Segelflugzeug*) gleiten, schweben **4.** (*Person*) segelfliegen

glider ['glaɪdə] **1.** Segelflugzeug **2.** *Person: auch* **glider pilot** Segelflieger(in)

gliding ['glaɪdɪŋ] Segelfliegen

glimmer[1] ['glɪmə] **1.** (*Glut*) glimmen **2.** (*Licht*) schimmern

glimmer[2] ['glɪmə] **1.** *von Glut*: Glimmen **2.** *von Licht*: Schimmer; *glimmer of hope* Hoffnungsschimmer

glimpse[1] [glɪmps] flüchtiger Blick; *catch oder get a glimpse of* nur flüchtig zu sehen bekommen

glimpse[2] [glɪmps] **1.** flüchtig blicken (*at* auf) **2.** (nur) flüchtig zu sehen bekommen

glint[1] [glɪnt] glänzen, glitzern

glint[2] [glɪnt] **1.** Glanz, Glitzern **2.** *von Augen*: Funkeln (*schelmisch usw.*)

glisten [△ 'glɪsn] glänzen, scheinen

glitch [glɪtʃ] *umg., von Gerät usw.*: Störung, Macke

glitter[1] ['glɪtə] (*Schmuck usw.*) glitzern, funkeln, glänzen; *all that glitters is not gold* es ist nicht alles Gold, was glänzt

glitter[2] ['glɪtə] **1.** *von Schmuck usw.*: Glitzern, Funkeln, Glanz **2.** *übertragen* Glanz, Pracht

glitterati [ˌglɪtəˈrɑːtɪ] *Pl. umg.* Schickeria

glittering ['glɪtərɪŋ] **1.** *Schmuck usw.*: glitzernd, funkelnd, glänzend **2.** *übertragen* glänzend, prächtig

be going to als Zukunftsform

Be going to wird als „Zukunftsform" vor allem in folgenden Situationen verwendet:
1. Wenn eine **hohe Wahrscheinlichkeit** oder **etwas Unvermeidbares** ausgedrückt werden soll:

She's going to have a baby.	Sie bekommt ein Kind.
The glass is going to fall.	Das Glas fällt gleich um.
It's going to rain.	Es fängt (bestimmt) gleich an zu regnen.
(*Look at those dark clouds.*)	(Schau dir die dunklen Wolken da an.)

2. Wenn sich derjenige, der etwas sagt, ziemlich sicher ist, dass ein Geschehen eintritt oder verwirklicht wird, also **feste Absicht** oder **Gewissheit** des Sprechers im Vordergrund steht:

I'm going to tell him the truth.	Jetzt sag ich ihm aber die Wahrheit.
I'm going to see this film (this evening).	Ich werd mir den Film (heute Abend) ansehen.

Vielleicht hast du auch schon mal in einem Song oder anderswo die Form **"I'm gonna ...", "you're gonna ..."** usw. gehört, wie z. B. in **"I'm gonna win this time"**. Sie steht für **"I'm going to win this time"** („Diesmal werd ich gewinnen") und gilt als sehr „locker". Schriftlich solltest du sie nicht verwenden.

---

gloat [gləʊt] sich diebisch freuen (**over, at** über)

global ['gləʊbl] **1.** global, weltumspannend; **global warming** die Erwärmung der Erdatmosphäre **2.** **take a global view of a problem** *übertragen* ein Problem global betrachten

globalization [ˌgləʊblaɪˈzeɪʃn] Globalisierung

globe [gləʊb] **1.** *allg.*: Kugel **2.** (≈ *die Welt*) Erde, Erdball, Erdkugel **3.** *Abbild der Erde*: Globus

globetrotter ['gləʊbˌtrɒtə] Globetrotter(in), Weltenbummler(in)

globule ['glɒbjuːl] **1.** Kügelchen **2.** *bes. von Dickflüssigem*: Tröpfchen

gloomy ['gluːmɪ] düster; **feel gloomy about the future** schwarzsehen

glorification [ˌglɔːrɪfɪˈkeɪʃn] **1.** *einer Person, Leistung*: Verherrlichung, Glorifizierung **2.** *religiös*: Lobpreisung

glorify ['glɔːrɪfaɪ] **1.** verherrlichen, glorifizieren (*Person, Leistung*) **2.** lobpreisen (*Gott*)

glorious ['glɔːrɪəs] **1.** *Held, Ruhm, Sieg usw.*: ruhmreich, glorreich **2.** *Tag, Morgen, Sommer, Wetter*: herrlich, prächtig

glory ['glɔːrɪ] **1.** (≈ *Berühmtheit*) Ruhm **2.** *von Kunstwerk*: Pracht, Herrlichkeit

gloss [glɒs] **1.** *auf Lack, Haar*: Glanz **2.** *im Buch*: Glosse, Erläuterung

glossary ['glɒsərɪ] Glossar

glossy[1] ['glɒsɪ] glänzend; **be glossy** glänzen; **glossy magazine** Hochglanzmagazin

glossy[2] ['glɒsɪ] *umg.* Hochglanzmagazin

glove [△ glʌv] Handschuh; **fit someone like a glove** jemandem wie angegossen passen

glove compartment [△ 'glʌv kəmˌpɑːtmənt] *im Auto*: Handschuhfach

glow[1] [gləʊ] **1.** (*Holz, Kohle, Glut*) glühen **2.** (*Gesicht*) glühen (**with** vor), *vor Freude*: strahlen; **give a glowing account of** in leuchtenden Farben schildern

glow[2] [gləʊ] **1.** *von Feuer usw.*: Leuchten, Schein(en) **2.** Glühen, Glut

glower [△ 'glaʊə] **glower at someone** jemanden finster anblicken

glowworm [△ 'gləʊwɜːm] Glühwürmchen

glucose ['gluːkəʊz] Traubenzucker

glue[1] [gluː] Leim, Klebstoff, ⒶPick; **glue stick** Klebestift

glue[2] [gluː] *-ing-Form* **gluing** oder **glueing 1.** leimen, kleben (**on** auf; **to** an) **2.** **be glued to** *übertragen* kleben an

glue-sniffing ['gluːˌsnɪfɪŋ] Schnüffeln (*von Klebstoff*)

gluey ['gluːɪ] klebrig

glum [glʌm] **glummer, glummest** bedrückt

glutton ['glʌtn] *im negativen Sinn* Vielfraß

gluttonous ['glʌtəs] gefräßig, unersättlich (*auch übertragen*)

gluttony ['glʌtnɪ] Gefräßigkeit, Unersättlichkeit

GM [ˌdʒiːˈem] (*Abk. für* **g**enetically **m**odified) gentechnisch verändert; **GM food(s)** [ˌdʒiːˈemˈfuːd(z)] gentechnisch veränderte Lebensmittel, Genfood

GMO [ˌdʒiːemˈəʊ] (*Abk. für* **g**enetically **m**odified **o**rganism) gentechnisch veränderter Organismus

GMT [ˌdʒiːem'tiː] (*Abk. für* **G**reenwich **M**ean **T**ime) westeuropäische Zeit (*Abk.* WEZ)

gnarled [△ nɑːld] **1.** *Baum:* knorrig **2.** *Hände:* schwielig, knotig

gnash [△ næʃ] *gnash one's teeth* mit den Zähnen knirschen

gnat [△ næt] *BE* Stechmücke

gnaw [△ nɔː] nagen (*into* in; *at* an) (*auch übertragen*)

gnome [△ nəʊm] Gnom, Zwerg

GNP [ˌdʒiːen'piː] (*Abk. für* **G**ross **N**ational **P**roduct) BSP (*Abk. für* **B**rutto**sozial**produkt)

go¹ [gəʊ], *went* [went], *gone* [gɒn] **1.** *als Fortbewegung:* gehen; *go on foot* zu Fuß gehen **2.** *mit Verkehrsmittel:* fahren, reisen (*to* nach); *go by plane* fliegen; *you're going too fast* du fährst zu schnell! **3.** (≈ *aufbrechen*) (fort)gehen; *I must be going* ich muss jetzt gehen, ich muss weg; *where are you going?* wo gehst du hin? **4.** (*Straße, Weg*) gehen, führen (*to* nach) **5.** (*Bus, Straßenbahn usw.*) verkehren, fahren **6.** (*Maschine, Auto usw.*) gehen, laufen, funktionieren; *keep something going* etwas in Gang halten **7.** werden; *go grey usw.* grau *usw.* werden; ☞ *Info S. 216* **8.** (*Gerücht usw.*) kursieren, im Umlauf sein; *the story oder rumour goes that ...* es geht das Gerücht, dass ... **9.** (*Zeit*) vergehen, verstreichen; *one minute to go* noch eine Minute **10.** (*Regel, Vorschrift usw.*) gelten (*for* für) **11.** (*Gedicht, Melodie usw.*) lauten **12.** *mit der -ing-Form:* gehen; *go swimming* schwimmen gehen; *she's gone shopping* sie ist einkaufen gegangen **13.** *be going to als Ausdruck der Zukunft:* werden; *I'm going to tell him* ich werde es ihm sagen; ☞ *Info S. 214* **14.** *in Wendungen: how's it going?* wie gehts?; *how's the project going?* was macht das Projekt?; *that's the way it goes* so ist es nun einmal, da kann man nichts machen

go after ['gəʊˌɑːftə] **1.** (≈ *folgen*) nachlaufen **2.** (≈ *haben wollen*) sich bemühen um, aus sein auf (*Job usw.*)

go ahead [ˌgəʊ_ə'hed] **1.** vorangehen, vorausgehen (*of someone* jemandem) **2.** *go ahead! übertragen* nur zu! **3.** (*Arbeit usw.*) vorankommen, fortschreiten

go back [ˌgəʊ'bæk] **1.** zurückgehen; *I have to go back to Munich tomorrow* ich muss morgen nach München zurück **2.** *zu einem früheren Plan, Thema usw.:* zurückkommen (*to* auf)

go by [ˌgəʊ'baɪ] **1.** (*Zeit*) vergehen **2.** (*Gelegenheit*) vorbeigehen **3.** sich richten nach, sich halten an (*Regeln usw.*)

go down [ˌgəʊ'daʊn] **1.** hinuntergehen (*Treppe usw.*) **2.** (*Schiff, Sonne usw.*) untergehen **3.** (*Fieber, Preise usw.*) sinken, fallen **4.** (*Rede, Benehmen usw.*) ankommen (*with someone* bei jemandem)

go for ['gəʊ_fɔː] **1.** holen, holen gehen (*Person, Sache*) **2.** *go for a walk* einen Spaziergang machen **3.** *that goes for you too* das gilt auch für dich

go in [ˌgəʊ'ɪn] **1.** *in ein Zimmer usw.:* hineingehen **2.** (≈ *Platz haben*) hineingehen, hineinpassen **3.** *go in for* teilnehmen an (*Wettbewerb usw.*); *I don't go in for sports* ich treibe keinen Sport

go into ['gəʊˌɪntʊ] **1.** *in ein Zimmer usw.:* hineingehen **2.** *go into teaching* Lehrer werden; *go into politics* in die Politik gehen **3.** (genau) untersuchen *oder* prüfen (*Angelegenheit, Fragestellung usw.*)

go off [ˌgəʊ'ɒf] **1.** (*Bombe usw.*) explodieren **2.** (*Gewehr usw.*) losgehen **3.** (*Nahrungsmittel*) verderben **4.** (*Licht usw.*) ausgehen

go on [ˌgəʊ'ɒn] **1.** *zu Fuß:* weitergehen **2.** *mit Fahrzeug:* weiterfahren **3.** (*Licht usw.*) angehen **4.** *zeitlich:* weitergehen; *as the day went on* im Laufe des Tages **5.** *mit einer Tätigkeit usw.:* weitermachen, fortfahren; *go on talking* weiterreden **6.** vor sich gehen, vorgehen; *what's going on here?* was ist hier los?, was geht hier vor? **7.** *go on strike* in den Streik treten **8.** *umg. ermutigend go on, tell me!* nun sag schon!

go out [ˌgəʊ'aʊt] **1.** hinausgehen **2.** (*Licht, Feuer*) ausgehen **3.** *go out for a meal* zum Essen ausgehen, essen gehen **4.** *she's been going out with him for two months* sie geht schon seit zwei Monaten mit ihm

go through [ˌgəʊ'θruː] **1.** durchnehmen, durchsprechen (*Unterrichtsstoff*) **2.** (*Antrag usw.*) durchgehen, angenommen werden **3.** durchsehen (*Text, Post usw.*) **4.** (≈ *erleiden*) durchmachen

go together [ˌgəʊ_tə'geðə] **1.** (*Farben usw.*) zusammenpassen **2.** *umg.* (*Paar usw.*) miteinander gehen

go up [ˌgəʊ'ʌp] **1.** hinaufgehen (*Treppe usw.*) **2.** (*Fieber usw.*) steigen **3.** (*Preise usw.*) steigen, anziehen

go with ['gəʊ_wɪð] **1.** gehen mit (*Freund bzw. Freundin*) **2.** *farblich, geschmacklich usw.:* passen zu

go without ['gəʊ_wɪð͜aʊt] **1.** auskommen ohne (*Schlaf, Essen usw.*) **2.** verzichten auf (*Luxus, Urlaub usw.*) **3.** *it goes without saying* es versteht sich von selbst

go² [gəʊ] *Pl.:* **goes** [gəʊz] *umg.* **1.** Versuch; *have a go at something* etwas probieren; *at oder in one go* auf Anhieb **2.** *it's my go* ich bin dran; *let me have a go* lass mich mal

go + Adjektiv

something / someone goes + *Adjektiv* oder *Farbadjektiv* bezeichnet in den meisten Fällen etwas Negatives oder Schlechtes.

something goes bad	etwas wird schlecht
something goes wrong	etwas geht schief
someone goes mad (*oder* **crazy** *oder* **nuts**)	jemand wird verrückt
someone goes deaf [def]	jemand wird schwerhörig/taub
someone goes blind	jemand wird blind
someone goes grey	jemand bekommt graue Haare
someone goes red	jemand wird rot (im Gesicht)
someone goes green with envy	jemand wird blass vor Neid

go-ahead ['gəʊˌəˌhed] *get the go-ahead* grünes Licht bekommen (**on** für)
goal [gəʊl] **1.** *im Fußball, Hockey usw.:* Tor; *score a goal* ein Tor oder einen Treffer erzielen **2.** (≈ *Bestreben*) Ziel
goalie ['gəʊlɪ] *umg.,* **goalkeeper** ['gəʊlˌkiːpə] **1.** *männlich:* Torwart, Torhüter **2.** *weiblich:* Torfrau, Torhüter(in)
goal kick ['gəʊlˌkɪk] *Fußball:* Abstoß
goalpost ['gəʊlpəʊst] Torpfosten
goat [gəʊt] *Tier:* Ziege
gobble ['gɒbl] *umg.* hinunterschlingen (*Essen*)
gobbledygook ['gɒbldɪguːk] Kauderwelsch
go-between ['gəʊˌbɪˌtwiːn] Vermittler(in)
goblin ['gɒblɪn] Kobold
god [gɒd] **1.** Gott, Gottheit **2.** *des Christentums:* **God** Gott; *thank God* Gott sei Dank
godchild ['gɒdˌtʃaɪld] *Pl.:* **godchildren** ['gɒdˌtʃɪldrən] Patenkind

goddess ['gɒdes] Göttin (*auch übertragen*)
godfather ['gɒdˌfɑːðə] Pate
godmother ['gɒdˌmʌðə] Patin
godparent ['gɒdˌpeərənt] Pate *oder* Patin
godsend ['gɒdsend] Geschenk des Himmels
go-getter ['gəʊˌgetə] *umg.* Draufgänger(in)
goggle ['gɒgl] *umg.* glotzen; *goggle at someone* jemanden anglotzen
goggle box ['gɒglˌbɒks] *BE, umg.* (≈ *Fernseher*) Glotze
goggles ['gɒglz] *Pl.* Schutzbrille; *ski goggles* Skibrille; *motorcycle goggles* Motorradbrille
goings-on [ˌgəʊɪŋz'ɒn] *Pl. im negativen Sinn:* Ereignisse, Vorgänge
gold¹ [gəʊld] *Edelmetall:* Gold; *all that glitters is not gold* es ist nicht alles Gold, was glänzt
gold² [gəʊld] golden, Gold...
golden ['gəʊldən] **1.** *mst. übertragen* golden; *golden days* glückliche Tage; *golden wedding* (*anniversary*) goldene Hochzeit; *golden handshake mst. für (leitende) Angestellte bei unfreiwilliger Aufgabe des Arbeitsplatzes:* Abfindung **2.** *Farbton:* golden, goldgelb
goldfish ['gəʊldfɪʃ] Goldfisch
gold medal [ˌgəʊld'medl] Goldmedaille
gold medallist [ˌgəʊld'medlɪst] Goldmedaillengewinner(in)
goldmine ['gəʊldmaɪn] Goldbergwerk, Goldgrube (*auch übertragen*)
golf [gɒlf] *Sportart:* Golf
golf club ['gɒlfˌklʌb] **1.** Golfklub **2.** Golfschläger
golf course ['gɒlfˌkɔːs] Golfplatz
golfer ['gɒlfə] Golfer(in), Golfspieler(in)
gone¹ [gɒn] *3. Form von → go¹*
gone² [gɒn] **1.** fort, weg **2.** *she's six months gone umg.* sie ist im 6. Monat (*schwanger*) **3.** *it's gone five umg.* es ist fünf durch
gong [gɒŋ] Gong
gonna ['gɒnə] *umg. für going to → go¹* 13
goo [guː] *umg.* **1.** klebriges Zeug **2.** *Lied usw.:* Schmalz, sentimentales Zeug
good¹ [gʊd], *better* ['betə], *best* [best], *Adverb* *well* [wel] **1.** *allg.:* gut, ⑩ *auch:* gefreut; *as good as* so gut wie, praktisch; *have a good time* sich amüsieren, *auch:* es sich gut gehen lassen; *it's no good oder not any good* es taugt nichts **2.** (≈ *fähig, begabt*) gut, tüchtig (*at* in); *are you good at sports?* bist du in Sport gut? **3.** (*Kind, Tier*) artig, brav; *be good!* sei(d) brav! **4.** freundlich, nett,

gut; **would you be good enough to hold this?** wären Sie so freundlich, dies zu halten? **5.** gut geeignet; **good for colds** gut gegen *oder* für Erkältungen; **good for one's health** gesund **6.** *Grund*: gut, triftig **7.** (≈ *reichlich, gründlich*) gut; **a good three hours** gut drei Stunden; **she had a good cry** sie hat sich ordentlich ausgeweint **8.** *verstärkend*: **a good many times** ganz schön oft; **I had a good deal of trouble** ich hatte ne Menge Ärger **9.** *all in good time* alles zu seiner Zeit

good² [gʊd] **1.** Nutzen, Wert; **for your own good** zu deinem eigenen Vorteil; **what good is it?** wozu soll das gut sein?; **it's no good trying** es hat keinen Sinn *oder* Zweck, es zu versuchen **2.** Gute(s); **it'll do you good** es wird dir guttun; **be up to no good** nichts Gutes im Schilde führen **3.** *for good* für immer; ☞ **goods**

goodbye¹ [ˌgʊd'baɪ] Abschiedsgruß; **wish someone goodbye** *oder* **say goodbye to someone** jemandem Auf Wiedersehen sagen, sich von jemandem verabschieden

goodbye² [ˌgʊd'baɪ] *Gruß*: auf Wiedersehen!, *am Telefon*: auf Wiederhören!

good-for-nothing¹ [ˌgʊdfə'nʌθɪŋ] nichtsnutzig

good-for-nothing² [ˌgʊdfə'nʌθɪŋ] Taugenichts, Nichtsnutz

Good Friday [ˌgʊd'fraɪdeɪ] Karfreitag

good-humoured, *AE* **good-humored** [ˌgʊd'hjuːməd] **1.** gut gelaunt **2.** *Wesen*: gutmütig

good-looking [ˌgʊd'lʊkɪŋ] *Frau, Mann*: gut aussehend

good-natured [ˌgʊd'neɪtʃəd] gutmütig

goodness ['gʊdnəs] **1.** Güte **2.** *thank goodness* Gott sei Dank; **my goodness!** *oder* **goodness gracious!** du meine Güte!, du lieber Himmel!

goods [gʊdz] *Pl.* Güter, Waren; **goods train** *BE* Güterzug

good-tempered [ˌgʊd'tempəd] gutmütig

goodwill [ˌgʊd'wɪl] gute Absicht, guter Wille; **goodwill tour** Goodwillreise

goody¹ ['gʊdɪ] *umg.* **1.** Bonbon; *goodies* Süßigkeiten **2.** *in Film usw.*: Gute(r), Held(in)

goody² ['gʊdɪ] *Ausruf, bes. Kindersprache*: prima!

gooey ['guːɪ] *umg.* **1.** *bes. Süßes*: pappig, klebrig **2.** *Person, Lied usw.*: schmalzig, sentimental

goof¹ [guːf] *bes. AE, umg.* **1.** *oft goof up* vermasseln **2.** Mist bauen

goof² [guːf] *bes. AE, umg.* **1.** *Person*: Trottel **2.** (≈ *Fehler*) Schnitzer

goofy ['guːfɪ] *umg.* vertrottelt, doof

goose [guːs] *Pl.*: **geese** [giːs] Gans

gooseberry [⚠ 'gʊzbərɪ] Stachelbeere

goose bumps ['guːs.bʌmps], **goose pimples** ['guːs.pɪmplz] *Pl.* Gänsehaut

gorge [gɔːdʒ] enge Schlucht

gorgeous ['gɔːdʒəs] **1.** (≈ *großartig*) prächtig **2.** *Frau, Schönheit*: hinreißend **3.** *umg.* großartig, sagenhaft

gorilla [gə'rɪlə] **1.** Gorilla **2.** *umg.* Leibwächter

gosh [gɒʃ] *Ausruf, umg.* Mensch!, Mann!

go-slow [ˌgəʊ'sləʊ] *BE* Bummelstreik

gossip¹ ['gɒsɪp] **1.** Klatsch, Tratsch; **gossip column** *in Zeitung*: Klatschspalte **2.** Klatschbase, Klatschmaul

gossip² ['gɒsɪp] klatschen, tratschen

got [gɒt] *2. und 3. Form von* → **get**

gotta

Kurzformen, die man häufig hört und mitunter auch liest

ain't	[eɪnt]	**am not; isn't; aren't; hasn't; haven't**
'cause,	[kɒz, kəz]	**because**
'cos, 'coz		
'em	[əm]	**them**
dunno	['dʌnəʊ]	**(I) don't know;** (he *usw.*) **doesn't know**
gimme	['gɪmɪ]	**give me**
gonna	['gɒnə]	**going to**
gotta	['gɒtə]	**got to**
kinda	['kaɪndə]	**kind of**
mo'	[məʊ]	**moment**
pinta	['paɪntə]	**pint of**
see ya	['siːjʌ]	**see you**
sorta	['sɔːtə]	**sort of**
wanna	['wɒnə]	**want to**

gotten ['gɒtn] *AE 3. Form von* → **get**

govern ['gʌvn] **1.** regieren (*Staat, Volk*) **2.** leiten, verwalten (*Bezirk, Provinz*) **3.** (*Vorschriften*) bestimmen, regeln; **be governed by** sich leiten lassen von

government ['gʌvnmənt] **1.** *eines Staates*: Regierung (⚠ **Government**, *wenn eine bestimmte Regierung gemeint ist*); **government spokesman** Regierungssprecher; **the Government is** *oder* **are planning new taxes** die Regierung plant neue Steuern **2.** Regierungssystem; **Chile's return to democratic government** Chiles Rückkehr zur Demokratie

governor ['gʌvnə] **1.** *einer Provinz usw.*: Gouverneur **2.** *einer Organisation*: Direktor, Leiter

gown [gaʊn] **1.** *mst. in Zusammensetzun-*

gen: Kleid; **evening gown** Abendkleid
2. Talar, Robe

GP [,dʒiː'piː] (*Abk. für* **g**eneral **p**ractitioner) Arzt *oder* Ärztin für Allgemeinmedizin, Hausarzt *oder* Hausärztin

grab[1] [græb], **grabbed, grabbed 1.** *plötzlich und schnell*: zugreifen, greifen (**at** nach) **2.** (≈ *ergreifen*) packen, sich schnappen; **she grabbed me by the arm** sie packte mich am Arm **3.** beim Schopf ergreifen (*Gelegenheit*)

grab[2] [græb] *plötzlich und schnell*: Griff; **make a grab at something** nach etwas schnappen

grace [greɪs] **1.** *von Bewegung, Tanz usw.*: Anmut, Grazie **2.** (≈ *Haltung*) Anstand; **she took the criticism with good grace** sie trug die Kritik mit Fassung **3.** *Zeitraum*: Frist; **a week's grace** eine Woche Aufschub **4.** Tischgebet; **say grace** das Tischgebet sprechen **5.** *von Gott usw.*: Gnade

graceful ['greɪsfl] *von Bewegung, Tanz*: anmutig, graziös

grade[1] [greɪd] **1.** Niveau, Stufe **2.** *von Waren*: Qualität, Handelsklasse **3.** *bes. AE; Schule*: Klasse, Klassenstufe **4.** *bes. AE; Schule*: Note, Zensur

grade[2] [greɪd] **1.** *nach Fähigkeit, Leistung usw.*: einteilen **2.** *nach Größe usw.*: sortieren (*Eier, Kartoffeln usw.*)

grade school ['greɪd ˌskuːl] *AE* Grundschule

gradual ['grædʒʊəl] allmählich; **gradually** *auch*: nach und nach

graduate[1] ['grædʒʊət] **1.** Hochschulabsolvent(in), Akademiker(in); **I'm a Cambridge graduate** ich habe in Cambridge studiert **2.** *AE* Schulabgänger(in)

graduate[2] ['grædʒʊeɪt] **1.** einen Hochschulabschluss machen; **she graduated from Oxford** sie hat ihren Abschluss an der Universität Oxford gemacht; **she graduated in 1996** sie hat 1996 Examen gemacht **2.** *AE; Schule*: die Abschlussprüfung bestehen

grain [greɪn] **1.** *von Getreide, Sand usw.*: Korn **2.** *Oberbegriff*: Getreide, Korn **3.** *im Holz usw.*: Maserung **4.** **a grain of truth** *übertragen* ein Körnchen Wahrheit

gram [græm] Gramm

grammar ['græmə] **1.** *Sprachregeln*: Grammatik **2.** *auch* **grammar book** Buch: Grammatik

grammar school ['græmə,skuːl] *in GB*: Gymnasium

gramme [græm] *bes. BE* Gramm

grand[1] [grænd] **1.** *Anblick usw.*: großartig, prächtig **2.** *Person*: groß, bedeutend

grand[2] [grænd] *umg.* (≈ *Piano*) Flügel

grand[3] [grænd] *Pl.*: **grand** [grænd] *umg.* Riese (*1000 Dollar oder Pfund*); **two grand** zwei Riesen

grandchild ['grænt ʃaɪld] *Pl.*: **grandchildren** ['græn,t ʃɪldrən] Enkelkind

granddad ['grændæd] *umg.* Opa, Großpapa

granddaughter ['græn,dɔːtə] Enkelin

grandfather ['grænd,fɑːðə] Großvater

grandma ['grænmɑː] *umg.* Oma, Großmama

grandmother ['græn,mʌðə] Großmutter

grandpa ['grænpɑː] *umg.* Opa, Großpapa

grandparents ['græn,peərənts] *Pl.* Großeltern

grand piano [,grænd pɪ'ænəʊ] *Musikinstrument*: Flügel

grandson ['grænsʌn] Enkel

grandstand ['grændstænd] *Sport*: Haupttribüne

granny ['grænɪ] *umg.* Omi, Oma

grant[1] [grɑːnt] **1.** erfüllen, gewähren (*Wunsch, Bitte usw.*) **2.** geben, erteilen (*Erlaubnis usw.*) **3.** (≈ *bekennen*) zugeben, zugestehen; **I grant you that …** ich gebe zu, dass … **4. take something for granted** etwas als selbstverständlich betrachten

grant[2] [grɑːnt] Stipendium

grape [greɪp] *einzelne* Weintraube, Weinbeere; **a bunch of grapes** eine Traube

grapefruit ['greɪpfruːt] Grapefruit, Pampelmuse

graph [grɑːf] **1.** Diagramm, grafische Darstellung **2.** *Mathematik*: Kurve

graphic ['græfɪk] **1.** *Darstellung*: anschaulich, plastisch **2.** *Kunst*: grafisch; **graphic designer** Grafiker(in)

graphics card ['græfɪks ˌkɑːd] *Computer*: Grafikkarte

grapple with ['græpl ˌwɪð] sich herumschlagen mit (*einem Problem usw.*)

grasp[1] [grɑːsp] **1.** *mit den Händen*: packen, (er)greifen (*auch Gelegenheit*) **2.** *übertragen* verstehen, begreifen

grasp[2] [grɑːsp] **1.** Griff **2.** *übertragen* Verständnis; **it's beyond my grasp** das geht über meinen Verstand

grass [grɑːs] **1.** Gras **2.** (≈ *Grasfläche*) Rasen; **keep off the grass!** Betreten des Rasens verboten! **3.** *salopp* (≈ *Marihuana*) Gras

grasshopper ['grɑːs,hɒpə] Heuschrecke, Grashüpfer

grass roots [,grɑːs'ruːts] *Pl. Politik*: Basis (*einer Partei*)

grate [greɪt] **1.** reiben (*Käse usw.*) **2.** raspeln (*Gemüse usw.*) **3.** (*Tür, Scharnier* *usw.*) knirschen, quietschen

grateful ['greɪtfl] dankbar; *I'm most grateful to you for helping me* ich bin dir für die Hilfe sehr dankbar

grater ['greɪtə] *für Käse usw.*: Reibe, Raspel

gratifying ['grætɪfaɪɪŋ] erfreulich (*to* für)

gratitude ['grætɪtjuːd] Dankbarkeit; *in gratitude for* aus Dankbarkeit für

gratuitous [grə'tjuːɪtəs] **1.** unentgeltlich **2.** *Gewalt usw.*: grundlos

grave[1] [greɪv] Grab; *dig one's own grave* sich sein eigenes Grab schaufeln; *turn in one's grave* sich im Grab umdrehen

grave[2] [greɪv] *Angelegenheit, Situation, Miene usw.*: ernst

gravel ['grævl] *auf Weg usw.*: Kies

gravestone ['greɪvstəʊn] Grabstein

graveyard ['greɪvjɑːd] Friedhof

gravitation [ˌgrævɪ'teɪʃn], **gravity** ['grævətɪ] Gravitation, Schwerkraft

gravy ['greɪvɪ] Bratensoße

gravy boat ['greɪvɪ ˌbəʊt] Soßenschüssel

gray [greɪ] *AE* grau

graze[1] [greɪz] (*Kühe usw.*) weiden, grasen

graze[2] [greɪz] **1.** (≈ *leicht berühren*) streifen **2.** abschürfen, aufschrammen (*Knie, Ellbogen usw.*)

graze[3] [greɪz] *an Knie, Ellbogen usw.*: Abschürfung, Schramme

grease[1] [griːs] **1.** Fett (*zerlassenes Fett*) **2.** *für Maschinen*: Schmierfett

grease[2] [griːs] **1.** einfetten **2.** *like greased lightning umg.* wie ein geölter Blitz

greasy ['griːsɪ] **1.** *Haar, Haut*: fettig **2.** *Maschinenteil, Kleidung usw.*: ölig, schmierig **3.** *Straße*: glitschig **4.** *übertragen* schmierig (*Person*)

great [greɪt] **1.** groß, beträchtlich; *a great many* sehr viele; *a great deal of money* eine Menge Geld **2.** *Person, Leistung, Ereignis*: groß, bedeutend, wichtig **3.** *umg.* *be great at* gut sein in **4.** *umg.*; *oft als Ausruf*: großartig, herrlich

Great Barrier Reef

Great Barrier Reef [ˌgreɪtbærɪə'riːf] – Großes Barriereriff – fast 2000 km langes, größtes Korallenriff der Erde vor der nordöstlichen Küste Australiens. Es ist wegen seines vielfältigen Unterwasserlebens ein interessantes und beliebtes Gebiet für Forscher und Taucher; ☞ *Karte S. 296*

Great Britain [ˌgreɪt'brɪtn] Großbritannien

great-grand... [ˌgreɪt'græn(d)z] *in Verwandtschaftsbezeichnungen*: Ur...; *great-grandson* Urenkel; *great-grandparents* Urgroßeltern

greatly ['greɪtlɪ] sehr, überaus; *greatly disappointed* zutiefst enttäuscht

greatness ['greɪtnəs] Größe, Bedeutung

Greece [griːs] Griechenland

greed [griːd] **1.** Gier (*for* nach); *greed for power* Machtgier **2.** Gefräßigkeit

greedy ['griːdɪ] **1.** gefräßig **2.** gierig (*for* auf, nach); *greedy for power* machtgierig

Greek[1] [griːk] griechisch

Greek[2] [griːk] *Sprache*: Griechisch; *it's all Greek to me übertragen* das sind für mich böhmische Dörfer

Greek[3] [griːk] Grieche, Griechin

green[1] [griːn] **1.** grün; *the lights are green* die Ampel steht auf Grün; *give someone the green light übertragen* jemandem grünes Licht geben; *green with envy* grün *oder* gelb vor Neid **2.** *übertragen* grün, unerfahren **3.** *Umwelt*: grün, ökologisch

green[2] [griːn] **1.** Grün; *dressed in green* grün *oder* in Grün gekleidet; *at green* bei Grün **2.** *greens Pl.* grünes Gemüse

Green [griːn] **1.** *Parteimitglied*: Grüne(r); *the Greens* die Grünen **2.** *I'm voting Green* ich wähle Grün *oder* die Grünen

greenback ['griːnbæk] *AE, umg.* Dollar(-schein)

greenback

Greenback heißt der Dollar umgangssprachlich, da die Rückseite der Banknoten seit dem amerikanischen Bürgerkrieg grün bedruckt ist.

green belt ['griːn ˌbelt] *um Stadt*: Grüngürtel

green card ['griːn ˌkɑːd] **1.** *in den USA*: Aufenthaltsgenehmigung **2.** *in Großbritannien, für Auto*: grüne Versicherungskarte

green card

Um als „Nicht-US-Bürger" in den USA längerfristig arbeiten zu können, muss man sich von der Einwanderungsbehörde eine **green card** ausstellen lassen (so genannt, weil sie ursprünglich grün war).

greengrocer ['griːnˌgrəʊsə] *bes. BE* Obst- und Gemüsehändler

greenhorn ['griːnhɔːn] *umg.* Grünschnabel, Neuling

greenhouse ['gri:nhaʊs] Gewächshaus, Treibhaus

greenhouse effect ['gri:nhaʊs_ɪ,fekt] Treibhauseffekt

greenish ['gri:nɪʃ] grünlich

Greenland ['gri:nlənd] Grönland

Greenwich

Greenwich, ['grenɪtʃ], ein Londoner Bezirk an der Themse, der vor allem wegen seiner 1675 erbauten Sternwarte bekannt ist, durch die der Nullmeridian verläuft. Von hier aus werden die Zeitzonen in aller Welt berechnet.

greet [gri:t] 1. *allg.:* grüßen 2. begrüßen, empfangen (*Gäste usw.*)

greeting ['gri:tɪŋ] 1. Gruß, Begrüßung 2. **greetings** Grüße, *zum Geburtstag usw.:* Glückwünsche; **greetings** (*AE greeting*) **card** Glückwunschkarte

grew [gru:] 2. *Form von* → **grow**

grey¹ [greɪ] 1. grau; **grey area** Grauzone 2. *Person:* grauhaarig, ergraut

grey² [greɪ] Grau; **dressed in grey** grau *oder* in Grau gekleidet

grey³ [greɪ] grau werden, ergrauen; **greying** *Haare:* angegraut, grau meliert

greyhound ['greɪhaʊnd] Windhund

grid [grɪd] 1. Gitter 2. *für Elektrizität:* Versorgungsnetz 3. *auf Landkarte:* Gitternetz

gridiron ['grɪd,aɪən] Bratrost

gridlock ['grɪdlɒk] Verkehrsinfarkt

gridlock

Das Wort **gridlock** bezeichnet den völligen Stillstand des Straßenverkehrs, besonders in amerikanischen Städten, deren Straßen eine Art „Gitter" (**grid**) bilden, indem sie parallel von Nord nach Süd und von Ost nach West verlaufen. **Gridlock** entspricht etwa dem deutschen „Verkehrsinfarkt" und kann sich inzwischen auch auf den Autobahnverkehr beziehen.

grief [gri:f] 1. *um Toten:* Trauer, Leid 2. **come to grief** (*Plan, Vorhaben*) fehlschlagen, scheitern, (*Person*) zu Schaden kommen (*bei Unfall*)

grieve [gri:v] 1. trauern (**for** um) 2. traurig *oder* unglücklich machen; **it grieves me to hear that** es schmerzt mich, das zu hören

grievous ['gri:vəs] *Fehler, Verlust usw.:* schwer, schlimm

grill¹ [grɪl] 1. *Gerät, Restaurant:* Grill 2. *Gericht:* Gegrillte(s); **mixed grill** *BE* gemischte Grillplatte

grill² [grɪl] 1. grillen (*Fleisch*) 2. *umg.* (*Polizei*) in die Mangel nehmen, ausquetschen 3. **be grilling in the sun** sich von der Sonne braten lassen

grim [grɪm] **grimmer, grimmest** 1. *Gesicht, Blick, Humor:* grimmig 2. *Auseinandersetzung:* erbittert, verbissen 3. *Anblick, Nachricht:* grausig

grimace¹ [grɪ'meɪs] eine Grimasse *oder* Grimassen schneiden

grimace² [grɪ'meɪs] Grimasse

grin¹ [grɪn] **grinned, grinned** grinsen; **grin at someone** jemanden angrinsen; **grin and bear it** gute Miene zum bösen Spiel machen

grin² [grɪn] Grinsen

grind¹ [graɪnd], **ground** [graʊnd], **ground** [graʊnd] 1. schleifen (*Messer usw.*) 2. *auch* **grind up** mahlen (*Getreide, Kaffee usw.*) 3. **grind one's teeth** mit den Zähnen knirschen

grind² [graɪnd] *umg.* Schufterei; **the daily grind** der alltägliche Trott

grinder ['graɪndə] 1. *für Messer usw.:* Schleifer 2. *für Kaffee usw.:* Mühle

grindstone ['graɪndstəʊn] Schleifstein; **keep one's nose to the grindstone** *übertragen* hart arbeiten, schuften

grip¹ [grɪp] 1. Griff; **come** (*oder* **get**) **to grips with** in den Griff bekommen, klarkommen mit (*Thema, Problem*) 2. *übertragen* Herrschaft, Gewalt; **have** *oder* **keep a grip on** in der Gewalt haben (*Land*), fesseln (*Zuhörer*) 3. *von Koffer:* (Hand)Griff

grip² [grɪp], **gripped, gripped** 1. ergreifen, packen (*auch übertragen*) 2. fesseln (*Zuhörer usw.*)

gripe [graɪp] *umg.* (≈ *nörgeln*) meckern (**about** über)

gripping ['grɪpɪŋ] *Buch, Film usw.:* packend, fesselnd

grisly ['grɪzlɪ] grausig

grit¹ [grɪt] 1. Streusand 2. *umg.* Mut, Schneid

grit² [grɪt], **gritted, gritted** 1. streuen (*Straße*) 2. **grit one's teeth** die Zähne zusammenbeißen

grizzle ['grɪzl] *BE, umg.* 1. (*Kind*) quengeln 2. sich beklagen (**about** über)

grizzly ['grɪzlɪ] *auch* **grizzly bear** Grislybär

groan¹ [grəʊn] *vor Schmerz, Sorge usw.:* stöhnen

groan² [grəʊn] (Auf)Stöhnen, Ächzen

grocer ['grəʊsə] Lebensmittelhändler(in)

groceries ['grəʊsərɪz] *Pl.* Lebensmittel

grocery ['grəʊsərɪ] Lebensmittelgeschäft

groggy ['grɒgɪ] *umg.* groggy, wacklig auf den Beinen

groin [grɔɪn] **1.** *Körperteil:* Leiste, Leistengegend **2.** *a kick in the groin* ein Tritt in den Unterleib

groom[1] [gruːm] **1.** Pferdepfleger, Stallbursche **2.** *bei Hochzeit:* Bräutigam

groom[2] [gruːm] **1.** versorgen *(Pferde)* **2.** *groom oneself* sich pflegen; *well--groomed* gepflegt

groovy ['gruːvɪ] *umg.* echt cool

grope [grəʊp] **1.** tasten *(for* nach); *grope about (oder around)* herumtappen, herumtasten **2.** *grope one's way* sich vorwärtstasten **3.** *salopp* befummeln

gross[1] [grəʊs] **1.** brutto; *gross national product* Bruttosozialprodukt **2.** *Fehler usw.:* schwer, grob, krass; *gross negligence Recht:* grobe Fahrlässigkeit **3.** *Benehmen:* ordinär, unfein

gross[2] [grəʊs] *Mengeneinheit:* Gros *(12 Dutzend)*

grotty ['grɒtɪ] *BE, umg.* mies, schäbig

grouch[1] [graʊtʃ] *umg.* Nörgler(in)

grouch[2] [graʊtʃ] *umg.* meckern *(about* über)

grouchy ['graʊtʃɪ] *umg.* nörglerisch

ground[1] [graʊnd] **1.** Boden, Erde; *above ground* oberirdisch, *Bergbau:* über Tage; *fall to the ground* zu Boden fallen **2.** Boden, Gebiet *(auch übertragen); grounds* Gelände, Anlage; *gain ground* (an) Boden gewinnen *(auch Idee usw.)* **3.** *Sport:* Feld, Platz **4.** *übertragen* Standpunkt; *hold oder stand one's ground* sich *oder* seinen Standpunkt behaupten **5.** *übertragen (≈ Motiv)* Grund; *on (the) grounds of* aufgrund von; *on grounds of age* aus Altersgründen

ground[2] [graʊnd] **1.** *(Schiff)* auf Grund laufen **2.** auf Grund setzen *(Schiff)* **3.** *übertragen* gründen, stützen *(on, in* auf); *well grounded* wohl begründet

ground[3] [graʊnd] *2. und 3. Form von →* **grind**[1]

ground[4] [graʊnd] *Kaffee usw.:* gemahlen; *ground beef AE* Hackfleisch

ground crew ['graʊnd_kruː] *am Flughafen:* Bodenpersonal

ground floor [ˌgraʊnd'flɔː] Erdgeschoss, Ⓐ Erdgeschoß

ground fog ['graʊnd_fɒg] Bodennebel

ground frost ['graʊnd_frɒst] Bodenfrost

ground staff ['graʊnd_stɑːf] *BE* Bodenpersonal *(von Flughafen)*

group[1] [gruːp] *allg.:* Gruppe; *a group of trees* eine Baumgruppe

group[2] [gruːp] **1.** *in ein Schema usw.:* eingruppieren *(into* in) **2.** *(Personen)* sich gruppieren

groupie ['gruːpɪ] Groupie

grove [grəʊv] **1.** *literarisch* Wäldchen **2.** *olive grove (≈ Plantage)* Olivenhain

grow [grəʊ], **grew** [gruː], **grown** [grəʊn] **1.** wachsen; *let one's hair grow* sich die Haare wachsen lassen **2.** *übertragen* zunehmen *(in* an), anwachsen; *the noise grew louder* der Lärm nahm zu *oder* schwoll an; *a growing number of people are giving up smoking* immer mehr Leute geben das Rauchen auf **3.** werden; *he's growing fat* er wird dick **4.** anbauen, anpflanzen *(Gemüse usw.)* **5.** *grow a beard* sich einen Bart wachsen lassen

grow up [ˌgrəʊ'ʌp] **1.** aufwachsen; *he grew up in Wales* er ist in Wales aufgewachsen **2.** erwachsen werden; *grow up!* werd endlich erwachsen!

grower ['grəʊə] Pflanzer, Züchter

growl [graʊl] *(Hund)* knurren *(auch übertragen); growl at someone* jemanden anknurren

grown [grəʊn] *3. Form von →* **grow**

grown-up[1] [ˌgrəʊn'ʌp] erwachsen

grown-up[2] ['grəʊnʌp] Erwachsene(r)

growth [grəʊθ] **1.** *von Mensch, Bevölkerung, Wirtschaft usw.:* Wachstum **2.** *von Gefühl, Interesse usw.:* Zunahme, Anwachsen **3.** *Medizin:* Geschwulst, Wucherung

grub[1] [grʌb] **1.** *von Insekt:* Made, Larve **2.** *salopp (≈ Essen)* Futter

grub[2] [grʌb] **grubbed, grubbed 1.** stöbern, wühlen *(for* nach) **2.** *oft grub up* ausgraben, *übertragen auch* aufstöbern

grubby ['grʌbɪ] schmuddelig, schmutzig

grudge[1] [grʌdʒ] **1.** missgönnen, nicht gönnen; *I don't grudge you your success* ich gönne dir deinen Erfolg **2.** *grudge doing something* etwas nur widerwillig *oder* ungern tun

grudge[2] [grʌdʒ] Groll; *bear a grudge* nachtragend sein; *have a grudge against someone* jemandem etwas nachtragen

gruelling, *AE* **grueling** ['gruːəlɪŋ] aufreibend, zermürbend

gruesome ['gruːsəm] grausig, schauerlich

gruff [grʌf] schroff, barsch

grumble ['grʌmbl] murren *(about, over* über)

grumpy ['grʌmpɪ] *Mensch:* mürrisch

grungy ['grʌndʒɪ] *umg.* eklig, mies

grunt [grʌnt] **1.** *(Schwein)* grunzen **2.** *Person:* murren, brummen

guarantee[1] [ˌgærən'tiː] Garantie *(on* auf, für); *the watch is still under guarantee*

G

auf der Uhr ist noch Garantie; **there's no guarantee of a white Christmas** es gibt keine Garantie für weiße Weihnachten

guarantee² [ˌgærənˈtiː] garantieren

guard¹ [gɑːd] **1.** bewachen (*Gefangene usw.*) **2.** behüten, schützen (**against**, **from** vor) (*Person*); **a closely guarded secret** ein streng gehütetes Geheimnis

guard² [gɑːd] **1.** Wache, Wachposten; **be on guard** Wache stehen **2.** *übertragen* Wachsamkeit; **be on one's guard** auf der Hut sein (**against** vor); **the question caught me off** (**my**) **guard** die Frage kam mir für mich überraschend, die Frage traf mich unvorbereitet **3.** *BE* Schaffner(in), ⓔ Kondukteur(in) **4.** Garde; **guard of honour** Ehrengarde

guardian [ˈgɑːdɪən] **1.** Hüter, Wächter; **guardian angel** Schutzengel **2.** *Recht:* Vormund

guardianship [ˈgɑːdɪənʃɪp] *juristisch:* Vormundschaft (**of** über, für)

guess¹ [ges] **1.** raten; **how did you guess?** wie hast du das erraten?; **you've guessed it!** du hasts erraten!; **guess who!** rat mal, wer (da ist)! **2.** *bes. AE, umg.* glauben, schätzen; **'Is she coming?' - 'I guess so.'** „Kommt sie?" - „Ich schätze ja."

guess² [ges] Schätzung; **at a guess** schätzungsweise; **I'll give you three guesses** dreimal darfst du raten; **have** (*AE* **take**) **a guess!** rate mal!

guesswork [ˈgeswɜːk] (reine) Vermutung

guest [gest] Gast; **be my guest!** *umg.* nur zu!, tu dir keinen Zwang an!

guesthouse [ˈgesthaʊs] Pension

guest room [ˈgest ˌruːm] Gästezimmer

guffaw¹ [gʌˈfɔː] laut auflachen

guffaw² [gʌˈfɔː] lautes (Auf)Lachen

guidance [ˈgaɪdns] **1.** Leitung, Führung **2.** Anleitung; **for your guidance** zu Ihrer Orientierung **3.** Beratung; **careers guidance** Berufsberatung

guide¹ [gaɪd] **1.** führen, den Weg zeigen; **guided tour** Führung (**of** durch) **2.** *übertragen* leiten (*Diskussion usw.*); **be guided by an idea** sich von einer Idee leiten lassen

guide² [gaɪd] **1.** *Person:* Führer(in), Reiseführer(in) **2.** *Buch:* Führer, Reiseführer; **a guide to London** ein London-Führer **3.** Einführung, Handbuch (**to** über)

guidebook [ˈgaɪdbʊk] Reiseführer

guide dog [ˈgaɪd ˌdɒg] Blindenhund

guidelines [ˈgaɪdlaɪnz] *Pl.* Richtlinien (**on** für)

guillotine [ˈgɪlətiːn] **1.** Guillotine **2.** *im Büro usw.:* Papierschneidemaschine

guilt [gɪlt] *moralisch und rechtlich:* Schuld; **feelings of guilt** Schuldgefühle

guiltless [ˈgɪltləs] schuldlos, unschuldig (**of** an)

guilty [ˈgɪltɪ] **1.** schuldig; **plead guilty** sich schuldig bekennen; **plead not guilty** seine Unschuld erklären **2.** *Gesichtsausdruck usw.:* schuldbewusst; **a guilty conscience** ein schlechtes Gewissen (**about** wegen)

guinea pig [△ ˈgɪnɪ ˌpɪg] **1.** Meerschweinchen **2.** *übertragen* Versuchskaninchen

Guinness

Guinness® [ˈgɪnɪs] – ein starkes, sehr dunkles Bier mit einer weißen Schaumkrone, das aus Irland stammt und als Nationalgetränk der Iren gilt, heute aber auch in anderen Ländern getrunken wird; ☞ *Karte S. 293*

guise [gaɪz] **1.** **in the guise of** als … (verkleidet) **2.** **under** (*oder* **in**) **the guise of** *übertragen* unter dem Deckmantel (+ *Genitiv*)

guitar [gɪˈtɑː] Gitarre

gulf [gʌlf] **1.** Golf, Meerbusen **2.** *zwischen Menschen, Familien usw.:* Kluft

gullible [ˈgʌləbl] leichtgläubig

gulp¹ [gʌlp] **1.** *oft* **gulp down** hinunterstürzen (*Getränk*), hinunterschlingen (*Speise*) **2.** *emotional:* schlucken **3.** *oft* **gulp back** hinunterschlucken, unterdrücken (*Tränen, Schluchzen*)

gulp² [gʌlp] (kräftiger) Schluck; **at one gulp** auf einen Zug

gum¹ [gʌm] *oft* **gums** *Pl.* Zahnfleisch

gum² [gʌm] **1.** *Substanz:* Gummi, Kautschuk **2.** *auf Briefmarken usw.:* Klebstoff

gum³ [gʌm], **gummed, gummed** kleben, ankleben (**to** an)

gumption [ˈgʌmpʃn] *umg.* **1.** (≈ *Verstand*) Grips **2.** (≈ *Initiative*) Unternehmungsgeist

gun [gʌn] **1.** *allg.:* Schusswaffe **2.** Geschütz, Kanone; **stand** *oder* **stick to one's guns** *umg.* festbleiben, nicht nachgeben **3.** *von Jägern usw.:* Gewehr **4.** *Handfeuerwaffe:* Pistole, Revolver **5.** *Sport:* Startpistole; **jump the gun** einen Fehlstart verursachen, *übertragen* vorpreschen

gunfight [ˈgʌnfaɪt] Schießerei

gunfire [ˈgʌnˌfaɪə] Schießerei, Schüsse *Pl.*

gun licence [ˈgʌnˌlaɪsns] Waffenschein

gunpowder [ˈgʌnˌpaʊdə] Schießpulver; **Gunpowder Plot** *historisch:* Pulververschwörung

The Gunpowder Plot

The Gunpowder Plot (1605) war eine Verschwörung englischer Katholiken unter der Führung von Guy Fawkes [ˌgaɪˈfɔːks] gegen König James I., der samt dem Parlament (mit Schießpulver) in die Luft gesprengt werden sollte. Die Vereitelung dieser Verschwörung wird am 5. November (**Guy Fawkes' Night**) mit Freudenfeuern und Feuerwerk gefeiert.

gurgle [ˈgɜːgl] **1.** (*Wasser*) gluckern **2.** (*Person, bes. Kleinkind*) glucksen (**with** vor)

gush [gʌʃ] **1.** (*Blut, Öl, Wasser*) strömen, schießen (**from** aus) **2.** *umg.* schwärmen (**over** von)

gust [gʌst] Windstoß, Bö

gusty [ˈgʌstɪ] *Wind, Tag*: böig, stürmisch

gut [gʌt] **1.** Darm **2.** *guts Pl.* Eingeweide, Gedärme; *hate someone's guts umg.* jemanden hassen wie die Pest **3.** *guts Pl. umg.* Mumm, Schneid; *no one had the guts to tell him the truth* keiner hatte den Mumm, ihm die Wahrheit zu sagen

gutless [ˈgʌtləs] *umg.* ohne Mumm *oder* Schneid

gutsy [ˈgʌtsɪ] *umg., Kämpfer usw.*: mutig

gutter [ˈgʌtə] **1.** Gosse (*auch übertragen*), Rinnstein **2.** (≈ *Regenrinne*) Dachrinne

gutter press [ˈgʌtə‿pres] Skandalpresse, Sensationspresse

guy [gaɪ] *umg.* Kerl, Typ; *he's quite a nice guy* er ist ein ganz netter Typ

Guy Fawkes' Night [ˌgaɪˈfɔːks‿naɪt] *BE Feierlichkeiten, Feuerwerk usw. zum Gedenken an die Pulververschwörung vom 5. November 1605*; ☞ **Gunpowder Plot**

gym [dʒɪm] *umg.* **1.** Turnhalle **2.** *Schulfach*: Turnen; *gym shoes Pl.* Turnschuhe

gymnasium [dʒɪmˈneɪzɪəm], *Pl.*: **gymnasiums** *oder* **gymnasia** [dʒɪmˈneɪzɪə] Turnhalle, Sporthalle (△ *dt. Gymnasium* = *grammar school*, *AE* **high school**)

gymnast [ˈdʒɪmnæst] Turner(in)

gymnastics [dʒɪmˈnæstɪks] *Pl.* (△ *nur im Sg. verwendet*) Turnen, Gymnastik

gynaecological [ˌgaɪnɪkəˈlɒdʒɪkl] gynäkologisch

gynaecologist [ˌgaɪnɪˈkɒlədʒɪst] Gynäkologe, Gynäkologin, Frauenarzt, Frauenärztin

gynaecology [ˌgaɪnɪˈkɒlədʒɪ] Gynäkologie

gypsy [ˈdʒɪpsɪ] *bes. AE oft abwertend* Zigeuner(in)

H

H

ha [hɑː] *Ausruf*: ha!, ah!

habit [ˈhæbɪt] **1.** Gewohnheit, Angewohnheit; *out of oder from habit* aus Gewohnheit; *get into* (*bzw. out of*) *the habit of smoking* sich das Rauchen angewöhnen (*bzw.* abgewöhnen); *be in the habit of doing something* die Angewohnheit haben, etwas zu tun **2.** *bes. von Orden*: Tracht

habitable [ˈhæbɪtəbl] *Haus, Wohnung*: bewohnbar

habitat [ˈhæbɪtæt] *von Tieren, Pflanzen*: Standort, Lebensraum

habitual [həˈbɪtʃʊəl] **1.** gewohnheitsmäßig, Gewohnheits…; *habitual criminal* Gewohnheitsverbrecher **2.** ständig; *be habitually late* ständig zu spät kommen

hack¹ [hæk] **1.** hacken, zerhacken; *hack to pieces oder bits* in Stücke hacken **2.** *Computer*: hacken; *hack into something* in etwas eindringen

hack off [ˌhækˈɒf] **1.** abhacken **2.** *he usw.* **hacks me off** *BE, umg.* er *usw.* ekelt mich an

hack² [hæk] **1.** (≈ *Schlag*) Hieb **2.** *im negativen Sinn*: Schreiberling, *Journalist*: Schmierfink

hacker [ˈhækə] *Computer*: Hacker

hackneyed [ˈhæknɪd] *Argument, Satz usw.*: abgedroschen

had [hæd] *2. und 3. Form von* ⟶ **have¹**, **have²**

haddock [ˈhædək] *Pl.*: **haddock** Schellfisch

haemophilia [ˌhiːməˈfɪlɪə] *bes. BE* Bluterkrankheit

haemophiliac [ˌhiːməˈfɪlɪæk] Bluter(in)

haemorrhage [ˈhemərɪdʒ] *bes.* Blutung

Hadrian's Wall

Hadrian's Wall [ˌheɪdrɪənz'wɔːl] – **Hadrianswall** – rund 200 km langer, 5 – 6 m hoher steinerner Grenzwall, der früher nahe der Grenze zu Schottland quer durch England verlief und den der römische Kaiser Hadrian zwischen 122 und 128 n. Chr. hatte erbauen lassen, um die damalige Nordgrenze der römischen Provinz Britannien zu sichern. Noch heute kann man dort kilometerlange Reste der Steinmauer sehen; ☞ *Karte S. 293*

haemorrhoids [ˈhemərɔɪdz] *Pl. bes. BE* Hämorrhoiden *Pl.*

hag [hæg] *frauenfeindlich* hässliches altes Weib, Hexe

haggard [ˈhægəd] *Person, Gesichtszüge:* abgehärmt, abgezehrt

haggis

Dieses schottische Nationalgericht besteht aus gehackten Schafsinnereien, die mit Hafergrütze, Nierentalg und Zwiebeln gemischt und in einem Schafsmagen oder (häufiger) Kunststoffbeutel gekocht werden.

haggle [ˈhægl] feilschen, handeln (**about, over** um)
Hague [heɪg] **The Hague** *Stadt:* Den Haag
hail[1] [heɪl] Hagel (*auch übertragen: von Flüchen, Fragen, Schlägen usw.*)
hail[2] [heɪl] hageln
hail[3] [heɪl] **1.** herbeirufen, herbeiwinken (*Taxi*) **2.** *einem Herrscher usw.:* zujubeln

hail down [ˌheɪlˈdaʊn] (*Steine, Schläge usw.*) niederhageln, niederprasseln (**on** auf)

hailstone [ˈheɪlstəʊn] Hagelkorn
hailstorm [ˈheɪlstɔːm] Hagelschauer
hair [heə] **1.** *einzelnes:* Haar; **to a hair** aufs Haar, haargenau **2.** (≈ *Frisur*) Haar, Haare *Pl.*; **do one's hair** sich die Haare richten, sich frisieren **3.** *in Wendungen:* **keep your hair on!** *BE, umg.* reg dich ab!; **let one's hair down** aus sich herausgehen, *stärker:* auf den Putz hauen; **split hairs** Haarspalterei treiben; **tear one's hair out** sich die Haare raufen; **without turning a hair** ohne mit der Wimper zu zucken; **by a hair's breadth** um Haaresbreite

hairbrush [ˈheəbrʌʃ] Haarbürste
haircut [ˈheəkʌt] Haarschnitt, Frisur; **have a haircut** sich die Haare schneiden lassen
hairdo [ˈheəduː] *Pl.:* **hairdos** Frisur
hairdresser [ˈheəˌdresə] Friseur, Friseuse
hairdrier, hairdryer [ˈheəˌdraɪə] Haartrockner, Fön®, Föhn
hairless [ˈheələs] **1.** *Körperteil, Tier:* unbehaart **2.** *Kopf:* kahl
hairpin [ˈheəpɪn] **1.** Haarnadel **2.** *auch* **hairpin bend** Haarnadelkurve
hair-raising [ˈheəˌreɪzɪŋ] *Erlebnis, Geschichte usw.:* haarsträubend
hairsplitting [ˈheəˌsplɪtɪŋ] Haarspalterei
hair spray [ˈheə spreɪ] Haarspray
hairstyle [ˈheəstaɪl] Frisur

hairstyles

Afro	Afrolook
bob	Bubikopf
bun	(Haar)Knoten
crew cut	Bürstenschnitt
curls	Locken
dreadlocks [ˈdredlɒks]	Dreadlocks, zusammengedrehte Haarsträhnen
flattop	Bürstenschnitt (*oben waagerecht geschnitten*)
fringe, *AE* **bangs**	Pony
frizz	Krauskopf, gekräuseltes Haar
highlights	(blondierte) Strähnchen
mohican [məʊˈhiːkən, ˈməʊɪkən]	Irokesenschnitt
pageboy	Pagenschnitt, Pagenkopf
parting	Scheitel
perm	Dauerwelle
pigtail	Zopf
plaits [plæts], *AE* **braids** [breɪdz]	Zöpfe
ponytail	Pferdeschwanz
punk hairstyle	Punkfrisur
short back and sides	Kurzhaarschnitt
straight hair	glattes Haar
wavy hair	welliges Haar

hairy [ˈheərɪ] **1.** *Person:* haarig, behaart **2.** *umg.; Situation:* haarig, schwierig
half[1] [hɑːf] **1.** halb; **half a mile** eine halbe Meile; **two and a half pounds** zweieinhalb Pfund **2.** halb, zur Hälfte; **half as long** halb so lang; **half past two** *Uhrzeit:* halb drei **3.** halbwegs, fast, nahezu; **half**

dead halb tot; *not half bad* *umg.* gar nicht übel; *I half suspect* ich vermute fast

half six = half past six

Oft lässt man im britischen Englisch bei der Zeitangabe das Wort **past** nach **half** einfach weg. Also Vorsicht! Wenn dein englischer Freund sich mit dir für **half six** in der Stadt verabredet, dann ist das *halb sieben* und nicht halb sechs. Im amerikanischen Englisch wird **half past six** zwar verstanden, häufiger ist jedoch die Form **six-thirty**.

half[2] [hɑːf] *Pl.*: *halves* [hɑːvz] **1.** Hälfte; *cut in half* oder *in(to) halves* halbieren; *go halves with someone* (*on something*) (etwas) mit jemandem teilen, (bei etwas) mit jemandem halbe-halbe machen **2.** *Sport*: Halbzeit **3.** *auch half of the field Sport*: Spielfeldhälfte, Hälfte
halfback ['hɑːfbæk] *Fußball*: Mittelfeldspieler
half-baked [ˌhɑːf'beɪkt] *umg.*, *Plan usw.*: nicht durchdacht, unausgegoren
half board [ˌhɑːf'bɔːd] *bes. BE* Halbpension
half-hearted [ˌhɑːf'hɑːtɪd] halbherzig
half moon [ˌhɑːf'muːn] Halbmond
half-pint ['hɑːfpaɪnt] *a half-pint of beer etwa*: ein kleines Bier
halfpipe ['hɑːfpaɪp] Halfpipe (*Halbröhre zum Trickfahren*)
half-price [ˌhɑːf'praɪs] zum halben Preis
half term [ˌhɑːf'tɜːm] *BE* Ferien in der Mitte des Trimesters
half time [ˌhɑːf'taɪm] *Sport*: (≈ *Pause*) Halbzeit; *at half time* bei oder zur Halbzeit
halfway [ˌhɑːf'weɪ] *örtlich*: auf halbem Weg, in der Mitte (*auch übertragen*); *meet someone halfway bes. übertragen* jemandem auf halbem Weg entgegenkommen
half-wit ['hɑːfwɪt] Schwachkopf, Trottel
hall [hɔːl] **1.** *großer Raum*: Halle, Saal **2.** *Vorraum*: Diele, Flur **3.** *auch hall of residence* Studentenheim; *live in hall AE* im Wohnheim wohnen **4.** *bes. BE*; *von College*: Speisesaal
hallo [hə'ləʊ] *bes. BE* → **hello**
hallstand ['hɔːlstænd] **1.** (Flur)Garderobe **2.** Garderobenständer
halt [hɔːlt] Halt; *bring to a halt* anhalten, zum Stehen bringen; *come to a halt* anhalten, zum Stehen kommen
halve [hɑːv] halbieren
halves [hɑːvz] *Pl.* von → **half**[2]

Halloween

Halloween (31. Oktober) ist der Vorabend von Allerheiligen und wird auf beiden Seiten des Atlantiks auf lustig--makabre Weise gefeiert: Man verkleidet sich auf Kostümfesten als Hexe, Teufel, Skelett, Geist, Monster und dergleichen. Kinder schnitzen aus Kürbissen Laternen und ziehen von Tür zu Tür, um sich Leckerbissen zu erbetteln. Dabei heißt es **"Trick or treat"** („Streich oder Leckerbissen!"). Mit anderen Worten: Wenn keine Leckerbissen gespendet werden, wird dem „Opfer" ein Streich gespielt.
Halloween geht vermutlich auf ein altes keltisches Neujahrsfest, den „Samheim" (Ende des Sommers), zurück. Einer irischen Legende nach zogen in der Nacht vor dem 1. November die Geister der Verstorbenen umher, um die Körper der Lebenden in Besitz zu nehmen. Zur Abschreckung der Gespenster zogen die Menschen Furcht einflößende Kleidung an.

ham [hæm] Schinken; *ham and eggs* Schinken mit Spiegelei; *ham sandwich* Schinkenbrot
ham-fisted [ˌhæm'fɪstɪd] *umg.* tollpatschig, ungeschickt
hamlet ['hæmlət] *kleines Dorf*: Weiler
hammer[1] ['hæmə] **1.** *Werkzeug*: Hammer; *come* (oder *go*) *under the hammer* übertragen unter den Hammer kommen **2.** *Sportgerät*: Hammer; *throwing the hammer* Hammerwerfen
hammer[2] ['hæmə] **1.** hämmern; *he hammered at the door* er hämmerte gegen die Tür **2.** *umg.*; *Sport*: vernichtend schlagen; *we hammered them 5-0* (gesprochen *five nil*) wir fertigten sie mit 5:0 ab
hammock ['hæmək] Hängematte
hamper[1] ['hæmpə] **1.** Geschenkkorb (*mst. mit Feinkost*) **2.** *AE* Wäschekorb
hamper[2] ['hæmpə] hindern, behindern
hand[1] [hænd] **1.** Hand; *at hand* bei der oder zur Hand; *by hand* mit der Hand, manuell; *hands off!* Finger weg!; *hands up!* Hände hoch!, *in der Schule*: meldet euch!; *hold hands* Händchen halten; *shake hands with someone* jemandem die Hand schütteln oder geben **2.** *von Uhr, Instrument usw.*: Zeiger **3.** *bei Karten*: Blatt; *show one's hand* seine Karten aufdecken (*auch übertragen*) **4.** (Händeklatschen) Applaus, Beifall;

give a big hand to ... Applaus für ... **5.** *on the right* (*bzw.* *left*) *hand* rechts (*bzw.* links); *we drive on the right-hand side of the road* wir fahren auf der rechten Straßenseite **6.** *oft in Zusammensetzungen:* Arbeiter; *farm hand* Landarbeiter **7.** *übertragen* Hand, Quelle; *at first* (*bzw.* *second*) *hand* aus erster (*bzw.* zweiter) Hand **8.** *in Wendungen:* *give* (*oder* *lend*) *someone a hand* jemandem helfen (*with* bei); *have a hand in something* seine Hand bei etwas im Spiel haben, an etwas beteiligt sein; *get out of hand* außer Kontrolle geraten; *live from hand to mouth* von der Hand in den Mund leben; *on the one hand ..., on the other hand* einerseits ..., andererseits ...

hand² [hænd] **1.** geben, reichen **2.** *you've got to hand it to him* man muss es ihm lassen

---

hand around [ˌhænd əˈraʊnd] herumreichen, herumgehen lassen

hand back [ˌhændˈbæk] zurückgeben

hand down [ˌhændˈdaʊn] **1.** *von Schrank, Regal usw.:* hinunterreichen, herunterreichen **2.** *übertragen* weitergeben, überliefern (*Tradition, Brauch usw.*)

hand in [ˌhændˈɪn] **1.** abgeben (*Prüfungsarbeit, Aufsatz usw.*) **2.** einreichen (*Gesuch usw.*) (*to* bei)

hand on [ˌhændˈɒn] **1.** weitergeben (*to* an); *read the memo and hand it on* lesen Sie die Mitteilung und geben Sie sie weiter **2.** weitergeben, überliefern (*Tradition, Brauch usw.*)

hand out [ˌhændˈaʊt] verteilen, austeilen (*Blätter usw.*)

hand over [ˌhændˈəʊvə] **1.** geben, aushändigen (*Sache*) **2.** übertragen übergeben (*Macht, Amt usw.*)

---

handbag [ˈhændbæg] Handtasche

hand baggage [ˈhændˌbægɪdʒ] Handgepäck

handball [ˈhændbɔːl] *BE; Ballspiel:* Handball

handbook [ˈhændbʊk] Handbuch (*über ein bestimmtes Thema*); ☞ *manual²*

handbrake [ˈhændbreɪk] Handbremse

handcuff [ˈhændkʌf] Handschellen anlegen; *handcuffed* in Handschellen

handcuffs [ˈhændkʌfs] *Pl.* Handschellen

handful [ˈhændfʊl] **1.** (≈ *eine Menge*) Handvoll (*auch übertragen:* *einige Personen*) **2.** *our daughter is quite a handful* *umg.* unsere Tochter hält uns schön in Trab

hand-held [ˈhændˌheld] Hand... *hand-held camera* Handkamera; *hand-held computer* Taschencomputer, Handheld

handicap¹ [ˈhændɪkæp] **1.** Behinderung (*auch körperlich oder geistig*) **2.** (≈ *Nachteil*) Handikap (*auch im Sport*)

handicap² [ˈhændɪkæp], *handicapped*, *handicapping* behindern, benachteiligen

handicapped¹ [ˈhændɪkæpt] *mentally* (*bzw.* *physically*) *handicapped* (⚠ *wird oft als abwertend empfunden*) geistig (*bzw.* körperlich) behindert

handicapped² [ˈhændɪkæpt] *the handicapped* (⚠ *nur im Pl. verwendet*) die Behinderten

handicraft [ˈhændɪkrɑːft] (Kunst)Handwerk, Handarbeit

handiwork [ˈhændɪwɜːk] **1.** Handarbeit **2.** *the handiwork of ...* *mst. bei Verbrechen:* das Werk von ...

handkerchief [ˈhæŋkətʃɪf] Taschentuch, ⨁ Nastuch

handle¹ [ˈhændl] **1.** Griff, Handgriff **2.** *von Axt, Besen usw.:* Stiel **3.** *von Topf, Eimer usw.:* Henkel **4.** *von Tür:* Klinke **5.** *fly off the handle* *umg.* hochgehen, wütend werden

handle² [ˈhændl] **1.** anfassen, berühren (*Waren usw.*); *glass – handle with care!* Vorsicht, Glas! **2.** umgehen mit, fertig werden mit (*Menschen, Maschine, Situation*); *she handled the matter very tactfully* sie hat sich in der Sache sehr taktvoll verhalten **3.** (≈ *sich bedienen lassen*) *the car handles well* der Wagen fährt sich gut

handlebars [ˈhændlbɑːz] *Pl. von Fahrrad, Motorrad:* Lenker

hand luggage [ˈhændˌlʌgɪdʒ] Handgepäck

handmade [ˌhændˈmeɪd] *these shoes are handmade* diese Schuhe sind Handarbeit

handout [ˈhændaʊt] *in der Schule usw.:* Hand-out, Blatt, Kopie

handshake [ˈhændʃeɪk] Händedruck

handsome [ˈhænsəm] **1.** *bes. Mann:* gut aussehend **2.** *Summe, Preis usw.:* beträchtlich, ansehnlich

handstand [ˈhændstænd] Handstand; *do a handstand* einen Handstand machen

handwriting [ˈhændˌraɪtɪŋ] Handschrift

handy [ˈhændɪ] **1.** griffbereit, bei der Hand; *keep something handy* etwas griffbereit halten **2.** *Person:* geschickt **3.** (≈ *hilfreich*) praktisch, handlich; *come in handy* sich als nützlich erweisen, (sehr) gelegen kommen

hang¹ [hæŋ], *hung* [hʌŋ], *hung* [hʌŋ] **1.** hängen, aufhängen (*Bild, Gardinen* *usw.*); **hang on a hook** an einen Haken hängen **2.** einhängen (*Tür usw.*) **3.** ankleben (*Tapeten*) **4.** *AE umg.* **how's it hanging?** wie geht's, wie steht's?

hang about *oder* **around** [ˌhæŋ_ə'baʊt *oder* ə'raʊnd] herumlungern, sich herumtreiben
hang back [ˌhæŋ'bæk] zögern
hang on [ˌhæŋ'ɒn] **1.** festhalten, sich klammern (**to** an) **2.** *umg.* warten; **hang on, please** *am Telefon*: bitte bleiben Sie dran **3.** **hang on!** *umg.* Moment!, Augenblick!
hang out [ˌhæŋ'aʊt] *umg.* herumhängen
hang up [ˌhæŋ'ʌp] *Telefon*: einhängen, auflegen (*Hörer*); **she hung up on me** sie hat einfach aufgelegt

hang² [hæŋ], **hanged, hanged** (≈ *töten*) hängen, aufhängen (*Person*); **hang oneself** sich erhängen
hang³ [hæŋ] **get the hang of something** herausbekommen, wie man etwas macht
hanger ['hæŋə] Kleiderbügel
hangout ['hæŋaʊt] *umg.* Treff, Treffpunkt
hangover ['hæŋˌəʊvə] *nach Rausch*: Kater
hangup ['hæŋʌp] *umg., psychisches Problem*: Komplex
hanker ['hæŋkə] sich sehnen, Verlangen haben (**after, for** nach)
hankering ['hæŋkərɪŋ] Sehnsucht, Verlangen (**for** nach)
hankie, hanky ['hæŋkɪ] *umg.* Taschentuch
hanky-panky [ˌhæŋkɪ'pæŋkɪ] *umg.* (≈ *Flirt*) Techtelmechtel
haphazard [hæp'hæzəd] planlos, wahllos; **haphazardly** *auch*: aufs Geratewohl
happen ['hæpən] **1.** geschehen, sich ereignen, passieren; **it won't happen again** es wird nicht wieder vorkommen; **these things do happen** das kommt vor **2.** zufällig geschehen, sich zufällig ergeben; **if you happen to see her** wenn du sie zufällig siehst *oder* sehen solltest; **do you happen to know him?** kennst du ihn zufällig?
happening ['hæpənɪŋ] Ereignis
happily ['hæpɪlɪ] **1.** **he smiled happily** er lächelte glücklich **2.** glücklicherweise, zum Glück; **happily, no one was injured** glücklicherweise wurde niemand verletzt
happiness ['hæpɪnəs] *Gefühl*: Glück; ☞ **luck**
happy ['hæpɪ] **1.** *allg.*: glücklich (**at, about** über); **I'm so happy to see you** es freut mich riesig, dich zu sehen; **are you happy with your new car?** bist du

mit deinem neuen Auto zufrieden?; ☞ **lucky 2.** *in Glückwünschen*: **happy birthday!** herzlichen Glückwunsch zum Geburtstag; **happy New Year** ein glückliches neues Jahr **3.** **be happy to do something** etwas gerne tun; **I'd be happy to help you, but ...** ich würde dir ja gerne helfen, aber ...
happy-go-lucky [ˌhæpɪgəʊ'lʌkɪ] unbekümmert, sorglos

happy hour

In manchen Pubs, Bars oder Restaurants gibt es die sogenannte **happy hour**: Das ist die Zeit nach Büroschluss, während der die Getränke zu verbilligten Preisen – manchmal zur Hälfte des üblichen Preises – angeboten werden.

harass ['hærəs] **1.** ständig belästigen (**with** mit) **2.** schikanieren
harassment ['hærəsmənt] **harassment in the workplace** Mobbing (*in der Arbeit*)
harbour ['hɑːbə] *für Schiffe*: Hafen
hard [hɑːd] **1.** ↔ *soft*; *Eis, Stein, Metall usw.*: hart; **frozen hard** hart gefroren **2.** ↔ *easy*; *Problem, Frage usw.*: schwer, schwierig; **hard work** harte Arbeit; **work hard** hart arbeiten; **hard to believe** kaum zu glauben; **hard to imagine** schwer vorstellbar **3.** *Ruck, Stoß usw.*: heftig, stark; **a hard blow** ein harter Schlag, *übertragen auch* ein schwerer Schlag **4.** ↔ *mild*; *Winter*: hart **5.** ↔ *mild*; *Klima*: rau **6.** *Person*: hart, streng; **be hard on someone** mit jemandem streng sein **7.** *Situation, Umstände*: hart, drückend; **hard times** schwere Zeiten **8.** (≈ *objektiv*) hart, nüchtern; **the hard facts** die nackten Tatsachen **9.** ↔ *soft*; *Drogen*: hart **10.** ↔ *soft*; *Getränk*: stark; **hard drinks** *oder* **hard liquor** scharfe Sachen, Schnaps **11.** **try hard** sich große Mühe geben **12.** **think hard** scharf *oder* gründlich nachdenken
hardback ['hɑːdbæk] *Buch*: gebundene Ausgabe
hard-boiled [ˌhɑːd'bɔɪld] **1.** *Ei*: hart, hart gekocht **2.** *übertragen* hartgesotten, realistisch
hard cash [ˌhɑːd'kæʃ] Bargeld, Bares
hardcover ['hɑːdˌkʌvə] *Buch*: gebundene Ausgabe
hard disk [ˌhɑːd'dɪsk] *Computer*: Festplatte
harden ['hɑːdn] **1.** härten (*auch Metall*), hart machen **2.** *übertragen* abstumpfen (**to** gegen); **hardened** *Verbrecher*: verstockt, abgebrüht **3.** (≈ *widerstandsfähig*

machen) abhärten (*to* gegen) 4. (*Ge-schmolzenes*) hart werden (*auch übertragen Person*)

hard feelings [ˌhɑːdˈfiːlɪŋs] *Pl.* **no hard feelings!** nichts für ungut

hard-headed [ˌhɑːdˈhedɪd] nüchtern, realistisch

hard-hearted [ˌhɑːdˈhɑːtɪd] hartherzig

hardly [ˈhɑːdlɪ] kaum, fast nicht; **hardly ever** fast nie, so gut wie nie; **hardly anyone** kaum jemand, fast niemand; **I can hardly wait to see you again** ich kann es kaum erwarten, dich wiederzusehen

hard-nosed [ˌhɑːdˈnəʊzd] *umg.* knallhart

hard sell [ˌhɑːdˈsel] *Wirtschaft*: aggressive Verkaufsstrategie

hardship [ˈhɑːdʃɪp] Not, Elend

hard shoulder [ˌhɑːdˈʃəʊldə] *BE*; *auf Autobahn*: Standspur

hardware [ˈhɑːdweə] (△ *nur im Sg. verwendet*) 1. Haushaltswaren *Pl.* 2. *Computer*: Hardware

hard-wearing [ˌhɑːdˈweərɪŋ] *BE*; *Material usw.*: strapazierfähig

hard-working [ˌhɑːdˈwɜːkɪŋ] fleißig, arbeitsam

hardy [ˈhɑːdɪ] 1. zäh, robust 2. *Pflanze*: winterfest

hare [heə] *Tier*: Hase

harebrained [ˈheəbreɪnd] verrückt

harm[1] [hɑːm] (△ *nur im Sg. verwendet*) Schaden; **there's no harm in trying** im Versuch kann nicht schaden; **come to harm** zu Schaden kommen; **do someone harm** jemandem schaden *oder* etwas antun

harm[2] [hɑːm] 1. verletzen (*Person*) (*auch übertragen*) 2. schaden (*Person, Ruf*)

harmful [ˈhɑːmfl] schädlich (**to** für); **harmful to one's health** gesundheitsschädlich

harmless [ˈhɑːmləs] harmlos

harmony [ˈhɑːmənɪ] 1. *Musik*: Harmonie 2. *übertragen auch* Einklang, Eintracht

harness[1] [ˈhɑːnɪs] (≈ *Pferdegeschirr usw.*) Geschirr

harness[2] [ˈhɑːnɪs] 1. aufzäumen (*Pferd*) 2. *übertragen* nutzbar machen (*Kräfte, Talente usw.*)

harp [hɑːp] *Musikinstrument*: Harfe

harpoon [hɑːˈpuːn] Harpune

harsh [hɑːʃ] 1. *Stoff, Land, Klima*: rau 2. *Farbe, Licht, Ton*: grell 3. *Tonfall, Stimme, Art*: barsch, schroff 4. *Strafe*: hart; **don't be too harsh with her** sei nicht so streng mit ihr

harvest[1] [ˈhɑːvɪst] Ernte (*Zeitraum, Arbeit, Ertrag*)

harvest[2] [ˈhɑːvɪst] ernten

has [həz, *betont*: hæz] er, sie, es hat

hash[1] [hæʃ] 1. *Hackfleischgericht*: Ha-

schee 2. **make a hash of something** übertragen, *umg.* etwas vermasseln (*Prüfung usw.*)

hash[2] [hæʃ] *umg.* Hasch

hashish [ˈhæʃɪʃ] Haschisch

hassle[1] [ˈhæsl] *umg.* Mühe, Theater; **it was quite a hassle getting** (*oder* **to get**) **this book** es war ganz schön mühsam, dieses Buch zu besorgen

hassle[2] [ˈhæsl] bedrängen

haste [heɪst] Hast, Eile; **more haste, less speed** eile mit Weile

hasten [△ ˈheɪsn] 1. beschleunigen (*ein Ereignis usw.*) 2. eilen, sich beeilen

hasty [ˈheɪstɪ] 1. eilig, hastig; **a hasty meal** eine schnelle Mahlzeit 2. *Abreise*: überstürzt 3. *Entscheidung usw.*: vorschnell

hat [hæt] Hut; **I'll eat my hat if …** *umg.* ich fresse einen Besen, wenn …; **that's old hat** *umg.* das ist ein alter Hut

hatch[1] [hætʃ] 1. *auf Schiff usw.*: Luke 2. (**serving**) **hatch** Durchreiche

hatch[2] [hætʃ] 1. *auch* **hatch out** ausbrüten (*Eier, Küken*) 2. *auch* **hatch out** ausbrüten, aushecken (*Plan*) 3. (*Küken*) schlüpfen

hatchback [ˈhætʃbæk] Auto mit schräger Hecktür

hatchet [ˈhætʃɪt] Beil; **bury the hatchet** übertragen das Kriegsbeil begraben

hate[1] [heɪt] 1. *allg.*: hassen 2. sehr ungern tun, nicht mögen; **I hate being late** ich komme (äußerst) ungern zu spät; **I hate to say this but …** ich sage das ungern, aber …; **I hate to tell you that** es tut mir leid, dir das sagen zu müssen

hate[2] [heɪt] Hass (**of, for** auf, gegen); **full of hate** hasserfüllt

hatred [ˈheɪtrɪd] Hass (**of, for** auf, gegen)

hat trick [ˈhættrɪk] *Sport*: Hattrick

haughty [ˈhɔːtɪ] hochmütig, überheblich

haul[1] [hɔːl] 1. ziehen, schleppen (*schwere Last*) 2. *mit LKW usw.*: befördern, transportieren

haul[2] [hɔːl] 1. *Fische*: Fang 2. *von gestohlenen oder illegalen Gütern*: Beute, Fang 3. (≈ *Entfernung*) Strecke; **it's a long haul from … to …** es ist ein weiter Weg von … nach …

haunt[1] [hɔːnt] 1. **this room is haunted** in diesem Zimmer spukt es; **haunted castle** Spukschloss 2. **be haunted by** von *Angst, Erinnerungen usw.*: verfolgt werden von, gequält werden von; **haunted look** gehetzter Blick 3. *umg.* häufig besuchen (*Bar, Café usw.*)

haunt[2] [hɔːnt] Treffpunkt, häufig besuchter Ort; **he's probably at one of his favourite haunts** er ist wahrscheinlich in einer seiner Stammkneipen

haunting ['hɔːntɪŋ] *Erinnerungen*: quälend

have¹ [hæv], **had** [hæd], **had** [hæd] **1.** *auch* **have got** *allg*.: haben; **have you got a light?** hast du mal Feuer?; **you have ten minutes** du hast zehn Minuten (Zeit) **2.** haben, erleben; **have a good time!** viel Spaß!; **did you have a nice holiday?** hattest du einen schönen Urlaub? **3.** bekommen (*Baby*) **4.** behalten; **may I have it?** darf ich es behalten? **5.** erhalten, bekommen; **I just had a letter from ...** ich habe eben einen Brief von ... erhalten **6.** essen, trinken; **have breakfast** frühstücken; **have lunch** zu Mittag essen; **have a biscuit!** nimm einen Keks! **7.** *mit Substantiven*: **have a look at something** etwas anschauen; **have a walk** spazieren gehen; **have a shower** duschen; **have a chat** plaudern, ein Schwätzchen halten **8.** **have (got)** to müssen; **I've to go now** ich muss jetzt gehen; **you don't have to go** du musst nicht gehen, du brauchst nicht zu gehen; ☞ **must¹ 9.** **have something done** etwas tun lassen; **I had my car washed** ich habe meinen Wagen waschen lassen; **I'm having a dress made** ich lasse mir gerade ein Kleid machen **10.** *in Wendungen*: **let him have it!** *umg*. gibs ihm!, mach ihn fertig!; **if I fail the exam, I've had it** wenn ich die Prüfung nicht bestehe, bin ich geliefert; **my car has had it** *umg*.

have + Substantiv

have a bath	ein Bad nehmen / baden
have a shower	(sich) duschen
have a wash	sich waschen
have breakfast	frühstücken
have lunch	zu Mittag essen
have dinner	zu Abend / zu Mittag essen
have tea	Tee trinken, *auch*: zu Abend essen
have supper	zu Abend essen
have a try	es versuchen / es probieren
have a go	es versuchen / es probieren
have a look	mal sehen / mal schauen
have a cold	erkältet sein
have a headache	Kopfschmerzen haben
have measles	Masern haben

mein Auto ist am Ende

have² [hæv], **had** [hæd], **had** [hæd] **1.** *Hilfsverb zur Bildung von Vergangenheitsformen*: haben, (*bei vielen Verben ohne Objekt*) sein; **have you finished?** bist du fertig?; **she has agreed** sie hat zugestimmt; **he had said** er hatte gesagt **2.** *in Frageanhängseln*: **you've met her, haven't you?** du kennst sie, nicht wahr? **3.** **had better** sollte besser; **we had** (*oder* **we'd**) **better go** wir sollten jetzt besser gehen

have on [ˌhæv'ɒn] **1.** anhaben (*Kleider*); **what did she have on?** was hatte sie an? **2.** **he's having you on** *umg*. er legt dich rein; **you're having me on!** du willst mich wohl auf den Arm nehmen! **3.** **I've got nothing** (*oder* **I haven't got anything**) **on tomorrow** ich habe morgen noch nichts vor

have-nots ['hævnɒts] **the have-nots** *Pl*. die Habenichtse, die armen Leute

havoc ['hævək] **cause** (*oder* **wreak** [△ riːk]) **havoc** schwere Zerstörungen verursachen

hawk [hɔːk] **1.** *Vogel*: Habicht, Falke **2.** *übertragen*; *Politiker*: Falke

hay [heɪ] **1.** (≈ *getrocknetes Gras*) Heu **2.** **make hay while the sun shines** *übertragen* das Eisen schmieden, solange es heiß ist **3.** **hit the hay** *salopp* sich in die Falle hauen

hay fever ['heɪˌfiːvə] Heuschnupfen

haywire ['heɪˌwaɪə] *umg*. **1.** *Gerät*: kaputt; **go haywire** verrücktspielen **2.** *Pläne usw.*: (völlig) durcheinander; **go haywire** durcheinandergeraten **3.** *Person*: übergeschnappt; **go haywire** durchdrehen

hazard ['hæzəd] Gefahr, Risiko; **health hazard** Gesundheitsrisiko; **hazard** (**warning**) **lights** *Pl. im Auto*: Warnblinkanlage

hazardous ['hæzədəs] gefährlich, riskant; **hazardous waste** Sondermüll

haze [heɪz] *leichter Rauch od.* Nebel: Dunst, Dunstschleier

hazelnut ['heɪzlnʌt] Hasel... tig, diesig **2.**

hazy ['heɪzɪ] **1.** *Luft*: ...en, nebelhaft; *Vorstellung*: verschw... **the accident** ich **I'm a bit hazy ab**...n den Unfall erinnern

H-bomb ['eɪ... H-Bombe, Wasserstoffbomb... hi] er; **he did it** er wars

he¹ [hiː, ...r Er, *Tier*: Männchen; **it's a he**... ...erbindung mit Tieren: männ-

he² [hi...

he³...

lich, ...männchen; **he-goat** Ziegenbock

head[1] [hed] **1.** *allg.*: Kopf **2.** *übertragen* Oberhaupt; **head of the family** Familienvorstand, Familienoberhaupt; **head of state** Staatsoberhaupt **3.** (≈ *Führungskraft*) Anführer(in), Leiter(in); **head of government** Regierungschef(in); **head of department** Abteilungsleiter(in) **4.** *umg.* Schulleiter(in) **5.** *von Rangfolge*: Spitze, führende Stellung; **at the head of** an der Spitze von (*oder Genitiv*) **6.** *von Nagel, Brief usw.*: Kopf **7. heads** *Pl. von Münze*: Vorderseite; **heads or tails?** Wappen oder Zahl? **8.** *von Schriftstücken*: Überschrift, Titelkopf **9.** *in Wendungen*: **above** (*oder* **over**) **someone's head** zu hoch für jemanden; **head over heels** *stürzen*: kopfüber; **be head over heels in love** bis über beide Ohren verliebt sein; **bury one's head in the sand** den Kopf in den Sand stecken; **go to someone's head** (*Alkohol, Erfolg usw.*) jemandem in den *oder* zu Kopf steigen; **lose one's head** den Kopf *oder* die Nerven verlieren

head[2] [hed] *in Zusammensetzungen* **1.** Kopf... **2.** Chef..., Haupt..., Ober...; **head waiter** Chefkellner; **head nurse** *AE* Oberschwester

head[3] [hed] **1.** anführen, an der Spitze stehen von (*Liga, Tabelle, Rangliste*) **2.** führen, leiten (*Firma, Abteilung usw.*); **headed by** unter der Leitung von **3.** *Fußball*: köpfen **4.** (≈ *in eine bestimmte Richtung fahren*) **head north** in Richtung Norden fahren; **we're heading home** wir sind auf dem Weg nach Hause

---

head for ['hed fɔː] **1.** gehen nach, fahren nach; **where are you heading for?** wo fahren Sie hin? **2. you're heading for trouble** du bist dabei (*oder* auf dem besten Wege), Ärger zu kriegen

---

headache ['hedeɪk] Kopfschmerz(en), Kopfweh

headband ['hedbænd] Stirnband

head boy [ˌhed'bɔɪ] *BE* Schulsprecher

header ['hedə] **1.** *ins Wasser*: Kopfsprung, ⒶKöpfler **2.** *Fußball*: Kopfball, ⒶKöpfler

headfirst [ˌhed'fɜːst] **1.** kopfüber, mit dem Kopf voran **2.** (≈ *überstürzt*) Hals über Kopf

head girl [ˌhed'gɜːl] Schulsprecherin

headhunter ['hedˌhʌntə] **1.** Kopfjäger **2.** (≈ *Abwerber in der Wirtschaft*) Headhunter

heading ['hedɪŋ] *auf Dokument*: Über- schrift, Titel, Titelzeile

headlight ['hedlaɪt], *BE auch* **headlamp** ['hedlæmp] *an Auto usw.*: Scheinwerfer

headline ['hedlaɪn] *in der Zeitung usw.*: Schlagzeile; **hit the headlines** Schlagzeilen machen; **the news headlines** *in Radio, TV*: die Kurznachrichten

headlong ['hedlɒŋ] **1.** kopfüber, mit dem Kopf voran **2.** (≈ *überstürzt*) Hals über Kopf

headmaster [ˌhed'mɑːstə] *bes. BE* Schulleiter

headmistress [ˌhed'mɪstrəs] *bes. BE* Schulleiterin

head office [ˌhed'ɒfɪs] Hauptbüro, Zentrale

head-on [ˌhed'ɒn, *vorangestellt*: 'hedɒn] **1.** *Unfall usw.*: frontal, Frontal... **2.** *übertragen* direkt

headphones ['hedfəʊnz] *Pl.* Kopfhörer

headquarters [ˌhed'kwɔːtəz] *Pl.* (△ *oft im Sg. verwendet*) **1.** *von Militär*: Hauptquartier **2.** *von Polizei*: Präsidium **3.** *von Unternehmen*: Zentrale

headrest ['hedrest] Kopfstütze

headset ['hedset] Kopfhörer *Pl.*

head start [ˌhed'stɑːt] *Sport*: Vorsprung (*auch übertragen*); **have a head start on someone** jemandem gegenüber im Vorteil sein

headstrong ['hedstrɒŋ] eigensinnig, halsstarrig

headway ['hedweɪ] **make headway (with)** gut vorankommen (mit), Fortschritte machen (bei)

heal [hiːl] *auch* **heal up** (*oder* **over**) (*Verletzung, Wunde usw.*) (ver)heilen

health [helθ] **1.** Gesundheit; **health care** medizinische Versorgung **health centre** *BE*; *etwa*: Ärztehaus; **health club** Fitnesscenter; **health food** Reformkost, Naturkost; **health hazard** Gesundheitsrisiko; **health insurance** Krankenversicherung; **state of health** Gesundheitszustand **2.** *in Trinksprüchen*: Gesundheit, Wohl; **drink to someone's health** auf jemandes Wohl trinken

healthy ['helθɪ] **1.** *allg.*: gesund (*auch übertragen*) **2.** *Appetit*: gesund, kräftig

heap[1] [hiːp] **1.** *ungeordnete Menge*: Haufen; **in heaps** haufenweise **2.** *umg.* (≈ *viel*) Haufen, Menge; **we've got heaps of time** wir haben jede Menge Zeit

heap[2] [hiːp] **1.** häufen, anhäufen (*Sachen*) **2.** *auch* **heap up** vollladen, beladen (*Teller usw.*) **3. heap praises on someone** jemanden mit Lob überhäufen

hear [hɪə], **heard** [hɜːd], **heard** [hɜːd] **1.** hören; **make oneself heard** sich Gehör verschaffen **2.** (≈ *informiert werden*) hören, erfahren **3.** (*Richter*) verhandeln

(*Fall*) 4. *hear, hear!* bravo!, sehr richtig!

hear about ['hɪər‿ə,baʊt] (≈ *informiert werden*) hören, erfahren; *I heard about your accident* ich habe von deinem Unfall gehört
hear from ['hɪə‿frɒm] (≈ *in Kontakt sein*) hören; *I heard from him last week* er hat sich letzte Woche gemeldet (*mit Brief usw.*)
hear of ['hɪər‿əv] 1. (≈ *jemandem oder etwas kennen*) *have you ever heard of a man called X?* hast du schon mal von einem Herrn X gehört? 2. (≈ *Nachricht über jemanden haben*) *he hasn't been heard of for quite a while* man hat lange nichts mehr von ihm gehört 3. *he wouldn't hear of it* er wollte davon nichts hören *oder* wissen

heard [hɜ:d] 2. *und* 3. *Form von* → *hear*
hearing ['hɪərɪŋ] 1. Hören; *within* (*bzw. out of*) *hearing* in (*bzw.* außer) Hörweite 2. *einer der Sinne*: Gehör; *hard of hearing* schwerhörig 3. *vor Gericht*: Vernehmung, Verhandlung 4. *Politik*: Hearing, Anhörung
hearsay ['hɪəseɪ] *by hearsay* vom Hörensagen
heart [hɑ:t] 1. *Organ*: Herz (*auch übertragen Mitgefühl usw.*); *with all one's heart* von ganzem Herzen; *break someone's heart* jemandem das Herz brechen; *have no heart* übertragen kein Herz haben, herzlos sein; *I didn't have the heart to tell her* ich brachte es nicht übers Herz, es ihr zu sagen 2. (≈ *Mut, Hoffnung*) *take heart* Mut schöpfen; *lose heart* den Mut verlieren 3. *übertragen* Kern (*eines Problems usw.*) 4. *hearts Pl. Kartenspiel*: Herz; *eight of hearts* Herzacht; *Jack of hearts* Herzbube 5. *by heart* kennen, lernen: auswendig
heartache ['hɑ:teɪk] Kummer
heart attack ['hɑ:t‿ə,tæk] Herzanfall
heartbreaking ['hɑ:t,breɪkɪŋ] herzzerreißend
heartening ['hɑ:tnɪŋ] ermutigend
heartfelt ['hɑ:tfelt] tief empfunden, aufrichtig
hearth [hɑ:θ] Kamin
heartless ['hɑ:tləs] *Person*: herzlos
heart-to-heart[1] [,hɑ:t‿tə'hɑ:t] offene Aussprache
heart-to-heart[2] [,hɑ:t‿tə'hɑ:t] *Gespräch*: aufrichtig, offen
hearty ['hɑ:tɪ] 1. *Abschied, Willkommen usw.*: herzlich 2. *Appetit, Mahlzeit usw.*: herzhaft, kräftig, ⑳ währschaft
heat[1] [hi:t] 1. *allg.*: Hitze, Wärme 2. *über-*

tragen Hitze, Erregung; *in the heat of the moment* im Eifer *oder* in der Hitze des Gefechts 3. *Sport*: (*qualifying*) *heat* Vorlauf; *dead heat* totes Rennen
heat[2] [hi:t] 1. heizen (*Haus, Raum*) 2. *auch heat up* erhitzen, *von Speisen auch*: aufwärmen
heated ['hi:tɪd] 1. *Raum, Pool*: beheizt 2. *Diskussion usw.*: erhitzt, erregt, hitzig
heater ['hi:tə] 1. *zum Heizen*: Ofen; *turn the heater on* im Auto usw.: die Heizung anstellen 2. *für Wasser*: Boiler
heating ['hi:tɪŋ] *in Haus*: Heizung
heatproof ['hi:tpru:f], **heat-resistant** ['hi:trɪ,zɪstənt] hitzebeständig, hitzefest
heave [hi:v] 1. (hoch)hieven 2. hochziehen 3. *umg.* werfen 4. *heave a sigh* einen Seufzer ausstoßen
heaven [△ 'hevn] *im religiösen Sinn*: Himmel; *move heaven and earth* übertragen Himmel und Hölle in Bewegung setzen; *thank heaven(s)!* Gott sei Dank!; *for heaven's sake* um Himmels Willen
heavenly body [,hevnlɪ'bɒdɪ] *Stern, Planet*: Himmelskörper
heavily ['hevɪlɪ] schwer (*auch übertragen*); *heavily guarded* schwer bewacht; *she smokes heavily* sie ist eine starke Raucherin; *it rained heavily* es regnete stark
heavy ['hevɪ] 1. *Gewicht betreffend*: schwer; ☞ *difficult* 2. *Schaden, Verlust, Wein usw.*: schwer 3. *Regen, Verkehr usw.*: stark 4. *Geldstrafe, Steuern usw.*: hoch 5. *Nahrung*: schwer verdaulich 6. *with a heavy heart* schweren Herzens
heavyweight ['hevɪweɪt] 1. *Gewichtsklasse*: Schwergewicht 2. *Sportler*: Schwergewichtler
hectic ['hektɪk] *Tag, Atmosphäre*: hektisch
he'd [hi:d] *Kurzform von* *he would oder he had*
hedge [hedʒ] Hecke
hedgehog ['hedʒhɒg] Igel
heed[1] [hi:d] beachten (*Rat, Warnung usw.*)
heed[2] [hi:d] *pay heed to something oder take heed of something* etwas beachten
heel [hi:l] 1. *Teil des Fußes*: Ferse (*auch von Strumpf*) 2. *von Schuh*: Absatz; *on oder at someone's heels* jemandem auf den Fersen; *take to one's heels* Fersengeld geben, abhauen
hefty ['heftɪ] 1. *Person*: kräftig, stämmig 2. *Schlag, Stoß*: mächtig, gewaltig 3. *Preise*: saftig
height [△ haɪt] 1. Höhe; *10 feet in height* 10 Fuß hoch 2. Körpergröße; *what's your height?* wie groß sind Sie?

3. *übertragen* Höhepunkt, Gipfel; **at the height of her fame** auf der Höhe ihres Ruhms; **at the height of summer** im Hochsommer

heighten [△ 'haɪtn] 1. vergrößern, steigern (*Aufregung, Spannung*) 2. (*Aufregung, Spannung*) sich erhöhen, (an)steigen

heir [△ eə] Erbe; **heir to the throne** Thronfolger(in)

heiress [△ 'eərɛs] Erbin

heirloom [△ 'eəlu:m] Erbstück

held [held] 2. *und* 3. *Form von* → **hold²**

helicopter ['helɪkɒptə] Hubschrauber

he'll [hi:l] *Kurzform von* **he will**

hell [hel] Hölle (*auch übertragen*); **like hell** *umg.*: wie verrückt; **a hell of a noise** *umg.* ein Höllenlärm; **what the hell do you want?** *umg.* was zum Teufel willst du?; **give someone hell** *umg.* jemandem die Hölle heißmachen; **go to hell!** *umg.* scher dich zum Teufel!; **suffer hell on earth** die Hölle auf Erden haben

hellbent [,hel'bent] **be hellbent on doing something** *umg.* ganz versessen darauf sein, etwas zu tun

hellish ['helɪʃ] *umg.* höllisch; **I've had a hellish week in the office** *umg.* die Woche im Büro war höllisch

hello [hə'ləʊ] 1. *Gruß*: hallo!, guten Tag!, Ⓐ servus!, ⒸⒽ grüezi!; **say hello (to someone)** (jemandem) Guten Tag sagen 2. *überrascht*: nanu!

helmet ['helmɪt] Helm

help¹ [help] 1. helfen, behilflich sein (**with** bei); **can I help you?** kann ich Ihnen helfen?, *in Geschäft auch*: was darf es sein? 2. **help oneself** *bei Tisch usw.*: sich bedienen, zugreifen; **help yourself!** nimm dir doch! 3. **I can't help it** ich kann es nicht ändern, ich kann nichts dafür; **it can't be helped** da kann man nichts machen, es ist nicht zu ändern; **I couldn't help laughing** ich musste einfach lachen

help out [,help'aʊt] aushelfen (**with** mit); **can you help me out with a tenner?** *umg.* kannst du mir mit einem Zehner aushelfen?

help² [help] 1. Hilfe; **come to someone's help** jemandem zu Hilfe kommen; **I gave her some help with her homework** ich half ihr bei den Hausaufgaben 2. *Person*: Hilfe; **thanks, you've been a real help** danke, du warst mir wirklich eine Hilfe; **a great help you've been!** *ironisch*: du warst wirklich eine große

Hilfe!

helper ['helpə] Helfer(in)

helpful ['helpfl] 1. *Person*: hilfsbereit 2. *Ratschlag*: hilfreich, nützlich; **he's been very helpful** er war eine große Hilfe

helping¹ ['helpɪŋ] **give** *oder* **lend someone a helping hand** jemandem hilfreich zur Seite stehen

helping² ['helpɪŋ] *Essen*: Portion; **take a second helping** sich nachnehmen

helpless ['helpləs] hilflos

helpline ['help,laɪn] *BE* Helpline, Hotline

helter-skelter¹ [,heltə'skeltə] Hals über Kopf (*losrennen usw.*)

helter-skelter² [,heltə'skeltə] *BE*; *auf dem Rummelplatz*: Rutschbahn

hem¹ [hem] *von Kleid usw.*: Saum

hem² [hem] säumen, einsäumen (*Kleid usw.*)

hem in [,hem'ɪn] 1. (≈ *umzingeln*) einschließen 2. *übertragen* einengen

hem³ [hem] **hem and hawk** herumdrucksen, nicht recht mit der Sprache herauswollen

hemisphere ['hemɪsfɪə] 1. Halbkugel 2. *Geographie*: Hemisphäre

hemline ['hemlaɪn] Saum; **hemlines are going up again** die Kleider werden wieder kürzer

hemorrhoids ['hemərɔɪdz] *Pl. AE* Hämorrhoiden *Pl.*

hen [hen] *weiblicher Vogel*: Henne, Huhn

hence [hens] 1. *bei Begründung*: daher, deshalb 2. **a week hence** in einer Woche

henpecked ['henpekt] **be henpecked** unter dem Pantoffel stehen; **henpecked husband** Pantoffelheld

hepatitis [,hepə'taɪtɪs] Leberentzündung, Hepatitis

her¹ [hɜ:] 1. sie; **I know her** ich kenne sie 2. ihr; **I gave her the book** ich gab ihr das Buch 3. *umg.* sie; **he's younger than her** er ist jünger als sie; **it's her** sie ist es

her² [hɜ:] ihr(e); **it's her fault** es ist ihre Schuld

her³ [hɜ:] sich; **she looked behind her** sie sah sich um

herb [hɜ:b] 1. *Medizin*: Heilkraut 2. *zum Kochen*: Gewürzkraut, Küchenkraut

herd¹ [hɜ:d] 1. *von Tieren*: Herde, Rudel 2. **the herd** die große *oder* breite Masse

herd² [hɜ:d] *auch* **herd together** treiben, (zusammen)pferchen (*Tiere, Gefangene*)

here [hɪə] 1. (≈ *an diesem Ort*) hier; **down** (*bzw.* **up**) **here** hier unten (*bzw.* oben); **it's here to stay** *übertragen* es ist von Dauer, es wird bleiben *oder* sich halten 2. (≈ *zu diesem Ort*) her, hierher;

come here komm her **3.** *here and there* hier und da, da und dort **4.** *in Wendungen:* *look here!* ärgerlich: jetzt hör mal zu!; *here's to you!* auf dein Wohl!; *here you are* etwas übergebend: hier (bitte)!; *here we are!* bei Ankunft: da wären wir; *here goes!* bevor man etwas tut: dann mal los!

hereby [ˌhɪə'baɪ] *förmlich* hiermit

hereditary [hə'redətrɪ] erblich, Erb…; *hereditary disease* Erbkrankheit

heritage ['herɪtɪdʒ] *das* Erbe (*einer Kultur, eines Landes usw.*)

hermetic [hɜː'metɪk] hermetisch, luftdicht; *hermetically sealed* luftdicht verschlossen

hermit ['hɜːmɪt] Einsiedler (*auch übertragen*), Eremit

hero ['hɪərəʊ] *Pl.:* **heroes** ['hɪərəʊz] *allg.:* Held (*auch übertragen, Film usw.*)

heroic [hə'rəʊɪk] heroisch, heldenhaft

heroin ['herəʊɪn] Heroin

heroine ['herəʊɪn] Heldin

herring ['herɪŋ] *Fisch:* Hering

herringbone ['herɪŋbəʊn] *auch* **herringbone pattern** Fischgrätenmuster

hers [hɜːz] *it's hers* es gehört ihr; *a friend of hers* ein Freund von ihr; *my mother and hers* meine und ihre Mutter

herself [hɜː'self] **1.** sich; *she hurt herself* sie hat sich verletzt **2.** *verstärkend:* sie selbst, ihr selbst; *she did it herself* sie hat es selbst getan **3.** sich; *she bought herself a car* sie hat sich ein Auto gekauft **4.** sich (selbst); *she wants it for herself* sie will es für sich selbst **5.** *she wrote the essay all by herself* sie hat den Aufsatz ganz allein geschrieben

he's [hiːz] *Kurzform von* **he has** *oder* **he is**

hesitate ['hezɪteɪt] **1.** zögern, zaudern; *hesitate to do something* Bedenken haben, etwas zu tun **2.** *beim Sprechen:* stocken

hesitation [ˌhezɪ'teɪʃn] Zögern, Zaudern; *without (any) hesitation* ohne zu zögern

Hesse [hes] Hessen

het up [ˌhet'ʌp] *umg.* aufgeregt, nervös (*about* wegen)

hexagon ['heksəgən] Sechseck

hexagonal [hek'sægənl] sechseckig

heyday ['heɪdeɪ] *von Künstler usw.:* Glanzzeit, Blütezeit

hi [haɪ] *umg.* hallo!, grüß dich!, Tag!, Ⓐ servus!

hibernate ['haɪbəneɪt] Winterschlaf halten

hibernation [ˌhaɪbə'neɪʃn] Winterschlaf

hiccup ['hɪkʌp] **1.** *have (the) hiccups* (den) Schluckauf haben **2.** *umg., übertra-*

gen Panne, Störung

hickey ['hɪkɪ] *AE umg.* Knutschfleck

hid [hɪd] *2. und 3. Form von* → **hide¹**

hidden¹ ['hɪdn] *3. Form von* → **hide¹**

hidden² ['hɪdn] geheim, verborgen

hide¹ [haɪd], **hid** [hɪd], **hidden** ['hɪdn] **1.** verstecken, verbergen (*from* vor); *what are you hiding behind your back?* was versteckst du da hinter deinem Rücken? **2.** verheimlichen (*Gefühle, Wahrheit*)

hide² [haɪd] *von Tieren:* Haut, Fell (*auch übertragen*); *save one's own hide* die eigene Haut retten

hide-and-seek [ˌhaɪdən'siːk] Versteckspiel; *play hide-and-seek* Versteck spielen

hideaway ['haɪdəweɪ] **1.** *umg.* Versteck (*einer Person*) **2.** *umg.* Zufluchtsort

hideous [⚠ 'hɪdɪəs] *Verbrechen, Lärm, Anblick:* abscheulich, scheußlich

hideout ['haɪdaʊt] *von Kriminellen usw.:* Versteck

hiding¹ ['haɪdɪŋ] **1.** *umg.* Tracht Prügel; *get a good hiding* eine gehörige Tracht Prügel beziehen **2.** *Sport:* Schlappe; *our team got a real hiding* unser Team musste eine schwere Schlappe einstecken

hiding² ['haɪdɪŋ] *be in hiding* sich versteckt halten; *go into hiding* untertauchen

hiding place ['haɪdɪŋ ˌpleɪs] *für Personen oder Dinge:* Versteck

hierarchy ['haɪrɑːkɪ] Hierarchie

higgledy-piggledy [ˌhɪgldɪ'pɪgldɪ] *umg.* drunter und drüber, durcheinander

high¹ [haɪ] **1.** *allg.:* hoch (*auch Geschwindigkeit, Preise usw.*) **2.** *Hoffnungen, Lob usw.:* groß **3.** *in Rang, Stellung:* hoch; *high society* Highsociety, die oberen zehntausend **4.** *Zeit:* fortgeschritten; *it's high time (he went)* es ist höchste Zeit (, dass er geht) **5.** *umg.* (≈ berauscht) *von Alkohol:* blau, *von Drogen:* high **6.** *aim high* sich hohe Ziele setzen *oder* stecken; *search high and low* überall suchen

high² [haɪ] **1.** *Wetterlage:* Hoch **2.** *übertragen* Höchststand (*von Aktienkursen, Preisen usw.*)

high and dry [ˌhaɪ ən'draɪ] *leave someone high and dry* jemanden im Stich lassen

high beam [ˌhaɪ'biːm] *AE; Auto:* Fernlicht

highchair ['haɪtʃeə] *für Kinder:* Hochstuhl

higher education [ˌhaɪər edjʊ'keɪʃn] Hochschulbildung, Hochschulausbildung; ☞ *Info S. 234*

higher

higher education	Hochschulausbildung
further education	a) Erwachsenenbildung b) nicht universitäre Ausbildung nach Verlassen der Schule

high heels [ˌhaɪˈhiːlz] *Pl.* Stöckelschuhe

high jump [ˈhaɪˌdʒʌmp] *Sport:* Hochsprung

high jumper [ˈhaɪˌdʒʌmpə] *Sport:* Hochspringer(in)

highlands [ˈhaɪləndz] *Pl.* Hochland; *the Highlands* das schottische Hochland

high-level [ˌhaɪˈlevl] hoch (*auch übertragen*); *high-level talks* [ˌhaɪlevlˈtɔːks] *Pl.* Gespräche auf höherer Ebene

highlight¹ [ˈhaɪlaɪt] Höhepunkt; *we saw the highlights of the match on TV* wir sahen Höhepunkte des Spiels im Fernsehen

highlight² [ˈhaɪlaɪt] *the report highlighted the problems of working women* der Bericht warf ein Schlaglicht auf die Probleme berufstätiger Frauen

highlighter [ˈhaɪlaɪtə] Leuchtstift, Textmarker

highly [ˈhaɪlɪ] **1.** *übertragen* hoch; *highly gifted* hochbegabt; *highly interesting* hochinteressant **2.** *think highly of someone* viel von jemandem halten

Highness [ˈhaɪnəs] *Titel:* Hoheit; *His Royal Highness* Seine Königliche Hoheit

high-pressure [ˌhaɪˈpreʃə] *high-pressure area Wetterlage:* Hochdruckgebiet

high rise [ˈhaɪraɪz] Hochhaus

high school [ˈhaɪˌskuːl] *bes. AE* Highschool, Gymnasium (△ *Hochschule = college, university*)

high-speed train [ˌhaɪspiːdˈtreɪn] Hochgeschwindigkeitszug

high street [ˈhaɪˌstriːt] Hauptstraße

High Street

Viele Städte in Großbritannien haben eine **High Street**, die oft heute noch die wichtigste Geschäftsstraße bildet (z. B. **Abingdon High Street**). Man spricht in diesem Sinn auch von **high street banks** oder **high street shops** usw., d. h. den führenden Banken, Geschäften usw., auch wenn sie nicht unbedingt in der **High Street** angesiedelt sind.

high tea [ˌhaɪˈtiː] *BE* frühes Abendessen

high-tension [ˌhaɪˈtenʃn] Hochspannungs...

high tide [ˌhaɪˈtaɪd] **1.** *vom Meer:* Flut **2.** *von Erfolg usw.:* Höhepunkt

highway [ˈhaɪweɪ] **1.** *AE* Highway, Hauptverkehrsstraße **2.** *BE* öffentliche Straße; *Highway Code* Straßenverkehrsordnung

hijack¹ [ˈhaɪdʒæk] entführen (*Flugzeug*)

hijack² [ˈhaɪdʒæk] Flugzeugentführung

hijacker [ˈhaɪdʒækə] Flugzeugentführer

hike¹ [haɪk] wandern

hike² [haɪk] Wanderung; *go on a hike* eine Wanderung machen

hiker [ˈhaɪkə] Wanderer

hilarious [hɪˈleərɪəs] **1.** *Stimmung:* ausgelassen, übermütig **2.** *Witz, Geschichte:* urkomisch

hilarity [hɪˈlærətɪ] Ausgelassenheit

hill [hɪl] **1.** Hügel, Anhöhe **2.** *I'm not over the hill yet umg.* ich gehöre noch nicht zum alten Eisen

him [hɪm] **1.** ihn; *I know him* ich kenne ihn **2.** ihm; *I gave him the book* ich gab ihm das Buch **3.** *umg.* er; *she's younger than him* sie ist jünger als er; *it's him* er ist es

Himalaya [ˌhɪməˈleɪə] *the Himalayas* der Himalaja

himself [hɪmˈself] **1.** sich; *he hurt himself* er hat sich verletzt **2.** *verstärkend:* er *oder* ihm *oder* ihn selbst; *he did it himself* er hat es selbst getan **3.** sich (selbst); *he wants it for himself* er will es für sich (selbst); *if he hadn't heard it himself ...* wenn er es nicht selbst gehört hätte, ... **4.** *by himself* allein, ohne Hilfe; *he did it all by himself* er hat es ganz allein gemacht

hinder [ˈhɪndə] **1.** behindern **2.** hindern (*from* an), abhalten (*from* von)

hindsight [ˈhaɪndsaɪt] *with hindsight* im Nachhinein (betrachtet)

hinge [hɪndʒ] *von Tür, Tor:* Scharnier, Angel

hint¹ [hɪnt] **1.** (≈ *Fingerzeig*) Wink, Andeutung; *drop a hint* eine Andeutung machen; *a broad hint* ein Wink mit dem Zaunpfahl; *I can take a hint* ich hab schon kapiert, das war deutlich genug **2.** (≈ *Rat*) Tipp; *useful hints for tourists* nützliche Tipps für Touristen **3.** Anflug, Spur; *there was a hint of irony in his voice* in seiner Stimme klang ein Hauch von Ironie

hint² [hɪnt] andeuten (*Sachverhalt*); *I hinted that I was disappointed* ich ließ durchblicken, dass ich enttäuscht war

hint at [ˈhɪnt ət] andeuten, anspielen auf; *he hinted at changes in the management* er deutete Wechsel im Management an

hip[1] [hɪp] *Körperteil*: Hüfte

hip[2] [hɪp] → **hooray**

hip[3] [hɪp] *Kleidung, Musik usw.*: hip, angesagt

hippo [ˈhɪpəʊ] *umg.*, **hippopotamus** [ˌhɪpəˈpɒtəməs] *Pl.*: **hippopotamuses** [ˌhɪpəˈpɒtəməsəz] *oder* **hippopotami** [ˌhɪpəˈpɒtəmaɪ] Nilpferd, Flusspferd

hire[1] [ˈhaɪə] 1. *für kurze Zeit*: mieten (*Auto usw.*); **hire(d) car** Leihwagen, Mietwagen 2. einstellen (*Arbeitskräfte*) 3. engagieren (*Anwalt, Agentur usw.*); *a hired killer* ein gekaufter Mörder

hire[2] [ˈhaɪə] *for hire Boot, Fahrzeug, Maschine*: zu vermieten, *Taxi*: frei

hire purchase [ˌhaɪəˈpɜːtʃəs] *buy something on hire purchase bes. BE* etwas auf Abzahlung *oder* auf Raten kaufen

his [hɪz] sein(e, -es); *is this his desk?* ist das sein Schreibtisch?; *a friend of his* ein Freund von ihm

hiss [hɪs] 1. (*Gas, Schlange usw.*) zischen 2. (*Katze*) fauchen

hissy fit [ˈhɪsɪˌfɪt] *AE, Slang* Wutanfall; *throw a hissy fit* einen Wutanfall bekommen

historian [hɪˈstɔːrɪən] Historiker(in)

historic [hɪˈstɒrɪk] 1. (≈ *bedeutend*) historisch (*Schlacht, Ereignis usw.*) 2. → **historical**

historical [hɪˈstɒrɪkl] *Forschung, Quellen, Funde*: historisch, geschichtlich; *historical novel* historischer Roman

history [ˈhɪstrɪ] 1. *der Welt, eines Landes usw.*: Geschichte; *history of art* Kunstgeschichte; *go down in history* in die Geschichte eingehen 2. *allg.*: Vorgeschichte (*auch einer Krankheit*)

hit[1] [hɪt] 1. Hieb, Schlag 2. *Buch, Film, CD usw.*: Verkaufsschlager, Hit; *it was a big hit* es hat groß eingeschlagen 3. *auf Website*: Treffer, Zugriff 4. *übertragen* Seitenhieb, Spitze (*at* gegen)

hit[2] [hɪt], **hit** [hɪt], **hit** [hɪt]; *-ing*-Form **hitting** 1. *mit der Hand, Faust*: schlagen; *she hit him in the stomach* sie schlug ihn in den Magen 2. (*Ball, Geschoss usw.*) treffen; *the ball hit me right in the face* der Ball traf mich genau ins Gesicht; *inflation hits us all* die Inflation trifft uns alle 3. *mit einem Fahrzeug*: anfahren, rammen; *the car hit the phonebox* das Auto fuhr gegen die Telefonzelle 4. *in Wendungen*: *hit the nail on the head übertragen* den Nagel auf den Kopf

treffen; *hit the jackpot umg.* einen Volltreffer landen; *hit the road umg.* aufbrechen, sich auf den Weg machen; *hit the sack umg.* (≈ *schlafen gehen*) sich aufs Ohr *oder* in die Falle hauen

hit back [ˌhɪtˈbæk] *bes. verbal*: zurückschlagen; *in the interview she hit back at her critics* in dem Interview gab sie ihren Kritikern Kontra

hit off [ˌhɪtˈɒf] *hit it off umg.* sich auf Anhieb gut verstehen

hit out [ˌhɪtˈaʊt] 1. *hit out at someone* auf jemanden einschlagen 2. *mit Worten*: herziehen (*at* über)

hit up [ˌhɪtˈʌp] *hit someone up AE, umg.* jemanden anpumpen (*for* um)

hit-and-run [ˌhɪtnˈrʌn] *hit-and-run accident* Unfall mit Fahrerflucht; *hit-and-run driver* (unfall)flüchtiger Fahrer

hitch[1] [hɪtʃ] 1. *umg.* per Anhalter fahren; *hitch a ride umg.* im Auto mitgenommen werden 2. *get hitched umg.* heiraten 3. befestigen (*to* an)

hitch up [ˌhɪtʃˈʌp] hochziehen (*Rock, Hose*)

hitch[2] [hɪtʃ] Schwierigkeit, Problem; *without a hitch* reibungslos

hitchhike [ˈhɪtʃhaɪk] per Anhalter fahren, trampen

hitchhiker [ˈhɪtʃhaɪkə] Anhalter(in), Tramper(in)

hitherto [ˌhɪðəˈtuː] bisher, bis jetzt

hit list [ˈhɪt ˌlɪst] *be on the hit list umg.* auf der Abschussliste stehen (△ *Hitliste in der Popmusik = charts*)

HIV [ˌeɪtʃaɪˈviː] *Krankheit*: HIV; *HIV positive* HIV-positiv

hive [haɪv] Bienenkorb, Bienenstock; *the classroom was a hive of activity* das Klassenzimmer glich einem Bienenhaus

HMO [ˌeɪtʃˌemˈəʊ] (*Abk. für* **h**ealth **m**aintenance **o**rganization) *in USA*: eine Art private Krankenversicherung

hoard[1] [hɔːd] Vorrat (*of* an)

hoard[2] [hɔːd] *auch* **hoard up** horten, hamstern

hoarfrost [ˈhɔːfrɒst] (Rau)Reif

hoarse [hɔːs] *Stimme*: heiser, rau

hoarseness [ˈhɔːsnəs] Heiserkeit

hoax [həʊks] 1. (≈ *Falschmeldung*) Schwindel, Ente 2. (≈ *Schabernack*) Streich, (übler) Scherz; *play a hoax on someone* jemandem einen Streich spielen

hobble [ˈhɒbl] hinken, humpeln

hobby [ˈhɒbɪ] Hobby, Steckenpferd

hobby-horse ['hɒbɪhɔːs] Steckenpferd, Lieblingsthema; *she's on her hobby-horse again* sie ist wieder mal bei ihrem Lieblingsthema

hobgoblin [hɒb'gɒblɪn] *Fabelwesen:* Kobold

hockey ['hɒkɪ] **1.** *Sport: bes. BE* Hockey **2.** *Sport: bes. AE* Eishockey

hoe[1] [həʊ] *Gartengerät:* Hacke

hoe[2] [həʊ] hacken (*Beet, Boden*)

hog [hɒg] **1.** *Tier:* Mastschwein **2.** *umg.* Vielfraß **3.** *go the whole hog umg.* aufs Ganze gehen

Hogmanay ['hɒgməneɪ] *in Schottland:* Silvester(abend)

hogwash ['hɒgwɒʃ] Gewäsch, Geschwätz

hoist [hɔɪst] hissen (*Flagge, Segel*)

hold[1] [həʊld] **1.** *mit der Hand:* Griff (*auch beim Ringen*); *catch* (*oder get, grab, take*) *hold of something* etwas ergreifen, etwas zu fassen bekommen **2.** *get hold of something übertragen* etwas finden, *umg.* etwas auftreiben; *as soon as I get hold of him, I'll tell him you rang* sobald ich ihn erwische, sage ich ihm, dass du angerufen hast **3.** (≈ *Kontrolle*) Gewalt, Macht (*on, over, of* über); *have a firm hold on someone* jemanden in seiner Gewalt haben, jemanden beherrschen **4.** *Bergsteigen usw.:* Halt

hold[2] [həʊld], *held* [held], *held* [held] **1.** *allg.:* halten, festhalten; *hold one's head* sich den Kopf halten; *hold hands* sich an der Hand halten, *Liebespaar:* Händchen halten **2.** *hold one's nose* (*bzw. ears*) sich die Nase (*bzw. die Ohren*) zuhalten **3.** *hold the door open for someone* jemandem die Tür aufhalten **4.** (*Seil, Nagel, geklebte Stelle usw.*) halten, nicht reißen *oder* (zer)brechen **5.** (*Wetter, Glück usw.*) anhalten, andauern **6.** (≈ *veranstalten*) abhalten (*Wahlen, Pressekonferenz usw.*) **7.** bekleiden (*Amt, Posten usw.*) **8.** (*Gefäß*) fassen, enthalten **9.** (*Fahrzeug, Raum usw.*) Platz bieten für; *the theatre only holds 150 people* in das Theater passen nur 150 Zuschauer **10.** vertreten (*Meinung*); *he holds strong green views* er vertritt eine stark ökologische Position **11.** (≈ *einschätzen*) halten für; *he holds it to be true usw.* er hält es für wahr *usw.* **12.** *hold someone responsible* jemanden verantwortlich machen **13.** *auch hold good* (*Angebot, Preis usw.*) (weiterhin) gelten, gültig sein *oder* bleiben **14.** *in Wendungen:* *hold it! umg.* Moment mal!, Warte!; *hold your horses! umg.* immer mit der Ruhe!

hold back [ˌhəʊld'bæk] **1.** *allg.:* zurückhalten **2.** *übertragen* zurückhalten, verschweigen (*Wahrheit, Nachricht usw.*)

hold down [ˌhəʊld'daʊn] **1.** niedrig halten (*Preise, Kosten, Zinsen usw.*) **2.** *übertragen* unterdrücken (*Volk*)

hold on [həʊld'ɒn] **1.** festhalten (*to* an) (*auch übertragen: an Überzeugung usw.*) **2.** (≈ *nicht aufgeben*) durchhalten **3.** *beim Telefonieren:* am Apparat bleiben; *hold on!* bleiben Sie dran!

hold together [ˌhəʊld_tə'geðə] zusammenhalten (*auch übertragen*)

hold up [ˌhəʊld'ʌp] **1.** hochhalten (*Gegenstand, Hand usw.*) **2.** *hold something oder someone up as an example übertragen* etwas *oder* jemanden als Beispiel hinstellen (*of* für) **3.** (≈ *behindern*) aufhalten, verzögern (*Plan, Projekt usw.*); *be held up* sich verzögern **4.** überfallen (*Bank, Person*)

holdall ['həʊldɔːl] *bes. BE* Reisetasche

holder ['həʊldə] **1.** *oft in Zusammensetzungen:* ...halter; *candle holder* Kerzenhalter **2.** *von Amt, Titel, Pass:* Inhaber(in)

hold-up ['həʊldʌp] **1.** *von Planung, Produktion usw.:* Verzögerung **2.** *im Straßenverkehr usw.:* Behinderung, Stockung **3.** (bewaffneter) Raubüberfall

hole [həʊl] **1.** Loch; *the new computer made a big hole in my savings übertragen* der neue Computer hat ein großes Loch in mein Erspartes gerissen; *she'll try to pick holes in your arguments übertragen* sie wird versuchen, deine Argumente zu zerpflücken **2.** *umg.; schäbige Unterkunft:* Loch, Bruchbude **3.** *umg.; schäbiger Ort:* Kaff, Nest

holiday ['hɒlədeɪ] **1.** Feiertag; *public holiday* gesetzlicher Feiertag **2.** *mst. holidays Pl., bes. BE* Ferien, Urlaub; *be on holiday* im Urlaub sein, Urlaub machen; *holiday camp* Ferienlager; *holiday trip* Urlaubsreise

holidaymaker ['hɒlədeɪˌmeɪkə] *bes. BE* Urlauber(in)

Holland ['hɒlənd] Holland

holler ['hɒlə] *AE, umg.* schreien, brüllen

hollow ['hɒləʊ] **1.** *Baum, Mauer, Zahn usw.:* hohl **2.** *Klang, Stimme:* hohl, dumpf **3.** *Worte, Versprechungen:* hohl, leer, falsch **4.** *Wangen:* eingefallen

holocaust ['hɒləkɔːst] **1.** Massenvernichtung; *nuclear holocaust* atomarer Holocaust **2.** *the Holocaust* der Holocaust (*die Judenverfolgung im Dritten Reich*)

holy ['həʊlɪ] heilig; *the Holy Bible* die Bibel, die Heilige Schrift; *the Holy Ghost* der Heilige Geist

Hollywood

Hollywood – berühmte amerikanische Filmmetropole; Stadtteil von Los Angeles im US-Bundesstaat Kalifornien, wo viele Kinofilme gemacht werden und große Stars leben; ☞ *Karte S. 294*

home[1] ['həʊm] **1.** (≈ *Wohnsitz*) Heim; *at home* zu Hause, daheim; *away from home* abwesend, verreist; *his home is in London* er ist in London zu Hause; *make oneself at home* es sich bequem machen **2.** *Eigenheim*: Haus, (eigene) Wohnung **3.** *Herkunftsort, -land*: Heimat; *Birmingham became my second home* Birmingham wurde zu meiner zweiten Heimat; *at home and abroad* im In- und Ausland **4.** *Institution*: Heim; *old people's home* Altersheim, Altenheim
home[2] ['həʊm] **1.** *in Zusammensetzungen*: *home address* Privatanschrift; *I enjoy my home life* ich genieße das Zuhausesein; *home cooking* Hausmannskost; *home economics* *Sg.* Hauswirtschaftslehre (*auch Schulfach*) **2.** *politisch, wirtschaftlich*: inländisch, Inlands...; *home affairs* innere Angelegenheiten, Innenpolitik; *home market* Inlandsmarkt, Binnenmarkt **3.** *Sport*: Heim...; *home match* Heimspiel **4.** heim, nach Hause; *I'm going home* ich gehe nach Hause; *on one's way home* auf dem Heimweg; *our canteen food is nothing to write home about* *umg.* unser Kantinenessen reißt einen nicht gerade vom Hocker **5.** zu Hause, daheim; *is Daddy home yet?* ist Vati schon zu Hause?
home banking [,həʊm'bæŋkɪŋ] Homebanking
homegrown ['həʊmgrəʊn] *Obst*: selbst angebaut, *Gemüse auch*: selbst gezogen
homeless ['həʊmləs] obdachlos; *the homeless Pl.* die Obdachlosen
homemade ['həʊmmeɪd] hausgemacht, selbst gemacht
Home Office ['həʊm,ɒfɪs] *BE* Innenministerium
homeopath ['həʊmɪəpæθ] Homöopath
homeopathy [,həʊmɪ'ɒpəθɪ] Homöopathie
home page ['həʊm‿peɪdʒ] *Internet*: Homepage, Startseite
Home Secretary [,həʊm'sekrətərɪ] *BE* Innenminister(in)
homesick ['həʊmsɪk] *be homesick* Heimweh haben
homesickness ['həʊmsɪknəs] Heimweh

home town, *AE* **hometown** [həʊm'taʊn] Heimatstadt
homework ['həʊmwɜːk] (⚠ *nur im Sg. verwendet*) *Schule*: Hausaufgabe, Hausaufgaben; *have you done your homework?* hast du deine Hausaufgaben gemacht?
homosexual[1] [,həʊmə'sekʃʊəl] homosexuell
homosexual[2] [,həʊmə'sekʃʊəl] Homosexuelle(r)
homosexuality [,həʊməˌsekʃʊ'ælɪtɪ] Homosexualität
honest [⚠ 'ɒnɪst] ehrlich; *to be honest with you ...* um ehrlich zu sein, ...; *let's be honest ...* seien wir doch ehrlich, ...
honestly [⚠ 'ɒnɪstlɪ] **1.** ehrlich **2.** *umg.*; *Ausruf*: ehrlich!, *verärgert*: also wirklich!
honesty [⚠ 'ɒnəstɪ] Ehrlichkeit; *in all honesty* ganz ehrlich, ehrlicherweise
honey ['hʌnɪ] **1.** Honig; *(as) sweet as honey* honigsüß (*auch übertragen*) **2.** *bes. AE, umg.* Liebling, Schatz
honeybee ['hʌnɪbiː] Honigbiene
honeycomb [⚠ 'hʌnɪkəʊm] Bienenwabe
honeydew melon [,hʌnɪdjuː'melən] Honigmelone
honeymoon ['hʌnɪmuːn] **1.** Flitterwochen *Pl.* **2.** *Reise*: Hochzeitsreise
Hong Kong [,hɒŋ'kɒŋ] Hongkong
honorary ['ɒnərərɪ] **1.** *in Zusammensetzungen*: Ehren...; *honorary member* Ehrenmitglied **2.** *Amt, Aufgabe, Tätigkeit*: ehrenamtlich
honour[1], *AE* **honor** ['ɒnə] *bes. BE* ehren, auszeichnen (*für besondere Verdienste*)
honour[2], *AE* **honor** ['ɒnə] **1.** *allg.*: Ehre; *guest of honour* Ehrengast; *in honour of* zu Ehren von **2.** *honours oder honours degree BE; etwa*: Studienabschluss im Hauptfach **3.** *Your Honour* Anrede *für Richter*: hohes Gericht, Euer Ehren
honourable, *AE* **honorable** ['ɒnərəbl] *bes. BE* **1.** *Handlung*: achtbar, ehrenwert (*auch Person*) **2.** *the Honourable ...* *Titel*: der *bzw.* die Ehrenwerte ...
hood [hʊd] **1.** Kapuze **2.** *BE; von Auto*: Verdeck **3.** *AE; von Auto*: Motorhaube
hooded ['hʊdɪd] *Kleidungsstück*: mit Kapuze
hoodlum ['huːdləm] *umg.* **1.** Rowdy, Schläger **2.** Ganove
hoodwink ['hʊdwɪŋk] hinters Licht führen
hooey ['huːɪ] *AE, salopp* Krampf, Quatsch
hoof [huːf] *Pl.*: **hoofs** *oder* **hooves** [huːvz] *von Pferd usw.*: Huf
hook[1] [hʊk] **1.** *zum Aufhängen*: Haken **2.** *zum Fischen*: Angelhaken **3.** *Boxen*: Ha-

ken **4.** *in Wendungen*: **by hook or by crook** unter allen Umständen, auf Biegen und Brechen; **get oneself off the hook** *umg.* den Kopf aus der Schlinge ziehen

hook² [hʊk] **1.** einhaken, mit einem Haken befestigen **2.** an die Angel bekommen (*Fisch*) **3.** *übertragen*, *umg.* sich angeln (*Mann*)

hooked [hʊkt] **1.** hakenförmig, Haken… **2.** *umg.* süchtig (**on** nach); **hooked on TV** fernsehsüchtig

hooker ['hʊkə] *AE*, *salopp* Nutte

hooky ['hʊkɪ] **play hooky** *AE*, *umg.* (die Schule) schwänzen

hooligan ['huːlɪgən] *bes. BE* Rowdy

hooliganism ['huːlɪgənɪzm] *BE* Rowdytum

hooray [hʊ'reɪ] hurra!; **hip hip hooray!** hipp, hipp, hurra!

hoot¹ [huːt] **1.** *von Auto*: Hupen **2.** *johlend*: Schrei **3.** **I don't give a hoot (oder two hoots)** *umg.* das ist mir völlig egal

hoot² [huːt] **1.** (*Auto*) hupen **2.** johlen

hoover®¹ ['huːvə] *BE* Staubsauger; → **vacuum cleaner**

hoover² ['huːvə] *BE* staubsaugen, absaugen (*Teppich usw.*); → **vacuum²**

hooves [huːvz] *Pl. von* → **hoof**

hop¹ [hɒp] *Pflanze*: Hopfen

hop² [hɒp], **hopped**, **hopped 1.** hüpfen **2. hop it!** *umg.* schwirr ab!, verschwinde!

hop³ [hɒp] Sprung; **keep someone on the hop** *umg.* jemanden in Trab halten

hope¹ [həʊp] Hoffnung (**of** auf); **don't give up hope!** gib die Hoffnung nicht auf!; **past** *oder* **beyond hope** hoffnungslos, aussichtslos; **no hope of success** keine Aussicht auf Erfolg; **I'm pinning all my hopes on you** ich setze all meine Hoffnungen auf dich

hope² [həʊp] hoffen (**for** auf); **let's hope for the best** hoffen wir das Beste; **I hope so** hoffentlich; **I hope not** hoffentlich nicht

hopeful ['həʊpfl] **1.** (≈ *optimistisch*) hoffnungsvoll, zuversichtlich; **be hopeful that …** hoffen, dass … **2.** *Entwicklung*, *Person*: viel versprechend

hopefully ['həʊpflɪ] **1.** hoffentlich; **hopefully we'll arrive in time** hoffentlich kommen wir pünktlich an, ich hoffe, wir kommen pünktlich an **2.** (≈ *optimistisch*) hoffnungsvoll, voller Hoffnung

hopeless ['həʊpləs] hoffnungslos; **you're hopeless** das ist ein hoffnungsloser Fall

hopping mad [ˌhɒpɪŋ'mæd] **be hopping mad** *umg.* eine Stinkwut haben

horizon [hə'raɪzn] Horizont; **appear on the horizon** am Horizont auftauchen,

übertragen sich abzeichnen

horizontal [ˌhɒrɪ'zɒntl] horizontal, waagerecht

hormone ['hɔːməʊn] Hormon

horn [hɔːn] **1.** *von Kuh usw.*: Horn; **take the bull by the horns** *übertragen* den Stier bei den Hörnern packen **2.** *von Schnecke*: Fühler **3.** *von Auto*: Hupe **4.** *Blasinstrument*: Horn

hornet ['hɔːnɪt] *Insekt*: Hornisse; **stir up a hornet's nest** *übertragen* in ein Wespennest stechen

horny ['hɔːnɪ] **1.** *Hände*: schwielig **2.** *vulgär* geil, spitz

horoscope ['hɒrəskəʊp] Horoskop; **cast a horoscope** ein Horoskop stellen

horrendous [hɒ'rendəs] **1.** *Verbrechen*: abscheulich **2.** *Wetter*: grässlich **3.** *Preise*: horrend

horrible ['hɒrəbl] *Verbrechen usw.*: schrecklich, furchtbar, scheußlich (*umg. auch Wetter, Mensch usw.*)

horrid ['hɒrɪd] *umg.* **1.** *Geruch*, *Geschmack*, *Wetter usw.*: scheußlich, ekelhaft **2. don't be so horrid to me!** sei nicht so gemein zu mir!

horrific [hɒ'rɪfɪk] **1.** *Verbrechen*, *Anblick*: schrecklich, entsetzlich **2.** *Preise*: horrend

horrify ['hɒrɪfaɪ] entsetzen; **be horrified at** *oder* **by** entsetzt sein über

horror ['hɒrə] **1.** Entsetzen; **in horror** entsetzt **2.** Abscheu, Horror (**of** vor); **I have a horror of rats** ich habe einen Horror vor Ratten

horror-stricken ['hɒrəˌstrɪkən], **horror-struck** ['hɒrəstrʌk] von Entsetzen gepackt

horse [hɔːs] **1.** *Tier*: Pferd (*auch Turngerät*) **2.** *in Wendungen*: **eat like a horse** wie ein Scheunendrescher essen; **I could eat a horse** ich hab einen Bärenhunger; **you can believe me, I've got it straight from the horse's mouth** du kannst mir glauben, ich habe es aus erster Hand; **hold your horses!** immer mit der Ruhe!

horseback ['hɔːsbæk] **on horseback** zu Pferd

horseman ['hɔːsmən] *Pl.*: **horsemen** ['hɔːsmən] (geübter) Reiter

horsepower ['hɔːsˌpaʊə] *von Motor*: Pferdestärke, PS

horseradish ['hɔːsˌrædɪʃ] Meerrettich, ⒶKren

horseshoe ['hɔːsʃuː] *für Pferd*: Hufeisen

horsewoman ['hɔːsˌwʊmən] *Pl.*: **horsewomen** ['hɔːsˌwɪmɪn] (geübte) Reiterin

horticulture ['hɔːtɪˌkʌltʃə] Gartenbau

hose [həʊz] *aus Gummi*, *Plastik*: Schlauch; **garden hose** Gartenschlauch

hospitable [hɒ'spɪtəbl] *Person*: gastfreundlich

hospital ['hɒspɪtl] Krankenhaus, Klinik, Ⓐ, ⒸⒽ Spital; *in hospital*, *AE in the hospital* im Krankenhaus

hospitality [,hɒspɪ'tælətɪ] *von Person*: Gastfreundschaft

host[1] [həʊst] **1.** *einer Party usw.*: Gastgeber(in); *host family* Gastfamilie **2.** *Rundfunk*, *TV*: Talkmaster(in), Showmaster(in), Moderator(in)

host[2] [həʊst] Menge, Masse; *a host of questions* eine Unmenge Fragen

hostage ['hɒstɪdʒ] Geisel; *take someone hostage* jemanden als Geisel nehmen

hostel ['hɒstl] **1.** *mst.* *youth hostel* Jugendherberge **2.** *für Studenten*, *Arbeiter usw.*: Wohnheim

hostess ['həʊstɪs] **1.** *einer Party usw.*: Gastgeberin **2.** *auf Messen usw.*: Hostess **3.** *im Flugzeug*: Hostess, Stewardess **4.** *Rundfunk*, *TV*: Talkmasterin, Showmasterin, Moderatorin

hostile ['hɒstaɪl] **1.** feindlich **2.** *Haltung*: feindselig (*to* gegen); *hostile to foreigners* ausländerfeindlich

hostility [hɒ'stɪlətɪ] Feindschaft, Feindseligkeit; *hostility to foreigners* Ausländerfeindlichkeit

hot [hɒt], *hotter*, *hottest* **1.** *allg.*: heiß; *I'm hot* mir ist heiß; *this room is much too hot* in diesem Raum ist es viel zu heiß *oder* warm; *hot spring* Thermalquelle **2.** *Speisen*: warm, heiß; *a hot meal* eine warme Mahlzeit **3.** *Speisen*: scharf (gewürzt) **4.** *Neuigkeit usw.*: brandaktuell; *hot off the press* *Nachrichten usw.*: frisch aus der Presse, *Buch usw.*: soeben erschienen **5.** *umg.*; *gestohlene Ware*: heiß

hotchpotch ['hɒtʃpɒtʃ] (≈ *Durcheinander*) Mischmasch

---

hot cross bun

Hot cross bun heißt das süße Hefeteiggebäck, das traditionell am Karfreitag (**Good Friday**) gegessen, aber bereits in der Vorosterzeit schon gern genossen wird. Das Gebäck ist mit einem weißen Kreuz verziert, daher der Name **hot cross bun** (**bun** = süßes Brötchen).

---

hotel [,həʊ'tel] Hotel

hotfoot [,hɒt'fʊt] *hotfoot it* *umg.* sich davonmachen

hothead ['hɒthed] Hitzkopf

hot-headed [,hɒt'hedɪd] hitzköpfig

hothouse ['hɒthaʊs] Gewächshaus, Treibhaus

hot line ['hɒt‿laɪn] *bes. in der Politik*:

heißer Draht

hotplate ['hɒtpleɪt] **1.** *auf Herd*: Kochplatte **2.** *für Speisen*: Warmhalteplatte

hot spot ['hɒt‿spɒt] *politisch*: Krisenherd

hot-water bottle [,hɒt'wɔːtə,bɒtl] Wärmflasche

hound [haʊnd] Jagdhund

hour ['aʊə] **1.** Stunde; *I'll be back in an hour* ich bin in einer Stunde zurück; *for hours* (*and hours*) stundenlang; *24 hours a day* Tag und Nacht; *I've been waiting for hours* ich warte schon stundenlang, *umg.* ich warte schon ewig **2.** Tageszeit, Stunde; *at an early* (*bzw. a late*) *hour* zu früher (*bzw.* vorgerückter) Stunde; *at all hours* zu jeder Zeit **3.** *hours* *Pl.* Arbeitszeit; *after hours* *allg.*: nach Geschäftsschluss, *in Lokal*: nach der Sperrstunde

hour hand ['aʊə‿hænd] *von Uhr*: Stundenzeiger

hourly ['aʊəlɪ] **1.** stündlich; *at hourly intervals* stündlich, jede Stunde; *there's an hourly bus to the airport* jede *oder* alle Stunde fährt ein Bus zum Flughafen **2.** *be paid on an hourly basis* stundenweise bezahlt werden

house[1] [haʊs] *Pl.*: *houses* [△ 'haʊzɪz] **1.** Haus; *move house* umziehen **2.** *was zum Haus gehört*: Haushalt; *keep house for someone* jemandem den Haushalt führen; *put* *oder* *set one's house in order* übertragen seine Angelegenheiten in Ordnung bringen **3.** *adlige Familie*: Haus, Geschlecht; *the House of Hanover* das Haus Hannover **4.** *the House* *in GB*: das Parlament **5.** *this round is on the house* *in Lokal*: diese Runde geht auf Kosten des Hauses

house[2] [haʊz] unterbringen, beherbergen (*Personen*)

housebound ['haʊsbaʊnd] *übertragen* ans Haus gefesselt

housebreaking ['haʊs,breɪkɪŋ] Einbruch

household ['haʊshəʊld] (≈ *Personen*) Haushalt

house-hunt ['haʊshʌnt] auf Haussuche gehen (*oder* sein); *go* (*bzw.* *be*) *house-hunting* auf Haussuche gehen (*bzw.* sein)

house husband ['haʊs,hʌzbənd] Hausmann

housekeeper ['haʊs,kiːpə] Haushälterin

housekeeping ['haʊs,kiːpɪŋ] **1.** Haushaltsführung **2.** *auch* *housekeeping money* Haushaltsgeld

House of Commons [,haʊs‿əv'kɒmənz] *in GB*: Unterhaus

House of Lords [,haʊs‿əv'lɔːdz] *in GB*: Oberhaus

House of Representatives [ˌhaʊs_əvˌreprɪˈzentətɪvz] *in USA*: Repräsentantenhaus

Houses of Parliament [ˌhaʊzɪz_əvˈpɑːləmənt] *in GB*: das Parlament

house-trained [ˈhaʊstreɪnd] *BE*; *Haustier*: stubenrein

housewarming [ˈhaʊsˌwɔːmɪŋ] *auch* **housewarming party** Einzugsparty (*im neuen Haus*)

housewife [ˈhaʊswaɪf] *Pl.*: **housewives** [ˈhaʊswaɪvz] Hausfrau

housework [ˈhaʊswɜːk] (≈ *Arbeit im Haushalt*) Hausarbeit

housing [ˈhaʊzɪŋ] (△ *nur im Sg.*) **1.** (≈ *Schaffen von Wohnraum*) Wohnungsbau **2.** *oft in Zusammensetzungen*: **housing estate** *BE* Wohnsiedlung; **housing market** Wohnungsmarkt; **housing shortage** Wohnungsnot; **housing conditions** Wohnverhältnisse

hover [△ ˈhɒvə] (*Hubschrauber, Vogel usw.*) schweben

hovercraft [△ ˈhɒvəkrɑːft] *Pl.*: **hovercraft** *oder* **hovercrafts** Luftkissenfahrzeug

how [haʊ] **1.** *fragend*: wie; **how are you?** wie geht es dir?; **how do you do?** *bei Vorstellung*: guten Tag; **how are things?** *umg.* wie gehts?; **how's your toothache?** was machen deine Zahnschmerzen?; **how about …?** wie steht *oder* wäre es mit …?; **how do you know?** woher wissen Sie das?; **how much?** wie viel?; **how many?** wie viel?, wie viele? **2.** *in Ausrufen*: **how nice!** wie schön!; **and how!** *umg.* und ob! **3.** **I'd like to learn how to play the guitar** ich würde gerne Gitarre spielen lernen

how'd [haʊd] *Kurzform von* **how had, how would** *oder* **how did**

however [haʊˈevə] **1.** wie auch immer; **however you do it** wie du es auch machst; **however expensive it is** wie teuer es auch sein mag **2.** (≈ *nichtsdestoweniger*) jedoch; **there is, however, another aspect** da gibt es jedoch noch einen weiteren Aspekt

howl [haʊl] **1.** (*Wölfe, Wind*) heulen **2.** *vor Schmerz, Zorn*: brüllen, schreien (**with** vor); **howling with pain** vor Schmerz brüllend; **howl with laughter** in brüllendes Gelächter ausbrechen

howler [ˈhaʊlə] *umg.* (≈ *schwerer Fehler*) grober Schnitzer, Hammer

how'll [haʊl] *Kurzform von* **how will** *oder* **how shall**

how's [haʊz] *Kurzform von* **how is** *oder* **how has**

how've [haʊv] *Kurzform von* **how have**

hp [ˌeɪtʃˈpiː] (*Abk. für* **h**orse **p**ower) PS

HP [ˌeɪtʃˈpiː] (*Abk. für* **h**ire **p**urchase) *BE* Ratenkauf; **buy something on HP** etwas auf Raten kaufen

hub [hʌb] **1.** *von Rad*: Nabe **2.** *übertragen* Mittelpunkt, Angelpunkt

hubcap [ˈhʌbkæp] *von Auto*: Radkappe

huddle[1] [ˈhʌdl] **1.** (sich) kauern **2.** **huddle (up) against** (*oder* **to**) sich kauern an

---

huddle together [ˌhʌdl_təˈgeðə] sich zusammendrängen

huddle up [ˌhʌdlˈʌp] sich zusammenkauern

---

huddle[2] [ˈhʌdl] **1.** (wirrer) Haufen **2.** *Personen*: dicht zusammengedrängte Gruppe **3.** **go into a huddle** *umg.* die Köpfe zusammenstecken

huff[1] [hʌf] **be in a huff** eingeschnappt sein; **go into a huff** einschnappen

huff[2] [hʌf] **huff and puff** keuchen, schnaufen

huffy [ˈhʌfɪ] **1.** verärgert, eingeschnappt **2.** (≈ *leicht zu kränken*) empfindlich

hug[1] [hʌg], **hugged, hugged** (≈ *in die Arme nehmen*) umarmen, *umg.* drücken

hug[2] [hʌg] Umarmung; **give someone a hug** jemanden umarmen (*oder* drücken)

huge [hjuːdʒ] riesig, riesengroß (*beide auch übertragen*)

hulk [hʌlk] *Person, Ding*: Koloss

hullo [həˈləʊ] *bes. BE* → **hello**

hum[1] [hʌm] **hummed, hummed 1.** *allg.* summen **2.** **hum (with activity)** *umg.* (*Haus, Straße usw.*) voller Leben sein **3.** **hum and haw** *BE* herumdrucksen, nicht recht mit der Sprache herauswollen

hum[2] [hʌm] Summen, Brummen

human[1] [ˈhjuːmən] menschlich; **human being** Mensch; **the human race** die menschliche Rasse, die Menschheit; **human chain** Menschenkette; **human rights** Menschenrechte

human[2] [ˈhjuːmən] Mensch

humane [hjuːˈmeɪn] (≈ *nicht grausam*) human, menschlich

humanity [hjuːˈmænətɪ] **1.** *alle Menschen*: die Menschheit **2.** *Mitgefühl*: Humanität, Menschlichkeit

humble [ˈhʌmbl] **1.** *Beitrag, Meinung, Vorschlag*: bescheiden; **in my humble opinion** meiner unmaßgeblichen Meinung nach **2.** *Status, Rang*: niedrig; **of humble birth** von niederer Geburt

humbug [ˈhʌmbʌg] **1.** Humbug, Unsinn **2.** *BE* Pfefferminzbonbon

humdrum [ˈhʌmdrʌm] eintönig, langweilig

humid [ˈhjuːmɪd] *Tag, Klima, Luft*:

hush

feucht
humidity [ˌhjuːˈmɪdətɪ] (Luft)Feuchtig-
keit
humiliate [hjuːˈmɪlɪeɪt] demütigen, er-
niedrigen; *a humiliating defeat* Sport
usw.: eine demütigende Niederlage
humiliation [hjuːˌmɪlɪˈeɪʃn] Demütigung,
Erniedrigung
humor [ˈhjuːmə] *AE* → **humour**
humorous [ˈhjuːmərəs] **1.** *Geschichte,
Buch*: lustig, komisch **2.** *Bemerkung,
Idee*: witzig **3.** (≈ *mit Sinn für Humor*)
humorvoll
humour [ˈhjuːmə] *bes. BE* **1.** Humor;
sense of humour Sinn für Humor **2.**
von Situation usw.: Komik, *das* Komische
humourless [ˈhjuːmələs] *bes. BE* humor-
los
hump [hʌmp] **1.** *von Mensch*: Buckel **2.**
von Kamel: Höcker **3.** *Anhöhe*: (kleiner)
Hügel
humpback [ˈhʌmpbæk] → **hunchback**
hunch [hʌntʃ] **1.** *von Mensch*: Buckel **2.**
Intuition: Vorahnung; *have a hunch that*
das (leise) Gefühl haben, dass
hunchback [ˈhʌntʃbæk] **1.** *am Rücken*:
Buckel **2.** *Person*: Buckelige(r)
hundred[1] [ˈhʌndrəd] hundert; *a oder one
hundred* hundert, einhundert; *I've told
you a hundred times ...* umg. ich hab
dir schon hundertmal gesagt ...
hundred[2] [ˈhʌndrəd] **1.** *Ziffer*: Hundert **2.**
hundreds of ... Hunderte von ...; *I've
told you hundreds of times ...* umg. ich
habe dir hundertmal gesagt, ...
hundredth[1] [ˈhʌndrədθ] hundertste(r, -s)
hundredth[2] [ˈhʌndrədθ] **1.** *in Rangfolge
usw.*: der, die, das Hundertste **2.** *Bruch-
teil*: Hundertstel; *a hundredth of a sec-
ond* eine Hundertstelsekunde
hung [hʌŋ] **2. und 3.** Form von → **hang**[1]
Hungarian[1] [hʌŋˈgeərɪən] ungarisch
Hungarian[2] [hʌŋˈgeərɪən] *Sprache*: Unga-
risch
Hungarian[3] [hʌŋˈgeərɪən] Ungar(in)
Hungary [ˈhʌŋgərɪ] Ungarn
hunger [ˈhʌŋgə] **1.** (≈ *Hungergefühl*)
Hunger; *die of hunger* verhungern **2.**
übertragen Hunger (*for, after* nach);
hunger for knowledge Wissensdurst
hunger strike [ˈhʌŋgəˌstraɪk] Hunger-
streik; *go on (a) hunger strike* in den
Hungerstreik treten
hungry [ˈhʌŋgrɪ] **1.** hungrig; *be oder feel
hungry* hungrig sein, Hunger haben **2.**
(*übertragen*) hungrig (*for* nach); *hungry
for knowledge* wissensdurstig
hunk [hʌŋk] **1.** (großes) Stück (*Brot usw.*)
2. *umg.* attraktiver Mann
hunt[1] [hʌnt] **1.** *auf Tiere*: Jagd, Jagen **2.**

übertragen Jagd, Verfolgung, Suche (*for*
nach)
hunt[2] [hʌnt] **1.** jagen, Jagd machen auf
(*Tiere, auch übertragen*); *go hunting* auf
die Jagd gehen; *hunted look* gehetzter
Blick **2.** *übertragen* jagen, verfolgen (*Ver-
brecher usw.*)
hunter [ˈhʌntə] Jäger(in) (*auch übertra-
gen*)
hunting [ˈhʌntɪŋ] Jagen, Jagd; *hunting
season* Jagdzeit
hurdle [ˈhɜːdl] **1.** Hürde (*Sport und über-
tragen*) **2.** *hurdles* (△ *nur im Sg.*) Hür-
denlauf; *the 400m hurdles* der 400-m-
-Hürdenlauf, die 400 m Hürden
hurl [hɜːl] **1.** schleudern **2.** *hurl oneself*
sich stürzen (*on, at* auf) **3.** *hurl abuse at
someone* jemandem Beleidigungen ins
Gesicht schleudern
hurly-burly [ˈhɜːlɪˌbɜːlɪ] Tumult, Rummel
hurrah [həˈrɑː] *Ausruf*: hurra!; ☞ *hooray*
hurricane [ˈhʌrɪkən] Hurrikan, Orkan
hurried [ˈhʌrɪd] **1.** eilig, hastig; *a hurried
letter* ein hastig geschriebener Brief **2.**
Abreise, Heirat: überstürzt
hurry[1] [ˈhʌrɪ] Hast, Eile; *be in a hurry* es
eilig haben, in Eile sein; *be in no hurry*
es nicht eilig haben; *do something in a
hurry* etwas eilig *oder* hastig tun; *there's
no hurry* es eilt nicht
hurry[2] [ˈhʌrɪ] **1.** eilen, hasten; *don't hur-
ry!* lass dir Zeit!; *there's no need to
hurry* kein Grund zur Eile **2.** antreiben
(*Person*); *don't hurry me!* umg. hetz
mich nicht!

---

hurry up [ˌhʌrɪˈʌp] sich beeilen; *hurry
up!* schick dich!, Beeilung!, mach
schnell!

---

hurt [hɜːt], *hurt* [hɜːt], *hurt* [hɜːt] **1.** ver-
letzen (*Person, Gefühle usw.*); *hurt one's
knee* sich das *oder* am Knie verletzen **2.**
(*Wunde, Erinnerung usw.*) schmerzen,
wehtun; *where does it hurt?* wo tuts
denn weh? **3.** schaden (*Geschäft, Ruf
usw.*); *it won't hurt (you) to be a bit
more friendly* es wird dir nichts schaden,
ein bisschen freundlicher zu sein
hurtful [ˈhɜːtfl] *Bemerkung usw.*: verlet-
zend
husband [ˈhʌzbənd] Mann, Ehemann,
Gatte
hush[1] [hʌʃ] *hush!* umg. still!, pst!
hush[2] [hʌʃ] **1.** zum Schweigen bringen **2.**
still werden

---

hush up [ˌhʌʃˈʌp] vertuschen

---

hush[3] [hʌʃ] Stille, Schweigen; *hush mon-*

ey Schweigegeld

husk¹ [hʌsk] *von Getreide usw.*: Hülse, Schale

husk² [hʌsk] enthülsen, schälen

husky¹ ['hʌskɪ] **1.** *Stimme*: heiser, rau **2.** *umg.*; *Mann*: stämmig, kräftig

husky² ['hʌskɪ] *Schlittenhund*: Husky

hustle¹ [△ 'hʌsl] **1.** stoßen, drängen **2.** sich drängen *(durch die Menge)* **3.** hasten, hetzen

hustle² [△ 'hʌsl] *mst.* **hustle and bustle** geschäftiges Treiben

hut [hʌt] Hütte

hydroelectric [ˌhaɪdrəʊɪˈləktrɪk] *hydroelectric power* durch Wasserkraft erzeugte Energie

hydrogen ['haɪdrədʒən] *Element*: Wasserstoff; *hydrogen bomb* Wasserstoffbombe

hygiene [△ 'haɪdʒiːn] Hygiene, Gesundheitspflege

hygienic [△ haɪˈdʒiːnɪk] hygienisch

hype¹ [haɪp] Werberummel

hype² [haɪp] *auch hype up* einen Werberummel veranstalten um

hyperactive [ˌhaɪpərˈæktɪv] *Kind*: hyper-

aktiv

hyperlink ['haɪpəlɪŋk] *Computer*: Hyperlink

hypermarket ['haɪpəˌmɑːkɪt] *BE* Großmarkt, Verbrauchermarkt

hypertension [ˌhaɪpəˈtenʃən] *medizinisch*: erhöhter Blutdruck

hyphen ['haɪfn] **1.** *zwischen Wortteilen*: Bindestrich **2.** *am Zeilenende*: Trennungszeichen

hyphenate ['haɪfəneɪt] mit Bindestrich schreiben *(Wortteile)*

hypnotize ['hɪpnətaɪz] hypnotisieren

hypocrisy [△ hɪˈpɒkrəsɪ] Heuchelei

hypocrite [△ 'hɪpəkrɪt] Heuchler(in)

hypotenuse [haɪˈpɒtənjuːz] *im rechtwinkligen Dreieck*: Hypotenuse

hysteria [hɪˈstɪərɪə] *übersteigertes Gefühl*: Hysterie

hysterical [hɪˈsterɪkl] *Person, Reaktion usw.*: hysterisch

hysterics [hɪˈsterɪks] *Pl. (mst. im Sg. verwendet)* hysterischer Anfall; *go into hysterics* hysterisch werden, *umg.* sich kugelig lachen

I

I [aɪ] ich; *I'm not late, am I?* ich komm doch nicht zu spät, oder?

ice¹ [aɪs] **1.** Eis *(auch zum Kühlen von Speisen und Getränken)*; *as cold as ice* eiskalt; *put on ice* kalt stellen *(Getränke)* **2.** *break the ice* übertragen das Eis brechen; *put on ice umg.* auf Eis legen *(Pläne usw.)*

ice² [aɪs] *mit Zuckerguss*: glasieren *(Kuchen)*

ice over *oder* **up** [ˌaɪsˈəʊvə *oder* 'ʌp] **1.** *(See usw.)* zufrieren **2.** *(Straße)* vereisen

Ice Age ['aɪs ˌeɪdʒ] *Erdzeitalter*: Eiszeit

iceberg ['aɪsbɜːg] Eisberg; *the tip of the iceberg* die Spitze des Eisbergs *(mst. übertragen)*

ice-cold [ˌaɪsˈkəʊld] eiskalt

ice cream [ˌaɪsˈkriːm] Eis, Speiseeis, Eiscreme; *chocolate ice cream* Schokoladeneis; *ice-cream parlour* Eisdiele

ice cube ['aɪs ˌkjuːb] Eiswürfel

iced [aɪst] **1.** eisgekühlt; *iced coffee*

Eiskaffee; *iced tea* Eistee **2.** *Kuchen*: glasiert

ice hockey ['aɪsˌhɒkɪ] *Sport*: Eishockey

Iceland ['aɪslənd] Island

Icelander ['aɪsləndə] Isländer(in)

Icelandic¹ [aɪsˈlændɪk] isländisch

Icelandic² [aɪsˈlændɪk] *Sprache*: Isländisch

Icelandic³ [aɪsˈlændɪk] Isländer(in)

ice lolly ['aɪsˌlɒlɪ] *BE* Eis am Stiel

ice pack ['aɪs ˌpæk] *zur Kühlung von Verletzungen*: Eisbeutel

ice pop ['aɪs ˌpɒp] *AE* Eis am Stiel

ice rink ['aɪs ˌrɪŋk] Kunsteisbahn

ice-skating ['aɪsˌskeɪtɪŋ] Schlittschuhlaufen

icicle ['aɪsɪkl] Eiszapfen

icing ['aɪsɪŋ] *auf Kuchen*: Glasur, Zuckerguss

icon ['aɪkɒn] **1.** *Kunst*: Ikone **2.** *Computer*: Ikon, Symbol

icy ['aɪsɪ] eisig *(auch übertragen: Blick)*

ID [ˌaɪˈdiː] *Abk. für* → *identification* 2

I'd [aɪd] *Kurzform von* **I had** *oder* **I would**

idea [aɪ'dɪə] **1.** (≈ *spontaner Gedanke*) Idee; (*what a*) *good idea!* (das ist eine) gute Idee!; *that's not a bad idea* das ist keine schlechte Idee; *that gives me an idea* das bringt mich auf eine Idee **2.** *von Zusammenhang*: Vorstellung, Begriff; *I've got no idea* ich habe keine Ahnung; *d'you get the idea?* verstehst du (was ich meine) ? **3.** (≈ *Intention*) Absicht, Gedanke, Idee; *the idea is ...* der Zweck der Sache ist, ... *oder* es geht darum, ...; *what's the big idea?* was soll das Ganze? **4.** *zu Politik, Religion usw.*: Meinung, Ansicht; *she's got some weird political ideas* politisch hat sie mitunter seltsame Ansichten

ideal[1] [aɪ'dɪəl] (≈ *perfekt*) ideal

ideal[2] [aɪ'dɪəl] **1.** (≈ *Inbegriff*) Ideal **2.** *moralisch, sittlich*: Ideal, Idealvorstellung

idealism [aɪ'dɪəlɪzm] Idealismus

idealist [aɪ'dɪəlɪst] Idealist(in)

idealistic [aɪ,dɪə'lɪstɪk] idealistisch

ideally [aɪ'dɪəlɪ] im Idealfall; *ideally, the school should get two more teachers* idealerweise sollte die Schule zwei zusätzliche Lehrer bekommen

identical [aɪ'dentɪkl] identisch (*to, with* mit); *identical twins* eineiige Zwillinge

identification [aɪ,dentɪfɪ'keɪʃn] **1.** *von Person, Leiche usw.*: Identifizierung **2.** *Dokument*: Ausweis, Legitimation; *he didn't have any identification* er konnte sich nicht ausweisen

identify [aɪ'dentɪfaɪ] **1.** identifizieren (*Verbrecher, Leiche usw.*); *identify oneself* sich ausweisen **2.** ermitteln, erkennen (*Problem, Grund für etwas*)

---

identify with [aɪ'dentɪfaɪ ˌwɪð] **1.** *in gedankliche Beziehung setzen*: identifizieren mit, gleichsetzen mit **2.** *identify (oneself) with someone* sich mit jemandem identifizieren

---

identity [aɪ'dentətɪ] *einer Person*: Identität; *identity check* Ausweiskontrolle; *prove one's identity* sich ausweisen

identity card [aɪ'dentətɪ ˌkɑːd] Personalausweis

ideology [,aɪdɪ'ɒlədʒɪ] Ideologie

idiocy ['ɪdɪəsɪ] Blödheit

idiom ['ɪdɪəm] *Sprache*: idiomatischer Ausdruck, Redewendung

idiot ['ɪdɪət] *umg.* Idiot, Trottel

idiotic [,ɪdɪ'ɒtɪk] *umg.* idiotisch

idle ['aɪdl] **1.** *Person*: faul, träge; *the idle rich* die reichen Müßiggänger **2.** *in Fabrik usw.*: beschäftigungslos (*Arbeiter*), stillstehend (*Maschinen*) **3.** *an idle promise* ein leeres Versprechen; *this isn't an*

idle threat das ist keine leere Drohung

idol ['aɪdl] **1.** *Sportler, Popsänger usw.*: Idol **2.** *von Gottheit*: Götzenbild

idolize ['aɪdlaɪz] abgöttisch verehren, vergöttern

if[1] [ɪf] **1.** (≈ *unter der Voraussetzung, dass*) wenn, falls; *if I were you* wenn ich du wäre, ich an deiner Stelle; *if he phones, tell him ...* falls er anruft, sage ihm ...; *do you mind if I smoke?* macht es Ihnen etwas aus, wenn ich rauche?, darf ich rauchen?; *if so* nach Aussage, Feststellung usw.: wenn ja, wenn das zutrifft; *if necessary* nötigenfalls **2.** *indirekt fragend*: ob; *I wonder if it'll rain* ich bin gespannt, ob es regnet; *see if you can do it* versuche, ob du es kannst **3.** *he acts as if he were something special* er tut so, als ob er etwas Besonderes wäre

if[2] [ɪf] *no ifs and buts!* ohne Wenn und Aber!

ignition [ɪg'nɪʃn] **1.** Anzünden **2.** *Motor*: Zündung; *ignition key* Zündschlüssel

ignoramus [,ɪgnə'reɪməs] Ignorant

ignorance ['ɪgnərəns] **1.** *neutral*: Unwissenheit **2.** *im negativen Sinn*: Ignoranz

ignorant ['ɪgnərənt] **1.** unwissend; *be ignorant of something* etwas nicht wissen *oder* kennen **2.** *im negativen Sinn*: ignorant

ignore [ɪg'nɔː] ignorieren, nicht beachten (*Person, Tatsache usw.*)

I'll [aɪl] *Kurzform von* **I shall** *oder* **I will**

ill [ɪl] **1.** krank; *be taken ill oder fall ill* krank werden, erkranken (*with* an) **2.** *förmlich* schlecht, schlimm; *ill fortune oder luck* Pech; *speak (bzw. think) ill of* schlecht sprechen (*bzw.* denken) von **3.** *feel at ease* sich unbehaglich fühlen

ill-advised [,ɪləd'vaɪzd] unbesonnen, unklug

ill-bred [,ɪl'bred] schlecht erzogen

illegal [ɪ'liːgl] **1.** (≈ *gegen das Gesetz*) illegal, gesetzwidrig, ungesetzlich; *illegal parking* Falschparken; *illegal immigrants* illegale Einwanderer **2.** *Sport*: regelwidrig

illegible [ɪ'ledʒəbl] *Handschrift usw.*: unleserlich

illegitimate [,ɪlɪ'dʒɪtəmət] **1.** *Kind*: nicht ehelich, unehelich **2.** *Geschäft, Handeln*: unzulässig, unerlaubt **3.** *Regierung*: unrechtmäßig

ill-humoured, *AE* **ill-humored** [,ɪl'hjuːməd] schlecht *oder* übel gelaunt

illicit [ɪ'lɪsɪt] unerlaubt, verboten; *illicit trade* Schwarzhandel

illiteracy [ɪ'lɪtərəsɪ] Analphabetismus

illiterate [ɪ'lɪtərət] **1.** des Lesens und Schreibens unkundig; *she's illiterate* sie ist Analphabetin 2. *umg.* ungebildet

illness ['ɪlnəs] Krankheit

illogical [ɪ'lɒdʒɪkl] unlogisch

ill-tempered [ˌɪl'tempəd] missmutig

ill-timed [ˌɪl'taɪmd] ungelegen, unpassend

illuminate [ɪ'luːmɪneɪt] 1. beleuchten 2. *für ein Fest:* festlich beleuchten 3. erläutern (*Sachverhalt usw.*)

illusion [ɪ'luːʒn] *allg.:* Illusion; **optical illusion** optische Täuschung; **be under the illusion that** sich einbilden, dass; **have no illusions** sich keine Illusionen machen (**about** über)

illustrate ['ɪləstreɪt] 1. illustrieren, bebildern (*Buch usw.*) 2. erläutern, veranschaulichen (*Bericht, Argument, These usw.*)

illustration [ˌɪlə'streɪʃn] 1. *in Buch usw.:* Illustration, Bild, Abbildung 2. *von Argument, These usw.:* Erläuterung

illustrious [ɪ'lʌstrɪəs] berühmt

ill-will [ˌɪl'wɪl] *I don't bear him any ill-will* ich trage es ihm nicht nach

I'm [aɪm] *Kurzform von I am*

image ['ɪmɪdʒ] 1. (≈ *öffentliches Ansehen*) Image; **the government's public image** das Ansehen der Regierung in der Öffentlichkeit 2. *geistig:* Bild, Vorstellung; **she's got a clear image of her future** sie hat ein klares Bild von ihrer Zukunft 3. *Person:* Abbild, Ebenbild; **he's the very** (*oder* **spitting**) **image of his father** er ist seinem Vater wie aus dem Gesicht geschnitten, er ist ganz der Vater 4. *in der Literatur:* Bild, *auch:* Metapher

imaginable [ɪ'mædʒɪnəbl] vorstellbar; **the greatest difficulty imaginable** die denkbar größte Schwierigkeit

imaginary [ɪ'mædʒɪnrɪ] imaginär, eingebildet

imagination [ɪˌmædʒɪ'neɪʃn] 1. Fantasie, Einbildungskraft; **a vivid imagination** eine lebhafte Fantasie 2. *nur Fiktion:* Einbildung; **pure imagination** reine Einbildung

imaginative [ɪ'mædʒɪnətɪv] fantasievoll, *Person auch:* einfallsreich

imagine [ɪ'mædʒɪn] 1. *gedanklich:* sich vorstellen; **can you imagine?** stell dir vor!; **just imagine!** *ironisch* stell dir vor!, denk dir nur! 2. *fälschlich:* sich einbilden; **don't imagine that …** bilde dir nur nicht ein, dass …; **you're imagining things** *umg.* du leidest an Einbildungen

imbecile ['ɪmbəsiːl] Idiot(in), Trottel

imitate ['ɪmɪteɪt] nachahmen, nachmachen, imitieren (*Person, deren Aussprache, Mimik usw.*)

imitation [ˌɪmɪ'teɪʃn] 1. Nachahmung, Imitation 2. *von Schmuck usw.:* Imitation, Fälschung

immaculate [ɪ'mækjʊlət] 1. *Verhalten:* tadellos 2. *Kleidung, Erscheinung:* makellos

immature [ˌɪmə'tjʊə] 1. *Person:* unreif 2. *Pläne:* unausgereift, unausgegoren

immaturity [ɪmə'tjʊərətɪ] Unreife

immediate [ɪ'miːdɪət] 1. *räumlich, zeitlich:* unmittelbar; **an immediate reply** eine prompte Antwort; **in the immediate vicinity** in unmittelbarer Nähe, in der nächsten Umgebung; **in the immediate future** in nächster Zukunft 2. *Verwandtschaft:* nächste(r, -s); **my immediate family** meine nächsten Angehörigen

immediately [ɪ'miːdɪətlɪ] 1. (≈ *unverzüglich*) sofort, umgehend; **stop that immediately!** hör sofort damit auf! 2. (≈ *gleich anschließend*) unmittelbar, direkt; **immediately after the war** gleich nach dem Krieg

immense [ɪ'mens] *Glück, Pech, Vermögen usw.:* riesig, ungeheuer

immerse [ɪ'mɜːs] **immerse oneself in** sich vertiefen in; **immersed in** vertieft in

immersion heater [ɪ'mɜːʃn,hiːtə] Tauchsieder

immigrant ['ɪmɪgrənt] Einwanderer, Einwanderin, Immigrant(in)

immigrate ['ɪmɪgreɪt] einwandern, immigrieren (**into** nach, **from** aus)

immigration [ˌɪmɪ'greɪʃn] Einwanderung, Immigration; **immigration office** Einwanderungsbehörde

immobile [ɪ'məʊbaɪl] unbeweglich, bewegungslos

immoral [ɪ'mɒrəl] *gegen die Moral verstoßend:* unmoralisch, unsittlich

immortal [ɪ'mɔːtl] 1. *Person:* unsterblich 2. *übertragen* unvergänglich

immortality [ˌɪmɔː'tælətɪ] Unsterblichkeit, *übertragen auch:* Unvergänglichkeit

immune [ɪ'mjuːn] *Medizin und übertragen:* immun (**against, from, to** gegen); **immune deficiency syndrome** Immunschwächekrankheit

immunity [ɪ'mjuːnətɪ] *Medizin und übertragen:* Immunität; **diplomatic immunity** diplomatische Immunität

immunize ['ɪmjʊnaɪz] immunisieren, immun machen (**against** gegen)

imp [ɪmp] 1. *Fabelwesen:* Kobold 2. *umg., Kind:* Racker

impact ['ɪmpækt] 1. *nach Fall usw.:* Aufprall (**on, against** auf) 2. *von zwei Fahrzeugen:* Zusammenprall 3. *übertragen* Wirkung, Einfluss (**on** auf); **the impact of computers on everyday life** der Einfluss der Computer auf den Alltag

impair [ɪmˈpeə] beeinträchtigen

impartial [ɪmˈpɑːʃl] *Person*: unparteiisch, unvoreingenommen

impartiality [ˌɪmpɑːʃɪˈælətɪ] Unparteilichkeit, Unvoreingenommenheit

impassable [ɪmˈpɑːsəbl] *Straße*: unpassierbar

impassioned [ɪmˈpæʃnd] *Rede, Plädoyer*: leidenschaftlich

impatience [ɪmˈpeɪʃns] Ungeduld

impatient [ɪmˈpeɪʃnt] **1.** ungeduldig; *be impatient* keine Geduld haben (*with* mit) **2.** *the teams were impatient for the match to begin* die Mannschaften konnten den Beginn des Spiels kaum erwarten

impeccable [ɪmˈpekəbl] *Verhalten, Manieren usw.*: untadelig, einwandfrei

impede [ɪmˈpiːd] behindern (*Vorhaben, Projekt usw.*)

impediment [△ ɪmˈpedɪmənt] Hindernis (*to* für); *the main impediment to economic recovery* das Haupthindernis für den wirtschaftlichen Aufschwung

imperative[1] [ɪmˈperətɪv] (≈ *äußerst dringend*) unumgänglich, unbedingt erforderlich

imperative[2] [ɪmˈperətɪv] *Sprache*: Imperativ, Befehlsform; *in the imperative* im Imperativ

imperfect[1] [ɪmˈpɜːfɪkt] *Kenntnisse usw.*: unvollkommen

imperfect[2] [ɪmˈpɜːfɪkt] *Sprache*: Imperfekt

imperial [ɪmˈpɪərɪəl] **1.** kaiserlich, Kaiser... (*Insignien, Hof usw.*) **2.** *BE; nicht metrische Maße und Gewichte*: englisch

imperialism [ɪmˈpɪərɪəlɪzm] *Politik*: Imperialismus

impersonal [ɪmˈpɜːsnəl] *Brief, Einrichtung usw.*: unpersönlich

impersonate [ɪmˈpɜːsəneɪt] imitieren, nachahmen (*prominente Persönlichkeit*)

impertinence [ɪmˈpɜːtɪnəns] Unverschämtheit, *förmlich* Impertinenz

impertinent [ɪmˈpɜːtɪnənt] unverschämt

impetus [ˈɪmpɪtəs] *mst. übertragen* Antrieb, Motivation; *give fresh impetus to a project* einem Projekt neue Impulse verleihen

implant[1] [ɪmˈplɑːnt] *Medizin*: implantieren, einpflanzen (*Herzklappe, Schrittmacher usw.*)

implant[2] [ˈɪmplɑːnt] *Medizin*: Implantat

implication [ˌɪmplɪˈkeɪʃn] *von Gesetz, Entscheidung, Handlung*: Folge, Auswirkung, *förmlich* Implikation

implicit [ɪmˈplɪsɪt] (≈ *unausgesprochen, aber gemeint*) impliziert, implizit; *the author tells us implicitly that …* der Autor sagt uns implizit (*oder* indirekt), dass …

implore [ɪmˈplɔː] anflehen

imply [ɪmˈplaɪ] (≈ *unausgesprochen meinen*) implizieren, andeuten

impolite [ˌɪmpəˈlaɪt] *Person, Verhalten*: unhöflich

import[1] [ɪmˈpɔːt] **1.** importieren, einführen (*Güter*) (*from* aus); *importing country* Einfuhrland **2.** *Computer*: importieren (*Daten*)

import[2] [ˈɪmpɔːt] Import, Einfuhr; *last year's imports Pl.* der Gesamtimport des letzten Jahres

importance [ɪmˈpɔːtns] **1.** Wichtigkeit, Bedeutung; *this is a matter of utmost importance* diese Angelegenheit ist von höchster Bedeutung; *do you attach any importance to that incident?* messen Sie diesem Vorfall irgendeine Bedeutung bei?; *be of no importance* unwichtig *oder* belanglos sein (*to* für) **2.** (≈ *Einfluss*) Ansehen, Gewicht; *a person of importance* eine einflussreiche Person

important [ɪmˈpɔːtnt] **1.** wichtig, bedeutend; *this is very important to me* das ist für mich sehr wichtig; *the most important thing is that …* die Hauptsache ist, dass … **2.** *Person auch*: bedeutend, einflussreich

impose [ɪmˈpəʊz] **1.** erheben (*Steuern, Abgaben usw.*) **2.** verhängen (*Sanktionen, Embargo*) **3.** *impose oneself* (*oder one's presence*) *on someone* sich jemandem aufdrängen; *I don't want to impose on you* ich will nicht aufdringlich sein

imposing [ɪmˈpəʊzɪŋ] *Anblick, Gebäude usw.*: imposant

impossibility [ɪmˌpɒsəˈbɪlətɪ] Unmöglichkeit; *that's an (absolute) impossibility* das ist ein Ding der Unmöglichkeit

impossible [ɪmˈpɒsəbl] unmöglich; *it's impossible for me to come* ich kann unmöglich kommen

impostor [ɪmˈpɒstə] Betrüger(in), *bes.* Hochstapler(in)

impotence [ˈɪmpətəns] **1.** *gegenüber einer Situation*: Machtlosigkeit, Ohnmacht **2.** *sexuell*: Impotenz

impotent [ˈɪmpətənt] **1.** *gegenüber einer Situation*: machtlos, ohnmächtig **2.** *sexuell*: impotent

impracticable [ɪmˈpræktɪkəbl] *Plan, Vorhaben*: undurchführbar

impractical [ɪmˈpræktɪkl] **1.** *Person*: unpraktisch **2.** *Plan*: undurchführbar

impress [ɪmˈpres] *durch Leistung usw.*: beeindrucken, Eindruck machen auf, imponieren; *be impressed by something* von etwas beeindruckt sein

impression [ɪmˈpreʃn] **1.** *allg.:* Eindruck (**of** von); *give someone a wrong impression* bei jemandem einen falschen Eindruck erwecken; *make a good* (*bzw.* **bad**) *impression* einen guten (*bzw.* schlechten) Eindruck machen; *I get oder* **have the impression that ...** ich habe den Eindruck, dass ...; *under the impression that* in der Annahme, dass **2.** *von Buch usw.:* Nachdruck **3.** (≈ *Spur*) Abdruck (*von Fuß, Schuh usw.*)

Impressionism [ɪmˈpreʃnɪzm] *Kunstrichtung:* Impressionismus

impressive [ɪmˈpresɪv] *Leistung, Bauwerk usw.:* eindrucksvoll

imprint[1] [ˈɪmprɪnt] **1.** *von Fuß in Sand usw.:* Abdruck **2.** *in Buch usw.:* Impressum

imprint[2] [ɪmˈprɪnt] **1.** (auf)drücken (**on** auf) (*Muster, Stempel*) **2.** *it's imprinted on my memory* es ist in meinem Gedächtnis eingeprägt

imprison [ɪmˈprɪzn] inhaftieren; *be imprisoned* inhaftiert sein, sich in Haft befinden

imprisonment [ɪmˈprɪznmənt] Freiheitsstrafe, Haft; *he was given 10 years' imprisonment* er wurde zu einer zehnjährigen Freiheitsstrafe verurteilt

improbable [ɪmˈprɒbəbl] unwahrscheinlich

improve [ɪmˈpruːv] **1.** verbessern (*Sprachkenntnisse, Produkte, Qualität usw.*) **2.** (*Schüler, Sportler*) sich verbessern, besser werden **3.** (*Patient*) Fortschritte machen; *he's improving* es geht ihm allmählich besser

improvement [ɪmˈpruːvmənt] Besserung, Verbesserung; *a slight improvement in the weather* eine leichte Wetterbesserung

improvisation [ˌɪmprəvaɪˈzeɪʃn] *von Rede, Musikstück usw.:* Improvisation

improvise [ˈɪmprəvaɪz] improvisieren (*Rede, Musikstück usw.*)

impudence [ˈɪmpjʊdəns] Unverschämtheit

impudent [ˈɪmpjʊdənt] unverschämt

impulse [ˈɪmpʌls] **1.** *Anregung:* Impuls, Anstoß; *give new impulse to the economy* der Wirtschaft neue Impulse geben **2.** *plötzlicher Gedanke:* Regung, Eingebung; *do something on impulse* etwas impulsiv tun

impulsive [ɪmˈpʌlsɪv] *Person, Charakter, Handlung:* impulsiv

in[1] [ɪn] **1.** *räumlich, auf die Frage „wo?":* in; *the children are playing in the street* die Kinder spielen auf der Straße; *in the country* auf dem Land; *in the*

sky am Himmel; *in front of* vor; *in here* hier drinnen **2.** *räumlich, auf die Frage „wohin?":* in, hinein; *put it in your pocket* steck es in die Tasche; *let's go in* gehen wir hinein; *come in!* herein!, komm rein! **3.** *zeitlich:* **in two hours** in zwei Stunden; *in ten years' time* in zehn Jahren; *in April* im April; *in the beginning* am Anfang; *in the end* am Ende; *in the evening* am Abend; *in 1996* (im Jahre) 1996 **4.** *Verkehrsmittel:* da, angekommen; *the train isn't in yet* der Zug ist noch nicht da **5.** *Person:* da, zu Hause; *is John in?* ist John zu Hause *oder* da? **6.** *auf Art und Weise deutend:* *pay in cash* bar (*oder* mit Bargeld) bezahlen; *say it in English!* sag es auf Englisch!; *in writing* schriftlich; *in this way* so, auf diese Weise; *in time* rechtzeitig, zur rechten Zeit; *in a friendly way* auf freundliche Weise, freundlich; *be in love* verliebt sein; *in bad weather* bei schlechtem Wetter; *be in good health* bei guter Gesundheit sein **7.** *eine Tätigkeit bezeichnend:* *in search of* auf der Suche nach; *I'm in publishing* ich arbeite bei einem Verlag **8.** *eine Richtung bezeichnend:* *drive in that direction* fahren Sie in dieser Richtung **9.** *einen Zweck bezeichnend:* *in answer to* als Antwort auf; *in someone's honour* jemandem zu Ehren **10.** *eine Teilmenge bezeichnend:* *one in ten Germans* einer von zehn Deutschen **11.** *in Wendungen:* *in my opinion* meiner Meinung nach, meines Erachtens; *in all probability* nach Wahrscheinlichkeit, höchstwahrscheinlich; *all in all* alles in allem; *be in for something* etwas zu erwarten haben; *we're in for some trouble* wir werden Ärger kriegen; *be in on the discussion* an der Diskussion beteiligt sein

in

in January	im Januar
in February	im Februar
in March	im März
in 1997	(im Jahre) 1997
in (the year) 2007	(im Jahre) 2007
in the morning	am Morgen
in the afternoon	am Nachmittag
in the evening	am Abend
in the beginning	am Anfang
in the end	am Ende
in the town	in der Stadt
in the country	auf dem Lande

in the street	auf der Straße
in English	auf Englisch
in German	auf Deutsch

in² [ɪn] *umg.* (≈ *modisch, aktuell*) in; **this disco is 'the in place to go now** diese Disko ist zurzeit 'der Hit

inability [ˌɪnəˈbɪlətɪ] Unfähigkeit, Unvermögen

inaccessible [ˌɪnəkˈsesəbl] **1.** *Ort:* unzugänglich (**to** für) **2.** *Person:* unnahbar

inaccuracy [ɪnˈækjərəsɪ] Ungenauigkeit

inaccurate [ɪnˈækjərət] *Berechnung, Schätzung, Übersetzung usw.:* ungenau

inactive [ɪnˈæktɪv] **1.** *Person:* untätig, *stärker:* träge **2.** *Vulkan:* erloschen

inactivity [ˌɪnækˈtɪvətɪ] Untätigkeit, *stärker:* Trägheit

inadequate [ɪnˈædɪkwət] *von Qualität, Leistung usw.:* unzulänglich, unzureichend; **be inadequate for** (*Menge*) nicht reichen für

inadvisable [ˌɪnədˈvaɪzəbl] nicht ratsam; **it's inadvisable to walk down this street at night** es ist nicht ratsam, nachts diese Straße entlangzugehen

inane [ɪˈneɪn] geistlos, albern

inappropriate [ˌɪnəˈprəʊprɪət] *Kleidung, Verhalten:* unpassend, ungeeignet

inattention [ˌɪnəˈtenʃn] Unaufmerksamkeit

inattentive [ˌɪnəˈtentɪv] *Schüler:* unaufmerksam (**to** gegenüber)

inaudible [ɪnˈɔːdəbl] *Tonfrequenzen:* unhörbar

inaugurate [ɪˈnɔːgjəreɪt] **1.** einleiten (*Ära usw.*) **2.** ins Amt einführen (*Präsidenten usw.*) **3.** *BE* einweihen (*Gebäude*)

inauguration [ɪˌnɔːgjəˈreɪʃn] **1.** *eines Präsidenten usw.:* Amtseinführung **2.** *eines Gebäudes usw.:* Einweihung

inborn [ˌɪnˈbɔːn] *Fähigkeiten:* angeboren

incalculable [ɪnˈkælkjʊləbl] **1.** *Risiko, Folgen, Schaden usw.:* unabsehbar **2.** *Vermögen usw.:* unermesslich

incantation [ˌɪnkænˈteɪʃn] Zauberformel, Zauberspruch

incapability [ɪnˌkeɪpəˈbɪlətɪ] Unfähigkeit, Unvermögen

incapable [ɪnˈkeɪpəbl] unfähig (**of** zu); **she's incapable of lying** sie ist nicht imstande zu lügen; **he's incapable of murder** er ist zu einem Mord nicht fähig

incapacity [ˌɪnkəˈpæsətɪ] Unfähigkeit, Untauglichkeit; **incapacity for work** Arbeits- *oder* Erwerbsunfähigkeit

incarnation [ˌɪnkɑːˈneɪʃn] Verkörperung, Inbegriff; **he's the very incarnation of honesty** er ist geradezu der Inbegriff von Ehrlichkeit

incense¹ [ˈɪnsens] Weihrauch

incense² [ɪnˈsens] erzürnen, erbosen; **most employees were incensed at the pay freeze** die meisten Angestellten waren über den Lohnstopp erbost

incentive [ɪnˈsentɪv] Ansporn, Anreiz (**to** zu); **incentive to buy** Kaufanreiz

incessant [ɪnˈsesnt] *Gerede, Lärm, Regen usw.:* unaufhörlich

incest [ˈɪnsest] Blutschande, Inzest

inch [ɪntʃ] *Längenmaß:* Inch, Zoll (= *2, 54 cm*); **by inches** *oder* **inch by inch** *etwa:* Zentimeter um Zentimeter, *übertragen* allmählich, ganz langsam

inch

Bundweite und Beinlänge von Jeans werden häufig in **Inch** angegeben. 32/34 ist z. B. eine gängige Größe:

Bundweite in cm: 32 × 2,54 cm = 81,28 cm.

Beinlänge in cm: 34 × 2,54 cm = 86,36 cm.

Wenn man also nicht genau weiß, welche Größe in **Inch** man hat, misst man einfach Taille und Beinlänge in cm und dividiert das durch 2,54. Und schon hat man die richtigen Maße.

incident [ˈɪnsɪdənt] **1.** Vorfall, Ereignis; **without further incident** (△ *Sg.*) ohne weitere Vorkommnisse **2.** *Politik:* (militärischer) Zwischenfall

incidental [ˌɪnsɪˈdentl] **1.** nebensächlich, Neben...; **incidental earnings** *Pl.* Nebenverdienst **2.** (≈ *nicht geplant*) zufällig

incidentally [ˌɪnsɪˈdentlɪ] nebenbei bemerkt, übrigens

incinerate [ɪnˈsɪnəreɪt] verbrennen (*Müll usw.*)

incisive [ɪnˈsaɪsɪv] **1.** *Ton:* schneidend **2.** *Verstand:* scharf **3.** *Person:* scharfsinnig **4.** *Frage, Argument:* prägnant, treffend

incite [ɪnˈsaɪt] **1.** aufwiegeln, aufhetzen (*Person, Menge*) **2.** *zu einem Verbrechen:* anstiften (**to** zu)

incitement [ɪnˈsaɪtmənt] **1.** *von Menge:* Aufwiegelung, Aufhetzung **2.** *zu einer Straftat:* Anstiftung

inclination [ˌɪnklɪˈneɪʃn] **1.** *übertragen* Neigung, Hang; **he's got an inclination to cause trouble** er hat einen Hang, Ärger zu verursachen; **my inclination is to accept the offer** ich neige dazu, das Angebot anzunehmen **2.** *von Abhang:* Neigung, Gefälle

inclined [ɪnˈklaɪnd] **be inclined to do**

something dazu neigen, etwas zu tun; **he's inclined to be late** er kommt gerne zu spät; **I'm inclined to believe him** ich neige dazu, ihm zu glauben; **we can go for a drink if you feel inclined** wir können etwas trinken gehen, wenn du Lust hast

include [ɪn'kluːd] **1.** einschließen (**in** in); **tax included** einschließlich *oder* inklusive Steuer; **postage included** einschließlich Porto; **all included** alles inklusive **2.** *in Gruppe, Liste usw.:* aufnehmen; **is my name included on the list?** steht mein Name auf der Liste?

including [ɪn'kluːdɪŋ] einschließlich, inklusive; **including VAT** einschließlich Mehrwertsteuer; **not including service** Bedienung nicht im Preis inbegriffen

inclusive [ɪn'kluːsɪv] **1.** einschließlich, inklusive; **pages 11 to 38 inclusive** Seite 11 bis einschließlich 38 **2.** Inklusiv…, Pauschal…; *auch:* **all-inclusive price** Pauschalpreis

income ['ɪnkʌm] Einkommen (**from** aus); **live beyond one's income** über seine Verhältnisse leben

income support ['ɪnkʌm_sə,pɔːt] *BE*; *etwa:* Sozialhilfe

income tax ['ɪnkʌm_tæks] Einkommensteuer; **income tax return** Steuererklärung

incoming ['ɪnkʌmɪŋ] **1.** *Telefongespräche, Aufträge usw.:* eingehend; **incoming mail** Posteingang **2.** *Regierung, Amtsträger usw.:* neu

incomparable [△ ɪn'kɒmpərəbl] *Schönheit, Reichtum, Talent usw.:* unvergleichlich

incompatible [,ɪnkəm'pætəbl] **1.** *Charaktere, Interessen, Meinungen:* unvereinbar **2.** *Computer:* nicht kompatibel

incompetence [ɪn'kɒmpɪtəns] Unfähigkeit, Inkompetenz

incompetent [ɪn'kɒmpɪtənt] unfähig, inkompetent

incomplete [,ɪnkəm'pliːt] **1.** *Sammlung usw.:* unvollständig **2.** *Anzahl:* nicht vollzählig **3.** *Kunstwerk:* unvollendet

incomprehensible [ɪn,kɒmprɪ'hensəbl] **1.** *Handlung, Verhalten usw.:* unbegreiflich, unfassbar **2.** *Theorie, Rede, Fremdwörter usw.:* unverständlich

inconceivable [,ɪnkən'siːvəbl] unfassbar, unvorstellbar (**to** für); **it's inconceivable to me that …** ich kann mir einfach nicht vorstellen, dass …

inconsiderate [,ɪnkən'sɪdərət] *Person:* rücksichtslos (**to, towards** gegen)

inconsistent [,ɪnkən'sɪstənt] **1.** *Person und ihre Handlungen:* inkonsequent **2.**

Argumente, Verhalten: widersprüchlich

inconsolable [,ɪnkən'səʊləbl] untröstlich

inconspicuous [,ɪnkən'spɪkjʊəs] *Person, Kleidung usw.:* unauffällig

inconvenience[1] [,ɪnkən'viːnɪəns] Unannehmlichkeit; **I don't want to put you to any inconvenience** ich möchte Ihnen keine Umstände machen

inconvenience[2] [,ɪnkən'viːnɪəns] Unannehmlichkeiten bereiten, Umstände machen; **I don't want to inconvenience you in any way** ich möchte Ihnen keineswegs Umstände machen

inconvenient [,ɪnkən'viːnɪənt] **1.** *Termin:* ungelegen, ungünstig (**to** für) **2.** *Örtlichkeit:* ungünstig gelegen

incorporate [ɪn'kɔːpəreɪt] **1.** *in etwas Größeres:* aufnehmen, integrieren (*Vorschlag, Idee usw.*); **her idea was incorporated in the project** ihre Idee floss mit in das Projekt ein **2.** eingliedern (*Staatsgebiet*)

incorporation [ɪn,kɔːpə'reɪʃn] **1.** *von Idee, Vorschlag usw.:* Aufnahme, Integration **2.** *von Staatsgebiet:* Eingliederung

incorrect [,ɪnkə'rekt] **1.** *Behauptung usw.:* inkorrekt, unrichtig **2.** *Verhalten:* inkorrekt, ungehörig

incorrigible [ɪn'kɒrɪdʒəbl] *Lügner, Spieler, Angeber usw.:* unverbesserlich

incorruptible [,ɪnkə'rʌptəbl] **1.** *Person:* unbestechlich **2.** *Material usw.:* unverderblich

increase[1] [ɪn'kriːs] **1.** (*Bevölkerungszahl usw.*) zunehmen, anwachsen **2.** (*Preise*) steigen, anziehen; **increase in price** teurer werden; **increase threefold** sich verdreifachen **3.** vergrößern, vermehren (*Vermögen, Profite usw.*) **4.** verstärken (*Anstrengungen*) **5.** erhöhen (*Steuern, Abgaben*)

increase[2] ['ɪnkriːs] **1.** Zunahme; **increase in population** Bevölkerungszunahme; **be on the increase** zunehmen **2.** *von Preisen usw.:* Steigerung **3.** *von Steuern usw.:* Erhöhung

increasingly [ɪn'kriːsɪŋlɪ] in zunehmendem Maße; **increasingly difficult** immer schwieriger

incredible [ɪn'kredəbl] **1.** *Geschichte, Vorfall usw.:* unglaublich **2.** *umg.* (≈ *fantastisch*) unwahrscheinlich, toll

incredulous [ɪn'kredjʊləs] ungläubig

incubator ['ɪŋkjʊbeɪtə] *medizinisch:* Brutkasten

incur [ɪn'kɜː], **incurred, incurred** sich zuziehen (*Unwillen, Ärger*); **incur debts** Schulden machen; **incur losses** *geschäftlich:* Verluste erleiden

incurable [ɪn'kjʊərəbl] **1.** *Krankheit:* unheilbar **2.** *Optimist usw.*: unverbesserlich

indebted [△ ɪn'detɪd] **1.** verschuldet (**to** bei); **be indebted to** Schulden haben bei **2.** *übertragen* (zu Dank) verpflichtet; **I'm greatly indebted to you for ...** ich bin Ihnen zu großem Dank verpflichtet für ...

indecency [ɪn'diːsnsɪ] Unanständigkeit, Anstößigkeit

indecent [ɪn'diːsnt] *Benehmen, Bemerkung usw.*: unanständig, anstößig

indecision [ˌɪndɪ'sɪʒn] Unentschlossenheit, Unschlüssigkeit

indecisive [ˌɪndɪ'saɪsɪv] **1.** *Person*: unentschlossen, unschlüssig **2.** *Diskussion, Streit*: ergebnislos

indeed [ɪn'diːd] **1.** in der Tat, tatsächlich, wirklich; **thank you very much indeed** vielen herzlichen Dank; **that was very generous of you indeed** das war wirklich sehr großzügig von dir **2.** *fragend, förmlich*: wirklich?, tatsächlich?; '**I saw him yesterday.**' - '**Did you indeed?**' „Ich sah ihn gestern." - „Tatsächlich?" **3.** *bestätigend*: allerdings, freilich; '**Isn't that great?**' - '**Indeed!**' „Ist das nicht großartig?" - „Allerdings!" **4.** *erstaunter Ausruf*: ach wirklich?, was Sie nicht sagen!

indefinite [ɪn'defənət] **1.** (≈ *vage*) unbestimmt **2.** *Zeitraum usw.*: unbegrenzt; **indefinitely** auf unbestimmte Zeit **3.** *Sprache*: **indefinite article** unbestimmter Artikel; **indefinite pronoun** Indefinitpronomen, unbestimmtes Fürwort

independence [ˌɪndɪ'pendəns] *allg. und politisch*: Unabhängigkeit (**from, of** von); **Independence Day** *USA* Unabhängigkeitstag (= *4. Juli*)

independent [ˌɪndɪ'pendənt] *allg. und politisch*: unabhängig (**of** von)

indescribable [ˌɪndɪ'skraɪbəbl] *Freude, Glück, Angst usw.*: unbeschreiblich

index¹ ['ɪndeks] *Pl.*: **indexes** ['ɪndeksɪz] *am Ende eines Buchs*: Index, Stichwortverzeichnis, Register

index² ['ɪndeks] *Pl.*: **indices** ['ɪndɪsiːz] **1.** *Mathematik*: Exponent, Index **2.** *übertragen* (An)Zeichen (**of** von, für), Hinweis (**of** auf)

index finger ['ɪndeks‚fɪŋgə] Zeigefinger

India ['ɪndɪə] Indien

Indian¹ ['ɪndɪən] **1.** indisch **2.** *auch* **American Indian** indianisch, Indianer... **3.** **Indian summer** Nachsommer, Spätsommer

Indian² ['ɪndɪən] **1.** Inder(in) **2.** *auch* **American Indian** Indianer(in)

indicate ['ɪndɪkeɪt] **1.** (≈ *hinzeigen*) deuten auf, zeigen auf **2.** (*Bemerkung, Geste usw.*) hinweisen auf, hindeuten auf; **ev-**

erything indicates that alles deutet darauf hin, dass **3.** (*Person*) zu erkennen *oder* verstehen geben **4.** *im Straßenverkehr*: blinken

indication [ˌɪndɪ'keɪʃn] Anzeichen (**of** für), Hinweis (**of** auf); **there's every indication that ...** alles deutet darauf hin, dass ...

indicative [ɪn'dɪkətɪv] *Sprache*: Indikativ

indicator ['ɪndɪkeɪtə] **1.** *Statistik usw.*: Indikator **2.** *am Messgerät*: Anzeiger **3.** *am Kraftfahrzeug*: Blinker

indices ['ɪndɪsiːz] *Pl. von* → **index²**

indifference [ɪn'dɪfrəns] *gegenüber Person, Problem usw.*: Gleichgültigkeit

indifferent [ɪn'dɪfrənt] **1.** gleichgültig (**to** gegenüber); **he's indifferent to it** es ist ihm gleichgültig **2.** *Künstler usw.*: mittelmäßig

indigestible [ˌɪndɪ'dʒestəbl] unverdaulich, schwer verdaulich (*auch übertragen*)

indigestion [ˌɪndɪ'dʒestʃən] Magenverstimmung, verdorbener Magen

indignant [ɪn'dɪgnənt] entrüstet, empört (**about, at, over** über)

indignation [ˌɪndɪg'neɪʃn] Entrüstung, Empörung; **to my indignation** zu meiner Entrüstung

indirect [ˌɪndɪ'rekt] *allg.*: indirekt; **by indirect means** auf Umwegen; **indirect speech** indirekte Rede; **indirect object** *Sprache*: indirektes Objekt, Dativobjekt; **indirect free kick** *Fußball*: indirekter Freistoß

indiscreet [ˌɪndɪ'skriːt] (≈ *nicht verschwiegen*) indiskret

indiscretion [△ ˌɪndɪ'skreʃn] Indiskretion; **a deliberate indiscretion** eine gezielte Indiskretion

indispensable [ˌɪndɪ'spensəbl] unentbehrlich, unerlässlich (**to** für)

individual¹ [ˌɪndɪ'vɪdʒʊəl] **1.** (≈ *gesondert*) einzeln, Einzel...; **individual case** Einzelfall **2.** *Stil, Eigenschaft usw.*: individuell, persönlich

individual² [ˌɪndɪ'vɪdʒʊəl] Individuum, Einzelne(r); **the rights of the individual** die Rechte des Einzelnen

individualism [ˌɪndɪ'vɪdʒʊəlɪzm] Individualismus

individualist [ˌɪndɪ'vɪdʒʊəlɪst] Individualist(in)

Indonesia [ˌɪndəʊ'niːzɪə] Indonesien

Indonesian¹ [ˌɪndəʊ'niːzɪən] indonesisch

Indonesian² [ˌɪndəʊ'niːzɪən] *Sprache*: Indonesisch

Indonesian³ [ˌɪndəʊ'niːzɪən] Indonesier(in)

indoor ['ɪndɔː] **1.** Haus..., Zimmer...; **indoor aerial** Zimmerantenne; **indoor**

plant Zimmerpflanze 2. *Sport*: Hallen…; *indoor swimming pool* Hallenbad; *indoor tournament* Hallenturnier

indoors [,ɪn'dɔːz] 1. im Haus, drinnen 2. *go indoors* ins Haus gehen, hineingehen 3. *Sport*: in der Halle

induce [ɪn'djuːs] 1. *induce someone to do something durch Überredung*: jemanden veranlassen (*oder* bewegen), etwas zu tun 2. herbeiführen, auslösen; *induce labour medizinisch*: die Geburt einleiten

inducement [ɪn'djuːsmənt] Anreiz; *inducement to buy* Kaufanreiz

indulge [ɪn'dʌldʒ] 1. *einer Neigung, einem Wunsch*: nachgeben 2. verwöhnen (*Kinder*) 3. *now and then he indulges in a glass of Scotch* ab und zu gönnt *oder* leistet er sich ein Glas Scotch

indulgence [ɪn'dʌldʒəns] 1. Nachsicht 2. *was man sich leistet*: Luxus, Genuss

indulgent [ɪn'dʌldʒənt] *bes. einem Kind gegenüber*: nachsichtig (*to* gegen)

industrial [ɪn'dʌstrɪəl] 1. industriell, Industrie…; *industrial action BE* Arbeitskampfmaßnahmen; *industrial estate BE* Industriegebiet 2. *Region, Land*: industrialisiert; *industrial nation* Industriestaat 3. *Produkte*: industriell erzeugt; *industrial products* gewerbliche Erzeugnisse

industrialist [ɪn'dʌstrɪəlɪst] Industrielle(r)

industrialize [ɪn'dʌstrɪəlaɪz] industrialisieren (*Region, Land*); *industrialized nation* Industrienation

industrious [ɪn'dʌstrɪəs] *Schüler usw.*: fleißig

industry ['ɪndəstrɪ] 1. *allg.*: Industrie 2. *Teilbereich*: Industriezweig, Branche; *steel industry* Stahlindustrie, Stahlbranche; *clothing industry* Bekleidungsbranche

inedible [ɪn'edəbl] *Pilze, Fisch usw.*: ungenießbar

ineffective [,ɪnɪ'fektɪv] *Versuch, Anstrengung usw.*: unwirksam, wirkungslos

inefficient [,ɪnɪ'fɪʃnt] 1. *Maschine, Produktion usw.*: ineffizient, unrationell, unproduktiv 2. *Person*: unfähig

inequality [,ɪnɪ'kwɒlətɪ] Ungleichheit; *social inequality* soziale Ungleichheit

inescapable [,ɪnɪ'skeɪpəbl] *Schlussfolgerung, Konsequenz usw.*: unausweichlich

inestimable [ɪn'estɪməbl] *Hilfe, Rat usw.*: unschätzbar

inevitable [ɪn'evɪtəbl] 1. *Konsequenz usw.*: unvermeidlich 2. *Schicksal usw.*: unabwendbar 3. *Ergebnis*: zwangsläufig

inexact [,ɪnɪg'zækt] ungenau

inexcusable [,ɪnɪk'skjuːzəbl] *Benehmen, Fehler*: unverzeihlich, unentschuldbar

inexpensive [,ɪnɪk'spensɪv] *Waren*: billig, preisgünstig

inexperience [,ɪnɪk'spɪərɪəns] Unerfahrenheit, Mangel an Erfahrung

inexperienced [,ɪnɪk'spɪərɪənst] unerfahren

inexplicable [,ɪnɪk'splɪkəbəl] *Vorfall*: unerklärlich

infallibility [△ ɪn,fælə'bɪlətɪ] Unfehlbarkeit

infallible [△ ɪn'fæləbl] *Person, Gedächtnis*: unfehlbar

infamous [△ 'ɪnfəməs] *Person, bes. Verbrecher*: berüchtigt (*for* wegen)

infancy ['ɪnfənsɪ] 1. früheste Kindheit, *bes.* Säuglingsalter 2. *it's still in its infancy übertragen* es steckt noch in den Anfängen *oder* Kinderschuhen

infant ['ɪnfənt] Kleinkind, *bes.* Säugling; *infant mortality* Säuglingssterblichkeit

infantile ['ɪnfəntaɪl] 1. Kinder…, kindlich 2. *Benehmen*: infantil, kindisch

infantry ['ɪnfəntrɪ] *Militär*: Infanterie

infatuated [ɪn'fætjʊeɪtɪd] vernarrt (*with* in)

infect [ɪn'fekt] 1. *Medizin*: infizieren, anstecken (*with* mit; *by* durch); *the wound became infected* die Wunde entzündete sich 2. *his optimism infected the whole team* sein Optimismus steckte die ganze Mannschaft an

infected [ɪn'fektɪd] 1. infiziert 2. *Wasser usw.*: verseucht 3. *Computer, Diskette*: virenverseucht

infection [ɪn'fekʃn] *Medizin*: Infektion, Ansteckung

infectious [ɪn'fekʃəs] 1. *Krankheit*: infektiös, ansteckend; *infectious disease* Infektionskrankheit 2. *Fröhlichkeit, Lachen usw.*: ansteckend

inferior [ɪn'fɪərɪə] *Waren, Qualität*: minderwertig, mittelmäßig

inferiority [ɪn,fɪərɪ'ɒrətɪ] Minderwertigkeit; *inferiority complex psychisch*: Minderwertigkeitskomplex

infertile [ɪn'fɜːtaɪl] *Person, Tier, Boden*: unfruchtbar

infertility [,ɪnfə'tɪlətɪ] Unfruchtbarkeit

infest [ɪn'fest] (*Ungeziefer usw.*) verseuchen, befallen; *infested with lice* verlaust

infidelity [,ɪnfɪ'delətɪ] *bes. in Partnerschaft*: Untreue

infiltrate ['ɪnfɪltreɪt] 1. *in Organisation, Partei usw.*: einschleusen (*Agent, Spion*) 2. unterwandern (*Organisation, Partei*)

infiltration [,ɪnfɪl'treɪʃn] 1. Einschleusung 2. Unterwanderung

infinite ['ɪnfɪnət] *Weltall usw.*: unendlich, grenzenlos (*beide auch übertragen*)

infinitive [ɪn'fɪnətɪv] *von Verb*: Infinitiv

infinity [ɪn'fɪnətɪ] *des Weltalls usw.*: Unendlichkeit, Grenzenlosigkeit (*beide auch übertragen*)

infirm [ɪn'fɜːm] *bes. ältere Person*: schwach, gebrechlich

infirmary [ɪn'fɜːmərɪ] **1.** Krankenhaus **2.** *in Schule usw.*: Krankenzimmer

inflamed [ɪn'fleɪmd] *Auge usw.*: entzündet

inflammable [ɪn'flæməbl] *Material*: brennbar, leicht entzündlich, feuergefährlich (⚠ *nicht entzündbar* = **non-flammable**)

inflammation [ˌɪnflə'meɪʃn] *Medizin*: Entzündung

inflatable [ɪn'fleɪtəbl] aufblasbar; **inflatable mattress** Luftmatratze

inflate [ɪn'fleɪt] **1.** aufblasen (*Ballon*) **2.** aufpumpen (*Reifen usw.*) **3.** hochtreiben, steigern (*Preise*)

inflation [ɪn'fleɪʃn] (≈ *Geldentwertung*) Inflation; **creeping inflation** schleichende Inflation; **galloping inflation** galoppierende Inflation

inflect [ɪn'flekt] *Sprache*: flektieren, beugen

inflection, inflexion [ɪn'flekʃn] *Sprache*: Flexion, Beugung

inflict [ɪn'flɪkt] **1.** zufügen (*Leid, Schaden usw.*) **2.** beibringen (*Niederlage, Wunde usw.*) **3.** auferlegen, verhängen (*Strafe*)

influence[1] ['ɪnfluəns] Einfluss (**on, over** auf; **with** bei); **be under someone's influence** unter jemandes Einfluss stehen; **under the influence** *umg.* alkoholisiert; **she's a woman of influence** sie ist eine einflussreiche Frau

influence[2] ['ɪnfluəns] beeinflussen; **be easily influenced** leicht beeinflussbar sein

influential [ˌɪnflu'enʃl] *Person, Zeitung usw.*: einflussreich

influenza [ˌɪnflu'enzə] Grippe

info ['ɪnfəʊ] *umg.* → **information**

inform [ɪn'fɔːm] informieren (**about, of** über); **keep someone informed** jemanden auf dem Laufenden halten; **inform someone that** jemanden davon in Kenntnis setzen, dass

informal [ɪn'fɔːml] **1.** *Kleidung, Stimmung usw.*: zwanglos, ungezwungen **2.** *Gespräche, Treffen usw.*: inoffiziell

informatics [ˌɪnfə'mætɪks] *Sg.* Informatik

information [ˌɪnfə'meɪʃn] (⚠ *nur im Sg. verwendet*) Informationen *Pl.*, Auskunft; **a piece of information** eine Information; **have you got any information on ...?** haben Sie irgendwelche Informationen über ...?; **gather information** Erkundigungen einziehen; **for your information** zu Ihrer Information *oder* Kenntnisnahme

information centre [ˌɪnfə'meɪʃn͵sentə] Auskunftsbüro, Informationszentrum

information desk [ˌɪnfə'meɪʃn͜desk] Informationsschalter

information science [ˌɪnfə'meɪʃn͵saɪəns] Informatik

information scientist [ˌɪnfə'meɪʃn͵saɪəntɪst] Informatiker(in)

information superhighway [ˌɪnfəmeɪʃn͵suːpə'haɪweɪ] *Computer*: Datenautobahn

informative [ɪn'fɔːmətɪv] *Buch, Film, Vortrag usw.*: informativ, aufschlussreich

informer [ɪn'fɔːmə] *bes. der Polizei*: Denunziant(in), Spitzel

infotainment [ˌɪnfəʊ'teɪnmənt] Infotainment (*gebildet aus* **info**rmation *und* en**tertainment**; *Fernsehprogramme, die auf unterhaltsame Weise Informationen vermitteln*)

infuriate [ɪn'fjʊərɪeɪt] wütend machen; **be infuriated** wütend sein

infusion [ɪn'fjuːʒn] **1.** *aus Kräutern usw.*: Aufguss, *auch*: Tee **2.** *medizinisch*: Infusion

ingenious [ɪn'dʒiːnɪəs] **1.** *Person*: genial, erfinderisch **2.** *Idee*: genial, glänzend **3.** *Gerät, Maschine*: genial, raffiniert

ingenuity [ˌɪndʒə'njuːətɪ] *von Person*: Genialität, Einfallsreichtum

ingot ['ɪŋgət] Barren; **gold ingot** Goldbarren

ingratitude [ɪn'grætɪtjuːd] Undankbarkeit

ingredient [ɪn'griːdɪənt] *beim Kochen*: Zutat

inhabit [ɪn'hæbɪt] bewohnen (*bes. Region, Insel*)

inhabitable [ɪn'hæbɪtəbl] *Land, Haus usw.*: bewohnbar

inhabitant [ɪn'hæbɪtənt] **1.** *von Ort, Land, Insel*: Einwohner(in) **2.** *von Haus*: Bewohner(in)

inhale [ɪn'heɪl] **1.** *allg.*: einatmen **2.** *Medizin*: inhalieren **3.** *beim Rauchen*: inhalieren, Lungenzüge machen

inherit [ɪn'herɪt] erben (**from** von) (*auch übertragen*)

inheritance [ɪn'herɪtəns] das Erbe (*auch übertragen*)

inhibit [ɪn'hɪbɪt] *allg.*: hemmen (*auch psychisch*)

inhibited [ɪn'hɪbɪtɪd] *psychisch*: gehemmt

inhibition [ˌɪnhɪ'bɪʃn] *psychisch*: Hemmung

inhospitable [ˌɪnhɒˈspɪtəbl] 1. *Person*: ungastlich 2. *Wetter, Gegend*: unwirtlich

inhuman [ɪnˈhjuːmən] *Brutalität, Grausamkeit*: unmenschlich

inhumane [ˌɪnhjuːˈmeɪn] *Behandlung von Gefangenen usw.*: menschenunwürdig

inhumanity [ˌɪnhjuːˈmænətɪ] Unmenschlichkeit

initial¹ [ɪˈnɪʃl] anfänglich, Anfangs…

initial² [ɪˈnɪʃl] (≈ *Anfangsbuchstabe des Namens*) Initiale

initially [ɪˈnɪʃlɪ] anfänglich, am Anfang

initiate [ɪˈnɪʃɪeɪt] in die Wege leiten, initiieren (*Neuerungen, Reformen usw.*)

initiative [ɪˈnɪʃətɪv] Initiative; **take the initiative** die Initiative ergreifen; **on one's own initiative** aus eigenem Antrieb

initiator [ɪˈnɪʃɪeɪtə] Initiator(in), Urheber(in)

inject [ɪnˈdʒekt] *Medizin*: injizieren, spritzen

injection [ɪnˈdʒekʃn] *Medizin*: Injektion, Spritze

injure [ˈɪndʒə] 1. *körperlich*: verletzen; **injure one's leg** sich am Bein verletzen 2. *seelisch*: kränken, verletzen 3. *übertragen* schaden, schädigen (*Ruf*)

injury [ˈɪndʒərɪ] 1. *körperlich*: Verletzung (**to** an); **head injury** Kopfverletzung; **injury time** *Fußball*: Nachspielzeit 2. *seelisch*: Kränkung

injustice [ɪnˈdʒʌstɪs] Unrecht, Ungerechtigkeit; **do someone an injustice** jemandem unrecht tun

ink [ɪŋk] 1. Tinte 2. *zum Zeichnen*: Tusche

inkjet printer [ˈɪŋkdʒetˌprɪntə] *Computer*: Tintenstrahldrucker

inkling [ˈɪŋklɪŋ] 1. dunkle Ahnung 2. **give someone an inkling of …** jemandem eine ungefähre Vorstellung geben von …

inland¹ [ˈɪnlənd] 1. *Region, Schifffahrt, Wasserwege*: binnenländisch, Binnen… 2. *Handel, Produktion usw.*: inländisch, einheimisch; **Inland Revenue** *BE; etwa*: Steuerbehörde

inland² [ɪnˈlænd] *reisen usw.*: landeinwärts

in-laws [ˈɪnlɔːz] *Pl. umg.* angeheiratete Verwandte, *bes.* Schwiegereltern

in-line skates [ˈɪnlaɪnˌskeɪts] Inliner, Inlineskates

inmate [ˈɪnmeɪt] *von Anstalt, Gefängnis usw.*: Insasse, Insassin

inn [ɪn] *bes. in Verbindung mit Namen*: **The Duck Inn** Gasthaus zur Ente

inner [ˈɪnə] 1. inner…, Innen…; **inner city** Innenstadt (*mst. heruntergekommene Viertel mit sozialen Problemen usw.*) 2. *Sinn, Bedeutung*: tiefer, verborgen

innocence [ˈɪnəsəns] Unschuld

innocent [ˈɪnəsənt] 1. *an Verbrechen usw.*: unschuldig, schuldlos (**of** an) 2. *Bemerkung, Vergnügungen usw.*: harmlos

innovate [ˈɪnəveɪt] Neuerungen einführen (**on, in** bei, in)

innovation [ˌɪnəˈveɪʃn] Neuerung, Innovation

inoculate [ɪˈnɒkjʊleɪt] *Medizin*: impfen (**against** gegen)

inoculation [ɪˌnɒkjʊˈleɪʃn] *Medizin*: Impfung

inoffensive [ˌɪnəˈfensɪv] harmlos

inoperable [ɪnˈɒpərəbl] 1. *Tumor usw.*: inoperabel 2. *Plan usw.*: undurchführbar

inorganic [ˌɪnɔːˈgænɪk] *Chemie*: anorganisch

inpatient [ˈɪnˌpeɪʃnt] *in Krankenhaus*: stationärer Patient; **inpatient treatment** stationäre Behandlung

input [ˈɪnpʊt] 1. *Computer*: Input, Eingabe 2. *zur Produktion*: Arbeitsaufwand 3. (≈ *Kapital*) Investition 4. *für gemeinsame Unternehmung*: Beitrag

inquest [ˈɪŋkwest] gerichtliche Untersuchung (*bes. einer Todesursache*)

inquire [ɪnˈkwaɪə] *auch* enquire 1. sich erkundigen; **inquire about** fragen nach, sich erkundigen nach (*Name, Richtung, Zeit usw.*) 2. **inquire into a case** einen Fall untersuchen *oder* prüfen

inquiry [ɪnˈkwaɪrɪ] *auch* enquiry 1. Erkundigung, Anfrage; **on inquiry** auf Anfrage; **make inquiries** Erkundigungen einziehen (**about, after** über, wegen) 2. *behördlich*: Untersuchung, Ermittlung; **a man is helping the police with their inquiries** die Polizei verhört zur Stunde einen Tatverdächtigen 3. **inquiries** *Pl.* Auskunft (*Büro, Schalter*)

inquisitive [ɪnˈkwɪzətɪv] 1. wissbegierig 2. *im negativen Sinn*: neugierig

inroads [ˈɪnrəʊdz] **the new job made inroads on his free time** der neue Job hat seine Freizeit stark eingeschränkt; **make inroads into someone's savings** ein großes Loch in jemandes Ersparnisse reißen

insane [ɪnˈseɪn] 1. *Medizin*: geisteskrank 2. *umg., übertragen* wahnsinnig

insanitary [ɪnˈsænətərɪ] *Lebensbedingungen*: unhygienisch, gesundheitsschädlich

insanity [ɪnˈsænətɪ] 1. *Medizin*: Geisteskrankheit 2. *umg., übertragen* Wahnsinn

insatiable [ɪnˈseɪʃəbl] 1. *Person*: unersättlich 2. *Durst, Neugier, Verlangen*: unstillbar

inscription [ɪnˈskrɪpʃn] 1. *auf Gedenkstein usw.*: Inschrift, Aufschrift 2. *in Buch*: (persönliche) Widmung

insect [ˈɪnsekt] Insekt; **insect spray** Insektenspray

insecticide [ɪn'sektɪsaɪd] Insektizid, Insektenvernichtungsmittel

insecure [ˌɪnsɪ'kjʊə] 1. (≈ *instabil*) *Gerüst, Leiter, Regal*: nicht fest, ungesichert 2. *übertragen, psychisch*: unsicher; *feel insecure* sich nicht sicher fühlen 3. *an insecure job* ein unsicherer Arbeitsplatz

insecurity [ˌɪnsɪ'kjʊərətɪ] Unsicherheit

insensitive [ɪn'sensətɪv] 1. *Verhalten, Person*: gefühllos 2. *Material, Person*: unempfindlich (*to* gegen); *insensitive to light* lichtunempfindlich

inseparable [ɪn'sepərəbl] 1. untrennbar (*auch Wort*) 2. *Freunde*: unzertrennlich

insert[1] [ɪn'sɜːt] 1. einwerfen (*in, into* in) (*Münze usw.*) 2. hineinstecken (*Schlüssel usw.*) 3. *in einen Text*: einfügen (*Wort, Passage*) 4. *Computer*: einlegen (*CD--ROM, Disk*)

insert[2] ['ɪnsɜːt] 1. *in Zeitung*: Beilage 2. *in Buch*: Einlage 3. *Werbung usw.*: Anzeige, Inserat

insertion [ɪn'sɜːʃn] Einfügen, Einsetzen

insert key [ɪn'sɜːt_kiː] *Computer*: Einfügetaste

insert mode [ɪn'sɜːt_məʊd] *Computer*: Einfügemodus

inside[1] [ˌɪn'saɪd] 1. ↔ *outside*; *von Haus, Behälter usw.*: Innenseite, *das* Innere; *on the inside* innen; *from the inside* von innen 2. *you've got your socks on inside out* du hast deine Socken verkehrt herum an; *we turned the house inside out, but didn't find anything* wir haben das ganze Haus auf den Kopf gestellt, aber nichts gefunden; *know something inside out* etwas in- und auswendig kennen

inside[2] ['ɪnsaɪd] 1. ↔ *outside* inner, Innen...; *inside lane Sport*: Innenbahn; *overtake on the inside lane in GB*: links überholen, *in Deutschland usw.*: rechts überholen 2. *inside information Sg.* Insiderinformationen *Pl.*

inside[3] [ˌɪn'saɪd] 1. ↔ *outside* im Innern, innen, innerhalb; *inside the house* im Hause 2. ↔ *outside*; *Richtung*: hinein, herein; *let's go inside* gehen wir hinein

insider [ˌɪn'saɪdə] Insider(in), Eingeweihte(r)

insidious [ɪn'sɪdɪəs] heimtückisch

insight ['ɪnsaɪt] 1. *in Sachverhalt usw.*: Einblick (*into* in); *gain an insight into something* (einen) Einblick in etwas gewinnen 2. *für Probleme, Mitmenschen*: Verständnis (*into* für)

insignificant [ˌɪnsɪg'nɪfɪkənt] 1. *Unterschied, Aspekt usw.*: bedeutungslos 2. *Geldbetrag*: geringfügig, unerheblich 3.

Person: unbedeutend

insincere [ˌɪnsɪn'sɪə] *Person*: unaufrichtig, falsch

insinuate [ɪn'sɪnjʊeɪt] andeuten, anspielen auf; *are you insinuating that …?* wollen Sie damit sagen, dass …?

insinuation [ɪnˌsɪnjʊ'eɪʃn] Anspielung

insipid [ɪn'sɪpɪd] *Essen, Person usw.*: fad

insist [ɪn'sɪst] (≈ *beharren*) bestehen, insistieren; *insist on doing something* darauf bestehen, etwas zu tun; *insist that* darauf bestehen, dass; *I insist!* ich bestehe darauf!; *if you insist* wenn du darauf bestehst, *umg.* wenns denn unbedingt sein muss

insistence [ɪn'sɪstəns] Bestehen, Beharren (*on* auf)

insistent [ɪn'sɪstənt] beharrlich, hartnäckig; *be insistent on* bestehen auf

insolence ['ɪnsələns] Unverschämtheit, Frechheit

insolent ['ɪnsələnt] unverschämt, frech

insoluble [ɪn'sɒljʊbl] 1. *Substanz*: unlöslich 2. *Problem*: unlösbar

insomnia [ɪn'sɒmnɪə] Schlaflosigkeit

inspect [ɪn'spekt] 1. (≈ *kontrollieren*) untersuchen, prüfen (*for* auf) 2. *als Amtshandlung*: besichtigen, inspizieren (*Gebäude, Truppen*)

inspection [ɪn'spekʃn] 1. (≈ *Kontrolle*) Untersuchung, Prüfung; *on closer inspection* bei näherer Prüfung 2. *Amtshandlung*: Besichtigung, Inspektion

inspector [ɪn'spektə] 1. *in U-Bahn, Zug usw.*: Kontrolleur 2. *police inspector etwa*: Polizeiinspektor

inspiration [ˌɪnspə'reɪʃn] 1. *geistige Anregung*: Inspiration; *be someone's inspiration oder be an inspiration to* (*oder for*) *someone* jemanden inspirieren 2. (≈ *Idee*) Eingebung, Einfall

inspire [ɪn'spaɪə] 1. *zu künstlerischer Leistung usw.*: inspirieren, anregen 2. erwecken, auslösen (*Gefühl usw.*)

instability [ˌɪnstə'bɪlətɪ] 1. *allg.*: Instabilität 2. *von Persönlichkeit*: Labilität

install [ɪn'stɔːl] 1. *allg.*: installieren 2. einbauen (*Bad usw.*) 3. legen (*Leitung usw.*) 4. anschließen (*Telefon, Fax usw.*) 5. *in Amt*: einsetzen, einführen

installation [ˌɪnstə'leɪʃn] 1. *allg.*: Installation 2. *von Bad usw.*: Einbau 3. *von Telefon, Fax usw.*: Anschluss 4. *Heiz-, Kühlsystem usw.*: Anlage 5. Amtseinführung

instalment, *AE auch* **installment** [ɪn'stɔːlmənt] 1. (≈ *Teilbetrag*) Rate; *by oder in instalments* in Raten, ratenweise; *first instalment* Anzahlung 2. *von Roman, Film usw.*: Fortsetzung, *TV auch*: Folge

instance ['ɪnstəns] 1. *einzelner*: Fall; *in this instance* in diesem Fall 2. Beispiel; *for instance* zum Beispiel; *as an instance of* als Beispiel für 3. *in the first instance* in erster Linie, zuerst, zunächst

instant[1] ['ɪnstənt] Moment, Augenblick; *in an instant* sofort, augenblicklich; *at this instant* in diesem Augenblick; *I'll be back in an instant* ich bin sofort wieder zurück

instant[2] ['ɪnstənt] sofortig, augenblicklich; *instant camera* Sofortbildkamera; *instant coffee* Pulverkaffee; *instant meal* Fertiggericht, Schnellgericht; *instant replay AE*; *TV*: Wiederholung (*einer Sportszene*)

instantaneous [ˌɪnstən'teɪnɪəs] sofortig, augenblicklich

instantaneously [ˌɪnstən'teɪnɪəslɪ] sofort

instantly ['ɪnstəntlɪ] sofort, augenblicklich

instead [ɪn'sted] 1. *instead of* anstelle von, anstatt, statt; *instead of me* an meiner Stelle; *instead of going to the cinema ...* anstatt ins Kino zu gehen, ... 2. stattdessen, dafür; *if you don't want to keep it, I'll take it instead* wenn du es nicht behalten willst, nehme ich es stattdessen; *we didn't go to Italy, we went to Spain instead* wir sind nicht nach Italien gefahren, stattdessen fuhren wir nach Spanien

instinct ['ɪnstɪŋkt] Instinkt; *by oder from instinct* instinktiv; *survival instinct* Selbsterhaltungstrieb

instinctive [ɪn'stɪŋktɪv] instinktiv

institute ['ɪnstɪtjuːt] *zur Forschung, Lehre usw.*: Institut

institution [ˌɪnstɪ'tjuːʃn] 1. (≈ *Organisation*) Institution, Einrichtung 2. *Heim für Waisen, Senioren, Kranke usw.*: Anstalt

instruct [ɪn'strʌkt] 1. unterrichten, ausbilden, schulen (*in* in) 2. (≈ *in Kenntnis setzen*) informieren, unterrichten 3. instruieren, anweisen; *I've been instructed to wait here* man sagte mir, ich solle hier warten

instruction [ɪn'strʌkʃn] 1. Unterricht 2. Instruktion, Anweisung, *Computer*: Befehl; *instructions for use* Gebrauchsanweisung, Gebrauchsanleitung

instructive [ɪn'strʌktɪv] *Buch, Film usw.*: lehrreich

instructor [ɪn'strʌktə] 1. Lehrer, Ausbilder; *driving instructor* Fahrlehrer; *skiing instructor* Skilehrer 2. *in USA*: Dozent(in)

instrument ['ɪnstrəmənt] 1. *in Musik, Medizin, Technik usw.*: Instrument 2. *in Technik auch*: Messgerät 3. *übertragen*: Werkzeug, Instrument

insufferable [ɪn'sʌfərəbl] *Person, Verhalten*: unerträglich, unausstehlich

insufficient [ˌɪnsə'fɪʃnt] *Versorgung, Mittel usw.*: unzulänglich, ungenügend

insulate ['ɪnsjʊleɪt] *Leitung, Dach usw.*: isolieren

insulation [ˌɪnsjʊ'leɪʃn] *von Leitung, Dach usw.*: Isolation

insult[1] [ɪn'sʌlt] beleidigen; *she feels deeply insulted umg.* sie ist schwer beleidigt

insult[2] ['ɪnsʌlt] Beleidigung (*to* für)

insupportable [ˌɪnsə'pɔːtəbl] unerträglich, unausstehlich

insurance [ɪn'ʃʊərəns] 1. Versicherung; *take out insurance against something* eine Versicherung gegen etwas abschließen; *insurance agent* Versicherungsvertreter(in); *insurance company* Versicherungsgesellschaft 2. *was man erhält*: Versicherungssumme 3. *was man zahlt*: Versicherungsprämie

insure [ɪn'ʃʊə] versichern (*Auto, Haus usw.*) (*against* gegen); *I've insured myself for £75,000* ich habe eine Lebensversicherung über 75 000 Pfund

insurer [ɪn'ʃʊərə] Versicherer, Versicherungsträger(in)

intact [ɪn'tækt] *Paket, Waren usw.*: intakt, unbeschädigt (*auch übertragen*)

intake ['ɪnteɪk] 1. *von Gas, Flüssigkeit usw.*: Aufnahme 2. (*food*) *intake* Nahrungsaufnahme 3. *an Schule, Universität usw.*: (Neu)Aufnahmen *Pl.*, (Neu)Zugänge *Pl.*

integrate ['ɪntɪgreɪt] *in Gruppe, Gesellschaft*: integrieren, eingliedern (*into* in)

integration [ˌɪntɪ'greɪʃn] Integration

intellect ['ɪntəlekt] Intellekt, Verstand

intellectual[1] [ˌɪntə'lektʊəl] 1. *Lektüre, Person usw.*: intellektuell 2. *Interessen, Leistung auch*: geistig, Geistes...; *intellectual property* geistiges Eigentum

intellectual[2] [ˌɪntə'lektʊəl] Intellektuelle(r)

intelligence [ɪn'telɪdʒəns] 1. Intelligenz; *intelligence quotient* Intelligenzquotient; *intelligence test* Intelligenztest 2. *auch intelligence service* Nachrichtendienst, Geheimdienst

intelligent [ɪn'telɪdʒənt] 1. *allg.*: intelligent 2. *Bemerkung, Buch, Film usw.*: geistreich, intelligent

intelligible [ɪn'telɪdʒəbl] verständlich (*to* für)

intend [ɪn'tend] 1. (≈ *etwas wollen*) beabsichtigen, vorhaben; *did you intend that?* hattest du das beabsichtigt?; *that wasn't intended* das war nicht beabsichtigt; *I don't think he intended any harm* ich glaube nicht, dass er das böse gemeint hat **2.** (≈ *etwas tun wollen*) beabsichtigen, vorhaben; *I intend to get up at six* ich habe vor, um sechs aufzustehen

intense [ɪn'tens] **1.** *allg.*: intensiv **2.** *Schmerzen usw.*: heftig, stark **3.** *Ärger, Freude, Interesse usw.*: intensiv, heftig **4.** *Person*: ernsthaft **5.** *Studien*: intensiv

intensify [ɪn'tensɪfaɪ] **1.** (*Ärger, Schmerz, Freude usw.*) zunehmen, sich verstärken **2.** verstärken, intensivieren (*Anstrengungen*)

intensive [ɪn'tensɪv] **1.** *allg.*: intensiv; *be in intensive care im Krankenhaus*: auf der Intensivstation liegen **2.** *Studien, Ausbildung auch*: gründlich, erschöpfend; *intensive course* Intensivkurs

intent[1] [ɪn'tent] Absicht; *do something with intent* etwas absichtlich *oder* mit Absicht tun

intent[2] [ɪn'tent] **1.** *be intent on doing something* fest entschlossen sein, etwas zu tun **2.** *Blick usw.*: durchdringend, gespannt

intention [ɪn'tenʃn] Absicht, Vorsatz (*of doing, to do* zu tun); *with the best of intentions* in bester Absicht; *it wasn't my intention to hurt you* es war nicht meine Absicht, Sie zu verletzen

intentional [ɪn'tenʃnəl] absichtlich, vorsätzlich; *intentionally auch*: mit Absicht

interact [ˌɪntə(r)'ækt] **1.** (*Chemikalien, Ideen usw.*) aufeinander einwirken **2.** (*Personen*) interagieren

interaction [ˌɪntə(r)'ækʃn] **1.** *von Substanzen, Ideen usw.*: Wechselwirkung **2.** *von Personen*: Interaktion

interactive [ˌɪntə(r)'æktɪv] *allg.*: interaktiv (*auch CD-ROM usw.*)

interchange[1] [ˌɪntə'tʃeɪndʒ] *zwei Dinge gegeneinander*: vertauschen, austauschen

interchange[2] ['ɪntətʃeɪndʒ] **1.** Austausch; *interchange of ideas* Gedankenaustausch **2.** *von Straßen*: Kreuzung **3.** *von Autobahnen*: Autobahnkreuz

intercity [ˌɪntə'sɪtɪ] *BE* Intercity...; *intercity (train)* Intercity(zug)

intercom ['ɪntəkɒm] Sprechanlage, Gegensprechanlage

intercontinental [ˌɪntəkɒntɪ'nentl] interkontinental, Interkontinental...; *intercontinental ballistic missile* Interkontinentalrakete

intercourse ['ɪntəkɔːs] **1.** (*sexual*) *intercourse* Geschlechtsverkehr **2.** *soziale Kontakte*: Umgang, Verkehr

interest[1] ['ɪntrəst] **1.** Interesse (*in* an, für); *take oder have an interest in* sich

interessieren für **2.** (≈ *Bedeutung*) Interesse; *be of interest (to)* von Interesse sein (für), interessieren; *of great* (*bzw. little*) *interest* von großer Wichtigkeit (*bzw.* von geringer Bedeutung) **3.** (≈ *Nutzen*) Interesse, Vorteil; *be in someone's interest* in jemandes Interesse liegen; *in your own interest(s)* zu Ihrem eigenen Vorteil **4.** *Finanzwesen*: Zins, Zinsen *Pl.*; *interest rate oder rate of interest* Zinssatz

interest[2] ['ɪntrəst] interessieren (*in* für); *interest someone in something auch*: bei jemandem Interesse für etwas wecken

interested ['ɪntrəstɪd] interessiert (*in* an); *be interested in* sich interessieren für; *I'd be interested to hear your opinion* ich würde gerne Ihre Meinung hören; *we're interested in buying a boat in Geschäft*: wir interessieren uns für ein Boot

interest group ['ɪntrəst ˌgruːp] *Politik*: Interessengruppe

interesting ['ɪntrəstɪŋ] interessant

interface[1] ['ɪntəfeɪs] *Computer*: Interface, Schnittstelle

interface[2] ['ɪntəfeɪs, ˌɪntə'feɪs] zusammenarbeiten (*with* mit)

interfere [ˌɪntə'fɪə] sich einmischen

interference [ˌɪntə'fɪərəns] **1.** Einmischung **2.** *Radio, TV*: Störung

interior[1] [ɪn'tɪərɪə] **1.** *von Haus*: inner..., Innen...; *interior decorator oder designer* Innenarchitekt(in) **2.** *von Land*: Binnen..., inländisch, Inlands...

interior[2] [ɪn'tɪərɪə] **1.** *von Haus*: das Innere, Innenausstattung **2.** *von Land*: Landesinnere **3.** *Department of the Interior USA* Innenministerium

intermediate [ˌɪntə'miːdɪət] *intermediate stage* Zwischenstufe; *intermediate course in Fremdsprache usw.*: Kurs für fortgeschrittene Anfänger

intermission [ˌɪntə'mɪʃn] *allg.*: Pause (*auch in Theater, Film usw.*)

internal [ɪn'tɜːnl] **1.** innere(r, -s), Innen...; *internal injury* innere Verletzung; *internal medicine* innere Medizin; *he was bleeding internally* er hatte innere Blutungen **2.** *von Land*: einheimisch, Inlands...; *internal trade* Binnenhandel; *internal affairs Politik*: innere Angelegenheiten **3.** *von Firma*: betriebsintern **4.** *Internal Revenue Service AE* etwa Finanzamt

international[1] [ˌɪntə'næʃnəl] **1.** international; *international law* Völkerrecht; *International Monetary Fund* Internationaler Währungsfonds **2.** *international* *call* *telefonisch*: Auslandsgespräch; ***international flight*** Auslandsflug

international² [ˌɪntəˈnæʃnəl] **1.** *Sport*: Nationalspieler(in) **2.** *Sportveranstaltung*: Länderkampf, Länderspiel

Internet [ˈɪntəˌnet] Internet; ***on the Internet*** im Internet

Internet access [ˈɪntəˌnet ˈækses] *Computer*: Internetzugang

Internet

Internet, *umg.* **Net**		Internet
bookmark		Textmarke, Lesezeichen
browser		Browser
FAQ [fæk] **(frequently asked question)**		FAQ (häufig gestellte Frage)
home page		Homepage, Startseite (*die jeweils erste Seite einer Web-Adresse*)
ISP [ˌaɪesˈpiː] **(Internet service provider)**		Internet-Provider
netiquette [ˈnetɪket]		Netiquette (*Verhaltensregeln im Internet*)
newsgroup		Newsgruppe
search engine		Suchmaschine
surf		surfen
URL [juːɑːˈ(r)ˈel] **(uniform resource locator)**		„einheitlicher Quellenlokalisierer"
web page		(*einzelne*) Webseite
web site		Website (*Homepage plus alle dazugehörigen Seiten*)
World Wide Web		*das* weltweite Netz

internist [ɪnˈtɜːnɪst] *Medizin*: Internist(in)

interpret [ɪnˈtɜːprɪt] **1.** auslegen, interpretieren (*Aussage, Text usw.*) **2.** dolmetschen (*Sprache*)

interpretation [ɪnˌtɜːprɪˈteɪʃn] *von Text usw.*: Auslegung, Interpretation

interpreter [ɪnˈtɜːprɪtə] Dolmetscher(in)

interrogate [ɪnˈterəgeɪt] (*Polizei*) verhören, vernehmen (*Verdächtigen*)

interrogation [ɪnˌterəˈgeɪʃn] Verhör, Vernehmung

interrupt [ˌɪntəˈrʌpt] **1.** *allg.*: unterbrechen **2.** *auch*: ins Wort fallen (*Redner usw.*); ***don't interrupt!*** unterbrich mich nicht!

interruption [ˌɪntəˈrʌpʃn] Unterbrechung; ***without interruption*** ununterbrochen

intersection [ˌɪntəˈsekʃn] **1.** (*point of*) **in**-

tersection *Geometrie*: Schnittpunkt **2.** *von Straßen*: Straßenkreuzung

interstate [ˌɪntəˈsteɪt] *bes. AE* zwischenstaatlich; ***interstate highway*** *zwischen den Bundesstaaten*: Autobahn

interval [ˈɪntəvl] **1.** *zeitlich oder räumlich*: Abstand **2.** *nur zeitlich auch*: Intervall; ***at regular intervals*** in regelmäßigen Abständen **3.** *BE* Pause (*bes. im Theater usw.*), Unterbrechung **4.** *Musik*: Intervall

intervene [ˌɪntəˈviːn] **1.** *bei Streit usw.*: eingreifen, einschreiten **2.** *bes. politisch*: intervenieren **3.** ***in the intervening months*** *usw.* in den Monaten *usw.* dazwischen **4.** (*Unvorhergesehenes*) dazwischenkommen; ***if nothing intervenes*** wenn nichts dazwischenkommt

intervention [ˌɪntəˈvenʃn] **1.** *bei Streit usw.*: Eingreifen, Einschreiten **2.** *politisch*: Intervention

interview¹ [ˈɪntəvjuː] **1.** Interview; ***give someone an interview*** jemandem ein Interview geben **2.** *für neuen Job*: Vorstellungsgespräch

interview² [ˈɪntəvjuː] **1.** interviewen **2.** ein Einstellungsgespräch führen mit (*Bewerber*)

interviewee [ˌɪntəvjuːˈiː] **1.** *in Zeitung, TV*: Interviewpartner(in) **2.** *in Vorstellungsgespräch*: Bewerber(in) **3.** *bei Meinungsumfrage*: Befragte(r)

interviewer [ˈɪntəvjuːə] Interviewer(in)

intestine [ɪnˈtestɪn] *mst.* ***intestines*** *Pl.* Darm *Sg.*, Gedärme *Pl.*; ***large intestine*** Dickdarm; ***small intestine*** Dünndarm

intimacy [ˈɪntɪməsɪ] **1.** Intimität, Vertrautheit **2.** **intimacies** *Pl.* Vertraulichkeiten *Pl.* (*auch abwertend*) **3.** intime Beziehungen *Pl.*

intimate [ˈɪntɪmət] **1.** *Freund, Freundschaft usw.*: vertraut, eng, intim **2.** *sexuell*: intim **3.** *Atmosphäre eines Raums usw.*: intim, gemütlich **4.** *Kenntnisse*: gründlich, genau

intimidate [ɪnˈtɪmɪdeɪt] *durch Drohungen usw.*: einschüchtern; ***they intimidated me into telling them*** sie schüchterten mich so ein, dass ich es ihnen sagte

intimidation [ɪnˌtɪmɪˈdeɪʃn] Einschüchterung

into [ˈɪntə, *vor Vokalen*: ˈɪntʊ] **1.** *auf die Frage „wohin"*: in, in … hinein; ***we went into the house*** wir gingen ins Haus (hinein); ***the car crashed into the wall*** das Auto krachte gegen die Wand **2.** ***translate into German*** ins Deutsche übersetzen **3.** ***divide 7 into 21*** *Mathematik*: 21 durch 7 teilen **4.** ***be into*** *umg.* stehen auf (*Techno, Computer, Sport usw.*); ***I never really got into lyric poetry*** mit Lyrik konnte ich noch nie so richtig etwas anfangen

intolerable [ɪnˈtɒlərəbl] *Hitze, Schmerz, Verhalten usw.*: unerträglich

intolerance [ɪnˈtɒlərəns] 1. Intoleranz 2. *medizinisch*: Überempfindlichkeit; *food intolerance* Lebensmittelunverträglichkeit

intolerant [ɪnˈtɒlərənt] intolerant (*of* gegenüber); *be intolerant of something* etwas nicht dulden *oder* tolerieren

intoxicant [ɪnˈtɒksɪkənt] Rauschmittel

intoxicate [ɪnˈtɒksɪkeɪt] berauschen

intoxicated [ɪnˈtɒksɪkeɪtɪd] 1. betrunken 2. *von Erfolg usw.*: berauscht (*by* von)

intransitive [ɪnˈtrænsətɪv] *Verb*: intransitiv

intravenous [ˌɪntrəˈviːnəs] *Injektion*: intravenös

in-tray [ˈɪntreɪ] *BE* Ablagekorb für eingehende Post

intrigue[1] [ɪnˈtriːg] 1. *be intrigued by* fasziniert sein von (*Vorschlag, Gedanke usw.*) 2. *um jemandem zu schaden*: intrigieren (*against* gegen)

intrigue[2] [ˈɪntriːg] Intrige

intriguing [ɪnˈtriːgɪŋ] *Idee, Gedanke, Frau*: faszinierend, interessant

introduce [ˌɪntrəˈdjuːs] 1. vorstellen, bekannt machen (*to* mit); *have you been introduced?* wurden Sie einander schon vorgestellt?; *may I introduce myself, ...* darf ich mich vorstellen, ... 2. einführen (*neue Methode, Mode usw.*); *introduce a new dictionary onto the market* ein neues Wörterbuch auf den Markt bringen 3. ankündigen (*Redner, Programm usw.*)

introduction [ˌɪntrəˈdʌkʃn] 1. *von Personen*: Vorstellung 2. *von neuem Produkt*: Einführung 3. *in Buch*: Einleitung, Vorwort

intrude [ɪnˈtruːd] 1. stören (*on someone* jemanden); *are we intruding?* stören wir? 2. sich einmischen (*in, into* in); *intrude into a conversation* sich in eine Unterhaltung einmischen 3. *intrude on someone's privacy* in jemandes Privatsphäre eindringen

intruder [ɪnˈtruːdə] Eindringling

intrusion [ɪnˈtruːʒn] Störung

intrusive [ɪnˈtruːsɪv] aufdringlich

intuition [ˌɪntjuːˈɪʃn] Intuition; *know something by intuition* etwas intuitiv wissen

intuitive [ɪnˈtjuːətɪv] *Person, Handlung, Wissen usw.*: intuitiv

inundate [ˈɪnʌndeɪt] *be inundated* überschwemmt werden (*auch übertragen mit Arbeit usw.*)

invade [ɪnˈveɪd] 1. *in Land*: einfallen in, eindringen in 2. (*Bakterien, Viren*) sich ausbreiten in (*Körper usw.*) 3. (*Touristen usw.*) überschwemmen, heimsuchen (*Ferienort usw.*)

invader [ɪnˈveɪdə] 1. Eindringling 2. *invaders Pl.* Invasoren

invalid[1] [ɪnˈvælɪd] *Vertrag, Fahrkarte usw.*: ungültig

invalid[2] [ˈɪnvəliːd] *Medizin*: Invalide, Körperbehinderte(r)

invaluable [ɪnˈvæljʊəbl] *Schmuck, Hilfe, Rat usw.*: unschätzbar, von unschätzbarem Wert; *be invaluable to someone* für jemanden von unschätzbarem Wert sein

invariable [ɪnˈveərɪəbl] 1. (≈ *festgelegt*) *Wert, Wechselkurs usw.*: unveränderlich 2. (≈ *immer gleich*) *gute Laune, Optimismus usw.*: gleichbleibend

invasion [ɪnˈveɪʒn] Einfall (*of* in), Einmarsch (*of* in), Invasion; *invasion of tourists* Touristeninvasion

invent [ɪnˈvent] 1. (≈ *schaffen*) erfinden (*technisches Gerät usw.*) 2. erfinden, erdichten (*etwas Unwahres*)

invention [ɪnˈvenʃn] Erfindung

inventive [ɪnˈventɪv] 1. *Person*: erfinderisch 2. *Produkt*: einfallsreich

inventor [ɪnˈventə] Erfinder(in)

inverse [ˌɪnˈvɜːs] umgekehrt; *in inverse order* in umgekehrter Reihenfolge

inverted commas [ɪnˌvɜːtɪdˈkɒməz] *Pl.* Anführungszeichen, Schlusszeichen

invest [ɪnˈvest] *Wirtschaft*: investieren, anlegen (*Kapital*)

investigate [ɪnˈvestɪgeɪt] untersuchen (*Verbrechen usw.*), Ermittlungen anstellen; *investigate a case* einen Fall untersuchen; *investigating committee* Untersuchungsausschuss

investigation [ɪnˌvestɪˈgeɪʃn] Untersuchung, Ermittlung; *be under investigation Fall*: untersucht werden; *she's under investigation* gegen sie wird ermittelt

investment [ɪnˈvestmənt] 1. Investition, Kapitalanlage; *investment adviser oder consultant* Anlageberater(in) 2. *angelegtes Geld*: Anlagekapital

investor [ɪnˈvestə] Investor, Kapitalanleger

invigorating [ɪnˈvɪgəreɪtɪŋ] *Luft, Spaziergang*: erfrischend, belebend

invincible [ɪnˈvɪnsəbl] 1. *Sport usw.*: unbesiegbar 2. *übertragen* unüberwindlich

invisible [ɪnˈvɪzəbl] unsichtbar (*to* für)

invitation [ˌɪnvɪˈteɪʃn] 1. Einladung; *at the invitation of* auf Einladung von; *admission by written invitation only* Zutritt nur mit schriftlicher Einladung **2.** *übertragen*; *mst. zu einer Straftat*: Herausforderung, Einladung

invite [ɪn'vaɪt] **1.** einladen; *invite someone to a party* jemanden zu einer Party einladen; *I haven't been invited* man hat mich nicht eingeladen **2.** (≈ *höflich bitten*) auffordern, ersuchen (*to do* zu tun) **3.** *übertragen* herausfordern, einladen; *you're inviting trouble* du wirst Ärger kriegen

in-vitro fertilization [ɪnˌviːtrəʊ_fɜːtəlaɪ'zeɪʃn] künstliche Befruchtung

invoice[1] ['ɪnvɔɪs] *für gelieferte Waren oder Dienstleistungen*: Rechnung

invoice[2] ['ɪnvɔɪs] in Rechnung stellen (*gelieferte Waren, Dienstleistungen*); *invoice someone for something* jemandem etwas in Rechnung stellen

involuntary [ɪn'vɒləntərɪ] *Ausruf, Bewegung, Lächeln usw.*: unwillkürlich

involve [ɪn'vɒlv] **1.** *in Probleme, Geschehen usw.*: verwickeln, hineinziehen (*in* in); *be involved in an accident* in einen Unfall verwickelt werden **2.** *Geschehen*: angehen, betreffen (*Beteiligte*); *the persons involved* die Betroffenen; *this problem involves us all* dieses Problem geht uns alle an **3.** (≈ *zur Folge haben*) mit sich bringen, nach sich ziehen, verbunden sein mit; *my new job involves a lot of overtime* mein neuer Job ist mit einer Menge Überstunden verbunden

inward ['ɪnwəd] **1.** *Richtung*: einwärts, nach innen **2.** *räumlich in etwas*: innere(r,-s), innerlich (*beide auch übertragen*)

inwardly ['ɪnwədlɪ] *übertragen* im Stillen, insgeheim

inwards ['ɪnwədz] *Richtung*: einwärts, nach innen

iodine [△ 'aɪədiːn] *Element*: Jod

IOU [ˌaɪəʊ'juː] (*Abk. für I owe you*) Schuldschein

Iran [ɪ'rɑːn] der Iran

Iraq [ɪ'rɑːk] der Irak

irascible [ɪ'ræsəbl] jähzornig

irate [aɪ'reɪt] *Person, Protest, Brief usw.*: zornig, wütend

Ireland ['aɪələnd] *Insel*: Irland; ☞ *Karte S. 293*

Irish[1] ['aɪrɪʃ] irisch; *Irish coffee* Irish Coffee (*Kaffee mit Sahne und Whisky*)

Irish[2] ['aɪrɪʃ] *Sprache*: Irisch (*Form des Gälischen*)

Irish[3] ['aɪrɪʃ] *the Irish Pl.* die Iren

Irishman ['aɪrɪʃmən] *Pl.*: *Irishmen* ['aɪrɪʃmən] Ire

Irishwoman ['aɪrɪʃˌwʊmən] *Pl.*: *Irishwomen* ['aɪrɪʃˌwɪmɪn] Irin

irksome ['ɜːksəm] *Aufgabe usw.*: lästig

Irish stew

In irischen Pubs wird oft ein **Irish stew** als Gericht angeboten. Das ist eine Art Gulasch aus Lammfleisch, Kartoffeln und Zwiebeln.

iron[1] [△ 'aɪən] **1.** *Metall*: Eisen; *have several irons in the fire* *übertragen* mehrere Eisen im Feuer haben; *strike while the iron is hot* *übertragen* das Eisen schmieden, solange es heiß ist **2.** Bügeleisen

iron[2] [△ 'aɪən] eisern (*auch übertragen*), Eisen...; *Iron Curtain historisch*: Eiserner Vorhang; *iron lung Medizin*: eiserne Lunge

iron[3] [△ 'aɪən] bügeln, ℗ glätten (*Wäsche*)

ironic [aɪ'rɒnɪk], **ironical** [aɪ'rɒnɪkl] *Bemerkung usw.*: ironisch; *he smiled ironically* er lächelte ironisch

irony ['aɪrənɪ] Ironie; *irony of fate* Ironie des Schicksals

irrational [ɪ'ræʃnəl] irrational, unvernünftig

irregular [ɪ'regjʊlə] **1.** *Zeitabstände usw.*: unregelmäßig (*auch Verb-, Steigerungs- und Pluralformen*) **2.** (≈ *unkorrekt*) regelwidrig, unvorschriftsmäßig

irregularity [ɪˌregjʊ'lærətɪ] *allg.*: Unregelmäßigkeit

irrelevant [ɪ'reləvənt] *Bemerkung, Detail, Einwand usw.*: irrelevant, belanglos (*to* für)

irreparable [ɪ'repərəbl] *Schaden*: irreparabel, nicht wiedergutzumachen(d)

irreplaceable [ˌɪrɪ'pleɪsəbl] *Verlust usw.*: unersetzlich

irresistible [ˌɪrɪ'zɪstəbl] *Wunsch, Verlangen, Charme usw.*: unwiderstehlich

irresponsible [ˌɪrɪ'spɒnsəbl] *Handlung, Verhalten*: verantwortungslos, unverantwortlich

irritable ['ɪrɪtəbl] *Person*: reizbar

irritate ['ɪrɪteɪt] (≈ *erbosen*) reizen, (ver)ärgern; *irritated at* (*oder by, with*) verärgert *oder* ärgerlich über (△ *irritieren im Sinne von verwirren* = *confuse*)

irritating ['ɪrɪteɪtɪŋ] *Person, Verhalten*: ärgerlich, störend, lästig

irritation [ˌɪrɪ'teɪʃn] **1.** Ärger (*at* über) **2.** *der Haut usw.*: Reizung

IRS [ˌaɪɑːr'es] (*Abk. für internal revenue service*) *AE etwa*: Finanzamt

is [ɪz] ist (*3. Form Sg. Präsens von → be*)

Islam ['ɪzlɑːm] Islam

Islamic [ɪz'læmɪk] islamisch

island ['aɪlənd] **1.** Insel **2.** *auch traffic is-*

land Verkehrsinsel

islander ['aɪləndə] Inselbewohner(in)

isle [aɪl] *mst. in Namen:* Insel; *the British Isles* die Britischen Inseln

isn't ['ɪznt] *Kurzform von* **is not**

isolate ['aɪsəleɪt] 1. (≈ *trennen*) isolieren, absondern (*from* von) 2. *Medizin, Chemie:* isolieren (*Patient, Substanz*) 3. *the country isolated itself from the world* das Land hat sich von der Welt isoliert *oder* abgeschottet

isolated ['aɪsəleɪtɪd] 1. (≈ *einzeln*) isoliert, abgesondert; *isolated case* Einzelfall 2. *Einöde usw.:* abgelegen, abgeschieden

isolation [,aɪsə'leɪʃn] 1. *allg.:* Isolierung, Absonderung; *isolation ward im Krankenhaus:* Isolierstation 2. Abgeschiedenheit; *live in isolation* zurückgezogen leben

Israel [△ 'ɪzreɪl] Israel

Israeli[1] [△ ɪz'reɪlɪ] israelisch

Israeli[2] [△ ɪz'reɪlɪ] Israeli

issue[1] ['ɪʃuː] 1. Frage, Thema, Problem; *be at issue* zur Debatte stehen; *the point at issue is ...* worum es (eigentlich) geht, ist ...; *make an issue of something* etwas aufbauschen 2. *von Banknoten, Briefmarken usw.:* Ausgabe 3. *von Zeitung:* Ausgabe 4. (≈ *Resultat*) Ergebnis; *force the issue* eine Entscheidung erzwingen

issue[2] ['ɪʃuː] 1. ausgeben (*Banknoten, Briefmarken usw.*) 2. herausgeben (*Zeitung usw.*)

it [ɪt] 1. *allg.:* es 2. *auf schon Genanntes bezogen und je nach Geschlecht:* es, er, ihn, ihm, sie, ihr 3. *bei unklarem Geschlecht:* es; *is it a boy or a girl?* ist es ein Junge oder ein Mädchen? 4. *it's rain-* *ing* es regnet; *oh, it was you* oh, du warst es *oder* das; *who is it?* wer ist da?; *it's me* ich bins 5. *verstärkend:* *it's him you should speak to* du solltest dich an ihn wenden 6. *that's it (then)! umg.; erleichtert:* das hätten wir!; *that's it! umg.; verärgert:* jetzt reichts!, *zustimmend:* genau!

Italian[1] [ɪ'tæljən] italienisch

Italian[2] [ɪ'tæljən] *Sprache:* Italienisch

Italian[3] [ɪ'tæljən] *Person:* Italiener(in)

italics [ɪ'tælɪks] *in italics* kursiv (gedruckt)

Italy ['ɪtəlɪ] Italien

itch[1] [ɪtʃ] 1. *Hautreizung:* Jucken, Juckreiz 2. *übertragen* Drang, Verlangen (*for* nach)

itch[2] [ɪtʃ] 1. *auf der Haut:* jucken, (*Pullover usw. auch*) kratzen 2. *he's itching to try it umg.* es reizt *oder* juckt ihn, es zu versuchen

itchy ['ɪtʃɪ] 1. juckend 2. *Pullover usw.:* kratzig 3. *itchy feet übertragen* Fernweh

item ['aɪtəm] 1. *allg.:* Gegenstand, Ding 2. *auf Tagesordnung usw.:* Punkt 3. *in Katalog:* Artikel 4. *in Zeitung:* Notiz 5. *in Rundfunk, TV:* Nachricht, Meldung

itinerary [aɪ'tɪnrərɪ] Reiseroute

it'll ['ɪtl] *Kurzform von* **it will**

its [ɪts] *je nach Geschlecht:* sein, seine, ihr, ihre

it's [ɪts] *Kurzform von* **it is** *oder* **it has**

itself [ɪt'self] 1. sich; *the dog's scratching itself* der Hund kratzt sich 2. *verstärkend:* selbst; *and now to the problem itself* und nun zum Problem selbst; *by itself* allein, von allein *oder* selbst

I've [aɪv] *Kurzform von* **I have**

ivory ['aɪvərɪ] Elfenbein

ivy ['aɪvɪ] *Pflanze:* Efeu

J

jab[1] [dʒæb], *jabbed, jabbed* 1. *mit Ellbogen usw.:* stoßen (*into* in) 2. *mit Nadel:* stechen (*into* in) 3. *jab at someone* auf jemanden einschlagen *oder mit Messer:* einstechen

jab[2] [dʒæb] 1. *mit Messer, Nadel:* Stich 2. *mit Ellbogen usw.:* Stoß 3. *Boxen:* kurzer Haken 4. *BE, umg.* (≈ *Injektion*) Spritze

jabber ['dʒæbə] (daher)plappern

jabbering ['dʒæbərɪŋ] Geplapper

jack [dʒæk] 1. *Kartenspiel:* Bube; *jack of hearts* Herzbube 2. *Technik:* Hebevorrichtung 3. *für Auto:* Wagenheber

jack up [,dʒæk'ʌp] 1. aufbocken (*Auto*) 2. drastisch erhöhen (*Preise*)

jackdaw ['dʒækdɔː] *Vogel:* Dohle

jacket ['dʒækɪt] 1. Jacke 2. *von Anzug:* Jackett 3. *von Buch:* Schutzumschlag 4.

von Kartoffel: Schale; **potatoes boiled in their jackets** Pellkartoffeln; **jacket potato** (in der Schale) gebackene Kartoffel

jackknife ['dʒæknaɪf] *Pl.*: **jackknives** ['dʒæknaɪvz] Klappmesser

jackpot ['dʒækpɒt] *Poker, Lotto usw.*: Jackpot; **hit the jackpot** *umg.* den Jackpot knacken, *übertragen* das große Los ziehen

Jacuzzi® [dʒə'ku:zɪ] Whirlpool

jaded ['dʒeɪdɪd] 1. *körperlich*: erschöpft, ermattet 2. *geistig*: abgestumpft, übersättigt

jagged ['dʒægɪd] 1. *Felsen*: gezackt, zackig 2. *Steilküste*: zerklüftet

jaguar ['dʒægjʊə] *Raubtier*: Jaguar

jail¹ [dʒeɪl] Gefängnis; **in jail** im Gefängnis; **be sent to jail** eingesperrt werden

jail² [dʒeɪl] einsperren

jailbird ['dʒeɪlbɜːd] *umg.* Knastbruder, Knacki

jam¹ [dʒæm] Marmelade, Konfitüre

jam² [dʒæm], **jammed, jammed** 1. *in Koffer, Schrank usw.*: hineinstopfen, hineinzwängen (**into** in) 2. *in Tür usw.*: einklemmen, quetschen (*Finger usw.*) (**between** zwischen) 3. blockieren, verstopfen; **thousands of football fans jammed the streets** Tausende von Fußballfans drängten sich auf den Straßen 4. (*Bremse, Rad*) blockieren 5. (*Tür, Verschluss usw.*) klemmen

jam³ [dʒæm] 1. *auf Straßen, Gängen usw.*: Verstopfung, Stau; **traffic jam** Verkehrsstau 2. *von Menschen*: Gedränge 3. *umg.* Klemme; **be in a jam** in der Klemme stecken

jam-packed [,dʒæm'pækt] *umg.* 1. vollgestopft (**with** mit) 2. *Stadion usw.*: bis auf den letzten Platz besetzt

jangle ['dʒæŋgl] 1. (*Münzen usw.*) klimpern 2. klimpern mit (*Münzen usw.*)

January ['dʒænjʊərɪ] Januar, Ⓐ Jänner; **in January** im Januar

Japan [△ dʒə'pæn] Japan

Japanese¹ [,dʒæpə'ni:z] japanisch

Japanese² [,dʒæpə'ni:z] *Sprache*: Japanisch

Japanese³ [,dʒæpə'ni:z] Japaner(in)

jar [dʒɑː] 1. *aus Glas, Ton, Stein*: Gefäß, Krug 2. *für Marmelade*: Glas

jargon ['dʒɑːgən] Jargon, *umg.* Fachchinesisch

jaundice ['dʒɔːndɪs] *Medizin*: Gelbsucht

jaunt¹ [dʒɔːnt] Ausflug, *mit Auto*: Spritztour

jaunt² [dʒɔːnt] einen Ausflug *oder* eine Spritztour machen

javelin ['dʒævlɪn] *Leichtathletik*: Speer;

javelin thrower Speerwerfer(in)

jaw [dʒɔː] *Knochen*: Kiefer; **lower** (*bzw.* **upper**) **jaw** Unterkiefer (*bzw.* Oberkiefer)

jaws [dʒɔːz] *Pl., von Krokodil, Hai usw.*: Maul, Rachen

jay [dʒeɪ] *Vogel*: Eichelhäher

jaywalking ['dʒeɪ,wɔːkɪŋ] *von Fußgänger*: unachtsames Überqueren einer Straße

jazz [dʒæz] 1. *Musikrichtung*: Jazz 2. ... **and all that jazz** *umg.* ... und all das Zeug(s)

---

jazz up [,dʒæz'ʌp] 1. *Musik*: verjazzen 2. *umg.* Schwung bringen in, aufpeppen (*Party, Zimmer usw.*)

---

jazzy ['dʒæzɪ] 1. jazzartig 2. *umg.*; *Farben*: knallig, *auch Kleidung usw.*: poppig

jealous [△ 'dʒeləs] 1. *Partner, Kind*: eifersüchtig (**of** auf) 2. *wegen jemandes Erfolg, Besitz usw.*: neidisch (**of** auf); **be jealous of someone's success** jemandem seinen Erfolg missgönnen

jealousy [△ 'dʒeləsɪ] 1. Eifersucht 2. (≈ *Missgunst*) Neid

jeans [dʒiːnz] *Pl.* Jeans *Pl.*

jeer¹ [dʒɪə] 1. höhnische Bemerkungen machen (**at** über) 2. johlen 3. höhnisch lachen (**at** über)

jeer² [dʒɪə] 1. höhnische Bemerkung 2. **jeers** *Pl.* Johlen 3. **jeers** *Pl.* Hohngelächter

jeering¹ ['dʒɪərɪŋ] höhnisch

jeering² ['dʒɪərɪŋ] 1. Johlen 2. Hohngelächter

jellied ['dʒelɪd] **jellied eel** Aal in Aspik

jelly ['dʒelɪ] 1. *BE, Süßspeise*: Wackelpudding 2. *BE, oft mit Fleisch, Wurst usw.*: Aspik, Sülze 3. *BE, aus Saft gekocht*: Gelee 4. *AE* Marmelade

jelly baby ['dʒelɪ,beɪbɪ] *BE* Gummibärchen

jellyfish ['dʒelɪfɪʃ] *Meerestier*: Qualle

jeopardize [△ 'dʒepədaɪz] gefährden, in Gefahr bringen (*Arbeitsplatz, Beziehung, Erfolg usw.*)

jeopardy [△ 'dʒepədɪ] Gefahr; **put in jeopardy** gefährden, in Gefahr bringen (*Arbeitsplatz, Beziehung, Erfolg usw.*)

jerk¹ [dʒɜːk] 1. *plötzliche Bewegung*: Ruck; **by jerks** ruckweise; **give a jerk** (*Auto usw.*) rucken, einen Satz machen 2. *krampfartige Bewegung*: Zuckung 3. *umg.* Blödmann, Trottel

jerk² [dʒɜːk] 1. *an Seil usw.*: ruckartig ziehen; **jerk oneself free** sich losreißen 2. (*Auto, Zug usw.*) rucken, sich ruckartig bewegen; **jerk to a stop** ruckweise *oder* mit einem Ruck stehen bleiben 3. (*Kör-*

per, Muskeln) zucken, zusammenzucken

jerky ['dʒɜːkɪ] **1.** *Bewegung*: ruckartig **2.** *Sprechweise*: abgehackt **3.** *Fahrweise*: ruckweise, holprig

jersey ['dʒɜːzɪ] **1.** Pullover **2.** *Sport*: Trikot, Ⓐ, ⒸⒽ Leibchen, Ⓐ *auch*: Leiberl **3.** *Stoff*: Jersey

jest [dʒest] *in jest* im *oder* zum Scherz

jet[1] [dʒet] **1.** *Flugzeug*: Jet, Düsenflugzeug **2.** *aus Wasser, Gas usw.*: Strahl **3.** *Ausströmöffnung*: Düse

jet[2] [dʒet], *jetted, jetted* **1.** *umg.* jetten **2.** *(Wasser)* herausschießen, hervorschießen (*from* aus) **3.** *(Gas)* ausströmen (*from* aus)

jet fighter ['dʒet,faɪtə] Düsenjäger

jet lag ['dʒet‿læg] Jetlag *(Störung des gewohnten Alltagsrhythmus durch die Zeitverschiebung bei Langstreckenflügen)*

jet plane ['dʒet‿pleɪn] Düsenflugzeug

jet set ['dʒet‿set] *umg.* Jetset

jetsetter ['dʒetsetə] *umg.* Angehörige(r) des Jetset

jetty ['dʒetɪ] **1.** *zum Schutz vor Wellen*: Hafendamm, Mole **2.** *für Schiffe*: Landungsbrücke, *kleiner*: Landungssteg

Jew [dʒuː] Jude, Jüdin (△ *Jew* wirkt heute oft beleidigend; *man sagt eher Jewish person, bzw. he's Jewish, she's Jewish usw.*)

jewel ['dʒuːəl] **1.** *Schmuckstück*: Edelstein, Juwel *(auch übertragen)* **2.** *von Uhrwerk*: Stein

jeweller ['dʒuːələ] Juwelier(in)

jewellery, *AE* **jewelry** ['dʒuːəlrɪ] Schmuck, Juwelen *Pl.*; *piece of jewellery* Schmuckstück

Jewish ['dʒuːɪʃ] jüdisch, Juden…

jiffy ['dʒɪfɪ] *umg.* Augenblick; *in a jiffy* im Nu, im Handumdrehen

jigsaw ['dʒɪgsɔː], *jigsaw puzzle* ['dʒɪgsɔː‿pʌzl] Puzzle(spiel)

jingle[1] ['dʒɪŋgl] **1.** *(Münzen usw.)* klimpern **2.** *(Glocke usw.)* bimmeln **3.** klimpern mit *(Münzen, Schlüssel)* **4.** bimmeln lassen *(Glocke)*

jingle[2] ['dʒɪŋgl] **1.** *von Schlüsseln, Münzen usw.*: Klimpern **2.** *von Glocken*: Bimmeln **3.** *in Radio- und TV-Werbung usw.*: Jingle

jinx [dʒɪŋks] *put a jinx on something umg.* etwas verhexen

jinxed [dʒɪŋkst] verhext

jitters ['dʒɪtəz] *Pl. umg.*; *vor Prüfung usw.*: Bammel, Heidenangst (*about* vor); *have the jitters* Schiss *oder* Bammel haben

jittery ['dʒɪtərɪ] *umg.* furchtbar nervös

job [dʒɒb] **1.** *(≈ berufliche Tätigkeit)* Stelle, Arbeit, Arbeitsplatz, *umg.* Job; *I'm*

out of a job ich bin arbeitslos; *know one's job übertragen* seine Sache verstehen **2.** *(≈ Einzelprojekt usw.)* (einzelne) Arbeit; *I have four different jobs to do umg.* ich hab vier verschiedene Sachen am Hals; *make a good (bzw. bad) job of something* gute *(bzw.* schlechte) Arbeit leisten, seine Sache gut *(bzw.* schlecht) machen; *odd jobs* Gelegenheitsarbeiten **3.** Aufgabe, Pflicht; *that's not your job* das ist nicht deine Aufgabe *oder* Sache **4.** *Computer*: Job **5.** *umg.* Sache, Angelegenheit; *make the best of a bad job* das Beste daraus machen **6.** *umg.* *(≈ Straftat)* Ding, krumme Sache **7.** *do a big (bzw. little) job Kindersprache*: ein großes *(bzw.* kleines) Geschäft machen **8.** *good job! umg.* gut gemacht!

jobber ['dʒɒbə] *umg.* Gelegenheitsarbeiter(in), Jobber(in)

job centre ['dʒɒb,sentə] *BE* Arbeitsvermittlung

job creation ['dʒɒb‿kriːˌeɪʃn] Schaffung von Arbeitsplätzen

jobhunt ['dʒɒbhʌnt] *be (bzw. go) jobhunting* auf Arbeitssuche sein *(bzw.* gehen)

jobhunter ['dʒɒb,hʌntə] Arbeitssuchende(r)

job interview ['dʒɒb,ɪntəvjuː] Vorstellungsgespräch

jobless ['dʒɒbləs] arbeitslos

job-seeker ['dʒɒb,siːkə] *BE* Arbeitssuchende(r)

Jobseeker's Allowance ['dʒɒbsiːkəz əˈlaʊəns] *BE* Arbeitslosengeld

job-sharing ['dʒɒb,ʃeərɪŋ] Jobsharing, Arbeitsplatzteilung

jockey ['dʒɒkɪ] *Pferderennsport*: Jockey

jog[1] [dʒɒg], *jogged, jogged* **1.** *(≈ dauerlaufen)* joggen **2.** anstoßen, stupsen *(Person)*; *jog someone's memory übertragen* jemandes Gedächtnis nachhelfen **3.** stoßen an *oder* gegen *(Gegenstand)*

jog[2] [dʒɒg] **1.** *Sport*: Trimmtrab; *go for a jog* joggen gehen **2.** Stoß, Stups

jogger ['dʒɒgə] *Sport*: Jogger(in)

jogging ['dʒɒgɪŋ] *Sport*: Joggen, Jogging

john [dʒɒn] *bes. AE*, salopp Klo

join [dʒɔɪn] **1.** verbinden, zusammenfügen *(Einzelteile)* **2.** *(Personen)* sich anschließen, hinzustoßen; *I'll join you later* ich komme später nach; *may I join you?* darf ich mich dazusetzen?, *bei Spiel usw.*: darf ich mitmachen?; *come and join us!* komm und setz dich zu uns! **3.** *(≈ Mitglied werden)* eintreten in *(Partei, Verein usw.)*; *join the army* zur Armee gehen; *join a party* in eine Partei eintreten **4.** *(Straße, Fluss)* einmünden in

join in [ˌdʒɔɪn'ɪn] *an Spiel usw.*: sich beteiligen, mitmachen

join up [ˌdʒɔɪn'ʌp] zum Militär gehen, Soldat werden

joiner ['dʒɔɪnə] Tischler, Schreiner

joint¹ [dʒɔɪnt] **1.** *von Knochen*: Gelenk **2.** *BE, zum Essen*: Braten; **chicken joints** Hähnchenteile **3.** *von Teilen*: Verbindungsstelle, *bes. geschweißt*: Lötnaht, Nahtstelle **4.** *von Rohrleitung*: Verbindungsstück **5.** *umg.; Lokal, Geschäft usw.*: Laden, Bude **6.** *umg.* (≈ *Haschischzigarette*) Joint

joint² [dʒɔɪnt] *Aktion, Anstrengung usw.*: gemeinsam, gemeinschaftlich; **take joint action** gemeinsam vorgehen; **joint venture** *Wirtschaft*: Gemeinschaftsunternehmen, Joint Venture

joke¹ [dʒəʊk] **1.** *erzählt*: Witz; **crack jokes** Witze reißen **2.** (≈ *Jux*) Scherz, Spaß; **that's going beyond a joke** das ist kein Spaß mehr, das ist nicht mehr lustig; **he can't take a joke** er versteht keinen Spaß **3.** *mst.* **practical joke** Streich; **play a joke on someone** jemandem einen Streich spielen

joke² [dʒəʊk] scherzen, Witze machen (*about* über); **I'm only joking** ich mache nur Spaß; **I'm not joking** ich meine das ernst; **you must be joking** *oder* **are you joking?** das ist doch nicht dein Ernst!

joker ['dʒəʊkə] **1.** *Person*: Spaßvogel, Witzbold **2.** *Spielkarte*: Joker

jolly ['dʒɒlɪ] **1.** *Person, Charakter, Lachen usw.*: lustig, fröhlich, vergnügt **2.** *BE, umg.* ganz schön, ziemlich; **jolly good!** prima!

jolt¹ [dʒəʊlt] **1.** (*Fahrzeug*) einen Ruck machen, holpern **2.** (*Fahrzeug*) durchrütteln (*Passagiere*) **3.** *übertragen* einen Schock versetzen

jolt² [dʒəʊlt] **1.** Ruck, Stoß **2.** Schock; **give someone a jolt** jemandem einen Schock versetzen

Jordan ['dʒɔːdn] **1.** Jordanien **2.** *Fluss*: Jordan

joss stick ['dʒɒs ˌstɪk] Räucherstäbchen

jostle [△ 'dʒɒsl] **1.** anrempeln **2.** (sich) drängeln (*durch die Menge usw.*)

jot [dʒɒt] **not a jot of truth** kein Funke *oder* Körnchen Wahrheit

jotter ['dʒɒtə] *BE* Notizbuch, Notizblock

joule [dʒuːl] *physikalische Einheit*: Joule

journal ['dʒɜːnl] Journal, Zeitschrift

journalism ['dʒɜːnəlɪzm] Journalismus

journalist ['dʒɜːnəlɪst] Journalist(in)

journey ['dʒɜːnɪ] **1.** *bes. über Land*: Reise, *im Auto, Zug*: Fahrt; **a bus journey** eine Busfahrt; **the journey home** die Heimreise **2.** (≈ *Distanz*) Reise, Entfernung; **it's a two-day journey** die Reise dauert zwei Tage

joy [dʒɔɪ] **1.** Freude (*at* über, *in* an); **cry for joy** vor Freude weinen; **tears of joy** Freudentränen; **to my great joy** zu meiner großen Freude **2.** *BE, umg.* Erfolg; **I didn't have any joy** ich hatte keinen Erfolg

joyride ['dʒɔɪraɪd] *umg.* Spritztour (*bes. in einem gestohlenen Wagen*), ⓐ Strolchenfahrt; **go joyriding** ein Auto stehlen und damit eine Spritztour machen

joystick ['dʒɔɪstɪk] *umg.* **1.** *im Flugzeug*: Steuerknüppel **2.** *Computer*: Joystick

jubilee ['dʒuːbɪliː] Jubiläum

judge¹ [dʒʌdʒ] **1.** *in der Rechtsprechung*: Richter(in) **2.** *in bestimmten Sportarten*: Punktrichter(in), Kampfrichter(in) **3.** *bei Wettbewerb*: Preisrichter(in) **4.** Kenner(in); **a (good) judge of wine** ein(e) Weinkenner(in)

judge² [dʒʌdʒ] **1.** beurteilen, einschätzen (*by* nach); **judge by appearances** nach dem Äußeren urteilen; **as far as I can judge** soweit ich es beurteilen kann **2.** *bei Wettbewerb usw.*: als Preisrichter fungieren **3.** *vor Gericht*: verhandeln (*Fall*)

judgement, judgment ['dʒʌdʒmənt] **1.** *vor Gericht*: Urteil; **pass judgement** das Urteil fällen **2.** *kritischer Verstand*: Urteilsvermögen; **against one's better judgement** wider bessere Einsicht **3.** (≈ *Auffassung*) Meinung, Ansicht, Urteil; **in my judgement** meines Erachtens; **make a (final) judgement on** sich ein (abschließendes *oder* endgültiges) Urteil bilden über **4.** *Religion*: göttliches Gericht; **the Last Judgement** das Jüngste Gericht; **the Day of Judgement** *oder* **Judgement Day** der Jüngste Tag

jug [dʒʌg] **1.** *ohne Deckel*: Krug **2.** *mit Deckel*: Kanne **3.** *kleiner*: Kännchen

juggle ['dʒʌgl] **1.** (*Artist*) jonglieren (mit) **2.** *übertragen* jonglieren (*with* mit) (*Fakten, Worten, Zahlen usw.*)

juggler ['dʒʌglə] *Artist*: Jongleur(in)

juice [dʒuːs] **1.** *aus Früchten usw.*: Saft; **let someone stew in his** *oder* **her own juice** *umg.* jemanden im eigenen Saft schmoren lassen **2.** *umg.* (≈ *Energie*) Saft **3.** *umg.* (≈ *Benzin*) Sprit

juicy ['dʒuːsɪ] **1.** *Obst, Fleisch usw.*: saftig **2.** *umg.; Gewinn, Profit*: saftig **3.** *Geschichte, Affäre usw.*: schlüpfrig, pikant

juke-box ['dʒuːkbɒks] Musikbox, Jukebox, Musikautomat

July [dʒuˈlaɪ] Juli; **in July** im Juli

jumble¹ ['dʒʌmbl] **1.** *auch* **jumble together** *oder* **up** durcheinanderwerfen (*Sa-*

chen) **2.** durcheinanderbringen (*Fakten usw.*)

Fourth of July

Der **Fourth of July** ist in den USA ein wichtiger Feiertag: Am 4. Juli 1776 wurde die Unabhängigkeitserklärung der 13 amerikanischen Kolonien von der britischen Herrschaft unterzeichnet. Zu den Feierlichkeiten an diesem Gedenktag gehören Umzüge, Grillpartys und ein Feuerwerk. Offiziell heißt der 4. Juli **Independence Day** (Unabhängigkeittag).

jumble[2] ['dʒʌmbl] Durcheinander
jumble sale ['dʒʌmbl̩_seɪl] *BE* Wohltätigkeitsbasar
jumbo (**jet**) ['dʒʌmbəʊ(_dʒet)] Jumbo(-jet)
jump[1] [dʒʌmp] **1.** Sprung; *be one jump ahead of someone übertragen* jemandem einen Schritt voraus sein **2.** *Sport*: Sprung, Hindernis **3.** *von Preisen*: sprunghafter Anstieg
jump[2] [dʒʌmp] **1.** *allg.*: springen; *jump to one's feet* aufspringen; *jump for joy* Freudensprünge machen **2.** springen über (*Hindernis*) **3.** *vor Schreck usw.*: zusammenzucken (*at* bei) **4.** *übertragen* abrupt übergehen (*to* zu) (*zu neuem Thema usw.*) **5.** *übertragen* überspringen, auslassen (*Textstelle*) *usw.* **6.** *jump the gun Sport*: einen Fehlstart verursachen, *übertragen* voreilig sein *oder* handeln **7.** *jump the queue BE* sich vordrängen

> **jump about** [ˌdʒʌmp_ə'baʊt] herumspringen, herumhüpfen
> **jump at** ['dʒʌmp_ət] sich stürzen auf, beim Schopf ergreifen (*Angebot, Chance, Gelegenheit usw.*)
> **jump off** [ˌdʒʌmp'ɒf] **1.** *aus stehendem Bus usw.*: aussteigen **2.** *von fahrendem Bus usw.*: abspringen
> **jump on** [ˌdʒʌmp'ɒn] **1.** *in stehenden Bus usw.*: einsteigen **2.** *auf fahrenden Bus usw.*: aufspringen **3.** (≈ *anbrüllen*) anfahren (*Person*)
> **jump out** [ˌdʒʌmp'aʊt] hinausspringen, heraussprringen; *jump out of one's skin übertragen* erschreckt zusammenfahren
> **jump up** [ˌdʒʌmp'ʌp] **1.** *von Boden, Stuhl usw.*: hochspringen, aufspringen **2.** hinaufspringen (*Treppe usw.*)

jump ball ['dʒʌmp_bɔːl] *Basketball*: Sprungball, Jump

jumper ['dʒʌmpə] *bes. BE* Pullover
jump leads ['dʒʌmp_liːdz] *Pl., BE* Starthilfekabel
jumpsuit ['dʒʌmpsuːt] Overall
jumpy ['dʒʌmpɪ] *Person*: nervös, schreckhaft
junction ['dʒʌŋkʃn] **1.** *von Straßen*: Kreuzung, Einmündung **2.** *von Autobahn*: Anschlussstelle
juncture ['dʒʌŋktʃə] *at this juncture* zu diesem Zeitpunkt
June [dʒuːn] Juni; *in June* im Juni
jungle ['dʒʌŋgl] Dschungel (*auch übertragen*)
junior[1] ['dʒuːnɪə] **1.** *als Namenszusatz*: junior **2.** *in Rang*: untergeordnet; *junior partner Wirtschaft*: Juniorpartner **3.** *junior or school in GB*: Grundschule (*für Kinder von 7-11*) **4.** *Sport*: Junioren...
junior[2] ['dʒuːnɪə] **1.** Jüngere(r); *he's my junior by two years oder he is two years my junior* er ist 2 Jahre jünger als ich **2.** *Sport*: Junior(in)
junk [dʒʌŋk] **1.** (≈ *wertloses Zeug*) Trödel, Ramsch **2.** (≈ *Müll*) Gerümpel, Abfall **3.** *abwertend*; *Film, Buch usw.*: Schund, Mist **4.** *umg.* Stoff, *bes.* Heroin
junk food ['dʒʌŋk_fuːd] ungesundes Essen (*Fastfood usw.*)
junkie ['dʒʌŋkɪ] *umg.* **1.** Fixer(in), Junkie **2.** *in Zusammensetzungen*: Freak; *TV junkie* Fernsehfreak
junk mail ['dʒʌŋk_meɪl] *im Briefkasten*: Reklame, Reklamesendungen
junkyard ['dʒʌŋkjɑːd] *bes. AE* **1.** Schuttabladeplatz **2.** *für Metall*: Schrottplatz
jury ['dʒʊərɪ] **1.** *the jury vor Gericht*: die Geschworenen **2.** *in Wettbewerb*: Jury **3.** *Sport*: Schiedsgericht, Kampfgericht
just[1] [dʒʌst] **1.** *Person, Entscheidung*: gerecht (*to* gegen) **2.** *Strafe, Belohnung usw.*: gerecht, angemessen; *it was only just* es war nur recht und billig **3.** *Anspruch usw.*: rechtmäßig
just[2] [dʒʌst] **1.** *jetzt oder unmittelbar vorher*: gerade, gerade eben, (so)eben; *he's just left* er ist gerade gegangen; *just now* gerade eben, gerade jetzt; *just as* gerade als **2.** (≈ *exakt*) gerade, genau, eben; *it's just 5 o'clock* es ist genau fünf Uhr; *that's just like you* das sieht dir ähnlich **3.** gerade noch; *I arrived just in time* ich kam gerade noch pünktlich **4.** nur, lediglich, bloß; *just the three of us* nur wir drei; *just in case* für alle Fälle **5.** *just about* ungefähr, in etwa; *dinner's just about ready* das Essen ist so gut wie fertig
justice ['dʒʌstɪs] **1.** *moralisch*: Gerechtigkeit, Rechtmäßigkeit **2.** *Recht*: Gerech-

tigkeit, Recht; *bring to justice* vor den Richter bringen; *administer justice* Recht sprechen 3. *Titel:* Richter; *Mr Justice Miller* Richter Miller
justifiable ['dʒʌstɪfaɪəbl] *Freude, Stolz, Ärger usw.:* berechtigt, gerechtfertigt
justification [,dʒʌstɪfɪ'keɪʃn] Rechtfertigung; *in justification of* zur Rechtfertigung von
justify ['dʒʌstɪfaɪ] rechtfertigen (*Entscheidung, Handlung usw.*)
justly ['dʒʌstlɪ] mit Recht, zu Recht
juvenile ['dʒuːvənaɪl] jugendlich, Jugend...; *juvenile delinquency* Jugendkriminalität

K

In Geschäftsberichten sowie Stellenanzeigen und dergleichen erscheint oft die Abkürzung **K** hinter einer Geldangabe, etwa **£30K, £206K. K** ist hier die Abkürzung von **kilo** in der Bedeutung „tausend". Bei einer Stellenannonce, die z. B. ein Jahresgehalt von **£44K** nennt, handelt es sich also um 44.000 Pfund.

kangaroo [,kæŋgə'ruː] Känguru
kaput [kə'pʊt] *umg.* kaputt
karate [kə'rɑːtɪ] Karate; *karate chop* Karateschlag
kayak ['kaɪæk] *Boot:* Kajak
Kazakhstan [,kæzæk'stɑːn] Kasachstan
keel [kiːl] *von Boot, Schiff:* Kiel

keel over [,kiːl'əʊvə] 1. (*Boot usw.*) umschlagen, kentern 2. (*Person*) umkippen, umfallen

keen [kiːn] 1. *Gefühl:* heftig, stark; *keen interest* starkes *oder* lebhaftes Interesse 2. *Sportler, Kartenspieler, Fan usw.:* begeistert, leidenschaftlich 3. *be keen on something* von etwas begeistert sein, etwas sehr gern mögen; *be keen to do something* etwas unbedingt tun wollen; *I'm keen on (playing) tennis* ich spiele leidenschaftlich gern Tennis 4. *Verstand, Sinne, Intellekt usw.:* scharf
keep¹ [kiːp] [kept], *kept* [kept] 1. behalten (*Geschenk usw.*); *may I keep this?* darf ich das behalten?; *keep the change* von Wechselgeld: der Rest ist für Sie 2. *in einem bestimmten Zustand belassen:* lassen, halten; *keep the door shut* die Tür geschlossen halten; *keep something a secret* etwas geheim halten (*from* vor); *keep in sight* in Sicht-

weite bleiben; *keep still* still halten; *keep quiet* still sein 3. (≈ *behelligen*) aufhalten; *don't let me keep you* lass dich nicht aufhalten; *what kept you?* wo warst du so lang?, wo bleibst du denn? 4. (≈ *verwahren*) aufheben, aufbewahren; *where do you keep your cups?* wo sind die Tassen?; *can you keep a secret?* kannst du schweigen? 5. haben, betreiben (*Laden, Lokal, Hotel usw.*) 6. halten (*Wort, Versprechen*) 7. ernähren; *have a family to keep* eine Familie ernähren müssen 8. *mit -ing-Form:* *keep smiling!* immer nur lächeln!; *keep going!* mach weiter!; *keep someone waiting* jemanden warten lassen

keep at [,kiːp'æt] weitermachen mit (*Arbeit usw.*); *keep 'at it!* mach weiter so!
keep away [,kiːp_ə'weɪ] 1. (*Person*) wegbleiben, sich fernhalten (*from* von) 2. fernhalten (*from* von); *keep the cat away from me!* *umg.* halt mir die Katze vom Leib!
keep back [,kiːp'bæk] 1. zurückhalten (*Person*) 2. einbehalten (*Lohn usw.*) 3. unterdrücken (*Tränen usw.*) 4. verschweigen (*Fakten, Informationen usw.*)
keep down [,kiːp'daʊn] 1. niedrig halten (*Kosten usw.*) 2. unter Kontrolle halten, unterdrücken (*Volk, Gefühle usw.*) 3. bei sich behalten (*Arznei, Nahrung usw.*)
keep from ['kiːp_frəm] 1. abhalten von (*Person*); *keep someone from doing something* jemanden davon abhalten, etwas zu tun 2. vorenthalten, verschweigen (*Nachricht, Tatsache usw.*) 3. *I could hardly keep (myself) from laughing* ich konnte mir kaum das La-

chen verkneifen

keep in [ˌkiːpˈɪn] 1. *aus Haus*, *Wohnung*: nicht heraus- *oder* hinauslassen 2. *Schule*: nachsitzen lassen

keep off [ˌkiːpˈɒf] 1. *keep off (the grass)*! Betreten (des Rasens) verboten! 2. fernhalten; *keep your hands off!* Hände weg!

keep on [ˌkiːpˈɒn] 1. anbehalten, anlassen (*Kleidungsstück*) 2. *keep on doing something* mit etwas weitermachen, *wiederholt*: etwas immer wieder machen; *keep on trying!* versuche es weiter! 3. *if she keeps on like this ...* wenn sie so weitermacht, ...

keep out [ˌkiːpˈaʊt] 1. nicht hinein- *oder* hereinlassen (*Person, Tier usw.*) 2. (*Person*) draußen bleiben; *keep out!* Zutritt verboten!

keep out of [ˌkiːpˈaʊt_əv] sich heraushalten aus (*Gefahren, Ärger, Streit usw.*); *keep out of sight* sich nicht blicken lassen

keep to [ˈkiːp_tʊ] 1. *räumlich*: bleiben; *keep to the left* (*bzw.* *right*) sich links (*bzw.* rechts) halten 2. *übertragen* festhalten an, bleiben bei (*Meinung usw.*) 3. *keep something to a oder the minimum* etwas auf ein Minimum beschränken 4. *keep something to oneself* etwas für sich behalten

keep up [ˌkiːpˈʌp] 1. aufrechterhalten (*Brauch, Gewohnheit usw.*) 2. halten (*Tempo*) 3. auf hohem Niveau halten (*Preise usw.*)

keep up with [ˌkiːpˈʌp_wɪð] *in Rennen usw.*: mithalten, Schritt halten mit (*auch übertragen*); *keep up with the Joneses* den Nachbarn nicht nachstehen, mit den Nachbarn mithalten

keep² [kiːp] Lebensunterhalt; *earn one's keep* seinen Lebensunterhalt verdienen

keeper [ˈkiːpə] 1. *im Zoo usw.*: Wächter, Aufseher 2. *im Zoo auch*: Tierpfleger(in) 3. *umg.*; *Sport*: Torwart 4. *mst. in Zusammensetzungen*: Inhaber(in), Besitzer(in); *shopkeeper* Geschäftsinhaber(in)

keep-fit [ˌkiːpˈfɪt] *auch* **keep-fit exercises** *Pl.*, *BE* Gymnastik

keeps [kiːps] *Pl.* *for keeps umg.* für *oder* auf immer, endgültig; *it's yours for keeps* du kannst *oder* darfst es behalten

keepsake [ˈkiːpseɪk] *kleiner Gegenstand*: Andenken

keg [keg] Fässchen

kennel [ˈkenl] 1. Hundehütte 2. *kennels Sg.* Hundezwinger 3. *kennels Sg.* (≈ *Hundepension*) Hundeheim

Kenya [ˈkenjə] Kenia

kept [kept] 2. *und 3. Form von* → *keep¹*

kerb [kɜːb], **kerbstone** [ˈkɜːbstəʊn] *BE* Bordstein, Randstein

kettle [ˈketl] 1. Wasserkessel, Teekessel; *I'll put the kettle on* ich setze das Wasser auf 2. *a pretty oder fine kettle of fish ironisch* eine schöne Bescherung 3. *that's a different kettle of fish* das ist etwas ganz anderes

key¹ [kiː] 1. *für ein Schloss*: Schlüssel 2. (≈ *Lösung*) Schlüssel; *the key to success* der Schlüssel zum Erfolg 3. *von Klavier, Computer*: Taste 4. *Musik*: Tonart; *sing off oder out of key* falsch singen

key² [kiː] wichtigste(r); *key position* Schlüsselposition; *the key question* die zentrale Frage

key³ [kiː] *auch key in Computer*: eingeben (*Daten*)

keyboard [ˈkiːbɔːd] 1. *von Klavier, Orgel, Computer usw.*: Tastatur 2. *auch keyboards Musik*: Keyboards (*elektronisch verstärkte Tasteninstrumente*)

keyhole [ˈkiːhəʊl] Schlüsselloch

keypad [ˈkiːˌpæd] *von Computer, Telefon, Taschenrechner*: Tastenfeld

keypal [ˈkiːpæl] *jemand, mit dem man regelmäßig E-Mails austauscht*

kick¹ [kɪk] 1. *mit dem Fuß*: Tritt, Stoß; *give someone a kick* jemandem einen Tritt geben, jemanden treten 2. *Fußball*: Schuss; *free kick* Freistoß 3. *umg.* Schwung; *give something a kick* etwas in Schwung bringen 4. *for kicks umg.* zum Spaß; *he gets a kick out of it* es macht ihm einen Riesenspaß

kick² [kɪk] 1. treten, einen Tritt geben *oder* versetzen; *I could have kicked myself umg.* ich hätte mich ohrfeigen können, ich hätte mich in den Hintern beißen können 2. treten, kicken (*Ball*); *he kicked the ball into the net* er schoss den Ball ins Netz 3. (*Pferd*) ausschlagen 4. (*Baby*) strampeln 5. *kick the bucket salopp* (≈ *sterben*) abkratzen, ins Gras beißen, den Löffel reichen

kick about *oder* **around** [ˌkɪk_əˈbaʊt *oder* əˈraʊnd] 1. herumkicken (*Ball*) 2. *umg.*, *übertragen* herumschubsen, herumkommandieren (*Person*) 3. *umg.* (*Person*) sich herumtreiben, rumhängen

kick in [ˌkɪkˈɪn] eintreten (*Tür*)

kick off [ˌkɪkˈɒf] 1. *Fußball*: anstoßen 2. *umg.* anfangen

kick out [ˌkɪkˈaʊt] *umg.*; *aus Schule, Lokal usw.*: rausschmeißen (*of* aus)

kick up [ˌkɪkˈʌp] 1. aufwirbeln (*Staub*)

K

2. *kick up a stink* oder *fuss* *umg.* Stunk machen

---

kickback ['kɪkbæk] *salopp* Schmiergeld
kickoff ['kɪkɒf] *Fußball:* Anstoß
kid¹ [kɪd] **1.** *umg.* Kind; ***how are the kids?*** wie gehts den Kindern? **2.** *umg.* Jugendliche(r) **3.** (≈ *junge Ziege*) Kitz
kid² [kɪd], ***kidded, kidded*** **1.** *umg., übertragen* aufziehen, auf den Arm nehmen **2.** herumalbern, Spaß machen; ***I was only kidding*** ich habe nur Spaß gemacht; ***no kidding?*** im Ernst?, ehrlich?
kidnap ['kɪdnæp], ***kidnapped, kidnapped*** entführen
kidney ['kɪdnɪ] *Organ:* Niere
kill [kɪl] **1.** töten, *absichtlich:* umbringen; ***be killed*** *auch* ums Leben kommen, umkommen; ***kill two birds with one stone*** *übertragen* zwei Fliegen mit einer Klappe schlagen **2.** ***kill time*** *übertragen* die Zeit totschlagen **3.** ***my feet are killing me*** *übertragen* meine Füße bringen mich (noch) um **4.** *übertragen* lindern (*Schmerz*)
killer ['kɪlə] *Person, Tier:* Mörder, Killer
killing¹ ['kɪlɪŋ] **1.** *von Tieren:* Töten, Schlachten **2.** *von Menschen:* Töten, Mord **3.** ***make a killing*** *umg.* einen Reibach machen
killing² ['kɪlɪŋ] *übertragen* tödlich (*Anstrengung, langweiliger Unterricht usw.*)
killjoy ['kɪldʒɔɪ] Spielverderber(in), Miesmacher(in)
kilo ['ki:ləʊ] *Pl.:* **kilos** ['ki:ləʊz] Kilo
kilogram, kilogramme ['kɪləgræm] Kilogramm
kilometer *AE,* **kilometre** *BE* ['kɪlə‚mi:tə] Kilometer
kilt [kɪlt] Kilt, Schottenrock (⚠ *karierter Damenrock =* ***tartan skirt***)
kind¹ [kaɪnd] **1.** Art, Sorte, *von Mensch:* Wesen; ***all kinds of*** alle möglichen; ***nothing of the kind*** nichts dergleichen; ***I'm not that kind of person*** so eine(r) bin ich nicht **2.** ***kind of*** *umg.* irgendwie; ***I've kind of promised it*** ich habe es halb und halb versprochen; ***'Are you tired?' - 'Kind of.'*** - „Bist du müde?" - „Irgendwie schon."
kind² [kaɪnd] **1.** *Person:* freundlich, liebenswürdig, nett (***to*** zu); ***would you be so kind as to do that for me?*** sei so gut *oder* freundlich und erledige das für mich; ***that's very kind of you*** das ist sehr nett von dir **2.** *Grüße:* herzlich; ***(with) kind regards*** mit freundlichen Grüßen
kindergarten ['kɪndə‚gɑ:tn] **1.** *BE* Kindergarten; ***kindergarten teacher*** Kindergärtnerin **2.** *AE* Vorschulklasse vor Eintritt in die 1. Klasse
kindle ['kɪndl] **1.** anzünden **2.** sich entzünden, Feuer fangen **3.** entfachen (*Hass usw.*), wecken (*Interesse usw.*) **4.** (*Leidenschaft usw.*) entflammen
kindly ['kaɪndlɪ] **1.** lächeln, *etwas sagen:* freundlich, liebenswürdig **2.** freundlicherweise, liebenswürdigerweise; ***kindly tell me if …*** sagen Sie mir bitte, ob …; ***would you kindly stop it!*** *verärgert:* würdet ihr jetzt endlich aufhören
kindness ['kaɪndnəs] **1.** Freundlichkeit, Liebenswürdigkeit **2.** (≈ *Gefallen*) Gefälligkeit; ***do someone a kindness*** jemandem eine Gefälligkeit erweisen
king [kɪŋ] **1.** König (*auch beim Schach und Kartenspiel*); ***king of hearts*** Herzkönig **2.** *beim Damespiel:* Dame
kingdom ['kɪŋdəm] **1.** *allg.:* Königreich **2.** ***animal kingdom*** Tierreich; ***vegetable kingdom*** Pflanzenreich
kink [kɪŋk] **1.** *in Leitung, Rohr usw.:* Knick **2.** *übertragen* Spleen, Tick
kinky ['kɪŋkɪ] **1.** *Haar:* kraus **2.** *umg., übertragen* spleenig, verdreht **3.** *umg.; sexuell:* abartig, pervers
kiosk ['ki:ɒsk] Kiosk, Verkaufsstand
kip¹ [kɪp] *BE, salopp* Schläfchen; ***have a kip*** pennen
kip² [kɪp] ***kipped, kipped*** *BE, salopp* **1.** pennen **2.** *mst.* ***kip down*** sich hinhauen
kiss¹ [kɪs] Kuss; ***kiss of life*** *bes. BE* Mund-zu-Mund-Beatmung
kiss² [kɪs] **1.** küssen; ***she kissed his cheek*** sie küsste ihn auf die Wange; ***kiss someone good night*** jemandem einen Gutenachtkuss geben **2.** sich küssen; ***they kissed goodbye*** sie gaben sich einen Abschiedskuss
kissproof ['kɪspru:f] *Lippenstift:* kussecht
kit [kɪt] **1.** *für bestimmte Aktivitäten:* Ausrüstung, Sachen *Pl.* **2.** *für bestimmte Arbeiten:* Werkzeug, Werkzeugkasten **3.** *zum Basteln:* Baukasten, Bastelsatz
kitchen ['kɪtʃən] Küche
kitchenette [‚kɪtʃə'net] Kochnische
kitchen garden [‚kɪtʃən'gɑ:dn] Obst- und Gemüsegarten
kite [kaɪt] Drachen; ***fly a kite*** einen Drachen steigen lassen, *übertragen* einen Versuchsballon steigen lassen
kitten ['kɪtn] **1.** Kätzchen **2.** ***have kittens*** *BE, umg.* ausrasten, Zustände kriegen
kitty ['kɪtɪ] **1.** *Kindersprache:* Kätzchen **2.** *von Kegelklub, Mannschaft usw.:* gemeinsame Kasse
kiwi ['ki:wi:] **1.** *Vogel:* der Kiwi **2.** *auch* ***kiwi fruit*** die Kiwi **3.** *mst.* **Kiwi** *umg.* Neuseeländer(in)

knot

Kleenex® ['kli:neks] Kleenex®, *umg.* Papiertaschentuch

knack [næk] **1.** Kniff, Trick; ***get the knack of it*** den Dreh herausbekommen **2.** Geschick; ***have the*** (*oder* **a**) ***knack of doing something*** das Talent haben, etwas zu tun (*bes. Negatives*)

knackered ['nækəd] *BE, umg.* geschlaucht, kaputt

knave [neɪv] *Spielkarte*: Bube; ***knave of hearts*** Herzbube

knead [ni:d] **1.** kneten (*Teig usw.*) **2.** kneten, massieren (*Muskeln*)

knee [ni:] Knie; ***be on one's knees*** auf den Knien liegen; ***he brought his opponent to his knees*** er zwang seinen Gegner in die Knie

kneecap ['ni:kæp] Kniescheibe

knee-deep [,ni:'di:p] *Wasser*: knietief

knee-high [,ni:'haɪ] *Gras*: kniehoch

kneel [ni:l], **knelt** [nelt], **knelt** [nelt], *bes. AE* **kneeled, kneeled 1.** *auch* **kneel down** sich hinknien, niederknien (**to** vor) **2.** knien (**before** vor)

knelt [nelt] **2.** *und* **3.** *Form von* → **kneel**

knew [nju:] **2.** *Form von* → **know**

knickers ['nɪkəz] *Pl., bes. BE* Schlüpfer; ***get one's knickers in a twist*** *umg.* sich künstlich aufregen, sich ins Hemd machen

knick-knack ['nɪknæk] *kleiner Gegenstand*: Nippsache

knife[1] [naɪf] *Pl.*: **knives** [naɪvz] Messer; ***go under the knife*** *umg.* (≈ *operiert werden*) unters Messer kommen; ***she's got her knife into me*** sie hat mich auf dem Kieker

knife[2] [naɪf] einstechen auf, *tödlich*: erstechen

knight[1] [naɪt] **1.** *historisch*: Ritter (*in GB auch Adelstitel*) **2.** *Schach*: Springer, Pferd

knight[2] [naɪt] adeln, zum Ritter schlagen

knit [nɪt], **knitted, knitted**, *auch* **knit, knit** stricken

knitting ['nɪtɪŋ] **1.** *Tätigkeit*: Stricken **2.** Strickarbeit, Strickzeug

knitwear ['nɪtweə] Strickwaren *Pl.*

knives [naɪvz] *Pl. von* → **knife**[1]

knob [nɒb] **1.** *an Tür usw.*: Knauf, Griff **2.** *an Radio usw.*: Knopf

knock[1] [nɒk] **1.** *an Tür*: Klopfen; ***there's a knock at the door*** es klopft; ***give someone a knock*** bei jemandem anklopfen **2.** *übertragen* Schicksalsschlag; ***take a bad knock*** einen schweren Schlag erleiden

knock[2] [nɒk] **1.** pochen, klopfen; ***knock at the door*** an die Tür klopfen; ***knock on wood*** *AE* auf Holz klopfen **2.** *mit*

Körperteil: anschlagen, anstoßen; ***knock one's head*** (*bzw.* **elbow**) sich den Kopf (*bzw.* Ellbogen) anschlagen **3.** *mit Hand, Werkzeug usw.*: schlagen; ***knock a nail into the wall*** einen Nagel in die Wand schlagen **4.** (*Motor*) klopfen **5.** ***knock someone flat*** *oder* ***knock someone to the ground*** jemanden niederschlagen

knock about *oder* **around** [,nɒk_ə'baʊt *oder* ə'raʊnd] **1.** schlagen, verprügeln **2.** *umg.* sich herumtreiben, herumhängen; ***knock about with someone*** *umg.* sich mit jemandem herumtreiben

knock down [,nɒk'daʊn] **1.** umstoßen, umwerfen (*Vase, Tasse usw.*) **2.** niederschlagen (*Person*) **3.** *mit dem Auto usw.*: anfahren, überfahren **4.** abreißen, abbrechen (*Gebäude usw.*) **5.** herunterhandeln (*Preis*) (**to** auf) **6.** (*Händler*) mit dem Preis heruntergehen

knock off [,nɒk'ɒf] **1.** *mit Hammer, Meißel usw.*: abschlagen **2.** *umg.* aufhören mit; ***knock off work*** Feierabend machen; ***knock it off!*** hör auf damit! **3.** *umg.*; *bei Preis*: nachlassen, runtergehen; ***they knocked £1 off the price*** sie gaben mir ein Pfund Preisnachlass **4.** *umg.* (≈ *ermorden*) umlegen

knock out [,nɒk'aʊt] **1.** ausschlagen (*Zahn usw.*) **2.** *bei Schlägerei*: bewusstlos schlagen **3.** *beim Boxen*: k.o. schlagen, ausknocken **4.** (*Droge, Alkohol*) betäuben **5.** *umg.* umhauen (*vor Begeisterung usw.*)

knock over [,nɒk'əʊvə] **1.** umwerfen, umstoßen **2.** *mit dem Auto*: anfahren, überfahren

knock together [,nɒk_tə'geðə] **1.** aneinanderstoßen **2.** *umg.* schnell zusammenzimmern, zaubern (*Essen usw.*)

knock up [,nɒk'ʌp] **1.** *umg.* (≈ *improvisieren*) herzaubern (*etwas zum Essen usw.*) **2.** ***I'll knock you up at 6*** *BE, umg.* (≈ *wecken*) ich klopfe dich um 6 heraus, ich weck dich um 6 **3.** *bes. AE, salopp* (≈ *schwängern*) anbumsen **4.** *Tennis usw.*: sich einschlagen *oder* einspielen

knockdown ['nɒkdaʊn] ***knockdown price*** Schleuderpreis

knockout ['nɒkaʊt] **1.** *Boxen*: K. o.; ***win by a knockout*** durch K. o. gewinnen; ***knockout system*** *Sport*: K.o.-System **2.** *umg.* tolle Sache, Wucht

knot [nɒt] **1.** Knoten; ***tie a knot*** einen Knoten machen; ***tie someone up in knots*** *umg.* jemanden in Widersprüche verwickeln, jemanden völlig durcheinan-

K

derbringen **2.** *in Holz*: Astknoten **3.** *Schiffsgeschwindigkeit*: Knoten

know [nəʊ], **knew** [njuː], **known** [nəʊn] **1.** *allg.*: wissen; *as far as I know* soweit ich weiß; *how am I to know?* wie soll ich das wissen? **2.** können (*Fremdsprachen usw.*); *know how to do something* etwas tun können **3.** kennen (*Antwort, Fakten, Person usw.*); *I've known him for years* ich kenne ihn seit Jahren **4.** *nach längerer Zeit*: erkennen, wiedererkennen; *I hardly knew him* ich hab ihn fast nicht erkannt **5.** erfahren, erleben; *he has known better days* er hat schon bessere Tage gesehen **6.** *in Wendungen*: *you never know* man kann nie wissen; *not that I know of* nicht, dass ich wüsste; *who knows?* wer weiß?; *let me know when ...* sag mir Bescheid, wann ...

---

know about ['nəʊ_ə,baʊt] Bescheid wissen über, sich auskennen in; *do you know about that?* kennst du dich damit aus?; *I know a thing or two about literature* *umg.* ich kenne mich in der Literatur ganz gut aus

---

know-all ['nəʊɔːl] *bes. BE, umg.* Besserwisser(in)

know-how ['nəʊhaʊ] (⚠ *Betonung auf der ersten Silbe*) Know-how, Sachkenntnis

knowing ['nəʊɪŋ] *Blick, Lächeln*: wissend

knowingly ['nəʊɪŋlɪ] **1.** *lächeln*: wissend **2.** *jemanden belügen, verletzen usw.*: wissentlich, bewusst, absichtlich

know-it-all ['nəʊɪtɔːl] *bes. AE, umg.* Besserwisser(in)

knowledge ['nɒlɪdʒ] **1.** Kenntnis; *bring something to someone's knowledge* jemanden von etwas in Kenntnis setzen; *it has come to my knowledge that ...* ich habe erfahren, dass ...; *to my knowledge* meines Wissens; *without my knowledge* ohne mein Wissen; *not to my knowledge* nicht, dass ich wüsste **2.** (≈ *Gelerntes*) Wissen, Kenntnisse; *his knowledge of German* seine Deutschkenntnisse

known[1] [nəʊn] *3. Form von* → **know**

known[2] [nəʊn] bekannt (*as* als; *for* für); *known to the police* polizeibekannt

knuckle ['nʌkl] **1.** *an Hand*: Knöchel **2.** *Gericht vom Kalb oder Schwein*: Haxe, Hachse **3.** *near the knuckle* *umg.* reichlich gewagt (*Witz usw.*)

kohl [kəʊl] *Kosmetik*: Kajal

kook [kuːk] *AE, umg.* Spinner

kooky ['kuːkɪ] *AE, umg.* verrückt

Korea [kəˈrɪə] Korea

Korean[1] [kəˈrɪən] koreanisch

Korean[2] [kəˈrɪən] *Sprache*: Koreanisch

Korean[3] [kəˈrɪən] Koreaner(in)

Kremlin ['kremlɪn] *the Kremlin* der Kreml

L

lab [læb] *umg.* Labor

label[1] ['leɪbl] **1.** *auf Waren*: Etikett **2.** *selbstklebend*: Aufkleber **3.** *Musik*: Plattenfirma **4.** *übertragen* (≈ *Image*) Etikett

label[2] ['leɪbl], **labelled, labelled**, *AE* **labeled, labeled 1.** etikettieren, beschriften **2.** *übertragen* abstempeln; *be labelled (as) a criminal* zum Verbrecher gestempelt werden

laboratory [ləˈbɒrətrɪ] Labor

laborious [ləˈbɔːrɪəs] **1.** *Arbeit, Aufgabe*: mühsam **2.** *Schreibstil*: schwerfällig, umständlich

labour[1], *AE* **labor** ['leɪbə] **1.** *allg.*: Arbeit, *bes.* körperliche Arbeit **2.** *Personen*: Arbeiterschaft, Arbeiter *Pl.*, Arbeitskräfte *Pl.* **3.** *Labour in GB*: die Labour Party **4.**

labor union *AE* Gewerkschaft **5.** *bei Geburt*: Wehen *Pl.*; *be in labour* in den Wehen liegen

labour[2], *AE* **labor** ['leɪbə] **1.** *allg.*: hart arbeiten (*at* an) **2.** leiden (*under* unter), sich quälen; *labour up the stairs* sich die Treppe hinaufquälen **3.** *labour the point* etwas breitwalzen (*Thema usw.*)

labourer ['leɪbərə] Arbeiter(in) (*mst. ohne Ausbildung*)

lace[1] [leɪs] **1.** *kunstvoll Gewebtes*: Spitze **2.** *für Schuhe*: Schnürband, Schnürsenkel

lace[2] [leɪs] **1.** *auch lace up* zuschnüren, zubinden **2.** *tea laced with rum* Tee mit einem Schuss Rum

lack[1] [læk] Mangel (*of* an); *lack of sleep* fehlender Schlaf; *for oder through lack* *of time* aus Zeitmangel

lack[2] [læk] **1.** nicht haben; *we lack the money to ...* es fehlt uns am Geld, um ... **2.** *be lacking* fehlen; *he's lacking in courage* ihm fehlt der Mut **3.** *he lacks for nothing* es fehlt ihm an nichts

lacklustre, *AE* **lackluster** ['læk,lʌstə] **1.** *Vorstellung usw.*: langweilig **2.** *Haar, Oberfläche usw.*: glanzlos, stumpf

lacquer[1] ['lækə] (Farb)Lack

lacquer[2] ['lækə] lackieren

lad [læd] **1.** Junge, junger Kerl; *young lad* junger Mann **2.** *the lads umg.* die Jungs *oder* Kumpels

ladder ['lædə] **1.** Leiter (*auch übertragen*); *climb the ladder of success* die Erfolgsleiter emporsteigen **2.** *bes. BE* Laufmasche

laddish ['lædɪʃ] *BE*; *junger Mann*: machohaft

laddism ['lædɪzm] *BE*; *von jungen Männern*: machohaftes Verhalten

laden ['leɪdn] beladen (*with* mit) (*auch übertragen*)

ladette [læ'det] *BE*; *junge Frau, die männliches Verhalten imitiert*

ladies' room ['leɪdɪz‿ruːm] *förmlich* Damentoilette

ladle ['leɪdl] Schöpflöffel, Schöpfkelle

lad mag ['læd‿mæg] *BE*; *Zeitschrift für junge Machos*

lady ['leɪdɪ] **1.** Dame; *Ladies and Gentlemen* meine Damen und Herren **2.** *Lady in GB als Adelstitel*: Lady **3.** *Ladies* (△ *im Sg. verwendet*) Damentoilette

ladybird ['leɪdɪbɜːd], *AE* **ladybug** ['leɪdɪbʌg] Marienkäfer

lag[1] [læg], **lagged, lagged**; *mst. lag behind* zurückbleiben, nicht mitkommen (*beide auch übertragen*); *lag behind someone* hinter jemandem zurückbleiben

lag[2] [læg], **lagged, lagged** *BE* isolieren (*Wasserleitung usw.*)

lager ['lɑːgə] helles Bier

lagoon [lə'guːn] Lagune

laid [leɪd] **2.** *und* **3.** *Form von* → **lay**[1]

laid-back [,leɪd'bæk] *umg.* lässig, cool

lain [leɪn] **3.** *Form von* → **lie**[4]

lake [leɪk] See; *Lake Constance* der Bodensee

lakeside[1] ['leɪksaɪd] *at the lakeside* am See

lakeside[2] ['leɪksaɪd] *lakeside cottage usw.* Häuschen *usw.* am See

lamb [△ læm] **1.** (≈ *junges Schaf*) Lamm **2.** *Fleisch*: Lamm, Lammfleisch; *lamb chop* Lammkotelett

lambast [læm'bæst], **lambaste** [læm'beɪst] (≈ *kritisieren*) herunterputzen,

fertigmachen

lambskin ['læmskɪn] **1.** Lammfell **2.** *gegerbt*: Schafleder

lame [leɪm] **1.** lahm (*auch übertragen*) **2.** *Ausrede*: faul **3.** *Argument*: schwach

lament[1] [lə'ment] **1.** *über Missgeschick usw.*: jammern, klagen (*over* um) **2.** *bei Todesfall*: trauern (*over* um)

lament[2] [lə'ment] **1.** Jammer, Klage **2.** *Musik*: Klagelied

lamp [læmp] **1.** Lampe **2.** *auf Straße*: Laterne **3.** *an Auto, Fahrrad*: Licht

lamp-post ['læmppəʊst] Laternenpfahl

lance [lɑːns] *Waffe*: Lanze

land[1] [lænd] **1.** (≈ *Boden*) Land; *by land* auf dem Landweg; *by land and sea* zu Wasser und zu Lande; *see how the land lies übertragen* die Lage sondieren, sich einen Überblick verschaffen **2.** (≈ *Ackerland*) Land, Boden **3.** *Grundeigentum*: Grund und Boden; *own land* Land besitzen, Grundbesitz haben **4.** *mst. poetisch*: Land

land[2] [lænd] **1.** *allg.*: landen **2.** (*Schiff*) anlegen, landen **3.** (*Schiffspassagiere*) an Land gehen **4.** *land oneself in trouble* in Schwierigkeiten geraten *oder* kommen **5.** *umg.* landen, anbringen (*Schlag, Treffer*); *she landed him one* sie knallte ihm eine

landing ['lændɪŋ] **1.** *von Flugzeug usw.*: Landung, Landen **2.** *von Schiff*: Anlegen **3.** *in Haus*: Treppenabsatz

landing gear ['lændɪŋ‿gɪə] *von Flugzeug*: Fahrwerk, Fahrgestell

landing permit ['lændɪŋ,pɜːmɪt] *für Flugzeug*: Landeerlaubnis

landlady ['lænd,leɪdɪ] **1.** *von Wohnung, Zimmer*: Vermieterin **2.** *von Lokal*: Wirtin

landlord ['lændlɔːd] **1.** *von Wohnung, Zimmer*: Vermieter **2.** *von Lokal*: Wirt

landowner ['lænd,əʊnə] Grundbesitzer(in)

landscape ['lændskeɪp] Landschaft

landslide ['lændslaɪd] **1.** Erdrutsch (*auch übertragen*) **2.** *auch landslide victory Politik*: überwältigender Wahlsieg, erdrutschartiger Sieg

lane [leɪn] **1.** *auf dem Land*: Weg, Feldweg **2.** *in Ortschaft*: Gasse, Sträßchen **3.** *auf Straße*: Fahrspur; *change lanes* die Spur wechseln; *get in lane* sich einordnen, *auf Schild*: bitte einordnen **4.** *bei Rennen usw.*: Bahn

language ['læŋgwɪdʒ] *allg.*: Sprache; *native language* Muttersprache; *foreign language* Fremdsprache; *bad language* Kraftausdrücke

language course ['læŋgwɪdʒ‿kɔːs]

L

Sprachkurs

lank [læŋk] *Haar*: dünn, strähnig

lanky ['læŋkɪ] schlaksig

lantern ['læntən] Laterne

lap¹ [læp] *Teil des Körpers*: Schoß (*auch übertragen*); **drop** *oder* **fall into someone's lap** *übertragen* jemandem in den Schoß fallen

lap² [læp], **lapped, lapped 1.** *Sport*: überrunden **2.** (*Termine usw.*) sich überlappen

lap³ [læp] *Sport*: Runde; **lap of honour** Ehrenrunde; **on the third lap** in der dritten Runde

lap⁴ [læp], **lapped, lapped 1.** (*Tiere*) schlecken, lecken (*Milch usw.*) **2.** (*Wasser, Wellen*) plätschern (**against** gegen, an)

lapse¹ [læps] **1.** Versehen, kleiner Fehler, Lapsus; **a lapse of memory** eine Gedächtnislücke **2.** Zeitspanne, Zeitraum; **after a lapse of ...** nach einem Zeitraum von ...

lapse² [læps] **1.** (*Zeit*) vergehen, verstreichen **2.** (*Frist*) ablaufen **3.** *in Schlaf, Schweigen usw.*: verfallen (**into** in) **4.** (*Anspruch, Vertrag usw.*) verfallen, erlöschen

laptop ['læptɒp] *Computer*: Laptop

larch [lɑːtʃ] *Baum*: Lärche

lard¹ [lɑːd] *zum Kochen*: Schweinefett, Schmalz

lard² [lɑːd] **1.** spicken (*Braten*) **2.** *übertragen* spicken, ausschmücken (**with** mit)

larder ['lɑːdə] Speiseschrank, *größer*: Speisekammer

large¹ [lɑːdʒ] **1.** *allg.*: groß (*auch Anzahl, Familie, Haus, Summe usw.*) **2.** *large as life* in voller Lebensgröße **2.** *Einkommen usw.*: groß, beträchtlich **3.** *Mahlzeit*: ausgiebig, reichlich **4.** *Vollmachten, Interessen usw.*: umfassend, weitreichend

large² [lɑːdʒ] **1.** *by and large* im Großen und Ganzen; **the nation at large** die ganze Nation **2.** **at large** in Freiheit, auf freiem Fuß

largely ['lɑːdʒlɪ] großenteils, größtenteils

largeness ['lɑːdʒnəs] Größe

lark [lɑːk] *Vogel*: Lerche

laser printer ['leɪzəˌprɪntə] Laserdrucker

lash¹ [læʃ] **1.** *von Augenlid*: Wimper **2.** *Strafe*: Peitschenhieb **3.** Peitschenschnur

lash² [læʃ] **1.** *als Strafe*: auspeitschen **2.** *übertragen* aufpeitschen (**into** zu); **lash oneself into a fury** sich in Wut hineinsteigern **3.** *übertragen* (≈ *scharf kritisieren*) runtermachen **4.** festbinden, festzurren (**to, on** an)

---

lash about *oder* **around** [ˌlæʃ_əˈbaʊt *oder* əˈraʊnd] wild um sich schlagen

---

lash out [ˌlæʃˈaʊt] **1.** wild um sich schlagen **2.** (*Pferd*) ausschlagen **3.** *übertragen, verbal*: scharf attackieren, herziehen (**at** über)

---

lass [læs], **lassie** ['læsɪ] *bes. in Schottland*: Mädchen

last¹ [lɑːst] **1.** *in Reihenfolge*: zuletzt; **Jean arrived last** Jean kam als Letzte; **last but one** vorletzte(r, -s); **last but two** drittletzte(r, -s); **he came last** er kam als Letzter; **last but not least** *übertragen* nicht zuletzt, nicht zu vergessen **2.** *mit Zeitangabe*: letzte(r, -s), vorige(r, -s); **last Monday** (am) letzten *oder* vorigen Montag; **last night** gestern Abend, letzte Nacht **3.** (≈ *allein übrig bleibend*) letzte(r, -s); **my last hope** meine letzte Hoffnung; **this is the last time I'm going to ask you** das ist das letzte Mal, dass ich dich frage

last² [lɑːst] **1.** Letzte(r, -s); **the last to arrive** der Letzte, der ankam; **to the last** bis zum Ende *oder* Schluss **2.** **at last** endlich, schließlich, zuletzt **3.** **at long last** schließlich und endlich

last³ [lɑːst] **1.** *allg.*: dauern **2.** *über längeren Zeitraum usw.*: andauern, fortdauern **3.** (*Obst, Gemüse, Ehe usw.*) halten **4.** *auch* **last out** (*Geld, Vorräte usw.*) reichen, ausreichen; **a bottle of whisky lasts him a year** eine Flasche Whisky reicht ihm ein Jahr

last-ditch [ˌlɑːstˈdɪtʃ] *Versuch usw.*: allerletzte(r, -s); **a last-ditch attempt** *auch*: ein letzter verzweifelter Versuch

lasting ['lɑːstɪŋ] **1.** *Beziehung usw.*: dauerhaft, beständig; **lasting peace** dauerhafter Friede; **lasting memories** bleibende Erinnerungen **2.** *Material*: haltbar **3.** *Eindruck usw.*: nachhaltig

lastly ['lɑːstlɪ] zuletzt, schließlich; **firstly ..., secondly ..., and lastly** erstens ..., zweitens ... und schließlich ...

latch [lætʃ] **1.** (Schnapp)Riegel **2.** Schnappschloss

---

latch on [ˌlætʃˈɒn] *BE, umg.* kapieren

latch onto [ˌlætʃˈɒntʊ] *umg.* **1.** **latch onto someone** sich an jemanden hängen **2.** **latch onto an idea** *usw.* eine Idee *usw.* aufgreifen **3.** **latch onto something** *umg.* etwas kapieren

---

latchkey ['lætʃkiː] Hausschlüssel, Wohnungsschlüssel

late [leɪt] **1.** spät; **it's getting late** es ist schon spät; **late shift** *in Fabrik usw.*: Spätschicht **2.** *Abend, Jahreszeit usw.*: Spät..., vorgerückt; **at a late hour** spät, zu später *oder* vorgerückter Stunde; *late summer* Spätsommer **3.** (≈ *unpünktlich*) verspätet; *be late* zu spät kommen, sich verspäten; *be late for work* zu spät zur Arbeit kommen **4.** *be late* (*Zug, U-Bahn usw.*) Verspätung haben; *the train was* (*oder came*) *late* der Zug hatte Verspätung **5.** *the late Mr Smith* der verstorbene Herr Smith **6.** *as late as last year* erst *oder* noch letztes Jahr

latecomer ['leɪtˌkʌmə] Zuspätkommende(r), Nachzügler(in)

lately ['leɪtlɪ] in letzter Zeit, neuerdings

late-night opening [ˌleɪtnaɪt 'əʊp(ə)nɪŋ] lange Öffnungszeiten; *bei Museen usw.* : lange Nacht

later ['leɪtə] **1.** später **2.** ☞ *late* **2.** *see you later* auf bald, bis später; *later on* später

latest[1] ['leɪtɪst] **1.** späteste(r, -s); ☞ *late* **2.** neueste(r, -s); *the latest fashion* die neueste Mode; *the latest news* das Neueste, die letzten Neuigkeiten

latest[2] ['leɪtɪst] *at the latest* spätestens

Latin[1] ['lætɪn] lateinisch

Latin[2] ['lætɪn] *Sprache*: Latein, Lateinisch

latitude ['lætɪtjuːd] *Geographie*: Breite, Breitengrad

latte ['læteɪ] Milchkaffee

Latvia ['lætvɪə] Lettland

Latvian[1] ['lætvɪən] lettisch

Latvian[2] ['lætvɪən] *Sprache*: Lettisch

Latvian[3] ['lætvɪən] Lette, Lettin

laudable ['lɔːdəbl] löblich, lobenswert

laugh[1] [lɑːf] Lachen, Gelächter; *with a laugh* lachend; *have a good laugh about something* über etwas herzlich lachen, sich köstlich über etwas amüsieren; *have the last laugh* am Ende recht haben

laugh[2] [lɑːf] lachen (*at* über); *laugh to oneself* in sich hineinlachen

---

laugh at ['lɑːf ˌət] **1.** lachen über (*Gesetze, Regeln usw.*) **2.** auslachen (*Person*)

laugh away *oder* **off** [ˌlɑːf ˌəˈweɪ *oder* 'ɒf] mit einem Lachen abtun

---

laughable ['lɑːfəbl] lächerlich, lachhaft

laughing[1] ['lɑːfɪŋ] Lachen, Gelächter

laughing[2] ['lɑːfɪŋ] **1.** *Person*: lachend **2.** *Sache*: lustig; *it's no laughing matter* es ist nicht zum Lachen

laughing stock ['lɑːfɪŋ ˌstɒk] Zielscheibe des Spotts; *your behaviour makes you the laughing stock of the whole school* mit deinem Verhalten machst du dich zum Gespött der ganzen Schule

laughter ['lɑːftə] Lachen, Gelächter

launch[1] [lɔːntʃ] **1.** zu Wasser lassen

(*Boot*) **2.** vom Stapel lassen (*Schiff*); *be launched* vom Stapel laufen **3.** abschießen (*Geschoss, Torpedo*) **4.** starten (*Rakete, Raumfahrzeug, Computerprogramm*) **5.** vom Stapel lassen (*Rede, Kritik usw.*) **6.** in Gang setzen, starten (*Projekt usw.*)

launch[2] [lɔːntʃ] **1.** *von Schiff*: Stapellauf **2.** *von Rakete*: Abschuss, Start

launder ['lɔːndə] **1.** waschen (und bügeln) (*Wäsche*) **2.** übertragen, *umg.* waschen (*Geld*)

launderette [ˌlɔːndəˈret], *AE* **laundromat** ['lɔːndrəmæt] Waschsalon

laundry ['lɔːndrɪ] **1.** *Geschäft*: Wäscherei **2.** *Hemden, Hosen usw.*: Wäsche

laundry basket ['lɔːndrɪˌbɑːskɪt] Wäschekorb

laurel ['lɒrəl] **1.** Lorbeer(baum) **2.** *rest on one's laurels* (sich) auf seinen Lorbeeren ausruhen

lava ['lɑːvə] Lava

lavatory ['lævətərɪ] *formell* Toilette

lavender ['lævəndə] Lavendel

lavish[1] ['lævɪʃ] **1.** *Spender*: sehr freigebig, verschwenderisch; *be lavish with something* mit etwas verschwenderisch umgehen **2.** *Lob usw.*: überschwänglich **3.** *Geschenk usw.*: großzügig **4.** *Einrichtung usw.*: luxuriös, aufwendig

lavish[2] ['lævɪʃ] *lavish presents usw. on someone* jemanden mit Geschenken *usw.* überschütten

law [lɔː] **1.** *allg.*: Gesetz; *pass a law* Parlament: ein Gesetz verabschieden; *become law* rechtskräftig werden **2.** (≈ *Rechtssystem*) Recht, Gesetz; *against the law* gesetzwidrig, rechtswidrig; *under German law* nach deutschem Recht; *law and order* Recht und Ordnung **3.** *Studienfach*: Rechtswissenschaft, Jura; *study* (*BE auch read*) *law* Jura studieren **4.** *Institution*: Gericht, Rechtsweg; *go to law* vor Gericht gehen, prozessieren **5.** *in Sport, Wirtschaft usw.*: Regel, Vorschrift **6.** *law of nature* Naturgesetz

law-abiding ['lɔː ˌəˌbaɪdɪŋ] *Bürger*: gesetzestreu

law-breaker ['lɔːˌbreɪkə] Gesetzesbrecher

law court ['lɔː ˌkɔːt] Gerichtshof

lawful ['lɔːfl] legal, rechtmäßig

lawless ['lɔːləs] *Person, Ort*: gesetzlos

lawn [lɔːn] (≈ *Grasfläche*) Rasen

lawn chair ['lɔːn ˌtʃeə] *AE* Liegestuhl

lawnmower ['lɔːnməʊə] Rasenmäher

lawsuit ['lɔːsuːt] Zivilprozess, Verfahren

lawyer ['lɔːjə] **1.** Rechtsanwalt, Rechtsanwältin **2.** *allg. auch*: Jurist(in)

lax [læks] **1.** *Einstellung usw.*: lax, lasch **2.** *Moral usw.*: locker

L

lay¹ [leɪ], *laid* [leɪd], *laid* [leɪd] **1.** *allg.:* legen (*auch Eier*) **2.** verlegen (*Teppich usw.*) **3.** *lay the table BE* den Tisch decken; *lay two places for breakfast* zwei Gedecke zum Frühstück auflegen **4.** *übertragen* stellen (*Falle usw.*) **5.** *umg.* vernaschen, bumsen

> **lay aside** [ˌleɪ_ə'saɪd] **1.** beiseitelegen, weglegen (*Buch usw.*) **2.** ablegen, aufgeben (*Angewohnheit usw.*) **3.** (≈ *sparen*) beiseite *oder* auf die Seite legen, zurücklegen
> **lay down** [ˌleɪ'daʊn] **1.** *allg.:* hinlegen (*on* auf) **2.** *übertragen* niederlegen (*Amt, Waffen usw.*) **3.** *übertragen* niederlegen, verankern (*Statuten in Vertrag usw.*) **4.** *lay down the law übertragen* bestimmen, den Ton angeben
> **lay off** [ˌleɪ'ɒf] **1.** (vorübergehend) entlassen (*Arbeiter*) **2.** *auf Zeit:* Feierschichten machen lassen; *we've been laid off* wir müssen Feierschichten fahren *oder* einlegen **3.** *umg.* aufhören mit; *lay off smoking* das Rauchen aufgeben **4.** *lay off it! umg.* hör auf (damit)!
> **lay out** [ˌleɪ'aʊt] **1.** *auf Fläche:* ausbreiten, auslegen **2.** anlegen (*Garten, Park usw.*) **3.** aufbahren (*Leiche*) **4.** aufmachen, layouten (*Buch usw.*)
> **lay up** [ˌleɪ'ʌp] **1.** *be laid up* das Bett hüten müssen; *be laid up with flu* mit Grippe im Bett liegen **2.** *lay up trouble for oneself* sich Schwierigkeiten einhandeln

lay² [leɪ] *2. Form von →* **lie⁴**
lay³ [leɪ] **1.** (≈ *unprofessionell*) laienhaft **2.** *kirchlich:* Laien…, weltlich
layabout ['leɪəˌbaʊt] *BE, umg.* Faulenzer, Tagedieb
layer ['leɪə] *von Erde, Farbe usw.:* Schicht, Lage; *in layers* schichtweise, lagenweise
lay-off ['leɪɒf] (vorübergehende) Entlassung
layout ['leɪaʊt] **1.** *von Stadt, Park, Haus usw.:* Grundriss, Lageplan **2.** *von Buch usw.:* Lay-out
laze [leɪz] faulenzen
laziness ['leɪzɪnəs] Faulheit, Trägheit
lazy ['leɪzɪ] **1.** *Person:* faul, träg **2.** *Tag, Wochenende usw.:* faul, gemütlich
lazybones ['leɪzɪbəʊnz] *Sg., umg.* Faulpelz
lb *Abk. für →* **pound** *1* (*Gewicht*)
lead¹ [liːd], *led* [led], *led* [led] **1.** (≈ *den Weg zeigen*) führen; *lead the way* vorangehen (*auch übertragen*) **2.** führen, bringen; *this street leads to the station* die-

se Straße führt zum Bahnhof; *this whole discussion is leading us nowhere* diese ganze Diskussion bringt uns nicht weiter; *this leads me to believe that …* daraus schließe ich, dass … **3.** anführen, leiten (*Arbeitsgruppe, Mannschaft usw.*) **4.** *Sport:* an der Spitze liegen, in Führung liegen **5.** *lead a life of luxury* (*bzw.* *misery*) im Luxus (*bzw.* Elend) leben

> **lead away** [ˌliːd_ə'weɪ] **1.** wegführen (*Person, Tier*) **2.** abführen (*Verhafteten usw.*)
> **lead off** [ˌliːd'ɒf] **1.** abführen (*Verhafteten usw.*) **2.** (*Straße usw.*) abzweigen

lead² [liːd] **1.** *Sport:* Führung, Spitze; *be in the lead* *in Rangfolge:* an der Spitze stehen, *in Spiel:* in Führung liegen, führen; *take the lead* die Führung übernehmen, sich an die Spitze setzen (*from* vor) **2.** Vorsprung (*over* vor) (*auch Sport*) **3.** Vorbild, Beispiel; *follow someone's lead* jemandes Beispiel folgen **4.** *Theater, Film:* Hauptrolle, *Person:* Hauptdarsteller(in) **5.** *BE, für Hund usw.:* Leine; *keep on a lead* an der Leine führen
lead³ [△ led] **1.** *Metall:* Blei **2.** *Schifffahrt:* Lot **3.** *von Bleistift:* Mine
leaded [△ 'ledɪd] *Benzin:* bleihaltig, verbleit
leader ['liːdə] **1.** *allg.:* Führer(in) **2.** *von Partei usw.:* Vorsitzende(r) **3.** *Sport:* Spitzenreiter(in), Erstplatzierte(r) **4.** *bes. BE; in Zeitung:* Leitartikel
leadership ['liːdəʃɪp] **1.** Führung, Leitung **2.** *auch leadership qualities* Führungsqualitäten
lead-free [△ ˌled'friː] *Benzin:* bleifrei
leading ['liːdɪŋ] *in Rennen, Wettbewerb usw.:* führend, an der Spitze (*auch übertragen*)
leading-edge ['liːdɪŋedʒ] *Firma, Technik usw.:* Spitzen…; *leading-edge technology* Spitzentechnologie, High-Tech
leaf [liːf] *Pl.:* *leaves* [liːvz] **1.** *von Pflanzen:* Blatt; *come into leaf* (*Bäume*) ausschlagen **2.** *im Buch:* Blatt; *take a leaf out of someone's book übertragen* sich an jemandem ein Beispiel nehmen; *turn over a new leaf übertragen* ein neues Leben beginnen **3.** *von Fenster, Tür:* Flügel **4.** *von verstellbarem Tisch:* Platte
leaflet ['liːflət] **1.** *politisch:* Flugblatt **2.** *kommerziell:* Reklamezettel

lb

Die Abkürzung **lb** stammt vom lateinischen *libra* (= Pfund).

league [li:g] **1.** *Sport*: Liga; *league match* Punktspiel **2.** *zwischen Staaten*: Bündnis, Bund

leak¹ [li:k] **1.** *in Schiff, Tank usw.*: Leck **2.** *in Dach, Zelt usw.*: undichte Stelle (*auch übertragen*)

leak² [li:k] **1.** (*Schiff, Tank usw.*) lecken, leck sein **2.** (*Wasserhahn*) tropfen **3.** (*Leitung*) undicht sein **4.** *übertragen* durchsickern lassen (*Informationen*)

leak out [ˌli:k'aʊt] **1.** (*Gas, Öl usw.*) auslaufen, austreten **2.** (*Informationen*) durchsickern

leaky ['li:kɪ] leck, undicht (*auch übertragen*)

lean¹ [li:n] **1.** *Fleisch*: mager (*auch übertragen*) **2.** *Person*: schmal, hager **3.** *lean production* Wirtschaft: schlanke Produktion, Lean Production

lean² [li:n], *leant* [lent], *leant* [lent] *oder leaned, leaned* **1.** (*Baum, Turm usw.*) sich neigen, schief sein *oder* stehen **2.** (*Person*) sich beugen (*over* über) **3.** (*Person*) sich lehnen (*against* an, gegen) **4.** lehnen (*Leiter usw.*) (*against* an, gegen)

lean back [ˌli:n'bæk] sich zurücklehnen

lean forward [ˌli:n'fɔ:wəd] sich vorbeugen

lean on ['li:n ˌɒn] **1.** sich stützen auf **2.** *lean on someone übertragen* sich auf jemanden stützen

lean towards ['li:n ˌtə,wɔ:dz] *übertragen* neigen *oder* tendieren zu

leaning¹ ['li:nɪŋ] *übertragen* Neigung, Tendenz (*to, towards* zu)

leaning² ['li:nɪŋ] schief; *the Leaning Tower of Pisa* der Schiefe Turm von Pisa

leant [lent] *2. und 3. Form von* → *lean²*

leap¹ [li:p], *leapt* [lept], *leapt* [lept], *oder leaped, leaped* **1.** springen; *leap for joy* Freudensprünge machen **2.** überspringen, springen über (*Hindernis*)

leap at ['li:p ˌət] *übertragen* sich stürzen auf (*Angebot, Chance usw.*)

leap out [ˌli:p'aʊt] **1.** *aus Auto usw.*: herausspringen **2.** *übertragen* ins Auge springen

leap up [ˌli:p'ʌp] **1.** (*Person, Tier*) aufspringen **2.** (*Preise usw.*) sprunghaft anwachsen

leap² [li:p] Sprung (*auch übertragen*); *take a leap at something* einen Sprung über etwas machen; *by leaps and bounds übertragen* sprunghaft

leapfrog ['li:pfrɒg] *Spiel*: Bockspringen

leapt [lept] *2. und 3. Form von* → *leap¹*

leap year ['li:p ˌjɪə] Schaltjahr

learn [lɜ:n], *learnt* [lɜ:nt], *learnt* [lɜ:nt], *oder learned, learned* **1.** lernen, erlernen; *learn (how) to swim* schwimmen lernen; *you'll never learn!* du lernst es nie! **2.** erfahren, hören (*from* von)

learned ['lɜ:nɪd] **1.** *Person*: gelehrt **2.** *Abhandlung usw.*: wissenschaftlich

learner ['lɜ:nə] **1.** *beim Autofahren usw.*: Anfänger(in) **2.** *von Sprache usw.*: Lerner(in), Lernende(r)

learnt [lɜ:nt] *2. und 3. Form von* → *learn*

lease¹ [li:s] **1.** Pachtvertrag, Mietvertrag **2.** Pacht, Miete

lease² [li:s] **1.** pachten, mieten, leasen **2.** *auch lease out* verpachten, vermieten (*to* an)

leasehold¹ ['li:shəʊld] *bes. BE* gepachtet; *leasehold property* Pachtbesitz

leasehold² ['li:shəʊld] *bes. BE* **1.** Pachtbesitz **2.** *we've got the leasehold on the property* wir haben das Haus (*bzw.* Land *usw.*) gepachtet

leash [li:ʃ] *AE* (Hunde)Leine; *keep on the leash* an der Leine führen

least [li:st] **1.** kleinste(r, -s), geringste(r, -s), wenigste(r, -s); *at the least thing* bei der geringsten Kleinigkeit **2.** am wenigsten; *least of all* am allerwenigsten **3.** *the least* das Mindeste, das Wenigste; *at least* wenigstens, zumindest; *not in the least* nicht im Geringsten *oder* Mindesten; *to say the least* gelinde gesagt

leather ['leðə] Leder; *leather jacket* Lederjacke

leave¹ [li:v], *left* [left], *left* [left] **1.** verlassen (*Person, Ort*), fortgehen, weggehen **2.** *mit Zug, Auto usw.*: abreisen, abfahren **3.** *leave school* von der Schule abgehen **4.** *she left her family for another man* sie verließ ihre Familie wegen eines anderen Mannes **5.** lassen; *leave alone* allein lassen; *leave him alone!* lass ihn in Ruhe!; *let's leave it at that* lassen wir es dabei bewenden **6.** übrig lassen; *be left* übrig bleiben, übrig sein **7.** zurücklassen (*Narbe usw.*) **8.** hinterlassen (*Nachricht, Spur usw.*) **9.** überlassen (*Angelegenheit usw.*) (*to someone* jemandem); *I'll leave that to you* ich überlasse das dir

leave behind [ˌli:v ˌbɪ'haɪnd] **1.** zurücklassen (*auch Narbe usw.*) **2.** hinter sich lassen (*Gegner usw.*) (*auch übertragen*)

leave on [ˌli:v'ɒn] **1.** anlassen (*Radio usw.*) **2.** anbehalten (*Kleidungsstück*)

leave out [ˌli:v'aʊt] (≈ *nicht einbeziehen*) auslassen, weglassen (*of* von, bei)

leave² [li:v] **1.** Urlaub; **on leave** auf Urlaub **2.** Abschied; **take one's leave** *formell* Abschied nehmen (**of** von)

leaves [li:vz] *Pl. von* → **leaf**

Lebanon ['lebənən] der Libanon

lecture¹ ['lektʃə] Vortrag, Vorlesung (**on** über); **lecture hall** Hörsaal

lecture² ['lektʃə] einen Vortrag *oder* eine Vorlesung halten (**on** über)

lecturer ['lektʃərə] Dozent(in)

led [led] *2. und 3. Form von* → **lead³**

leek [li:k] *Gemüse:* Lauch, Porree

leer [lɪə] anzüglich grinsen, lüstern schielen (**at** nach)

left¹ [left] *2. und 3. Form von* → **leave¹**

left² [left] **1.** linke(r, -s), Links… **2.** links (**of** von); **turn left** *auf Straße:* links abbiegen; **keep left** sich links halten

left³ [left] **1.** *die* Linke, linke Seite; **on** *oder* **to the left** (**of**) links (von), auf der linken Seite; **on our left** zu unserer Linken; **the second turning on the left** die zweite Querstraße links; **keep to the left** sich links halten, *auf Straße:* links fahren **2. the left** *politisch:* die Linke

left-hand ['lefthænd] **left-hand bend** Linkskurve; **left-hand drive** Linkssteuerung; **she took a left-hand turn** sie bog nach links ab

left-handed [ˌleft'hændɪd] linkshändig; **be left-handed** Linkshänder(in) sein

left-hander [ˌleft'hændə] Linkshänder(in)

leftist ['leftɪst] *politisch:* linksgerichtet, links stehend

leftovers ['leftˌəʊvəz] *Pl.; von Essen:* Reste

left-wing [ˌleft'wɪŋ] *politisch:* dem linken Flügel angehörend, links

leg [leg] **1.** *allg.:* Bein; **give someone a leg up** jemandem aufhelfen, *übertragen* jemandem unter die Arme greifen; **pull someone's leg** *umg.* jemanden auf den Arm nehmen; **stretch one's legs** sich die Beine vertreten **2. leg of mutton** Hammelkeule **3.** *von Rennen, Reise:* Etappe **4. first** (*bzw.* **second**) **leg** *Sport, in Pokalwettbewerben:* Hinspiel (*bzw.* Rückspiel)

legal ['li:gl] **1.** *durch Gesetz geregelt:* gesetzlich, rechtlich; **legal holiday** *AE* gesetzlicher Feiertag; **legal tender** gesetzliches Zahlungsmittel **2.** *den Gesetzen entsprechend:* legal, gesetzmäßig, rechtsgültig **3.** *gerichtlich;* **take legal action against someone** gerichtlich gegen jemanden vorgehen

legality [lɪ'gælətɪ] Legalität

legalize ['li:gəlaɪz] legalisieren

legend [△ 'ledʒənd] Legende, Sage

legible [△ 'ledʒəbl] leserlich, lesbar

legislation [△ ˌledʒɪs'leɪʃn] Gesetzgebung

legitimate [△ lɪ'dʒɪtəmət] **1.** legitim, gesetzmäßig, rechtmäßig **2.** *Kind:* ehelich

leg room ['leg ˌru:m] *in Auto:* Beinfreiheit

leisure ['leʒə] Freizeit; **do something at leisure** etwas mit Muße *oder* in aller Ruhe tun; **at your leisure** wenn es Ihnen passt, bei Gelegenheit; **leisure centre** Freizeitzentrum; **leisure facilities** Freizeiteinrichtungen; **leisure hours** Mußestunden; **leisure park** Freizeitpark; **leisure time** Freizeit; **leisure wear** Freizeitkleidung

leisurely ['leʒəlɪ] *Tempo usw.:* gemächlich; **at a leisurely pace** gemächlich

leisure suit ['leʒə ˌsu:t] *AE* Jogginganzug

lemon ['lemən] **1.** Zitrone **2.** *umg.; Person oder Sache:* Niete **3.** *Farbe:* Zitronengelb

lend [lend], **lent** [lent], **lent** [lent] **1.** verleihen, ausleihen **2.** *übertragen* verleihen (*Nachdruck, Würde usw.*) **3. lend oneself to something** *übertragen* sich zu etwas hergeben

length [leŋθ] **1.** *allg.:* Länge; **two metres in length** zwei Meter lang; **what length is it?** wie lang ist es? **2.** *zeitlich:* Dauer; **at length** ausführlich **3.** *von Buch usw.:* Umfang **4.** *Sport:* Länge (*Vorsprung*) **5. go to great lengths to …** sich sehr bemühen *oder* alles Mögliche tun, um … (*etwas zu erreichen*)

lengthen ['leŋθən] **1.** verlängern, länger machen (*Hose, Rock usw.*) **2.** (*Tage usw.*) länger werden, sich verlängern

lengthy ['leŋθɪ] **1.** *zeitlich:* ziemlich lang **2.** *Rede, Film usw.:* ermüdend lang, langatmig

lens [lenz] **1.** *von Kamera, Auge usw.:* Linse **2.** *von Kamera auch:* Objektiv **3.** *von Brille:* Glas

lent [lent] *2. und 3. Form von* → **lend**

Lent [lent] *vor Ostern:* Fastenzeit

lentil ['lentɪl] *Gemüse:* Linse

Leo ['li:əʊ] *Sternbild:* Löwe

leopard [△ 'lepəd] *Raubkatze:* Leopard

lesbian¹ ['lezbɪən] lesbisch

lesbian² ['lezbɪən] Lesbierin, *umg.* Lesbe

lesion ['li:ʒn] Verletzung, Wunde

less [les] **1.** *allg.:* weniger; **less than** weniger als; **less and less** immer weniger **2.** geringer, kleiner; **in less time** in kürzerer Zeit **3.** weniger, eine kleinere Menge *oder* Zahl; **no less than** nicht weniger als **4.** (≈ *abzüglich*) weniger, minus; **10 less 6 is 4** 10 minus 6 ist 4

lessen ['lesn] **1.** (*Lärm, Probleme, Ärger usw.*) sich vermindern *oder* verringern, abnehmen **2.** vermindern, verringern (*Risiko, Kosten usw.*) **3.** *übertragen* herabsetzen, schmälern (*Verdienste, Leistung usw.*)

lesser ['lesə] kleiner, geringer; *the lesser of two evils* das kleinere Übel

lesson ['lesn] **1.** Lektion (*auch übertragen*); *teach someone a lesson* jemandem eine Lektion erteilen **2.** Unterrichtsstunde; *lessons* Pl. Unterricht, Stunden *Pl.*; *give lessons* Unterricht erteilen, unterrichten; *take lessons from* Stunden *oder* Unterricht nehmen bei **3.** *übertragen* Lehre; *it was a lesson to me* das war mir eine Lehre

let[1] [let], *let, let; -ing-Form letting* **1.** *allg.*: lassen; *let go!* lass los!; *let me go!* lass mich los!; *let oneself go* sich gehen lassen, aus sich herausgehen; *he let it go at that* er ließ es dabei bewenden; *let's go!* gehen wir!; *let someone know* jemanden wissen lassen, jemandem Bescheid geben **2.** *bes. BE* vermieten, verpachten (*to* an); *'to let'* „zu vermieten" **3.** *let alone* geschweige denn, ganz zu schweigen von

---

let down [‚let'daʊn] **1.** hinunterlassen, herunterlassen (*Seil, Strickleiter usw.*) **2.** (≈ *enttäuschen*) im Stich lassen **3.** *let one's hair down* umg. aus sich herausgehen, *stärker:* auf den Putz hauen

let in [‚let'ɪn] hereinlassen, hineinlassen; *my boots are letting in water* meine Stiefel sind undicht

let off [‚let'ɒf] **1.** abbrennen (*Feuerwerk*) **2.** abfeuern (*Gewehr usw.*) **3.** ablassen (*Gas usw.*); *let off steam übertragen* Dampf ablassen, sich abreagieren **4.** *umg.* einen fahren lassen

let out [‚let'aʊt] **1.** herauslassen, hinauslassen (*of* aus); *let the air out of the tyres* die Luft aus den Reifen lassen **2.** auslassen (*Kleidungsstück*) **3.** ausstoßen (*Schrei usw.*) **4.** ausplaudern, verraten (*Geheimnis*) **5.** *BE* vermieten (*Zimmer, Wohnung*)

let up [‚let'ʌp] umg. (*Regen, Ärgernis usw.*) nachlassen, aufhören

---

let[2] [let] *Tennis*: Netzaufschlag; *let!* Netz!

letdown ['letdaʊn] Enttäuschung

lethal ['liːθl] *Dosis, Waffe usw.*: tödlich

let's [lets] *Kurzform von let us*

letter ['letə] **1.** Buchstabe; *to the letter* wortwörtlich, buchstäblich **2.** Brief, Schreiben (*to* an); *by letter* schriftlich, brieflich; *letter of application* Bewerbungsschreiben; *letter of complaint* Beschwerdebrief; *letter to the editor* Leserbrief

letterbox ['letəbɒks] *BE* Briefkasten (*auch öffentlicher*)

lettuce [△ 'letɪs] Kopfsalat, Ⓐ Häuptelsalat

level[1] ['levl] **1.** Höhe; *1000 m above sea level* 1000 m über Meereshöhe; *at eye level* in Augenhöhe **2.** *von Fluss usw.*: Wasserstand, Pegel **3.** *in Gebäude*: Ebene, Etage **4.** *übertragen* Niveau, Stand, Stufe; *be on a level with übertragen* auf dem gleichen Niveau *oder* auf der gleichen Stufe stehen wie; *talks at government level* Gespräche auf Regierungsebene

level[2] ['levl] **1.** *Straße usw.*: eben; *a level teaspoon* ein gestrichener Teelöffel (voll) **2.** gleich (*auch übertragen*); *level crossing BE* schienengleicher Bahnübergang; *be level on points Sport*: punktgleich sein; *be level with* auf gleicher Höhe sein mit, *übertragen* auf dem gleichen Niveau *oder* auf der gleichen Stufe stehen wie; *draw level Sport*: ausgleichen **3.** *Rennen usw.*: ausgeglichen **4.** *do one's level best* sein Möglichstes tun

level[3] ['levl] *levelled, levelled, AE leveled, leveled* **1.** (ein)ebnen, planieren (*Fläche, Grundstück usw.*); *level to oder with the ground* dem Erdboden gleichmachen **2.** *übertragen* gleichmachen, nivellieren **3.** beseitigen, ausgleichen (*Unterschiede usw.*)

lever ['liːvə] **1.** *physikalisch*: Hebel **2.** *Werkzeug*: Brechstange **3.** *übertragen* Druckmittel

levy[1] ['levɪ] *levy a tax on something* etwas besteuern

levy[2] ['levɪ] Steuer, Abgabe

liability [‚laɪə'bɪlətɪ] **1.** *gesetzlich*: Haftung, Haftpflicht; *limited liability* beschränkte Haftung **2.** *liabilities Pl.* (≈ *Schulden*) Verbindlichkeiten **3.** *liability for tax* Steuerpflicht; *have a tax liability of £540* 540 Pfund Steuern zahlen müssen **4.** *für Krankheit usw.*: Anfälligkeit (*to* für)

liable ['laɪəbl] **1.** *be liable to do something im negativen Sinn*: dazu neigen, etwas zu tun **2.** *gesetzlich*: haftbar, haftpflichtig (*for* für); *be liable for something* für etwas haften **3.** *be liable to taxation oder to pay tax* steuerpflichtig sein **4.** *she's liable to bronchitis* sie ist anfällig für Bronchitis **5.** *we're liable to get wet here* hier werden wir unter Umständen nass

liar ['laɪə] Lügner(in)

liberal[1] ['lɪbrəl] **1.** *allg.*: liberal, aufgeschlossen **2.** *politisch mst. Liberal* liberal

3. *Person*: großzügig, freigebig (**of** mit) **4.** *Geschenk, Spende*: reichlich, großzügig **5.** **liberal arts** *Pl.* Geisteswissenschaften *Pl.*

liberal² ['lɪbrəl] *politisch mst.* **Liberal** Liberale(r)

liberate ['lɪbəreɪt] befreien (**from** von, aus) (*auch übertragen*)

liberation [ˌlɪbə'reɪʃn] Befreiung (*auch übertragen*)

liberty ['lɪbətɪ] **1.** *allg.*: Freiheit; **Statue of Liberty** *in New York*: Freiheitsstatue **2.** **at liberty** *Person*: frei, in Freiheit, auf freiem Fuß **3.** **be at liberty to do something** etwas tun dürfen **4.** **take liberties with someone** sich Freiheiten gegenüber jemandem herausnehmen

Libra [⚠ 'liːbrə] *Sternbild*: Waage

librarian [laɪ'breərɪən] Bibliothekar(in)

library ['laɪbrərɪ] **1.** Bibliothek, Bücherei (⚠ *Buchhandlung* = **bookshop, bookstore**); **library ticket** Leserausweis; **reference library** Präsenzbibliothek **2.** *von Büchern, Schallplatten*: Sammlung

Libya ['lɪbɪə] Libyen

Libyan¹ ['lɪbɪən] libysch

Libyan² ['lɪbɪən] Libyer(in)

lice [laɪs] *Pl. von* → **louse¹**

licence, *AE* **license** ['laɪsns] *von Behörde erteilt*: Lizenz, Konzession, Genehmigung; **driving licence** Führerschein; **licence number** *von Auto*: Kennzeichen

license¹ ['laɪsns] *AE* → **licence**

license² ['laɪsns] lizenzieren, eine Lizenz *oder* Konzession erteilen, behördlich genehmigen; **fully licensed** *BE*; *Lokal*: mit voller Schankkonzession

lick [lɪk] **1.** lecken, ablecken; **lick one's lips** sich die Lippen lecken (*auch übertragen*); **lick someone's boots** *übertragen* vor jemandem kriechen **2.** *umg.* (≈ *besiegen*) eine Abfuhr erteilen **3.** **I think we've got it licked** ich denke, wir haben die Sache im Griff

lid [lɪd] **1.** *von Topf usw.*: Deckel; **that puts the lid on it!** *BE*, *umg.* das schlägt dem Fass den Boden aus! **2.** *von Auge*: Lid

lido ['liːdəʊ] *Pl.*: **lidos** *BE* Freibad, Strandbad

lie¹ [laɪ] Lüge; **tell lies** *oder* **a lie** lügen; **white lie** Notlüge

lie² [laɪ], **lied** [laɪd], **lied** [laɪd]; *-ing-Form* **lying** lügen; **lie to someone** jemanden belügen *oder* anlügen

lie³ [laɪ] **the lie of the land** *BE*, *übertragen* die Lage der Dinge, die Sachlage

lie⁴ [laɪ], **lay** [leɪ], **lain** [leɪn]; *-ing-Form* **lying 1.** *allg.*: liegen (*im Bett usw.*) **2.** *auf dem Boden usw. auch*: daliegen **3.** (≈ *be-*

graben sein) ruhen **4.** (*Stadt usw.*) gelegen sein, sich befinden; **the town lies on a river** die Stadt liegt an einem Fluss **5.** **lie second** *Sport usw.*: an zweiter Stelle liegen **6.** **what lies ahead** (**of us**) was (uns) bevorsteht **7.** **lie low** sich versteckt halten, sich ruhig verhalten

lie about *oder* **around** [ˌlaɪ ə'baʊt *oder* ə'raʊnd] herumliegen

lie back [ˌlaɪ'bæk] **1.** sich zurücklegen, sich zurücklehnen **2.** *übertragen* (≈ *nichts tun*) sich ausruhen

lie down [ˌlaɪ'daʊn] sich hinlegen (**on** auf)

lie in [ˌlaɪ'ɪn] *bes. BE* (morgens) lang im Bett bleiben

lie detector ['laɪ dɪˌtektə] Lügendetektor

lie-down ['laɪdaʊn] *BE*, *umg.* Nickerchen; **have a lie-down** ein Nickerchen machen, sich kurz hinlegen

lieu [ljuː, luː] **in lieu** stattdessen; **in lieu of** statt, anstatt (*beide + Genitiv*)

lieutenant [⚠ lef'tenənt, *AE* luː'tenənt] *Offizier*: Leutnant, *BE* Oberleutnant

life [laɪf] *Pl.*: **lives** [⚠ laɪvz] **1.** *allg.*: Leben; **thousands lost their lives** Tausende kamen ums Leben; **this is a matter of life and death** es geht um Leben und Tod; **early in life** in jungen Jahren; **late in life** in vorgerücktem Alter; **show no signs of life** kein Lebenszeichen (mehr) von sich geben **2.** Lebenszeit, Lebensdauer; **all his life** sein ganzes Leben lang; **for life** *Ehe, Beruf usw.*: für den Rest des Lebens, auf Lebenszeit, *Urteil*: lebenslänglich **3.** *übertragen* Schwung; **full of life** voller Leben **4.** *umg.* lebenslängliche Freiheitsstrafe; **he's doing life** er sitzt lebenslänglich; **he got life** er bekam lebenslänglich

life assurance ['laɪf əˌʃʊərəns] *BE* Lebensversicherung

lifebelt ['laɪfbelt] Rettungsgürtel

lifeboat ['laɪfbəʊt] Rettungsboot

life buoy ['laɪf bɔɪ] Rettungsring

lifeguard ['laɪfgaːd] Rettungsschwimmer, Bademeister

life insurance ['laɪf ɪnˌʃʊərəns] Lebensversicherung

life jacket ['laɪf dʒækɪt] Schwimmweste

lifeless ['laɪfləs] **1.** leblos, tot **2.** *übertragen* matt, schwunglos (*Film, Buch, Spiel usw.*)

lifelong ['laɪflɒŋ] *Freundschaft*: lebenslang

life sentence [ˌlaɪf'sentəns] lebenslängliche Freiheitsstrafe

lifestyle ['laɪfstaɪl] Lebensstil

lifetime ['laɪftaɪm] Lebenszeit; *once in a lifetime* einmal im Leben; *during someone's lifetime* zu jemandes Lebzeiten

lift¹ [lɪft] 1. *bes. BE* Lift, Aufzug, Fahrstuhl 2. *give someone a lift* jemanden (im Auto) mitnehmen; *get a lift from someone* von jemandem mitgenommen werden 3. *übertragen* Aufschwung; *give someone a lift* jemanden aufmuntern, jemandem Auftrieb geben

lift² [lɪft] 1. *auch lift up* hochheben; *he didn't lift a finger to help us* er rührte keinen Finger, um uns zu helfen 2. erheben (*Stimme usw.*); *lift one's eyes* aufschauen, aufblicken 3. *umg.* klauen 4. liften, straffen (*Haut, Gesicht usw.*) 5. aufheben (*Embargo, Verbot usw.*) 6. (*Nebel usw.*) sich heben, steigen

lift off [ˌlɪft'ɒf] (*Rakete, Flugzeug*) starten, abheben

lift-off ['lɪftɒf] *von Rakete*: Start, Abheben

light¹ [laɪt] 1. *allg.*: Licht, Helligkeit 2. *Lichtquelle*: Licht, Beleuchtung; *in subdued light* bei gedämpftem Licht 3. Sonnenlicht, Tageslicht; *bring* (*bzw. come*) *to light* *übertragen* ans Licht bringen (*bzw.* kommen); *see the light of day* das Licht der Welt erblicken 4. *übertragen* Aspekt; *in the light of* angesichts, unter dem Aspekt 5. *übertragen* Erleuchtung; *I see the light* mir geht ein Licht auf 6. *am Auto usw.*: Scheinwerfer 7. *mst. lights Pl., BE* Verkehrsampel; *jump the lights* bei Rot über die Kreuzung fahren 8. *für Zigarette*: Feuer; *have you got a light?* haben Sie Feuer?

light² [laɪt], lit [lɪt], lit [lɪt], *auch lighted, lighted* 1. anzünden; *light a cigarette* sich eine Zigarette anzünden 2. beleuchten (*Raum usw.*)

light up [ˌlaɪt'ʌp] 1. (*Licht, Lampe usw.*) aufleuchten 2. (hell) beleuchten (*Raum*) 3. *übertragen* (*Augen*) aufleuchten 4. *umg.* (≈ *anzünden*) sich eine anstecken

light³ [laɪt] 1. *allg.*: leicht (*Last, Kleidung, Mahlzeit, Wein, Schlaf, Fehler usw.*); *as light as a feather* federleicht; *no light matter* keine Kleinigkeit; *light metal* Leichtmetall; *light reading* Unterhaltungslektüre 2. *make light of* auf die leichte Schulter nehmen, verharmlosen 3. *Essen, Getränke*: leicht, light 4. *von Farbton*: hell; *light red* hellrot

light bulb ['laɪt ˌbʌlb] Glühbirne

lighten ['laɪtn] 1. leichter machen, erleichtern (*Arbeit usw.*) 2. (*Himmel usw.*) sich aufhellen

lighter ['laɪtə] Feuerzeug

light-headed [ˌlaɪt'hedɪd] benommen (*auch nach Alkoholgenuss usw.*)

light-hearted [ˌlaɪt'hɑːtɪd] unbeschwert

lighthouse ['laɪthaʊs] Leuchtturm

lighting ['laɪtɪŋ] Beleuchtung

lightning ['laɪtnɪŋ] Blitz; *be struck by lightning* vom Blitz getroffen werden

lightning conductor ['laɪtnɪŋ ˌkənˌdʌktə], *AE* lightning rod ['laɪtnɪŋ ˌrɒd] Blitzableiter

lightweight ['laɪtweɪt] *Sport*: Leichtgewicht

light year ['laɪt ˌjɪə] Lichtjahr

likable ['laɪkəbl] *Person*: liebenswert, sympathisch, ⊕ gefreut

like¹ [laɪk] 1. *vergleichend*: wie; *a woman like you* eine Frau wie du; *what's he like?* wie ist er?; *he's a bit like you* er ist dir ein bisschen ähnlich; *that's just like him!* das sieht ihm ähnlich; *that's more like it!* das ist schon besser!; *there's nothing like ...* es geht doch nichts über ... 2. *it cost something like £100* es kostete so um die 100 Pfund 3. *in Aussehen, Wesen usw.*: ähnlich; *they're as like as two peas* *übertragen* sie gleichen sich wie ein Ei dem anderen

like² [laɪk] *his like* seinesgleichen; *smoking, boozing and the like* Rauchen, Saufen und dergleichen; *the likes of me* *umg.* meinesgleichen, Leute wie ich

like³ [laɪk] 1. gernhaben, mögen; *I like it* es gefällt mir; *I like him* ich kann ihn gut leiden; *how do you like her?* wie gefällt sie dir?, wie findest du sie?; *what do you like better?* was hast du lieber?, was gefällt dir besser? 2. *mit -ing-Form*: *I like swimming* ich schwimme gerne; *do you like dancing?* tanzen Sie gerne? 3. *mit should oder would*: wollen, mögen; *I would like to know if ...* ich möchte gern wissen, ob ...; *would you like (to have) a drink?* möchten Sie etwas trinken? 4. wollen; (*just*) *as you like* (ganz) wie du willst; *do as you like* mach, was du willst; *if you like* wenn du willst

like⁴ [laɪk] Neigung, Vorliebe; *likes and dislikes* Vorlieben und Abneigungen

likeable ['laɪkəbl] → likable

likelihood ['laɪklɪhʊd] Wahrscheinlichkeit; *in all likelihood* aller Wahrscheinlichkeit nach, höchstwahrscheinlich

likely ['laɪklɪ] 1. wahrscheinlich, voraussichtlich; *he's likely to come* es ist gut möglich, dass er kommt; *he isn't likely to come* es ist unwahrscheinlich, dass er kommt; **most likely** höchstwahrscheinlich; **as likely as not** sehr wahrscheinlich; **not likely!** *umg.* wohl kaum!, denkste! **2.** *Geschichte usw.*: glaubhaft; **a likely story!** *ironisch* das soll glauben, wer mag! **3.** *Person, Ort usw.*: infrage kommend, geeignet

likewise ['laɪkwaɪz] desgleichen, ebenso; **'Have a nice holiday.' - 'Likewise.'** „Schönen Urlaub." - „Gleichfalls."

liking ['laɪkɪŋ] Vorliebe (**for** für); **this is not to my liking** *formell* das ist nicht nach meinem Geschmack

lilac ['laɪlək] lila, fliederfarben

lilo, Lilo® ['laɪləʊ] *Pl.*: **lilos** *BE, umg.* Luftmatratze

lily ['lɪlɪ] Lilie; **lily of the valley** Maiglöckchen

limb [△ lɪm] (≈ *Arm, Bein*) Glied

limber ['lɪmbə] beweglich, gelenkig

---

limber up [ˌlɪmbər'ʌp] sich auflockern, Lockerungsübungen machen

---

limelight ['laɪmlaɪt] **be in the limelight** im Rampenlicht stehen

limit[1] ['lɪmɪt] **1.** *von Gebiet*: Begrenzung; **the 12-mile limit** *vor Küste*: die 12-Meilenzone **2.** *übertragen* Beschränkung, Limit; **a 20 mph speed limit** *etwa*: eine Geschwindigkeitsbegrenzung von 30 Kilometern; **to the limit** bis zum Äußersten *oder* Letzten; **within limits** in (gewissen) Grenzen; **there's a limit to everything** alles hat seine Grenzen; **off limits** Zutritt verboten (**to** für); **that's the limit!** *umg.* das ist (doch) die Höhe!; **I know my limits** ich kenne meine Grenzen **3.** **time limit** (zeitliche) Frist **4.** *finanziell*: Limit, Preisgrenze

limit[2] ['lɪmɪt] **1.** beschränken, begrenzen (*Ausgaben, Unkosten usw.*) (**to** auf) **2.** limitieren (*Auflage, Preise usw.*) **3.** **limited (liability) company** *BE; Wirtschaft*: Gesellschaft mit beschränkter Haftung

limitation [ˌlɪmɪ'teɪʃn] *von Fähigkeiten usw.*: Grenze; **I know my limitations** ich kenne meine Grenzen

limp [lɪmp] hinken (*auch übertragen*)

line[1] [laɪn] **1.** *gezeichnet oder gedruckt*: Linie, Strich **2.** *in Buch usw.*: Zeile; **read between the lines** *übertragen* zwischen den Zeilen lesen; **drop someone a line** jemandem ein paar Zeilen schreiben **3.** **lines** *Pl. im Theater usw.*: Rolle, Text; **learn one's lines** seinen Text lernen **4.** *Telefon*: Leitung; **the line is busy** *oder* **engaged** die Leitung ist besetzt; **hold the line** bleiben Sie am Apparat **5.** *politisch, weltanschaulich usw.*: Linie, Grund-

sätze *Pl.*, Richtlinien *Pl.*; **along these lines** nach diesen Grundsätzen; **be in line with** übereinstimmen mit; **bring into line** in Einklang bringen (**with** mit), *stärker*: auf Vordermann bringen; **keep someone in line** jemanden bei der Stange halten; **step out of line** aus der Reihe tanzen **6.** *übertragen* Grenzlinie, Grenze; **we've got to draw the line somewhere** irgendwo muss (damit) Schluss sein **7.** *von Personen, Bäumen, Sachen*: Reihe, Kette; **stand in line** anstehen, Schlange stehen (**for** um, nach) **8.** *von Familie*: Abstammung, Linie; **in the direct line** in direkter Linie; **descend from a long line of miners** von einer langen Linie von Bergarbeitern abstammen **9.** (≈ *Beruf*) Fach, Gebiet; **what's your line?** in welcher Branche sind Sie tätig?; **that's not in my line** *übertragen* das liegt mir nicht **10.** *Luftfahrt*: Fluggesellschaft **11.** *militärisch*: Linie; **behind the enemy lines** hinter den feindlichen Linien **12.** *für Wäsche usw.*: Leine, Schnur, Seil

line[2] [laɪn] **1.** linieren (*Papier*) **2.** (*Bäume, Menschen*) säumen (*Straße usw.*)

---

line up [ˌlaɪn'ʌp] **1.** (*Personen*) sich in einer Reihe aufstellen **2.** *bes. AE* sich anstellen (**for** um, nach) **3.** in einer Reihe *oder* nebeneinander aufstellen (*Kartons, Flaschen usw.*) **4.** *umg.* auf die Beine stellen, organisieren

---

line[3] [laɪn] **1.** füttern (*Kleid usw.*) **2.** **line one's pocket(s)** *oder* **purse** *übertragen* sich bereichern, in die eigene Tasche wirtschaften

linen [△ 'lɪnɪn] **1.** *Material*: Leinen **2.** **bed linen** Bettwäsche; **table linen** Tischdecken; **wash one's dirty linen in public** *übertragen* seine schmutzige Wäsche in der Öffentlichkeit waschen

linesman ['laɪnzmən] *Pl.*: **linesmen** ['laɪnzmən] *Sport*: Linienrichter

line-up ['laɪnʌp] **1.** *Mannschaftssport*: Aufstellung **2.** *bes. AE* Menschenschlange

linger ['lɪŋgə] **1.** *an Ort usw.*: bleiben, verweilen **2.** (*Geruch*) in der Luft hängen **3.** **linger over a glass of wine** *usw.* sich über einem Glas Wein *usw.* aufhalten **4.** (*Tradition usw.*) fortleben, fortbestehen **5.** (*Verdacht usw.*) zurückbleiben

linguist ['lɪŋgwɪst] **1.** *allg.*: Sprachkundige(r); **she's a good linguist** sie ist sehr sprachbegabt **2.** *Wissenschaftler(in)*: Linguist(in), Sprachwissenschaftler(in)

linguistic [lɪŋ'gwɪstɪk] **1.** *allg.*: sprachlich, Sprach… **2.** *wissenschaftlich*: linguistisch, Sprach…

sprachwissenschaftlich

linguistics [lɪŋ'gwɪstɪks] (△ *im Sg. verwendet*) Linguistik, Sprachwissenschaft

lining ['laɪnɪŋ] **1.** Futter(stoff) **2.** *technisch*: Auskleidung **3.** *von Bremse usw*: Belag

link¹ [lɪŋk] **1.** *von Kette*: Glied (*auch übertragen*) **2.** *Person*: Bindeglied, Verbindungsmann **3.** *zwischen Ereignissen usw.*: Zusammenhang (**between, with** zwischen)

link² [lɪŋk] **1.** verbinden (**to, with** mit); **link arms** sich unterhaken, sich einhaken (**with** bei) **2.** *übertragen* in Verbindung bringen (**with** mit); **I'm sure that the incidents are linked** ich bin sicher, dass die Vorfälle miteinander zusammenhängen

link up [ˌlɪŋk'ʌp] **1.** (*Personen*) sich zusammentun **2.** (*Sachverhalte*) zusammenpassen **3.** *Raumfahrt*: ankoppeln

linkup ['lɪŋkʌp] **1.** *über Antenne, Satellit usw.*: Verbindung **2.** *von Raumschiffen*: Ankoppeln

lion ['laɪən] **1.** *Raubtier*: Löwe **2.** *übertragen* **go into the lion's den** sich in die Höhle des Löwen wagen; **the lion's share** der Löwenanteil

lioness ['laɪənes] Löwin

lip [lɪp] **1.** *Teil des Mundes*: Lippe; **lower lip** Unterlippe; **upper lip** Oberlippe; **keep a stiff upper lip** *übertragen* Haltung bewahren, sich nichts anmerken lassen **2.** **none of your lip!** *umg.* sei nicht so unverschämt *oder* frech! **3.** *von Tasse usw.*: Rand

lip gloss ['lɪp ˌglɒs] Lipgloss

lip salve ['lɪp ˌsælv] Lippenbalsam, Lippenpflegestift

lipstick ['lɪpstɪk] Lippenstift; **put on lipstick** sich die Lippen schminken

liqueur [lɪ'kjʊə] Likör

liquid¹ ['lɪkwɪd] **1.** flüssig **2.** *finanziell*: liquid, flüssig

liquid² ['lɪkwɪd] Flüssigkeit

liquidize ['lɪkwɪdaɪz] (im Mixer) zerkleinern *oder* pürieren

liquidizer ['lɪkwɪdaɪzə] *BE*; *Küchengerät*: Mixer

liquor [△ 'lɪkə] Alkohol, Spirituosen *Pl.*

liquor

Achte auf den Unterschied:

liqueur	[lɪ'kjʊə]	Likör
liquor	['lɪkə]	Spirituosen

Lisbon ['lɪzbən] Lissabon

lisp¹ [lɪsp] lispeln

lisp² [lɪsp] **speak with a lisp** lispeln

list¹ [lɪst] Liste, Verzeichnis; **be on the list** auf der Liste stehen; **shopping list** Einkaufszettel (△ *List = trick*)

list² [lɪst] auflisten, in eine Liste eintragen

listed ['lɪstɪd] **listed building** *in Großbritannien*: denkmalgeschütztes Gebäude

listen [△ 'lɪsn] **1.** hören, horchen (**to** auf) **2.** zuhören; **listen to me!** hör mir zu!; **listen!** hör mal! **3.** *übertragen* hören (**to** auf) (*Person, Rat, Warnung usw.*); **I warned her, but she wouldn't listen** ich warnte sie, aber sie wollte nicht hören

listen in [△ ˌlɪsn'ɪn] **1.** Radio hören; **listen in to a concert** sich ein Konzert im Radio anhören **2.** *heimlich*: lauschen, mithören; **listen in on a conversation** *oder* **phone call** ein Gespräch *oder* Telefonat mithören

listener [△ 'lɪsnə] **1.** Zuhörer(in); **be a good listener** gut zuhören können **2.** *Radio*: Hörer(in)

listing ['lɪstɪŋ] **1.** Auflistung, Verzeichnis **2.** **listings** *Pl., Fernsehen usw.*: Programm

listless ['lɪstləs] *Person*: lustlos, apathisch

lit [lɪt] *2. und 3. Form von* → **light²**

liter ['liːtə] *AE* Liter; ☞ *BE* **litre**

literal ['lɪtrəl] **1.** *Bedeutung, Übersetzung usw.*: wörtlich; **take something literally** etwas wörtlich nehmen **2.** genau, buchstäblich; **he did literally nothing** er hat buchstäblich gar nichts gemacht

literary ['lɪtrərɪ] **1.** literarisch, Literatur...; **literary critic** Literaturkritiker(in) **2.** *Ausdruck usw.*: gewählt, hochgestochen

literate ['lɪtrət] **1.** **be literate** lesen und schreiben können **2.** (literarisch) gebildet, belesen

literature ['lɪtrətʃə] **1.** *allg.*: Literatur **2.** *umg.* Informationsmaterial

Lithuania [ˌlɪθju'eɪnɪə] Litauen

Lithuanian¹ [ˌlɪθju'eɪnɪən] litauisch

Lithuanian² [ˌlɪθju'eɪnɪən] *Sprache*: Litauisch

Lithuanian³ [ˌlɪθju'eɪnɪən] Litauer(in)

litre ['liːtə] *bes. BE* Liter

litter¹ ['lɪtə] **1.** *herumliegendes Papier usw.*: Abfall, Abfälle *Pl.* **2.** *für Katzen usw.*: Streu, Stroh **3.** *neugeborene Tiere*: Wurf

litter² ['lɪtə] **be littered with** übersät sein mit (*Schmutz, Abfall usw.*)

litter bin ['lɪtə ˌbɪn] (öffentlicher) Abfalleimer, Abfallkorb

litterbug ['lɪtəbʌg] *jemand, der Abfall auf*

den Boden wirft

little[1] ['lɪtl], *smaller* ['smɔːlə], *smallest* ['smɔːləst] **1.** *Kind, Häuschen, Garten usw.*: klein; *the little ones* Pl. die Kleinen **2.** *Zeitraum*: kurz; *a little while ago* vor Kurzem, vor kurzer Zeit **3.** (≈ *nicht viel*) wenig **4.** *Problem, Vorfall usw.*: klein, geringfügig

little[2] ['lɪtl], *less* [les], *least* [liːst] **1.** *think little of someone* wenig von jemandem halten; *for as little as £10* für nur 10 Pfund **2.** wenig, selten; *I see him very little* oder *I see very little of him* ich sehe ihn kaum **3.** *a little* ein wenig, ein bisschen; *I speak a little English* ich spreche etwas oder ein wenig Englisch; *a little advice* ein kleiner Tipp; 'Would you like some more coffee?' - 'Just a little.' „Möchtest du noch etwas Kaffee?" - „Nur ein bisschen." **4.** *little by little* ganz allmählich, nach und nach

live[1] [lɪv] **1.** *allg.*: leben; *you live and learn* man lernt nie aus **2.** (*Patient usw.*) am Leben bleiben, überleben **3.** führen (*Leben*); *live a life of luxury* ein Leben im Luxus führen **4.** wohnen (*with* bei) **5.** das Leben genießen; *live and let live* leben und leben lassen

live off [lɪvˈɒv] *he lives off his parents* er lebt auf Kosten seiner Eltern

live on [lɪvˈɒn] **1.** (*Erinnerung usw.*) weiterleben, fortleben **2.** sich ernähren (*on* von); *live on vegetables* sich von Gemüse ernähren

live together [lɪv_təˈɡeðə] (*Paar*) zusammenleben

live up to [lɪvˈʌptʊ] **1.** *einem Ruf usw.*: gerecht werden **2.** *den Erwartungen usw.*: entsprechen

live with ['lɪv_wɪð] zusammenleben mit

live[2] [△ laɪv] **1.** *Person, Tier*: lebend, lebendig **2.** *Rundfunk, TV*: live, direkt; *live broadcast* Radio, TV: Direktübertragung; *a live programme* eine Livesendung; *live from Munich* live oder direkt aus München

livelihood ['laɪvlɪhʊd] Lebensunterhalt; *earn a* (oder *one's*) *livelihood* seinen Lebensunterhalt verdienen

liveliness [△ 'laɪvlɪnɪs] Lebhaftigkeit, Lebendigkeit

lively [△ 'laɪvlɪ] **1.** *Interesse, Person usw.*: lebhaft **2.** *Schilderung usw.*: lebendig **3.** *Zeit, Atmosphäre*: aufregend; *give someone a lively time* oder *make things lively for someone* jemandem kräftig einheizen, jemandem zu schaffen machen **4.** *Tempo usw.*: schnell, flott

liven up [ˌlaɪvnˈʌp] **1.** (≈ *in Schwung bringen*) Leben bringen in **2.** (*Party usw.*) in Schwung kommen

liver ['lɪvə] *Organ*: Leber

liver sausage ['lɪvə,sɒsɪdʒ], *AE* liverwurst ['lɪvəwɜːst] Leberwurst

lives [△ laɪvz] *Pl. von* → **life**

livid ['lɪvɪd] **1.** *umg.* fuchsteufelswild **2.** *Bluterguss*: blau, bläulich (verfärbt)

living[1] ['lɪvɪŋ] **1.** lebend (*auch Sprache*); *within living memory* seit Menschengedenken **2.** *Lebens...*; *living conditions* Lebensbedingungen

living[2] ['lɪvɪŋ] **1.** *the living* Pl. die Lebenden *Pl.* **2.** Lebensunterhalt; *earn* oder *make a living* seinen Lebensunterhalt verdienen (*as* als; *out of* durch, mit); *cost of living* Lebenshaltungskosten

living room ['lɪvɪŋ_ruːm] Wohnzimmer

lizard [△ 'lɪzəd] Eidechse

llama ['lɑːmə] *Tier*: Lama

load[1] [ləʊd] **1.** Last, *übertragen auch* Bürde; *his decision took a load off my mind* bei seiner Entscheidung fiel mir ein Stein vom Herzen **2.** *von Lkw*: Ladung **3.** *in Wendungen*: *get a load of this!* *umg.* hör oder schau dir das mal an!; *he talks a load of rubbish* *umg.* er redet ne Menge Blödsinn; *loads of ...* *umg.* massenhaft ..., jede Menge ...; *there was loads to eat* *umg.* es gab massenhaft zu essen

load[2] [ləʊd] **1.** *auch load up* beladen (*Fahrzeug usw.*) **2.** laden (*Gegenstand usw.*) (*into* in; *onto* auf) **3.** laden (*Schusswaffe*); *load the camera* einen Film (in die Kamera) einlegen **4.** *übertragen* überhäufen (*with* mit) **5.** *Computer*: laden (*Programm usw.*)

loaded ['ləʊdɪd] **1.** *loaded question* Fangfrage, Suggestivfrage; *loaded word* Reizwort **2.** *umg.* stinkreich; *be loaded auch*: Geld wie Heu haben **3.** *bes. AE, umg.* voll, besoffen

loaf [ləʊf] *Pl.*: *loaves* [ləʊvz] **1.** *Brot usw.*: Laib **2.** *allg.*: Brot; *a loaf of bread* ein Brot; *a white loaf* ein Weißbrot **3.** *meat loaf* Hackbraten

loan[1] [ləʊn] **1.** *finanziell*: Darlehen, Kredit; *take out a loan* einen Kredit oder ein Darlehen aufnehmen **2.** *on loan* leihweise, geliehen; *you can have it on loan* du darfst es dir leihen

loan[2] [ləʊn] *bes. AE* ausleihen, verleihen (*to* an)

loan shark ['ləʊn_ʃɑːk] *umg.* Kredithai

loanword ['ləʊnwɜːd] *Sprache*: Lehnwort

loath [ləʊθ] *be loath to do something* etwas nur (sehr) ungern tun

loathe [ləʊð] verabscheuen, hassen
loathing ['ləʊðɪŋ] Abscheu
loathsome ['ləʊðsəm] widerlich, abscheulich
loaves [ləʊvz] *Pl. von* → **loaf**
lobby[1] ['lɒbɪ] **1.** *im Hotel usw.:* Eingangshalle **2.** *im Theater:* Foyer **3.** *Politik:* Lobby, Interessenverband
lobby[2] ['lɒbɪ] beeinflussen (*Abgeordnete*)
lobster ['lɒbstə] Hummer; *red as a lobster* krebsrot
local[1] ['ləʊkl] **1.** lokal, örtlich; *local call* *Telefon:* Ortsgespräch; *local elections* *Pl.* Kommunalwahlen *Pl.*; *local news* (△ *nur im Sg. verwendet*) Lokalnachrichten *Pl.*; *local time* Ortszeit; *local TV* Lokalfernsehen **2.** hiesig; *the local residents* die Ortsansässigen **3.** *local anaesthetic* *Medizin:* örtliche Betäubung
local[2] ['ləʊkl] **1.** Ortsansässige(r), Einheimische(r) **2.** *BE, umg.* Stammkneipe
locate [ləʊ'keɪt] **1.** ausfindig machen, aufspüren (*Position, gesuchte Person usw.*) **2.** *be located* *Haus, Ort usw.:* gelegen sein, liegen, sich befinden
location [ləʊ'keɪʃn] **1.** *von Haus usw.:* Lage, Standort **2.** *Film, TV:* Drehort; *shooting on location* Außenaufnahmen **3.** *von Gesuchtem:* Lokalisierung, *von Schiff auch:* Ortung
loch [lɒx] *in Schottland:* See
lock[1] [lɒk] **1.** *von Tür, Schrank usw.:* Schloss; *under lock and key* hinter Schloss und Riegel, unter Verschluss **2.** *allg.:* Verschluss, Sperrmechanismus **3.** *in Kanal:* Schleuse, Schleusenkammer
lock[2] [lɒk] **1.** abschließen, zuschließen (*Tür usw.*) **2.** *in Zimmer usw.:* einschließen, einsperren (*in, into*) **3.** (*Räder*) blockieren

---

lock away [ˌlɒk ə'weɪ] **1.** wegschließen (*Wertsachen*) **2.** einsperren (*Person*)
lock in [ˌlɒk'ɪn] einschließen, einsperren (*Person, Tier*)
lock out [ˌlɒk'aʊt] *aus Wohnung, Haus:* aussperren (*auch Arbeiter*)
lock up [ˌlɒk'ʌp] **1.** abschließen, zusperren (*Haus usw.*) **2.** wegschließen (*Wertsachen*) **3.** einsperren (*Person*)

---

lock[3] [lɒk] Haarlocke, Haarsträhne
locker ['lɒkə] **1.** *für Gepäck usw.:* Schließfach **2.** *für Kleidung usw.:* Spind; *locker room* *in Sporthalle usw.:* Umkleidekabine
lockout ['lɒkaʊt] *bei Arbeitskampf:* Aussperrung
loco ['ləʊkəʊ] *AE, salopp* verrückt
locust ['ləʊkəst] *Insekt:* Heuschrecke

lodge[1] [lɒdʒ] **1.** *in größerem Gebäude:* Portierloge **2.** *von Freimaurern:* Loge **3.** *für Wanderer, Skiläufer usw.:* Hütte
lodge[2] [lɒdʒ] **1.** *als Untermieter:* logieren, vorübergehend wohnen **2.** *lodge a complaint* eine Beschwerde einlegen **3.** erstatten (*Anzeige*)
lodger ['lɒdʒə] *bes. BE* Untermieter(in); *take lodgers* Zimmer vermieten
lodgings ['lɒdʒɪŋz] *Pl.* möbliertes Zimmer, möblierte Wohnung; *live in lodgings BE* möbliert wohnen
loft [lɒft] Dachboden, Speicher, ⊛ Estrich; *loft conversion* Dachausbau
lofty ['lɒftɪ] **1.** *Pläne, Ideale usw.:* hochfliegend, hochgesteckt **2.** *Gehabe:* stolz, hochmütig
log [lɒg] **1.** Holzklotz **2.** gefällter Baumstamm **3.** *Seefahrt:* Logbuch

---

log in [ˌlɒg'ɪn], *logged in, logged in* *Computer:* einloggen
log off [ˌlɒg'ɒf], *logged off, logged off* *Computer:* ausloggen
log on [ˌlɒg'ɒn], *logged on, logged on* *Computer:* einloggen
log out [ˌlɒg'aʊt], *logged out, logged out* *Computer:* ausloggen

---

log book ['lɒgbʊk] **1.** *Seefahrt:* Logbuch **2.** *BE; von Auto:* Kraftfahrzeugbrief
log cabin [ˌlɒg'kæbɪn] Blockhütte
logic ['lɒdʒɪk] *allg.:* Logik
logical ['lɒdʒɪkl] logisch
loin [lɔɪn] *von Tier:* Lende, Lendenstück
loins [lɔɪnz] *Pl. von Mensch:* Lende
loiter ['lɔɪtə] **1.** trödeln, bummeln **2.** herumlungern

---

loll about *oder* **around** [ˌlɒl ə'baʊt *oder* ə'raʊnd] herumlümmeln, herumhängen

---

lollipop ['lɒlɪpɒp] **1.** Lutscher **2.** *BE* Eis am Stiel
lollipop man ['lɒlɪpɒp ˌmæn] *Pl.:* **lollipop men** ['lɒlɪpɒp ˌmen] *BE, umg.; etwa:* Schülerlotse; ☞ *Info S. 282*
lollipop woman ['lɒlɪpɒp ˌwʊmən] *Pl.:* **lollipop women** ['lɒlɪpɒp ˌwɪmɪn] *BE, umg.; etwa:* Schülerlotsin; ☞ *Info S. 282*
lolly ['lɒlɪ] *BE, umg.* **1.** Lutscher **2.** Eis am Stiel **3.** *umg.* Kies (*Geld*)
London ['lʌndən] London
loneliness ['ləʊnlɪnəs] Einsamkeit
lonely ['ləʊnlɪ] einsam
loner ['ləʊnə] Einzelgänger(in)
lonesome ['ləʊnsəm] *bes. AE* einsam
long[1] [lɒŋ] **1.** *allg.:* lang **2.** *zeitlich:* lang, lange; *I've been waiting for a long time*

ich warte schon lange; *hi, it's been a long time* hallo, lange nicht gesehen; *as long as* solange wie; *a long time ago oder long ago* vor langer Zeit; *as long ago as 1983* schon 1983; *at the longest* längstens; *I won't stay for long* ich bleibe nicht lange; *take long (to do something)* lange brauchen(, um etwas zu tun); *before long* in Kürze, bald **3.** *räumlich:* weit (*Entfernung*), lang (*Weg*); *it's a long way to ...* nach ... ist es weit **4.** *as long as* (≈ *falls*) vorausgesetzt, dass **5.** *so long! umg.* bis dann!

lollipop man / woman

Lollipop woman oder **lollipop lady** bzw. **lollipop man** werden in Großbritannien die erwachsenen „Schülerlotsen" genannt, die mit einem runden Schild, das einem Lutscher (**lollipop**) ähnelt, den Verkehr vor der Schule anhalten, um Schülern ein ungefährdetes Überqueren der Straße zu ermöglichen.

long² [lɒŋ] *long to do something* sich danach sehnen, etwas zu tun; *I'm longing to see her again* ich sehne mich danach, sie wiederzusehen

long for ['lɒŋ_fə] sich sehnen nach; *we're longing for the holidays* wir sehnen die Ferien herbei

long-distance [ˌlɒŋ'dɪstəns] **1.** *long-distance call* Telefon: Ferngespräch **2.** *Flug, Wettrennen usw.:* Langstrecken...
longhaired [ˌlɒŋ'heəd] langhaarig
longing ['lɒŋɪŋ] Sehnsucht (*for* nach)
longitude [△ 'lɒndʒɪtjuːd] *Geographie:* Länge, Längengrad
long jump ['lɒŋ_dʒʌmp] *Sport:* Weitsprung
long-life milk [ˌlɒŋlaɪf'mɪlk] H-Milch
long-term ['lɒŋtɜːm] langfristig; *long-term memory* Langzeitgedächtnis; *long-term unemployment* Dauerarbeitslosigkeit; *the long-term unemployed* die Dauer- oder Langzeitarbeitslosen
loo [luː] *bes. BE, umg.* Klo; *in the loo* auf dem *oder* im Klo
look¹ [lʊk] **1.** Blick (*at* auf); *give someone an angry look* jemanden wütend ansehen; *have a look at something* (sich) etwas ansehen; *have a look (a)round* sich umschauen in; *can I have a look?* kann ich mal sehen? **2.** Miene, (Gesichts)Ausdruck; *the look on his face* sein Gesichtsausdruck **3.** *looks* Pl. Aussehen; *have the looks of* aussehen

wie; *good looks* gutes Aussehen
look² [lʊk] **1.** *allg.:* sehen, schauen, gucken; *just look!* schau mal!; *don't look!* nicht hersehen!; *look who's coming!* schau (mal), wer da kommt; *look someone in the eyes* jemandem in die Augen sehen *oder* schauen **2.** (≈ *suchen*) nachschauen, nachsehen **3.** *Erscheinungsbild:* ausschauen, aussehen (*beide auch übertragen*); *look good* gut aussehen; *he's good-looking* er sieht gut aus, er ist attraktiv; *he doesn't look his age* man sieht ihm sein Alter nicht an; *look an idiot* übertragen wie ein Idiot dastehen; *it looks like snow* es sieht nach Schnee aus; *it looks as if it's going to snow* es sieht so aus, als würde *oder* wolle es schneien **4.** aufpassen, achtgeben; *look where you're putting your feet* pass auf, wo du hintrittst **5.** (*Zimmer usw.*) liegen, gehen nach; *my room looks north* mein Zimmer geht nach Norden **6.** *look here!* ärgerlich: hör mal!

look after [ˌlʊk'ɑːftə] aufpassen auf, sich kümmern um (*Kinder usw.*)
look ahead [ˌlʊk_ə'hed] **1.** nach vorne blicken *oder* schauen **2.** *übertragen* vorausschauen (*two years* um zwei Jahre)
look around [ˌlʊk_ə'raʊnd] sich umschauen *oder* umsehen in (*auch in Geschäft*)
look at ['lʊk_ət] **1.** ansehen, anschauen, betrachten; *look at one's watch* auf die Uhr schauen; *to look at him ...* wenn man ihn so ansieht ... **2.** *kritisch:* sich anschauen, prüfen (*Idee, Plan, Text, Vorschlag usw.*)
look back [ˌlʊk'bæk] **1.** sich umsehen, zurückschauen **2.** *übertragen* zurückblicken (*on, to* auf); *he got the job in 1985 and he hasn't looked back since* er bekam die Stelle 1985 und seitdem ist es mit ihm ständig bergauf gegangen
look for ['lʊk_fɔː] suchen (nach); *are you looking for trouble?* suchst du Streit?
look forward to [ˌlʊk'fɔːwəd_tʊ] sich freuen auf; *look forward to doing something* sich darauf freuen, etwas zu tun; *I'm looking forward to seeing you again* ich freue mich darauf, dich wiederzusehen
look into [ˌlʊk'ɪntʊ] **1.** hineinsehen, hineinschauen; *look into the mirror* in den Spiegel schauen; *look into someone's eyes* jemandem in die Augen schauen **2.** *übertragen* untersuchen,

prüfen (*Vorfall, Beschwerde usw.*)

look out [ˌlʊkˈaʊt] **1.** *von innen gesehen*: hinausblicken, hinausschauen **2.** *von außen gesehen*: herausblicken, herausschauen; *look out of the window* aus dem Fenster blicken **3.** aufpassen (*for* auf), auf der Hut sein (*for* vor); *look out!* pass auf!, Vorsicht! **4.** (≈ *suchen*) Ausschau halten (*for* nach)

look round [ˌlʊkˈraʊnd] → *look around*

look through [ˌlʊkˈθruː] **1.** blicken durch (*Fenster, Fernglas usw.*) **2.** (flüchtig) durchsehen, durchschauen (*Artikel, Brief, Text usw.*)

look up [ˌlʊkˈʌp] **1.** *von unten gesehen*: hinaufblicken, hinaufschauen **2.** *von oben gesehen*: heraufblicken, heraufschauen **3.** *übertragen* aufblicken (*to* zu) **4.** *in Wörterbuch usw.*: nachschlagen (*Wort, Begriff*)

lookalike [ˈlʊkəˌlaɪk] *Person*: Doppelgänger(in)

looker-on [ˌlʊkərˈɒn] *Pl.*: *lookers-on* Zuschauer(in)

look-in [ˈlʊkɪn] *umg.* Chance; *I didn't get a look-in* ich hatte keine Chance

lookout [ˈlʊkaʊt] **1.** *be on the lookout* Ausschau halten (*for* nach) **2.** *mst. beim Militär*: Wache, Beobachtungsposten; *act as lookout* Schmiere stehen

loony[1] [ˈluːnɪ] *umg.* bekloppt, verrückt

loony[2] [ˈluːnɪ] *umg.* Verrückte(r)

loony bin [ˈluːnɪˌbɪn] *umg.* Klapsmühle

loop [luːp] **1.** *von Straße usw.*: Schleife **2.** *von Flugzeug*: Looping, Überschlag **3.** *zur Empfängnisverhütung*: Spirale

loophole [ˈluːphəʊl] *übertragen* Schlupfloch, Hintertürchen; *a loophole in the law* eine Gesetzeslücke

loose[1] [luːs] **1.** *Zahn, Knopf usw.*: lose, locker; *come loose* (*Knopf usw.*) abgehen, (*Schraube usw.*) sich lockern; *loose connection* Elektrotechnik: Wackelkontakt **2.** *break loose* (*Hund usw.*) sich losreißen (*from* von); *let loose* von der Leine lassen (*Hund*) **3.** *Ware*: offen, lose, unverpackt **4.** *Kleidungsstück*: lose sitzend, weit **5.** *Abmachung, Zusammenhang usw.*: lose **6.** *Übersetzung*: frei, ungenau

loose[2] [luːs] *be on the loose* (*Häftling usw.*) auf freiem Fuß sein

loose-leaf binder [ˌluːsliːfˈbaɪndə] Schnellhefter

loosen [ˈluːsn] **1.** lösen (*Knoten, Fesseln usw., auch Husten*); *loosen someone's tongue* *übertragen* jemandem die Zunge lösen **2.** lockern (*Schraube, Griff usw., auch Disziplin usw.*)

loot[1] [luːt] *bes. im Krieg*: Beute

loot[2] [luːt] plündern

lord [lɔːd] **1.** Herr, Gebieter (*of* über) **2.** *the Lord* Gott, der liebe Gott; *the Lord's Prayer* das Vaterunser; *the Lord's Supper* das (heilige) Abendmahl **3.** *in GB*: Lord; *the (House of) Lords* das Oberhaus

Lord Mayor [ˌlɔːdˈmeə] *BE etwa*: Oberbürgermeister

lorry [ˈlɒrɪ] *BE* Lastwagen, Lkw, Laster

lose [luːz], *lost* [lɒst], *lost* [lɒst] **1.** *allg.*: verlieren (*Geld, Interesse, Prozess, Sachen, Spiel usw.*); *thousands lost their lives* Tausende kamen ums Leben **2.** *lose weight* abnehmen; *lose 10 pounds* 10 Pfund abnehmen **3.** vergessen, verlernen (*Gelerntes*); *I've lost my French* ich habe mein Französisch verlernt **4.** (*Uhr*) nachgehen **5.** *in Wendungen*: *lose heart* den Mut verlieren; *lose one's heart to someone* sein Herz an jemanden verlieren; *lose one's nerve* die Nerven verlieren; *lose one's temper* die Beherrschung verlieren; *lose one's way* sich verlaufen; *you can't lose* du kannst (bei der Sache) nur gewinnen

loser [ˈluːzə] Verlierer(in); *be a bad loser* ein schlechter Verlierer sein, nicht verlieren können; *be a born loser* der geborene Verlierer sein

loss [lɒs] **1.** *allg.*: Verlust; *loss of blood* Blutverlust; *loss of memory* Gedächtnisschwund; *loss of time* Zeitverlust; *dead loss* *übertragen* hoffnungsloser Fall (*Person*); *sell something at a loss* etwas mit Verlust verkaufen; *work at a loss* mit Verlust arbeiten **2.** *be at a loss* in Verlegenheit sein, nicht mehr weiterwissen; *be at a loss for words* keine Worte finden

lost[1] [lɒst] 2. *und* 3. *Form von* → *lose*

lost[2] [lɒst] **1.** verloren; *lost property office* Fundbüro; *be a lost cause* *übertragen* aussichtslos sein **2.** *be lost Person*: sich verirrt haben, sich nicht mehr zurechtfinden (*auch übertragen*); *get lost* sich verirren **3.** *get lost!* *umg.* hau ab! **4.** *be lost in* vertieft sein in (*einem Buch usw.*); *be lost in thought* in Gedanken versunken *oder* gedankenversunken sein

lost-and-found [ˌlɒstənˈfaʊnd] Fundbüro

lot[1] [lɒt] **1.** *a lot* viel(e), eine Menge; *a lot of people oder lots of people* viele Leute; *a lot of money oder lots of money* eine Menge Geld, viel Geld **2.** *verstärkend*: viel; *that's a lot better* das ist viel besser; *a lot more slowly* viel langsamer **3.** *the whole lot bes. BE, Sachen*: alles, das Ganze; *I'll take the lot BE, in Ge-*

schäft usw.: ich nehme alles **4.** *the whole lot* BE, *Personen*: die ganze Gesellschaft, der ganze Haufen **5.** *a bad lot* bes. BE, *umg.*; *Person*: ein mieser Typ, *Personen*: ein mieses Pack

lot² [lɒt] **1.** *in Verlosung usw.*: Los; *cast* oder *draw lots* losen (*for* um); *the lot fell on* oder *to me* das Los fiel auf mich **2.** (≈ *Fügung*) Los, Schicksal

lottery ['lɒtərɪ] **1.** Lotterie; *lottery ticket* Lotterielos, *im Lotto*: Tippschein; *national lottery in GB*: Lotto **2.** *übertragen* Glückssache, Lotteriespiel

loud [laʊd] **1.** *Musik, Geschrei usw.*: laut **2.** *Farben*: grell, schreiend

loudspeaker [ˌlaʊd'spiːkə] Lautsprecher

lounge [laʊndʒ] **1.** BE *in Haus, Wohnung*: Wohnzimmer **2.** *im Hotel usw.*: Salon **3.** *departure lounge* Flughafen: Abflughalle

lounge chair ['laʊndʒˌtʃer] AE Liegestuhl

louse¹ [laʊs] *Pl.*: *lice* [laɪs] *Insekt*: Laus

louse² [laʊs] *Pl.*: *louses* ['laʊsɪz] *umg.* Scheißkerl

lousy ['laʊzɪ] **1.** *umg.*; *Leistung, Wetter usw.*: lausig, mies **2.** *umg.*; *Summe*: lausig, poplig

lout [laʊt] Flegel, Rüpel

loutish ['laʊtɪʃ] flegelhaft, rüpelhaft

lovable ['lʌvəbl] *Person*: liebenswert, reizend

love¹ [lʌv] **1.** Liebe (*for* zu); *be in love* verliebt sein (*with* in); *fall in love* sich verlieben (*with* in); *make love to someone* *sexuell*: jemanden lieben, mit jemandem schlafen **2.** *love* Briefschluss: herzliche Grüße, liebe Grüße; *give my love to Peter* grüße Peter von mir; *Jenny sends her love* Jenny lässt grüßen **3.** (≈ *Hingebung, Neigung*) Liebe (*of, for* zu); *love of adventure* Abenteuerlust **4.** Anrede für Partner: Schatz, Liebling **5.** *can I help you, love?* BE, *umg.*; *in Geschäften usw.*: was darfs denn sein? **6.** *bes. Tennis*: null

love in Briefen

In Briefen ist die Schlussformel **Love, Sue** usw. unter guten Freunden und Familienangehörigen üblich, seltener jedoch unter Männern.

love² [lʌv] **1.** *allg.*: lieben **2.** *übertragen* lieben, gerne mögen; *love doing* oder *to do something* etwas sehr gern tun; *I love basketball* als Zuschauer: ich find Basketball toll, *aktiv*: ich spiele gern Basketball; *I'd love to come, but …* ich würde sehr gerne kommen, aber …

love als Anrede

Wundere dich nicht, wenn du – vor allem als junge Frau – in Großbritannien mit **Love** angesprochen wirst. Das ist besonders bei Busschaffnern, Ladeninhabern usw. üblich und von ihnen immer nett gemeint.

loveable ['lʌvəbl] → *lovable*

love bite ['lʌv_baɪt] BE, *umg.* Knutschfleck

love letter ['lʌvˌletə] Liebesbrief

lovely ['lʌvlɪ] **1.** *Anblick, Frau, Haar, Kind, Stimme, Wetter usw.*: (wunder)-schön **2.** *umg.* (≈ *toll*) prima, großartig

lover ['lʌvə] **1.** Liebhaber(in), Geliebte(r) **2.** *lovers* Pl. Liebespaar; *they're lovers* sie sind ein Liebespaar, *auch*: sie haben ein Verhältnis **3.** *art lover* Kunstliebhaber(in); *she's a lover of sweets* sie ist eine Freundin von Süßigkeiten

lovesick ['lʌvsɪk] *be lovesick* Liebeskummer haben

low¹ [ləʊ] **1.** *allg.*: niedrig (*Gebäude, Mauer, Zaun*; *auch Löhne, Temperatur usw.*); *low-calorie* Diät, Essen: kalorienarm; *low-emission* Auto, Motor: schadstoffarm **2.** tief (*auch übertragen*); *a low bow* [△ baʊ] eine tiefe Verbeugung; *low clouds* tief hängende Wolken; *the sun is low* die Sonne steht tief **3.** *Land usw.*: tief gelegen **4.** *Vorräte usw.*: knapp; *get* oder *run low* knapp werden, zur Neige gehen; *we're getting* oder *running low on money* uns geht allmählich das Geld aus; *low on funds* knapp bei Kasse **5.** *Stimmung*: niedergeschlagen, deprimiert; *feel low* in gedrückter Stimmung sein, sich elend fühlen; *be in low spirits* niedergeschlagen sein **6.** *Trick usw.*: gemein, niederträchtig **7.** *Ton*: tief **8.** *Ton, Stimme*: leise; *in a low voice* leise

low² [ləʊ] **1.** *Wetterlage*: Tief **2.** *übertragen* Tiefpunkt, Tiefstand; *be at a new low* einen neuen Tiefpunkt erreicht haben; *all-time low* absoluter Tiefststand

low-cost ['ləʊkɒst] *Produktion*: kostengünstig

lowdown ['ləʊdaʊn] *give someone the lowdown* *umg.* jemanden aufklären (*on* über)

low-emission [ˌləʊ_ɪ'mɪʃn] *Auto usw.*: schadstoffarm

lower¹ ['ləʊə] **1.** *allg.*: niedriger machen **2.** senken (*Augen, Preis, Stimme usw.*) **3.** *übertragen* erniedrigen; *lower oneself* sich herablassen (*zu etwas*) **4.** *mit Seil* *usw.*: herunterlassen, herablassen (*auch Rollos usw.*)

lower² ['ləʊə] **1.** niedriger (*auch übertragen*); ☞ **low¹ 2. the lower classes** *Pl.* die Unterschicht; **lower deck** *auf Schiff*: Unterdeck

Lower Austria [ˌləʊə(r)'ɒstriə] Niederösterreich

Lower Saxony [ˌləʊə'sæksəni] Niedersachsen

lowest ['ləʊɪst] **1.** niedrigste(r, -s) (*auch übertragen*); ☞ **low¹**; **lowest bid** *bei Auktion*: Mindestgebot **2.** unterste(r, -s)

low-fat [ˌləʊ'fæt] *Diät, Kost*: fettarm

low-income [ˌləʊ'ɪnkʌm] *Schichten*: einkommensschwach

lowlands ['ləʊləndz] *Pl.* Tiefland, Flachland

low-pressure [ˌləʊ'preʃə] **low-pressure area** Tiefdruckgebiet

low season ['ləʊˌsiːzn] *Tourismus*: Vorsaison *bzw.* Nachsaison, Nebensaison

low tide [ˌləʊ'taɪd], **low water** [ˌləʊ'wɔːtə] *am Meer*: Niedrigwasser, Ebbe

loyal ['lɔɪəl] treu, loyal (**to** gegenüber)

loyalty ['lɔɪəltɪ] Treue, Loyalität (**to** zu)

L-plate ['elpleɪt] (*Abk. für* learner) *in GB: am Auto - Schild mit einem roten L, als Zeichen dafür, dass ein Fahrschüler fährt*

luck [lʌk] **1.** Schicksal, Zufall; **as luck would have it** wie es der Zufall wollte; **bad** *oder* **hard luck** Pech (**on** für); **good luck** Glück; **good luck!** viel Glück! **2.** Glück; **for luck** als Glücksbringer; **be in luck** Glück haben; **be out of luck** kein Glück haben; **try one's luck** sein Glück versuchen; ☞ **happiness**

good and bad luck
Glück und Pech

Wenn du in Großbritannien dein Glück suchst, musst du dich ein bisschen umschauen – die Glücksbringer unterscheiden sich manchmal von den deutschen.
Ein Hufeisen steht aber auch auf der Insel für **good luck** (Glück), genauso ein **four-leaf clover** (vierblättriges Kleeblatt), solltest du eins finden. Aber pass auf, wenn du Salz auf den Tisch schüttest. Das bedeutet Pech – **bad luck**. Da hilft nur eins: Etwas Salz über die linke Schulter werfen und spucken, um den Teufel fortzujagen!
Auf Holz klopft man nur in Amerika (**knock on wood**) – in Großbritannien

heißt es dagegen **touch wood**. Und um sich das Glück zu holen, drückt man nicht die Daumen! Man sagt: **I'll keep my fingers crossed.** Das bedeutet zwar *Ich drücke dir die Daumen*, heißt aber wörtlich übersetzt ‚Ich halte meine Finger übereinander geschlagen‘.

luckily ['lʌkɪlɪ] zum Glück, glücklicherweise; **luckily for me** zu meinem Glück

lucky ['lʌkɪ] **be** (**very**) **lucky** (großes) Glück haben (△ *glücklich sein* = **be happy**); **lucky day** Glückstag; **lucky fellow** Glückspilz; **lucky charm** Glücksbringer; **you lucky thing!** hast du ein Glück!; ☞ **happy**

lucrative ['luːkrətɪv] *Geschäft usw.*: einträglich, lukrativ

ludicrous ['luːdɪkrəs] **1.** *allg.*: lächerlich **2.** *Lohn, Preis usw.*: lachhaft, lächerlich

ludo ['luːdəʊ] *BE; Würfelspiel*: Mensch, ärgere dich nicht

lug [lʌg] **lugged, lugged 1.** schleppen **2.** zerren, schleifen

luggage ['lʌgɪdʒ] Gepäck; **luggage locker** Gepäckschließfach; **luggage reclaim** Gepäckausgabe

luggage allowance ['lʌgɪdʒˌəˌlaʊəns] *bei Flugreisen*: Freigepäck

luggage locker ['lʌgɪdʒˌlɒkə] Gepäckschließfach

lughole ['lʌghəʊl] *BE, humorvoll* Ohr

lukewarm [ˌluːk'wɔːm] **1.** *Wasser*: lauwarm (*auch übertragen*) **2.** *Unterstützung usw.*: halbherzig **3.** *Applaus usw.*: lau, mäßig

lullaby [△ 'lʌləbaɪ] Wiegenlied

lumber¹ ['lʌmbə] **1.** schwerfällig gehen **2.** **get lumbered with something** *BE, umg.* etwas aufgehalst bekommen

lumber² ['lʌmbə] **1.** *BE, umg.* Gerümpel **2.** Bauholz, Nutzholz

lumberjack ['lʌmbədʒæk] Holzfäller

lumber room ['lʌmbəˌruːm] Rumpelkammer

lump [lʌmp] **1.** *aus Erde, Lehm usw.*: Klumpen; **have a lump in one's throat** *übertragen* einen Kloß im Hals haben **2.** *Zucker*: Stück **3.** *auf der Haut*: Schwellung, Beule **4.** *im Körper*: Geschwulst, *in der Brust*: Knoten **5.** *übertragen* Gesamtheit, Masse

lunacy ['luːnəsɪ] Wahnsinn (*auch übertragen*); **it's sheer lunacy** das ist reiner Wahnsinn

lunar ['luːnə] Mond...: **lunar eclipse** Mondfinsternis; **lunar module** Mondlandefähre

lunatic¹ [△ 'luːnətɪk] *abwertend* verrückt (*Idee, Benehmen usw.*); **lunatic fringe** *in*

Partei usw.: extremistische Randgruppe

lunatic² [⚠ 'luːnətɪk] **1.** *tabu* Wahnsinnige(r), Geistesgestörte(r) **2.** *übertragen* Verrückte(r)

lunch [lʌntʃ] Mittagessen; **have lunch** zu Mittag essen; **lunch break** Mittagspause

luncheon voucher ['lʌntʃən‚vaʊtʃə] Essensbon, Essensmarke

lunch room ['lʌntʃruːm] *AE* **1.** *in Schule usw.*: Cafeteria **2.** *in Behörde, Firma usw.*: Kantine

lunchtime ['lʌntʃtaɪm] Mittagszeit; **at lunchtime** zur Mittagszeit

lung [lʌŋ] *Organ*: Lungenflügel; **lungs** *Pl.* Lunge

lure¹ [lʊə] anlocken, ködern (*auch übertragen*)

lure² [lʊə] **1.** *beim Angeln*: Köder (**to** für) (*auch übertragen*) **2.** *übertragen* Lockung, Reiz

lurk [lɜːk] lauern (*auch übertragen*)

lush [lʌʃ] *Gras usw.*: saftig, *Vegetation*: üppig

lust [lʌst] **1.** *sexuell*: Lust, Begierde **2.** Gier (**of, for** nach); **lust for power**

Machtgier

Luxembourg, Luxemburg ['lʌksəmbɜːg] Luxemburg

luxuriant [⚠ lʌɡˈzjʊərɪənt, lʌɡˈʒʊərɪənt] *Vegetation*: üppig

luxurious [⚠ lʌɡˈzjʊərɪəs, lʌɡˈʒʊərɪəs] **1.** *Hotel, Auto usw.*: luxuriös, Luxus..., komfortabel **2.** *Lebensstil*: verschwenderisch, genusssüchtig

luxury ['lʌkʃərɪ] **1.** *allg.*: Luxus **2.** *Gegenstand*: Luxusartikel; **a luxury car** ein Wagen der Luxusklasse

lying ['laɪɪŋ] *-ing-Form von* → **lie²** *und* **lie⁴**

lynch [lɪntʃ] lynchen

lynch law ['lɪntʃ‚lɔː] Lynchjustiz

lynx [lɪŋks] *Wildkatze*: Luchs

lyric ['lɪrɪk] *Autor*: lyrisch (*auch Stimmung, Gefühl*)

lyrical ['lɪrɪkl] **1.** *Text, Beschreibung, Lied*: lyrisch **2.** *übertragen* schwärmerisch; **wax lyrical** ins Schwärmen geraten

lyricist ['lɪrɪsɪst] **1.** Lyriker(in) **2.** *von Lied*: Texter(in)

lyrics ['lɪrɪks] *Pl. von Lied*: Text

M

ma [mɑː] *umg.* Mama, Mutti

MA [‚emˈeɪ] (*Abk. für* **M**aster of **A**rts) *Universitätsabschluss*: Magister Artium

ma'am [mæm] **1.** *förmliche Anrede*: gnädige Frau **2.** *Anrede für Queen*: Majestät

mac [mæk] *umg.* Regenmantel

---

mac

Mac ist die Kurzform für das Wort **mackintosh**, das nach dem schottischen Erfinder des Regenmantels geprägt wurde.

---

macabre [məˈkɑːbrə] makaber

macaroni [‚mækəˈrəʊnɪ] (⚠ *nur im Sg. verwendet*) Makkaroni *Pl.*

Macedonia [‚mæsɪˈdəʊnɪə] Makedonien, Mazedonien

machine [məˈʃiːn] **1.** *allg.*: Maschine (*umg. auch Flugzeug, Motorrad usw.*) **2.** *zu bestimmtem Zweck*: Apparat, Automat **3.** *Politik usw.*: Apparat; **the propaganda machine** der Propagandaapparat

machine gun [məˈʃiːn‚ɡʌn] Maschinengewehr

machine-made [mə‚ʃiːnˈmeɪd] maschinell hergestellt

machine-readable [mə‚ʃiːnˈriːdəbl] *Ausweis, Text*: maschinenlesbar

machinery [məˈʃiːnərɪ] **1.** *in Fabrik*: Maschinen *Pl.* **2.** *übertragen* Maschinerie, Räderwerk **3.** *Politik usw.*: Apparat

mackerel ['mækrəl] *Pl.*: **mackerel** *Fisch*: Makrele

mackintosh ['mækɪntɒʃ] *bes. BE* Regenmantel

macro ['mækrəʊ] *Computer*: Makro

mad [mæd] **, madder, maddest 1.** (≈ *gesteskrank*) wahnsinnig, verrückt (**with** vor) (*beide auch übertragen*); **go mad** verrückt werden; **drive someone mad** jemanden verrückt machen; **like mad** wie verrückt; **you must be stark raving mad!** *umg.* du musst komplett verrückt sein! **2. be mad about** *oder* **on** *übertragen* **with** *oder* versessen sein auf, verrückt sein nach; **be mad about soccer** fußballverrückt sein; **be mad keen on** *umg.* ganz scharf sein auf (*Person, Sa-*

che) **3.** *umg.*; *vor Aufregung usw.*: außer sich, verrückt (**with** vor) **4.** *bes. AE, umg.* wütend (**at, about** über, auf) **5.** *Stier usw.*: wild (geworden) **6.** *Hund usw.*: tollwütig

madam ['mædəm] *Anrede*: gnädige Frau; **Dear Sir or Madam**, *als Anrede in Brief*: Sehr geehrte Damen und Herren,

mad cow disease [,mæd'kaʊ dɪ,ziːz] *Krankheit*: Rinderwahn(sinn); ☞ **BSE**

madden ['mædn] verrückt machen (*auch übertragen*)

maddening ['mædnɪŋ] unerträglich; **it's maddening** es ist zum Verrücktwerden

made [meɪd] **2.** *und* **3.** *Form von* → **make**[1]

made-to-measure [,meɪdtə'meʒə] *Anzug, Kleid usw.*: nach Maß angefertigt, Maß...

made-up [,meɪd'ʌp] **1.** *Geschichte*: frei erfunden **2.** *Gesicht*: geschminkt

madhouse ['mædhaʊs] *umg.* Tollhaus

madly ['mædlɪ] **1.** wie verrückt **2.** *umg.* wahnsinnig, schrecklich; **I love her madly** ich liebe sie wahnsinnig

madman ['mædmən] *Pl.*: **madmen** ['mædmən] Verrückter, Irrer

madness ['mædnəs] Wahnsinn (*auch übertragen*); **sheer madness** heller *oder* blanker Wahnsinn

mag [mæg] *umg.* Magazin, Zeitschrift

magazine [,mægə'ziːn] **1.** (≈ *Illustrierte*) Magazin, Zeitschrift; **a women's magazine** eine Frauenzeitschrift **2.** *von Pistole, Kamera usw.*: Magazin

magic[1] ['mædʒɪk] **1.** Magie, Zauberei; **as if by magic** *oder* **like magic** wie durch Zauberei **2.** (≈ *Faszination*) Zauber

magic[2] ['mædʒɪk] **1.** magisch, Zauber...; **magic carpet** fliegender Teppich; **magic trick** Zaubertrick, Zauberkunststück; **magic wand** Zauberstab **2.** *umg.* klasse, toll

magician [mə'dʒɪʃn] **1.** Magier, Zauberer **2.** *Künstler*: Zauberer, Zauberkünstler

magnet ['mægnɪt] Magnet (*auch übertragen*)

magnetic [mæg'netɪk] **1.** magnetisch, Magnet...; **magnetic field** *Physik*: Magnetfeld; **magnetic pole** *Physik*: Magnetpol **2.** *übertragen* magnetisch, faszinierend

magnetism ['mægnətɪzm] **1.** *Physik*: Magnetismus **2.** *übertragen* Anziehungskraft

magnetize ['mægnətaɪz] **1.** magnetisieren (*Metall*) **2.** *übertragen* anziehen, fesseln

magnificent [mæg'nɪfɪsənt] großartig, prächtig, herrlich

magnify ['mægnɪfaɪ] **1.** vergrößern; **magnifying glass** Vergrößerungsglas, Lupe **2.** *übertragen* aufbauschen (*Vorfall usw.*)

magpie ['mægpaɪ] *Vogel*: Elster

maid [meɪd] Dienstmädchen, Hausangestellte

maiden ['meɪdn] **1.** **maiden name** Mädchenname (*einer verheirateten Frau*) **2.** Jungfern...; **maiden voyage** *von Schiff*: Jungfernfahrt

mail[1] [meɪl] **1.** *allg.*: Post, Postsendung; **incoming mail** Posteingang; **outgoing mail** Postausgang **2.** **send something by mail** etwas mit der Post versenden

mail[2] [meɪl] aufgeben, einwerfen (*Brief, Postkarte usw.*)

mailbox ['meɪlbɒks] **1.** *bes. AE* Briefkasten **2.** *Computer*: Mailbox, elektronischer Briefkasten

mailman ['meɪlmæn] *Pl.*: **mailmen** ['meɪlmen] *bes. AE* Postbote, Briefträger

mail-order [,meɪl'ɔːdə] **mail-order catalogue** Versandhauskatalog; **mail-order firm** *oder* **house** Versandhaus

main[1] [meɪn] Haupt..., wichtigste(r, -s); **main clause** *Sprache*: Hauptsatz; **main course** Hauptgericht; **main reason** Hauptgrund; **main subject** *Schule, Universität*: Hauptfach; **main thing** Hauptsache

main[2] [meɪn] **1.** *oft* **mains** *Pl. für Gas, Wasser, Strom*: Hauptleitung **2.** **in the main** hauptsächlich, in der Hauptsache

mainframe ['meɪnfreɪm] *Computer*: Großrechner

mainland ['meɪnlənd] Festland

mainly ['meɪnlɪ] hauptsächlich, vorwiegend

mains [meɪnz] *Pl.* (△ *mit Sg. oder Pl. verwendet*) Stromnetz; **mains cable** Netzkabel

maintain [meɪn'teɪn] **1.** aufrechterhalten, beibehalten (*Zustand*) **2.** halten (*Preis, Standard usw.*) **3.** instand halten, pflegen (*Haus usw.*) **4.** warten (*Auto, Maschine*) **5.** unterhalten, versorgen (*Familie usw.*) **6.** behaupten, beteuern (*Unschuld usw.*)

maintenance ['meɪntənəns] **1.** *von Haus usw.*: Instandhaltung **2.** *von Maschine, Auto usw.*: Wartung; **maintenance-free** wartungsfrei **3.** *für Familie*: Unterhalt

maize [meɪz] *bes. BE* Mais

majesty ['mædʒəstɪ] Majestät (*auch übertragen*); **Your Majesty** *Anrede*: Eure Majestät

major[1] ['meɪdʒə] **1.** *Offizier*: Major **2.** *AE; Universität*: Hauptfach **3.** Volljährige(r); **become a major** volljährig werden **4.** *Musik*: Dur; **E major** E-Dur

major[2] ['meɪdʒə] **1.** *Reparatur, Änderung usw.*: größer; **major changes** größere Veränderungen **2.** *Autor, Künstler usw.*: bedeutend, wichtig

Majorca [mə'jɔːkə] Mallorca

majority [mə'dʒɒrətɪ] **1.** *bei Wahlen usw.:* Mehrheit; *by a large majority* mit großer Mehrheit; *in the majority of cases* in der Mehrzahl der Fälle; *majority of votes* Stimmenmehrheit; *be in the majority* in der Mehrzahl sein; *majority decision* Mehrheitsbeschluss **2.** Volljährigkeit; *reach one's majority* volljährig werden

make[1] [meɪk], **made** [meɪd], **made** [meɪd] **1.** *allg.:* machen (*Bemerkung, Fehler, Reise, Vorschlag usw.*); *make a speech* eine Rede halten; *make a decision* eine Entscheidung treffen **2.** anfertigen (*Kleidung*) **3.** herstellen, erzeugen (*Industrieprodukte, wie Fernseher, Autos usw.*) **4.** zubereiten (*Speisen, Tee usw.*) **5.** backen (*Brot, Kuchen*) **6.** machen, erzielen (*Gewinn, Profit*) **7.** machen, erwerben (*Vermögen*) **8.** (er)schaffen; *he's made for this job* er ist für diese Arbeit wie geschaffen **9.** machen, ergeben, sein (*Summe usw.*); *3 plus 4 makes 7* 3 plus 4 macht *oder* ist 7 **10.** machen, verursachen (*Geräusch, Schwierigkeiten, Ärger usw.*) **11.** machen zu, ernennen zu; *make someone head of department* jemanden zum Abteilungsleiter ernennen **12.** *make someone angry* jemanden zornig machen *oder* erzürnen; *make someone happy* jemanden glücklich machen **13.** (*Person*) sich erweisen als; *I wouldn't make a good teacher* ich würde keinen guten Lehrer abgeben; *make a fool of oneself* sich lächerlich machen **14.** *mit Infinitiv:* *make someone do something* jemanden etwas tun lassen, jemanden dazu bringen, etwas zu tun; *make someone wait* jemanden warten lassen; *make someone talk* jemanden zum Sprechen bringen; *don't make me laugh!* *mst. ironisch:* bring mich nicht zum Lachen! **15.** *what do you make of it?* was halten Sie davon?; *I don't know what to make of her* ich weiß nicht, was ich von ihr halten soll **16.** *umg.* erwischen, erreichen (*Zug, Bus usw.*); *make it* es schaffen; ☞ *Info unter dt.* **machen**

---

make for ['meɪk_fə] **1.** *auf Person oder Ziel:* zugehen *oder* lossteuern auf **2.** *bei Reise usw.:* sich aufmachen nach **3.** *zu einem Zweck:* förderlich sein, dienen, beitragen zu; *it doesn't make for friendly relations* es fördert nicht gerade freundschaftliche Beziehungen
make off with [ˌmeɪk'ɒf_wɪð] (≈ *stehlen*) sich davonmachen mit
make out [ˌmeɪk'aʊt] **1.** ausstellen

(*Scheck usw.*) **2.** ausfertigen (*Urkunde usw.*) **3.** aufstellen (*Liste, Rechnung usw.*) **4.** (≈ *erblicken*) ausmachen, erkennen **5.** (≈ *verstehen*) klug *oder* schlau werden aus **6.** *make someone out to be a liar* jemanden als Lügner hinstellen **7.** *AE, umg.; sexuell:* rumknutschen, fummeln
make over [ˌmeɪk'əʊvə] übertragen, vermachen (*Eigentum*)
make up [ˌmeɪk'ʌp] **1.** erfinden, sich ausdenken (*Geschichte usw.*) **2.** schminken (*Person, Gesicht*) **3.** zurechtmachen, zubereiten (*Arznei usw.*); *be made up of* bestehen aus, sich zusammensetzen aus **4.** anfertigen, aufstellen (*Liste, Tabelle usw.*) **5.** *make up one's mind* sich entscheiden **6.** nachholen, wettmachen (*Versäumtes*) **7.** *umg.; nach Streit:* sich wieder vertragen (*with*)
make up for [ˌmeɪk'ʌp_fə] wiedergutmachen, wettmachen (*Enttäuschung, Unrecht usw.*)

---

make[2] [meɪk] *von Auto, Uhr usw.:* Marke, Fabrikat
maker ['meɪkə] **1.** *von Ware:* Hersteller **2.** *the Maker* (≈ *Gott*) der Schöpfer
makeshift ['meɪkʃɪft] provisorisch, Behelfs...
make-up ['meɪkʌp] **1.** (≈ *Schminke*) Make-up; *without make-up* *auch:* ungeschminkt **2.** *Film usw.:* Maske **3.** *von Gruppe, Team usw.:* Zusammensetzung
making ['meɪkɪŋ] **1.** *von Waren usw.:* Erzeugung, Herstellung, Fabrikation; *be in the making* noch in Arbeit sein **2.** *an actress in the making* eine angehende Schauspielerin **3.** *he has the makings of a politician* er hat das Zeug zum Politiker
male[1] [meɪl] männlich; *male choir* Männerchor; *male nurse* Krankenpfleger
male[2] [meɪl] **1.** *Person:* Mann **2.** *Tier:* Männchen
malfunction[1] [ˌmæl'fʌŋkʃn] **1.** *medizinisch:* Funktionsstörung **2.** *von Maschine usw.:* schlechtes Funktionieren, Versagen
malfunction[2] [ˌmæl'fʌŋkʃn] (*Maschine usw.*) schlecht funktionieren, versagen
malice ['mælɪs] **1.** Böswilligkeit **2.** *bear someone malice* einen Groll auf jemanden haben
malicious [mə'lɪʃəs] **1.** *Person, Worte:* boshaft, gehässig **2.** *Tat usw.:* böswillig, *juristisch auch:* vorsätzlich
malignant [mə'lɪgnənt] ↔ *benign*; *Tumor usw.:* bösartig
malinger [mə'lɪŋgə] sich krank stellen, simulieren

mall [mɔːl] *bes. AE* Einkaufszentrum

mall

Mall oder **shopping mall** nennt man ein großes, meist überdachtes Einkaufszentrum, in dem eine große Auswahl an diversen Geschäften untergebracht ist. Die größte **mall** der Welt, **The Mall of America**, erstreckt sich über 32 Hektar und befindet sich nahe der Städte St Paul und Minneapolis im Staat Minnesota.

malnutrition [ˌmælnjuːˈtrɪʃn] Unterernährung
malpractice [ˌmælˈpræktɪs] **1.** *allg.*: Vernachlässigung der beruflichen Sorgfalt **2.** *Medizin*: (ärztlicher) Kunstfehler
malt [mɔːlt] Malz
Malta [ˈmɔːltə] Malta
Maltese[1] [ˌmɔːlˈtiːz] maltesisch
Maltese[2] [ˌmɔːlˈtiːz] *Sprache*: Maltesisch
Maltese[3] [ˌmɔːlˈtiːz] Malteser(in)
maltreat [ˌmælˈtriːt] **1.** *allg.*: schlecht behandeln **2.** *gewaltsam*: misshandeln
maltreatment [ˌmælˈtriːtmənt] **1.** *allg.*: schlechte Behandlung **2.** *gewaltsam*: Misshandlung
mammal [ˈmæml] Säugetier
man [mæn] *Pl.*: **men** [men] **1.** *Gattungsbegriff*: der Mensch, die Menschen **2.** ↔ **woman**; Mann; **make a man out of someone** einen Mann aus jemandem machen **3.** *verallgemeinernd*: Mann, Person, jemand, man; **every man** jedermann; **no man** niemand; **he's an Oxford man** er hat in Oxford studiert; **to a man** bis auf den letzten Mann; **the man in the street** der Mann auf der Straße **4.** *umg.*; *Anrede*: Mann, Mensch; **tell me, man ...** sag mal, Mensch ... **5.** *Damespiel*: Stein **6.** *Schach*: Figur
manage [ˈmænɪdʒ] **1.** leiten, führen (*Betrieb usw.*) **2.** managen (*Künstler, Sportler usw.*) **3.** zustande bringen, es fertigbringen (**to do** zu tun); **how did you manage to get the job?** wie hast du es fertiggebracht, den Job zu kriegen? **4.** *umg.* bewältigen, schaffen (*Arbeit, Essen usw.*); **can you manage?** geht es?, schaffst du es?; **I can manage** es geht **5.** auskommen (**with** mit; **without** ohne) **6.** es einrichten *oder* ermöglichen; **can you manage Tuesday?** passt es dir am Dienstag?
management [ˈmænɪdʒmənt] **1.** *Wirtschaft*: Management, Unternehmensführung; **management consultant** Unternehmensberater **2.** *Führungspersonal*: Geschäftsleitung, Direktion; **under new management** unter neuer Leitung, *Geschäft usw.*: neu eröffnet **3.** *von Wohnanlage usw.*: Verwaltung
manager [ˈmænɪdʒə] **1.** *Wirtschaft, allg.*: Manager(in) **2.** *Führungskraft*: Geschäftsführer(in), Leiter(in), Direktor(in) **3.** *von Sportler, Künstler usw.*: Manager(in) **4.** *von Zweigstelle usw.*: Filialleiter(in); **bank manager** Filialleiter(in) einer Bank **5.** *Fußball*: (Chef)Trainer **6.** *von Wohnanlage usw.*: Verwalter(in)
managerial [ˌmænəˈdʒɪəriəl] **managerial position** leitende Stellung
managing [ˈmænɪdʒɪŋ] *Wirtschaft*: geschäftsführend, leitend; **managing director** *von großer Firma*: Geschäftsführer(in), Generaldirektor(in)
mane [meɪn] *von Pferd, Löwe*: Mähne (*auch übertragen von Menschen*)
man-eater [ˈmænˌiːtə] **1.** *Raubtier*: Menschenfresser **2.** *umg.* (≈ *Frau*) Vamp
maneuver[1] [məˈnuːvə] *AE* Manöver; ☞ **manoeuvre[1]**
maneuver[2] [məˈnuːvə] *AE* manövrieren; ☞ **manoeuvre[2]**
Man Friday [ˌmænˈfraɪdeɪ] **1.** *Romanfigur aus Robinson Crusoe*: Freitag **2.** *umg.* Mädchen für alles

Manhattan

Manhattan ist der kleinste der fünf Bezirke von New York City. Die anderen sind **The Bronx, Brooklyn, Queens** und **Staten Island** [ˌstætnˈaɪlənd]. **Manhattan** ist eine Insel im Mündungsgebiet des **Hudson River** und bildet das Wirtschafts- und Kulturzentrum der Stadt.

manhood [ˈmænhʊd] **1.** Mannesalter; **reach manhood** ins Mannesalter kommen **2.** (≈ *Mut usw.*) Männlichkeit
man-hour [ˈmænˌaʊə] Arbeitsstunde
manhunt [ˈmænhʌnt] *nach Verbrecher*: (Groß)Fahndung, Verbrecherjagd
mania [ˈmeɪniə] **1.** *Krankheit*: Manie, Wahn; **persecution mania** Verfolgungswahn **2.** *übertragen* Sucht (**for** nach), Leidenschaft (**for** für); **mania for cleanliness** Sauberkeitsfimmel; **have a mania for ...** verrückt sein nach ...
maniac [ˈmeɪniæk] **1.** *medizinisch*: Wahnsinnige(r), Verrückte(r) **2.** *übertragen* Fanatiker(in); **car maniac** Autonarr
manifesto [ˌmænɪˈfestəʊ] *Pl.* **manifestoes** *oder* **manifestos 1.** *von Partei, Gewerkschaft usw.*: Manifest **2.** *in GB, von Partei*: Wahlprogramm
manipulate [məˈnɪpjʊleɪt] **1.** manipulieren (*Person, Wahlen usw.*) **2.** frisieren

(*Konto usw.*)

manipulation [mə‚nɪpjʊ'leɪʃn] **1.** *allg.:* Manipulation **2.** *von Konto:* Frisieren

mankind [△ mæn'kaɪnd] die Menschheit, die Menschen *Pl.*

manly ['mænlɪ] männlich, Männer...

man-made [‚mæn'meɪd] *See usw.:* künstlich; ***man-made fibres*** Kunstfasern

manned [mænd] *Raumfahrt usw.:* bemannt

manner ['mænə] **1.** Art, Weise; ***in this manner*** auf diese Art und Weise, so; ***in a manner of speaking*** sozusagen **2.** (≈ *Gehabe*) Betragen, Auftreten; ***it's just his manner*** das ist so seine Art; ***he behaved in such a manner that ...*** er benahm sich so *oder* derart, dass ...

manners ['mænəz] *Pl.* **1.** Benehmen, Umgangsformen, Manieren; ***it's bad manners to ...*** es gehört *oder* schickt sich nicht zu ...; ***that's bad manners*** das gehört sich nicht **2.** *einer Gesellschaft:* Sitten, Sitten und Gebräuche

manoeuvre[1] [mə'nuːvə] **1.** *auch* **manoeuvres** *Pl. militärisch:* Manöver; ***be on manoeuvres*** im Manöver sein; ***room for manoeuvre*** *übertragen* Handlungsspielraum **2.** *übertragen* Manöver, Schachzug, List

manoeuvre[2] [mə'nuːvə] manövrieren (*auch übertragen*)

manor [△ 'mænə] *BE* **1.** Landgut, Gutshof **2.** *auch* **manor house** Herrenhaus

manpower ['mæn‚paʊə] **1.** Arbeitskraft, Arbeitspotenzial **2.** Personal; ***manpower shortage*** Arbeitskräftemangel

mansion ['mænʃn] **1.** Villa **2.** *von altem Adelsgeschlecht:* Herrenhaus **3.** *mst.* **Mansions** *Pl. bes. BE bezeichnet in Adressen ein Mietshaus mit vielen Wohnungen und Apartments*

manslaughter ['mæn‚slɔːtə] Totschlag

man-to-man [‚mæntə'mæn] **1.** *Gespräch usw.:* von Mann zu Mann **2.** *Sport:* ***man-to-man defence*** Manndeckung; ***play man-to-man*** Manndeckung spielen

manual[1] ['mænjʊəl] manuell, Hand...; ***manual work*** körperliche Arbeit

manual[2] ['mænjʊəl] Handbuch, Leitfaden (*zu einem technischen Gerät*); ☞ **handbook**

manufacture[1] [‚mænjʊ'fæktʃə] *von Gütern:* Fertigung, Herstellung; ***year of manufacture*** Herstellungsjahr, Baujahr

manufacture[2] [‚mænjʊ'fæktʃə] **1.** herstellen, fertigen (*Güter usw.*) **2.** *übertragen* erfinden (*Ausrede usw.*)

manufacturer [‚mænjʊ'fæktʃərə] *von Gerät usw.:* Hersteller

manuscript ['mænjʊskrɪpt] Manuskript

many ['menɪ] **1.** *allg.:* viele; ***many times*** oft; ***as many as forty*** nicht weniger als vierzig; ***twice as many*** doppelt so viel; ***many of us*** viele von uns; ***a good many*** ziemlich viele; ***a great many*** sehr viele; ***he's had one too many*** *umg.* er hat einen über den Durst getrunken **2.** ***many a time*** so manches Mal

map [mæp] **1.** Landkarte; ***be off the map*** *umg.*; *Ortschaft:* hinter dem Mond liegen; ***put on the map*** *umg.* bekannt machen (*Stadt usw.*) **2.** Stadtplan (△ *nicht* **Mappe**)

map

map

ABER:

folder

maple ['meɪpl] *Baum:* Ahorn

maple leaf

Das Ahornblatt – **maple leaf** ['meɪplliːf] – ist das Nationalsymbol Kanadas.

marble ['mɑːbl] *Gestein:* Marmor

March [mɑːtʃ] März; ***in March*** im März

march[1] [mɑːtʃ] marschieren; ***time is marching on*** *übertragen* es ist schon spät

march[2] [mɑːtʃ] **1.** *allg.:* Fußmarsch (*auch Strecke*); ***a day's march*** ein Tagesmarsch **2.** *Musikstück, beim Militär:* Marsch

mare[1] [meə] Stute

mare[2] [meə] *BE, umg.* (*Abk. für* **nightmare**) Albtraum; ***he's having a mare*** er macht wirklich was mit

margarine [△ ‚mɑːdʒə'riːn] *BE, umg.*

marge [mɑːdʒ] Margarine

margin [△ 'mɑːdʒɪn] **1.** *von Buch, Seite usw.*: Rand; *in the margin* am Rand **2.** *übertragen* Spielraum; *allow oder leave a margin for* Spielraum lassen für **3.** *auch profit margin Wirtschaft*: Gewinnspanne

marine[1] [məˈriːn] See..., Meeres...; *marine chart* Seekarte; *marine mammals* Meeressäuger; *marine dumping von Schadstoffen*: Verklappung

marine[2] [məˈriːn] **1.** *Soldat*: Marineinfanterist (△ *Marine = navy*) **2.** *tell that to the marines! umg.* das kannst du deiner Großmutter erzählen!

marital ['mærɪtl] ehelich, Ehe...; *marital status auf Formularen*: Familienstand

maritime ['mærɪtaɪm] See..., Küsten...; *maritime climate* Meeresklima

mark[1] [mɑːk] **1.** *auf Kleidungsstück*: Fleck **2.** *auf Oberfläche*: Kratzer, Schramme, Kerbe **3.** *von Füßen, Reifen usw.*: Spur (*auch übertragen*); *she made her mark on the team* sie hat der Mannschaft ihren Stempel aufgedrückt; *the months in hospital have left their mark* die Monate in der Klinik haben ihre Spuren hinterlassen **4.** *übertragen* Zeichen; *mark of confidence* Vertrauensbeweis; *distinctive mark* Kennzeichen **5.** *Schule*: Note, Zensur; *get full marks BE* die beste Note bekommen, die höchste Punktzahl erreichen **6.** *von Geschoss usw.*: Ziel (*auch übertragen*); *hit the mark* (das Ziel) treffen, *übertragen* ins Schwarze treffen; *miss the mark* das Ziel verfehlen, danebenschießen (*auch übertragen*); *be wide of the mark* weit danebenschießen, *übertragen* sich gewaltig irren **7.** *übertragen* (≈ *Qualität*) Norm; *be up to the mark* den Anforderungen gewachsen sein; *I'm not feeling quite up to the mark these days* ich bin momentan gesundheitlich nicht ganz auf der Höhe **8.** *Leichtathletik*: Startlinie; *on your marks!* auf die Plätze!

mark[2] [mɑːk] **1.** schmutzig machen, Flecken machen auf (*Kleidung usw.*) **2.** zerkratzen (*Oberfläche*) **3.** *mit Kreuz usw.*: markieren, anzeichnen (*in Buch, auf Karte usw.*) **4.** *übertragen* ein Zeichen sein für; *to mark the occasion* zur Feier des Tages, aus diesem Anlass **5.** *Schule*: benoten, zensieren (*Aufsatz, Prüfungsarbeit usw.*); *mark something wrong* etwas als Fehler anstreichen **6.** *Sport*: decken, markieren (*Gegenspieler*) **7.** *mark my words!* das kann ich dir sagen!, lass dir das gesagt sein!

mark[3] [mɑːk] *ehemalige Währungseinheit*: Mark

mark down [ˌmɑːkˈdaʊn] **1.** *im Preis*: heruntersetzen, herabsetzen (*Waren*) **2.** *schriftlich*: notieren

mark up [ˌmɑːkˈʌp] *im Preis*: hinaufsetzen, heraufsetzen

marker ['mɑːkə] **1.** Markierstift **2.** *in Buch*: Lesezeichen **3.** *Sport*: Bewacher(in)

market[1] ['mɑːkɪt] **1.** *allg.*: Markt; *be on the market* auf dem Markt *oder* im Handel sein; *put on the market* auf den Markt bringen, zum Verkauf anbieten **2.** *in Stadt, Dorf*: Marktplatz **3.** *Warenverkauf*: Wochenmarkt, Jahrmarkt; *at the market* auf dem Markt **4.** *Absatzgebiet*: Markt; *world market* Weltmarkt; *the market for dictionaries* der Wörterbuchmarkt; *there's no market for ...* ... lässt *oder* lassen sich nicht absetzen

market[2] ['mɑːkɪt] **1.** auf den Markt bringen (*neue Produkte*) **2.** vertreiben (*Waren*)

market economy [ˌmɑːkɪt‿ɪˈkɒnəmɪ] Marktwirtschaft

marketing ['mɑːkɪtɪŋ] *Wirtschaft*: Marketing

market leader [ˌmɑːkɪtˈliːdə] *Wirtschaft*: Marktführer

marketplace ['mɑːkɪtpleɪs] *in Dorf, Stadt*: Marktplatz

marmalade ['mɑːməleɪd] (Orangen- *oder* Zitronen)Marmelade (△ *Erdbeermarme-*

marmalade

Neben ihrer Schreibweise unterscheidet sich **marmalade** von der deutschen „Marmelade" auch dadurch, dass sie aus Zitrusfrüchten – Apfelsinen, Zitronen, Limonen usw. – gemacht wird. Alle anderen Marmeladensorten heißen **jam**.

lade = strawberry jam)

maroon [məˈruːn] *Farbe*: kastanienbraun

marooned [məˈruːnd] von der Außenwelt abgeschnitten

marquee [mɑːˈkiː] großes Zelt, Partyzelt

marriage [△ 'mærɪdʒ] **1.** *Zeremonie*: Heirat, Hochzeit (*to* mit) **2.** *Lebensgemeinschaft*: Ehe; *by marriage* angeheiratet; *related by marriage* verschwägert

married ['mærɪd] verheiratet, Ehe...; *married couple* Ehepaar

marrow ['mærəʊ] **1.** Gartenkürbis **2.** (Knochen)Mark; *be frozen to the marrow* völlig durchgefroren sein

marry ['mærɪ] **1.** heiraten; *be married* verheiratet sein (*to* mit); *get married*

heiraten **2.** *auch* **marry off** verheiraten
(*Tochter usw.*) (**to** mit) **3.** (*Priester, Stan-
desbeamte*) trauen

marsh [mɑːʃ] Sumpf, Marsch

marshy ['mɑːʃɪ] sumpfig

martyr ['mɑːtə] Märtyrer(in): **make a
martyr of oneself** *übertragen* sich aufop-
fern, *ironisch* den Märtyrer spielen

marvellous, *AE* **marvelous** ['mɑːvləs]
Idee, Wetter usw.: wunderbar, fabelhaft

marzipan ['mɑːzɪpæn] Marzipan

mascara [mæ'skɑːrə] Wimperntusche

mascot ['mæskət] Maskottchen

masculine ['mæskjʊlɪn] **1.** männlich,
Männer… **2.** *Sprache*: maskulin, männ-
lich

mash[1] [mæʃ] **1.** *allg.*: breiige Masse, Brei
2. *BE, umg.* Kartoffelbrei, ⑥ Kartoffel-
stock

mash[2] [mæʃ] zerdrücken, zerquetschen
(*Obst, Gemüse usw.*); **mashed potatoes**
Pl. Kartoffelbrei, ⑥ Kartoffelstock

mask[1] [mɑːsk] **1.** *Verkleidung*: Maske
(*auch übertragen*) **2.** *Computer*: Maske

mask[2] [mɑːsk] **1.** maskieren; **masked ball**
Maskenball **2.** *übertragen* verschleiern

masquerade[1] [ˌmæskə'reɪd] Maskerade
(*auch übertragen*)

masquerade[2] [ˌmæskə'reɪd] **masquerade
as** sich ausgeben als

mass[1] [mæs] *Gottesdienst*: Messe

mass[2] [mæs] **1.** *allg.*: Masse (*auch physi-
kalisch*) **2.** *viele Leute, Sachen usw.*: Men-
ge **3. the masses** *Pl.* (≈ *Leute*) die Mas-
se, die Massen **4. masses of** *umg.* mas-
senhaft, massig; **he's got masses of
CDs** er hat Unmengen von CDs

massacre[1] ['mæsəkə] Massaker

massacre[2] ['mæsəkə] niedermetzeln

massage[1] ['mæsɑːʒ] Massage

massage[2] ['mæsɑːʒ] massieren

massive ['mæsɪv] **1.** *Mauer, Bauwerk*:
massiv, wuchtig **2.** *übertragen* massiv; **on
a massive scale** in ganz großem Rah-
men

mass media [ˌmæs'miːdɪə] *Pl.* (△ *auch
im Sg. verwendet*) Massenmedien *Pl.*

mass production [ˌmæsprə'dʌkʃn] Mas-
senproduktion

mast [mɑːst] *von Schiff, Antenne*: Mast

master[1] ['mɑːstə] **1. be master of the sit-
uation** Herr der Lage sein; **be one's
own master** sein eigener Herr sein **2.** *in
Handwerksberufen usw.*: Meister; **master
tailor** Schneidermeister **3.** *bes. BE* Leh-
rer **4.** *Malerei usw.*: Meister; **an old mas-
ter** ein alter Meister **5.** *Universitätsab-
schluss*: Magister; **Master of Arts** (*Abk.*:
MA) Magister Artium

master[2] ['mɑːstə] **1.** beherrschen (*Spra-

chen usw.*) **2.** meistern (*Aufgabe, Schwie-
rigkeit usw.*) **3.** zügeln (*Temperament
usw.*)

masterpiece ['mɑːstəpiːs] Meisterwerk

mat [mæt] **1.** *auf Fußboden*: Matte **2.** *auf
Tisch*: Untersetzer; **place mat** Platzdeck-
chen, Set; **beer mat** Bierdeckel

match[1] [mætʃ] Streichholz, Zündholz

match[2] [mætʃ] **1.** *allg. Sport*: Spiel, Wett-
kampf, Ⓐ, ⑥ Match **2.** *Tennis*: Match,
Partie **3. be no match for someone** je-
mandem nicht gewachsen sein; **find** *oder*
meet one's match seinen Meister finden
(**in someone** in jemandem) **4.** *von Per-
sonen*: gut zusammenpassendes Paar,
Gespann; **they're an excellent match**
sie passen ausgezeichnet zueinander **5.**
Heirat; **she's a good match** sie ist eine
gute Partie

match[3] [mætʃ] **1.** zusammenpassen, über-
einstimmen (**with** mit) (*auch farblich
usw.*) **2.** *einer Person*: ebenbürtig *oder* ge-
wachsen sein; **no one can match her in
cooking** niemand kann so gut kochen
wie sie

matchbox ['mætʃbɒks] Streichholz-
schachtel

matching ['mætʃɪŋ] (dazu) passend

matchless ['mætʃləs] *Schönheit usw.*: un-
vergleichlich, einzigartig

match point ['mætʃˌpɔɪnt] *Tennis usw.*:
Matchball

mate[1] [meɪt] **1.** *BE, umg.* Kamerad, Ka-
meradin, Kumpel; **now listen, mate!**
jetzt hör mal, Freundchen! **2.** *oft in Zu-
sammensetzungen*: **workmate** Arbeits-
kollege, -kollegin; **schoolmate** Schul-
freund(in) **3.** *bei Tieren*: **her mate** das
Männchen; **his mate** das Weibchen

mate[2] [meɪt] *von Tieren*: (sich) paaren

mate[3] [meɪt] *Schach*: Matt

mate[4] [meɪt] *Schach*: matt setzen

material[1] [mə'tɪərɪəl] **1.** materiell, Materi-
al…; **material damage** Sachschaden;
material wealth materieller Wohlstand
2. *Bedürfnisse, Wohlergehen*: leiblich

material[2] [mə'tɪərɪəl] Material, Stoff (*bei-
de auch übertragen für Referat, Buch
usw.*)

maternal [mə'tɜːnl] **1.** *Gefühle usw.*: müt-
terlich, Mutter… **2.** *Verwandtschaft*: müt-
terlicherseits

maternity [mə'tɜːnətɪ] **1.** Mutterschaft **2.**
maternity dress Umstandskleid; **mater-
nity leave** Mutterschaftsurlaub; **materni-
ty ward** Entbindungsstation

matey[1] ['meɪtɪ] **1.** *abwertend* vertraulich
2. be matey with someone *BE, umg.*
mit jemandem auf Du und Du stehen

matey[2] ['meɪtɪ] *bes. BE*; *als Anrede*:

The British Isles

1 Channel Tunnel
2 ferry
3 Guinness®
4 Hadrian's Wall
5 Shakespeare, William
6 Stonehenge

The United States of America

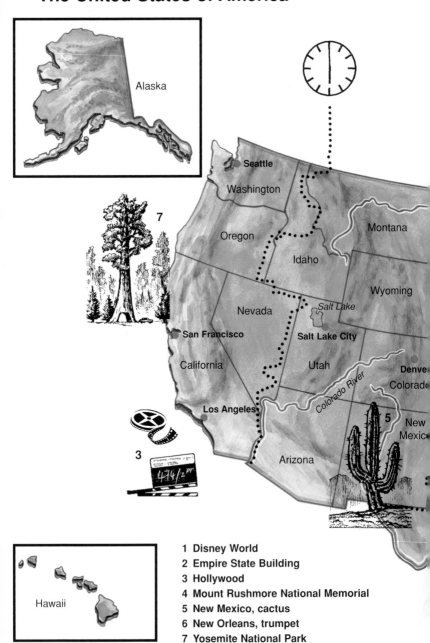

Alaska

Seattle
Washington

Oregon

Montana

Idaho

Wyoming

Nevada
Salt Lake

San Francisco
Salt Lake City

California
Utah
Denve
Colorado

Los Angeles
Colorado River

New
Mexico

Arizona

7

3

5

Hawaii

1 Disney World
2 Empire State Building
3 Hollywood
4 Mount Rushmore National Memorial
5 New Mexico, cactus
6 New Orleans, trumpet
7 Yosemite National Park

CT = Connecticut
DE = Delaware
MD = Maryland
MA = Massachusetts
NH = New Hampshire
NJ = New Jersey
RI = Rhode Island
VT = Vermont

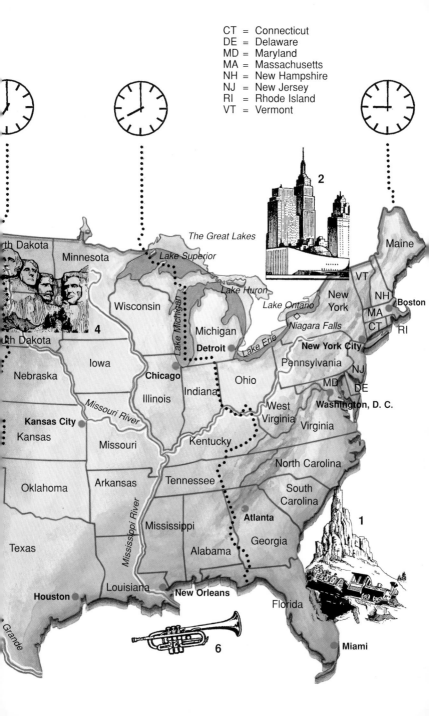

The Great Lakes

Lake Superior

Lake Huron

Lake Ontario

Lake Michigan

Lake Erie

Maine

rth Dakota

Minnesota

Wisconsin

Michigan

Detroit

New York

VT

NH **Boston**

MA

CT RI

Niagara Falls

New York City

uth Dakota

4

Nebraska

Iowa

Chicago

Illinois

Indiana

Ohio

Pennsylvania

NJ

MD DE

Washington, D. C.

West
Virginia

Virginia

Missouri River

Kansas City

Kansas

Missouri

Kentucky

North Carolina

Oklahoma

Arkansas

Tennessee

South
Carolina

Atlanta

Georgia

Mississippi River

Mississippi

Alabama

1

Texas

Louisiana

New Orleans

Florida

Houston

Miami

Grande

2

6

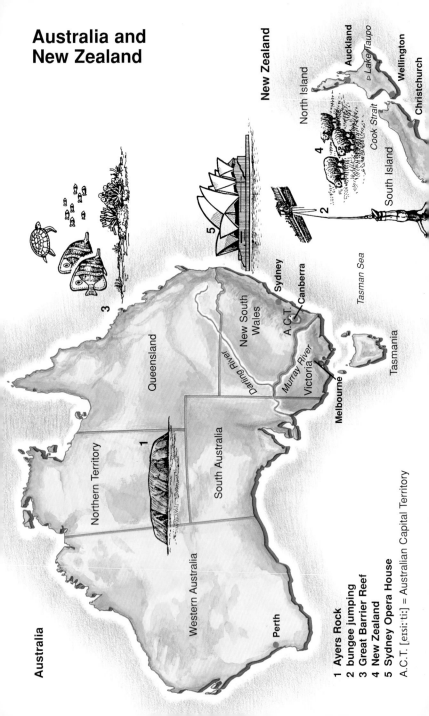

Australia and New Zealand

Australia

Northern Territory

Western Australia

South Australia

Queensland

New South Wales

Victoria

Melbourne

Perth

Darling River

Murray River

Sydney

Canberra

A.C.T.

Tasmania

Tasman Sea

New Zealand

North Island

Auckland

Lake Taupo

Cook Strait

Wellington

South Island

Christchurch

1 Ayers Rock
2 bungee jumping
3 Great Barrier Reef
4 New Zealand
5 Sydney Opera House

A.C.T. [eɪsiːˈtiː] = Australian Capital Territory

Freundchen; **now look here, matey!** jetzt hör mal gut zu, Freundchen!

math [mæθ] *AE, umg.* Mathe

mathematical [ˌmæθəˈmætɪkl] mathematisch

mathematician [ˌmæθəməˈtɪʃn] Mathematiker(in)

mathematics [ˌmæθəˈmætɪks] *Pl.* (△ *mst. im Sg.verwendet*) Mathematik

maths [mæθs] *Pl.* (△ *mst. im Sg. verwendet*) *BE, umg.* Mathe

matter[1] [ˈmætə] **1.** Sache, Angelegenheit; **that's an entirely different matter** das ist etwas ganz anderes; **as a matter of course** selbstverständlich, natürlich; **as a matter of fact** tatsächlich, eigentlich; **a matter of form** eine Formsache; **as a matter of form** der Form halber; **a matter of taste** (eine) Geschmackssache; **a matter of time** eine Frage der Zeit; **it's a matter of life and death** es geht um Leben und Tod; **it's no laughing matter** das ist nicht zum Lachen **2. matters** *Pl.*: die Sache, die Dinge *Pl.*; **to make matters worse** was die Sache noch schlimmer macht; **as matters stand** wie die Dinge liegen **3. what's the matter (with him)?** was ist los (mit ihm)?; **no matter what he says** ganz gleich, was er sagt; **no matter who** gleichgültig, wer **4.** *Gedrucktes*: **printed matter** Drucksache; **reading matter** Lesestoff **5.** *Physik*: Materie, Stoff **6.** *Medizin*: Eiter

matter[2] [ˈmætə] von Bedeutung sein (**to** für); **it doesn't matter** es macht nichts; **what does it matter?** was macht es schon?

mattress [ˈmætrəs] Matratze

mature[1] [△ məˈtʃʊə] **1.** *Person*: reif, vernünftig **2.** *Wein, Käse usw.*: reif, ausgereift **3.** *Pläne usw.*: ausgereift

mature[2] [△ məˈtʃʊə] *von Wein usw.*: reifen (lassen) (*auch übertragen*)

maturity [məˈtʃʊərɪti] Reife (*auch übertragen*)

Maundy Thursday [ˌmɔːndɪˈθɜːzdeɪ] Gründonnerstag

maxima [ˈmæksɪmə] *Pl. von* → **maximum**

maximize [ˈmæksɪmaɪz] maximieren (*Gewinn, Chancen usw.*)

maximum [ˈmæksɪməm] *Pl.*: **maxima** [ˈmæksɪmə] *oder* **maximums** Maximum; **maximum speed** Höchstgeschwindigkeit

May [meɪ] Mai; **in May** im Mai

may [meɪ] **1.** *drückt Möglichkeit aus*: können; **you may be right** du magst *oder* kannst recht haben, vielleicht hast du recht; **it may be true** das kann stimmen; **they may come or they may not** viel-

leicht kommen sie, vielleicht auch nicht **2.** *drückt Erlaubnis aus*: dürfen, können; **may I come in?** darf ich reinkommen? **3. you may as well go to bed** du kannst ruhig ins Bett gehen; ☞ **might**[2]

maybe [ˈmeɪbiː] vielleicht

May Day [ˈmeɪdeɪ] der 1. Mai

mayday [ˈmeɪdeɪ] Mayday (*internationaler Funknotruf*)

mayo [ˈmeɪəʊ] *AE, umg.* Majonäse, Majo

mayonnaise [ˌmeɪəˈneɪz] Majonäse

mayor [meə] Bürgermeister(in)

maze [meɪz] *allg.*: Labyrinth (*auch übertragen*)

me [miː] **1.** mich; **does he know me?** kennt er mich? **2.** mir; **she gave me the book** sie gab mir das Buch; **are you talking to me?** redest du mit mir? **3.** *umg.* ich; **it's me** ich bins

meadow [ˈmedəʊ] Wiese; **in the meadow** auf der Wiese *oder* Weide

meagre, *AE* **meager** [ˈmiːgə] *Einkommen, Mahlzeit, Ergebnis*: mager, dürftig

meal [miːl] Mahlzeit, Essen; **meals on wheels** Essen auf Rädern; **go out for a meal** essen gehen; **enjoy your meal!** guten Appetit!, lass es dir schmecken! ☞ *Info unter dt.* **Appetit**

meal – Mahlzeiten

Die Bezeichnungen der Mahlzeiten hängen zum Teil von der Region und der sozialen Schicht ab. Wichtig sind folgende Bezeichnungen:

breakfast	Frühstück
lunch	Mittagessen
tea	Nachmittagstee
dinner	Abendessen

Besonders im Norden und in Arbeiterfamilien werden oft andere Bezeichnungen gewählt:

breakfast	Frühstück
dinner	Mittagessen
tea/supper	Abendessen

In manchen Haushalten kann **supper** auch bedeuten: *kleiner Imbiss vor dem Zubettgehen.*

mealtime [ˈmiːltaɪm] Essenszeit

mean[1] [miːn], **meant** [ment], **meant** [ment] **1.** (*Wort, Symbol usw.*) bedeuten, heißen; **what does the word mean?** was bedeutet das Wort?; **does this mean anything to you?** ist dir das ein Begriff?, sagt dir das etwas? **2.** (≈ *äußern*) meinen, sagen wollen; **what do you mean by that?** was willst du damit sagen?* 3. (≈ *im Sinn haben*) beabsichtigen, vorhaben; *I've been meaning to send you a fax all day* ich hatte schon den ganzen Tag vor, dir ein Fax zu schicken 4. *I mean it* es ist mir Ernst damit; *sorry - I didn't mean it!* *umg.* 'tschuldigung - war nicht ernst gemeint!; *mean business* es ernst meinen; *mean no harm* es nicht böse meinen 5. *be meant for* bestimmt sein für

mean² [mi:n] 1. *Verhalten usw.*: gemein, niederträchtig; *he's really mean to her* er ist wirklich gemein zu ihr 2. *BE*; *mit Geld usw.*: geizig, knauserig 3. *BE, umg.*; *charakterlich*: schäbig; *feel mean* sich schäbig *oder* gemein vorkommen (*about* wegen)

mean³ [mi:n] 1. Mitte, Mittelweg 2. *von Zahlen usw.*: Durchschnitt

meaning ['mi:nɪŋ] 1. *von Wörtern, Gedicht usw.*: Sinn, Bedeutung (△ *Meinung = opinion*); *what's the meaning of this?* was soll denn das bedeuten?; *full of meaning* Blick, Mimik: bedeutungsvoll 2. *übertragen* Sinn, Inhalt; *give one's life new meaning* seinem Leben einen neuen Sinn geben

meaningful ['mi:nɪŋfl] 1. *Blick, Lächeln, Ereignis usw.*: bedeutungsvoll 2. *Arbeit, Aufgabe usw.*: sinnvoll

meaningless ['mi:nɪŋləs] 1. *Wort, Text usw.*: ohne Sinn 2. *Leben, Tätigkeit usw.*: sinnlos

meanness ['mi:nnəs] 1. Gemeinheit, Niederträchtigkeit 2. Geiz

means [mi:nz] *Pl.*: *means* 1. (≈ *Hilfsmittel*) Mittel, Weg; *by means of* mittels, durch, mit; *a means of communication* ein Kommunikationsmittel; *means of transport* (*AE* *transportation*) Transportmittel; *the end justifies the means* der Zweck heiligt die Mittel 2. *means Pl.* (≈ *Geld*) Mittel *Pl.*, Vermögen; *live within* (*bzw.* *beyond*) *one's means* seinen Verhältnissen entsprechend (*bzw.* über seine Verhältnisse) leben 3. *in Wendungen*: *by all means* unbedingt, aber selbstverständlich; *by no means* keineswegs, auf keinen Fall

meant [ment] 2. *und* 3. *Form von* → *mean¹*

meantime ['mi:ntaɪm] *in the meantime* inzwischen, in der Zwischenzeit

meanwhile ['mi:nwaɪl] inzwischen, in der Zwischenzeit

measles ['mi:zlz] (△ *mst. im Sg. verwendet*) Masern *Pl.*; *German measles* Röteln

measure¹ ['meʒə] 1. Maßnahme; *take measures* Maßnahmen treffen *oder* er-

greifen 2. *in der Physik usw.*: Maß, Maßeinheit; *measure of length* Längenmaß 3. *Messvorrichtung*: Maß, Messgerät 4. *übertragen* Maß, Maßstab; *beyond all measure* über alle Maßen, grenzenlos; *in large measure* in großem Maße

measure² ['meʒə] 1. *allg.*: messen; *measure someone* jemandem Maß nehmen (*für Anzug, Kleid usw.*) 2. abmessen (*Länge usw.*) 3. ausmessen (*Raum, Fläche usw.*) 4. *übertragen* vergleichen, messen (*against, with* mit); *measure one's strength with someone* seine Kräfte mit jemandem messen

measurement ['meʒəmənt] 1. *Vorgang*: Messung 2. *measurements Pl.* Maße; *take someone's measurements* jemandem Maß nehmen (*für Anzug, Kleid usw.*)

meat [mi:t] 1. *als Nahrung*: Fleisch; *cold meat* kalter Braten 2. *übertragen* Substanz, Gehalt (*von Aufsatz, Vortrag usw.*)

meatball ['mi:tbɔːl] Fleischklößchen

mechanic [mɪ'kænɪk] Mechaniker(in)

mechanical [mɪ'kænɪkl] mechanisch (*auch übertragen*)

Mecklenburg-Western Pomerania ['meklənbɜːɡ,westən,pɒmə'reɪnɪə] Mecklenburg-Vorpommern

medal ['medl] 1. *im Sport*: Medaille 2. *für Verdienste*: Orden

medallist, *AE* medalist ['medlɪst] Medaillengewinner(in)

meddle ['medl] sich einmischen (*with, in* in)

media¹ ['mi:dɪə] *Pl. von* → *medium¹*

media² ['mi:dɪə] *Pl.* (△ *auch im Sg. verwendet*) *the media* die Medien; *media event* Medienereignis; *media-shy* medienscheu

median ['mi:dɪən] *AE* Mittelstreifen (*einer Autobahn, Schnellstraße usw.*)

mediator ['mi:dɪeɪtə] *in Streit usw.*: Vermittler(in)

Medicaid ['medɪkeɪd] *in den USA*: staatliche Gesundheitsfürsorge für Einkommensschwache

medical¹ ['medɪkl] medizinisch, ärztlich; *medical certificate* ärztliches Attest; *medical examination* ärztliche Untersuchung; *on medical grounds* aus gesundheitlichen Gründen

medical² ['medɪkl] *umg.* ärztliche Untersuchung; *go for a medical* sich ärztlich untersuchen lassen

Medicare ['medɪkeə] *in den USA*: staatliche Gesundheitsfürsorge für ältere Leute

medicated ['medɪkeɪtɪd] *medicated shampoo* medizinisches Shampoo

medication [,medɪ'keɪʃn] *Medizin*: Medikamente *Pl.*

medicine ['medsn] **1.** (≈ *Medikament*) Medizin, Arznei; *I gave her a dose* oder *taste of her own medicine* übertragen ich habe es ihr mit gleicher Münze heimgezahlt **2.** *Wissenschaft*: Medizin, Heilkunde

medicine chest ['medsn‿tʃest] Hausapotheke

medieval [ˌmedɪˈiːvl] mittelalterlich

mediocre [ˌmiːdɪˈəʊkə] mittelmäßig

Mediterranean¹ [ˌmedɪtəˈreɪnɪən] *the Mediterranean* das Mittelmeer

Mediterranean² [ˌmedɪtəˈreɪnɪən] südländisch, Mittelmeer...; *the Mediterranean countries* die Mittelmeerländer

medium¹ ['miːdɪəm] *Pl.*: *media* ['miːdɪə] oder seltener *mediums* **1.** *für Kommunikation, Information*: Medium **2.** *strike a happy medium* den goldenen Mittelweg finden

medium² ['miːdɪəm] *Pl.*: *mediums* in der *Parapsychologie*: Medium

medium³ ['miːdɪəm] **1.** *Größe, Menge usw.*: mittlere(r, -s), mittel... **2.** *Steak*: medium, halb durch

medium-priced ['miːdɪəmpraɪst] *a medium-priced hotel usw.* ein Hotel *usw.* der mittleren Preislage

medium wave ['miːdɪəm‿weɪv] *Radio*: Mittelwelle

medley ['medlɪ] **1.** *von Musik*: Medley, Potpourri **2.** *beim Schwimmen*: Lagenstaffel

meek [miːk] **1.** sanft, sanftmütig **2.** *be meek and mild* sich alles gefallen lassen

meet [miːt], *met* [met], *met* [met] **1.** *allg.*: begegnen, treffen, sich treffen mit; *can we meet again?* sehen wir uns wieder?; *our eyes met* unsere Blicke trafen sich; *we're meeting tomorrow at 10* wir treffen *oder* sehen uns morgen um 10 **2.** (≈ *zum ersten Mal treffen*) kennenlernen; *when I first met him* als ich seine Bekanntschaft machte; *nice oder pleased to meet you* umg. sehr erfreut, angenehm; *I've never met him* ich kenne ihn nicht persönlich; *we've met before* wir kennen uns schon **3.** *vom Bahnhof usw.*: abholen; *she came to meet me at the airport* sie holte mich vom Flughafen ab **4.** *Sport*: treffen auf; *the two teams meet for the first time* die beiden Mannschaften spielen zum ersten Mal gegeneinander **5.** *meet someone halfway* bes. übertragen jemandem auf halbem Weg entgegenkommen **6.** *there's more to it than meets the eye* da steckt mehr dahinter **7.** *meet a demand* einer Forderung nachkommen **8.** *meet a*

deadline einen Termin einhalten

---

meet with ['miːt‿wɪð] **1.** *zu einer Sitzung usw.*: zusammentreffen mit, sich treffen mit **2.** erleben, erleiden (*Unglück usw.*); *meet with an accident* einen Unfall erleiden, verunglücken **3.** *meet with disapproval* auf Ablehnung stoßen; *meet with approval* Beifall finden

---

meeting ['miːtɪŋ] **1.** *allg.*: Treffen, Begegnung **2.** *offiziell*: Sitzung, Besprechung; *he's at oder in a meeting* er ist in einer Besprechung **3.** *Sport*: Veranstaltung

meeting place ['miːtɪŋ‿pleɪs] Treffpunkt

megabucks ['megəbʌks] *Pl.*, *umg.* Schweinegeld; *she's making megabucks* sie verdient ein Schweinegeld

mellow¹ ['meləʊ] **1.** *Farbe, Licht*: warm **2.** *Obst*: reif, weich **3.** *Wein*: ausgereift, lieblich **4.** *Person*: gereift **5.** *nach Alkoholgenuss*: beschwipst

mellow² ['meləʊ] **1.** reifen (*auch übertragen Person*) **2.** reifen lassen

melody ['melədɪ] Melodie

melon ['melən] *Frucht*: Melone

melt [melt] **1.** (*Schnee, Eis usw.*) schmelzen, (*Butter usw.*) zergehen; *melt in the mouth* auf der Zunge zergehen **2.** (*Person*) dahinschmelzen; *melt into tears* in Tränen zerfließen **3.** schmelzen (*Metall usw.*), zerlassen (*Butter, Speck*) **4.** übertragen erweichen (*Herz*) **5.** übertragen (*Ärger, Zorn usw.*) verfliegen

meltdown ['meltdaʊn] *im Reaktor*: Kernschmelze

member ['membə] **1.** *von Verein, Partei usw.*: Mitglied; *members only* (Zutritt) nur für Mitglieder **2.** *von Familie, Stamm usw.*: Angehörige(r); *member of the family* Familienmitglied **3.** *Member of Parliament in GB*: Unterhausabgeordnete(r), *in Deutschland*: Bundestagsabgeordnete(r) **4.** *member of staff in Betrieb*: Mitarbeiter(in), *an Schule usw.*: Kollege

membership ['membəʃɪp] **1.** Mitgliedschaft (*of* bei); *membership card* Mitgliedsausweis; *membership fee* Mitgliedsbeitrag **2.** Mitgliederzahl; *have a membership of 200* 200 Mitglieder haben

memorable ['memərəbl] **1.** *ein Tag usw.*: denkwürdig **2.** *Erlebnis usw.*: unvergesslich

memorial [məˈmɔːrɪəl] Denkmal, Gedenkstätte (*to* für)

memorize ['meməraɪz] auswendig lernen (*Gedicht usw.*)

memory ['memərɪ] **1.** (≈ *Erinnerungsver-*

mögen) Gedächtnis; *from memory* aus dem Gedächtnis *oder* Kopf; *have a good* (*bzw. bad*) *memory* ein gutes (*bzw.* schlechtes) Gedächtnis haben; *I've got a bad memory for names* ich habe ein schlechtes Namensgedächtnis; *to the best of my memory* soweit ich mich erinnern kann; *he's got a memory like a sieve* er hat ein Gedächtnis wie ein Sieb; *in living memory* seit Menschengedenken 2. (≈ *Gedenken*) Andenken, Erinnerung (*of* an); *in memory of* zum Andenken an 3. *mst.* **memories** *Pl.* Erinnerung; *childhood memories* Kindheitserinnerungen 4. *von Computer*: Speicher, Speicherkapazität

memory stick® ['meməɪˌstɪk] *Computer*: USB-Stick, Speicherstift

men [men] *Pl. von* → **man**; **men's room** *AE* Herrentoilette

menace ['menəs] 1. Drohung 2. Bedrohung, drohende Gefahr

menacing ['menəsɪŋ] bedrohlich

mend [mend] 1. *allg.*: reparieren 2. ausbessern, flicken (*Socken, Hose usw.*) 3. *übertragen* kitten (*Freundschaft usw.*) 4. *mend one's ways übertragen* (*Person*) sich bessern

menial ['miːnɪəl] *Arbeit*: untergeordnet, niedrig

mental ['mentl] 1. (≈ *gedanklich*) geistig, Geistes…; *mental arithmetic* Kopfrechnen; *be mentally lazy* geistig träge sein 2. (≈ *psychisch*) geistig, seelisch; *mental hospital* psychiatrische Klinik, Nervenheilanstalt; *mentally handicapped* geistig behindert

mentality [men'tælətɪ] Mentalität

mention ['menʃn] erwähnen (*to* gegenüber); *don't mention it!* nach Dank: bitte (sehr)!, gern geschehen!; *not to mention* … ganz abgesehen *oder* zu schweigen von …

menu ['menjuː] 1. *in Restaurant*: Speisekarte 2. *auf Computermonitor usw.*: Menü

menu bar ['menjuːˌbɑː] *Computer*: Menüleiste

MEP [ˌemiː'piː] (*Abk. für* **M**ember of the **E**uropean **P**arliament) Europaabgeordnete(r)

merchandise ['mɜːtʃəndaɪz] Ware, Waren *Pl.* (*für den Verkauf*)

merchant ['mɜːtʃənt] Großkaufmann

merciful ['mɜːsɪfl] barmherzig, gnädig

merciless ['mɜːsɪləs] unbarmherzig

mercury ['mɜːkjʊrɪ] *Metall*: Quecksilber

Mercury ['mɜːkjʊrɪ] *Planet*: Merkur

mercy ['mɜːsɪ] 1. Erbarmen, Gnade; *without mercy* gnadenlos; *be at some-*

one's mercy jemandem (auf Gedeih und Verderb) ausgeliefert sein; *have mercy on* Mitleid *oder* Erbarmen haben mit 2. *umg.* wahres Glück, Segen; *it's a mercy no one was killed* nach Unfall *usw.*: man kann von Glück sagen, dass es keine Toten gab

mere [mɪə] *I'm a mere editor* ich bin nur ein kleiner Redakteur; *a mere 3.3% pay rise* bloß *oder* lediglich 3,3% Lohnerhöhung; *the mere thought of it* allein der Gedanke daran

merely ['mɪəlɪ] bloß, nur, lediglich; *she merely looked at him and left the room* sie sah ihn nur an und ging aus dem Zimmer

merge [mɜːdʒ] *Wirtschaft*: fusionieren, (sich) zusammenschließen

merger ['mɜːdʒə] *Wirtschaft*: Fusion, Zusammenschluss

merit[1] ['merɪt] 1. Verdienst 2. *have artistic merit* von künstlerischem Wert sein

merit[2] ['merɪt] verdienen (*Lohn, Strafe usw.*)

meritocracy [ˌmerɪ'tɒkrəsɪ] Leistungsgesellschaft

mermaid ['mɜːmeɪd] Meerjungfrau, Nixe

merriment ['merɪmənt] 1. Fröhlichkeit 2. Gelächter, Heiterkeit

merry ['merɪ] 1. *Person, Laune usw.*: lustig, fröhlich 2. *BE, umg.* beschwipst, angeheitert; *get merry* sich einen andudeln 3. *Merry Christmas!* fröhliche *oder* frohe Weihnachten!

merry-go-round ['merɪgəʊˌraʊnd] Karussell, Ⓐ Ringelspiel

mesh [meʃ] 1. *von Netz usw.*: Masche 2. *mesh of lies übertragen* Lügennetz

mesmerize ['mezməraɪz] faszinieren, in seinen Bann schlagen; *mesmerized* fasziniert, gebannt

mess [mes] 1. *in Zimmer usw.*: Unordnung, Durcheinander, *stärker*: Schmutz; *the room was* (*in*) *a mess* das Zimmer war unaufgeräumt, *stärker*: das Zimmer war ein einziges Durcheinander 2. *übertragen* Patsche, Klemme; *be in a nice mess* ganz schön in der Klemme stecken; *make a mess of something* etwas verpfuschen 3. *in Kaserne usw.*: Messe; *officers' mess* Offiziersmesse, Offizierskasino

---

mess about *oder* **around** [ˌmes ə'baʊt *oder* ə'raʊnd] 1. *umg.* (≈ *nichts tun*) herumgammeln 2. (≈ *Unsinn machen*) herumalbern

mess up [ˌmes'ʌp] 1. in Unordnung bringen (*Zimmer, Wohnung usw.*) 2. *übertragen* verpfuschen, über den Haufen werfen (*Pläne usw.*) **3.** *messed up* *Person*: verkorkst

message ['mesɪdʒ] **1.** Mitteilung, Nachricht; *can I give him a message?* kann ich ihm etwas ausrichten?; *leave a message for someone* jemandem eine Nachricht hinterlassen; *can I take a message?* kann ich etwas ausrichten?; *I got the message umg.* ich habs kapiert **2.** *übertragen* Aussage, Botschaft (*von Roman, Film usw.*)

messenger ['mesɪndʒə] Bote, Botin

mess-up ['mesʌp] Durcheinander

messy ['mesɪ] **1.** *Zimmer usw.*: schmutzig, unordentlich **2.** *Situation, Problem usw.*: verfahren, vertrackt

met [met] *2. und 3. Form von* → *meet*

metal ['metl] Metall

meter[1] ['miːtə] *AE; Längenmaß*: Meter

meter[2] ['miːtə] Messgerät, Zähler

method ['meθəd] **1.** Methode, Verfahren; *method of payment* Zahlungsweise **2.** (≈ *Plan*) Methode, System; *work with method* methodisch arbeiten

metre ['miːtə] *BE* **1.** *Längenmaß*: Meter **2.** *in Gedichten*: Versmaß

metric ['metrɪk] *the metric system* das metrische Maßsystem; *go metric* auf das metrische Maßsystem umstellen

metropolis [mə'trɒpəlɪs] Metropole, Hauptstadt

Mexican[1] ['meksɪkən] mexikanisch

Mexican[2] ['meksɪkən] Mexikaner(in)

Mexico ['meksɪkəʊ] Mexiko

miaow [miːˈaʊ] miauen

mice [maɪs] *Pl. von* → *mouse*

mickey ['mɪkɪ] *take the mickey out of someone bes. BE, umg.* jemanden auf den Arm nehmen, ⊕ jemanden pflanzen

microchip ['maɪkrəʊtʃɪp] *Computer*: Mikrochip

microphone ['maɪkrəfəʊn] Mikrofon

microscope ['maɪkrəskəʊp] Mikroskop

microwave ['maɪkrəweɪv] **1.** *Physik*: Mikrowelle **2.** *auch microwave oven* Mikrowellenherd, *umg.* Mikrowelle

mid [mɪd] *in Zusammensetzungen*: mittlere(r, -s), Mittel…; *in mid-April* Mitte April; *he's in his mid-forties* er ist Mitte vierzig

midday [ˌmɪd'deɪ] Mittag; *at midday* mittags

middle[1] ['mɪdl] mittlere(r, -s), Mittel…; *middle classes* Mittelstand; *middle finger* Mittelfinger; *middle name* zweiter Vorname

middle[2] ['mɪdl] **1.** *allg.*: Mitte; *in the middle of …* in der Mitte …, mitten in …; *in the middle of July* Mitte Juli; *they live*

in the middle of nowhere sie wohnen jwd *oder* am Ende der Welt **2.** *I'm in the middle of having breakfast - can I call you back?* ich bin mitten beim Frühstück - kann ich Sie zurückrufen? **3.** *umg.*; *Körperpartie*: Taille

middle-aged [ˌmɪdl'eɪdʒd] mittleren Alters

Middle Ages [ˌmɪdl'eɪdʒɪz] *Pl. the Middle Ages* das Mittelalter

Middle East [ˌmɪdl'iːst] *the Middle East* der Nahe Osten

Middle East

Auch **the Near East** bedeutet „Naher Osten"; dieser Ausdruck wird aber seltener gebraucht.

middle-of-the-road [ˌmɪdləvðə'rəʊd] *politisch usw.*: gemäßigt

middleweight ['mɪdlweɪt] *Sport*: Mittelgewicht, Mittelgewichtler

middling ['mɪdlɪŋ] *umg.* **1.** mittelmäßig; *how are you? - fair to middling* wie geht's? - so einigermaßen **2.** leidlich, einigermaßen

midfield ['mɪdfiːld] *bes. beim Fußball*: Mittelfeld; *midfield player* Mittelfeldspieler(in)

midge [mɪdʒ] *Insekt*: Mücke

midlands ['mɪdləndz] *the Midlands Pl.* Mittelengland

midnight ['mɪdnaɪt] Mitternacht; *at midnight* um Mitternacht

midsummer [ˌmɪd'sʌmə] Hochsommer

midway [ˌmɪd'weɪ] auf halbem Weg (*sich treffen usw.*); *midway* ['mɪdweɪ] *between London and Bristol* auf halbem Weg zwischen London und Bristol

midwife ['mɪdwaɪf] *Pl.*: *midwives* ['mɪdwaɪvz] Hebamme

might[1] [maɪt] Macht; *with all his oder her might* mit aller Kraft

might[2] [maɪt] *2. Form von* → *may*; *it might happen* es könnte geschehen; *we might as well go* da könnten wir (auch) ebenso gut gehen; *you might have said something* du hättest eigentlich was sagen können

might've ['maɪtəv] *Kurzform von might have*

mighty ['maɪtɪ] mächtig, gewaltig (*beide auch übertragen*)

migraine ['miːgreɪn] *Kopfschmerzen*: Migräne

mike [maɪk] *umg.* Mikro (*Mikrofon*)

Milan [mɪ'læn] Mailand

mild [maɪld] **1.** *Geschmack, Seife, Strafe, Wetter usw.*: mild; *to put it mildly* gelinde

M

gesagt **2.** *Fieber, Infekt usw.*: leicht

mildness ['maɪldnəs] Milde

mile [maɪl] Meile *(entspricht etwa 1,6 km)*; ***for miles*** meilenweit; ***talk a mile a minute*** *umg.* wie ein Maschinengewehr *oder* Wasserfall reden; ***sorry - I was miles away*** Entschuldigung - ich war mit den Gedanken ganz woanders

mile

1 Meile hat rund 1,6 km. Wenn ein Auto mit 50 Meilen pro Stunde (**50 mph**) fährt, entspricht das im Deutschen ca. 80 km/h.

mileage ['maɪlɪdʒ] **1.** (zurückgelegte) Meilen; ***mileage per gallon*** Benzinverbrauch **2.** *auf Tacho*: Kilometerstand

mileometer [△ maɪ'lɒmɪtə] Meilenzähler, *entspricht*: Kilometerzähler

milestone ['maɪlstəʊn] Meilenstein *(auch übertragen)*

militarism ['mɪlɪtərɪzm] Militarismus

military¹ ['mɪlɪtərɪ] militärisch, Militär...; ***military academy*** Militärakademie; ***military dictatorship*** Militärdiktatur; ***military government*** Militärregierung; ***military police*** Militärpolizei

military² ['mɪlɪtərɪ] (△ *im Pl. verwendet*) ***the military*** das Militär

milk¹ [mɪlk] Milch; ***land of milk and honey*** *übertragen* Schlaraffenland; ***it's no use crying over spilt milk*** *Sprichwort*: geschehen ist geschehen

milk² [mɪlk] **1.** melken *(Kuh usw.)* **2.** *übertragen* ausnehmen *(Person)*

milk chocolate [ˌmɪlk'tʃɒklət] Vollmilchschokolade

milkshake ['mɪlkʃeɪk] Milchshake

milky ['mɪlkɪ] **1.** *Flüssigkeit*: milchig **2.** *Kaffee, Tee*: mit (viel) Milch

Milky Way [ˌmɪlkɪ'weɪ] (≈ *Galaxis*) Milchstraße

mill¹ [mɪl] **1.** *zur Getreideverarbeitung*: Mühle; ***go through the mill*** *übertragen* viel durchmachen; ***put someone through the mill*** *übertragen* jemanden hart rannehmen, *umg.* jemanden durch die Mangel drehen **2.** *Industriebetrieb*: Fabrik, Werk

mill² [mɪl] mahlen *(Getreide usw.)*

millennium [mɪ'lenɪəm] *Pl.*: **millennia** [mɪ'lenɪə] Jahrtausend; ***at the turn of the millennium*** um die Jahrtausendwende

miller ['mɪlə] Müller(in)

milligram ['mɪlɪgræm] Milligramm

millimetre, *AE* **millimeter** ['mɪlɪˌmiːtə] Millimeter

million ['mɪljən] Million; ***six million dollars*** sechs Millionen Dollar; ***millions of people*** Millionen von Menschen; ***feel like a million dollars*** *umg.* sich ganz prächtig fühlen

millionaire [ˌmɪljə'neə] Millionär(in)

millstone ['mɪlstəʊn] Mühlstein; ***be a millstone round someone's neck*** *übertragen* jemandem ein Klotz am Bein sein

mimosa [mɪ'məʊzə] **1.** *Pflanze*: Mimose **2.** *AE*: *Getränk aus Champagner und Orangensaft*

mince¹ [mɪns] **1.** klein schneiden, ⓐ faschieren *(mst. Fleisch)*; ***mince meat*** Fleisch durchdrehen (ⓐ faschieren), Hackfleisch machen; ***minced meat*** Hackfleisch, ⓐ Faschiertes **2.** ***she doesn't mince matters*** *oder* ***her words*** *übertragen* sie nimmt kein Blatt vor den Mund

mince² [mɪns] *BE* Hackfleisch, ⓐ Faschiertes

mincemeat ['mɪnsmiːt] **1.** *etwa*: süße Pastetenfüllung **2.** *AE* Hackfleisch, ⓐ Faschiertes; ***make mincemeat of someone*** *umg.* aus jemandem Hackfleisch machen

mincemeat

Das süße **mincemeat** besteht aus getrocknetem Obst, Korinthen, Talg und verschiedenen Gewürzen. Es wird in Teig gebacken und als **mince pie** zu Weihnachten gegessen.

mince pie [ˌmɪns'paɪ] *Weihnachtsgebäck, das aus einer mit* **mincemeat** *gefüllten Teigtasche besteht*

mincer ['mɪnsə] Fleischwolf

mind¹ [maɪnd] **1.** (≈ *Gedanken und Gefühle*) Sinn, Gemüt, Herz; ***have you got something on your mind?*** bedrückt dich etwas?; ***I can't get that film out of my mind*** dieser Film geht mir nicht aus dem Kopf **2.** (≈ *Intellekt*) Verstand, Geist; ***in her mind's eye she saw ...*** vor ihrem geistigen Auge sah sie ...; ***be out of one's mind*** nicht bei Sinnen sein; ***lose one's mind*** den Verstand verlieren; ***you can put that out of your mind*** das kannst du dir aus dem Kopf schlagen; ***read someone's mind*** jemandes Gedanken lesen; ***out of sight, out of mind*** aus den Augen, aus dem Sinn **3.** (≈ *Auffassung*) Ansicht, Meinung; ***to my mind*** meiner Ansicht nach, meines Erachtens; ***change one's mind*** sich es anders überlegen, seine Meinung ändern; ***give someone a piece of one's mind*** jemandem gründlich die Meinung sagen **4.** (≈

Vorhaben) Lust, Absicht; ***have something in mind*** etwas im Sinn haben; ***have a good mind*** *oder* ***have half a mind to do something*** gute *oder* nicht übel Lust haben, etwas zu tun; ***make up one's mind*** sich entschließen, einen Entschluss fassen; ***I simply can't make up my mind*** ich kann mich einfach nicht entscheiden; ***we've made up our mind to move to Munich*** wir haben uns entschlossen, nach München zu ziehen **5.** (≈ *Erinnerung*) Gedächtnis; ***bear*** *oder* ***keep something in mind*** immer an etwas denken, etwas nicht vergessen **6.** *übertragen* (≈ *Person*) Kopf, Geist; ***she was among the finest minds of her time*** sie zählte zu den großen Geistern ihrer Zeit

mind² [maɪnd] **1.** *bes. BE* (≈ *vorsichtig sein*) achtgeben auf; ***mind the step!*** Vorsicht, Stufe!; ***mind your head!*** stoß dir den Kopf nicht an! **2.** (≈ *sich mit etwas befassen*) sehen nach, aufpassen auf; ***mind your own business!*** kümmere dich um deine eigenen Angelegenheiten!; ***mind your language!*** pass auf, was du sagst! **3.** (≈ *mit etwas nicht einverstanden sein*) etwas haben gegen; ***do you mind my smoking*** *oder* ***if I smoke?*** haben Sie etwas dagegen *oder* stört es Sie, wenn ich rauche?; ***would you mind coming?*** würden Sie so freundlich sein zu kommen?; ***do you mind?*** ungehalten: ich muss doch sehr bitten!; ***never mind!*** macht nichts!, ist schon gut!; ***I don't mind*** meinetwegen, von mir aus (gern) **4.** ***mind you*** allerdings; ***mind you, she's still very young*** sie ist allerdings noch ziemlich jung

mine¹ [maɪn] ***it's mine*** es gehört mir; ***a friend of mine*** ein Freund von mir; ***his mother and mine*** seine und meine Mutter

mine² [maɪn] **1.** *im Bergbau:* schürfen, graben (***for*** nach) **2.** abbauen (*Erz, Kohle usw.*) **3.** *militärisch:* verminen

mine³ [maɪn] **1.** *im Bergbau:* Bergwerk, Zeche, Grube **2.** *militärisch:* Mine

miner ['maɪnə] *im Bergbau:* Bergmann, Kumpel

mineral ['mɪnrəl] *Substanz:* Mineral

minging ['mɪŋɪŋ] *BE, umg.* eklig

mingle ['mɪŋgl] **1.** (*Personen*) sich mischen (***among, with*** unter) **2.** (*Gefühle usw.*) sich vermischen (***with*** mit) **3.** mischen (***with*** mit)

minimal ['mɪnɪml] minimal

minimize ['mɪnɪmaɪz] **1.** minimieren, möglichst gering halten (*Risiko usw.*) **2.** bagatellisieren, herunterspielen (*Vorfall usw.*)

minimum¹ ['mɪnɪməm] *Pl.:* ***minima*** ['mɪnɪmə] *oder* ***minimums*** Minimum; ***reduce something to a minimum*** etwas auf ein Minimum reduzieren; ***keep something to a*** *oder* ***the minimum*** etwas auf ein Minimum beschränken

minimum² ['mɪnɪməm] Minimal…, Mindest…; ***minimum temperatures*** Tiefsttemperaturen; ***minimum wage*** Mindestlohn

mining ['maɪnɪŋ] Bergbau

minister ['mɪnɪstə] **1.** *Politik:* Minister(in); ***Minister of Education*** Bildungsminister(in); ***Prime Minister*** Premierminister(in), Ministerpräsident **2.** *in protestantischen Gemeinden, bes. in USA:* Pfarrer(in)

ministry ['mɪnɪstrɪ] *Politik:* Ministerium; ***Ministry of Justice*** Justizministerium

minor¹ ['maɪnə] **1.** *AE; an Universität:* Nebenfach **2.** *Person:* Minderjährige(r) **3.** *Musik:* Moll; ***D minor*** d-Moll

minor² ['maɪnə] **1.** *Änderungen, Probleme usw.:* kleinere(r, -s), unbedeutend **2.** *Operation, Verletzung usw.:* leicht, kleinere(r, -s) **3.** *Person:* minderjährig

minority [maɪ'nɒrətɪ] Minderheit; ***be in the*** *oder* ***a minority*** in der Minderheit sein; ***minority government*** Minderheitsregierung

mint¹ [mɪnt] **1.** *Bonbon:* Pfefferminz **2.** Minze; ***mint sauce*** [ˌmɪnt'sɔːs] Minzsoße

mint² [mɪnt] **1.** Münzanstalt **2.** ***earn a mint*** *umg.* ein Heidengeld verdienen

mint³ [mɪnt] ***in mint condition*** in tadellosem Zustand

minus¹ ['maɪnəs] **1.** *Mathematik:* minus, weniger **2.** *bei Temperaturangaben:* minus, unter null **3.** *umg.* ohne

minus² ['maɪnəs] **1.** *auch* ***minus sign*** Minuszeichen **2.** *in Kasse, Bilanz usw.:* Minus, Fehlbetrag **3.** *übertragen* Nachteil

minute¹ ['mɪnɪt] **1.** Minute; ***to the minute*** auf die Minute (genau); ***a ten-minute break*** eine zehnminütige Pause **2.** *übertragen* Augenblick; ***at the last minute*** in letzter Minute; ***in a minute*** sofort; ***just a minute!*** Moment mal!; ***I won't be a minute*** ich bin gleich wieder da, es dauert nicht lang; ***she was here a minute ago*** sie war eben noch da; ***have you got a minute?*** hast du einen Moment Zeit?; ☞ ***minutes***

minute² [△ maɪ'njuːt] **1.** (≈ *unbeträchtlich*) winzig **2.** *Untersuchung usw.:* peinlich genau, minuziös

minute hand ['mɪnɪt‿hænd] *von Uhr:* Minutenzeiger

minutes ['mɪnɪts] *Pl.* Sitzungsprotokoll;

M

keep (*oder* **do**) **the minutes** das Protokoll führen

miracle ['mɪrəkl] Wunder (*auch übertragen*); **as if by a miracle** wie durch ein Wunder; **work** *oder* **perform miracles** Wunder tun, Wunder vollbringen

miraculous [məˈrækjələs] *Heilung usw.*: wunderbar

mirage [△ ˈmɪrɑːʒ] **1.** Luftspiegelung, Fata Morgana (*auch übertragen*) **2.** *übertragen* Illusion

mirror[1] ['mɪrə] **1.** Spiegel **2.** *übertragen* Spiegel, Spiegelbild (*einer Gesellschaft usw.*)

mirror[2] ['mɪrə] *übertragen* widerspiegeln

misbehave [ˌmɪsbɪˈheɪv] **1.** sich schlecht benehmen **2.** (*bes. Kind*) ungezogen sein

misbehaviour [ˌmɪsbɪˈheɪvɪə] schlechtes Benehmen, Ungezogenheit

miscalculate [ˌmɪsˈkælkjʊleɪt] **1.** *bei Menge, Zahl usw.*: falsch berechnen, sich verrechnen **2.** *übertragen* falsch einschätzen (*Situation, Konsequenzen usw.*)

miscalculation [ˌmɪskælkjʊˈleɪʃn] **1.** Rechenfehler **2.** *übertragen* Fehleinschätzung

miscarriage [ˌmɪsˈkærɪdʒ] Fehlgeburt

miscarry [ˌmɪsˈkærɪ] eine Fehlgeburt haben

miscellaneous [△ ˌmɪsəˈleɪnɪəs] **1.** (≈ *vielerlei*) gemischt, vermischt **2.** verschiedenartig

mischief [△ ˈmɪstʃɪf] **1.** (≈ *Unsinn*) Unfug, Dummheiten; **be up to mischief** etwas aushecken; **get into mischief** etwas anstellen; **be full of mischief** immer zu Dummheiten aufgelegt sein **2.** (≈ *grober Unfug*) Unheil, Schaden; **do someone a mischief** *BE* jemandem Unheil *oder* Schaden zufügen

mischievous [△ ˈmɪstʃɪvəs] **1.** *Blick usw.*: schelmisch **2.** boshaft, mutwillig

misconception [ˌmɪskənˈsepʃn] falsche Annahme

miscount [ˌmɪsˈkaʊnt] **1.** *allg.*: falsch zählen, sich verzählen **2.** *nach Wahlen usw.*: falsch auszählen (*Stimmen*)

miser ['maɪzə] Geizhals

miserable ['mɪzərəbl] **1.** *Lebensumstände usw.*: erbärmlich, *Bezahlung*: miserabel **2.** *Wohnverhältnisse*: armselig, elend **3.** *Stimmungslage*: unglücklich; **feel miserable** sich miserabel fühlen

miserly ['maɪzəlɪ] **1.** *Person*: geizig **2.** *Menge, Geldbetrag usw.*: armselig

misery ['mɪzərɪ] **1.** *Situation*: Elend, Not **2.** *Gefühlslage*: Kummer, Jammer

misfire [ˌmɪsˈfaɪə] **1.** (*Motor*) fehlzünden **2.** (*Trick usw.*) danebengehen **3.** (*Plan usw.*) fehlschlagen **4.** (*Pistole usw.*) Ladehemmung haben

misfit ['mɪsfɪt] Außenseiter(in)

misguided [mɪsˈgaɪdɪd] **1.** *Meinung, Auffassung usw.*: irrig **2.** *Optimismus, Freundlichkeit usw.*: unangebracht

mishandle [ˌmɪsˈhændl] falsch anpacken (*Problem, Vorhaben usw.*) (△ *mishandeln* = **ill-treat**)

mishap ['mɪshæp] Missgeschick, Malheur; **he's had a mishap** ihm ist ein Missgeschick passiert; **without mishap** ohne Zwischenfälle

mismanage [ˌmɪsˈmænɪdʒ] herunterwirtschaften (*Land, Firma usw.*)

mismanagement [ˌmɪsˈmænɪdʒmənt] *politisch, wirtschaftlich*: Misswirtschaft

mishmash ['mɪʃmæʃ] *umg.* Mischmasch

misinform [ˌmɪsɪnˈfɔːm] falsch informieren (**about** über)

misinformation [ˌmɪsɪnfəˈmeɪʃn] Fehlinformation

misinterpret [ˌmɪsɪnˈtɜːprɪt] **1.** missdeuten, falsch auffassen (*Äußerung usw.*) **2.** fehlinterpretieren (*Gedicht, Roman usw.*)

misinterpretation [ˌmɪsɪnˌtɜːprɪˈteɪʃn] **1.** *von Äußerung usw.*: Missdeutung **2.** *von Gedicht usw.*: Fehlinterpretation

misjudge [ˌmɪsˈdʒʌdʒ] **1.** falsch beurteilen, verkennen (*Person*) **2.** falsch einschätzen (*Situation, Entfernung usw.*)

mislead [mɪsˈliːd], **misled** [mɪsˈled], **misled** [mɪsˈled] irreführen, täuschen; **be misled** sich täuschen lassen

misprint ['mɪsprɪnt] *in Buch usw.*: Druckfehler

mispronounce [ˌmɪsprəˈnaʊns] falsch aussprechen (*Wort, Name usw.*)

mispronunciation [ˌmɪsprəˌnʌnsɪˈeɪʃn] falsche Aussprache

misread [ˌmɪsˈriːd], **misread** [ˌmɪsˈred], **misread** [ˌmɪsˈred] **1.** falsch lesen (*Text, Schild usw.*) **2.** *übertragen* missdeuten

miss[1] [mɪs] **1.** **Miss** *mit folgendem Namen*: Fräulein **2.** **Miss America** Miss Amerika

miss[2] [mɪs] **1.** verpassen (*U-Bahn, Bus, Zug*); **miss the boat** *oder* **bus** *umg.*, *übertragen* den Anschluss *oder* seine Chance verpassen **2.** versäumen, sich entgehen lassen (*Chance, Gelegenheit*); **miss lunch** nicht zu Mittag essen **3.** (≈ *nicht finden*) verfehlen (*Platz, Gebäude usw.*) **4.** (≈ *nicht bemerken*) überhören, übersehen; **sorry - I missed that** Entschuldigung - das hab ich nicht mitbekommen **5.** (≈ *Sehnsucht haben*) vermissen; **I miss you very much** du fehlst mir sehr **6.** *im Sport usw.*: nicht treffen (*Tor, Korb usw.*)

miss[3] [mɪs] **1.** *Sport usw.*: Fehlschuss,

Fehlwurf 2. *übertragen* Reinfall, Misserfolg

missile ['mɪsaɪl] 1. *Stein, Speer usw.*: Wurfgeschoss, Ⓐ Wurfgeschoß 2. *militärisch*: Rakete

missing ['mɪsɪŋ] 1. *Gegenstand usw.*: fehlend; *be missing* fehlen, verschwunden *oder* weg sein 2. *Person, Flugzeug usw.*: vermisst; *be missing* vermisst sein *oder* werden

mission ['mɪʃn] *politisch, militärisch oder kirchlich*: Mission, Auftrag

missionary ['mɪʃnərɪ] Missionar(in)

misspell [ˌmɪs'spel], *misspelt* [ˌmɪs'spelt], *misspelt* [ˌmɪs'spelt] *oder misspelled, misspelled* falsch schreiben

misspelling [ˌmɪs'spelɪŋ] Rechtschreibfehler

mist [mɪst] Dunst, feiner Nebel

mistake¹ [mɪ'steɪk], *mistook* [mɪ'stʊk], *mistaken* [mɪ'steɪkən] 1. verwechseln; *mistake A for B* A mit B verwechseln 2. falsch verstehen, missverstehen

mistake² [mɪ'steɪk] 1. *allg.*: Fehler; *make a mistake* einen Fehler machen 2. Irrtum, Versehen; *by mistake* irrtümlich, aus Versehen; *make a mistake* sich irren; ☞ *Info unter dt.* Fehler

mistaken¹ [mɪ'steɪkən] 3. *Form von →* mistake¹

mistaken² [mɪ'steɪkən] 1. *be mistaken* sich irren; *unless I'm very much mistaken* wenn mich nicht alles täuscht 2. *Meinung usw.*: irrig, falsch

mister ['mɪstə] 1. *Mister (Abk. Mr) in Anrede*: Herr 2. *hey mister! bes. AE, umg.* hallo, Sie!

mistletoe [⚠ 'mɪsltəʊ] *Weihnachtsschmuck*: Mistelzweig

mistletoe

Den Mistelzweig findet man während der Weihnachtszeit in vielen britischen Häusern meist über einer Tür angebracht: Wenn jemand daruntersteht, darf man sie/ihn küssen.

mistreat [ˌmɪs'triːt] schlecht behandeln

mistress ['mɪstrəs] 1. *eines verheirateten Mannes*: Geliebte, Freundin 2. *eines Tieres*: Herrin, *eines Hundes*: Frauchen

mistrust¹ [ˌmɪs'trʌst] Misstrauen (*of* gegen)

mistrust² [ˌmɪs'trʌst] misstrauen

mistrustful [ˌmɪs'trʌstfl] misstrauisch (*of* gegen)

misty ['mɪstɪ] 1. *Luft*: dunstig, nebelig 2. *Erinnerung, Vorstellung usw.*: unklar, verschwommen

misunderstand [ˌmɪsʌndə'stænd], *misunderstood* [ˌmɪsʌndə'stʊd], *misunderstood* [ˌmɪsʌndə'stʊd] missverstehen; *don't misunderstand me* versteh mich nicht falsch

misunderstanding [ˌmɪsʌndə'stændɪŋ] Missverständnis

misuse¹ [ˌmɪs'juːs] 1. *von Amt usw.*: Missbrauch; *misuse of power* Machtmissbrauch 2. *von Gerät, Wort usw.*: falscher Gebrauch

misuse² [ˌmɪs'juːz] 1. missbrauchen (*Amt usw.*) 2. falsch gebrauchen (*Gerät, Wort usw.*)

mix¹ [mɪks] 1. *allg.*: mischen, vermischen (*with* mit) 2. *water and oil don't mix* Wasser und Öl vermischen sich nicht *oder* lassen sich nicht mischen 3. mixen (*Cocktail usw.*) 4. anrühren (*Teig usw.*) 5. *übertragen* verbinden; *mix business with pleasure* das Angenehme mit dem Nützlichen verbinden 6. *mix well (Person)* kontaktfreudig sein

mix up [ˌmɪks'ʌp] 1. verwechseln (*Personen usw.*) (*with* mit) 2. durcheinanderbringen (*Akten, Sachen usw.*) 3. *be mixed up in something* in etwas verwickelt sein (*in Affäre usw.*)

mix² [mɪks] *allg.*: Mischung, Gemisch (*auch von Menschen, Ideen usw.*)

mixed [mɪkst] gemischt (*auch übertragen: Gefühle usw.*); *mixed doubles* Tennis *usw.*: gemischtes Doppel, Mixed

mixer ['mɪksə] 1. Mixer (*auch Küchengerät*) 2. *für Zement usw.*: Mischmaschine 3. *für Musik usw.*: Mischpult 4. *be a good (bzw. bad) mixer umg.* kontaktfreudig (*bzw.* kontaktarm) sein

mixture ['mɪkstʃə] *allg.*: Mischung, Gemisch (*auch von Menschen, Ideen usw.*)

mix-up ['mɪksʌp] *umg.* Durcheinander

mo [məʊ] *BE, umg.* Moment, Augenblick; *just a mo!* kleinen Moment!, bin gleich (wieder) da!

moan¹ [məʊn] stöhnen, ächzen; *moan with pain* vor Schmerzen stöhnen

moan² [məʊn] Stöhnen, Ächzen; *give a moan* stöhnen, ächzen

mob¹ [mɒb] Mob, Pöbel

mob² [mɒb], *mobbed, mobbed* bedrängen, belagern (*Filmstar usw.*)

mobile ['məʊbaɪl] 1. *allg.*: beweglich; *mobile home* Wohnwagen 2. *übertragen* mobil (*Arbeitskräfte usw.*)

mobile (phone) [ˌməʊbaɪl'fəʊn] *BE* Handy, Mobiltelefon

mobility [məʊ'bɪlətɪ] 1. *allg.*: Beweglichkeit 2. *übertragen* Mobilität

M

mocha ['mɒkə] *Kaffee*: Mokka

mock[1] [mɒk] **1.** verspotten, lächerlich machen **2.** sich lustig machen (*at* über)

mock[2] [mɒk] nachgemacht, Schein...

mockery ['mɒkərɪ] **1.** Spott, Hohn **2.** *make a mockery of someone* jemanden zum Gespött (der Leute) machen

modal ['məʊdl], **modal verb** [ˌməʊdl'vɜːb] Modalverb, modales Hilfsverb (*z.B. können = can, müssen = must*)

mod cons [ˌmɒd'kɒnz] *Pl. BE, umg.* (*kurz für* **modern conveniences**) Komfort; *a kitchen with all the mod cons* eine Küche mit allen Schikanen

model[1] ['mɒdl] **1.** (≈ *Nachbildung*) Modell **2.** *Mode*: Model, Mannequin; (*male*) **model** Dressman, Model **3.** *Malerei*: Modell **4.** *übertragen* Muster, Vorbild (*for* für); *he's a model of self-control* er ist ein Muster an Selbstbeherrschung **5.** *Bauart eines Autos usw.*: Modell, Typ

model

model: „Dressman" sieht zwar aus wie ein Wort, das aus dem Englischen entlehnt sein könnte, aber dieses Wort gibt es im Englischen gar nicht. So ist es mit manchen Wörtern, von denen man vermutet, dass sie aus dem Englischen stammen, die aber zumindest in der „deutschen Bedeutung" im Englischen nicht bekannt sind; z. B.:

Deutsch	Englisch
Handy	**mobile (phone)**, *AE* **cell (phone)**
Oldtimer	**vintage car** *oder* **veteran car**
Mobbing	**harassment** ['hærəsmənt] **at work**

model[2] ['mɒdl] **1.** Modell...; *model builder* Modellbauer **2.** *übertragen* vorbildlich; *model student* Musterschüler(in)

model[3] [mɒdl], *modelled, modelled, AE modeled, modeled* **1.** vorführen (*Kleider usw.*), als Mannequin *oder* Dressman arbeiten **2.** *mit Ton usw.*: modellieren

modem ['məʊdem] *Computer*: Modem

moderate[1] ['mɒdərət] **1.** *Appetit, Lebensstil, Größe usw.*: mäßig; *moderate demands* maßvolle Forderungen **2.** *Leistung, Schüler usw.*: mittelmäßig; *moderately successful* mäßig erfolgreich **3.** *politische Einstellung usw.*: gemäßigt **4.** *Strafe, Winter usw.*: mild

moderate[2] ['mɒdərət] *bes. politisch*: Gemäßigte(r)

moderate[3] ['mɒdəreɪt] **1.** mäßigen (*Ansprüche usw.*) **2.** moderieren (*Fernsehsendung usw.*)

moderation [ˌmɒdə'reɪʃn] Mäßigung; *in moderation essen, trinken usw.*: in *oder* mit Maßen, maßvoll

modern ['mɒdn] *allg.*: modern; *modern history* neuere Geschichte; *in modern times* in der heutigen Zeit; *I study modern languages* ich studiere neuere Sprachen

modernize ['mɒdənaɪz] modernisieren (*Haus, Betrieb usw.*)

modest ['mɒdəst] **1.** *Haus, Kleidung, Art einer Person*: bescheiden; *she's modest about her achievements* sie gibt nicht mit ihren Leistungen an **2.** (≈ *genügsam*) anspruchslos **3.** *Wunsch, Forderung, Preis usw.*: maßvoll, vernünftig

modesty ['mɒdəstɪ] Bescheidenheit; *in all modesty* bei aller Bescheidenheit

modification [ˌmɒdɪfɪ'keɪʃn] Modifikation, Abänderung

modify ['mɒdɪfaɪ] abändern, modifizieren

moist [mɔɪst] *Erde, Tuch usw.*: feucht (*with* von)

moisten [⚠ 'mɔɪsn] anfeuchten, befeuchten (*Tuch, Lippen usw.*)

moisture ['mɔɪstʃə] *in Erdreich, Luft usw.*: Feuchtigkeit

moisturizer ['mɔɪstʃəraɪzə] Feuchtigkeitscreme

molar ['məʊlə] Backenzahn

mold[1] [məʊld] *AE*; *auf Lebensmitteln usw.*: Schimmel

mold[2] [məʊld] *AE*; *Technik*: Gussform

moldy ['məʊldɪ] *AE* schimmelig; → *mouldy*

mole [məʊl] **1.** *Tier*: Maulwurf (*umg. auch für Spion*), ⊕, Ⓐ Schermaus **2.** *auf Haut*: Muttermal, Leberfleck

molecule ['mɒlɪkjuːl] *Chemie*: Molekül

molehill ['məʊlhɪl] Maulwurfshügel; ☞ *mountain 2*

molest [mə'lest] belästigen (*auch unsittlich*)

mom [mɒm] *bes. AE, umg.* Mami, Mutti

moment ['məʊmənt] *Zeitpunkt*: Moment, Augenblick; *at the moment* im Augenblick; *at the last moment* im letzten Augenblick; *just a moment! oder wait a moment!* Moment mal!, Augenblick!; *the moment of truth* die Stunde der Wahrheit

momentous [məʊ'mentəs] *Ereignis, Entscheidung*: bedeutsam, folgenschwer

momentum [məʊ'mentəm] **1.** *Physik*: Moment, Impuls **2.** *oft übertragen* Wucht, Schwung; *gather oder gain momentum* schneller werden, *übertragen* an

Boden gewinnen (*von Idee, Partei usw.*); *lose momentum* langsamer werden, *übertragen* an Schwung verlieren (*auch übertragen*)

monarch ['mɒnək] Monarch(in), Herrscher(in)

monarchist ['mɒnəkɪst] Monarchist(in)

monarchy ['mɒnəkɪ] Monarchie; *constitutional monarchy* konstitutionelle Monarchie

monastery ['mɒnəstərɪ] Kloster (*für Mönche*)

Monday ['mʌndeɪ] Montag; *on Monday* (am) Montag; *on Mondays* montags

monetary ['mʌnɪtərɪ] Währungs...; *monetary union* Währungsunion

money ['mʌnɪ] Geld; *make money* (*Person*) (viel) Geld verdienen, (*Geschäft*) sich rentieren; *earn good money* gut verdienen; *spend money* Geld ausgeben; *be out of money* kein Geld (mehr) haben; *be in the money* umg. reich sein; *be short of money* knapp bei Kasse sein; *I'll bet you any money that ...* umg. ich wette mit dir um jeden Betrag, dass ...; *you get your money's worth there* dort bekommen Sie etwas für Ihr Geld; *this dictionary is good value for money* dieses Wörterbuch ist sein Geld wert; *have money to burn* umg. Geld wie Heu haben; *have you got enough money on you?* hast du genügend Geld dabei?; *for money reasons* aus finanziellen Gründen

moneybox ['mʌnɪbɒks] Spardose, Sparbüchse

---

money matters
rund ums Geld

ATM *AE*	Geldautomat
bank account	Bankkonto
bank card	Geldautomatenkarte
bill *AE*	Geldschein
bureau de change [ˌbjʊərəʊ dɪ ˈʃɒndʒ]	Wechselstube
cash	Bargeld
cash card	Geldautomatenkarte
cashpoint, **cash dispenser**	Geldautomat
check *AE*	Scheck
checking account *AE*	Girokonto
cheque *BE*	Scheck
cheque card	Scheckkarte
credit card	Kreditkarte
current account	Girokonto
exchange rate	Wechselkurs
interest	Zinsen
interest rate	Zinssatz
loan	Kredit, Darlehen
note	Geldschein
overdrawn	überzogen
PIN number	PIN, Geheimzahl
plastic ['plæstɪk]	Kreditkarten *Pl.*

Sg. umg.

money order ['mʌnɪˌɔːdə] Postanweisung, Zahlungsanweisung

monitor[1] ['mɒnɪtə] **1.** *Computer usw.*: Monitor **2.** *von Überwachungsanlage usw.*: Kontrollschirm

monitor[2] ['mɒnɪtə] überwachen, kontrollieren (*Klimaveränderungen, Kosten usw.*)

monk [mʌŋk] Mönch

monkey ['mʌŋkɪ] **1.** Affe; *make a monkey of oder out of someone* umg. jemanden zum Deppen machen **2.** *Kind*: Schlingel

---

monkey about *oder* **around** [ˌmʌŋkɪ_əˈbaʊt *oder* əˈraʊnd] **1.** herumalbern **2.** *umg.* herumspielen (*with* mit), herumpfuschen (*with* an)

---

monkey business ['mʌŋkɪˌbɪznəs] *umg.* Blödsinn, Unfug; *no monkey business!* mach bloß keinen Unsinn!

monolingual [ˌmɒnəʊˈlɪŋgwəl] *Wörterbuch*: einsprachig

monologue, *AE auch* **monolog** ['mɒnəlɒg] *in Theater usw.*: Monolog

monotonous [△ məˈnɒtənəs] eintönig, monoton

monotony [məˈnɒtənɪ] Monotonie, Eintönigkeit

monster ['mɒnstə] **1.** *Tier, Fabelwesen usw.*: Monster, Ungeheuer (*beide auch übertragen*) **2.** *riesiges Ding*: Monstrum

month [mʌnθ] Monat; *months ago* vor Monaten; *we haven't seen each other for months* wir haben uns schon seit Monaten nicht mehr gesehen; *a month from today* heute in einem Monat

monthly[1] ['mʌnθlɪ] monatlich, Monats...; *monthly season ticket* Monatskarte

monthly[2] [mʌnθlɪ] *Zeitschrift*: Monatsschrift

monument ['mɒnjʊmənt] Monument, Denkmal (*to* für *oder Genitiv*)

mood [muːd] **1.** Stimmung, Laune; *be in a good* (*bzw.* bad) *mood* gute (*bzw.* schlechte) Laune haben, gut (*bzw.* schlecht) aufgelegt sein; *be in the mood*

M

to do something oder **be in the mood for something** zu etwas aufgelegt sein, zu etwas Lust haben oder Lust haben, etwas zu tun; **I'm in no laughing mood** oder **mood for laughing** mir ist nicht nach oder zum Lachen zumute **2. be in a mood** schlechte Laune haben, schlecht aufgelegt sein; **he's in one of his moods again** er hat wieder einmal schlechte Laune **3.** *Sprache*: Modus

moody ['muːdɪ] **1.** launisch, launenhaft **2.** (≈ *missmutig*) schlecht gelaunt

moon[1] [muːn] **1.** Mond; **there's a full moon tonight** wir haben heute Vollmond; **there's no moon tonight** der Mond ist diese Nacht nicht zu sehen; **the moons of Jupiter** die Monde des Jupiter **2.** *in Wendungen*: **be over the moon** *umg.* überglücklich sein (**about, at** über); **ask for the moon** nach etwas Unmöglichem verlangen; **promise someone the moon** jemandem das Blaue vom Himmel herunter versprechen; **once in a blue moon** *umg.* alle Jubeljahre einmal

moon[2] ['muːn] *salopp* den nackten Hintern vorzeigen

---
moon about oder **around** [ˌmuːn ə'baʊt oder ə'raʊnd] *mst. zu Hause*: lustlos herumlungern
---

moonlight[1] ['muːnlaɪt] Mondlicht, Mondschein

moonlight[2] ['muːnlaɪt] *umg.* schwarzarbeiten, Ⓐ pfuschen

moonlighter ['muːnlaɪtə] *umg.* Schwarzarbeiter(in), Ⓐ Pfuscher(in)

moonlit ['muːnlɪt] mondhell; **moonlit night** Mondnacht

moor [mʊə] *Landschaftsform*: Hochmoor

moose [muːs] *Pl.*: **moose** Hirschart in Nordamerika: Elch

mop[1] [mɒp] **1.** *zum Wischen*: Mopp **2.** *auch* **mop of hair** Mähne

mop[2] [mɒp] **mopped, mopped** wischen, abwischen

---
mop up [ˌmɒp'ʌp] aufwischen
---

moped ['məʊped] Moped

moral[1] ['mɒrəl] moralisch; **moral obligation** moralische Verpflichtung; **moral support** moralische Unterstützung; **moral values** sittliche Werte; **moral victory** moralischer Sieg

moral[2] ['mɒrəl] **1.** *einer Geschichte usw.*: Moral; **draw the moral from** die Lehre ziehen aus **2. morals** *Pl.* (≈ *Moralvorstellungen*) Moral, Sitten

morale [mə'rɑːl] *von Belegschaft, Mann-*

schaft usw.: Moral, Stimmung; **raise morale** die Moral heben

morality [mə'rælətɪ] (≈ *Wertesystem*) Moral, Ethik

more [mɔː] **1.** *allg.*: mehr; **in 1996 more people were unemployed than the year before** 1996 waren mehr Menschen arbeitslos als im Vorjahr; **more than happy** überglücklich **2.** (≈ *zusätzlich*) mehr, noch, noch mehr; **some more tea** noch etwas Tee; **do you want more meat?** willst du noch Fleisch?; **two more miles** noch zwei Meilen **3. more and more** immer mehr; **more and more difficult** immer schwieriger; **more or less** mehr oder weniger, ungefähr; **…, the more so because …** …, umso mehr, als… **4.** *zur Bildung von Steigerungsformen*: **more important** wichtiger; **more expensive** teurer; **more often** öfter **5. once more** noch einmal **6. some more** noch etwas, noch etwas mehr; **can I have a little more?** kann ich etwas mehr haben?; **what more do you want?** was willst du denn noch?

moreover [mɔː'rəʊvə] außerdem, überdies

morning ['mɔːnɪŋ] **1.** (≈ *Tagesbeginn*) Morgen; **good morning!** guten Morgen!; **in the morning** morgens, am Morgen; **early in the morning** frühmorgens, früh am Morgen; **this morning** heute Morgen; **tomorrow morning** morgen früh **2.** *vor 12 Uhr*: Vormittag; **in the morning** vormittags, am Vormittag; **this morning** heute Vormittag; **tomorrow morning** morgen Vormittag

Morocco [mə'rɒkəʊ] Marokko

Moroccan[1] [mə'rɒkən] marokkanisch

Moroccan[2] [mə'rɒkən] Marokkaner(in)

morose [mə'rəʊs] mürrisch

Morse code ['mɔːs ˌkəʊd] Morsealphabet

morsel ['mɔːsl] **1.** Bissen, Happen **2.** *übertragen* Quäntchen

mortal[1] ['mɔːtl] **1.** *Mensch*: sterblich **2.** *Verletzung usw.*: tödlich (**to** für) **3. mortal fear** Todesangst; **mortal sin** Todsünde; **mortal enemy** Todfeind

mortal[2] ['mɔːtl] Sterbliche(r); **we ordinary mortals** *humorvoll* wir gewöhnlichen Sterblichen

mortality [mɔː'tælətɪ] *auch* **mortality rate** Sterblichkeitsrate

mortgage [△ 'mɔːgɪdʒ] Hypothek, Baudarlehen; **take out a mortgage** eine Hypothek aufnehmen

mosaic [△ məʊ'zeɪɪk] Mosaik

Moscow ['mɒskəʊ] Moskau

Moslem ['mɒzləm] → **Muslim**[1], **Muslim**[2]

mosque [mɒsk] Moschee

mosquito [məˈski:təʊ] *Pl.*: **mosquitos** *oder* **mosquitoes** Moskito, Stechmücke; **mosquito bite** Mückenstich

moss [mɒs] *Pflanze*: Moos

most [məʊst] **1.** meiste(r, -s), größte(r, -s); **for the most part** größtenteils **2.** *vor Substantiven*: die meisten; **like most people** wie die meisten Leute; **most children love comics** die meisten Kinder lieben Comics; **most of my friends** die meisten meiner Freunde **3.** das meiste, der größte Teil; **I spent most of my holidays in London** ich verbrachte den größten Teil meines Urlaubs in London **4.** am meisten; **most of all** am allermeisten **5.** *zur Bildung des Superlativs*: **the most important point** der wichtigste Punkt; **most agreeable** äußerst angenehm; **he's most likely to say no** er sagt höchstwahrscheinlich Nein **6.** sehr, äußerst; **a most reliable car** ein äußerst verlässliches Auto **7.** **at the most** *oder* **at most** höchstens, bestenfalls; **make the most of something** das Beste aus etwas machen

mostly [ˈməʊstlɪ] **1.** größtenteils **2.** *zeitlich*: meistens

MOT [ˌeməʊˈti:] *BE (eigentlich Abk. für* **M**inistry **o**f **T**ransport) *auch* **MOT test** *etwa*: TÜV-Prüfung; **my car has failed** *oder* **hasn't got through its MOT** mein Wagen ist nicht durch den TÜV gekommen

motel [məʊˈtel] Motel

mother¹ [ˈmʌðə] Mutter *(auch übertragen)*; **Mother's Day** Muttertag; **mother's milk** Muttermilch; **a mother of four** eine Mutter von vier Kindern; **mother hen** Glucke *(auch übertragen)*; **Mother Earth** Mutter Erde

mother² [ˈmʌðə] bemuttern

mother country [ˈmʌðəˌkʌntrɪ] Vaterland, Heimat

motherhood [ˈmʌðəhʊd] Mutterschaft

mother-in-law [ˈmʌðərɪnlɔ:] *Pl.*: **mothers-in-law** Schwiegermutter

motherly [ˈmʌðəlɪ] *Gefühle usw.*: mütterlich

mother tongue [ˌmʌðəˈtʌŋ] Muttersprache

motif [məʊˈti:f] *Kunst*: Motiv

motion [ˈməʊʃn] **1.** *allg.*: Bewegung *(auch physikalisch usw.)*; **be in motion** in Bewegung sein, in Gang sein *(auch übertragen)*; **set** *oder* **put in motion** in Gang *oder* in Bewegung setzen *(auch übertragen)* **2.** *von Körperteil*: Bewegung, Geste, Wink; **with a motion of the head** mit einer Kopfbewegung **3.** *in Versammlung, Parlament usw.*: Antrag; **on the motion**

of auf Antrag von *(oder Genitiv)*; ☞ *Illu S. 783*

motionless [ˈməʊʃnləs] bewegungslos, regungslos

motion picture [ˌməʊʃnˈpɪktʃə] *AE* Film

motion sensor [ˈməʊʃnˌsensə] Bewegungsmelder

motivate [ˈməʊtɪveɪt] motivieren *(Sportler usw.)*

motivation [ˌməʊtɪˈveɪʃn] Motivation

motive [ˈməʊtɪv] *für eine Entscheidung, Tat usw.*: Motiv, Beweggrund

motor [ˈməʊtə] **1.** *BE mst.* Elektromotor, *AE allg.*: Motor **2.** *BE, umg.* Auto; **the motor industry** die Automobilindustrie

motorbike [ˈməʊtəbaɪk] *umg.* Motorrad, ⊕ Töff

motorboat [ˈməʊtəbəʊt] Motorboot

motorcycle [ˈməʊtəˌsaɪkl] Motorrad, ⊕ Töff

motorcyclist [ˈməʊtəˌsaɪklɪst] Motorradfahrer(in)

motor home [ˈməʊtə_həʊm] Wohnmobil

motorist [ˈməʊtərɪst] Autofahrer(in)

motor scooter [ˈməʊtəˌsku:tə] Motorroller

motorway [ˈməʊtəweɪ] *BE* Autobahn; **motorway junction** Autobahndreieck

mottled [ˈmɒtld] **1.** gesprenkelt **2.** *Haut*: fleckig

mould¹ [məʊld] *bes. BE*; *auf Lebensmitteln usw.*: Schimmel, Moder

mould² [məʊld] *bes. BE*; *Technik*: Gussform

mouldy [ˈməʊldɪ] *bes. BE* **1.** verschimmelt, schimmelig; **get** *oder* **go mouldy** verschimmeln **2.** moderig; **mouldy smell** Modergeruch

mount [maʊnt] **1.** *(Spannung usw.)* ansteigen, sich erhöhen **2.** organisieren *(Ausstellung usw.)* **3.** aufsteigen auf, besteigen *(Pferd, Fahrrad usw.)* **4.** hinaufgehen *(Treppe)*

Mount [maʊnt] *in Eigennamen*: **on Mount Sinai** auf dem Berg Sinai; **Mount Fuji** der (Berg) Fudschijama

Mount Rushmore

Mount Rushmore National Memorial – Gedenkstätte in den Black Hills im US-Bundesstaat South Dakota. Das Memorial zeigt die je rund 20 m hohen, aus dem Stein des Mount Rushmore gehauenen Köpfe der amerikanischen Präsidenten George Washington, Thomas Jefferson, Abraham Lincoln und Theodore Roosevelt; ☞ *Karte S. 295*

mountain [ˈmaʊntɪn] **1.** Berg *(auch über-*

tragen) 2. **mountains** *Pl.* Berge, Gebirge; *in the mountains* im Gebirge; *make a mountain out of a molehill übertragen* aus einer Mücke einen Elefanten machen

mountaineer [ˌmaʊntɪˈnɪə] Bergsteiger(in)

mountaineering [ˌmaʊntɪˈnɪərɪŋ] Bergsteigen

mountainous [ˈmaʊntɪnəs] *Landschaft*: bergig, gebirgig

mountain range [ˈmaʊntɪn_reɪndʒ] Gebirgszug

mounted [ˈmaʊntɪd] 1. *Polizei usw.*: beritten 2. *Dia*: gerahmt

mourn [mɔːn] trauern (*for, over* um), betrauern

mourner [ˈmɔːnə] Trauernde(r)

mourning [ˈmɔːnɪŋ] Trauer

mouse [maʊs] *Pl.*: **mice** [maɪs] *Tier*: Maus (*auch am Computer*)

mouse click [ˈmaʊs_klɪk] *Computer*: Mausklick

mouse key [ˈmaʊs_kiː] *Computer*: Maustaste

mouse mat [ˈmaʊs_mæt], **mouse pad** [ˈmaʊs_pæd] *Computer*: Mauspad

mouse potato [ˈmaʊs_pəˌteɪtəʊ] *umg.* (abgestumpfter) Computerfreak

mousetrap [ˈmaʊstræp] Mausefalle

moustache [△ məˈstɑːʃ] Schnurrbart, ℂℍ Schnauz

mouth [maʊθ] 1. Mund; *keep one's mouth shut umg.* den Mund halten; *take the words out of someone's mouth* jemandem das Wort aus dem Mund nehmen 2. *von Tieren*: Maul, Schnauze 3. *von Tal, Höhle, Tunnel usw.*: Eingang 4. *von Fluss*: Mündung

mouthful [ˈmaʊθfʊl] 1. *von Essen*: Mundvoll, Bissen 2. *von Getränk*: Schluck 3. *übertragen* Zungenbrecher

mouthwash [ˈmaʊθwɒʃ] Mundwasser

mouthwatering [ˈmaʊθˌwɔːtərɪŋ] *Essen, Duft*: appetitlich, lecker; *it sounds mouthwatering!* da läuft einem das Wasser im Mund zusammen!

movable [ˈmuːvəbl] *allg.*: beweglich (*auch Feiertag*)

move¹ [muːv] 1. *allg.*: bewegen; *don't move!* keine Bewegung! 2. verrücken, woanders hinstellen (*Schrank, Hindernis usw.*) 3. bewegen, rühren (*Körperteil*) 4. *move one's car* seinen Wagen wegfahren 5. *auch* **move house** umziehen, ℂℍ zügeln; *we're moving to Berlin* wir ziehen nach Berlin 6. *gefühlsmäßig*: bewegen, rühren; *be moved to tears* zu Tränen gerührt sein 7. *Schach usw.*: ziehen, einen Zug machen

move away [muːv_əˈweɪ] *aus einem Ort*: wegziehen (*from* aus, von)

move in [ˌmuːvˈɪn] 1. *in ein Haus usw.*: einziehen 2. **move in with someone** mit jemandem zusammenziehen

move on [ˌmuːvˈɒn] 1. (*Person*) weitergehen; *it's time to move on* wir müssen weiter 2. *in Besprechung usw.*: weitermachen, zum nächsten Thema kommen

move out [ˌmuːvˈaʊt] *aus Wohnung usw.*: ausziehen

move over [ˌmuːvˈəʊvə] zur Seite rücken; *could you move over a bit?* könntest du ein Stück rutschen?

move² [muːv] 1. *be on the move* (*Personen*) in Bewegung sein, (*Entwicklung usw.*) im Fluss sein; *get a move on! umg.* Tempo!, mach schon! 2. *in neues Haus usw.*: Umzug 3. *bei Spielen*: Zug; *it's your move* Sie sind am Zug 4. *übertragen* Schritt; *make the first move* den ersten Schritt tun; *a clever move* ein kluger Schachzug

movement [ˈmuːvmənt] 1. *allg.*: Bewegung (*auch übertragen*) 2. *von Symphonie usw.*: Satz

movie [ˈmuːvɪ] *bes. AE* 1. *im Kino*: Film; *movie theater AE* Kino 2. *go to the movies* ins Kino gehen

moving [ˈmuːvɪŋ] *Anblick, Geschichte, Worte usw.*: bewegend, rührend

mow [məʊ], *mowed, mowed oder mown* [məʊn] mähen (*Rasen*)

mower [ˈməʊə] Rasenmäher

mown [məʊn] 3. *Form von →* **mow**

MP [ˌemˈpiː] (*Abk. für* **M**ember of **P**arliament) *in GB*: Unterhausabgeordnete(r)

mph [ˌempiːˈeɪtʃ] (*Abk. für* **m**iles **p**er **h**our) Meilen pro Stunde (*30 mph entsprechen etwa 50 km/h*)

Mr [ˈmɪstə] *in Anrede*: Herr

Mrs [ˈmɪsɪz] *in Anrede für verheiratete Frau*: Frau; *Mr and Mrs Baker* Herr und Frau Baker, die Eheleute Baker

Ms [△ mɪz] *in Anrede, egal ob die Frau verheiratet oder ledig ist*: Frau

Mt [maʊnt] *Abk. für →* **Mount**

much [mʌtʃ] 1. *allg.*: viel; *she doesn't talk much* sie redet nicht viel; *how much?* wie viel?; *that much* so viel; *as much again* noch einmal so viel; *four times as much* viermal so viel; *I don't think much of her* ich halte nicht viel von ihr; *he's not much of a dancer* er ist kein großer Tänzer 2. sehr; *much to my regret* sehr zu meinem Bedauern; *much to my surprise* zu meiner großen Überraschung 3. *in Zusammensetzun-*

gen: viel...; ***much-admired*** viel bewundert **4.** *vor Steigerungsformen:* viel; ***much better*** viel besser; ***much more difficult*** viel schwieriger **5.** ***he's much too old for you*** er ist viel zu alt für dich

muck [mʌk] **1.** Dreck, Schmutz **2.** *von Tieren:* Mist, Dung

muck about *oder* **around** [ˌmʌk‿əˈbaʊt *oder* əˈraʊnd] *BE, umg.* **1.** herumalbern **2.** herumpfuschen (**with** an)
muck up [ˌmʌkˈʌp] *BE, umg.* **1.** schmutzig machen **2.** verpfuschen, vermasseln

mucky [ˈmʌkɪ] schmutzig
mud [mʌd] **1.** (≈ *aufgeweichter Boden*) Schlamm, Matsch **2.** *Baumaterial:* Lehm **3.** ***drag through the mud*** übertragen in den Schmutz ziehen (*Person, Namen usw.*)
muddle[1] [ˈmʌdl] **1.** Durcheinander, Unordnung **2.** ***be in a muddle*** (*Dinge*) durcheinander sein **3.** ***be in a muddle*** (*Person*) durcheinander *oder* konfus sein
muddle[2] [ˈmʌdl] *bes. BE* **1.** *auch* **muddle up** durcheinanderbringen **2.** *auch* **muddle up** (≈ *verwirren*) konfus machen

muddle through [ˌmʌdlˈθruː] *bes. BE* sich durchwursteln

muddy [ˈmʌdɪ] **1.** *Weg, Straße:* schlammig, matschig **2.** *Wasser, See usw.:* schlammig, trüb **3.** *Schuhe, Fußboden:* schmutzig
mudguard [ˈmʌdɡɑːd] *am Fahrrad:* Schutzblech
muesli [ˈmjuːzlɪ] Müsli
muffin [ˈmʌfɪn] **1.** *BE* Hefeteigsemmel **2.** *AE, kleine süße Semmel*
mug[1] [mʌɡ] **1.** *Gefäß, mst. mit Henkel:* Krug, Becher, bes. ⒶHaferl **2.** *umg.* (≈ *leichtgläubige Person*) Trottel; ***I was the mug as usual*** ich war wieder einmal der Dumme **3.** *salopp* Fresse
mug[2] [mʌɡ], **mugged, mugged** *bes. auf der Straße:* überfallen und ausrauben
mugger [ˈmʌɡə] *umg.* Straßenräuber
mugging [ˈmʌɡɪŋ] *umg.* Raubüberfall, *bes.* Straßenraub
muggy [ˈmʌɡɪ] *umg. Luft:* schwül
mule [mjuːl] Maultier, Maulesel; ***as stubborn as a mule*** störrisch wie ein Maulesel

mull over [ˌmʌlˈəʊvə] ***mull over something*** *oder* ***mull something over*** über etwas nachdenken

multicultural [ˌmʌltɪˈkʌltʃrəl] *Gesellschaft:* multikulturell

multilingual [ˌmʌltɪˈlɪŋɡwəl] *Person, Buch usw.:* mehrsprachig
multinational[1] [ˌmʌltɪˈnæʃnəl] *Konzern:* multinational; ***multinational company*** *umg.* Multi
multinational[2] [ˌmʌltɪˈnæʃnəl] *umg.* Multi (*Konzern*)
multiple [ˈmʌltɪpl] vielfach, mehrfach; ***multiple birth*** Mehrlingsgeburt; ***multiple collision*** Massenkarambolage
multiplication [ˌmʌltɪplɪˈkeɪʃn] **1.** *Mathematik:* Multiplikation, Malnehmen **2.** *starker Anstieg:* Vervielfachung
multiply [ˈmʌltɪplaɪ] **1.** *Mathematik:* multiplizieren, malnehmen (**by** mit); ***6 multiplied by 5 is 30*** 6 mal 5 ist 30 **2.** vermehren, vervielfachen (*Chancen, Anzahl usw.*)
multipurpose [ˌmʌltɪˈpɜːpəs] Mehrzweck...
multi-storey [ˌmʌltɪˈstɔːrɪ] *BE* vielstöckig; ***multi-storey car park*** Parkhaus
mum [mʌm] *bes. BE, umg.* Mami, Mutti
mumble [ˈmʌmbl] (vor sich hin) murmeln, nuscheln
mummy[1] [ˈmʌmɪ] *bes. BE, umg.* Mami, Mutti
mummy[2] [ˈmʌmɪ] Mumie
munch [mʌntʃ] mampfen (*Brot, Apfel usw.*)
Munich [ˈmjuːnɪk] München
murder[1] [ˈmɜːdə] Mord (**of** an), Ermordung (△ *Mörder* = ***murderer***); ***commit a murder*** einen Mord begehen; ***get away with murder*** *umg.* sich alles erlauben können
murder[2] [ˈmɜːdə] **1.** morden, ermorden **2.** *übertragen* verschandeln, verhunzen (*Lied usw.*)
murderer [ˈmɜːdərə] Mörder(in)
murderous [ˈmɜːdərəs] mörderisch (*auch übertragen*)
murky [ˈmɜːkɪ] **1.** dunkel, finster (*auch übertragen*) **2.** *Gewässer:* trüb
murmur[1] [ˈmɜːmə] **1.** (≈ *raunen*) murmeln **2.** (≈ *aufbegehren*) murren (**at, against** gegen) **3.** (*Bach*) rauschen
murmur[2] [ˈmɜːmə] **1.** Murmeln **2.** Murren; ***without a murmur*** ohne zu murren
muscle [△ ˈmʌsl] Muskel; ***I've pulled a muscle*** ich habe eine Muskelzerrung
muse [mjuːz] grübeln, nachgrübeln (**on, over** über)
museum [mjuːˈziːəm] Museum; ☞ *Info S. 312*
mush [mʌʃ] **1.** Brei, Mus **2.** *AE* Maisbrei **3.** *Film usw.:* sentimentales Zeug
mushroom [ˈmʌʃrʊm] **1.** *allg.:* Pilz, *bes.* ⒶSchwammerl **2.** *bestimmte Art:* Champignon

M

British Museum

Das **British Museum** in London beherbergt eine der reichhaltigsten Kunst- und Antiquitätensammlungen der Welt mit erlesenen Ausstellungsstücken aus den Kulturbereichen von Ägypten, Assyrien, Babylonien, Asien, China, Griechenland, Mexiko und des antiken Rom.

mushroom cloud ['mʌʃrʊm ˌklaʊd] Atompilz

mushy ['mʌʃɪ] **1.** breiig, weich **2.** *umg.*, *Film usw.*: rührselig

music ['mjuːzɪk] **1.** Musik; *put oder set to music* vertonen (*Gedicht usw.*); *that's music to my ears* das ist Musik in meinen Ohren; *music box AE* Spieldose (△ *Musikbox* = *juke-box*) **2.** (≈ *Partitur*) Noten *Pl.* (△ *die einzelne Note = note*)

musical[1] ['mjuːzɪkl] *Person, Unterhaltung, Geschmack usw.*: musikalisch; *musical instrument* Musikinstrument; *musical box BE* Spieldose

musical[2] ['mjuːzɪkl] Musical

musician [mjuːˈzɪʃn] Musiker(in)

Muslim[1] ['mʊzlɪm] Muslim, Muslimin

Muslim[2] ['mʊzlɪm] muslimisch

mussel ['mʌsl] *Wassertier*: Muschel

must[1] [mʌst] **1.** müssen; *you must read this book* du musst dieses Buch unbedingt lesen; *I must admit …* ich muss zugeben, dass … **2.** *must not* nicht dürfen; *you mustn't smoke here* du darfst hier nicht rauchen **3.** *bei Annahmen*: müssen; *she must be well over 40* sie muss gut über 40 sein **4.** *if you must als Antwort auf Bitte*: wenn es (denn) sein muss **5.** *you must be joking!* du machst wohl Scherze!, das soll wohl ein Witz sein!

must[2] [mʌst] Muss; *this book is an absolute must* dieses Buch muss man unbedingt gelesen haben

must-have ['mʌsthæv] *this lipstick is a must-have* diesen Lippenstift muss man einfach haben

must-see ['mʌstsiː] *this film is a must-see* diesen Film muss man einfach gesehen haben

mustard ['mʌstəd] Senf

mustn't ['mʌsnt] *Kurzform von* **must not**

must've ['mʌstəv] *Kurzform von* **must have**

musty ['mʌstɪ] muffig, moderig

mutter ['mʌtə] **1.** murmeln **2.** *unzufrieden*: murren (*about* über)

muttering ['mʌtərɪŋ] **1.** Murmeln **2.** *auch* **mutterings** *Pl.* Murren

mutton ['mʌtn] Hammelfleisch

mutual ['mjuːtʃʊəl] **1.** *Respekt, Hilfe, Abneigung usw.*: gegenseitig, wechselseitig; *be mutual* auf Gegenseitigkeit beruhen; *by mutual consent oder agreement* in gegenseitigem Einvernehmen **2.** *Interesse, Hobby usw.*: gemeinsam

muzzle[1] ['mʌzl] **1.** *von Pferd, Hund usw.*: Maul, Schnauze **2.** *für Hund*: Maulkorb (*auch übertragen*) **3.** *von Pistole usw.*: Mündung

muzzle[2] ['mʌzl] einen Maulkorb anlegen, *übertragen auch* mundtot machen

MW *Abk. für* → **medium wave**

my [maɪ] mein(e); *where's my book?* wo ist mein Buch?; *I've lost my watch* ich habe meine Uhr verloren; *take my advice* hör auf meinen Rat

myself [maɪˈself] **1.** *verstärkend*: ich selbst, mich selbst, mir selbst; *I did it myself* ich habe es selbst getan; *I did it all by myself* ich habe es ganz allein getan **2.** *reflexiv*: mich; *I cut myself* ich habe mich geschnitten **3.** mich (selbst); *I want it for myself* ich will es für mich (selbst) haben

mysterious [mɪˈstɪərɪəs] **1.** *Person*: mysteriös, geheimnisvoll; *she's being very mysterious about it* sie macht ein großes Geheimnis daraus; *she smiled mysteriously* sie lächelte geheimnisvoll **2.** *Vorfall*: rätselhaft, schleierhaft, unerklärlich; *in mysterious circumstances* unter mysteriösen Umständen

mystery ['mɪstrɪ] Geheimnis, Rätsel (*to* für *oder Dativ*); *it's a complete mystery to me* es ist mir völlig schleierhaft; *make a mystery of something* ein Geheimnis aus etwas machen

myth [mɪθ] (≈ *Sage*) Mythos

mythological [ˌmɪθəˈlɒdʒɪkl] mythologisch

mythology [mɪˈθɒlədʒɪ] Mythologie; *Greek mythology* die griechische Mythologie

N

nab [næb], **nabbed, nabbed** *umg.* **1.** schnappen, erwischen (*Dieb usw.*) **2.** sich schnappen (*Stuhl usw.*); **someone's nabbed my seat** jemand hat mir meinen Sitzplatz weggeschnappt

naff[1] [næf] *BE, umg.* Farbe, Stil usw.: geschmacklos, schräg

naff[2] [næf] *BE, umg.* **naff off!** zieh Leine!

nag[1] [næg], **nagged, nagged** **1.** nörgeln, herumnörgeln; **stop nagging!** hör mit der Nörgelei auf! **2. nag someone for something** jemandem wegen etwas in den Ohren liegen; **for two weeks she's been nagging me to paint the wall** seit zwei Wochen nervt sie mich damit, dass ich die Wand streichen soll

nag[2] [næg] *umg.* (≈ *altes Pferd*) Gaul, Klepper

nagging[1] ['nægɪŋ] Nörgelei

nagging[2] ['nægɪŋ] **1.** *Person:* nörgelnd **2.** *übertragen* nagend, bohrend (*Fragen, Schmerzen, Zweifel usw.*)

nail[1] [neɪl] **1.** *von Finger, Zehe:* Nagel; **stop biting your nails!** hör auf, an den Fingernägeln zu kauen! **2.** *in Wand:* Nagel; **hit the nail on the head** *übertragen* den Nagel auf den Kopf treffen

nail[2] [neɪl] nageln, annageln (**on** auf; **to** an); **nailed to the spot** *übertragen* wie angenagelt

---

nail down [,neɪl'daʊn] **1.** vernageln, zunageln (*Kiste usw.*) **2.** *übertragen* festnageln (**to** auf)

---

nailbiter ['neɪlbaɪtə] **1.** *Person:* Nägelkauer(in) **2.** *umg.* spannendes Buch, spannender Film; **the game was a real nailbiter** das Spiel war ein echter Krimi

nailbiting[1] ['neɪl,baɪtɪŋ] aufregend, spannend

nailbiting[2] ['neɪl,baɪtɪŋ] Nägelkauen

nail file ['neɪl ˌfaɪl] Nagelfeile

nail polish ['neɪl,pɒlɪʃ], **nail varnish** ['neɪl,vɑːnɪʃ] Nagellack

naive [△ naɪˈiːv] naiv (*auch Kunst*)

naivety [△ naɪˈiːvətɪ] Naivität

naked [△ 'neɪkɪd] nackt (*auch übertragen: Wahrheit usw.*); **we stripped naked and jumped into the pool** wir zogen uns nackt aus und sprangen in den Pool; **with the naked eye** mit bloßem Auge

name[1] [neɪm] **1.** *einer Person:* Name; **first** *oder* **Christian name** Vorname; **last** *oder* **family name** Nachname (☞ **surname**);

what's your name? wie heißen Sie?; **my name's …** ich heiße …; **know someone by name** jemanden mit Namen *oder* dem Namen nach kennen **2.** *einer Sache:* Name, Bezeichnung **3. call someone names** jemanden beschimpfen **4.** (≈ *öffentliches Ansehen*) Name, Ruf; **get a bad name** in Verruf kommen; **have a bad name** in schlechtem Ruf stehen; **make a name for oneself** sich einen Namen machen (**as** als)

name[2] [neɪm] **1.** nennen; **name someone Robert** jemanden Robert nennen; **a boy named Robert** ein Junge namens Robert **2.** (≈ *angeben*) nennen, beim Namen nennen; **name three novels by Thomas Mann** nennen Sie mir drei Romane von Thomas Mann **3.** *für im Amt usw.:* ernennen, nominieren (**for** für) **4.** festsetzen, bestimmen (*Datum, Zeitpunkt usw.*)

name day ['neɪm ˌdeɪ] Namenstag

nameless ['neɪmləs] **1.** (≈ *anonym*) unbekannt (*Autor usw.*) **2.** *Spender usw.:* ungenannt; **a person who shall remain nameless** jemand, der ungenannt bleiben soll **3.** *übertragen* namenlos, unbeschreiblich (*Entsetzen, Erleichterung usw.*)

namely ['neɪmlɪ] (≈ *und zwar*) nämlich

nameplate ['neɪmpleɪt] *an Tür:* Namensschild, Türschild

namesake ['neɪmseɪk] *Mann:* Namensvetter, *Frau:* Namensschwester

name tag ['neɪm ˌtæg] *an Kleidungsstück:* Namensschild

nanny ['nænɪ] **1.** Kindermädchen **2.** *BE, umg.* Oma, Omi

nap[1] [næp], **napped, napped** dösen, ein Nickerchen machen; **catch someone napping** *übertragen* jemanden überrumpeln

nap[2] [næp] Schläfchen, Nickerchen; **have** *oder* **take a nap** ein Nickerchen machen

nape [neɪp] *mst.* **nape of the neck** Genick

napkin ['næpkɪn] Serviette

Naples ['neɪplz] Neapel

nappy ['næpɪ] *BE* Windel

narcotic[1] [nɑːˈkɒtɪk] *mst. Pl.* Rauschgift, Drogen

narcotic[2] [nɑːˈkɒtɪk] betäubend, narkotisch

narrate [nəˈreɪt] erzählen (*Geschichte*)

narration [nəˈreɪʃn] Erzählung

narrative[1] ['nærətɪv] erzählend; **narrative perspective** Erzählperspektive

narrative[2] ['nærətɪv] Erzählung

narrator [nə'reɪtə] *in Roman usw.*: Erzähler(in)

narrow[1] ['nærəʊ] **1.** *Gasse, Spalt usw.*: eng, schmal **2.** *übertragen* eng; **in the narrowest sense** im engsten Sinne **3.** *Einkommen usw.*: knapp, dürftig **4.** *Mehrheit, Sieg usw.*: knapp; **by a narrow margin** knapp, mit knappem Vorsprung; **that was a narrow escape** das war knapp!

narrow[2] ['nærəʊ] **1.** *(Straße, Fluss usw.)* enger *oder* schmaler werden, sich verengen; **his eyes narrowed** er kniff die Augen zusammen **2.** enger machen, verengen *(Straße usw.)*

narrowly ['nærəʊlɪ] mit knapper Not; **she narrowly escaped death** sie ist gerade noch mit dem Leben davongekommen; **he narrowly escaped drowning** er wäre beinahe *oder* um ein Haar ertrunken

narrow-minded [,nærəʊ'maɪndəd] *Person*: engstirnig, voreingenommen

nasty ['nɑːstɪ] **1.** *Geschmack, Geruch usw.*: ekelhaft, eklig, widerlich **2.** *Wetter, Verbrechen usw.*: abscheulich **3.** *Benehmen, Person usw.*: gemein, fies **4.** *Buch, Film usw.*: ekelhaft, schmutzig, widerlich **5.** *Unfall, Sturz, Husten usw.*: böse, schlimm

nation ['neɪʃn] Nation, Volk

national[1] ['næʃnəl] **1.** national, National..., Landes...; **national anthem** Nationalhymne; **national currency** Landeswährung; **national dish** Nationalgericht; **national holiday** Nationalfeiertag; **national language** Landessprache; **national park** Nationalpark; **national team** *Sport*: Nationalmannschaft **2.** *Staatsorgane betreffend*: staatlich, öffentlich, Staats...; **National Health Service** *in GB*: staatlicher Gesundheitsdienst **3.** *Streik*: landesweit **4.** *Zeitung, TV-Sender usw.*: überregional

national[2] ['næʃnəl] Staatsangehörige(r)

national anthem [,næʃnəl'ænθəm] Nationalhymne

national costume [,næʃnəl'kɒstjuːm] Landestracht

nationalism ['næʃnəlɪzm] Nationalismus

nationalist[1] ['næʃnəlɪst] Nationalist(in)

nationalist[2] ['næʃnəlɪst] nationalistisch

nationalistic [,næʃnə'lɪstɪk] *bes. abwertend* nationalistisch

nationality [,næʃə'nælətɪ] Nationalität, Staatsangehörigkeit; **have French nationality** die französische Staatsangehörigkeit besitzen *oder* haben

nationalize ['næʃnəlaɪz] verstaatlichen *(Betrieb)*

national service [,næʃnəl'sɜːvɪs] *in GB, Militär*: Wehrdienst

nationwide ['neɪʃn_waɪd] landesweit; *in Deutschland*: bundesweit

native[1] ['neɪtɪv] **1.** gebürtig, *bei Naturvölkern bes.*: eingeboren; **I'm a native German** ich bin gebürtiger Deutscher; **the island's native inhabitants** die Ureinwohner der Insel; **Native Americans** amerikanische Ureinwohner, Indianer **2.** *Brauchtum, Produkte usw.*: einheimisch, Landes... **3.** heimatlich, Heimat...; **native country** Heimat, Vaterland; **native language** Muttersprache; **native speaker** Muttersprachler(in); **she's a native speaker of English** sie ist englische Muttersprachlerin; **native town** Heimatstadt, Vaterstadt

native[2] ['neɪtɪv] **1.** Einheimische(r); **a native of London** ein gebürtiger Londoner; **are you a native here?** sind Sie von hier? **2.** *bei Naturvölkern, oft als abwertend empfunden*: Eingeborene(r)

natural ['nætʃrəl] **1.** *allg.*: natürlich, Natur...; **die a natural death** eines natürlichen Todes sterben; **natural disaster** Naturkatastrophe; **natural gas** Erdgas **2.** *Verhalten usw.*: naturgemäß, angeboren (**to**; *dt. Dativ*); **natural talent** natürliche Begabung **3.** *übertragen* natürlich, selbstverständlich **4.** *Benehmen, Art usw.*: natürlich, ungekünstelt

naturally ['nætʃrəlɪ] **1.** *auch als Ausruf*: natürlich; **'Will you come to the party?' -'Naturally!'** „Kommst du zu der Party?" - „Natürlich!", „Na klar!"; **naturally, I won't be there** natürlich werde ich nicht da sein **2.** instinktiv, spontan; **learning comes naturally to him** das Lernen fällt ihm leicht

nature ['neɪtʃə] **1.** *allg.*: Natur; **back to nature** zurück zur Natur; **the laws of nature** die Naturgesetze **2.** *einer Person*: Natur, Wesen, Veranlagung; **he's a bit shy by nature** er ist von Natur (aus) etwas schüchtern; **it's (in) her nature** es liegt in ihrem Wesen **3.** **nature calls** *umg.* ich muss mal

nature reserve ['neɪtʃə_rɪ,zɜːv] Naturschutzgebiet

nature trail ['neɪtʃə_treɪl] Naturlehrpfad

naughty ['nɔːtɪ] **1.** *Kind*: ungezogen, unartig **2.** *Witz usw.*: unanständig

navel ['neɪvl] **1.** Nabel **2.** *übertragen auch* Mittelpunkt

navigable ['nævɪgəbl] *Gewässer*: schiffbar

navigate ['nævɪgeɪt] **1.** *mit Schiff*: befahren, durchfahren *(Gewässer)* **2.** steuern, navigieren (*Flugzeug, Schiff usw.*) **3.** *beim Autofahren*: lotsen, dirigieren **4.** *im Internet*: navigieren

navy ['neɪvɪ] Kriegsmarine

near¹ [nɪə] **1.** *räumlich*: nahe, nahe gelegen; *near at hand* nahe, ganz in der Nähe; *near here* nicht weit von hier, hier in der Nähe; *my nearest neighbours* meine nächsten Nachbarn; *the Near East* der Nahe Osten; *where's the nearest hospital?* wo ist das nächste Krankenhaus? **2.** *zeitlich*: nahe, nahe bevorstehend; *come nearer* Zeitpunkt: näher rücken; *in the near future* in nächster Zukunft; *be near at hand* Ereignis, Zeitpunkt: bevorstehen **3.** (≈ *annähernd*) nahezu, beinahe, fast; *he came near to tears* er war den Tränen nahe; *she came very near to hitting him* es hätte nicht viel gefehlt, und sie hätte ihm eine geknallt **4.** *Verwandte*: nahe (verwandt); *the nearest relations* die nächsten Verwandten; *my nearest and dearest* meine Lieben **5.** *be a near miss* knapp scheitern; *we had a near miss* wir hatten beinahe einen Zusammenstoß; *that was a near thing* umg. das hätte ins Auge gehen können, das ging gerade noch einmal gut

near² [nɪə] sich nähern, näher kommen; *be nearing completion* (*Projekt usw.*) der Vollendung entgegengehen

nearby¹ [ˌnɪə'baɪ] in der Nähe; *does she live nearby?* wohnt sie in der Nähe?

nearby² ['nɪəbaɪ] nahe (gelegen); *the nearby lake* der nahe gelegene See

nearly ['nɪəlɪ] beinahe, fast; *not nearly* bei Weitem nicht, nicht annähernd

neat [niːt] **1.** *Person, Zimmer usw.*: sauber, ordentlich; *she's got neat handwriting* sie hat eine saubere Handschrift **2.** *AE, umg.* (≈ *sehr gut*) super, klasse **3.** *übertragen* geschickt; *a neat solution* eine saubere *oder* elegante Lösung **4.** *BE* pur; *two neat whiskies* zwei Whisky pur

necessarily ['nesəsrəlɪ, ˌnesə'serəlɪ] notwendigerweise; *not necessarily* nicht unbedingt

necessary ['nesəsrɪ] **1.** notwendig, nötig, erforderlich (*to, for* für); *it's not necessary for him to come* es ist nicht nötig, dass er mitkommt; *a necessary evil* ein notwendiges Übel; *call me if necessary* ruf mich an, wenns nötig ist **2.** *Folgen, Auswirkungen usw.*: unvermeidlich, zwangsläufig

necessity [nə'sesɪtɪ] Notwendigkeit; *the bare necessities* das absolut Notwendigste; *of necessity* notgedrungen; *be a*

necessity of life lebensnotwendig sein; *necessity is the mother of invention* Not macht erfinderisch

neck¹ [nek] Hals (*auch von Flasche usw.*); *be neck and neck* bei Rennen: Kopf an Kopf liegen (*auch übertragen*); *be up to one's neck in debt* bis an den Hals in Schulden stecken; *risk one's neck* Kopf und Kragen riskieren; *save one's neck* den Kopf aus der Schlinge ziehen; *break one's neck* sich den Hals *oder* das Genick brechen

neck² [nek] *umg.* knutschen, schmusen

necklace ['nekləs] Halskette

nectar ['nektə] Nektar (*auch übertragen*)

nectarine ['nektəri:n] Nektarine

née, nee [△ neɪ] *bei Frauennamen*: geborene

need¹ [niːd] **1.** Bedarf (*of, for* an), Bedürfnis (*of, for* nach); *in need of help* hilfsbedürftig; *in need of repair* reparaturbedürftig; *be in need of something* etwas dringend brauchen **2.** (≈ *Erfordernis*) Notwendigkeit; *there's no need for you to come* du brauchst nicht zu kommen; *if need be* nötigenfalls, notfalls **3.** Armut, Not; *be in need* Not leiden; *those in need* die Notleidenden

need² [niːd] **1.** benötigen, brauchen; *need something badly* etwas dringend brauchen; *your fingernails need cutting* du musst dir wieder mal die Fingernägel schneiden **2.** brauchen, müssen; *need to do something* etwas tun müssen; *you needn't do it BE* du brauchst es nicht zu tun; *you needn't have come BE* du hättest nicht zu kommen brauchen

needle ['niːdl] **1.** *im Haushalt*: (Näh)Nadel **2.** *auch knitting needle* Stricknadel **3.** *einer Spritze, am Kompass, der Tanne usw.*: Nadel **4.** *a needle in a haystack übertragen* eine Stecknadel im Heuhaufen (△ *Stecknadel = pin*)

needless ['niːdləs] unnötig, überflüssig; *needless to say, we'll pick you up* natürlich werden wir dich abholen

needn't ['niːdnt] *Kurzform von need not*

neg. [neg] *Abk. für negative HIV neg.* HIV-negativ; *b/w neg.* Schwarzweißnegativ

negative¹ ['negətɪv] **1.** *allg.*: negativ **2.** *Antwort auch*: verneinend, *Sprache*: verneint **3.** *Bescheid auch*: abschlägig, ablehnend

negative² ['negətɪv] **1.** Verneinung; *answer in the negative* verneinen **2.** *Foto*: Negativ

neglect¹ [nɪ'glekt] vernachlässigen (*Kind, sein Äußeres usw.*); *a neglected garden* ein verwahrloster Garten

neglect² [nɪˈglekt] Vernachlässigung; *be in a state of neglect* vernachlässigt *oder* verwahrlost sein

negotiate [nɪˈgəʊʃɪeɪt] **1.** verhandeln (*with* mit; *for, about, on* über); *negotiating skills Pl.* Verhandlungsgeschick; *negotiating table* Verhandlungstisch **2.** aushandeln (*with* mit) (*Vertrag usw.*)

negotiation [nɪˌgəʊʃɪˈeɪʃn] Verhandlung; *it's still under negotiation* darüber wird noch verhandelt

neigh [neɪ] (*Pferd*) wiehern

neighbour, *AE* **neighbor** [ˈneɪbə] Nachbar(in), Anlieger(in), Ⓐ Anrainer(in), ⒞ Anstößer(in); *our next-door neighbours* unsere direkten Nachbarn; *we're next-door neighbours* wir wohnen Tür an Tür

neighbourhood, *AE* **neighborhood** [ˈneɪbəhʊd] **1.** *in Stadt:* Viertel, Wohngegend; *in the neighbourhood of the cathedral* in der Umgebung des Doms **2.** *Personen:* Nachbarn *Pl.* **3.** *the price is in the neighbourhood of £100* es kostet so um die 100 Pfund

Neighbo(u)rhood Watch

In den USA, in Großbritannien, Australien und anderen englischsprachigen Ländern gibt es vielerorts Straßenschilder mit der Aufschrift **This is a Neighbo(u)rhood Watch Area**. Die **Neighbo(u)rhood Watch** („Nachbarschaftswache") ist eine freiwillige Organisation, die der Polizei bei der örtlichen Verbrechensbekämpfung hilft. Die Mitglieder dieser Organisation haben ein wachsames Auge gegenüber potenziellen Einbrechern, Autodieben usw. Und wenn die Nachbarn für längere Zeit nicht da sind, passen sie auf deren Häuser auf.

neighbouring, *AE* **neighboring** [ˈneɪbərɪŋ] benachbart, angrenzend

neither [ˈnaɪðə] **1.** keine(r, -s) von beiden; *neither of you* keiner von euch beiden **2.** *neither ... nor ...* weder ... noch ... **3.** auch nicht; *'I didn't do it.' - 'Neither did I.'* „Ich war's nicht." - „Ich auch nicht."; *'I don't like porridge.' - 'Me neither.'* „Ich mag keinen Haferbrei." - „Ich auch nicht."

neologism [niːˈɒlədʒɪzm] *Sprache:* Neologismus, Neuwort

neon [ˈniːɒn] *Edelgas:* Neon; *neon sign* Neonreklame, Leuchtreklame

nephew [ˈnefjuː] Neffe

nephritis [nɪˈfraɪtɪs] *Medizin:* Nierentzündung

nerd [nɜːd] *umg.* **1.** Schwachkopf, Trottel **2.** *auch computer nerd* Computerfreak

nerdy [ˈnɜːdɪ] *umg.* vertrottelt

nerve [nɜːv] **1.** Nerv; *get on someone's nerves* jemandem auf die Nerven gehen; *have nerves of steel* Nerven aus Stahl haben; *hit oder touch a nerve* einen wunden Punkt treffen; *bag oder bundle of nerves umg.; Person:* Nervenbündel **2.** *übertragen* Mut; *have the nerve to do something* den Nerv *oder* Mut haben, etwas zu tun **3.** *umg.* Frechheit; *he had the nerve to ask me if ...* er hatte die Frechheit, mich zu fragen, ob ...; *what a nerve!* so eine Frechheit!

nerve-racking, **nerve-wracking** [ˈnɜːvˌrækɪŋ] *Erlebnis usw.:* nervenaufreibend

nervous [ˈnɜːvəs] **1.** nervös; *you make me nervous* du machst mich nervös **2.** *nervous system* Nervensystem; *nervous breakdown* Nervenzusammenbruch; *she's a nervous wreck* sie ist mit den Nerven völlig am Ende

nervousness [ˈnɜːvəsnəs] Nervosität

nest¹ [nest] **1.** *von Vogel:* Nest **2.** *übertragen* Brutstätte (*des Verbrechens usw.*)

nest² [nest] (*Vögel*) nisten

net¹ [net] **1.** *zum Fischen, beim Tennis, Fußball usw.:* Netz (*auch übertragen*) **2.** *Computer:* Netz, Netzwerk **3.** *the Net* das Internet (≈ *globales Datennetzwerk*); *surf the Net Jargon:* im Netz surfen

net² [net] *Gewinn, Profit usw.:* netto, Netto..., Rein...

net³ [net], *netted, netted bes. AE;* (*Geschäft*) netto einbringen, (*Angestellte*) netto verdienen; *she's netting around £80,000 per year* sie macht rund 80 000 Pfund netto im Jahr

Netherlands [ˈneðələndz] *the Netherlands* die Niederlande

netiquette [ˈnetɪket] *Internet:* Netzetikette, Netikette

netspeak [ˈnetspiːk] *Internet:* Internet-Jargon

network [ˈnetwɜːk] **1.** *Rundfunk, TV:* Sendernetz **2.** *Computer:* Netzwerk **3.** *übertragen, von Tankstellen, Straßen usw.:* Netz; *social network* soziales Netz

neurosis [ˌnjʊˈrəʊsɪs] *Pl.:* **neuroses** [ˌnjʊˈrəʊsiːz] Neurose

neurotic¹ [ˌnjʊˈrɒtɪk] *Verhalten:* neurotisch

neurotic² [njʊˈrɒtɪk] Neurotiker(in)

neuter¹ [ˈnjuːtə] **1.** *Sprache:* neutral, sächlich **2.** *Biologie:* ungeschlechtlich

neuter² [ˈnjuːtə] *Sprache:* Neutrum

neutral¹ [ˈnjuːtrəl] *allg.* neutral

neutral² [ˈnjuːtrəl] **1.** *Person:* Neutrale(r)

N

2. *Auto*: Leerlauf; *the car is in neutral* es ist kein Gang eingelegt; *put the car in neutral* den Gang herausnehmen

neutrality [njuːˈtrælətɪ] Neutralität

neutron [ˈnjuːtrɒn] *Elementarteilchen*: Neutron

never [ˈnevə] ↔ *always*; nie, niemals; *never again* nie wieder

never-ending [ˌnevərˈendɪŋ] endlos, unendlich, nicht enden wollend

never-never [ˌnevəˈnevə] *buy something on the never-never BE, umg.* etwas auf Pump *oder* Stottern kaufen

nevertheless [ˌnevəðəˈles] nichtsdestoweniger, dennoch, trotzdem

new [njuː] *allg.*: neu; *nothing new* nichts Neues; *that's nothing new to me* das ist mir nichts Neues; *be new to someone* jemandem neu *oder* ungewohnt sein; *feel (like) a new man oder woman* sich wie neugeboren fühlen; *new moon* Neumond

newbie [ˈnjuːbɪ] *umg.* Anfänger(in), Neuling

newcomer [ˈnjuːˌkʌmə] **1.** Neuankömmling **2.** *in Beruf usw.*: Neuling

newly [ˈnjuːlɪ] **1.** kürzlich, frisch; *newly married* neuverheiratet **2.** neu; *newly made* ganz neu; *the newly appointed head of department* der neu *oder* frisch eingestellte Abteilungsleiter

New Mexico

New Mexico – auf Deutsch auch **Neumexiko** – Bundesstaat im Süden der USA mit vielen mexikanischen und hispanischen Einflüssen und großen Wüstenflächen; ☞ *Karte S. 294*

New Orleans

New Orleans [ˌnjuːˈɔːlɪənz] – Stadt im US-Bundesstaat Louisiana, am Mississippi gelegen. New Orleans ist berühmt für seine französischen Einflüsse und bekannt als Wiege des Jazz; ☞ *Karte S. 295*

news [njuːz] (△ *nur im Sg. verwendet*) **1.** Neuigkeit(en), Nachricht(en); *a bit oder piece of news* eine Neuigkeit *oder* Nachricht; *what's the news?* was gibt es Neues?; *that's good news* das ist erfreulich, das hört man gern; *that's news to me* das ist mir neu; *I haven't had any news from her for two months* ich habe schon seit zwei Monaten nichts mehr von ihr gehört **2.** *Radio, TV*: Nachrich-

ten; *I heard it on the news* ich hörte es in den Nachrichten

news agency [ˈnjuːzˌeɪdʒənsɪ] Nachrichtenagentur, Nachrichtendienst

newsagent [ˈnjuːzˌeɪdʒənt] *BE* **1.** *Person*: Zeitungshändler(in) **2.** *Laden*: Zeitungsgeschäft

news blackout [ˈnjuːzˌblækaʊt] Nachrichtensperre

newscast [ˈnjuːzkɑːst] *Rundfunk, TV* Nachrichtensendung

news dealer [ˈnjuːzˌdiːlə] *AE* **1.** *Person*: Zeitungshändler(in) **2.** *Laden*: Zeitungsgeschäft

news flash [ˈnjuːz‿flæʃ] *bes. BE; Rundfunk, TV*: Kurzmeldung

news magazine [ˈnjuːz‿mægəˌziːn] Nachrichtenmagazin

newspaper [ˈnjuːzˌpeɪpə] Zeitung; *newspaper publisher* Zeitungsverleger(in)

newsstand [ˈnjuːz‿stænd] Zeitungskiosk

new year [ˌnjuːˈjɪə] *oft* **New Year** neues Jahr; *happy New Year!* gutes neues Jahr!, Prosit Neujahr!; *New Year's Day* Neujahr, Neujahrstag; *New Year's Eve* Silvester, Silvesterabend

New Year's Eve

In Schottland ist zu Silvester das so genannte **first-footing** Tradition. **First-footing** bedeutet, man strebt an, als Erster im neuen Jahr über die Türschwelle der Nachbarn zu gehen. Und das soll den Gastgebern Glück bringen. Streng genommen erwartet man vom **first-footer**, dass er **tall, dark and handsome** ist. Als „Belohnung" bekommt er einen Whisky.

New Zealand[1] [ˌnjuːˈziːlənd] Neuseeland; ☞ *Karte S. 296*
New Zealand[2] [ˌnjuːˈziːlənd] neuseeländisch

New Zealand

Staat im Pazifik südöstlich von Australien, der aus zwei Hauptinseln (North Island und South Island) und einigen kleineren Inseln besteht. Neben der Hauptstadt Wellington zählen Auckland und Christchurch zu den großen Städten. In Neuseeland leben ca. 3,3 Mio. Menschen. Hauptwirtschaftszweig ist die Landwirtschaft.

New Zealander [ˌnjuːˈziːləndə] Neuseeländer(in)

next [nekst] **1.** *räumlich*: nächste(r, -s);

next door nebenan, im nächsten Raum *oder* Haus; **next to the church you see ...** gleich neben der Kirche sehen Sie ... **2.** *zeitlich:* nächste(r, -s); **the next day** am nächsten Tag; **next month** nächsten Monat; **next time** das nächste Mal; **the next time I saw her, ...** als ich sie das nächste Mal sah, ... **3.** *Reihenfolge:* nächste(r, -s); **you'll be next** du wirst der Nächste sein; **who's next?** wer ist als Nächster dran?, wer ist der Nächste; **next please!** der Nächste bitte; **next but one** übernächste(r, -s) **4.** **next to nothing** beinahe *oder* so gut wie nichts

next-door ['nekst‿dɔː] nebenan; **we're next-door neighbours** wir wohnen Tür an Tür

NHS [ˌeneɪtʃ'es] (*Abk. für* **N**ational **H**ealth **S**ervice) *in GB:* Staatlicher Gesundheitsdienst; **get something on the NHS** etwas auf Krankenschein *oder* Rezept bekommen

nibble ['nɪbl] knabbern (**at** an); **nibble at one's food** im Essen herumstochern

nice [naɪs] **1.** *Person usw.:* nett, sympathisch, ⊛ gefreut **2.** *Wesen, Stimme usw.:* nett, freundlich (**to** zu) **3.** *Geschmack, Geruch usw.:* gut, fein, lecker **4.** *Kleid, Aussehen:* nett, hübsch, schön **5.** *Wetter:* schön; **nice and warm** schön warm

nicely ['naɪslɪ] **1.** gut, fein; **the project's coming along nicely** das Projekt läuft ganz gut **2.** **that'll do nicely** das genügt vollauf **3.** **he's doing nicely** (*Patient*) es geht ihm besser, er macht gute Fortschritte

niche [niːʃ] *in Wand:* Nische (*auch übertragen*)

nick[1] [nɪk] **1.** *in Fläche:* Kerbe **2.** **in the nick of time** gerade noch rechtzeitig, im letzten Moment **3.** *BE, umg.* Kittchen **4.** **be in good nick** *BE.; umg.* gut in Schuss sein

nick[2] [nɪk] *BE, umg.* klauen; **who's nicked my pen?** wer hat meinen Stift geklaut?

nickname ['nɪkneɪm] Spitzname

nicotine ['nɪkətiːn] Nikotin

niece [niːs] Nichte

niff [nɪf] *BE, umg.* Gestank, Mief; **there's abit of a niff in here** hier mieft's

niffy ['nɪfɪ] *BE, umg.* stinkend; **be niffy** stinken

nifty ['nɪftɪ] *umg.* **1.** *Gerät, Vorrichtung:* praktisch, schlau **2.** *Kleidung, Person:* flott, fesch

night [naɪt] **1.** Nacht; **at night** in der Nacht, nachts; **a starry night** eine sternenklare Nacht; **all night long** die ganze Nacht; **night and day** Tag und Nacht;

did you have a good night's sleep? hast du gut geschlafen?; **if you want you can stay the night** wenn du willst, kannst du hier übernachten; **have an early night** früh zu Bett gehen **2.** *vor dem Schlafengehen:* Abend; **last night** gestern Abend; **on the night of May 5th** am Abend des 5. Mai

night bird ['naɪt‿bɜːd] **1.** *Vogel:* Nachtvogel **2.** *übertragen* Nachtmensch, Nachtschwärmer(in)

nightcap ['naɪtkæp] **1.** *umg.* Schlummertrunk, Absacker **2.** Nachthaube

nightclub ['naɪtklʌb] Nachtklub, Nachtlokal

nightdress ['naɪtdres] Nachthemd

nightfall ['naɪtfɔːl] **at nightfall** bei Einbruch der Dunkelheit

nightgown ['naɪtɡaʊn] Nachthemd

nightie ['naɪtɪ] *umg.* Nachthemd

nightingale ['naɪtɪŋɡeɪl] *Vogel:* Nachtigall

night life ['naɪt‿laɪf] Nachtleben

nightmare ['naɪtmeə] Albtraum (*auch übertragen*)

night owl ['naɪt‿aʊl] *umg.* Nachteule, Nachtmensch, Nachtschwärmer(in)

night school ['naɪt‿skuːl] Abendschule

night shift ['naɪt‿ʃɪft] Nachtschicht; **be** *oder* **work on night shift** Nachtschicht haben

nightshirt ['naɪtʃɜːt] *bes. für Männer:* Nachthemd

nil [nɪl] null; **our team won three nil** *oder* **by three goals to nil** (= *3-0*) unsere Mannschaft gewann drei zu null (= 3:0)

Nile [naɪl] Nil

nimby

Der Ausdruck **NIMBY** bzw. **nimby** steht als Kurzform für **not in my back yard** („nicht in meinem Hinterhof") und bezeichnet Leute, die nichts gegen bestimmte notwendige aber unerfreuliche Dinge wie den Bau von Straßen und Sportstadien, die Aufstellung von Müllcontainern usw. haben, solange die eigene Wohngegend nicht davon betroffen ist. Diese Doppelmoral entspricht in etwa dem deutschen „Sankt-Florians--Prinzip".

nine[1] [naɪn] neun; **nine times out of ten** in neun von zehn Fällen, fast immer

nine[2] [naɪn] *Buslinie, Spielkarte usw.:* Neun

ninepins ['naɪnpɪnz] (△ *nur mit Sg.*) Kegeln

nineteen[1] [ˌnaɪn'tiːn] neunzehn

nineteen[2] [ˌnaɪn'tiːn] *Buslinie usw.:*

Neunzehn

nine-to-five [ˌnaɪntəˈfaɪv] *nine-to-five job* (normaler) Bürojob

ninety[1] [ˈnaɪntɪ] neunzig

ninety[2] [ˈnaɪntɪ] Neunzig; *be in one's nineties* Alter: in den Neunzigern sein; *in the nineties* in den Neunzigerjahren (*eines Jahrhunderts*)

ninth[1] [naɪnθ] neunte(r, -s)

ninth[2] [naɪnθ] **1.** Neunte(r, -s); *the ninth of May* der 9. Mai **2.** *Bruchteil*: Neuntel

nipple [ˈnɪpl] **1.** Brustwarze **2.** *technisch*: Nippel **3.** *AE*; *an Saugflasche*: Sauger

nitpicker [ˈnɪtˌpɪkə] *umg.* pingeliger *oder* kleinlicher Mensch, Korinthenkacker

nitpicking [ˈnɪtˌpɪkɪŋ] *umg.* pingelig, kleinlich

nitrate [ˈnaɪtreɪt] Nitrat

nitrogen [ˈnaɪtrədʒən] Stickstoff

nitty-gritty [ˌnɪtɪˈgrɪtɪ] *get down to the nitty-gritty* *umg.* zur Sache kommen

nitwit [ˈnɪtwɪt] *umg.* Schwachkopf

no[1] [nəʊ] **1.** *allg.*: nein; *say no to ...* Nein sagen zu ...; *the answer is no* die Antwort ist Nein **2.** *mit Steigerungsformen*: nicht; *they no longer live here* sie wohnen nicht mehr hier **3.** *no one* keiner, niemand; *in no time* im Nu, im Handumdrehen **4.** *no smoking!* Rauchen verboten

no[2] [nəʊ] *Pl.*: **noes** [nəʊz] **1.** Nein; *a clear no* ein klares Nein (*to* auf) **2.** *bei Abstimmung*: Gegenstimme, Neinstimme; *the noes have it* der Antrag ist abgelehnt

no[3] *Pl.*: **nos** *Abk. für* → *number*[1]

Nobel Peace Prize [ˌnəʊbelˈpiːs_praɪz] Friedensnobelpreis

Nobel prize [ˌnəʊbelˈpraɪz] Nobelpreis; *Nobel prize winner* Nobelpreisträger(in)

nobility [nəʊˈbɪlətɪ] Adel, Aristokratie

noble [ˈnəʊbl] **1.** *durch Geburt*: adlig, von Adel **2.** *Gesinnung, Handeln usw.*: edel, nobel **3.** *Bauwerk usw.*: prächtig, stattlich

nobleman [ˈnəʊblmən] *Pl.*: **noblemen** [ˈnəʊblmən] Adliger, Aristokrat

noblewoman [ˈnəʊblˌwʊmən] *Pl.*: **noblewomen** [ˈnəʊblˌwɪmɪn] Adelige, Aristokratin

nobody[1] [ˈnəʊbədɪ] keiner, niemand

nobody[2] [ˈnəʊbədɪ] *übertragen* Niemand, Null

no-brainer [ˌnəʊˈbreɪnə] *umg.* Kinderspiel

no-claims bonus [ˌnəʊkleɪmzˈbəʊnəs] *bei Kfz-Versicherung*: Schadensfreiheitsrabatt

nod[1] [nɒd], **nodded, nodded** nicken; *nod at oder to someone* jemandem zunicken; *nod one's head* mit dem Kopf nicken; *have a nodding acquaintance with someone* jemanden flüchtig kennen

nod[2] [nɒd] Nicken; *give someone a nod* jemandem zunicken

noes [nəʊz] *Pl. von* → *no*[2]

no-frills [ˌnəʊˈfrɪlz] ohne Extras, einfach, schlicht; *a no-frills car* ein Auto ohne Schnickschnack

noise [nɔɪz] **1.** Geräusch; *what's that noise?* was ist das für ein Geräusch? **2.** *unangenehm laut*: Krach, Lärm; *try not to make any noise when you come home* versuche, keinen Krach zu machen, wenn du nach Hause kommst; *make a lot of noise about something* *übertragen* viel Tamtam um etwas machen **3.** *im Radio usw.*: Rauschen

noise barrier [ˈnɔɪzˌbærɪə] *entlang einer Straße usw.*: Lärmschutzwall

noise pollution [ˈnɔɪz_pəˌluːʃn] Lärmbelästigung

noise protection [ˈnɔɪz_prəˌtekʃn] Lärmschutz

noisy [ˈnɔɪzɪ] *Straße, Motor usw.*: laut; *don't be so noisy!* *zu Kind*: sei nicht so laut!, mach nicht so einen Krach!

no-man's-land [ˈnəʊmænzlænd] Niemandsland

nominate [ˈnɒmɪneɪt] **1.** ernennen (*to* zu); *she was nominated* (*as oder to be*) *chairperson* sie wurde zur Vorsitzenden ernannt **2.** als Kandidaten aufstellen (*for* für); *we nominated Jill for chairmanship* wir nominierten Jill für den Vorsitz, wir schlugen Jill als Vorsitzende vor

nomination [ˌnɒmɪˈneɪʃn] **1.** Ernennung **2.** Nominierung

nominative [ˈnɒmɪnətɪv] *auch* **nominative case** *Sprache* Nominativ, erster Fall

non-alcoholic [ˌnɒnælkəˈhɒlɪk] alkoholfrei

none [nʌn] **1.** keine(r, -s), niemand; *none of them are oder is here* keiner von ihnen ist hier; *none of your tricks!* lass deine Späße!; *that's none of your business* das geht dich gar nichts an **2.** *he was none too pleased* er war keineswegs erfreut; *none too soon* kein bisschen zu früh

nonetheless [ˌnʌnðəˈles] nichtsdestoweniger, dennoch, trotzdem

non-event [ˌnɒnɪˈvent] *umg.* Reinfall, Pleite

non-fat [ˈnɒnfæt] fettarm, Mager...

non-fiction [ˌnɒnˈfɪkʃn] (△ *nur im Sg. verwendet*) Sachbücher *Pl.*; *a non-fiction book* ein Sachbuch

nonflammable [ˌnɒnˈflæməbl] *Material*: nicht entzündbar, *auch*: unbrennbar

N

non-iron [ˌnɒnˈaɪən] *Hemd usw.:* bügel-frei

no-no [ˈnəʊnəʊ] *umg.* **be a no-no** tabu sein, nicht infrage kommen

nonpolluting [ˌnɒnpəˈluːtɪŋ] *Waschmittel usw.:* umweltfreundlich

nonprofit [ˌnɒnˈprɒfɪt] *AE,* **non-profit-making** [ˌnɒnˈprɒfɪtmeɪkɪŋ] *Verein, Vereinigung, Unternehmen:* gemeinnützig

non-proliferation [ˌnɒnprəlɪfəˈreɪʃn] *Politik:* Nichtweitergabe von Atomwaffen; **non-proliferation treaty** Atomsperrvertrag

non-returnable [ˌnɒnrɪˈtɜːnəbl] Einweg...; **non-returnable bottle** Einwegflasche

nonsense [ˈnɒnsəns] Unsinn, dummes Zeug; **talk nonsense** Unsinn reden; **make (a) nonsense of something** etwas ad absurdum führen

nonsensical [nɒnˈsensɪkl] *Idee, Vorschlag usw.:* unsinnig

non-smoker [ˌnɒnˈsməʊkə] **1.** *Person:* Nichtraucher(in) **2.** *im Zug:* Nichtraucherabteil

non-smoking [ˌnɒnˈsməʊkɪŋ] **non-smoking compartment** *im Zug:* Nichtraucherabteil; **non-smoking area** *in Restaurants usw.:* Nichtraucherbereich

smoking / non-smoking

Seit 2006 gilt in England und Schottland ein striktes Rauchverbot in allen öffentlich zugänglichen Räumen, d.h. am Arbeitsplatz, in Pubs und Restaurants usw. Es gilt: Wer rauchen will, muss ins Freie.

non-standard [ˌnɒnˈstændəd] *Sprache:* nicht hochsprachlich

non-stick [ˌnɒnˈstɪk] *Pfanne usw.:* mit Antihaftbeschichtung

nonstop [ˌnɒnˈstɒp] **1.** *Zug:* durchgehend **2.** *Flug:* ohne Zwischenlandung; **nonstop flight** Nonstop-Flug **3.** **talk nonstop** ununterbrochen reden

non-union [ˌnɒnˈjuːnɪən] **1.** *Arbeiter, Angestellte:* nicht organisiert **2.** *Firma:* gewerkschaftsfrei, gewerkschaftsfeindlich

non-violent [ˌnɒnˈvaɪələnt] *Protest:* gewaltfrei

noodle [ˈnuːdl] Nudel

noon [nuːn] Mittag, Mittagszeit; **at noon** am oder zu Mittag, *genau:* um 12 Uhr (mittags)

no one [ˈnəʊ ˌwʌn] niemand, keiner

noose [nuːs] Schlinge; **put one's head in(to) the noose** *übertragen* den Kopf in die Schlinge stecken

nope [nəʊp] *umg.* nein

nor [nɔː] **1.** **neither ... nor ...** weder ... noch ... **2.** auch nicht; **he doesn't know, and nor do I** er weiß es nicht, und ich auch nicht

norm [nɔːm] Norm

normal [ˈnɔːml] normal, Normal...; **as soon as things are back to normal ...** sobald sich die Lage wieder normalisiert hat, ...; **your temperature is above normal** du hast erhöhte Temperatur; **that's perfectly normal** das ist ganz normal

normality [nɔːˈmælɪtɪ] Normalität

normalize [ˈnɔːməlaɪz] **1.** normalisieren (*Beziehungen, Situation usw.*) **2.** (*Lage, Situation*) sich normalisieren

normally [ˈnɔːməlɪ] normalerweise, (für) gewöhnlich

Norman[1] [ˈnɔːmən] Normanne, Normannin

Norman[2] [ˈnɔːmən] normannisch

north[1] [nɔːθ] **1.** Norden; **in the north of** im Norden von (*oder Genitiv*); **to the north of** nördlich von (*oder Genitiv*) **2.** *auch* **North** Norden, nördlicher Landesteil; **the North** *BE* Nordengland, *AE* die Nordstaaten (*zur Zeit des Bürgerkriegs*)

north[2] [nɔːθ] Nord..., nördlich; **the north side of the church** die Nordseite der Kirche

north[3] [nɔːθ] **1.** *Richtung:* nordwärts, nach Norden **2.** **north of** nördlich von (*oder Genitiv*)

northbound [ˈnɔːθbaʊnd] nach Norden gehend *oder* fahrend

northeast[1] [ˌnɔːθˈiːst] Nordosten

northeast[2] [ˌnɔːθˈiːst] nordöstlich, Nordost...

northeast[3] [ˌnɔːθˈiːst] *Richtung:* nach Nordosten

northerly [ˈnɔːðəlɪ] *Richtung, Wind:* nördlich, Nord...

northern [ˈnɔːðn] nördlich, Nord...; **northern Germany** Norddeutschland

North Pole [ˌnɔːθˈpəʊl] Nordpol

North-Rhine/Westphalia [ˌnɔːθraɪn-westˈfeɪlɪə] Nordrhein-Westfalen

North Sea [ˌnɔːθˈsiː] Nordsee

northward [ˈnɔːθwəd], **northwards** [ˈnɔːθwədz] nördlich, nordwärts, nach Norden; **drive northwards** nordwärts *oder* nach Norden fahren

northwest[1] [ˌnɔːθˈwest] Nordwesten

northwest[2] [ˌnɔːθˈwest] nordwestlich, Nordwest...

northwest[3] [ˌnɔːθˈwest] *Richtung:* nach Nordwesten

Norway [ˈnɔːweɪ] Norwegen

Norwegian[1] [nɔːˈwiːdʒn] norwegisch

Norwegian[2] [nɔːˈwiːdʒn] *Sprache:* Norwegisch; **in Norwegian** auf Norwegisch

Norwegian[3] [nɔːˈwiːdʒn] Norweger(in)
nose [nəʊz] **1.** Nase; *blow one's nose* sich die Nase putzen; *pick one's nose* in der Nase bohren **2.** *in Wendungen:* *follow your nose* immer der Nase nach; *lead someone by the nose* jemanden unter seiner Fuchtel haben; *poke oder stick one's nose into something* seine Nase in etwas stecken; *you keep your nose out of this!* du hältst dich da raus!; *under his very nose* direkt vor seiner Nase, vor seinen Augen; *pay through the nose* viel blechen müssen; *keep your nose clean!* bleib sauber! **3.** *übertragen* Nase, Riecher (*for* für)

nose about *oder* **around** [ˌnəʊz_əˈbaʊt *oder* əˈraʊnd] *übertragen* herumschnüffeln (*for* nach)

nosebleed [ˈnəʊzbliːd] *have a nosebleed* Nasenbluten haben
nosering [ˈnəʊzrɪŋ] Nasenring
nosh [nɒʃ] *umg.* **1.** *bes. BE* Essen; *have some nosh* (etwas) essen; *have a quick nosh* schnell etwas essen **2.** *AE* Bissen, Happen; *have a nosh* einen Happen essen
nostalgia [nɒˈstældʒə] Nostalgie; *im weiteren Sinne:* Sehnsucht (*for* nach)
nostalgic [nɒˈstældʒɪk] nostalgisch
nostril [ˈnɒstrəl] **1.** *bei Mensch:* Nasenloch **2.** *bei Pferd:* Nüster
nosy [ˈnəʊzɪ] *umg.* neugierig
not [nɒt] **1.** nicht; *not at all* überhaupt nicht; *I'm afraid not* *auf Frage:* ich fürchte nein; *not to my knowledge* nicht dass ich wüsste; *it's wrong, isn't it?* (*kurz für* *is it not*) es ist falsch, nicht wahr?; *she asked me not to mention it* sie bat mich, es nicht zu erwähnen **2.** *not yet* noch nicht **3.** *not a bit* kein bisschen **4.** 'Thanks a lot.' - 'Not at all.' „Vielen Dank." - „Keine Ursache."
notable[1] [ˈnəʊtəbl] **1.** *Person:* bedeutend, angesehen **2.** *Tatsache, Umstand:* beachtenswert, bemerkenswert **3.** *Unterschied:* beträchtlich
notable[2] [ˈnəʊtəbl] bedeutende Persönlichkeit
notably [ˈnəʊtəblɪ] besonders, vor allem
notary [ˈnəʊtərɪ] *mst.* *notary public* Notar(in)
note[1] [nəʊt] **1.** Notiz, Aufzeichnung; *make a note of something* sich etwas notieren *oder* vormerken; *take notes im Unterricht usw.:* sich Notizen machen; *speak without notes* frei sprechen **2.** (≈ *Kurzinformation*) Zettel; *did you find my note on the table?* hast du den Zet-

tel auf dem Tisch gefunden? **3.** *auf Buchseite usw.:* Anmerkung, Vermerk **4.** *BE* Banknote, Geldschein **5.** *Musik:* Note
note[2] [nəʊt] **1.** besonders beachten *oder* achten auf; *please note that …* bitte beachten Sie, dass … **2.** (≈ *erwähnen*) bemerken **3.** *oft note down* aufschreiben, notieren
notebook [ˈnəʊtbʊk] **1.** Notizbuch **2.** *AE* Schulheft **3.** *Computer:* Notebook
noted [ˈnəʊtɪd] bekannt, berühmt (*for* wegen)
notepad [ˈnəʊtpæd] **1.** Notizblock **2.** *Computer:* Notepad (*PC im Notizblockformat*)
noteworthy [ˈnəʊtˌwɜːðɪ] *Ereignis, Tatsache:* bemerkenswert
nothing [ˈnʌθɪŋ] *allg.:* nichts; *as if nothing had happened* als ob nichts passiert sei; *nothing doing umg.* das kommt nicht in Frage, nichts zu machen; *have nothing to do* nichts zu tun haben; *it's got nothing to do with you* das hat nichts mit dir zu tun; *the book's nothing special* das Buch ist nichts Besonderes; *that's nothing compared to …* das ist nichts im Vergleich zu …; *that's nothing to me* das bedeutet mir nichts; *there's nothing like …* es geht nichts über …; *…, to say nothing of …* …, ganz zu schweigen von …; *think nothing of* nichts halten von, sich nichts machen aus; *I got it for nothing* ich bekam es umsonst
notice[1] [ˈnəʊtɪs] bemerken; *he gave her a wink but she didn't notice* er zwinkerte ihr zu, aber sie bemerkte es nicht; *I noticed that she was sad* ich bemerkte, dass sie traurig war
notice[2] [ˈnəʊtɪs] **1.** Notiz, Beachtung; *take notice of* Notiz nehmen von, beachten; *take no notice of him* beachte ihn gar nicht; *that must have escaped my notice* das muss mir entgangen sein **2.** (≈ *Information*) Ankündigung, Mitteilung; *give someone notice of something* jemanden von etwas benachrichtigen; *give someone two weeks' usw. notice of something* jemandem über etwas zwei Wochen *usw.* vorher Bescheid geben; *till oder until further notice* bis auf Weiteres; *at* (*AE on*) *short notice* kurzfristig; *without notice* fristlos **3.** Bekanntmachung, Ankündigung; *put up a notice an Schwarzem Brett usw.:* eine Bekanntmachung aushängen **4.** *von Arbeitsplatz, Wohnung usw.:* Kündigung, Zeitraum: Kündigungsfrist; *give someone* (*his oder her*) *notice* jemandem

N

kündigen; **hand in** (*oder BE* **give in** *oder AE* **turn in**) **one's notice** kündigen

noticeable [ˈnəʊtɪsəbl] merklich, erkennbar

notice board [ˈnəʊtɪs_bɔːd] *bes. BE* Anschlagtafel, Schwarzes Brett

notification [ˌnəʊtɪfɪˈkeɪʃn] Meldung, Mitteilung, Benachrichtigung

notify [ˈnəʊtɪfaɪ] **1.** melden, mitteilen (*Neuigkeit usw.*) **2.** benachrichtigen; **you'll be notified of our decision** wir werden Sie über unsere Entscheidung informieren

notion [ˈnəʊʃn] *gedanklich*: Vorstellung, Idee

notorious [nəʊˈtɔːrɪəs] berüchtigt (**for** für); **she's a notorious liar** sie ist eine notorische Lügnerin

nought [nɔːt] *BE; Ziffer*: Null

noun [naʊn] *Sprache*: Substantiv, Hauptwort, *bes.* Ⓐ, Ⓒ Nomen

nourish [ˈnʌrɪʃ] **1.** ernähren (*Person*) **2.** nähren, hegen (*Hoffnungen*)

nourishing [ˈnʌrɪʃɪŋ] *Nahrung*: nahrhaft

novel [ˈnɒvəl] Roman

novelist [ˈnɒvəlɪst] Romanschriftsteller(in)

novella [nəʊˈvelə] Novelle

novelty [ˈnɒvltɪ] **1.** (≈ *das Neusein*) Neuheit; **once the novelty has worn off** wenn der Reiz des Neuen erst mal vorbei ist **2.** (≈ *etwas Neues*) Neuheit; **this is quite a novelty** das ist ein Novum **3.** *mst.* **novelties** *Pl.* Krimskrams, Ramsch

November [nəʊˈvembə] November; **in November** im November

now [naʊ] **1.** jetzt, nun; **they now live in Boston** sie wohnen jetzt in Boston; **now and again** *oder* (**every**) **now and then** von Zeit zu Zeit, dann und wann; **by now** mittlerweile, inzwischen; **from now on** von jetzt an; **up to now** bis jetzt; **a week from now** heute in einer Woche **2.** (≈ *unverzüglich*) sofort; **right 'now** (jetzt) sofort; **I want you to clean up your room 'now** ich möchte, dass du dein Zimmer sofort aufräumst; **it's now or never** jetzt oder nie **3.** **now that you're here** ... nun da *oder* jetzt wo du schon einmal da bist, ...

nowadays [ˈnaʊədeɪz] heutzutage

no way [ˌnəʊˈweɪ] *umg.* '**Can I have your bike?' - 'No way!'** „Kann ich dein Fahrrad haben?" – „Kommt nicht in Frage!"

nowhere [ˈnəʊweə] **1.** nirgends, nirgendwo; **have nowhere to live** kein Zuhause haben; **nowhere near** bei Weitem nicht, auch nicht annähernd **2.** **get nowhere fast** *übertragen* überhaupt nicht weiterkommen, überhaupt keine Fortschritte

machen; **this will get us nowhere** damit *oder* so kommen wir auch nicht weiter, das bringt uns auch nicht weiter

no-win situation [ˌnəʊˈwɪn_sɪtʃʊˌeɪʃn] ausweglose Situation; **it's a no-win situation** wie mans macht macht mans verkehrt

nozzle [ˈnɒzl] **1.** *an Gefäß*: Ausguss, Öffnung **2.** *Tankstelle*: Zapfpistole

nuance [ˈnjuːɑːns] Nuance

nuclear [ˈnjuːklɪə] *Atomphysik*: Kern..., Atom...; **nuclear energy** Atomenergie, Kernenergie; **nuclear-free** atomwaffenfrei; **nuclear power** Atomkraft, Kernkraft, *Staat*: Atommacht; **nuclear power plant** Atomkraftwerk, Kernkraftwerk; **nuclear weapons** Atomwaffen, Kernwaffen

nude [njuːd] **1.** *auch* **in the nude** nackt **2.** *Malerei*: Akt

nudism [ˈnjuːdɪzm] FKK, Freikörperkultur

nudist [ˈnjuːdɪst] Nudist(in), FKK-Anhänger(in); **nudist beach** Nacktbadestrand, FKK-Strand

nuisance [ˈnjuːsns] **1.** *Person*: Plage, Nervensäge; **be a nuisance to someone** jemandem lästig fallen, jemanden nerven; **make a nuisance of oneself** den Leuten auf die Nerven gehen **2.** *Geschehen*: Ärgernis, Missstand; **what a nuisance!** wie ärgerlich!

numb [△ nʌm] **1.** *Finger usw.*: gefühllos, taub (**with** vor) (*Kälte usw.*) **2.** *übertragen* wie betäubt (**with** vor) (*Schmerz usw.*)

number¹ [ˈnʌmbə] **1.** *Mathematik*: Zahl, Ziffer; **even numbers** gerade Zahlen; **odd numbers** ungerade Zahlen; **be good at numbers** gut rechnen können **2.** *von Haus, Telefonanschluss, Fax usw.*: Nummer; **have someone's number** *umg.*, *übertragen* jemanden durchschaut haben; **be number one** *übertragen* die Nummer Eins sein **3.** (≈ *Menge*) Zahl, Anzahl; **a number of people** eine (ganze) Anzahl von Menschen; **a great number of people** eine Menge Leute; **five in number** fünf an der Zahl; **I've asked you a number of times to** ... ich habe dich x-mal *oder* zigmal gebeten, ...; **in large numbers** in großen Mengen, in großer Zahl **4.** *einer Zeitschrift*: Nummer, Ausgabe **5.** *Teil einer Aufführung*: Nummer, Stück

number² [ˈnʌmbə] **1.** nummerieren (*Seiten, Sitzplätze usw.*) **2.** **his days are numbered** seine Tage sind gezählt

numberplate [ˈnʌmbəpleɪt] *BE; am Auto*: Nummernschild

numeral [ˈnjuːmrəl] (≈ *Zahl*) Ziffer; **in**

N

Roman numerals in römischen Ziffern
numerical [njuːˈmerɪkl] **1.** *Code usw.*: numerisch **2.** *Überlegenheit usw.*: zahlenmäßig
numerous [ˈnjuːmərəs] zahlreich
nun [nʌn] Nonne
nurse[1] [nɜːs] Krankenschwester; *male nurse* Krankenpfleger
nurse[2] [nɜːs] **1.** pflegen (*Kranke*); *nurse someone back to health* jemanden gesund pflegen **2.** auskurieren (*Krankheit*) **3.** stillen, die Brust geben (*Baby*)
nursery [ˈnɜːsrɪ] **1.** *für Kinder*: Tagesstätte **2.** *für Pflanzen*: Baumschule
nursery rhyme [ˈnɜːsrɪ ˌraɪm] Kinderreim
nursery school [ˈnɜːsrɪ ˌskuːl] Kindergarten; *nursery school teacher* Kindergärtner(in), Erzieher(in)
nursing home [ˈnɜːsɪŋ ˌhəʊm] **1.** *mst. privates* Pflegeheim **2.** *bes. BE* Privatklinik

nut [nʌt] **1.** *Frucht*: Nuss; *a hard oder tough nut to crack übertragen* eine harte Nuss **2.** *Werkzeug*: Schraubenmutter **3.** *umg.* (≈ *Kopf*) Birne; *you must be off your nut* du spinnst doch **4.** *nuts Pl. vulgär* (≈ *Hoden*) Eier; ☞ *nuts*
nutcase [ˈnʌtkeɪs] *umg.* Spinner(in)
nutcracker [ˈnʌtˌkrækə] Nussknacker
nutmeg [ˈnʌtmeg] Muskatnuss
nutrition [njuːˈtrɪʃn] Ernährung
nutritious [njuːˈtrɪʃəs] nahrhaft
nuts [nʌts] *be nuts umg.* spinnen; *you're driving me nuts umg.* du machst mich noch wahnsinnig; *be nuts about oder on umg.* verrückt sein nach, wild *oder* scharf sein auf
nutter [ˈnʌtə] *umg.* Spinner(in)
nutty [ˈnʌtɪ] *umg.* verrückt (*auch Idee usw.*): *be nutty* spinnen; *be nutty about oder on* verrückt sein nach, wild *oder* scharf sein auf

O

O [əʊ] *Pl.*: *O's Ziffer*: Null; *call three, double O, five* rufen Sie 3005 an
oaf [əʊf] Tölpel, Trampel
oafish [ˈəʊfɪʃ] ungeschickt, tölpelhaft
oak [əʊk] *Baum*: Eiche; *Holz*: Eiche, Eichenholz
OAP [ˌəʊeɪˈpiː] (*Abk. für* **o**ld **a**ge **p**ensioner) *BE* Rentner(in), Senior(in)
oar [ɔː] **1.** *in Ruderboot*: Ruder **2.** *put oder stick one's oar in umg.* sich einmischen, seinen Senf dazugeben
oarsman [ˈɔːzmən] *Pl.*: *oarsmen* [ˈɔːzmən] *Sport* Ruderer
oarswoman [ˈɔːzˌwʊmən] *Pl.*: *oarswomen* [ˈɔːzˌwɪmɪn] *Sport* Ruderin
oasis [əʊˈeɪsɪs] *Pl.*: *oases* [əʊˈeɪsiːz] Oase (*auch übertragen*)
oath [əʊθ] *Pl.*: *oaths* [△ əʊðz] Eid, Schwur; *oath of office* Amtseid, Diensteid; *be on oder under oath* unter Eid stehen; *swear oder take an oath* einen Eid leisten *oder* ablegen, schwören (*on, to* auf)
oatmeal [ˈəʊtmiːl] **1.** *bes. BE* Haferflocken **2.** *AE* Porridge, Haferbrei
oats [əʊts] *Pl. Getreideart*: Hafer; *he's feeling his oats umg.* ihn sticht der Hafer; *be off one's oats umg.* keinen Appetit haben

obedience [əˈbiːdɪəns] Gehorsam (*to* gegenüber)
obedient [əˈbiːdɪənt] gehorsam (*to*; *dt. Dativ*), folgsam; *be obedient to someone* jemandem folgen, jemandem gehorsam sein
obelisk [ˈɒbəlɪsk] Obelisk
obese [əʊˈbiːs] fettleibig
obesity [əʊˈbiːsətɪ] Fettleibigkeit
obey [əˈbeɪ] **1.** gehorchen, folgen (*Person*) **2.** befolgen (*Befehl usw.*)
obituary [əˈbɪtʃʊərɪ] **1.** Nachruf **2.** *auch obituary notice* Todesanzeige; *the obituaries page* Todesanzeigen
object[1] [əbˈdʒekt] **1.** dagegen sein, etwas dagegen haben; *if you don't object* wenn du nichts dagegen hast; *do you object to my smoking?* haben Sie etwas dagegen, wenn ich rauche? **2.** *vor Gericht usw.*: Einspruch erheben (*to* gegen)
object[2] [ˈɒbdʒɪkt] **1.** Objekt, Gegenstand (*auch übertragen des Mitleids usw.*); *money's no object* Geld spielt keine Rolle **2.** *von Handlung, Vorhaben*: Ziel, Zweck, Absicht; *that's the object of the exercise übertragen* das ist der Zweck der Übung **3.** *Sprache*: Objekt
objection [əbˈdʒekʃn] Einspruch (*auch vor Gericht*), Einwand (*to* gegen); *if you*

have no objections wenn du nichts dagegen hast; ***raise an objection*** einen Einwand erheben

objective¹ [əb'dʒektɪv] **1.** (≈ *unparteiisch*) objektiv, sachlich **2.** (≈ *real*) objektiv, tatsächlich

objective² [əb'dʒektɪv] *von Handeln, Lernen usw.*: Ziel; ***our main objective is ...*** unser Hauptziel ist ...; ***reach one's objective*** sein Ziel erreichen

objectivity [ˌɒbdʒek'tɪvɪtɪ] Objektivität

objector [əb'dʒektə] Gegner(in) (**to**; *dt. Genitiv*)

obligation [ˌɒblɪ'geɪʃn] *moralisch, rechtlich*: Verpflichtung; ***without obligation*** unverbindlich; ***be under an obligation to do something*** verpflichtet sein, etwas zu tun

obligatory [ə'blɪgətərɪ] verbindlich, obligatorisch; ***attendance is obligatory*** Anwesenheit ist Pflicht

oblige [ə'blaɪdʒ] *förmlich* **1.** nötigen, zwingen; ***be obliged to do something*** *auch*: etwas tun müssen **2.** *übertragen* verpflichten; ***feel obliged to do something*** sich verpflichtet fühlen, etwas zu tun; ***(I'm) much obliged (to you)*** ich bin Ihnen sehr zu Dank verpflichtet, besten Dank

oblivion [ə'blɪvɪən] ***fall** oder **sink into oblivion*** in Vergessenheit geraten

oblong¹ ['ɒblɒŋ] *Gegenstand, Form*: rechteckig, *AE auch* länglich

oblong² ['ɒblɒŋ] Rechteck

obnoxious [əb'nɒkʃəs] *Person, Verhalten, Geruch usw.*: widerwärtig, widerlich

OBO (*Abk. for* **or** *best* **o**ffer) *AE in Inseraten*: Verhandlungsbasis (*Abk.: VB*)

oboe ['əubəu] *Musik*: Oboe

obscene [əb'siːn] *Worte, Gesten usw.*: obszön, unanständig, unzüchtig

obscenity [△ əb'senɪtɪ] Obszönität (*auch Wort, Geste usw.*)

obscure [əb'skjuə] **1.** *Text, Bedeutung usw.*: dunkel, unklar **2.** *Motive usw.*: undurchsichtig; ***for some obscure reason*** aus einem unerfindlichen Grund **3.** *Gefühl*: unbestimmt, undeutlich **4.** *Ort, Dichter, usw.*: obskur, unbekannt, unbedeutend

observable [əb'zɜːvəbl] (≈ *klar zu sehen*) erkennbar, merklich

observation [ˌɒbzə'veɪʃn] **1.** Beobachtung, Überwachung; ***be under observation*** *durch Polizei, Arzt*: unter Beobachtung stehen; ***keep someone under observation*** jemanden beobachten **2.** ***power of observation*** Beobachtungsgabe **3.** (≈ *Äußerung*) Bemerkung (**on** über)

observatory [əb'zɜːvətrɪ] Observatorium

observe [əb'zɜːv] **1.** beobachten, überwachen; ***he was observed entering the house*** er wurde beim Betreten des Hauses beobachtet **2.** beachten, befolgen (*Vorschrift usw.*) **3.** feiern, begehen (*Weihnachten, Ostern usw.*)

observer [əb'zɜːvə] Beobachter(in)

obsess [əb'ses] ***be obsessed with*** besessen sein von (*Idee usw.*)

obsession [əb'seʃn] **1.** Besessenheit; ***have an obsession with*** besessen sein von (*Idee usw.*) **2.** *umg.* fixe Idee

obsolescent [ˌɒbsə'lesnt] veraltend; ***be obsolescent*** (anfangen zu) veralten

obsolete ['ɒbsəliːt] veraltet

obstacle ['ɒbstəkl] Hindernis (**to** für) (*auch übertragen*); ***be an obstacle to something*** etwas behindern, einer Sache im Weg stehen; ***he keeps putting obstacles in my way*** ständig legt er mir Steine in den Weg

obstacle race ['ɒbstəkl͜ reɪs] *Sport*: Hindernisrennen

obstinacy ['ɒbstɪnəsɪ] Hartnäckigkeit (*auch übertragen: von Krankheit, Widerstand usw.*), Halsstarrigkeit, Starrsinn, Sturheit

obstinate ['ɒbstɪnət] hartnäckig (*auch übertragen: von Flecken usw.*), halsstarrig, stur

obstruct [əb'strʌkt] **1.** blockieren, versperren (*Straße usw.*); ***you're obstructing my view*** du versperrst mir die Sicht **2.** *übertragen* behindern, aufhalten (*Fortschritt, Pläne usw.*)

obstruction [əb'strʌkʃn] **1.** *von Straße usw.*: Blockierung, Versperrung **2.** *von Plänen usw.*: Behinderung

obstructionism [əb'strʌkʃənɪzm] Obstruktionspolitik

obstructive [əb'strʌktɪv] obstruktiv, behindernd; ***be obstructive*** *Person*: sich querlegen

obtain [əb'teɪn] **1.** erhalten, sich verschaffen (*Informationen, Wissen usw.*) **2.** erzielen (*Resultat, Gewinn usw.*)

obtainable [əb'teɪnəbl] erhältlich; ***no longer obtainable*** nicht mehr lieferbar

obtrusive [əb'truːsɪv] aufdringlich

obtuse [əb'tjuːs] **1.** *Mathematik*: stumpf (*Winkel*) **2.** *Person*: begriffsstutzig, beschränkt

obvious ['ɒbvɪəs] **1.** *Vorteil, Grund usw.*: offensichtlich, klar, einleuchtend; ***it's very obvious that ...*** es liegt klar auf der Hand, dass ... **2.** ***he was obviously drunk*** er war offensichtlich betrunken

occasion [ə'keɪʒn] **1.** (≈ *bestimmter Zeitpunkt*) Gelegenheit, Anlass; ***we've met on several occasions*** wir kennen uns von verschiedenen Anlässen her **2.** *günstiger Moment*: Gelegenheit; **on this occasion** bei dieser Gelegenheit; **on the occasion of** anlässlich (+ *Genitiv*) **3.** festliches Ereignis; **to celebrate the occasion** zur Feier des Tages

occasional [ə'keɪʒnəl] **1.** gelegentlich; **he smokes an occasional cigarette** er raucht gelegentlich *oder* hin und wieder eine Zigarette **2.** *Regenschauer usw.*: vereinzelt

occasionally [ə'keɪʒnəlɪ] gelegentlich, hin und wieder

occidental [ˌɒksɪ'dentl] abendländisch, westlich

occult [ə'kʌlt] magisch, geheimnisvoll; **occult powers** magische Kräfte

occupant ['ɒkjʊpənt] **1.** *von Zimmer, Haus usw.*: Bewohner(in); **the occupants of the house** die Hausbewohner **2.** *eines Autos usw.*: Insasse, Insassin

occupation [ˌɒkjʊ'peɪʃn] **1.** Beschäftigung, Beruf; **what's your occupation?** was sind Sie von Beruf?; **by occupation** von Beruf **2.** *bes. als Hobby*: Beschäftigung **3.** *militärisch*: Besetzung (*eines Landes*)

occupational [ˌɒkjʊ'peɪʃnəl] **1.** Berufs...; **occupational hazard** Berufsrisiko **2.** Beschäftigungs...; **occupational therapy** Beschäftigungstherapie

occupier ['ɒkjʊpaɪə] *von Zimmer, Haus usw.*: Bewohner(in)

occupy ['ɒkjʊpaɪ] **1.** wohnen in (*in Zimmer, Haus usw.*); **be occupied** bewohnt sein **2.** *militärisch*: besetzen **3.** einnehmen (*Raum*); **be occupied** Stuhl, Sitz: besetzt sein **4.** in Anspruch nehmen (*Zeit*) **5.** bekleiden, innehaben (*Position, Amt*) **6.** beschäftigen; **occupy oneself with something** sich mit etwas beschäftigen

occur [ə'kɜː], **occurred, occurred 1.** (*Vorfall, Unfall usw.*) sich ereignen, vorkommen **2.** (*Problem usw.*) sich ergeben

> **occur to** [ə'kɜː ˌtə] einfallen, in den Sinn kommen; **it occurred to me that** es fiel mir ein *oder* mir kam der Gedanke, dass

occurrence [△ ə'kʌrəns] **1.** *einzelne Begebenheit*: Ereignis, Vorfall, Vorkommnis; **be an everyday occurrence** etwas Alltägliches sein **2.** *allgemein*: Vorkommen (*von Tieren, Bodenschätzen, Unwettern usw.*)

ocean ['əʊʃən] **1.** Ozean, Meer; **ocean climate** Meeresklima, Seeklima; **ocean liner** Ozeandampfer **2.** **oceans of** *umg.*

eine Unmenge von

oceangoing ['əʊʃən,gəʊɪŋ] *Schiff*: hochseetüchtig

o'clock [ə'klɒk] **five o'clock** fünf Uhr

ocher ['əʊkə] *AE* ☞ *BE* **ochre¹, ochre²**

ochre¹ ['əʊkə] Ocker

ochre² ['əʊkə] ockerfarben

octagon ['ɒktəgən] Achteck

octagonal [ɒk'tægənl] achteckig

octane ['ɒkteɪn] *Chemie*: Oktan; **octane number** von Benzin: Oktanzahl

octave [△ 'ɒktɪv] *Musik*: Oktave

October [ɒk'təʊbə] Oktober; **in October** im Oktober

octopus ['ɒktəpəs] *Pl.* **octopuses** ['ɒktəpəsɪz] Krake, Tintenfisch

OD¹ [ˌəʊ'diː] (*Abk. für* **overdose**) eine Überdosis nehmen

OD² [ˌəʊ'diː] (*Abk. für* **overdose**) Überdosis

odd [ɒd] **1.** *Person, Ereignis usw.*: sonderbar, seltsam, merkwürdig; **the odd thing about it is ...** das Komische an der Sache ist ... **2.** *nach Zahlen*: **50 odd** etwas über 50, einige 50 **3.** **odd number** ungerade Zahl **4.** *Socke, Schuh usw.*: einzeln; **you're wearing odd socks** deine Socken passen nicht zusammen **5.** *nicht regelmäßig*: gelegentlich; **odd jobs** Gelegenheitsarbeiten; **I enjoy the odd musical** das eine oder andere Musical mag ich schon

oddball ['ɒdbɔːl] *bes. AE, umg.* komischer Kauz, Spinner

oddity ['ɒdɪtɪ] **1.** *Eigenschaft*: Eigentümlichkeit **2.** *komische Person*: Sonderling **3.** *komische Sache*: Kuriosität

oddly ['ɒdlɪ] **1.** *sich benehmen*: sonderbar, seltsam **2.** *auch* **oddly enough** seltsamerweise, merkwürdigerweise

odds [ɒdz] *Pl.* **1.** *bei Wetten usw.*: Gewinnchancen *Pl.*; **the odds are 10 to 1** die Chancen stehen 10 zu 1; **the odds are that he will come** *übertragen* er kommt wahrscheinlich; **against all odds** wider Erwarten, entgegen allen Erwartungen **2.** **be at odds with someone** mit jemandem uneins sein; **be at odds with something** zu etwas im Widerspruch stehen **3.** **it makes no odds** *BE* es spielt keine Rolle, es macht keinen Unterschied **4.** **odds and ends** Krimskrams

odds-on [ˌɒdz'ɒn] **1.** *Kandidat usw.*: aussichtsreichste(r, -s) **2.** *Favorit*: hoch, klar **3.** **it's odds-on that he will come** *BE* er kommt höchstwahrscheinlich

odometer [əʊ'dɒmɪtə] *AE*; *von Auto*: Meilenzähler

odour, *AE* **odor** ['əʊdə] **1.** *allg.*: Geruch **2.** *wohlriechend*: Duft **3.** *übelriechend*:

Gestank

odyssey [ˈɒdəsɪ] Odyssee

Oedipus complex [ˈiːdɪpəs͵kɒmpleks] *Psychologie*: Ödipuskomplex

of [ɒv, əv] **1.** *besitzanzeigend*: von (*oder Genitiv*); *the handle of the gun* der Griff des Revolvers; *auch*: *the works of Shakespeare* die Werke Shakespeares; *a friend of mine* ein Freund von mir **2.** *mit Ortsbezeichnung*: bei, von, aus; *the Battle of Hastings* die Schlacht von *oder* bei Hastings; *south of London* südlich von London; *Mr X of London* Mr X aus London **3.** *mit Eigenschaft*: von, mit; *a woman of courage* eine mutige Frau, eine Frau mit Mut; *it was clever of him* es war klug von ihm **4.** *mit Materialangabe*: aus, von; *a dress made of silk* ein Kleid aus Seide, ein Seidenkleid; *made of steel* aus Stahl **5.** *mit Ursache, Grund*: *he died of Aids* er starb an Aids; *I'm proud of you* ich bin stolz auf dich; *she's afraid of the dark* sie fürchtet sich vor der Dunkelheit; *it smells of fish* es riecht nach Fisch **6.** *bei Erwähnung von Thema, Person*: an; *just think of X* denk nur an X; *I can't think of his name* mir fällt sein Name nicht ein **7.** *oft unübersetzt*: *the city of London* die Stadt London; *the month of April* der Monat April; *a glass of wine* ein Glas Wein; *a piece of meat* ein Stück Fleisch **8.** *mit Zeitangabe*: *your fax of May 3rd* Ihr Fax vom 3. Mai

of course [əˈkɔːs] natürlich, selbstverständlich

off [ɒf] **1.** *räumlich*: fort, weg; *I got on my motorbike and rode off* ich stieg auf mein Motorrad und fuhr weg; *I must be off* ich muss gehen *oder* weg; *where are you off to?* wo solls denn hingehen?; *off with you!* fort mit dir!; *off we go!* los!, auf gehts!; *three miles off* drei Meilen entfernt; *two miles off the coast* zwei Meilen vor der Küste; *keep off the grass!* Betreten des Rasens verboten!; *get off the bus* aus dem Bus aussteigen **2.** *bei Gerät usw.*: aus, ausgeschaltet, abgeschaltet; *please switch the radio off* bitte schalte das Radio aus; *all the lights were off* alle Lichter waren aus **3.** *am Arbeitsplatz*: *she's off today* sie hat heute ihren freien Tag; *give someone the afternoon off* jemandem den Nachmittag freigeben; *take a day off* sich einen Tag freinehmen; *be off duty* dienstfrei haben, nicht im Dienst sein **4.** *Lebensmittel*: nicht mehr frisch, verdorben; *the milk is off* die Milch ist sauer **5.** *well* (*bzw.* *badly*) *off* gut (*bzw.* schlecht) dran

oder gestellt **6.** *be off* *Veranstaltung usw.*: ausfallen, nicht stattfinden; *the party's off* die Party fällt aus **7.** *off and on* ab und zu, hin und wieder **8.** *5% off* *von Preis*: 5% Nachlass

offal [ˈɒfl] *von Tieren*: Innereien *Pl.*

offbeat [͵ɒfˈbiːt] *umg.* ausgefallen, unkonventionell

off-colour, *AE* **off-color** [͵ɒfˈkʌlə] **1.** *be oder feel off-colour* sich nicht wohlfühlen **2.** *Witz usw.*: gewagt

offence, *AE* **offense** [əˈfens] **1.** *illegales Handeln*: Vergehen, Verstoß (*against* gegen) **2.** (≈ *Verbrechen*) Straftat **3.** (≈ *Affront*) Beleidigung, Kränkung; *give oder cause offence* Anstoß *oder* Ärgernis erregen (*to* bei); *take offence* Anstoß nehmen (*at* an); *be quick to take offence* schnell beleidigt sein; *'No offence, but ...'* „Nichts für ungut, aber ..." **4.** *Sport*: Angriff

offend [əˈfend] beleidigen, kränken; *be offended at oder by* sich beleidigt fühlen durch

offender [əˈfendə] **1.** Straftäter(in); *first offender* *Recht*: nicht Vorbestrafte(r), Ersttäter(in) **2.** *von Umweltschäden*: Verursacher

offense [ˈɒfəns] *AE Sport*: Angriff (*auch Mannschaftsteil*)

offensive¹ [əˈfensɪv] **1.** *Bemerkung, Handeln usw.*: beleidigend, anstößig; *get offensive* ausfallend werden **2.** *Militär, Sport*: Angriffs..., Offensiv...

offensive² [əˈfensɪv] *allg.*: Offensive; *take the offensive* die Offensive ergreifen

offer¹ [ˈɒfə] **1.** *allg.*: anbieten; *offer something for sale* etwas zum Verkauf anbieten **2.** bieten (*Preis, Summe usw.*) **3.** *offer to help someone* jemandem seine Hilfe anbieten, sich bereit erklären, jemandem zu helfen **4.** *the town has a lot to offer* die Stadt hat eine Menge zu bieten

offer² [ˈɒfə] **1.** Angebot; *his offer of help* sein Angebot zu helfen, seine angebotene Hilfe; *make someone an offer* jemandem ein Angebot machen; *turn down oder decline an offer* ein Angebot ablehnen; *accept an offer* ein Angebot annehmen **2.** *Wirtschaft*: Angebot, Offerte (*of* über); *on offer* zum Verkauf zu haben, im Angebot; *or nearest offer* (*Abk.* **o.n.o.**) Verhandlungsbasis

offhand [͵ɒfˈhænd] *sich erinnern usw.*: auf Anhieb, so ohne Weiteres

office [ˈɒfɪs] **1.** Büro; *at the office* im Büro; *go to the office* ins Büro gehen **2.** *mst.* **Office** *bes. BE* Ministerium; *Home Office* Innenministerium **3.** Amt, Posten;

be in office *Person*: im Amt sein, *Partei*: an der Regierung sein; **be out of office** *Person*: nicht mehr im Amt sein, *Partei*: nicht mehr an der Regierung sein

office block ['ɒfɪs‿blɒk] Bürogebäude

office boy ['ɒfɪs‿bɔɪ] Bürogehilfe

office building ['ɒfɪs‿bɪldɪŋ] *AE* Bürogebäude

office girl ['ɒfɪs‿gɜːl] Bürogehilfin

office hours ['ɒfɪs‿aʊəz] *Pl.* Dienstzeit, Öffnungszeiten

officer ['ɒfɪsə] 1. *beim Militär*: Offizier 2. *bei Polizei usw.*: Beamte, Beamtin

official[1] [ə'fɪʃl] offiziell, amtlich, dienstlich; **official language** Amtssprache; **official secret** Amtsgeheimnis, Dienstgeheimnis

official[2] [ə'fɪʃl] 1. *von Behörde*: Beamte, Beamtin 2. *von Verein, Gewerkschaft usw.*: Funktionär(in)

officialese [ə,fɪʃə'liːz] *umg.* Amtssprache, Behördensprache

off-licence ['ɒf,laɪsns] *BE* Wein- und Spirituosenhandlung

offline ['ɒflaɪn] *Computer*: offline; **work offline** offline arbeiten

off-peak ['ɒfpiːk] 1. **off-peak electricity** Nachtstrom; **during off-peak hours** außerhalb der Stoßzeiten; **off-peak season** Nebensaison

off-putting ['ɒf,pʊtɪŋ] *BE*, *umg.* abstoßend (*Person*, *Verhalten*)

off-roader ['ɒf,rəʊdə] *Auto*: Geländefahrzeug

off-season [,ɒf'siːzn] *Tourismus*: Nebensaison

offset[1] ['ɒfset] 1. Ausgleich; **as an offset to** als Ausgleich für 2. *Buchdruck*: Offsetdruck 3. *von Pflanze*: Ableger

offset[2] [,ɒf'set] **offset, offset; -ing-Form offsetting** *finanziell usw.*: ausgleichen, wettmachen

offshoot ['ɒfʃuːt] *von Pflanze*: Ableger (*auch übertragen*)

offshore ['ɒf,ʃɔː] 1. *ankern, segeln usw.*: vor der Küste 2. küstennah; **offshore fishing** Küstenfischerei

offside [,ɒf'saɪd] *Sport*: abseits; **be offside** abseits *oder* im Abseits stehen; **offside trap** Abseitsfalle

offspring ['ɒfsprɪŋ] 1. Sprössling, Kind 2. *Pl.* **offspring** Nachkommen *Pl.* Nachwuchs

off-the-peg [,ɒfðə'peg], *AE* **off-the-rack** [,ɒfðə'ræk] *Kleidung*: von der Stange

off-the-record [,ɒfðə'rekɔːd] nicht für die Öffentlichkeit bestimmt, inoffiziell, vertraulich

often ['ɒfn] oft, häufig; **not often** nicht oft, selten; **as often as not** *oder* **more**

often than not meistens; **every so often** öfters, von Zeit zu Zeit; **all** *oder* **only too often** nur zu oft

ogle ['əʊgl] 1. *jemandem* (schöne) Augen machen 2. *aufdringlich*: begaffen, anstarren

oh [əʊ] ach; **oh dear** oje

oick, oik [ɔɪk] *BE*; *abwertend* Proll, Prolo

oil[1] [ɔɪl] 1. Öl; **pour oil on troubled waters** *übertragen* die Wogen glätten 2. Erdöl; **strike oil** auf Öl stoßen, *übertragen* Glück haben 3. **oils** *Pl.* Ölfarben; **paint in oils** in Öl malen

oil[2] [ɔɪl] ölen, schmieren; **oil the wheels** *übertragen* für einen reibungslosen Ablauf sorgen

oil change ['ɔɪl‿tʃeɪndʒ] *Auto*: Ölwechsel; **do an oil change** einen Ölwechsel machen

oil-contaminated ['ɔɪl‿kən,tæmɪneɪtɪd] ölverseucht

oil paint ['ɔɪlpeɪnt] Ölfarbe

oil painting ['ɔɪl,peɪntɪŋ] 1. *Technik*: Ölmalerei 2. *Bild*: Ölgemälde; **he's no oil painting** *umg.* er ist nicht gerade der Schönste

oil pollution ['ɔɪl,pə'luːʃn] Ölpest

oil-producing country ['ɔɪlprə,djuːsɪŋ‿'kʌntrɪ] Ölförderland

oil rig ['ɔɪl‿rɪg] Ölbohrinsel

oil slick ['ɔɪl‿slɪk] *auf Wasseroberfläche*: Ölteppich

oil well ['ɔɪl‿wel] Ölquelle

oily ['ɔɪlɪ] 1. ölig, ölverschmiert 2. *Haare, Haut*: fettig 3. *übertragen* schleimig, aalglatt

ointment ['ɔɪntmənt] Salbe

OK[1], **okay**[1] [,əʊ'keɪ] *umg.* okay, o.k., in Ordnung; **that's okay with me** von mir aus, nichts dagegen

OK[2], **okay**[2] [,əʊ'keɪ] Okay, O.K., Genehmigung, Zustimmung; **he gave his OK** er gab sein O.K.

OK[3], **okay**[3] [,əʊ'keɪ] *Plan, Vorschlag usw.*: genehmigen, billigen

old [əʊld] 1. *allg.*: alt; **grow old** alt werden, altern; **I'm getting old!** ich werde alt!; **ten years old** zehn Jahre alt; **a ten-year-old boy** ein zehnjähriger Junge; **be old hat** *umg.* ein alter Hut sein; **old people's home** Altenheim, Altersheim; **the Old Testament** das Alte Testament; **the Old World** die Alte Welt (≈ *Europa*) 2. *übertragen* **an old friend of mine** ein alter Freund von mir; **my old girlfriend** meine ehemalige Freundin; **my old lady** *umg.* meine Alte (*Frau, Freundin oder Mutter*); **my old man** *umg.* mein Alter (*Mann, Freund oder Vater*) 3. *in Wendungen*: **I can use any old thing** *umg.* ich

O

hab für alles Verwendung; **come any old time** *umg.* komm, wann es dir gerade passt

old age [ˌəʊldˈeɪdʒ] Alter; **in one's old age** im Alter; **old age pension** *BE* Rente, Pension; **old age pensioner** *BE* Rentner(in), Pensionär(in)

old-fashioned [ˌəʊldˈfæʃnd] altmodisch

old-timer [ˌəʊldˈtaɪmə] *umg.*, *übertragen* alter Hase (△ *Oldtimer* = **vintage car**, *oder wenn das Auto vor 1905 gebaut wurde* = **veteran car**)

O level [ˈəʊˌlevl] *früher in GB, etwa*: mittlere Reife

olive¹ [ˈɒlɪv] **1.** *auch* **olive tree** Olivenbaum, Ölbaum **2.** *Frucht*: Olive

olive² [ˈɒlɪv] olivgrün

olive oil [ˌɒlɪvˈɔɪl] Olivenöl

Olympic [əˈlɪmpɪk] olympisch; **Olympic champion** Olympiasieger(in); **Olympic Games** Olympische Spiele

Olympics [əˈlɪmpɪks] *Pl.* Olympische Spiele; **Summer** (*bzw.* **Winter**) **Olympics** Olympische Sommerspiele (*bzw.* Winterspiele)

omelette, *AE* **omelet** [ˈɒmlɪt] *Eierspeise*: Omelett

omen [ˈəʊmen] Omen, Vorzeichen

ominous [ˈɒmɪnəs] ominös, unheilvoll; **that's ominous** das lässt nichts Gutes ahnen

omission [əˈmɪʃn] **1.** *von Wort*: Auslassung, Weglassung **2.** *von Aktion*: Unterlassung, Versäumnis; **sin of omission** Unterlassungssünde

omit [əʊˈmɪt] *auf Liste, in Aufzählung usw.*: weglassen, auslassen

on¹ [ɒn] **1.** *räumlich*: auf; **it's on the table** es ist auf dem Tisch; **put it on the floor** stell es auf den Boden **2.** *festgemacht*: an; **the picture on the wall** das Bild an der Wand; **the dog's on the chain** der Hund ist an der Leine **3.** *geographisch*: an; **a small town on the Thames** eine kleine Stadt an der Themse **4.** *Richtung, Ziel*: auf … (hin), an; **drop something on the floor** etwas zu Boden fallen lassen; **hang something on a peg** etwas an einen Haken hängen **5.** *am Körper*: **find something on someone** etwas bei jemandem finden; **have you got any money on you?** hast du Geld bei dir? **6.** **be on a committee** zu einem Ausschuss gehören, in einem Ausschuss sitzen; **be on duty** Dienst haben, im Dienst sein **7.** **the joke was on me** der Spaß ging auf meine Kosten; **the next round's on me** *umg.* die nächste Runde geht auf meine Rechnung **8.** *mit Thema*: über; **a talk on Brecht** ein Vortrag über Brecht **9.** *mit*

Zeitpunkt: an; **on June 6th** am 6. Juni; **on the morning of July 21st** am Morgen des 21. Juli **10.** **be on the pill** die Pille nehmen **11.** *weiter*; **and so on** und so weiter; **on and on** immer weiter; **on and off** ab und zu, hin und wieder; **from that day on** von dem Tage an

on² [ɒn] **1.** **be on** (*Licht, Radio usw.*) an sein **2.** **be on** im Fernsehen usw.: laufen **3.** **that's** (**just**) **not on** *umg.* das ist einfach nicht drin

once [wʌns] **1.** *zahlenmäßig*: einmal; **I've only seen him once** ich habe ihn nur einmal gesehen; **not once** kein einziges Mal; **once again** *oder* **once more** noch einmal; **once or twice** ein paar Mal; **once in a while** ab und zu, hin und wieder; **once and for all** ein für alle Mal **2.** *vergangen*: einmal, einst; **once upon a time there was …** *in Märchen*: es war einmal … **3.** **just this once** nur dieses eine Mal **4.** **they all talked at once** sie sprachen alle auf einmal *oder* gleichzeitig **5.** **please do it at once** bitte erledige es sofort

oncoming [ˈɒnˌkʌmɪŋ] **oncoming traffic** Gegenverkehr

one¹ [wʌn] **1.** *Zahl*: eins, ein, eine; **one hundred** einhundert **2.** *betont*: einzig; **his one thought** sein einziger Gedanke; **my one and only hope** meine einzige Hoffnung **3.** *unbestimmt*: **one day** eines Tages, **one day next year** irgendwann nächstes Jahr **4.** *auf Person bezogen*: **one John Smith** ein gewisser John Smith; **the one who** derjenige, welcher; **help one another** sich gegenseitig *oder* einander helfen **5.** *mst. unübersetzt*: **the little ones** die Kleinen; **a red pencil and a blue one** ein roter Bleistift und ein blauer; **which one?** welche(r, -s)?; **this one** diese(r, -s) **6.** *unpersönlich*: man; **one might assume …** man könnte meinen, …; **break one's leg** sich das Bein brechen

one² [wʌn] **1.** Eins, eins; **at one** um eins; **be number one** die Nummer Eins sein **2.** **one by one** *oder* **one after the other** einer nach dem andern; **I for one** ich zum Beispiel

one-armed [ˌwʌnˈɑːmd] einarmig; **one-armed bandit** *umg.*, *Glücksspielautomat*: einarmiger Bandit

one-day [ˌwʌnˈdeɪ] *Kurs usw.*: eintägig

one-horse [ˌwʌnˈhɔːs] **1.** *Kutsche*: einspännig **2.** *umg.*: **one-horse town** Kaff, Kuhdorf

one-man [ˈwʌnmæn] Einmann…; **one-man band** Einmannkapelle; **one-man show** One-Man-Show

one-night stand [ˌwʌnnaɪtˈstænd] **1.** *Theater usw.*: einmaliges Gastspiel **2.** (≈ *sexuelles Abenteuer nur für eine Nacht*) One-Night-Stand

one-parent family [ˈwʌnˌpeərəntˈfæməlɪ] Einelternteilfamilie

onerous [ˈəʊnərəs] *Aufgabe, Pflicht*: lästig, beschwerlich

oneself [wʌnˈself] sich, sich selbst; **all by oneself** ganz allein; **cut oneself** sich schneiden

one-sided [ˌwʌnˈsaɪdɪd] einseitig (*auch übertragen*)

onetime [ˈwʌntaɪm] *Champion usw.*: ehemalige(r, -s), frühere(r, -s)

one-track [ˈwʌntræk] *Eisenbahn*: eingleisig; **have a one-track mind** *übertragen* immer nur das eine im Kopf haben

one-two [ˌwʌnˈtuː] **1.** *beim Fußball usw.*: Doppelpass **2.** *beim Boxen*: Rechts-links--Kombination

one-way [ˈwʌnweɪ] **1.** Einbahn…; **one--way street** Einbahnstraße **2.** **one-way ticket** *bes. AE* einfache Fahrkarte, *bei Flug*: einfaches Ticket **3.** *übertragen* einseitig (*Beziehung, Sympathien usw.*)

ongoing [ˈɒnˌgəʊɪŋ] *Suche, Verhandlungen usw.*: andauernd, laufend, im Gang befindlich

onion [△ ˈʌnjən] Zwiebel; **know one's onions** *BE, umg.* sein Geschäft verstehen

online [ˈɒnlaɪn] *Computer*: online, Online…; **put the modem online** das Modem auf Onlinebetrieb schalten; **work online** online arbeiten

onlooker [ˈɒnˌlʊkə] *bei Unfall usw.*: Zuschauer(in)

only[1] [ˈəʊnlɪ] **1.** *allg.*: nur, bloß; **it was only a joke** es war nur ein Scherz; **not only … but also …** nicht nur …, sondern auch …; **I only hope that …** ich hoffe nur, dass … **2.** *zeitlich*: erst; **only yesterday** erst gestern; **only just** eben erst, gerade

only[2] [ˈəʊnlɪ] **1.** einzig; **the only person who can do it** der *oder* die Einzige, der *oder* die das tun kann **2.** **I would love to come, the only thing is …** ich würde gerne kommen, es ist nur …

o.n.o. (*Abk. for* **o**r **n**earest **o**ffer) *BE in Inseraten*: Verhandlungsbasis (*Abk.*: VB)

onrush [ˈɒnrʌʃ] Ansturm

onset [ˈɒnset] **1.** *des Winters*: Einbruch, Beginn **2.** *einer Krankheit*: Ausbruch

onside [ˌɒnˈsaɪd] *Sport*: nicht im Abseits

onslaught [ˈɒnslɔːt] (heftiger) Angriff, Attacke (*auch übertragen*)

on-the-job [ˌɒnðəˈdʒɒb] *Ausbildung*: praktisch; **on-the-job training** innerbetriebliche Ausbildung

onto [ˈɒntʊ; *vor Konsonanten* ˈɒntə] **1.** *auf die Frage „wohin"*: auf, an; **I've sewn the button back onto the shirt** ich habe den Knopf wieder ans Hemd genäht **2.** **be onto someone** *umg.* jemandem auf die Schliche gekommen sein

onwards [ˈɒnwədz] *Bewegung*: vorwärts, weiter; **from today onwards** von heute an

oops [ʊps] *überrascht*: oh, hoppla

ooze [uːz] **1.** (*Flüssigkeit*) durchsickern; **ooze out** aussickern **2.** **ooze out** (*Luft, Gas*) entweichen **3.** *übertragen* ausstrahlen (*Charme*) **4.** *übertragen* verströmen (*Optimismus, gute Laune*)

opaque [əʊˈpeɪk] **1.** undurchsichtig **2.** *übertragen* unverständlich

open[1] [ˈəʊpən] **1.** *allg.*: offen (*Buch, Fenster, Flasche usw.*); **the door's open** die Tür ist *oder* steht offen; **hold the door open for someone** jemandem die Tür aufhalten; **keep one's eyes open** *übertragen* die Augen offenhalten; **with open arms** mit offenen Armen **2.** *Gelände, Meer usw.*: offen; **in the open air** im Freien **3.** *Geschäft usw.*: geöffnet, offen **4.** *übertragen* offen, öffentlich; **open letter** offener Brief; **be open to the public** *Museum, Kirche usw.*: für die Öffentlichkeit zugänglich; **open day** (*AE* **open house**) Tag der offenen Tür; **Open University** *BE; etwa*: Fernuniversität **5.** *Person*: zugänglich, aufgeschlossen (**to** für *oder Dativ*) **6.** *Frage, Problem usw.*: offen, unentschieden **7.** (≈ *ehrlich*) offen, freimütig; **be open with someone** offen mit jemandem reden **8.** (≈ *sichtbar*) offen, offenkundig; **an open secret** ein offenes Geheimnis **9.** **open cheque** *BE* Barscheck **10.** **open** (*AE* **open-faced**) **sandwich** belegtes Brot

open[2] [əʊpən] **1.** *allg.*: öffnen, aufmachen (*auch EDV: Datei, Ordner, Fenster*) **2.** öffnen, aufschlagen (*Buch, Heft usw.*) **3.** aufmachen, eröffnen (*Debatte, Feuer, Geschäft, Konto usw.*) **4.** (*Tür, Fenster usw.*) sich öffnen, aufgehen

---

open out [ˌəʊpənˈaʊt] **1.** (*Straße, Platz usw.*) sich verbreitern, sich weiten **2.** auseinanderfalten (*Karte, Stadtplan*) **3.** *übertragen* (*Person*) auftauen, aus sich herausgehen

open up [ˌəʊpənˈʌp] **1.** aufmachen, aufschließen (*Tür, Schloss usw.*) **2.** aufmachen, eröffnen (*Lokal, Geschäft usw.*)

---

open[3] [ˈəʊpən] **in the open** im Freien; **bring into the open** *übertragen* an die

Öffentlichkeit bringen

open-air [ˌəʊpən'eə] *open-air festival* Open-Air-Festival; *open-air swimming pool* Freibad; *open-air theatre* Freilichttheater

open-ended [ˌəʊpən'endɪd] zeitlich unbegrenzt; *open-ended discussion* Open--End-Diskussion

opener ['əʊpənə] *für Dosen, Flaschen usw.:* Öffner

opening ['əʊpənɪŋ] 1. *von Höhle, Hohlraum:* Öffnung 2. *auf dem Arbeitsmarkt:* freie Stelle 3. *von Theater, Diskussion, Konto usw.:* Eröffnung; *opening ceremony* Eröffnungszeremonie 4. *opening hours von Geschäft, Bank usw.:* Öffnungszeiten

open-minded [ˌəʊpən'maɪndɪd] aufgeschlossen

opera [△ 'ɒprə] *Musik:* Oper; *go to the opera* in die Oper gehen

operable ['ɒpərəbl] 1. *Plan usw.:* durchführbar 2. *Maschine:* betriebsfähig 3. *Medizin:* operabel, operierbar

opera house [△ 'ɒprə_haʊs] Opernhaus, Oper

operate ['ɒpəreɪt] 1. *(Maschine usw.)* arbeiten, in Betrieb sein 2. bedienen *(Maschine usw.)* 3. betreiben *(Geschäft usw.)* 4. *Medizin:* operieren; *operate on someone* jemanden operieren 5. *militärisch:* operieren

operating ['ɒpəreɪtɪŋ] 1. *operating instructions Pl.* Bedienungsanleitung, Betriebsanleitung 2. *Medizin: operating theatre BE, operating room AE* Operationssaal; *operating table* Operationstisch 3. *Computer: operating system* Betriebssystem

operation [ˌɒpə'reɪʃn] 1. *Medizin:* Operation; *have an operation on one's arm* am Arm operiert werden 2. *von Maschine:* Betrieb, Lauf; *in operation* in Betrieb 3. *militärisch:* Operation, Unternehmen

operator ['ɒpəreɪtə] 1. *Telefon:* Vermittlung 2. *an Maschinen:* Arbeiter(in), Bediener(in) 3. *EDV:* Operator 4. *tour operator* Reiseveranstalter 5. *a clever oder smooth operator umg.* ein raffinierter Kerl

operetta [ˌɒpə'retə] *Musik:* Operette

opinion [ə'pɪnjən] 1. *(≈ Auffassung)* Meinung, Ansicht; *in my opinion* meines Erachtens, meiner Meinung *oder* Ansicht nach; *be of the opinion that …* der Meinung *oder* Ansicht sein, dass …; *that's a matter of opinion* das ist Ansichtssache; *public opinion* die öffentliche Meinung 2. *(≈ persönliche Einschät-*

zung) Meinung; *form an opinion of* sich eine Meinung bilden von; *have a high (bzw. low) opinion of* eine *(bzw.* keine) hohe Meinung haben von

opinion-maker [ə'pɪnjən,meɪkə] Meinungsmacher(in)

opinion poll [ə'pɪnjən_pəʊl] Meinungsumfrage

opinion pollster [ə'pɪnjən,pəʊlstə] Meinungsforscher(in)

opium ['əʊpɪəm] Opium

opponent [ə'pəʊnənt] Gegner(in), Gegenspieler(in) *(beide auch Sport)*

opportune ['ɒpətjuːn] 1. *Zeitpunkt:* günstig, passend; *at an opportune moment oder time* zu einem günstigen Zeitpunkt 2. *Entscheidung, Handlung:* rechtzeitig

opportunism [ˌɒpə'tjuːnɪzm] Opportunismus

opportunist¹ [ˌɒpə'tjuːnɪst] Opportunist(in)

opportunist² [ˌɒpə'tjuːnɪst] opportunistisch

opportunity [ˌɒpə'tjuːnətɪ] Gelegenheit, Möglichkeit, Chance; *at the first oder earliest opportunity* bei der erstbesten Gelegenheit; *equal opportunities Pl.* Chancengleichheit *Sg.*; *take the opportunity* die Gelegenheit nutzen

oppose [ə'pəʊz] sich widersetzen, ablehnen *(Plan, Vorhaben usw.)*

opposed [ə'pəʊzd] *be opposed to a plan* einem Plan ablehnend gegenüberstehen, gegen einen Plan sein

opposing [ə'pəʊzɪŋ] 1. *Teams usw.:* gegnerisch 2. *Ansichten usw.:* entgegengesetzt, gegensätzlich

opposite¹ ['ɒpəzɪt] 1. *Gebäude usw.:* gegenüberliegend; *we live just opposite the station* wir wohnen genau gegenüber dem Bahnhof 2. *Richtung:* entgegengesetzt 3. *übertragen* gegensätzlich, entgegengesetzt; *the opposite sex* das andere Geschlecht

opposite² ['ɒpəzɪt] Gegenteil, Gegensatz; *be completely oder just the opposite* genau das Gegenteil sein *(of* von)

opposition [ˌɒpə'zɪʃn] 1. Widerstand, Opposition *(to* gegen) 2. Gegensatz; *be in opposition to* im Gegensatz stehen zu 3. *oft Opposition im Parlament:* Opposition; *be in opposition* in der Opposition sein

oppress [ə'pres] unterdrücken *(Bevölkerung, Land usw.)*

oppression [ə'preʃn] *von Land usw.:* Unterdrückung

oppressive [ə'presɪv] 1. *Regierung usw.:* totalitär, diktatorisch 2. *Hitze, Steuern:* drückend

oppressor [ə'presə] Unterdrücker(in)

opt [ɒpt] *opt for* (*bzw. against*) *something* sich für (*bzw.* gegen) etwas entscheiden; *opt to do something* sich entscheiden, etwas zu tun

optical ['ɒptɪkl] optisch; *optical illusion* optische Täuschung; *optical character recognition Computer*: optische Zeichenerkennung

optician [ɒp'tɪʃn] Optiker(in)

optimism ['ɒptɪmɪzm] Optimismus

optimist ['ɒptɪmɪst] Optimist(in)

optimistic [,ɒptɪ'mɪstɪk] optimistisch

optimize ['ɒptɪmaɪz] optimieren

optimum[1] ['ɒptɪməm] *Pl.: optima* ['ɒptɪmə] Optimum

optimum[2] ['ɒptɪməm] optimal, bestmöglich; *in optimum condition* im Bestzustand

option ['ɒpʃn] **1.** Wahl, Wahlmöglichkeit; *I had no option but to sign* ich hatte keine andere Wahl *oder* mir blieb keine andere Möglichkeit, als zu unterschreiben; *leave one's options open* sich alle Möglichkeiten offenhalten **2.** *Wirtschaft*: Option, Vorkaufsrecht (*on* auf) **3.** *an Schule, Universität*: Wahlfach

optional ['ɒpʃnəl] freiwillig, fakultativ; *optional subject Schule*: Wahlfach; *optional extra Auto*: Sonderausstattung

opus ['əʊpəs] *Pl.: opuses* ['əʊpəsɪz] *oder* **opera** ['əʊpərə] *Kunst, Musik*: Opus

or [ɔː] **1.** *allg.*: oder; *in a day or two* in ein bis zwei Tagen; *..., or so I believe* ..., glaube ich zumindest; *either ... or ...* entweder ... oder ...; *a month or so* etwa ein Monat **2.** *she can't read or write* sie kann weder lesen noch schreiben

oracle ['ɒrəkl] Orakel

oral[1] ['ɔːrəl] mündlich; *oral exam* mündliche Prüfung

oral[2] ['ɔːrəl] *Schule usw.*: mündliche Prüfung, *das* Mündliche

orange[1] ['ɒrɪndʒ] *Frucht*: Orange, Apfelsine; *orange juice* Orangensaft; *orange squash BE*; *etwa*: Orangensaftgetränk

orange[2] ['ɒrɪndʒ] orange, orangefarben

Orangeman

Orangeman ist der Name eines Mitglieds der **Orange Society**, einer irisch-protestantischen Gesellschaft, die für die Vorherrschaft der Protestanten in Nordirland kämpft. Die entsprechende schottische Vereinigung, die sich für die gesellschaftliche Vormacht der Protestanten in Schottland einsetzt, heißt **Orange Lodge**. Das Benennungsmotiv geht zurück auf den protestantischen **King** William of Orange (Wilhelm von Oranien aus den Niederlanden), der den irisch-katholischen **King James II** im Jahr 1690 besiegte.

orange squash

Orange squash ist ein gesüßter Sirup aus Orangenkonzentrat, der mit Wasser verdünnt wird. Ähnlich auch **lemon squash** (= Zitronensaft).

orang-utan [△ ɔː'ræŋətæn] *Menschenaffe*: Orang-Utan

orbit[1] ['ɔːbɪt] **1.** *von Satellit usw.*: Kreisbahn, Umlaufbahn **2.** *übertragen* Machtbereich, Einflusssphäre

orbit[2] ['ɔːbɪt] (*Satellit usw.*) umkreisen

orchard ['ɔːtʃəd] Obstgarten

orchestra ['ɔːkɪstrə] *Musik*: Orchester

orchid [△ 'ɔːkɪd] *Blume*: Orchidee

ordeal [ɔː'diːl] Qual, Tortur

order[1] ['ɔːdə] **1.** *geordneter Zustand*: Ordnung; *restore order* die Ordnung wiederherstellen; *put in order* in Ordnung bringen **2.** *öffentliche Sicherheit*: Ordnung; *law and order* Recht und Ordnung **3.** (≈ *Struktur*) Ordnung, System; *I can't see any order in your essay* ich kann in deinem Aufsatz keine Struktur erkennen **4.** (≈ *Anordnung*) Reihenfolge; *in order of importance* nach Wichtigkeit; *in alphabetical order* in alphabetischer Reihenfolge **5.** *out of order Aufzug usw.*: defekt **6.** *Militär usw.*: Befehl, Anordnung; *by order of* auf Befehl von **7.** *im Lokal usw.*: Bestellung; *last orders, please* Polizeistunde! **8.** *für Firma*: Auftrag (*for* für); *make to order* auf Bestellung anfertigen; *order book* Auftragsbuch **9.** *in Wendungen*: *in order to be successful* um Erfolg zu haben

order[2] ['ɔːdə] **1.** *im Lokal*: bestellen; *have you ordered yet?* haben Sie schon bestellt?; *I ordered fried chicken* ich habe Brathähnchen bestellt **2.** befehlen, anordnen; *he ordered them to line up* er befahl ihnen, sich in einer Reihe aufzustellen **3.** *nach Größe, Gewicht usw.*: ordnen **4.** ordern, bestellen (*Waren*)

orderly ['ɔːdəlɪ] **1.** *Haushalt, Person usw.*: ordentlich **2.** *Menge, Demonstranten usw.*: friedlich

ordinal number [,ɔːdɪnl'nʌmbə] *Mathematik*: Ordnungszahl

ordinary ['ɔːdnərɪ] **1.** (≈ *normal*) üblich, gewöhnlich; *ordinary people* einfache Leute **2.** *Kunstwerk, Buch usw.*: mittelmäßig, Durchschnitts...

ore [ɔ:] *Bergbau:* Erz

organ [ˈɔ:gən] **1.** *von Körper:* Organ; *organ transplant* Organtransplantation **2.** *übertragen* Organ, Instrument; *party organ Zeitung:* Parteiorgan **3.** *Musik:* Orgel

organ donor [ˌɔ:gənˈdəʊnə] *Medizin:* Organspender(in)

organic [ɔ:ˈgænɪk] organisch (*auch übertragen*); *organic chemistry* organische Chemie; *organic farmer* Biobauer; *organic farming* ökologische Landwirtschaft; *organic vegetables* Biogemüse; *organic waste* Biomüll

organism [ˈɔ:gənɪzm] Organismus (*auch übertragen*)

organist [ˈɔ:gənɪst] *Musik:* Organist(in), Orgelspieler(in)

organization [ˌɔ:gənaɪˈzeɪʃn] *allg.:* Organisation

organize [ˈɔ:gənaɪz] *allg.:* organisieren; *organized crime* das organisierte Verbrechen; *organized tour* Gesellschaftsreise

organizer [ˈɔ:gənaɪzə] **1.** Organisator(in) **2.** *in Buchform, elektronisch:* Terminplaner

orgasm [ˈɔ:gæzm] Orgasmus

orgy [△ ˈɔ:dʒɪ] Orgie (*auch übertragen*)

orient [ˈɔ:rɪent], **orientate** [ˈɔ:rɪənteɪt] *this dictionary is oriented to oder towards the needs of pupils* dieses Wörterbuch ist auf die Bedürfnisse von Schülern ausgerichtet; *child-oriented oder child-orientated Hotel usw.:* kinderfreundlich

oriental [ˌɔ:rɪˈentl] *Länder, Kultur usw.:* asiatisch, östlich

orientation [ˌɔ:rɪənˈteɪʃn] Orientierung, *übertragen auch* Ausrichtung

origin [ˈɒrɪdʒɪn] Ursprung, Abstammung, Herkunft; *country of origin* Ursprungsland; *have its origin in Problem, Konflikt usw.:* zurückgehen auf

original[1] [əˈrɪdʒənl] **1.** Original..., Ur...; *original text* Urtext, Originaltext **2.** *Idee, Person:* originell

original[2] [əˈrɪdʒənl] **1.** Original; *in the original* im Original **2.** *Person:* Original

originally [əˈrɪdʒnəlɪ] ursprünglich; *I'm originally from ...* ich stamme ursprünglich aus ...; *originally, we had planned to ...* ursprünglich hatten wir vor, ...

originate [əˈrɪdʒəneɪt] **1.** *originate from* zurückgehen auf, (her)stammen von *oder* aus **2.** *originate from someone* ausgehen von jemandem **3.** schaffen, ins Leben rufen (*Idee, Konzept usw.*)

ornament[1] [ˈɔ:nəmənt] **1.** *einzeln:* Ornament, Verzierung **2.** *Gesamtheit:* Ornamente, Verzierungen, Schmuck **3.** *übertragen* Zier, Zierde (*to* für)

ornament[2] [ˈɔ:nəment] verzieren, schmücken

ornamental [ˌɔ:nəˈmentl] dekorativ; *ornamental plant* Zierpflanze

orphan[1] [ˈɔ:fn] Waise, Waisenkind

orphan[2] [ˈɔ:fn] zur Waise machen; *be orphaned* zum Waisenkind werden

orphanage [ˈɔ:fənɪdʒ] Waisenhaus

orthodox [ˈɔ:θədɒks] *Religion und allg.:* orthodox; *Greek Orthodox Church* griechisch-orthodoxe Kirche

orthographic [△ ˌɔ:θəˈgræfɪk], **orthographical** [ˌɔ:θəˈgræfɪkl] orthografisch

orthography [△ ɔ:ˈθɒgrəfɪ] Orthografie, Rechtschreibung

orthopaedic *bes. BE*, **orthopedic** *AE* [△ ˌɔ:θəˈpi:dɪk] *Medizin:* orthopädisch

orthopaedics *bes. BE*, **orthopedics** *AE* [△ ˌɔ:θəˈpi:dɪks] (△ *im Sg. verwendet*) *Medizin:* Orthopädie

orthopaedist *bes. BE*, **orthopedist** *AE* [△ ˌɔ:θəˈpi:dɪst] *Medizin:* Orthopäde, Orthopädin

ostrich [ˈɒstrɪtʃ] *Vogel:* Strauß

other [ˈʌðə] **1.** *allg.:* andere(r, -s); *the others* die anderen; *the other guests auch:* die übrigen Gäste; *the other two oder the two others* die anderen beiden, die beiden anderen; *any other questions?* sonst noch Fragen?; *can you phone me some other time?* kannst du mich ein andermal anrufen?; *the other way round* umgekehrt; *in other words* mit anderen Worten **2.** *every other* jede(r, -s) Zweite; *every other day* jeden zweiten Tag, alle zwei Tage **3.** *the other day* neulich, kürzlich; *the other night* neulich abends

otherwise [ˈʌðəwaɪz] **1.** sonst, andernfalls; *we'd better go now, otherwise we'll miss our flight* wir gehen jetzt besser, sonst verpassen wir noch den Flug **2.** ansonsten; *I'm a bit overworked but otherwise I'm all right* ich bin etwas überarbeitet, aber ansonsten gehts mir gut **3.** anderweitig; *be otherwise engaged* anderweitig beschäftigt sein; *unless you are otherwise engaged* wenn Sie nichts anderes vorhaben **4.** *think otherwise* anderer Meinung sein

otter [ˈɒtə] Otter

ouch [aʊtʃ] *Ausruf:* au, aua, autsch

ought [ɔ:t] *he ought to do it* er sollte es (eigentlich) tun; *you ought to read that book* das Buch solltest du lesen

ounce [aʊns] **1.** *Gewichtseinheit:* Unze (= 28,35 *Gramm*) **2.** *an ounce of truth übertragen* ein Körnchen Wahrheit; *he* *really hasn't got an ounce of sense* er hat wirklich keinen Funken Verstand

our ['aʊə] unser; *this is our house* das ist unser Haus; *Our Father im Gebet*: Vater unser

ours ['aʊəz] unsere(r, -s); *it's ours* es gehört uns; *a friend of ours* ein Freund von uns

ourselves [,aʊə'selvz] 1. uns; *we had the beach all to ourselves* wir hatten den Strand ganz für uns 2. *verstärkend*: wir selbst, uns selbst; *we did it ourselves* wir haben es selbst getan

out[1] [aʊt] 1. *Richtung*: hinaus, heraus; *on the way out* beim Hinausgehen; *way out Aufschrift usw.*: Ausgang, Ausfahrt; *have a tooth out* einen Zahn gezogen bekommen; *out with you! umg.* raus mit dir! 2. *Position*: außen, draußen; *she's out in the garden* sie ist draußen im Garten; *the tide is out* es ist Ebbe 3. *übertragen* nicht zu Hause, ausgegangen 4. *Buch usw.*: heraus, erschienen 5. *Politik*: nicht mehr im Amt *oder* an der Macht 6. (≈ *unmodern*) aus der Mode, out 7. *Feuer usw.*: aus, erloschen 8. *Waren*: aus, ausverkauft (*auch Gerichte im Restaurant*) 9. *two out of three Americans* zwei von drei Amerikanern 10. *it's made out of wood* es ist aus Holz gemacht; *out of reach* außer Reichweite; *out of breath* außer Atem; *we're out of oil* uns ist das Öl ausgegangen

out[2] [aʊt] outen (*prominente Person*)

outback ['aʊtbæk] *the outback in Australien*: das Hinterland

outbid [,aʊt'bɪd], *outbid, outbid, -ing--Form* **outbidding** *bei Auktion usw.*: überbieten

outbreak ['aʊtbreɪk] *von Seuche, Krieg usw.*: Ausbruch

outburst ['aʊtbɜːst] *von Gefühlen*: Ausbruch

outcast ['aʊtkɑːst] Ausgestoßene(r), Outcast

outclass [,aʊt'klɑːs] *mst. Sport*: weit überlegen sein, deklassieren

outcome ['aʊtkʌm] Ergebnis, Resultat; *what was the outcome of the talks?* was ist bei den Gesprächen herausgekommen?

outcry ['aʊtkraɪ] *übertragen* Aufschrei, Schrei der Entrüstung

outdated [,aʊt'deɪtɪd] 1. (≈ *altmodisch*) überholt, veraltet 2. *Pass usw.*: abgelaufen

outdistance [,aʊt'dɪstəns] *Sport usw.*: hinter sich lassen (*Verfolger*)

outdo [,aʊt'duː], *outdid* [,aʊt'dɪd], *outdone* [,aʊt'dʌn] **outdo** *someone in*

something jemanden an *oder* in etwas übertreffen, jemanden in etwas schlagen *oder* besiegen

outdoor ['aʊtdɔː] *outdoor shoes* Straßenschuhe; *outdoor swimming pool* Freibad

outdoors[1] [,aʊt'dɔːz] draußen, im Freien; *go outdoors* nach draußen gehen

outdoors[2] [,aʊt'dɔːz] *the great outdoors* die freie Natur

outer ['aʊtə] äußere(r, -s), Außen...; *outer wall* Außenwand; *outer garments Pl.* Oberbekleidung; *outer space* Weltraum

outfit ['aʊtfɪt] 1. Kleidung, *umg.* Outfit 2. *Werkzeug usw.*: Ausrüstung, Geräte

outgoing [,aʊt'gəʊɪŋ] 1. *Person*: kontaktfreudig 2. *Amtsinhaber usw.*: scheidend 3. *outgoing mail* Postausgang

outgoings ['aʊt,gəʊɪŋz] *Pl., von Betrieb, Haushalt usw.*: Ausgaben

outgrow [,aʊt'grəʊ], *outgrew* [,aʊt'gruː], *outgrown* [,aʊt'grəʊn] 1. *einer Person*: über den Kopf wachsen 2. *aus Kleidungsstück*: herauswachsen; *einer Angewohnheit usw.*: entwachsen

outing ['aʊtɪŋ] 1. Ausflug; *go for an outing* einen Ausflug machen 2. *von Prominenten*: Outing, Outen

outlaw[1] ['aʊtlɔː] 1. *Geschichte*: Geächtete(r) 2. *allg.*: Bandit(in)

outlaw[2] ['aʊtlɔː] 1. *Geschichte*: ächten, für vogelfrei erklären 2. für ungesetzlich erklären, verbieten

outlet ['aʊtlet] 1. *für Flüssigkeit*: Abfluss 2. *für Gas, Rauch*: Abzug 3. *Wirtschaft*: Verkaufsstelle (*einer Fabrik usw.*) 4. *übertragen* Ventil (*für Gefühle*) 5. *AE* Steckdose

outline[1] ['aʊtlaɪn] 1. *eines Gegenstands usw.*: Umriss 2. *eines Plans usw.*: Abriss, Grundriss 3. *eines Aufsatzes*: Entwurf, Gliederung

outline[2] ['aʊtlaɪn] 1. *eines Gegenstands usw.*: den Umriss zeichnen 2. *übertragen* in Umrissen darlegen

outlive [,aʊt'lɪv] überleben (*Person*); *it has outlived its usefulness* übertragen es hat ausgedient (*Maschine usw.*)

outlook ['aʊtlʊk] 1. *auf Gegend usw.*: Blick, Aussicht (*from* von; *onto* auf) 2. *übertragen* Aussichten *Pl.* (*for* für); *the weather outlook* die Wetteraussichten 3. (≈ *Geisteshaltung*) Einstellung; *outlook on life* Lebensauffassung

outnumber [,aʊt'nʌmbə] zahlenmäßig überlegen sein; *they were outnumbered by the enemy* sie waren dem Gegner zahlenmäßig unterlegen

out-of-date [,aʊtəv'deɪt] veraltet, überholt

outpatient ['aʊtˌpeɪʃnt] *Medizin*: ambulanter Patient; **outpatient treatment** ambulante Behandlung; **outpatients' department** Ambulanz

outpost ['aʊtpəʊst] *militärisch*: Vorposten (*auch übertragen*)

output ['aʊtpʊt] **1.** *in Wirtschaft*: Output, Ausstoß, Produktion **2.** *Computer*: Datenausgabe

outrage[1] ['aʊtreɪdʒ] **1.** (≈ *Verbrechen*) Schandtat, Greueltat **2.** *öffentliche Reaktion auf einen Skandal*: Empörung, Entrüstung

outrage[2] ['aʊtreɪdʒ] *bes.* **be outraged at something** über etwas empört *oder* schockiert sein

outrageous [aʊt'reɪdʒəs] **1.** *Verbrechen*: abscheulich, verbrecherisch **2.** *Verhalten usw.*: empörend, unerhört

outright[1] ['aʊtraɪt] **1.** *Unsinn, Verlust usw.*: völlig, total, absolut **2.** *Ablehnung, Lüge usw.*: glatt

outright[2] [aʊt'raɪt] *zugeben, eingestehen*: ohne Umschweife, unumwunden

outset ['aʊtset] Anfang, Beginn; **at the outset** am Anfang; **from the outset** (gleich) von Anfang an

outside[1] [aʊt'saɪd] **1.** *von Haus, Behälter usw.*: Außenseite; **from the outside** von außen; **on the outside** auf der Außenseite, außen **2.** **at the (very) outside** (aller)höchstens, äußerstenfalls

outside[2] ['aʊtsaɪd] **1.** äußere(r, -s), Außen...; **outside broadcast** *Rundfunk, TV*: Außenübertragung **2.** **outside chance** kleine Chance, *Sport*: Außenseiterchance

outside[3] [aʊt'saɪd] draußen; **go outside** nach draußen gehen; **go and play outside!** geht raus zum Spielen!

outsider [aʊt'saɪdə] *allg.*: Außenseiter(in)

outsize ['aʊtsaɪz], **outsized** [aʊt'saɪzd] übergroß; **outsize clothes** Übergrößen *Pl.*, Kleidung in Übergröße

outskirts ['aʊtskɜːts] *Pl.* Stadtrand, Peripherie; **on the outskirts of London** am Stadtrand von London

outsource ['aʊtsɔːs] nach außen vergeben, outsourcen (*Arbeiten, Aufträge*)

outsourcing ['aʊtsɔːsɪŋ] Outsourcing

outspoken [aʊt'spəʊkən] **1.** *Person, Kritik, Meinung*: freimütig; **be outspoken** *Person, Buch usw.*: kein Blatt vor den Mund nehmen **2.** *Antwort, Stellungnahme*: unverblümt

outstanding [aʊt'stændɪŋ] **1.** *Schönheit, Talent usw.*: hervorragend **2.** *Arbeit, Problem usw.*: unerledigt **3.** *Rechnung, Forderungen usw.*: ausstehend

out-tray ['aʊtˌtreɪ] Ablagekorb für ausgehende Post

outvote [ˌaʊt'vəʊt] überstimmen; **be outvoted** eine Abstimmungsniederlage erleiden

outward ['aʊtwəd] **1.** äußerlich, äußere(r, -s) (*beide auch übertragen*); **in spite of his outward calm ...** trotz seiner nach außen gezeigten Gelassenheit ... **2.** **on the outward journey** auf der Hinfahrt

outwardly ['aʊtwədlɪ] äußerlich; **outwardly it looks as if ...** äußerlich *oder* nach außen sieht es so aus, als ob ...

outwards ['aʊtwədz] nach außen; **the window opens outwards** das Fenster geht nach draußen auf

outwit [ˌaʊt'wɪt] überlisten, reinlegen

ovation [əʊ'veɪʃn] Ovation; **give someone a standing ovation** jemandem eine stehende Ovation bereiten

oven [Δ 'ʌvən] Backofen, Bratröhre, *bes.* Ⓐ Backrohr, *umg.* Rohr; **cook in a medium oder moderate oven** bei mäßiger Hitze garen

ovenproof [Δ 'ʌvənpruːf] *Geschirr*: ofenfest, hitzebeständig

oven-ready [Δ ˌʌvən'redɪ] *Gericht*: bratfertig, backfertig

over ['əʊvə] **1.** *räumlich*: über; **the lamp over the bed** die Lampe über dem Bett **2.** *mit Richtung, Bewegung*: über, hinüber; **he jumped over the fence** er sprang über den Zaun; **he ran over to them** er rannte zu ihnen hinüber **3.** (≈ *jenseits*) über, auf der anderen Seite von (*oder Genitiv*); **over the street** auf der anderen Straßenseite; **over there** da drüben **4.** *in Rang usw.*: über; **be over someone** über jemandem stehen **5.** *mit Zahl, Mengenangabe usw.*: über, mehr als; **over a mile** über eine Meile; **it cost over 10 dollars** es kostete mehr als 10 Dollar; **over a week** über *oder* länger als eine Woche; **children of 10 years and over** Kinder von 10 Jahren und darüber; **5 pounds and over** 5 Pfund und mehr **6.** *zeitlich*: über, während; **over many years** viele Jahre hindurch; **we'll stay over the weekend** wir bleiben übers Wochenende **7.** zu Ende, vorüber, vorbei; **when the match was over** als das Spiel zu Ende war; **get something over** mit *umg.* etwas hinter sich bringen **8.** *in Wendungen*: **all over again** noch einmal; **over and over** immer wieder; **over and above his income** über sein Einkommen hinaus

overact [ˌəʊvər'ækt] **1.** *Theater*: überziehen (*Rolle*) **2.** *übertragen* übertreiben

overactive [ˌəʊvər'æktɪv] überaktiv, Fan-

tasie: übersteigert

overall[1] [ˌəʊvərˈɔːl] **1.** gesamt, Gesamt...; *my overall impression* mein Gesamteindruck; *overall cost* Gesamtkosten **2.** (≈ *generell*) im Großen und Ganzen; *overall, he's a nice person* eigentlich ist er ein ganz netter Typ **3.** (≈ *alles in allem*) insgesamt; *what does it cost overall?* wie hoch sind die Gesamtkosten?; *overall majority Politik*: absolute Mehrheit

overall[2] [ˈəʊvərɔːl] **1.** *BE* Arbeitsmantel, Kittel **2.** *AE* Overall **3.** *overalls Pl., BE* Overall **4.** *overalls Pl., AE* Latzhose

overboard [ˈəʊvəbɔːd] über Bord; *throw overboard* über Bord werfen (*auch übertragen*)

overbook [ˌəʊvəˈbʊk] überbuchen (*Flug, Hotel usw.*)

overcast [ˌəʊvəˈkɑːst] *Himmel*: bewölkt, bedeckt

overcharge [ˌəʊvəˈtʃɑːdʒ] zu viel berechnen; *overcharge someone by £10* jemandem 10 Pfund zu viel berechnen

overcome [ˌəʊvəˈkʌm], *overcame* [ˌəʊvə-ˈkeɪm], *overcome* [ˌəʊvəˈkʌm] überwältigen, überwinden (*Scheu, Angst usw.*); *he was overcome with emotion* er wurde von seinen Gefühlen übermannt

overconfidence [ˌəʊvəˈkɒnfɪdəns] übersteigertes Selbstbewusstsein

overcrowded [ˌəʊvəˈkraʊdɪd] *Zimmer usw.*: überfüllt

overdo [ˌəʊvəˈduː], *overdid* [ˌəʊvəˈdɪd], *overdone* [ˌəʊvəˈdʌn] **1.** übertreiben; *overdo it oder overdo things* zu weit gehen; *now you're overdoing it* jetzt übertreibst du aber **2.** *beim Kochen*: verbraten, verkochen **3.** *don't overdo it* übernimm dich nicht

overdose [ˈəʊvədəʊs] *Heroin usw.*: Überdosis

overdraft [ˈəʊvədrɑːft] Kontoüberziehung; *have an overdraft of £100* sein Konto um 100 Pfund überzogen haben; *overdraft facility* Überziehungskredit, Dispositionskredit

overdraw [ˌəʊvəˈdrɔː], *overdrew* [ˌəʊvəˈdruː], *overdrawn* [ˌəʊvəˈdrɔːn] überziehen (*Konto*); *be overdrawn* sein Konto überzogen haben

overdress [ˌəʊvəˈdres] sich übertrieben *oder* zu fein anziehen (*für den Anlass*)

overdue [ˌəʊvəˈdjuː] *Miete usw.*: überfällig

overestimate [ˌəʊvərˈestɪmeɪt] **1.** zu hoch schätzen (*Anzahl, Gewicht usw.*) **2.** *übertragen* überschätzen (*Gefahr, Fähigkeit, Person*)

overexpose [ˌəʊvərɪkˈspəʊz] überbelichten (*Film*)

overflow [ˌəʊvəˈfləʊ] **1.** (*Topf, Fass usw.*) überlaufen **2.** *auch overflow its banks* (*Fluss*) über die Ufer treten **3.** *full to overflowing* zum Überlaufen voll, *Raum*: überfüllt

overhead[1] [ˌəʊvəˈhed] **1.** oben, droben; *the clouds overhead* die Wolken über uns; *overhead railway* Hochbahn **2.** *overhead projector* Overheadprojektor, Tageslichtprojektor **3.** *overhead costs oder expenses von Unternehmen*: laufende Unkosten **4.** *Sport*: Überkopf...; *overhead kick Fußball*: Fallrückzieher

overhead[2] [ˈəʊvəhed] **1.** *overheads Pl. von Unternehmen*: laufende Kosten **2.** *für Projektor*: Overheadfolie

overhear [ˌəʊvəˈhɪə], *overheard* [ˌəʊvəˈhɜːd], *overheard* [ˌəʊvəˈhɜːd] **1.** mit anhören, mitbekommen (*Gespräch usw.*) **2.** aufschnappen (*Bemerkung, Äußerung*) (⚠ *überhören* = **not hear, miss, ignore**)

overheat [ˌəʊvəˈhiːt] **1.** *von Motor, Maschine*: heiß laufen **2.** überheizen (*Raum*)

overjoyed [ˌəʊvəˈdʒɔɪd] überglücklich

overlap [ˌəʊvəˈlæp], *overlapped, overlapped* [...] **1.** (*Dachziegel, Bretter usw.*) sich überdecken **2.** (*Ereignisse, Ideen, Vorschläge usw.*) sich überschneiden, sich überlappen

overleaf [ˌəʊvəˈliːf] umseitig, umstehend; *see table overleaf* siehe umseitige Tabelle

overlook [ˌəʊvəˈlʊk] **1.** nicht beachten, übersehen (*Person usw.*) **2.** (*Zimmer, Fenster usw.*) überblicken, Aussicht gewähren; *a room overlooking the sea* ein Zimmer mit Meeresblick

overnight [ˌəʊvəˈnaɪt] über Nacht (*auch übertragen*); *stay overnight* über Nacht bleiben; *you can stay overnight at my place* du kannst bei mir übernachten; *overnight stay oder stop* Übernachtung

overpass [ˈəʊvəpɑːs] *bes. AE* (Straßen-, Eisenbahn)Überführung

overpay [ˌəʊvəˈpeɪ], *overpaid* [ˌəʊvəˈpeɪd], *overpaid* [ˌəʊvəˈpeɪd] **1.** zu teuer bezahlen, zu viel bezahlen für **2.** *overpay someone* jemandem zu viel zahlen, jemanden überbezahlen

overpopulated [ˌəʊvəˈpɒpjuleɪtɪd] übervölkert

overpopulation [ˌəʊvəˌpɒpjuˈleɪʃn] Überbevölkerung

overpower [ˌəʊvəˈpaʊə] *mit Gewalt*: überwältigen, übermannen (*beide auch übertragen*)

overreact [ˌəʊvərɪˈækt] überreagieren,

überzogen reagieren (**to** auf)

overreaction [ˌəʊvərɪˈækʃn] Überreaktion, überzogene Reaktion

override [ˌəʊvəˈraɪd], **overrode** [ˌəʊvəˈrəʊd], **overridden** [ˌəʊvəˈrɪdən] sich hinwegsetzen über (*Bestimmungen, Entscheidung usw.*)

overriding [ˌəʊvəˈraɪdɪŋ] vordringlich, vorrangig; **this aspect is of overriding importance** dieser Aspekt ist von überragender Bedeutung; **his overriding concern was to save money** es ging ihm vor allem darum, Geld zu sparen

overrule [ˌəʊvəˈruːl] aufheben (*Entscheidung usw.*), abweisen (*Einspruch usw.*)

overseas [ˌəʊvəˈsiːz] **1.** nach *oder* in Übersee; **go overseas** nach Übersee gehen **2.** überseeisch, Übersee…; **overseas students** Studenten aus Übersee

oversee [ˌəʊvəˈsiː], **oversaw** [ˌəʊvəˈsɔː], **overseen** [ˌəʊvəˈsiːn] beaufsichtigen, überwachen (*Arbeiten, Beschäftigte usw.*)

oversensitive [ˌəʊvəˈsensɪtɪv] überempfindlich

overshadow [ˌəʊvəˈʃædəʊ] *wörtlich und übertragen* überschatten

oversize [ˈəʊvəsaɪz], **oversized** [ˌəʊvəˈsaɪzd] *Pullover usw.*: übergroß, mit Übergröße

oversleep [ˌəʊvəˈsliːp], **overslept** [ˌəʊvəˈslept], **overslept** [ˌəʊvəˈslept] verschlafen

overstaffed [ˌəʊvəˈstɑːft] *Firma, Behörde usw.*: (personell) überbesetzt

overstate [ˌəʊvəˈsteɪt] übertreiben, übertrieben darstellen

overstatement [ˌəʊvəˈsteɪtmənt] Übertreibung

overtake [ˌəʊvəˈteɪk], **overtook** [ˌəʊvəˈtʊk], **overtaken** [ˌəʊvəˈteɪkən] *mit dem Auto, Fahrrad, bei Wettrennen usw.*: überholen (*auch übertragen*)

over-the-counter [ˌəʊvəðəˈkaʊntə] *Medikamente*: rezeptfrei

overthrow [ˌəʊvəˈθrəʊ], **overthrew** [ˌəʊvəˈθruː], **overthrown** [ˌəʊvəˈθrəʊn] stürzen (*Regierung, Regime usw.*)

overtime [ˈəʊvətaɪm] **1.** *Arbeit*: Überstunden *Pl.*; **be on** (*oder* **do** *oder* **work**) **overtime** Überstunden machen **2.** *AE; Sport*: Verlängerung

overture [ˈəʊvəˌtjʊə] *Musik*: Ouvertüre

overturn [ˌəʊvəˈtɜːn] **1.** umwerfen, umstoßen, umkippen (*Gegenstand*) **2.** *übertragen* stürzen, kippen (*Regierung usw.*) **3.** (*Boot, Schiff*) kentern

overview [ˈəʊvəvjuː] (≈ *Kurzfassung*) Überblick (**of** über)

overweight [ˌəʊvəˈweɪt] **1.** *Person*: übergewichtig **2.** *Reisegepäck usw.*: zu schwer

(**by** um)

overwhelm [ˌəʊvəˈwelm] **1.** überwältigen (*Gegner usw.*) (*auch übertragen*) **2.** *übertragen* überhäufen (**with** mit) (*mit Lob usw.*)

overwhelming [ˌəʊvəˈwelmɪŋ] überwältigend; **vote overwhelmingly against** (*bzw.* **in favour of**) **something** mit überwältigender Mehrheit gegen (*bzw.* für) etwas stimmen

overwork [ˌəʊvəˈwɜːk] **1.** überanstrengen (*Person, Tier usw.*) **2.** sich überarbeiten; **overworked** *auch*: gestresst

owe [əʊ] **1.** schulden; **you still owe me £100** du schuldest mir noch 100 Pfund **2.** *übertragen* schulden, schuldig sein (*Erklärung, Entschuldigung*) **3.** verdanken, zu verdanken haben

owing [ˈəʊɪŋ] **1.** unbezahlt; **there's still £1,000 owing** es stehen noch 1000 Pfund aus **2.** **owing to** infolge, wegen

owl [△ aʊl] *Vogel*: Eule

own[1] [əʊn] besitzen; **who owns this house?** wem gehört dieses Haus?

own[2] [əʊn] **1.** eigene(r, -s); **she didn't recognize her own brother** sie hat ihren eigenen Bruder nicht erkannt; **own goal** *Sport*: Eigentor (*auch übertragen*) **2. a car of his** (**her** *usw.*) **own** ein eigenes Auto; (**all**) **on my** (**his, our** *usw.*) **own** (ganz) allein

owner [ˈəʊnə] Eigentümer(in), Besitzer(in)

owner-occupied [ˌəʊnə(r)ˈɒkjʊpaɪd] *Haus, Wohnung*: eigengenutzt

ownership [ˈəʊnəʃɪp] Besitz

own goal [ˌəʊnˈɡəʊl] *Sport* Eigentor (*auch übertragen*)

ox [ɒks] *Pl.*: **oxen** [ˈɒksn] *Rind*: Ochse

Oxbridge [ˈɒksbrɪdʒ] die Universitäten Oxford und Cambridge

Oxfam

Die Abkürzung für **Oxford Committee for Famine Relief** („Oxforder Ausschuss für Hungerhilfe"). **Oxfam** wurde 1942 gegründet und ist die bekannteste Wohltätigkeitsorganisation Großbritanniens. Die **Oxfam**-Geschäfte, die es in vielen Orten gibt, verkaufen Gebrauchtwaren sowie eigens für sie gefertigte Produkte aus Entwicklungsländern.

oxide [ˈɒksaɪd] *Chemie*: Oxid

oxidize [ˈɒksɪdaɪz] *Chemie*: oxidieren

oxygen [ˈɒksɪdʒən] *Element*: Sauerstoff

oxygen mask [ˈɒksɪdʒən‿mɑːsk] *Medizin*: Sauerstoffmaske

oxygen tent [ˈɒksɪdʒən_tent] *Medizin*: Sauerstoffzelt
oyster [ˈɔɪstə] Auster
ozone [ˈəʊzəʊn] *Gas*: Ozon; **ozone layer** Ozonschicht; **ozone hole** Ozonloch; **ozone-friendly** *Spray usw.*: FCKW-frei; **ozone alert** Ozonalarm

P

P [piː] **mind one's p's and q's** *umg.* sich anständig aufführen
pace¹ [peɪs] **1.** Tempo, Geschwindigkeit (*auch übertragen*); **at a very slow pace** ganz langsam; **keep pace with** Schritt halten mit (*auch übertragen*); **set the pace** *Sport*: das Tempo machen, *übertragen* das Tempo angeben **2.** *von Pferd*: Gangart
pace² [peɪs] **1.** *Sport, bei Rennen*: Schrittmacherdienste leisten, Tempo machen **2.** **pace up and down** auf und ab gehen
pacemaker [ˈpeɪsˌmeɪkə] **1.** *Sport*: Schrittmacher(in) (*auch übertragen*) **2.** *Medizin*: Herzschrittmacher
Pacific¹ [pəˈsɪfɪk] pazifisch; **the Pacific islands** die Pazifischen Inseln; **the Pacific Ocean** der Pazifische Ozean, der Pazifik
Pacific² [pəˈsɪfɪk] **the Pacific** der Pazifik
pacifier [ˈpæsɪfaɪə] *AE* Schnuller
pacifism [ˈpæsɪfɪzm] Pazifismus
pacifist¹ [ˈpæsɪfɪst] Pazifist(in)
pacifist² [ˈpæsɪfɪst] pazifistisch
pack¹ [pæk] **1.** *von Stoff, Wäsche usw.*: Bündel **2.** *Waschpulver*: Paket **3.** *bes. AE; Zigaretten usw.*: Schachtel **4.** *Wölfe*: Rudel **5.** *Jagdhunde*: Meute **6.** *abwertend* Pack, Bande; **pack of thieves** Diebesbande **7. a pack of cards** ein Satz Spielkarten, ein Kartenspiel
pack² [pæk] **1.** packen (*Koffer usw.*), zusammenpacken (*Sachen*); **be packed** gepackt haben **2.** *auch* **pack together** in *Raum usw.*: zusammenpferchen **3.** vollstopfen (*Saal, Stadion*); **packed**, *BE, umg.* **packed out** bis auf den letzten Platz gefüllt, brechend voll **4.** **send someone packing** jemanden fortjagen *oder* wegjagen

pack away [ˌpæk_əˈweɪ] wegpacken, verstauen (*Sachen*)
pack in [ˌpækˈɪn] *umg.* aufhören, Schluss machen; **pack it in!** hör endlich auf damit!

pack up [ˌpækˈʌp] **1.** *in ein Paket*: einpacken, verpacken **2.** zusammenpacken (*Sachen*) **3.** *umg.* aufhören, Schluss machen (*mit Arbeit usw.*) **4.** *umg.* (*Maschine usw.*) den Geist aufgeben

package [ˈpækɪdʒ] *allg.*: Paket (*auch übertragen*); **for only £49 you get a complete software package** für nur 49 Pfund erhalten Sie ein komplettes Software-Paket
package deal [ˈpækɪdʒ_diːl] Pauschalarrangement
package holiday [ˈpækɪdʒˌhɒlədeɪ] Pauschalurlaub
package tour [ˈpækɪdʒ_tʊə] Pauschalreise
packed lunch [ˌpæktˈlʌntʃ] *BE* Lunchpaket
packer [ˈpækə] *in Fabrik usw.*: Packer(in)
packet [ˈpækɪt] **1.** *allg.*: Paket **2.** *von Ware*: Schachtel, Verpackung **3.** *kleiner*: Päckchen; **a packet of cigarettes** eine Packung *oder* Schachtel Zigaretten **4.** **cost a packet** *BE, umg.* ein Heidengeld kosten
packing [ˈpækɪŋ] **1.** *von Koffer*: Packen; **do one's packing** packen **2.** *Material*: Verpackung
pact [pækt] Pakt; **make a pact with someone** mit jemandem einen Pakt schließen
pad [pæd] **1.** *in Kleidungsstücken*: Polster; **knee pad** Knieschützer **2.** *aus Papier*: Block; **writing pad** Schreibblock
padded [ˈpædɪd] *zum Schutz usw.*: wattiert, ausgepolstert
paddle¹ [ˈpædl] **1.** *von Boot*: Paddel **2.** *von Dampfschiff*: Schaufel, Schaufelrad
paddle² [ˈpædl] *mit Boot*: paddeln (*auch schwimmen*)
paddling pool [ˈpædlɪŋ_puːl] *BE* Planschbecken
Paddy [ˈpædɪ] *umg.* Paddy, Ire (△ *wird von Iren oft als beleidigend empfunden*)
padlock [ˈpædlɒk] Vorhängeschloss

paediatrician, *AE* **pediatrician** [ˌpiː-dɪə'trɪʃn] Kinderarzt, Kinderärztin

paediatrics [ˌpiːdɪ'ætrɪks] Kinderheilkun-de

pagan[1] ['peɪgən] Heide, Heidin

pagan[2] ['peɪgən] heidnisch

paganism ['peɪgənɪzm] Heidentum

page [peɪdʒ] *von Buch usw.*: Seite; *it's on page 10* es steht auf Seite 10; *a four-page brochure* ein vierseitiger Prospekt

pager ['peɪdʒə] Funkrufempfänger, *umg.* Piepser

pagoda [pə'gəʊdə] Pagode

paid [peɪd] *2. und 3. Form von* → *pay*[1]

pail [peɪl] Eimer (*bes. für Kinder*)

pain [peɪn] **1.** *körperlich*: Schmerz, Schmerzen; *be in pain* Schmerzen ha-ben; *I've got a pain in my back* mir tut der Rücken weh; *he's a pain in the neck* *übertragen*, *umg.* er geht einem auf den Wecker, er nervt **2.** *seelisch*: Schmerz, Kummer; *cause oder give someone pain* jemandem Kummer ma-chen **3.** *pains Pl.* Mühe; *be at pains to do something oder take pains to do something* sich Mühe geben, etwas zu tun

pain

Wenn einen jemand nervt, dann muss vielleicht doch einmal etwas gesagt wer-den. Welche Möglichkeiten gibt es im Englischen?

you're irritating / bugging me	du irritierst mich
you're annoying me	du nervst
you're winding me up	du regst mich auf
you're getting (△ *nicht* **going** *oder* **falling**) **on my nerves**	du gehst/fällst mir auf die Nerven
you're driving me nuts/crazy	du machst mich wahnsinnig
you're a pain / pain in the neck / *vulgär* **pain in the arse** (*AE* **ass**)	du bist nervig / du gehst mir auf den Wecker / du gehst mir auf den Keks

painful ['peɪnfl] **1.** *körperlich*: schmer-zend, schmerzhaft **2.** *seelisch*: schmerz-lich **3.** *Vorfall*: unangenehm, peinlich

painkiller ['peɪnˌkɪlə] Schmerzmittel

painless ['peɪnləs] **1.** *Arztbehandlung*: schmerzlos **2.** *übertragen*, *umg.* leicht, einfach

painstaking ['peɪnzˌteɪkɪŋ] sorgfältig, ge-wissenhaft

paint[1] [peɪnt] **1.** malen (*Bild, Person, Still-leben usw.*); *paint a gloomy* (*bzw.* **vivid**) *picture of something* *übertragen* etwas in düsteren (*bzw.* glühenden) Farben ma-len *oder* schildern **2.** anmalen, bemalen (*Wand, Fingernägel, Gesicht usw.*); *paint one's face* *auch* abwertend sich anmalen **3.** streichen, anstreichen (*Wand, Decke usw.*) **4.** lackieren (*Auto, Tür, Fensterrah-men*) **5.** *paint the town red* *umg.* einen draufmachen

paint[2] [peɪnt] Farbe, Lack; *wet paint* *Aufschrift*: Frisch gestrichen!

paintbox ['peɪntbɒks] Malkasten

paintbrush ['peɪntbrʌʃ] Pinsel

painter ['peɪntə] **1.** *Künstler*: Maler(in) **2.** *Handwerker*: Maler(in), Anstreicher(in)

pain threshold ['peɪnˌθreʃhəʊld] Schmerzschwelle (*auch übertragen*)

painting ['peɪntɪŋ] **1.** *Kunst*: Malerei **2.** *Kunstwerk*: Gemälde, Bild

pair [peə] **1.** *Schuhe usw.*: Paar; *in pairs* paarweise **2.** *etwas Zweiteiliges, mst. un-übersetzt*: *a pair of trousers* eine Hose; *a pair of glasses* eine Brille; *a pair of scissors* eine Schere **3.** *Lebenspartner, Tiere*: Paar, Pärchen

pajamas [pə'dʒɑːməz] *AE* Schlafanzug, Pyjama; ☞ *BE* **pyjamas**

Pakistan [ˌpɑːkɪ'stɑːn] Pakistan

pal [pæl] *umg.* Kumpel; *listen, pal, ...* *drohend*: hör mal, Freundchen, ...

palace ['pæləs] Palast (*auch übertragen*)

palatable ['pælətəbl] schmackhaft (*auch übertragen*); *make something palatable to someone* jemandem etwas schmack-haft machen

palatal[1] ['pælətl] *Sprache*: Gaumen...; *palatal sound* Gaumenlaut

palatal[2] ['pælətl] *Sprache*: Gaumenlaut

palate ['pælət] **1.** *im Mund*: Gaumen **2.** *übertragen*: *for my palate* für meinen Geschmack

pale[1] [peɪl] **1.** *Gesicht*: blass, bleich; *turn pale* blass *oder* bleich werden **2.** *Farbton*: hell, blass

pale[2] [peɪl] **1.** blass *oder* bleich werden **2.** *übertragen* verblassen (**before, beside** neben)

paleness ['peɪlnəs] Blässe

Palestine ['pæləstaɪn] Palästina

Palestinian[1] [ˌpælə'stɪnɪən] *Person*: Paläs-tinenser(in)

Palestinian[2] [ˌpælə'stɪnɪən] palästinen-sisch

palm [pɑːm] **1.** Handfläche, Handtel-ler; *grease oder oil someone's palm* *umg.* jemanden schmieren (**with** mit); *have oder hold someone in the palm*

paper

of one's hand jemanden völlig in der Hand haben **2.** *Baum*: Palme

palm: Tipps zur Aussprache

Für die Palme und die Hand(innen)fläche gibt es ein und dasselbe englische Wort: **palm**, das sich aussprachemäßig in einem Punkt stark von der deutschen Palme unterscheidet: es wird ohne „l" gesprochen, also [pɑːm].

Neben **palm** gibt es noch ein paar andere Wörter, bei denen das geschriebene „l" nicht gesprochen wird:

calm [kɑːm], **half** [hɑːf], **talk** [tɔːk], **walk** [wɔːk] und **psalm** [sɑːm], bei dem dir sicher auffällt, dass auch das „p" nicht mitgesprochen wird.

Palm Sunday [ˌpɑːmˈsʌndeɪ] Palmsonntag
palmtop [ˈpɑːmtɒp] *Computer*: Palmtop
palm tree [ˈpɑːm ˌtriː] *Baum*: Palme
pamper [ˈpæmpə] **1.** verwöhnen **2.** *auch*: verhätscheln (*Kind*)
pamphlet [ˈpæmflət] **1.** *informativ*: Broschüre **2.** *politisch*: Flugblatt **3.** *polemisch*: Pamphlet
pan [pæn] **1.** *zum Kochen*: Topf **2.** *zum Braten*: Pfanne **3.** *zum Wiegen*: Waagschale **4.** *bes. BE* Kloschüssel
Panama [ˈpænəmɑː] Panama
panama (hat) [ˌpænəmɑːˈhæt] Panamahut
pancake [ˈpænkeɪk] **1.** Pfannkuchen, Ⓐ Palatschinke; *Pancake Day BE* Faschingsdienstag **2.** *pancake landing von Flugzeug*: Bauchlandung

Pancake Day

Pancake Day oder **Shrove Tuesday** ist im britischen Englisch der Faschingsdienstag.

Dieser Tag heißt **Pancake Day**, weil man da früher Pfannkuchen gebacken hat, um die Essenreste vor der Fastenzeit aufzubrauchen.

pancreas [ˈpæŋkrɪəs] Bauchspeicheldrüse
panda [ˈpændə] Panda
panda car [ˈpændə ˌkɑː] *BE* (Funk)Streifenwagen
pane [peɪn] *von Fenster, Glastür*: Scheibe
panel [ˈpænl] **1.** *aus Holz, Glas usw.*: Platte, Tafel **2.** *bei Podiumsdiskussion*: Diskussionsteilnehmer *Pl.*, Runde; *panel discussion* Podiumsdiskussion **3.** *in TV-*

-Quiz: Rateteam **4.** *von Maschine*: Schalttafel, Kontrolltafel **5.** *von Schwurgericht*: Liste der Geschworenen
pang [pæŋ] stechender Schmerz; *pangs Pl. of hunger* nagender Hunger; *feel a pang of conscience* Gewissensbisse haben
panic¹ [ˈpænɪk] **1.** Panik; *be in a panic* in Panik sein; *get into a panic* in Panik geraten; *throw into a panic* in Panik versetzen; *panic buying* Angstkäufe, Hamsterkäufe; *panic button* Alarmschalter **2.** *be at panic stations umg.*; *vor Stress usw.*: rotieren, am Rotieren sein
panic² [ˈpænɪk], *panicked, panicked*; *-ing-Form panicking* **1.** in Panik versetzen, eine Panik auslösen unter (*Menschenmasse usw.*) **2.** in Panik geraten; *don't panic!* nur keine Panik!
panicky [ˈpænɪkɪ] *umg.* überängstlich; *get panicky* in Panik geraten
panic monger [ˈpænɪkˌmʌŋgə] Panikmacher
panorama [ˌpænəˈrɑːmə] **1.** *Aussicht*: Panorama **2.** *übertragen* (allgemeiner) Überblick (*of* über)
pansy [ˈpænzɪ] **1.** *Blume*: Stiefmütterchen **2.** *umg., abwertend* Schwuchtel
pant [pænt] (*Mensch*) keuchen, (*Hund*) hecheln
panther [ˈpænθə] *Raubtier*: Panther
panties [ˈpæntɪz] *Pl. bes. AE auch pair of panties* für *Mädchen*: Höschen, *für Frauen auch*: Slip
pantomime [ˈpæntəmaɪm] **1.** *BE* Weihnachtsspiel (*für Kinder*) **2.** *Theater*: Pantomime
pantry [ˈpæntrɪ] Speisekammer, Vorratskammer
pants¹ [pænts] *Pl.* **1.** *auch pair of pants BE* Unterhose **2.** *auch pair of pants AE* Hose; *catch someone with his pants down umg.* jemanden überrumpeln; *wear the pants AE, übertragen* die Hosen anhaben; *umg.*: *bore the pants off someone* jemanden zu Tode langweilen
pants² [pænts] *BE, umg.* total beknackt, *stärker*: unter aller Sau
pantsuit [ˈpæntsuːt] *AE* Hosenanzug
pantyhose [ˈpæntɪhəʊz] *AE* Strumpfhose
panty liner [ˈpæntɪˌlaɪnə] Slipeinlage
pap [pæp] **1.** *Nahrung, auch abwertend*: Brei **2.** *umg.*; *Fernsehprogramm usw.*: Schrott
papal [ˈpeɪpl] päpstlich
paparazzi [ˌpæpəˈrætsɪ] *Pl.* Paparazzi *Pl.*
paper¹ [ˈpeɪpə] **1.** *allg.*: Papier; *on paper übertragen* auf dem Papier **2.** Zeitung; *be in the papers* in der Zeitung stehen;

P

our daily paper unsere Tageszeitung **3. papers** Pl. (≈ *Ausweis*) Papiere **4. papers** Pl. *in Ordner usw.*: Akten, Unterlagen **5.** (≈ *schriftliche Prüfung*) Arbeit, Klausur **6.** (≈ *Vortrag*) Referat; **give** *oder* **read a paper** ein Referat halten, referieren (**to** vor; **on** über)

paper² ['peɪpə] tapezieren (*Wand, Zimmer*)

paperback ['peɪpəbæk] Taschenbuch; **in paperback** als Taschenbuch

paperboy, papergirl

In den meisten englischsprachigen Ländern ist es für einige Schüler üblich, dass sie zumeist morgens vor der Schule Zeitungen austragen und sich dadurch etwas Taschengeld verdienen. Die Lieferungen finden am Wochenende und während der Ferien natürlich etwas später statt. Bestellt und bezahlt werden die Zeitungen und Illustrierten beim **newsagent** ['nju:z-ˌeɪdʒənt] (Zeitungshändler).

paper chase ['peɪpəˌtʃeɪs] *Spiel*: Schnitzeljagd

paper clip ['peɪpəˌklɪp] Büroklammer

paper feed ['peɪpəˌfi:d] *von Drucker usw.*: Papiereinzug

paper knife ['peɪpəˌnaɪf], Pl. **paper knives** ['peɪpəˌnaɪvz] *BE* Brieföffner

paper shop ['peɪpəˌʃɒp] *BE* Zeitungsgeschäft

paper-thin [ˌpeɪpə'θɪn] hauchdünn (*auch übertragen*)

paperweight ['peɪpəweɪt] Briefbeschwerer

paperwork ['peɪpəwɜ:k] Schreibarbeit

papier mâché [△ ˌpæpɪeɪ'mæʃeɪ] Pappmaschee

paprika ['pæprɪkə] △ *Gewürzpulver*: Paprika

papyrus [△ pə'paɪrəs], Pl. **papyri** [pə'paɪraɪ] *oder* **papyruses** [pə'paɪrəsɪz] **1.** *Pflanze*: Papyrus, Papyrusstaude **2.** *Dokument*: Papyrus, Papyrusrolle

par [pɑ:] **1. be on a par with** (*Preise, Gehälter, Tarife usw.*) auf gleicher Ebene liegen wie, vergleichbar sein mit; **be on a par with someone** jemandem ebenbürtig sein; **I'm feeling below** *oder* **under par today** *umg.* ich bin heute nicht ganz auf dem Posten **2.** *Golf*: Par; **three under par** drei (Schläge) unter Par

parable ['pærəbl] △ *Literatur*: Parabel

parabola [pə'ræbələ] △ *Mathematik*: Parabel

parachute¹ [△ 'pærəʃu:t] Fallschirm;

parachute jump Fallschirmabsprung

parachute² [△ 'pærəʃu:t] **1.** mit dem Fallschirm abwerfen (*Versorgungsgüter usw.*) **2.** (*Person*) (mit dem Fallschirm) abspringen

parachutist [△ 'pærəʃu:tɪst] Fallschirmspringer(in)

parade¹ [pə'reɪd] **1.** *bei Festlichkeit*: Umzug, Festzug **2.** *militärisch*: Parade

parade² [pə'reɪd] **1.** *um aufzufallen*: stolzieren (**through** durch) **2.** (*Demonstranten usw.*) ziehen (**through** durch); **thousands paraded peacefully through the city centre** Tausende zogen friedlich durch die Innenstadt **3.** (*Soldaten*) paradieren

paradise ['pærədaɪs] Paradies (*auch übertragen*)

paradox ['pærədɒks] Paradox, Paradoxon

paradoxical [ˌpærə'dɒksɪkl] paradox; **paradoxically** (**enough**) paradoxerweise

paragliding ['pærəˌglaɪdɪŋ] *Sport*: Gleitschirmfliegen

paragon ['pærəgən] *Person*: Vorbild, Muster (**of** an); **paragon of virtue** *bes. ironisch*: Ausbund an Tugend

paragraph ['pærəgrɑ:f] *in Text*: Absatz, Abschnitt (△ *Paragraph* = **article**)

parallel¹ ['pærəlel] *Mathematik*: parallel (**to, with** zu) (*auch übertragen*); **parallel bars** Pl. *Turngerät*: Barren; **parallel case** Parallelfall

parallel² ['pærəlel] *Mathematik*: Parallele (**to, with** zu) (*auch übertragen*); **without parallel** ohne Parallele, ohnegleichen; **draw a parallel between ... and ...** eine Parallele ziehen zwischen ... und ...

paralyse ['pærəlaɪz] *BE* **1.** *körperlich*: lähmen **2.** *übertragen auch*: lahmlegen, zum Erliegen bringen; **be paralysed with** *übertragen* starr *oder* wie gelähmt sein vor

paralysis [pə'ræləsɪs] Pl. **paralyses** [pə'ræləsi:z] **1.** *körperlich*: Lähmung **2.** *übertragen auch*: Lahmlegung

paralyze *AE* ☞ **paralyse**

paramedic [ˌpærə'medɪk] Sanitäter(in)

parameter [pə'ræmɪtə] **1.** *Mathematik*: Parameter **2.** *mst.* **parameters** Pl. *übertragen* Rahmen; **within the parameters of** im Rahmen von (*oder Genitiv*)

paramilitary [ˌpærə'mɪlɪtəri] paramilitärisch

paranoia [ˌpærə'nɔɪə] **1.** *Medizin*: Paranoia **2.** *umg.* Verfolgungswahn

paranoiac [ˌpærə'nɔɪæk] *Medizin*: Paranoiker(in)

paranoid ['pærənɔɪd] **1.** *Medizin*: paranoid **2. be paranoid about something** ständig Angst haben vor etwas, in ständiger Angst vor etwas leben

paraphrase¹ ['pærəfreɪz] (≈ *anders aus-drücken*) umschreiben, paraphrasieren

paraphrase² ['pærəfreɪz] Umschreibung, Paraphrase

paraplegia [,pærə'pli:dʒə] *Medizin*: Querschnitt(s)lähmung

paraplegic¹ [,pærə'pli:dʒɪk] querschnitt(s)gelähmt

paraplegic² [,pærə'pli:dʒɪk] Querschnitt(s)gelähmte(r)

parapsychology [,pærəsaɪ'kɒlədʒɪ] Parapsychologie

parasite ['pærəsaɪt] *Tier, Pflanze*: Schmarotzer, Parasit (*beide auch übertragen*)

parasitic [,pærə'sɪtɪk] **1.** *Biologie*: parasitär, parasitisch **2.** *übertragen auch*: schmarotzerhaft

parasol ['pærəsɒl] *tragbarer* Sonnenschirm

paratrooper ['pærə,tru:pə] *Soldat*: Fallschirmjäger

paratroops ['pærətru:ps] *Pl. Militärein-heit*: Fallschirmjägertruppe

parboil ['pɑːbɔɪl] halb gar kochen, ankochen

parcel ['pɑːsl] **1.** *für Postversand usw.*: Paket **2.** (≈ *Stück Land*) Parzelle

parchment ['pɑːtʃmənt] Pergament

pardon¹ ['pɑːdn] **1.** verzeihen, entschuldigen **2.** *in mst. gesprochenen Wendungen*: **Oh, pardon me!** Oh, Verzeihung!; **pardon me for interrupting you** verzeihen *oder* entschuldigen Sie, wenn ich Sie unterbreche; **if you'll pardon the expression** wenn ich so sagen darf **3.** *Recht*: begnadigen

pardon² ['pɑːdn] **1.** *Höflichkeitsfloskel*: **I beg your pardon** Entschuldigung!, Verzeihung! **2. pardon?**, *förmlich*: **I beg your pardon?** *nachfragend*: wie bitte? **3. I beg your pardon!** *ärgerlich*: erlauben Sie mal!, ich muss doch sehr bitten! **4.** *Recht*: Begnadigung

parent ['peərənt] Elternteil; **parents** *Pl.* Eltern; **single parent** Alleinerziehende(r)

parental [pə'rentl] elterlich, Eltern…; **parental leave** (≈ *Erziehungsurlaub*) Elternzeit; *für Mutter*: Mutterschaftsurlaub; *für Vater*: Vaterschaftsurlaub

parents-in-law ['peərəntsɪnlɔː] *Pl.* Schwiegereltern

Paris ['pærɪs] Paris

parish ['pærɪʃ] **1.** *kirchlich*: Pfarrbezirk, Gemeinde; **parish church** Pfarrkirche **2.** *BE; politisch*: Gemeinde; **parish council** Gemeinderat (*Gremium*)

park¹ [pɑːk] Park

park² [pɑːk] **1.** parken, abstellen (*Auto*);

he's parked over there er parkt dort drüben **2.** *umg.* abstellen, lassen (*Sachen*)

parka ['pɑːkə] Anorak

park-and-ride [,pɑːkənd'raɪd] Park-and--ride-System

parking ['pɑːkɪŋ] **1.** Parken; **no parking** *Schild*: Parken verboten **2.** (≈ *Platz zum Parken*) Parkplätze *Pl.*, Parkfläche

parking disc ['pɑːkɪŋ͜dɪsk] *BE* Parkscheibe

parking fee ['pɑːkɪŋ͜fiː] Parkgebühr

parking garage ['pɑːkɪŋ,gærɑːʒ] *AE* Park(hoch)haus

parking lot ['pɑːkɪŋ͜lɒt] *AE*; Gelände für viele Autos: Parkplatz

parking meter ['pɑːkɪŋ,miːtə] Parkuhr

parking offence ['pɑːkɪŋ͜ə,fens] Parkvergehen, Falschparken

parking offender ['pɑːkɪŋ͜ə,fendə] Parksünder(in), Falschparker(in)

parking place ['pɑːkɪŋ͜pleɪs] **1.** *für einzelnes Auto*: Parkplatz **2.** *am Straßenrand auch*: Parklücke

parking space ['pɑːkɪŋ͜speɪs] Parklücke

parking ticket ['pɑːkɪŋ͜tɪkɪt] Strafzettel (*wegen Falschparkens*)

parkway ['pɑːkweɪ] *AE* Allee

parliament [△ 'pɑːləmənt] Parlament

parliamentary [△ ,pɑːlə'mentrɪ] parlamentarisch

parody¹ ['pærədɪ] *von Person, Art zu Reden usw.*: Parodie, Persiflage (**of, on** auf)

parody² ['pærədɪ] parodieren, persiflieren (*Person, Art zu Reden usw.*)

parole¹ [pə'rəʊl] *Recht*: Entlassung auf Bewährung, *vorübergehend*: Hafturlaub; **put someone on parole** jemanden auf Bewährung entlassen

parole² [pə'rəʊl] auf Bewährung entlassen, *vorübergehend*: Hafturlaub gewähren

parquet [△ 'pɑːkeɪ] *Bodenbelag*: Parkett; **parquet floor** Parkettboden

parrot ['pærət] *Vogel*: Papagei (*auch übertragen*)

parsley ['pɑːslɪ] *Küchenkraut*: Petersilie

part¹ [pɑːt] **1.** *allg. von einem Ganzen*: Teil; **part of his money** ein Teil seines Geldes; **the front part of the building** der vordere Teil *oder* der Vorderteil des Gebäudes; **what part of Germany do you come from?** aus welchem Teil Deutschlands stammst du?; **what's the weather like in these parts?** wie ist das Wetter hierzulande *oder* in dieser Gegend?; **a three-part novel** ein dreiteiliger Roman; **be part of something** zu etwas gehören; **part of the body** Körperteil; **part of speech** *Sprache*: Wortart **2.** *von Maschine usw.*: Teil, Bauteil; **spare**

P

part Ersatzteil **3.** *von Serie*: Teil, Folge, Fortsetzung **4.** *take part* teilnehmen, sich beteiligen (*in* an); *did he have any part in it?* hatte er damit was zu tun? **5.** *in Streit, Debatte usw.*: Seite, Partei; *take someone's part* für jemanden *oder* jemandes Partei ergreifen **6.** *Theater, Film usw.*: Rolle (*auch übertragen*); *act oder play the part of X* die Rolle des X spielen; *play one's part* übertragen seinen Beitrag leisten **7.** *AE* Scheitel; ☞ *BE parting 1* **8.** *in Wendungen*: *for the most part* größtenteils, *zeitlich*: meistens; *on the part of* vonseiten, seitens (+ *Genitiv*); *on my part* von mir, was mich angeht; *that was a mistake on 'my part* für diesen Fehler bin 'ich verantwortlich

part² [pɑːt] **1.** *in Partnerschaft*: sich trennen; *part as friends* in Freundschaft auseinandergehen; *... till death us do part ...*, bis dass der Tod uns scheidet **2.** trennen (*Streitende usw.*) **3.** scheiteln (*Haar*) **4.** aufziehen (*Vorhang*)

part³ [pɑːt] *part ..., part ...* teils ..., teils ...; *the exam ist part written, part oral* die Prüfung findet teils schriftlich, teils mündlich statt

partial [ˈpɑːʃl] **1.** teilweise, Teil...; *partial success* Teilerfolg **2.** (≈ *nicht objektiv*) voreingenommen, parteiisch **3.** *be partial to something* eine Vorliebe für etwas haben

partiality [ˌpɑːʃɪˈælətɪ] **1.** Parteilichkeit, Voreingenommenheit **2.** Schwäche, besondere Vorliebe (*for* für)

partially [ˈpɑːʃəlɪ] teilweise, zum Teil; *be partially to blame for* mit schuld sein an

participant [pɑːˈtɪsɪpənt] *an Wettbewerb usw.*: Teilnehmer(in)

participate [pɑːˈtɪsɪpeɪt] teilnehmen, sich beteiligen (*in* an)

participation [pɑːˌtɪsɪˈpeɪʃn] Teilnahme, Beteiligung

participle [ˈpɑːtɪsɪpl] *Sprache*: Partizip

particle [ˈpɑːtɪkl] **1.** *Staub usw.*: Teilchen, *Physik auch*: Partikel; *there's not a particle of truth in it* übertragen daran ist nicht ein einziges Wort wahr **2.** *Sprache*: Partikel

particular¹ [pəˈtɪkjʊlə] besondere(r, -s), spezielle(r, -s); *in this particular case* in diesem speziellen Fall; *be of no particular importance* nicht besonders wichtig sein; *for no particular reason* aus keinem besonderen Grund; *pay particular attention to ...* achten Sie besonders auf ...!

particular² [pəˈtɪkjʊlə] **1.** Einzelheit; *particulars Pl.* Einzelheiten, nähere Umstände; *in particular* insbesondere; *fur-*

ther particulars from in *Stellenanzeigen usw.*: Näheres *oder* weitere Auskünfte bei **2.** *particulars Pl.* Personalien *Pl.*

particularly [pəˈtɪkjʊləlɪ] besonders: *I'm not particularly pleased* ich bin nicht sonderlich erfreut

parting [ˈpɑːtɪŋ] **1.** *bes. BE*; *von Frisur*: Scheitel **2.** Abschied; *parting kiss* Abschiedskuss

partition¹ [pɑːˈtɪʃn] **1.** Teilung **2.** *auch partition wall* Trennwand **3.** *Computer, auf der Festplatte*: Speicherblock

partition² [pɑːˈtɪʃn] teilen (*Land usw.*); *partition off* abteilen, abtrennen (*Teil eines Zimmers usw.*)

partly [ˈpɑːtlɪ] zum Teil, teilweise; *it was partly my fault* es war zum Teil meine Schuld

partner [ˈpɑːtnə] **1.** *allg.*: Partner(in) **2.** *Wirtschaft*: Gesellschafter(in), Partner(in), Teilhaber(in)

partnership [ˈpɑːtnəʃɪp] **1.** Partnerschaft; *go into partnership* sich (als Partner) zusammentun **2.** *Wirtschaft*: Personengesellschaft, Personalgesellschaft

partridge [ˈpɑːtrɪdʒ] *Vogel*: Rebhuhn

part-time [ˌpɑːtˈtaɪm] *Job*: Teilzeit...; *part-time worker* Teilzeitbeschäftigte(r); *work part-time* Teilzeit arbeiten

party [ˈpɑːtɪ] **1.** *Politik*: Partei **2.** (≈ *Fest*) Feier, Party; *give a party* eine Party geben **3.** *Personen*: Gesellschaft, Gruppe; *a party of tourists* eine Reisegesellschaft

party line [ˌpɑːtɪˈlaɪn] *Politik*: Parteilinie; *follow the party line* linientreu sein

pass¹ [pɑːs] **1.** *im Gebirge*: Pass **2.** (≈ *Ausweis*) Passierschein; *free pass* für Zug *usw.*: Freifahrtschein **3.** *in der Schule*: *get a pass in physics* die Physikprüfung bestehen **4.** *Sport*: Pass, Zuspiel

pass² [pɑːs] **1.** vorbeigehen an, vorbeifahren an (*Gebäude, Person usw.*); *let someone pass* jemanden vorbeilassen; *let something pass* übertragen etwas durchgehen lassen **2.** *im Straßenverkehr, bei Rennen usw.*: überholen **3.** *Schule*: bestehen (*Prüfung*); *did he pass?* hat er bestanden? **4.** reichen, geben; *pass the sugar, please* reich mir bitte den Zucker **5.** *Sport*: abspielen (*Ball*), passen (*to* zu) **6.** *Politik*: verabschieden (*Gesetz*) **7.** (*Zeit usw.*) vergehen, verstreichen **8.** *bei Kartenspielen*: passen (*auch übertragen*)

---

pass away [ˌpɑːs əˈweɪ] (≈ *sterben*) die Augen schließen, entschlafen
pass by [ˌpɑːsˈbaɪ] **1.** *räumlich*: vorbeigehen, vorbeifahren **2.** (*Zeit*) vergehen
pass down [ˌpɑːsˈdaʊn] weitergeben, überliefern (*Bräuche, Tradition usw.*)

(**to** an *oder Dativ*)

pass on [ˌpɑːsˈɒn] **1.** weitergeben (*Informationen, Nachricht usw.*) (**to** an *oder Dativ*) **2.** übertragen (*Krankheit*)

pass round [ˌpɑːsˈraʊnd] **1.** *in einer Runde*: herumreichen **2.** *übertragen* in Umlauf setzen (*Gerücht usw.*); **be passed round** die Runde machen, in Umlauf sein

pass through [ˌpɑːsˈθruː] *I'm just passing through* ich bin nur auf der Durchreise

passable [ˈpɑːsəbl] **1.** *Weg, Straße*: passierbar **2.** *Leistung usw.*: passabel

passage [ˈpæsɪdʒ] **1.** *zwischen Gebäuden*: Passage, Durchgang **2.** *eines Textes*: Passage, Abschnitt **3.** *bes. zur See*: Überfahrt, Schiffsreise

passenger [ˈpæsɪndʒə] **1.** *auf Schiff*: Passagier **2.** *im Flugzeug*: Passagier, Fluggast **3.** *im Zug*: Reisende(r); **passenger train** Personenzug **4.** *im Auto*: Insasse

passer-by [ˌpɑːsəˈbaɪ] *Pl.*: **passers-by** Passant(in)

passion [ˈpæʃn] **1.** *allg.*: Leidenschaft **2.** *fly into a passion* einen Wutanfall bekommen **3.** *the Passion religiös*: die Passion; *Passion play* Passionsspiel

passionate [ˈpæʃnət] *allg.*: leidenschaftlich

passive¹ [ˈpæsɪv] **1.** passiv; **passive resistance** passiver Widerstand; **passive smoking** passives Rauchen, Passivrauchen; **passive vocabulary** passiver Wortschatz **2.** *Sprache*: passivisch; **passive voice** Passiv

passive² [ˈpæsɪv] *Sprache*: Passiv

passport [ˈpɑːspɔːt] Reisepass, Pass; **hold a British passport** einen britischen Pass haben; **passport photo** Passbild

password [ˈpɑːswɜːd] **1.** *Computer*: Passwort **2.** *militärisch*: Kennwort, Parole

past¹ [pɑːst] **1.** vergangene(r, -s), frühere(r, -s); *in the past 24 hours* in den letzten 24 Stunden; *be past* vorüber *oder* vorbei sein; *learn from past mistakes* aus Fehlern der Vergangenheit lernen **2.** *Sprache*: *past participle* Partizip Perfekt; *past perfect* Plusquamperfekt; *past tense* Präteritum **3.** *räumlich*: vorbei, vorüber; *run past* vorbeilaufen (an) **4.** *zeitlich*: nach; *ten (minutes) past six* zehn (Minuten) nach sechs; *half past seven* halb acht; *I'm past forty* ich bin über vierzig

past² [pɑːst] *the past* die Vergangenheit; *in the past* in der Vergangenheit, früher

pasta [ˈpæstə] Teigwaren *Pl.*, Nudeln *Pl.*

paste¹ [peɪst] **1.** (≈ *streichbare Masse*)

Paste **2.** *zum Kleben*: Kleister

paste² [peɪst] **1.** kleben (**to, on** an); **paste up** ankleben **2.** *Computer*: einfügen (**into** in); **copy and paste** kopieren und einfügen

pasteurize [ˈpɑːstʃəraɪz] pasteurisieren, keimfrei machen (*Milch usw.*)

pastime [ˈpɑːstaɪm] Zeitvertreib, Freizeitbeschäftigung; **as a pastime** zum Zeitvertreib; **my pastimes are tennis and basketball** in meiner Freizeit spiele ich Tennis und Basketball

pastry [ˈpeɪstrɪ] **1.** *für Pasteten usw.*: Teig; **puff pastry** Blätterteig **2.** Gebäckstück, Teilchen; **cakes and pastries** Kuchen und Gebäck

pasture [ˈpɑːstʃə] *für Rinder, Schafe usw.*: Weide; **put out to pasture** auf die Weide treiben, *umg., übertragen* aufs Abstellgleis schieben

pasty¹ [ˈpeɪstɪ] *Gesicht*: blass, käsig

pasty² [⚠ ˈpæstɪ] *BE* Fleischpastete

pat¹ [pæt] **1.** Klaps: *give someone a pat on the back übertragen* jemandem auf die Schulter klopfen; *give oneself a pat on the back* sich selbst auf die Schulter klopfen **2.** *bes. Butter*: Portion; ☞ **cowpat**

pat² [pæt] tätscheln; *pat someone on the head (shoulder)* jemandem den Kopf tätscheln (jemanden auf die Schulter klopfen); *pat someone on the back übertragen* jemandem auf die Schulter klopfen; *pat oneself on the back übertragen* sich selbst auf die Schulter klopfen

pat³ [pæt] **1.** *Antwort usw.*: glatt **2.** *have oder know something off pat* etwas aus dem Effeff *oder* wie am Schnürchen können

patch [pætʃ] **1.** *auf Haut, Fell, Fläche*: Stelle, Fleck; *damp patches on the ceiling* feuchte Stellen an der Decke **2.** *patches of mist* Nebelschwaden; *icy patches* stellenweise Glatteis; *in patches übertragen* stellenweise **3.** *zum Schließen eines Loches*: Flicken **4.** *vegetable patch im Garten*: Gemüsebeet **5.** *go through a bad patch übertragen* eine Pechsträhne haben; *go through a difficult patch* eine schwere Zeit durchmachen

patent¹ [ˈpeɪtnt] *Erfindung*: patentiert, Patent…; *patent office* Patentamt

patent² [ˈpeɪtnt] Patent; *protected by patent* patentrechtlich geschützt; *take out a patent on something* etwas patentieren lassen

paternal [pəˈtɜːnl] **1.** väterlich, Vater… **2.** *Großvater usw.*: väterlicherseits

paternity [pə'tɜːnətɪ] Vaterschaft; **paternity suit** Vaterschaftsprozess; **paternity leave** Vaterschaftsurlaub

path [pɑːθ] Pfad, Weg (*auch übertragen*; **to** zu); **stand in someone's path** jemandem im Weg stehen

pathetic [pə'θetɪk] **1.** mitleiderregend; **a pathetic sight** ein Bild des Jammers **2.** *Leistung, Erscheinungsbild usw.*: jämmerlich, kläglich, miserabel; **this is really pathetic!** das ist echt zum Heulen!; **that's pathetic** *auch*: das ist ja lachhaft

patience ['peɪʃns] Geduld; **lose one's patience** die Geduld verlieren (**with** mit); **he listened with patience** er hörte geduldig zu

patient[1] ['peɪʃnt] geduldig (**with** mit); **we waited patiently** wir warteten geduldig

patient[2] ['peɪʃnt] Patient(in)

patriarch ['peɪtrɪɑːk] Patriarch

patriarchal [ˌpeɪtrɪ'ɑːkl] patriarchalisch

St Patrick's Day

Der 17. März ist für die Iren ein Nationalfeiertag. Am **St Patrick's Day** [snt'pætrɪksdeɪ] trägt man Klee (**shamrock**) im Knopfloch. Man sieht auch Legionen von Iren bzw. Irischstämmigen in Übersee in grünen T-Shirts. Viele Iren werden nach ihrem Schutzpatron **Patrick** genannt. Die Koseform dazu ist **Paddy**.

patriot ['pætrɪət] Patriot(in)

patriotic [ˌpætrɪ'ɒtɪk] patriotisch

patriotism ['pætrɪətɪzm] Patriotismus

patrol[1] [pə'trəʊl] **1.** *militärisch*: Patrouille **2.** *bei der Polizei*: Streife; **patrol car** Streifenwagen

patrol[2] [pə'trəʊl] **1.** (*Soldat*) patrouillieren **2.** (*Polizist*) auf Streife sein in **3.** (*Wächter*) seine Runde machen

patron ['peɪtrən] **1.** *von Festveranstaltung*: Schirmherr **2.** *Kunst*: Gönner, Förderer

patronage ['pætrənɪdʒ] Schirmherrschaft; **under the patronage of** unter der Schirmherrschaft von (*oder Genitiv*)

patronize ['pætrənaɪz] **1.** von oben herab *oder* herablassend behandeln **2.** fördern (*Kunst, Verein usw.*)

patronizing ['pætrənaɪzɪŋ] *Art, Auftreten usw.*: herablassend

patron saint [ˌpeɪtrən'seɪnt] Schutzheilige(r)

patter[1] ['pætə] **1.** (*Regen*) prasseln **2.** *von Schritten*: trappeln

patter[2] ['pætə] **1.** *von Regen*: Prasseln **2.** *von Schritten*: Trappeln

patter[3] ['pætə] *eines Vertreters usw.*: Sprü-

che *Pl.*; **sales patter** Verkaufsjargon

pattern ['pætn] **1.** *bei Verhalten, Ereignissen usw.*: Muster, Schema; **their disputes always follow a set pattern** ihre Auseinandersetzungen verlaufen immer nach dem üblichen Schema **2.** *auf Stoff, Kleidern usw.*: Muster **3.** (≈ *Warenprobe*) Muster

paunch [pɔːntʃ] dicker Bauch, Wanst

pauper ['pɔːpə] Arme(r)

pause[1] [pɔːz] *beim Reden usw.*: Pause; **without a pause** *reden usw.*: ohne Unterbrechung, pausenlos (△ *Pause in der Schule* = **break**)

pause[2] [pɔːz] *bei Rede, Tätigkeit usw.*: innehalten

pave [peɪv] pflastern (*Weg, Straße, Platz*); **pave the way for** *übertragen* den Weg ebnen für

pavement ['peɪvmənt] **1.** *Straßenbelag*: Pflaster **2.** *BE* Gehsteig; **pavement café** Straßencafé

paw [pɔː] **1.** *von Tier*: Pfote, Tatze **2.** *umg.* (≈ *Hand*) Pfote

pawn [pɔːn] **1.** *Schach*: Bauer **2.** *übertragen* Schachfigur

pay[1] [peɪ], **paid** [peɪd], **paid** [peɪd] **1.** bezahlen, begleichen (*Rechnung*); **pay by credit card** mit Kreditkarte bezahlen **2.** zahlen, entrichten (*Betrag*) **3.** bezahlen (*Person*) **4.** *übertragen* sich lohnen, sich bezahlt machen **5.** *in Wendungen*: **pay attention** aufpassen, aufmerksam sein; **pay a visit** einen Besuch abstatten, *umg.* aufs Klo gehen; **pay someone a compliment** jemandem ein Kompliment machen

pay back [ˌpeɪ'bæk] **1.** zurückzahlen (*Schulden usw.*) **2.** **I'll pay you back for that!** *übertragen* das werde ich dir heimzahlen!

pay for ['peɪ_fə] **1.** bezahlen (*Ware, Dienstleistung*); **Grandma paid for my driving lessons** Oma hat meine Fahrstunden bezahlt **2.** **he had to pay dearly for it** *übertragen* es kam ihm teuer zu stehen, er musste es teuer bezahlen

pay in [ˌpeɪ'ɪn], **pay into** [ˌpeɪ'ɪntʊ] *auf ein Konto*: einzahlen

pay off [ˌpeɪ'ɒf] **1.** auszahlen (*Angestellte, Geschäftspartner usw.*) **2.** abzahlen, tilgen (*Schulden*) **3.** *übertragen* sich lohnen, sich bezahlt machen

pay[2] [peɪ] Bezahlung, Gehalt, Lohn

payable ['peɪəbl] **1.** *Rechnung usw.*: zahlbar, fällig **2.** **be payable to** *Scheck*: ausgestellt sein auf

pay freeze ['peɪ_friːz] Lohnstopp

payment ['peɪmənt] Zahlung, Bezahlung; *in payment of* als Bezahlung für; *on payment of* gegen Zahlung von (*oder* Genitiv)

pay-per-view TV [ˌpeɪpə'vjuːˌtiːˌviː] Pay-per-View-TV

pay phone ['peɪˌfəʊn] öffentliches Telefon

pay rise ['peɪˌraɪz], *AE* **pay raise** ['peɪˌreɪz] Lohnerhöhung, Gehaltserhöhung

payroll ['peɪrəʊl] Lohnliste; *be on someone's payroll* bei jemandem beschäftigt sein

pay slip ['peɪˌslɪp] Gehaltsabrechnung

pay TV ['peɪˌtiːˌviː] Pay-TV, Bezahlfernsehen

PC[1] [ˌpiː'siː] (*Abk. für* personal computer) *Computer*: PC, Personal Computer

PC[2] [ˌpiː'siː] *Abk.* ☞ *political correctness, politically correct*

PCP [ˌpiːsiː'piː] *AE* (*Abk. für* primary care physician) Allgemeinarzt

PDA [ˌpiːdiː'eɪ] (*Abk. für* personal digital assistant) PDA, Organizer

PE [ˌpiː'iː] (*Abk. für* physical education) *Schulfach*: Sport

pea [piː] *Gemüse*: Erbse; *they're as like as two peas (in a pod)* übertragen sie gleichen sich wie ein Ei dem anderen

peace [piːs] **1.** Frieden; *the two countries are at peace* zwischen beiden Ländern herrscht Frieden; *peace movement* Friedensbewegung; *peace process* Friedensprozess; *make one's peace with* sich aussöhnen *oder* versöhnen mit **2.** *Recht*: öffentliche Ruhe und Ordnung **3.** *übertragen* Ruhe; *peace of mind* Seelenfrieden; *in peace and quiet* in Ruhe und Frieden

peaceable ['piːsəbl] **1.** *Diskussion, Konfliktlösung usw.*: friedlich **2.** *Person*: friedfertig

peace conference ['piːsˌkɒnfrəns] Friedenskonferenz

Peace Corps ['piːsˌkɔː] *AE* Entwicklungsdienst

peaceful ['piːsfl] friedlich

peacekeeping ['piːsˌkiːpɪŋ] *Mandat usw.*: zur Friedenssicherung; *peacekeeping troops Pl.* Friedenstruppen *Pl.*

peace-loving ['piːsˌlʌvɪŋ] friedliebend

peace process ['piːsˌprəʊses] Friedensprozess

peace talks ['piːsˌtɔːks] *Pl.* Friedensverhandlungen *Pl.*, Friedensgespräche *Pl.*

peach [piːtʃ] *Frucht*: Pfirsich **2.** *Baum*: Pfirsichbaum

peacock ['piːkɒk] *Vogel*: Pfau

peak [piːk] **1.** *allg.*: Spitze **2.** *eines Bergs*

auch: Gipfel **3.** *übertragen* Höchst…, Spitzen…; *peak hours Pl. im Straßenverkehr*: Hauptverkehrszeit, Stoßzeit, *im Stromnetz*: Hauptbelastungszeit

peanut ['piːnʌt] **1.** Erdnuss **2.** *peanuts Pl. umg.* (≈ *lächerliche Summe*) Klacks, Peanuts

peanut butter [ˌpiːnʌt'bʌtə] Erdnussbutter

pear [△ peə] **1.** *Frucht*: Birne **2.** *auch* *pear tree* Birnbaum

pearl [pɜːl] *Schmuck*: Perle (*auch übertragen*)

peasant [△ 'peznt] **1.** *bes. historisch*: Bauer, Bäuerin **2.** *übertragen, umg.* Bauer

pebble ['pebl] Kieselstein

peck[1] [pek] **1.** (*Vogel*) picken **2.** *peck someone on the cheek umg.* jemanden flüchtig auf die Wange küssen

peck[2] [pek] *auch* *peck on the cheek umg.* flüchtiger Kuss

peculiar [pɪ'kjuːlɪə] **1.** eigenartig, seltsam; *the fish tastes peculiar* der Fisch schmeckt eigenartig; *I feel a bit peculiar* mir ist irgendwie komisch **2.** (≈ *charakteristisch*) eigentümlich (*to für*); *be peculiar to auch*: typisch sein für

pedagogic [ˌpedə'gɒdʒɪk], **pedagogical** [ˌpedə'gɒdʒɪkl] pädagogisch

pedagogue [ˌpedə'gɒg] **1.** *abwertend* (≈ *pedantischer Lehrer*) Schulmeister(in) **2.** *veraltend* Pädagoge, Pädagogin

pedagogy ['pedəgɒdʒɪ] Pädagogik

pedal ['pedl] *von Fahrrad usw.*: Pedal

pedal boat ['pedlˌbəʊt] Tretboot

pedal bin ['pedlˌbɪn] Treteimer

pedant ['pedənt] Pedant(in)

pedantic [pɪ'dæntɪk] pedantisch (*about* wenn es um … geht)

pedantry ['pedəntrɪ] Pedanterie

peddle ['pedl] *mst. auf der Straße, an der Haustür*: verkaufen; *peddle drugs* mit Drogen handeln

pedestrian[1] [pə'destrɪən] **1.** Fußgänger…; *pedestrian crossing BE* Fußgängerüberweg; *pedestrian precinct oder zone* Fußgängerzone **2.** *Bericht, Stil usw.*: prosaisch, trocken **3.** *Person*: fantasielos

pedestrian crossing

Es gibt verschiedene Fußgängerübergänge, die alle nach Tieren benannt sind:

zebra crossing	Zebrastreifen
pelican crossing	Ampelübergang

(eine Abkürzung von **pedestrian light controlled crossing**)

P

puffin crossing

(**puffin** heißt der Papageientaucher; der Name ist eine Abkürzung von **pedestrian user-friendly intelligent crossing**)

toucan crossing

(ein Übergang, der von Fußgängern und Radfahrern benutzt werden kann, also „two can cross")

pedestrian[2] [pə'destrɪən] Fußgänger(in)
pediatrician [ˌpiːdɪə'trɪʃn] *AE* Kinderarzt, Kinderärztin
pedigree ['pedɪgriː] Stammbaum, Ahnentafel
pee[1] [piː] *umg.* pinkeln
pee[2] [piː] **have** *oder* **take a pee** *umg.* pinkeln; **go for a pee** *umg.* pinkeln gehen
peek[1] [piːk] kurz *oder* verstohlen gucken (**at** auf)
peek[2] [piːk] **have** *oder* **take a peek at** einen kurzen *oder* verstohlenen Blick werfen auf
peel[1] [piːl] **1.** schälen (*Kartoffeln usw.*) **2.** (*Haut*) sich schälen

peel off [ˌpiːl'ɒf] **1.** (*Tapete*) sich lösen **2.** (*Farbe*) abblättern **3.** (*Haut*) sich schälen **4.** abstreifen (*Kleider*)

peel[2] [piːl] *von Früchten, Gemüse*: Schale
peeler ['piːlə] *für Kartoffeln usw.*: Schäler
peelings ['piːlɪŋs] *Pl. von Kartoffeln usw.*: Schalen
peep[1] [piːp] *bes. heimlich*: gucken, lugen
peep[2] [piːp] **1.** **take a peep at** *bes. heimlich oder kurz*: gucken auf **2.** *Ton*: Piepsen
peephole ['piːphəʊl] **1.** Guckloch **2.** *in Tür*: Spion
Peeping Tom [ˌpiːpɪŋ'tɒm] Spanner, Voyeur
peg [peg] **1.** *BE* Wäscheklammer **2.** *für Kleider*: Haken; **off the peg** *BE; Anzug usw.*: von der Stange **3.** (≈ *Holzpfosten*) Pflock; **be a square peg in a round hole** *übertragen* am falschen Platz sein **4.** *in Möbeln*: Stift **5.** *für Zelt*: Hering

peg out [ˌpeg'aʊt], **pegged out, pegged out** *bes. BE, umg.* den Löffel abgeben (*sterben*)

pelican ['pelɪkən] *Wasservogel*: Pelikan
pelican crossing [ˌpelɪkən'krɒsɪŋ] *BE,* Fußgängerüberweg mit Ampel
pelt[1] [pelt] **1.** *von Tier*: Fell, Pelz **2.** **at full pelt** mit voller Geschwindigkeit

pelt[2] [pelt] **1.** bewerfen, *auch übertragen* bombardieren (**with** mit) **2.** **it's pelting down** *oder* **it's pelting with rain** es gießt in Strömen
pelvic ['pelvɪk] *Körperteil*: Becken...
pelvis ['pelvɪs] *Körperteil*: Becken
pen [pen] *allg.*: Stift; **ballpoint pen** Kugelschreiber; **fountain pen** Füller; **felt-tip pen** Filzschreiber

pen

Die Kurzform **pen** wird für „Kugelschreiber", „Füllfederhalter" oder „Filzstift" verwendet.

penalty ['penltɪ] **1.** Strafe; **impose a penalty** (*Gericht*) eine Strafe verhängen; **pay the penalty for something** *übertragen* etwas bezahlen *oder* büßen (**with** mit) **2.** *Fußball*: Elfmeter, Ⓐ, ⒸⒽ Penalty; **penalty area** *oder* **box** Strafraum; **penalty kick** Strafstoß, Elfmeter, Ⓐ, ⒸⒽ Penalty; **penalty shoot-out** Elfmeterschießen
pence [pens] *Pl. von → **penny***
pencil ['pensl] Bleistift; **pencil case** Federmäppchen; **pencil sharpener** Bleistiftspitzer
pendulum ['pendjʊləm] Pendel (*auch übertragen von öffentlicher Meinung usw.*)
penetrate ['penɪtreɪt] **1.** *in Gebiet usw.*: eindringen in **2.** (*Röntgenstrahlen usw.*) durchdringen, dringen durch **3.** infiltrieren, unterwandern (*Organisation, Staat*)
penetrating ['penɪtreɪtɪŋ] **1.** *Lärm, Blick usw.*: durchdringend **2.** *Verstand*: scharf
penfriend ['penfrend] *BE* Brieffreund(in)
penguin ['peŋgwɪn] *Vogel*: Pinguin
penicillin [ˌpenɪ'sɪlɪn] *Medizin*: Penicillin
peninsula [pə'nɪnsjʊlə] Halbinsel
penis ['piːnɪs] *Pl.*: **penises** ['piːnɪsɪz] Penis
penknife ['pen_naɪf] *Pl.*: **penknives** ['pennaɪvz] Taschenmesser
pen name ['pen_neɪm] *von Schriftsteller*: Pseudonym
penniless ['penɪləs] mittellos; **be penniless** *auch*: keinen Pfennig Geld haben
penny ['penɪ] *Pl.*: **pennies** *oder* **pence** [pens] *BE* Penny; **in for a penny, in for a pound** wer A sagt, muss auch B sagen; **a pretty penny** *umg.* ein hübsches Sümmchen; **the penny has dropped** *umg.* der Groschen ist gefallen; **spend a penny** *umg.* austreten
penny pincher ['penɪˌpɪntʃə] *umg.* Pfennigfuchser(in)
penny-pinching ['penɪˌpɪntʃɪŋ] *umg.* knickerig
penpal ['penpæl] *bes. AE, umg.* Brief-

freund(in)

penny

Ein britisches Pfund hat 100 **pence**.

1p   one penny, one p [piː]
5p   five pence, five p
20p twenty pence, twenty p

Der Plural von **penny** lautet allgemein **pence**. Nur wenn von einzelnen Ein-Penny-Münzen die Rede ist, sagt man **pennies**.

pension 1. ['penʃn] (≈ *Altersversorgung*) Rente, Pension; **pension scheme** Rentenversicherung **2.** ['pãsjũ] (≈ *Gästehaus*) Pension (△ *wird im Englischen nur für Gästehäuser auf dem Kontinent verwendet; die entsprechende Einrichtung in GB heißt* **boarding house** *oder* **guesthouse**)

---

pension off [ˌpenʃn'ɒf] **1.** *umg.* pensionieren, in den Ruhestand versetzen **2.** *umg., übertragen* ausrangieren (*Maschine usw.*)

---

pensioner ['penʃnə] Rentner(in), Pensionär(in)
pentagon ['pentəgən] **1.** *Geometrie*: Fünfeck **2. the Pentagon** das Pentagon (*amerikanisches Verteidigungsministerium*)
pentathlete [pen'tæθliːt] *Sport*: Fünfkämpfer(in)
pentathlon [pen'tæθlən] *Sport*: Fünfkampf
Pentecost ['pentɪkɒst] *Kirche*: Pfingsten
penthouse ['penthaʊs] Penthouse, Penthaus
penultimate [pə'nʌltɪmət] vorletzte(r, -s)
peony ['piːənɪ] *Pflanze*: Pfingstrose
people ['piːpl] **1.** (△ *nur im Pl. verwendet*) Menschen, Leute; **my people** *umg.* meine Angehörigen *oder* Familie **2.** (△ *nur im Pl. verwendet*) man; **people say that …** man sagt, dass … **3. the people** (△ *nur im Pl. verwendet*) das Volk, die Bevölkerung; **a man of the people** ein Mann des Volks; **people's front** Volksfront; **people's republic** Volksrepublik **4.** Volk, Nation; **the German people** das deutsche Volk; **the African peoples** die afrikanischen Völker
people carrier ['piːpl͜kærɪə] *Auto*: Großraumlimousine, Van
pep [pep] *umg.* Pep, Schwung

---

pep up [ˌpep'ʌp] *umg.* aufmöbeln (*Person*); **pep things up** Schwung in den Laden bringen

---

pepper[1] ['pepə] **1.** *Gewürz*: Pfeffer **2.** *Gemüse*: Paprika; **three peppers** drei Paprikaschoten
pepper[2] ['pepə] **1.** (≈ *würzen*) pfeffern **2. the report was peppered with statistics** der Bericht war mit Statistiken gespickt
pepper mill ['pepə͜mɪl] Pfeffermühle
peppermint ['pepəmɪnt] **1.** *Pflanze*: Pfefferminze **2.** *Bonbon*: Pfefferminz
pepper pot ['pepə͜pɒt] Pfefferstreuer
peppery ['pepərɪ] **1.** *Geschmack*: pfefferig, pfeffrig **2.** *übertragen* hitzig (*Person*)
pep pill ['pep͜pɪl] *umg.* Aufputschtablette
pep talk ['pep͜tɔːk] *umg.* aufmunternde Worte; **give someone a pep talk** jemandem ein paar aufmunternde Worte sagen
per [pɜː] **1.** pro, je; **ten marks per kilo** zehn Mark pro Kilo; **how many hours do you work per week?** wie viele Stunden pro Woche arbeitest du?; **120 kilometres per hour** 120 Stundenkilometer **2. as per** laut, gemäß; **as per our agreement of May …** laut unserer Vereinbarung vom Mai, …
perceive [pə'siːv] **1.** wahrnehmen (*kleines Detail, kaum auffallende Veränderung usw.*) **2.** begreifen, erkennen (*Sachverhalt, Zusammenhänge usw.*)
percent[1], *BE auch* **per cent**[1] [pə'sent] …prozentig
percent[2], *BE auch* **per cent**[2] [pə'sent] Prozent
percentage [pə'sentɪdʒ] Prozentsatz, Teil; **what percentage of …?** wie viel Prozent von …?; **in percentage terms** prozentual ausgedrückt
perception [pə'sepʃn] Wahrnehmung
perch[1] [pɜːtʃ] *Fisch*: Flussbarsch
perch[2] [pɜːtʃ] *für Vögel*: Sitzstange
perch[3] [pɜːtʃ] **1.** (*Vögel*) sich niederlassen, sich setzen (**on** auf) **2. the chapel perched on the hill** die auf dem Hügel thronende Kapelle
percussion [pə'kʌʃn] *Musik*: Schlagzeug
percussionist [pə'kʌʃnɪst] Schlagzeuger(in)
perennial[1] [pə'renɪəl] **1.** *Pflanze*: ganzjährig **2.** *Problem usw.*: ewig, immer wiederkehrend
perennial[2] [pə'renɪəl] mehrjährige Pflanze
perfect[1] ['pɜːfɪkt] **1.** *allg.*: perfekt, vollkommen; **perfect crime** perfektes Verbrechen; **nobody's perfect** niemand ist vollkommen **2.** *Leistung usw.*: fehlerlos, makellos **3.** *verstärkend*: gänzlich, vollständig; **perfect fool** ausgemachter Narr; **perfect nonsense** kompletter Unsinn;

P

they're perfect strangers to me das sind für mich wildfremde Leute

perfect² [ˈpɜːfɪkt] *Sprache*: Perfekt

perfect³ [pəˈfekt] vervollkommnen, perfektionieren (*Arbeitsweise, Kenntnisse usw.*)

perfection [pəˈfekʃn] Vollkommenheit, Perfektion; **bring to perfection** vervollkommnen; **the fish was cooked to perfection** der Fisch war perfekt zubereitet

perfectionism [pəˈfekʃnɪzm] Perfektionismus

perfectionist¹ [pəˈfekʃnɪst] Perfektionist(in)

perfectionist² [pəˈfekʃnɪst] perfektionistisch

perfidious [pəˈfɪdɪəs] *Person*: perfid(e), falsch

perfidy [ˈpɜːfɪdɪ] Perfidie, Falschheit

perforate [ˈpɜːfəreɪt] **1.** durchbohren, durchlöchern **2.** perforieren, lochen (*Papier, Akten usw.*)

perforation [ˌpɜːfəˈreɪʃn] **1.** Durchbohrung, Durchlöcherung **2.** Perforation, Lochung

perform [pəˈfɔːm] **1.** aufführen, spielen (*Theaterstück usw.*) **2.** *auch*: geben (*Konzert*), vortragen (*Musikstück, Lied*) **3.** vorführen (*Kunststück usw.*) **4.** **perform well** *bes. Sport*: eine gute Leistung zeigen, *in der Schule*: gut abschneiden **5.** verrichten (*Arbeit, Dienst usw.*) **6.** *Medizin*: durchführen (*Operation*)

performance [pəˈfɔːməns] **1.** *Musik, Theater usw.*: Aufführung, Vorstellung **2.** *von Auto, Sportler, Schüler usw.*: Leistung

performer [pəˈfɔːmə] *Theater usw.*: Darsteller(in), Künstler(in)

perfume¹ [ˈpɜːfjuːm] **1.** Parfüm **2.** *von Blumen usw.*: Duft

perfume² [ˈpɜːfjuːm] parfümieren

perhaps [pəˈhæps] *allg.*: vielleicht

period [ˈpɪərɪəd] **1.** *allg. zeitlich*: Periode, Zeitdauer, Zeitraum; **for a period of** für die Dauer von **2.** *historisch*: Zeitalter, Epoche **3.** (≈ *Menstruation*) Periode **4.** *bes. AE; am Satzende*: Punkt

periodic [ˌpɪərɪˈɒdɪk], **periodical** [ˌpɪərɪˈɒdɪkl] periodisch, regelmäßig wiederkehrend

periodical [ˌpɪərɪˈɒdɪkl] Zeitschrift

peripheral [pəˈrɪfrəl] *Computer*: Peripheriegerät

periphery [pəˈrɪfrɪ] Peripherie, *auch übertragen* Rand; **on the periphery of the town** am Stadtrand

perish [ˈperɪʃ] **1.** *förmlich* sterben, umkommen **2.** **perish the thought!** *umg.* Gott behüte! **3.** *Material*: brüchig werden, verschleißen **4.** *Lebensmittel*: schlecht werden, verderben

perishable [ˈperɪʃəbl] *Lebensmittel*: leicht verderblich

perjury [ˈpɜːdʒərɪ] *vor Gericht*: Meineid; **commit perjury** einen Meineid leisten

perm¹ [pɜːm] *umg.* Dauerwelle; **give someone a perm** jemandem eine Dauerwelle legen

perm² [pɜːm] **perm someone's hair** jemandem eine Dauerwelle legen

permanence [ˈpɜːmənəns] Permanenz, Dauerhaftigkeit

permanent [ˈpɜːmənənt] **1.** *allg.*: permanent, ständig; **permanent address** ständiger Wohnsitz **2.** *Schutz, Arbeitsplatz usw.*: dauerhaft

permanent press [ˈpɜːmənənt ˌpres] *AE*; *Hemd usw.*: bügelfrei

permission [pəˈmɪʃn] Erlaubnis; **without permission** unerlaubt, unbefugt; **ask permission from someone** *oder* **ask someone for permission** jemanden um Erlaubnis bitten; **give someone permission to do something** jemandem die Erlaubnis geben *oder* jemandem erlauben, etwas zu tun

permissive [pəˈmɪsɪv] liberal; (sexuell) freizügig; **permissive parenting** liberale *oder* nicht-autoritäre Kindererziehung; **permissive society** tabufreie Gesellschaft

permit¹ [pəˈmɪt], **permitted, permitted** erlauben, gestatten; **not permitted** *auch*: verboten; **permit someone to do something** jemandem erlauben, etwas zu tun; **weather permitting** wenn es das Wetter erlaubt

permit² [ˈpɜːmɪt] *schriftlich*: Genehmigung

perpetual [pəˈpetʃʊəl] *Lärm, Angst, Nörgelei usw.*: fortwährend, ständig, ewig

perplex [pəˈpleks] verwirren, verblüffen

perplexed [pəˈplekst] verwirrt, verblüfft, perplex

perplexity [pəˈpleksətɪ] Verwirrung, Verblüffung

persecute [△ ˈpɜːsɪkjuːt] *bes. politisch*: verfolgen

persecution [ˌpɜːsɪˈkjuːʃn] **1.** *bes. politisch*: Verfolgung **2.** **persecution complex** *Psychologie*: Verfolgungswahn

Persian¹ [ˈpɜːʒn] persisch; **Persian carpet** Perser, Perserteppich; **the Persian Gulf** der Persische Golf

Persian² [ˈpɜːʃn] **1.** Perser(in) **2.** *Sprache*: Persisch

persist [pəˈsɪst] **1.** **persist in doing something** etwas *auch oder* noch weiterhin tun; **if you persist in coming late**

you'll be in trouble wenn du weiterhin ständig zu spät kommst, kriegst du Ärger **2. 'Sorry, but I don't agree,' he persisted.** „Tut mir leid, ich bin nicht einverstanden", beharrte er **3.** (*Schmerzen, schlechtes Wetter usw.*) anhalten, fortdauern

persistent [pəˈsɪstənt] **1.** *Person*: beharrlich **2.** *Gerücht usw.*: hartnäckig **3.** *Schmerzen, schlechtes Wetter usw.*: anhaltend, fortdauernd

person [ˈpɜːsn] Person, Mensch; **in person** persönlich

personal [ˈpɜːsnəl] **1.** (≈ *subjektiv*) persönlich; **I know that from personal experience** ich kenne das aus persönlicher Erfahrung **2.** *Angelegenheit, Sache*: persönlich, privat; **personal call** *Telefon*: Privatgespräch **3.** (≈ *unsachlich*) persönlich, anzüglich (*Bemerkung usw.*); **get personal** persönlich werden **4. personal pronoun** Personalpronomen, persönliches Fürwort

personal assistant [ˌpɜːsnəl_əˈsɪstənt] *von Direktor(in) usw.*: persönlicher Assistent, persönliche Assistentin, *auch*: Chefsekretär(in)

personal digital assistant [ˌpɜːsnəl͵dɪˈdʒɪtl_əˈsɪstənt] (*Abk.* **PDA**) *Computer*: PDA, Organizer

personal identification number [ˌpɜːsnəl͵aɪdentɪfɪˈkeɪʃn͵nʌmbə] (*Abk.* **PIN**) *für Handy, EC-Karte usw.*: Geheimzahl

personality [ˌpɜːsəˈnælətɪ] *Person, Charakter*: Persönlichkeit; **personality cult** Personenkult

personal organizer [ˌpɜːsnəlˈɔːgənaɪzə] **1.** *Kalender*: Terminplaner **2.** *Computer*: PDA, Organizer

personal trainer [ˌpɜːsnəlˈtreɪnə] Privattrainer(in)

personification [pə͵sɒnɪfɪˈkeɪʃn] Personifizierung

personify [pəˈsɒnɪfaɪ] personifizieren; **be laziness personified** die Faulheit in Person sein

personnel [ˌpɜːsəˈnel] **1.** *von Firma*: Personal, Belegschaft; **personnel manager** Personalchef **2.** die Personalabteilung

perspective [pəˈspektɪv] **1.** *optisch*: Perspektive; **in perspective** *Zeichnung usw.*: perspektivisch richtig; **the houses are out of perspective** bei den Häusern stimmt die Perspektive nicht **2.** *übertragen* Perspektive, Blickwinkel; **two different perspectives on the problem** zwei unterschiedliche Sichtweisen des Problems

perspex® [ˈpɜːspeks] *BE* Plexiglas®

perspiration [ˌpɜːspəˈreɪʃn] **1.** Schweiß **2.**

Transpirieren, Schwitzen

perspire [pəˈspaɪə] transpirieren, schwitzen

persuade [pəˈsweɪd] **1.** überreden; **can I persuade you to come?** kann ich dich dazu überreden, mitzukommen? **2. persuade someone that ...** jemanden davon überzeugen, dass ...

persuasion [pəˈsweɪʒn] **1.** Überredung **2.** *auch* **powers of persuasion** Überredungskunst **3.** *formell* Überzeugung; **be of the persuasion that ...** der Überzeugung sein, dass ...

persuasive [pəˈsweɪsɪv] *Argumente usw.*: überzeugend

perverse [pəˈvɜːs] **1.** *Person, Verhalten*: eigensinnig, querköpfig **2.** *Gedanke, Idee*: abwegig **3.** *sexuell*: pervers

perversion [pəˈvɜːʃn] **1.** *von Gedanken, Aussage usw.*: Pervertierung, Verdrehung **2.** *sexuell*: Perversion

pervert[1] [pəˈvɜːt] **1.** pervertieren (*Person, Charakter usw.*) **2.** verdrehen, entstellen (*Gedanken, Aussage usw.*); **pervert the course of justice** das Recht beugen

pervert[2] [ˈpɜːvɜːt] perverser Mensch

pessary [ˈpesərɪ] *Verhütungsmittel*: Pessar

pessimism [ˈpesɪmɪzm] Pessimismus

pessimist [ˈpesɪmɪst] Pessimist(in)

pessimistic [ˌpesəˈmɪstɪk] pessimistisch

pest [pest] **1.** *an Pflanzen*: Schädling; **pests** *Pl.* Ungeziefer; **pest control** Schädlingsbekämpfung **2.** *umg.*; *Person*: Nervensäge (△ *die Pest* = **the plague**)

pester [ˈpestə] *umg.* **1.** belästigen (**with** mit) **2. my daughter keeps pestering me for a new bike** oder **my daughter keeps pestering me to buy her a new bike** meine Tochter liegt mir ständig wegen eines neuen Fahrrads in den Ohren

pesticide [ˈpestɪsaɪd] Schädlingsbekämpfungsmittel

pet[1] [pet] **1.** Haustier **2.** *oft abwertend* Liebling; **he's the teacher's pet** er ist der Liebling des Lehrers **3.** *BE*; *Anrede*: Schatz

pet[2] [pet] **1.** Lieblings...; **pet name** Kosename **2.** Tier...; **pet food** Tiernahrung; **pet shop** Tierhandlung, Zoohandlung

pet[3] [pet], **petted, petted 1.** streicheln (*Tier*) **2.** *umg.* Petting machen

petition [pəˈtɪʃn] **1.** *mst. politisch*: Petition (**against** gegen); **draw up a petition for** (*bzw.* **against**) **something** für (*bzw.* gegen) etwas Unterschriften sammeln **2.** *bei Behörde*: Eingabe, Gesuch; **file a petition for divorce** *bei Gericht*: eine Scheidungsklage einreichen

petrify [ˈpetrɪfaɪ] **1.** (*Fossilien usw.*) versteinern **2.** *übertragen* (sich) versteinern;

petrified with horror vor Entsetzen wie versteinert, starr *oder* wie gelähmt vor Entsetzen; **be petrified of** panische Angst haben vor

petrol ['petrəl] *BE* Benzin; **petrol bomb** Molotowcocktail; **petrol coupon** Benzingutschein; **petrol pump** *von Tankstelle*: Zapfsäule; **petrol station** Tankstelle

petroleum [pə'trəʊlɪəm] Erdöl (△ *Petroleum* = **paraffin**)

petting ['petɪŋ] (≈ *Sex*) Petting

petty ['petɪ] **1.** *Problem, Detail usw.*: belanglos, unbedeutend; **petty cash** Portokasse **2.** *Vergehen*: geringfügig; **petty crime** Bagatelldelikte **3.** *Person, Denkweise usw.*: engstirnig

pH [ˌpiː'eɪtʃ], **pH factor** [ˌpiː'eɪtʃˌfæktə], **pH value** [ˌpiː'eɪtʃˌvæljuː] *Chemie*: pH-Wert

phantom ['fæntəm] **1.** (≈ *Einbildung*) Phantom, Trugbild **2.** *von Verstorbenem*: Geist **3. phantom limb pain** Phantomschmerz; **phantom pregnancy** Scheinschwangerschaft

pharmaceutical [ˌfɑːmə'sjuːtɪkl] pharmazeutisch; **pharmaceutical industry** Pharmaindustrie

pharmaceuticals [ˌfɑːmə'sjuːtɪklz] *Pl.* Arzneimittel *Pl.*

pharmacist ['fɑːməsɪst] Apotheker(in)

pharmacy ['fɑːməsɪ] **1.** Apotheke **2.** *Wissenschaft*: Pharmazeutik, Pharmazie

phase¹ [feɪz] *allg.*: Phase; **phases of the moon** Mondphasen; **transitional phase** Übergangsphase

phase² [feɪz] schrittweise *oder* stufenweise durchführen; **phased withdrawal of troops** schrittweiser Truppenabzug

phat [fæt] *AE umg.* (voll) krass, endgeil

pH-balanced [ˌpiː'eɪtʃˌbælənsd] *Seife usw.*: pH-neutral

PhD [ˌpiː'eɪtʃ'diː] *akademischer Grad*: Dr. phil.

pheasant ['feznt] *Vogel*: Fasan

phenomenon [fə'nɒmɪnən] *Pl.*: **phenomena** [fə'nɒmɪnə] *allg.*: Phänomen; **natural phenomenon** Naturerscheinung

phenomenon

Die Pluralform **phenomena** wird besonders im amerikanischen Englisch auch mit dem Verb im Singular benutzt:
This is <u>an</u> unusual phenomena.

philatelic [ˌfɪlə'telɪk] philatelistisch

philatelist [fɪ'lætəlɪst] Briefmarkensammler(in), Philatelist(in)

philately [fɪ'lætəlɪ] Philatelie

Philippines ['fɪləpiːnz] **the Philippines** die Philippinen

philological [ˌfɪlə'lɒdʒɪkl] philologisch

philologist [fɪ'lɒlədʒɪst] Philologe, Philologin

philology [fɪ'lɒlədʒɪ] Philologie

philosopher [fə'lɒsəfə] Philosoph(in)

philosophical [ˌfɪlə'sɒfɪkl] **1.** philosophisch **2.** *Person, Wesen*: abgeklärt, gelassen

philosophize [fə'lɒsəfaɪz] philosophieren (**about, on** über)

philosophy [fə'lɒsəfɪ] **1.** Philosophie **2.** *übertragen auch*: Weltanschauung

phlegm [△ flem] **1.** *aus Nase, Rachen*: Schleim **2.** (≈ *Trägheit*) Phlegma

phlegmatic [fleg'mætɪk] phlegmatisch

phobia ['fəʊbɪə] *psychisch*: Phobie, krankhafte Angst (**about** vor)

phoenix ['fiːnɪks] *Mythologie*: Phönix; **rise like a phoenix from the ashes** wie ein Phönix aus der Asche emporsteigen

phone¹ [fəʊn] **1.** Telefon; **by phone** telefonisch; **answer the phone** ans Telefon gehen; **phone book** Telefonbuch; **phone box**, *AE* **phone booth** Telefonzelle; **phone call** Anruf, Gespräch; **phone number** Telefonnummer; **turn the radio down - I'm on the phone** mach das Radio leiser - ich telefoniere **2. are you on the phone?** *BE oder* **have you got a phone?** haben Sie Telefon? **3.** Hörer; **pick up** (*bzw.* **put down**) **the phone** den Hörer abnehmen (*bzw.* auflegen)

on the phone

Im Allgemeinen meldet man sich in den englischsprachigen Ländern am Telefon nicht mit dem Namen. Ein einfaches **Hello?** genügt. Der Arbeitsplatz ist vielleicht die Ausnahme. Hier ist die Nennung des Namens durchaus üblich. Manche melden sich auch mit ihrer Telefonnummer. Wenn du wissen willst, mit wem du sprichst, musst du fragen:

Hello, is that Richard?

Natürlich kannst du dich auch selbst gleich vorstellen:

Hello, this is Paul *oder*
Hello, Paul Kirchner speaking ...

Wenn du aber genau weißt, dass dein Gesprächspartner dir nicht bekannt ist und du willst eigentlich mit jemand anderem reden, kannst du auch gleich nach ihm fragen, ohne dass dies unhöflich wirkt:

Hello, could I speak to Tony please?

Jetzt ist dein Gesprächspartner am kürzeren Hebel. Denn er muss fragen, mit wem er spricht:
Who's speaking, please? ...
Hold on, I'll just get him.
(Moment bitte, ich hole ihn.)

phone² [fəʊn] telefonieren, anrufen; *has Mum phoned yet?* hat Mutti schon angerufen?

phone back [ˌfəʊn'bæk] zurückrufen; *can I phone you back?* kann ich dich zurückrufen?

phonecard ['fəʊnkɑːd] Telefonkarte
phone-in ['fəʊnɪn] *BE*; *Rundfunk, TV*: Sendung mit Zuhörer- oder Zuschaueranrufen
phonetic [fə'netɪk] phonetisch; *phonetic transcription* Lautschrift
phoney¹, *AE* **phony¹** ['fəʊnɪ] *umg.*; *Geld usw.*: falsch (*auch Person*), unecht
phoney², **phony²** ['fəʊnɪ] *AE, umg.* **1.** *Geld usw.*: Fälschung **2.** *Person*: Schwindler(in)
phosphate ['fɒsfeɪt] *Chemie*: Phosphat
phosphate-free ['fɒsfeɪt‿friː] *Waschmittel usw.*: phosphatfrei
phosphorescent [ˌfɒsfə'resnt] phosphoreszierend
phosphorus ['fɒsfərəs] *Element*: Phosphor
photo ['fəʊtəʊ] *umg.* Foto, Bild; *in the photo* auf dem Foto; *take a photo* ein Foto machen (*of* von)
photocopier ['fəʊtəʊˌkɒpɪə] Fotokopierer, Fotokopiergerät
photocopy¹ ['fəʊtəʊˌkɒpɪ] Fotokopie; *make a photocopy of* eine Fotokopie machen von
photocopy² ['fəʊtəʊˌkɒpɪ] fotokopieren
photo finish [ˌfəʊtəʊ'fɪnɪʃ] *Sport* Fotofinish
Photofit® ['fəʊtəʊfɪt] *BE* Phantombild
photograph¹ ['fəʊtəgrɑːf] Fotografie, Aufnahme; *take a photograph* eine Aufnahme machen (*of* von) (*Fotograf = photographer*)
photograph² ['fəʊtəgrɑːf] fotografieren
photographer [fə'tɒgrəfə] Fotograf(in)
photographic [ˌfəʊtə'græfɪk] fotografisch; *photographic memory* fotografisches Gedächtnis
photography [fə'tɒgrəfɪ] *Verfahren, Kunst usw.*: Fotografie
phrase [freɪz] *Sprache*: Wendung, Ausdruck
phrasebook ['freɪzbʊk] Sprachführer

phut [fʌt] *go phut BE, umg.* kaputtgehen, (*Pläne usw.*) platzen
physical¹ ['fɪzɪkl] **1.** physisch, körperlich; *physical education* Schulfach: Sport; *physical handicap* Körperbehinderung **2.** physikalisch
physical² ['fɪzɪkl] ärztliche Untersuchung
physically ['fɪzɪklɪ] *be physically fit* körperlich fit sein; *physically handicapped* körperbehindert
physician [fɪ'zɪʃən] Arzt, Ärztin
physicist ['fɪzɪsɪst] Physiker(in)
physics ['fɪzɪks] (△ *im Sg. verwendet*) Physik
physio ['fɪzɪəʊ] *umg.* Physiotherapeut(in)
physiognomy [△ ˌfɪzɪ'ɒnəmɪ] Physiognomie, Gesichtsausdruck
physiological [ˌfɪzɪə'lɒdʒɪkl] physiologisch
physiology [ˌfɪzɪ'ɒlədʒɪ] Physiologie
physiotherapist [ˌfɪzɪəʊ'θerəpɪst] Physiotherapeut(in)
physiotherapy [ˌfɪzɪəʊ'θerəpɪ] Physiotherapie
physique [fɪ'ziːk] Körperbau, Statur
pianist ['piːənɪst] Pianist(in)
piano [pɪ'ænəʊ] Klavier
pick¹ [pɪk] **1.** auswählen, aussuchen; *pick a winner* übertragen das große Los ziehen; *pick one's words* seine Worte genau wählen **2.** pflücken (*Blumen, Obst*) **3.** abnagen (*Knochen*); *I've still got a bone to pick with him* übertragen mit ihm habe ich noch ein Hühnchen zu rupfen **4.** *pick one's nose* in der Nase bohren, *umg.* popeln; *pick one's teeth* in

photograph

photograph

ABER:

photographer

P

den Zähnen stochern **5. *pick a lock*** ein
Schloss auffummeln *oder* knacken **6.
*pick a quarrel*** einen Streit vom Zaun
brechen **7. *pick and choose*** wählerisch
sein, sich bei der Auswahl Zeit lassen **8.
*you're the expert - may I pick your
brains about ...?*** *umg.* du bist der Fach-
mann - darf ich dich mal über ... aus-
quetschen *oder* ausfragen?

pick at ['pɪk‿ət] **1. *pick at one's food***
im Essen herumstochern **2.** (≈ *kritisie-
ren*) *umg.* herumnörgeln an, herumha-
cken auf
pick on ['pɪk‿ɒn] **1.** (≈ *kritisieren*) *umg.*
herumnörgeln an, herumhacken auf **2.**
für etwas Unangenehmes: aussuchen;
why pick on me? warum ausgerechnet
ich?
pick out [‚pɪk'aʊt] **1.** *aus verschiedenen
Möglichkeiten, Dingen usw.*: auswählen
2. (≈ *sehen*) ausmachen, erkennen
pick up [‚pɪk'ʌp] **1.** *vom Boden* : aufhe-
ben, auflesen; *pick oneself up nach ei-
nem Sturz*: sich aufrappeln (*auch über-
tragen*) **2.** *umg.* abholen; *I'll pick you
up in my new car* ich hole dich mit
meinem neuen Wagen ab **3.** *umg.* mit-
nehmen (*Anhalter*) **4.** *umg.* sich holen
oder einfangen (*Krankheit, Virus*) **5.**
aufschnappen (*Kenntnisse, Informatio-
nen usw.*) **6. *pick up speed*** schneller
werden **7.** *nach Krankheit usw.*: sich
wieder erholen (*auch übertragen*) **8.**
(*Wind usw.*) stärker werden

pick² [pɪk] **1.** *Werkzeug*: Spitzhacke, Pi-
ckel **2. *have one's pick of*** auswählen
können aus; ***take your pick!*** such dir et-
was aus!; ***the pick of the bunch*** das Al-
lerbeste, das Beste vom Besten
pickaxe ['pɪkæks] *Werkzeug*: Spitzhacke,
Pickel
picket¹ ['pɪkɪt] **1.** Pfahl **2.** Streikposten;
picket line Streikpostenkette
picket² ['pɪkɪt] **1.** Streikposten aufstellen
vor, durch Streikposten blockieren (*Fa-
brik usw.*) **2.** Streikposten stehen
picket fence ['pɪkɪt‚fens] Palisadenzaun
pickle¹ ['pɪkl] **1.** Marinade, Salzlake **2.**
AE Essiggurke, Gewürzgurke **3.** *mst.*
pickles *Pl.* (≈ *eingelegtes Gemüse*)
Mixed Pickles *Pl.*
pickle² ['pɪkl] einlegen (*Gurken usw.*)
pick-me-up ['pɪkmɪʌp] *umg.* Muntermа-
cher, Anregungsmittel
pickpocket ['pɪk‚pɒkɪt] Taschendieb(in)
picnic¹ ['pɪknɪk] Picknick; ***have a picnic***
Picknick machen; ***it was no picnic*** *umg.*
es war kein Honiglecken

picnic² ['pɪknɪk], ***picnicked, picnicked***,
-ing-Form ***picnicking*** picknicken
picture¹ ['pɪktʃə] **1.** *allg.*: Bild (*auch TV*);
in the picture auf dem Bild **2.** *Kunst-
werk*: Gemälde; ***as pretty as a picture***
sehr hübsch; ***paint a gloomy*** (*bzw. *viv-
id*) *picture of something* übertragen et-
was in düsteren (*bzw.* glühenden) Farben
malen *oder* schildern **3.** (≈ *Anblick*)
Bild; ***be a picture*** etwas sehr Schönes: ei-
ne Pracht *oder* ein Traum sein; ***be the
picture of health*** aussehen wie das blü-
hende Leben; ***his face was a picture*** du
hättest sein Gesicht sehen sollen **4.** (≈
Foto) Aufnahme; ***take a picture*** eine
Aufnahme machen (*of* von) **5.** *übertragen*
Vorstellung; ***be in the picture*** im Bild
sein **6.** *AE* auch ***motion picture*** im Ki-
no: Film **7. *pictures*** *Pl., bes. BE, veral-
tend*: Kino; ***go to the pictures*** ins Kino
gehen
picture² ['pɪktʃə] **1.** *auf einem Bild*: dar-
stellen, abbilden **2.** *in Beschreibung,
Schilderung*: darstellen **3.** *übertragen* sich
vorstellen (*Situation, Person usw.*)
picture book ['pɪktʃə‿bʊk] Bilderbuch
picture gallery ['pɪktʃə‚gælərɪ] Gemälde-
galerie
picture postcard [‚pɪktʃə'pəʊstkɑːd] An-
sichtskarte
picturesque [‚pɪktʃə'resk] *Dorf, Land-
schaft usw.*: malerisch
piddle ['pɪdl] *umg.* pinkeln

piddle around [‚pɪdl‿ə'raʊnd] vertrö-
deln (*Zeit*)

piddling ['pɪdlɪŋ] *umg.* klein, unwichtig
pie [paɪ] **1.** *mit Fleisch und Gemüse*: Pas-
tete **2.** *mit Obst*: (*mst.* gedeckter) Obst-
kuchen; ***easy as pie*** *umg.* kinderleicht
piece [piːs] **1.** *allg.*: Stück; ***a piece of
cake*** ein Stück Kuchen; ***a piece of pa-
per*** ein Stück Papier; ***a piece of advice***
ein Rat(schlag); ***a piece of information***
eine Information; ***in pieces*** *Teller, Vase
usw.*: entzwei, kaputt; ***in one piece***
umg.; *Sachen*: ganz, unbeschädigt, *Per-
son*: heil, unverletzt; ***go to pieces*** *umg.*;
nervlich oder körperlich: zusammenbre-
chen; ***pull*** *oder* ***tear to pieces*** übertra-
gen zerpflücken (*Äußerung, Argument
usw.*) **2.** *von Maschine usw.*: Teil; ***take to
pieces*** auseinandernehmen, zerlegen **3.**
Geldstück, Münze; ***a 10p*** (*gesprochen*
['tenpiː] *oder* ['tenpens]) ***piece*** eine
Zehnpence-Münze **4.** *Schach*: Figur **5.**
Damespiel usw.: Stein **6.** *in Zeitung*: Arti-
kel
piecework ['piːswɜːk] Akkordarbeit; ***be***

on (*oder* **do**) **piecework** im Akkord arbeiten

pie chart ['paɪˌtʃɑːt] Tortendiagramm, Kreisdiagramm

pier [pɪə] **1.** *zum Anlegen von Schiffen*: Pier, Landungssteg **2.** *von Brücke*: Pfeiler

pierce [pɪəs] **1.** (*Messer, Schwert usw.*) durchbohren, durchstoßen **2.** piercen (*Nase, Nabel usw.*); **have one's ears pierced** sich die Ohrläppchen durchstechen lassen **3.** *übertragen* durchdringen; **a cry pierced the silence** ein Schrei zerriss die Stille

piercing[1] ['pɪəsɪŋ] **1.** *Geräusch*: durchdringend, *Schrei auch*: gellend **2.** *Kälte usw.*: schneidend **3.** *Blick, Schmerz usw.*: stechend

piercing[2] ['pɪəsɪŋ] *in Nase, Nabel usw.*: Piercing

pig [pɪg] **1.** *Tier*: Schwein; **buy a pig in a poke** *übertragen* die Katze im Sack kaufen; **make a pig's ear of something** *BE, umg.* etwas vermasseln **2.** *umg., abwertend* Schwein **3.** *umg.* (≈ *Polizist*) Bulle

pigeon ['pɪdʒən] *Vogel*: Taube

pigeonhole[1] ['pɪdʒənhəʊl] Ablagefach, *für Briefe usw.*: Postfach; **put people in pigeonholes** *übertragen* Menschen in Schubladen einordnen *oder* stecken

pigeonhole[2] ['pɪdʒənhəʊl] **1.** (*in Fächern*) ablegen (*Korrespondenz usw.*) **2.** *übertragen* einordnen, klassifizieren (*Personen*) **3.** *übertragen* zurückstellen (*Plan, Projekt usw.*)

piggy-bank ['pɪgɪbæŋk] Sparschwein

pigheaded [ˌpɪg'hedɪd] *Person*: dickköpfig, stur

piglet ['pɪglət] *junges Schwein*: Ferkel

pigment ['pɪgmənt] Pigment

pigsty ['pɪgstaɪ] Schweinestall, *übertragen auch* Saustall

pigtail ['pɪgteɪl] Zopf

pike [paɪk] *Fisch*: Hecht

pile[1] [paɪl] **1.** *von Kleidung, Zeitungen, Büchern usw.*: Stapel, Stoß **2. piles of** *oder* **a pile of …** *umg.* ein Haufen …, jede Menge …; **make a pile** *umg.* eine Menge Geld machen

pile[2] [paɪl] *auch* **pile up** aufhäufen, aufstapeln (*Bücher, Kleidung usw.*); **the table was piled with books** auf dem Tisch stapelten sich die Bücher

---

pile in [ˌpaɪl'ɪn] *in Kino usw.*: sich hinein- *oder* hereindrängen.

pile on [ˌpaɪl'ɒn] **pile it on** *umg.; positiv oder negativ*: dick auftragen

pile up [ˌpaɪl'ʌp] (*Arbeit usw.*) sich anhäufen, sich ansammeln

---

piles [paɪlz] *Pl., Medizin*: Hämorrhoiden

pile-up ['paɪlʌp] *umg.* Massenkarambolage

pilgrim ['pɪlgrɪm] Pilger(in), Wallfahrer(in); **the Pilgrim Fathers** *Geschichte*: die Pilgerväter

pill [pɪl] **1.** *Arznei*: Pille, Tablette; **a bitter pill** (**to swallow**) *übertragen* eine bittere Pille **2. the Pill** *umg.; Verhütungsmittel*: die Pille; **be on the Pill** die Pille nehmen

pillar ['pɪlə] Pfeiler, Säule (*auch übertragen*); **from pillar to post** *übertragen* von Pontius zu Pilatus

pillow ['pɪləʊ] Kissen, Kopfkissen

pillowcase ['pɪləʊkeɪs] Kissenbezug, Kopfkissenbezug

pillow fight ['pɪləʊˌfaɪt] Kissenschlacht

pilot[1] ['paɪlət] **1.** *von Flugzeug*: Pilot(in); **pilot's licence** Flugschein, Pilotenschein **2.** *von Schiff*: Lotse, Lotsin **3. pilot film** *TV*: Pilotfilm; **pilot scheme** Pilotprojekt

pilot[2] ['paɪlət] **1.** steuern, fliegen (*Flugzeug usw.*) **2.** lotsen (*Schiff usw.*) (*auch übertragen*)

pimp [pɪmp] Zuhälter

pimple ['pɪmpl] Pickel, Pustel, *bes.* Ⓐ Wimmerl

PIN [pɪn], **PIN number** ['pɪnˌnʌmbə] ☞ **personal identification number**

pin[1] [pɪn] **1.** Stecknadel **2.** *bes. AE; oft als Schmuck*: *bes. AE* Brosche, Anstecknadel **3.** *für die Pinnwand usw.*: Reißnagel, Reißzwecke **4.** *beim Bowling*: Kegel

pin[2] [pɪn], **pinned, pinned** heften, festmachen, befestigen (**on, to** an); **we're pinning our hopes on the next match** wir setzen unsere Hoffnung auf das nächste Spiel

---

pin down [ˌpɪn'daʊn] **1.** *bei Ringkampf usw.*: zu Boden drücken **2.** *übertragen* festlegen, festnageln (*auf eine Aussage usw.*)

---

pinball ['pɪnbɔːl] Flippern; **play pinball** flippern; **pinball machine** Flipper, Spielautomat (⚠ **flipper** = *Flosse*)

pinch[1] [pɪntʃ] **1.** kneifen, zwicken; **pinch someone's arm** jemanden in den Arm zwicken **2.** (*Schuh, Stiefel*) drücken **3.** *umg.* klauen (*auch übertragen: Idee*); **who's pinched my lighter?** wer hat mein Feuerzeug geklaut?

pinch[2] [pɪntʃ] **1.** Kneifen, Zwicken; **give someone a pinch** jemanden kneifen *oder* zwicken **2.** Prise (*Salz usw.*) **3.** *übertragen* Notlage; **feel the pinch** knapp bei Kasse sein; **at a pinch** zur Not, notfalls

pine [paɪn] *Baum*: Kiefer

pineapple ['paɪnæpl] *Frucht*: Ananas

P

pine tree ['paɪn ˌtriː] *Baum*: Kiefer

pink[1] [pɪŋk] **1.** *Farbe*: Rosa **2.** *Blume*: Nelke

pink[2] [pɪŋk] **1.** rosa, rosafarben, pink; *see* **pink elephants** *umg.*, *übertragen* weiße Mäuse sehen **2.** *umg.*, *politisch*: rötlich, links angehaucht

pinkie ['pɪŋkiː] *AE*, *Schottisch* kleiner Finger

pink slip [ˌpɪŋk'slɪp] *AE*, *umg.* Entlassungsschreiben, blauer Brief

pinnacle ['pɪnəkl] **1.** (Fels)Gipfel **2.** *übertragen* Gipfel, Höhepunkt

pinpoint[1] ['pɪnpɔɪnt] **1.** Nadelspitze **2.** *übertragen* winziger Punkt; *pinpoint of light* Lichtpunkt

pinpoint[2] ['pɪnpɔɪnt] **1.** genau zeigen (*Lage*, *Ort*) **2.** *übertragen* genau bestimmen (*Grund für etwas*)

pint [△ paɪnt] **1.** *Maßeinheit*: *das* Pint (= *etwa 0,57 l*) **2.** *BE*, *umg.* Halbe (*Bier*); *meet for a pint* sich auf ein Bier treffen

pioneer[1] [ˌpaɪə'nɪə] **1.** Pionier **2.** *übertragen auch* Bahnbrecher, Wegbereiter

pioneer[2] [ˌpaɪə'nɪə] *übertragen* den Weg bahnen für, Pionierarbeit leisten für

pious ['paɪəs] fromm; *pious hope* frommer Wunsch

pip[1] [pɪp] *bes. BE von Apfel usw.*: Kern

pip[2] [pɪp] *BE*, *umg.* knapp besiegen *oder* schlagen; *pip someone at the post* *Sport*: jemanden im Ziel abfangen, *übertragen* jemandem um Haaresbreite zuvorkommen

pipe[1] [paɪp] **1.** *für Gas, Wasser*: Rohr, Leitung **2.** *zum Rauchen*: Pfeife **3.** *von Orgel*: Pfeife **4.** *pipes Pl.* Dudelsack

pipe[2] [paɪp] leiten (*Wasser, Gas, Abwässer*); *contaminated coolant was piped into the river* verseuchtes Kühlmittel wurde in den Fluss geleitet

pipeline ['paɪplaɪn] **1.** Rohrleitung **2.** *für Erdöl, Erdgas*: Pipeline **3.** *be in the pipeline übertragen* in Vorbereitung sein (*Pläne usw.*), im Kommen sein (*Entwicklung usw.*)

piper ['paɪpə] Dudelsackpfeifer; *pay the piper übertragen* für die Kosten aufkommen

pipe smoker ['paɪpˌsməʊkə] Pfeifenraucher(in)

piping ['paɪpɪŋ] **1.** Rohrleitung, Rohrleitungssystem **2.** *auf Torten usw.*: Spritzguss

piping hot [ˌpaɪpɪŋ'hɒt] *Wasser, Essen usw.*: kochend heiß

piquant ['piːkənt] **1.** *Speisen*: pikant **2.** *übertragen*, *Situation usw.*: reizvoll, faszinierend

pique[1] [piːk] kränken, verletzen; *be pi-*

qued pikiert sein (*at* über)

pique[2] [piːk] *in a fit of pique* gekränkt, verletzt, pikiert

piracy ['paɪrəsɪ] **1.** Seeräuberei, Piraterie **2.** *von Büchern*: Raubdruck **3.** *von CDs*: Raubpressung **4.** *von Videos, Software*: Herstellung von Raubkopien

pirate[1] ['paɪrət] **1.** Pirat, Seeräuber **2.** *pirate copy von Video, Software*: Raubkopie; *pirate edition von Buch*: Raubdruck; *pirate radio* Piratensender

pirate[2] ['paɪrət] unerlaubt kopieren; *pirated copy von Video, Software usw.*: Raubkopie

pirouette [ˌpɪrʊ'et] Pirouette; *do a pirouette* eine Pirouette drehen

Pisces [△ 'paɪsiːz] *Pl.* (△ *im Sg. verwendet*) *Sternbild*: Fische; *be (a) Pisces* Fisch sein

piss[1] [pɪs] *vulgär* pissen; *it's pissing down bes. BE* es schifft

---

piss off [ˌpɪs'ɒf] *vulgär* **1.** *übertragen* ankotzen; *he oder she oder it pisses me off* er *oder* sie *oder* es kotzt mich an; *be pissed off with* die Schnauze voll haben von **2.** *piss off!* verpiss dich!

---

piss[2] [pɪs] *vulgär* **1.** Pisse; *take the piss out of someone* jemanden verarschen **2.** Pissen; *have oder take a piss* pissen; *go for a piss* pissen gehen

pissed ['pɪst] **1.** *BE*, *umg.* (≈ *betrunken*) blau **2.** *AE* stocksauer (*at* auf)

pistachio [pɪ'staːʃɪəʊ] *Pl. pistachios* Pistazie (*Baum und Frucht*)

piste [piːst] (Ski)Piste

pistol ['pɪstl] *Waffe*: Pistole

pit [pɪt] **1.** Bodenvertiefung: Grube (*auch in Autowerkstatt*) **2.** *Bergbau*: Grube, Zeche; *pit closure* Zechenstilllegung **3.** *Motorsport*: Box; *pit stop* Boxenstopp

pita bread ['pɪtə ˌbred] *bes. AE* ☞ *pitta bread*

pitch[1] [pɪtʃ] **1.** aufschlagen (*Lager, Zelt usw.*) **2.** werfen, schleudern (*Ball usw.*, *bes. beim Baseball*)

pitch[2] [pɪtʃ] **1.** *BE*; *Sport*: Spielfeld **2.** *Musik*: Tonhöhe **3.** *übertragen* Grad, Stufe (*von Gefühlen*) **4.** *Substanz*: Pech; *as black as pitch Nacht, Finsternis*: pechschwarz, stockdunkel

pitch-black [ˌpɪtʃ'blæk], **pitch-dark** [ˌpɪtʃ'daːk] *Nacht, Finsternis*: pechschwarz, stockdunkel

pitcher ['pɪtʃə] **1.** *Baseball*: Werfer **2.** *AE*, *für Wasser, Bier usw.*: Krug

pitfall ['pɪtfɔːl] *übertragen* Falle, Fallstrick

pitiful ['pɪtɪfl] **1.** *Anblick*: mitleiderregend

2. *Person, Zustand*: bemitleidenswert **3.** *abwertend*; *Ausrede usw.*: erbärmlich, jämmerlich

pitiless ['pɪtɪləs] *Person*: unbarmherzig, gnadenlos (*auch übertragen*: *Hitze usw.*)

pitta bread ['pɪtə‿bred] *BE* Pita, Fladenbrot

pity[1] ['pɪtɪ] **1.** Mitleid; *out of pity* aus Mitleid; *feel pity for oder have pity on* Mitleid haben mit **2.** *it's a pity* es ist schade; *pity you couldn't come* schade, dass du nicht kommen konntest; *what a pity!* wie schade!

pity[2] ['pɪtɪ] bemitleiden, bedauern; *I pity him* er tut mir leid

pixel ['pɪksl] *Computer*: Pixel, Bildpunkt

pixie, pixy ['pɪksɪ] Elf, Elfe, Kobold

pizza [△ 'piːtsə] Pizza; *pizza place* Pizzeria

pizzeria [ˌpiːtsə'riːə] Pizzeria

placard ['plækɑːd] Plakat, *auf Demo auch*: Transparent

place[1] [pleɪs] **1.** *allg. räumlich*: Ort, Stelle, Platz; *from place to place* von Ort zu Ort; *showers in places* stellenweise Schauer; *place of birth* Geburtsort; *place of work* Arbeitsstätte **2.** *übertragen verwendet*: *in place of* an Stelle von (*oder Genitiv*); *if I were in your place I would ...* an Ihrer Stelle würde ich ...; *just put yourself in my place* versetzen Sie sich doch einmal in meine Lage; *take place* stattfinden; *take someone's place* jemandes Stelle einnehmen (△ *Platz nehmen* = *sit down*) **3.** Haus, Wohnung; *at his place* bei ihm (zu Hause); *let's go to my place* gehen wir zu mir **4.** Wohnort, Ortschaft; *there's nothing going on in this place* hier ist nichts los **5.** *Reihenfolge*: Platz, Stelle; *in the first place* erstens, zuerst; *why didn't she mention it in the first place?* warum hat sie das nicht gleich erwähnt?; *you shouldn't have invited him in the first place* du hättest ihn gar nicht erst einladen sollen **6.** *Sport*: Platz; *in third place* auf dem dritten Platz **7.** *in Kurs, an Universität usw.*: Platz **8.** *in place* am richtigen Platz; *out of place* nicht am richtigen Platz, *übertragen* fehl am Platz; *your remark was rather out of place* deine Bemerkung war ziemlich unangebracht

place[2] [pleɪs] **1.** (≈ *hintun*) stellen, setzen, legen **2.** erteilen, vergeben (*Auftrag usw.*) (*with* an) **3.** aufgeben (*Bestellung*) **4.** *I can't place him* ich weiß nicht, wo ich ihn hintun soll (≈ *woher ich ihn kenne*) **5.** *be placed Sport*: sich platzieren; *be placed third* an dritter Stelle platziert sein

placebo [plə'siːbəʊ] *Pl.* **placebos** *Medizin* Placebo; *placebo effect* Placeboeffekt

placement ['pleɪsmənt] **1.** *von Wohnung, Arbeitsplatz*: Vermittlung **2.** *Teil einer Ausbildung*: Praktikum

place name ['pleɪs‿neɪm] Ortsname

plagiarism ['pleɪdʒərɪzm] Plagiat

plagiarist ['pleɪdʒərɪst] Plagiator(in)

plagiarize ['pleɪdʒəraɪz] plagiieren (*from* von)

plague[1] [pleɪg] **1.** *allg.*: Seuche **2.** *the plague* die Pest **3.** *von Ungeziefer*: Plage; *a plague of locusts* eine Heuschreckenplage

plague[2] [pleɪg] plagen (*with* mit); *be plagued by fears* von Ängsten geplagt werden

plaice [pleɪs] *Pl.*: **plaice** *Fisch*: Scholle

plain[1] [pleɪn] **1.** *Kleidung, Einrichtung, Lebensstil*: einfach, schlicht; *plain cooking* gutbürgerliche Küche **2.** *Aussage usw.*: klar, klar und deutlich, unmissverständlich; *the plain truth* die nackte Wahrheit; *make something plain* etwas klarstellen; *make something plain to someone* jemandem etwas klarmachen; *in plain English* übertragen auf gut Deutsch **3.** *mst. auf eine Frau bezogen*: unscheinbar, reizlos **4.** (≈ *aufrichtig*) offen und ehrlich; *be plain with someone* jemandem gegenüber offen sein **5.** *verstärkend*: ausgesprochen, rein, völlig; *plain nonsense* barer Unsinn; *this is plain crazy umg.* das ist ganz einfach verrückt

plain[2] [pleɪn] Ebene, Flachland

plain chocolate [ˌpleɪn'tʃɒklət] Zartbitterschokolade

plain clothes [ˌpleɪn'kləʊðz] *Pl.* Zivilkleidung; *in plain clothes* Polizei usw.: in Zivil

plain-clothes [ˌpleɪn'kləʊðz] *plain-clothes policeman* Polizist in Zivil

plainspoken [ˌpleɪn'spəʊkən] offen, freimütig; *be plainspoken auch* sagen, was man denkt

plan[1] [plæn] **1.** (≈ *Vorhaben*) Plan, Absicht; *change one's plans* umdisponieren; *according to plan* planmäßig, plangemäß; *make plans for the future* Zukunftspläne machen **2.** *von Stadt, Gebäude usw.*: Plan

plan[2] [plæn], **planned, planned 1.** *allg.*: planen; *plan ahead* vorausplanen; *planned economy* Planwirtschaft **2.** (≈ *vorhaben*) planen, beabsichtigen; *we're planning to spend Easter in Austria* wir wollen Ostern in Österreich verbringen

plane [pleɪn] Flugzeug; *by plane* mit dem Flugzeug; *go by plane* fliegen

planet ['plænɪt] Planet

planetarium [ˌplænɪ'teərɪəm] Planetarium

plank [plæŋk] **1.** *aus Holz*: Planke, Bohle, Brett; *as thick as two short planks BE, umg.* strohdumm **2.** *Politik*: Schwerpunkt (*eines Parteiprogramms*)

plankton ['plæŋktən] Plankton

plant[1] [plɑːnt] **1.** Pflanze; *water the plants* die Pflanzen gießen **2.** (≈ *Fabrik*) Werk, Betrieb

plant[2] [plɑːnt] **1.** *im Garten usw.*: pflanzen, anpflanzen, einpflanzen (*Baum, Gemüse usw.*) **2.** bepflanzen (*Land*) (*with* mit) **3.** aufstellen, postieren (*Wächter, Polizisten usw.*) **4.** legen (*Bombe*)

plantation [plɑːn'teɪʃn] **1.** *in südlichen Ländern*: Plantage, Pflanzung **2.** *im Wald*: Schonung

plaque [plæk *oder* plɑːk] **1.** Gedenktafel **2.** *Medizin*: Zahnbelag

plasma ['plæzmə] *allg.*: Plasma

plaster[1] ['plɑːstə] **1.** *BE; Verband*: Pflaster **2.** *für Decken, Wände*: Verputz **3.** *auch* **plaster of Paris** Gips; *have one's arm in plaster BE* den Arm in Gips haben; *put in plaster BE* eingipsen (*Arm, Bein*)

plaster[2] ['plɑːstə] **1.** verputzen (*Decke, Wand*) **2.** vergipsen, zugipsen (*Loch*) **3.** *her wall was plastered with postcards* ihre Wand war mit Ansichtskarten zugekleistert

plastered ['plɑːstəd] *umg.* voll; *get plastered* sich volllaufen lassen

plastic[1] ['plæstɪk] **1.** Plastik, Kunststoff **2.** *umg.; als Zahlungsmittel*: Karte; *pay by plastic* mit Karte zahlen

plastic[2] ['plæstɪk] aus Plastik, Plastik...; *plastic bag* Plastiktüte

plate [pleɪt] **1.** *für Speisen*: Teller **2.** *allg.*: Platte (*auch Technik usw.*) **3.** *hand someone something on a plate umg.* jemandem etwas auf dem Tablett servieren

plateau ['plætəʊ] *Pl.* **plateaus** *oder* **plateaux** ['plætəʊz] Plateau, Hochebene

platform ['plætfɔːm] **1.** *Bahnhof*: Bahnsteig **2.** *für Reden usw.*: Podium, Tribüne

platinum ['plætɪnəm] *Chemie* Platin

platitude ['plætɪtjuːd] Plattitüde, Plattheit

platonic [plə'tɒnɪk] platonisch; *platonic love* platonische Liebe

plausibility [ˌplɔːzə'bɪlətɪ] Plausibilität

plausible ['plɔːzəbl] **1.** plausibel, glaubhaft **2.** *Lügner usw.*: geschickt

play[1] [pleɪ] **1.** spielen (*auch Sport, Theater usw.*); *play for money* beim Kartenspiel *usw.*: um Geld spielen; *play the piano usw.* Klavier *usw.* spielen **2.** *Sport*: spielen gegen; *play someone at chess* gegen jemanden Schach spielen; *where's the match being played?* wo wird das Spiel ausgetragen? **3.** ausspielen (*Karte*) **4.** *Wendungen*: *play for time* Zeit zu gewinnen versuchen, *Sport*: auf Zeit spielen; *play (it) safe umg.* auf Nummer sicher gehen

play at ['pleɪ‿ət] *what do you think you're playing at?* was soll denn das?

play down [ˌpleɪ'daʊn] *play something down* etwas herunterspielen

play off [ˌpleɪ'ɒf] ausspielen (*against* gegen); *he played them off against each other* er spielte sie gegeneinander aus

play on ['pleɪ‿ɒn] ausnutzen (*Mitgefühl usw.*)

play up [ˌpleɪ'ʌp] **1.** betonen, herausstreichen (*eigene Qualitäten usw.*) **2.** *play (someone) up* (jemandem) Schwierigkeiten machen

play[2] [pleɪ] **1.** *Theater*: Schauspiel, (Theater)Stück **2.** *fair play Sport*: Fairplay, Fairness (*beide auch übertragen*) **3.** *bring something into play* etwas ins Spiel bringen; *come into play* ins Spiel kommen **4.** *play on words* Wortspiel

play-act ['pleɪækt] *im negativen Sinn* schauspielern

player ['pleɪə] *Musik, Sport*: Spieler(in)

playful ['pleɪfl] **1.** *junges Tier usw.*: verspielt **2.** *Kuss usw.*: schelmisch, neckisch

playground ['pleɪgraʊnd] **1.** Schulhof **2.** Spielplatz **3.** *übertragen* Tummelplatz

playgroup ['pleɪgruːp] *BE* Kindergarten; *at playgroup* im Kindergarten

playhouse ['pleɪhaʊs] **1.** (≈ *Theater*) Schauspielhaus **2.** *für Kinder*: Spielhaus

playing card ['pleɪɪŋ‿kɑːd] Spielkarte

playing field ['pleɪɪŋ‿fiːld] Sportplatz

playmaker ['pleɪˌmeɪkə] *Sport*: Spielmacher(in)

playmate ['pleɪmeɪt] Spielkamerad(in)

play-off ['pleɪɒf] *Sport*: Entscheidungsspiel

playpen ['pleɪpen] Laufgitter

playschool ['pleɪskuːl] *BE* Kindergarten; *at playschool* im Kindergarten

plaything ['pleɪθɪŋ] **1.** Spielzeug (*auch übertragen: von Willkür usw.*) **2.** *playthings Pl. von Kindern*: Spielsachen *Pl.*, Spielzeug

playtime ['pleɪtaɪm] *during playtime* in der Pause

playwright ['pleɪraɪt] Dramatiker(in)

plc [ˌpiːel'siː] (*Abk. für* **p**ublic **l**imited **c**ompany) AG

plea [pliː] (dringende) Bitte, Gesuch (*for* um)

plead [pliːd], *pleaded, pleaded, AE pled* [pled], *pled* [pled] **1.** (dringend) bitten (*for* um); *plead with someone* jemanden bitten **2.** *plead* (*not*) *guilty vor Gericht*: sich (nicht) schuldig bekennen

pleasant ['pleznt] **1.** angenehm, ⓒⓗ gefreut, *Nachricht usw. auch*: erfreulich **2.** *Person*: freundlich, ⓒⓗ gefreut

please¹ [pliːz] bitte; *would you please be quiet!* würdet ihr bitte leise sein!

please² [pliːz] **1.** zufriedenstellen; (*just*) *to please you* (nur) dir zuliebe; *there's no pleasing him oder you can't please him* man kann es ihm nicht recht machen **2.** *as you please* wie Sie wünschen **3.** *if you please förmlich* bitte schön **4.** *please yourself* mach, was du willst!

pleased [pliːzd] **1.** *be pleased with* zufrieden sein mit **2.** *be pleased about oder at* sich freuen über **3.** *I'm pleased to hear your good news* es freut mich, Ihre gute Nachricht zu hören; *pleased to meet you bei Begrüßung*: freut mich!

pleasure ['pleʒə] **1.** Vergnügen, Freude; *with pleasure* mit Vergnügen; *it gives me* (*great*) *pleasure to announce ...* es freut mich, Ihnen ... anzukündigen; *he took pleasure in making a fool of her* er machte sich einen Spaß daraus, sie zum Narren zu halten **2.** *'Thanks for your help.' – 'Pleasure oder My pleasure'* „Danke für Ihre Hilfe." – „Gern geschehen"

pleb [pleb] *umg., abwertend* Prolet(in), Prolo

plebeian¹ [plə'biːən] **1.** *abwertend* Prolet(in) **2.** *historisch*: Plebejer(in)

plebeian² [plə'biːən] **1.** *abwertend* proletenhaft **2.** *historisch*: plebejisch

plebiscite ['plebɪsaɪt] Volksabstimmung, Volksentscheid

pledge¹ [pledʒ] **1.** Versprechen, Zusicherung; *make a* (*firm*) *pledge* (fest) versprechen *oder* zusichern (*to do* zu tun) **2.** *as a pledge of* zum Zeichen (*unserer Liebe usw.*) **3.** Pfand (*für geliehenes Geld usw.*)

pledge² [pledʒ] versprechen, zusichern (*to do* zu tun, *that* dass)

plenary ['pliːnərɪ] *plenary session* von *Konferenz, Parlament usw.*: Plenarsitzung, Vollversammlung

plentiful ['plentɪfl] reichlich

plenty¹ ['plentɪ] *that's plenty* das ist reichlich; *plenty of people* viele Leute;

plenty of time jede Menge Zeit

plenty² ['plentɪ] *... in plenty ...* im Überfluss, ... in Hülle und Fülle

pliable ['plaɪəbl], *pliant* ['plaɪənt] **1.** *Material*: biegsam **2.** *Person*: leicht beeinflussbar

pliers ['plaɪəz] *Pl., auch pair of pliers* Beißzange, Kneifzange

plight [plaɪt] Not, Notlage

plimsoll ['plɪmsl] *BE* Turnschuh; ☞ *AE sneaker*

plimsoll

Plimsolls heißen die einfachen Turnschuhe aus Segeltuch; die sportlicheren Turnschuhe mit dicker Sohle, wie sie teilweise auch auf der Straße getragen werden, heißen **trainers** bzw. besonders in Amerika **tennis shoes**.

plod [plɒd] (≈ *mühsam gehen*) trotten

plop¹ [plɒp], *plopped, plopped umg.* plumpsen, *ins Wasser*: platschen; *plop into a chair* sich in einen Sessel plumpsen lassen

plop² [plɒp] *umg.* Plumps, Platsch

plot¹ [plɒt] **1.** Handlung (*eines Films usw.*) **2.** Komplott, Verschwörung **3.** Stück Land, Grundstück

plot² [plɒt], *plotted, plotted* **1.** sich verschwören (*against* gegen) **2.** aushecken (*Mord*) **3.** einzeichnen (*Route usw.*)

plough¹ [plaʊ] Pflug

plough² [plaʊ] **1.** *auch plough up* pflügen, umpflügen **2.** *plough through a book umg.* ein Buch durchackern

Ploughman's Lunch

Wenn du Käse magst, solltest du mal den traditionellen **Ploughman's Lunch** probieren. Das sind verschiedene Käsesorten (z. B. Cheddar, Stilton, Brie) mit Baguette oder Vollkornbrot und Butter, einer großen Portion **pickles** und einer Salatgarnierung.

plow [plaʊ] *AE* Pflug; ☞ *BE plough¹, plough²*

pluck [plʌk] **1.** rupfen (*Geflügel*) **2.** zupfen (*Augenbrauen, Saiten usw.*)

pluck up [ˌplʌk'ʌp] *pluck up* (*one's*) *courage* sich ein Herz fassen

plucky ['plʌkɪ] *umg.* mutig

plug¹ [plʌg] **1.** *von Badewanne usw.*: Stöpsel **2.** *Elektrotechnik*: Stecker (△ *in der gesprochenen Sprache auch für* Steckdose *verwendet*)

plug² [plʌg] verstopfen, zustöpseln

---

plug in [ˌplʌgˈɪn], *plugged in, plugged in Gerät*: anschließen, einstecken

---

plum [plʌm] **1.** Pflaume, Zwetsch(g)e, Ⓐ Zwetschke **2.** *he's got a plum job umg.* er hat eine tolle Stelle

plumage [ˈpluːmɪdʒ] Gefieder

plumb¹ [△ plʌm] *Seefahrt usw.*: Lot, Senkblei

plumb² [△ plʌm] **1.** loten, ausloten (*Wassertiefe*) **2.** *übertragen* ergründen; *plumb the depths of loneliness oder misery usw.* die tiefsten Tiefen der Einsamkeit *oder* des Elends *usw.* erleben

plumb³ [△ plʌm] **1.** *umg.* genau; *the ball hit her plumb in the face* der Ball traf sie mitten ins Gesicht **2.** *AE, umg.* total; *I'm plumb tuckered* ich bin total geschafft *oder* erledigt

plumber [△ ˈplʌmə] Klempner(in), Installateur(in)

plumbing [△ ˈplʌmɪŋ] **1.** Rohre, Rohrleitungen **2.** Klempnerarbeiten

plumb line [ˈplʌmlaɪn] *Seefahrt usw.*: Lot, Senkblei

plump [plʌmp] mollig, rundlich (△ *nicht* **plump**)

plunder¹ [ˈplʌndə] plündern, ausplündern

plunder² [ˈplʌndə] **1.** *Tat:* Plünderung **2.** *Gewinn bei Plünderung usw.:* Beute

plunderer [ˈplʌndərə] Plünderer, Plünderin

plunge [plʌndʒ] (*auch Preise usw.*) stürzen

---

plunge into [ˈplʌndʒˌɪntə] **1.** (sich) stürzen in (*Wasser usw.*) **2.** *plunge a knife into someone's back* jemandem ein Messer in den Rücken stoßen **3.** *he plunged himself into debt* er stürzte sich in Schulden

---

plunging [ˈplʌndʒɪŋ] *Ausschnitt:* tief; *with a plunging neckline* tief ausgeschnitten

pluperfect [ˌpluːˈpɜːfɪkt] *auch* **pluperfect tense** *Sprache* Plusquamperfekt

plural [ˈplʊərəl] *Sprache:* Plural, Mehrzahl

pluralism [ˈplʊərəlɪzm] Pluralismus

pluralist [ˈplʊərəlɪst], **pluralistic** [ˌplʊərəˈlɪstɪk] pluralistisch

plus¹ [plʌs] *Mathematik:* plus, und

plus² [plʌs] **1.** *übertragen* Plus, Vorteil **2.** *auch* **plus sign** Plus(zeichen)

plywood [ˈplaɪwʊd] Sperrholz, Schichtholz

pm, PM, *auch* **p.m., P.M.** [ˌpiːˈem] (*Abk.*

für **p**ost **m**eridiem) nachmittags; *3 pm* 15 Uhr

PM [ˌpiːˈem] *Abk. für* → **Prime Minister**

pneumatic [△ njuːˈmætɪk] *Technik:* **pneumatic drill** Pressluftbohrer

pneumonia [△ njuːˈməʊnɪə] Lungenentzündung; *she's got pneumonia* sie hat eine Lungenentzündung

poach¹ [pəʊtʃ] (≈ *illegal jagen*) wildern

poach² [pəʊtʃ] pochieren (*Eier*); *poached eggs Pl.* verlorene Eier

poacher [ˈpəʊtʃə] Wilderer, Wilderin

PO Box [ˌpiːəʊˈbɒks] (*Abk. für* **p**ost **o**ffice box) Postfach

pocket¹ [ˈpɒkɪt] **1.** *in Hose usw.:* Tasche (*auch übertragen*) **2.** *holidays to suit every pocket übertragen* Urlaub passend für jeden Geldbeutel **3.** *I'm £20 out of pocket* ich habe 20 Pfund draufgelegt; → **dig¹**

pocket² [ˈpɒkɪt] **1.** einstecken **2.** *übertragen* in die eigene Tasche stecken, klauen (*Geld usw.*)

pocketbook [ˈpɒkɪtbʊk] **1.** *BE* Notizbuch **2.** *AE* Brieftasche (△ *Taschenbuch =* **paperback**)

pocket calculator [ˌpɒkɪtˈkælkjʊleɪtə] Taschenrechner

pocket knife [ˈpɒkɪt naɪf] *Pl.:* **pocket knives** [ˈpɒkɪt naɪvz] Taschenmesser

pocket money [ˈpɒkɪtˌmʌnɪ] Taschengeld

pod [pɒd] *bei Pflanzen:* Hülse, Schote

poem [ˈpəʊɪm] Gedicht

poet [ˈpəʊɪt] **1.** Dichter(in) **2.** *auch* **lyric poet** Lyriker(in)

poetic [pəʊˈetɪk] poetisch; *poetic justice übertragen* ausgleichende Gerechtigkeit; *poetic licence* dichterische Freiheit

poetry [ˈpəʊətrɪ] **1.** (die) Dichtung **2.** Gedichte

point¹ [pɔɪnt] **1.** Spitze (*einer Nadel usw.*) **2.** Punkt, Stelle, Ort; *meeting point* Treffpunkt **3.** Punkt (*einer Tagesordnung*) **4.** *Sport usw.:* Punkt; *win on points* nach Punkten gewinnen **5.** Sinn, Zweck; *what's the point of* (*oder* **in**) *waiting?* was hat es für einen Sinn zu warten?; *there's no point* es hat keinen Zweck **6.** *Schriftzeichen:* Punkt **7.** *bei Dezimalstellen:* Komma; *four point three* (*4.3*) vier Komma drei (4,3) **8.** *be on the point of leaving usw.* im Begriff sein zu gehen *usw.* **9.** *Wendungen:* *get to the point* zur Sache kommen; *keep oder stick to the point* bei der Sache bleiben; *she makes a point of being punctual* sie legt Wert darauf, pünktlich zu sein; *get* (*oder* **see, take**) *someone's point* verstehen, was jemand meint; *miss the point* nicht verstehen, worum es geht;

plural: Pluralwörter im Englischen

Im Englischen gibt es eine Reihe von Wörtern, die im Gegensatz zum Deutschen immer in der Mehrzahl stehen. Hier die wichtigsten

trousers	Hose	**scissors**	Schere
jeans	Jeans	**pliers**	Zange
pants	Unterhose, AE Hose	**scales**	Waage
pyjamas	Schlafanzug	**surroundings**	Umgebung
swimming trunks	Badehose	**outskirts**	Stadtrand
tights	Strumpfhose		
glasses	Brille	**thanks**	Dank
binoculars	Fernglas	**congratulations**	Glückwunsch
goggles	Taucher-, Schutzbrille	**police**	Polizei

Alle diese Substantive erscheinen also mit der Pluralform des Verbs:

Where are my tights?	Wo ist meine Strumpfhose?
The police were asking for witnesses.	Die Polizei fragte nach Zeugen.
I don't know where the scissors are.	Ich weiß nicht, wo die Schere ist.

Bei der ersten Gruppe der oben angeführten Ausdrücke (von **trousers** bis einschließlich **scales**) handelt es sich um Gegenstände, die aus **zwei** mehr oder weniger identischen Hälften bestehen (z.B. eine Hose, eine Schere, eine Waage). Sie fordern im Englischen eine Pluralform des Verbs und erscheinen somit nie mit **a** bzw. **an**. Statt dessen kann man bei diesen Substantiven **some** bzw. **any** oder **a pair of** voransetzen:

He was wearing a brand new pair of jeans.	Er hatte (eine) nagelneue Jeans an.
I saw some very nice swimming goggles today.	Heute habe ich eine sehr schöne Taucherbrille gesehen.
Have you got any gold-rimmed glasses.	Haben Sie eine Brille mit Goldrand?
We need a new pair of kitchen scissors.	Wir brauchen eine neue Küchenschere.

---

that's **not** *the point* darum geht es nicht!; *that's the whole point* genau (das ist es)!; *up to a point* übertragen bis zu einem gewissen Punkt *oder* Grad; *when it comes to the point* wenn es darauf ankommt

point² [pɔɪnt] **1.** (mit dem Finger) zeigen (*at, to* auf); *you shouldn't point at people* du solltest nicht mit dem Finger auf Leute zeigen! **2.** richten (*Waffe usw.*) (*at* auf)

point out [ˌpɔɪntˈaʊt] **1.** *point something out to someone* jemanden auf etwas hinweisen **2.** *übertragen* hinweisen auf; *point out to someone that* jemanden darauf aufmerksam machen, dass

point to *oder* **towards** [ˈpɔɪntˌtʊ *oder* təˌwɔːdz] *übertragen* hinweisen auf

point-blank [ˌpɔɪntˈblæŋk] **1.** *auch at point-blank range* *Schuss usw.:* aus kürzester Entfernung **2.** *übertragen* un-

verblümt, geradeheraus (*fragen usw.*)

pointed [ˈpɔɪntɪd] **1.** *Turm, Schuhe usw.:* spitz **2.** *Blick, Geste usw.:* vielsagend, unmissverständlich **3.** *Bemerkung:* spitz, scharf

pointer [ˈpɔɪntə] **1.** Zeiger (*eines Messgeräts*) **2.** *umg.* Fingerzeig, Tip **3.** Zeigestock

pointless [ˈpɔɪntləs] sinnlos, zwecklos

point of view [ˌpɔɪntəvˈvjuː] *Pl.:* **points of view** *übertragen* Gesichtspunkt, Standpunkt

poise¹ [pɔɪz] **1.** (Körper)Haltung **2.** *übertragen* Gelassenheit, (Selbst)Sicherheit

poise² [pɔɪz] balancieren; *be poised* *übertragen* schweben (*between* zwischen)

poised [pɔɪzd] gelassen, (selbst)sicher

poison¹ [ˈpɔɪzn] Gift (*to* für); *what's your poison?* *umg.* was möchten Sie trinken?; ☞ *Info S. 360*

poison² [ˈpɔɪzn] vergiften (*auch übertragen*)

poisonous [ˈpɔɪznəs] giftig, Gift...

P

poison

Die Frage **what's your poison?** ist humorvoll gemeint und bezieht sich auf das alkoholische „Leibgetränk" des Gastes, etwa Whisky oder Gin Tonic, das bei zu reichlichem Genuss durchaus eine „giftige" Wirkung haben kann.

poke [pəʊk] **1.** stochern (in) (*Feuer usw.*) **2. she poked her head into the room** sie steckte ihren Kopf ins Zimmer **3.** stoßen; **poke someone in the ribs** jemandem einen Rippenstoß geben **4. poke fun at** sich lustig machen über

poke about *oder* **around** [ˌpəʊk‿əˈbaʊt *oder* əˈraʊnd] (herum)stöbern, (herum)wühlen (**in** in)

poker [ˈpəʊkə] **1.** Poker(spiel) **2.** Schürhaken
poky [ˈpəʊkɪ] *Zimmer usw.:* winzig, eng
Poland [ˈpəʊlənd] Polen
polar [ˈpəʊlə] polar, Polar…
polar bear [ˌpəʊləˈbeə] Eisbär
polarization [ˌpəʊləraɪˈzeɪʃn] Polarisierung; **polarization filter** *Fotografie:* Polfilter
polarize [ˈpəʊləraɪz] polarisieren
pole¹ [pəʊl] **1.** *allg.:* Stange **2.** Stab (*für Hochsprung*)
pole² [pəʊl] *geographisch, von Magneten usw.:* Pol; **they're poles apart** *übertragen* zwischen ihnen liegen Welten
Pole [pəʊl] Pole, Polin
polecat [ˈpəʊlkæt] **1.** Iltis **2.** *AE* Stinktier, Skunk
polemic¹ [pəˈlemɪk], **polemical** [pəˈlemɪkl] polemisch
polemic² [pəˈlemɪk] **1.** *auch* **polemics** *Pl.* (△ *im Sg. verwendet*) Polemik **2.** polemische Äußerung
pole vault [ˈpəʊl‿vɔːlt] Stabhochsprung
pole vaulter [ˈpəʊlˌvɔːltə] Stabhochspringer(in)
police¹ [pəˈliːs] *Pl.* Polizei; **the police have caught the thieves** die Polizei hat die Diebe verhaftet
police² [pəˈliːs] (polizeilich) überwachen (*Gebiet usw.*)
police car [pəˈliːs‿kɑː] Polizeiauto
police department [pəˈliːs‿dɪˌpɑːtmənt] *AE; Behörde:* Polizei
police force [pəˈliːs‿fɔːs] Polizei
policeman [pəˈliːsmən] *Pl.:* **policemen** [pəˈliːsmən] Polizist, Ⓐ Wachmann, Gendarm
police officer [pəˈliːsˌɒfɪsə] Polizeibeamte(r)

police record [pəˌliːsˈrekɔːd] Strafregister; **have a police record** vorbestraft sein
police state [pəˈliːs‿state] Polizeistaat
police station [pəˈliːsˌsteɪʃn] Polizeirevier, Polizeiwache, Ⓐ Wachzimmer
policewoman [pəˈliːsˌwʊmən] *Pl.:* **policewomen** [pəˈliːsˌwɪmɪn] Polizistin
policy¹ [ˈpɒlɪsɪ] **1.** (≈ *Methode*) Verfahrensweise, (Geschäfts)Politik **2.** Politik; **economic policy** Wirtschaftspolitik
policy² [ˈpɒləsɪ] (Versicherungs)Police; **take out an insurance policy** eine Versicherung abschließen
polio [ˈpəʊlɪəʊ], **poliomyelitis** [ˌpəʊlɪəʊmaɪəˈlaɪtɪs] Kinderlähmung, Polio
polish¹ [ˈpɒlɪʃ] polieren, bohnern (*Boden*)

polish off [ˌpɒlɪʃˈɒf] *umg.* wegschaffen (*Arbeit usw.*), wegputzen (*Essen*)
polish up [ˌpɒlɪʃˈʌp] aufpolieren (*auch Sprachkenntnisse usw.*)

polish² [ˈpɒlɪʃ] **1.** (**shoe**) **polish** Schuhcreme **2.** (**furniture**) **polish** Möbelpolitur **3. give something a final polish** *übertragen* etwas den letzten Schliff geben
Polish¹ [ˈpəʊlɪʃ] polnisch
Polish² [ˈpəʊlɪʃ] *Sprache:* Polnisch
polished [ˈpɒlɪʃt] **1.** *Schuh, Fläche usw.:* glänzend, poliert **2.** *übertragen* geschliffen (*Sprache*), gewandt (*Auftreten*)
polite [pəˈlaɪt] höflich; **he was just being polite** er wollte nur höflich sein
politeness [pəˈlaɪtnəs] Höflichkeit
political [pəˈlɪtɪkl] politisch
political asylum [pəˌlɪtɪkl‿əˈsaɪləm] politisches Asyl; **seek political asylum** politisches Asyl beantragen
political correctness [pəˈlɪtɪkl‿kəˈrektnəs] *von Sprache, Verhalten:* politische Korrektheit
politically correct [pəˌlɪtɪklɪ‿kəˈrekt] *von Sprache, Verhalten:* politisch korrekt
politician [ˌpɒləˈtɪʃn] Politiker(in)
politics [ˈpɒlətɪks] **1.** (die) Politik; **go into politics** in die Politik gehen; **I think politics is** (△ *Sg.*) **boring** ich halte Politik für langweilig **2.** *Studium:* politische Wissenschaft
poll¹ [pəʊl] **1.** (Meinungs)Umfrage **2.** *auch* **polls** *Pl.* Wahl; **go to the polls** zur Wahl gehen
poll² [pəʊl] befragen; **65% usw. of those polled** 65% *usw.* der Befragten
pollen [△ ˈpɒlən] Pollen, Blütenstaub
polling booth [ˈpəʊlɪŋ‿buːð] Wahlkabine
polling day [ˈpəʊlɪŋ‿deɪ] Wahltag
polling station [ˈpəʊlɪŋˌsteɪʃn] Wahllokal

political correctness

Dieser Begriff hat seinen Ursprung in den USA und bedeutet so viel wie „politisch korrekte", d. h. gesellschaftlich akzeptable Ausdrucksweise.

Wenn jemand **politically correct** (Abk. **PC** [,pi:'si:]) ist, dann vermeidet er oder sie Ausdrücke, die andere Menschen – besonders Frauen, Angehörige der verschiedenen Rassen, behinderte oder alte Menschen usw. – verletzen oder diskriminieren könnten:

politisch korrekter Ausdruck	wörtliche deutsche Übersetzung	statt	herkömmlicher Ausdruck	deutsche Erklärung
firefighter	„Feuerbekämpfer"	statt	**fireman** ['faɪəmən]	Feuerwehrmann
senior citizen [,si:nɪə'sɪtɪzn]	„Senior", „Seniorin"	statt	**pensioner**	Rentner
disabled	behindert	statt	**handicapped**	
correctional facility [fə'sɪlətɪ]	„Besserungsanstalt"	statt	**prison**	Gefängnis

Für viele „politisch korrekte Bezeichnungen" gibt es durchaus nachvollziehbare Gründe. Wenn man z. B. von **firefighters** und nicht von **firemen** ['faɪəmən] spricht, trägt das der Tatsache Rechnung, dass dieser Beruf auch Frauen ausüben. Oder: Wenn man Menschen schwarzer Hautfarbe bezeichnen will, sagt man richtig **black people** oder – in den USA – **African-Americans** und nicht etwa **negroes** ['ni:grəʊz]. Die früher als **Indians** bezeichneten „Ureinwohner" Amerikas heißen mittlerweile **Native Americans**.

Zu beachten ist, dass Begriffe, die heute als „politically correct" gelten, sehr kurzlebig und deshalb bald schon wieder überholt sein können.

Mittlerweile gibt es im Rahmen der **PC** auch Wortschöpfungen, die nicht ganz ernst zu nehmen sind und einen Sachverhalt mehr oder weniger bewusst humorvoll darstellen:

politisch korrekter Ausdruck	wörtliche deutsche Übersetzung	statt	herkömmlicher Ausdruck	deutsche Erklärung
he's chronologically gifted	*etwa:* er ist „altersmäßig begünstigt"	statt	**he's old**	er ist alt
differently abled	„anders befähigt"	statt	**disabled** [dɪs'eɪbld]	behindert
she's vertically challenged [,vɜːtɪklɪ'tʃælɪndʒd]	*etwa:* sie ist „vertikal stark gefordert"	statt	**she's short**	sie ist klein
I'll ask my caregivers	ich werd mal meine „Fürsorger" fragen	statt	**I'll ask my parents**	ich werde mal meine Eltern fragen
he's a nontraditional shopper	er ist ein „unkonventioneller Kunde"	statt	**he's a shoplifter**	er ist ein Ladendieb

P

pollster 362

pollster ['pəʊlstə] Meinungsforscher(in)
pollutant [pə'luːtnt] Schadstoff
pollute [pə'luːt] verschmutzen, belasten (*Umwelt*), verunreinigen (*Flüsse usw.*)
polluter [pə'luːtə] Umweltverschmutzer(in), Umweltsünder(in)
pollution [pə'luːʃn] (die) (Umwelt)Verschmutzung, Belastung der Umwelt; *pollution level* Schadstoffbelastung
polo ['pəʊləʊ] *Sport* Polo
polo neck ['pəʊləʊ_nek] *BE* **1.** Rollkragenpullover **2.** Rollkragen
polo shirt ['pəʊləʊ_ʃɜːt] Polohemd
polygamist [pə'lɪɡəmɪst] Polygamist(in)
polygamous [pə'lɪɡəməs] polygam
polygamy [pə'lɪɡəmɪ] Polygamie
polyglot ['pɒlɪɡlɒt] polyglott, vielsprachig, mehrsprachig
polytechnic [ˌpɒlɪ'teknɪk] *etwa:* Technische Hochschule

polytechnics

Die ehemaligen **polytechnics** – Hochschulen mit technischem und betriebswirtschaftlichem Schwerpunkt – wurden in den Neunzigerjahren zum Rang von Universitäten erhoben und entsprechend umbenannt, z. B. **The Polytechnic of Wales** zu **The University of Glamorgan**.

pomp [pɒmp] Pomp
pompous ['pɒmpəs] **1.** aufgeblasen, wichtigtuerisch **2.** *Sprache:* schwülstig
pond [pɒnd] Teich, Weiher
ponder ['pɒndə] (lange) überlegen, nachdenken (*on, over* über)
ponderous ['pɒndərəs] **1.** massig, schwer **2.** *übertragen* schwerfällig
pong [pɒŋ] *BE, umg.* Gestank
pony ['pəʊnɪ] *Pferd:* Pony
ponytail ['pəʊnɪteɪl] *Frisur:* Pferdeschwanz
poodle ['puːdl] *Hund:* Pudel
pooh-pooh [ˌpuː'puː] *umg.* geringschätzig abtun (*Vorschlag usw.*)
pool[1] [puːl] **1.** (*swimming*) *pool* Schwimmbecken **2.** Teich, Tümpel **3.** *aus Regenwasser usw.:* Pfütze, Lache; *pool of blood* Blutlache
pool[2] [puːl] **1.** (gemeinsame) Kasse **2.** ...gemeinschaft, ...park; *car pool* von *Privatleuten:* Fahrgemeinschaft, *von Firma:* Fuhrpark
pool[3] [puːl] **1.** zusammenlegen (*Ersparnisse usw.*) **2.** *übertragen* vereinen (*Kräfte usw.*)
pool[4] [puːl] Poolbillard
pools [puːlz] *the pools bes. BE; etwa:*

(Fußball)Toto; *win* (*on*) *the pools etwa:* im Toto gewinnen
poor[1] [pʊə] **1.** arm, mittellos **2.** *Qualität, Wetter usw.:* schlecht **3.** *Leistung usw.:* dürftig, schwach **4.** (≈ *unglücklich*) arm, bedauernswert
poor[2] [pʊə] *the poor Pl.* die Armen (⚠ *der Arme* = *the poor man*)
poorly ['pɔːlɪ] **1.** *übertragen* dürftig, schwach; *a poorly paid job* ein schlecht bezahlter Job; *I'm poorly paid* ich werde schlecht bezahlt; *do poorly in* schlecht abschneiden bei **2.** krank; *she's poorly* es geht ihr schlecht
pop[1] [pɒp] *Musik:* Pop
pop[2] [pɒp] **1.** Knall (*eines Korkens usw.*) **2.** *BE, umg.* Limo
pop[3] [pɒp], *popped, popped* **1.** (*Sektkorken usw.*) knallen **2.** (zer)platzen **3.** *mit einer Richtungsangabe:* schnell gehen *oder* laufen; *pop round to the supermarket* schnell mal zum Supermarkt gehen

pop in [ˌpɒp'ɪn] *pop in* (*on someone*) (bei jemandem) auf einen Sprung vorbeikommen
pop off [ˌpɒp'ɒf] *umg.* **1.** weggehen, verschwinden **2.** sterben
pop open [ˌpɒp'əʊpən] aufplatzen, aufspringen
pop up [ˌpɒp'ʌp] (plötzlich) auftauchen

popcorn ['pɒpkɔːn] Popcorn, Puffmais
pope [pəʊp] Papst
pop group ['pɒp_ɡruːp] Popgruppe
poplar ['pɒplə] *Baum:* Pappel
pop music ['pɒpˌmjuːzɪk] Popmusik
poppy ['pɒpɪ] *Pflanze:* Mohn
pop star ['pɒp_stɑː] Popstar
popular ['pɒpjʊlə] **1.** *Person, Musik usw.:* beliebt, populär; *popular music* leichte Musik **2.** *Missverständnis usw.:* weit verbreitet **3.** *Darstellung in einem Buch usw.:* allgemein verständlich; *the popular press* die Boulevardpresse; *popular newspaper* Boulevardblatt
popularity [ˌpɒpjʊ'lærətɪ] Beliebtheit, Popularität
popularize ['pɒpjʊləraɪz] **1.** populär machen **2.** allgemein verständlich darstellen
popularly ['pɒpjʊləlɪ] **1.** allgemein; *he is popularly believed oder thought to be a capable politician* nach allgemeiner Ansicht ist er ein fähiger Politiker; *it is popularly believed that* ... es wird allgemein angenommen *oder* davon ausgegangen, dass ... **2.** *popularly elected Politiker:* vom Volk gewählt
populate ['pɒpjʊleɪt] bevölkern, besie-

deln

population [ˌpɒpjʊˈleɪʃn] **1.** Bevölkerung; *population density* Bevölkerungsdichte **2.** Einwohner (*einer Stadt usw.*) **3.** (Gesamt)Bestand (*an Tieren usw.*)

populist[1] [ˈpɒpjʊlɪst] populistisch

populist[2] [ˈpɒpjʊlɪst] Populist(in)

populous [ˈpɒpjʊləs] **1.** *Land, Region*: dicht besiedelt *oder* bevölkert **2.** *Stadt*: einwohnerstark

pop-up [ˈpɒpʌp] **1.** *Toaster*: automatisch **2.** *pop-up book* Hochklappbuch; *pop-up menu Computer*: Popup-Menü; *pop-up window* Popup-Fenster

porcelain [ˈpɔːslɪn] Porzellan

porch [pɔːtʃ] **1.** *eines Hauses*: überdachter Vorbau, Vordach **2.** *einer Kirche*: Portal **3.** *AE* Veranda

porcupine [ˈpɔːkjʊpaɪn] Stachelschwein

pore [pɔː] Pore

---

pore over [ˈpɔːrˌəʊvə] vertieft sein in; *pore over one's books* über seinen Büchern hocken

---

pork [pɔːk] Schweinefleisch; *pork chop* Schweinekotelett

porker [ˈpɔːkə] **1.** Mastschwein **2.** *umg., abwertend* Fettsack

porky [ˈpɔːkɪ] *umg.* fett, dick

porn [ˌpɔːn] *umg.* **1.** Porno **2.** Porno...; *porn movie* Pornofilm

pornographic [ˌpɔːnəˈgræfɪk] pornographisch

pornography [pɔːˈnɒgrəfɪ] Pornographie

porous [ˈpɔːrəs] **1.** *Material*: porös **2.** *übertragen* durchlässig

porridge [ˈpɒrɪdʒ] *bes. BE* Porridge, Haferbrei

---

porridge

Porridge (ein Brei aus Haferflocken) wird hauptsächlich in Schottland gerne zum Frühstück gegessen. Er wird mit Wasser oder Milch angemacht, in einem Topf erhitzt und mit Zucker gesüßt. Man kann eine Prise Salz hinzufügen. Auf den fertigen Brei kommt ein Schuss kalte Milch oder Sahne.

---

port[1] [pɔːt] **1.** Hafen; *come into port Schiff*: einlaufen; *leave port Schiff*: auslaufen **2.** Hafenstadt **3.** *Computer*: Anschluss, Port

port[2] [pɔːt] *Flugzeug, Schiff*: Backbord

portable [ˈpɔːtəbl] tragbar; *portable TV* (*set*) tragbarer Fernseher

portal [ˈpɔːtl] **1.** *von Kirche usw.*: Portal, Pforte **2.** *im Internet*: Portal

porter [ˈpɔːtə] **1.** (Gepäck)Träger **2.** Pförtner, Portier; *porter's lodge* Pförtnerloge **3.** *AE* Schlafwagenschaffner(in)

portfolio [ˌpɔːtˈfəʊlɪəʊ] *für Zeichnungen, Dokumente*: Mappe

porthole [ˈpɔːthəʊl] *Schiff*: Bullauge

portion [ˈpɔːʃn] **1.** Teil (*eines größeren Ganzen*), *von Ticket*: Abschnitt **2.** Anteil (*of* an) **3.** *Essen*: Portion

portly [ˈpɔːtlɪ] beleibt, korpulent

portrait [ˈpɔːtrət] Porträt

portray [pɔːˈtreɪ] **1.** schildern, darstellen (*as* als) **2.** *Theater*: darstellen (*Charakter*)

Portugal [ˈpɔːtʃʊgl] Portugal

Portuguese[1] [ˌpɔːtʃʊˈgiːz] portugiesisch

Portuguese[2] [ˌpɔːtʃʊˈgiːz] *Sprache*: Portugiesisch

Portuguese[3] [ˌpɔːtʃʊˈgiːz] Portugiese, Portugiesin; *the Portuguese Pl.* die Portugiesen

pose[1] [pəʊz] Haltung, Pose (*auch übertragen*)

pose[2] [pəʊz] **1.** *pose for someone* für jemanden Modell stehen *oder* sitzen **2.** *pose a threat usw.* eine Gefahr *usw.* darstellen (*for, to* für)

---

pose as [ˈpəʊz_əz] sich ausgeben (*as* als)

---

posed [pəʊzd] *Foto*: gestellt

poser [ˈpəʊzə] *umg.* **1.** *Person*: Wichtigtuer(in), Angeber(in) **2.** *Problem usw.*: harte Nuss

posh [pɒʃ] *bes. BE, umg.* vornehm, piekfein, nobel

position[1] [pəˈzɪʃn] **1.** Position, Lage, Standort **2.** Haltung, (Körper)Stellung **3.** *Wettbewerb*: *be in third usw. position* auf dem dritten *usw.* Platz liegen **4.** (gesellschaftliche) Stellung, Position **5.** *übertragen* Lage, Situation; *be in a position to do something* in der Lage sein, etwas zu tun **6.** *übertragen* Einstellung (*on* zu); *what's your position on ...?* wie stehen Sie zu ...?; *take the position that ...* den Standpunkt vertreten, dass ... **7.** *Arbeit*: Stelle, Stellung (*with, in* bei)

position[2] [pəˈzɪʃn] (auf)stellen, postieren

positive[1] [ˈpɒzətɪv] **1.** *allg.*: positiv **2.** *be positive* sicher sein (*that* dass); *are you absolutely positive about that?* bist du dir da ganz sicher? **3.** *Beweis usw.*: sicher, eindeutig, positiv

positive[2] [ˈpɒzətɪv] *Foto*: Positiv

possess [pəˈzes] **1.** besitzen (*auch übertragen*) **2.** *possessed by an idea* von einer Idee besessen

possession [pəˈzeʃn] **1.** Besitz; *be in*

someone's possession in jemandes Besitz sein; **be in possession of** im Besitz sein von; **take possession of** Besitz ergreifen von, in Besitz nehmen **2.** Besitz(tum); **all his possessions** seine ganze Habe

possessive [pə'zesɪv] **1.** besitzgierig, besitzergreifend **2.** *Sprache*: **possessive pronoun** Possessivpronomen

possibility [ˌpɒsə'bɪlətɪ] Möglichkeit (**of doing** zu tun); **the house has possibilities** aus dem Haus lässt sich etwas machen

possible ['pɒsəbl] möglich; **do everything possible** alles tun, was einem möglich ist; **make something possible for someone** jemandem etwas ermöglichen

possibly ['pɒsəblɪ] **1.** **if I possibly can** wenn ich irgend kann; **I can't possibly do it** ich kann das unmöglich tun **2.** *umg.* vielleicht, eventuell; **could you possibly lend me some money?** könntest du mir vielleicht etwas Geld leihen?

post¹ [pəʊst] Pfosten, Pfahl, Mast

post² [pəʊst] *bes. BE* Post; **by post** mit der Post, per Post

post³ [pəʊst] **1.** *bes. BE* aufgeben, einwerfen (*Brief usw.*) **2.** *im Internet*: verbreiten (*Nachricht usw.*) **3.** **keep someone posted** jemanden auf dem Laufenden halten

post⁴ [pəʊst] **1.** (Arbeits)Stelle **2.** Posten

post⁵ [pəʊst] postieren (*Polizisten usw.*)

post⁶ [pəʊst] **1.** anschlagen, ankleben (*Plakat usw.*) **2.** durch Aushang bekannt geben

postage ['pəʊstɪdʒ] Porto; **how much is the postage on a letter to …?** wie viel kostet ein Brief nach …?

postal ['pəʊstl] **1.** Post…, postalisch; **postal vote** Briefwahl **2.** *AE, umg.* **go postal** *vor Wut*: ausrasten, durchdrehen

postbox ['pəʊstbɒks] *bes. BE* Briefkasten

postcard ['pəʊstkɑːd] Postkarte, *oft auch* Ansichtskarte

postcode ['pəʊstkəʊd] *BE* Postleitzahl

poster ['pəʊstə] Plakat, Poster

poste restante [ˌpəʊst'restɒnt] *bes. BE* postlagernd

posterior [pɒ'stɪrɪə] *humorvoll* (≈ *Gesäß*) Allerwerteste

posterity [pɒ'sterətɪ] die Nachwelt

post-free [ˌpəʊst'friː] *bes. BE* portofrei

postgrad [ˌpəʊst'græd] *umg.*, postgraduate [ˌpəʊst'grædjʊət] Studierende(r) mit bereits einem Hochschulabschluss

posthumous ['pɒstjʊməs] posthum, postum

postman ['pəʊstmən] *Pl.*: **postmen** ['pəʊstmən] *bes. BE* Briefträger, Postbote

postmark ['pəʊstmɑːk] Poststempel

post-modern [ˌpəʊst'mɒdn] postmodern

post-mortem [ˌpəʊst'mɔːtəm] **1.** *auch* **post-mortem examination** Autopsie, Obduktion **2.** *übertragen* Manöverkritik (*nach Scheitern eines Vorhabens*)

post office ['pəʊstˌɒfɪs] Post(amt); ☞ *Illu S. 884*

postpaid [ˌpəʊst'peɪd] *bes. AE* portofrei

postpone [ˌpəʊs'pəʊn] verschieben (**to** auf), aufschieben (**to** auf; **till, until** bis); **he postponed seeing his doctor** er verschob seinen Arztbesuch

postponement [ˌpəʊs'pəʊnmənt] Aufschub

postscript ['pəʊsskrɪpt] **1.** *in Brief*: Postskript(um), Nachschrift **2.** *zu einer Rede usw.*: Nachbemerkung **3.** *in einem Buch*: Nachwort

posture [△ 'pɒstʃə] (Körper)Haltung, Stellung

postwar ['pəʊstwɔː] Nachkriegs…

postwoman ['pəʊstˌwʊmən] *Pl.*: **postwomen** ['pəʊstˌwɪmɪn] *bes. BE* Postbotin, Briefträgerin

pot¹ [pɒt] **1.** Topf, …topf **2.** (Tee-, Kaffee)Kanne **3.** Kännchen, Portion; **a pot of tea** (*oder* **coffee**) ein Kännchen Tee (*oder* Kaffee) **4.** *Wendungen*: **he's got pots of money** *BE, umg.* er hat Geld wie Heu; **go to pot** *umg.* vor die Hunde gehen

pot² [pɒt] *umg.* (≈ *Marihuana*) Pot

pot³ [pɒt] eintopfen (*Pflanze*)

potato [pə'teɪtəʊ] *Pl.*: **potatoes** Kartoffel, *bes.* Ⓐ Erdapfel; **hot potato** *umg., übertragen* heißes Eisen

potato chips [pə'teɪtəʊˌtʃɪps] *Pl. AE*, potato crisps [pə'teɪtəʊˌkrɪsps] *Pl. BE* Kartoffelchips

potato peeler [pə'teɪtəʊˌpiːlə] *Küchengerät*: Kartoffelschäler

potato salad [pə'teɪtəʊˌsæləd] Kartoffelsalat

potency ['pəʊtnsɪ] Stärke

potent ['pəʊtnt] **1.** *Medikament usw.*: stark **2.** *Argument usw.*: überzeugend, zwingend

potential¹ [pə'tenʃl] potenziell, möglich

potential² [pə'tenʃl] **1.** Potenzial, Leistungsfähigkeit; **he has the potential to be a top athlete** er hat das Zeug zu einem Spitzenathleten **2.** *Elektrotechnik*: Spannung

potentially [pə'tenʃəlɪ] potenziell, möglicherweise

pothole ['pɒthəʊl] **1.** *in Straße*: Schlagloch

2. *unterirdisch*: Höhle

potholed ['pɒthəʊld] *Straße*: voller Schlaglöcher

potion ['pəʊʃn] *s* Trank *m*

pot luck [,pɒt'lʌk] *take pot luck* sich überraschen lassen; nehmen, was kommt

pot plant ['pɒt_plɑːnt] Topfpflanze

potter[1] ['pɒtə] **1.** schlendern **2.** *auch* *potter about oder around* herumwerkeln

potter[2] ['pɒtə] Töpfer(in); *potter's wheel* Töpferscheibe

pottery ['pɒtərɪ] **1.** (die) Töpferei **2.** Töpferwaren

potty[1] ['pɒtɪ] *bes. BE, umg.* verrückt; *drive someone potty* jemanden zum Wahnsinn treiben; *he's potty about monster movies* er ist (ganz) verrückt nach Monsterfilmen

potty[2] ['pɒtɪ] *umg.* Töpfchen (*für Kleinkinder*)

potty-trained ['pɒtɪtreɪnd] *Kleinkind*: sauber

pouch [paʊtʃ] **1.** Beutel (*auch bei Beuteltieren*) **2.** *unter den Augen*: Tränensack **3.** *Hamster usw.*: (Backen)Tasche

poultry ['pəʊltrɪ] Geflügel

pounce on ['paʊns_ɒn] *übertragen* sich stürzen auf

pound [paʊnd] **1.** *Gewichtseinheit*: Pfund; *a pound of cherries* ein Pfund Kirschen (△ *Zeichen*: *lb*; *ein lb* = ca. 453 g) **2.** *Britische Währungseinheit*: Pfund; *five-pound note* Fünfpfundschein (△ *Zeichen*: £)

pour [pɔː] **1.** gießen, schütten; *pour someone a cup of tea* jemandem eine Tasse Tee eingießen **2.** (*Flüssigkeit*) strömen (*auch übertragen*) **3.** *it's pouring down oder it's pouring with rain* es gießt in Strömen

pour out [,pɔːr'aʊt] **1.** ausgießen (*Wasser usw.*) **2.** einschenken (*Getränk*) **3.** *he poured his heart out to me* *übertragen* er hat mir sein Herz ausgeschüttet

pout [paʊt] **1.** einen Schmollmund machen **2.** schmollen

poverty ['pɒvətɪ] Armut

poverty line ['pɒvətɪ_laɪn] Armutsgrenze

poverty-stricken ['pɒvətɪ,strɪkən] arm, Not leidend

POW [pi:əʊ'dʌblju:] (*Abk. für* **p**risoner **o**f **w**ar) Kriegsgefangene(r)

powder[1] ['paʊdə] **1.** Pulver; (*gun*)*powder* Schießpulver **2.** Puder (*für Kosmetik usw.*)

powder[2] ['paʊdə] pudern (*Gesicht usw.*)

powdered milk [,paʊdəd'mɪlk] Milchpulver, Trockenmilch

powder room ['paʊdə_ruːm] Damentoilette

power[1] ['paʊə] **1.** Macht, Gewalt (*over* über); *be in power* *politisch*: an der Macht sein; *be in someone's power* in jemandes Gewalt sein **2.** *Recht usw.*: (Amts)Gewalt, Befugnis **3.** Kraft, Macht; *he did everything in his power* er tat alles, was in seiner Macht stand **4.** Vermögen, Fähigkeit; *his powers of concentration* Konzentrationsvermögen **5.** Kraft, *Sturm usw.*: Wucht, Gewalt **6.** Energie

power[2] ['paʊə] *powered by electricity* mit Elektroantrieb

power up [,paʊə'rʌp] **1.** einschalten (*elektrisches Gerät*) **2.** hochfahren (*Computer*)

powerboat ['paʊəbəʊt] Rennboot

power brake ['paʊə_breɪk] *Auto*: Servobremse

power cut ['paʊə_kʌt] *BE*, **power outage** ['paʊə,aʊtɪdʒ] *AE* Stromausfall

powerful ['paʊəfl] **1.** stark (*auch übertragen*), kräftig **2.** mächtig, einflussreich

powerless ['paʊələs] **1.** machtlos **2.** *be powerless to do something* nicht die Möglichkeit haben, etwas zu tun

powernap ['paʊənæp] Nickerchen

power pack ['paʊə_pæk] *von Elektrogerät*: Netzteil

power plant ['paʊə_plɑːnt] *AE* Kraftwerk

power point ['paʊə_pɔɪnt] *BE* Steckdose

power serve ['paʊə_sɜːv] *Tennis*: Kanonenaufschlag

power station ['paʊə,steɪʃn] Kraftwerk

power steering [,paʊə'stɪərɪŋ] *Auto*: Servolenkung

PR [,piː'ɑː] *Abk. für* → *public relations*

practicable ['præktɪkəbl] durchführbar

practical ['præktɪkl] **1.** *allg.*: praktisch **2.** *Person*: praktisch veranlagt **3.** vernünftig, realistisch

practically ['præktɪklɪ] praktisch, so gut wie

practice[1] ['præktɪs] **1.** Praxis; *in practice* in der Praxis; *put into practice* in die Praxis umsetzen **2.** Übung, Training; *out of practice* aus der Übung; *practice makes perfect* Übung macht den Meister **3.** (Arzt-, Anwalts)Praxis **4.** Brauch, Gewohnheit; *practices Pl. negativ*: Praktiken; *it's common practice* es ist allgemein üblich

P

practice² ['præktɪs] Übungs..., Probe...

practice³ ['præktɪs] *AE* **1.** trainieren, (ein)üben (*Musikstück usw.*); **practice the piano** Klavier üben **2.** *als Anwalt, Arzt usw.*: praktizieren; ☞ *BE* **practise**

practiced ['præktɪst] *AE* geübt (**at, in** in); ☞ *BE* **practised**

practise ['præktɪs] *BE* **1.** trainieren, (ein)üben (*Musikstück usw.*); **practise the piano** Klavier üben **2.** *als Anwalt, Arzt usw.*: praktizieren

practised ['præktɪst] *BE* geübt (**at, in** in); **he's (well) practised at managing difficult situations** er ist darin geübt, mit schwierigen Situationen umzugehen

pragmatic [præg'mætɪk] pragmatisch

pragmatist ['prægmətɪst] Pragmatiker(in)

Prague [prɑːg] Prag

praise¹ [preɪz] loben (**for** wegen)

praise² [preɪz] Lob; **win praise** Lob ernten

praiseworthy ['preɪz‚wɜːðɪ] lobenswert

pram [præm] *bes. BE* Kinderwagen

prank [præŋk] Streich

prattle ['prætl] *auch* **prattle on** plappern (**about** von)

prawn [prɔːn] Garnele, Krabbe

pray [preɪ] beten (**to** zu; **for** für, um)

prayer [preə] **1.** Gebet; **prayer book** Gebetbuch **2. prayers** *Pl.* Gottesdienst: Andacht

preach [priːtʃ] predigen (**to** zu, vor)

preacher ['priːtʃə] Prediger(in)

preamble [priː'æmbl] **1.** *von Buch usw.*: Einleitung, Vorwort **2.** *juristisch*: Präambel

prearrange [‚priːə'reɪndʒ] vorher abmachen *oder* vereinbaren

precarious [prɪ'keərɪəs] prekär, unsicher

precaution [prɪ'kɔːʃn] Vorkehrung, Vorsichtsmaßnahme (**against** gegen); **as a precaution** zur Vorsicht, vorsichtshalber

precede [prɪ'siːd] *zeitlich*: vorausgehen, vorangehen

precedence [△ 'presɪdəns] Vorrang; **have (oder take) precedence over** Vorrang haben vor

precedent [△ 'presɪdənt] **1.** *Recht*: Präzedenzfall (*auch übertragen*) **2. without precedent** ohne Beispiel, noch nie dagewesen

precinct ['priːsɪŋkt] **1.** *in der Stadt*: Zone, Bereich **2.** *AE* (Polizei-, Wahl)Bezirk

precious¹ ['preʃəs] **1.** kostbar (*auch übertragen*) **2. precious metal** ['metl] Edelmetall; **precious stone** Edelstein

precious² ['preʃəs] **precious little** *umg.* herzlich wenig

precipice [△ 'presəpɪs] Abgrund

precise [prɪ'saɪs] genau, präzis; **to be**

precise genau gesagt

precisely [prɪ'saɪslɪ] **1.** genau; **at eight o'clock precisely** genau um acht Uhr **2. precisely** genau!

precision [prɪ'sɪʒn] **1.** Genauigkeit, Präzision **2. precision engineering** Feinmechanik

precocious [prɪ'kəʊʃəs] *Kind*: frühreif

precondition [‚priːkən'dɪʃn] Vorausbedingung, Voraussetzung

precook [‚priː'kʊk] vorkochen

predate [priː'deɪt] **1.** *zeitlich*: vorangehen **2.** zurückdatieren (*Brief usw.*)

predator [△ 'predətə] Raubtier

predecessor ['priːdɪsesə] Vorgänger(in)

predestined [priː'destɪnd] prädestiniert, vorherbestimmt

predetermine [‚priːdɪ'tɜːmɪn] vorherbestimmen

predicament [prɪ'dɪkəmənt] missliche Lage, Zwangslage

predicate ['predɪkət] *Sprache*: Prädikat, Satzaussage

predicative [prɪ'dɪkətɪv] *Sprache*: prädikativ

predict [prɪ'dɪkt] vorhersagen, voraussagen

predictable [prɪ'dɪktəbl] vorhersagbar, voraussagbar

prediction [prɪ'dɪkʃn] Vorhersage, Voraussage

predominant [prɪ'dɒmɪnənt] *Meinung usw.*: (vor)herrschend, überwiegend

predominate [prɪ'dɒmɪneɪt] **1.** überlegen sein, die Oberhand haben (**over** über) **2.** *zahlenmäßig.*: vorherrschen, überwiegen

pre-empt [prɪ'empt] zuvorkommen

pre-emptive [prɪ'emptɪv] präventiv; **pre-emptive strike** *oder* **attack** *militärisch*: Präventivschlag

prefab ['priːfæb] *umg.* Fertighaus

prefabricate [‚priː'fæbrɪkeɪt] vorfertigen; **prefabricated house** Fertighaus

preface ['prefəs] Vorwort (**to** zu)

prefect ['priːfekt] *BE*; *etwa*: Aufsichtsschüler(in), Vertrauensschüler(in)

prefer [prɪ'fɜː], **preferred, preferred** vorziehen (**to** dt. *Dativ*), lieber mögen (**to** als), bevorzugen; **I prefer meat to fish** Fleisch ist mir lieber als Fisch; **he prefers listening to talking** er hört lieber zu, als dass er redet; **I'd prefer to stay at home** ich würde lieber zu Hause bleiben

preferable [△ 'prefrəbl] **be preferable (to)** vorzuziehen sein, besser sein (als)

preferably [△ 'prefrəblɪ] lieber, am liebsten, wenn möglich; **preferably not** möglichst nicht

preference [△ 'prefrəns] Vorliebe (**for** für)

preferential [ˌprefəˈrenʃl] bevorzugt, Vorzugs…; *he gets preferential treatment* er wird bevorzugt behandelt

prefix [ˈpriːfɪks] *Sprache*: Vorsilbe, Präfix

pregnancy [ˈpregnənsɪ] **1.** Schwangerschaft **2.** *bei Tieren*: Trächtigkeit

pregnant [ˈpregnənt] **1.** schwanger; *she's three months pregnant* sie ist im vierten Monat schwanger **2.** *bei Tieren*: trächtig

preheat [ˌpriːˈhiːt] vorheizen

prehistoric [ˌpriːhɪˈstɒrɪk] prähistorisch, vorgeschichtlich

prejudge [ˌpriːˈdʒʌdʒ] vorverurteilen (*Person*); *prejudge the issue* sich vorschnell eine Meinung bilden

prejudice [△ ˈpredʒʊdɪs] Vorurteil; *have a prejudice against someone* gegen jemanden Vorurteile haben

prejudiced [△ ˈpredʒʊdɪst] (vor)eingenommen, *Richter uw.*: befangen

preliminary [prɪˈlɪmɪnərɪ] Vor…, vorbereitend, einleitend

prelude [△ ˈpreljuːd] **1.** *Musik*: Vorspiel (*to* zu) **2.** *Musik*: Präludium **3.** *übertragen* Auftakt (*zu Unruhen usw.*)

premarital [priːˈmærɪtl] vorehelich

premature [△ ˈpremətʃə] **1.** vorzeitig, verfrüht, allzu früh; *premature baby* Frühgeburt **2.** *übertragen* voreilig

premeditated [priːˈmedɪteɪtɪd] vorsätzlich

premier [ˈpremɪə] Premier, Premierminister(in)

premiere, première [ˈpremɪeə] Premiere

premises [△ ˈpremɪsɪz] *Pl.* Gelände, Grundstück, Räumlichkeiten; *on the premises* an Ort und Stelle, im Haus *oder* Lokal

premium [ˈpriːmɪəm] **1.** Versicherungsprämie **2.** Prämie, Bonus **3.** *AE*; *Benzin*: Super **4.** *be at a premium übertragen* hoch im Kurs stehen

premonition [ˌpreməˈnɪʃn] (böse) Vorahnung

prenuptial [ˌpriːˈnʌpʃl] *prenuptial agreement* Ehevertrag

preoccupation [priːˌɒkjʊˈpeɪʃn] Beschäftigung (*with* mit)

preoccupied [priːˈɒkjʊpaɪd] **1.** vertieft (*with* in) **2.** gedankenverloren, geistesabwesend

preoccupy [priːˈɒkjʊpaɪ] (*Arbeit, Sorgen usw.*) (stark) beschäftigen

preordain [ˌpriːɔːˈdeɪn] vorherbestimmen; *his success was preordained* sein Erfolg war ihm vorherbestimmt

pre-owned [ˌpriːˈəʊnd] aus 2. Hand

prep [prep] *BE*, *umg.* Hausaufgabe, Hausaufgaben *Pl.*; *do one's prep* seine Hausaufgaben machen

prepaid [ˌpriːˈpeɪd] vorausbezahlt, *Brief*

usw.: freigemacht

preparation [ˌprepəˈreɪʃn] **1.** Vorbereitung (*auch für Prüfung usw.*) (*for* auf, für) **2.** Zubereitung (*von Speisen*) **3.** *make preparations* Vorbereitungen treffen **4.** *Medizin, Kosmetik usw.*: Präparat

preparatory school [prɪˈpærətərɪ_skuːl] → **prep school**

prepare [prɪˈpeə] **1.** vorbereiten (*Fest, Rede usw.*) **2.** zubereiten (*Speise usw.*) **3.** *prepare (oneself) for* sich vorbereiten auf, sich gefasst machen auf

prepared [prɪˈpeəd] **1.** gefasst, vorbereitet (*for* auf); *be prepared!* Pfadfindermotto: allzeit bereit! **2.** *Rede usw.*: vorbereitet **3.** bereit, gewillt; *I'm not prepared to wait for hours* ich bin nicht gewillt, stundenlang zu warten

preposition [ˌprepəˈzɪʃn] *Sprache*: Präposition, Verhältniswort; ☞ *Illu S. 784, 785*

preposterous [prɪˈpɒstərəs] *Idee, Vorschlag, Forderung usw.*: absurd, grotesk

prep school [ˈprep_skuːl] *umg.* **1.** *in GB*: private Vorbereitungsschule auf eine weiterführende Privatschule (*Alter 8-13*) **2.** *in US*: private Vorbereitungsschule auf das College

prep school

In England (*nicht in Schottland*) bezeichnet **prep school** oder ausführlicher **preparatory school** eine private Schule, die Schüler im Alter von circa 8 bis 13 Jahren auf eine weiterführende Privatschule (**public school**) vorbereiten soll. Sowohl **prep schools** als auch **public schools** sind größtenteils reine Jungen- bzw. Mädchenschulen, in denen Schuluniformen getragen werden.

In den USA dagegen bezeichnet dieser Schultyp eine Schule, auf der Schüler auf das College oder die Universität vorbereitet werden.

Beiden Formen ist gemeinsam, dass man mit ihnen im Allgemeinen Reichtum, Privilegien und einen hohen gesellschaftlichen Status verbindet.

prerequisite [priːˈrekwəzɪt] Voraussetzung (*for, of, to* für)

preschool [ˈpriːskuːl] *of preschool age* im Vorschulalter

prescribe [prɪˈskraɪb] (*Arzt usw.*) verschreiben, verordnen (*Medikament*) (*for* gegen)

prescription [prɪˈskrɪpʃn] **1.** Rezept (*auch übertragen*); *available only on prescription* rezeptpflichtig; *prescription* *charge* Rezeptgebühr **2.** verordnete Medizin

presence ['prezns] **1.** Gegenwart, Anwesenheit **2.** *von Dingen*: Vorhandensein

presence of mind [ˌpreznzˌəv'maɪnd] Geistesgegenwart

present[1] ['preznt] Geschenk

present[2] [△ prɪ'zent] **1.** überreichen, übergeben; *present something to someone oder present someone with something* jemandem etwas überreichen **2.** bieten (*Möglichkeit usw.*), darstellen (*Schwierigkeit usw.*); *this should present no problem (to him)* das dürfte (für ihn) kein Problem sein **3.** vorbringen, unterbreiten (*Vorschlag*) **4.** *Kino*: zeigen, *Theater*: aufführen **5.** *if the opportunity presents itself* wenn sich die Chance bietet

present[3] ['preznt] **1.** anwesend (*at* bei); *present company excepted* Anwesende ausgenommen **2.** gegenwärtig, jetzig, derzeitig; *at the present moment* zum gegenwärtigen Zeitpunkt; *in the present case* im vorliegenden Fall **3.** *von Dingen*: vorhanden

present[4] ['preznt] **1.** (≈ *Jetzt*) Gegenwart; *at present* gegenwärtig, zurzeit; *for the present* vorerst, vorläufig **2.** *Sprache*: Präsens

presentable [prɪ'zentəbl] *Person*: vorzeigbar; *be presentable* sich sehen lassen können; *make oneself presentable* sich zurechtmachen

presentation [ˌprezn'teɪʃn] **1.** Vorführung, Präsentation **2.** Überreichung (*von Preisen usw.*)

present continuous [ˌpreznt kən'tɪnjʊəs] *Sprache*: Verlaufsform der Gegenwart

present-day ['preznt deɪ] *Mode, Probleme usw.*: heutige(r, -s)

presenter [prɪ'zentə] *BE*; *Rundfunk, TV*: Moderator(in)

presently ['prezntlɪ] **1.** *formell*: in Kürze, bald **2.** *bes. AE* gegenwärtig, derzeit

present participle [ˌpreznt'pɑːtɪsɪpl] *Sprache*: Partizip Präsens

present perfect [ˌpreznt'pɜːfɪkt] *Sprache*: Perfekt, zweite Vergangenheit

present tense [ˌpreznt'tens] *Sprache*: Präsens, Gegenwart

preservation [ˌprezə'veɪʃn] **1.** Erhaltung; *in a good state of preservation* gut erhalten **2.** Konservierung

preservative [prɪ'zɜːvətɪv] Konservierungsmittel (△ *Präservativ = condom*)

preserve[1] [prɪ'zɜːv] **1.** bewahren, erhalten (*Ordnung, Unabhängigkeit usw.*) **2.** haltbar machen, konservieren, einmachen

(*Lebensmittel*)

preserve[2] [prɪ'zɜːv] *mst.* **preserves** *Pl.* Eingemachtes

preside [prɪ'zaɪd] den Vorsitz führen *oder* haben (*at, over* bei); *preside at a meeting* auch eine Versammlung leiten

presidency ['prezɪdənsɪ] *Politik* **1.** *Amt*: Präsidentschaft **2.** Amtszeit (*eines Präsidenten*)

president ['prezɪdənt] **1.** Präsident(in) **2.** Vorsitzende(r) (*eines Klubs usw., bes AE*: *einer Firma, Bank usw.*)

press[1] [pres] **1.** *Zeitung usw*: Presse **2.** (Drucker)Presse **3.** Presse (*für Früchte usw.*)

press[2] [pres] **1.** drücken (*Knopf usw.*) **2.** drücken auf (*Knopf usw.*) **3.** (aus)pressen (*Frucht*), pressen (*Blumen*) **4.** bügeln (*Hose*) **5.** (be)drängen; *she pressed me to tell him* sie legte mir nahe, es ihm zu sagen **6.** *be pressed for time* unter Zeitdruck stehen

---

press on [ˌpres'ɒn] **1.** *auch* **press ahead** *übertragen* weitermachen (*with* mit) **2.** *press something on someone* jemandem etwas aufdrängen

---

press agency ['presˌeɪdʒənsɪ] Presseagentur

press baron ['presˌbærən] *umg.* Pressezar

press box ['pres bɒks] *in Stadion usw.*: Pressetribüne; *in the pressbox* auf der Pressetribüne

press clipping ['presˌklɪpɪŋ] *bes. AE* → *press cutting*

press conference ['presˌkɒnfrəns] Pressekonferenz

press cutting ['presˌkʌtɪŋ] Zeitungsausschnitt

press gallery ['presˌgælərɪ] *im Parlament* Pressetribüne; *in the press gallery* auf der Pressetribüne

pressing ['presɪŋ] *Angelegenheit*: dringend

press release ['presˌriˌliːs] Pressemitteilung, Presseverlautbarung

press-stud ['pres stʌd] *BE* Druckknopf

press-up ['presʌp] *BE* Liegestütz; *do ten press-ups* zehn Liegestütze machen

pressure ['preʃə] *allg.*: Druck; *under pressure übertragen* unter Druck; *put pressure on übertragen* Druck ausüben auf

pressure cooker ['preʃəˌkʊkə] Schnellkochtopf

pressure group ['preʃə gruːp] *Politik*: Interessengruppe, Pressuregroup

prestige [pre'stiːʒ] Prestige, Ansehen

prestigious [pre'stɪdʒəs] **1.** *Schule, Autor*

usw.: renommiert **2.** mit Prestige, Prestige...

presumably [prɪˈzjuːməblɪ] vermutlich

presume [prɪˈzjuːm] annehmen, vermuten

presumption [prɪˈzʌmpʃn] Annahme, Vermutung

pretence, *AE* **pretense** [prɪˈtens] **1.** Heuchelei, Verstellung; *it's only a pretence* es ist nur gespielt **2.** *under false pretences* unter Vorspiegelung falscher Tatsachen

pretend [prɪˈtend] vorgeben, vortäuschen, *beim Spiel*: so tun als ob; *pretend to be asleep* sich schlafend stellen; *he's only pretending* er tut nur so

pretense [prɪˈtens] *AE* → **pretence**

pretentious [prɪˈtenʃəs] *abwertend* prätentiös, wichtigtuerisch, gewollt

preterite [ˈpretərɪt] *Sprache*: Präteritum, (erste) Vergangenheit

pretext [△ ˈpriːtekst] Vorwand; *under oder on the pretext of having to work* unter dem Vorwand, arbeiten zu müssen

pretty¹ [ˈprɪtɪ] **1.** *allg.*: hübsch; (△ *bei einem Mann spricht man von* **handsome**) **2.** *be sitting pretty* *umg.* (finanziell) gut dastehen

pretty² [ˈprɪtɪ] *umg.* **1.** ziemlich, ganz schön; *pretty cold* ziemlich kalt **2.** *pretty much the same thing* so ziemlich dasselbe

prevail [prɪˈveɪl] **1.** (*Anschauung, Brauch usw.*) vorherrschen, weit verbreitet sein **2.** siegen (*over, against* über), sich durchsetzen (*over, against* gegen)

prevailing [prɪˈveɪlɪn] (vor)herrschend; *the prevailing winds are from the southeast* der Wind kommt vorwiegend aus Südost

prevent [prɪˈvent] **1.** verhindern, verhüten (*Unfall usw.*) **2.** *prevent someone from doing something* jemanden (daran) hindern *oder* davon abhalten, etwas zu tun

prevention [prɪˈvenʃn] Verhinderung, Verhütung (*of* von); *prevention is better than cure* vorbeugen ist besser als heilen

preventive [prɪˈventɪv] *Maßnahme usw.*: vorbeugend, präventiv; *preventive detention* Vorbeugehaft, *bei Schwerkriminellen*: Sicherungsverwahrung

preview [ˈpriːvjuː] *Film, TV, auch allg.*: Vorschau (*of* auf)

previous [ˈpriːvɪəs] vorhergehend, vorausgehend, vorherig; *on the previous day* am Tag davor, am Vortag

previously [ˈpriːvɪəslɪ] früher, vorher

prey [preɪ] Beute, Opfer (*eines Raubtiers*; *auch übertragen*); *be easy prey übertragen* eine leichte Beute sein (*for* für)

price¹ [praɪs] **1.** Preis (*auch übertragen*); *what sort of price is it?* was *oder* wie viel kostet es in etwa? **2.** *put a price on someone's head* eine Belohnung für jemandes Ergreifung aussetzen **3.** *at a price* für entsprechendes Geld **4.** *I wouldn't sell it at 'any price übertragen* ich würde es um keinen Preis verkaufen

price² [praɪs] *this coat usw.* *is priced at £99* dieser Mantel *usw.* ist mit 99 Pfund ausgezeichnet

price-conscious [ˈpraɪs͵kɒnʃəs] preisbewusst

price cut [ˈpraɪs͵kʌt] Preissenkung

price freeze [ˈpraɪs͵friːz] Preisstopp

priceless [ˈpraɪsləs] *Kunstwerk, auch Talent usw.*: unbezahlbar

price list [ˈpraɪs͵lɪst] Preisliste

price range [ˈpraɪs͵reɪndʒ] Preisklasse, Preiskategorie

price tag [ˈpraɪs͵tæg] Preisschild

pricey [ˈpraɪsɪ] *umg.* teuer

prick¹ [prɪk] **1.** (Insekten-, Nadel)Stich; *pricks Pl. of conscience übertragen* Gewissensbisse **2.** Einstich **3.** *vulgär* Pimmel **4.** *vulgär*; *dummer Mann*: Idiot, Arschloch

prick² [prɪk] **1.** (durch)stechen, stechen in; *prick one's finger* sich in den Finger stechen (*on* an; *with* mit) **2.** *prick up one's ears übertragen* die Ohren spitzen

prickle¹ [ˈprɪkl] Stachel, *Pflanzen auch*: Dorn

prickle² [ˈprɪkl] prickeln (*auch übertragen*), kratzen

prickly [ˈprɪklɪ] **1.** stachelig, *Pflanzen auch*: dornig **2.** prickelnd (*auch übertragen*) **3.** *umg.*; *Angelegenheit usw.*: haarig

pricy [ˈpraɪsɪ] → **pricey**

pride [praɪd] **1.** Stolz (*auch Gegenstand des Stolzes*); *take (great) pride in* (sehr) stolz sein auf **2.** *im negativen Sinn*: Hochmut

priest [priːst] Priester(in)

priesthood [ˈpriːsthʊd] **1.** Priesteramt, Priesterwürde **2.** *die Priester*: Priesterschaft

priestly [ˈpriːstlɪ] priesterlich

primarily [praɪˈmerəlɪ] in erster Linie, vor allem

primary¹ [ˈpraɪmərɪ] **1.** wichtigste(r,-s), Haupt... **2.** grundlegend, Grund...

primary² [ˈpraɪmərɪ] *in den USA*; *Politik*: Vorwahl

primary colour [͵praɪmərɪˈkʌlə] Grundfarbe

primary school [ˈpraɪmərɪ͵skuːl] *BE* Grundschule

prime¹ [praɪm] *in the prime of life* in der Blüte seiner Jahre

prime² [praɪm] **1.** wichtigste(r, -s), Haupt...; *the prime cause of ...* der Hauptgrund für ... **2.** *Qualität usw.*: erstklassig

Prime Minister [ˌpraɪm'mɪnɪstə] Ministerpräsident(in), Premierminister(in)

prime number [ˌpraɪm'nʌmbə] *Mathematik*: Primzahl

prime time ['praɪm ˌtaɪm] *bes. AE; TV*: Haupteinschaltzeit, Hauptsendezeit

primeval [praɪ'miːvl] urzeitlich, Ur...

primitive ['prɪmətɪv] **1.** urzeitlich, primitiv; *a primitive people* ein Naturvolk **2.** primitiv (*auch abwertend*)

prince [prɪns] **1.** *in Königsfamilie*: Prinz **2.** *Herrscher*: Fürst

Prince Charming [ˌprɪns'tʃɑːmɪŋ] **1.** *im Märchen*: Königssohn, Prinz **2.** *übertragen* Märchenprinz

princess [prɪn'ses, *vor Namen*: 'prɪnses] **1.** *in Königsfamilie*: Prinzessin **2.** *Frau eines Fürsten*: Fürstin

principal¹ ['prɪnsəpl] wichtigste(r,-s), Haupt...

principal² ['prɪnsəpl] **1.** *Schule usw.*: Rektor(in) **2.** *Theater*: Hauptdarsteller(in), *Musik*: Solist(in)

principality [ˌprɪnsə'pælətɪ] Fürstentum

principally ['prɪnsəplɪ] hauptsächlich

principle ['prɪnsəpl] **1.** Prinzip, Grundsatz; *in principle* im Prinzip, an sich; *on principle* prinzipiell, aus Prinzip **2.** *Physik usw.*: Prinzip, (Natur)Gesetz

print¹ [prɪnt] **1.** *das* Gedruckte; *the small print* das Kleingedruckte (*eines Vertrags*) **2.** Abdruck (*bes. von Finger oder Fuß*) **3.** *Kunst*: Druck, *Fotografie*: Abzug **4.** *out of print Buch*: vergriffen; *in print* gedruckt, *Buch*: erhältlich

print² [prɪnt] **1.** *allg.*: drucken; *printed matter Postwesen*: Drucksache **2.** *Foto*: abziehen **3.** *Zeitung usw.*: abdrucken, veröffentlichen (*Rede usw.*) **4.** bedrucken (*Stoff usw.*) **5.** in Druckbuchstaben schreiben

print out [ˌprɪnt'aʊt] *Computer*: ausdrucken

printer ['prɪntə] Drucker (*Beruf und Gerät*)

printer driver ['prɪntəˌdraɪvə] *Computer*: Druckertreiber

printing ['prɪntɪŋ] **1.** (der) Buchdruck **2.** *printing error* Druckfehler

printout ['prɪntaʊt] *Computer*: Ausdruck

prion ['praɪən] *Biologie*: Prion

prior ['praɪə] **1.** vorherig, früher **2.** *prior to* vor

priority [praɪ'ɒrətɪ] **1.** Priorität, Vorrang;

give priority to something einer Sache den Vorrang geben; *have oder take priority* den Vorrang haben (*over* vor), vorgehen **2.** vorrangige Sache **3.** *Straßenverkehr*: Vorfahrt; *have priority* Vorfahrt haben

prism ['prɪzm] Prisma

prison ['prɪzn] Gefängnis; *go to prison* ins Gefängnis kommen; *prison sentence* Gefängnisstrafe, Freiheitsstrafe

prisoner ['prɪznə] Gefangene(r), Häftling; *hold oder keep someone prisoner* jemanden gefangen halten; *take someone prisoner* jemanden gefangen nehmen; *prisoner of war* Kriegsgefangene(r)

prissy ['prɪsɪ] *umg.* zimperlich

privacy [△ 'prɪvəsɪ], *AE* ['praɪvəsɪ] **1.** Privatsphäre, Intimsphäre; *there's no privacy here* hier ist man nie ungestört **2.** *in strict privacy* streng vertraulich

private¹ ['praɪvət] **1.** privat, Privat...; *private life* das Privatleben **2.** *Angelegenheit*: vertraulich; *keep something private* etwas vertraulich behandeln

private² ['praɪvət] *militärisch*: Gefreite(r)

private detective [ˌpraɪvət dɪ'tektɪv], *umg. private eye* [ˌpraɪvət'aɪ] Privatdetektiv

private parts [ˌpraɪvət'pɑːts] *Pl.* Geschlechtsteile *Pl.*

private patient [ˌpraɪvət'peɪʃnt] Privatpatient(in)

private school [ˌpraɪvət'skuːl] *bes. AE* Privatschule

privation [praɪ'veɪʃn] Entbehrung

privatization [ˌpraɪvətaɪ'zeɪʃn] Privatisierung

privatize ['praɪvətaɪz] privatisieren (*staatlichen Betrieb usw.*)

privilege ['prɪvəlɪdʒ] **1.** Privileg, Vorrecht **2.** (besondere) Ehre

privileged ['prɪvəlɪdʒd] **1.** *we're privileged to ...* wir haben die Ehre, ... **2.** *Gesellschaftsschicht usw.*: privilegiert

prize¹ [praɪz] (Sieger)Preis, *Lotterie*: Gewinn

prize² [praɪz] **1.** preisgekrönt **2.** Preis...; *prize money* Preisgeld **3.** *umg. prize idiot* Vollidiot

prize³ [praɪz] (hoch) schätzen (*Wertgegenstand usw.*); *prized possession* wertvollster Besitz

pro [prəʊ] *Pl.*: *pros umg.* Profi; ☞ *pros and cons*

probability [ˌprɒbə'bɪlətɪ] Wahrscheinlichkeit; *in all probability* aller Wahrscheinlichkeit nach, höchstwahrscheinlich

probable ['prɒbəbl] wahrscheinlich

probably ['prɒbəblɪ] wahrscheinlich

probation [prə'beɪʃn] **1.** *von Berufsanfänger usw.*: Probe(zeit); *he's still on probation* er ist noch in der Probezeit **2.** *Recht*: Bewährung(sfrist); *put someone on probation* jemanden Strafe zur Bewährung aussetzen; *probation officer* Bewährungshelfer(in)

probe [prəʊb] **1.** *Medizin, Technik*: Sonde **2.** Untersuchung (△ *nicht* **Probe**)

probe into ['prəʊb,ɪntʊ] erforschen, (gründlich) untersuchen

problem ['prɒbləm] **1.** Problem; *he passed the exam without any problems* er bestand die Prüfung (völlig) problemlos **2.** *Mathematik usw.*: Aufgabe; *do a problem* eine Aufgabe lösen

problematic [,prɒblə'mætɪk], **problematical** [,prɒblə'mætɪkl] problematisch

probs [prɒbz] *BE, umg.*: *no probs!* null Problemo, kein Problem

procedure [prə'siːdʒə] Verfahren(sweise), Vorgehen

proceed [prə'siːd] **1.** (*Vorgang usw.*) weitergehen **2.** fortfahren (*with* mit); *proceed with one's work* seine Arbeit fortsetzen **3.** vorgehen, verfahren; *proceed with something* etwas durchführen; *proceed to do something* sich daranmachen, etwas zu tun **4.** sich begeben (*to* nach, zu)

proceedings [prə'siːdɪŋz] *Pl.* **1.** *legal proceedings Recht*: gerichtliche Schritte **2.** *bes. ungewöhnliche Ereignisse*: Vorgänge, Geschehnisse **3.** *von Sitzung usw.*: Protokoll, Mitschrift; *von Kongress*: Tätigkeitsbericht

proceeds [△ 'prəʊsiːdz] *Pl.* Erlös, Ertrag

process[1] ['prəʊses] **1.** Prozess (*einer Entwicklung*), Vorgang; *in the process* dabei; *be in process* im Gange sein; *be in the process of doing something* (gerade) dabei sein, etwas zu tun **2.** *Industrie*: Prozess, Verfahren (△ (*Straf*)*Prozess* = **trial**)

process[2] ['prəʊses] **1.** *Industrie*: verarbeiten, haltbar machen (*Lebensmittel*), (chemisch) behandeln **2.** *Fotografie*: entwickeln (*Film*) **3.** *EDV*: verarbeiten (*Daten*) **4.** bearbeiten (*Anträge usw.*)

procession [prə'seʃn] Prozession, Umzug

processor ['prəʊsesə] *Computer*: Prozessor

proclaim [prə'kleɪm] verkünden, erklären; *proclaim someone king* jemanden zum König ausrufen

proclamation [,prɒklə'meɪʃn] Verkündung, Proklamation, Ausrufung

procure [prə'kjʊə] beschaffen, besorgen

prod[1] [prɒd] **1.** stoßen (*at* nach); *prod someone in the ribs* jemandem einen Rippenstoß geben **2.** *übertragen* anspornen, anstacheln (*into* zu); *prod someone's memory* jemandes Gedächtnis nachhelfen

prod[2] [prɒd] Stoß; *prod in the ribs* Rippenstoß

prodigal[1] ['prɒdɪgl] verschwenderisch; *the prodigal son Bibel*: der verlorene Sohn (*auch übertragen*)

prodigal[2] ['prɒdɪgl] Verschwender(in)

produce[1] [prə'djuːs] **1.** *Wirtschaft und allg.*: erzeugen, produzieren, herstellen **2.** *Theater*: inszenieren, einstudieren, *Film*: produzieren **3.** hervorholen (*Waffe, Brieftasche usw.*) (*from* aus) **4.** vorlegen (*Ausweis usw.*), beibringen (*Beweise usw.*)

produce[2] [△ 'prɒdjuːs] Produkt(e), Erzeugnis(se) (*bes. Agrarpodukte*)

producer [prə'djuːsə] **1.** Produzent(in), Hersteller(in) **2.** *Film*: Produzent(in), *Theater, TV*: Regisseur(in)

product ['prɒdʌkt] Produkt (*auch Chemie, Mathematik und übertragen*), Erzeugnis

production [prə'dʌkʃn] **1.** *Wirtschaft und allg.*: Produktion, Herstellung, Erzeugung; *go into production Betrieb*: die Produktion aufnehmen, *Ware*: in Produktion gehen **2.** *Theater*: Inszenierung, *Film*: Produktion **3.** *Theater, TV*: Regie

production line [prə'dʌkʃn‿laɪn] Fließband, Fertigungsstraße

productive [prə'dʌktɪv] **1.** *allg.*: produktiv **2.** *Boden usw.*: ertragreich **3.** *Unternehmen usw.*: rentabel

productivity [,prɒdʌk'tɪvətɪ] **1.** *allg.*: Produktivität (*auch übertragen*) **2.** *von Boden usw.*: Ergiebigkeit **3.** *von Unternehmen usw.*: Rentabilität

prof [prɒf] *umg.* Prof (*Professor*)

profane [prə'feɪn] **1.** *Äußerung usw.*: (gottes)lästerlich **2.** (≈ *nicht religiös*) weltlich, profan

profession [prə'feʃn] **1.** Beruf (*bes. akademischer*); *by profession* von Beruf **2.** Berufsstand; *the medical profession* die Ärzteschaft, die Mediziner

professional[1] [prə'feʃnl] **1.** Berufs..., beruflich **2.** *Rat, Arbeit*: fachmännisch **3.** professionell, Berufs... (*beide auch Sport*)

professional[2] [prə'feʃnəl] **1.** Fachmann, Fachfrau **2.** *Sport*: Profi

professor [prə'fesə] Professor(in)

proficiency [prə'fɪʃnsɪ] Können, Leistung(sstärke), Tüchtigkeit

P

proficient [prəˈfɪʃnt] fähig, gut (*im Beruf, in einer Sprache usw.*); **she's proficient in English** sie beherrscht die englische Sprache
profile [ˈprəʊfaɪl] **1.** *allg.*: Profil; **in profile** im Profil **2.** (≈ *Bericht*) Porträt, Skizze
profit [ˈprɒfɪt] Gewinn, Profit; **sell at a profit** mit Gewinn verkaufen

profit by *oder* **from** [ˈprɒfɪt_baɪ *oder* frɒm] Nutzen *oder* Gewinn ziehen (aus), profitieren (von)

profitable [ˈprɒfɪtəbl] **1.** *Geschäft usw.*: gewinnbringend, rentabel **2.** *übertragen* vorteilhaft, nützlich
profiteer [ˌprɒfɪˈtɪə] Profitmacher(in)
profiteering [ˌprɒfɪˈtɪərɪŋ] Wuchergeschäfte *Pl.*, Wucherei
profound [prəˈfaʊnd] **1.** *Eindruck, Schweigen usw.*: tief **2.** *Gedanke usw.*: tiefgründig, tiefsinnig
prognosis [prɒgˈnəʊsɪs] *Pl.* **prognoses** [prɒgˈnəʊsiːz] *Medizin und allg.*: Prognose
prognosticate [prɒgˈnɒstɪkeɪt] voraussagen, vorhersagen, prognostizieren
program[1] [ˈprəʊgræm] **1.** *Computer*: Programm **2.** *AE*; *allg.*: Programm, *Rundfunk, TV auch*: Sendung
program[2] [ˈprəʊgræm] **programmed, programmed,** *AE auch* **programed, programed 1.** *Computer*: programmieren **2.** *AE* (vor)programmieren (*Gerät*)
programme[1] [ˈprəʊgræm] *allg.*: Programm, *Rundfunk, TV auch*: Sendung
programme[2] [ˈprəʊgræm] (vor)programmieren (*Gerät*)
programmer [ˈprəʊgræmə] Programmierer(in)
progress[1] [ˈprəʊgres] **1.** *räumlich*: **make slow progress** langsam vorankommen **2.** Fortschritt(e); **progress is being made** Fortschritte werden gemacht **3.** **be in progress** im Gange sein
progress[2] [△ prəʊˈgres] **1.** *räumlich*: sich vorwärtsbewegen **2.** (*Zeit, Krankheit usw.*) fortschreiten **3.** (*Schüler usw.*) Fortschritte machen
progressive [prəʊˈgresɪv] **1.** fortschreitend **2.** fortschrittlich (*im Denken*) **3.** **progressive form** *Sprache*: Verlaufsform
prohibit [prəˈhɪbɪt] verbieten, untersagen
prohibition [△ ˌprəʊɪˈbɪʃn] Verbot
project[1] [△ ˈprɒdʒekt] Projekt, Vorhaben
project[2] [△ prəˈdʒekt] **1.** *räumlich*: hervorragen, vorstehen **2.** projizieren (*Bild usw.*) (**onto** auf)
projection [prəˈdʒekʃn] **1.** Vorsprung (*eines Gebäudes*) **2.** (Voraus)Planung,

Hochrechnung **3.** Projektion (*eines Films usw.*)
projectionist [prəˈdʒekʃnɪst] Filmvorführer(in)
projector [prəˈdʒektə] Projektor
prole [prəʊl] *BE, umg., abwertend* Prolet(in)
proletarian[1] [ˌprəʊləˈteərɪən] proletarisch, Proletarier…
proletarian[2] [ˌprəʊləˈteərɪən] Proletarier(in)
proletariat [ˌprəʊləˈteərɪət] Proletariat
prolific [prəˈlɪfɪk] *Schriftsteller usw.*: (sehr) produktiv
prologue [ˈprəʊlɒg] Prolog
prolong [prəˈlɒŋ] verlängern (*Aufenthalt usw.*) (**by** um)
prom [prɒm] **1.** *AE* Schülerball **2.** *in GB*: klassisches Sommerkonzert

The Proms

The Proms, kurz für **Promenade Concerts**, heißen die Konzerte, die jeden Sommer von Ende Juli bis September in der Londoner **Royal Albert Hall** stattfinden. Das Programm reicht von der Klassik bis zur Avantgarde und umfasst inzwischen auch Jazz und Ethnomusik. Den Höhepunkt bildet die **Last Night of the Proms**, bei der das Publikum traditionelle und patriotische Lieder begeistert mitsingt.

promenade[1] [ˌprɒməˈnɑːd] (Strand)Promenade
promenade[2] [ˌprɒməˈnɑːd] promenieren (in)
prominence [ˈprɒmɪnəns] Bekanntheit, Bedeutung; **come into** (*oder* **rise to**) **prominence** bekannt *oder* berühmt werden
prominent [ˈprɒmɪnənt] **1.** vorspringend, vorstehend (*auch Kinn usw.*) **2.** *Kennzeichen usw.*: auffällig **3.** *übertragen* prominent, bekannt, berühmt
promise[1] [ˈprɒmɪs] **1.** Versprechen; **make a promise** ein Versprechen geben **2.** *übertragen* Hoffnung, Aussicht (**of** auf)
promise[2] [ˈprɒmɪs] *allg.*: (etwas) versprechen (*auch übertragen*); **I promise** ich versprechs; **I promise you,** … das (eine) sag ich dir: …
promising [ˈprɒmɪsɪŋ] vielversprechend
promo [ˈprəʊməʊ] *bes. AE, umg.* **1.** *TV* Werbespot **2.** *in Zeitung*: Anzeige
promote [prəˈməʊt] **1.** *beruflich*: befördern **2.** **be promoted** *BE*; *Sport*: aufsteigen (**to** in) **3.** **be promoted** *AE*; *in der Schule*: versetzt werden **4.** *Wirtschaft*:

werben für (*ein Produkt*) **5.** *förmlich* fördern (*gute Sache usw.*)

promotion [prə'məʊʃn] **1.** *beruflich*: Beförderung; **get promotion** befördert werden; **promotion prospects** *Pl.* Aufstiegschancen **2.** *BE*; *Sport*: Aufstieg **3.** *Wirtschaft*: Werbung, Werbeaktion **4.** Förderung (*einer guten Sache*)

prompt¹ [prɒmpt] **1.** **prompt someone to do something** jemanden veranlassen, etwas zu tun **2.** führen zu, wecken (*Gefühle usw.*) **3.** vorsagen, *Theater*: soufflieren

prompt² [prɒmpt] **1.** prompt, unverzüglich, umgehend **2.** (≈ *zur ausgemachten Zeit kommend*) pünktlich

prompter ['prɒmptə] *Theater*: Souffleur, Souffleuse

promptness ['prɒmptnəs] **1.** Promptheit **2.** Pünktlichkeit

prone [prəʊn] **be prone to** *übertragen* neigen zu, anfällig sein für; **be prone to colds** erkältungsanfällig sein; **be prone to do something** dazu neigen, etwas zu tun

prong [prɒŋ] Zinke (*einer Gabel*)

pronoun ['prəʊnaʊn] *Sprache*: Pronomen, Fürwort

pronounce [prə'naʊns] **1.** aussprechen (*Wort usw.*) **2.** *offiziell*: erklären für **3.** (*bes. Gericht*) verkünden (*Urteil*)

pronounced [prə'naʊnst] ausgesprochen, ausgeprägt

pronto ['prɒntəʊ] *umg.* fix; **and pronto!** aber dalli!

pronunciation [prə,nʌnsɪ'eɪʃn] Aussprache

proof¹ [pruːf] **1.** Beweis(e), Nachweis; **as** *oder* **in proof of** als *oder* zum Beweis für (*oder Genitiv*); **give proof of something** etwas beweisen *oder* nachweisen **2.** **put to the proof** auf die Probe stellen

proof² [pruːf] *Material usw.*: …fest, …beständig, …dicht; **bullet-proof** kugelsicher; ☞ **waterproof**

proofread ['pruːfriːd], **proofread** ['pruːfred], **proofread** ['pruːfred] Korrektur lesen

proofreader ['pruːf,riːdə] Korrektor(in)

proofreading ['pruːf,riːdɪŋ] Korrekturlesen

prop¹ [prɒp] Stütze (*auch übertragen*)

prop² [prɒp] **propped, propped** (ab)stützen

---

prop against ['prɒp_ə,genst] lehnen gegen *oder* an

prop up [,prɒp'ʌp] (ab)stützen; **prop up the bar** *humorvoll* an der Bar herumhängen

---

prop³ [prɒp] *Theater*: Requisit

propaganda [,prɒpə'gændə] Propaganda

propagate ['prɒpəgeɪt] **1.** (*Lebewesen*) sich fortpflanzen **2.** verbreiten (*Ideen usw.*)

propane ['prəʊpeɪn] Propan(gas)

propel [prə'pel], **propelled, propelled** (an)treiben

propeller [prə'pelə] *von Flugzeug usw.*: Propeller, *von Schiff auch*: Schraube

proper ['prɒpə] **1.** richtig, passend, geeignet; **in its proper place** am rechten Platz **2.** *Benehmen usw.*: anständig, schicklich **3.** *BE*, *umg.* echt, richtig **4.** *umg.*; *Feigling usw.*: richtig, *Tracht Prügel usw.*: gehörig, anständig

properly ['prɒpəlɪ] richtig, anständig

proper noun [,prɒpə'naʊn], **proper name** [,prɒpə'neɪm] *Sprache*: Eigenname

property ['prɒpətɪ] **1.** Eigentum, Besitz; **lost property** Fundsachen; **lost property office** *BE* Fundbüro **2.** Land, Grundbesitz, Immobilie(n) **3.** *von Substanz usw.*: Eigenschaft

prophecy ['prɒfəsɪ] Prophezeiung

prophesy [⚠ 'prɒfəsaɪ] prophezeien

prophet ['prɒfɪt] Prophet(in)

prophetic [prə'fetɪk] prophetisch

prophylactic¹ [,prɒfɪ'læktɪk] *bes. Medizin*: prophylaktisch, vorbeugend

prophylactic² [,prɒfɪ'læktɪk] **1.** *Medizin*: Prophylaktikum, vorbeugendes Mittel **2.** Präservativ

prophylaxis [,prɒfɪ'læksɪs] *Medizin*: Prophylaxe

proponent [prə'pəʊnənt] Befürworter(in)

proportion [prə'pɔːʃn] **1.** *beim Vergleich*: Verhältnis; **in proportion to** im Verhältnis zu **2.** **the painting is out of proportion** die Proportionen des Bildes stimmen nicht **3.** Teil, Anteil **4.** **be out of all proportion to** (*Preis usw.*) in keinem Verhältnis stehen zu

proportional [prə'pɔːʃnəl] **1.** proportional **2.** anteilmäßig

proportionate [prə'pɔːʃnət] proportional

proposal [prə'pəʊzl] **1.** Vorschlag, Angebot **2.** *auch* **marriage proposal** (Heirats)Antrag

propose [prə'pəʊz] **1.** vorschlagen; **propose something to someone** jemandem etwas vorschlagen; **he proposed going out to eat** er schlug vor, essen zu gehen **2.** beabsichtigen, vorhaben **3.** **he proposed to her** er machte ihr einen Heiratsantrag

proposition¹ [,prɒpə'zɪʃn] **1.** *bes. geschäftlich*: Vorschlag, Angebot **2.** *umg.* Sache, Angelegenheit **3.** (≈ *Lehrsatz*) These **4.** unsittlicher Antrag

proposition² [ˌprɒpəˈzɪʃn] *proposition someone* jemandem einen unsittlichen Antrag machen

proprietor [prəˈpraɪətə] *von Hotel, Geschäft usw.*: Inhaber(in), Besitzer(in)

propriety [prəˈpraɪətɪ] Anstand

propulsion [prəˈpʌlʃn] *Technik*: Antrieb

prosaic [prəʊˈzeɪɪk] prosaisch, nüchtern

pros and cons [ˌprɒʊz‿ənˈkɒnz] *Pl.* *the pros and cons Pl.* das Für und Wider, das Pro und Kontra

prose [prəʊz] **1.** (die) Prosa **2.** *bes. BE; Schule*: Übersetzung in eine Fremdsprache; *an Italian prose* eine Übersetzung ins Italienische

prosecute [ˈprɒsɪkjuːt] **1.** *Rechtswesen*: strafrechtlich verfolgen (*for* wegen) **2.** (*Anwalt*) die Anklage vertreten

prosecution [ˌprɒsɪˈkjuːʃn] **1.** *Rechtswesen*: strafrechtliche Verfolgung **2.** *the prosecution Rechtswesen*: die Staatsanwaltschaft, die Anklage **3.** Durchführung (*eines Plans usw.*)

prosecutor [ˈprɒsɪkjuːtə] *auch* **public prosecutor** Staatsanwalt, Staatsanwältin

prospect [ˈprɒspekt] *übertragen* Aussicht (*of* auf); *have something in prospect* etwas in Aussicht haben; *the prospects for the weekend* die Aussichten für das Wochenende

prospective [prəˈspektɪv] voraussichtlich; *prospective buyer* Kaufinteressent(in), potenzieller Käufer, potenzielle Käuferin; *my prospective son-in-law* mein zukünftiger Schwiegersohn

prospectus [prəˈspektəs] **1.** *von Universität*: Studienführer **2.** *von Firma*: Prospekt

prosper [ˈprɒspə] (*Geschäft usw.*) blühen, florieren

prosperity [prɒˈsperətɪ] Wohlstand

prosperous [ˈprɒspərəs] **1.** *Person*: wohlhabend **2.** *Geschäft usw.*: florierend

prostitute [ˈprɒstɪtjuːt] Prostituierte

prostitution [ˌprɒstɪˈtjuːʃn] Prostitution

protagonist [prəʊˈtægənɪst] **1.** *Theater, Roman usw.*: Hauptfigur, Held(in) **2.** *übertragen* Vorkämpfer(in) (*einer Idee usw.*)

protect [prəˈtekt] **1.** (be)schützen (*from, against* vor, gegen) **2.** wahren (*Interessen usw.*)

protection [prəˈtekʃn] **1.** Schutz **2.** *auch* **protection money** Schutzgeld (*an Erpresser*)

protectionism [prəˈtekʃnɪzm] *Wirtschaftspolitik*: Protektionismus

protective [prəˈtektɪv] **1.** Schutz...; *protective clothing* Schutzkleidung **2.** *Eltern usw.*: fürsorglich (*toward[s]* gegenüber)

protector [prəˈtektə] **1.** Beschützer(in) **2.** Schutz, ...schützer

protectorate [prəˈtektərət] *Politik*: Protektorat

protein [ˈprəʊtiːn] Protein

protest¹ [ˈprəʊtest] Protest; *in protest* aus Protest (*against* gegen); *protest march* Protestmarsch, Demonstration

protest² [△ prəˈtest] **1.** protestieren (*against, about* gegen; *to* bei) **2.** beteuern (*Unschuld usw.*) **3.** demonstrieren, *AE auch* demonstrieren gegen; *protest the war AE* gegen den Krieg demonstrieren

Protestant¹ [ˈprɒtɪstənt] Protestant(in)

Protestant² [ˈprɒtɪstənt] protestantisch, evangelisch

protocol [ˈprəʊtəkɒl] *diplomatisch*: Protokoll (△ *Sitzungsprotokoll* = *minutes Pl.*)

proton [ˈprəʊtɒn] *Physik*: Proton

protoplasm [ˈprəʊtəˌplæzm] *Biologie*: Protoplasma

prototype [ˈprəʊtətaɪp] Prototyp

protrude [prəˈtruːd] herausragen, vorstehen (*from* aus)

protruding [prəˈtruːdɪŋ] vorstehend (*auch Zähne usw.*), vorspringend (*Kinn*)

proud [praʊd] **1.** *allg.*: stolz (*of* auf) **2.** hochmütig **3.** *do someone proud* jemandem eine Ehrung bereiten, *bei Einladung usw.*: jemanden verwöhnen

provable [ˈpruːvəbl] beweisbar, nachweisbar

prove [pruːv] *proved, proved oder AE proven* [ˈpruːvn] **1.** beweisen, nachweisen **2.** *prove oneself* (*to be*) sich erweisen als; *prove* (*to be*) sich erweisen als

proven¹ [ˈpruːvn] *3. Form von →* **prove**

proven² [ˈpruːvn, ˈprəʊvn] bewährt

proverb [ˈprɒvɜːb] Sprichwort

proverbial [prəˈvɜːbɪəl] sprichwörtlich

provide [prəˈvaɪd] **1.** versehen, versorgen (*with* mit) (*Essen, Arbeit usw.*) **2.** zur Verfügung stellen (*Service usw.*) (*for someone* jemandem)

---

provide for [prəˈvaɪd‿ˈfɔː] **1.** sorgen für; *she's got two children to provide for* sie hat zwei Kinder zu versorgen **2.** vorsorgen für (*die Zukunft usw.*)

---

provided [prəˈvaɪdɪd] *auch* **provided that** vorausgesetzt(, dass)

providence [△ ˈprɒvɪdəns] (die) Vorsehung

provider [prəˈvaɪdə] **1.** Ernährer(in) (*einer Familie*) **2.** *Internet*: Provider, Anbieter

province [ˈprɒvɪns] **1.** *Verwaltungseinheit*: Provinz **2.** *the provinces Pl.* die Provinz (*als Gegensatz zur Stadt*)

provincial [prə'vɪnʃl] **1.** Provinz... **2.** *abwertend* provinziell

provision [prə'vɪʒn] **1.** Bereitstellung (*von Diensten usw.*) **2.** Vorkehrung; *make provisions* vorsorgen (*against, for* für) **3.** *Vertrag usw.*: Bestimmung; *with the provision that ...* unter dem Vorbehalt, dass ... (△ *nicht Provision*); ☞ *provisions*

provisional [prə'vɪʒnəl] provisorisch

provisions [prə'vɪʒnz] *Pl.* Proviant, Verpflegung

provocation [ˌprɒvə'keɪʃn] Provokation, Herausforderung

provocative [△ prə'vɒkətɪv] provozierend

provoke [prə'vəuk] **1.** provozieren, reizen (*Person, Tier*); *they provoked him into tearing up the contract* sie brachten ihn dazu, den Vertrag zu zerreißen **2.** hervorrufen, auslösen (*Reaktion usw.*)

prowl[1] [praul] **1.** *auch prowl about oder around Tier, Dieb*: umherschleichen, umherstreifen **2.** durchstreifen (*Straßen usw.*)

prowl[2] [praul] *be on the prowl Tier, Dieb*: umherstreifen, auf Beute aussein

prowl car ['praul ˌkɑː] *AE* Streifenwagen

proximity [prɒk'sɪmətɪ] Nähe

proxy ['prɒksɪ] **1.** (Handlungs)Vollmacht **2.** Vertreter(in), Bevollmächtigte(r); *by proxy* durch einen Bevollmächtigten

prude [pruːd] *be a prude* prüde sein

prudence ['pruːdns] Umsicht, Besonnenheit

prudent ['pruːdnt] **1.** *Verhalten*: klug, vernünftig **2.** *Person*: umsichtig, besonnen

prudery ['pruːdərɪ] Prüderie

prudish ['pruːdɪʃ] prüde

prune [pruːn] Backpflaume

Prussia ['prʌʃə] Preußen

pry [praɪ], *pried* [praɪd], *pried* [praɪd]; *-ing-Form prying*; *im negativen Sinn*: neugierig sein; *pry into* seine Nase stecken in

psalm [△ sɑːm] Psalm

pseudo [△ 'sjuːdəu] (≈ *unecht, nicht wirklich*) pseudo; *a pseudo-intellectual* ein Pseudeo-Intellektueller

pseudo:
Tipps zur Aussprache

pseudo klingt im Englischen anders als du es vielleicht erwartet hast.

Bei den allermeisten englischen Wörtern, die mit **ps-** beginnen, wird das „p" nicht gesprochen.

Beispiele:

pseudo ['sjuːdəu], **psychiatrist** [saɪ'kaɪətrɪst], **psychological** [ˌsaɪkə'lɒdʒɪkl], **psychologist** [saɪ'kɒlədʒɪst], **psychotherapy** [ˌsaɪkəu'θerəpɪ]

pseudonym [△ 'sjuːdənɪm] Pseudonym

psyche [△ 'saɪkɪ] Psyche, Seele

psychiatric [△ ˌsaɪkɪ'ætrɪk] **1.** *Behandlung usw.*: psychiatrisch **2.** *Störung usw.*: psychisch

psychiatrist [△ saɪ'kaɪətrɪst] Psychiater(in)

psychiatry [△ saɪ'kaɪətrɪ] (die) Psychiatrie

psychic [△ 'saɪkɪk] **1.** *to be psychic* übersinnliche Kräfte haben **2.** okkult, spiritistisch **3.** *seltener*: psychisch (△ *psychisch = mst. psychological*)

psychoanalysis [△ ˌsaɪkəuə'næləsɪs] Psychoanalyse

psychoanalyst [△ ˌsaɪkəu'ænəlɪst] Psychoanalytiker(in)

psychobabble [△ 'saɪkəuˌbæbl] *umg., abwertend* Psychoslang

psychological [△ ˌsaɪkə'lɒdʒɪkl] **1.** psychisch **2.** *Forschung usw.*: psychologisch

psychologist [△ saɪ'kɒlədʒɪst] Psychologe, Psychologin

psychology [△ saɪ'kɒlədʒɪ] Psychologie

psychopath [△ 'saɪkəupæθ] Psychopath(in)

psychopathic [△ ˌsaɪkə'pæθɪk] psychopathisch

psychotherapist [△ ˌsaɪkəu'θerəpɪst] Psychotherapeut(in)

psychotherapy [△ ˌsaɪkəu'θerəpɪ] Psychotherapie

PTA [ˌpiːtiː'eɪ] (*Abk. für* **P**arent-**T**eacher **A**ssociation) Eltern-Lehrer-Vereinigung, *etwa*: Schulforum

PTO [ˌpiːtiː'əu] (*Abk. für* **p**lease **t**urn **o**ver) b. w. (*bitte wenden!*)

pub [pʌb] *auch public house bes. BE* Pub, Kneipe

pub

Pubs sind aus dem britischen Alltag nicht wegzudenken. Es sind oft kleine, gemütliche Kneipen, in denen man abends oder am Wochenende sein Bier trinken oder sich unterhalten kann.

Viele **Pubs** haben ihre Stammgäste (**regulars**), man kennt sich, und so entsteht eine sehr kommunikative Atmosphäre, die es auch „newcomers" ermöglicht schnell Anschluss zu finden.

Früher durften die englischen Pubs nur von 12–14 Uhr und von 18–23 Uhr geöffnet sein. Neue Bestimmungen haben aber vor allem in den Städten zu einer flexibleren Handhabung geführt (Pubs mit einer speziellen Lizenz dürfen sogar 24 Stunden geöffnet haben). Allerdings gilt immer noch die eiserne Regel: Wenn der Wirt (**landlord**) **Last orders!** ruft, hat man die letzte Gelegenheit, ein allerletztes Getränk zu bestellen, während der Ruf **Time!** die Aufforderung darstellt, auszutrinken und das Lokal zu verlassen.

In den **Pubs** bekommt man in der Regel auch kleinere Mahlzeiten, die billiger sind als in den teuren Restaurants.

Da es keine Bedienung gibt, bestellt man an der Bar z. B. **a pint of lager** (= ein Helles; ein **pint** entspricht etwa einem halben Liter) oder **half a pint of lager** (= ein kleines Helles), vorausgesetzt, man ist über 18. Bei jeder Bestellung zahlt man auch gleich.

---

pub crawl ['pʌb_krɔːl] *BE*, *umg.* Kneipenbummel; **go on a pub crawl** einen Kneipenbummel machen

puberty ['pjuːbətɪ] (die) Pubertät; **be going through puberty** in der Pubertät sein

public[1] ['pʌblɪk] **1.** *allg.*: öffentlich; **public transport** (die) öffentliche(n) Verkehrsmittel **2.** Staats...; **public prosecutor** *Recht*: Staatsanwalt **3.** öffentlich, allgemein bekannt; **make something public** etwas bekannt *oder* publik machen

public[2] ['pʌblɪk] **1.** Öffentlichkeit; **the public has** *oder* **have** (△ *Sg. oder Pl.*) **a right to be told** die Öffentlichkeit hat ein Recht auf Information **2.** **in public** in der Öffentlichkeit, öffentlich (△ *Publikum* = **audience**, *Sport*: **spectators**)

publication [ˌpʌblɪ'keɪʃn] **1.** Bekanntmachung **2.** Publikation, Veröffentlichung

public company [ˌpʌblɪk'kʌmpənɪ] *BE*; *Wirtschaft*: Aktiengesellschaft

public holiday [ˌpʌblɪk'hɒlədeɪ] *BE* gesetzlicher Feiertag

publicity [pʌb'lɪsətɪ] **1.** Publicity **2.** Reklame, Werbung; **publicity campaign** Werbefeldzug

publicize ['pʌblɪsaɪz] **1.** bekannt machen, publik machen **2.** Reklame machen für

public library [ˌpʌblɪk'laɪbrərɪ] Stadtbibliothek, Volksbücherei

public relations [ˌpʌblɪk_rɪ'leɪʃns] *Pl.* Public Relations, Öffentlichkeitsarbeit

public school [ˌpʌblɪk'skuːl] **1.** *BE* Pri-

vatschule, Public School **2.** *bes. AE*, *auch in Schottland*: öffentliche Schule

public school

In England, Wales und Nordirland verbindet man mit der Bezeichnung **public school** eine Privatschule, die sehr hohe Studien- und Internatsgebühren verlangt und somit nur für eine zahlungskräftige Minderheit zugänglich ist. **Public school** ist der Name für diesen Schultyp, weil diese Schulen ursprünglich landesweit für alle Schüler offen waren. Staatliche Schulen heißen – leicht zu merken – einfach **state schools**. Die meisten der rund 200 britischen **public schools** haben eine weit zurückreichende Tradition. Zu ihnen gehören unter anderem **Eton, Harrow, Winchester** und für Mädchen **Cheltenham Ladies' College** und **Roedean**.

In den USA und in Schottland ist eine **public school** eine ganz normale vom Staat finanzierte Schule.

---

public transport [ˌpʌblɪk'trænspɔːt], **public transportation** [ˌpʌblɪk,trænspɔː'teɪʃn] (die) öffentliche(n) Verkehrsmittel

publish ['pʌblɪʃ] **1.** verlegen, herausbringen (*Buch usw.*); **published weekly** *Zeitschrift usw.*: erscheint wöchentlich **2.** publizieren, veröffentlichen (*Brief, Artikel usw.*) **3.** (*Firma usw.*) **4.** bekannt geben, bekannt machen (*Zahlen usw.*)

publisher ['pʌblɪʃə] **1.** Verleger(in), Herausgeber(in) **2.** *auch* **publishers** *Pl.* Verlag

puck [pʌk] *Eishockey*: Puck, Scheibe

pudding [△ 'pʊdɪŋ] **1.** *BE* Nachspeise; **what's for pudding?** was gibts zum Nachtisch? (△ *dt.* Pudding = **blancmange**) **2.** *AE* Pudding

puddle ['pʌdl] Pfütze

puff[1] [pʌf] **1.** **take a puff at** ziehen an (*einer Zigarette*) **2.** **puff of wind** Windstoß **3.** *BE*, *umg.* Puste; **out of puff** außer Puste

puff[2] [pʌf] **1.** schnaufen (*auch Lokomotive*), keuchen **2.** *auch* **puff away** paffen, ziehen (**at** an) (*einer Zigarette*)

puffed [pʌft] *umg.* aus der *oder* außer Puste

puff pastry [ˌpʌf'peɪstrɪ] Blätterteig

puke [pjuːk] *salopp* kotzen; **it makes me puke** es kotzt mich an

pull[1] [pʊl] **1.** ziehen (*Wagen usw.*) **2.** ziehen an; **pull someone's hair** jemanden an den Haaren ziehen **3.** ziehen (*Zahn*), ausreißen (*Pflanze*) **4. pull a muscle** sich eine Muskelzerrung zuziehen **5.** *übertragen* anziehen (*Menge, Leute usw.*) **6.** ziehen (*Messer, Pistole*) **7.** *bes. BE* zapfen (*Bier*) **8. pull a job** *salopp* ein Ding drehen

pull away [ˌpʊl_əˈweɪ] **1.** wegziehen **2.** (*Bus usw.*) anfahren, wegfahren **3.** *beim Rennen usw.*: sich absetzen
pull down [ˌpʊlˈdaʊn] abreißen (*Gebäude*)
pull in [ˌpʊlˈɪn] **1.** einziehen (*Bauch usw.*) **2.** (*Zug*) einfahren **3.** (*Auto usw.*) anhalten **4.** *umg.* (≈ *verdienen*) kassieren
pull off [ˌpʊlˈɒf] **1.** ausziehen (*Schuhe usw.*) **2. pull something off** *umg.* etwas abziehen, etwas drehen
pull out [ˌpʊlˈaʊt] **1.** herausziehen (**of** aus), ausziehen (*Tisch*) **2.** (*Zug*) abfahren **3.** (*Fahrzeug*) ausscheren **4.** *übertragen* sich zurückziehen, aussteigen (**of** aus)
pull through [ˌpʊlˈθruː] **1.** (*Kranker*) durchkommen **2.** durchbringen (*Kranken, Kandidaten usw.*)
pull together [ˌpʊl_təˈɡeðə] **1.** an einem Strang ziehen **2. pull oneself together** sich zusammenreißen
pull up [ˌpʊlˈʌp] **1.** hochziehen **2.** (*Fahrzeug*) anhalten **3. pull up a chair** einen Stuhl heranziehen

pull² [pʊl] **1.** Ziehen, Ruck; **give the rope a (good) pull** (kräftig) am Seil ziehen **2.** Anziehungskraft (*auch übertragen*)
pull-down menu [ˈpʊldaʊnˌmenjuː] *Computer*: Pull-down-Menü
pulley [ˈpʊlɪ] *Technik*: Flaschenzug
pull-out¹ [ˈpʊlaʊt] ausziehbar; **pull-out table** Ausziehtisch
pull-out² [ˈpʊlaʊt] *herausnehmbarer Teil (in Zeitschrift)*
pullover [ˈpʊlˌəʊvə] Pullover
pull-up [ˈpʊlʌp] Klimmzug; **how many pull-ups can you do?** wie viele Klimmzüge schaffst du?
pulp [pʌlp] **1.** Fruchtfleisch **2.** Brei **3. pulp fiction** Schund(literatur)
pulpit [△ ˈpʊlpɪt] Kanzel
pulsate [pʌlˈseɪt] pulsieren (**with** vor)
pulse [pʌls] **1.** Puls(schlag); **feel** *oder* **take someone's pulse** jemandem den Puls fühlen **2.** *Musik*: Rhythmus
pulverize [ˈpʌlvəraɪz] **1.** pulverisieren **2.** *übertragen, umg.* auseinandernehmen, fertigmachen (*Person*)
puma [△ ˈpjuːmə] Puma
pump¹ [pʌmp] Pumpe

pump² [pʌmp] **1.** pumpen (*auch Herz*) **2. pump someone (for information)** *umg.* jemanden aushorchen; **pump someone for money** jemanden um Geld anpumpen

pump out [ˌpʌmpˈaʊt] **1.** auspumpen (*Keller usw.*) **2.** ausstoßen (*Abgase usw., übertragen: Waren usw.*)
pump up [ˌpʌmpˈʌp] aufpumpen (*Reifen usw.*)

pumpkin [ˈpʌmpkɪn] Kürbis

pumpkin pie

Pumpkin pie ist kein Gemüsegericht, sondern ein Nachtisch, der in Amerika – vor allem am **Thanksgiving Day** – beliebt ist. Das Kürbisfleisch wird mit braunem Zucker, Zimt, Muskat, Milch und Eiern gemischt und gebacken. Dazu gibt es Vanilleeis.

pun [pʌn] Wortspiel
punch¹ [pʌntʃ] (mit der Faust) schlagen
punch² [pʌntʃ] **1.** (Faust)Schlag **2.** *übertragen* Schwung, Pep
punch³ [pʌntʃ] *Technik*: lochen; **punch a hole in something** ein Loch stanzen in
punch⁴ [pʌntʃ] Locher
punch⁵ [pʌntʃ] *Getränk*: Punsch
Punch [pʌntʃ] Kasper, Kasperle; **Punch and Judy show** Kasperletheater
punch line [ˈpʌntʃ_laɪn] *von Witz*: Pointe
punch-up [ˈpʌntʃʌp] *BE, umg.* Schlägerei
punctual [ˈpʌŋktʃʊəl] pünktlich; **be punctual** pünktlich kommen (**for** zu)
punctuation [ˌpʌŋktʃʊˈeɪʃn] *Schreiben*: Zeichensetzung, Interpunktion
punctuation mark [ˌpʌŋktʃʊˈeɪʃn_mɑːk] Satzzeichen; ☞ *Zeichnung S. 378*
puncture¹ [ˈpʌŋktʃə] **1.** *BE; Auto*: Reifenpanne **2.** (Ein)Stich, Loch
puncture² [ˈpʌŋktʃə] **1.** durchstechen, durchbohren (*z.B. Reifen*) **2.** (*Ballon, Reifen usw.*) ein Loch bekommen, platzen
pungent [ˈpʌndʒənt] *Geschmack, Geruch*: scharf
punish [ˈpʌnɪʃ] (be)strafen
punishable [ˈpʌnɪʃəbl] **punishable offence** strafbare Handlung
punishing [ˈpʌnɪʃɪŋ] **1.** *Kritik usw.*: hart, vernichtend **2.** *Rennen, Tempo usw.*: mörderisch, zermürbend
punishment [ˈpʌnɪʃmənt] **1.** Bestrafung **2.** Strafe; **as a punishment** als *oder* zur Strafe (**for** für)
punk [pʌŋk] Punk (*Bewegung, Anhänger*)

punctuation marks

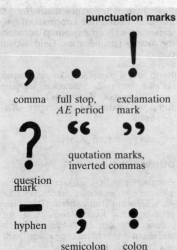

comma   full stop,   exclamation
      AE period   mark

quotation marks,
inverted commas

question
mark

hyphen

semicolon   colon

punk rock [ˌpʌŋkˈrɒk] *Musik*: Punkrock
pup [pʌp] Welpe, junger Hund
pupa [ˈpjuːpə] *Pl.* **pupas** [ˈpjuːpəz] *oder*
pupae [ˈpjuːpiː] *von Insekt*: Puppe
pupate [pjuːˈpeɪt] *(Insekt)* sich verpuppen
pupil[1] [ˈpjuːpl] Schüler(in)
pupil[2] [ˈpjuːpl] *Teil des Auges*: Pupille
puppet [ˈpʌpɪt] **1.** Marionette *(auch übertragen)*; **puppet show** Marionettentheater, Puppenspiel **2.** Handpuppe (△ *Puppe = doll*)
puppy [ˈpʌpɪ] Welpe, junger Hund
puppy fat [ˈpʌpɪ_fæt] *BE, umg.* Babyspeck
puppy love [ˈpʌpɪ_lʌv] *umg.* jugendliche Schwärmerei
purchase[1] [△ ˈpɜːtʃəs] kaufen, erwerben
purchase[2] [△ ˈpɜːtʃəs] Kauf, Erwerb, Erwerbung
purchase price [△ ˈpɜːtʃəs_praɪs] Kaufpreis
purchasing power [△ ˈpɜːtʃəsɪŋ,pauə] Kaufkraft
pure [pjuə] **1.** rein, pur, unvermischt; **pure silk** reine Seide **2.** *Luft, Wasser usw.*: sauber **3.** *Unsinn usw.*: völlig, pur; **by pure coincidence** rein zufällig
puree [ˈpjuəreɪ] Püree, Brei; **apple puree** Apfelmus
purgatory [ˈpɜːgətrɪ] *kirchlich*: das Fegefeuer
purify [ˈpjuərɪfaɪ] *Chemie usw.*: reinigen; **purified water** aufbereitetes Wasser
purism [ˈpjuərɪzm] Purismus
purist [ˈpjuərɪst] Purist(in)

Puritan [ˈpjuərɪtən] *historisch*: Puritaner(in)
puritan[1] [ˈpjuərɪtən] Puritaner(in)
puritan[2] [ˈpjuərɪtən] puritanisch
purity [ˈpjuərɪtɪ] (die) Reinheit
purple [ˈpɜːpl] **1.** violett, *heller*: lila **2. go purple with rage** rot anlaufen vor Wut
purpose [ˈpɜːpəs] **1.** Absicht; **on purpose** absichtlich **2.** Zweck, Ziel; **for all practical purposes** praktisch, in der Praxis; **serve the same purpose** denselben Zweck erfüllen
purposeful [ˈpɜːpəsfl] entschlossen
purposely [ˈpɜːpəslɪ] absichtlich
purr [pɜː] *(Katze)* schnurren, *(Motor)* surren
purse [pɜːs] **1.** *BE* △ Geldbeutel, Portemonnaie **2.** *AE* △ Handtasche **3. hold the purse strings** übertragen über die Finanzen bestimmen **4.** *Boxen usw.*: Preisgeld

purse

pursue [pəˈsjuː] **1.** verfolgen; **be pursued by bad luck** übertragen vom Pech verfolgt werden **2.** *übertragen* verfolgen *(Politik usw.)*, weiterführen *(Angelegenheit)*; **pursue one's studies** seinem Studium nachgehen
pursuit [pəˈsjuːt] **1.** Verfolgung; **be in pursuit of someone** jemanden verfolgen **2.** *übertragen* Streben (**of** nach) **3. in (the) pursuit of** übertragen in Verfolgung *(eines Ziels)*
pus [pʌs] *Medizin*: Eiter
push[1] [puʃ] **1.** stoßen, schubsen; **push one's way** sich drängen (**through** durch)

2. drücken (*Tür, Taste usw.*) **3. push someone (to do something)** übertragen jemanden drängen(, etwas zu tun) **4.** durchzusetzen versuchen **5.** übertragen Reklame machen für, pushen **6. push drugs** umg. mit Drogen dealen

---

push ahead [ˌpʊʃ_əˈhed] **push ahead with** vorantreiben (*Plan usw.*)
push around [ˌpʊʃ_əˈraʊnd] herumschubsen, herumstoßen (*auch übertragen*)
push for [ˈpʊʃ_fɔː] übertragen drängen auf (*eine Entscheidung usw.*)
push in [ˌpʊʃˈɪn] umg. sich vordrängeln (*in einer Schlange*)
push off [ˌpʊʃˈɒf] umg. abhauen
push on [ˌpʊʃˈɒn] **push on with** vorantreiben (*Plan usw.*)
push out [ˌpʊʃˈaʊt] übertragen hinausdrängen
push button [ˈpʊʃˌbʌtn] Druckknopf
push over [ˌpʊʃˈəʊvə] umstoßen, umwerfen
push through [ˌpʊʃˈθruː] durchführen (*Vorhaben usw.*), durchbringen (*Gesetz usw., auch Schüler durch die Prüfung*)
push up [ˌpʊʃˈʌp] hochtreiben (*Preise*)

---

push² [pʊʃ] **1.** Stoß, Schubs; **we had to give the car a push** wir mussten das Auto anschieben **2. give someone the push** *BE, umg.* (≈ *entlassen*) jemanden rausschmeißen, *Beziehung*: jemandem den Laufpass geben; **get the push** *BE, umg.* (≈ *gekündigt werden*) fliegen, *Beziehung*: den Laufpass bekommen
push-button [ˈpʊʃˌbʌtn] **push-button telephone** Tastentelefon
pushchair [ˈpʊʃˌtʃeə] *BE* Sportwagen (*für Kinder*)
pusher [ˈpʊʃə] *umg.* (≈ *Drogenhändler*) Dealer
pushover [ˈpʊʃˌəʊvə] **it was a pushover** *umg.* es war ein Kinderspiel
push-up [ˈpʊʃʌp] *AE* Liegestütz
put [pʊt], **put, put;** **-ing-Form putting 1.** legen, setzen, stellen, tun; **put the cup on the table** die Tasse auf den Tisch stellen **2.** bringen (*in einen Zustand usw.*); **he'll put it right** er bringt es in Ordnung; **put someone in an awkward position** jemanden in eine unangenehme Lage bringen **3.** ausdrücken (*Gedanken*); **how shall I put it?** wie soll ich es sagen **4. put a question to someone** jemandem eine Frage stellen **5. put an end to something** etwas ein Ende setzen **6. put money** (*bzw. time*) **into something** Geld (*bzw.* Zeit) in etwas stecken **7.** übersetzen (*into French* ins

Französische) **8. put to sea** *Seefahrt*: in See stechen

---

put across [ˌpʊt_əˈkrɒs] **put something across** etwas verständlich machen
put aside [ˌpʊt_əˈsaɪd] **1.** beiseitelegen (*Buch usw.*) **2.** zurücklegen (*Geld*) **3. put aside differences** Meinungsverschiedenheiten beiseitelegen
put away [ˌpʊt_əˈweɪ] **1.** aufräumen, wegräumen **2.** zurücklegen (*Geld*) **3.** einsperren (*Kriminellen usw.*)
put back [ˌpʊtˈbæk] **1.** *in Regal usw.*: zurücklegen, zurückstellen **2.** zurückstellen (*Uhr*) (**by** um) **3.** verschieben (*Termin*) (**two days** um zwei Tage; **to** auf)
put by [ˌpʊtˈbaɪ] zurücklegen (*Geld*)
put down [ˌpʊtˈdaʊn] **1.** hinlegen, hinstellen **2. put something down on paper** etwas zu Papier bringen; **put one's name down for** sich eintragen für **3.** niederschlagen (*Aufstand*)
put forward [ˌpʊtˈfɔːwəd] **1.** vorlegen (*Vorschlag usw.*); **put someone forward** jemanden vorschlagen (**as** als) **2.** vorstellen (*Uhr*) (**by** um) **3.** vorverlegen (*Termin*) (**two days** um zwei Tage; **to** auf)
put in [ˌpʊtˈɪn] **1.** hineinlegen, hineinstecken **2.** einfügen **3.** einreichen (*Gesuch usw.*) **4. put in a lot of time**(*bzw.* **effort**) viel Zeit (*bzw.* Mühe) hineinstecken **5. put in for a rise** (*AE* **raise**) eine Gehaltserhöhung beantragen
put off [ˌpʊtˈɒf] **1. put something off** *Termin*: etwas verschieben (**till, until** auf) **2.** hinhalten, vertrösten (*Person*) (**with** mit) **3. stop it, you're putting me off!** hör auf damit, du bringst mich aus dem Konzept! **4. it's enough to put you off your dinner** das kann einem gründlich den Appetit verderben
put on [ˌpʊtˈɒn] **1.** anziehen (*Mantel usw.*), aufsetzen (*Hut, Brille*) **2.** auftragen (*Make-up*) **3.** anmachen, einschalten (*Licht, Radio usw.*) **4.** zunehmen (*an Gewicht*); **put on weight** zunehmen **5.** aufsetzen (*Essen, Topf*); **put the potatoes on** die Kartoffeln aufsetzen **6.** auflegen (*Schallplatte*) **7. you're putting me on** *bes. AE* du willst mich wohl verscheißern
put out [ˌpʊtˈaʊt] **1.** hinauslegen, hinausstellen **2.** löschen (*Feuer*) **3.** ausmachen, abschalten (*Licht*) **4. be put out by** (*oder* **about**) **something** über etwas verärgert sein **5. I don't want to put you out** ich möchte Ihnen keine Umstände machen

P

put over [ˌpʊtˈəʊvə] **1.** verständlich machen **2.** *put one over on someone umg.* jemanden austricksen

put through [ˌpʊtˈθruː] *put someone through am Telefon:* jemanden verbinden (*to* mit)

put together [ˌpʊt_təˈɡeðə] **1.** zusammensetzen, zusammenbauen (*Möbel usw.*) **2.** zusammenstellen, zusammentun **3.** *he's cleverer than all his friends put together* er ist intelligenter als alle seine Freunde zusammen

put up [ˌpʊtˈʌp] **1.** aufstellen (*Zelt usw.*), errichten (*Gebäude*) **2.** erhöhen (*Preise usw.*) **3.** aufhängen (*Bild usw.*), anschlagen (*Bekanntmachung*) **4.** *put something up for sale* etwas zum Verkauf anbieten **5.** *put up one's hand* die Hand (hoch)heben **6.** aufspannen (*Schirm*) **7.** *put someone up* jemanden unterbringen **8.** *put someone up to something* jemanden zu etwas anstiften **9.** *put up a fight* sich zur Wehr setzen

put up with [ˌpʊtˈʌp_wɪð] *umg.* sich abfinden mit; *I'm not putting up with this any longer umg.* das lasse ich mir nicht länger gefallen!; *I don't know how you put up with him* wie kannst du es nur mit ihm aushalten?

putrefy [ˈpjuːtrɪfaɪ] verfaulen, verwesen

putrid [ˈpjuːtrɪd] **1.** verfault, verwest **2.** *Geruch:* faulig

putsch [pʊtʃ] *politisch:* Putsch

putt [pʌt] *Golf:* putten

putter [ˈpʌtə] *Golf:* Putter

put-up job [ˈpʊtʌp_dʒɒb] *umg.* abgekartetes Spiel

puzzle¹ [ˈpʌzl] **1.** Rätsel (*auch übertragen*); *it's a puzzle to me* es ist mir ein Rätsel **2.** Geduld(s)spiel **3.** *jigsaw puzzle* Puzzlespiel

puzzle² [ˈpʌzl] **1.** (*Problem usw.*) vor ein Rätsel stellen, verblüffen; *be puzzled* vor einem Rätsel stehen **2.** *I'm puzzling over what to do* ich zerbreche mir den Kopf darüber, was ich tun soll

puzzling [ˈpʌzlɪŋ] rätselhaft

pygmy, Pygmy [ˈpɪɡmɪ] Pygmäe, Pygmäin

pyjamas [pəˈdʒɑːməz] *Pl. bes. BE, auch pair of pyjamas* Schlafanzug, *bes.* ⓐ Pyjama

pylon [ˈpaɪlən] Hochspannungsmast

pyramid [ˈpɪrəmɪd] Pyramide (*auch geometrische Figur*)

pyre [ˈpaɪə] Scheiterhaufen

python [ˈpaɪθn] *Schlange:* Python

Q

quack¹ [kwæk] (*Ente*) quaken

quack² [kwæk] *umg.* Kurpfuscher, Quacksalber

quad [kwɒd] **1.** *Abk. für →* **quadrangle** *1* **2.** *Abk. für →* **quadruplet**

quad bike [ˈkwɒdˌbaɪk] *Geländefahrzeug:* Quad

quadrangle [ˈkwɒdræŋɡl] **1.** Innenhof (*bes. einer Schule*) **2.** *Geometrie:* Viereck

quadrangular [kwɒˈdræŋɡjʊlə] viereckig

quadrilateral¹ [ˌkwɒdrɪˈlætərəl] vierseitig

quadrilateral² [ˌkwɒdrɪˈlætərəl] Viereck

quadruped [ˈkwɒdrʊped] *Zoologie:* Vierfüß(l)er

quadruple¹ [kwɒˈdrʊpl] vierfach

quadruple² [kwɒˈdrʊpl] (sich) vervierfachen

quadruplet [kwɒˈdrʊplət] Vierling

quail [kweɪl] *Vogel:* Wachtel

quaint [kweɪnt] *Dorf, Altstadt usw.:* idyllisch, malerisch

quake¹ [kweɪk] zittern, beben (*at the thought* bei dem Gedanken); *she was quaking with fear* sie zitterte vor Angst

quake² [kweɪk] *umg.* Erdbeben

qualification [ˌkwɒlɪfɪˈkeɪʃn] **1.** *für Arbeitsstelle usw.:* Qualifikation, Voraussetzung (*for,* zu) **2.** Abschluss(zeugnis) (*einer Ausbildung*) **3.** (≈ *Bedingung*) Einschränkung, Vorbehalt

qualified [ˈkwɒlɪfaɪd] qualifiziert, geeignet (*for* für); *he's a qualified mechanic* er ist gelernter Kfz-Mechaniker; *is he really qualified to do this job?* ist er für diese Arbeit wirklich geeignet?

qualify [ˈkwɒlɪfaɪ] **1.** sich qualifizieren (*auch Sport*) (*for* für; *as* als); *our team qualified for the finals* unser Team hat sich für das Finale qualifiziert **2.** seine Ausbildung abschließen (*as* als) **3.** (*Aus-*

bildung usw.) qualifizieren, befähigen (*for* für, zu)

qualitative ['kwɒlɪtətɪv] qualitativ

quality ['kwɒlɪtɪ] **1.** Qualität, *Wirtschaft auch*: Güteklasse; *quality of life* Lebensqualität **2.** Eigenschaft

quality control ['kwɒlətɪ_kən,trəʊl] Qualitätskontrolle

quality management ['kwɒlətɪ,mænɪdʒmənt] Qualitätsmanagement

quality paper ['kwɒlətɪ,peɪpə] seriöse (Tages)Zeitung

quality time ['kwɒlətɪ,taɪm] *Freizeit, die man intensiv mit der Familie oder mit einem Hobby verbringt*

qualms [△ kwɑːmz] *Pl.* Bedenken, Skrupel; *have (no) qualms about doing something* (keine) Bedenken haben, etwas zu tun

quantitative ['kwɒntɪtətɪv] quantitativ

quantity ['kwɒntɪtɪ] **1.** Quantität, Menge; *in small quantities* in kleinen Mengen; *quantity discount Wirtschaft*: Mengenrabatt **2.** *Mathematik*: Größe

quarantine ['kwɒrəntiːn] Quarantäne

quarrel[1] ['kwɒrəl] Streit, Auseinandersetzung (*with* mit)

quarrel[2] ['kwɒrəl], *quarrelled, quarrelled, AE* **quarreled, quarreled** (sich) streiten (*with* mit; *about, over* über)

quarrelsome ['kwɒrəlsəm] streitsüchtig

quarry ['kwɒrɪ] Steinbruch

quart [kwɔːt] *Hohlmaß*: Quart

quarter[1] ['kwɔːtə] **1.** *allg.*: Viertel **2.** *bei Zeitangaben*: (*a*) *quarter of an hour* eine Viertelstunde; *it's (a) quarter to six, AE auch it's (a) quarter of six* es ist Viertel vor sechs *oder* drei Viertel sechs; *at (a) quarter past six, AE auch at (a) quarter after six* um Viertel nach sechs, um Viertel sieben **3.** (Stadt)Viertel **4.** Quartal, Vierteljahr **5.** *in US*: 25 Cents, 25-Cent-Münze **6.** *quarters Pl.* Quartier, Unterkunft (*auch militärisch*) **7.** *from all quarters* übertragen aus allen Himmelsrichtungen **8.** *übertragen* Seite, Stelle; *in the highest quarters* an höchster Stelle

quarter[2] ['kwɔːtə] **1.** (≈ *teilen*) vierteln **2.** *bes. militärisch*: einquartieren (*on* bei)

quarterfinal [,kwɔːtə'faɪnl] Viertelfinale

quarterly ['kwɔːtəlɪ] vierteljährlich

quartet [kwɔː'tet] *Musik*: Quartett

quartz clock ['kwɔːts_klɒk], **quartz watch** ['kwɔːts_wɒtʃ] Quarzuhr

quaver[1] ['kweɪvə] *BE*; *Musik*: Achtelnote

quaver[2] ['kweɪvə] (*Stimme*) zittern

quay [△ kiː] *Hafenanlage*: Kai

queasy ['kwiːzɪ] *I feel queasy* mir ist übel

queen [kwiːn] **1.** Königin; *beauty queen* Schönheitskönigin; *queen bee* Bienenkönigin; *queen mother* Königinmutter **2.** *Kartenspiel, Schach*: Dame; *queen of hearts* Herzdame **3.** *umg., abwertend* Tunte

queer [kwɪə] **1.** komisch, seltsam; *I feel queer* mir ist ganz komisch zumute **2.** *he's a bit queer in the head umg.* er 'hat sie nicht alle **3.** *umg.* schwul

quench [kwentʃ] löschen, stillen (*Durst*)

query[1] ['kwɪərɪ] Frage (*bei Zweifeln, Unklarheit usw.*)

query[2] ['kwɪərɪ] in Frage stellen, in Zweifel ziehen

quest [kwest] *bes. literarisch*: Suche (*for* nach); *in quest of* auf der Suche nach

question[1] ['kwestʃən] **1.** Frage; *ask someone a question* jemandem eine Frage stellen **2.** Frage, Problem; *only a question of time* nur eine Frage der Zeit **3.** Zweifel, Frage; *there's no question that ...* es steht außer Frage, dass ...; *there is no question about this* daran besteht kein Zweifel **4.** *that's out of the question* das kommt nicht infrage

question[2] ['kwestʃən] **1.** befragen (*about* über), (*Polizei usw.*) vernehmen (*about* zu) **2.** bezweifeln (*Sachverhalt usw.*)

questionable ['kwestʃənəbl] **1.** fraglich, zweifelhaft **2.** *Verhalten usw.*: fragwürdig

question mark ['kwestʃən_mɑːk] Fragezeichen

questionnaire [,kwestʃə'neə] Fragebogen

queue[1] [kjuː] *BE* **1.** Schlange; *stand in a queue* Schlange stehen; *jump the queue* sich vordrängeln **2.** *Computer*: Warteschlange (*von Druckaufträgen*)

queue[2] [kjuː] *BE, mst. queue up* Schlange stehen, sich anstellen (*for* nach, um)

queue-jump ['kjuːdʒʌmp] *BE, umg.* sich vordrängeln

queue jumper ['kjuː_dʒʌmpə] **1.** Vordrängler **2.** *im Straßenverkehr*: Kolonnenspringer

quick [kwɪk] **1.** schnell, rasch; *be quick!* mach schnell!, beeil dich! **2.** *Reise usw.*: kurz **3.** *he's got a quick temper* er ist ziemlich hitzig **4.** *he's quick to learn* er lernt schnell

quick-acting ['kwɪk,æktɪŋ] *Medikament*: schnell wirkend

quick-change artist [,kwɪktʃeɪndʒ'ɑːtɪst] Verwandlungskünstler(in)

quicken ['kwɪkən] **1.** beschleunigen (*Entwicklung usw.*) **2.** (*Tempo*) schneller werden

quick-freeze [,kwɪk'friːz], *quick-froze* [,kwɪk'frəʊz], *quick-frozen* [,kwɪk'frəʊzn] tiefgefrieren, einfrieren

Q

quickie ['kwɪkɪ] *umg.* **1.** *etwas Schnelles oder Kurzes, z.B. eine kurze Frage* **2.** *Sex*: Quickie

quickly ['kwɪklɪ] schnell

quicksand ['kwɪksænd] Treibsand

quick-tempered [ˌkwɪk'tempəd] aufbrausend, hitzig

quick-witted [ˌkwɪk'wɪtɪd] schlagfertig

quid [kwɪd] *Pl.*: *quid BE, umg.; Währung*: Pfund

quiet[1] ['kwaɪət] **1.** ruhig (*auch Leben usw.*), still; *quiet, please* Ruhe, bitte! **2.** *keep something quiet oder keep quiet about something* etwas für sich behalten

quiet[2] ['kwaɪət] **1.** Ruhe, Stille **2.** *on the quiet umg.* heimlich

---

quieten down [ˌkwaɪətn'daʊn] (sich) beruhigen

---

quill [kwɪl] **1.** Feder (*eines Vogels*) **2.** *zum Schreiben*: Feder(kiel)

quilt [kwɪlt] Steppdecke

quilted ['kwɪltɪd] *Kleidung usw.*: Stepp…

quin [kwɪn] *BE, umg. Abk. für* → *quintuplet*

quinine ['kwɪniːn] *Medizin*: Chinin

quint [kwɪnt] *AE, umg.* Fünfling

quintessence [kwɪn'tesns] **1.** Quintessenz **2.** *Verkörperung einer Eigenschaft*: Inbegriff

quintet [kwɪn'tet] *Musik*: Quintett

quintuplet ['kwɪntjʊplət] Fünfling

quirk [kwɜːk] **1.** *quirk of fate* Laune des Schicksals **2.** Marotte (*einer Person*)

quit [kwɪt] *quit, quit, BE auch quitted, quitted umg.* **1.** aufhören (mit); *quit doing something* aufhören, etwas zu tun;

quit smoking das Rauchen aufgeben **2.** *umg.* kündigen

quite [kwaɪt] **1.** ganz, völlig; *be quite right* völlig recht haben **2.** ziemlich; *quite a disappointment* eine ziemliche Enttäuschung; *quite a few* ziemlich viele; *quite good* ziemlich *oder* recht gut **3.** *quite (so) bes. BE; als Antwort*: genau, ganz recht **4.** *she's quite a girl* sie ist ein tolles Mädchen

quits [kwɪts] quitt (*with* mit); *call it quits umg.* es gut sein lassen

quitter ['kwɪtə] *he's no quitter umg.* er gibt nicht so schnell auf

quiver[1] ['kwɪvə] zittern (*with* vor; *at* bei *einem Gedanken usw.*)

quiver[2] ['kwɪvə] Zittern

quiver[3] ['kwɪvə] *für Pfeile*: Köcher

quiz[1] [kwɪz] *Pl.*: *quizzes* **1.** (≈ *Fragespiel*) Quiz **2.** *bes. AE; Schule*: Kurztest

quiz[2] [kwɪz], *quizzed, quizzed* **1.** ausfragen (*about* über) **2.** *bes. AE; Schule*: abfragen, testen

quotation [kwəʊ'teɪʃn] **1.** Zitat (*from* aus); *quotation from the Bible* Bibelzitat **2.** *Wirtschaft*: Kostenvoranschlag

quotation marks [kwəʊ'teɪʃn ˌmɑːks] *Pl.* Anführungszeichen

quote[1] [kwəʊt] **1.** zitieren (*from* aus); *he was quoted as saying that …* er soll gesagt haben, dass … **2.** anführen (*Beispiel usw.*)

quote[2] [kwəʊt] *umg.* **1.** Zitat **2.** *put* (*oder place*) *in quotes* in Gänsefüßchen setzen **3.** *quote … unquote* Zitat … Zitat Ende

quotient ['kwəʊʃnt] *Mathematik*: Quotient

R

r [ɑː] *the three R's* (= *reading, writing, arithmetic*) Lesen, Schreiben, Rechnen

rabbi ['ræbaɪ] *Religion*: Rabbiner(in), Rabbi

rabbit ['ræbɪt] Kaninchen

rabble ['ræbl] Pöbel, Mob

rabble-rouser ['ræblˌraʊzə] Aufrührer(in), Demagoge, Demagogin, Volksverhetzer(in)

rabble-rousing ['ræblˌraʊzɪŋ] aufwieglerisch, demagogisch

rabid ['ræbɪd] **1.** *Tier*: tollwütig **2.** *Person*: fanatisch; *he's a rabid fascist* er ist ein radikaler Faschist

rabies ['reɪbiːz] *bei Tieren*: Tollwut

raccoon [rə'kuːn] Waschbär

race[1] [reɪs] *Sport*: Rennen (*auch übertragen for* um), Lauf; *race against time übertragen* Wettlauf mit der Zeit

race[2] [reɪs] **1.** an (einem) Rennen teilnehmen **2.** um die Wette laufen *oder* fahren (*against, with* mit); (*I'll*) *race you to the*

corner wer zuerst an der Ecke ist! **3.** rasen, rennen; **race someone to hospital** in rasender Fahrt jemanden ins Krankenhaus bringen

race[3] [reɪs] **1.** Rasse **2.** Rassenzugehörigkeit

racecourse ['reɪskɔːs] **1.** *BE* Pferderennbahn **2.** *AE*; *allg.*: Rennbahn, Rennstrecke

racehorse ['reɪshɔːs] Rennpferd

racer ['reɪsə] **1.** *Tier:* Rennpferd **2.** *Person:* Rennfahrer(in) **3.** *Gerät:* Rennrad, Rennwagen

racetrack ['reɪstræk] Rennbahn, Rennstrecke

racial ['reɪʃl] rassisch, Rassen...; **racial segregation** (die) Rassentrennung

racial discrimination [ˌreɪʃl_dɪˌskrɪmɪ'neɪʃn] (die) Rassendiskriminierung

racing ['reɪsɪŋ] Renn...; **racing bike** Rennrad; **racing car** Rennwagen

racism ['reɪsɪzm] (der) Rassismus

racist[1] ['reɪsɪst] Rassist(in)

racist[2] ['reɪsɪst] rassistisch

rack[1] [ræk] **1.** Gestell, ...ständer; **magazine rack** Zeitungsständer; **luggage rack** *Zug:* Gepäcknetz **2.** *historisch:* Folter(bank)

rack[2] [ræk] **1. rack one's brains** sich den Kopf zerbrechen **2. be racked by** *oder* **with** geplagt *oder* gequält werden von

rack[3] [ræk] **go to rack and ruin** *Gebäude usw.:* verfallen, *Land, Wirtschaft:* dem Ruin entgegentreiben

racket[1] ['rækɪt] *Tennis usw.:* Schläger

racket[2] ['rækɪt] *umg.* **1.** Krach, Lärm; **make a racket** Krach machen **2.** organisierte Kriminalität; **drugs racket** Drogengeschäft

racy ['reɪsɪ] *Geschichte usw.:* spritzig

radar[1] ['reɪdɑː] Radar

radar[2] ['reɪdɑː] Radar...; **radar screen** Radarschirm; **radar trap** Radarfalle

radial tyre [ˌreɪdɪəl'taɪə] *Auto:* Gürtelreifen

radiant ['reɪdɪənt] strahlend (*auch übertragen*); **be radiant with joy** vor Freude strahlen

radiate ['reɪdɪeɪt] **1.** ausstrahlen (*Wärme, Licht usw., auch übertragen*) **2.** (*Straßen usw.*) strahlenförmig ausgehen (**from** von)

radiation [ˌreɪdɪ'eɪʃn] **1.** Ausstrahlung (*von Hitze usw.*) **2.** (radioaktive) Strahlung

radiator ['reɪdɪeɪtə] **1.** Heizkörper **2.** *Auto:* Kühler

radical ['rædɪkl] radikal, grundlegend

radio[1] ['reɪdɪəʊ] *Pl.:* **radios 1.** *Gerät:* Radio; **on the radio** im Radio **2.** *Institution:*

Rundfunk, Radio **3.** Funk; **by radio** per *oder* über Funk **4.** Funkgerät

radio[2] ['reɪdɪəʊ], **radioed, radioed 1.** funken (*Nachricht usw.*) **2.** anfunken (*Ort*)

radioactive [ˌreɪdɪəʊ'æktɪv] radioaktiv

radioactive waste [ˌreɪdɪəʊ͵æktɪv'weɪst] Atommüll, radioaktiver Abfall

radioactivity [ˌreɪdɪəʊæk'tɪvətɪ] Radioaktivität

radio alarm [ˌreɪdɪəʊ_ə'lɑːm] Radiowecker

radio-cassette player [ˌreɪdɪəʊkə'set-͵pleɪə] Radiorekorder

radio station ['reɪdɪəʊ͵steɪʃn] Rundfunksender, Rundfunkstation

radio telephone [ˌreɪdɪəʊ'teləfəʊn] Funktelefon

radish [△ 'rædɪʃ] Radieschen

radius ['reɪdɪəs] *Pl.:* **radii** ['reɪdɪaɪ] **1.** *Mathematik:* Radius, Halbmesser **2. within a three-mile radius** im Umkreis von drei Meilen (**of** um)

raffle[1] ['ræfl] Tombola

raffle[2] ['ræfl] *auch* **raffle off** verlosen

raft [rɑːft] Floß

rag [ræg] **1.** Lumpen, Lappen; **in rags** zerlumpt; **be (like) a red rag to a bull to someone** *BE, umg.* wie ein rotes Tuch für jemanden sein **2.** *umg.* Käseblatt

rage[1] [reɪdʒ] **1.** Wut, Zorn; **be in a rage** wütend sein **2. that's the latest rage** *oder* **that's all the rage** *umg.* das ist der letzte Schrei

rage[2] [reɪdʒ] **1.** (≈ *schimpfen*) wettern (**against, at** gegen) **2.** (*Krankheit, Sturm*) wüten, (*Meer, Sturm*) toben

ragged [△ 'rægɪd] **1.** *Kleidung:* zerlumpt **2.** *Bart:* zottig

raid[1] [reɪd] **1.** Überfall (**on** auf) **2.** Razzia

raid[2] [reɪd] **1.** überfallen (*Bank usw.*) **2.** (*Polizei*) eine Razzia machen in

rail [reɪl] **1.** Geländer **2.** ...halter; **towel rail** Handtuchhalter **3.** *Eisenbahn:* Schiene; **rails** *Pl. auch:* Gleis(e) **4. travel by rail** mit der Bahn fahren **5. go off the rails** *umg.* durchdrehen; **be off the rails** *umg.* spinnen

railing [reɪlɪŋ] *auch* **railings** *Pl.* Geländer

railroad ['reɪlrəʊd] *AE* Eisenbahn → **railway**

railway ['reɪlweɪ] *bes. BE* Eisenbahn

railway line ['reɪlweɪ_laɪn] **1.** Bahnlinie **2.** Gleis

railway station ['reɪlweɪ͵steɪʃn] Bahnhof; ☞ *Illu S. 981*

rain[1] [reɪn] Regen; **it's pouring with rain** es gießt in Strömen

rain[2] [reɪn] **1.** regnen **2. rain down on** (*Schläge usw.*) niederprasseln auf; ☞ *Info S. 384*

rain

Das englische Wetter ist gar nicht so
schlecht wie sein Ruf. Man muss aber
zugeben: Wenn es so viele unterschied-
liche Bezeichnungen für Regen gibt,
muss es dafür einen Grund geben.

It's …	**es …**
spitting	tröpfelt
drizzling	nieselt
raining (heavily)	regnet (stark)
pouring	regnet in Strömen
tipping down	schüttet
raining cats and dogs	gießt in Strömen
pelting down	prasselt nieder
bucketing down / coming down in buckets	gießt wie aus Kübeln

rain off [ˌreɪnˈɒf], *AE* **rain out** [ˌreɪn-
ˈaʊt] *be rained off* (*AE out*) wegen
Regens abgesagt werden (*Veranstaltung
usw.*)

rainbow [ˈreɪnbəʊ] Regenbogen
raincoat [ˈreɪnkəʊt] Regenmantel
raindrop [ˈreɪndrɒp] Regentropfen
rainfall [ˈreɪnfɔːl] Niederschlag
rainforest [ˈreɪnˌfɒrɪst] Regenwald
rainy [ˈreɪnɪ] 1. regnerisch, Regen…; *the
rainy season* die Regenzeit (*in den Tro-
pen*) 2. *Tag*: verregnet; *keep something
for a rainy day* übertragen etwas für
schlechte Zeiten aufheben
raise[1] [reɪz] 1. (hoch)heben (*Gegenstand,
Hand usw.*), hochziehen (*Vorhang usw.*);
raise one's hat to someone vor jeman-
dem den Hut ziehen; *raise one's eye-
brows* die Stirn runzeln; *raise one's
voice* laut werden 2. erhöhen (*Gehalt,
Preise usw.*) 3. *raise someone's hopes*
in jemandem Hoffnung erwecken; *raise
objections* Einwände erheben 4. zusam-
menbringen, beschaffen (*Geld usw.*) 5.
großziehen (*Kinder*) 6. züchten (*Tiere*),
anbauen (*Getreide usw.*) 7. aufwerfen
(*Frage*), zur Sprache bringen (*Problem
usw.*) 8. hervorrufen (*Protest usw.*); *raise
a laugh* Gelächter ernten 9. aufwirbeln
(*Staub usw.*)
raise[2] [reɪz] *AE* Lohnerhöhung, Gehalts-
erhöhung; ☞ *BE* **rise**[2] **4**
raisin [ˈreɪzn] Rosine
rake[1] [reɪk] Rechen, Harke
rake[2] [reɪk] rechen, harken (*Rasen, Laub*)

rake in [ˌreɪkˈɪn] *umg.* kassieren (*Geld*);
rake it in umg. das Geld nur so scheffeln

rally[1] [ˈrælɪ] 1. Kundgebung, (Massen)Ver-
sammlung 2. *Motorsport*: Rallye
rally[2] [ˈrælɪ] 1. (*Truppen usw.*) (sich) (wie-
der) sammeln 2. sich erholen (*from*) von)
(*auch wirtschaftlich*)

rally round [ˌrælɪˈraʊnd] *rally round
someone* sich jemandes annehmen

RAM [ræm] (*Abk. für* **r**andom **a**ccess
memory) *Computer*: Arbeitsspeicher
ram[1] [ræm] Widder, Schafbock
ram[2] [ræm], *rammed, rammed* 1. (*Fahr-
zeug usw.*) rammen 2. (≈ *hineintun*) ram-
men (*Pfosten usw.*) (*into* in)
ramble [ˈræmbl] 1. streifen, wandern 2.
auch ramble on weitschweifig erzählen
rambling [ˈræmblɪŋ] 1. *Pflanzen*: ran-
kend, Kletter…; *rambling rose* Kletter-
rose 2. *übertragen* weitschweifig, unzu-
sammenhängend (*Rede, Aufsatz usw.*) 3.
Gebäude: weitläufig
ramp [ræmp] 1. Rampe 2. *AE* Auffahrt
rampage [ˈræmpeɪdʒ] *go on the ram-
page* randalieren
rampant [ˈræmpənt] 1. *Krankheit usw.*:
grassierend 2. *Pflanze*: wuchernd
ramshackle [ˈræmˌʃækl] 1. *Haus*: baufäl-
lig 2. *Fahrzeug*: klapp(e)rig 3. *Verein,
Partei, Organisation usw.*: chaotisch,
schlecht organisiert
ran [ræn] 2. *Form von* → **run**[1]
ranch [rɑːntʃ] 1. *in USA*: (≈ *Farm mit
Viehzucht*) Ranch 2. *AE* …farm; *chick-
en ranch* Geflügelfarm
rancher [ˈrɑːntʃə] 1. Rancher, Viehzüch-
ter 2. …züchter
rancid [ˈrænsɪd] *Butter usw.*: ranzig; *go
rancid* ranzig werden
random [ˈrændəm] *at random* aufs Gera-
tewohl, wahllos, willkürlich
randy [ˈrændɪ] *BE, umg.* scharf, geil
rang [ræŋ] 2. *Form von* → **ring**[3]
range[1] [reɪndʒ] 1. Skala, Palette; *in this
price range* in dieser Preisklasse 2. Aus-
wahl (*an Waren usw.*), *wirtschaftlich auch*:
Sortiment; *a wide range of goods* ein
großes Warenangebot 3. Reichweite (*ei-
nes Fernglases usw.*), Schussweite (*eines
Gewehrs usw.*) 4. Entfernung; *at close
(oder short) range* aus kurzer Entfer-
nung 5. *mountain range* Bergkette 6. *in
USA*: Weideland
range[2] [reɪndʒ] (*Maße, Werte usw.*)
schwanken, sich bewegen (*from … to,
between … and* zwischen … und)
ranger [ˈreɪndʒə] 1. Förster 2. *AE* Ranger
rank[1] [ræŋk] 1. *bes. militärisch*: Rang 2.
Rang, (soziale) Stellung 3. *the rank and
file* die Basis (*einer Partei*); ☞ *ranks*

R

rank² [ræŋk] **1.** (≈ *dazugehören*) zählen (*among* zu), rangieren (*above* über); *he ranks as a great musician* er gilt als großer Musiker **2.** (≈ *einordnen*) rechnen, zählen (*among* zu); *he's ranked 2nd in the world* er steht an 2. Stelle der Weltrangliste

ranking¹ ['ræŋkɪŋ] **1.** Rangliste **2.** *auf Rangliste*: Platzierung **3.** *Einordnung in Rangliste*: Bewertung (*z.B. von Studenten, Lehrern*)

ranking² ['ræŋkɪŋ] *Offizier, Offizielle*: ranghoch

ranks [ræŋks] *Pl.* **the ranks** *Militär*: die Mannschaften und Unteroffiziere

ransack ['rænsæk] **1.** durchwühlen (*Schublade, Schrank usw.*) **2.** plündern (*Haus usw.*)

ransom¹ ['rænsəm] Lösegeld; *hold someone to ransom* jemanden als Geisel halten, *übertragen* jemanden erpressen

ransom² ['rænsəm] auslösen, freikaufen

rant [rænt] *auch* **rant on** *oder* **rant and rave** (*about*) sich lautstark auslassen (über)

rap¹ [ræp] **1.** Klopfen; *give someone a rap over the knuckles* *übertragen* jemandem auf die Finger klopfen **2.** *Musik: auch* **rap music** Rap

rap² [ræp], **rapped, rapped 1.** klopfen, schlagen (*at* an; *on* auf) **2.** *AE, salopp* quatschen

rape¹ [reɪp] Vergewaltigung

rape² [reɪp] vergewaltigen

rapid ['ræpɪd] schnell, rasch; *rapid reaction force* *militärisch*: schnelle Eingreiftruppe; *rapid transit (system)* *AE* Schnellbahnsystem

rapidity [rə'pɪdətɪ] Schnelligkeit

rapids ['ræpɪdz] *Pl.* Stromschnelle(n)

rapist ['reɪpɪst] Vergewaltiger

rapper ['ræpə] *Musik*: Rapper(in)

rapt [ræpt] *with rapt attention* mit gespannter Aufmerksamkeit

rapture ['ræptʃə] *be in raptures* entzückt *oder* hingerissen sein (*about, at, over* von)

rare [reə] **1.** selten, rar **2.** *Atmosphäre, Luft*: dünn **3.** *Steak*: (≈ *fast roh*) englisch

rarely ['reəlɪ] selten

raring ['reərɪŋ] *be raring to do something* *umg*. es kaum mehr erwarten können, etwas zu tun

rarity ['reərətɪ] Seltenheit, Rarität

rascal ['rɑːskl] *humorvoll* Schlingel

rash¹ [ræʃ] voreilig, vorschnell

rash² [ræʃ] (Haut)Ausschlag

rasp [rɑːsp] raspeln

raspberry [△ 'rɑːzbərɪ] Himbeere

rat [ræt] Ratte; *smell a rat* (≈ *Verdacht schöpfen*) Lunte riechen; *rats!* *verärgert*: Mist!, *widersprechend*: Quatsch!

rate¹ [reɪt] **1.** Geschwindigkeit, Tempo (*bes. einer Bewegung usw.*); *at a fast rate* zügig, rapide **2.** Quote, Rate; *birth rate* Geburtenrate; *rate of inflation* *oder* *inflation rate* Inflationsrate **3.** *Finanzwesen*: Satz, Kurs; *interest rate* Zinssatz **4.** *at any rate* übertragen auf jeden Fall

rate² [reɪt] einschätzen (*highly* hoch), halten (*as* für); *be rated as* gelten als

-rate [-reɪt] …klassig; *a first-rate actor* ein erstklassiger Schauspieler

rate of exchange [ˌreɪt‿əv‿ɪks'tʃeɪndʒ] Wechselkurs

rather ['rɑːðə] **1.** ziemlich; *rather a cold night* *oder* *a rather cold night* eine ziemlich kalte Nacht **2.** *I'd rather stay at home* ich möchte lieber zu Hause bleiben **3.** *or rather* (oder) vielmehr

ratification [ˌrætɪfɪ'keɪʃn] *Politik*: Ratifizierung

ratify ['rætɪfaɪ] *Politik*: ratifizieren

ratings ['reɪtɪŋz] *Pl.; TV*: Einschaltquote

ration¹ [△ 'ræʃn] Ration

ration² [△ 'ræʃn] rationieren (*Lebensmittel usw.*)

rational ['ræʃnəl] **1.** vernunftbegabt **2.** *Ideen usw.*: vernünftig

rationalism ['ræʃnəlɪzm] Rationalismus

rationalist¹ ['ræʃnəlɪst] Rationalist(in)

rationalist² ['ræʃnəlɪst], **rationalistic** [ˌræʃnə'lɪstɪk] rationalistisch

rationalization [ˌræʃnəlaɪ'zeɪʃn] Rationalisierung

rationalize ['ræʃnəlaɪz] *bes. BE* rationalisieren (*Betrieb*)

rat race ['ræt‿reɪs] gnadenloser beruflicher Konkurrenzkampf unter Kollegen

rat run ['ræt‿rʌn] *BE, umg*. (≈ *Nebenstraße*) Schleichweg

rattle¹ ['rætl] **1.** (*Fenster usw.*) klappern; *rattle at the door* an der Tür rütteln **2.** (*Ketten usw.*) rasseln, klirren **3.** (*Münzen usw.*) klimpern **4.** (*Regen usw.*) prasseln (*on* auf) **5.** (*Fahrzeug usw.*) knattern **6.** *rattle someone* *BE* jemanden beunruhigen *oder* durcheinanderbringen; *don't get rattled* reg dich nicht auf!

---

rattle off [ˌrætl'ɒf] herunterrasseln (*Gedicht usw.*)

---

rattle² ['rætl] Rassel, Klapper

rattlesnake ['rætlsneɪk] Klapperschlange

rattrap ['rættræp] **1.** Rattenfalle **2.** *umg., Haus, Wohnung usw.*: Bruchbude **3.** *umg.* Falle, ausweglose Lage

ratty ['rætɪ] *umg*. **1.** gereizt; *there's no*

R

need to be ratty sei doch nicht gleich so gereizt **2.** *AE* schäbig (*Kleidungsstück*)

raucous ['rɔːkəs] *Stimme, Gelächter*: heiser, rau

ravage ['rævɪdʒ] (*Sturm usw.*) verwüsten

ravages ['rævɪdʒɪz] *Pl.* Verwüstungen, *übertragen* negative Auswirkungen

rave[1] [reɪv] **1.** *wirr*: fantasieren (*auch im Fieber*) **2.** *begeistert*: **rave about something** von etwas schwärmen **3.** *verärgert*: toben, wettern (**at** gegen)

rave[2] [reɪv] Party, Fete, Rave

raven ['reɪvn] Rabe

ravine [rə'viːn] Schlucht, Klamm, *bes.* ℍ Tobel

raving ['reɪvɪŋ] **1.** tobend; **raving mad** *umg.* völlig *oder* total übergeschnappt **2.** **a raving beauty** *umg.* eine hinreißend schöne Frau

ravishing ['rævɪʃɪŋ] hinreißend

raw [rɔː] **1.** *Gemüse usw.*: roh **2.** *Technik*: roh, Roh...; **raw material** Rohstoff **3.** *Anfänger*: unerfahren, grün **4.** *Haut*: wund **5.** *Wetter, Tag usw.*: nasskalt **6. get a raw deal** *umg.* ungerecht behandelt werden

ray [reɪ] **1.** Strahl; **ray of light** Lichtstrahl **2. ray of hope** Hoffnungsschimmer

raze [reɪz] *auch* **raze to the ground** dem Erdboden gleichmachen

razor ['reɪzə] **1.** Rasiermesser **2.** *elektrisch*: Rasierapparat **3. be on a razor's edge** *übertragen* auf des Messers Schneide stehen

razor blade ['reɪzə‿bleɪd] Rasierklinge

razor-sharp [ˌreɪzə'ʃɑːp] **1.** *Messer, Klinge*: scharf wie ein Rasiermesser **2.** *Verstand*: messerscharf

razzamatazz [ˌræzəmə'tæz], **razzmatazz** [ˌræzmə'tæz] *umg.* Rummel, Trubel

Rd *Abk. für* → **Road**

re [riː] **re your letter of ...** *Geschäftsbrief*: Betr.: Ihr Schreiben vom ...

reach[1] [riːtʃ] **1.** erreichen (*Person, Ort, Alter usw.*) **2.** greifen, langen (**for** nach) (*beide auch übertragen*) **3.** *räumlich*: reichen *oder* gehen (bis an *oder* zu) (⚠ *ausreichen* = **be enough**)

---

reach down [ˌriːtʃ'daʊn] herunterreichen, hinunterreichen (**from** von)

reach out [ˌriːtʃ'aʊt] **1.** (die Hand *oder* den Arm) ausstrecken **2.** greifen, langen (**for** nach) (*beide auch übertragen*)

---

reach[2] [riːtʃ] **within** (*bzw.* **out of**) **someone's reach** in (*bzw.* außer) jemandes Reichweite; **be within easy reach** leicht zu erreichen sein

react [rɪ'ækt] reagieren (**to** auf); **react**

---

against sich wehren gegen

reaction [rɪ'ækʃn] Reaktion

reactionary [rɪ'ækʃənrɪ] *politisch*: Reaktionär(in)

reactivate [rɪ'æktɪveɪt] reaktivieren

reactive [rɪ'æktɪv] *Chemie*: reaktionsfähig, reaktiv

reactor [rɪ'æktə] *Physik*: Reaktor

read[1] [riːd], **read** [red], **read** [red] **1.** lesen; **I've read about it** ich habe darüber *oder* davon gelesen; **read** (**something**) **to someone** jemandem (etwas) vorlesen (**from** aus) **2. read well** *Aufsatz usw.*: sich gut lesen; **the letter** *usw.* **reads as follows** der Brief *usw.* lautet folgendermaßen **3.** ablesen (*Zähler usw.*) **4.** (*Thermometer usw.*) (an)zeigen, stehen auf **5.** **he's reading Geography at Oxford** *BE* er studiert Geographie in Oxford **6. read between the lines** zwischen den Zeilen lesen **7. we can take it as read** [red] **that ...** wir können davon ausgehen, dass ...

---

read into [ˌriːd'ɪntʊ] **read something into** (≈ *interpretieren*) etwas hineinlesen in

read out [ˌriːd'aʊt] vorlesen

read over *oder* **through** [ˌriːd'əʊvə *oder* 'θruː] (*ganz*) durchlesen

read up [ˌriːd'ʌp] **read up (on) something** *umg.* etwas nachlesen

---

read[2] [riːd] **it's a good read** *bes. BE* es liest sich gut

read[3] [red] **2. und 3. Form von** → **read**[1]; ☞ **well-read**

readable ['riːdəbl] **1.** *Buch usw.*: lesbar, leicht zu lesen **2.** *Schrift*: leserlich

reader ['riːdə] **1.** Leser(in) **2.** *Schule*: Lesebuch

readership ['riːdəʃɪp] Leser *Pl.*, Leserkreis

readily ['redɪlɪ] **1.** bereitwillig **2.** leicht, ohne Weiteres

reading[1] ['riːdɪŋ] **1.** Lesen **2.** Lesung (*auch im Parlament*) **3.** *auch* **reading matter** Lesestoff, Lektüre **4.** Wert (*einer Messung*)

reading[2] ['riːdɪŋ] Lese...; **reading lamp** Leselampe; **reading room** Lesesaal

read-only ['riːdˌəʊnlɪ] *Computer*: schreibgeschützt; **read-only memory** (*Abk.*: **ROM**) Lesespeicher

ready ['redɪ] **1.** bereit, fertig (**for something** für etwas) **ready for takeoff** *Flugzeug*: startbereit, startklar; **get ready** (sich) fertig machen; **he's getting breakfast ready** er bereitet das Frühstück zu **2. be ready to do something** bereit sein, etwas zu tun, *auch*: schnell bei der

Hand sein, etwas zu tun **3.** im Begriff, nahe daran; *ready to cry* den Tränen nahe

ready-made ['redɪmeɪd] **1.** *Kleidung*: Konfektions...; *ready-made suit* Konfektionsanzug **2.** *Essen*: vorgekocht **3.** *übertragen* passend, geeignet (*Ausrede, Entschuldigung usw.*); *ready-made solution* Patentlösung

readymeal ˌredɪ'miːl] Fertiggericht

ready money [ˌredɪ'mʌnɪ] Bargeld

ready-to-serve [ˌredɪtə'sɜːv] *Essen*: tischfertig

real [rɪəl] **1.** *Gold, Gefühl usw.*: echt **2.** richtig, tatsächlich, wirklich, wahr; *his real name* sein richtiger Name **3.** *for real* umg. echt, im Ernst

real estate ['rɪəl_ɪˌsteɪt] Immobilien

realism ['rɪəlɪzm] Realismus

realist ['rɪəlɪst] Realist(in)

realistic [rɪə'lɪstɪk] realistisch

reality [rɪ'ælətɪ] (die) Realität, (die) Wirklichkeit; *in reality* in Wirklichkeit; *become (a) reality* wahr werden

reality check [rɪ'ælətɪ_tʃek] *umg. it's time for a reality check* sehen wir die Dinge doch realistisch

realization [ˌrɪəlaɪ'zeɪʃn] **1.** Erkenntnis **2.** Realisierung, Verwirklichung (*eines Plans*)

realize ['rɪəlaɪz] **1.** erkennen, begreifen, einsehen; *he realized that ...* ihm wurde klar, dass ... **2.** realisieren, verwirklichen (*Plan, Vorhaben usw.*)

really ['rɪəlɪ] **1.** wirklich, tatsächlich **2.** *not really* eigentlich nicht **3.** *you really must come* du musst unbedingt kommen

realm [△ relm] **1.** (König)Reich **2.** *within the realms of possibility* im Bereich des Möglichen

realo ['rɪələʊ *oder* reɪ'ɑːləʊ] *umg., Politik*: Realo

real time ['rɪəl_taɪm] *Computer*: Echtzeit

reanimate [ˌriː'ænɪmeɪt] **1.** *Medizin*: wiederbeleben **2.** *übertragen* neu beleben

reanimation [ˌriːænɪ'meɪʃn] **1.** *Medizin*: Wiederbelebung **2.** *übertragen* Neubelebung

reap [riːp] **1.** schneiden, ernten (*Getreide usw.*) **2.** *reap the benefit(s) of one's work* übertragen die Früchte seiner Arbeit ernten

reappear [ˌriːə'pɪə] wieder erscheinen

rear¹ [rɪə] **1.** Hinterseite, Rückseite, *Auto*: Heck; *at (AE in) the rear of* hinten in; *in the rear* hinten **2.** *umg.* Hintern

rear² [rɪə] **1.** hinter **2.** Hinter..., Rück..., Heck...; *rear exit* Hinterausgang; *rear windscreen* Heckscheibe

rear³ [rɪə] **1.** aufziehen, großziehen (*Kind,*

Tier) **2.** (*Pferd*) sich aufbäumen

rear light [ˌrɪə'laɪt] Rücklicht

rearrange [ˌriːə'reɪndʒ] **1.** ändern (*Pläne*) **2.** umstellen (*Möbel usw.*)

rearview mirror [ˌrɪəvjuː'mɪrə] Rückspiegel

reason¹ ['riːzn] **1.** Grund (*for* für); *for no reason* ohne Grund, grundlos; *have every reason to be angry usw.* guten Grund haben, sich zu ärgern *usw.* **2.** (der) Verstand **3.** (die) Vernunft **4.** *it stands to reason* es ist logisch

reason² ['riːzn] **1.** logisch denken **2.** folgern (*that* dass)

---

reason with ['riːzn_wɪð] diskutieren *oder* vernünftig reden mit

---

reasonable ['riːznəbl] **1.** vernünftig **2.** *Essen usw.*: ganz gut, passabel **3.** *umg.; Preise*: angemessen, günstig

reasonably ['riːznəblɪ] **1.** ziemlich, einigermaßen; *he's reasonably well-off* er ist ziemlich reich **2.** vernünftig; *behave reasonably* sich vernünftig benehmen

reassure [ˌriːə'ʃɔː] **1.** *reassure someone that ...* jemandem versichern, dass ... **2.** beruhigen (*Person*)

rebate ['riːbeɪt] Rückzahlung, Rückvergütung

rebel¹ ['rebl] Rebell(in)

rebel² [△ rɪ'bel] rebellieren, sich auflehnen (*against* gegen)

rebellion [rɪ'beljən] Aufstand, Rebellion

rebellious [rɪ'beljəs] rebellisch, aufständisch

rebirth [ˌriː'bɜːθ] Wiedergeburt

reboot [ˌriː'buːt] *Computer*: neu booten, rebooten, neu laden

rebound¹ [rɪ'baʊnd] (*Ball usw.*) abprallen, zurückprallen (*from* von)

rebound² ['riːbaʊnd] **1.** *Basketball*: Rebound **2.** *he's still on the rebound from his broken relationship with Jean* er leidet immer noch unter dem Bruch der Beziehung mit Jean; *she married Bill on the rebound, after Jack had left her* sie heiratete Bill, um sich darüber hinwegzutrösten, dass Jack sie verlassen hatte

rebuff¹ [rɪ'bʌf] schroffe Abweisung

rebuff² [rɪ'bʌf] schroff abweisen

rebuild [ˌriː'bɪld], *rebuilt* [ˌriː'bɪlt], *rebuilt* [ˌriː'bɪlt] **1.** wieder aufbauen, umbauen (*Haus usw.*) **2.** *übertragen* wieder aufbauen (*Vertrauen usw.*)

rebuke¹ [rɪ'bjuːk] rügen, tadeln (*for* wegen)

rebuke² [rɪ'bjuːk] Rüge, Tadel

recall [rɪ'kɔːl] **1.** sich erinnern an; *I don't*

recall *seeing her* ich erinnere mich nicht daran, sie gesehen zu haben **2.** zurückrufen (*auch defekte Waren*)

recapitulate [ˌriːkəˈpɪtʃʊleɪt] (noch einmal) kurz zusammenfassen

recede [rɪˈsiːd] zurückweichen; *his hair's starting to recede* seine Geheimratsecken werden immer größer

receipt [△ rɪˈsiːt] **1.** Quittung, Empfangsbestätigung **2.** Empfang, Eingang (*von Waren*) (△ *nicht Rezept*)

receipt

receipts

ABER:

prescription   recipe

receipts [△ rɪˈsiːts] *Pl.* Einnahmen

receive [rɪˈsiːv] **1.** bekommen, empfangen, erhalten (*auch medizinische Behandlung*) **2.** *Rundfunk, TV*: empfangen **3.** *I was on the receiving end* umg. er hat alles an mir ausgelassen

receiver [rɪˈsiːvə] **1.** (Telefon)Hörer **2.** *Radio usw.*: Empfänger **3.** *auch official receiver* BE Konkursverwalter(in)

recent [ˈriːsnt] **1.** *Ereignisse usw.*: jüngste(r, -s) **2.** *Foto usw.*: neuere(r, -s)

recently [ˈriːsntlɪ] **1.** kürzlich, vor Kurzem **2.** in letzter Zeit

receptacle [rɪˈseptəkl] *förmlich* Behälter

reception [rɪˈsepʃn] **1.** Begrüßung, Empfang; *a warm reception* ein herzlicher Empfang **2.** *offizieller Anlass*: Empfang **3.** *Hotel*: Rezeption **4.** *Rundfunk, TV*: Empfang

receptionist [rɪˈsepʃnɪst] **1.** *im Hotel usw.*: Empfangsdame, Empfangschef(in)

2. *beim Arzt usw.*: Sprechstundenhilfe

recess [rɪˈses] **1.** Pause, AE auch Schulpause **2.** *Parlament*: Ferien **3.** Nische (*in einer Wand usw.*)

recession [rɪˈseʃn] *Wirtschaft*: Rezession

recharge [ˌriːˈtʃɑːdʒ] aufladen (*Batterie*)

rechargeable [ˌriːˈtʃɑːdʒəbl] *Batterie*: wiederaufladbar

recipe [△ ˈresəpɪ] Rezept (*for* für) (*auch übertragen*) (△ *nicht Arztrezept*)

recipient [rɪˈsɪpɪənt] Empfänger(in)

recital [rɪˈsaɪtl] Konzert, Vortrag; *a piano recital* ein Klavierabend

recite [rɪˈsaɪt] aufsagen, vortragen (*Gedicht*)

reckless [ˈrekləs] **1.** leichtsinnig, *Fahrer*: rücksichtslos **2.** *Geschwindigkeit*: gefährlich

recklessness [ˈrekləsnəs] Rücksichtslosigkeit

reckon [ˈrekən] **1.** *umg.* glauben (*that* dass) **2.** ausrechnen, berechnen

---

reckon on [ˈrekən ɒn] *umg.* (≈ *erwarten*) rechnen auf *oder* mit

reckon up [ˌrekənˈʌp] zusammenzählen, zusammenrechnen (*Kosten usw.*)

reckon with [ˈrekən wɪð] rechnen mit (*einer Person, einem Umstand usw.*); *a team to be reckoned with* eine Mannschaft, mit der man rechnen muss

---

reckoning [ˈrekənɪŋ] **1.** Berechnung; *by my reckoning* nach meiner (Be)Rechnung **2.** *day of reckoning* übertragen Tag der Abrechnung, Stunde der Wahrheit

reclaim [rɪˈkleɪm] **1.** zurückfordern (*from* von) **2.** *Technik, Chemie*: wiedergewinnen (*Wertstoffe*) (*from* aus)

recline [rɪˈklaɪn] **1.** (*Person*) sich zurücklehnen **2.** (*Sitz*) sich verstellen lassen **3.** zurückstellen (*Sitz*)

recluse [rɪˈkluːs] Einsiedler(in)

recognition [ˌrekəgˈnɪʃn] **1.** (Wieder)Erkennen **2.** Anerkennung; *in* (*oder as a*) *recognition of* als Anerkennung für, in Anerkennung (+ Genitiv)

recognizable [ˌrekəgˈnaɪzəbl] (wieder)erkennbar; *be hardly recognizable* kaum zu erkennen sein

recognize [ˈrekəgnaɪz] **1.** (wieder)erkennen (*by* an) **2.** anerkennen (*auch offiziell*) **3.** einsehen (*that* dass)

recoil [rɪˈkɔɪl] zurückschrecken (*from* vor)

recollect [△ ˌrekəˈlekt] sich erinnern an; *recollect doing something* sich daran erinnern, etwas getan zu haben; *as far as I* (*can*) *recollect* soweit ich mich erinnere

recollection [△ ˌrekə'lekʃn] Erinnerung (**of** an)

recommend [ˌrekə'mend] **1.** empfehlen (**as** als; **for** für); **recommend doing something** raten, etwas zu tun **2.** *he has little to recommend him* es spricht wenig für ihn **3.** *the hotel is not to be recommended* das Hotel ist nicht zu empfehlen

recommendable [ˌrekə'mendəbl] empfehlenswert, ratsam

recommendation [ˌrekəmen'deɪʃn] Empfehlung

recompense[1] ['rekəmpens] entschädigen

recompense[2] ['rekəmpens] Entschädigung; *as a* (*oder* **in**) *recompense* als Entschädigung (**for** für)

reconcile ['rekənsaɪl] **1.** versöhnen, aussöhnen (**with** mit); *they are reconciled again* sie haben sich wieder versöhnt **2.** in Einklang bringen (*Fakten usw.*) (**with** mit)

---

reconcile to ['rekənsaɪl tʊ] *become reconciled to something* übertragen sich mit etwas abfinden

---

reconciliation [ˌrekənsɪlɪ'eɪʃn] Versöhnung (**between** zwischen; **with** mit)

reconsider [ˌriːkən'sɪdə] noch einmal überdenken

reconstruct [ˌriːkən'strʌkt] **1.** wieder aufbauen (*Gebäude usw.*) **2.** übertragen rekonstruieren (*Fall usw.*)

record[1] [rɪ'kɔːd] **1.** aufnehmen (*auf Tonband usw.*), aufzeichnen (*TV-Programm usw.*) **2.** aufschreiben, festhalten (*Fakten usw.*) **3.** *offiziell:* zu Protokoll *oder* zu den Akten nehmen **4.** registrieren (*Messwerte*)

record[2] ['rekɔːd] **1.** (Schall)Platte; *make a record* eine Platte aufnehmen **2.** *Sport usw.:* Rekord **3.** *to set the record straight* um das klarzustellen; *keep a record of* Buch führen über **4.** *have a criminal record Recht:* vorbestraft sein **5.** *off the record* inoffiziell

record[3] ['rekɔːd] *Sport usw.:* Rekord...; *record holder* Rekordhalter(in); *in record time* in Rekordzeit

recorder [rɪ'kɔːdə] **1.** (Kassetten)Rekorder, Tonbandgerät **2.** *Musikinstrument:* Blockflöte

recording [rɪ'kɔːdɪŋ] Aufnahme; *recording studio* Aufnahmestudio, Tonstudio

record player ['rekɔːdˌpleɪə] Plattenspieler

recount[1] [rɪ'kaʊnt] erzählen (*Geschichte*)

recount[2] [ˌriː'kaʊnt] nachzählen (*Stim-*

men usw.)

recoup [rɪ'kuːp] **1.** ausgleichen (*Verlust*) **2.** zurückbekommen (*Ausgaben*) (**from** von)

recover [rɪ'kʌvə] **1.** gesund werden, sich erholen (**from** von) (*auch übertragen*); *he has fully recovered* er ist wieder ganz gesund **2.** wiederfinden (*Gestohlenes usw.*) **3.** ausgleichen (*Kosten*) **4.** *recover consciousness* wieder zu sich kommen **5.** bergen (*Opfer*)

recovery [rɪ'kʌvərɪ] **1.** Erholung, Genesung (*auch übertragen*); *make a quick recovery* sich schnell erholen **2.** Wiederfinden (*von Gestohlenem usw.*) **3.** Bergung (*von Opfern*)

recreation [ˌrekrɪ'eɪʃn] *in der Freizeit:* Erholung, Freizeitbeschäftigung

recreational [ˌrekrɪ'eɪʃnəl] *recreational activities Pl.* Freizeitgestaltung; *recreational vehicle* (*Abk.* **RV**) *AE* Wohnmobil, Caravan

recreation ground [ˌrekrɪ'eɪʃn ˌɡraʊnd] *BE* Spielplatz

recreation room [ˌrekrɪ'eɪʃn ˌruːm] **1.** Aufenthaltsraum **2.** *AE* Hobbyraum

recruit[1] [rɪ'kruːt] **1.** *Militär:* Rekrut **2.** neues Mitglied (*im Verein usw.*) (**to** in)

recruit[2] [rɪ'kruːt] **1.** anwerben, rekrutieren (*Personal*) **2.** werben (*Mitglieder*)

rectangle ['rektæŋɡl] Rechteck

rectangular [rek'tæŋɡjʊlə] rechteckig, rechtwinklig

rector ['rektə] *anglikanische Kirche:* Pfarrer

recumbent[1] [rɪ'kʌmbənt] liegend

recumbent[2] [rɪ'kʌmbənt] *auch recumbent bicycle* Liegefahrrad

recuperate [rɪ'kjuːpəreɪt] **1.** sich erholen (**from** von) **2.** wettmachen (*Verluste usw.*)

recur [rɪ'kɜː], *recurred, recurred* (*Problem*) wiederkehren, (*Schmerz*) wieder einsetzen

recurrent [rɪ'kʌrənt] wiederkehrend

recyclable [ˌriː'saɪkləbl] wiederverwertbar, recycelbar

recycle [ˌriː'saɪkl] wiederverwerten, recyceln; *recycled paper* Umweltpapier

recycling [ˌriː'saɪklɪŋ] Recycling, Wiederverwertung

red[1] [red], *redder, reddest* rot; *the lights are red* die Ampel steht auf Rot; *go* (*oder* **turn**) *red* rot werden

red[2] [red] Rot; *dressed in red* rot *oder* in Rot gekleidet; *see red* übertragen rotsehen; *be in the red finanziell:* in den roten Zahlen sein

red alert [ˌred_ə'lɜːt] höchste Alarmstufe, Alarmstufe rot

red card [ˌred'kɑːd] *Sport* Rote Karte

R

red carpet [ˌred'kɑːpɪt] roter Teppich

red-carpet treatment [ˌred'kɑːpət,triːt-mənt] *give someone the red-carpet treatment* jemanden mit großem Bahnhof empfangen

Red Cross [ˌred'krɒs] Rotes Kreuz

redcurrant [ˌred'kʌrənt] Rote Johannisbeere

redden ['redn] **1.** röten, rot färben **2.** *aus Scham usw.*: rot werden (**with** vor)

reddish ['redɪʃ] rötlich

redecorate [riː'dekəreɪt] renovieren, neu tapezieren *oder* streichen (*Zimmer usw.*)

redeem [rɪ'diːm] **1.** einlösen (*Pfand*) **2.** wiederherstellen (*Ruf*); *redeem oneself* sich rehabilitieren **3.** ausgleichen, wettmachen (*schlechte Eigenschaft*) **4.** *kirchlich*: erlösen

Redeemer [rɪ'diːmə] Erlöser, Heiland

redemption [rɪ'dempʃn] *bes. kirchlich*: Erlösung (**from** von)

redevelop [ˌriːdɪ'veləp] sanieren (*Gebäude, Stadtteil*)

redevelopment [ˌriːdɪ'veləpmənt] *eines Stadtteils usw.*: Sanierung

red-handed [ˌred'hændɪd] *catch someone red-handed* jemanden auf frischer Tat ertappen

redhead ['redhed] *umg.* Rothaarige(r)

red-headed [ˌred'hedəd] rothaarig

red herring [ˌred'herɪŋ] **1.** *Fisch*: Bückling **2.** *übertragen* Ablenkungsmanöver, falsche Fährte *oder* Spur

red-hot [ˌred'hɒt] **1.** rot glühend **2.** *übertragen* glühend

redial[1] [ˌriː'daɪəl] nochmals wählen (*Telefonnummer*)

redial[2] [ˌriː'daɪəl] *Telefon*: Wahlwiederholung

redirect [ˌriːdə'rekt] nachsenden (*Brief*)

rediscover [ˌriːdɪ'skʌvə] wiederentdecken

rediscovery [ˌriːdɪ'skʌvərɪ] Wiederentdeckung

redistribute [ˌriːdɪ'strɪbjuːt] neu verteilen, umverteilen (*Vermögen usw.*)

redistribution [ˌriːdɪstrɪ'bjuːʃn] Neuverteilung, Umverteilung

red-letter day [ˌred'letə_deɪ] Freudentag, Glückstag (**for** für)

red light [ˌred'laɪt] **1.** *Warnsignal usw.*: rotes Licht **2.** Rotlicht; *go through the red lights* bei Rot über die Kreuzung fahren

red-light district [ˌred'laɪt,dɪstrɪkt] Rotlichtviertel

redo [ˌriː'duː], *redid* [ˌriː'dɪd], *redone* [ˌriː'dʌn] nochmals machen; *redo one's hair* sich überkämmen

redouble [ˌriː'dʌbl] verdoppeln (*Anstren-*

gungen)

redress [rɪ'dres] **1.** wiedergutmachen (*Unrecht*) **2.** abstellen, beseitigen (*Missstand*) **3.** *redress the balance* das Gleichgewicht wiederherstellen

red tape [ˌred'teɪp] **1.** *System*: Bürokratie, Amtsschimmel **2.** *umg., konkret*: Papierkrieg, Behördenkram

reduce [rɪ'djuːs] **1.** *allg.*: verringern, reduzieren **2.** senken (*Steuern*), herabsetzen (*Preise*) **3.** *AE* abnehmen (*an Gewicht*)

reduce to [rɪ'djuːs_tʊ] **1.** reduzieren *oder* verringern auf (*Hälfte usw.*) **2.** *reduce someone to tears* jemanden zum Weinen bringen

reduced-emission [rɪ,djuːstɪ'mɪʃn] *Auto*: abgasreduziert

reduction [rɪ'dʌkʃn] **1.** *allg.*: Senkung, Reduzierung **2.** *bei Kauf*: (Preis)Ermäßigung

redundant [rɪ'dʌndənt] **1.** überflüssig **2.** *Arbeiter*: arbeitslos; *be made redundant* den Arbeitsplatz verlieren

red wine [ˌred'waɪn] Rotwein

reed [riːd] Schilf(rohr), Ried

reef [riːf] Felsenriff, Riff

reek[1] [riːk] Gestank; *there was a reek of garlic* es stank nach Knoblauch

reek[2] [riːk] stinken (**of** nach)

reel[1] [riːl] **1.** Rolle (*Kabelrolle usw.*) **2.** Spule (*Filmspule usw.*)

reel[2] [riːl] **1.** *Person*: wanken **2.** *my head was reeling* mir drehte sich alles

reel off [ˌriːl'ɒf] *umg.* herunterrasseln (*Gedicht usw.*)

reelect [ˌriːɪ'lekt] wiederwählen (*Politiker usw.*)

re-election [ˌriːɪ'lekʃn] *Politik*: Wiederwahl; *seek re-election* sich erneut zur Wahl stellen

re-enter [ˌriː'entə] wieder eintreten in (*auch Raumfahrt*), wieder betreten

re-entry [ˌriː'entrɪ] Wiedereintreten, Wiedereintritt (**into** in)

ref [ref] (*Abk. für referee*) *umg.* Schiedsrichter, Schiri

ref. [ref] (*Abk. für reference*); *our* (*bzw. your*) *ref. Geschäftsbriefe*: unser (*bzw. Ihr*) Zeichen

refectory [rɪ'fektərɪ] *an Schule, Universität*: Mensa

refer to [rɪ'fɜː_tʊ] *referred to, referred to* **1.** sprechen von, sich beziehen auf **2.** nachschlagen in (*einem Lexikon usw.*) **3.** *um Auskunft usw.*: verweisen an **4.**

übergeben, überweisen an (*auch Patienten*)

referee [ˌrefəˈriː] Schiedsrichter, *Boxen*: Ringrichter

reference [ˈrefrəns] **1.** Verweis, Hinweis (*to* auf); (*list of*) *references* Pl. Quellenangabe **2.** *make* (*a*) *reference to something* etwas erwähnen **3.** Referenz, Zeugnis (*für Bewerbung usw.*)

reference book [ˈrefrəns ˌbʊk] Nachschlagewerk

referendum [ˌrefəˈrendəm] *Pl.*: *referendums, referenda* [ˌrefəˈrendə] *Politik*: Referendum, Volksabstimmung

refill[1] [△ ˌriːˈfɪl] nachfüllen, auffüllen

refill[2] [△ ˈriːfɪl] (Füller)Patrone, (Kugelschreiber)Mine

refine [rɪˈfaɪn] raffinieren (*Öl, Zucker*)

refined [rɪˈfaɪnd] *Benehmen, Sprache*: fein, vornehm

refinery [rɪˈfaɪnərɪ] Raffinerie

reflect [rɪˈflekt] **1.** *Strahlen usw.*: reflektieren, zurückstrahlen **2.** *Bild usw.*: (wider)spiegeln, reflektieren; *be reflected in* sich (wider)spiegeln in (*auch übertragen*) **3.** *übertragen* nachdenken (*on, about* über)

---

reflect on *oder* **upon** [rɪˈflekt ˌɒn *oder* əˌpɒn] *übertragen* **reflect** (*badly*) *on* sich nachteilig auswirken auf *oder* ein schlechtes Licht werfen auf

---

reflection [rɪˈflekʃn] **1.** Spiegelbild **2.** Reflexion, (Wider)Spiegelung (*auch übertragen*) **3.** *übertragen* Überlegung; *on reflection* nach einigem Nachdenken

reflector [rɪˈflektə] Rückstrahler (*z.B. am Fahrrad*)

reflex [ˈriːfleks] *auch reflex action* Reflex

reflexive [rɪˈfleksɪv] *Sprache*: reflexiv, rückbezüglich; *reflexive pronoun* Reflexivpronomen

reform[1] [rɪˈfɔːm] **1.** reformieren (*System*) **2.** bessern, resozialisieren (*Sträfling usw.*)

reform[2] [rɪˈfɔːm] *Politik usw.*: Reform

reformat [ˌriːˈfɔːmæt] *Computer*: umformatieren

reformation [ˌrefəˈmeɪʃn] Reformierung; *the Reformation* kirchlich: die Reformation

reformer [rɪˈfɔːmə] **1.** *bes. Religion*: Reformator **2.** *bes Politik*: Reformer(in)

refrain [rɪˈfreɪn] Kehrreim, Refrain

---

refrain from [rɪˈfreɪn ˌfrəm] *refrain from something* sich etwas verkneifen; *Please refrain from smoking* Bitte nicht rauchen!

---

refresh [rɪˈfreʃ] **1.** (*Getränk usw.*) erfrischen **2.** *refresh oneself* sich erfrischen **3.** *refresh one's memory* sein Gedächtnis auffrischen

refresher course [rɪˈfreʃə ˌkɔːs] Auffrischungskurs

refreshing [rɪˈfreʃɪŋ] erfrischend

refreshment [rɪˈfreʃmənt] Erfrischung (*auch Getränk usw.*)

refrigerator [rɪˈfrɪdʒəreɪtə] Kühlschrank (△ *in GB wird mst. fridge verwendet*)

refuel [ˌriːˈfjuːəl], *BE* **refuelled, refuelled**, *AE* **refueled, refueled** auftanken (*Flugzeug, Auto*)

refuge [ˈrefjuːdʒ] Zuflucht (*from* vor) (*auch übertragen*); *seek refuge* Zuflucht suchen

refugee [ˌrefjʊˈdʒiː] Flüchtling; *refugee camp* Flüchtlingslager

refund [rɪˈfʌnd] zurückzahlen, zurückerstatten (*Geld, Auslagen*)

refurbish [riːˈfɜːbɪʃ] renovieren

refusal [rɪˈfjuːzl] **1.** *von Angebot usw.*: Ablehnung **2.** *bei Bitte usw.*: Weigerung

refuse[1] [rɪˈfjuːz] **1.** ablehnen (*Angebot usw.*) **2.** sich weigern (*to do* zu tun)

refuse[2] [△ ˈrefjuːs] Abfall, Müll

refute [rɪˈfjuːt] widerlegen (*Aussage usw.*)

regain [rɪˈgeɪn] wiedergewinnen, zurückgewinnen

regal [ˈriːgl] königlich, majestätisch

regard[1] [rɪˈgɑːd] **1.** *with regard to* im Hinblick auf **2.** Rücksicht; *without regard to oder for* ohne Rücksicht auf; *have no regard for oder pay no regard to* keine Rücksicht nehmen auf **3.** Achtung; *hold someone in high regard* jemanden hoch achten; ☞ *regards*

regard[2] [rɪˈgɑːd] **1.** *übertragen* betrachten (*with* mit); *regard as* betrachten als, halten für; *be regarded as* gelten als **2.** *as regards …* was … betrifft **3.** betrachten, ansehen

regarding [rɪˈgɑːdɪŋ] bezüglich, hinsichtlich

regardless [rɪˈgɑːdləs] *regardless of* ohne Rücksicht auf

regards [rɪˈgɑːdz] *Pl.* *give him my* (*best*) *regards* grüße ihn (herzlich) von mir; *with kind regards* mit freundlichen Grüßen

regenerate [rɪˈdʒenəreɪt] **1.** (*Wald, Organismus usw.*) sich regenerieren **2.** erneuern (*Stadtviertel, Region usw.*)

regeneration [rɪˌdʒenəˈreɪʃn] **1.** Regenerierung **2.** Erneuerung

regent [ˈriːdʒənt] Regent(in)

reggae [ˈregeɪ] *Musik*: Reggae

regime [reɪˈʒiːm] *Politik*: Regime

regiment [ˈredʒɪmənt] Regiment

R

region ['riːdʒən] **1.** Gebiet, Region **2.** *in the region of £50* um die *oder* ungefähr 50 Pfund

regional ['riːdʒnəl] regional

register[1] ['redʒɪstə] **1.** Register, Verzeichnis; *keep a register of* Buch führen über **2.** *Musik*: Register, Tonlage

register[2] ['redʒɪstə] **1.** registrieren (lassen), anmelden, (sich) eintragen (lassen) (*in eine Liste*) **2.** *an Hochschule usw.*: sich einschreiben *oder* immatrikulieren **3.** *im Hotel*: sich anmelden **4.** *registered letter Postwesen*: Einschreibebrief, Einschreiben **5.** *it didn't register* umg. ich habe es nicht registriert

registration [ˌredʒɪ'streɪʃn] **1.** Registrierung, Eintragung **2.** Anmeldung, Einschreibung **3.** *AE* → *registration document*

registration document [ˌredʒɪ'streɪʃn ˌdɒkjʊmənt] *BE*; *Auto, etwa*: Fahrzeugbrief

registration number [ˌredʒɪ'streɪʃn ˌnʌmbə] *Auto*: (polizeiliches) Kennzeichen

registry office ['redʒɪstrɪˌɒfɪs] *bes. BE* Standesamt

regret[1] [rɪ'gret], *regretted, regretted* **1.** bedauern, bereuen; *regret doing something* es bedauern, etwas getan zu haben **2.** *we regret to inform you that … in Schreiben*: wir müssen Ihnen leider mitteilen, dass …

regret[2] [rɪ'gret] Bedauern (*at* über), Reue; *with great regret* mit großem Bedauern; *have no regrets* nichts bereuen; *have no regrets about doing something* es nicht bereuen, etwas getan zu haben

regrettable [rɪ'gretəbl] bedauerlich

regular[1] ['regjʊlə] **1.** regelmäßig (*auch Verb-, Steigerungs- und Pluralformen*); *at regular intervals* in regelmäßigen Abständen **2.** *Leben usw.*: geregelt, geordnet; *be in regular employment* fest angestellt sein **3.** *Armee usw.*: regulär, Berufs…

regular[2] ['regjʊlə] **1.** *umg.* Stammgast, Stammkunde **2.** Normalbenzin

regularity [ˌregjʊ'lærətɪ] Regelmäßigkeit

regularly ['regjʊləlɪ] regelmäßig

regulate ['regjʊleɪt] **1.** regeln (*durch Bestimmungen usw.*) **2.** *Technik*: einstellen, regulieren

regulation [ˌregjʊ'leɪʃn] **1.** Regelung, Regulierung **2.** *durch Behörde usw.*: Vorschrift

rehabilitate [⚠ ˌriːə'bɪlɪteɪt] rehabilitieren

rehabilitation [⚠ ˌriːəbɪlɪ'teɪʃn] Rehabilitation; *rehabilitation center* (*bes. BE centre*) Rehabilitationszentrum

rehearsal [rɪ'hɜːsl] *Musik, Theater*: Probe

rehearse [rɪ'hɜːs] *Theater usw.*: proben

reign[1] [reɪn] Herrschaft; *reign of terror* Schreckensherrschaft

reign[2] [reɪn] (*König, Königin*) herrschen (*over* über) (*auch übertragen*); *silence reigned* es herrschte Schweigen

reimburse [ˌriːɪm'bɜːs] (zurück)erstatten, vergüten (*Auslagen usw.*)

reimbursement [ˌriːɪm'bɜːsmənt] *von Auslagen usw.*: Erstattung, Vergütung

rein [reɪn] *auch reins* Zügel; *give free rein to one's imagination* seiner Fantasie freien Lauf lassen; *keep a tight rein on übertragen* streng kontrollieren

reincarnation [ˌriːɪnkɑː'neɪʃn] Reinkarnation, Wiedergeburt

reindeer ['reɪnˌdɪə], *Pl. reindeer* Ren, Rentier

reinforce [ˌriːɪn'fɔːs] **1.** *allg.*: verstärken **2.** *übertragen* stützen, untermauern (*Forderung, Argument usw.*)

In the Bathroom Im Bad

1	bath(tub)	Badewanne	10	mirror	Spiegel
2	bathmat	Badematte	11	mouthwash	Mundwasser
3	comb [kəʊm]	Kamm	12	(bathroom) scale(s)	(Personen)Waage
4	cream	Creme	13	shower	Dusche
5	electric shaver	(elektrischer) Rasierapparat	14	soap	Seife
6	electric toothbrush	elektrische Zahnbürste	15	soap dish	Seifenschale
7	hairbrush	Haarbürste	16	tap, *AE* faucet	Wasserhahn
8	hairdryer	Föhn	17	toothbrush	Zahnbürste
9	medicine cabinet	Hausapotheke	18	toothpaste	Zahnpasta
			19	towel	Handtuch
			20	washbasin	Waschbecken

R

In the Bathroom

In the Living Room

reinforcement [ˌriːɪnˈfɔːsmənt] **1.** *allg.*: Verstärkung **2.** *übertragen auch* Stützung, Untermauerung **3.** *reinforcements Pl. militärisch*: Verstärkung

reissue[1] [ˌriːˈɪsjuː] **1.** neu auflegen (*Buch usw.*) **2.** neu herausgeben (*Briefmarken usw.*)

reissue[2] [ˌriːˈɪsjuː] **1.** *von Buch usw.*: Neuauflage **2.** *von Briefmarken usw.*: Neuausgabe

reject [rɪˈdʒekt] **1.** ablehnen (*Angebot usw.*) **2.** abschlagen (*Bitte*) **3.** verwerfen (*Plan usw.*) **4.** *medizinisch*: abstoßen (*verpflanztes Organ*)

rejection [rɪˈdʒekʃn] **1.** Ablehnung (*eines Angebots usw.*) **2.** Zurückweisung (*einer Bitte usw.*) **3.** Verwerfen (*eines Plans usw.*) **4.** *medizinisch*: Abstoßung (*eines Organs*)

rejoice [rɪˈdʒɔɪs] jubeln (*at, over* über)

rejoicing [rɪˈdʒɔɪsɪŋ] Jubel

rejoin [ˌriːˈdʒɔɪn] sich wieder anschließen (an), wieder eintreten in

rejuvenate [rɪˈdʒuːvəneɪt] **1.** verjüngen (*Person*) **2.** *übertragen* erneuern (*Partei usw.*)

rejuvenation [rɪˌdʒuːvəˈneɪʃn] Verjüngung

relapse[1] [rɪˈlæps] **1.** zurückfallen (*into* in) (*schlechte Gewohnheiten usw.*) **2.** *Kranker*: einen Rückfall bekommen

relapse[2] [rɪˈlæps] *allg.*: Rückfall

relate [rɪˈleɪt] **1.** erzählen, berichten **2.** *Fakten*: in Verbindung bringen (*to* mit)

relate to [rɪˈleɪt ˌtʊ] **1.** sich beziehen auf **2.** zusammenhängen mit **3.** *I can't relate to her* ich finde keine Beziehung zu ihr

related [rɪˈleɪtɪd] **1.** *Familie*: verwandt (*to* mit) **2.** *übertragen* verwandt; *be related to übertragen* zusammenhängen mit

relation [rɪˈleɪʃn] **1.** Verwandte(r); *all our relations* unsere gesamte Verwandtschaft **2.** Beziehung; *bear no relation to* in keiner Beziehung stehen zu **3.** *in oder with relation to* in Bezug auf

relations [rɪˈleɪʃnz] *Pl.*; *diplomatisch, geschäftlich usw.*: Beziehungen (*between* zwischen; *with* zu)

relationship [rɪˈleɪʃnʃɪp] **1.** Beziehung, Verhältnis **2.** Verwandtschaft

relative[1] [ˈrelətɪv] Verwandte(r)

relative[2] [ˈrelətɪv] **1.** relativ **2.** *Sprache*: Relativ...; *relative pronoun* Relativpronomen

relatively [ˈrelətɪvlɪ] relativ

relax [rɪˈlæks] **1.** sich entspannen **2.** lockern (*Griff, Bestimmungen usw.*) **3.** *übertragen* nachlassen in (*seinen Anstrengungen usw.*)

relaxation [ˌriːlækˈseɪʃn] **1.** Entspannung **2.** Lockerung (*von Bestimmungen*)

relaxed [rɪˈlækst] entspannt, locker

relay[1] [ˈriːleɪ] **1.** *auch relay race Sport*: Staffel(lauf) **2.** *work in relays Arbeiter*: in Schichten arbeiten **3.** *Elektrotechnik*: Relais **4.** *Rundfunk, TV*: Übertragung

relay[2] [ˈriːleɪ] **1.** *Rundfunk, TV*: übertragen **2.** weitergeben (*Nachricht*) (*to* an)

release[1] [rɪˈliːs] **1.** entlassen (*from* aus), freilassen, loslassen **2.** *übertragen* entbinden (*from* von) (*einer Verpflichtung*) **3.** lösen (*Handbremse*) **4.** herausbringen (*Film usw.*), veröffentlichen (*Fakten*)

release[2] [rɪˈliːs] **1.** Entlassung, Befreiung **2.** *von Film, CD usw.*: Veröffentlichung; *on general release Film*: in allen Kinos

relegate [ˈrelɪɡeɪt] *mst. Sport*: *be relegated* absteigen (*to* in)

relegation [ˌrelɪˈɡeɪʃn] *Sport*: Abstieg

relentless [rɪˈlentləs] **1.** *Verhalten*: erbarmungslos, unerbittlich **2.** (≈ *ohne Ende*) unaufhörlich

relevant [ˈreləvənt] relevant, wichtig (*to*

In the Living Room Im Wohnzimmer

1	armchair	Sessel	12	lamp	Lampe
2	bookcase	Bücherschrank	13	mantelpiece	Kaminsims
3	(fitted) carpet	Teppich(boden)	14	picture	Bild
4	ceiling	Decke	15	rug	Teppich(Brücke)
5	chair	Stuhl	16	sofa	Sofa, Couch
6	curtain	Vorhang	17	staircase	Treppe
7	cushion	Kissen	18	stereo (system)	Stereoanlage
8	door	Tür(e)	19	table	Tisch
9	DVD player	DVD-Player	20	TV (set)	Fernseher
10	fireplace	Kamin	21	wall	Wand
11	floor	Boden	22	window	Fenster

für)

reliability [rɪˌlaɪə'bɪlətɪ] Zuverlässigkeit, Verlässlichkeit

reliable [rɪ'laɪəbl] zuverlässig, ⓒⓝ währschaft

reliance [rɪ'laɪəns] Vertrauen

reliant [rɪ'laɪənt] **be reliant on** abhängig sein von, angewiesen sein auf

relic ['relɪk] **1.** Relikt, Überbleibsel **2.** *kirchlich*: Reliquie

relief [rɪ'li:f] **1.** Erleichterung (*auch bei Schmerzen usw.*); **much to my relief** zu meiner großen Erleichterung **2. tax relief** *BE* Steuererleichterung **3.** Unterstützung, Hilfe **4.** *AE* Sozialhilfe; **be on relief** Sozialhilfe beziehen **5.** *Wandbild usw.*: Relief

relieve [rɪ'li:v] **1.** lindern (*Schmerzen, Not*), erleichtern (*Gewissen*) **2.** *im Dienst*: ablösen **3. relieve oneself** (≈ *Notdurft verrichten*) sich erleichtern

---

relieve of [rɪ'li:v‿əv] **relieve someone of something** jemandem etwas abnehmen (*Arbeit, Gepäckstück usw.*), humorvoll jemanden um etwas erleichtern (*um die Brieftasche usw.*)

---

relieved [rɪ'li:vd] erleichtert

religion [rɪ'lɪdʒən] Religion

religious [rɪ'lɪdʒəs] **1.** religiös, Religions... **2.** religiös, fromm

religious education [rɪˌlɪdʒəs_edjʊ'keɪʃn] *Schule*: Religion, Religionsunterricht

relinquish [rɪ'lɪŋkwɪʃ] **1.** aufgeben, verzichten auf (*Ansprüche, Rechte*) **2.** abtreten (**to** an), überlassen (*Besitz usw.*)

relish¹ ['relɪʃ] **1. with relish** mit Genuss **2.** *Kochen*: würzige Soße, Relish

relish² ['relɪʃ] **1.** genießen **2.** *übertragen* Gefallen finden an; **I don't relish the idea** ich bin nicht begeistert von der Aussicht (**of doing** zu tun)

reluctance [rɪ'lʌktəns] Widerwillen; **with reluctance** widerwillig, ungern

reluctant [rɪ'lʌktənt] widerstrebend, widerwillig

---

rely on [rɪ'laɪ‿ɒn], (**relied on** [rɪ'laɪd_ɒn], **relied on** [rɪ'laɪd_ɒn]; *-ing-Form* **relying on**) **1.** sich verlassen auf **2.** (**have to**) **rely on** abhängig sein von, angewiesen sein auf

---

remain [rɪ'meɪn] **1.** *allg.*: bleiben **2.** (übrig) bleiben; **a lot remains to be done** es bleibt noch viel zu tun

remainder [rɪ'meɪndə] Rest (*auch beim Rechnen*)

remaining [rɪ'meɪnɪŋ] übrig, restlich

remains [rɪ'meɪnz] *Pl.* Reste, Überreste

remake¹ [ˌri:'meɪk], **remade** [ˌri:'meɪd], **remade** [ˌri:'meɪd] wieder *oder* neu machen

remake² ['ri:meɪk] *von Film*: Remake, Neuverfilmung

remand [rɪ'mɑ:nd] **be on remand** *BE*; *Gerichtswesen*: in Untersuchungshaft sein

remark¹ [rɪ'mɑ:k] Bemerkung (**about, on** über)

remark² [rɪ'mɑ:k] bemerken, äußern

remarkable [rɪ'mɑ:kəbl] bemerkenswert, beachtlich

remedy ['remədɪ] **1.** *Medizin*: Mittel, Heilmittel (**for, against** gegen) **2.** *übertragen* (Gegen)Mittel (**for, against** gegen)

remember [rɪ'membə] **1.** sich erinnern an; **remember doing something** sich daran erinnern, etwas getan zu haben; **suddenly he remembered that** plötzlich fiel ihm ein, dass; **I can't remember** ich kann mich nicht erinnern; **if I remember right(ly)** wenn ich mich recht erinnere **2.** denken an; **remember to do something** daran denken, etwas zu tun; **I must remember that** das muss ich mir merken

---

remember to [rɪ'membə_tʊ] **please remember me to your sister** grüß bitte deine Schwester von mir

---

remembrance [rɪ'membrəns] Erinnerung (**of** an); **in remembrance of** zur Erinnerung an; **Remembrance Day** *oder* **Sunday** *BE* Volkstrauertag

remind [rɪ'maɪnd] **remind someone** (**that** daran, dass); **please remind me to call Peter** erinnere mich bitte daran, dass ich Peter anrufe

---

remind of [rɪ'maɪnd_əv] erinnern an; **she reminds me of my sister** sie erinnert mich an meine Schwester

---

reminder [rɪ'maɪndə] *Wirtschaft*: Mahnung

remittance [rɪ'mɪtns] *von Geld*: Überweisung (**to** an)

remnant ['remnənt] **1.** Rest (*auch übertragen*) **2.** Stoffrest

remorse [rɪ'mɔ:s] Gewissensbisse, Reue; **feel remorse** Gewissensbisse haben

remote¹ [rɪ'məʊt] **1.** fern, (weit) entfernt; **in the remote past** in ferner Vergangenheit **2.** *Dorf usw.*: abgelegen, entlegen **3.** *Chance*: gering; **I haven't got the remotest idea** ich habe nicht die geringste Ah-

remember, forget, remind

remember to do something	daran denken / nicht vergessen etwas zu tun
Did you remember to feed the cat?	Hast du daran gedacht, die Katze zu füttern?
forget to do something	vergessen etwas zu tun
Don't forget to post that letter.	Denk daran / vergiss nicht den Brief einzuwerfen.

Remember to und **forget to** können in jeder grammatischen Zeitform vorkommen. Es geht darum, dass man selbst oder die Person, von der die Rede ist, daran denkt, oder eben nicht daran denkt (= vergisst), etwas zu tun.

remember doing something	sich daran erinnern, wie / dass …
I remember sending her a postcard.	Ich kann mich erinnern, dass ich ihr eine Postkarte geschickt habe.
never forget doing something	nie vergessen, wie / dass …
I'll never forget falling into that canal in Amsterdam.	Ich werde nie vergessen, wie ich in Amsterdam in diesen Kanal gefallen bin.

Remember -ing und **never forget -ing** beziehen sich immer nur auf etwas, das in der Vergangenheit passiert ist. Es geht um die Erinnerung an Vergangenes.

remind someone to do something	jemanden daran erinnern etwas zu tun / noch einmal sagen, wann / wie *usw.* …
Can you remind me to take the bread out of the freezer.	Kannst du mich daran erinnern, das Brot aus der Gefriertruhe zu nehmen?

Auch in Konstruktionen wie:

Can you remind me when his birthday is?	Kannst du mir noch einmal sagen, wann er Geburtstag hat?
I'll remind you about the tickets on the day.	Ich werde dich an dem (betreffenden) Tag (noch einmal) an die Karten erinnern.

Remind kann in jeder grammatischen Zeitform vorkommen. Man verwendet **remind**, wenn eine Person von jemand anderem daran erinnert wird etwas zu tun, bzw. noch einmal wissen will, wie etwas ist oder war.

---

nung

remote² [rɪ'məʊt] *umg.* Fernbedienung

remote access [rɪ,məʊt'ækses] *Computer usw.*: Fernzugriff

remote control [rɪ,məʊt_kən'trəʊl] **1.** Fernsteuerung, Fernlenkung **2.** *Gerät:* Fernbedienung

remote interrogation [rɪ,məʊt_ɪn-tərə'geɪʃn] *Telefon:* Fernabfrage

removable [rɪ'muːvəbl] *Deckel, Verschluss usw.*: abnehmbar

removal [rɪ'muːvl] **1.** (≈ *Wegnehmen*) Entfernung **2.** *in neue Wohnung usw.*: Umzug

removal van [rɪ'muːvl_væn] Möbelwagen

remove [rɪ'muːv] **1.** entfernen (*from* von), herausnehmen **2.** abnehmen (*Deckel,*

Hut usw.), ablegen (*Kleidung*) **3.** *übertragen* beseitigen (*Schwierigkeiten*), aus dem Weg räumen (*Hindernisse*)

remover [rɪ'muːvə] *Mittel*: …entferner; ***stain remover*** Fleckentferner

Renaissance [△ rɪ'neɪsns] *historisch*: Renaissance

renaissance [△ rɪ'neɪsns] *einer Mode, Bewegung usw.*: Wiedergeburt

rename [,riː'neɪm] umbenennen (*auch Computer: Datei, Ordner*)

render ['rendə] *förmlich* **1.** machen; ***render someone unable to do something*** jemanden unfähig machen, etwas zu tun **2.** leisten (*Hilfe*), erweisen (*Dienst*)

rendezvous ['rɒndɪvuː] *Pl.*: ***rendezvous*** ['rɒndɪvuːz] Rendezvous, Verabredung

renew [rɪ'njuː] erneuern; ***renew one's ef-***

forts erneute Anstrengungen machen; **renew one's visa** sein Visum erneuern lassen; **with renewed strength** mit neuen Kräften

renewable [rɪˈnjuːəbl] 1. *Vertrag, Ausweis usw.*: verlängerbar 2. *Energiequellen, Rohstoffe usw.*: erneuerbar

renewal [rɪˈnjuːəl] 1. *allg.*: Erneuerung 2. *von Ausweis usw.*: Verlängerung 3. **urban renewal** Stadterneuerung

renounce [rɪˈnaʊns] verzichten auf (*Amt, Anspruch usw.*)

renovate [ˈrenəveɪt] renovieren

renovation [ˌrenəˈveɪʃn] Renovierung

renowned [rɪˈnaʊnd] berühmt (**for** wegen, für)

rent¹ [rent] 1. Miete, Pacht, Ⓐ, Ⓖ Zins (△ *nicht* **Rente**); **for rent** *bes. AE* zu vermieten *oder* verpachten 2. *bes. AE* Leihgebühr; **for rent** zu vermieten *oder* verleihen

rent² [rent] 1. mieten, pachten (**from** von) 2. *auch* **rent out** *bes. AE* vermieten, verpachten (**to** an) 3. *bes. AE* mieten (*Auto usw.*); **rented car** Leihwagen, Mietwagen

rent-a-car (**service**) [ˈrentəkɑː(ˌsɜːvɪs)] *bes. AE* Autoverleih

rental [ˈrentl] 1. Miete, Pacht 2. *bes. AE* Leihgebühr; **car rental** (**service**) Autoverleih

rent-free [ˌrentˈfriː] mietfrei, pachtfrei

renunciation [rɪˌnʌnsɪˈeɪʃn] Verzicht (**of** auf)

reopen [riːˈəʊpən] wieder eröffnen

reorganize [riːˈɔːɡənaɪz] 1. umstrukturieren (*Betrieb*) 2. rationalisieren (*Betrieb*)

rep [rep] *umg.* 1. *einer Firma*: Handelsvertreter(in) 2. *einer Organisation*: Repräsentant(in) 3. (*Abk. für* **repertory theatre**) Repertoire-Theater

repair¹ [rɪˈpeə] reparieren, ausbessern

repair² [rɪˈpeə] 1. Reparatur; **be in for repair** in Reparatur sein 2. **be in good repair** in gutem Zustand sein; **be in bad repair** in schlechtem Zustand sein; **be (damaged) beyond repair** irreparabel (beschädigt) sein

reparation [ˌrepəˈreɪʃn] 1. Wiedergutmachung 2. **reparations** *Politik*: Reparationen

repay [rɪˈpeɪ] **repaid, repaid** 1. zurückzahlen (*Geld usw.*) (*auch übertragen*); **repay someone's expenses** jemandem seine Auslagen erstatten 2. erwidern (*Besuch usw.*) 3. *übertragen* sich erkenntlich zeigen für; **how can we repay** (**you for**) **your hospitality?** wie können wir uns für eure Gastfreundschaft revanchieren?

repayable [rɪˈpeɪəbl] rückzahlbar

repayment [rɪˈpeɪmənt] Rückzahlung

repeat¹ [rɪˈpiːt] 1. wiederholen; **repeat oneself** sich wiederholen; **repeat something after someone** jemandem etwas nachsprechen 2. weitersagen (**to** **someone** jemandem)

repeat² [rɪˈpiːt] 1. *Rundfunk, TV*: Wiederholung 2. *Musik*: Wiederholungszeichen

repeated [rɪˈpiːtɪd] wiederholt

repel [rɪˈpel] **repelled, repelled** 1. zurückschlagen (*Angriff*) 2. (*Material*) abweisen (*Wasser*) 3. **I was repelled by the sight** *übertragen* der Anblick stieß mich ab

repent [rɪˈpent] bereuen

repertory [ˈrepətrɪ] *auch* **repertory theatre** Repertoire-Theater

repetition [ˌrepəˈtɪʃn] Wiederholung

replace [rɪˈpleɪs] 1. **replace someone oder something** jemanden *oder* etwas ersetzen (**with, by** durch) 2. zurücklegen, zurückstellen; **replace the receiver** *Telefon*: (den Hörer) auflegen

replacement [rɪˈpleɪsmənt] Ersatz, *Person*: Vertretung

replant [ˌriːˈplɑːnt] 1. umpflanzen (*Pflanze*) 2. neu bepflanzen (*Garten usw.*)

replay¹ [ˌriːˈpleɪ] *Spiel*: wiederholen

replay² [ˈriːpleɪ] 1. *Sport*: Wiederholungsspiel 2. *TV, oft in Zeitlupe*: Wiederholung

reply¹ [rɪˈplaɪ] antworten, erwidern (**that** dass); **reply to someone** jemandem antworten; **reply to a letter** einen Brief beantworten

reply² [rɪˈplaɪ] Antwort, Erwiderung (**to** auf); **in reply to** (als Antwort) auf

report¹ [rɪˈpɔːt] 1. *allg.*: Bericht (**on** über) 2. *BE; Schule*: Zeugnis

report² [rɪˈpɔːt] 1. berichten (über) (**to someone** jemandem); **it is reported that ...** es heißt, dass ...; **he is reported to have said** er soll gesagt haben 2. (*Reporter usw.*) berichten (**on** über) 3. melden (*Unfall usw.*) (**to someone** jemandem); **report someone** (**to the police**) jemanden anzeigen (**for** wegen) 4. sich melden (**to** bei); **report sick** sich krank melden

report card [rɪˈpɔːt ˌkɑːd] *AE* Zeugnis; ☞ *BE* **report**¹ 2

reported speech [rɪˌpɔːtɪdˈspiːtʃ] *Sprache*: (die) indirekte Rede

reporter [rɪˈpɔːtə] Reporter(in)

represent [ˌreprɪˈzent] 1. vertreten (*Person, BE auch Wahlbezirk*) 2. (*Bild, Zeichen usw.*) darstellen (*auch übertragen*)

representation [ˌreprɪzenˈteɪʃn] 1. Vertretung 2. *Politik*: **proportional representation** Verhältniswahlrecht 3. *Bild* *usw.*: Darstellung

representative[1] [ˌreprɪˈzentətɪv] **1.** (Stell)Vertreter(in) **2.** *Politik*: Abgeordnete(r)

representative[2] [ˌreprɪˈzentətɪv] repräsentativ (**of** für) (*auch politisch*)

repress [rɪˈpres] unterdrücken (*Volk, Gefühle usw.*)

repression [rɪˈpreʃn] Unterdrückung, Repression

repressive [rɪˈpresɪv] *Staat, Gesetze usw.*: repressiv

reprimand[1] [ˈreprɪmɑːnd] rügen, tadeln (**for** wegen)

reprimand[2] [ˈreprɪmɑːnd] Rüge, Tadel

reprint[1] [ˈriːprɪnt] *von Buch*: Neuauflage, Nachdruck

reprint[2] [ˌriːˈprɪnt] nachdrucken (*Buch*)

reproach[1] [rɪˈprəʊtʃ] Vorwurf; **look of reproach** vorwurfsvoller Blick

reproach[2] [rɪˈprəʊtʃ] **reproach someone** jemandem Vorwürfe machen (**for** wegen)

reproachful [rɪˈprəʊtʃfl] *Blick usw.*: vorwurfsvoll

reprocess [ˌriːˈprəʊses] wiederaufbereiten (*Kernbrennstoffe*)

reprocessing plant [ˌriːˈprəʊsesɪŋˌplɑːnt] *bes. für Atommüll*: Wiederaufbereitungsanlage

reproduce [ˌriːprəˈdjuːs] **1.** *auch* **reproduce oneself** *Biologie*: sich fortpflanzen *oder* vermehren **2.** reproduzieren (*Bild usw.*) **3.** wiedergeben (*Ton usw.*)

reproduction [ˌriːprəˈdʌkʃn] **1.** Fortpflanzung **2.** Reproduktion (*eines Bildes usw.*) **3.** Wiedergabe (*eines Tons usw.*)

reprove [rɪˈpruːv] rügen, tadeln (**for** wegen)

reptile [ˈreptaɪl] Reptil, Kriechtier

republic [rɪˈpʌblɪk] Republik

republican[1] [rɪˈpʌblɪkən] republikanisch

republican[2] [rɪˈpʌblɪkən] Republikaner(in)

Republican [rɪˈpʌblɪkən] *in USA*: Republikaner(in) (*Mitglied bzw. Anhänger der republikanischen Partei*)

repulsive [rɪˈpʌlsɪv] abstoßend, widerlich

reputation [ˌrepjʊˈteɪʃn] Ruf, *im engeren Sinn*: guter Ruf; **have a reputation for being ...** im Ruf stehen, ... zu sein

reputed [rɪˈpjuːtɪd] **be reputed to be ...** als ... gelten

reputedly [rɪˈpjuːtɪdlɪ] angeblich

request[1] [rɪˈkwest] Bitte (**for** um), Wunsch (**for** nach); **at someone's request** auf jemandes Bitte hin; **on request** auf Wunsch

request[2] [rɪˈkwest] bitten (um), ersuchen (um) (**to do** zu tun)

request stop [rɪˈkwestˌstɒp] *für Bus*: Bedarfshaltestelle

require [rɪˈkwaɪə] **1.** erfordern; **be required** erforderlich sein; **if required** wenn nötig **2.** benötigen, brauchen **3.** verlangen (**that** dass; **something of someone** etwas von jemandem); **be required to do something** etwas tun müssen

required [rɪˈkwaɪəd] erforderlich, notwendig; **required reading** *Schule, Universität*: Pflichtlektüre

requirement [rɪˈkwaɪəmənt] **1.** Anforderung; **meet the requirements** den Anforderungen entsprechen **2.** Erfordernis

requisite [ˈrekwɪzɪt] *mst.* **requisites** Artikel; **camping requisites** *Pl.* Campingzubehör

rerun[1] [ˌriːˈrʌn], **reran** [ˌriːˈræn], **rerun** [ˌriːˈrʌn] **1.** *TV*: wiederholen (*Film*) **2.** **be rerun** *Sport*: (*Lauf*) wiederholt werden

rerun[2] [ˈriːrʌn] *allg., TV*: Wiederholung

rescue[1] [ˈreskjuː] retten (**from** aus, vor)

rescue[2] [ˈreskjuː] Rettung; **come to someone's rescue** jemandem zu Hilfe kommen

research[1] [rɪˈsɜːtʃ] Forschung (**on** auf dem Gebiet + *Genitiv*); **carry out** (*oder* **do**) **research into something** etwas erforschen; **market research** Marktforschung

research[2] [rɪˈsɜːtʃ] forschen (**on** auf dem Gebiet + *Genitiv*); **research** (**into**) **something** etwas erforschen

researcher [rɪˈsɜːtʃə] Forscher(in)

resemblance [rɪˈzembləns] Ähnlichkeit (**to** mit); **there's a strong resemblance between them** sie sind sich sehr ähnlich

resemble [rɪˈzembl] ähnlich sein, ähneln

resent [rɪˈzent] übel nehmen, sich ärgern über

resentful [rɪˈzentfʊl] verärgert, *über einen längeren Zeitraum*: nachtragend

resentment [rɪˈzentmənt] Verärgerung, Groll

reservation [ˌrezəˈveɪʃn] **1.** Vorbehalt; **with reservation(s)** unter Vorbehalt; **without reservation** vorbehaltlos **2.** Reservierung, Vorbestellung; **make a reservation** ein Zimmer *usw.* bestellen **3.** *AE* (Indianer)Reservat

reserve[1] [rɪˈzɜːv] **1.** reservieren (lassen), vorbestellen (*Zimmer usw.*) **2.** **reserve something** (sich) etwas aufsparen (**for** für) **3.** **reserve the right to do something** sich (das Recht) vorbehalten, etwas zu tun

reserve[2] [rɪˈzɜːv] **1.** Reserve (**of** an); **keep something in reserve** etwas in Reserve halten **2.** (Naturschutz)Reservat; **wildlife reserve** Wildreservat **3.** *Sport*: Reservespieler(in) **4.** *Charakter*: Zurückhaltung

R

reserved [rɪ'zɜːvd] *Person*: reserviert, zurückhaltend

reservoir ['rezəvwɑː] Stausee

reset [ˌriː'set], *reset, reset; -ing-Form resetting* umstellen (*Uhr*), zurückstellen (*Zeiger usw.*) (*to* auf)

reshuffle[1] [ˌriː'ʃʌfl] **1.** umbilden (*Kabinett, Regierung usw.*) **2.** neu mischen (*Karten*)

reshuffle[2] ['riː.ʃʌfl] *von Kabinett, Regierung usw.*: Umbildung

reside [rɪ'zaɪd] seinen Wohnsitz haben

residence ['rezɪdəns] **1.** Wohnsitz, Residenz **2.** Aufenthalt; *residence permit* Aufenthaltsgenehmigung

resident[1] ['rezɪdənt] ansässig, wohnhaft

resident[2] ['rezɪdənt] **1.** Bewohner(in) (*eines Hauses*), Einwohner(in) (*einer Stadt*) **2.** Anlieger(in), Ⓐ Anrainer(in), ⒸⒽ Anstößer(in) **3.** (Hotel)Gast

residential [ˌrezɪ'denʃl] Wohn...; *residential area* Wohngebiet; *residential care für Senioren, Behinderte usw.*: Heimpflege

resign [rɪ'zaɪn] **1.** aufgeben, verzichten auf **2.** *von Posten*: zurücktreten (*from* von), (sein Amt) niederlegen **3.** *resign oneself to* sich abfinden mit

resignation [ˌrezɪg'neɪʃn] **1.** Rücktritt, Amtsniederlegung; *hand in* (*oder send in*) *one's resignation* seinen Rücktritt einreichen **2.** Resignation

resigned [rɪ'zaɪnd] *Blick usw.*: resigniert

resin [⚠ 'rezɪn] Harz

resist [rɪ'zɪst] **1.** widerstehen; *I can't resist marzipan* bei Marzipan kann ich nicht widerstehen; *I couldn't resist (doing) it* ich musste es einfach tun **2.** Widerstand leisten (gegen), sich widersetzen (*einer Forderung usw.*)

resistance [rɪ'zɪstəns] **1.** Widerstand (*to* gegen); *offer* (*oder put up*) *resistance* Widerstand leisten; *without offering resistance* widerstandslos **2.** *auch power of resistance* Widerstandskraft (*to* gegen) **3.** *Elektrotechnik*: Widerstand

resistant [rɪ'zɪstənt] **1.** widerstandsfähig, resistent (*to* gegen) **2.** *Material*: ...beständig, ...fest; *heat-resistant* hitzebeständig

resit[1] [ˌriː'sɪt], *resat* [ˌriː'sæt], *resat* [ˌriː'sæt] *BE* wiederholen (*Prüfung*)

resit[2] ['riːsɪt] *BE* Wiederholungsprüfung

resolute ['rezəluːt] resolut, entschlossen

resolution [ˌrezə'luːʃn] **1.** Beschluss, *Parlament*: Resolution **2.** Vorsatz; *make a resolution* einen guten Vorsatz fassen **3.** Entschlossenheit **4.** Lösung (*eines Problems*)

resolve [rɪ'zɒlv] **1.** beschließen (*that* dass); *she resolved not to give in* sie beschloss, nicht nachzugeben **2.** lösen (*Problem usw.*), überwinden (*Schwierigkeit usw.*)

resolution

Es ist üblich, zum neuen Jahr eine **New Year's Resolution** zu treffen – einen guten Vorsatz, der so lange wie möglich eingehalten werden soll.

resonance ['rezənəns] **1.** *Physik*: Resonanz **2.** *von Stimme usw.*: voller Klang (⚠ *Resonanz im übertragenen Sinn =* **response**)

resort [rɪ'zɔːt] **1.** Urlaubsort; *seaside resort* Badeort; *health resort* Kurort **2.** *as a last resort* notfalls, wenn alle Stricke reißen; *he turned to me as a last resort* als er nicht mehr weiterwusste, kam er zu mir

resort to [rɪ'zɔːt ˌtʊ] greifen zu (*Mittel usw.*)

resound [rɪ'zaʊnd] hallen, widerhallen

resounding [rɪ'zaʊndɪŋ] **1.** *akustisch*: widerhallend; *Gelächter*: schallend **2.** *übertragen* überwältigend (*Erfolg, Sieg usw.*)

resource [rɪ'zɔːs] **1.** *mst. resources Pl.* (Geld)Mittel, (Boden)Schätze **2.** *leave someone to his own resources* jemanden sich selbst überlassen

respect[1] [rɪ'spekt] **1.** Achtung, Respekt (*for* vor); *have* (*no*) *respect for* (keinen) Respekt haben vor **2.** Rücksicht (*for* auf); *out of respect for* aus Rücksicht auf; *without respect to* ohne Rücksicht auf, ungeachtet (+ *Genitiv*) **3.** Beziehung, Hinsicht; *in many respects* in vieler Hinsicht; *in some respects* in gewisser Hinsicht; *with respect to* was ... betrifft; ☞ *respects*

respect[2] [rɪ'spekt] **1.** respektieren, achten **2.** berücksichtigen, respektieren (*Wünsche*)

respectable [rɪ'spektəbl] **1.** ehrbar, geachtet **2.** *it's not respectable to spit in public* es gehört sich nicht, in der Öffentlichkeit zu spucken **3.** *umg.*; *Leistung usw.*: respektabel, beachtlich

respectful [rɪ'spektfl] respektvoll

respective [rɪ'spektɪv] jeweilig; *they went to their respective places* jeder von ihnen ging zu seinem Platz

respectively [rɪ'spektɪvlɪ] beziehungsweise; *Mr and Mrs Jones, 35 and 33 years old respectively* Herr und Frau Jones, 35 beziehungsweise 33 Jahre alt

R

respects [rɪ'spekts] *give my respects to your wife usw. förmlich* eine Empfehlung an Ihre Gattin *usw.*

respond [rɪ'spɒnd] **1.** antworten (*to* auf; *that* dass) **2.** *übertragen* reagieren (*to* auf)

response [rɪ'spɒns] **1.** Antwort (*to* auf); *make no response* keine Antwort geben **2.** *übertragen* Reaktion (*to* auf)

responsibility [rɪ,spɒnsə'bɪlətɪ] **1.** Verantwortung; *claim responsibility for* die Verantwortung übernehmen für (*Terroranschlag usw.*); *take responsibility* die Verantwortung übernehmen (*for* für); *sense of responsibility* Verantwortungsbewusstsein **2.** *oft responsibilities* Verpflichtung, Pflicht(en)

responsible [rɪ'spɒnsəbl] **1.** verantwortlich (*for* für); *be responsible to someone for something* jemandem (gegenüber) für etwas verantwortlich sein **2.** *hold someone responsible* jemanden verantwortlich machen (*for* für) **3.** *Person*: verantwortungsbewusst **4.** *Position*: verantwortungsvoll

responsive [rɪ'spɒnsɪv] **1.** *Person*: aufgeschlossen (*to* für) **2.** *be responsive* (*Gerät, Bremsen*) ansprechen, reagieren (*to* auf)

rest¹ [rest] Ruhe(pause), Erholung; *have* (*oder take*) *a rest* sich ausruhen, Pause *oder* Rast machen; *lay to rest* zur letzten Ruhe betten

rest² [rest] **1.** ruhen, (sich) ausruhen; *let something rest übertragen* etwas auf sich beruhen lassen; *I won't rest until übertragen* ich werde nicht eher ruhen, bis **2.** (*Leiter usw.*) lehnen (*against* gegen, an, *on* an)

rest³ [rest] **1.** Rest; *all the rest* alle übrigen **2.** *for the rest* im Übrigen

restaurant ['restərɒnt] Restaurant, Gaststätte

restaurant car ['restərɒnt ˌkɑː] *BE von Zug*: Speisewagen

restful ['restfl] **1.** *Musik, Farben usw.*: ruhig **2.** *Wochenende usw.*: erholsam

rest home ['rest ˌhəʊm] Pflegeheim

resting place ['restɪŋ ˌpleɪs] (*last*) *resting place* (letzte) Ruhestätte

restless ['restləs] **1.** ruhelos, rastlos **2.** *Person, Nacht*: unruhig; *I had a restless night* ich konnte nicht schlafen

restock [ˌriː'stɒk] wieder auffüllen (*Lager*)

restoration [ˌrestə'reɪʃn] **1.** Restaurierung **2.** Wiederherstellung (*der Ordnung usw.*)

restore [rɪ'stɔː] **1.** restaurieren (*Gemälde usw.*) **2.** wiederherstellen (*Ordnung*); *be*

restored (*to health*) wieder gesund sein

restrain [rɪ'streɪn] *restrain (from)* zurückhalten (von); *restrain someone from doing something* jemanden davon abhalten, etwas zu tun; *I had to restrain myself* ich musste mich beherrschen

restraint [rɪ'streɪnt] **1.** Beherrschung (*von Gefühlen*) **2.** *durch Vorschriften usw.*: Beschränkung, Einschränkung

restrict [rɪ'strɪkt] beschränken (*to* auf), einschränken

restriction [rɪ'strɪkʃn] *durch Vorschriften usw.*: Beschränkung, Einschränkung; *without restrictions* uneingeschränkt

restrictive [rɪ'strɪktɪv] einengend, einschränkend, restriktiv

rest room ['rest ˌruːm] *AE* Toilette (*in Restaurant usw.*)

restructure [ˌriː'strʌktʃə] umstrukturieren

result¹ [rɪ'zʌlt] resultieren, sich ergeben (*from* aus)

result in [rɪ'zʌlt ˌɪn] zur Folge haben, führen zu

result² [rɪ'zʌlt] **1.** Ergebnis, Resultat; *without result* ergebnislos **2.** Folge; *as a result* infolgedessen; *as a result of* als Folge von

resume [rɪ'zjuːm] **1.** wieder aufnehmen (*Arbeit*), fortsetzen (*Diskussion usw.*) **2.** weitermachen mit, fortfahren mit (*einer Tätigkeit*)

résumé ['rezjuːmeɪ] **1.** Resümee, Zusammenfassung **2.** *AE* Lebenslauf

resurrection [ˌrezə'rekʃn] *the Resurrection kirchlich*: die Auferstehung

retail¹ ['riːteɪl] *auch retail trade* Einzelhandel

retail² ['riːteɪl] *it retails at £2* es kostet im Einzelhandel zwei Pfund

retailer ['riːteɪlə] Einzelhändler(in)

retail price [ˌriːteɪl'praɪs] Einzelhandelspreis, Verkaufspreis; *recommended retail price* unverbindliche Preisempfehlung

retail therapy [ˌriːteɪl'θerəpɪ] *umg. etwa*: Frustkauf

retain [rɪ'teɪn] behalten, bewahren (*Eigenschaft, Fassung usw.*)

retaliate [rɪ'tælɪeɪt] **1.** Vergeltung üben, sich revanchieren (*against* an) **2.** zurückschlagen, kontern (*auch übertragen*)

retaliation [rɪ,tælɪ'eɪʃn] Vergeltung, Revanche

retarded [rɪ'tɑːdɪd] (*mentally*) *retarded* (geistig) zurückgeblieben

retell [ˌriː'tel], *retold* [ˌriː'təʊld], *retold* [ˌriː'təʊld] nacherzählen (*Geschichte*)

R

rethink [ˌriːˈθɪŋk], **rethought** [ˌriːˈθɔːt], **rethought** [ˌriːˈθɔːt] noch einmal überdenken

reticent [△ ˈretɪsənt] zurückhaltend

retinue [△ ˈretɪnjuː] Gefolge (*einer prominenten Persönlichkeit*)

retire [rɪˈtaɪə] **1.** in Rente *oder* Pension gehen **2.** sich zurückziehen

retired [rɪˈtaɪəd] pensioniert, im Ruhestand

retirement [rɪˈtaɪəmənt] Pensionierung, Ruhestand; **retirement age** Pensionsalter, Rentenalter; **retirement pay** Altersrente; **early retirement** Vorruhestand

retort[1] [rɪˈtɔːt] (scharf) entgegnen

retort[2] [rɪˈtɔːt] (scharfe) Entgegnung

retrace [rɪˈtreɪs] **1.** zurückverfolgen (*Tathergang usw.*) **2. retrace one's steps** denselben Weg zurückgehen

retract [rɪˈtrækt] zurückziehen (*Angebot usw.*), zurücknehmen (*Behauptung usw.*)

retrain [ˌriːˈtreɪn] umschulen, sich umschulen lassen

retraining [ˌriːˈtreɪnɪŋ] Umschulung

retreat[1] [rɪˈtriːt] **1.** *militärisch:* Rückzug **2.** Zufluchtsort

retreat[2] [rɪˈtriːt] **1.** *militärisch:* sich zurückziehen **2.** zurückweichen (**from** vor)

retrieval [rɪˈtriːvl] **1.** *allg.:* Zurückholen **2.** *Computer:* Abfragen, Abrufen, Retrieval (*von gespeicherten Daten*) **3.** *eines Fehlers:* Wiedergutmachen, *eines Verlusts:* Wettmachen **4.** *aus Notsituation:* Rettung; **beyond** (*oder* **past**) **retrieval** hoffnungslos (*Situation*) **5.** *Jagd:* Apportieren

retrieve [rɪˈtriːv] **1.** *allg.:* zurückholen **2.** *Computer:* abfragen, abrufen, wieder auffinden (*gespeicherte Daten*) **3.** wiedergutmachen (*Fehler usw.*), wettmachen (*Verlust usw.*) **4.** *aus Notsituation:* retten **5.** (*Jagdhund*) apportieren

retrospect [ˈretrəuspekt] **in retrospect** rückschauend, im Rückblick

retrospective[1] [ˌretrəˈspektɪv] **1.** rückblickend, rückschauend **2.** *von Gesetz usw.:* rückwirkend

retrospective[2] [ˌretrəˈspektɪv] (≈ *Werkschau eines Künstlers*) Retrospektive

retrovirus [ˈretrəuˌvaɪrəs] *Medizin:* Retrovirus

return[1] [rɪˈtɜːn] **1.** zurückkehren, zurückkommen **2.** (*Symptome usw.*) wieder auftreten **3.** zurückgeben, zurückbringen (*Geliehenes usw.*) **4.** zurückschicken (*Brief usw.*); **return to sender** *Post:* zurück an Absender **5.** erwidern (*Besuch usw.*) **6.** *übertragen* zurückkommen (**to** auf) (*ein Thema usw.*)

return[2] [rɪˈtɜːn] **1.** Rückkehr, *übertragen* Wiederkehr; **on his return** bei seiner Rückkehr **2.** *BE* Rückfahrkarte **3. tax return** Steuererklärung **4. by return** (**of post**) *BE* postwendend, umgehend **5. in return** als Gegenleistung (**for** für); **expect nothing in return** keine Gegenleistung erwarten **6.** *Tennis usw.:* Return, Rückschlag **7. many happy returns** (**of the day**) herzlichen Glückwunsch zum Geburtstag **8.** *Wirtschaft:* Gewinn **9.** *Computer:* Eingabetaste, Return, Returntaste; **to exit the program, press return** zum Verlassen des Programms Return drücken

return[3] [rɪˈtɜːn] Rück…; **return game** *BE; Sport:* Rückspiel; **return ticket** *BE* Rückfahrkarte, Rückflugticket

returnable [rɪˈtɜːnəbl] Mehrweg…; **returnable bottle** Mehrwegflasche, *mit Pfand:* Pfandflasche

return key [rɪˈtɜːn‿kiː] *Computer:* Eingabetaste; ☞ **return**[2] **9**

reunification [ˌriːjuːnɪfɪˈkeɪʃn] *bes. politisch:* Wiedervereinigung

reunify [riːˈjuːnɪfaɪ] *bes. politisch:* wiedervereinigen

reunion [riːˈjuːnɪən] **1.** Treffen, Wiedersehensfeier **2.** Wiedervereinigung

reunite [ˌriːjuːˈnaɪt] wiedervereinigen (*Land, auch Familie usw.*)

reuse [ˌriːˈjuːz] **1.** wiederverwenden **2.** wiederverwerten, recyceln (*Abfälle usw.*)

rev[1] [rev] *umg., Auto:* Umdrehung; **number of revs** Drehzahl

rev[2] [rev], **revved, revved**; -ing-Form **revving** *umg. auch:* **rev up** *Motor:* aufheulen, aufheulen lassen

revaluation [ˌriːvæljuˈeɪʃn] *Währung:* Aufwertung

revalue [ˌriːˈvæljuː] aufwerten (*Währung*)

revamp [ˌriːˈvæmp] *umg.* **1.** aufmöbeln (*Haus usw.*) **2.** aufpolieren (*Theaterstück usw.*) **3.** auf Vordermann bringen (*Firma, Organisation usw.*)

rev counter [ˈrevˌkauntə] *Auto:* Drehzahlmesser

reveal [rɪˈviːl] **1.** den Blick freigeben auf, zeigen **2.** aufdecken (*Geheimnis usw.*)

revealing [rɪˈviːlɪŋ] **1.** *Kleid, Ausschnitt:* offenherzig **2.** *übertragen* aufschlussreich (*Bemerkung, Reaktion usw.*)

revelation [ˌrevəˈleɪʃn] **1.** Enthüllung, Aufdeckung **2.** *kirchlich:* Offenbarung; **the Book of Revelation(s)** *Bibel:* die Offenbarung

revenge[1] [rɪˈvendʒ] **1.** Rache; **in revenge** aus Rache (**for** für); **take** (**one's**) **revenge on someone** (**for something**) sich an jemandem (für etwas) rächen **2.** *Spiel, Sport:* Revanche

revenge[2] [rɪˈvendʒ] **1.** rächen **2. revenge**

oneself on someone (*for something*) sich an jemandem (für etwas) rächen

revenue [△ 'revǝnjuː] *auch* **revenues** *Pl.* Staatseinnahmen, Staatseinkünfte

reverence [△ 'revrǝns] Verehrung, Ehrfurcht (*for* vor); **hold in reverence** verehren

Reverend ['revrǝnd] *kirchlich*: Hochwürden

reverent [△ 'revrǝnt] ehrfurchtsvoll

reverse[1] [rɪ'vɜːs] umgekehrt, *Richtung*: entgegengesetzt; **reverse gear** *Auto*: Rückwärtsgang; **in reverse order** in umgekehrter Reihenfolge; **reverse side** *Stoff*: linke Seite

reverse[2] [rɪ'vɜːs] **1.** (*Wagen*) rückwärtsfahren; **reverse one's car out of the garage** rückwärts aus der Garage fahren **2.** umkehren (*Reihenfolge*) **3.** umstoßen (*Entscheidung*), aufheben (*Urteil*) **4.** **reverse the charges** *BE* ein R-Gespräch führen

reverse[3] [rɪ'vɜːs] **1.** Gegenteil; **quite the reverse** ganz im Gegenteil **2.** **put the car into reverse** *Auto*: den Rückwärtsgang einlegen **3.** Rückseite (*einer Münze*)

revert to [rɪ'vɜːt‿tʊ] **1.** zurückfallen in (*eine Gewohnheit usw.*), zurückkehren in (*einen Zustand*) **2.** zurückkommen auf (*ein Thema*)

review[1] [rɪ'vjuː] **1.** Überprüfung; **be under review** überprüft werden **2.** Kritik, Rezension (*eines Buchs*) **3.** *AE*; *Schule*: Test, Wiederholung **4.** Revue

review[2] [rɪ'vjuː] **1.** überprüfen **2.** besprechen, rezensieren (*Buch*) **3.** *AE*; *Schule*: wiederholen (*Lernstoff für eine Prüfung*)

reviewer [rɪ'vjuːǝ] *von Buch*: Kritiker(in), Rezensent(in)

revise [rɪ'vaɪz] **1.** revidieren (*Meinung*) **2.** überarbeiten (*Buch usw.*) **3.** *BE* wiederholen (*Lernstoff*) **4.** **I've got to revise for tomorrow's test** ich muss noch für die Arbeit morgen lernen

revision [rɪ'vɪʒn] **1.** Revision, Überarbeitung (*eines Texts*) **2.** *BE*; *Schule*: (Stoff)-Wiederholung (*für eine Prüfung*)

revival [rɪ'vaɪvl] **1.** Wiederbelebung (*auch übertragen*) **2.** *Theater*: Wiederaufnahme (*eines Stücks*)

revive [rɪ'vaɪv] **1.** (wieder) beleben (*Brauch, Wirtschaft*), wiederbeleben (*Verunglückten*) **2.** wieder aufleben lassen (*Tradition usw.*); **it revived memories of her childhood** es rief Erinnerungen an ihre Kindheit wach

revocation [ˌrevǝ'keɪʃn] **1.** *eines Gesetzes*: Aufhebung **2.** *einer Entscheidung, Genehmigung usw.*: Rückgängigmachung, Widerruf

revoke [rɪ'vǝʊk] **1.** aufheben (*Gesetz usw.*) **2.** rückgängig machen, widerrufen (*Entscheidung, Erlaubnis usw.*)

revolt[1] [rɪ'vǝʊlt] revoltieren (**against** gegen)

revolt[2] [rɪ'vǝʊlt] Revolte, Aufstand

revolting [rɪ'vǝʊltɪŋ] abstoßend

revolution [ˌrevǝ'luːʃn] Revolution

revolutionary[1] [ˌrevǝ'luːʃǝnrɪ] revolutionär, Revolutions…

revolutionary[2] [ˌrevǝ'luːʃǝnrɪ] *politisch*: Revolutionär(in) (*auch übertragen*)

revolve [rɪ'vɒlv] sich drehen, rotieren

revolve around [rɪˌvɒlv‿ǝ'raʊnd] **he thinks the whole world revolves around him** er glaubt, alles dreht sich nur um ihn

revolver [rɪ'vɒlvǝ] Revolver

revolving door [rɪˌvɒlvɪŋ'dɔː] Drehtür

reward[1] [rɪ'wɔːd] Belohnung; **as a reward** (**for**) als Belohnung (für)

reward[2] [rɪ'wɔːd] belohnen

rewarding [rɪ'wɔːdɪŋ] lohnend, *Aufgabe usw. auch*: dankbar

rewind [riː'waɪnd], **rewound** [riː'waʊnd], **rewound** [riː'waʊnd] zurückspulen (*Video usw.*)

reword [ˌriː'wɜːd] umformulieren

rewrite [ˌriː'raɪt], **rewrote** [ˌriː'rǝʊt], **rewritten** [ˌriː'rɪtn] umschreiben (*Artikel usw.*)

rewritable [ˌriː'raɪtǝbl] *CD, DVD*: wiederbeschreibbar

rhetoric [△ 'retǝrɪk] **1.** Rhetorik **2.** *im negativen Sinn*: Phrasendrescherei

rhetorical [rɪ'tɒrɪkl] rhetorisch; **rhetorical question** rhetorische Frage

rheumatic[1] [ruː'mætɪk] *Medizin*: rheumatisch; **rheumatic fever** rheumatisches Fieber

rheumatic[2] [ruː'mætɪk] *Medizin*: Rheumatiker(in)

rheumatism ['ruːmǝtɪzm] *Medizin*: Rheuma(tismus)

Rhine [raɪn] Rhein

Rhineland-Palatinate [ˌraɪnlænd‿pǝ'lætɪnǝt] Rheinland-Pfalz

rhino ['raɪnǝʊ] *Pl.*: **rhinos** *umg.* Nashorn, Rhinozeros

rhinoceros [raɪ'nɒsǝrǝs] Rhinozeros, Nashorn

Rhodes [rǝʊdz] Rhodos

rhododendron [ˌrǝʊdǝ'dendrǝn] *Zierpflanze*: Rhododendron

rhombus ['rɒmbǝs] *Geometrie*: Rhombus,

R

Raute

rhubarb ['ru:bɑ:b] Rhabarber

rhyme[1] [raɪm] Reim, Vers

rhyme[2] [raɪm] (sich) reimen (**with** auf)

rhythm ['rɪðəm] Rhythmus

rhythmic ['rɪðmɪk] rhythmisch

rib [rɪb] Rippe

ribbon ['rɪbən] Band (*z.B. für das Haar*)

rice [raɪs] Reis

rice paddy ['raɪs͵pædɪ] Reisfeld

rice pudding [͵raɪs'pʊdɪŋ] *etwa:* Milchreis

rice wine ['raɪs͵waɪn] Reiswein

rich[1] [rɪtʃ] **1.** reich (*auch übertragen*); **rich in vitamin C** *usw.* reich an Vitamin C *usw.* **2.** *Schmuck:* kostbar **3.** *Speise:* schwer **4.** *Boden:* ertragreich **5.** *Töne:* voll, *Farben:* satt **6. that's a bit rich!** *umg.* das ist ein starkes Stück!

rich[2] [rɪtʃ] **the rich** *Pl.* die Reichen (△ *der Reiche* = **the rich man**)

riches ['rɪtʃɪz] *Pl.* Reichtum, Reichtümer

rid [rɪd] **get rid of someone** *oder* **something** jemanden *oder* etwas loswerden

ridden ['rɪdn] *3. Form von* → **ride**[1]

riddle ['rɪdl] Rätsel (*auch übertragen*)

ride[1] [raɪd], **rode** [rəʊd], **ridden** ['rɪdn] **1.** reiten (**on** auf); **ride a pony** ein Pony reiten; **she goes riding** sie geht reiten **2.** fahren (**on** auf *einem Fahrrad usw.*, in *einem Bus usw.*) **3.** (Fahrrad, Motorrad) fahren, reiten (auf *usw.*); **can you ride a bike?** kannst du Rad fahren?

ride[2] [raɪd] **1.** Fahrt; **give someone a ride** jemanden (im Auto *usw.*) mitnehmen; **go for a ride in the car** spazieren fahren **2.** *zu Pferd usw.:* Ritt **3. take someone for a ride** *umg.* jemanden reinlegen

rider ['raɪdə] **1.** Reiter(in) **2.** (Rad-, Motorrad)Fahrer(in)

ridge [rɪdʒ] **1.** *Gebirge:* Kamm, Grat **2.** *auf einer Fläche:* Rippe

ridicule[1] ['rɪdɪkjuːl] Spott, Gespött

ridicule[2] ['rɪdɪkjuːl] spotten über

ridiculous [rɪ'dɪkjʊləs] lächerlich; **don't be ridiculous** mach dich nicht lächerlich!

riding[1] ['raɪdɪŋ] Reiten

riding[2] ['raɪdɪŋ] Reit...; **riding breeches** (*AE* **pants**) *Pl.* Reithose; **riding academy** *AE* Reitschule

riffraff ['rɪfræf] Gesindel, Pack

rifle[1] ['raɪfl] Gewehr, Büchse

rifle[2] ['raɪfl] *mst.* **rifle through** durchwühlen

rift [rɪft] **1.** Spalt, Spalte **2.** *übertragen* Riss

rig [rɪg], **rigged, rigged** manipulieren (*Wahlergebnisse usw.*)

right[1] [raɪt] ↔ **left 1.** rechte(r, -s), Rechts... (*auch übertragen, politisch*) **2.**

rechts (**of** von); **turn right** (sich) nach rechts wenden, *Auto:* rechts abbiegen

right[2] [raɪt] ↔ **left 1.** die Rechte, rechte Seite; **on** (*oder* **at, to**) **the right** (**of**) rechts (von); **on our right** zu unserer Rechten; **the second turning to** (*oder* **on**) **the right** die zweite Querstraße rechts; **make a right** *AE* rechts abbiegen; **keep to the right** sich rechts halten, *Auto:* rechts fahren **2. the right** *politisch:* die Rechte

right[3] [raɪt] ↔ **wrong 1.** richtig, recht; **the right thing** das Richtige; **all right** schon gut!, in Ordnung!; **guess right** richtig (er)raten **2.** korrekt, richtig; **is your watch right?** geht deine Uhr richtig? **3. be right** recht haben **4.** geeignet, richtig; **he's right for the job** er ist der Richtige für die Stelle **5.** in Ordnung, richtig; **put** *oder* **set right** in Ordnung bringen, *Irrtum:* richtigstellen

right[4] [raɪt] **1.** Recht; **know right from wrong** Recht von Unrecht unterscheiden können **2.** Anrecht, Recht (**to** auf); **have the right to something** Anspruch auf etwas haben; **it's my right of way** *Verkehr:* ich habe Vorfahrt (ⓖ Vortritt) **3.** *civil rights* Bürgerrechte

right[5] [raɪt] **1. right now** im Moment, sofort **2. right at the beginning** ganz am Anfang **3. right in the middle** *usw.* genau in der Mitte *usw.* **4. right away** sofort

right angle ['raɪt͵æŋgl] *Mathematik:* rechter Winkel

rightful ['raɪtfl] *Besitzer usw.:* rechtmäßig

right-hand ['raɪthænd] rechte(r, -s); **right-hand bend** *Straße:* Rechtskurve; **right-hand drive** *Auto in GB:* Rechtssteuerung

right-handed [͵raɪt'hændɪd] rechtshändig; **be right-handed** Rechtshänder(in) sein

rightist ['raɪtɪst] *politisch:* rechtsgerichtet

rightly ['raɪtlɪ] **1.** richtig; **rightly or wrongly** zu Recht oder Unrecht **2.** mit *oder* zu Recht; **she was rightly ashamed** sie schämte sich zu Recht

right-wing [͵raɪt'wɪŋ] *politisch:* dem rechten Flügel angehörend, Rechts...

rigid ['rɪdʒɪd] **1.** starr (**with** vor), steif **2.** *übertragen* unbeugsam, *Prinzipien usw.:* starr

rigmarole ['rɪgmərəʊl] *umg.; abwertend* **1.** Geschwätz **2.** *langatmige Geschichte:* Gelaber, Geschwafel **3.** *Vorgang:* Theater, Zirkus

rigorous ['rɪgərəs] *Kontrolle usw.:* streng, rigoros

rim [rɪm] Rand (*einer Tasse usw.*)

ring[1] [rɪŋ] **1.** *allg.:* Ring; **form a ring** einen

Kreis bilden 2. *Zirkus*: Manege 3. *Boxen*: Ring 4. *Wirtschaft*: Ring, Kartell

ring² [rɪŋ], **rang** [ræŋ], **rung** [rʌŋ] **1.** (*Glocke, Klingel usw.*) läuten, klingeln; **the bell is ringing** es läutet *oder* klingelt **2.** *bes. BE; Telefon*: anrufen; **ring someone** jemanden anrufen **3.** (*Glas, Stimme, Ohren*) klingen **4.** *it rings a bell übertragen* es kommt mir bekannt vor

---

ring back [ˌrɪŋˈbæk] *BE; Telefon*: zurückrufen

ring for [ˈrɪŋ ˌfɔː] **ring for someone** *oder* **something** nach jemandem *oder* etwas läuten; **ring for the doctor** den Arzt rufen

ring off [ˌrɪŋˈɒf] *BE; Telefon*: (den Hörer) auflegen, Schluss machen

ring round [ˌrɪŋˈraʊnd] *BE* herumtelefonieren

ring up [ˌrɪŋˈʌp] **1.** *BE* anrufen **2.** eintippen (*Preis, Ware*) (*in die Kasse*)

---

ring³ [rɪŋ] **1.** Läuten, Klingeln **2.** *that has a familiar ring to it übertragen* das kommt mir (irgendwie) bekannt vor **3.** *BE; Telefon*: Anruf; *give someone a ring* jemanden anrufen

ring binder [ˈrɪŋˌbaɪndə] Ringbuch

ring finger [ˈrɪŋˌfɪŋgə] Ringfinger

ringleader [ˈrɪŋˌliːdə] Rädelsführer(in)

ring road [ˈrɪŋˌrəʊd] *bes. BE* Umgehungsstraße

ringtone [ˈrɪŋtəʊn] *bes. von Handy*: Klingelton, Signalton

rink [rɪŋk] **1.** Eisbahn **2.** Rollschuhbahn

rinse¹ [rɪns] *auch* **rinse out** (aus)spülen, spülen (*Wäsche, Haar usw.*)

rinse² [rɪns] *Haare*: Tönung

riot¹ [ˈraɪət] **1.** Aufruhr, Krawall; *run riot* randalieren, randalierend ziehen (*through* durch); *riot police* Bereitschaftspolizei **2.** *it's a riot umg.* das ist zum Schreien

riot² [ˈraɪət] randalieren

rip¹ [rɪp], **ripped, ripped**; *rip something* sich etwas zerreißen (*on* an)

rip² [rɪp] Riss

---

rip apart [ˌrɪp_əˈpɑːt] auseinanderreißen

rip off [ˌrɪpˈɒf] **1.** *rip off one's shirt* sich das Hemd herunterreißen **2.** *rip someone off umg.* jemanden neppen *oder* abzocken

rip open [ˌrɪpˈəʊpən] aufreißen

rip up [ˌrɪpˈʌp] zerreißen

---

ripe [raɪp] reif (*auch übertragen*)

ripen [ˈraɪpən] (*Früchte usw.*) reifen

rip-off [ˈrɪpɒf] *umg.* Nepp, Wucher, Diebstahl

rise¹ [raɪz] **rose** [rəʊz], **risen** [ˈrɪzn] **1.** (*Rauch usw.*) aufsteigen, (*Vorhang usw.*) sich heben **2.** (*Straße, Wasser usw.*) ansteigen **3.** (*Preise usw.*) steigen (*by* um) **4.** *förmlich* aufstehen (*auch am Morgen*), sich erheben **5.** (*Sonne*) aufgehen **6.** (*Fluss*) entspringen

rise² [raɪz] **1.** *übertragen* Anstieg; *rise in prices* Anstieg der Preise; *rise in population* Bevölkerungszunahme **2.** *übertragen* Aufstieg (*to* zu); *the rise and fall of Rome usw.* der Aufstieg und Fall Roms *usw.* **3.** *Straße usw.*: Steigung **4.** *BE* Lohnerhöhung, Gehaltserhöhung **5.** *give rise to* verursachen, führen zu

---

rise up [ˌraɪzˈʌp] (*Volk usw.*) sich erheben (*against* gegen)

---

risen [ˈrɪzn] *3. Form von* → *rise¹*

riser [ˈraɪzə] *early riser* Frühaufsteher(in); *late riser* Langschläfer(in)

rising [ˈraɪzɪŋ] **1.** *Generation*: heranwachsend **2.** *Politiker usw.*: aufstrebend

risk¹ [rɪsk] **1.** Gefahr, Risiko; *at one's own risk* auf eigene Gefahr; *at the risk of making a fool of myself* auf die Gefahr hin, mich lächerlich zu machen; *be at risk* gefährdet sein; *run (oder take) a risk* ein Risiko eingehen

risk² [rɪsk] **1.** *allg.*: riskieren **2.** aufs Spiel setzen (*sein Leben usw.*) **3.** wagen (*den Sprung usw.*); *risk doing something* es wagen *oder* riskieren, etwas zu tun

risky [ˈrɪskɪ] riskant, gefährlich

risotto [rɪˈzɒtəʊ] Risotto

risqué [ˈrɪskeɪ] *Witz usw.*: gewagt

rite [raɪt] Ritus, Ritual, Brauch

ritual [ˈrɪtʃʊəl] Ritual, Ritus, Zeremoniell

ritzy [ˈrɪtsɪ] *umg.* stinkvornehm, feudal

rival¹ [ˈraɪvl] **1.** Rivale, Rivalin **2.** *Wirtschaft*: Konkurrent(in)

rival² [ˈraɪvl] **rivalled, rivalled**, *AE* **rivaled, rivaled** es aufnehmen (können) mit (*for* an)

rivalry [ˈraɪvlrɪ] **1.** Rivalität **2.** *Wirtschaft*: Konkurrenz(kampf)

river [ˈrɪvə] Fluss, Strom; *down the river* flussabwärts; *up the river* flussaufwärts

riverside [ˈrɪvəsaɪd] Flussufer; *by the riverside* am Fluss

road [rəʊd] **1.** (Land)Straße; *down (bzw. up) the road* die Straße hinunter (*bzw.* hinauf); *off the road* von der Straße entfernt, im Gelände; *road map* Straßenkarte **2.** *be on the road* mit dem Auto unterwegs sein, *Theater usw.*: auf Tournee sein; *3 hours by road* 3 Autostun-

R

den (entfernt) **3.** *be on the right road to übertragen* auf dem richtigen Weg sein nach

road accident ['rəʊd͵æksɪdənt] Verkehrsunfall

roadblock ['rəʊdblɒk] Straßensperre

road hog ['rəʊd͵hɒg] *umg.* Verkehrsrowdy

roadholding ['rəʊd͵həʊldɪŋ] *Auto:* Straßenlage

roadhouse ['rəʊdhaʊs] *AE* Rasthaus

roadie ['rəʊdɪ] Roadie

road map ['rəʊd͵mæp] Straßenkarte

road pricing ['rəʊd͵praɪsɪŋ] (Einführung von) Straßenbenutzungsgebühren

road rage ['rəʊd͵reɪdʒ] aggressives Verhalten im Straßenverkehr

road safety ['rəʊd͵seɪftɪ] Verkehrssicherheit

roadside ['rəʊdsaɪd] *at oder by the roadside* am Straßenrand; *roadside inn* Rasthaus

roadsign ['rəʊdsaɪn] Verkehrsschild

road tax ['rəʊd͵tæks] *in GB; etwa:* Kfz-Steuer

road test ['rəʊd͵test] Probefahrt; *do a road test* eine Probefahrt machen

road-test ['rəʊdtest] eine Probefahrt machen mit, Probe fahren (*Auto usw.*)

road toll ['rəʊd͵təʊl] Straßenbenutzungsgebühr

roadworks ['rəʊdwɜːks] *Pl.* Straßenbauarbeiten (⚠ *in GB auf Warnschildern*)

roadworthy ['rəʊd͵wɜːðɪ] *Auto usw.:* verkehrssicher

roam [rəʊm] wandern (durch)

roar¹ [rɔː] **1.** Gebrüll; *roars Pl. of laughter* brüllendes Gelächter **2.** *von Verkehr usw.:* Tosen, Donnern

roar² [rɔː] **1.** brüllen (*with* vor); *roar (with laughter)* vor Lachen brüllen **2.** (*Fahrzeug*) donnern

roaring ['rɔːrɪŋ] **1.** *Person, wildes Tier:* brüllend **2.** *Wassermassen:* tosend, donnernd **3.** *roaring success umg.* Bombenerfolg **4.** *roaring drunk umg.* sternhagelvoll

roast¹ [rəʊst] **1.** *allg.:* braten **2.** rösten (*Kaffee usw.*)

roast² [rəʊst] Braten

roast³ [rəʊst] gebraten; *roast beef* Rinderbraten; *roast chicken* Brathuhn

roasting ['rəʊstɪŋ] *give someone a (real) roasting umg.* jemanden zusammenstauchen (*for* wegen)

rob [rɒb], *robbed, robbed* überfallen (*Bank usw.*); *rob someone* jemanden berauben; *rob someone of something* jemandem etwas rauben

robber ['rɒbə] Räuber(in)

robbery ['rɒbərɪ] Raub(überfall); *bank robbery* Bankraub

robe [rəʊb] **1.** (≈ *Gewand*) Talar, Robe **2.** *bes. AE* Bademantel, Morgenrock

robin ['rɒbɪn] *Vogel:* Rotkehlchen

robot ['rəʊbɒt] Roboter (*auch übertragen*)

robust [rəʊ'bʌst] **1.** *Gesundheit, Material usw.:* robust **2.** *Firma usw.:* gesund

rock¹ [rɒk] **1.** wiegen, schaukeln; *rock a child to sleep* ein Kind in den Schlaf wiegen **2.** (*Boot usw.*) schaukeln **3.** erschüttern (*auch übertragen*) **4.** *Musik:* rocken

rock² [rɒk] **1.** Fels, Felsen (*auch Pl.*) **2.** *Geologie:* Gestein **3.** Felsbrocken, *AE* Stein (⚠ *nicht Rock*); ☞ *rocks*

rock³ [rɒk] Rock(musik)

rock bottom [͵rɒk'bɒtəm] *hit* (*oder reach*) *rock bottom* einen *oder* seinen Tiefpunkt erreichen

rock-bottom [͵rɒk'bɒtəm] *Preise, Zinsen usw.:* allerniedrigste(r, -s), äußerste(r, -s); *rock-bottom prices* Schleuderpreise

rocker ['rɒkə] **1.** *BE* Rocker **2.** *he's off his rocker umg.* er hat sie nicht alle **3.** *AE* Schaukelstuhl

rockery ['rɒkərɪ] Steingarten

rocket¹ ['rɒkɪt] **1.** Rakete **2.** *give someone a rocket bes. BE, umg.* jemanden zusammenstauchen

rocket² ['rɒkɪt] (*Preise*) in die Höhe schießen

rocking chair ['rɒkɪŋ͵tʃeə] Schaukelstuhl

rocking horse ['rɒkɪŋ͵hɔːs] Schaukelpferd

rock 'n' roll [͵rɒkən'rəʊl] **1.** *Musik:* Rock 'n' Roll **2.** *umg. ... is the new rock 'n' roll* ... ist jetzt total angesagt

rocks [rɒks] *Pl.* **1.** Klippen **2.** *on the rocks bes. Whisky:* mit Eis **3.** *on the rocks umg.; Firma, Ehe usw.:* am Ende

rocky¹ ['rɒkɪ] felsig

rocky² ['rɒkɪ] *umg.* wackelig

rococo [rə'kəʊkəʊ] Rokoko

rod [rɒd] **1.** Rute; *fishing rod* Angelrute **2.** Stab, Stange

rode [rəʊd] *2. Form von* → *ride¹*

rodent ['rəʊdnt] Nagetier

rodeo [rəʊ'deɪəʊ] Rodeo

roe¹ [rəʊ] *vom Fisch:* Rogen

roe² [rəʊ] ☞ *roe deer*

roebuck ['rəʊbʌk] Rehbock

roe deer ['rəʊ͵dɪə] Reh

roger ['rɒdʒə] *Funkverkehr:* verstanden!

rogue [rəʊg] **1.** Gauner; *rogues' gallery* Verbrecheralbum **2.** *humorvoll* Schlingel

role [rəʊl] *Theater:* Rolle (*auch übertragen*)

role-play ['rəʊl͵pleɪ] *bes. Psychologie:*

Rollenspiel

roll[1] [rəʊl] **1.** *allg.*: rollen; **_tears were rolling down her cheeks_** Tränen rollten ihr über die Wangen **2.** (*Gefährt*) rollen, fahren **3.** schwanken, (*Schiff*) schlingern **4.** (*Tier usw.*) sich wälzen **5.** walzen (*Rasen usw.*), ausrollen (*Teig*) **6.** **_rolled into one_** *übertragen, allerlei Verschiedenes*: in einem

> **roll in** [ˌrəʊl'ɪn] (*Geld usw.*) hereinströmen
>
> **roll down** [ˌrəʊl'daʊn] **1.** (*Tränen usw.*) herunterrollen **2.** *AE* herunterkurbeln (*Autofenster*)
>
> **roll on** [ˌrəʊl'ɒn] **_roll on, Saturday!_** *BE* wenn es doch nur schon Samstag wäre!
>
> **roll out** [ˌrəʊl'aʊt] ausrollen (*Teig, Teppich*)
>
> **roll up** [ˌrəʊl'ʌp] **1.** aufrollen, zusammenrollen **2.** hochkrempeln (*Ärmel*) (*auch übertragen*) **3.** *umg.* antanzen **4.** *AE* hochkurbeln (*Autofenster*)

roll[2] [rəʊl] **1.** Brötchen, Semmel **2.** Rolle **3.** (Fett)Wulst **4.** Grollen (*des Donners*)

roll call ['rəʊlˌkɔːl] *in Schulklasse, beim Militär usw.*: Namensaufruf

roller ['rəʊlə] **1.** *Technik*: Rolle, Walze **2.** Lockenwickler (△ *nicht* **Roller**)

roller blind ['rəʊləˌblaɪnd] Rollladen, Rollo

roller coaster ['rəʊləˌkəʊstə] **1.** Achterbahn **2.** *übertragen* Berg- und Talfahrt

roller skate ['rəʊləˌskeɪt] Rollschuh

roller skating ['rəʊləˌskeɪtɪŋ] Rollschuhlaufen

roll-on ['rəʊlɒn] Deoroller

ROM [rɒm] (*Abk. für* **r**ead **o**nly **m**emory) *Computer*: Lesespeicher

Roman[1] ['rəʊmən] Römer(in)

Roman[2] ['rəʊmən] römisch; **_Roman numeral_** römische Ziffer

romance[1] [rəʊ'mæns] **1.** (≈ *Liebesaffäre*) Romanze **2.** (≈ *stimmungsvolle Atmosphäre*) Romantik **3.** *Literatur*: Liebesroman, Abenteuerroman, Ritterroman

Romance[2] [rəʊ'mæns] *Sprache*: romanisch

Romania [△ ruː'meɪnɪə] Rumänien

Romanian[1] [△ ruː'meɪnɪən] rumänisch

Romanian[2] [△ ruː'meɪnɪən] *Sprache*: Rumänisch

Romanian[3] [△ ruː'meɪnɪən] Rumäne, Rumänin

romantic [rəʊ'mæntɪk] romantisch

romanticism [rəʊ'mæntɪsɪzm] *oft* **Romanticism** *Kunst, Literatur usw.*: Romantik

Romany ['rɒmənɪ] **1.** *Person*: Roma **2.**

Sprache: Romani

Rome [rəʊm] Rom

romp [rɒmp] *auch* **romp about** *oder* **around** (*Kinder usw.*) herumtollen

roof [ruːf] *Pl.*: **roofs 1.** Dach; **_have no roof over _**_one's_**_ head_** kein Dach über dem Kopf haben; **_live under _**_the same_**_ roof_** unter einem Dach leben (**_as_** mit) **2.** **_go through the roof_** *umg.*; *Person*: an die Decke gehen, *Kosten usw.*: ins Unermessliche steigen

roofer ['ruːfə] Dachdecker(in)

roof garden ['ruːfˌgɑːdn] Dachgarten

roof rack ['ruːfˌræk] Dachgepäckträger

rooftop ['ruːftɒp] **_shout something from the rooftops_** *übertragen* etwas an die große Glocke hängen

rook [rʊk] *Schach*: Turm

room[1] [ruːm] **1.** Raum, Zimmer **2.** Platz, Raum; **_make room for someone_** jemandem Platz machen **3.** *übertragen* Spielraum

room[2] [ruːm] **_he's rooming with me_** *AE* wir wohnen zusammen

roomer ['ruːmə] *AE* Untermieter(in); ☞ **lodger**

roommate ['ruːmˌmeɪt] Zimmergenosse, Zimmergenossin

room service ['ruːmˌsɜːvɪs] *in Hotel*: Zimmerservice

room temperature ['ruːmˌtemprətʃə] Zimmertemperatur

roomy ['ruːmɪ] geräumig

rooster ['ruːstə] *bes. AE*; *Tier*: Hahn

root[1] [ruːt] *allg.*: Wurzel (*auch übertragen*); **_get to the root of something_** *übertragen* einer Sache auf den Grund gehen; **_have its roots in_** *übertragen* seinen Ursprung haben in

root[2] [ruːt] **1.** Wurzeln schlagen (*auch übertragen*) **2.** *auch* **root about** *oder* **around** herumwühlen (**among** in)

> **root for** [ˈruːtˌfɔː] *bes. AE, umg.* **root for someone** *Sport*: jemanden anfeuern
>
> **root out** [ˌruːt'aʊt] **1.** *übertragen* (mit der Wurzel) ausrotten (*Übel*) **2.** aufstöbern

rooted ['ruːtɪd] **1.** **_rooted in_** verwurzelt in, eingewurzelt in **2.** **_stand rooted to the spot_** wie angewurzelt dastehen

rope[1] [rəʊp] **1.** Seil, *Schiff*: Tau; **_jump rope_** *AE* seilhüpfen **2.** *AE* Lasso; ☞ **ropes**

rope[2] [rəʊp] **1.** festbinden (**to** an) **2.** *AE* mit dem Lasso fangen (*Tier*)

rope ladder [ˌrəʊp'lædə] Strickleiter

ropes [rəʊps] *Pl.* **1.** (≈ *Boxring*) Seile **2.**

R

know the ropes *umg.* sich auskennen; **show someone the ropes** *umg.* jemanden einweihen

rosary ['rəʊzərɪ] *kirchlich*: Rosenkranz

rose[1] [rəʊz] *2. Form von* → **rise**[1]

rose[2] [rəʊz] *Pflanze*: Rose

rose[3] [rəʊz] rosarot, rosenrot

rose-coloured, *AE* **rose-colored** ['rəʊz,-kʌləd] **1.** rosarot, rosenrot **2.** **see everything through rose-coloured spectacles** (*AE* **glasses**) *übertragen* alles durch eine rosarote Brille sehen

roster ['rɒstə] Dienstplan

rosy ['rəʊzɪ] rosig (*auch übertragen*)

rot [rɒt], **rotted, rotted 1.** *auch* **rot away** verfaulen, (*bes. Holz*) verrotten **2.** verfaulen *oder* verrotten lassen

rotate [rəʊ'teɪt] **1.** sich drehen **2.** rotieren lassen, drehen

rotation [rəʊ'teɪʃn] Rotation, Drehung

rotor ['rəʊtə] *Technik*: Rotor

rotten ['rɒtn] **1.** verfault, faul **2.** *bes. Holz*: verrottet, morsch **3.** *umg.* miserabel; **feel rotten** sich mies fühlen (*auch übertragen*)

rouge [ru:ʒ] Rouge

rough[1] [rʌf] **1.** *Straße usw.*: uneben, *Haut, Stimme usw.*: rau **2.** *Meer, Wetter usw.*: stürmisch **3.** *Person usw.*: grob, *Sport*: hart; **be rough with** grob umgehen mit **4.** *Manuskript, Entwurf usw.*: roh, Roh… **5.** *übertragen* grob, ungefähr; **I have a rough guess** grob geschätzt; **I have a rough idea** ich kann mir ungefähr vorstellen **6.** **feel rough** *BE, umg.* sich mies fühlen

rough[2] [rʌf] **take the rough with the smooth** die Dinge nehmen, wie sie kommen

rough[3] [rʌf] **rough it** *umg.* primitiv leben

rough[4] [rʌf] **1.** **sleep rough** im Freien übernachten **2.** **play** (**it**) **rough** *Sport*: (über-) hart spielen

roughage ['rʌfɪdʒ] *in der Nahrung*: Ballaststoffe

roughen ['rʌfn] rau machen

roughly ['rʌflɪ] **1.** grob (*auch übertragen*) **2.** *übertragen* ungefähr; **roughly speaking** grob geschätzt, über den Daumen gepeilt

round[1] [raʊnd] **1.** *allg.*: rund **2.** *Körper*: rundlich **3.** (≈ *voll, ganz*) rund **4.** **in round figures** rund (gerechnet)

round[2] [raʊnd] *bes. BE* **1.** *allg.*: herum, umher; **I'll show you round** ich führ dich herum; **all round** ringsherum **2.** **all** (**the**) **year round** das ganze Jahr über **3.** **round about** ungefähr **4.** **come round** (bei jemandem) vorbeikommen

round[3] [raʊnd] *bes. BE* **1.** (rund) um, um (… herum); **trip round the world** Weltreise; **do you live round here?** wohnen

Sie hier in der Gegend?; **round the corner** um die Ecke; **show someone round the house** jemandem das Haus zeigen **2.** **the other way round** umgekehrt **3.** etwa: **somewhere round £100** so um die 100 Pfund

round[4] [raʊnd] **1.** *Boxen, Verhandlungen usw.*: Runde **2.** Rundgang, Runde; **do** (*oder* **be out on**) **one's rounds** seine Runde machen, *Arzt*: Hausbesuche machen **3.** Lage, Runde (*Bier usw.*); **it's my round** die Runde geht auf mich **4.** *Musik*: Kanon

---

round down [,raʊnd'daʊn] abrunden (*Preis usw.*) (**to** auf)

round off [,raʊnd'ɒf] **1.** beschließen (*Mahlzeit usw.*) (**with** mit) **2.** aufrunden *oder* abrunden (*Preis usw.*) (**to** auf)

round up [,raʊnd'ʌp] **1.** zusammentreiben (*Vieh*) **2.** *umg.* hochnehmen (*Verbrecher*) **3.** zusammentrommeln, auftreiben **4.** aufrunden (*Preis*) (**to** auf)

---

roundabout ['raʊndəbaʊt] **1.** *BE* Kreisverkehr **2.** *BE* Karussell, Ⓐ Ringelspiel; **go on the roundabout** Karussell fahren

round-table conference ['raʊnd,teɪbl'kɒnfrəns] Round-Table-Konferenz, Konferenz am runden Tisch

round-the-clock [,raʊnd_ðə'klɒk] 24-stündig, rund um die Uhr

round trip [,raʊnd'trɪp] *AE* Hin- und Rückfahrt, *Flug*: Hin- und Rückflug

round-trip ticket [,raʊnd_trɪp'tɪkɪt] *AE* Rückfahrkarte, *Flug*: Rückflugticket

rouse [raʊz] **1.** wecken (**from, out of** aus) **2.** *übertragen* aufrütteln (**from, out of** aus)

route [ru:t] **1.** Route, Strecke **2.** *Verkehrsmittel*: Linie; **bus route** Buslinie

routine [,ru:'ti:n] **1.** Routine, Gewohnheit **2.** *Computer*: Routine

row[1] [rəʊ] **1.** Reihe **2.** **four** *usw.* **times in a row** viermal *usw.* nacheinander *oder* hintereinander

row[2] [rəʊ] rudern

row[3] [△ raʊ] *BE, umg.* **1.** Krach, Krawall; **kick up** (*oder* **make**) **a row** Krach schlagen **2.** Streit, Krach

row[4] [△ raʊ] *BE, umg.* (sich) streiten (**with** mit; **about** über)

rowboat ['rəʊbəʊt] *AE* Ruderboot

rowdy ['raʊdɪ] rowdyhaft, laut; **rowdy teenagers** jugendliche Rowdys

row house ['rəʊ_haʊs] *AE* Reihenhaus

rowing boat ['rəʊɪŋ_bəʊt] *BE* Ruderboot

royal[1] ['rɔɪəl] königlich, Königs…; **Her Royal Highness** Ihre Königliche Hoheit; **royal blue** *Farbe:* königsblau

royal² ['rɔɪəl] *umg.* Mitglied des Königs-hauses

royalty ['rɔɪəltɪ] **1.** Mitglied(er) der könig-lichen Familie **2.** *mst.* **royalties** Tantieme (**on** auf)

rub [rʌb], **rubbed, rubbed** reiben, wi-schen, scheuern (**against, on** an); **rub dry** trocken reiben; **rub one's hands** (**to-gether**) sich die Hände reiben (**with** vor)

rub down [ˌrʌb'daʊn] abreiben (*Kör-per*)

rub in [ˌrʌb'ɪn] **1.** einreiben **2.** **rub it in** *umg.* darauf herumreiten

rub off [ˌrʌb'ɒf] **1.** abreiben **2.** (*Farbe, Schmutz usw.*) abgehen; **rub off on**(**to**) übertragen abfärben auf

rub out [ˌrʌb'aʊt] **1.** *bes. BE* ausradie-ren **2.** *AE* (≈ *töten*) auslöschen

rubber ['rʌbə] **1.** Gummi **2.** *BE* Radier-gummi **3.** *bes. AE, umg.* Kondom

rubber band [ˌrʌbə'bænd] Gummiband

rubber dinghy [ˌrʌbə'dɪŋɪ] Schlauchboot

rubberneck ['rʌbənek] *AE, umg.* gaffen

rubbernecker ['rʌbəˌnekə] *AE, umg.* Gaffer

rubber plant ['rʌbə_plɑːnt] Gummibaum

rubber stamp [ˌrʌbə'stæmp] Stempel

rubbish ['rʌbɪʃ] *bes. BE* **1.** Abfall, Ab-fälle, Müll; **rubbish bin** Mülleimer; **rub-bish tip** Müllabladeplatz; **rubbish chute** Müllschlucker **2.** *übertragen* Blödsinn, Quatsch, *bes.* Ⓐ Schmarr(e)n

rubble ['rʌbl] Schutt, Trümmer

ruby ['ruːbɪ] Rubin

rucksack ['rʌksæk] *bes. BE* Rucksack

rudder ['rʌdə] *Flugzeug, Schiff:* Ruder

ruddy ['rʌdɪ] **1.** *Gesichtsfarbe:* frisch, ge-sund, *Backen:* rot **2.** *BE, umg.* verdammt

rude [ruːd] **1.** *Person:* unhöflich, grob, frech **2.** *Witz usw.:* unanständig **3.** *Schock usw.:* bös; **a rude awakening** ein böses Erwachen

rudimentary [ˌruːdɪ'mentərɪ] **1.** *Kenntnis-se usw.:* elementar, Anfangs… **2.** *Ausstat-tung, Einrichtung usw.:* primitiv **3.** *Biolo-gie:* rudimentär (*auch übertragen*)

rudiments ['ruːdɪmənts] *Pl.* Grundlagen

ruffle¹ ['rʌfl] **1.** kräuseln (*Wasser*), zerzau-sen (*Haar*) **2.** aus der Fassung bringen (*Person*)

ruffle² ['rʌfl] *an Kleidung usw.:* Rüsche

rug [rʌg] **1.** (≈ *Teppich*) Brücke, Vorleger **2.** *BE* dicke Wolldecke **3. pull the rug** (**out**) **from under someone** *übertragen* jemandem den Boden unter den Füßen wegziehen

rugby ['rʌgbɪ] *Sport:* Rugby

rugged [⚠ 'rʌgɪd] **1.** *Landschaft usw.:* rau, felsig **2.** *Felsen usw.:* zerklüftet **3.** *Gerät usw.:* robust, stabil

ruin¹ ['ruːɪn] **1.** Ruin, Ende (*von Hoff-nungen usw.*) **2.** Verfall; **fall into ruin** ver-fallen **3.** *auch* **ruins** Ruine, Überreste **4. be** (*oder* **lie**) **in ruins** in Trümmern lie-gen, *übertragen* zerstört *oder* ruiniert sein

ruin² ['ruːɪn] **1.** zerstören (*Gebäude, Hoff-nungen, Leben usw.*); **ruined castle** Burgruine **2.** ruinieren (*Menschen, Klei-dung, Gesundheit usw.*); **ruin one's eyes** sich die Augen verderben

rule¹ [ruːl] **1.** Regel, Vorschrift; **against the rules** regelwidrig, verboten **2.** (≈ *Ge-wohnheit*) Regel; **as a rule** in der Regel; **he makes it a rule to get up early** er hat es sich zur Regel gemacht, früh aufzuste-hen **3.** *politisch:* Herrschaft

rule² [ruːl] **1.** herrschen (**over** über) **2.** herrschen über; **be ruled by** *übertragen* sich leiten lassen von, beherrscht werden von **3.** (*bes. Gericht*) entscheiden (**against** gegen; **in favour of** für; **on** in; **that** dass)

rule out [ˌruːl'aʊt] **1.** ausschließen (*Feh-ler usw.*) **2.** unmöglich machen

ruler ['ruːlə] **1.** Herrscher(in) **2.** Lineal

rum [rʌm] Rum

Rumanian¹ [ruː'meɪnɪən] rumänisch

Rumanian² [ruː'meɪnɪən] *Sprache:* Rumä-nisch

Rumanian³ [ruː'meɪnɪən] Rumäne, Ru-mänin

rumble ['rʌmbl] **1.** (*Donner*) grollen, (*Fahrzeug*) rumpeln **2.** (*Magen*) knurren

rummage¹ ['rʌmɪdʒ] *auch* **rummage about** *oder* **around** herumstöbern, he-rumwühlen (**among, in, through** in)

rummage² ['rʌmɪdʒ] *AE* Trödel, Ramsch; **rummage sale** Wohltätigkeitsbasar

rummy ['rʌmɪ] *Kartenspiel:* Rommé, Rommee

rumour, *AE* rumor ['ruːmə] Gerücht(e); **rumour has it that …** es geht das Ge-rücht, dass …

rumoured, *AE* rumored ['ruːməd] **it's rumoured that …** es geht das Gerücht, dass …

rumple ['rʌmpl] zerknittern, zerzausen

run¹ [rʌn], **ran** [ræn], **run** [rʌn]; *-ing-Form* **running 1.** laufen (*auch Sport*), rennen **2.** *Sport:* laufen (*Rennen, Strecke*) **3.** (*Fahr-zeug*) fahren **4.** (*Bus, Zug usw.*) verkeh-ren, fahren **5. run someone** *oder* **some-thing** (**home**) jemanden *oder* etwas (nach Hause) fahren *oder* bringen **6.**

R

(*Wasser usw.*) fließen, laufen; **tears were running down her face** Tränen liefen ihr übers Gesicht; **his nose was running** ihm lief die Nase 7. laufen lassen (*Wasser usw.*); **run a bath** ein Bad einlaufen lassen 8. (*Butter, Farbe usw.*) zerfließen, zerlaufen 9. (*Maschine usw.*) laufen (*auch übertragen*); **with the engine running** mit laufendem Motor 10. *Technik*: laufen lassen (*Maschine usw.*) 11. führen (*Geschäft*), leiten (*Hotel usw.*) 12. (*Straße usw.*) laufen, verlaufen 13. (*Bestimmung usw.*) gelten, laufen (**for two years** zwei Jahre) 14. (*Theaterstück usw.*) laufen (**for six months** ein halbes Jahr lang) 15. **run low** oder **short** Vorräte usw.: knapp werden 16. *bes AE* kandidieren (*für eine Wahl*) 17. (*Vers usw.*) gehen, lauten 18. (*Zeitung usw.*) abdrucken, bringen (*Artikel usw.*) 19. **run drugs across the border** Drogen über die Grenze schmuggeln 20. **it runs in the family** übertragen das liegt in der Familie 21. **run a temperature** Fieber haben

run across [ˌrʌn ə'krɒs] 1. hinüberlaufen 2. **run across someone** jemanden zufällig treffen 3. (≈ *finden*) stoßen auf

run after [ˌrʌn'ɑːftə] nachlaufen, hinterherlaufen (*auch übertragen*)

run against [ˌrʌn ə'genst] 1. sich stoßen an (*Kopf usw.*) 2. *bes. AE*; *politisch*: kandidieren gegen

run along [ˌrʌn ə'lɒŋ] **run along!** ab mit dir!

run around [ˌrʌn ə'raʊnd] 1. herumlaufen 2. sich herumtreiben (**with** mit)

run away [ˌrʌn ə'weɪ] davonlaufen (**from** vor) (*auch übertragen*); **run away from home** von zu Hause ausreißen

run away with [ˌrʌn ə'weɪ wɪð] 1. durchbrennen mit (*Geld usw.*) 2. (*Fantasie usw.*) durchgehen mit 3. **don't run away with the idea that ...** glaube bloß nicht, dass ...

run back [ˌrʌn'bæk] 1. zurücklaufen 2. zurückspulen (*Band, Film*)

run down [ˌrʌn'daʊn] 1. anfahren, 'umfahren (*mit Auto*) 2. (*Uhr*) ablaufen, (*Batterie*) leer werden 3. schlechtmachen; ☞ **run-down**

run for [ˌrʌn'fɔː] 1. **run for it!** lauf, was du kannst!; **run for one's life** um sein Leben laufen 2. *bes AE*; *politisch*: kandidieren für

run in [ˌrʌn'ɪn] 1. einfahren (*Wagen usw.*) 2. *umg.* hoppnehmen (*Verbrecher usw.*)

run into ['rʌn ˌɪntʊ] 1. laufen oder fahren gegen 2. zufällig treffen (*Person*) 3.

übertragen geraten in (*Schwierigkeiten*); **run into debt** Schulden machen 4. *Kosten usw.*: sich belaufen auf, gehen in

run off with [ˌrʌn'ɒf ˌwɪð] durchbrennen mit

run on 1. ['rʌn ˌɒn] *Technik*: fahren mit; **run on electricity** Motor usw.: elektrisch betrieben werden 2. [ˌrʌn'ɒn] (*Veranstaltung usw.*) sich hinziehen (**until** bis)

run out [ˌrʌn'aʊt] 1. hinausrennen 2. (*Vorräte usw.*) zu Ende gehen; **I've run out of money** mir ist das Geld ausgegangen 3. (*Vertrag, Zeit usw.*) ablaufen

run over [ˌrʌn'əʊvə] 1. überfahren (*mit dem Auto*) 2. (*Wasser, Gefäß usw.*) überlaufen

run through [ˌrʌn'θruː] 1. durchspielen (*Szene usw.*) 2. durchgehen (*Notizen usw.*)

run up [ˌrʌn'ʌp] **run up debts** Schulden machen

run up against [ˌrʌn'ʌp əˌgenst] stoßen auf (*starken Widerstand usw.*)

run² [rʌn] 1. Lauf (*auch Sport*); **at a run** im Laufschritt 2. Fahrt; **go for a run in the car** eine Spazierfahrt machen 3. *Theaterstück usw.*: Laufzeit 4. Reihe, Serie; **run of good luck** Glückssträhne; **run of bad luck** Pechsträhne 5. Ansturm, *Wirtschaft auch*: Run (**on** auf) 6. **have the run of something** etwas uneingeschränkt benutzen dürfen 7. *bes. AE* Laufmasche 8. **in the 'long run** übertragen auf (die) Dauer, auf lange Sicht; **in the 'short run** übertragen zunächst, auf kurze Sicht 9. **on the run** auf der Flucht (**from the police** vor der Polizei); ☞ **runs**

runabout ['rʌnəbaʊt] *umg.* Kleinwagen

runaway ['rʌnəweɪ] Ausreißer(in)

run-down [ˌrʌn'daʊn] 1. *Gebäude usw.*: heruntergekommen 2. *Person*: abgespannt

rung¹ [rʌŋ] 3. Form von → **ring³**

rung² [rʌŋ] Sprosse (*einer Leiter*)

runner ['rʌnə] 1. *Sport*: Läufer(in) 2. ...schmuggler(in); **gun-runner** Waffenschmuggler 3. Kufe (*von Schlitten*)

runner-up [ˌrʌnər'ʌp] *Pl.*: **runners-up** [ˌrʌnəz'ʌp] *im Rennen*: Zweite(r)

running¹ ['rʌnɪŋ] 1. Laufen, Rennen; **he's still in the running** übertragen er liegt noch gut im Rennen (**for** um); **be out of the running** übertragen aus dem Rennen sein (**for** um) 2. Führung, Leitung

running² ['rʌnɪŋ] 1. *Wasser*: fließend 2.

four times (*bzw.* **for three days**) **running** viermal (*bzw.* drei Tage) hintereinander *oder* nacheinander 3. *Sport*: Lauf…; **running shoes** Laufschuhe

runny ['rʌnɪ] 1. *Butter usw.*: weich, flüssig 2. *Nase*: laufend, *Augen*: tränend

runs [rʌnz] **have the runs**, *umg.* den flotten Otto haben

runway ['rʌnweɪ] *Flugzeug*: Start- und Landebahn, Rollbahn

rupture[1] ['rʌptʃə] 1. *Medizin*; *von Organen*, *Adern*: Bruch, Riss 2. *übertragen* Bruch, Abbruch (*von Beziehungen usw.*)

rupture[2] ['rʌptʃə] 1. (*Leitung usw.*) zerspringen, zereißen, platzen 2. *Medizin*: **rupture oneself** sich einen Bruch heben; **rupture a muscle** sich einen Muskelriss zuziehen

rural ['rʊərəl] ländlich

rush[1] [rʌʃ] 1. hasten, hetzen 2. **rush someone to hospital** jemanden auf dem schnellsten Weg ins Krankenhaus bringen 3. **schnell erledigen; don't rush it** lass dir Zeit dabei 4. **be rushed (off one's feet)** auf Trab sein

---

rush at ['rʌʃ ˌət] sich stürzen auf
rush into [ˌrʌʃ'ɪntʊ] **rush into something** *übertragen* sich in etwas stürzen, etwas überstürzen

---

rush hour ['rʌʃ ˌaʊə] Hauptverkehrszeit, Stoßzeit; **rush hour traffic** Berufsverkehr

rush[2] [rʌʃ] 1. Ansturm (**for** auf, nach); **there was a rush for the door** alles drängte zur Tür 2. Hast, Hetze; **what's (all) the rush?** wozu diese Hast?

Russia ['rʌʃə] Russland

Russian[1] ['rʌʃə] russisch

Russian[2] ['rʌʃn] *Sprache*: Russisch

Russian[3] ['rʌʃn] Russe, Russin

rust[1] [rʌst] Rost

rust[2] [rʌst] rosten, verrosten

rustic ['rʌstɪk] ländlich, bäuerlich, rustikal

rustle [△ 'rʌsl] 1. (*Papier usw.*) rascheln, knistern 2. rascheln *oder* knistern mit

---

rustle up [△ ˌrʌsl'ʌp] *umg.* 1. auftreiben (*Geld*, *Hilfe usw.*) 2. **rustle up a meal** (schnell) etwas zu essen zaubern

---

rustproof ['rʌstpruːf] rostfrei, nicht rostend

rusty ['rʌstɪ] 1. *Metall usw.*: rostig 2. *Kenntnisse usw.*: eingerostet; **my French is a bit rusty** mein Französisch ist etwas eingerostet

rut [rʌt] **get into a rut** *übertragen* in einen Trott verfallen

ruthless ['ruːθləs] 1. unbarmherzig, rücksichtslos 2. hart (*bei Entscheidungen usw.*)

RV [ˌɑːˈviː] (*Abk. für* **r**ecreational **v**ehicle) *AE* Wohnmobil, Caravan

rye [raɪ] Roggen

rye bread ['raɪ ˌbred] Roggenbrot

S

Sabbath ['sæbəθ] *Religion*: Sabbath

sabbatical [sə'bætɪkl] 1. *in Firma*: Sabbatjahr 2. *Universität*: Forschungsjahr

saber ['seɪbə] *AE* Säbel; ☞ *BE* **sabre**

sabotage[1] ['sæbətɑːʒ] Sabotage

sabotage[2] ['sæbətɑːʒ] sabotieren

sabre ['seɪbə] *bes. BE* Säbel

sack[1] [sæk] 1. Sack 2. **give someone the sack** *BE*, *umg.* (≈ entlassen) jemanden rausschmeißen; **get the sack** *BE*, *umg.* rausgeschmissen werden 3. **hit the sack** *umg.* (≈ schlafen gehen) sich aufs Ohr *oder* in die Falle hauen

sack[2] [sæk] **sack someone** *BE*, *umg.* (≈ entlassen) jemanden rausschmeißen

sackcloth ['sæk ˌklɒθ] Sackleinen

sackrace ['sækreɪs] Sackhüpfen

sacrament ['sækrəmənt] *kirchlich*: Sakrament

sacred ['seɪkrɪd] 1. *Musik usw.*: geistlich, sakral 2. heilig (**to someone** jemandem)

sacrifice[1] ['sækrɪfaɪs] Opfer (*auch übertragen*)

sacrifice[2] ['sækrɪfaɪs] opfern (**to someone** *oder* **something** jemandem *oder* einer Sache)

sacrilege ['sækrəlɪdʒ] *allg.*: Frevel, Sakrileg

sad [sæd], **sadder, saddest** 1. *allg.*: traurig 2. *Verlust*: schmerzlich 3. *Irrtum usw.*: bedauerlich; **sad to say** bedauerlicherweise, leider

sadden ['sædn] traurig machen, betrüben

saddle[1] ['sædl] **1.** (Reit)Sattel **2.** *von Fahrrad:* (Fahrrad)Sattel

saddle[2] ['sædl] satteln (*Pferd*)

sadism ['seɪdɪzm] Sadismus

sadist ['seɪdɪst] Sadist(in)

sadistic [sə'dɪstɪk] sadistisch

sadly ['sædlɪ] **1.** traurig **2.** bedauerlicherweise, leider

sadness ['sædnəs] Traurigkeit

SAE [ˌeseɪ'iː] **1.** (*Abk. für* **s**tamped **a**ddressed **e**nvelope) frankierter Rückumschlag **2.** (*Abk. für* **s**elf **a**ddressed **e**nvelope) adressierter Rückumschlag

safari [sə'fɑːrɪ] Safari

safari park [sə'fɑːrɪ ˌpɑːk] Safaripark

safe[1] [seɪf] **1.** (≈ *außer Gefahr*) sicher, in Sicherheit (**from** vor); **be safe** in Sicherheit sein **2.** unverletzt; **he arrived safely** er ist gut angekommen **3.** ungefährlich, sicher; **not safe** gefährlich **4. keep something in a safe place** etwas an einem sicheren Ort aufbewahren **5.** *Arbeitsplatz usw.:* sicher **6. it's safe to say** man kann mit Sicherheit sagen **7. to be on the 'safe side** um ganz sicher zu gehen

safe[2] [seɪf] Safe, Tresor, Geldschrank

safe-deposit box ['seɪfdɪˌpɒzɪt ˌbɒks] Bankschließfach, *in Hotel usw.:* Tresorfach

safeguard[1] ['seɪfgɑːd] Schutz (**against** gegen, vor)

safeguard[2] ['seɪfgɑːd] schützen (**against, from** gegen, vor)

safety ['seɪftɪ] Sicherheit

safety belt ['seɪftɪ ˌbelt] Sicherheitsgurt; ☞ **seat belt**

safety curtain ['seɪftɪˌkɜːtn] *im Theater:* eiserner Vorhang

safety glass ['seɪftɪ ˌglɑːs] Sicherheitsglas

safety island ['seɪftɪˌaɪlənd] *AE* Verkehrsinsel

safety lock ['seɪftɪ ˌlɒk] Sicherheitsschloss

safety measure ['seɪftɪˌmeʒə] Sicherheitsmaßnahme

safety net ['seɪftɪ ˌnet] **1.** *im Zirkus usw.:* Fangnetz **2.** *übertragen* Sicherheitsnetz

safety pin ['seɪftɪ ˌpɪn] Sicherheitsnadel

safety precaution ['seɪftɪ prɪˌkɔːʃn] Sicherheitsvorkehrung

sag [sæg], **sagged, sagged 1.** (*Dach usw.*) sich senken **2.** (*Ärmel usw.*) (herab)hängen **3.** *übertragen* sinken, (*Interesse usw.*) nachlassen

Sagittarius [ˌsædʒɪ'teərɪəs] *Sternzeichen:* Schütze

said [sed] *2. und 3. Form von* → **say**[1]

sail[1] [seɪl] **1.** Segel; **set sail** *Schiff:* auslaufen (**for** nach) **2.** *Unternehmung:* Segelfahrt

sail[2] [seɪl] **1.** (*Schiff*) fahren, segeln (*auch übertragen*); **go sailing** segeln gehen **2.** durchsegeln, befahren (*Meer usw.*) **3.** segeln (*Boot*), steuern (*Schiff*) **4.** (*Schiff*) auslaufen (**for** nach) **5.** gleiten; **she sailed into the room** sie schwebte ins Zimmer; **sail through an examination** eine Prüfung spielend schaffen (△ *nicht* **durchsegeln**)

sailboat ['seɪlbəʊt] *AE* Segelboot

sailing ['seɪlɪŋ] Segeln, Segelsport

sailing boat ['seɪlɪŋ ˌbəʊt] *bes. BE* Segelboot

sailing ship ['seɪlɪŋ ˌʃɪp] Segelschiff

sailor ['seɪlə] Seemann, Matrose

saint [seɪnt] **1.** Heilige(r) **2.** (△ *vor Eigennamen* **Saint**, *Abk.* **St** [snt]) **St Andrew** der heilige Andreas

sake [seɪk] **for the sake of** um ... willen, ... zuliebe; **for your sake** dir zuliebe, deinetwegen; **for God's** (**goodness, heaven's**) **sake!** *umg.* um Gottes willen!

salad ['sæləd] Salat (△ *Kopfsalat = **lettuce**)

salad cream ['sæləd ˌkriːm] Salatmajonäse

salad dressing ['sæləd ˌdresɪŋ] Salatsoße

salami [sə'lɑːmɪ] Salami

salaried ['sælərɪd] **salaried employee** Gehaltsempfänger(in), Angestellte(r)

salary ['sælərɪ] (≈ *Verdienst*) Gehalt

sale [seɪl] **1.** Verkauf; **for sale** zu verkaufen; **not for sale** unverkäuflich; **be on sale** (*Ware*) verkauft werden, erhältlich sein, *auch:* reduziert sein; **put up for sale** zum Verkauf anbieten; **be up for sale** zum Verkauf stehen **2.** *im Laden:* Schlussverkauf **3.** Auktion, Versteigerung

saleable ['seɪləbl] *bes. BE* verkäuflich (*Waren*)

salesclerk ['seɪlzklɑːk] *AE* (Laden)Verkäufer(in)

sales conference ['seɪlzˌkɒnfrəns] Vertretertagung

sales figures ['seɪlzˌfɪgəz] *Pl.* Verkaufszahlen

salesgirl ['seɪlzgɜːl] *oft abwertend* (Laden)Verkäufer(in)

salesman ['seɪlzmən] *Pl.:* **salesmen** ['seɪlzmən] **1.** Verkäufer **2.** (Handels)Vertreter

sales rep ['seɪlz ˌrep], **sales representative** ['seɪlz ˌreprɪˌzentətɪv] Handelsvertreter(in)

sales slip ['seɪlz ˌslɪp] *AE* Kassenbeleg

saleswoman ['seɪlzˌwʊmən] *Pl.:* **sales-**

women ['seɪlzwɪmɪn] **1.** Verkäuferin **2.** (Handels)Vertreterin

saliva [△ səˈlaɪvə] Speichel

salmon [△ ˈsæmən] Lachs

salmonella [ˌsælməˈnelə] *Sg. Medizin*: Salmonellen *Pl.*; **salmonella poisoning** Salmonellenvergiftung, Salmonellose

salon [△ ˈsælɒn] (Friseur)Salon, (Schönheits)Salon

saloon [səˈluːn] **1.** *auch* **saloon car** *BE* Limousine **2.** *AE*; *Wilder Westen*: Saloon

salt¹ [sɔːlt] **1.** Salz **2.** *take something* **with a grain** (*oder* **pinch**) *of salt* übertragen etwas nicht für bare Münze nehmen

salt² [sɔːlt] **1.** salzen **2.** (mit Salz) streuen (*Straße usw.*)

salt cellar [ˈsɔːltˌselə] *BE* Salzstreuer

salt-free [ˈsɔltfriː] salzlos

salt shaker [ˈsɔːltˌʃeɪkə] *AE* Salzstreuer

salty [ˈsɔːltɪ] salzig

salutary [ˈsæljʊtərɪ] *Erfahrung usw.*: heilsam, lehrreich

salutation [ˌsæljuːˈteɪʃn] **1.** Begrüßung, Gruß **2.** Anrede (*im Brief*)

salute¹ [səˈluːt] **1.** *militärisch*: salutieren (vor) **2.** (be)grüßen

salute² [səˈluːt] **1.** *militärisch*: Ehrenbezeigung **2.** *militärisch*: Salut; *a 21-gun* **salute** 21 Salutschüsse

salvage [ˈsælvɪdʒ] bergen (**from** aus)

salvation [sælˈveɪʃn] **1.** Rettung **2.** *kirchlich*: (Seelen)Heil, Erlösung **3.** *Salvation* **Army** Heilsarmee

salvo [ˈsælvəʊ] *Pl.*: **salvos** *oder* **salvoes** *militärisch*: Salve (*auch übertragen*)

same [seɪm] **1.** *the same* derselbe, dieselbe, dasselbe, der *oder* die *oder* das Gleiche; *the film of the same name* der gleichnamige Film **2.** *amount* (*oder* **come**) *to the same thing* auf dasselbe hinauslaufen **3.** *all* (*oder* **just**) *the same* dennoch, trotzdem **4.** *it's all the same to me* es ist mir ganz egal **5.** **(the)** *same* **again** noch mal das Gleiche **6.** *same as* **usual** *umg.* so wie immer **7.** *we both get* **paid the same** wir bekommen beide gleich viel Geld

same-sex [ˌseɪmˈseks] *same-sex relationship* gleichgeschlechtliche Beziehung; *same-sex marriage oder union* gleichgeschlechtliche Ehe

sample¹ [ˈsɑːmpl] **1.** Muster, Probe (*auch Urinprobe*); *sample bottle* Probefläschchen **2.** Kostprobe (**of**; *dt. Genitiv*), übertragen (*typisches*) Beispiel (**of** für)

sample² [ˈsɑːmpl] kosten, probieren

sanatorium [ˌsænəˈtɔːrɪəm] *Pl.*: **sanatoriums** *oder* **sanatoria** [ˌsænəˈtɔːrɪə] Sanatorium

sanction [ˈsæŋkʃn] **1.** *sanctions* *Pl.*

Sanktionen; *take sanctions against* *oder* *impose sanctions on* Sanktionen verhängen über **2.** Billigung, Zustimmung

sanctuary [ˈsæŋktʃʊərɪ] **1.** Schutzgebiet (*für Tiere*) **2.** Zuflucht; *seek sanctuary* **with** Zuflucht suchen bei

sand [sænd] **1.** Sand **2.** *sands* *Pl.* Sand(fläche), Sandstrand

sandal [ˈsændl] Sandale

sandbank [ˈsændbæŋk] Sandbank

sandbox [ˈsændbɒks] *AE* Sandkasten

sandcastle [ˈsændˌkɑːsl] Sandburg

sand dune [ˈsænd djuːn] Sanddüne

sandman [ˈsændmæn] Sandmann

sandpaper [ˈsændˌpeɪpə] Sandpapier

sandpit [ˈsændpɪt] *bes. BE* Sandkasten

sandstorm [ˈsændstɔːm] Sandsturm

sandwich [△ ˈsænwɪdʒ] Sandwich

sandwiches

Sandwiches (entweder größere belegte Brötchen oder zwei Scheiben Brot mit Füllung) sind ein einfaches Essen zwischendurch. Häufig begegnet man z. B. dem **club sandwich** (zwei Schichten mit Salat, Speck und Hähnchenbruststreifen), dem **BLT** – **bacon lettuce and tomato** (Frühstücksspeck, Kopfsalat und Tomate) oder – etwas edler – **smoked salmon and cucumber** (Räucherlachs mit Salatgurkenscheiben).

sandy [ˈsændɪ] **1.** sandig, voller Sand; *sandy beach* Sandstrand **2.** *Haar*: rotblond

sane [seɪn] **1.** *Person*: geistig gesund, *im rechtlichen Sinn*: zurechnungsfähig **2.** *Lösung*: vernünftig

sang [sæŋ] **2.** *Form von → sing*

sanitarium [ˌsænəˈteərɪəm] *AE* ☞ *sanatorium*

sanitary [ˈsænətrɪ] hygienisch, Gesundheits...; *sanitary facilities* *Pl.* sanitäre Einrichtungen; *sanitary pad* (*BE auch* **sanitary towel**) (Damen)Binde

sanity [ˈsænətɪ] **1.** geistige Gesundheit, *im rechtlichen Sinn*: Zurechnungsfähigkeit **2.** *lose one's sanity* verrückt werden

sank [sæŋk] **2.** *Form von → sink¹*

Santa [ˈsæntə], **Santa Claus** [ˈsæntə klɔːz] der Weihnachtsmann, der Nikolaus; ☞ *Info S. 414*

sap¹ [sæp] **1.** *in Pflanzen*: Saft **2.** *umg.* Einfaltspinsel, Trottel

sap² [sæp] **1.** *körperlich*: schwächen **2.** *übertragen* schwächen, untergraben (*Zuversicht, Vertrauen usw.*)

S

Santa

In Großbritannien und in den USA kommt der Weihnachtsmann in der Nacht zum 25. Dezember, und zwar durch den Schornstein.

sapphire ['sæfaɪə] Saphir

sarcasm ['sɑːkæzm] Sarkasmus

sarcastic [sɑːˈkæstɪk] sarkastisch

sarcophagus [△ sɑːˈkɒfəgəs] *Pl.*: **sarcophagi** [△ sɑːˈkɒfəgaɪ] *oder* **sarcophaguses** Sarkophag

sardine [ˌsɑːˈdiːn] Sardine

SASE [ˌeseɪeˈiː] *AE* (*Abk. für* self addressed stamped envelope) frankierter Rückumschlag

sash window [ˌsæʃˈwɪndəʊ] Schiebefenster

sat [sæt] *2. und 3. Form von* → **sit**

Satan ['seɪtn] Satan

satchel ['sætʃl] (Schul)Ranzen

satellite ['sætəlaɪt] 1. Satellit; **satellite dish** Parabolantenne 2. *auch* **satellite state** Satellit(enstaat) 3. *auch* **satellite town** Satellitenstadt

satellite navigation system [ˌsætəlaɪt̚ˌnævɪˈgeɪʃn ˌsɪstəm] Satellitennavigationssystem

satellite TV [ˌsætəlaɪt̚tiːˈviː] Satellitenfernsehen

satin ['sætɪn] Satin

satire ['sætaɪə] Satire (**on** auf)

satirical [səˈtɪrɪkl] satirisch

satisfaction [ˌsætɪsˈfækʃn] 1. Befriedigung, Zufriedenstellung 2. **satisfaction** (**at, with**) Zufriedenheit (mit), Genugtuung (über); **to her** *usw.* **satisfaction** zu ihrer *usw.* Zufriedenheit

satisfactory [ˌsætɪsˈfæktərɪ] befriedigend, zufriedenstellend

satisfy ['sætɪsfaɪ] 1. **satisfy someone** jemanden zufriedenstellen; **be satisfied with** zufrieden sein mit 2. befriedigen (*Bedürfnisse, Neugier usw.*)

satisfying ['sætɪsfaɪɪŋ] 1. befriedigend, erfreulich 2. *Nahrung*: sättigend

saturate ['sætʃəreɪt] 1. (durch)tränken (**with** mit); **saturated with** (*oder* **in**) **blood** blutgetränkt 2. *Chemie* sättigen (*auch übertragen*)

saturation [ˌsætʃəˈreɪʃn] Sättigung; **saturation point** *Chemie*: Sättigungspunkt; **reach saturation point** *übertragen* seinen Sättigungsgrad erreichen

Saturday ['sætədeɪ] Sonnabend, Samstag; **on Saturday** (am) Sonnabend *oder* Samstag; **on Saturdays** sonnabends, samstags

sauce [sɔːs] Soße (△ *Bratensoße* = **gravy**)

saucepan ['sɔːspən] Kochtopf

saucer ['sɔːsə] Untertasse

saucy ['sɔːsɪ] *bes. BE; Bemerkung, Witz usw.*: schlüpfrig, anzüglich

Saudi Arabia [ˌsaʊdi̯əˈreɪbɪə] Saudi-Arabien

sauna ['sɔːnə] Sauna; **have a sauna** in die Sauna gehen

saunter ['sɔːntə] bummeln, schlendern

sausage ['sɒsɪdʒ] Wurst

savage[1] ['sævɪdʒ] 1. *Tier usw.*: wild 2. *abwertend* unzivilisiert 3. *Rache*: brutal

savage[2] ['sævɪdʒ] *abwertend* Wilde(r)

save [seɪv] 1. retten (**from** vor); **save someone's life** jemandem das Leben retten 2. *auch* **save up** sparen (*Geld*) (**for** für, auf) 3. sparen, einsparen (*Geld, Zeit usw.*) 4. aufheben, aufsparen (**for** für); **save something for someone** jemandem etwas aufheben; **save one's strength** seine Kräfte schonen 5. ersparen; **you can save your excuses** du kannst dir deine Ausreden sparen!; **save someone doing something** es jemandem ersparen, etwas zu tun 6. *Computer*: abspeichern, sichern (*Daten*) 7. **save one's skin** seine Haut retten

savings ['seɪvɪŋz] *Pl.* Ersparnisse; **savings account** Sparkonto; **savings and loan association** *AE* Bausparkasse; **savings bank** Sparkasse

saviour, *AE* **savior** ['seɪvjə] 1. Retter(in) 2. **the Saviour** *kirchlich*: der Heiland

savour, *AE* **savor** ['seɪvə] genießen; **savour the moment** den Augenblick genießen

savoury, *AE* **savory** ['seɪvərɪ] 1. *Geschmack, Duft*: lecker 2. (≈ *nicht süß*) herzhaft, pikant

saw[1] [sɔː] *2. Form von* → **see**

saw[2] [sɔː] Säge

saw[3] [sɔː] **sawed, sawn** [sɔːn] *oder bes. AE* **sawed** sägen

sawdust ['sɔːdʌst] Sägemehl

sawmill ['sɔːmɪl] Sägewerk

sawn [sɔːn] *3. Form von* → **saw**[3]

Saxon[1] ['sæksn] sächsisch

Saxon[2] ['sæksn] Sachse, Sächsin

Saxony ['sæksənɪ] Sachsen

Saxony-Anhalt [ˌsæksənɪˈɑːnhɑːlt] Sachsen-Anhalt

saxophone ['sæksəfəʊn] Saxophon

say[1] [seɪ], **said** [sed], **said** [sed] 1. *allg.*: sagen (**to** zu) 2. **I can't say** das kann ich nicht sagen; **he didn't say** er hats nicht gesagt 3. annehmen; (**let's**) **say this happens** angenommen, das geschieht; **if I save, say, £10 a month** wenn ich, sagen

wir mal, 10 Pfund im Monat spare **4.**
they say he's very rich *oder* **he's said**
to be very rich er soll sehr reich sein **5.**
say a prayer beten **6.** *Wendungen:* **you**
can say 'that again! das kannst du laut
sagen!; **you don't say!** was du nicht
sagst!; **it goes without saying** (**that** *...*)
es versteht sich von selbst (, dass ...); **to**
say nothing of ganz zu schweigen von;
that is to say *...* das heißt ...; **that's not**
to say that *...* das soll nicht bedeuten
oder heißen, dass ...; **to say the least**
um es milde ausgedrückt

say² [seɪ] **1.** Mitspracherecht (**in** bei) **2.**
have one's say seine Meinung äußern,
zu Wort kommen; **he's always got to**
have his say er muss immer seinen Senf
dazu geben!

saying ['seɪɪŋ] Sprichwort, Redensart; **as**
the saying goes wie man (so) sagt

scab [skæb] **1.** *Medizin:* Grind, Schorf **2.**
Tierkrankheit: Räude **3.** *abwertend*
Streikbrecher(in)

scabies ['skeɪbiːz] *Medizin:* Krätze

scaffold ['skæfəʊld] **1.** (Bau)Gerüst **2.**
Schafott

scaffolding ['skæfəʊldɪŋ] (Bau)Gerüst

scald [skɔːld] **1.** **scald oneself** sich ver-
brühen **2.** **scald one's fingers** *usw.* sich
die Finger verbrühen (**with** mit)

scale¹ [skeɪl] **1.** Skala, Gradeinteilung **2.**
Technik usw.: Maßstab **3.** **on a large**
scale in großem Umfang **4.** *Musik:* Ska-
la, Tonleiter **5.** *bes. AE* Waage

scale² [skeɪl] *von Fisch usw.:* Schuppe

scales [skeɪlz] *Pl., auch* **pair of scales**
Waage

scalp [skælp] **1.** Kopfhaut **2.** *als Trophäe:*
Skalp (*auch übertragen*)

scalpel ['skælpl] *Medizin:* Skalpell

scan [skæn], **scanned, scanned 1.** absu-
chen (**for** nach) **2.** *Radar:* abtasten **3.**
Computer: scannen, einscannen, einlesen
(*Grafik, Text*)

scandal ['skændl] **1.** Skandal **2.** (≈ *Skan-*
dalgeschichten) Klatsch

scandalize ['skændəlaɪz] **he was scandal-**
ized er war empört *oder* entrüstet (**by, at**
über; **to hear** als er hörte)

scandalmonger ['skændl,mʌŋɡə] Läster-
maul, Klatschmaul

scandalous ['skændələs] skandalös

Scandinavia [,skændɪ'neɪvɪə] Skandinavi-
en

Scandinavian¹ [,skændɪ'neɪvɪən] skandi-
navisch

Scandinavian² [,skændɪ'neɪvɪən] Skandi-
navier(in)

scanner ['skænə] *Computer:* Scanner

scant [skænt] dürftig, *Chance usw.:* ge-

ring

scanty ['skæntɪ] dürftig, *Kleidung:* knapp

scar [skɑː] Narbe

scarce [△ skeəs] **1.** *Ware:* knapp **2.** selten
3. **make oneself scarce** *umg.* sich aus
dem Staub machen

scarcely [△ 'skeəslɪ] kaum, schwerlich

scare¹ [skeə] **scare someone** jemanden
erschrecken; **be scared** Angst haben (**of**
vor); **be scared stiff** (*oder* **to death**) eine
Heidenangst haben

> **scare away** [,skeər_ə'weɪ] verjagen
> **scare off** [,skeər'ɒf] **1.** verjagen, ver-
> scheuchen **2.** **scare someone off** *über-*
> *tragen* jemanden abschrecken

scare² [skeə] **1.** Schreck(en) **2.** **bomb**
scare Bombenalarm

scarecrow ['skeəkrəʊ] Vogelscheuche

scaremonger ['skeə,mʌŋɡə] Panikma-
cher(in)

scaremongering ['skeə,mʌŋɡərɪŋ] Panik-
mache

scarf [skɑːf] *Pl.:* **scarfs** *oder* **scarves**
[skɑːvz] **1.** Schal **2.** *Tuch:* Halstuch **3.**
auch **headscarf** Kopftuch

scarlet ['skɑːlət] **1.** *Farbe:* scharlachrot **2.**
he went scarlet er wurde hochrot

scarlet fever [,skɑːlət'fiːvə] *Medizin:*
Scharlach

scarves [skɑːvz] *Pl. von* → **scarf**

scary ['skeərɪ] *umg.; Geschichte usw.:* un-
heimlich, gruselig

scathing ['skeɪðɪŋ] *Kritik usw.:* scharf,
vernichtend

scatter ['skætə] **1.** (*Menge*) sich zerstreu-
en, (*Vögel*) auseinanderstieben **2.** zer-
streuen (*Menge*), auseinanderscheuchen
(*Vögel*) **3.** *auch* **scatter about** *oder*
around verstreuen, ausstreuen

scatterbrain ['skætəbreɪn] *umg.* Schussel

scatterbrained ['skætəbreɪnd] *umg.*
schusselig, schusslig

scattered ['skætəd] **scattered showers**
vereinzelt Schauer

scavenger ['skævɪndʒə] *Tier:* Aasfresser

scenario [sə'nɑːrɪəʊ] *Film, Theater, TV:*
Szenario (*auch übertragen*)

scene [siːn] **1.** *allg.:* Szene; **change of**
scene Szenenwechsel, *übertragen* Tape-
tenwechsel **2.** *Theater usw.:* Kulisse **3.**
Theater, Roman usw.: Ort der Handlung
4. Schauplatz; **scene of the accident**
Unfallort; **be on the scene** zur Stelle
sein **5.** Szene, Anblick; **scene of de-**
struction Bild der Zerstörung **6.** **make a**
scene (jemandem) eine Szene machen
7. *umg.* ...szene; **drug scene** Drogensze-
ne **8.** **behind the scenes** hinter den Ku-

S

lissen **9. come on(to) the scene** auf der Bildfläche erscheinen

---

scene:
Tipps zur Aussprache

Keine große **scene**, aber ein total ungewohntes Hörerlebnis!

Szene = **scene**, Szenario = **scenario**, ist ja klar! Aber Schere = **scissors**?

Und jetzt die Aussprache:

scenario [sə'nɑːrɪəʊ], **scene** [siːn], **sceptre** oder **scepter** [beide: 'septə], **descend** [dɪ'send],

science ['saɪəns], **scientific** [ˌsaɪən'tɪf-ɪk], **scientist** ['saɪəntɪst], **scissors** ['sɪzəz]

sc- am Wortanfang, gefolgt von **e** oder **i**, sagt dir also, dass die beiden Buchstaben wie [s] gesprochen werden.

Aber keine Regel ohne Ausnahme:
sceptic ['skeptɪk], **sceptical** ['skeptɪkl], **scepticism** ['skeptɪsɪzm] wird mit [sk] gesprochen!

---

scenery ['siːnərɪ] **1.** Landschaft, Gegend **2.** Theater: Bühnenbild, Kulissen

scenic ['siːnɪk] Landschaft: malerisch

scent¹ [sent] **1.** Duft, Geruch **2.** bes. BE Parfüm

scent² [sent] wittern (auch übertragen)

scepter ['septə] AE Zepter; ☞ BE **sceptre**

sceptical [△ 'skeptɪkl] BE skeptisch; **be sceptical about** (oder **of**) **something** einer Sache skeptisch gegenüberstehen

sceptre ['septə] bes. BE Zepter

schedule¹ ['ʃedjuːl, AE 'skedʒuːl] **1.** Zeitplan, Programm **2.** Aufstellung, Verzeichnis **3.** bes. AE Fahrplan, Flugplan **4. three months ahead of schedule** drei Monate früher als vorgesehen; **be behind schedule** Verspätung haben, auch: im Verzug sein; **on schedule** (fahr)planmäßig, pünktlich

schedule² ['ʃedjuːl, AE 'skedʒuːl] ansetzen (Termin) (**for** auf, für); **scheduled departure** Flugzeug: planmäßiger Abflug; **scheduled flight** Linienflug

scheme¹ [skiːm] **1.** bes. BE (≈ Plan) Programm, Projekt **2.** für Klassifizierung: Schema, System **3.** im negativen Sinn: (schlauer) Plan, gegen eine Person: Intrige

scheme² [skiːm] einen Plan aushecken, gegen Person: intrigieren (**against** gegen)

schizophrenia [ˌskɪtsə'friːnɪə] Medizin: Schizophrenie, Bewusstseinsspaltung

schizophrenic¹ [ˌskɪtsə'frenɪk] Medizin: schizophren (auch übertragen: Situation usw.)

schizophrenic² [ˌskɪtsə'frenɪk] Medizin: Schizophrene(r)

schmaltz, schmalz [ʃmɔːlts] umg., abwertend Schmalz (bes. Musik)

schmaltzy ['ʃmɔːltsɪ] umg., abwertend schmalzig

schmooze [ʃmuːz] AE, umg. plaudern

schnapps [ʃnæps] Schnaps

schnitzel ['ʃnɪtsl] Wiener Schnitzel

scholar [△ 'skɒlə] **1.** Gelehrte(r) **2.** Schüler(in), Student(in); **she's an excellent scholar** sie ist eine ausgezeichnete Schülerin (oder Studentin) **3.** Stipendiat(in)

scholarly [△ 'skɒləlɪ] **1.** Person: gelehrt **2.** Zeitschrift usw.: wissenschaftlich

scholarship [△ 'skɒləʃɪp] **1.** an Universität: Stipendium **2.** Gelehrsamkeit

school¹ [skuːl] **1.** allg.: Schule; **at** (AE **in**) **school** auf oder in der Schule; **go to school** zur Schule gehen; **there's no school today** heute ist schulfrei; **school outing** BE Schulausflug **2.** AE Hochschule; **go to law** (bzw. **medical**) **school** Jura (bzw. Medizin) studieren **3.** an Universität: Fachbereich, Fakultät, im engeren Sinn: Institut **4. take someone to school** umg. es jemandem zeigen

school² [skuːl] Schwarm (Heringe usw.)

school age ['skuːl͜ eɪdʒ] schulpflichtiges Alter, Schulalter; **be of school age** schulpflichtig oder im schulpflichtigen Alter sein

school bag ['skuːl͜ bæg] Schultasche

schoolboy ['skuːlbɔɪ] Schüler

school bus ['skuːl͜ bʌs] Schulbus

schoolchild ['skuːl͜ tʃaɪld] Pl.: **schoolchildren** ['skuːlˌtʃɪldrən] Schulkind

school days ['skuːl͜ deɪz] Pl. Schulzeit

schoolgirl ['skuːlgɜːl] Schülerin

school-leaver [ˌskuːl'liːvə] BE Schulabgänger(in)

schoolmate ['skuːlmeɪt] Mitschüler(in)

school report ['skuːl͜ rɪˌpɔːt] BE Schulzeugnis

schoolteacher ['skuːlˌtiːtʃə] Lehrer(in)

schoolyard ['skuːljɑːd] Schulhof

science ['saɪəns] **1.** auch **natural science** Naturwissenschaft(en) **2.** übertragen Kunst, Lehre **3. domestic science** Hauswirtschaftslehre

science fiction [ˌsaɪəns'fɪkʃn] Sciencefiction

science park ['saɪəns͜ pɑːk] Technologiepark

scientific [,saɪən'tɪfɪk] **1.** *Forschung usw.*: (natur)wissenschaftlich **2.** *Vorgehenswei-se*: exakt

scientist ['saɪəntɪst] Naturwissenschaftler(in)

sci-fi [,saɪ'faɪ] *umg.* Sciencefiction

scissors [△ 'sɪzəz] *Pl.*, *auch* **pair of scissors** Schere; *the scissors* <u>are</u> *blunt* die Schere ist stumpf

scold [skəʊld] ausschelten (*for* wegen)

scolding ['skəʊldɪŋ] Schelte; *give someone a scolding* jemanden ausschelten

scone [skɒn, skəʊn] *kleiner runder Kuchen, der mit Butter gegessen wird*

scoop [sku:p] **1.** Schöpfkelle, Schaufel (*für Mehl usw.*) **2.** Portionierer (*für Eis*) **3.** Kugel (*Eis*) **4.** *Presse*: Exklusivmeldung

scoop out [,sku:p'aʊt] herausschöpfen, herausschaufeln (*of* aus)

scooter ['sku:tə] **1.** (Kinder)Roller, ⓒⒽ Trottinett **2.** (Motor)Roller

scope [skəʊp] **1.** Bereich; *be beyond the scope of* den Rahmen (+ *Genitiv*) sprengen **2.** (Spiel)Raum (*for* für)

scorch [skɔ:tʃ] versengen, verbrennen

scorcher ['skɔ:tʃə] *umg.* glühend heißer Tag

scorching ['skɔ:tʃɪŋ] *umg.* glühend heiß

score[1] [skɔ:] **1.** (Spiel)Stand, (Spiel)Ergebnis; *what's the score?* wie stehts?; *what was the final score?* wie ging das Spiel aus?; *half-time scores* Halbzeitergebnisse **2.** *Musik*: Partitur, Musik (*zu einem Film usw.*) **3.** *on that score* in dieser Hinsicht **4.** *have a score to settle with someone* mit jemandem ein Hühnchen zu rupfen haben; *settle old scores* eine alte Rechnung begleichen; ☞ *scores*

score[2] [skɔ:] **1.** *Sport*: einen Treffer erzielen, ein Tor schießen **2.** *Sport*: erzielen (*Treffer*), schießen (*Tor*); *score a goal* ein Tor schießen **3.** Erfolg haben (*with* mit)

scoreboard ['skɔ:bɔ:d] *Sport*: Anzeigetafel

scorer ['skɔ:rə] *Sport*: Torschütze

scores [skɔ:z] *Pl.* *scores of* viele

scorn [skɔ:n] Verachtung (*for* für)

scornful ['skɔ:nfl] verächtlich

Scorpio ['skɔ:pɪəʊ] *Sternzeichen*: Skorpion

scorpion ['skɔ:pɪən] *Tier*: Skorpion

Scot [skɒt] Schotte, Schottin

Scotch[1] [skɒtʃ] schottisch (*Whisky usw.*) (△ *nicht in Bezug auf Personen*)

Scotch[2] [skɒtʃ] (schottischer) Whisky

Scotch, Scots oder Scottish?

Scots bezeichnet in erster Linie die Leute und ihre Sprache:
the Scots language, the Scots people

Scottish bezieht sich hauptsächlich auf Land und Leute sowie deren Traditionen und Produkte:

the Scottish Highlands, the Scottish New Year, Scottish woollens (Wollsachen), **Scottish history**

Scotch wird nur in Zusammenhang mit bestimmten traditionellen Produkten verwendet und gilt ansonsten als altmodisch und sogar beleidigend:

Scotch whisky, Scotch beef, Scotch broth (*dicke Suppe aus Hammelfleisch- oder Rinderbrühe, Gemüse und Gerstengraupen*), **Scotch egg** (*hart gekochtes Ei in paniertem Wurstbrät*), **Scotch terrier**.

Von allen drei Adjektiven wird **Scottish** am häufigsten verwendet.

Scotch tape® [,skɒtʃ'teɪp] *AE, etwa*: Tesafilm®, (durchsichtiges) Klebeband

scotch-tape [,skɒtʃ'teɪp] *AE* mit Klebeband zusammenkleben

scot-free [,skɒt'fri:] *get off scot-free* ungeschoren davonkommen

Scotland ['skɒtlənd] Schottland; ☞ *Karte S. 293*

Scots [skɒts] schottisch; *the Scots* die Schotten

Scotsman ['skɒtsmən] *Pl.*: **Scotsmen** ['skɒtsmən] Schotte

Scotswoman ['skɒts,wʊmən] *Pl.*: **Scotswomen** ['skɒts,wɪmɪn] Schottin

Scottish ['skɒtɪʃ] schottisch; *the Scottish* die Schotten

The Scottish Executive

S

The Scottish Executive (die schottische Exekutive) ist die im Rahmen der britischen Dezentralisierungspolitik entstandene Regionalregierung für Schottland. Sie hat für bestimmte Bereiche die politische Entscheidungskompetenz, z. B. für Bildungs-, Familien- und Gesundheitspolitik, Kommunalverwaltung, Landwirtschaft sowie Justiz. Die schottische Exekutive wurde als Resultat eines Referendums (1997) und eines nachfolgenden Gesetzes (**Scotland Act** 1998) im Jahre 1999 etabliert. Sie wird von einem **First Minister** geführt, der die anderen Minister ernennt und der dem schottischen Parlament verantwortlich ist.

scoundrel ['skaʊndrəl] Schurke, Schuft

scour[1] ['skaʊə] absuchen (*Gegend usw.*) (**for** nach)

scour[2] ['skaʊə] scheuern, ⓐ fegen (*Topf usw.*)

scout [skaʊt] **1.** *oft* **boy scout** Pfadfinder; **girl scout** *AE* Pfadfinderin **2.** *militärisch*: Späher **3.** (**talent**) **scout** Talentsucher

scowl [skaʊl] ein böses Gesicht machen

scram [skræm] *umg.*; *mst.* **scram!** hau(t) ab!, verschwinde(t)!, zieh(t) Leine!

scramble[1] ['skræmbl] **1.** klettern **2.** drängen (nach), sich drängeln (*um einen Platz, um Jobs usw.*)

scramble[2] ['skræmbl] Gedrängel

scrambled eggs [ˌskræmbld'egz] *Pl.* Rührei(er)

scrap[1] [skræp] **1.** Stückchen, Fetzen **2.** **scraps** *Pl.* (Speise)Reste **3.** *auch* **scrap metal** Schrott; **it was sold for scrap** es wurde verschrottet

scrap[2] [skræp], **scrapped, scrapped 1.** ausrangieren (*Unbrauchbares*) **2.** aufgeben (*Plan usw.*) **3.** verschrotten (*Auto usw.*)

scrap[3] [skræp] *umg.* Streiterei, Balgerei

scrap[4] [skræp], **scrapped, scrapped** *umg.* sich streiten, sich balgen

scrapbook ['skræpbʊk] Sammelalbum

scrape[1] [skreɪp] **1.** (ab)kratzen, (ab)schaben (**from** von) **2.** sich aufschürfen (*Knie usw.*) (**on** auf) **3.** scheuern (**against** an) **4.** ankratzen (*Auto usw.*) **5.** **scrape a living** *übertragen* sich gerade so über Wasser halten

scrape by [ˌskreɪp'baɪ] *übertragen* über die Runden kommen (**on** mit)
scrape off [ˌskreɪp'ɒf] abkratzen (von)
scrape through [ˌskreɪp'θruː] **scrape through an examination** mit Ach und Krach durch eine Prüfung kommen
scrape together [ˌskreɪp_tə'geðə] zusammenkratzen (*Geld*)

scrape[2] [skreɪp] *umg.* **get into a scrape** in Schwulitäten kommen

scrapheap ['skræphiːp] Schrotthaufen; **be on the scrapheap** *übertragen* zum alten Eisen gehören

scrap paper ['skræpˌpeɪpə] *bes. BE* Schmierpapier

scrap value ['skræpˌvæljuː] Schrottwert

scrapyard ['skræpjɑːd] Schrottplatz

scratch[1] [skrætʃ] **1.** (zer)kratzen, ankratzen (*Wagen usw.*) **2.** kratzen (**at** an) **3.** (sich) kratzen; **scratch one's head** *usw.* sich am Kopf *usw.* kratzen **4.** *Rap-, Hip-Hop*: scratchen

scratch[2] [skrætʃ] **1.** Kratzer, Schramme **2.** **start from scratch** ganz von vorn anfangen

scratchcard ['skrætʃkɑːd] Rubbellos

scratch paper ['skrætʃˌpeɪpər] *AE* Schmierpapier

scratchy ['skrætʃɪ] *Pullover usw.*: kratzig

scrawl[1] ['skrɔːl] (hin)kritzeln

scrawl[2] [skrɔːl] **1.** Gekritzel **2.** *Handschrift*: Klaue

scrawny ['skrɔːnɪ] *Mensch*: dürr

scream[1] [skriːm] schreien (**with** vor)

scream[2] [skriːm] **1.** Schrei **2.** **it's a scream** *umg.* das ist zum Schreien (komisch)

screech [skriːtʃ] **1.** kreischen (*auch Bremsen*) **2.** **screech to a halt** (*Auto usw.*) quietschend zum Stehen kommen

screen[1] [skriːn] **1.** *TV usw.*: (Bild)Schirm; **screen saver** *Computer*: Bildschirmschoner **2.** *Film*: Leinwand, *auch übertragen* Kino **3.** Wandschirm

screen[2] [skriːn] **1.** abschirmen, schützen **2.** zeigen (*Film*), senden (*Programm*) **3.** **screen someone** *übertragen* jemanden überprüfen, *medizinisch*: jemanden untersuchen

screenager ['skriːneɪdʒə] *umg.* Computerfreak, Internetfreak

screenplay ['skriːnpleɪ] *Film, TV*: Drehbuch

screensaver ['skriːnˌseɪvə] *Computer*: Bildschirmschoner

screenwriter ['skriːnˌraɪtə] *Film, TV*: Drehbuchautor(in)

screw[1] [skruː] **1.** Schraube **2.** **he's got a 'screw loose** *umg.* bei ihm ist eine Schraube locker

screw[2] [skruː] **1.** (an)schrauben (**to** an) **2.** **screw something out of someone** etwas aus jemandem herauspressen **3.** *vulgär* bumsen

screw together [ˌskruː_tə'geðə] zusammenschrauben
screw up [ˌskruː'ʌp] **1.** zusammenkneifen (*Augen*), verziehen (*Gesicht*) **2.** zusammenknüllen (*Papier*) **3.** *umg.* vermasseln (*Plan usw.*)

screwball ['skruːbɔːl] *bes. AE, umg.* Spinner(in)

screwdriver ['skruːˌdraɪvə] Schraubenzieher

screw top [ˌskruː'tɒp] Schraubverschluss

screwy ['skruːɪ] *umg.* verrückt

scribble[1] ['skrɪbl] (hin)kritzeln

scribble[2] ['skrɪbl] Gekritzel

script [skrɪpt] **1.** *Film*, *TV*: Drehbuch, *Theater*: Text **2.** Manuskript (*einer Rede usw.*) **3.** *Arabic usw.* **script** arabische *usw.* Schrift

Scripture ['skrɪptʃə] *auch the* (*Holy*) *Scriptures Pl.* die (Heilige) Schrift

scroll [skrəʊl] *Computer*: scrollen, blättern (*am Bildschirm*)

---

scroll down [ˌskrəʊl'daʊn] *Computer*: nach unten scrollen

scroll up [ˌskrəʊl'ʌp] *Computer*: nach oben scrollen

---

scrooge [skruːdʒ] Geizhals

scrounge [skraʊndʒ] *umg.* schnorren (*off* von, bei)

scrub[1] [skrʌb] **1.** schrubben, scheuern, ⓖ fegen (*Boden usw.*) **2.** *umg.* streichen (*Plan usw.*)

scrub[2] [skrʌb] Gebüsch, Gestrüpp

scrubber ['skrʌbə] **1.** Scheuerbürste, Schrubber **2.** *BE*, *umg.* Flittchen

scruff [skrʌf] *grab someone by the scruff of the neck* jemanden am Genick packen

scruffy ['skrʌfɪ] *umg.* schmudd(e)lig, vergammelt

scrunch [skrʌntʃ] **1.** *auch scrunch up* zusammenknüllen (*Papier*) **2.** (*Schnee, Kies*) knirschen

scruple ['skruːpl] Skrupel; *have no scruples about doing something* keine Skrupel haben, etwas zu tun

scrutinize ['skruːtɪnaɪz] genau prüfen

scuba diving ['skuːbəˌdaɪvɪŋ] (Sport)Tauchen

scuffle[1] ['skʌfl] (sich) raufen (*for* um)

scuffle[2] ['skʌfl] Rauferei, Handgemenge

sculptor ['skʌlptə] Bildhauer(in)

sculpture ['skʌlptʃə] **1.** Skulptur, Plastik **2.** *Kunstform*: Bildhauerei

scum [skʌm] **1.** Schaum **2.** *übertragen, abwertend* Abschaum

scurry ['skʌrɪ] (*Maus usw.*) huschen

sea [siː] **1.** Meer (*auch übertragen*), *die* See (△ *der* See = *lake*); *at sea* auf See; *by sea* auf dem Seeweg; *by the sea* am Meer; *go to sea* zur See gehen **2.** *be all at sea übertragen* völlig ratlos sein

sea animal ['siːˌænɪml] Meerestier

sea bed ['siːˌbed] Meeresboden

seabird ['siːbɜːd] Seevogel

seafood ['siːfuːd] Meeresfrüchte *Pl.*

seafront ['siːfrʌnt] Strandpromenade, Uferpromenade

seagoing ['siːˌgəʊɪŋ] *Yacht usw.*: hochseetüchtig, Hochsee…

seagull ['siːgʌl] Seemöwe

seahorse ['siːhɔːs] Seepferdchen

seal[1] [siːl] Seehund, Robbe

seal[2] [siːl] **1.** *auf Dokument, Urkunde*: Siegel **2.** Versiegelung, *aus Metall*: Plombe

seal[3] [siːl] **1.** versiegeln **2.** zukleben (*Briefumschlag*) **3.** übertragen besiegeln (*Abkommen usw.*)

sea level ['siːˌlevl] Meeresspiegel; *above sea level* über dem Meeresspiegel

sea lion ['siːˌlaɪən] Seelöwe

seam [siːm] Naht

seaman ['siːmən] *Pl.*: *seamen* ['siːmən] Seemann

sea mile ['siːˌmaɪl] Seemeile

seaplane ['siːpleɪn] Wasserflugzeug

seaport ['siːpɔːt] Seehafen, Hafenstadt

sea power ['siːˌpaʊə] *Staat*: Seemacht

search[1] [sɜːtʃ] **1.** suchen (*for* nach) **2.** *search someone oder something* jemanden *oder* etwas durchsuchen (*for* nach) **3.** *search 'me! umg.* keine Ahnung!

---

search through ['sɜːtʃ_θruː] durchsuchen

---

search[2] [sɜːtʃ] **1.** Suche (*for* nach); *in search of* auf der Suche nach **2.** Durchsuchung (*durch die Polizei*)

search engine ['sɜːtʃˌendʒɪn] *Computer*: Suchmaschine

search function ['sɜːtʃˌfʌŋkʃn] *Computer*: Suchfunktion

search party ['sɜːtʃˌpɑːtɪ] Suchmannschaft, Suchtrupp

search warrant ['sɜːtʃˌwɒrənt] Durchsuchungsbefehl

searing ['sɪərɪŋ] *Hitze*: glühend, *Schmerz*: scharf

seashell ['siːʃel] Muschel(schale)

seashore ['siːʃɔː] Strand

seasick ['siːsɪk] seekrank

seasickness ['siːsɪknəs] Seekrankheit

seaside ['siːsaɪd] *at oder by the seaside* am Meer; *go to the seaside* ans Meer fahren; *seaside resort* Seebad

season[1] ['siːzn] **1.** Jahreszeit **2.** Saison, …zeit; *holiday season* Urlaubszeit **3.** *cherries usw. are in season* jetzt ist Kirschenzeit *usw.* **4.** *Season's Greetings! auf Karte*: Frohe Weihnachten!

season[2] ['siːzn] würzen (*Speise*)

seasonal ['siːznəl] saisonbedingt, Saison…

seasoning ['siːznɪŋ] Gewürz

season ticket ['siːznˌtɪkɪt] **1.** *Bahn usw.*:

S

Zeitkarte **2.** *Theater*: Abonnement **3.** *Sport*: Jahreskarte

seat[1] [si:t] **1.** Sitz(gelegenheit), (Sitz)-Platz; *take a seat* Platz nehmen; *take one's seat* seinen Platz einnehmen; *back seat* Rücksitz; *front seat* Vordersitz **2.** Sitz(fläche) (*eines Stuhls usw.*) **3.** Hosenboden, Hinterteil **4.** Sitz (*einer Regierung usw.*)

seat[2] [si:t] **1.** *be seated* sitzen; *please be seated* bitte nehmen Sie Platz; *remain seated* sitzen bleiben **2.** *the hall seats 500* der Saal hat 500 Sitzplätze

seat belt ['si:t‿belt] *Auto usw.*: Sicherheitsgurt; *fasten one's seat belt* sich anschnallen; *be wearing a seat belt* angegurtet sein

seating ['si:tɪŋ] Sitzgelegenheit, Sitzgelegenheiten *Pl.*; *a seating capacity of 20 000* 20 000 Sitzplätze

sea urchin ['si:‿ɜːt‿ʃɪn] Seeigel

seaweed ['si:wi:d] (See)Tang

seaworthy ['si:ˌwɜːðɪ] *Boot, Schiff*: seetüchtig

sec [sek] *umg.* Augenblick, Sekunde; *just a sec* Augenblick mal, bitte

seclude [sɪ'klu:d] (sich) absondern

secluded [sɪ'klu:dɪd] **1.** *Leben usw.*: zurückgezogen **2.** *Haus, Ortschaft usw.*: abgelegen

seclusion [sɪ'klu:ʃn] Abgeschiedenheit; *live in seclusion* zurückgezogen leben

second[1] ['sekənd] **1.** zweite(r, -s); *second hand* aus zweiter Hand; *a second time* noch einmal; *every second day* jeden zweiten Tag, alle zwei Tage **2.** *be second to none* unerreicht sein (*as* als) **3.** *she finished second* sie kam als Zweite ins Ziel

second[2] ['sekənd] *der, die, das* Zweite; *the second of May* der 2. Mai

second[3] ['sekənd] **1.** Sekunde (*auch Mathematik, Musik*) **2.** *übertragen* Augenblick, Sekunde; *just a second* Augenblick(, bitte)!; *I won't be a second* ich komme gleich (wieder); *have you got a second?* hast du einen Moment Zeit (für mich)?

secondary ['sekəndərɪ] **1.** zweitrangig, nebensächlich **2.** *Schule usw.*: höhere(r, -s)

secondary school ['sekəndərɪ‿sku:l] weiterführende Schule (*z.B. Gesamtschule*)

second best [ˌsekənd'best] zweitbeste(r, -s); *come off second best* den Kürzeren ziehen

second class [ˌsekənd'klɑːs] *Bahn usw.*: zweite(r) Klasse

second-class [ˌsekənd'klɑːs] **1.** zweit-

klassig **2.** *Bahn, Post, Briefmarke usw.*: zweiter Klasse; *a second-class return to Brighton* BE eine Rückfahrkarte zweiter Klasse nach Brighton

second-hand [ˌsekənd'hænd] **1.** *Nachricht usw.*: aus zweiter Hand **2.** *Ware*: gebraucht, Gebraucht...

second hand ['sekənd‿hænd] Sekundenzeiger (*der Uhr*)

secondly ['sekəndlɪ] zweitens

second-rate [ˌsekənd'reɪt] zweitklassig

secrecy ['si:krəsɪ] **1.** *als Wesenszug*: Verschwiegenheit **2.** Geheimhaltung (*eines Projekts usw.*)

secret[1] ['si:krət] Geheimnis; *make no secret of* kein Geheimnis machen aus; *in secret* heimlich, im Geheimen

secret[2] ['si:krət] **1.** geheim, Geheim...; *keep something secret* etwas geheim halten (*from* vor); *secret agent* Geheimagent(in); *secret service* Geheimdienst **2.** *Bewunderer*: heimlich

secretary ['sekrətrɪ] **1.** Sekretär(in) (*to*; *dt. Genitiv*) **2.** *Politik*: Minister(in); *Secretary of State* BE Minister(in), AE Außenminister(in)

secretary general [ˌsekrətrɪ'dʒenrəl] *von Partei usw.*: Generalsekretär

secrete [sɪ'kri:t] (*Zelle, Drüse, Organ*) absondern (*Flüssigkeit*)

secretion [sɪ'kri:ʃn] Absonderung, Sekret

secretive ['si:krətɪv] heimlichtuerisch; *be secretive about something* mit etwas geheimnisvoll tun

secretly ['si:krətlɪ] heimlich, im Geheimen

sect [sekt] Sekte

section ['sekʃn] **1.** *allg.*: Teil **2.** Abschnitt (*eines Buchs usw.*) **3.** *Rechtswesen*: Paragraph **4.** *Institution usw.*: Abteilung **5.** *Mathematik usw.*: Schnitt; *in section* im Schnitt

sector ['sektə] *allg.*: Sektor, Bereich

secular ['sekjʊlə] weltlich, profan

secure[1] [sɪ'kjʊə] *allg.*: sicher (*against, from* vor); *feel secure* sich sicher fühlen

secure[2] [sɪ'kjʊə] **1.** fest verschließen, sichern (*Tür usw.*) **2.** sichern (*against, from* vor) **3.** *secure something* sich etwas sichern, etwas erreichen

security [sɪ'kjʊərətɪ] **1.** *allg.*: Sicherheit; *Security Council* Sicherheitsrat (*der UNO*) **2.** Sicherheitsdienst **3.** *securities Pl. Wirtschaft*: Wertpapiere

sedan [△ sɪ'dæn] *bes. AE* Limousine

sedate[1] [sɪ'deɪt] ruhig, gelassen; *Tempo*: gemütlich

sedate[2] [sɪ'deɪt] *Medizin*: sedieren, ein Beruhigungsmittel geben

sedation [sɪ'deɪʃn] *be under sedation*

unter dem Einfluss von Beruhigungsmitteln stehen; **put under sedation** sedieren, ein Beruhigungsmittel geben

sedative[1] ['sedətɪv] Beruhigungsmittel

sedative[2] ['sedətɪv] beruhigend

sediment ['sedɪmənt] Ablagerung, Bodensatz, Sediment

seduce [sɪ'djuːs] verführen

seduction [sɪ'dʌkʃn] Verführung

see [siː], **saw** [sɔː], **seen** [siːn] **1.** sehen; *I saw him come* (*oder* **coming**) ich sah ihn kommen **2.** *gedanklich*: sich vorstellen; *I can't see him as a doctor* ich kann ihn mir nicht als Arzt vorstellen **3.** ersehen, entnehmen (*from the newspaper* aus der Zeitung) **4.** verstehen; *I see* (ich) verstehe!, ach so!; *you see* weißt du; (*do you*) *see what I mean?* verstehst du, was ich meine? **5.** sehen, verstehen (*Problem usw.*); *as I see it* wie ich es sehe **6.** *see someone* jemanden besuchen *oder* sprechen (*on business* geschäftlich); *go bzw.* **come to see someone** jemanden besuchen (gehen *bzw.* kommen) **7.** aufsuchen (*Anwalt usw.*); *I've got to see a doctor* ich muss zum Arzt gehen **8.** (*go and*) *see* (≈ *überprüfen*) nachsehen **9.** *see someone* (*Chef, Arzt usw.*) jemanden empfangen; *the boss wouldn't see me* der Chef wollte mich einfach nicht empfangen **10.** *see someone to the station* jemanden zum Bahnhof bringen **11.** (*now*) *let me see* warte mal!, lass mich überlegen!; *we'll see* mal sehen; *you'll see* du wirst schon sehen **12.** *see you!* bis dann! (*als Abschiedsgruß*), tschüs!, *bes.* Ⓐ servus!

---

see about ['siː_ə,baʊt] *we'll see about 'that!* *umg.* das wollen wir mal sehen!; *I'll see about it* ich werde mich darum kümmern

see off [,siː'ɒf] **1.** *see someone off* jemanden verabschieden (*at the station* am Bahnhof) **2.** verjagen, verscheuchen

see out [,siː'aʊt] *see someone out* jemanden hinausbegleiten

see through [,siː'θruː] **1.** durchschauen (*Lüge, Lügner usw.*) **2.** *see someone through a hard time* jemandem über eine schwere Zeit hinweghelfen

see to ['siː_tʊ] *see to it that* dafür sorgen, dass

---

seed[1] [siːd] **1.** *Pflanze*: Same(n), *Landwirtschaft*: Saat(gut) **2.** *Obst*: Kern **3.** *Sport*: *number two usw.* **seed** Zweitplatzierte(r) *usw.*

seed[2] [siːd] *Sport*: platzieren; *be seeded*

number three usw. als Dritte(r) *usw.* platziert (*oder* gesetzt) sein, in der Rangfolge Platz 3 *usw.* einnehmen

seedless ['siːdləs] *Mandarinen, Trauben usw.*: kernlos

seedy ['siːdɪ] *Haus, Hotel usw.*: vergammelt, schäbig

seeing ['siːɪŋ] *auch* **seeing that** da

seek [siːk], **sought** [sɔːt], **sought** [sɔːt] **1.** suchen (*Wahrheit usw.*) **2.** streben nach

seem [siːm] **1.** scheinen; *that doesn't seem possible* das (er)scheint mir unmöglich **2.** *it seems that* anscheinend, es scheint, dass; *it seems as if* es sieht so aus, als ob

seeming ['siːmɪŋ] scheinbar

seemingly ['siːmɪŋlɪ] **1.** scheinbar; *a seemingly trivial remark* eine scheinbar beiläufige Bemerkung **2.** anscheinend **3.** *a seemingly endless stream of traffic* eine nicht enden wollende Autokolonne

seen [siːn] *3. Form von* → **see**

seep [siːp] (*Wasser usw.*) sickern

seesaw ['siːsɔː] Wippe, Wippschaukel

seethe [siːð] *he was seething with rage* er brodelte *oder* schäumte vor Wut

see-through ['siːθruː] *Kleidung*: durchsichtig

segment[1] ['segmənt] **1.** Teil, Stück **2.** *Biologie, Mathematik usw.*: Segment

segment[2] [seg'ment] zerlegen, zerteilen

segregate ['segrɪgeɪt] trennen (*nach Rassen, Geschlechtern usw.*)

segregation [,segrɪ'geɪʃn] Trennung; *racial segregation* Rassentrennung

seismic ['saɪzmɪk] **1.** seismisch, Erdbeben… **2.** *umg.*, *übertragen* drastisch, dramatisch

seismograph ['saɪzməgrɑːf] *Gerät*: Seismograph, Erdbebenmesser

seismologist [saɪz'mɒlədʒɪst] *Person*: Seismologe, Seismologin

seismology [saɪz'mɒlədʒɪ] *Wissenschaft*: Seismologie, Seismik, Erdbebenkunde

seize [siːz] **1.** packen, ergreifen (*by* an) **2.** *übertragen* ergreifen (*Gelegenheit, Macht*) **3.** (*Polizei*) beschlagnahmen (*Drogen usw.*)

seizure ['siːʒə] **1.** *von Beweisstücken, Vermögen usw.*: Beschlagnahme **2.** *von Macht, Kontrolle usw.*: Ergreifung **3.** *Medizin*: Anfall

seldom ['seldəm] selten

select[1] [sə'lekt] (aus)wählen (*from* aus)

select[2] [sə'lekt] ausgewählt, exklusiv

selection [sə'lekʃn] Auswahl (*of* an)

self [self] *Pl.*: **selves** [selvz] Ich, Selbst; *he's back to his old self* er ist wieder der Alte

self-absorbed [,selfəb'zɔːbd] mit sich

selbst beschäftigt

self-addressed [ˌselfə'drest] **self-ad-dressed envelope** Rückumschlag; ☞ **SAE, SASE**

self-adhesive [ˌselfəd'hiːsɪv] selbstklebend

self-appointed [ˌselfə'pɔɪntɪd] *abwertend* selbsternannt

self-assured [ˌselfə'ʃɔːd] selbstbewusst, selbstsicher

self-catering[1] [ˌself'keɪtərɪŋ] *BE Urlaub, Unterkunft usw.*: für Selbstversorger, mit Selbstverpflegung

self-catering[2] [ˌself'keɪtərɪŋ] *BE im Urlaub, Unterkunft usw.*: Selbstverpflegung

self-centred *BE*, **self-centered** *AE* [ˌself'sentəd] egozentrisch, ichbezogen

self-confidence [ˌself'kɒnfɪdəns] Selbstbewusstsein, Selbstvertrauen

self-confident [ˌself'kɒnfɪdənt] selbstbewusst

self-conscious [ˌself'kɒnʃəs] befangen, gehemmt (△ *selbstbewusst* = **self-confident**)

self-control [ˌselfkən'trəʊl] Selbstbeherrschung

self-defence, *AE* **self-defense** [ˌself-dɪ'fens] **1.** Selbstverteidigung **2.** *Recht*: Notwehr; **she acted in self-defence** sie handelte in Notwehr

self-employed [ˌselfɪm'plɔɪd] *beruflich*: selbstständig

self-evident [ˌself'evɪdənt] **1.** selbstverständlich; **it's self-evident** das versteht sich von selbst **2.** *Tatsache usw.*: offensichtlich

self-explanatory [ˌselfɪk'splænətrɪ] ohne Erläuterung verständlich, für sich selbst sprechend

self-help group [ˌself'help ˌgruːp] Selbsthilfegruppe

selfish ['selfɪʃ] selbstsüchtig, egoistisch

selfless ['selfləs] selbstlos

self-pity [ˌself'pɪtɪ] Selbstmitleid

self-reliant [ˌselfrɪ'laɪənt] selbstständig

self-respect [ˌselfrɪ'spekt] Selbstachtung

self-satisfied [ˌself'sætɪsfaɪd] selbstzufrieden

self-service [ˌself'sɜːvɪs] **1.** Selbstbedienung **2.** **self-service restaurant** Selbstbedienungsrestaurant

sell [sel], **sold** [səʊld], **sold** [səʊld] **1.** verkaufen (**to** an; **for** für) **2.** führen (*Ware*); **do you sell paint?** führen Sie auch Farbe? **3.** **this stereo sells at £399** diese Stereoanlage kostet 399 Pfund **4.** **these boots are selling well** diese Stiefel verkaufen sich gut **5.** **be sold on something** *Person*: von etwas begeistert sein

sell out [ˌsel'aʊt] **be sold out** *Ware*: ausverkauft sein (*auch Konzert usw.*); **we're sold out of umbrellas** im *Geschäft*: Schirme sind ausverkauft

sell-out ['selaʊt] **the concert was a sell-out** das Konzert war total ausverkauft

sell-by date ['selbaɪ ˌdeɪt] Mindesthaltbarkeitsdatum

seller ['selə] **1.** Verkäufer(in) **2.** **be a good seller** *Ware*: sich gut verkaufen

Sellotape® ['seləteɪp] *BE, etwa*: Tesafilm®, (durchsichtiges) Klebeband

selves [selvz] *Pl. von* → **self**

semen ['siːmən] Samen, Sperma

semester [sə'mestə] *Universität*: Semester

semi... ['semɪ] halb…, Halb…

semi ['semɪ] **1.** *umg., BE* Doppelhaushälfte **2.** *AE* Sattelschlepper; *BE* → **articulated lorry**

semicircle ['semɪˌsɜːkl] Halbkreis

semicolon [ˌsemɪ'kəʊlən] Semikolon, Strichpunkt

semi-detached [ˌsemɪdɪ'tætʃt] **semi-detached house** Doppelhaushälfte

semifinal [ˌsemɪ'faɪnl] *Sport*: Semifinale, Halbfinale

seminar ['semɪnɑː] *Universität*: Seminar

semi-skilled [ˌsemɪ'skɪld] *Arbeiter(in)*: angelernt

senate ['senət] Senat

senator ['senətə] Senator(in)

send [send], **sent** [sent], **sent** [sent] **1.** senden, schicken (*Gegenstände, Grüße usw.*) (**to someone** jemandem, an jemanden) **2.** schicken (*Person*) (**to bed** ins Bett) **3.** versenden (*Ware usw.*) (**to** an) **4.** **she sent him packing** übertragen, *umg.* sie hat ihm den Laufpass gegeben

send away [ˌsend ə'weɪ] **1.** wegschicken, fortschicken (*Person*) **2.** **send away for something** etwas anfordern *oder* bestellen

send back [ˌsend'bæk] zurückschicken (*Ware usw., auch Person*)

send for ['send ˌfɔː] **1.** **send for someone** jemanden holen lassen **2.** **send for something** sich etwas kommen lassen

send in [ˌsend'ɪn] einsenden, einreichen

send off [ˌsend'ɒf] **1.** fortschicken **2.** absenden (*Brief*) **3.** *BE; Sport*: vom Platz stellen (*Spieler*) **4.** **send off for something** etwas anfordern *oder* bestellen

send on [ˌsend'ɒn] **1.** vorausschicken (*Gepäck usw.*) **2.** nachschicken, nachsenden (**to** an *e-e Adresse*) (*Brief usw.*)

send out [ˌsend'aʊt] **1.** hinausschicken **2.** verschicken (*Einladungen usw.*) **3.**

send out for something etwas holen lassen
send up [ˌsendˈʌp] **1.** hinaufschicken **2.** *BE, umg.* parodieren, verulken

sender ['sendə] Absender(in)
senile ['siːnaɪl] senil
senior[1] ['siːnɪə] **1.** älter (**to** als); **senior citizens** Senioren **2.** dienstälter, ranghöher (**to** als) **3. senior high** (**school**) *AE* die oberen Klassen der High School
senior[2] ['siːnɪə] **1. he's two years my senior** er ist zwei Jahre älter als ich **2.** *AE* Student(in) *oder* Schüler(in) im letzten Jahr
sensation [senˈseɪʃn] **1.** *Ereignis usw.*: Sensation **2.** *körperlich*: Empfindung, Gefühl
sensational [senˈseɪʃnəl] **1.** *umg.* fantastisch **2.** sensationell, Sensations…
sensationalism [senˈseɪʃnəlɪzm] **1.** Sensationsgier **2.** Sensationsmache
sense[1] [sens] **1.** (**common**) **sense** Vernunft, Verstand; **have the sense to do something** so klug sein, etwas zu tun **2.** *Wahrnehmung*: Sinn; **sense of hearing** Gehörsinn **3.** Sinn, Gefühl (**of** für); **sense of duty** Pflichtgefühl **4.** Gefühl, Empfindung; **sense of security** Gefühl der Sicherheit **5.** Sinn, Bedeutung (*z.B. eines Wortes*) **6. in a sense** in gewisser Hinsicht **7. make sense** *Satz*: einen Sinn ergeben, *Handlung usw.*: vernünftig sein **8. I couldn't make any sense of it** ich konnte mir darauf keinen Reim machen; ☞ **senses**
sense[2] [sens] fühlen, spüren
senseless ['sensləs] **1.** *Handlung usw.*: sinnlos, unsinnig **2.** *Person*: bewusstlos
senses ['sensɪz] *Pl.* (klarer) Verstand **bring someone to his senses** jemanden zur Besinnung *oder* Vernunft bringen; **come to one's senses** zur Vernunft kommen
sensible ['sensəbl] vernünftig (*auch Kleidung*) (△ *sensibel* = **sensitive**)
sensitive ['sensɪtɪv] **1.** sensibel, empfindsam **2.** (≈ *schnell verletzt*) empfindlich; **be sensitive to** empfindlich reagieren auf **3.** einfühlsam **4.** *Körperteil, Messgerät usw.*: empfindlich **5.** *Thema usw.*: heikel
sensor ['sensə] *Technik*: Sensor
sent [sent] *2. und 3. Form von* → **send**
sentence[1] ['sentəns] **1.** *Sprache*: Satz **2.** *Gericht*: Strafe, Urteil; **pass sentence** *Richter usw.*: das Urteil fällen (**on** über)
sentence[2] ['sentəns] verurteilen (**to** zu)
sentiment ['sentɪmənt] **1.** Gefühl **2.** *auch* **sentiments** *Pl.* Ansicht, Meinung

sentimental [ˌsentɪˈmentl] **1.** gefühlvoll, gefühlsbetont **2.** *negativ*: sentimental
sentimentality [ˌsentɪmenˈtælətɪ] Sentimentalität
sentry ['sentrɪ] Wache, Wachtposten
separate[1] ['sepəreɪt] **1.** *allg.*: trennen (**from** von); **be separated** getrennt leben (**from** von) **2.** (auf)teilen, (zer)teilen (**into** in) **3.** sich trennen (*auch Ehepaar*)
separate[2] ['seprət] **1.** getrennt, separat **2.** einzeln, Einzel…; **charge something separately** etwas extra berechnen **3.** verschieden
separation [ˌsepəˈreɪʃn] Trennung
separatism ['seprətɪzm] *Politik*: Separatismus
separatist[1] ['seprətɪst] *Politik*: Separatist(in)
separatist[2] ['seprətɪst] *Politik*: separatistisch
September [sepˈtembə] September; **in September** im September
sequel ['siːkwəl] **1.** Fortsetzung (*eines Films, Romans usw.*) **2.** *übertragen* Folge (**to** von *oder Genitiv*)
sequence ['siːkwəns] **1.** (Aufeinander-)Folge (*von Ereignissen usw.*) **2.** (Reihen-)Folge; **in sequence** der Reihe nach **3.** *von Film usw.*: Sequenz
sequoia [sɪˈkwɔɪə] Mammutbaum
Serb[1] [sɜːb] Serbe, Serbin
Serb[2] [sɜːb] serbisch
Serb[3] [sɜːb] *Sprache*: Serbisch
Serbia ['sɜːbɪə] Serbien
Serbian[1] ['sɜːbɪən] Serbe, Serbin
Serbian[2] ['sɜːbɪən] serbisch
Serbian[3] ['sɜːbɪən] *Sprache*: Serbisch
serenade [ˌserəˈneɪd] **1.** *Lied*: Ständchen **2.** *klassisches Musikstück*: Serenade
serene [səˈriːn] **1.** *Himmel usw.*: heiter, klar **2.** *Person, Gemüt usw.*: gelassen
sergeant [△ 'sɑːdʒənt] **1.** *militärisch*: Feldwebel **2.** Polizei(haupt)meister
serial[1] ['sɪərɪəl] **1.** (Fernseh)Serie, (Rundfunk)Serie **2.** Fortsetzungsroman
serial[2] ['sɪərɪəl] **1.** Serien…; **serial novel** Fortsetzungsroman; **serial killer** Serienmörder **2.** serienmäßig, Serien…; **serial number** Seriennummer
series ['sɪəriːz] **1.** Serie, Reihe, Folge **2.** *Rundfunk, TV usw.*: Serie, *von Büchern, Vorträgen usw.*: Reihe
serious ['sɪərɪəs] **1.** *allg.*: ernst **2.** ernsthaft, ernst gemeint; **are you serious?** ist das dein Ernst?; **be serious about doing something** etwas wirklich tun wollen **3.** *Problem usw.*: ernsthaft, ernstlich, *Schaden, Krankheit usw.*: schwer
seriously ['sɪərɪəslɪ] ernst, ernsthaft, im Ernst; **seriously ill** ernstlich krank; **take**

S

someone oder *something seriously* jemanden *oder* etwas ernst nehmen

sermon ['sɜːmən] **1.** *kirchlich:* Predigt **2.** *umg.* Moralpredigt, Strafpredigt

serum ['sɪərəm] *Pl.:* **serums** oder **sera** ['sɪərə] Serum

servant ['sɜːvənt] Diener(in) (*auch übertragen*); **domestic servants** Hauspersonal

serve¹ [sɜːv] **1.** dienen (*seinem Land usw.*) (**under** unter); **serve in the army** in der Armee dienen **2.** *auch* **serve up** servieren (*Essen*); **serve someone (with) something** jemandem etwas servieren; **serves: 6-8** *Kochrezept:* für 6-8 Personen **3.** **serve someone** *im Laden usw.:* jemanden bedienen; **are you being served?** werden Sie schon bedient? **4.** durchlaufen (*Amtszeit usw.*), verbüßen (*Strafe*) **5.** (*Gegenstand usw.*) dienen (**as, for** als); **it serves its purpose** das erfüllt seinen Zweck **6.** *Tennis usw.:* aufschlagen; **X to serve** Aufschlag X **7.** **it serves you right** *umg.* das geschieht dir (ganz) recht

serve² [sɜːv] *Tennis usw.:* Aufschlag

server ['sɜːvə] **1.** *Computer:* Server **2.** *kirchlich:* Messdiener, Ministrant

service¹ ['sɜːvɪs] **1.** *im Hotel usw.:* Service, Bedienung **2.** Dienst (**to** an); **do someone a service** jemandem einen Dienst erweisen **3.** **services** *Pl.* Dienstleistungen **4.** ...dienst; **postal service** Postdienst **5.** Militär(dienst); **join the services** zum Militär gehen **6.** Betrieb; **be out of service** außer Betrieb sein **7.** *kirchlich:* Gottesdienst **8.** (≈ *Geschirr*) Service; **coffee service** Kaffeeservice **9.** *Technik:* Wartung, *Auto:* Inspektion; **put one's car in for a service** seinen Wagen zur Inspektion bringen **10.** *Tennis usw.:* Aufschlag

service² ['sɜːvɪs] *Technik:* warten; **my car is being serviced** mein Wagen ist bei der Inspektion

service area ['sɜːvɪsˌeərɪə] *BE* (Autobahn)Raststätte (*mit Tankstelle usw.*)

service charge ['sɜːvɪsˌtʃɑːdʒ] Bedienung(szuschlag)

service industry ['sɜːvɪsˌɪndəstrɪ] Dienstleistungsgewerbe

service provider ['sɜːvɪsˌprəˌvaɪdə] **1.** *allg.:* Dienstleister **2.** *Internet:* Serviceprovider

serviceman ['sɜːvɪsmən] *Pl.:* **servicemen** ['sɜːvɪsmən] Militärangehöriger

service station ['sɜːvɪsˌsteɪʃn] Tankstelle mit Werkstatt

serviette [ˌsɜːvɪ'et] *bes. BE* Serviette

serving ['sɜːvɪŋ] *Essen:* Portion

session ['seʃn] **1.** *Parlament usw.:* Sitzung, Sitzungsperiode; **be in session** tagen **2.** *beim Arzt usw.:* Sitzung, Behandlung **3.** ...termin; **photo session** Fototermin

set¹ [set], **set, set**; *-ing-Form* **setting 1.** stellen, setzen, legen; **please set the tray on the table** bitte stell das Tablett auf den Tisch **2.** **the novel is set in France** der Roman spielt in Frankreich **3.** versetzen (*in einen Zustand*); **set someone free** jemanden freilassen; **set right** in Ordnung bringen; **set on fire** oder **set fire to** anzünden, in Brand stecken **4.** veranlassen; **set someone thinking** jemandem einen Denkanstoß geben **5.** einstellen, stellen (*Wecker*) (**for** auf); **set one's watch** seine Uhr stellen **6.** **set the table** den Tisch decken **7.** festsetzen, festlegen (*Preis, Termin usw.*) **8.** aufstellen (*Rekord*) **9.** **set a good example** mit gutem Beispiel vorangehen **10.** (*Sonne*) untergehen **11.** (*Pudding usw.*) fest werden

---

set about ['setˌəbaut] **1.** **set about doing something** sich daranmachen, etwas zu tun **2.** *umg.* herfallen über

set aside [ˌset'əˈsaid] **1.** beiseitelegen (*Geld*) **2.** frei halten (*Zeit*)

set back [ˌset'bæk] **1.** zurücksetzen (*Haus usw.*) **2.** verzögern (*Plan usw.*) (**by two months** um zwei Monate) **3.** **the car set me back £500** *umg.* der Wagen hat mich 500 Pfund gekostet

set down [ˌset'daun] **1.** *BE* absetzen (*Fahrgast*) **2.** (schriftlich) niederlegen (*Gedanken usw.*)

set in [ˌset'ɪn] (*Winter usw.*) einsetzen

set off [ˌset'ɒf] **1.** aufbrechen, sich aufmachen **2.** auslösen (*Alarm usw.*)

set on ['setˌɒn] hetzen auf (*Hund usw.*)

set out [ˌset'aut] **1.** arrangieren, aufstellen (*auch Schachfiguren usw.*) **2.** aufbrechen, sich aufmachen **3.** **set out to do something** sich daranmachen, etwas zu tun **4.** darstellen, darlegen (*Plan, Argument usw.*)

set up [ˌset'ʌp] **1.** errichten (*Straßensperren usw.*) **2.** gründen (*Firma usw.*); **set up house** einen Hausstand gründen **3.** aufbauen (*Kamera usw.*) **4.** aufstellen (*Rekord*) **5.** **set (oneself) up** sich niederlassen (**as** als)

---

set² [set] **1.** festgesetzt, festgelegt; **set books** *Pl.* oder **set reading** *Schule:* Pflichtlektüre; **set lunch** oder **set meal** *BE* Menü **2.** **be set on doing some-**

thing (fest) entschlossen sein, etwas zu tun; **be dead set against something** strikt gegen etwas sein **3.** bereit, fertig; **be all set** startklar sein

set[3] [set] **1.** *Zusammengehöriges:* Satz (*Werkzeug usw.*), Garnitur (*Wäsche usw.*); **tea set** Teeservice **2.** *TV usw.:* Apparat, Gerät; **television set** Fernsehgerät **3.** *Theater:* Bühnenbild **4.** *Film:* Szenenaufbau; **on the set** bei den Dreharbeiten **5.** **a shampoo and set** *beim Friseur:* Waschen und Legen **6.** *Tennis usw.:* Satz; **set point** Satzball

set-aside ['setə,saɪd] **1.** Erspartes, Rücklagen *Pl.* **2.** *Agrarpolitik:* stillgelegte Fläche; **set-aside scheme** Konzept der Flächenstilllegung

setback ['setbæk] Rückschlag (**to** für)

set piece [,set'piːs] **1.** *in Film, Roman usw.:* klassische Szene **2.** *Fußball usw.:* Standardsituation

set square ['set̯_skweə] *BE* Zeichendreieck, *umg.* Geodreieck

settee [se'tiː] Sofa

setting ['setɪŋ] **1.** Schauplatz (*eines Films usw.*) **2.** *eines Edelsteins:* Fassung **3.** *von Sonne, Mond:* Untergang

settle ['setl] **1.** **settle (oneself) (on)** sich niederlassen (auf), sich setzen (auf) **2.** beruhigen (*Person, Nerven usw.*) **3.** vereinbaren, klären (*Frage usw.*); **that settles it** damit ist der Fall erledigt **4.** beilegen (*Streit usw.*) **5.** besiedeln (*Land*) **6.** sich niederlassen (**in** in) (*einer Stadt usw.*) **7.** begleichen (*Rechnung*), ausgleichen (*Konto*)

---

settle back [,setl'bæk] sich zurücklehnen

settle down [,setl'daʊn] **1.** **settle (oneself) down (on)** sich niederlassen (auf), sich setzen (auf) **2.** sich beruhigen, (*Aufregung*) sich legen **3.** sesshaft *oder* häuslich werden **4.** **settle down in** sich eingewöhnen in **5.** beruhigen (*Person, Nerven usw.*)

settle for [,setl'fɔː] sich begnügen mit

settle in [,setl'ɪn] sich eingewöhnen, sich einleben

settle up [,setl'ʌp] **1.** (be)zahlen **2.** abrechnen (**with** mit) (*auch übertragen*)

---

settled ['setld] **1.** *Wetter:* beständig **2.** *Ansichten usw.:* fest

settlement ['setlmənt] **1.** Siedlung, Besiedlung **2.** Vereinbarung, Einigung; **reach a settlement** sich einigen (**with** mit)

settler ['setlə] Siedler(in)

set-top box ['settɒp,bɒks] *BE*; *TV:* Decoder

set-up ['setʌp] **1.** (≈ *Anordnung usw.*) System, Regelung **2.** *umg.* (≈ *Trick*) abgekartete Sache

seven[1] ['sevn] sieben

seven[2] ['sevn] *Buslinie, Spielkarte usw.:* Sieben

seventeen[1] [,sevn'tiːn] siebzehn

seventeen[2] [,sevn'tiːn] *Buslinie usw.:* Siebzehn

seventh[1] ['sevnθ] siebente(r, -s)

seventh[2] ['sevnθ] **1.** Siebente(r, -s) **2.** *Bruchteil:* Siebtel

seventy[1] ['sevntɪ] siebzig

seventy[2] ['sevntɪ] Siebzig; **he's in his seventies** er ist in den Siebzigern; **in the seventies** in den Siebzigerjahren (*eines Jahrhunderts*)

sever ['sevə] durchtrennen (*Ader usw.*), abtrennen (*Körperteil usw.*)

several ['sevrəl] mehrere, einige; **I've talked to her several times** ich habe mehrere Male mit ihr gesprochen

severe [sɪ'vɪə] **1.** *Verletzung usw.:* schwer, ernst **2.** *Schmerzen:* stark **3.** *Winter:* hart, streng **4.** *Person:* streng **5.** *Kritik:* scharf

severity [sɪ'verətɪ] **1.** Schwere (*einer Verletzung usw.*) **2.** Strenge, Härte (*eines Winters*) **3.** *als Wesenszug:* Strenge **4.** Schärfe (*einer Kritik*)

sew [△ səʊ], **sewed, sewn** [səʊn] *oder* **sewed** nähen

sewage ['suːɪdʒ] Abwasser

sewer ['suːə] Abwasserkanal

sewing [△ 'səʊɪŋ] **1.** *Tätigkeit:* Nähen **2.** *woran gearbeitet wird:* Näharbeit

sewing machine ['səʊɪŋ_mə,ʃiːn] Nähmaschine

sewn [səʊn] *3. Form von* → **sew**

sex[1] [seks] **1.** Geschlecht („*männlich*" *oder* „*weiblich*") **2.** Sex, Sexualität **3.** **have sex with** Geschlechtsverkehr haben mit

sex[2] [seks] **1.** Sexual...; **sex crime** Sexualverbrechen; **sex object** Lustobjekt **2.** Geschlechts...; **sex organ** Geschlechtsorgan; **sex change** Geschlechtsumwandlung **3.** Sex...; **sex appeal** (≈ *erotische Ausstrahlung*) Sex-Appeal

sexism ['seksɪzm] Sexismus (*Diskriminierung der Frauen*)

sexist[1] ['seksɪst] *Äußerung, Einstellung usw.:* sexistisch

sexist[2] ['seksɪst] Sexist(in)

sexual ['sekʃʊəl] **1.** sexuell, Sexual... **2.** **sexual intercourse** Geschlechtsverkehr

sexuality [,sekʃʊ'ælətɪ] Sexualität

sexy ['seksɪ] *umg.* sexy, aufreizend

SF [,es'ef] (*Abk. für* science fiction) Science-Fiction

shabby [ˈʃæbɪ] *allg.*: schäbig

shack [ʃæk] Hütte, Baracke

shackles [ˈʃæklz] *Pl.* Fesseln, Ketten

shade[1] [ʃeɪd] **1.** Schatten (*als Schutz vor der Sonne*) **2.** ...schirm; *lampshade* Lampenschirm **3.** Farbton **4.** *übertragen* Nuance **5.** *a shade übertragen* ein kleines bisschen; *a shade (too) loud* eine Spur zu laut; ☞ *shades*

shade[2] [ʃeɪd] abschirmen (*from light* gegen Licht)

shades [ʃeɪdz] *Pl. umg.* Sonnenbrille

shadow[1] [ˈʃædəʊ] **1.** Schatten (*den ein Gegenstand usw. wirft; auch übertragen*) **2.** *there's not a shadow of doubt about it übertragen* daran besteht nicht der geringste Zweifel

shadow[2] [ˈʃædəʊ] (≈ *verfolgen*) beschatten

shadow cabinet [ˌʃædəʊˈkæbɪnət] *Politik*: Schattenkabinett

shadow economy [ˌʃædəʊ_ɪˈkɒnəmɪ] Schattenwirtschaft

shadowy [ˈʃædəʊɪ] **1.** schattig, dunkel **2.** *übertragen* geheimnisvoll

shady [ˈʃeɪdɪ] **1.** schattig **2.** *umg.*; *Person*: zwielichtig, *Geschäft usw. auch*: zweifelhaft

shaft [ʃɑːft] **1.** Schaft (*eines Pfeils usw.*) **2.** *Werkzeug*: Stiel **3.** *Aufzug usw.*: Schacht

shaggy [ˈʃægɪ] zottig, zottelig

shake[1] [ʃeɪk], **shook** [ʃʊk], **shaken** [ˈʃeɪkən] **1.** wackeln, zittern, beben (*with* vor) **2.** schütteln **3.** *shake hands with someone* jemandem die Hand schütteln **4.** *shake one's head* den Kopf schütteln **5.** *übertragen* erschüttern (*jemandes Glauben usw.*); *he was badly shaken by the accident* der Unfall hat ihn arg mitgenommen **6.** *what's shaking? AE, salopp* was geht ab?

---

shake off [ˌʃeɪkˈɒf] abschütteln, loswerden (*beide auch übertragen*)
shake out [ˌʃeɪkˈaʊt] ausschütteln
shake up [ˌʃeɪkˈʌp] **1.** *übertragen* aufrütteln **2.** erschüttern **3.** umkrempeln (*Betrieb*)

---

shake[2] [ʃeɪk] **1.** Schütteln **2.** *Getränk*: Shake, Mixgetränk; ☞ *shakes*

shaken [ˈʃeɪkən] *3. Form von → shake*[1]

shaker [ˈʃeɪkə] **1.** Shaker, Mixbecher **2.** *AE salt shaker* Salzstreuer

shakes [ʃeɪks] *it's no great shakes umg.* es ist nicht gerade umwerfend

shaky [ˈʃeɪkɪ] **1.** *Stuhl usw.*: wackelig **2.** *Person*: zittrig, wackelig; *I feel a bit shaky* ich fühle mich etwas schwach

shall [ʃæl] **1.** *förmlich*; *Futur*: *I shall* ich werde; *we shall not* oder *shan't* wir werden nicht **2.** *in Fragen*: *shall I* soll ich ...?; *shall we* sollen wir ...?, wollen wir ...?; *shall we go?* gehen wir?

shallow [ˈʃæləʊ] seicht, flach (*auch übertragen*)

sham [ʃæm] Heuchelei; *it was just a sham* es war alles nur gespielt (△ *nicht Scham*)

shambles [ˈʃæmblz] *Pl. the room was (in) a shambles umg.* das Zimmer war das reinste Schlachtfeld

shame [ʃeɪm] **1.** Scham(gefühl) **2.** Schande; *bring shame on someone* jemandem Schande machen **3.** *what a shame!* (wie) schade!; *it's a shame* (es ist) schade, *stärker*: es ist eine Schande **4.** *shame on you!* schäm dich!

shameful [ˈʃeɪmfl] beschämend, schändlich

shameless [ˈʃeɪmləs] schamlos, unverschämt

shampoo[1] [ʃæmˈpuː] *Pl.*: *shampoos* **1.** Shampoo(n) **2.** Haarwäsche

shampoo[2] [ʃæmˈpuː], *shampooed, shampooed*; *-ing-Form shampooing* waschen (*Haare*), schamponieren (*Teppich usw.*)

shamrock [ˈʃæmrɒk] Kleeblatt (△ *Wahrzeichen von Irland*)

shan't [ʃɑːnt] *Kurzform von shall not* ☞ *shall*

shape[1] [ʃeɪp] **1.** Form; *in the shape of* in Form (+ *Genitiv*) (*auch übertragen*); *take shape übertragen* Gestalt annehmen; ☞ *Illu S. 786* **2.** *Person*: Gestalt **3.** *be in good* (*bzw. bad*) *shape Person*: in guter (*bzw.* schlechter) Verfassung sein, *AE auch*: gut (*bzw.* nicht gut) in Form sein, *Gebäude usw.*: in gutem (*bzw.* schlechtem) Zustand sein **4.** *für Sandkasten*: Förmchen

shape[2] [ʃeɪp] **1.** formen (*Ton usw.*) (*into* zu) **2.** *übertragen* prägen, formen (*Charakter*)

Shakespeare

Shakespeare [ˈʃeɪkspɪə], **William** — 1564–1616 – wohl berühmtester englischer Dichter, der vor allem Dramen (z. B. *Romeo und Julia*) und Gedichte (bes. Sonette) geschrieben hat; geboren, gestorben und auch begraben in Stratford-upon-Avon, einer kleinen Stadt nahe Oxford, in der man heute noch Gebäude besichtigen kann, die mit seinem Leben verbunden sind; ☞ *Karte S. 293*

shepherd

share[1] [ʃeə] **1.** Anteil (*in, of* an); *have a share in* beteiligt sein an **2.** *bes. BE; Wirtschaft*: Aktie

share[2] [ʃeə] teilen (*auch übertragen*); *share something* (sich) etwas teilen (*with* mit); *we share a flat* wir wohnen gemeinsam in einer Wohnung

> **share out** [ˌʃeər'aʊt] verteilen (*among, between* an, unter)

shareholder ['ʃeəˌhəʊldə] *bes. BE; Wirtschaft*: Aktionär(in)

shareware ['ʃeəweə] *Computer*: Shareware (*Computerprogramme, die oft als Testversion ausprobiert werden können, bevor man für die Vollversion bezahlt*)

shark [ʃɑːk] **1.** Hai(fisch) **2.** *umg.; Person*: Schlitzohr, gerissener Geschäftemacher

sharp[1] [ʃɑːp] **1.** ↔ *blunt; allg.*: scharf **2.** *Nadel usw.*: spitz **3.** *Gegensatz usw.*: deutlich, scharf **4.** *Geschmack*: herb, scharf **5.** *Ton usw.*: schneidend, scharf **6.** *Schmerz, Wind usw.*: heftig, schneidend **7.** *a sharp tongue* eine spitze Zunge **8.** *brake sharply* scharf bremsen **9.** *Person*: scharfsinnig **10.** *sharp practice* unsaubere Geschäfte

sharp[2] [ʃɑːp] *at two o'clock sharp* Punkt 2 (Uhr)

sharpen ['ʃɑːpən] **1.** schärfen, schleifen (*Messer usw.*) **2.** spitzen (*Bleistift usw.*)

sharpener ['ʃɑːpnə] (Bleistift)Spitzer

sharpness ['ʃɑːpnəs] **1.** *von Messer*: Schärfe **2.** *von Nadel, Dorn usw.*: Spitzheit **3.** *übertragen* Scharfsinn, Scharfsinnigkeit, Schärfe (*des Verstands*)

shatter ['ʃætə] **1.** zerschmettern, zerschlagen **2.** (*Glas usw.*) zerspringen **3.** *übertragen* zerstören (*Hoffnungen usw.*) **4.** *I was shattered* umg. ich war total geschockt **5.** *I'm shattered bes. BE, umg.* ich bin geschlaucht

shave[1] [ʃeɪv] (sich) rasieren

shave[2] [ʃeɪv] **1.** Rasur; *have a shave* sich rasieren **2.** *that was a close shave* umg. das war knapp

shaven ['ʃeɪvn] kahlgeschoren

shaver ['ʃeɪvə] Elektrorasierer

shaving ['ʃeɪvɪŋ] Rasier...; *shaving brush* Rasierpinsel; *shaving foam* Rasierschaum; *shaving soap* Rasierseife

shavings ['ʃeɪvɪŋz] *Pl.* (Hobel)Späne

shawl [ʃɔːl] Umhängetuch, *als Kopfbedeckung*: Kopftuch

she[1] [ʃiː] sie

she[2] [ʃiː] **1.** Sie, Mädchen, Frau **2.** *bei Tieren*: Weibchen, Sie

she[3] [ʃiː] *bei Tieren*: ...weibchen; *she-bear* Bärin

sheaf [ʃiːf] *Pl.*: **sheaves** [ʃiːvz] **1.** *Landwirtschaft*: Garbe **2.** *Papier usw.*: Bündel

shear [△ ʃɪə], **sheared, shorn** [ʃɔːn] *oder* **sheared** scheren (*Schaf*)

shears [△ ʃɪəz] *Pl., auch pair of shears* (große) Schere; *pruning shears* Gartenschere

sheaves [ʃiːvz] *Pl. von* → **sheaf**

shed[1] [ʃed], **shed, shed**; *-ing-Form shedding* **1.** vergießen (*Blut, Tränen*) **2.** (*Pflanze, Tier*) verlieren (*Blätter, Haare*) **3.** *shed a few pounds* ein paar Pfund abnehmen **4.** *übertragen* ablegen (*Hemmungen usw.*)

shed[2] [ʃed] **1.** Schuppen **2.** Stall

she'd [ʃiːd] *Kurzform von* **she had** *oder* **she would**

sheep [ʃiːp] *Pl.*: **sheep** Schaf (*auch übertragen*)

sheepdog ['ʃiːpdɒg] Schäferhund

sheepish ['ʃiːpɪʃ] *Person, Lächeln*: verlegen

sheepskin ['ʃiːpskɪn] Schaffell

sheer [ʃɪə] **1.** bloß, rein; *by sheer coincidence* rein zufällig **2.** *Abhang*: steil, (fast) senkrecht **3.** *Stoff*: hauchdünn

sheet [ʃiːt] **1.** Betttuch, Bettlaken; (*as) white as a sheet* kreidebleich **2.** *Papier*: Bogen, Blatt **3.** *Glas usw.*: Platte, Scheibe **4.** *sheet of ice* Eisfläche

shelf [ʃelf] *Pl.*: **shelves** [ʃelvz] Brett, Bord; *bookshelf* Bücherbord; *shelves Pl.* Regal

shelf life ['ʃelf laɪf] *von Waren*: Lagerfähigkeit, Haltbarkeit

shell[1] [ʃel] **1.** *von Ei, Auster usw.*: Schale, *von Erbsen usw.*: Hülse **2.** Muschel(schale) **3.** *von Schnecke*: Haus, *von Schildkröte*: Panzer **4.** *militärisch*: Granate **5.** *come out of one's shell übertragen* aus sich herausgehen

shell[2] [ʃel] **1.** schälen, enthülsen (*Erbsen usw.*) **2.** *militärisch*: beschießen

she'll [ʃiːl] *Kurzform von* **she will**

shellfish ['ʃelfɪʃ] *Pl.*: **shellfish** Schalentier (*z.B. Hummer*) (△ *nicht Schellfisch*)

shelter[1] ['ʃeltə] **1.** Unterstand; *bus shelter* Bushaltestelle: Wartehäuschen; *air-raid shelter* (Luftschutz)Bunker **2.** Unterkunft (*für Obdachlose*) **3.** Schutz, Unterkunft; *run for shelter* Schutz suchen; *take shelter* sich unterstellen (*under* unter)

shelter[2] ['ʃeltə] **1.** schützen (*from* vor) **2.** sich unterstellen

shelve [ʃelv] **1.** (in ein Regal) einstellen (*Bücher*) **2.** *übertragen* zurückstellen (*Plan usw.*)

shelves [ʃelvz] *Pl. von* → **shelf**

shepherd [△ 'ʃepəd] Schäfer, Hirte (*auch*

übertragen)

sherbet ['ʃɜ:bət] **1.** *BE* Brausepulver **2.** *bes. AE* Wassereis

sheriff ['ʃerɪf] Sheriff

she's [ʃi:z] *Kurzform von* **she is** *oder* **she has**

shield[1] [ʃi:ld] (≈ *Schutz*) Schild, Schutz

shield[2] [ʃi:ld] **shield someone** jemanden schützen (**from** vor), jemanden decken

shift[1] [ʃɪft] **1.** bewegen, schieben (*z.B. Möbelstück*) **2. shift from one foot to the other** von einem Fuß auf den anderen treten **3.** (*Interessen usw.*) sich verlagern, sich wandeln **4.** (ab)schieben, abwälzen (*Schuld, Verantwortung*) (**onto** auf) **5. shift gear** den Gang wechseln

shift[2] [ʃɪft] **1.** *übertragen* Wandel, Verlagerung **2.** *Arbeit:* Schicht (*Zeit und Arbeiter*); **he's on night shift** er hat Nachtschicht **3.** *Computer:* Shift(taste); **press shift and F5** drücken Sie Shift und F5

shift key ['ʃɪft ˌki:] **1.** *auf Schreibmaschinentastatur:* Umschalttaste **2.** *auf Computertastatur:* Shifttaste

shift lock ['ʃɪft ˌlɒk] *auf Schreibmaschinen- und Computertastatur:* Feststelltaste

shift worker ['ʃɪft ˌwɜ:kə] Schichtarbeiter(in)

shifty ['ʃɪftɪ] verschlagen, zwielichtig

shilling ['ʃɪlɪŋ] *BE; alte Münze:* Schilling

shimmer[1] ['ʃɪmə] schimmern

shimmer[2] ['ʃɪmə] Schimmer

shin [ʃɪn], **shinbone** ['ʃɪnbəʊn] Schienbein

shine[1] [ʃaɪn], **shone** [△ ʃɒn], **shone** [△ ʃɒn] **1.** (*Sonne*) scheinen, (*Lampe usw.*) leuchten **2.** glänzen (**with** vor) **3. shine a torch** (*AE* **flashlight**) **into** mit einer Taschenlampe leuchten in

shine[2] [ʃaɪn] **1.** Glanz **2. take a shine to someone** *umg.* jemanden sofort mögen

shingles ['ʃɪŋglz] (△ *nur im Sg. verwendet*) *Medizin:* Gürtelrose

shiny ['ʃaɪnɪ] glänzend, *Ärmel usw.:* blank

ship[1] [ʃɪp] Schiff

ship[2] [ʃɪp], **shipped, shipped 1.** verschiffen **2.** *allg.:* verfrachten, versenden

shipment ['ʃɪpmənt] **1.** *Ware:* Ladung, Sendung **2.** Verschiffung, *allg.:* Versand

shipowner ['ʃɪpˌəʊnə] Reeder

shipper ['ʃɪpə] Spediteur

shipping ['ʃɪpɪŋ] **1.** Schifffahrt **2.** *von Gütern:* Versand

shipwreck [△ 'ʃɪprek] **be shipwrecked** Schiffbruch erleiden

shipyard ['ʃɪpjɑ:d] (Schiffs)Werft

shirk [ʃɜ:k] sich drücken (vor)

shirker ['ʃɜ:kə] Drückeberger(in)

shirt [ʃɜ:t] Hemd; **keep your shirt on!**

umg. reg dich ab!

shirtsleeves ['ʃɜ:tsli:vz] *Pl.* **in one's shirtsleeves** in Hemdsärmeln, hemdsärmelig

shirty ['ʃɜ:tɪ] **get shirty with someone** *bes. umg.* jemanden anschnauzen

shit[1] [ʃɪt], **shit, shit** *oder* **shat** [ʃæt], **shat** [ʃæt]; *-ing-Form* **shitting** vulgär scheißen

shit[2] [ʃɪt] **1.** *vulgär* Scheiße **2.** *salopp* Shit (*Haschisch*) **3.** *salopp; unnützes Zeug, Bemerkung usw.:* Scheiß; **don't give me that shit!** erzähl nicht so einen Scheiß! **4.** *vulgär; Person:* Arschloch **5.** *vulgär:* **be in deep shit** *oder* **be in the shit** in der Scheiße sitzen

shitless ['ʃɪtləs] *vulgär:* **be scared shitless** sich vor Angst in die Hosen scheißen

shitty ['ʃɪtɪ] *vulgär; Stimmung, Laune usw.:* beschissen

shiver[1] ['ʃɪvə] zittern (**with** vor)

shiver[2] ['ʃɪvə] Schauer; **the sight sent shivers** (**up and**) **down my spine** bei dem Anblick überlief es mich eiskalt

shoal [ʃəʊl] Schwarm (*Fische*)

shock[1] [ʃɒk] **1.** Schock, Schreck **2.** Wucht (*einer Explosion*) **3.** *Elektrotechnik:* Schlag, Schock

shock[2] [ʃɒk] schockieren, erschüttern

shock absorber ['ʃɒk əbˌzɔ:bə] *Auto:* Stoßdämpfer

shocked [ʃɒkt] schockiert, erschüttert

shocker ['ʃɒkə] *umg.; Film usw.:* Schocker

shocking ['ʃɒkɪŋ] **1.** *Verhalten, Kleidung usw.:* schockierend, anstößig **2.** *Nachricht usw.:* erschütternd **3.** *BE, umg.; Wetter, Essen usw.:* entsetzlich

shockproof ['ʃɒkpru:f] stoßgesichert

shock therapy ['ʃɒk ˌθerəpɪ], **shock treatment** ['ʃɒk ˌtri:tmənt] *Medizin:* Schockbehandlung, Schocktherapie (*auch übertragen*)

shock wave ['ʃɒk ˌweɪv] *nach Explosion usw.:* Druckwelle; **send shock waves through** *übertragen* erschüttern

shoddy ['ʃɒdɪ] **1.** *Ware:* minderwertig, *Arbeit:* schlampig **2.** *Trick usw.:* gemein

shoe [ʃu:] **1.** Schuh **2.** *von Pferd:* (Huf)Eisen **3. I wouldn't like to be in his shoes** *übertragen* ich möchte nicht in seiner Haut stecken

shoehorn ['ʃu:hɔ:n] Schuhlöffel

shoelace ['ʃu:leɪs] Schnürsenkel

shoemaker ['ʃu:ˌmeɪkə] Schuhmacher(in), Schuster(in)

shoestring ['ʃu:strɪŋ] **1.** *AE* Schnürsenkel **2. do something on a shoestring** etwas mit ganz wenig Geld durchziehen

shone [△ ʃɒn] *2. und 3. Form von* → **shine**[1]

shoo [ʃuː] verscheuchen (*Vögel, Kinder*)

shook [ʃʊk] *2. Form von* → **shake**[1]

shoot[1] [ʃuːt], **shot** [ʃɒt], **shot** [ʃɒt] **1.** schießen (*at* auf) **2.** abfeuern (*Gewehr, Kugel*), abschießen (*Pfeil usw.*) (*at* auf) **3.** *Jagd:* schießen, erlegen **4.** anschießen, niederschießen (*Person, Tier*) **5.** *auch* **shoot dead** erschießen **6.** (≈ *sich schnell bewegen*) rasen, schießen **7.** *Film:* drehen, filmen, *Fotografie:* aufnehmen **8.** (*Pflanze*) treiben **9.** *Sport:* schießen; **shoot at (the) goal** aufs Tor schießen **10.** **shoot the lights** *umg.; an Ampel:* bei Rot durchfahren **11.** **shooting pains** stechende Schmerzen **12.** **shoot heroin** fixen

---

shoot down [ˌʃuːtˈdaʊn] **1.** abschießen (*Flugzeug usw.*) **2.** übertragen abschmettern (*Vorschlag usw.*)

shoot up [ˌʃuːtˈʌp] **1.** (*Flammen usw.*) in die Höhe schießen **2.** (*Preise*) in die Höhe schnellen

---

shoot[2] [ʃuːt] *von Pflanze:* Trieb

shooting [ˈʃuːtɪŋ] **1.** Schießen, Schießerei **2.** Erschießung (*eines Menschen*) **3.** *Film:* Dreharbeiten

shooting star [ˌʃuːtɪŋˈstɑː] Sternschnuppe

shop[1] [ʃɒp] **1.** *bes. BE* Laden, Geschäft **2.** Werkstatt **3.** **talk shop** fachsimpeln

shop[2] [ʃɒp], **shopped**, **shopped 1.** **go shopping** einkaufen gehen **2.** *bes. BE, salopp* verpfeifen (*bei der Polizei*)

---

shop around [ˌʃɒp‿əˈraʊnd] sich informieren, die Preise vergleichen

---

shop assistant [ˈʃɒp‿əˌsɪstənt] *BE* Verkäufer(in)

shop floor [ˌʃɒpˈflɔː] **1.** **on the shop floor** in der Produktion **2.** **the shop**

floor die Arbeiter

shopkeeper [ˈʃɒpˌkiːpə] *bes. BE* Ladenbesitzer(in)

shoplifter [ˈʃɒpˌlɪftə] Ladendieb(in)

shoplifting [ˈʃɒpˌlɪftɪŋ] Ladendiebstahl

shopper [ˈʃɒpə] Käufer(in)

shopping[1] [ˈʃɒpɪŋ] **1.** Einkäufe (*Sachen*) **2.** Einkaufen; **do one's shopping** einkaufen, (seine) Einkäufe machen

shopping[2] [ˈʃɒpɪŋ] Einkaufs...; **shopping bag** Einkaufstasche; **shopping basket** Einkaufskorb (*auch im Internet*); **shopping centre** (*AE* **center**) Einkaufszentrum; **shopping list** Einkaufszettel; **shopping mall** *AE* Einkaufszentrum

shop window [ˌʃɒpˈwɪndəʊ] Schaufenster

shore [ʃɔː] **1.** Küste, (See)Ufer **2.** **on shore** an Land; **shore leave** Landurlaub

shorn [ʃɔːn] *3. Form von* → **shear**

short[1] [ʃɔːt] **1.** ↔ **long** räumlich, zeitlich: kurz; **a short time ago** vor kurzer Zeit, vor Kurzem **2.** ↔ **tall** *Person:* klein **3.** **'maths' is short for 'mathematics'** „maths" ist die Kurzform von „mathematics" **4.** **in the short run** zunächst, auf kurze Sicht **5.** **in the short term** kurzfristig (*gesehen*) **6.** **be short of money** *oder* **cash** knapp bei Kasse sein; **short of breath** kurzatmig **7.** barsch (**with** zu), kurz angebunden **8.** **short of** übertragen außer

short[2] [ʃɔːt] **1.** plötzlich, abrupt; **stop short** *Auto usw.:* abrupt bremsen, *beim Reden:* plötzlich innehalten **2.** **be caught** (*oder* **taken**) **short** *bes. BE, umg.* dringend mal (verschwinden) müssen **3.** **go short (of)** zu wenig haben **4.** **fall short of** nicht erreichen **5.** **run short** knapp werden, zur Neige gehen; **we're running short of bread** uns geht das Brot aus **6.** **stop short of** zurückschrecken vor; **stop short of doing something** davor zurückschrecken, etwas zu tun **7.** **cut short** abbrechen (*Urlaub usw.*)

short[3] [ʃɔːt] **1.** *umg.; Elektrizität:* Kurz-

---

short forms – Kurzformen

Im Englischen gibt es etliche abgekürzte Wörter, die umgangssprachlich anstelle deren Vollform verwendet werden. Hier einige Beispiele:

umgangssprachlich	Vollform	Übersetzung
bike	1. bicycle	1. Fahrrad
	2. motorbike	2. Motorrad
budgie *BE*	budgerigar	Wellensittich
hippo	hippopotamus	Nilpferd
mac *BE*	mackintosh	Regenmantel
mike	microphone	Mikrofon
rhino [ˈraɪnəʊ]	rhinoceros	Nashorn

schluss 2. *BE, umg.* (≈ *Schnaps*) Kurzer
3. *he's called Bill for short* er wird kurz
Bill genannt 4. *in short* kurz(um), kurz
gesagt; ☞ *shorts*

shortage [ˈʃɔːtɪdʒ] Mangel (*of* an); *food
shortage* Lebensmittelknappheit

short-circuit [ˌʃɔːtˈsɜːkɪt] 1. *Elektrizität:*
einen Kurzschluss verursachen in 2.
übertragen umgehen (*langen Prozess
usw.*)

short circuit [ˌʃɔːtˈsɜːkɪt] *Elektrizität:*
Kurzschluss

shortcoming [ˈʃɔːtˌkʌmɪŋ] *Pl.* Unzuläng-
lichkeit, Mangel

short cut [ˌʃɔːtˈkʌt] Abkürzung

shorten [ˈʃɔːtn] 1. kürzen, kürzer machen
(*auch Rock usw.*) 2. kürzer werden

shorthand [ˈʃɔːthænd] Kurzschrift, Ste-
nographie; *do shorthand* stenographie-
ren; *shorthand typist* Stenotypistin

shortlist[1] [ˈʃɔːtlɪst] *BE; bei Stellenaus-
schreibung usw.:* *be on the shortlist* *BE*
in der engeren Wahl sein

shortlist[2] [ˈʃɔːtlɪst] *BE; bei Stellenaus-
schreibung usw.:* in die engere Wahl zie-
hen; *be shortlisted* in der engeren Wahl
sein

shortly [ˈʃɔːtlɪ] 1. bald, in Kürze 2. *short-
ly afterwards* kurz danach

shorts [ʃɔːts] *Pl.* 1. *auch pair of shorts*
Shorts 2. *auch pair of shorts bes. AE*
(Herren)Unterhose

shortsighted [ˌʃɔːtˈsaɪtɪd] kurzsichtig
(*auch übertragen*)

short story [ˌʃɔːtˈstɔːrɪ] Kurzgeschichte

short-tempered [ˌʃɔːtˈtempəd] unbe-
herrscht

short-term [ˈʃɔːt_tɜːm] kurzfristig

short time [ˌʃɔːtˈtaɪm] *be on* (*oder work*)
short time BE; Wirtschaft: kurzarbeiten

shot[1] [ʃɒt] 1. Schuss; *like a shot* blitz-
schnell, sofort 2. (*Ball*)*Sport:* Schuss,
Wurf, Schlag 3. *he's a good shot* er ist
ein guter Schütze 4. *umg.* Versuch; *I'll
have a shot at it* ich probiers mal 5.
Schrot (*zum Schießen*) 6. *umg.* (≈ *Foto*)
Aufnahme 7. *Film, TV:* Aufnahme 8.
umg. Spritze 9. *call the shots umg.* das
Sagen haben 10. *big shot umg.* hohes
Tier

shot[2] [ʃɒt] *2. und 3. Form von →* **shoot**[1]

shotgun [ˈʃɒtɡʌn] Schrotflinte

shotgun wedding [ˌʃɒtɡʌnˈwedɪŋ] *umg.*
Mussheirat

shot put [ˈʃɒt_pʊt] *Leichtathletik:* Kugel-
stoßen

shot-putter [ˈʃɒtˌpʊtə] Kugelstoßer(in)

should [ʃʊd, ʃəd] 1. *allg.: I should* ich
sollte; *you should* du solltest *usw.* 2. *bei
Vermutungen:* *he should be home by*

now er müsste inzwischen zu Hause sein
3. *anstelle von* **would** (*nach I und we*)
würde; *I should like to know* ich würde
gern wissen 4. *statt* **would** *bei if-Sätzen*
(*nach I und we*): *I should go if I were
you* ich an deiner Stelle würde gehen

shoulder [ˈʃəʊldə] 1. Schulter 2. *AE; auf
Autobahn:* Standspur

shoulder bag [ˈʃəʊldə_bæɡ] Umhängeta-
sche, Schultertasche

shoulder blade [ˈʃəʊldə_bleɪd] *Körper:*
Schulterblatt

shouldn't [ˈʃʊdnt] *Kurzform von* **should
not**

should've [ˈʃʊdəv] *Kurzform von* **should
have**

shout[1] [ʃaʊt] rufen, schreien (*for* nach;
for help um Hilfe)

---

shout at [ˈʃaʊt_ət] *shout at someone*
jemanden anschreien

---

shout[2] [ʃaʊt] Ruf, Schrei

shove[1] [△ ʃʌv] 1. stoßen, schubsen 2.
stopfen (*Kleidungsstücke usw.*) (*into* in)

---

shove off [ˌʃʌvˈɒf] *shove off! umg.* hau
ab!

---

shove[2] [△ ʃʌv] Stoß, Schubs

shovel[1] [△ ˈʃʌvl] Schaufel

shovel[2] [△ ˈʃʌvl] *shovelled, shovelled*,
AE shoveled, shoveled schaufeln

show[1] [ʃəʊ], *showed* [ʃəʊd], *shown*
[ʃəʊn] 1. zeigen, vorzeigen (*Fahrkarte
usw.*); *show someone how to do some-
thing* jemandem zeigen, wie man etwas
macht 2. zu sehen sein; *it shows* man
sieht es 3. bringen, führen (*Person*) (*to*
zu) 4. *Theater usw.:* zeigen, vorführen,
TV: bringen

---

show around *oder* **round**
[ˌʃəʊ_əˈraʊnd *oder* ˈraʊnd] herumfüh-
ren; *show someone around the
house* jemanden durchs Haus führen
show in [ˌʃəʊˈɪn] hereinführen, hinein-
bringen
show off [ˌʃəʊˈɒf] 1. angeben, protzen
2. *show something off* mit etwas an-
geben (*to* bei)
show out [ˌʃəʊˈaʊt] herausführen, hin-
ausbringen
show up [ˌʃəʊˈʌp] 1. *umg.* kommen,
aufkreuzen 2. heraufführen, hinauf-
bringen 3. *show someone up* jeman-
den bloßstellen, jemanden blamieren

---

show[2] [ʃəʊ] 1. *Theater usw.:* Vorstellung
2. *TV usw.:* Show 3. Ausstellung,

...schau; **be on show** ausgestellt sein 4. Demonstration (*von Macht usw.*) 5. *abwertend*: Schau; **nothing but show** eine reine Schau; **make a show of** heucheln (*Interesse usw.*) 6. **run the show** *umg.* den Laden schmeißen 7. **put up a poor** *usw.* **show** eine schwache *usw.* Leistung zeigen; **steal the show** jemandem die Schau stehlen

show biz ['ʃəʊ‿bɪz] *umg.* Showgeschäft

show business ['ʃəʊˌbɪznəs] Showgeschäft

showcase ['ʃəʊkeɪs] Schaukasten, Vitrine

showdown ['ʃəʊdaʊn] Kraftprobe

shower[1] ['ʃaʊə] 1. *Regen usw.*: Schauer; **scattered showers** vereinzelt Schauer 2. Dusche; **have** (*oder* **take**) **a shower** duschen

shower[2] ['ʃaʊə] 1. duschen 2. **shower someone with something** jemanden mit etwas überschütten *oder* überhäufen

shower cabinet ['ʃaʊəˌkæbɪnət] Duschkabine

shower curtain ['ʃaʊəˌkɜːtn] Duschvorhang

shower gel ['ʃaʊə‿dʒel] Duschgel

showerhead ['ʃaʊəhed] Brauseaufsatz

shown [ʃəʊn] *3. Form von →* **show**[1]

show-off ['ʃəʊ‿ɒf] *umg.* Angeber(in)

shrank [ʃræŋk] *2. Form von →* **shrink**[1]

shred[1] [ʃred] 1. Fetzen; **tear to shreds** zerfetzen 2. **tear to shreds** *Theaterstück usw.*: verreißen 3. Schnitzel, Stückchen 4. **not a shred of doubt** *übertragen* nicht der geringste Zweifel

shred[2] [ʃred], **shredded, shredded** 1. in Streifen schneiden (*Gemüse usw.*) 2. zerfetzen, in den Reißwolf geben (*Papier*)

shrewd [ʃruːd] scharfsinnig, klug

shriek[1] [ʃriːk] (gellend) aufschreien

shriek[2] [ʃriːk] (schriller) Schrei

shrill [ʃrɪl] schrill, gellend

shrimp [ʃrɪmp] 1. *Meerestier*: Garnele 2. *umg.* Knirps

shrine [ʃraɪn] 1. Heiligtum, Wallfahrtsstätte 2. Reliquienschrein

shrink[1] [ʃrɪŋk], **shrank** [ʃræŋk] *oder* **shrunk** [ʃrʌŋk], **shrunk** [ʃrʌŋk] 1. (zusammen)schrumpfen (*auch übertragen*), (*Stoff usw.*) einlaufen 2. (*Beliebtheit usw.*) schwinden

shrink[2] [ʃrɪŋk] *salopp* Psychiater, Seelenklempner

shrivel ['ʃrɪvl], **shrivelled, shrivelled**, *AE* **shriveled, shriveled** austrocknen, runzelig werden; **shrivelled** runzelig

Shrove Tuesday [ˌʃrəʊvˈtjuːzdeɪ] Faschingsdienstag, Fastnachtsdienstag

shrub [ʃrʌb] Busch, Strauch

shrug [ʃrʌg], **shrugged, shrugged**;

shrug (**one's shoulders**) mit den Achseln *oder* Schultern zucken

---

shrug off [ˌʃrʌgˈɒf] *übertragen* als unwichtig abtun

---

shrunk [ʃrʌŋk] *2. und 3. Form von →* **shrink**[1]

shudder[1] ['ʃʌdə] 1. schaudern 2. (*Haus usw.*) beben, (*Zug usw.*) rütteln

shudder[2] ['ʃʌdə] Schauder

shuffle ['ʃʌfl] 1. mischen (*Spielkarten*) 2. **shuffle** (**one's feet**) schlurfen

shun [ʃʌn], **shunned, shunned** meiden

shut [ʃʌt], **shut, shut**; *-ing-Form* **shutting** 1. zumachen, schließen (*Tür usw., auch Fabrik usw.*); **keep one's mouth shut** *umg.* den Mund halten 2. (*Tür usw.*) zugehen, schließen (*auch Laden usw.*) 3. einschließen (**in** in); **shut one's finger in the door** sich den Finger in der Tür einklemmen

---

shut away [ˌʃʌt‿əˈweɪ] 1. wegschließen 2. **shut oneself away** sich vergraben (**in** in) (*im Zimmer usw.*)

shut down [ˌʃʌtˈdaʊn] 1. schließen (*Fabrik usw.*) 2. (*Fabrik usw.*) schließen

shut off [ˌʃʌtˈɒf] 1. abstellen (*Gas, Maschine usw.*) 2. (*Maschine usw.*) (sich) abschalten 3. fernhalten (**from** von)

shut up [ˌʃʌtˈʌp] 1. **shut up!** *umg.* halt die Klappe! 2. **shut someone up** *umg.* jemandem den Mund stopfen 3. einsperren (**in** in) 4. schließen (*Geschäft*)

---

shutdown ['ʃʌtdaʊn] *einer Firma, Fabrik usw.*: Schließung, *für immer auch*: Stilllegung

shutter ['ʃʌtə] 1. Fensterladen 2. *an Kamera*: Verschluss; **shutter speed** Verschlusszeit

shuttle[1] ['ʃʌtl] 1. *Verkehrsmittel im Pendelverkehr*; **shuttle train** Pendelzug; **shuttle bus** Bus im Pendelverkehr; **shuttle service** Pendelverkehr 2. **space shuttle** Raumfähre

shuttle[2] ['ʃʌtl] 1. im Pendelverkehr befördern, hin- und herfahren 2. (*Personen*) pendeln

shuttlecock ['ʃʌtlkɒk] Federball

shy[1] [ʃaɪ] 1. *Person*: schüchtern (**of, with** gegenüber); **don't be shy** nur keine Hemmungen! 2. *Tier*: scheu

shy[2] [ʃaɪ] (*Pferd*) scheuen (**at** vor)

---

shy away from [ˌʃaɪ‿əˈweɪ‿frɒm] *übertragen* zurückschrecken vor; **shy away from doing something** davor zurückschrecken, etwas zu tun

S

shyness ['ʃaɪnəs] Scheu, Schüchternheit

Siberia [saɪ'bɪərɪə] Sibirien

siblings ['sɪblɪŋz] *Pl.* Geschwister *Pl.*

Sicily ['sɪsəlɪ] Sizilien

sick[1] [sɪk] 1. krank; *be off sick* krank(geschrieben) sein; *report* (*AE call in*) *sick* sich krankmelden 2. *be sick bes. BE* sich übergeben; *he felt sick* ihm war schlecht 3. *be sick of something umg.* etwas satthaben; *be sick* (*and tired*) *of doing something umg.* es (gründlich) satthaben, etwas zu tun 4. *it makes me sick* mir wird schlecht davon, *übertragen* es ekelt mich an 5. *Witz usw.:* (≈ *geschmacklos*) abartig, pervers

sick[2] [sɪk] *the sick Pl.* die Kranken

sickbag ['sɪkbæg] *im Flugzeug:* Spucktüte

sickbay ['sɪkbeɪ] *in Schule:* Krankenzimmer

sickbed ['sɪkbed] Krankenbett

sick building syndrome [ˌsɪk'bɪldɪŋˌsɪndrəʊm] Sick-Building-Syndrom (*Krankheitssymptome, die aus Schadstoffen oder schlechter Belüftung in Gebäuden resultieren*)

sicken ['sɪkən] anekeln, anwidern (*beide auch übertragen*); *it's sickening* es ist zum Kotzen

sickie ['sɪkɪ] *umg. take a sickie* einen Tag blaumachen

sickle ['sɪkl] Sichel

sick leave ['sɪkˌliːv] *be on sick leave* krank(geschrieben) sein

sickly ['sɪklɪ] 1. *Person:* kränklich 2. *Lächeln:* matt 3. *Geruch usw.:* widerwärtig 4. *sickly-sweet* übersüß

sickness ['sɪknəs] 1. *allg.:* Krankheit 2. *vom Magen her:* Übelkeit

sick note ['sɪkˌnəʊt] Krankmeldung

sicko ['sɪkəʊ] *salopp, Person:* Perversling

side[1] [saɪd] 1. *allg.:* Seite (*auch übertragen*); *side by side* nebeneinander, Seite an Seite; *at the side of the road* am Straßenrand; *on the side übertragen* nebenbei, nebenher; *take sides* Partei ergreifen (*with* für; *against* gegen) 2. *bes. BE; Sport:* Mannschaft 3. *to be on the 'safe side* um ganz sicher zu gehen

side[2] [saɪd] Seiten...; *side door* Seitentür

side[3] [saɪd] Partei ergreifen (*with* für; *against* gegen)

sideboard ['saɪdbɔːd] *Möbelstück:* Anrichte

sideboards ['saɪdbɔːdz] *Pl., bes. AE* sideburns ['saɪdbɜːnz] *Pl.* Koteletten

side dish ['saɪdˌdɪʃ] *Essen:* Beilage

side effect ['saɪdˌɪˌfekt] *mst. negativ:* Nebenwirkung

side impact protection ['saɪdˌɪmpækt ˌ-

prə'tekʃn] *Auto:* Seitenaufprallschutz

sidekick ['saɪdkɪk] *umg.* 1. Kumpan(in), Kumpel 2. Handlanger(in)

sideline ['saɪdlaɪn] 1. Nebenbeschäftigung 2. *Sport:* Seitenlinie; *on the sideline(s)* am Spielfeldrand

sideshow ['saɪdˌʃəʊ] 1. Nebenvorstellung 2. Sonderausstellung

sidesplitting ['saɪdˌsplɪtɪŋ] zwerchfellerschütternd

sidestep ['saɪdˌstep] 1. Schritt zur Seite 2. *Boxen:* Sidestep

sidestep ['saɪdstep] 1. *allg.:* einen Schritt zur Seite machen 2. *einem Schlag* (durch einen Schritt zur Seite) ausweichen 3. *übertragen* ausweichen (*einer Frage usw.*)

sidetrack ['saɪdtræk] *übertragen* ablenken; *get sidetracked* abgelenkt werden

sidewalk ['saɪdwɔːk] *bes. AE* Bürgersteig, Gehsteig; ☞ *BE* pavement 2

sideward ['saɪdwəd], sidewards ['saɪdwədz] 1. seitlich; *sideward jump* Sprung zur Seite 2. seitwärts, nach der *oder* zur Seite

sideways ['saɪdweɪz] 1. seitwärts 2. zur Seite; *step sideways* zur Seite gehen

siege [siːdʒ] *militärisch:* Belagerung

siesta [sɪ'estə] Siesta; *have oder take a siesta* Siesta halten

sieve[1] [△ sɪv] Sieb

sieve[2] [△ sɪv] (durch)sieben

---

sift through [ˌsɪft'θruː] *übertragen* sichten, durchsehen (*Material usw.*)

---

sigh[1] [saɪ] (auf)seufzen; *sigh with relief* erleichtert aufatmen

sigh[2] [saɪ] Seufzer; *heave a sigh of relief* einen Seufzer der Erleichterung ausstoßen

sight[1] [saɪt] 1. Sehvermögen; *have good sight* gute Augen haben, gut sehen 2. Anblick, Blick; *love at first sight* Liebe auf den ersten Blick; *catch sight of* erblicken; *lose sight of* aus den Augen verlieren 3. Sicht(weite); *be* (*with*)*in sight* in Sicht sein (*auch übertragen*); *she never lets her children out of her sight* sie lässt ihre Kinder nie aus den Augen 4. *mst.* sights *Pl.* Sehenswürdigkeit 5. *know someone by sight* jemanden vom Sehen kennen 6. *a sight for sore eyes umg.* eine Augenweide

sight[2] [saɪt] sichten

sightseeing ['saɪtˌsiːɪŋ] Sightseeing, Besichtigung von Sehenswürdigkeiten; *go sightseeing* sich die Sehenswürdigkeiten anschauen; *sightseeing tour* Sightseeingtour, (Stadt)Rundfahrt

sign[1] [saɪn] 1. *allg.:* Zeichen, *Mathematik,*

Musik auch: Vorzeichen; **there was no sign of him** von ihm war keine Spur zu sehen 2. *übertragen* Anzeichen 3. Schild; **danger sign** Warnschild 4. **sign of the zodiac** Sternzeichen

sign² [saɪn] 1. *allg.*: unterschreiben, unterzeichnen 2. signieren (*Bild, Buch*) 3. ausstellen (*Scheck*) 4. sich eintragen in 5. *bes BE*; *Sport*: verpflichten (*Spieler*) 6. *bes BE*; *Sport*: (einen Vertrag) unterschreiben (**for** bei)

---

sign for ['saɪn ˌfɔː] den Empfang (+ *Genitiv*) bestätigen (*durch Unterschrift*)
sign in [ˌsaɪn'ɪn] (*Besucher*) sich eintragen
sign off [ˌsaɪn'ɒf] Schluss machen (*im Brief, auch allg.*)
sign on [ˌsaɪn'ɒn] 1. (*Arbeitsloser*) stempeln gehen 2. (*Sportler usw.*) sich verpflichten, unterschreiben
sign out [ˌsaɪn'aʊt] sich austragen
sign up [ˌsaɪn'ʌp] 1. (einen Arbeitsvertrag) unterschreiben 2. sich einschreiben (*für einen Kurs usw.*)

---

signal¹ ['sɪɡnəl] Signal, Zeichen (*beide auch übertragen*)
signal² ['sɪɡnəl], **signalled, signalled**, *AE* **signaled, signaled** 1. Zeichen geben 2. *übertragen* signalisieren (*Bereitschaft usw.*)
signature ['sɪɡnətʃə] Unterschrift, Signatur
signature tune ['sɪɡnətʃəˌtjuːn] *Radio, TV*: Erkennungsmelodie
significance [sɪɡ'nɪfɪkəns] Bedeutung, Wichtigkeit
significant [sɪɡ'nɪfɪkənt] 1. bedeutend, wichtig 2. *Blick usw.*: vielsagend
signify ['sɪɡnɪfaɪ] 1. bedeuten 2. kundtun (*Meinung usw.*)
sign language ['saɪnˌlæŋɡwɪdʒ] Zeichensprache
signpost ['saɪnpəʊst] Wegweiser
silence ['saɪləns] Stille, Schweigen; **silence!** Ruhe!; **in silence** schweigend
silencer ['saɪlənsə] 1. *BE*; *Auto*: Auspufftopf 2. *an Waffe*: Schalldämpfer
silent ['saɪlənt] 1. still, schweigsam; **remain silent** schweigen 2. *Gebet, Buchstabe usw.*: stumm; **silent film** Stummfilm
silhouette [ˌsɪluː'et] Silhouette
silicon ['sɪlɪkən] △ *Chemie*: Silizium
silicone ['sɪlɪkəʊn] △ *Chemie*: Silikon
silk [sɪlk] Seide
silky ['sɪlkɪ] *Haare, Fell usw.*: seidig
sill [sɪl] Sims; **windowsill** Fensterbrett
silliness ['sɪlɪnəs] Albernheit, Dummheit

silly¹ ['sɪlɪ] albern, dumm; **don't be silly!** mach (*bzw.* red) doch keinen Unsinn!; **silly billy** *umg.* Dummerchen
silly² ['sɪlɪ] *umg.* Dummkopf, Dummerchen
silly season ['sɪlɪˌsiːzn] *umg.*; *für Medien*: Sauregurkenzeit
silver ['sɪlvə] 1. Silber (*auch Besteck usw.*) 2. Silber(münzen) 3. Silbermedaille
silver anniversary ['sɪlvərˌænɪ'vɜːsərɪ] → **silver wedding**
silver jubilee [ˌsɪlvə'dʒuːbɪliː] 25-jähriges Jubiläum
silver medal [ˌsɪlvə'medl] Silbermedaille
silver medallist [ˌsɪlvə'medlɪst] Silbermedaillengewinner(in)
silverware ['sɪlvəweə] Silber(besteck), Tafelsilber
silver wedding [ˌsɪlvə'wedɪŋ], **silver wedding anniversary** [ˌsɪlvə'wedɪŋˌænɪvɜːsərɪ] Silberhochzeit
silvery ['sɪlvərɪ] silbrig
similar ['sɪmələ] ähnlich (**to**; *dt. Dativ*)
similarity [ˌsɪmə'lærətɪ] Ähnlichkeit (**to** mit)
similarly ['sɪmələlɪ] 1. ähnlich 2. entsprechend, ebenso
simmer ['sɪmə] köcheln, leicht kochen
simple ['sɪmpl] 1. *allg.*: einfach, *Aufgabe usw. auch*: leicht; **for the simple reason that** aus dem einfachen Grund, weil 2. *Person usw.*: schlicht, einfach 3. einfältig
simple-minded [ˌsɪmpl'maɪndɪd] einfältig
simplicity [sɪm'plɪsətɪ] Einfachheit, Schlichtheit
simplification [ˌsɪmplɪfɪ'keɪʃn] Vereinfachung
simplify ['sɪmplɪfaɪ] vereinfachen
simplistic [sɪm'plɪstɪk] grob vereinfachend
simply ['sɪmplɪ] 1. einfach; **to put it simply** einfach ausgedrückt 2. bloß, nur; **it's simply a question of money** es ist nur eine Frage des Geldes 3. **simply great** *usw. umg.* einfach großartig *usw.*
simulate ['sɪmjʊleɪt] 1. vortäuschen, simulieren (*bes. Krankheit*) 2. *Technik usw.*: simulieren, imitieren
simulation [ˌsɪmjʊ'leɪʃn] 1. Vortäuschung 2. *Technik usw.*: Simulation, Imitation
simultaneous [ˌsɪml'teɪnɪəs] simultan, gleichzeitig
sin¹ [sɪn] Sünde
sin² [sɪn], **sinned, sinned** sündigen
since [sɪns] 1. seit; **we haven't met since last year** wir haben uns seit letztem Jahr nicht mehr gesehen 2. inzwischen; … **but we have since become reconciled** … aber wir haben uns inzwischen wieder versöhnt 3. *auch* **ever since** seitdem,

S

seither **4.** seit(dem); ***since losing his job, he's never been the same*** seit(dem) er seine Stelle verloren hat, ist er nicht mehr derselbe **5.** *bei Ursache*: (≈ *weil*) da; ***since you're not willing to help me, …*** da du nicht bereit bist, mir zu helfen, …

sincere [sɪn'sɪə] aufrichtig, offen

sincerely [sɪn'sɪəlɪ] **1.** aufrichtig **2.** ***Yours sincerely*** *Briefschluss*: Mit freundlichen Grüßen

sincerity [sɪn'serətɪ] Aufrichtigkeit

sinew ['sɪnjuː] Sehne

sing [sɪŋ], **sang** [sæŋ], **sung** [sʌŋ] singen; ***sing someone something*** jemandem etwas (vor)singen

Singapore [ˌsɪŋə'pɔː] Singapur

singe [sɪndʒ] ansengen, versengen

singer ['sɪŋə] Sänger(in)

singer-songwriter [ˌsɪŋə'sɒŋˌraɪtə] Liedermacher(in)

single¹ ['sɪŋgl] **1.** einzig; ***not a single one*** kein Einziger **2.** einfach, einzeln, Einzel…; ***single room*** Einzelzimmer; ***single room supplement*** *oder* ***single occupancy*** Einzelzimmerzuschlag; ***single ticket*** *BE* einfache Fahrkarte, *Flugzeug*: einfaches Ticket **3.** unverheiratet; ***single parent*** Alleinerziehende(r); ***single parent family*** Einelternfamilie

single² ['sɪŋgl] **1.** *BE* einfache Fahrkarte, *Flugzeug*: einfaches Ticket **2.** *Schallplatte*: Single **3.** *Person*: Single; ***singles bar*** Single-Bar; ☞ **singles**

single out [ˌsɪŋgl'aʊt] aussondern

single currency [ˌsɪŋgl'kʌrənsɪ] einheitliche Währung, Einheitswährung

Single European Market [ˌsɪŋglˌjʊərəpɪən'mɑːkɪt] europäischer Binnenmarkt

single file [ˌsɪŋgl'faɪl] **(**in**) single file** im Gänsemarsch

single-handed [ˌsɪŋgl'hændɪd] eigenhändig, (ganz) allein

single market [ˌsɪŋgl'mɑːkɪt] *Europa*: Binnenmarkt

single-minded [ˌsɪŋgl'maɪndɪd] zielstrebig

singles ['sɪŋglz] *Pl.* Tennis usw.: Einzel; *a* ***singles match*** ein Einzel

singular¹ ['sɪŋgjʊlə] **1.** *Sprache*: Singular…, Einzahl… **2.** *übertragen* einzigartig, einmalig

singular² ['sɪŋgjʊlə] *Sprache*: Singular, Einzahl

sinister ['sɪnɪstə] finster, unheimlich

sink¹ [sɪŋk], **sank** [sæŋk] *oder* **sunk** [sʌŋk], **sunk** [sʌŋk] **1.** sinken, untergehen **2.** versenken (*Schiff usw.*) **3.** zunich-

temachen (*Pläne usw.*) **4.** sinken (***into a chair*** in einen Sessel) **5.** ***my heart*** (*oder* ***spirits***) **sank** meine Stimmung sank **6.** bohren (*Brunnen usw.*) **7.** ***leave someone to sink or swim*** jemanden sich selbst überlassen

sink² [sɪŋk] Spülbecken, Spüle, ⒼⒷ Schüttstein

sinner ['sɪnə] Sünder(in)

sinus ['saɪnəs] *Medizin*: (Nasen)Nebenhöhle

sinusitis [ˌsaɪnə'saɪtɪs] *Medizin*: (Nasen)Nebenhöhlenentzündung

sip¹ [sɪp], **sipped, sipped** nippen (an *oder* von), schluckweise trinken

sip² [sɪp] Schlückchen

sir [sɜː] **1.** *Anrede*: Sir; ***Dear Sir or Madam*** *Anrede in Briefen*: Sehr geehrte Damen und Herren **2.** ***Sir*** *BE*; *Adelstitel*: ***Sir*** [△ sə] ***Winston*** (***Churchill***)

Sir

Die Anrede **Sir** wird entweder dem Vornamen oder dem Vornamen + Nachnamen vorangestellt. Nie erscheint sie mit dem Nachnamen allein. Also: **Sir Winston** oder **Sir Winston Churchill** (nicht „Sir Churchill"!).

---

siren ['saɪərən] Sirene

sister ['sɪstə] **1.** Schwester **2.** *BE* Oberschwester **3.** *kirchlich*: (Ordens)Schwester; ***Sister Mary*** Schwester Mary

sister-in-law ['sɪstərɪnlɔː] *Pl.*: **sisters-in-law** Schwägerin

sisterly ['sɪstəlɪ] schwesterlich

sit [sɪt], **sat** [sæt], **sat** [sæt]; *-ing-Form* **sitting 1.** *allg.*: sitzen (*auf einem Stuhl usw.*) **2.** sich setzen (*auf einen Stuhl usw.*) **3.** setzen (*Kind usw.*), stellen (*Gegenstand*) (**in** in; **on** auf) **4.** (*Gegenstand*) stehen, liegen (*an einem bestimmten Platz*) **5.** (*Versammlung usw.*) tagen **6.** *BE* ablegen, machen (*Prüfung*) **7.** ***be sitting pretty*** *umg.* (finanziell) gut dastehen

sit about *oder* **around** [ˌsɪt_ə'baʊt *oder* ə'raʊnd] herumsitzen

sit back [ˌsɪt'bæk] sich zurücklehnen, *übertragen* die Hände in den Schoß legen

sit down [ˌsɪt'daʊn] **1.** sich setzen **2.** sitzen; ***sitting down*** im Sitzen

sit for ['sɪt_fɔː] **1.** *BE* ablegen, machen (*Prüfung*) **2.** Modell sitzen für

sit in [ˌsɪt'ɪn] ***sit in for someone*** jemanden vertreten

sit on ['sɪt_ɒn] **1.** *übertragen* (≈ _nicht

singular: Singularwörter im Englischen

Es gibt im Englischen einige Begriffe, die im Gegensatz zum Deutschen nur als Singular verwendet werden. Sie können also nicht mit **a** bzw. **an** benutzt werden. Stattdessen kann man, wo angebracht, **some** oder **any** einfügen. Hier die wichtigsten:

advice	Rat, Ratschlag, Ratschläge
I need some advice.	Ich brauche einen Rat / ein paar gute Ratschläge.
information	Information(en)
Have you got any information about the flight?	Haben Sie irgendwelche Informationen über den Flug?
knowledge	Wissen, Kenntnis(se)
What is his knowledge of history like?	Wie sind so seine Geschichtskenntnisse?
news (*trotz* **-s** *am Ende ist* **news** *ein Singularwort*)	Nachricht(en)
The news is mixed	Die Nachrichten sind gemischt.
progress	Fortschritt(e)
We're making some progress.	Wir machen Fortschritte.
furniture	Möbel
Furniture is expensive.	Möbel sind teuer.

Um den Singular auszudrücken, kann man den meisten dieser Ausdrücke **a piece of** voranstellen:

a piece of advice	ein Ratschlag
a piece of information	eine Information
a piece of news	eine Nachricht
a piece of furniture	ein Möbelstück

---

erledigen) sitzen auf **2.** unterdrücken
sit out [ˌsɪtˈaʊt] auslassen (*Tanz*)
sit up [ˌsɪtˈʌp] **1.** sich aufsetzen **2.** hinsetzen (*Kind usw.*) **3.** aufrecht sitzen; *sit up!* setz dich gerade hin! **4.** *abends*: aufbleiben **5.** *make someone sit up (and take notice) umg.* jemanden aufhorchen lassen

sitcom [ˈsɪtkɒm] *TV*: Situationskomödie
sit-down [ˈsɪtdaʊn] *auch* **sit-down strike** Sitzstreik
site [saɪt] **1.** Platz, Stelle; *camping site* Zeltplatz **2.** (Ausgrabungs)Stätte **3.** Bauplatz; *building oder construction site* Baustelle **4.** *Computer*: Website
sit-in [ˈsɪtɪn] Sit-in, Sitzblockade
sitting [ˈsɪtɪŋ] Sitzung (*auch Malerei usw.*)
sitting room [ˈsɪtɪŋ ruːm] Wohnzimmer
situated [ˈsɪtʃʊeɪtɪd] *be situated Haus usw.*: gelegen sein, liegen
situation [ˌsɪtʃʊˈeɪʃn] **1.** *übertragen* Lage, Situation **2.** *situations Pl. vacant* Stellenangebote; *situations Pl. wanted* Stellengesuche **3.** Lage (*eines Hauses usw.*)

six¹ [sɪks] sechs
six² [sɪks] *Buslinie, Spielkarte usw.*: Sechs
six-pack [ˈsɪkspæk] **1.** *von Getränken*: Sechserpack(ung); *he's one can short of a six-pack umg.* er hat nicht alle Tassen im Schrank **2.** *humorvoll* Waschbrettbauch

six-pack

Six-pack ist ein aus den USA stammender Begriff, der einen „Sechserpack" Bierdosen beschreibt. Auch findet man ihn in der Wendung **"He's/She's one can short of a six-pack"** („Ihm/Ihr fehlt eine Bierdose zum Sechserpack", d. h. er/sie hat nicht alle Tassen im Schrank).

Mit **six-pack** bezeichnet man umgangssprachlich auch einen ☞ *Waschbrettbauch.*

sixteen¹ [ˌsɪksˈtiːn] sechzehn
sixteen² [ˌsɪksˈtiːn] *Buslinie usw.*: Sech-

S

zehn

sixth¹ [sıksθ] sechste(r, -s)

sixth² [sıksθ] **1.** Sechste(r, -s) **2.** *Bruchteil*: Sechstel

sixth form ['sıksθ‿fɔːm] *BE*; *Schule*: Abschlussklasse

---

sixth form

Sixth form heißt die Abschlussklasse in der Schule, während der sich Schüler im Alter von ca. 16 bis 18 auf ihre **A levels** vorbereiten. Die **sixth form** besteht aus der **lower sixth** (1. Jahr) und der **upper sixth** (2. Jahr) und entspricht in etwa der deutschen Kollegstufe oder Sekundarstufe II.

---

sixty¹ ['sıkstı] sechzig

sixty² ['sıkstı] Sechzig; *he's in his sixties* er ist in den Sechzigern; *in the sixties* in den Sechzigerjahren (*eines Jahrhunderts*)

size [saız] **1.** Größe, *übertragen auch*: Ausmaß; *what's the size of …?* wie groß ist …? **2.** *Kleider usw.*: Größe, Nummer; *what size do you take* (*AE wear*)? welche Größe tragen Sie?

---

size up [ˌsaız'ʌp] abschätzen

---

sizeable ['saızəbl] *Summe*: beträchtlich

sizzle ['sızl] (*Fleisch usw.*) brutzeln

skate¹ [skeıt] **1.** Schlittschuh **2.** Rollschuh

skate² [skeıt] **1.** Schlittschuh laufen, eislaufen **2.** Rollschuh laufen

skateboard ['skeıtbɔːd] Skateboard

skateboarder ['skeıtbɔːdə] Skateboardfahrer(in)

skatepark ['skeıtpɑːk] Skateboardanlage

skater ['skeıtə] **1.** Eis- *oder* Schlittschuhläufer(in) **2.** Rollschuhläufer(in) **3.** Inlineskater(in)

skating rink ['skeıtıŋˌrıŋk] **1.** (Kunst)-Eisbahn **2.** Rollschuhbahn

skeleton ['skelıtən] Skelett, Gerippe (*bei de auch übertragen*)

skeptical ['skeptıkl] *bes. AE* skeptisch; ☞ *BE* **sceptical**

sketch¹ [sketʃ] **1.** *Kunst*: Skizze **2.** Sketch

sketch² [sketʃ] **1.** skizzieren **2.** *oft sketch in oder out übertragen* skizzieren, umreißen

sketch pad ['sketʃˌpæd] Skizzenblock

skewer¹ ['skjuːə] Fleischspieß

skewer² ['skjuːə] aufspießen (*Fleisch*)

ski¹ [skiː] **1.** Ski **2.** *an Fahrzeug*: Kufe

ski² [skiː], *skied, skied*; *-ing-Form skiing* Ski fahren *oder* laufen

skid¹ [skıd], *skidded, skidded* (*Auto usw.*) schleudern

skid² [skıd] *go into a skid* (*Auto usw.*) ins Schleudern kommen

skiing ['skiːıŋ] Skifahren, Skilaufen

skilful ['skılfl] geschickt

skill [skıl] **1.** *allg.*: Geschick, Geschicklichkeit **2.** *speziell*: Fertigkeit, berufliche Qualifikation

skilled [skıld] **1.** *allg.*: geschickt (*at, in*) **2.** *skilled worker* Facharbeiter(in)

skillet ['skılıt] *AE* Bratpfanne

skillful ['skılfl] *AE* geschickt; ☞ *skilful*

skim [skım], *skimmed, skimmed* **1.** *auch skim off* abschöpfen (*Fett usw.*) (*from* von) **2.** entrahmen (*Milch*)

---

skim through [ˌskım'θruː] überfliegen (*Bericht usw.*)

---

skimmed milk [ˌskımd'mılk], *AE* **skim milk** [ˌskımˌ'mılk] entrahmte Milch

skimp [skımp] *skimp* (*on*) sparen an

skimpy ['skımpı] dürftig, *Kleidung*: knapp

skin¹ [skın] **1.** Haut (*auch von Wurst, auf Milch usw.*); *be all skin and bones* nur noch Haut und Knochen sein; *be soaked to the skin* bis auf die Haut durchnässt sein **2.** Haut, Fell (*von Tier*) **3.** *von Obst usw.*: Schale **4.** *by the skin of one's teeth* umg. mit knapper Not **5.** *BE, umg.* Skin, Skinhead, Glatze

skin² [skın], *skinned, skinned* **1.** abhäuten (*Tier*) **2.** schälen (*Zwiebel usw.*) **3.** *skin one's knee* sich das Knie aufschürfen

skinflint ['skınflınt] Geizhals

skinhead ['skınhed] Skinhead

skinny ['skını] dürr

skip [skıp], *skipped, skipped* **1.** *auf und ab*: hüpfen **2.** *BE* seilspringen **3.** *übertragen* springen (*from one subject to another* von 'einem Thema zum andern) **4.** überspringen, auslassen (*Kapitel usw.*) **5.** schwänzen (*Unterricht usw.*), ausfallen lassen (*Mahlzeit*)

skipper ['skıpə] **1.** *Schiff*: Kapitän **2.** *Sport*: Mannschaftsführer(in)

skipping ['skıpıŋ] Seilspringen

skipping rope ['skıpıŋˌrəʊp] *BE* Springseil

skirt [skɜːt] Rock, ⊕ Jupe

ski run ['skiːˌrʌn] Skihang, Piste

skive [skaıv] *BE, umg.; bei der Arbeit*: faulenzen, sich vor der Arbeit drücken

skull [skʌl] **1.** Schädel **2.** *skull and crossbones Symbol*: Totenkopf

skunk [skʌŋk] Skunk, Stinktier

sky [skaı] Himmel; *in the sky* am Himmel

skydiving ['skaıˌdaıvıŋ] Fallschirmspringen

skylight ['skaɪlaɪt] Dachfenster, Oberlicht

skyline ['skaɪlaɪn] Skyline, Silhouette (*einer Stadt*)

skyscraper ['skaɪˌskreɪpə] Wolkenkratzer

slab [slæb] **1.** Platte; **stone slab** Steinplatte **2.** dickes Stück (*Kuchen, Käse usw.*), Tafel (*Schokolade*)

slack [slæk] **1.** Seil usw.: locker **2.** übertragen lasch, nachlässig **3.** Wirtschaft: flau

slacken ['slækən] **1.** lockern (*Seil usw.*) **2.** locker werden **3.** übertragen verringern **4.** auch **slacken off** Nachfrage usw.: nachlassen

slain [sleɪn] 3. Form von → **slay**

slam [slæm], **slammed, slammed 1.** auch **slam shut** Tür usw.: zuknallen, zuschlagen **2.** **slam something** (**down**) umg. etwas knallen (**on** auf)

---

slam on ['slæm ˌɒn] **slam on the brakes, slam the brakes on** beim Autofahren: auf die Bremse steigen

---

slammin ['slæmɪn] AE, umg. endgeil, voll krass

slander¹ ['slɑːndə] Verleumdung

slander² ['slɑːndə] verleumden

slanderous ['slɑːndrəs] verleumderisch

slang [slæŋ] Slang, Jargon

slant [slɑːnt] Schräge; **at a slant** schräg

slanting ['slɑːntɪŋ] schräg

slap¹ [slæp] Schlag, Klaps; **a slap in the face** wörtlich eine Ohrfeige (*bes.* Ⓐ Watsche), übertragen ein Schlag ins Gesicht

slap² [slæp], **slapped, slapped 1.** schlagen; **slap someone's face** jemanden ohrfeigen, Ⓐ jemanden watschen **2.** auch **slap down** klatschen (**on** auf) **3.** (*Wellen usw.*) klatschen (**against** gegen)

slaphead ['slæphed] umg., abwertend Glatzkopf

slapstick ['slæpstɪk] Slapstick, Klamauk

slash¹ [slæʃ] **1.** aufschlitzen, zerschlitzen; **slash one's wrists** sich die Pulsadern aufschneiden **2.** übertragen drastisch herabsetzen (*Preise*), drastisch kürzen (*Ausgaben*)

slash² [slæʃ] **1.** Hieb, Schnitt **2.** Schlitz (*in Kleid usw.*) **3.** Satzzeichen: Schrägstrich **4.** **go for** oder **have a slash** vulgär pissen gehen

slate [sleɪt] **1.** Gestein: Schiefer **2.** Schiefertafel **3.** AE; Politik: Kandidatenliste

slaughter ['slɔːtə] **1.** schlachten (*Tier*) **2.** niedermetzeln (*Menschen*) **3.** umg., Sport: fertigmachen, zerlegen

slaughtered ['slɔːtəd] BE, umg. stockbesoffen

slaughterhouse ['slɔːtəhaʊs] Schlacht-

haus

slave [sleɪv] Sklave, Sklavin

slave driver ['sleɪvˌdraɪvə] umg. Sklaventreiber(in), Leuteschinder(in)

slave labour [ˌsleɪv'leɪbə] Sklavenarbeit (*auch übertragen*)

slavery ['sleɪvərɪ] Sklaverei

slavish ['sleɪvɪʃ] sklavisch

slay [sleɪ], **slew** [sluː], **slain** [sleɪn] ermorden, umbringen

sleazy ['sliːzɪ] **1.** Gebäude usw.: schäbig, heruntergekommen **2.** (≈ unmoralisch) anrüchig

sled [sled], **sledge¹** [sledʒ] (Rodel)Schlitten

sledge² [sledʒ] **go sledging** Schlitten fahren (gehen), Ⓢ schlitteln gehen

sleek [sliːk] **1.** Haar usw.: seidig **2.** Auto: schnittig

sleep¹ [sliːp] Schlaf; **in one's sleep** im Schlaf; **go to sleep** einschlafen (△ schlafen gehen = **go to bed**); **I couldn't get to sleep** ich konnte nicht einschlafen; **put to sleep** (≈ betäuben, töten) einschläfern

sleep² [sliːp], **slept** [slept], **slept** [slept] **1.** schlafen **2.** **this tent sleeps four people** in diesem Zelt können vier Leute schlafen

---

sleep around [ˌsliːp ə'raʊnd] umg., abwertend rumbumsen

sleep in [ˌsliːp'ɪn] lang oder länger schlafen (△ nicht **einschlafen**)

sleep off [ˌsliːp'ɒf] **sleep it off** umg. seinen Rausch ausschlafen

sleep on ['sliːp ˌɒn] überschlafen (*Problem usw.*)

sleep with ['sliːp ˌwɪð] **sleep with someone** mit jemandem schlafen

---

sleeper ['sliːpə] **1.** Schlafende(r), Schläfer(in); **be a light** (bzw. **heavy**) **sleeper** einen leichten (bzw. festen) Schlaf haben **2.** BE; von Gleis: Schwelle **3.** Eisenbahn: Schlafwagen **4.** Schlafwagenplatz **5.** übertragen Schläfer (*Agent, Terrorist*)

sleeping bag ['sliːpɪŋ ˌbæg] Schlafsack

sleeping car ['sliːpɪŋ ˌkɑː] Eisenbahn: Schlafwagen

sleeping pill ['sliːpɪŋ ˌpɪl], **sleeping tablet** ['sliːpɪŋˌtæblət] Schlaftablette

sleepless ['sliːpləs] Nacht: schlaflos

sleepwalk ['sliːpwɔːk] schlafwandeln, nachtwandeln

sleepwalker ['sliːpˌwɔːkə] Schlafwandler(in), Nachtwandler(in)

sleepy ['sliːpɪ] **1.** schläfrig, müde **2.** Städtchen usw.: verschlafen, verträumt

sleepyhead ['sliːpɪhed] umg. Schlafmütze

sleet [sliːt] Schneeregen

S

sleeve [sliːv] **1.** Ärmel **2.** *bes. BE* (Platten)Hülle

sleigh [△ sleɪ] (Pferde)Schlitten

slender ['slendə] **1.** *Figur:* schlank, schmal **2.** *übertragen* mager, gering

slept [slept] *2. und 3. Form von* → **sleep²**

slew [sluː] *2. Form von* → **slay**

slice¹ [slaɪs] **1.** *Brot usw.:* Scheibe, *Kuchen usw.:* Stück **2.** *übertragen* Anteil (**of** an) **3.** *BE*; *zum Servieren:* Wender; *cake slice* Tortenheber

slice² [slaɪs] *auch **slice up*** in Scheiben *oder* Stücke schneiden

slice off [ˌslaɪs'ɒf] abschneiden (*Stück*) (**from** von)

slick¹ [slɪk] **1.** *Vorstellung usw.:* gekonnt **2.** clever, gewieft **3.** *Straße usw.:* glatt, rutschig

slick² [slɪk] **1.** (**oil**) *slick* Ölteppich **2.** *AE*, *umg.* Hochglanzmagazin

slicker ['slɪkə] *AE* Regenmantel

slid [slɪd] *2. und 3. Form von* → **slide¹**

slide¹ [slaɪd], *slid* [slɪd], *slid* [slɪd] **1.** gleiten, rutschen **2.** gleiten lassen

slide² [slaɪd] **1.** Rutsche, Rutschbahn **2.** *Foto:* Dia **3.** *Geröll usw.:* ...rutsch; *landslide* Erdrutsch (*auch politisch*) **4.** *BE* Haarspange

slide projector ['slaɪd prəˌdʒektə] Diaprojektor

sliding door [ˌslaɪdɪŋ'dɔː] Schiebetür

slight [slaɪt] **1.** leicht, geringfügig; *I haven't got the slightest idea* ich habe nicht die geringste Ahnung **2.** *not in the slightest* nicht im Geringsten

slightly ['slaɪtlɪ] etwas, ein bisschen

slim¹ [slɪm], *slimmer, slimmest* **1.** schlank **2.** *Chance, Hoffnung usw.:* gering

slim² [slɪm], *slimmed, slimmed BE* eine Schlankheitskur *oder* Diät machen

slime [slaɪm] Schleim

slimy ['slaɪmɪ] schleimig (*auch übertragen*)

sling¹ [slɪŋ], *slung* [slʌŋ], *slung* [slʌŋ] schleudern (△ *nicht* **schlingen**)

sling² [slɪŋ] *bei Verletzung:* Schlinge

slip¹ [slɪp], *slipped, slipped* **1.** rutschen, *auf Eis auch:* schlittern **2.** *auf glatter Fläche:* (≈ *sich schnell bewegen*) schlüpfen **4.** *slip something into someone's hand* jemandem etwas in die Hand schieben; *slip someone something* jemandem etwas zuschieben **5.** *it slipped my mind* es ist mir entfallen **6.** *be slipping* nachlassen, schlechter werden **7.** *let something slip* (**through your fingers**) sich etwas entgehen lassen

8. *he let slip that* ihm ist herausgerutscht, dass

slip into ['slɪp ɪntʊ] schlüpfen in (*ein Kleidungsstück*)

slip out [ˌslɪp'aʊt] **1.** sich hinausschleichen **2.** *it just slipped out* es ist mir *usw.* so herausgerutscht

slip out of [ˌslɪp'aʊt ˌəv] schlüpfen aus (*einem Kleidungsstück*)

slip up [ˌslɪp'ʌp] sich vertun

slip² [slɪp] **1.** Versehen, Flüchtigkeitsfehler; *slip of the tongue* Versprecher **2.** Unterkleid, Unterrock (△ *nicht* **Slip**) **3.** *give someone the slip umg.* jemandem entwischen

slip³ [slɪp] *auch **slip of paper*** Zettel

slipped disc [ˌslɪpt'dɪsk] Bandscheibenvorfall

slipper ['slɪpə] Hausschuh, Pantoffel (△ *Slipper = slip-on [shoe]*)

slippery ['slɪpərɪ] **1.** glatt, rutschig **2.** *Seife usw.:* glitschig **3.** *übertragen* zwielichtig

slip road ['slɪp rəʊd] *BE* **1.** *allg.:* Zufahrtsstraße **2.** *auf Autobahn je nach Richtung:* Auffahrt, Auffahrt

slipshod ['slɪpʃɒd] schlampig, schluderig

slit¹ [slɪt] Schlitz (*auch im Rock usw.*)

slit² [slɪt], *slit, slit*; *-ing-Form* **slitting** (auf)schlitzen

slobber ['slɒbə] sabbern

slog [slɒg] *umg. auch **hard slog*** Schinderei, Plackerei

slogan ['sləʊgən] Slogan, Spruch

slop [slɒp], *slopped, slopped* **1.** verschütten (*Flüssigkeit*) **2.** überschwappen, schwappen (**over** über)

slope¹ [sləʊp] (*Boden usw.*) sich neigen

slope² [sləʊp] **1.** *von Berg:* (Ab)Hang **2.** *von Straße, Dach usw.:* Neigung, Gefälle **3.** *AE* (Ski)Piste

sloppy ['slɒpɪ] **1.** *Arbeit usw.:* schlampig, schluderig **2.** *umg.*; *Film usw.:* schmalzig

sloshed ['slɒʃt] *umg.* blau, besoffen; *get sloshed* sich besaufen

slot [slɒt] **1.** (≈ *Öffnung*) Schlitz **2.** *umg.* Platz, Stelle (*in einer Liste, Reihe usw.*)

sloth [△ sləʊθ] *Tier:* Faultier

slot machine ['slɒt məˌʃiːn] **1.** Münzautomat **2.** Spielautomat

slouch [slaʊtʃ] **1.** sich lümmeln **2.** *beim Gehen:* latschen

Slovak¹ ['sləʊvæk] slowakisch

Slovak² ['sləʊvæk] Slowake, Slowakin

Slovakia [sləʊ'vækɪə] *die* Slowakei

Slovene ['sləʊviːn] → **Slovenian¹**, **Slovenian¹**

Slovenia [sləʊ'viːnɪə] Slowenien

Slovenian¹ [sləʊ'viːnɪən] slowenisch

Slovenian[2] [sləʊ'viːnɪən] Slowene, Slowenin

slovenly [⚠ 'slʌvnlɪ] schlampig, schluderig

slow [sləʊ] 1. *allg.*: langsam, *Person auch*: begriffsstutzig; *be slow to do something* sich mit etwas Zeit lassen; *slow lane Verkehr*: Kriechspur 2. *in slow motion* in Zeitlupe 3. *be (five minutes usw.) slow (Uhr)* (fünf Minuten *usw.*) nachgehen 4. *Wirtschaft*: schleppend

slow down [ˌsləʊ'daʊn] 1. *slow down!* fahr (*bzw.* geh) langsamer! 2. verringern (*Geschwindigkeit*), verzögern (*Projekt usw.*)

slowcoach ['sləʊkəʊtʃ] *BE* Trödler(in)
slowdown ['sləʊdaʊn] 1. Nachlassen, Rückgang 2. *AE* Bummelstreik
slowpoke ['sləʊpəʊk] *AE* Trödler(in)
slowworm ['sləʊwɜːm] *Eidechsenart*: Blindschleiche
sludge [slʌdʒ] Schlamm, Matsch
slug [slʌg] Nacktschnecke; ☞ **snail**
sluggish ['slʌgɪʃ] träge, schleppend
sluice [sluːs] Schleuse
slum [slʌm] *mst.* **slums** *Pl.* Slums, Elendsviertel
slump[1] [slʌmp] 1. *slump into a chair* sich in einen Sessel plumpsen lassen 2. (*Preise*) stürzen, (*Umsatz usw.*) stark zurückgehen
slump[2] [slʌmp] *Wirtschaft*: Krise; *slump in prices* Preissturz
slung [slʌŋ] 2. *und* 3. *Form von* → **sling**[1]
slur[1] [slɜː], *slurred, slurred*; *slur one's speech* lallen
slur[2] [slɜː] *cast a slur on someone* jemanden verunglimpfen
slurp [slɜːp] schlürfen (*Suppe usw.*)
slush [slʌʃ] 1. Schneematsch 2. *umg.* Kitsch
slut [slʌt] *umg.*; *frauenfeindlich* Schlampe
sly [slaɪ] 1. gerissen, schlau 2. *Lächeln*: verschmitzt 3. *on the sly* heimlich
smack[1] [smæk] 1. schlagen, einen Klaps geben 2. *smack one's lips* schmatzen

smack of ['smæk ˌəv] *übertragen* schmecken *oder* riechen nach

smack[2] [smæk] 1. Klaps, Schlag 2. *umg.* (≈ *Kuss*) Schmatz
small[1] [smɔːl] *allg.*: klein; *feel small* sich klein vorkommen (⚠ *schmal* = **narrow**)
small[2] [smɔːl] *small of the back* Kreuz
small ad ['smɔːl ˌæd] *umg.* Kleinanzeige
small change [ˌsmɔːl'tʃeɪndʒ] Kleingeld
small hours ['smɔːlˌaʊəz] *until oder into*

the small hours bis in die frühen Morgenstunden
small-minded [ˌsmɔːl'maɪndɪd] engstirnig
smallpox ['smɔːlpɒks] *Krankheit*: Pocken
small print [ˌsmɔːl'prɪnt] Kleingedruckte(s)
small talk ['smɔːl ˌtɔːk] (≈ *unverbindliche Unterhaltung*) Konversation, Small Talk
smarmy ['smɑːmɪ] *umg.* schmierig
smart[1] [smɑːt] 1. *bes BE; Auto, Kleidung usw.*: schick, *bes.* Ⓐ fesch 2. *bes AE* schlau, clever 3. *Bewegung usw.*: blitzschnell, *Schritt usw.*: flott 4. *bes. BE; Restaurant usw.*: vornehm
smart[2] [smɑːt] (*Wunde*) wehtun, brennen
smart aleck ['smɑːtˌælɪk] *umg.* Besserwisser(in)
smart arse ['smɑːt ˌɑːs], *AE* **smart ass** ['smɑːt ˌæs] *vulgär* Klugscheißer(in)
smart card ['smɑːt ˌkɑːd] Smartcard, Chipkarte
smartphone ['smɑːtfəʊn] Smartphone (*internetfähiges Mobiltelefon*)
smash[1] [smæʃ] 1. *auch* **smash up** zerschlagen 2. *auch* **smash up** zu Schrott fahren (*Wagen*) 3. (*Glas usw.*) zerspringen 4. schmettern (*auch Tennis*) 5. zerschlagen (*Drogenring*)

smash into ['smæʃˌɪntʊ] prallen an *oder* gegen, krachen gegen

smash[2] [smæʃ] 1. Schlag 2. *Tennis usw.*: Schmetterball 3. schwerer Unfall
smash[3] [smæʃ] *smash hit* Superhit
smashing ['smæʃɪŋ] *BE*, *umg.* toll
smash-up ['smæʃʌp] *Auto*: schwerer Unfall
smattering ['smætərɪŋ] *a smattering of English* ein paar Brocken Englisch
smear[1] [smɪə] 1. Fleck 2. *Medizin*: Abstrich
smear[2] [smɪə] 1. verschmieren 2. schmieren (*Creme usw.*) (**on, over** auf) 3. einschmieren (*Haut usw.*) (**with** mit)
smell[1] [smel], *smelt* [smelt], *smelt* [smelt] *oder* *smelled, smelled* 1. riechen (**at** an), riechen an 2. riechen, *stärker*: stinken (**of** nach) (*beide auch übertragen*)
smell[2] [smel] Geruch, *stärker*: Gestank
smelly ['smelɪ] *Socken usw.*: stinkend
smelt [smelt] 2. *und* 3. *Form von* → **smell**[1]
smile[1] [smaɪl] Lächeln; *with a smile* lächelnd, mit einem Lächeln; *be all smiles* (übers ganze Gesicht) strahlen; *give someone a smile* jemanden anlächeln, jemandem zulächeln
smile[2] [smaɪl] lächeln (**about** über); *keep smiling!* immer nur lächeln!

S

smile at [ˈsmaɪl‿ət] **1.** anlächeln, zulächeln **2.** belächeln

smiley [ˈsmaɪlɪ] Smiley (*Emoticon in Form eines lächelnden Gesichts*)
smirk [smɜːk] (schadenfroh) grinsen
smith [smɪθ] Schmied
smithereens [ˌsmɪðəˈriːnz] *Pl.* **smash (in)to smithereens** in tausend Stücke schlagen *oder* zerspringen
smog [smɒg] Smog; **smog alert** Smogalarm
smoke¹ [sməʊk] **1.** Rauch; **go up in smoke** *übertragen* in Rauch aufgehen **2.** **have a smoke** eine rauchen **3.** *umg.* Zigarette
smoke² [sməʊk] **1.** rauchen **2.** räuchern (*Fisch, Fleisch usw.*)
smoked [sməʊkt] geräuchert, Räucher...
smoker [ˈsməʊkə] **1.** Raucher(in) **2.** *Eisenbahn:* Raucherwagen
smokestack [ˈsməʊkstæk] Schornstein
smoking [ˈsməʊkɪŋ] Rauchen; **no smoking** Rauchen verboten; **smoking compartment** Raucher(abteil)
smoky [ˈsməʊkɪ] *Zimmer usw.:* rauchig, verräuchert
smolder [ˈsməʊldə] *AE* glimmen, schwelen (*beide auch übertragen*); ☞ *BE* **smoulder**
smooch [smuːtʃ] *umg.* knutschen (**with** mit)
smooth¹ [△ smuːð] **1.** *Oberfläche:* glatt **2.** *Flug:* ruhig **3.** *übertragen* reibungslos **4.** *Person:* aalglatt
smooth² [△ smuːð] *auch* **smooth out** glätten, glatt streichen
smoothie [ˈsmuːðɪ] (≈ *Getränk aus püriertem Obst und Joghurt, Milch oder Eis*) Smoothie, Fruchtdrink
smother [ˈsmʌðə] **1.** ersticken (*Person, Feuer*) **2.** *übertragen* überschütten (**with** mit)
smoulder [ˈsməʊldə] *bes. BE* glimmen, schwelen (*beide auch übertragen*)
SMS [ˌesemˈes] (*Abk. für* **s**hort **m**essage **s**ervice *oder* **s**hort **m**essaging **s**ystem) SMS
smudge¹ [smʌdʒ] **1.** verschmieren (**with** mit) **2.** (*Farbe usw.*) schmieren
smudge² [smʌdʒ] Fleck, Klecks
smug [smʌg], **smugger, smuggest** selbstgefällig
smuggle [ˈsmʌgl] schmuggeln (**into** nach; **out of** aus)
smuggler [ˈsmʌglə] Schmuggler(in)
smut [smʌt] *übertragen* Dreck, Schmutz
smutty [ˈsmʌtɪ] *übertragen* dreckig, schmutzig
snack [snæk] Imbiss, Ⓐ Jause; **have a**

snack eine Kleinigkeit essen, Ⓐ jausnen
snack bar [ˈsnæk‿bɑː] Imbissstube
snag [snæg] Problem, Haken
snail [sneɪl] **1.** Schnecke; ☞ **slug 2.** **at a snail's pace** im Schneckentempo
snail mail [ˈsneɪl‿meɪl] *humorvoll* Schneckenpost (*im Gegensatz zur E-Mail*)
snake [sneɪk] Schlange
snap¹ [snæp], **snapped, snapped 1.** zerbrechen, zerreißen **2.** *auch* **snap shut** zuschnappen **3.** *umg.* knipsen **4.** **snap one's fingers** mit den Fingern schnalzen

snap at [ˈsnæp‿ət] **1.** schnappen nach **2.** (≈ *anschreien*) anfahren
snap off [ˌsnæpˈɒf] abbrechen
snap up [ˌsnæpˈʌp] wegschnappen (*Ware usw.*)

snap² [snæp] *bes. BE, umg.; Foto:* Schnappschuss
snap³ [snæp] **snap decision** spontane Entscheidung
snap fastener [△ ˈsnæpˌfɑːsnə] *AE* Druckknopf; ☞ *BE* **press-stud**
snappy [ˈsnæpɪ] *umg.* **1.** modisch, schick **2.** **make it snappy!** *umg.* mach fix!
snapshot [ˈsnæpʃɒt] Schnappschuss
snare [sneə] Falle, Schlinge (*auch übertragen*)
snarl [snɑːl] (*Hund, auch Person*) knurren
snarl-up [ˈsnɑːlʌp] Verkehrschaos
snatch [snætʃ] **1.** packen, schnappen; **snatch someone's handbag** jemandem die Handtasche entreißen **2.** entführen (*Kind*)

snatch at [ˈsnætʃ‿ət] greifen nach

sneak¹ [sniːk], **sneaked, sneaked**, *AE auch* **snuck** [snʌk], **snuck** [snʌk] **1.** (sich) schleichen, sich stehlen **2.** *umg.* klauen **3.** **sneak a look at** heimlich einen Blick werfen auf **4.** **sneak on someone** *BE, umg.* jemanden verpetzen

sneak up [ˌsniːkˈʌp] **sneak up on someone** sich an jemanden anschleichen

sneak² [sniːk] *BE, umg.* Petzer(in), Petze
sneaker [ˈsniːkə] *AE* Turnschuh
sneer [snɪə] **1.** spöttisches Grinsen **2.** spöttische Bemerkung

sneer at [ˈsnɪər‿ət] **1.** höhnisch grinsen über **2.** spotten über

sneeze [sniːz] **1.** niesen **2.** **not to be**

sneezed at umg. nicht zu verachten

snicker ['snɪkə] bes. AE kichern (**at** über); ☞ BE **snigger**

sniff [snɪf] 1. schniefen, die Nase hochziehen 2. schnüffeln 3. schnüffeln (*Klebstoff usw.*), schnupfen (*Kokain*)

---

sniff at ['snɪf ˌət] 1. (*Hund usw.*) schnüffeln an 2. **not to be sniffed at** nicht zu verachten

---

snigger ['snɪgə] bes. BE (boshaft) kichern (**at** über)

snip[1] [snɪp] 1. Schnitt 2. BE, umg. günstiger Kauf

snip[2] [snɪp], **snipped, snipped** schnippeln

sniper ['snaɪpə] Heckenschütze

snivel ['snɪvl], **snivelled, snivelled**, AE **sniveled, sniveled** jammern

snob [snɒb] abwertend Snob

snobbery ['snɒbərɪ] abwertend Snobismus

snobbish ['snɒbɪʃ] abwertend versnobt

snog [snɒg], **snogged, snogged** BE, umg. knutschen, schmusen (**with** mit)

snooker[1] ['snuːkə] Snooker Pool

snooker[2] ['snuːkə] **be snookered** umg. völlig machtlos sein, nichts machen können (*in einer Situation*)

---

snoop about oder **around** ['snuːp ˌə,-baʊt oder ə,raʊnd] umg. herumschnüffeln (**in** in)

---

snooty ['snuːtɪ] umg. hochnäsig

snooze[1] [snuːz] umg. ein Nickerchen machen

snooze[2] [snuːz] umg. Nickerchen; **have a snooze** ein Nickerchen machen

snore [snɔː] schnarchen

snorkel ['snɔːkl] Schnorchel

snort [snɔːt] schnauben (*auch wütend usw.*)

snot [snɒt] umg. Rotz

snotty ['snɒtɪ] 1. **snotty nose** umg. Rotznase 2. → **snooty**

snout [snaʊt] Schnauze, Rüssel

snow[1] [snəʊ] 1. Schnee; (**as**) **white as snow** schneeweiß 2. Schneefall 3. salopp Kokain

snow[2] [snəʊ] schneien

snowball ['snəʊbɔːl] Schneeball

snowball fight ['snəʊbɔːl ˌfaɪt] Schneeballschlacht

snowboard ['snəʊbɔːd] Snowboard

snowboarder ['snəʊbɔːdə] Snowboardfahrer(in)

snowboarding ['snəʊbɔːdɪŋ] Snowboarden, Snowboarding

snow-capped ['snəʊkæpt] schneebedeckt (*Berggipfel*)

snow chain ['snəʊ ˌtʃeɪn] Auto: Schneekette

snowdrop ['snəʊdrɒp] Schneeglöckchen

snowfall ['snəʊfɔːl] Schneefall

snowflake ['snəʊfleɪk] Schneeflocke

snowman ['snəʊmæn] Pl.: **snowmen** ['snəʊmen] Schneemann

snowy ['snəʊɪ] schneereich, verschneit

snub[1] [snʌb], **snubbed, snubbed** brüskieren, vor den Kopf stoßen

snub[2] [snʌb] **snub nose** Stupsnase

snuff[1] [snʌf] Schnupftabak

snuff[2] [snʌf] ausdrücken (*Kerze*)

snuffle ['snʌfl] schniefen, schnüffeln

snug [snʌg], **snugger, snuggest** 1. behaglich, gemütlich 2. Kleidung: gut sitzend

---

snuggle up to [ˌsnʌgl'ʌp ˌtʊ] **snuggle up to someone** sich an jemanden kuscheln

---

so[1] [səʊ] 1. so, dermaßen; **he's so stupid** (**that**) … er ist so dumm, dass … 2. verkürzend: **I hope so** ich hoffe (es); **I think so** ich glaube schon 3. auch; **He's tired. So am I** Er ist müde. Ich auch 4. (ja) so; **I'm so glad** ich bin ja so glücklich 5. so, in dieser Weise; **is that so?** wirklich? 6. **so as to** Bestimmung: so dass, um zu 7. **a mile or so** etwa eine Meile 8. **and so on** und so weiter 9. **so far** bis jetzt, bisher

so[2] [səʊ] 1. Begründung: also, so, deshalb 2. Bestimmung: **so** (**that**) damit 3. **so what?** umg. na und?

---

soak [səʊk] 1. einweichen (*Wäsche usw.*) (**in** in) 2. (*Flüssigkeit*) sickern 3. umg. ausnehmen, neppen (*Touristen usw.*)

---

soak up [ˌsəʊk'ʌp] aufsaugen (*Flüssigkeit usw.*)

---

soaked [səʊkt] **soaked to the skin** bis auf die Haut durchnässt

soaking ['səʊkɪŋ] **soaking (wet)** tropfnass

so-and-so ['səʊənsəʊ] umg. 1. Person, deren Namen man nicht genau kennt: Soundso, Sowieso; **a Mr so-and-so** ein Herr Soundso 2. **he's a real so-and-so** er ist ein (ganz) gemeiner Kerl

soap[1] [səʊp] Seife

soap[2] [səʊp] einseifen

soap opera ['səʊp,ɒprə] TV: Seifenoper; ☞ Info S. 442

soar [sɔː] 1. aufsteigen 2. (*Berg usw.*) hochragen 3. (*Preise usw.*) in die Höhe

S

schnellen

soap opera

Soap opera heißen diese Fernsehserien, weil sie ursprünglich von großen Waschmittelkonzernen gesponsert wurden.

sob [sɒb], **sobbed, sobbed** schluchzen
sober ['səʊbə] nüchtern (*auch übertragen*)

sober up [ˌsəʊbər'ʌp] **1.** wieder nüchtern werden **2.** nüchtern machen, ausnüchtern

sob story ['sɒbˌstɔːrɪ] *umg.* rührselige Geschichte
so-called ['səʊkɔːld] sogenannte(r, -s)
soccer ['sɒkə] *Sport*: Fußball
sociable ['səʊʃəbl] gesellig
social ['səʊʃl] **1.** gesellschaftlich, Gesellschafts... **2.** sozial, Sozial...; **social science** Sozialwissenschaft **3.** *umg.*; *Person*: gesellig
socialism ['səʊʃəlɪzm] Sozialismus
socialist¹ ['səʊʃəlɪst] Sozialist(in)
socialist² ['səʊʃəlɪst] sozialistisch
socialize ['səʊʃəlaɪz] *I don't socialize much* ich gehe nicht oft unter die Leute
social security [ˌsəʊʃl sɪ'kjʊərətɪ] **1.** *BE* Sozialhilfe; *be on social security* Sozialhilfe beziehen **2.** *AE* Sozialversicherung
social worker ['səʊʃlˌwɜːkə] Sozialarbeiter(in)
society [sə'saɪətɪ] *allg.*: Gesellschaft
sociology [ˌsəʊsɪ'ɒlədʒɪ] Soziologie
sock [sɒk] Socke, Socken
socket ['sɒkɪt] **1.** Steckdose **2.** *Glühbirne*: Fassung **3.** *Kopfhörer usw.*: Anschluss
sod¹ [sɒd] *bes. BE* **1.** *vulgär* Arschloch, blöder Hund **2.** *umg.* *poor sod* armes Schwein
sod² [sɒd] *BE, umg.* **1.** *sod it!* Scheiße! **2.** *sod off!* verpiss dich!
soda ['səʊdə] **1.** *auch* **soda water** Soda(wasser) **2.** *AE* (≈*süßes, alkoholfreies Getränk mit Kohlensäure*) Limonade
sofa ['səʊfə] Sofa
soft [sɒft] **1.** *allg.*: weich **2.** *Musik usw.*: leise **3.** *Beleuchtung usw.*: gedämpft **4.** *Berührung*: sanft **5.** *umg.*; *Job*: bequem **6.** nachsichtig (*with someone* gegen jemanden) **7.** *get soft* verweichlichen **8.** *Droge*: weich
soft-boiled ['sɒftbɔɪld] *Ei*: weich (gekocht)
soft drink ['sɒft ˌdrɪŋk] alkoholfreies Getränk

soften [△ 'sɒfn] **1.** weich machen, *übertragen* weichmachen **2.** dämpfen (*Ton, Licht usw.*) **3.** (*Butter usw.*) weich werden

soften up [△ ˌsɒfn'ʌp] *soften someone up umg.* jemanden weichmachen

softhearted [ˌsɒft'hɑːtɪd] weichherzig
softie ['sɒftɪ] *umg.* sentimentaler Typ
softness ['sɒftnəs] Weichheit
soft-soap [ˌsɒft'səʊp] *soft-soap someone umg.* jemandem schmeicheln
soft toy [ˌsɒft'tɔɪ] Plüschtier
software ['sɒftweə] *Computer*: Software
softy ['sɒftɪ] *umg.* sentimentaler Typ
soggy ['sɒgɪ] **1.** *Boden*: aufgeweicht **2.** *Gemüse usw.*: matschig **3.** *Brot usw.*: teigig
soil¹ [sɔɪl] Boden, Erde
soil² [sɔɪl] beschmutzen, schmutzig machen
solace ['sɒləs] Trost
solar ['səʊlə] Sonnen..., Solar...; *solar energy* Sonnenenergie; *solar panel* Sonnenkollektor
solarium [sə'leərɪəm] *Pl.*: *solaria* [sə-'leərɪə] *oder* *solariums* Solarium
sold [səʊld] *2. und 3. Form von* → *sell*
solder [△ 'sɒldə] (ver)löten
soldier ['səʊldʒə] Soldat
sole¹ [səʊl] *von Fuß, Schuh*: Sohle
sole² [səʊl] **1.** einzige(r, -s) **2.** alleinige(r, -s), Allein...
sole³ [səʊl] *Fisch*: Seezunge
solely ['səʊllɪ] (einzig und) allein, ausschließlich
solemn [△ 'sɒləm] **1.** *Zeremonie usw.*: feierlich **2.** *Person, Musik usw.*: ernst
solicitor [sə'lɪsɪtə] **1.** *BE* Rechtsanwalt, Rechtsanwältin (*der/die meist nicht vor Gericht auftritt*) **2.** *AE* Werber, *umg.* Drücker; *No Solicitors!* Schild an Haustür: *etwa* Hausieren verboten!
solid¹ ['sɒlɪd] **1.** *allg.*: fest **2.** *Truhe usw.*: stabil, massiv **3.** *a solid gold watch* eine Uhr aus massivem Gold **4.** *übertragen* gewichtig, *Grund*: triftig **5.** *übertragen* einmütig, geschlossen (*for* für; *against* gegen) **6.** *I waited for a solid hour umg.* ich wartete eine geschlagene Stunde **7.** *umg.* (≈ *sehr gut*) spitze, stark
solid² ['sɒlɪd] **1.** *Geometrie*: Körper **2.** *solids Pl.* feste Nahrung
solidarity [ˌsɒlɪ'dærətɪ] Solidarität; *in solidarity with* aus Solidarität mit
soliloquy [sə'lɪləkwɪ] *Theater*: Monolog
solitary ['sɒlətərɪ] **1.** einsam, *Leben auch*: zurückgezogen; *solitary confinement im Gefängnis*: Einzelhaft **2.** *Ort usw.*: abgelegen **3.** *Beispiel usw.*: einzige(r, -s)

solitude ['sɒlətjuːd] Einsamkeit

solo[1] ['səʊləʊ] *Pl.*: **solos** *Musik*: Solo

solo[2] ['səʊləʊ] *Musik*: solo, Solo…

solstice ['sɒlstɪs] Sonnenwende

soluble ['sɒljʊbl] **1.** *Chemie*: löslich; **soluble in water** wasserlöslich **2.** *übertragen* lösbar (*Problem usw.*)

solution [sə'luːʃn] **1.** *eines Problems*: Lösung **2.** *Chemie*: Lösung

solvable ['sɒlvəbl] *Aufgabe, Problem*: lösbar

solve [sɒlv] **1.** lösen (*Aufgabe, Problem usw.*) **2.** aufklären (*Verbrechen*)

somber ['sɒmbə] *AE* düster

sombre ['sɒmbə] düster

some[1] [sʌm] **1.** etwas, ein wenig **2.** *vor Plural*: einige, ein paar **3.** (irgend)ein; **some fool let the dog out** irgend so ein Idiot hat den Hund rausgelassen; **some day** eines Tages **4.** manche; **some people believe …** manche Leute glauben … **5.** **to some extent** bis zu einem gewissen Grad

some[2] [səm] **1.** ungefähr; **some 30 people** ungefähr 30 Leute **2.** **take some more** nimm noch etwas; **would you like some more cake?** möchtest du noch ein Stück Kuchen?

somebody[1] ['sʌmbədɪ] jemand

somebody[2] ['sʌmbədɪ] **be somebody** etwas vorstellen, jemand sein

someday ['sʌmdeɪ] eines Tages

somehow ['sʌmhaʊ] irgendwie

someone ['sʌmwʌn] jemand

someplace ['sʌmpleɪs] *AE* **1.** irgendwo **2.** ☞ *BE* **somewhere**

somersault ['sʌməsɔːlt] Salto, Purzelbaum; **do a somersault** einen Salto machen, einen Purzelbaum schlagen

something[1] ['sʌmθɪŋ] **1.** etwas **2.** **or something (like that)** *umg.* oder so (was) **3.** **that was (really) something** das war vielleicht was

something[2] ['sʌmθɪŋ] **a little something** *Geschenk*: eine Kleinigkeit

something[3] ['sʌmθɪŋ] **something like** *umg.* ungefähr; **look something like** so ähnlich aussehen wie

sometime ['sʌmtaɪm] irgendwann

sometimes ['sʌmtaɪmz] manchmal

someway ['sʌmweɪ] *AE* irgendwie

somewhat ['sʌmwɒt] **1.** ein wenig **2.** **somewhat of a shock** ein ziemlicher Schock

somewhere ['sʌmweə] **1.** irgendwo **2.** irgendwohin **3.** **somewhere between 30 and 40** *übertragen* so zwischen 30 und 40

son [sʌn] Sohn

sonata [sə'nɑːtə] *Musik*: Sonate

song [sɒŋ] **1.** Lied **2.** Gesang (*auch von Singvögeln*) **3.** **for a song** *umg.* spottbillig

songbird ['sɒŋbɜːd] Singvogel

songbook ['sɒŋbʊk] Liederbuch

son-in-law ['sʌnɪnlɔː] *Pl.*: **sons-in-law** Schwiegersohn

sonnet ['sɒnɪt] Sonett

soon [suːn] **1.** bald; **as soon as** sobald; **as soon as possible** sobald wie möglich **2.** **just as soon** genauso gerne

sooner ['suːnə] **1.** eher, früher; **the sooner the better** je früher, desto besser; **sooner or later** früher oder später **2.** **I would sooner … than …** ich würde lieber … als …

soot [soot] Ruß

soothe [suːð] **1.** beruhigen **2.** *Salbe usw.*: lindern (*Schmerzen*)

sophisticated [sə'fɪstɪkeɪtɪd] **1.** kultiviert **2.** *Technik*: hoch entwickelt, raffiniert

sophomore ['sɒfəmɔː] *AE* Student(in) im zweiten Jahr

soprano [sə'prɑːnəʊ] *Musik*: Sopran (*Tonlage, Stimme, Sänger*), *Sängerin auch*: Sopranistin

sorbet ['sɔːbeɪ] *bes. BE* Fruchteis

sorcerer ['sɔːsərə] Zauberer, Hexenmeister, Hexer

sorceress ['sɔːsəres] Zauberin, Hexe

sorcery ['sɔːsərɪ] Zauberei, Hexerei

sordid ['sɔːdɪd] schmutzig (*auch übertragen*)

sore[1] [sɔː] **1.** weh, wund, entzündet; **have a sore throat** Halsschmerzen haben **2.** **sore point** *übertragen* wunder Punkt **3.** *bes. AE, umg.* sauer (**about** wegen)

sore[2] [sɔː] wunde Stelle, Wunde

sorrow ['sɒrəʊ] **1.** Leid, Kummer (**at, over** über, um), Trauer (**at, over** um) **2.** (≈ *Problem*) Sorge

sorry[1] ['sɒrɪ] **1.** **feel sorry for someone** jemanden bedauern; **I feel sorry for him** er tut mir leid; **I'm sorry** (es) tut mir leid, Entschuldigung! **2.** **I'm sorry to say** ich muss leider sagen **3.** jämmerlich

sorry[2] ['sɒrɪ] **1.** (es) tut mir leid; **say sorry** sich entschuldigen (**to someone** bei jemandem; **for something** für etwas) **2.** Entschuldigung!, Verzeihung! **3.** *bes. BE* wie bitte?

sort[1] [sɔːt] **1.** Sorte, Art; **all sorts of things** alles Mögliche **2.** **I had a sort of feeling that** ich hatte irgendwie das Gefühl, dass **3.** **I sort of expected it** *umg.* ich habe es irgendwie erwartet **4.** **of a sort** *oder* **of sorts** *abwertend* so etwas Ähnliches wie

S

sort out [ˌsɔːt'aʊt] **1.** aussortieren **2.** lösen (*Problem usw.*), klären (*Frage usw.*)

3. *AE* (*Dinge*) sich entwickeln, ausgehen **4. sort someone out** *BE*, *umg.* jemandem zeigen, wo es lang geht
sort through [ˌsɔːtˈθruː] durchsehen (*Papiere, Akten usw.*)

sort² [sɔːt] *allg.*: sortieren
so-so [ˌsəʊˈsəʊ] *umg.* so lala
soufflé [ˈsuːfleɪ] Soufflé, SouffIee, Auflauf
sought [sɔːt] *2. und 3. Form von* → **seek**
sought-after [ˈsɔːtˌɑːftə] begehrt, gesucht
soul [səʊl] **1.** Seele (*auch übertragen*) **2.** *Musik*: Soul
soulful [ˈsəʊlfl] **1.** *Musik usw.*: gefühlvoll **2.** *Blick*: seelenvoll
soul music [ˈsəʊlˌmjuːzɪk] Soul, Soulmusik
sound¹ [saʊnd] **1.** Geräusch **2.** *Physik*: Schall; **sound barrier** Schallmauer **3.** *TV usw.*: Ton **4.** *Musik*: Klang **5.** *Sprache*: Laut
sound² [saʊnd] **1.** klingen; **that sounds like a good idea!** das hört sich nach einer guten Idee an! **2.** erklingen, ertönen **3. sound one's horn** hupen

sound out [ˌsaʊndˈaʊt] aushorchen (**about, on** über)

sound³ [saʊnd] **1.** *Person, Tier*: gesund; **sound as a bell** kerngesund **2.** *Gegenstand usw.*: intakt, in Ordnung **3.** *Person, Rat usw.*: klug, vernünftig **4.** *Ausbildung usw.*: gründlich **5.** *Schlaf*: fest, tief
sound⁴ [saʊnd] **be sound asleep** fest *oder* tief schlafen
soundcard [ˈsaʊndkɑːd] *Computer*: Soundkarte
soundproof [ˈsaʊndpruːf] schalldicht
soundtrack [ˈsaʊndtræk] **1.** Filmmusik **2.** *Film*: Tonspur
soup [suːp] Suppe

soup up [ˌsuːpˈʌp] *umg.* aufmotzen, frisieren (*Auto, Motor*)

soup plate [ˈsuːpˌpleɪt] Suppenteller
soup spoon [ˈsuːpˌspuːn] Suppenlöffel
sour [ˈsaʊə] **1.** sauer **2.** *übertragen* mürrisch **3. turn sour** *übertragen* sich verschlechtern
source [sɔːs] **1.** Quelle **2.** *übertragen* Ursprung
source code [ˈsɔːsˌkəʊd] *Computer*: Quelltext
source file [ˈsɔːsˌfaɪl] *Computer*: Quelldatei
source language [ˈsɔːsˌlæŋgwɪdʒ] **1.** *bei Übersetzungen usw.*: Ausgangssprache **2.**

Computer: Quellsprache
south¹ [saʊθ] **1.** Süden; **in the south of** im Süden von (*oder Genitiv*); **to the south of** südlich von (*oder Genitiv*) **2.** *auch* **South** Süden, südlicher Landesteil; **the South** *BE* Südengland, *AE* die Südstaaten (*zur Zeit des Bürgerkriegs*)
south² [saʊθ] Süd..., südlich; **South Pole** Südpol
south³ [saʊθ] **1.** *Richtung*: südwärts, nach Süden **2. south of** südlich von (*oder Genitiv*)
South Africa [ˌsaʊθˈæfrɪkə] Südafrika
South America [ˌsaʊθ_əˈmerɪkə] Südamerika
South American¹ [ˌsaʊθ_əˈmerɪkən] südamerikanisch
South American² [ˌsaʊθ_əˈmerɪkən] Südamerikaner(in)
southbound [ˈsaʊθbaʊnd] nach Süden gehend *oder* fahrend
southeast¹ [ˌsaʊθˈiːst] Südosten
southeast² [ˌsaʊθˈiːst] südöstlich, Südost...
southeast³ [ˌsaʊθˈiːst] *Richtung*: nach Südosten
southerly [△ ˈsʌðəlɪ] *Richtung, Wind*: südlich, Süd...
southern [△ ˈsʌðn] südlich, Süd...
South Pole [ˌsaʊθˈpəʊl] Südpol
southward [ˈsaʊθwəd], **southwards** [ˈsaʊθwədz] südlich, südwärts, nach Süden
southwest¹ [ˌsaʊθˈwest] Südwesten
southwest² [ˌsaʊθˈwest] südwestlich, Südwest...
southwest³ [ˌsaʊθˈwest] *Richtung*: nach Südwesten
souvenir [ˌsuːvəˈnɪə] Andenken (**of** an), Souvenir
sovereign [△ ˈsɒvrɪn] Herrscher(in)
Soviet¹ [ˈsəʊvɪət] *historisch*: sowjetisch, Sowjet...
Soviet² [ˈsəʊvɪət] **the Soviets** *Pl. historisch*: die Sowjets
Soviet Union [ˌsəʊvɪətˈjuːnɪən] *historisch*: Sowjetunion
sow¹ [səʊ], **sowed, sown** [səʊn] *oder* **sowed 1.** säen, aussäen **2.** besäen (*Feld*) (**with** mit)
sow² [△ saʊ] Sau
soy [sɔɪ], **soya** [ˈsɔɪə] **1.** Soja **2.** Sojasoße
soya bean [ˈsɔɪə_biːn] Sojabohne
soya sauce [ˈsɔɪə_sɔːs] Sojasoße
soybean [ˈsɔɪ_biːn] Sojabohne
soy sauce [ˌsɔɪˈsɔːs] Sojasoße
spa [spɑː] (Heil)Bad
space [speɪs] **1.** Raum (*auch physikalisch*) **2.** (≈ *All*) Weltraum **3.** Platz, Raum (*für etwas*); **save space** Platz sparen **4.** (≈

freier Raum) Lücke, Platz; **parking space** Parklücke 5. *zwischen Wörtern, Zeilen*: Zwischenraum 6. *zeitlich*: Zeitraum

space bar ['speɪs‿bɑː] *Schreibmaschine, Computer*: Leertaste

spacecraft ['speɪskrɑːft] *Pl.*: **spacecraft** Raumschiff

spaceship ['speɪsʃɪp] Raumschiff

space shuttle ['speɪsˌʃʌtl] Raumfähre

space station ['speɪsˌsteɪʃn] Raumstation

space suit ['speɪsˌsuːt] Raumanzug

space travel ['speɪsˌtrævl̩] (Welt)Raumfahrt

space walk ['speɪsˌwɔːk] Weltraumspaziergang

spacing ['speɪsɪŋ] *in Text*: Zeilenabstand; **type something in** *oder* **with single (double) spacing** etwas mit einzeiligem (zweizeiligem) Abstand tippen

spacious ['speɪʃəs] *Zimmer usw.*: geräumig

spade [speɪd] 1. Spaten 2. **call a spade a spade** *übertragen* das Kind beim Namen nennen 3. **spades** *Pl. Kartenspiel*: Pik; **eight of spades** Pikacht; **Jack of spades** Pikbube

spaghetti

Beachte, dass **spaghetti** im Englischen nur im Singular erscheint:

This spaghetti is wonderful!
Diese Spaghetti sind fantastisch!

Spain [speɪn] Spanien

spam®[1] [spæm] Frühstücksfleisch

spam[2] [spæm] *Computer*: Werbemüll, Junk-E-Mails

spam[3] [spæm] *Computer*: zumüllen, spammen

spammer ['spæmə] *Computer*: Spammer, Zumüller

spamming ['spæmɪŋ] *Computer*: Spamming, Zumüllen

span[1] [spæn] 2. *Form von* → **spin[1]**

span[2] [spæn] *zeitlich, räumlich*: Spanne

span[3] [spæn], **spanned, spanned** *übertragen* sich erstrecken über

Spaniard ['spænjəd] Spanier(in)

Spanish[1] ['spænɪʃ] spanisch

Spanish[2] ['spænɪʃ] *Sprache*: Spanisch

Spanish[3] ['spænɪʃ] **the Spanish** *Pl.* die Spanier

spank [spæŋk] **spank someone** jemandem den Hintern versohlen

spanking ['spæŋkɪŋ] Tracht Prügel

spanner ['spænə] Schraubenschlüssel

spare[1] [speə] 1. entbehren; **I can't spare it** ich kann es nicht entbehren 2. übrig haben (*Zeit, Geld usw.*); **can you spare me 10 minutes?** hast du 10 Minuten Zeit für mich? 3. scheuen (*keine Mühen usw.*) 4. **spare someone something** jemandem etwas ersparen (⚠ *nicht Geld sparen*)

spare[2] [speə] 1. Ersatz...; **spare tyre** (*AE* **tire**) Reservereifen, *humorvoll* (≈ *Fettwulst*) Rettungsring 2. übrig; **spare room** Gästezimmer; **have you got a spare moment?** hast du einen Moment Zeit?

spare[3] [speə] 1. *Auto*: Reservereifen 2. *Technik*: Ersatzteil

spare time [ˌspeə'taɪm] Freizeit

sparing ['speərɪŋ] sparsam; **be sparing with something** sparsam mit etwas umgehen

spark[1] [spɑːk] Funke(n) (*auch übertragen*)

spark[2] [spɑːk] *auch* **spark off** auslösen (*Krawalle usw.*)

sparkle ['spɑːkl] funkeln (**with** vor)

sparkling ['spɑːklɪŋ] 1. funkelnd, blitzend 2. **sparkling wine** Schaumwein 3. *Witz*: sprühend, *Vortrag usw.*: schwungvoll

spark plug ['spɑːk‿plʌg] Zündkerze

sparrow ['spærəʊ] Spatz, Sperling

sparse [spɑːs] spärlich

spasm ['spæzm] *medizinisch*: Krampf

spat [spæt] 2. *und* 3. *Form von* → **spit[1]**

spatter ['spætə] bespritzen (**with** mit)

spawn[1] [spɔːn] *von Fischen, Fröschen usw.*: Laich

spawn[2] [spɔːn] 1. (*Fische, Frösche usw.*) laichen 2. *übertragen* hervorbringen, produzieren

spay [speɪ] sterilisieren (*weibliches Tier*)

speak [spiːk], **spoke** [spəʊk], **spoken** ['spəʊkən] 1. sprechen, reden (**to, with** mit; **about, of** über); **speaking!** *Telefon*: am Apparat!; **we don't speak (to each other)** wir sprechen nicht miteinander 2. sprechen, sagen; **speak one's mind** seine Meinung sagen 3. sprechen (*Sprache*) 4. **we're not on speaking terms** wir sprechen nicht miteinander 5. sprechen (**to** vor; **about, on** über) 6. **generally speaking** im Allgemeinen 7. **so to speak** sozusagen 8. **speak of the devil!** wenn man vom Teufel spricht!

---

speak for ['spiːk‿fɔː] sprechen für; **it speaks for itself** das spricht für sich

speak out [ˌspiːk'aʊt] seine Meinung sagen; **speak out against** seine Stimme erheben gegen

speak to ['spiːk‿tʊ] **speak to someone** *umg.* (≈ *tadeln*) mit jemandem ein

S

Wörtchen reden
speak up [ˌspiːkˈʌp] **1.** lauter sprechen
2. *speak up for* sich aussprechen für

speaker [ˈspiːkə] **1.** Sprecher(in), Redner(in) **2.** *Speaker Parlament*: Präsident(in) **3.** *a speaker of English* jemand, der Englisch spricht **4.** *Musik usw.*: Lautsprecher

speaking clock [ˌspiːkɪŋˈklɒk] *BE*; *Telefon*: Zeitansage

spear [△ spɪə] Speer

spearmint [△ ˈspɪəmɪnt] Grüne Minze

special¹ [ˈspeʃl] **1.** speziell, besondere(r, -s) **2.** Sonder...; *special school* Sonderschule; *special offer* Sonderangebot **3.** bestimmt, speziell

special² [ˈspeʃl] **1.** Sonderbus, Sonderzug **2.** *TV usw.*: Sondersendung **3.** Sonderangebot; *be on special AE* im Angebot sein

specialist [ˈspeʃlɪst] **1.** *allg.*: Spezialist(in) **2.** *Medizin*: Facharzt, Fachärztin (*in* für)

speciality [ˌspeʃɪˈælətɪ] *BE* **1.** Spezialität **2.** Spezialgebiet

specialization [ˌspeʃəlaɪˈzeɪʃn] Spezialisierung

specialize [ˈspeʃəlaɪz] sich spezialisieren (*in* auf)

specially [ˈspeʃlɪ] **1.** besonders **2.** speziell, extra; ☞ *especially*

specialty [ˈspeʃltɪ] *AE* **1.** Spezialität **2.** Spezialgebiet; ☞ *speciality*

species [ˈspiːʃiːz] *Biologie*: Spezies, Art

specific [spəˈsɪfɪk] **1.** konkret, präzis; *could you be a bit more specific?* könnten Sie sich etwas genauer ausdrücken? **2.** spezifisch (*auch physikalisch*), speziell

specifically [spəˈsɪfɪklɪ] ausdrücklich

specification [ˌspesɪfɪˈkeɪʃn] genaue Angabe, genaue Beschreibung

specify [ˈspesəfaɪ] genau angeben

specimen [ˈspesəmɪn] **1.** *mst. von etwas Seltenem*: Exemplar **2.** *für Untersuchung*: Muster, Probe **3.** *umg., abwertend* Typ

speck [spek] **1.** kleiner Fleck, *Staub usw.*: Korn **2.** Punkt (△ *nicht* **Speck**)

speckled [ˈspekld] gesprenkelt

specs [speks] *Pl.*, *auch* **pair of specs** Brille

spectacle [ˈspektəkl] **1.** Schauspiel (*auch übertragen*) **2.** Anblick **3.** *make a spectacle of oneself* sich lächerlich machen

spectacles [ˈspektəklz] *Pl.*, *auch* **pair of spectacles** Brille; *where are my spectacles?* wo ist meine Brille?

spectacular [spekˈtækjʊlə] spektakulär

spectator [spekˈteɪtə] Zuschauer(in)

spectre [ˈspektə] *bes. BE* **1.** (≈ *Geist*) Gespenst **2.** *übertragen auch*: Schreckgespenst

spectrum [ˈspektrəm], *Pl.*: **spectra** [ˈspektrə] **1.** *Physik*: Spektrum **2.** *übertragen* Spektrum, Palette; *a broad spectrum of opinion(s)* ein breites Meinungsspektrum

speculate [ˈspekjʊleɪt] **1.** Vermutungen anstellen (*about, on* über) **2.** *Wirtschaft*: spekulieren (*in* mit)

speculation [ˌspekjʊˈleɪʃn] Spekulation (*auch wirtschaftlich*), Vermutung

speculative [ˈspekjʊlətɪv] spekulativ, *Wirtschaft*: Spekulations...; *speculative application* Blindbewerbung

speculator [ˈspekjʊleɪtə] *Wirtschaft*: Spekulant(in)

sped [sped] *2. und 3. Form von* → *speed²*

speech [spiːtʃ] **1.** (≈ *Sprechvermögen, Ausdrucksweise*) Sprache; *direct speech* wörtliche Rede **2.** Rede, Ansprache (*to* vor) **3.** *vor Gericht*: Plädoyer

speechless [ˈspiːtʃləs] sprachlos (*with* vor)

speed¹ [spiːd] **1.** Geschwindigkeit, Tempo; *at a speed of* mit einer Geschwindigkeit von; *at full (oder top) speed* mit Höchstgeschwindigkeit **2.** *Auto usw.*: Gang; *five-speed gearbox* Fünfganggetriebe **3.** *Film*: (Licht)Empfindlichkeit **4.** *umg.; Droge*: Speed

speed² [spiːd], **sped** [sped], **sped** [sped] schnell fahren, rasen; *he was stopped for speeding* er wurde wegen zu schnellen Fahrens gestoppt

speed up [ˌspiːdˈʌp] **speeded up, speeded up** beschleunigen

speed bump [ˈspiːd ˌbʌmp] *zur Verkehrsberuhigung*: Bodenschwelle

speed camera [ˈspiːd ˌkæm(ə)rə] *zur Geschwindigkeitsüberwachung*: Radarfalle

speed dial [ˈspiːd ˌdaɪəl] *Telefon*: Kurzwahl, Kurzwahltaste

speed limit [ˈspiːd ˌlɪmɪt] *Auto*: Tempolimit

speedometer [spɪˈdɒmɪtə] *Auto, Motorrad usw.*: Tachometer

speed trap [ˈspiːd ˌtræp] Radarfalle

speedy [ˈspiːdɪ] schnell, *Antwort*: prompt

spell¹ [spel], **spelt** [spelt], **spelt** [spelt], *bes. AE* **spelled, spelled 1.** buchstabieren **2.** (*orthographisch richtig*) schreiben; *how do you spell it?* wie schreibt man das? **3.** *that spells trouble umg.* das bedeutet Ärger

spell out [ˌspel'aʊt] **1.** buchstabieren **2.** genau erklären *oder* sagen (**to some-one** jemandem)

spell² [spel] Weile; **cold spell** Kälteperiode; **sunny spells** Aufheiterungen

spell³ [spel] **1.** Zauber (*auch übertragen*) **2.** Zauber(spruch)

spellbound ['spelbaʊnd] wie gebannt

spell-checker ['spel,tʃekə] *Computer*: Rechtschreibprogramm

speller ['spelə] **1.** **be a good** (**bad**) **speller** gut (schlecht) in Rechtschreibung sein **2.** *Computer*: Rechtschreibprogramm, Speller

spelling ['spelɪŋ] **1.** Rechtschreibung; **spelling mistake** (Recht)Schreibfehler **2.** Schreibung, Schreibweise (*eines Wortes*)

spelt [spelt] *2. und 3. Form von* → **spell¹**

spend [spend], **spent** [spent], **spent** [spent] **1.** ausgeben (*Geld*) (**on** für) **2.** verbringen (*Urlaub, Zeit*); **spend an hour doing something** eine Stunde damit verbringen, etwas zu tun (△ *nicht* **spenden**)

spending money ['spendɪŋ,mʌnɪ] frei verfügbares Geld (*für persönliche Ausgaben*)

spendthrift ['spendθrɪft] Verschwender(in)

spent¹ [spent] *2. und 3. Form von* → **spend**

spent² [spent] *bes. Streichholz*: verbraucht

sperm [spɜːm] Sperma, Samen(flüssigkeit)

spew [spjuː] **1.** *auch* **spew out** ausstoßen (*Rauch usw.*) **2.** *auch* **spew out** hervorquellen (**from** aus) **3.** *salopp* kotzen

sphere [sfɪə] **1.** *Geometrie*: Kugel **2.** *übertragen* Sphäre, Bereich

spice¹ [spaɪs] **1.** Gewürz **2.** *übertragen* Würze

spice² [spaɪs] würzen (**with** mit)

spicy ['spaɪsɪ] **1.** würzig **2.** *übertragen* pikant

spider ['spaɪdə] Spinne

spike¹ [spaɪk] **1.** Spitze, Dorn **2.** *Sport*: Spike; **spikes** *Pl.* Spikes, Rennschuhe

spike² [spaɪk] **1.** aufspießen **2.** **spiked** *Getränk*: mit Schuss

spiky ['spaɪkɪ] **1.** spitz, stachelig **2.** *BE, umg.* leicht eingeschnappt

spill¹ [spɪl], **spilt** [spɪlt], **spilt** [spɪlt], *bes. AE* **spilled, spilled 1.** ausschütten, verschütten; **spill the beans** plaudern, alles ausplaudern **2.** (*Flüssigkeit*) verschüttet werden, sich ergießen (**over** über) **3.** (*Menschen*) strömen (**out of** aus)

spill over [ˌspɪl'əʊvə] **1.** (*Flüssigkeit*) überlaufen **2.** *übertragen* übergreifen (**into** auf)

spill² [spɪl] **oil spill** Ölunfall

spilt [spɪlt] *2. und 3. Form von* → **spill¹**

spin¹ [spɪn], **spun** [spʌn], **spun** [spʌn]; *-ing-Form* **spinning 1.** (sich) drehen, (*Wäsche*) schleudern **2.** **my head is spinning** mir dreht sich alles **3.** spinnen (*Fäden, Wolle usw.*)

spin out [ˌspɪn'aʊt] **1.** in die Länge ziehen (*Arbeit usw.*) **2.** strecken (*Geld usw.*)

spin round [ˌspɪn'raʊnd] herumwirbeln

spin² [spɪn] **1.** (schnelle) Drehung **2.** *Ball*: Effet **3.** *umg.; Auto*: Spritztour; **go for a spin** eine Spritztour machen

spinach [△ 'spɪnɪdʒ] Spinat

spin doctor ['spɪn,dɒktə] *umg.; Politik*: Medienreferent(in)

spin-drier [ˌspɪn'draɪə] → **spin-dryer**

spin-dry [ˌspɪn'draɪ], **spin-dried** [ˌspɪn'draɪd], **spin-dried** [ˌspɪn'draɪd] schleudern (*Wäsche*)

spin-dryer [ˌspɪn'draɪə] *BE* (Wäsche)-Schleuder

spine [spaɪn] **1.** *Körper*: Rückgrat, Wirbelsäule **2.** *von Tier, Pflanze*: Stachel, Dorn **3.** *von Buch*: (Buch)Rücken

spine-chiller ['spaɪn,tʃɪlə] Gruselfilm, Gruselgeschichte

spine-chilling ['spaɪn,tʃɪlɪŋ] gruselig, schaurig

spineless ['spaɪnləs] **1.** *Tier*: wirbellos **2.** *übertragen; Person*: ohne Rückgrat

spinning wheel ['spɪnɪŋ ˌwiːl] Spinnrad

spin-off ['spɪnɒf] **1.** Nebenprodukt, Abfallprodukt **2.** *übertragen* Begleiterscheinung, (positiver) Nebeneffekt

spinster ['spɪnstə] *oft abwertend* unverheiratete (ältere) Frau

spiny ['spaɪnɪ] stachelig, dornig

spiral¹ ['spaɪrəl] spiralenförmig, Spiral...

spiral² ['spaɪrəl] Spirale (*auch übertragen*)

spiral staircase [ˌspaɪrəl'steəkeɪs] Wendeltreppe

spire ['spaɪə] (Kirch)Turmspitze

spirit ['spɪrɪt] **1.** *allg.*: Geist **2.** *in Klasse, Team*: Stimmung **3.** Schwung, Elan **4.** *bes. AE* **spirits** *Pl.* Spirituosen

spirits ['spɪrɪts] Laune, Stimmung; **be in high spirits** in Hochstimmung sein; **be in low spirits** niedergeschlagen sein

spiritual ['spɪrɪtʃʊəl] **1.** geistig **2.** *kirchlich*: geistlich

spit¹ [spɪt], **spat** [spæt], **spat** [spæt], *AE auch* **spit** [spɪt], **spit** [spɪt] **1.** spucken, ausspucken; **spit at someone** jemanden anspucken 2. **it's spitting** es tröpfelt

spit out [ˌspɪt'aʊt] 1. ausspucken 2. **spit it out!** übertragen, umg. spucks aus!

spit² [spɪt] Spucke

spite [spaɪt] 1. Boshaftigkeit, Gehässigkeit; **out of** (oder **from**) **pure spite** aus reiner Bosheit 2. **in spite of** trotz

spiteful ['spaɪtfl] boshaft, gehässig

spitting image [ˌspɪtɪŋ'ɪmɪdʒ] **he's the spitting image of Charles** er ist Charles wie aus dem Gesicht geschnitten

splash¹ [splæʃ] 1. spritzen, (Regen) klatschen (**against** gegen) 2. spritzen (Wasser usw.) (**on** auf; **over** über) 3. bespritzen (**with** mit); **splash one's face with cold water** sich kaltes Wasser ins Gesicht spritzen 4. planschen (**in** in), platschen (**through** durch) 5. umg.; Zeitung usw.: in großer Aufmachung bringen

splash about [ˌsplæʃ_ə'baʊt] 1. herumspritzen 2. planschen 3. **splash one's money about** bes. BE, umg. mit Geld um sich werfen

splash around [ˌsplæʃ_ə'raʊnd] planschen

splash out [ˌsplæʃ'aʊt] **splash out on something** bes. BE, umg. sich etwas spendieren

splash² [splæʃ] 1. Spritzer 2. bes. BE; im Getränk: Spritzer, Schuss (Soda usw.)

splatter ['splætə] bespritzen (**with** mit)

spleen [spliːn] 1. Organ: Milz 2. schlechte Laune, stärker: Wut (△ dt. Spleen = **cranky idea** bzw. **strange habit**)

splendid ['splendɪd] großartig, herrlich

splendour, AE **splendor** ['splendə] Pracht

splinter¹ ['splɪntə] Splitter

splinter² ['splɪntə] splittern, zersplittern

split¹ [splɪt], **split, split**; -ing-Form **splitting** 1. (zer)spalten, zerreißen 2. sich spalten, zerreißen 3. auch **split up** aufteilen (**between** unter; **into** in) 4. sich teilen (**into** in) 5. auch **split up** (**with**) Schluss machen (mit), sich trennen (von) 6. **split one's sides** (**laughing**) umg. sich vor Lachen biegen

split² [splɪt] 1. Riss, Spalt 2. übertragen Bruch, Spaltung 3. mst. **the splits** Pl. Spagat

splitting ['splɪtɪŋ] Kopfschmerzen: rasend

spoil [spɔɪl], **spoiled, spoiled**, BE **spoilt** [spɔɪlt], **spoilt** [spɔɪlt] 1. (≈ ruinieren) verderben 2. verwöhnen, verziehen; **a spoilt child** ein verzogenes Kind

spoiler ['spɔɪlə] Auto: Spoiler

spoilsport ['spɔɪlspɔːt] Spielverderber(in)

spoilt [spɔɪlt] 2. und 3. Form von → **spoil**

spoke [spəʊk] 2. Form von → **speak**

spoken ['spəʊkən] 3. Form von → **speak**

spokesman ['spəʊksmən] Pl.: **spokesmen** ['spəʊksmən] Sprecher

spokesperson ['spəʊks,pɜːsn] Sprecher(in)

spokeswoman ['spəʊks,wʊmən] Pl.: **spokeswomen** ['spəʊks,wɪmɪn] Sprecherin

sponge¹ [△ spʌndʒ] 1. zum Waschen: Schwamm 2. Gebäck: Biskuitkuchen

sponge² [△ spʌndʒ] 1. auch **sponge down** abwaschen 2. übertragen schnorren (**from, off, on** von, bei)

sponge off [△ ˌspʌndʒ'ɒf] 1. (mit einem Schwamm) abwischen 2. **sponge off someone** umg. jemandem auf der Tasche liegen

sponge bag [△ 'spʌndʒ_bæg] BE Kulturbeutel, Toilettentasche

sponge cake [△ 'spʌndʒ_keɪk] Biskuitkuchen

sponger [△ 'spʌndʒə] Schnorrer(in)

spongy ['spʌndʒɪ] 1. Material: schwammartig, schwammig 2. Brot usw.: teigig 3. Boden usw.: weich, nachgiebig

sponsor¹ ['spɒnsə] 1. Sport usw.: Sponsor(in), Geldgeber(in) 2. Spender(in) 3. Recht: Bürge, Bürgin

sponsor² ['spɒnsə] 1. sponsern, fördern 2. bürgen für

spontaneous [spɒn'teɪnɪəs] spontan

spook [spuːk] umg. Gespenst

spooky ['spuːkɪ] umg. gespenstisch

spool [spuːl] Spule, Rolle

spoon [spuːn] Löffel

spoon-feed ['spuːnfiːd], **spoon-fed** ['spuːnfed], **spoon-fed** ['spuːnfed] 1. füttern (Baby usw.) 2. **spoon-feed someone with something** oder **something to someone** übertragen jemandem etwas vorkauen

spoonful ['spuːnfʊl] ein Löffel (voll)

sporadic [spə'rædɪk] vereinzelt, sporadisch

spore [spɔː] Biologie: Spore

sporran ['spɒrən] bei schottischer Tracht: Felltasche

sport¹ [spɔːt] 1. Sport(art) 2. oft **sports** Pl. allg.: Sport 3. auch **good sport** umg. feiner Kerl; **be a sport** sei kein Spielverderber

sport² [spɔːt] AE; bes Kleidung: Sport...

sport³ [spɔːt] protzen mit

sporting ['spɔːtɪŋ] 1. sportlich 2. Verhal-

squander

ten, Angebot usw.: fair

sports [spɔ:ts] Sport…; **sports car** Sportwagen; **sports club** Sportverein; **sports field** Sportplatz

sports jacket ['spɔ:ts,dʒækɪt] Sakko

sportsman ['spɔ:tsmən] *Pl.*: **sportsmen** ['spɔ:tsmən] Sportler

sportswoman ['spɔ:ts,wʊmən] *Pl.*: **sportswomen** ['spɔ:ts,wɪmɪn] Sportlerin

sporty ['spɔ:tɪ] *umg.* **1.** sportlich, sportbegeistert **2.** *Kleidung*: flott

spot¹ [spɒt] **1.** Punkt, Tupfen, Fleck **2.** *auf der Haut*: Pickel, *bes.* Ⓐ Wimmerl, ⒸⒽ Bibeli **3.** Ort, Platz, Stelle; **on the spot** *zeitlich*: auf der Stelle, sofort, *räumlich*: an Ort und Stelle, vor Ort **4.** *soft spot* übertragen Schwäche (**for** für) **5.** *a spot of BE, umg.* ein bisschen **6.** *be in a spot umg.* in Schwierigkeiten sein **7.** *umg.* (≈ *Spotlight*) Spot **8.** *put someone on the spot* jemanden in die Enge treiben

spot² [spɒt], **spotted, spotted** entdecken

spot check [,spɒt'tʃek] Stichprobe

spotless ['spɒtləs] makellos

spotlight ['spɒtlaɪt] Scheinwerfer(licht)

spotted ['spɒtɪd] getüpfelt, gefleckt

spotty ['spɒtɪ] *BE, umg.* pickelig

spouse [spaʊs] Gatte, Gattin, Gemahl(in)

spout [spaʊt] **1.** Tülle, Schnabel (*einer Kanne*) **2.** *be up the spout BE, umg.* im Eimer sein

sprain [spreɪn] *sprain one's ankle* sich den Knöchel verstauchen

sprang [spræŋ] *2. Form von →* **spring¹**

spray¹ [spreɪ] **1.** sprühen, spritzen (**on** auf) **2.** besprühen, spritzen (**with** mit)

spray² [spreɪ] **1.** Spray **2.** Spaydose

spread¹ [spred], **spread, spread 1.** *auch* **spread out** ausbreiten, ausstrecken (*Arme*), spreizen (*Finger*) **2.** *auch* **spread out** sich ausbreiten **3.** sich erstrecken (**over, across** über) **4.** (*Krankheit usw.*) sich verbreiten, (*Feuer usw.*) übergreifen (**to** auf) **5.** verbreiten (*Nachricht usw.*) **6.** streichen (*Butter usw.*) (**on** auf) **7.** (be)streichen (*Brot usw.*) (**with** mit)

spread² [spred] **1.** Verbreitung (*von Krankheit usw.*) **2.** *von Flügeln usw.*: Spannweite **3.** (Brot)Aufstrich **4.** *umg.* Festessen

spree [spri:] Bummel, Tour; *shopping spree* Großeinkauf

sprightly ['spraɪtlɪ] *älterer Mensch*: munter, rüstig

spring¹ [sprɪŋ], **sprang** [spræŋ] *oder AE* **sprung** [sprʌŋ], **sprung** [sprʌŋ] springen

spring² [sprɪŋ] **1.** *Jahreszeit*: Frühling,

Frühjahr; *in* (*the*) *spring* im Frühling **2.** *von Bach, Fluss*: Quelle **3.** *Technik*: (Sprung)Feder

spring³ [sprɪŋ] Frühlings…

springboard ['sprɪŋbɔ:d] Sprungbrett (*auch übertragen* **for, to** für)

spring break [,sprɪŋ'breɪk] *AE* Frühjahrsferien

spring chicken [,sprɪŋ'tʃɪkən] **1.** (≈ *junges Huhn*) Stubenküken **2.** *humorvoll*: *be no spring chicken* nicht mehr jung *oder* die Jüngste sein

spring fever [,sprɪŋ'fi:və] Frühlingsgefühle *Pl.*

spring roll [,sprɪŋ'rəʊl] *chinesische Mahlzeit*: Frühlingsrolle

springtime ['sprɪŋtaɪm] Frühling(szeit); *springtime lethargy* Frühjahrsmüdigkeit

sprinkle ['sprɪŋkl] **1.** sprengen (*Wasser usw.*) (**on** auf), streuen (*Salz usw.*) (**on** auf) **2.** (be)sprengen, bestreuen (**with** mit)

sprinkler ['sprɪŋklə] **1.** Sprenger (*für Rasen*) **2.** Sprinkler, Berieselungsanlage

sprinkling ['sprɪŋklɪŋ] *a sprinkling of* ein bisschen, ein paar

sprint¹ [sprɪnt] *Sport*: sprinten

sprint² [sprɪnt] *Sport*: Sprint, Spurt

sprite [spraɪt] Geist, Kobold

spritzer ['sprɪtsə] Weinschorle, Gespritzte(r)

sprout¹ [spraʊt] (*Knospen usw.*) sprießen, (*Saat usw.*) keimen

sprout² [spraʊt] **1.** Trieb, Keim (*einer Pflanze*) **2.** *sprouts Pl.* Rosenkohl

spruce¹ [spru:s] Fichte

spruce² [spru:s] adrett

sprung [sprʌŋ] *3. Form von →* **spring¹**, *AE auch 2. Form von →* **spring¹**

spun [spʌn] *2. und 3. Form von →* **spin¹**

spur [spɜ:] **1.** *Reiten*: Sporn **2.** *übertragen* Ansporn (**to** zu) **3.** *on the spur of the moment* spontan

spur-of-the-moment [,spɜ:rəvðə'məʊmənt] *Entschluss*: spontan

spurt¹ [spɜ:t] *Sport*: spurten, sprinten

spurt² [spɜ:t] *Sport*: Spurt, Sprint; *put on a spurt* einen Spurt hinlegen

spy¹ [spaɪ] Spion(in)

spy² [spaɪ] spionieren (**for** für)

Sq, Sq. *Abk. für →* **square¹** 2

sq *Abk. für →* **square²** 1

squabble ['skwɒbl] (sich) streiten (**about, over** um, wegen)

squad [skwɒd] **1.** *Sport*: Mannschaft, *von Arbeitern*: Trupp **2.** Kommando (*der Polizei*), Dezernat

squander ['skwɒndə] verschwenden (*Geld, Zeit usw.*) (**on** an, auf, für, mit), vertun (*Chance*)

S

square¹ [skweə] **1.** Quadrat **2.** *in der Stadt, Teil eines Namens:* Square, Platz **3.** *Mathematik:* Quadrat(zahl) **4.** Feld (*eines Brettspiels*)

square² [skweə] **1.** quadratisch, Quadrat... ; *three square metres* drei Quadratmeter; *square root Mathematik:* Quadratwurzel **2.** rechtwinklig, *Schultern usw.:* eckig **3.** *Behandlung usw.:* fair, gerecht **4.** *be all square* übertragen quitt sein **5.** *umg.; Mahlzeit:* anständig

square³ [skweə] **1.** *auch square off oder up* quadratisch *oder* rechtwinklig machen **2.** *auch square off in* Quadrate einteilen; *squared paper* kariertes Papier **3.** *4 squared is* (*oder equals*) *16 Mathematik:* 4 hoch 2 ist 16 **4.** übereinstimmen (*with* mit) **5.** ausgleichen (*Konto*), begleichen (*Schulden*)

squarely ['skweəlɪ] **1.** *moralisch:* fair, gerecht **2.** direkt (*jemanden anschauen usw.*) **3.** *bei Kritik usw.:* genau, direkt

The Square Mile

The Square Mile ist ein anderer Name für die Londoner **City**, die sich – was dem Namen zu entnehmen ist – über eine Quadratmeile erstreckt.

squash¹ [skwɒʃ] **1.** zerdrücken, zerquetschen **2.** (sich) quetschen (*into* in) (*ein Auto usw.*)

squash² [skwɒʃ] **1.** *BE* Fruchtsaftgetränk **2.** *Sportart:* Squash **3.** Gedränge **4.** *AE* Kürbis

squat [skwɒt], *squatted, squatted* **1.** hocken, kauern **2.** *als Hausbesetzer:* ein Haus besetzt haben

squatter ['skwɒtə] Hausbesetzer(in)

squaw [skwɔː] (≈ *Indianerfrau*), *oft abwertend oder tabu* Squaw

squeak¹ [skwiːk] **1.** (*Maus usw.*) piepsen **2.** (*Tür usw.*) quietschen

squeak² [skwiːk] **1.** *von Tier:* Piepser **2.** *von Reifen usw.:* Quietschen

squeal¹ [skwiːl] kreischen (*with* vor)

squeal² [skwiːl] Schrei, *von Schwein:* Quieken

squeamish ['skwiːmɪʃ] empfindlich, zart besaitet

squeeze¹ [skwiːz] **1.** drücken **2.** auspressen, ausquetschen (*Orangen usw.*) **3.** (sich) quetschen *oder* zwängen (*into* in)

squeeze out [,skwiːz'aʊt] **1.** ausdrücken (*Schwamm usw.*) **2.** auspressen (*Saft usw.*) (*of* aus)

squeeze² [skwiːz] **1.** *give something a*

squeeze etwas drücken **2.** Gedränge

squeezer ['skwiːzə] (Zitronen)Presse

squib [skwɪb] Knallfrosch

squid [skwɪd] *Meerestier:* Tintenfisch

squint¹ [skwɪnt] **1.** *wegen Augenfehler:* schielen **2.** *bei starkem Licht:* blinzeln

squint² [skwɪnt] *have a squint* schielen

squirrel ['skwɪrəl] Eichhörnchen

squirt [skwɜːt] **1.** (*Wasser usw.*) spritzen **2.** bespritzen, nass spritzen

St, St. [snt] **1.** *Abk. für* → *saint 2* **2.** *Abk. für Street*

stab¹ [stæb], *stabbed, stabbed* **1.** stechen (*at* nach; *with* mit) **2.** einen Stich versetzen, niederstechen; *stab to death* erstechen

stab² [stæb] Stich; *stab (wound)* Stichverletzung (△ *nicht Stab*)

stabbing ['stæbɪŋ] *Schmerz:* stechend

stability [stə'bɪlətɪ] Stabilität (*auch übertragen*)

stabilize ['steɪbəlaɪz] (sich) stabilisieren

stabilizer ['steɪbəlaɪzə] *Technik, Chemie usw.:* Stabilisator

stable¹ ['steɪbl] stabil (*auch übertragen*)

stable² ['steɪbl] **1.** *BE* Pferdestall **2.** *AE; allg.:* Stall

stack¹ [stæk] **1.** Stapel, Stoß **2.** *stacks of oder a stack of bes. BE, umg.* jede Menge (*Zeit, Arbeit usw.*)

stack² [stæk] **1.** stapeln (*Bücher usw.*) **2.** vollstapeln (*Zimmer usw.*) (*with* mit)

stack up [,stæk'ʌp] aufstapeln

stadium ['steɪdɪəm] *Pl.: stadiums oder stadia* ['steɪdɪə] *Sport:* Stadion (△ *Stadium = stage*)

staff [stɑːf] **1.** Mitarbeiter(stab), Personal **2.** *an Schule, Universität:* Lehrkörper **3.** *militärisch:* Stab

staff room ['stɑːf_ruːm] Lehrerzimmer

stag [stæg] Hirsch

stage¹ [steɪdʒ] **1.** *Theater:* Bühne (*auch übertragen*) **2.** Stadium, Phase (*einer Entwicklung*) **3.** Etappe (*auch Radsport und übertragen*) **4.** *von Rakete:* Stufe

stage² [steɪdʒ] **1.** *Theater:* inszenieren (*auch übertragen*) **2.** veranstalten

stagecoach ['steɪdʒkəʊtʃ] *historisch:* Postkutsche

stage fright ['steɪdʒ_fraɪt] Lampenfieber

stage name ['steɪdʒ_neɪm] Künstlername

stagger ['stægə] **1.** schwanken, torkeln **2.** (*Nachricht usw.*) umwerfen **3.** staffeln (*Arbeitszeit usw.*)

staggering ['stægərɪŋ] *Nachricht usw.:* umwerfend, *Preis usw.:* schwindelerregend

stagnant ['stægnənt] stagnierend

stagnate [stæg'neɪt] *Wirtschaft*: stagnieren

stagnation [stæg'neɪʃn] Stagnation

stag night ['stæg‿naɪt] *BE* Abschiedsfeier des Bräutigams vom Junggesellendasein am Vorabend der Hochzeit

stain[1] [steɪn] **1.** Flecken machen auf **2.** (*Teppich usw.*) fleckenempfindlich sein **3.** färben, beizen (*Holz*)

stain[2] [steɪn] **1.** Fleck **2.** *übertragen* Makel

stained glass [ˌsteɪnd'glɑːs] *in Fenstern usw.*: Glasmalerei

stainless ['steɪnləs] **1.** *Metall*: nicht rostend, rostfrei; *stainless steel* Edelstahl **2.** *Charakter, Ruf*: untadelig

stair [steə] (Treppen)Stufe; ☞ *stairs*

staircase ['steəkeɪs] Treppe, Treppenhaus, *bes.* Ⓐ Stiege

stairs [steəz] *Pl.* Treppe, *bes.* Ⓐ Stiege; *flight of stairs* Treppe, *bes.* Ⓐ Stiege

stairway ['steəweɪ] Treppe, Treppenhaus

stake[1] [steɪk] **1.** Pfahl, Pfosten **2.** *at the stake historisch*: auf dem Scheiterhaufen

stake[2] [steɪk] **1.** Anteil, Beteiligung (*in* an) **2.** Einsatz (*bei Wette usw.*) **3.** *be at stake übertragen* auf dem Spiel stehen

stake[3] [steɪk] **1.** setzen (*Geld usw.*) (*on* auf) **2.** riskieren, aufs Spiel setzen (*Ruf usw.*)

stalactite ['stæləktaɪt] (≈ *Tropfstein*) Stalaktit

stalagmite ['stæləgmaɪt] (≈ *Tropfstein*) Stalagmit

stale [steɪl] **1.** *Brot usw.*: alt, *Luft usw.*: abgestanden **2.** *Witz usw.*: abgedroschen

stalemate[1] ['steɪlmeɪt] **1.** *Schach*: Patt **2.** *übertragen* Patt, Pattsituation, Sackgasse; *end in (a) stalemate* in einer Sackgasse enden

stalemate[2] ['steɪlmeɪt] **1.** *Schach*: patt setzen **2.** *übertragen* in eine Sackgasse führen

stalk[1] [stɔːk] Stengel, Stiel, Halm

stalk[2] [stɔːk] **1.** (*Jäger usw.*) sich anpirschen an **2.** stolzieren, steif(beinig) gehen

stall[1] [stɔːl] **1.** *bes. BE* (Verkaufs)Stand **2.** Box (*im Stall*) **3.** Kirchenstuhl; *stalls Pl.* Chorgestühl (△ *nicht Stall*); ☞ *stalls*

stall[2] [stɔːl] **1.** (*Motor*) absterben **2.** abwürgen (*Motor*) **3.** Zeit schinden

stallion [△ 'stæljən] (Zucht)Hengst

stalls [stɔːlz] *Pl. BE; Theater*: Parkett

stamina ['stæmɪnə] Ausdauer, Kondition

stammer ['stæmə] stottern, stammeln

stamp[1] [stæmp] **1.** stampfen, trampeln **2.** *stamp one's foot* aufstampfen **3.** stempeln (*Pass usw.*), aufstempeln (*Datum usw.*) (*on* auf) **4.** frankieren (*Brief usw.*); *stamped addressed envelope* frankierter Rückumschlag **5.** *stamp someone as übertragen* jemanden abstempeln als

stamp out [ˌstæmp'aʊt] **1.** austreten (*Feuer*) **2.** ausrotten (*Übel*)

stamp[2] [stæmp] **1.** (Brief)Marke; *tax stamp* Steuermarke **2.** Stempel (*auch Abdruck*)

stamp album ['stæmpˌælbəm] Briefmarkenalbum

stamp collection ['stæmp‿kəˌlekʃn] Briefmarkensammlung

stamp collector ['stæmp‿kəˌlektə] Briefmarkensammler(in)

stampede [stæm'piːd] **1.** wilde Flucht (*von Tieren*) **2.** Ansturm (*for* auf) (*auch übertragen*)

stance [stæns] **1.** *beim Sport, Tanzen usw.*: Haltung **2.** *übertragen* Haltung, Einstellung

stand[1] [stænd], *stood* [stʊd], *stood* [stʊd] **1.** *allg.*: stehen; *stand still* stillstehen **2.** aufstehen **3.** stellen (*on* auf) **4.** *as matters* (*oder* *things*) *stand* so wie die Dinge stehen **5.** aushalten, ertragen (*Hitze usw.*) **6.** standhalten (*einer Prüfung usw.*) **7.** *I can't stand him* ich kann ihn nicht ausstehen **8.** *stand a chance* Chancen haben

stand about *oder* **around** [ˌstænd‿ə'baʊt *oder* ə'raʊnd] herumstehen

stand back [ˌstænd'bæk] **1.** *räumlich*: zurücktreten **2.** *übertragen* Abstand gewinnen

stand by ['stænd‿baɪ] **1.** *stand by someone* zu jemandem halten **2.** stehen zu (*seinem Wort usw.*) **3.** *stand idly 'by* tatenlos zusehen (*auch übertragen*)

stand for ['stænd‿fɔː] **1.** (*Zeichen usw.*) bedeuten **2.** *in Fragen und verneint*: sich gefallen lassen, dulden; *I won't stand for it any longer* ich werde mir das nicht länger gefallen lassen **3.** eintreten für (*Ziele usw.*) **4.** *stand for election bes BE* kandidieren

stand in [ˌstænd'ɪn] einspringen (*for* für)

stand out [ˌstænd'aʊt] **1.** hervorstechen; *stand out against oder from* sich abheben von **2.** sich wehren (*against* gegen)

stand up [ˌstænd'ʌp] **1.** stehen; *standing up* im Stehen **2.** aufstehen **3.** *stand someone up umg.* jemanden versetzen

stand up for [ˌstænd'ʌp‿fɔː] eintreten

für
stand up to [ˌstænd'ʌp_tʊ] **1.** aushalten
(*Beanspruchung usw.*) **2.** *stand up to
someone* jemandem die Stirn bieten

stand² [stænd] **1.** (Verkaufs)Stand **2.** Stän-
der; *coat stand* Kleiderständer **3.** *Sport
usw.*: Tribüne **4.** *take a stand* klar Stel-
lung beziehen (**on** zu) **5.** *Taxi*: Stand(-
platz)
standalone ['stændəˌləʊn] *Computer*: ei-
genständig, nicht vernetzt
standard¹ ['stændəd] **1.** Norm, Maßstab
2. Standard; *standard of living* Lebens-
standard **3.** (≈ *Flagge*) Standarte, Stan-
der
standard² ['stændəd] **1.** normal, Nor-
mal..., Standard... **2.** maßgebend, Stan-
dard...; *standard English* korrektes
Englisch
standardization [ˌstændədaɪ'zeɪʃn] **1.**
bes. Technik: Standardisierung, Normung
2. *auch allg.*: Vereinheitlichung
standardize ['stændədaɪz] **1.** *bes. Tech-
nik*: standardisieren, normen **2.** *auch
allg.*: vereinheitlichen
standard lamp ['stændəd_læmp] *BE*
Stehlampe
standby ['stændbaɪ] *Pl.*: **standbys 1.**
Notproviant usw.: Reserve **2.** *on standby*
Polizei usw.: in Bereitschaft
stand-in ['stændɪn] **1.** *Film*: Double **2.**
Vertreter(in)
standing ['stændɪŋ] **1.** stehend; *standing
room Theater, Stadion*: Stehplätze;
standing ovations stürmischer Beifall,
stehende Ovationen **2.** *standing order
Bank*: Dauerauftrag
standoffish [ˌstænd'ɒfɪʃ] *umg.* hochnäsig
standpoint ['stændpɔɪnt] *übertragen*
Standpunkt
standstill ['stændstɪl] Stillstand (*auch
übertragen*); *bring to a standstill* zum
Stehen bringen (*Auto usw.*), *übertragen*
zum Erliegen bringen (*Produktion usw.*)
stand-up ['stændʌp] *Mahlzeit*: im Stehen
stank [stæŋk] **2.** *Form von →* **stink¹**
stanza ['stænzə] Strophe
staple¹ ['steɪpl] Heftklammer, Krampe
staple² ['steɪpl] heften (**to** an)
staple diet [ˌsteɪpl'daɪət] Hauptnahrungs-
mittel *Pl.*
stapler ['steɪplə] Hefter
star¹ [stɑː] **1.** Stern **2.** *see stars* Sterne
sehen (*vor Schmerzen*) **3.** *you can thank
your lucky stars that* du kannst vor
Glück reden, dass **4.** *Zeichen*: Sternchen
5. *berühmte Person*: Star **6.** *Stars and
Stripes* das Sternenbanner (*Staatsflagge
der USA*) (⚠ *der Singvogel* = **starling**)

Stars and Stripes

Stars and Stripes, auch **Star-
-Spangled Banner** („mit Sternen über-
sätes Banner") genannt, heißt die Flag-
ge der USA. Sie besteht aus 50 Sternen,
die die amerikanischen Staaten sym-
bolisch darstellen, sowie sieben roten
und sechs weißen Streifen, die die
13 ursprünglichen Kolonien symbolisie-
ren.

star² [stɑː] Haupt..., Star...
star³ [stɑː], **starred, starred 1.** *a film
starring ...* ein Film mit ... in der
Hauptrolle *oder* den Hauptrollen **2.**
(*Schauspieler*) die Hauptrolle spielen (**in**
in)
starboard ['stɑːbəd] *Schiff*: Steuerbord
starch [stɑːtʃ] *in Nahrung, für Wäsche*:
Stärke
stare [steə] **1.** starren **2.** *stare someone
in the face Gegenstand*: vor jemandes
Augen liegen, *übertragen* klar auf der
Hand liegen

stare at ['steər_ət] anstarren

starfish ['stɑːfɪʃ] *Meerestier*: Seestern
stark¹ [stɑːk] **1.** *Tatsachen usw.*: nackt **2.**
Gegensatz usw.: krass (⚠ *nicht* **stark**)
stark² [stɑːk] **1.** *stark naked umg.* split-
ternackt **2.** *stark raving mad* humorvoll
total verrückt
starkers ['stɑːkəz] *BE, umg.* splitternackt
starlet ['stɑːlət] Starlet, Filmsternchen
starling ['stɑːlɪŋ] *Singvogel*: Star
starlit ['stɑːlɪt] *Himmel, Nacht*: sternen-
klar
starry-eyed [ˌstɑːrɪ'aɪd] *umg.* naiv
Star-Spangled Banner ['stɑː-
ˌspæŋgld'bænə] *das* Sternenbanner
(*Staatsflagge und Nationalhymne der
USA*)
start¹ [stɑːt] **1.** *auch start off* anfangen,
beginnen; *start all over again* noch ein-
mal ganz von vorn anfangen; *start
school* zur Schule kommen; *start doing
something* damit anfangen, etwas zu
tun **2.** *auch start up* starten (*Aktion
usw.*), gründen (*Geschäft, Familie usw.*) **3.**
anlassen, starten (*Motor, Auto usw.*) **4.**
auch start off oder out zur Reise: aufbre-
chen (**for** nach) **5.** *Sport*: starten **6.** *vor
Schreck*: zusammenzucken (**at** bei) **7.** *to
start with ...* zunächst einmal ..., erst
einmal ...

start back [ˌstɑːt'bæk] *start back for
home* sich auf den Heimweg machen

start for [ˈstɑːt ˌfɔː] sich auf den Weg machen nach

start[2] [stɑːt] **1.** Anfang, Beginn, *bes. Sport*: Start; *at the start* am Anfang; *from the start* von Anfang an; *make a start on something* mit etwas anfangen **2.** *Reise*: Aufbruch **3.** Vorsprung (*on, over* vor) **4.** *wake up with a start* aus dem Schlaf aufschrecken

starter [ˈstɑːtə] **1.** *BE, umg.* Vorspeise **2.** *Sport*: Starter(in) **3.** *Motor*: Starter, Anlasser

starting point [ˈstɑːtɪŋ ˌpɔɪnt] Ausgangspunkt (*auch übertragen*)

startle [ˈstɑːtl] erschrecken, bestürzen

start-up [ˈstɑːtʌp] **1.** *Wirtschaft*: Start-up, Neugründung (*einer Firma*) **2.** *auch* **start-up company** *oder* **business** Start-up-Unternehmen (*neu gegründete Firma*) **3.** *Computer*: Start

starvation [stɑːˈveɪʃn] Hunger; *die of starvation* verhungern

starve [stɑːv] **1.** hungern **2.** *starve* (*to death*) verhungern; *I'm starving umg.* ich komme fast um vor Hunger **3.** (ver)hungern lassen

state[1] [steɪt] **1.** Zustand; *state of mind* Gemütszustand; *state of emergency* nach Katastrophe *usw.*: Notstand **2.** *oft* **State** *politisch*: Staat; *the States Pl. umg.* die (Vereinigten) Staaten **3.** *get in(-to) a state umg.* sich aufregen

state[2] [steɪt] staatlich, Staats…

state[3] [steɪt] **1.** angeben, nennen (*Name, Beruf usw.*) **2.** (*Zeuge usw.*) erklären, aussagen (*that* dass) **3.** festlegen, festsetzen

stately home [ˌsteɪtlɪˈhəʊm] *in GB*: herrschaftliches Anwesen

statement [ˈsteɪtmənt] **1.** *offiziell*: Erklärung; *make a statement* eine Erklärung abgeben (*to* vor) **2.** Darstellung, Angabe (*von Fakten usw.*) **3.** *vor Gericht, bei Polizei*: Aussage **4.** *bank statement* Kontoauszug

state-of-the-art [ˌsteɪtəvðɪˈɑːt] neueste(r, -s), auf dem neuesten Stand der Technik stehend

statesman [ˈsteɪtsmən] *Pl.*: *statesmen* [ˈsteɪtsmən] Staatsmann

static[1] [ˈstætɪk] **1.** *Physik*: statisch **2.** *übertragen* (≈ *gleichbleibend*) statisch

static[2] [ˈstætɪk] **1.** *Radio, TV*: atmosphärische Störungen **2.** *statics* (△ *im Sg. verwendet*) *Architektur usw.*: Statik

station[1] [ˈsteɪʃn] **1.** Bahnhof (*auch Bus, U-Bahn*), Station; *bus station* Busbahnhof **2.** Station; *research station* Forschungsstation **3.** …stelle; *petrol station* Tankstelle **4.** (Polizei)Wache **5.** Rundfunk, *TV*: Station, Sender

station[2] [ˈsteɪʃn] **1.** aufstellen, postieren (*Wachen usw.*) **2.** *ständig*: stationieren

stationary [ˈsteɪʃnərɪ] *Auto usw.*: stehend

stationer [ˈsteɪʃnə] *BE* Schreibwarenhändler(in)

stationery [ˈsteɪʃnərɪ] **1.** Schreibwaren **2.** Briefpapier

station wagon [ˈsteɪʃn ˌwægən] *AE; Auto*: Kombi; ☞ *estate car*

statistical [stəˈtɪstɪkl] statistisch

statistics [stəˈtɪstɪks] (△ *meist im Pl. verwendet*) Statistik

statue [ˈstætʃuː] Statue, Standbild

stature [ˈstætʃə] Statur, Wuchs

status [ˈsteɪtəs] **1.** Status; *marital status* Familienstand **2.** *gesellschaftlich*: Stellung

status bar [ˈsteɪtəs ˌbɑː] *Computer*: Statuszeile

status quo [ˌsteɪtəsˈkwəʊ] Status quo

status symbol [ˈsteɪtəs ˌsɪmbl] Statussymbol

statute [ˈstætʃuːt] **1.** Gesetz; *by statute* gesetzlich **2.** *einer Organisation*: Statut

stay[1] [steɪ] **1.** bleiben (*for oder to lunch* zum Mittagessen) **2.** *be here to stay* Mode, Arbeitslosigkeit *usw.*: von Dauer sein, sich halten werden **3.** wohnen (*with friends* bei Freunden); *stay the night at a hotel* im Hotel übernachten (△ *nicht stehen*)

stay away [ˌsteɪ əˈweɪ] wegbleiben, sich fernhalten (*from* von)

stay back [ˌsteɪˈbæk] zurückbleiben, Abstand halten

stay in [ˌsteɪˈɪn] zu Hause *oder* drinnenbleiben

stay on [ˌsteɪˈɒn] *stay on at school* (mit der Schule) weitermachen

stay out [ˌsteɪˈaʊt] draußen bleiben

stay up [ˌsteɪˈʌp] *abends*: aufbleiben

stay with [ˈsteɪ ˌwɪð] wohnen bei (*vorübergehend*)

stay[2] [steɪ] Aufenthalt

staying power [ˈsteɪɪŋ ˌpaʊə] Ausdauer

steadfast [ˈstedfɑːst] **1.** treu **2.** *Blick*: fest

steady[1] [ˈstedɪ] **1.** (stand)fest, stabil **2.** *Hand usw.*: ruhig, *Nerven*: gut **3.** *Tempo usw.*: gleichmäßig **4.** *Arbeitsplatz usw.*: fest **5.** *steady (on)! BE, umg.* Vorsicht!

steady[2] [ˈstedɪ] ins Gleichgewicht bringen (*Boot usw.*)

steady[3] [ˈstedɪ] *go steady AE* einen festen Freund (*oder* eine feste Freundin) haben

steak [steɪk] **1.** Steak **2.** *von Fisch*: Filet; ☞ *Info S. 454*

S

steak and kidney pie

Die typische britische Küche ist gar nicht mehr so leicht auszumachen. Denn heutzutage wird in Großbritannien mehr Pasta gegessen als **steak and kidney pie** (mit Rindfleisch, Rindernieren, Champignons und Zwiebeln gefüllte Pastete). Trotzdem ist **meat and two veg** (Fleisch und zwei Gemüsesorten – Kartoffeln sind selbstverständlich auch dabei) für manchen immer noch der Inbegriff für **a proper meal** (ein richtiges Essen).

In britischen Kneipen steht nach wie vor einfaches, aber herzhaftes und traditionelles Essen zur Auswahl.

---

steal¹ [stiːl], **stole** [stəʊl], **stolen** ['stəʊlən] 1. stehlen (*auch übertragen*); **steal a glance at** einen verstohlenen Blick werfen auf 2. sich stehlen, (sich) schleichen (**out of** aus)

steal² [stiːl] **it's a steal!** *AE, umg.* das ist ja geschenkt!

steam¹ [stiːm] 1. Dunst, Dampf 2. *Energie*: Dampf 3. **let off steam** *übertragen* Dampf ablassen

steam² [stiːm] 1. (*auch Schiff, Lokomotive*) dampfen; **steaming hot** kochend heiß 2. dämpfen, dünsten (*Speisen*)

---

steam up [ˌstiːm'ʌp] 1. (*Scheibe usw.*) beschlagen 2. **get steamed up** *Scheibe usw.*: beschlagen, *übertragen, umg.* sich aufregen (**about** über)

---

steam engine ['stiːmˌendʒɪn] Dampfmaschine

steamer ['stiːmə] 1. *Schiff*: Dampfer 2. Dampfkochtopf

steamship ['stiːmʃɪp] Dampfer

steel [stiːl] Stahl

steep [stiːp] 1. steil 2. *Preisanstieg*: stark 3. *umg.; Forderung*: happig, *Preis*: gesalzen

steeple ['stiːpl] Kirchturm (*mit Spitze*)

steeplechase ['stiːpltʃeɪs] 1. *Pferdesport*: Hindernisrennen 2. *Sport*: Hindernislauf

steer¹ [stɪə] steuern, lenken

steer² [stɪə] (junger) Ochse (△ *Stier = bull*)

steering wheel ['stɪərɪŋˌwiːl] Lenkrad

stein [△ staɪn] Maßkrug

stem¹ [stem] 1. *Pflanze*: Stängel, Stiel (*auch eines Sektglases usw.*) 2. *von Wort*: Stamm

stem² [stem], **stemmed, stemmed** 1. stillen (*Blutung*) 2. *übertragen* eindämmen,

stoppen

---

stem from ['stemˌfrəm] herrühren von

---

stem cell ['stemˌsel] *Biologie*: Stammzelle

stench [stentʃ] Gestank

step¹ [step] 1. Schritt (*auch Geräusch*); **take a step** einen Schritt machen 2. Stufe, Sprosse; **mind the step!** Vorsicht, Stufe! 3. **take steps** *übertragen* etwas unternehmen 4. *übertragen* Schritt 5. **step by step** *übertragen* Schritt für Schritt

step² [step], **stepped, stepped** 1. gehen, treten (**in** in; **on** auf) 2. **step on it** *oder* **step on the gas** *umg.* Gas geben (*auch übertragen*)

---

step aside [ˌstepˌə'saɪd] 1. zur Seite treten 2. *übertragen* Platz machen (**in favour of** für), zurücktreten (**as** als; **in favour of** zugunsten)

step back [ˌstep'bæk] 1. zurücktreten 2. *vor Schreck usw.*: zurückweichen

step down [ˌstep'daʊn] 1. heruntersteigen, hinuntersteigen 2. → **step aside** 2

step forward [ˌstep'fɔːwəd] 1. vortreten, nach vorne treten 2. *übertragen* (*Zeugen usw.*) sich melden

step in [ˌstep'ɪn] *übertragen* (*Staat usw.*) eingreifen, einschreiten

step up [ˌstep'ʌp] steigern (*Produktion usw.*)

---

step... ['step-] Stief...; **stepbrother** Stiefbruder; **stepfather** Stiefvater; **stepmother** Stiefmutter; **stepsister** Stiefschwester

stereo¹ ['sterɪəʊ] *Pl.*: **stereos** 1. Stereogerät, Stereoanlage 2. **in stereo** in Stereo

stereo² ['sterɪəʊ] Stereo...; **stereo system** Stereoanlage

stereotype ['sterɪətaɪp] Klischee

sterile ['steraɪl] 1. *Biologie*: steril, unfruchtbar 2. *medizinisch*: steril, keimfrei

sterility [stə'rɪlətɪ] 1. *Biologie*: Sterilität, Unfruchtbarkeit 2. *medizinisch*: Sterilität, Keimfreiheit

sterilization [ˌsteraɪ'zeɪʃn] *Medizin*: Sterilisation, Sterilisierung

sterilize ['sterəlaɪz] sterilisieren

sterling ['stɜːlɪŋ] *britische Währung*: das Pfund Sterling

stern¹ [stɜːn] *Person, Blick usw.*: streng

stern² [stɜːn] *Schiff*: Heck

steroid ['sterɔɪd, 'stɪərɔɪd] *Medizin*: Steroid

stethoscope ['steθəskəʊp] *Medizin*: Stethoskop

stew¹ [stjuː] schmoren, dünsten (*Gemüse*

usw.); **stewed apples** *Pl.* Apfelkompott

stew² [stjuː] Eintopf

steward ['stjuːəd] **1.** *Schiff:* Steward **2.** *bei Veranstaltung:* Ordner(in)

stewardess [ˌstjuːə'des] *veraltet; Flugzeug, Schiff:* Stewardess

stick¹ [stɪk] **1.** (trockener) Zweig **2.** Stock; **walk with a stick** am Stock gehen **3.** *Hockey:* Schläger **4.** *Schlagwaffe:* Knüppel **5.** Stück (*Kreide usw.*), Stange (*Dynamit, Sellerie usw.*)

stick² [stɪk], **stuck** [stʌk], **stuck** [stʌk] **1.** stecken, stechen mit (*einer Nadel usw.*) (**into** in) **2.** kleben (bleiben), halten (**to** an) **3.** kleben (**on** auf, an), ankleben (**with** mit) **4.** stecken bleiben **5.** *umg.* stellen, setzen, legen **6.** ausstehen, aushalten; **I can't stick him** *bes. BE, umg.* ich kann ihn nicht ausstehen

---

stick around [ˌstɪk_ə'raʊnd] *umg.* dableiben

stick at ['stɪk_ət] bleiben an

stick by ['stɪk_baɪ] *umg.* **1.** bleiben bei, stehen zu (*seinem Wort usw.*) **2.** halten zu (*einer Person*)

stick out [ˌstɪk'aʊt] **1.** vorstehen, (*Ohren usw.*) abstehen **2.** **it sticks out a mile** das sieht ja ein Blinder! **3.** ausstrecken (*Zunge usw.*) **4.** *umg.* durchstehen

stick to ['stɪk_tʊ] **1.** bleiben bei (*einem Getränk, der Wahrheit usw.*), stehen zu (*seinem Wort usw.*) **2.** (≈ *weitermachen*) bleiben an (*einer Arbeit usw.*)

stick together [ˌstɪk_tə'geðə] **1.** zusammenkleben **2.** *übertragen* zusammenhalten

stick up [ˌstɪk'ʌp] **stick 'em up!** *umg.* Hände hoch!

stick up for [ˌstɪk'ʌp_fɔː] verteidigen

stick with ['stɪk_wɪð] **1.** bleiben bei (*einer Person*) **2.** halten zu (*einer Person*)

---

sticker ['stɪkə] Aufkleber, Ⓐ Pickerl

sticking plaster ['stɪkɪŋˌplɑːstə] Heftpflaster

stickler ['stɪklə] **be a stickler for** es ganz genau nehmen mit, großen Wert legen auf

stick-on ['stɪkɒn] **stick-on label** Aufklebeetikett

stick-to-it-iveness [ˌstɪk'tuːətɪvnəs] *AE, umg.* Hartnäckigkeit, Zähigkeit

stick-up ['stɪkʌp] *umg.* (Raub)Überfall

sticky ['stɪkɪ] **1.** klebrig (**with** von) **2.** Klebe...; **sticky tape** Klebeband **3.** *Wetter:* drückend **4.** *umg.; Lage:* unangenehm

stiff [stɪf] **1.** *allg.:* steif; **beat until stiff** steif schlagen (*Eiweiß usw.*) **2.** alkoholi-

sches Getränk usw.: stark **3.** *Aufgabe:* schwierig **4.** *Strafe:* hart **5.** *umg.; Preis:* happig

stiffen ['stɪfn] **1.** steif werden **2.** stärken, steifen (*Kragen usw.*) **3.** *übertragen* (*Person*) ganz starr werden

stifle ['staɪfl] unterdrücken (*Seufzer usw.*)

still¹ [stɪl] **1.** (immer) noch, noch immer **2.** dennoch, trotzdem **3.** *beim Komparativ:* noch; **it'll be hotter still** es wird noch heißer werden

still² [stɪl] **1.** *allg.:* still, ruhig; **keep still** stillhalten; **stand still** stillstehen **2.** *Getränk:* ohne Kohlensäure

still life [ˌstɪl'laɪf] *Pl.:* **still lifes** Malerei: Stillleben

stilt [stɪlt] **1.** Stelze **2.** *Architektur:* Pfahl

stilted ['stɪltɪd] *abwertend; Stil:* gestelzt

stimulant ['stɪmjʊlənt] **1.** *Medizin:* Stimulans, Anregungsmittel **2.** *übertragen* Anreiz, Ansporn (**to** für)

stimulate ['stɪmjʊleɪt] **1.** *medizinisch:* stimulieren, anregen **2.** anspornen (**to do** zu tun) **3.** ankurbeln (*Produktion usw.*)

sting¹ [stɪŋ], **stung** [stʌŋ], **stung** [stʌŋ] **1.** (*Biene usw.*) stechen **2.** (*Augen usw.*) brennen **3.** **the smoke was stinging our eyes** der Rauch brannte uns in den Augen

sting² [stɪŋ] **1.** Stachel (*bes. eines Insekts*) **2.** Stich (*von Insekt*) **3.** brennender Schmerz

stinging nettle ['stɪŋɪŋˌnetl] Brennnessel

stingy [△ 'stɪndʒɪ] *umg.; Person:* knickrig; **be stingy with** knickern mit

stink¹ [stɪŋk], **stank** [stæŋk] *oder* **stunk** [stʌŋk], **stunk** [stʌŋk] **1.** stinken (**of** nach) **2.** *umg.* (*Idee usw.*) miserabel sein

stink² [stɪŋk] **1.** Gestank **2.** **kick up** *oder* **make** *oder* **raise a stink** *umg.* Stunk machen (**about** wegen)

stinking¹ ['stɪŋkɪŋ] stinkend

stinking² ['stɪŋkɪŋ] **stinking rich** *BE, umg.* stinkreich

stint [stɪnt] (Arbeits)Pensum

stir¹ [stɜː], **stirred, stirred 1.** (um)rühren (*Suppe usw.*) **2.** (≈ *sich bewegen*) sich rühren **3.** bewegen (*Arm, Bein usw.*)

---

stir up [ˌstɜːr'ʌp] **1.** aufwühlen (*auch übertragen*) **2.** *übertragen* stiften (*Unruhe*), entfachen (*Streit*)

---

stir² [stɜː] **1.** **give something a stir** etwas (um)rühren **2.** **cause** (*oder* **create**) **a stir** *übertragen* für Aufsehen sorgen

stirring ['stɜːrɪŋ] aufwühlend, bewegend

stirrup [△ 'stɪrəp] Steigbügel

stitch¹ [stɪtʃ] **1.** *Nähen usw.:* Stich **2.** *Stricken usw.:* Masche; **drop a stitch** eine

Masche fallen lassen **3.** *I needed 5 stitches* *medizinisch*: ich musste mit fünf Stichen genäht werden; *he had his stitches out* ihm wurden die Fäden gezogen **4.** *have a stitch* Seitenstechen haben **5.** *we were in stitches* *umg.* wir haben uns totgelacht

stitch² [stɪtʃ] *auch* **stitch up** zunähen, nähen (*auch Wunde*)

stock¹ [stɒk] **1.** Vorrat (*of* an); *have something in stock* etwas vorrätig haben; *be out of stock* *Ware*: nicht vorrätig sein **2.** *take stock* *Wirtschaft*: Inventur machen, *übertragen* Bilanz ziehen **3.** *stocks* *Pl. Wirtschaft*: Aktien, Wertpapiere **4.** *Kochen*: Brühe **5.** Viehbestand **6.** *übertragen* Abstammung (△ *nicht* **Stock**)

stock² [stɒk] **1.** *Wirtschaft*: vorrätig haben, führen (*Ware*) **2.** *be well stocked with* gut versorgt *oder* eingedeckt sein mit

stock up [ˌstɒk'ʌp] sich eindecken (*on*, *with* mit)

stock³ [stɒk] **1.** *Ausrede usw.*: Standard... **2.** *Wirtschaft*: Standard..., Serien...

stockbroker ['stɒkˌbrəʊkə] Börsenmakler(in)

stock cube ['stɒk_kjuːb] Brühwürfel

stock exchange ['stɒk_ɪks,tʃeɪndʒ] *Wirtschaft*: Börse

stockholder ['stɒkˌhəʊldə] *Wirtschaft*; *bes. AE* Aktionär(in)

stocking ['stɒkɪŋ] (Damen)Strumpf

stock market ['stɒkˌmɑːkɪt] *Wirtschaft*: Börse

stockpile¹ ['stɒkpaɪl] Vorrat (*of* an)

stockpile² ['stɒkpaɪl] einen Vorrat anlegen an, hamstern, horten (*Lebensmittel usw.*)

stockroom ['stɒkruːm] Lager, Lagerraum

stocktaking ['stɒkˌteɪkɪŋ] Inventur

stocky ['stɒkɪ] stämmig, untersetzt

stoical ['stəʊɪkl] stoisch, gelassen

stoicism ['stəʊɪsɪzm] Gelassenheit

stole¹ [stəʊl] *2. Form von* → **steal**

stole² [stəʊl] Stola

stolen ['stəʊlən] *3. Form von* → **steal**

stomach¹ [△ 'stʌmək] **1.** *Organ*: Magen; *on an empty stomach* auf nüchternen Magen, mit nüchternem Magen; *it turns my stomach* das dreht mir den Magen um **2.** *im weiteren Sinn*: Bauch

stomach² [△ 'stʌmək] *mst.* *I can't stomach* ... ich kann ... nicht vertragen (*auch übertragen*)

stomachache [△ 'stʌmək_eɪk] **1.** Magenschmerzen **2.** Bauchschmerzen

stomach upset [△ 'stʌmək,ʌpset] Magenverstimmung

stomp [stɒmp] *umg.* stampfen, trampeln

stone [stəʊn] **1.** Stein (*auch Edelstein*); *it's only a stone's throw (away) from* ... es ist nur einen Katzensprung entfernt von ... **2.** (*Pl.*: **stone** *oder* **stones**) *brit.* Gewichtseinheit (= 6,35 kg) **3.** *im Obst*: Kern, Stein

Stone Age ['stəʊn_eɪdʒ] Steinzeit

stoned [stəʊnd] *salopp* **1.** stoned (*unter Drogeneinwirkung*) **2.** *veraltet* stinkbesoffen

stone-dead [ˌstəʊn'ded] mausetot

stone-deaf [ˌstəʊn'def] stocktaub

Stonehenge

Stonehenge [ˌstəʊn'hendʒ] – steinzeitliche Kultstätte 12 km nördlich von Salisbury in Südengland, die aus ringförmig angeordneten riesengroßen Steinpfeilern und quer darüberliegenden Steinblöcken besteht. Sie wurde etwa ab 2800 v. Chr. angelegt, und man vermutet, dass die Menschen dort den Lauf von Sonne und Mond beobachtet und mythische Riten abgehalten haben. Stonehenge wird heute von vielen Touristen besichtigt; ☞ *Karte S. 293*

stony ['stəʊnɪ] **1.** steinig **2.** *Gesicht, Herz usw.*: steinern, *Schweigen*: eisig

stood [stʊd] *2. und 3. Form von* → **stand¹**

stool [stuːl] **1.** Hocker, Schemel (△ *Stuhl* = **chair**) **2.** *medizinisch* (≈ *Kot*) Stuhl

stoop [stuːp] **1.** *auch* **stoop down** sich bücken **2.** gebeugt gehen

stop¹ [stɒp], *stopped, stopped* **1.** stehen bleiben (*auch Uhr usw.*), (an)halten; *stop short* *oder* *dead* plötzlich anhalten *oder* stehen bleiben **2.** anhalten (*Fahrzeug usw.*), abstellen (*Maschine usw.*) **3.** ein Ende machen (*einer Sache*) **4.** stillen (*Blutung*) **5.** zum Erliegen bringen (*Arbeiten, Verkehr usw.*) **6.** aufhören (mit); *stop smoking* mit dem Rauchen aufhören; *stop it!* hör auf damit! **7.** *stop short of* (*oder* *at*) zurückschrecken vor **8.** verhindern (*Ereignis usw.*) **9.** *stop someone* (*from*) *doing something* jemanden davon abhalten *oder* daran hindern, etwas zu tun **10.** *bes. BE* bleiben (*for supper* zum Abendessen) **11.** sperren (lassen) (*Scheck*) **12.** (ver)stopfen (*Rohr usw.*)

stop at ['stɒp_ət] *stop at nothing* vor nichts zurückschrecken

stop by [ˌstɒp'baɪ] (≈ *besuchen*) vorbei-

stop — anhalten / aufhören

Stop kann mit der **-ing**-Form oder auch mit dem Infinitiv erscheinen, wobei es aber einen großen Unterschied in der Bedeutung gibt.

stop <u>doing</u> something	aufhören etwas zu tun; mit etwas aufhören
My father has stopped smoking after 26 years.	Mein Vater hat nach 26 Jahren mit dem Rauchen aufgehört.
stop <u>to do</u> something	anhalten / mit etwas aufhören, <u>um</u> etwas anderes <u>zu</u> tun
I was doing my homework, but I had to stop to make the dinner.	Ich war bei meinen Hausaufgaben, musste aber aufhören, um das Essen zu machen.

schauen

stop off [ˌstɒpˈɒf] *umg.* Zwischenstation machen (**at, in** in), haltmachen

stop over [ˌstɒpˈəʊvə] Zwischenstation machen (**in** in)

stop² [stɒp] **1.** Halt; **come to a stop** anhalten **2.** Haltestelle; **bus stop** Bushaltestelle **3.** *Zug:* Aufenthalt **4.** *bes. BE; Satzzeichen:* Punkt

stopgap [ˈstɒpgæp] Notbehelf

stopover [ˈstɒpˌəʊvə] **1.** Zwischenstation **2.** *Flugzeug:* Zwischenlandung

stoppage [ˈstɒpɪdʒ] **1.** (≈ *Streik*) Arbeitsniederlegung **2. stoppages** *Pl. BE* (Gehalts)Abzug, (Lohn)Abzug

stopper [ˈstɒpə] Stöpsel

stopwatch [ˈstɒpwɒtʃ] Stoppuhr

storage [ˈstɔːrɪdʒ] (Ein)Lagerung

store¹ [stɔː] **1.** *auch* **store up** sich einen Vorrat anlegen an **2.** lagern (*Kohle usw.*), einlagern (*Möbel usw.*) **3.** speichern (*Daten, Energie usw.*)

store² [stɔː] **1.** Vorrat (**of** an); **have something in store** etwas vorrätig haben **2.** Lager(halle) **3.** Kaufhaus, Warenhaus; **department store** Kaufhaus **4.** *bes. AE* Laden, Geschäft

store detective [ˈstɔːˌdɪˌtektɪv] Ladendetektiv

storekeeper [ˈstɔːˌkiːpə] *bes. AE* Ladenbesitzer(in), Ladeninhaber(in)

storeroom [ˈstɔːruːm] **1.** Lagerraum **2.** *in Haus, Wohnung:* Vorratskammer

storey [ˈstɔːrɪ] *bes. BE* Stock(werk), Etage; **a six-storey building** ein sechsstöckiges Gebäude

storeyed [ˈstɔːrɪd] **a six-storeyed building** ein sechsstöckiges Gebäude

stork [stɔːk] Storch

storm¹ [stɔːm] Unwetter, Sturm

storm² [stɔːm] stürmen, toben

stormy [ˈstɔːmɪ] stürmisch (*auch übertragen*)

story¹ [ˈstɔːrɪ] **1.** Geschichte, Erzählung; **short story** Kurzgeschichte; **to cut a long story short** um es kurz zu machen **2.** Handlung (*eines Romans usw.*) **3. the story goes** es heißt **4.** *Zeitung usw.:* Story, Bericht **5.** (≈ *Lüge*) Märchen

story² [ˈstɔːrɪ] *AE* Stock(werk), Etage; **a six-story building** △ ein fünfstöckiges Gebäude; ☞ *BE* **storey**

stout [staʊt] **1.** korpulent **2.** *übertragen* entschieden, hartnäckig

stove [stəʊv] Ofen, *zum Kochen auch:* Herd

stowaway [ˈstəʊəweɪ] *in Flugzeug, Schiff:* blinder Passagier

straggly [ˈstræglɪ] *Haar:* struppig

straight¹ [streɪt] **1.** gerade, *Haar:* glatt; **straight line** gerade Linie, *Mathematik:* Gerade **2. get** *oder* **put straight** in Ordnung bringen, *Zimmer usw.:* aufräumen

stool

stool   ABER: chair

S

3. offen, ehrlich (**with** zu) 4. **let's get 'one thing straight** wir wollen eines klarstellen; **set someone straight about something** *übertragen* jemandem etwas klarmachen 5. ohne Unterbrechung; **his third straight win** *Sport*: sein dritter Sieg in Folge 6. *Alkohol*: pur; **two straight whiskies** zwei Whisky pur 7. **keep a straight face** ernst bleiben 8. *umg.*; *sexuell*: hetero 9. *umg.*; *Drogen*: sauber, clean

straight² [streɪt] 1. gerade; **straight ahead** geradeaus; **go straight on** geradeaus weitergehen 2. genau, direkt 3. klar (*sehen, denken usw.*) 4. *auch umg.* **straight out** geradeheraus

straightaway [ˌstreɪtə'weɪ] sofort

straighten ['streɪtn] 1. gerade rücken (*Krawatte usw.*), gerade machen 2. glätten (*Haar*) 3. in Ordnung bringen (*Zimmer*)

---

straighten out [ˌstreɪtn'aʊt] 1. (*Straße usw.*) gerade werden 2. in Ordnung bringen, klären (*Angelegenheit*) 3. auf die richtige Bahn bringen (*Person*)
straighten up [ˌstreɪtn'ʌp] 1. sich aufrichten 2. in Ordnung bringen, aufräumen (*Zimmer usw.*) 3. gerade hängen, gerade rücken

---

straightforward [ˌstreɪt'fɔːwəd] 1. aufrichtig 2. *Sachverhalt*: einfach, unkompliziert

straight-out [ˌstreɪt'aʊt] *bes. AE, umg.* offen, freimütig, direkt

strain¹ [streɪn] 1. überanstrengen (*sich, Augen usw.*); **strain a muscle** sich eine Muskelzerrung zuziehen 2. (an)spannen (*Seil usw.*) 3. **strain one's ears (***bzw.* **eyes)** die Ohren spitzen (*bzw.* genau hinschauen) 4. sich anstrengen 5. strapazieren (*Nerven usw.*) 6. abgießen (*Gemüse, Tee usw.*)

strain² [streɪn] 1. Spannung (*auch politisch usw.*) 2. *übertragen* Belastung (**on** für); **put a strain on someone** jemanden belasten

strained [streɪnd] 1. **strained muscle** Muskelzerrung 2. *Lächeln*: gezwungen, *Beziehung*: gespannt

strainer ['streɪnə] Sieb

strait [streɪt] *auch* **straits** Pl. Meerenge, Straße

strand [strænd] (Haar)Strähne, Faden

strange [streɪndʒ] 1. merkwürdig, seltsam; **strange to say** so merkwürdig es auch klingen mag; **strangely (enough)** merkwürdigerweise, seltsamerweise 2. unbekannt, fremd (**to someone** jemandem)

stranger ['streɪndʒə] Fremde(r); **I'm a stranger here** ich bin hier fremd

strangle ['stræŋgl] 1. erwürgen, erdrosseln 2. *übertragen* abwürgen, ersticken

strap¹ [stræp] 1. Riemen, Gurt 2. *in Bus usw.*: Haltegriff, Schlaufe 3. *an Kleid usw.*: Träger 4. *an Armbanduhr*: (Arm)Band

strap² [stræp], **strapped, strapped** 1. festschnallen (**to** an) 2. *auch* **strap up** *BE* bandagieren (*Bein usw.*)

straphanger ['stræpˌhæŋə] *umg.* 1. *in Bus usw.*: Stehplatzinhaber(in) 2. *übertragen* Pendler(in)

strategic [strə'tiːdʒɪk] strategisch, strategisch wichtig

strategist ['strætədʒɪst] Stratege, Strategin

strategy ['strætədʒɪ] Strategie

straw [strɔː] 1. Stroh 2. Strohhalm, Trinkhalm 3. **it's the last straw!** das hat noch gefehlt!, das ist der Gipfel!

strawberry ['strɔːbərɪ] Erdbeere

stray¹ [streɪ] 1. sich verirren 2. *übertragen* (*Gedanken usw.*) abschweifen (**from** von)

stray² [streɪ] verirrtes *oder* streunendes Tier

stray³ [streɪ] *Kugel, Tier*: verirrt, *Tier auch*: streunend

streak [striːk] 1. Streifen, *im Haar*: Strähne; **a streak of lightning** ein Blitz 2. *übertragen* (Charakter)Zug 3. **lucky streak** Glückssträhne; **unlucky streak** Pechsträhne

stream¹ [striːm] 1. Bach 2. ...strom; **stream of visitors** Besucherstrom; **stream of traffic** Verkehrsstrom 3. *übertragen* Flut, Schwall (*von Verwünschungen usw.*) 4. *von Wasser, Luft*: Strömung 5. *BE*; *Schule*: Leistungsgruppe

stream² [striːm] 1. (*auch Besucher, Licht usw.*) strömen; **tears were streaming down her face** Tränen liefen ihr übers Gesicht 2. wehen, flattern (**in the wind** im Wind)

streamer ['striːmə] Luftschlange

streamline ['striːmlaɪn] rationalisieren

streamlined ['striːmlaɪnd] *Auto usw.*: stromlinienförmig, windschnittig

street [striːt] 1. Straße (*in Stadt oder Dorf*); **in** (*bes. AE* **on**) **the street** auf der Straße 2. **that's right up my street** *BE*, *übertragen* das ist genau mein Fall

street battle ['striːtˌbætl] Straßenschlacht

streetcar ['striːtkɑː] *AE* Straßenbahn

street furniture ['striːtˌfɜːnɪtʃə] Straßenmöbel Pl., urbanes Mobiliar (*Abfallkörbe, Bänke usw.*)

street lamp ['striːt ˌlæmp], **street light** ['striːt ˌlaɪt] Straßenlaterne

street map ['stri:t‿mæp] Stadtplan
street value ['stri:t‿ˌvælju:] *von Drogen*: (Straßen)Verkaufswert
streetwise ['stri:twaɪz] mit allen Wassern gewaschen, clever
streetworker ['stri:t‿wɜːkə] Streetworker(in), Straßensozialarbeiter(in)
strength [streŋθ] Stärke *(auch übertragen)*, Kraft, Kräfte
strengthen ['streŋθn] **1.** verstärken **2.** *übertragen* stärken **3.** *(Wind usw.)* stärker werden, sich verstärken
strenuous ['strenjʊəs] **1.** *Tätigkeit usw.*: anstrengend **2.** *Bemühungen usw.*: unermüdlich, eifrig
stress¹ [stres] **1.** *übertragen* Stress; **be under stress** unter Stress stehen, im Stress sein **2.** *Technik usw.*: Belastung **3.** *Sprache*: Betonung; **stress mark** Betonungszeichen
stress² [stres] **1.** *übertragen* betonen, Wert legen auf **2.** *Sprache*: betonen *(Silbe usw.)* **3.** **be stressed** *Person*: gestresst sein
stressed out [ˌstrest'aʊt] gestresst, stressgeplagt
stress-free ['stresfri:] stressfrei
stressful ['stresfl] stressig, aufreibend
stress mark ['stres‿mɑːk] *Sprache*: Betonungszeichen
stressor ['stresə] Stressfaktor
stretch¹ [stretʃ] **1.** sich dehnen, länger *oder* weiter werden **2.** spannen *(Seil usw.)* **3.** (aus)weiten *(Schuhe usw.)* **4.** *räumlich*: sich erstrecken **(to** bis zu) **5.** sich dehnen *oder* strecken **6.** **stretch one's legs** *umg.* sich die Beine vertreten

stretch out [ˌstretʃ'aʊt] **1.** sich ausstrecken **2.** ausstrecken *(Arm usw.)*

stretch² [stretʃ] **1.** **have a stretch** sich dehnen *oder* strecken **2.** Strecke *(einer Straße)* **3.** Zeit(raum), Zeit(spanne); **at a stretch** hintereinander, ohne Unterbrechung
stretcher ['stretʃə] Tragbahre, Trage
stretchy ['stretʃɪ] dehnbar, elastisch
stricken ['strɪkən] *oft* **-stricken** betroffen von *(Katastrophe)*, ergriffen von *(Panik)*
strict [strɪkt] streng, *Anweisungen auch*: strikt; **be strict with** streng sein mit *oder* zu
strictly ['strɪktlɪ] **1.** streng **2.** genau; **strictly (speaking)** genau genommen
stridden ['strɪdn] *3. Form von →* **stride¹**
stride¹ [straɪd], **strode** [strəʊd], **stridden** ['strɪdn] schreiten *(mit großen Schritten)*
stride² [straɪd] (großer) Schritt
strident ['straɪdnt] *Stimme usw.*: durchdringend

strike¹ [straɪk], **struck** [strʌk], **struck** [strʌk] **1.** schlagen, treffen **2.** *(Blitz)* einschlagen (in) **3.** anzünden *(Streichholz)* **4.** *(Uhr)* schlagen; **the clock struck ten** die Uhr schlug zehn **5.** *(Arbeiter)* streiken **(for** für) **6.** streichen **(from, off** aus, von) *(einer Liste)* **7.** *übertragen* stoßen auf *(Öl usw.)* **8.** **be struck by** beeindruckt sein von; **how does the house strike you?** wie findest du das Haus?; **it struck me** <u>as</u> **rather strange that** es kam mir ziemlich seltsam vor, dass **9.** anschlagen *(Saite usw.)* **10.** **strike it rich** *umg.* das große Geld machen

strike at ['straɪk‿ət] einschlagen auf
strike back [ˌstraɪk'bæk] zurückschlagen *(auch übertragen)*
strike off [ˌstraɪk'ɒf] **1.** abschlagen *(Ast usw.)* **2.** streichen *(von einer Liste)*
strike on *oder* **upon** ['straɪk‿ɒn *oder* əˌpɒn] *übertragen* kommen auf *(eine Idee usw.)*
strike out [ˌstraɪk'aʊt] **1.** (um sich) schlagen **2.** (aus)streichen *(Text usw.)*
strike up [ˌstraɪk'ʌp] **1.** anstimmen *(Lied usw.)* **2.** schließen *(Freundschaft usw.)*, anknüpfen *(Gespräch)* **(with** mit)

strike² [straɪk] **1.** *Wirtschaft*: Streik; **be on strike** streiken; **go on strike** in den Streik treten; **call a strike** einen Streik ausrufen **2.** *militärisch*: Angriff; **first strike** Erstschlag **3.** Fund *(von Öl usw.)*
strike ballot ['straɪkˌbælət] Urabstimmung
strikebreaker ['straɪkˌbreɪkə] Streikbrecher(in)
strike call ['straɪkkɔːl] Streikaufruf
striker ['straɪkə] **1.** *Fußball*: Stürmer(in) **2.** *Wirtschaft*: Streikende(r)
striking ['straɪkɪŋ] auffallend, *Ähnlichkeit usw.*: verblüffend
string¹ [strɪŋ] **1.** Schnur, Bindfaden, Ⓐ Schnürl **2.** *Schürze usw.*: Band **3.** *Puppenspiel*: Faden **4.** Saite *(von Gitarre, Tennisschläger usw.)*, *Bogen*: Sehne **5.** ...schnur; **string of pearls** Perlenschnur **6.** *übertragen* Reihe, Serie **7.** **pull a few strings** *übertragen* seine Beziehungen spielen lassen; ☞ **strings**
string² [strɪŋ], **strung** [strʌŋ], **strung** [strʌŋ] **1.** aufreihen *(Perlen usw.)* **2.** besaiten *(Gitarre usw.)*, bespannen *(Tennisschläger)*
string³ [strɪŋ] *Musik*: Streich...
string bean [ˌstrɪŋ'biːn] *AE* grüne Bohne, Ⓐ Fisole
stringed instrument [ˌstrɪŋd'ɪnstrəmənt]

dringend

S

Saiteninstrument, Streichinstrument

stringent ['strɪndʒənt] *Regeln usw.*: streng

strings [strɪŋz] **1.** *Musik*: Streichinstrumente **2.** *die* Streicher (*eines Orchesters*)

stringy ['strɪŋɪ] *Fleisch usw.*: faserig

strip[1] [strɪp], **stripped, stripped 1.** abkratzen, abreißen (*Tapete usw.*) (**from, off** von) **2.** *auch* **strip off** sich ausziehen (**to** bis auf), *beim Arzt*: sich frei machen; **strip to the waist** den Oberkörper frei machen **3.** *auch* **strip down** zerlegen (*Motor usw.*) **4. strip someone of something** jemandem etwas rauben *oder* wegnehmen

strip[2] [strɪp] **1.** Streifen (*Land, Papier usw.*) **2. do a strip** Striptease machen, strippen **3.** *BE; Fußball*: Dress

strip cartoons [ˌstrɪp ˌkɑːˈtuːnz] *Pl. BE* Comics

stripe [straɪp] **1.** Streifen **2.** *militärisch*: (Ärmel)Streifen, Winkel

striped [straɪpt] gestreift; **striped pattern** Streifenmuster

strip light ['strɪp ˌlaɪt] Neonröhre, Neonlicht

strip lighting ['strɪp ˌlaɪtɪŋ] Neonbeleuchtung

stripper ['strɪpə] Stripteasetänzer(in)

striptease ['strɪptiːz] Striptease

stripy ['straɪpɪ] gestreift, Streifen...

strive [straɪv], **strove** [strəʊv], **striven** ['strɪvn] **1.** sich bemühen (**to do** zu tun) **2.** streben (**for, after** nach)

striven ['strɪvn] *3. Form von* → **strive**

strode [strəʊd] *2. Form von* → **stride**[1]

stroke[1] [strəʊk] streicheln; **stroke someone's hair** jemandem übers Haar streichen

stroke[2] [strəʊk] **1.** Schlag (*auch Tennis, einer Uhr usw.*), Hieb; **a stroke of lightning** ein Blitz; **on the stroke of ten** Punkt *oder* Schlag zehn (Uhr) **2. give someone a stroke** jemanden streicheln **3.** *Medizin*: Schlag(anfall) **4.** *Pinsel usw.*: Strich **5.** *Schwimmen*: Zug **6. a stroke of luck** *übertragen* ein glücklicher Zufall **7. he hasn't done a stroke (of work) yet** *übertragen* er hat noch keinen Strich getan **8. four-stroke engine** *Technik*: Viertaktmotor

stroll[1] [strəʊl] bummeln, schlendern

stroll[2] [strəʊl] Bummel, Spaziergang; **go for a stroll** einen Spaziergang machen

stroller ['strəʊlə] **1.** Spaziergänger(in) **2.** *bes. AE* Sportwagen (*für Kinder*)

strong [strɒŋ] **1.** *allg.*: stark (*auch Persönlichkeit, Medikament usw.*), kräftig (*auch Geschmack usw.*) **2.** *Land usw.*: mächtig **3.** *Möbel usw.*: stabil, *Schuhe usw.*: fest **4.** *gesundheitliche Verfassung*: robust **5.** *Beweise*: unerschütterlich **6.** *Chance usw.*: groß, *Kandidat*: aussichtsreich

strongbox ['strɒŋbɒks] (Geld)Kassette

stronghold ['strɒŋhəʊld] **1.** *militärisch*: Festung, Stützpunkt **2.** *übertragen* Hochburg

strongly ['strɒŋlɪ] **I strongly advised him against it** ich riet ihm dringend davon ab

strong-minded [ˌstrɒŋˈmaɪndɪd] willensstark

strove [strəʊv] *2. Form von* → **strive**

struck [strʌk] *2. und 3. Form von* → **strike**[1]

structural ['strʌktʃrəl] **1.** baulich, Bau...; **structural damage** Schaden an der Bausubstanz **2.** *Unterschied usw.*: strukturell, strukturbedingt; **structural change** *Wirtschaft usw.*: Strukturwandel

structure[1] ['strʌktʃə] **1.** Struktur, Aufbau, Gliederung **2.** Bau, Konstruktion

structure[2] ['strʌktʃə] strukturieren, *von Aufsatz usw.*: aufbauen, gliedern

strudel ['struːdl] *bes. AE; Essen*: Strudel

struggle[1] ['strʌɡl] **1.** kämpfen (**with** mit; **for** um) **2.** *übertragen* sich abmühen (**with** mit; **to do** zu tun) **3.** um sich schlagen *oder* treten

struggle[2] ['strʌɡl] Kampf (*auch übertragen*)

strum [strʌm] klimpern (auf) (*Gitarre*)

strung [strʌŋ] *2. und 3. Form von* → **string**[2]

strut [strʌt], **strutted, strutted** stolzieren

stub[1] [stʌb] **1.** Stummel (*einer Zigarette, eines Bleistifts usw.*) **2.** Kontrollabschnitt (*einer Eintrittskarte usw.*)

stub[2] [stʌb] **stub one's toe** sich die Zehe anstoßen (**against, on** an)

stubble ['stʌbl] (⚠ *nur im Sg. verwendet*) *Bart, Feld*: Stoppeln

stubborn ['stʌbən] **1.** eigensinnig, stur **2.** *Fleck, Widerstand usw.*: hartnäckig

stuck[1] [stʌk] *2. und 3. Form von* → **stick**[2]

stuck[2] [stʌk] **1. be stuck** (*Fenster usw.*) klemmen **2. be stuck** *umg.* festsitzen, nicht weiterkommen (*wegen Schwierigkeit*)

stuck-up [ˌstʌkˈʌp] *umg.* hochnäsig

stud[1] [stʌd] **1.** *auch* **press-stud** Druckknopf **2.** Stollen (*eines Fußballschuhs*) **3.** Ziernagel

stud[2] [stʌd] **1.** Gestüt **2.** (Zucht)Hengst

student ['stjuːdnt] Student(in), *bes. AE auch*: Schüler(in)

studied ['stʌdɪd] wohlüberlegt, *im negativen Sinn*: wohlberechnet

studio ['stjuːdɪəʊ] *Pl.*: **studios 1.** *TV, Rundfunk*: Studio **2.** Atelier (*eines*

Künstlers) **3.** Studio, Einzimmerappartement

studio apartment ['stju:dɪəʊ_ə,pɑ:tmənt] *bes. AE* Studio, Einzimmerappartement

studio couch ['stju:dɪəʊ_kaʊtʃ] Schlafcouch

studio flat ['stju:dɪəʊ_flæt] *BE* Studio, Einzimmerappartement

studious ['stju:dɪəs] fleißig

study¹ ['stʌdɪ] **1.** *studies Pl.* Studium **2.** Studie, Untersuchung (*of* über); *make a study of something* etwas untersuchen **3.** Arbeitszimmer **4.** *bes. Malerei:* Studie (*of* zu)

study² ['stʌdɪ] **1.** studieren (*Medizin usw., auch Landkarte usw.*) (*under someone* bei jemandem); *study to be a doctor* Medizin studieren **2.** lernen (*for* für) (*eine Prüfung*)

stuff¹ [stʌf] **1.** *umg.; allg.:* Zeug, Sachen; *in the shop they sell furniture and stuff* in dem Laden verkaufen sie Möbel und so **2.** *bes. übertragen* Stoff, Material

stuff² [stʌf] **1.** (aus)stopfen (*Kissen usw.*), vollstopfen (*Tasche usw.*) (*with mit*) **2.** (hinein)stopfen (*into* in) **3.** *beim Kochen:* füllen (*Ente usw.*) **4.** *stuff oneself umg.* sich vollstopfen (*mit Essen*); *I'm stuffed* ich bin total voll

---

stuffed up [,stʌft'ʌp] *Nase:* verstopft

---

stuffing ['stʌfɪŋ] Füllung (*auch Kochen*)

stuffy ['stʌfɪ] **1.** *Raum usw.:* stickig **2.** *übertragen* prüde, spießig

stumble ['stʌmbl] stolpern (*on, over, übertragen at, over* über)

stump¹ [stʌmp] Stumpf (*von Baum, Bein usw.*), Stummel (*von Bleistift usw.*)

stump² [stʌmp] **1.** stampfen, stapfen **2.** *I'm stumped there umg.* da bin ich überfragt

stun [stʌn], *stunned, stunned* (*Schlag, auch Nachricht usw.*) betäuben

stung [stʌŋ] *2. und 3. Form von →* **sting¹**

stunk [stʌŋk] *2. und 3. Form von →* **stink¹**

stunning ['stʌnɪŋ] **1.** (≈ *schön*) umwerfend **2.** *Nachricht usw.:* unglaublich

stunt [stʌnt] **1.** (gefährliches) Kunststück, *Film:* Stunt **2.** *in der Werbung:* Gag

stunt man ['stʌnt_mæn] *Pl.:* **stunt men** ['stʌnt_men] *Film:* Stuntman, Double

stunt woman ['stʌnt,wʊmən], *Pl.* **stunt women** ['stʌnt,wɪmɪn] *Film:* Stuntwoman, Double

stupid ['stju:pɪd] **1.** dumm **2.** *übertragen, umg.* blöd

stupidity [stju:'pɪdətɪ] Dummheit (*auch*

Handlung usw.)

sturdy ['stɜ:dɪ] *Beine usw.:* stämmig

stutter ['stʌtə] (*auch Motor*) stottern

sty [staɪ] Schweinestall

style¹ [staɪl] **1.** *allg.:* Stil; *in style* in großem Stil; *that's not my style umg.* das ist nicht meine Art **2.** Mode, Stil **3.** *Ware:* Ausführung, Modell

style² [staɪl] entwerfen, gestalten

styli ['staɪlaɪ] *Pl. von →* **stylus**

styling [staɪlɪŋ] Machart, Design

stylish ['staɪlɪʃ] **1.** *Möbel:* stilvoll **2.** *Person:* elegant

stylistic [staɪ'lɪstɪk] stilistisch, Stil…

stylus ['staɪləs] *Pl.:* **styluses** *oder* **styli** ['staɪlaɪ] Nadel (*eines Plattenspielers*)

Styria ['stɪrɪə] die Steiermark

sub [sʌb] *umg.* **1.** U-Boot **2.** *Sport:* Auswechselspieler(in) **3.** **subs** *Pl.* Beitrag, Beiträge (*für Klub usw.*)

subcommittee ['sʌbkə,mɪtɪ] *in Parlament usw.:* Unterausschuss

subconscious¹ [sʌb'kɒnʃəs] *Psychologie:* Unterbewusstsein

subconscious² [sʌb'kɒnʃəs] *Psychologie:* unterbewusst

subcontinent [,sʌb'kɒntɪnənt] Subkontinent

subculture ['sʌb,kʌltʃə] Subkultur

subdivide [,sʌbdɪ'vaɪd] unterteilen

subdivision ['sʌbdɪ,vɪʒn] **1.** Unterteilung **2.** Unterabteilung

subdue [səb'dju:] **1.** unterwerfen (*Land usw.*) **2.** unterdrücken (*Ärger usw.*)

subdued [səb'dju:d] **1.** Stimme, Licht *usw.:* gedämpft **2.** *Person:* (merkwürdig) still **3.** *Stimmung, Atmosphäre:* gedrückt

subject¹ ['sʌbdʒekt] **1.** Thema; *on the subject of* über (*ein bestimmtes Thema*); *the subject of much criticism usw.* Gegenstand heftiger Kritik *usw.*; *change the subject* das Thema wechseln **2.** *Schule, Universität:* Fach **3.** *Sprache:* Subjekt, Satzgegenstand **4.** *Person:* Untertan(in), Staatsangehörige(r)

subject² ['sʌbdʒekt] **1.** *subject to* anfällig für; *be subject to auch:* neigen zu **2.** *be subject to* abhängen von; *prices subject to change* Preisänderungen vorbehalten

subject³ [səb'dʒekt] unterwerfen (*Volk usw.*)

---

subject to [səb'dʒekt_tʊ] *subject someone to an examination usw.* jemanden einer Prüfung *usw.* unterziehen; *subject someone to criticism usw.* jemanden der Kritik *usw.* aussetzen

---

S

subjective [səb'dʒektɪv] subjektiv

subject matter ['sʌbdʒekt,mætə] *von Rede, Buch usw.*: Stoff, Inhalt

subjunctive [səb'dʒʌŋktɪv] *Sprache*: Konjunktiv

sublet [,sʌb'let], **sublet, sublet**; *-ing*-*Form* **subletting** untervermieten, weitervermieten (*Zimmer, Haus*)

sublime [sə'blaɪm] großartig, erhaben

submarine ['sʌbməriːn] Unterseeboot, U-Boot

submerge [səb'mɜːdʒ] **1.** (*U-Boot*) tauchen **2.** (ein)tauchen (*in*)

submission [səb'mɪʃn] **1.** *unter Zwang*: Unterwerfung **2.** Einreichung, Einsendung (*von Antrag usw.*)

submissive [səb'mɪsɪv] *Person*: unterwürfig

submit [səb'mɪt], **submitted, submitted** **1.** einreichen (*Gesuch usw.*) (**to** bei *oder* Dativ) **2.** nachgeben

subordinate[1] [sə'bɔːdɪnət] untergeordnet (**to**; *dt. Dativ*); **subordinate clause** *Sprache*: Nebensatz, Ⓐ Gliedsatz

subordinate[2] [sə'bɔːdɪnət] Untergebene(r)

subordinate[3] [sə'bɔːdɪneɪt] unterordnen (**to**; *dt. Dativ*), zurückstellen (**to** hinter)

subplot ['sʌbplɒt] *in Film, Theaterstück usw.*: Nebenhandlung

subscribe [səb'skraɪb] *bes. BE* geben, spenden, beisteuern (*Geld*) (**to** für)

subscribe to [səb'skraɪb͜tʊ] **1.** abonnieren, abonniert haben (*Zeitschrift usw.*) **2.** sich anschließen (*einer Meinung*)

subscriber [səb'skraɪbə] **1.** Abonnent(in) **2.** *Telefon*: Teilnehmer(in)

subscription [səb'skrɪpʃn] **1.** (Mitglieds)Beitrag **2.** Abonnement (*von Zeitschrift usw.*)

subsequent ['sʌbsɪkwənt] **1.** *in Abfolge*: anschließend, nachfolgend **2.** *zeitlich*: spätere(r, -s)

subsidiary [səb'sɪdɪərɪ] *Wirtschaft*: Tochtergesellschaft

subsidiary subject [səb,sɪdɪərɪ'sʌbdʒekt] *Schule, Universität*: Nebenfach

subsidize ['sʌbsɪdaɪz] subventionieren

subsidy ['sʌbsədɪ] Subvention

subsistence [səb'sɪstəns] Existenz, Überleben; **live at subsistence level** am Existenzminimum leben

substance ['sʌbstəns] **1.** Substanz, Stoff **2.** Substanz (*einer Aussage usw.*)

substandard [,sʌb'stændəd] **1.** *Ware, Qualität usw.*: minderwertig **2.** *Ausdrucksweise*: inkorrekt

substantial [səb'stænʃl] **1.** *Möbel usw.*: solid, Ⓔ währschaft **2.** *Gehalt usw.*: beträchtlich, *Änderungen usw. auch*: wesentlich **3.** *Mahlzeit*: kräftig, Ⓔ währschaft

substitute[1] ['sʌbstɪtjuːt] **1.** Ersatz **2.** Ersatz(mann), *Sport*: Auswechselspieler(in)

substitute[2] ['sʌbstɪtjuːt] **substitute A for B** B durch A ersetzen, B gegen A austauschen

substitute for ['sʌbstɪtjuːt͜fɔː] einspringen für, ersetzen

substructure ['sʌb,strʌktʃə] *Architektur*: Fundament, Unterbau (*beide auch übertragen*)

subtenant [,sʌb'tenənt] Untermieter(in)

subterranean [,sʌbtə'reɪnɪən] unterirdisch

subtitle ['sʌb,taɪtl] *Buch, Film*: Untertitel

subtle [⚠ 'sʌtl] **1.** *Unterschied usw.*: fein, *Aroma usw. auch*: zart **2.** *Plan usw.*: raffiniert

subtlety [⚠ 'sʌtltɪ] Feinheit, Finesse

subtract [səb'trækt] *Mathematik*: abziehen, subtrahieren (**from** von)

subtraction [səb'trækʃn] Subtraktion

suburb ['sʌbɜːb] Vorort; **live in the suburbs** am Stadtrand wohnen

suburban [sə'bɜːbən] *oft abwertend* vorstädtisch, Vorstadt...

suburbia [sə'bɜːbɪə] *oft abwertend* **1.** Vorstadt **2.** Vorstadtleben

subway ['sʌbweɪ] **1.** *BE*; *für Fußgänger*: Unterführung **2.** *AE* U-Bahn

sub-zero [,sʌb'zɪərəʊ] **sub-zero temperatures** Temperaturen unter null

succeed [sək'siːd] **1.** Erfolg haben, erfolgreich sein, (*Plan usw.*) gelingen; **he succeeded in doing it** es gelang ihm, es zu tun **2.** **succeed someone** jemandem nachfolgen, jemandes Nachfolger werden

succeed to [sək'siːd͜tʊ] nachfolgen in (*einem Amt*)

success [sək'ses] Erfolg; **without success** ohne Erfolg, erfolglos

successful [sək'sesfl] erfolgreich; **be successful** Erfolg haben, erfolgreich sein, *Plan usw. auch*: gelingen; **he was successful in getting the job** es gelang ihm, die Stelle zu bekommen

succession [sək'seʃn] **1.** Folge; **in quick succession** in rascher Folge **2.** *in einem Amt*: Nachfolge

successive [sək'sesɪv] aufeinanderfolgend

successor [sək'sesə] Nachfolger(in) (**to**

in) (*einem Amt*); **successor to the throne** Thronfolger(in)

succulent ['sʌkjʊlənt] *Steak usw.*: saftig

succumb to [△ səˈkʌm_tʊ] erliegen (*einer Krankheit, der Versuchung usw.*)

such [sʌtʃ] **1.** solch, derartig; **such a man** so ein Mann; **no such thing** nichts dergleichen; **such as** wie (zum Beispiel) **2.** so, derart; **such a nice day** so ein schöner Tag; **such a long time** eine so lange Zeit; **such is life** so ist das Leben **3.** **as such** als solche(r, -s)

suck [sʌk] **1.** *bei Flüssigem*: saugen (**at** an) **2.** lutschen (an) (*Daumen usw.*) **3.** **something sucks** *bes. AE, salopp* etwas ist beschissen

suck up [ˌsʌkˈʌp] **suck up to someone** *umg.* jemandem in den Hintern kriechen

sucker ['sʌkə] *umg.* (≈ *leicht zu täuschender Mensch*) Trottel; **I'm a sucker for ...** bei ... werd ich schwach

suckle ['sʌkl] säugen (*junges Tier*), stillen (*Baby*)

suck-up ['sʌkʌp] *umg.* Arschkriecher(in)

sucky ['sʌkɪ] *AE, salopp* beschissen

sudden[1] ['sʌdn] plötzlich

sudden[2] ['sʌdn] **all of a sudden** ganz plötzlich, auf einmal

suddenly ['sʌdnlɪ] plötzlich

sue [suː] *Recht* **1.** klagen (**for** auf) **2.** verklagen (*Person*) (**for** auf, wegen)

suede [△ sweɪd] Wildleder, Veloursleder

suffer ['sʌfə] **1.** leiden (**from** an, unter) **2.** darunter leiden **3.** erleiden (*Niederlage usw.*), tragen (*Folgen*)

suffering ['sʌfərɪŋ] Leiden, Leid

sufficient [səˈfɪʃnt] genügend, genug; **be sufficient** genügen, (aus)reichen (**for** für)

suffix ['sʌfɪks] *Sprache*: Nachsilbe, Suffix

suffocate ['sʌfəkeɪt] ersticken

suffocating ['sʌfəkeɪtɪŋ] **1.** *Atmosphäre, Gefühl*: drückend, erstickend **2.** *Hitze*: drückend, brütend **3.** *Raumluft*: stickig

suffrage ['sʌfrɪdʒ] *Politik*: Wahlrecht, Stimmrecht

sugar[1] ['ʃʊgə] **1.** Zucker **2.** *bes. AE, umg.; Anrede*: Schatz

sugar[2] ['ʃʊgə] zuckern

sugar bowl ['ʃʊgə_bəʊl] Zuckerdose

sugarcane ['ʃʊgəkeɪn] Zuckerrohr

sugar-free [ˌʃʊgəˈfriː] ohne Zucker

sugary ['ʃʊgərɪ] **1.** zuckerig, Zucker... **2.** *übertragen* süßlich

suggest [səˈdʒest] **1.** vorschlagen; **I sug-gest going** (*oder* **that we go**) **home** ich schlage vor heimzugehen **2.** (*Umstand usw.*) hindeuten auf; **suggest that** darauf hindeuten, dass **3.** andeuten; **I'm not suggesting that** ich will damit nicht sagen, dass

suggestion [səˈdʒestʃn] **1.** Vorschlag; **make** (*oder* **offer**) **a suggestion** einen Vorschlag machen **2.** Anflug, Spur **3.** Andeutung

suggestive [səˈdʒestɪv] *Bemerkung usw.*: zweideutig, *Blick usw.*: vielsagend

suicidal [ˌsuːɪˈsaɪdl] **1.** selbstmörderisch (*auch übertragen*); **suicidal thoughts** Selbstmordgedanken **2.** *Person*: selbstmordgefährdet

suicide ['suːɪsaɪd] **1.** Selbstmord (*auch übertragen*); **commit suicide** Selbstmord begehen **2.** *Person*: Selbstmörder(in)

suicide attack ['suːɪsaɪd_ə,tæk] Selbstmordanschlag, Selbstmordattentat

suicide bomber [△ 'suːɪsaɪd,bɒmə] Selbstmordattentäter(in)

suit[1] [suːt] **1.** Anzug, *für Frauen*: Kostüm **2.** *Kartenspiel*: Farbe **3.** *Recht*: (Zivil)-Prozess, Verfahren

suit[2] [suːt] **1.** **suit someone** *Termin usw.*: jemandem passen; **that suits me fine** das passt mir gut, das ist mir sehr recht **2.** **this colour** *usw.* **suits you** diese Farbe *usw.* steht dir gut **3.** **they're well suit-ed** (**to each other**) sie passen gut zusammen **4.** **suit yourself!** mach, was du willst!

suitable ['suːtəbl] passend, geeignet (**for, to** für)

suitcase ['suːtkeɪs] Koffer

suite [swiːt] **1.** *Möbel*: Garnitur **2.** *im Hotel*: Suite, Zimmerflucht **3.** *Musik*: Suite

sulk [sʌlk] schmollen

sulky ['sʌlkɪ] schmollend

sullen ['sʌlən] mürrisch, verdrossen

sulphur dioxide [ˌsʌlfə_daɪˈɒksaɪd] Schwefeldioxyd

sultry ['sʌltrɪ] **1.** schwül **2.** *Blick*: aufreizend

sum [sʌm] **1.** Summe, Betrag **2.** (einfache) Rechenaufgabe; **do sums** rechnen

sum up [ˌsʌmˈʌp], **summed up**, **summed up** zusammenfassen; **to sum up** zusammenfassend

summarize ['sʌməraɪz] zusammenfassen

summary ['sʌmərɪ] Zusammenfassung

summer[1] ['sʌmə] Sommer; **in (the) sum-mer** im Sommer

summer[2] ['sʌmə] Sommer...

summer camp ['sʌmə_kæmp] Ferienlager; ☞ *Info S. 464*

S

summer camp

Viele Schüler in den USA und Kanada verbringen die Sommerferien alljährlich in einem **summer camp**. Das ist eine Art Ferienlager mit Hütten und/oder Zelten, in dem ein breites Spektrum an sportlichen Aktivitäten sowie Bastelarbeiten usw. angeboten werden. Betreut werden die Schüler von jungen Erwachsenen.

summer holidays [ˌsʌmə'hɒlədeɪz] *Pl. BE* Sommerferien *Pl.*

summer sales [ˌsʌmə'seɪlz] *Pl.* Sommerschlussverkauf

summertime[1] ['sʌmətaɪm] *Jahreszeit:* Sommer(zeit); *in (the) summertime* im Sommer

summer time[2] ['sʌmə_taɪm] *bes. BE; Uhrzeit:* Sommerzeit

summer vacation [ˌsʌmər_veɪkeɪʃən] *AE* Sommerferien

summery ['sʌmərɪ] sommerlich, Sommer…

summit ['sʌmɪt] Gipfel *(auch politisch usw.)*

summon ['sʌmən] 1. zitieren *(Person)* *(to* in) 2. einberufen *(Versammlung usw.)*

summon up [ˌsʌmən'ʌp] zusammennehmen *(Kraft, Mut usw.)*

sumptuous ['sʌmptʃʊəs] luxuriös

sun[1] [sʌn] Sonne

sun[2] [sʌn], **sunned, sunned**; *sun oneself* sich sonnen

sunbathe ['sʌnbeɪð] sonnenbaden, sich sonnen

sunbeam ['sʌnbiːm] Sonnenstrahl

sunbed ['sʌnbed] Sonnenbank

sunblock ['sʌnblɒk] Sunblocker, starke Sonnenschutzcreme

sunburn ['sʌnbɜːn] Sonnenbrand

sunburned ['sʌnbɜːnd], **sunburnt** ['sʌnbɜːnt] *be sunburned* einen Sonnenbrand haben

sundae [△ 'sʌndeɪ] Eisbecher

Sunday ['sʌndeɪ] Sonntag; *on Sunday* (am) Sonntag; *on Sundays* sonntags

Sunday best [ˌsʌndeɪ'best] Sonntagsanzug, Sonntagskleidung

Sunday driver [ˌsʌndeɪ'draɪvə] Sonntagsfahrer(in)

sundial ['sʌn͜daɪəl] Sonnenuhr

sundown ['sʌndaʊn] Sonnenuntergang

sun-dried ['sʌndraɪd] *Tomaten usw.:* in der Sonne getrocknet

sundry ['sʌndrɪ] diverse, verschiedene;

all and sundry jedermann

sunflower ['sʌnˌflaʊə] Sonnenblume

sung [sʌŋ] *3. Form von* → **sing**

sunglasses ['sʌnˌglɑːsɪz] *Pl., auch pair of sunglasses* Sonnenbrille

sunk [sʌŋk] *2. und 3. Form von* → **sink**[1]

sunken ['sʌŋkən] 1. gesunken, versunken 2. *Wangen usw.:* eingefallen

sunlamp ['sʌnlæmp] Höhensonne®

sunlight ['sʌnlaɪt] Sonnenlicht

sunny ['sʌnɪ] 1. sonnig 2. *Lächeln usw.:* fröhlich, *Wesen usw.:* sonnig

sunrise ['sʌnraɪz] Sonnenaufgang; *at sunrise* bei Sonnenaufgang

sunrise industry ['sʌnraɪzˌɪndəstrɪ] Zukunftsindustrie

sunroof ['sʌnruːf] 1. Dachterrasse 2. *Auto:* Schiebedach

sunscreen ['sʌnskriːn] Sonnenschutzcreme

sunset ['sʌnset] Sonnenuntergang; *at sunset* bei Sonnenuntergang

sunshade ['sʌnʃeɪd] Sonnenschirm

sunshine ['sʌnʃaɪn] Sonnenschein

sunstroke ['sʌnstrəʊk] Sonnenstich

suntan ['sʌntæn] (Sonnen)Bräune; *suntan lotion (oder oil)* Sonnencreme

suntanned ['sʌntænd] braun gebrannt

sun-worshipper ['sʌnˌwɜːʃɪpə] Sonnenanbeter(in)

super ['suːpə] *umg.* super, klasse

superb [suː'pɜːb] ausgezeichnet

superficial [ˌsuːpə'fɪʃl] oberflächlich *(auch übertragen)*

superfluous [suː'pɜːflʊəs] überflüssig

superglue® ['suːpəgluː] Sekundenkleber

superhighway ['suːpəˌhaɪweɪ] *AE* Autobahn

superhuman [ˌsuːpə'hjuːmən] übermenschlich

superintendent [ˌsuːpərɪn'tendənt] 1. Aufsichtsbeamte(r) 2. *BE; etwa:* Kommissar 3. *AE; etwa:* Polizeichef

superior[1] [suː'pɪərɪə] 1. ranghöher *(to* als) 2. überlegen *(to; dt. Dativ)*, besser *(to* als) 3. ausgezeichnet 4. *negativ:* überheblich

superior[2] [suː'pɪərɪə] Vorgesetzte(r)

superiority [suːˌpɪərɪ'ɒrətɪ] 1. Überlegenheit *(over* gegenüber) 2. Überheblichkeit

superlative [suː'pɜːlətɪv] *Sprache:* Superlativ *(auch übertragen)*

superman ['suːpəmæn] *Pl.: supermen* ['suːpəmen] 1. Supermann 2. Übermensch

supermarket ['suːpəˌmɑːkɪt] Supermarkt

supernatural [ˌsuːpə'nætʃrəl] übernatürlich

superpower ['suːpəˌpaʊə] *Politik:* Supermacht

supersede [ˌsuːpəˈsiːd] ablösen

supersonic [ˌsuːpəˈsɒnɪk] *Flugzeug, Physik:* Überschall…

superstition [ˌsuːpəˈstɪʃn] Aberglaube

superstitious [ˌsuːpəˈstɪʃəs] abergläubisch

superstructure [ˈsuːpəˌstrʌktʃə] **1.** *von Schiff:* Deckaufbauten *Pl.* **2.** *übertragen* Überbau

supervise [ˈsuːpəvaɪz] beaufsichtigen

supervision [ˌsuːpəˈvɪʒn] Aufsicht

supervisor [ˈsuːpəvaɪzə] **1.** Aufseher(in), Aufsicht **2.** *Schule, etwa:* Tutor(in)

supper [ˈsʌpə] Abendessen, Ⓐ Nachtmahl, Ⓒ Nachtessen; *have supper* zu Abend essen

supper

Supper kann sowohl die Hauptabendmahlzeit bezeichnen als auch einen kleinen Imbiss vor dem Zubettgehen.

supple [ˈsʌpl] **1.** *Körper usw.:* gelenkig, geschmeidig **2.** *Material:* biegsam, elastisch

supplement[1] [ˈsʌplɪmənt] **1.** Ergänzung (*to* zu *oder Genitiv*) **2.** Nachtrag, Anhang (*to* zu) (*einem Buch*) **3.** Ergänzungsband **4.** Beilage (*zu einer Zeitung*)

supplement[2] [ˈsʌplɪment] ergänzen, aufbessern (*Einkommen usw.*) (*with* mit)

supplementary [ˌsʌplɪˈmentərɪ] zusätzlich

supplier [səˈplaɪə] **1.** *Wirtschaft:* Lieferant **2.** *auch* **suppliers** *Pl.* Lieferfirma

supplies [səˈplaɪz] *Pl.* **1.** Vorrat (*of* an), Proviant, *militärisch:* Nachschub **2.** …bedarf; *office supplies* Bürobedarf; ☞ *supply*[2]

supply[1] [səˈplaɪ] **1.** liefern, sorgen für **2.** versorgen (*Stadt usw.*), beliefern (*with* mit) **3.** abhelfen (*einem Bedürfnis usw.*)

supply[2] [səˈplaɪ] **1.** Lieferung (*to* an) **2.** Versorgung **3.** *be in short supply* Ware *usw.:* knapp sein **4.** *supply and demand* Angebot und Nachfrage; ☞ *supplies*

support[1] [səˈpɔːt] **1.** (ab)stützen, tragen (*Gewicht usw.*) **2.** unterstützen (*Person usw.*) (*auch finanziell*), unterhalten (*Familie*) **3.** übertragen stützen (*Währung usw.*) **4.** *he supports Leeds United* er ist Leeds-United-Fan

support[2] [səˈpɔːt] **1.** Stütze **2.** *übertragen* Unterstützung; *in support of* zur Unterstützung (+ *Genitiv*)

supporter [səˈpɔːtə] Anhänger(in) (*auch Sport*), Befürworter(in)

supporting [səˈpɔːtɪŋ] *supporting actor* (*role usw.*) Nebendarsteller(in), (Nebenrolle *usw.*)

supportive [səˈpɔːtɪv] *he was very supportive when I …* er war mir eine große Stütze, als ich …

suppose[1] [səˈpəʊz] **1.** annehmen, vermuten; *I suppose I must have fallen asleep* ich muss wohl eingeschlafen sein; *I suppose so* ich nehme es an, wahrscheinlich **2.** *he's supposed to be rich* er soll reich sein **3.** *you're not supposed to smoke here* du darfst hier nicht rauchen; *aren't you supposed to be at work?* solltest du nicht (eigentlich) in der Arbeit sein?; *what's that supposed to mean?* was soll denn das? **4.** (*Prognose usw.*) voraussetzen

suppose[2] [səˈpəʊz] **1.** angenommen **2.** wie wäre es, wenn; *suppose we went home?* wie wäre es, wenn wir nach Hause gingen?

supposed [səˈpəʊzd] angebliche(r, -s)

supposedly [⚠ səˈpəʊzɪdlɪ] angeblich

supposing [səˈpəʊzɪŋ] angenommen

suppository [səˈpɒzɪtrɪ] *Medizin:* Zäpfchen

suppress [səˈpres] unterdrücken (*auch Lächeln, Gefühl*)

suppurate [⚠ ˈsʌpjʊreit] *Medizin;* (*Wunde*) eitern

supremacy [⚠ sʊˈpremərsɪ] Vormachtstellung

supreme [sʊˈpriːm] **1.** *Autorität:* höchste(r, -s), oberste(r, -s) **2.** größte(r, -s)

surcharge [ˈsɜːtʃɑːdʒ] **1.** Zuschlag (*on* auf) **2.** *Post:* Nachporto, Strafporto (*on* auf)

sure[1] [ʃɔː] **1.** *allg.:* sicher; *sure of oneself* selbstsicher; *for sure* ganz bestimmt; *be* (*oder feel*) *sure* sich sicher sein; *I'm not sure* da bin ich mir nicht sicher; *you're sure to like this play* dir wird das Stück sicher gefallen **2.** *be sure to lock the door* vergiss nicht abzuschließen **3.** *make sure that* sich (davon) überzeugen, dass, *aktiv:* dafür sorgen, dass; *make sure of something* sich von etwas überzeugen, *aktiv:* sich etwas sichern **4.** *to be sure* sicherlich

sure[2] [ʃɔː] **1.** *bes. AE, umg.* sicher, klar **2.** *sure enough* tatsächlich

surely [ˈʃɔːlɪ] **1.** sicher(lich), bestimmt **2.** doch (wohl); *surely someone* (*in the class*) *knows the answer* irgend jemand (in der Klasse) wird doch wohl die Antwort wissen

surf[1] [sɜːf] **1.** *Sport:* surfen **2.** *surf the Net Computer:* im Internet surfen

surf[2] [sɜːf] Brandung

surface[1] [ˈsɜːfɪs] Oberfläche (*auch über-*

S

tragen); **road surface** Straßendecke

surface[2] ['sɜ:fɪs] auftauchen (*auch übertragen*)

surface mail ['sɜ:fɪs ˌmeɪl] Land- und Seebeförderung (*im Gegensatz zur Luftpost*)

surfboard ['sɜ:fbɔ:d] Surfboard, Surfbrett

surfer ['sɜ:fə] **1.** *Sport*: Surfer(in), Wellenreiter(in) **2.** *Computer*: Internetsurfer(in), Surfer(in)

surfing ['sɜ:fɪŋ] Surfen, Wellenreiten

surge [sɜ:dʒ] (*Menge*) drängen, strömen

surgeon ['sɜ:dʒən] Chirurg(in)

surgery ['sɜ:dʒərɪ] **1.** Chirurgie **2.** *he needs surgery* er muss operiert werden **3.** *BE* Sprechzimmer, Ⓐ Ordination **4.** *BE* Sprechstunde, Ⓐ Ordination; *surgery hours Pl.* Sprechstunden, Ⓐ Ordination

surgical ['sɜ:dʒɪkl] chirurgisch, operativ

surgicenter ['sɜ:dʒɪˌsentə] *AE* Poliklinik

surly ['sɜ:lɪ] griesgrämig, mürrisch

surname ['sɜ:neɪm] Nachname

surplus ['sɜ:pləs] Überschuss (*of* an)

surprise[1] [sə'praɪz] Überraschung; *take by surprise* überraschen; *much to my surprise* zu meiner großen Überraschung

surprise[2] [sə'praɪz] überraschen, wundern

surprised [sə'praɪzd] überrascht; *be surprised at oder by* überrascht *oder* verwundert sein über, sich wundern über; *I wouldn't be surprised if ...* es würde mich nicht wundern, wenn ...

surprising [sə'praɪzɪŋ] überraschend; *surprisingly (enough)* überraschenderweise

surreal [sə'rɪəl] surreal, unwirklich

surrealism [sə'rɪəlɪzm] *Kunst*: Surrealismus

surrealist[1] [sə'rɪəlɪst] *Kunst*: Surrealist(in)

surrealist[2] [sə'rɪəlɪst] *Kunst*: surrealistisch

surrealistic [səˌrɪə'lɪstɪk] surrealistisch

surrender[1] [sə'rendə] **1.** sich ergeben (*to; dt. Dativ*), kapitulieren (*to* vor); *surrender (oneself) to the police* sich der Polizei stellen **2.** übergeben, ausliefern (*to; dt. Dativ*)

surrender[2] [sə'rendə] Kapitulation (*to* vor)

surrogate mother [ˌsʌrəgət'mʌðə] Leihmutter

surround [sə'raʊnd] **1.** umgeben **2.** (*Polizei usw.*) umstellen (*Haus usw.*)

surrounding [sə'raʊndɪŋ] umliegend

surroundings [sə'raʊndɪŋz] *Pl.* Umge-

bung

surveillance [sə'veɪləns] Überwachung; *keep under surveillance* überwachen

survey[1] [sə'veɪ] **1.** betrachten (*auch übertragen*) **2.** vermessen (*Land*)

survey[2] ['sɜ:veɪ] **1.** Umfrage **2.** Überblick (*of* über)

survival [sə'vaɪvl] **1.** Überleben (*auch übertragen*) **2.** *bes. BE* Überbleibsel (*from* aus)

survive [sə'vaɪv] **1.** überleben (*auch übertragen*), am Leben bleiben **2.** erhalten bleiben **3.** überstehen (*Erdbeben usw.*), überdauern (*Jahrhundert usw.*)

survivor [sə'vaɪvə] Überlebende(r) (*from, of; dt. Genitiv*)

susceptible [△ sə'septəbl] **1.** empfänglich (*to* für) **2.** anfällig (*to* für) (*Krankheiten usw.*) **3.** leicht zu beeindrucken

suspect[1] [sə'spekt] **1.** *bei Problem, Verbrechen*: vermuten **2.** verdächtigen (*of; dt. Genitiv*); *be suspected of doing something* im *oder* unter dem Verdacht stehen, etwas zu tun **3.** anzweifeln, bezweifeln

suspect[2] ['sʌspekt] Verdächtige(r)

suspect[3] ['sʌspekt] verdächtig, suspekt

suspend [sə'spend] **1.** (vorübergehend) einstellen (*Verkauf, Zahlungen usw.*) **2.** *Recht*: zur Bewährung aussetzen (*Strafe*) **3.** suspendieren (*from duty* vom Dienst), *Sport*: sperren **4.** *förmlich* aufhängen (*Lampe usw.*) (*from* an)

suspender [sə'spendə] *BE* Strumpfhalter

suspenders [sə'spendəz] *Pl., auch* **pair of suspenders** *AE* Hosenträger

suspense [sə'spens] Spannung; *keep someone in suspense* jemanden auf die Folter spannen

suspension [sə'spenʃn] **1.** (vorübergehende) Einstellung **2.** Suspendierung, *Sport*: Sperre **3.** *Technik*: Federung, Aufhängung **4.** *suspension bridge* Hängebrücke

suspicion [sə'spɪʃn] **1.** Verdacht **2.** *auch* **suspicions** *Pl. Gefühl*: Argwohn, Verdacht **3.** *übertragen* Hauch, Spur

suspicious [sə'spɪʃəs] **1.** argwöhnisch, misstrauisch (*of* gegenüber); *become suspicious auch*: Verdacht schöpfen **2.** verdächtig

suss [sʌs] *BE, umg.* **suss that ...** dahinter kommen, dass ...

---

suss out [ˌsʌs'aʊt] *BE, umg.* erkennen, herausbekommen (*Absicht, Vorhaben*); *I can't suss him out* ich werd aus ihm nicht schlau

---

sustain [sə'steɪn] **1.** stärken (*auch mora-*

lisch) **2.** aufrechterhalten (*Interesse usw.*) **3.** erleiden (*Schaden, Verlust*) **4.** *Musik:* halten (*Ton*) **5.** *Recht:* stattgeben (*einem Einspruch usw.*) **6.** aushalten, tragen (*Gewicht*)

sustainable [sə'steɪnəbl] **1.** *Entwicklung, Rohstoffe, Wachstum usw.:* nachhaltig **2.** *Energiequellen:* erneuerbar

sustained [sə'steɪnd] **1.** *Beifall, Druck, Interesse usw.:* anhaltend **2.** *Anstrengungen usw.:* ausdauernd

SUV [ˌesjuː'viː] (*Abk. für* **S**port **U**tility **V**ehicle) *AE* Geländewagen

swagger ['swægə] stolzieren

swallow[1] [△ 'swɒləʊ] **1.** schlucken (*auch im Sinne von glauben*); **swallow hard** *übertragen* kräftig schlucken (*hinunterschlucken* (*Ärger usw.*), vergessen (*seinen Stolz*)

swallow[2] [△ 'swɒləʊ] Schwalbe

swam [swæm] *2. Form von* → **swim**[1]

swamp[1] [△ swɒmp] Sumpf

swamp[2] [△ swɒmp] *übertragen* überschwemmen (**with** mit)

swampy [△ 'swɒmpɪ] sumpfig

swan [△ swɒn] Schwan

swank [swæŋk] *bes. BE, umg.* angeben

swanky ['swæŋkɪ] *umg.* piekfein

swap[1] [△ swɒp], **swapped, swapped** *umg.* tauschen (**with** mit), eintauschen (**for** für, gegen); **swap places** die Plätze tauschen

swap[2] [△ swɒp] *umg.* **1.** Tausch; **do a swap** tauschen **2.** Tauschobjekt

swarm[1] [swɔːm] Schwarm (*Bienen, Touristen usw.*)

swarm[2] [swɔːm] **1.** (*Menschen*) strömen **2.** (*Bienen*) schwärmen

swat [△ swɒt] totschlagen (*Fliege usw.*)

sway [sweɪ] **1.** (*Bäume usw.*) sich wiegen, (*Schiff usw.*) schaukeln **2.** hin- und herbewegen, schwenken **3.** beeinflussen (*Person*)

swear [sweə], **swore** [swɔː], **sworn** [swɔːn] **1.** fluchen **2.** schwören (**on the Bible** auf die Bibel; **to God** bei Gott); **swear something to someone** jemandem etwas schwören

> **swear at** ['sweər_ət] **swear at someone** jemanden wüst beschimpfen
> **swear by** ['sweə_baɪ] *übertragen, umg.* schwören auf (*Heilmittel usw.*)
> **swear to** ['sweə_tʊ] **I couldn't swear to it** ich kann es nicht beschwören

swearword ['sweəwɜːd] Kraftausdruck, Fluch

sweat[1] [swet] schwitzen (**with** vor) (*auch übertragen*)

sweat out [ˌswet'aʊt] **1.** ausschwitzen (*Krankheit*) **2.** **sweat it out** *übertragen, umg.* durchhalten, ausharren

sweat[2] [swet] **1.** Schweiß; **get in(to) a sweat** *übertragen, umg.* ins Schwitzen kommen (**about** wegen) **2.** *umg.* Schufterei **3.** **no sweat** *umg.* kein Problem

sweater [△ 'swetə] Pullover

sweatshirt ['swetʃɜːt] Sweatshirt

sweaty ['swetɪ] **1.** schweißig, verschwitzt **2.** Schweiß… **3.** *Hitze usw.:* schweißtreibend

Swede [swiːd] Schwede

Sweden ['swiːdn] Schweden

Swedish[1] ['swiːdɪʃ] schwedisch; **Swedish woman** *oder* **girl** Schwedin

Swedish[2] ['swiːdɪʃ] *Sprache:* Schwedisch

sweep[1] [swiːp], **swept** [swept], **swept** [swept] **1.** kehren, fegen, ⓈⒽ wischen **2.** (*Sturm*) fegen über **3.** **sweep past someone** (*Person*) an jemandem vorbeirauschen

> **sweep aside** [ˌswiːp_ə'saɪd] *übertragen* beiseiteschieben (*Einwand usw.*)
> **sweep away** [ˌswiːp_ə'weɪ] **1.** wegfegen, wegkehren (*Staub, Laub usw.*) **2.** (*Lawine, Fluten usw.*) mitreißen (*auch übertragen:* *Publikum*) **3.** *übertragen* hinwegfegen (*Einwände, Bedenken*)

sweep[2] [swiːp] **1.** **give the floor a sweep** den Boden kehren *oder* fegen **2.** *umg.* Schornsteinfeger(in)

sweeper ['swiːpə] **1.** *Person:* Straßenkehrer(in) **2.** *Maschine:* Kehrmaschine **3.** *Fußball:* Ausputzer(in)

sweeping ['swiːpɪŋ] **1.** *Reform usw.:* umfassend, radikal **2.** *Behauptung usw.:* pauschal

sweepstake ['swiːpsteɪk] **1.** *Wetten:* Pferdetoto **2.** *AE; allg.:* Lotterie

sweet[1] [swiːt] **1.** süß (*auch übertragen*); **sweet nothings** *Pl. humorvoll* Zärtlichkeiten; **have a sweet tooth** gern Süßes naschen, eine Naschkatze sein **2.** *Musik usw.:* lieblich **3.** lieb, reizend; **how sweet of you** wie lieb von dir

sweet[2] [swiːt] **1.** *BE* Bonbon, Ⓐ Zuckerl, Süßigkeiten; **sweets** Süßigkeiten **2.** *BE* Nachtisch, Ⓐ Mehlspeise; **for sweet** als *oder* zum Nachtisch

sweet-and-sour [ˌswiːt_ən'saʊə] süß-sauer

sweet corn ['swiːt_kɔːn] *BE* (Zucker)-Mais

sweeten ['swiːtn] **1.** süßen (*Speisen, Getränke*) **2.** *übertragen* besänftigen **3.** *umg.* (≈ *bestechen*) schmieren (*Person*)

sweetener ['swiːtnə] Süßstoff

sweetheart ['swiːthɑːt] *Anrede:* Schatz

sweetie ['swiːtɪ] *umg.* **1.** *BE* Bonbon **2.** *be a sweetie Kind usw.:* süß sein

swell [swel], **swelled, swollen** ['swəʊlən] *oder* **swelled**; *auch* **swell up** (an)schwellen

swelling ['swelɪŋ] Schwellung

sweltering ['sweltərɪŋ] drückend, schwül

swept [swept] *2. und 3. Form von →* **sweep¹**

swerve [swɜːv] *(Auto)* (aus)schwenken **(to the left** nach links), einen Schwenk machen

swift [swɪft] schnell, flink, rasch

swiftness ['swɪftnəs] Schnelligkeit

swim¹ [swɪm], **swam** [swæm], **swum** [swʌm]; *-ing-Form* **swimming 1.** schwimmen **2.** durchschwimmen *(Gewässer)*

swim² [swɪm] **go for a swim** schwimmen gehen

swimmer ['swɪmə] Schwimmer(in)

swimming ['swɪmɪŋ] Schwimmen

swimming bath ['swɪmɪŋ‿bɑːθ] *auch* **swimming baths** [△ 'swɪmɪŋ‿bɑːðz] *BE* Schwimmbad, *bes.* Hallenbad

swimming cap ['swɪmɪŋ‿kæp] Badekappe

swimming costume ['swɪmɪŋ‿kɒstjuːm] *BE* Badeanzug

swimming pool ['swɪmɪŋ‿puːl] Swimmingpool, Schwimmbecken

swimming trunks ['swɪmɪŋ‿trʌŋks] *Pl. auch* **pair of swimming trunks** Badehose

swimsuit ['swɪmsuːt] Badeanzug

swindle¹ ['swɪndl] **swindle someone out of something** jemanden um etwas betrügen (△ *nicht* **schwindeln**)

swindle² ['swɪndl] Betrug, Schwindel

swine [swaɪn] (≈ *Lump*) Schwein

swing¹ [swɪŋ], **swung** [swʌŋ], **swung** [swʌŋ] **1.** (hin- und her)schwingen, schaukeln, pendeln **2.** schwingen *(die Arme usw.)* **3.** sich schwingen **4.** *(Auto usw.)* einbiegen **(into** in)

swing² [swɪŋ] **1.** *für Kinder:* Schaukel **2.** Schlag, *Boxen:* Schwinger **3.** *übertragen; oft politisch:* Umschwung **4. in full swing** in vollem Gange

swing door [ˌswɪŋ'dɔː] Pendeltür

swipe¹ [swaɪp] Schlag

swipe² [swaɪp] *umg.* **1.** klauen **2.** durchziehen, einlesen *(Karte mit Magnetstreifen)*

swipe at ['swaɪp‿ət] schlagen nach; **swipe away at someone** auf jemanden einschlagen

swipe card ['swaɪp‿kɑːd] *für elektronisch gesicherte Türen usw.:* Magnetstreifenkarte

swirl¹ [swɜːl] wirbeln

swirl² [swɜːl] Wirbel

Swiss¹ [swɪs] Schweizer(in); **the Swiss** *Pl.* die Schweizer

Swiss² [swɪs] schweizerisch, Schweizer(...)

switch¹ [swɪtʃ] **1.** Schalter **2.** *übertragen* Änderung *(eines Plans usw.)* **3.** Gerte, Rute **4.** *AE; Eisenbahn:* Weiche

switch² [swɪtʃ] **1.** *auch* **switch over** (um)schalten **(to** auf) **2.** *auch* **switch over** umstellen *(Produktion usw.)* **(to** auf) **3.** *auch* **switch over** *übertragen* überwechseln **(to** zu)

switch off [ˌswɪtʃ'ɒf] **1.** abschalten, ausschalten **2.** *(Person)* abschalten *(geistig)* **switch on** [ˌswɪtʃ'ɒn] anschalten, einschalten

switchblade ['swɪtʃbleɪd] *AE* Springmesser

switchboard ['swɪtʃbɔːd] **1.** (Telefon-)Zentrale, Vermittlung; **switchboard operator** Telefonist(in) **2.** *Elektrotechnik:* Schalttafel

Switzerland ['swɪtsələnd] *die* Schweiz

swivel ['swɪvl], **swivelled, swivelled**, *AE* **swiveled, swiveled** sich drehen

swivel chair ['swɪvl‿tʃeə] Drehstuhl

swollen ['swəʊlən] *3. Form von →* **swell**

swoop¹ [swuːp] *übertragen (Polizei)* zuschlagen

swoop² [swuːp] Razzia

sword [△ sɔːd] Schwert

swore [swɔː] *2. Form von →* **swear**

sworn [swɔːn] *3. Form von →* **swear**

swot¹ [swɒt] *BE, umg.* Streber(in)

swot² [swɒt] *BE, umg.* büffeln **(for** für)

swot up [ˌswɒt'ʌp] *BE, umg.* büffeln, pauken **(for** für)

swum [swʌm] *3. Form von →* **swim¹**

swung [swʌŋ] *2. und 3. Form von →* **swing¹**

Sydney Opera House

Sydney ['sɪdnɪ] **Opera House – Opernhaus von Sydney** – modernes Wahrzeichen Australiens, das in Sydney, der größten Stadt des Kontinents, von 1957 bis 1966 auf einer Landzunge direkt am Hafen erbaut wurde; ☞ *Karte S. 296*

syllabi ['sɪləbaɪ] *Pl. von* → **syllabus**
syllable ['sɪləbl] *Sprache*: Silbe
syllabus ['sɪləbəs] *Pl.*: **syllabuses** *oder* **syllabi** ['sɪləbaɪ] *Schule*: Lehrplan
symbol ['sɪmbl] Symbol (*auch Chemie*)
symbolic [sɪm'bɒlɪk] symbolisch; **be symbolic of something** etwas symbolisieren
symbolize ['sɪmbəlaɪz] symbolisieren
symmetrical [sɪ'metrɪkl] symmetrisch
symmetry ['sɪmətrɪ] Symmetrie
sympathetic [ˌsɪmpə'θetɪk] **1.** mitfühlend **2.** verständnisvoll, wohlwollend (⚠ *nicht* **sympathisch**)
sympathize ['sɪmpəθaɪz] **1.** mitfühlen (**with** mit) **2.** Verständnis haben (**with** für), sympathisieren (**with** mit)
sympathizer ['sɪmpəθaɪzə] Sympathisant(in)
sympathy ['sɪmpəθɪ] **1.** Mitgefühl; **letter of sympathy** Beileidsschreiben; **sympathies** *Pl.* Beileid(sschreiben) **2.** Verständnis, Wohlwollen
symphonic [sɪm'fɒnɪk] *Musik*: sinfonisch
symphony ['sɪmfənɪ] *Musik*: Sinfonie, Symphonie
symptom ['sɪmptəm] Symptom, Anzei-

chen (**of** für, von) (*beide auch übertragen*)
synagogue ['sɪnəgɒg] *jüdisches Gotteshaus*: Synagoge
synchronize ['sɪŋkrənaɪz] **1.** aufeinander abstimmen (*Absichten, Aktionen usw.*) **2.** synchronisieren (*Film, Uhren usw.*) **3.** (*Uhren*) synchron gehen
syndicate ['sɪndɪkət] *Wirtschaft*: Konsortium, Syndikat
syndrome ['sɪndrəʊm] *Medizin*: Syndrom
synonym ['sɪnənɪm] *Sprache*: Synonym
synonymous [sɪ'nɒnəməs] synonym
syntax ['sɪntæks] Syntax, Satzbau
synthesis ['sɪnθəsɪs] Synthese
synthesize ['sɪnθəsaɪz] *Chemie*: synthetisch *oder* künstlich herstellen
synthetic [sɪn'θetɪk] synthetisch, Kunst...
Syria ['sɪrɪə] Syrien
syringe [sɪ'rɪndʒ] *medizinisch*: Spritze
syrup ['sɪrəp] Sirup
system ['sɪstəm] **1.** *allg.*: System **2.** ...netz; **road system** Straßennetz **3.** *von Mensch*: Organismus
systematic [ˌsɪstə'mætɪk] systematisch
systematize ['sɪstəmətaɪz] systematisieren

T

T [tiː] **that's him to a T** *umg.* das ist er, wie er leibt und lebt; **it fits to a T** *umg.* es passt *oder* sitzt wie angegossen
ta [tɑː] *BE, umg.* danke!
tab [tæb] **1.** Aufhänger, Schlaufe **2.** Etikett, Schildchen **3.** *umg.* Rechnung; **pick up the tab** (die Rechnung) bezahlen **4.** *Computer, Schreibmaschine* ☞ **tab stop**
table ['teɪbl] **1.** Tisch; **at the table** am Tisch; **at table** förmlich bei Tisch **2.** *Personen*: Tisch, (Tisch)Runde **3.** Tabelle **4.** *Mathematik*: Einmaleins **5.** **turn the tables** (**on someone**) übertragen den Spieß umdrehen
tablecloth ['teɪbl‿klɒθ] Tischtuch
table d'hôte [ˌtɑːˈblˈdəʊt] Menü
table manners ['teɪbl‿mænəz] *Pl.* Tischmanieren
tablespoon ['teɪblspuːn] Esslöffel
tablet ['tæblət] **1.** *Arznei*: Tablette **2.** Stück (*Seife*) **3.** Tafel (*aus Stein usw.*) (⚠ *Tablett* = **tray**)
table tennis ['teɪbl‿tenɪs] Tischtennis

tablet

tablet

ABER:

tray

tableware ['teɪblweə] Geschirr und Besteck

tabloid ['tæblɔɪd] Boulevardzeitung

tabloid press ['tæblɔɪd_pres] Boulevardpresse

taboo, tabu[1] [tə'buː] Tabu

taboo, tabu[2] [tə'buː] *be taboo* tabu sein

tab stop ['tæb_stɒp] *Computer, Schreibmaschine*: Tabulator

tabular ['tæbjʊlə] tabellarisch; *in tabular form* tabellarisch

tachometer [tæ'kɒmɪtə] Drehzahlmesser

tack[1] [tæk] 1. (kleiner) Nagel 2. *Nähen*: Heftstich

tack[2] [tæk] 1. annageln (*to* an) 2. *Nähen*: heften (*Stoffteile*)

tack on [,tæk'ɒn] anfügen (*to* an)

tackle[1] ['tækl] 1. angehen (*Problem usw.*) 2. *Sport*: angreifen (*ballführenden Gegner*) 3. zur Rede stellen (*about* wegen)

tackle[2] ['tækl] 1. *Sport*: Angriff 2. Gerät(e) (*zum Angeln usw.*) 3. *Technik*: Flaschenzug

tacky ['tækɪ] 1. *umg.; Kleidung usw.*: geschmacklos 2. *umg.; Gegend usw.*: schäbig, heruntergekommen 3. *Farbe usw.*: klebrig

tact [tækt] Takt

tactful ['tæktfl] taktvoll

tactic ['tæktɪk] *oft tactics Pl.* Taktik, taktischer Zug

tactical ['tæktɪkl] taktisch

tactician [tæk'tɪʃn] Taktiker(in)

tactics ['tæktɪks] *Pl.* (△ *auch im Sg. verwendet) militärisch, Sport*: Taktik

tactless ['tæktləs] taktlos

tadpole ['tædpəʊl] Kaulquappe

taffy ['tæfɪ] *AE* Toffee, Karamellbonbon; ☞ *toffee*

tag[1] [tæg] 1. Etikett, Schild; *price tag* Preisschild 2. *auch question tag Sprache*: Frageanhängsel 3. *play tag* Fangen spielen 4. *Computer*: Tag, Markierung

tag[2] [tæg], *tagged, tagged* 1. etikettieren, auszeichnen (*Waren*) 2. *tag (as)* übertragen bezeichnen als, abstempeln als 3. *Computer*: taggen, markieren

tag along [,tæg_ə'lɒŋ] *umg.* mitgehen, mitkommen; *tag along behind someone* hinter jemandem hertrotten

tag on [,tæg'ɒn] anfügen

tail [teɪl] Schwanz (*auch eines Drachen usw.*), Schweif (*auch eines Kometen*)

tailback ['teɪlbæk] *bes. BE; Auto*: Rückstau

tail end [,teɪl'end] Ende, Schluss

tailgate[1] ['teɪlgeɪt] *Auto*: Hecktür, Heckklappe

tailgate[2] ['teɪlgeɪt] *Auto*: zu dicht auffahren

taillight ['teɪl_laɪt] *Auto*: Rücklicht

tailor[1] ['teɪlə] (Herren)Schneider

tailor[2] ['teɪlə] 1. schneidern 2. *übertragen* zuschneiden (*to* auf) (*Bedürfnisse usw.*)

tails [teɪlz] *Pl.* 1. *heads or tails?* Kopf oder Zahl? 2. Frack

Taiwan [,taɪ'wɑːn] Taiwan

take[1] [teɪk], *took* [tʊk], *taken* ['teɪkən] 1. *allg.*: nehmen; *be taken Platz*: besetzt sein 2. (weg)nehmen 3. mitnehmen 4. bringen; *take someone to the station* jemanden zum Bahnhof bringen 5. *militärisch*: einnehmen (*Stadt usw.*) 6. *Schach usw.*: schlagen (*Stein, Figur*) 7. erringen (*Preis usw.*) 8. (an)nehmen (*Scheck usw.*) 9. annehmen (*Rat usw.*); *take it or leave it* bei Angebot usw.: ja oder nein, entscheide dich 10. hinnehmen (*Kritik usw.*) 11. aushalten, ertragen 12. brauchen; *it took him two hours to do it* er brauchte zwei Stunden, um es zu tun; *it takes three hours* es dauert drei Stunden 13. machen (*Prüfung usw.*) 14. *take care of* sich kümmern um 15. *take for granted* als selbstverständlich betrachten 16. *I take it* ich nehme an; *I take it you've met David* ich nehme an, du hast David schon kennengelernt 17. *take place Veranstaltung usw.*: stattfinden 18. *take a seat* Platz nehmen 19. *take a photo* (*oder picture*) *of* fotografieren 20. *take part* teilnehmen (*in* an) 21. (ein)nehmen (*Medizin*) 22. *take notes* Notizen machen 23. *be taken by oder with* angetan sein von 24. *he's got what it takes umg.* er bringt alle Voraussetzungen mit 25. *take care!* bei Verabschiedung: machs gut!, bleib sauber!, *ermahnend*: pass auf dich auf!, sei vorsichtig!

take after [,teɪk'ɑːftə] (≈ *ähnlich sein*) nachschlagen (*der Mutter, dem Vater usw.*)

take along [,teɪk_ə'lɒŋ] mitnehmen

take apart [,teɪk_ə'pɑːt] auseinandernehmen (*auch Gegner*), zerlegen

take away [,teɪk_ə'weɪ] 1. wegnehmen (*from someone* jemandem) 2. *... to take away BE; Essen*: ... zum Mitnehmen

take back [,teɪk'bæk] 1. zurückbringen 2. zurücknehmen (*Ware, etwas Gesagtes*)

take down [,teɪk'daʊn] 1. herunternehmen, abnehmen (*Plakat usw.*) 2. (sich) aufschreiben *oder* notieren (*Notizen*)

take for ['teɪk‿fɔː] *what do you take me for?* wofür hältst du mich eigentlich?

take from ['teɪk‿frəm] 1. *take something from someone* jemandem etwas wegnehmen 2. *Mathematik*: abziehen von 3. *you can take it from 'me that ...* du kannst mir glauben, dass ...

take in [ˌteɪk'ɪn] 1. (bei sich) aufnehmen (*Person*) 2. *übertragen* einschließen (*Kosten usw.*) 3. enger machen (*Kleidungsstück*) 4. (≈ *verstehen*) begreifen 5. hereinlegen; *be taken in by* hereinfallen auf

take off [ˌteɪk'ɒf] 1. ablegen, ausziehen (*Kleidungsstück*), abnehmen (*Hut*) 2. (*Flugzeug*) abheben 3. *umg.* imitieren, nachahmen (*Person*) 4. freinehmen (*Arbeitstag*) 5. *umg.* abhauen, verschwinden

take on [ˌteɪk'ɒn] 1. (*Firma*) einstellen (*Arbeiter usw.*) 2. annehmen (*Ausdruck, Farbe usw.*) 3. sich anlegen mit 4. annehmen, übernehmen (*Arbeit usw.*)

take out [ˌteɪk'aʊt] 1. herausnehmen 2. ausführen, ausgehen mit 3. abschließen (*Versicherung*) 4. abheben (*Geld*) 5. *... to take out AE*; *Essen*: ... zum Mitnehmen

take out on [ˌteɪk'aʊt‿ɒn] *take it out on someone* sich an jemandem abreagieren

take over [ˌteɪk'əʊvə] 1. übernehmen (*Amt usw.*) 2. die Verantwortung *oder* Macht übernehmen; *can you take over?* kannst du mich ablösen?

take to ['teɪk‿tuː] 1. Gefallen finden an 2. *take to doing something* anfangen, etwas zu tun 3. sich zurückziehen in; *take to one's bed* sich ins Bett legen

take up [ˌteɪk'ʌp] 1. *take up diving usw.* anfangen zu tauchen *usw.* 2. aufgreifen (*Vorschlag usw.*) 3. in Anspruch nehmen (*Zeit*), einnehmen (*Platz*) 4. *take someone up on his offer* auf jemandes Angebot zurückkommen 5. fortfahren mit (*Erzählung usw.*) 6. aufnehmen (*Flüssigkeit*)

take² [teɪk] *Film*, *TV*: Einstellung

takeaway ['teɪkə,weɪ] *BE* 1. *Mahlzeit*: Essen zum Mitnehmen 2. Lokal mit Straßenverkauf

take-home pay ['teɪkhəʊm‿peɪ] Nettolohn, Nettogehalt

taken ['teɪkən] *3. Form von → take¹*

takeoff ['teɪkɒf] 1. *Flugzeug*: Abheben, Start; *ready for takeoff Flugzeug*: startbereit 2. *Sport*: Absprung 3. Parodie

takeout ['teɪkaʊt] *AE* 1. Essen zum Mitnehmen 2. Restaurant mit Straßenverkauf; ☞ *BE* **takeaway**

takeover ['teɪk,əʊvə] Übernahme (*einer Firma usw.*)

takings ['teɪkɪŋz] *Pl.* Einnahmen

tale [teɪl] 1. Erzählung, Geschichte; *fairy tale* Märchen 2. Lügengeschichte, Märchen 3. *tell tales* petzen

talent ['tælənt] Talent (*auch Person*), Begabung; *have a great talent for music* musikalisch sehr begabt sein

talented ['tæləntɪd] talentiert, begabt

talk¹ [tɔːk] 1. reden, sprechen, sich unterhalten (*to, with* mit; *about* über; *of* von); *talk about something auch*: etwas besprechen; *get oneself talked about* ins Gerede kommen; *talking of ...* da wir gerade von ... sprechen; *talk big* große Töne spucken 2. *talk shop* sich über die Arbeit *oder* Geschäftliches unterhalten 3. *'you can talk! oder look who's talking!* *umg.* das sagst ausgerechnet du!

---

talk down to [ˌtɔːk'daʊn‿tuː] *talk down to someone* mit jemandem von oben herab reden

talk into ['tɔːk,ɪntʊ] *talk someone into (doing) something* jemanden zu etwas überreden

talk out of [ˌtɔːk'aʊt‿əv] 1. *talk someone out of something* jemandem etwas ausreden 2. *talk one's way out of something* sich aus etwas herausreden

talk over [ˌtɔːk'əʊvə] besprechen (*Problem usw.*) (*with* mit)

talk round [ˌtɔːk'raʊnd] *talk someone round* jemanden umstimmen

talk through [ˌtɔːk'θruː] ausdiskutieren, besprechen (*Problem usw.*)

---

talk² [tɔːk] 1. Gespräch, Unterhaltung

takeaway

Häufiger als in Deutschland findet man in Großbritannien Lokale, die Essen zum Mitnehmen anbieten. Oft sind es auch einfache Schnellküchen, in deren „Verkaufsraum" man das fertig verpackte warme Essen bekommt und bezahlt. Besonders häufig sind in den größeren Städten **Indian** oder **Chinese takeaways**. Man sagt z. B. **'There's an Indian takeaway just round the corner.'** und meint damit das Lokal; oder man sagt **'Let's get an Indian takeaway.'** und meint damit das Gericht.

T

(**with** mit; **about** über) **2.** Vortrag; **give a talk** einen Vortrag halten (**to** vor; **about, on** über) **3.** Gerede; **there's a lot of talk about ...** es ist viel die Rede von ...; **be the talk of the town** Stadtgespräch sein; ☞ **talks**

talkative ['tɔːkətɪv] gesprächig, redselig

talker ['tɔːkə] **be a good talker** gut reden können

talking[1] ['tɔːkɪŋ] Sprechen, Reden; **do all the talking** allein das Wort führen

talking[2] ['tɔːkɪŋ] sprechend; **talking doll** [,tɔːkɪŋ'dɒl] Sprechpuppe; **talking head** [,tɔːkɪŋ'hed] umg. TV-Sprecher(in); **talking point** ['tɔːkɪŋ‿pɔɪnt] Gesprächsthema, auch: Streitpunkt

talking-to ['tɔːkɪŋtuː] Standpauke; **give someone a talking-to** jemandem eine Standpauke halten

talks [tɔːks] Pl. Politik usw.: Gespräche, Verhandlungen

talk show ['tɔːk‿ʃəʊ] AE; TV: Talkshow

talk time ['tɔːk‿taɪm] von schnurlosem Telefon, Handy: Sprechzeit

tall [tɔːl] **1.** Person: groß, Gebäude usw.: hoch **2.** **that's a tall order** umg. das ist ein bisschen viel verlangt

tally ['tælɪ] (Angaben, Berichte usw.) übereinstimmen (**with** mit)

tame[1] [teɪm] **1.** Tier: zahm **2.** umg. fad, lahm

tame[2] [teɪm] zähmen (wildes Tier)

---

tamper with ['tæmpə‿wɪð] sich zu schaffen machen an (unbefugt)

---

tampon ['tæmpɒn] Medizin: Tampon

tan[1] [tæn], **tanned, tanned 1.** braun werden **2.** gerben (Leder)

tan[2] [tæn] Bräune

tang [tæŋ] (scharfer) Geruch oder Geschmack

tangent ['tændʒənt] Mathematik: Tangente

tangerine [,tændʒə'riːn] Mandarine

tangible ['tændʒəbl] greifbar, übertragen auch: handfest

tangle[1] ['tæŋgl] auch **tangle up** verwirren, durcheinanderbringen (auch übertragen); **get tangled** sich verheddern (auch übertragen)

tangle[2] ['tæŋgl] Gewirr, Durcheinander

---

tangle with ['tæŋgl‿wɪð] umg. aneinandergeraten mit

---

tango[1] ['tæŋgəʊ] Musik: Tango

tango[2] ['tæŋgəʊ] Musik: Tango tanzen; **it takes two to tango** übertragen dazu gehören zwei

tank [tæŋk] **1.** Auto usw.: Tank **2.** militärisch: Panzer

tankard ['tæŋkəd] (Bier)Humpen

tanker ['tæŋkə] **1.** Schiff: Tanker, Tankschiff **2.** Auto: Tanklaster

tantalizing ['tæntəlaɪzɪŋ] verlockend, reizvoll

tantrum ['tæntrəm] Wutanfall

tap[1] [tæp] **1.** Wasserleitung usw.: Hahn **2.** Zapfhahn; **beer on tap** Bier vom Fass **3.** **have something on tap** übertragen etwas auf Lager oder zur Verfügung haben

tap[2] [tæp], **tapped, tapped 1.** erschließen (Naturschätze usw.) **2.** anzapfen, abhören (Telefon) **3.** anstechen, anzapfen (Fass)

tap[3] [tæp], **tapped, tapped 1.** (leicht) klopfen (an oder auf oder gegen); **tap someone on the shoulder** jemandem auf die Schulter klopfen **2.** klopfen mit (den Fingern, Füßen) (**on** auf), trommeln mit (den Fingern) (**on** auf)

tap[4] [tæp] **1.** (leichtes) Klopfen **2.** Klaps

tap dancing ['tæp,dɑːnsɪŋ] Stepptanz, Steppen

tape[1] [teɪp] **1.** allg.: Band **2.** (**adhesive** oder **sticky**) **tape** Klebeband **3.** Tonband, Magnetband **4.** (Band)Aufnahme **5.** Sport: Zielband **6.** Bandmaß

tape[2] [teɪp] **1.** (auf Band) aufnehmen (Musik, Film) **2.** auch **tape up** (mit Klebeband) zukleben

tape measure ['teɪp,meʒə] Bandmaß

taper ['teɪpə] sich verjüngen, spitz zulaufen

tape recorder ['teɪp‿rɪ,kɔːdə] Tonbandgerät

tapestry ['tæpɪstrɪ] Gobelin, Wandteppich

tap water ['tæp,wɔːtə] Leitungswasser

tar[1] [tɑː] Teer

tar[2] [tɑː], **tarred, tarred** teeren

target ['tɑːgɪt] **1.** (Ziel)Scheibe **2.** übertragen Zielscheibe (des Spotts usw.) **3.** Ziel (auch übertragen), Wirtschaft auch: Soll; **target group** Zielgruppe

target language ['tɑːgɪt,læŋgwɪdʒ] in Wörterbuch, Übersetzung: Zielsprache

tarmac ['tɑːmæk] **1.** Asphalt **2.** Flughafen: Rollfeld

tarnish ['tɑːnɪʃ] **1.** (Metall) anlaufen **2.** übertragen beflecken (Ruf)

tart[1] [tɑːt] **1.** Obstkuchen, Obsttörtchen **2.** umg. Flittchen, Nutte **3.** frauenfeindlich: Tussi

tart[2] [tɑːt] **1.** herb, sauer **2.** Antwort usw.: scharf, beißend

tartan ['tɑːtn] Schottenstoff, Schottenmuster

task [tɑːsk] **1.** Aufgabe **2.** **take someone to task** übertragen jemanden zurechtweisen (**for** wegen)

task force ['tɑːsk‿fɔːs] *Militär usw.*: Spezialeinheit

taste[1] [teɪst] **1.** Geschmack(sinn) **2.** Geschmack (*einer Speise*); **have no taste** nach nichts schmecken **3.** Kostprobe; **have a taste of** probieren, *übertragen* einen Vorgeschmack bekommen von **4.** *übertragen* Geschmack; **in bad taste** *Witz usw.*: geschmacklos **5.** *übertragen* Vorliebe (**for** für)

taste[2] [teɪst] **1.** kosten, probieren **2.** *mit den Sinnen*: schmecken **3.** *übertragen* erleben, kosten **4.** (*Speise*) schmecken (**of** nach)

tasteful ['teɪstfl] *übertragen* geschmackvoll

tasteless ['teɪstləs] geschmacklos (*auch übertragen*)

tasty ['teɪstɪ] schmackhaft

tat [tæt] **tit for tat** wie du mir, so ich dir

ta-ta [ˌtæ'tɑː] *BE, umg.* tschüss!

tattered ['tætəd] *Kleidung*: zerlumpt

tatters ['tætəz] *Pl.* **in tatters** *Kleidung*: zerlumpt, *Leben usw.*: ruiniert

tattoo[1] [tæ'tuː] Tätowierung

tattoo[2] [tæ'tuː] tätowieren

tattoo[3] [tæ'tuː] *militärisch*: Musikparade

tatty ['tætɪ] *bes. BE, umg.* schäbig (*Kleidung usw.*)

taught [tɔːt] *2. und 3. Form von →* **teach**

Taurus ['tɔːrəs] *Sternzeichen*: Stier

taut [tɔːt] *Seil usw.*: straff

tawdry ['tɔːdrɪ] **1.** *Kleidung*: billig und geschmacklos **2.** *Person*: aufgedonnert

tax[1] [tæks] Steuer (**on** auf); **put a tax on something** etwas besteuern

tax[2] [tæks] **1.** besteuern **2.** strapazieren (*jemandes Geduld usw.*)

taxable ['tæksəbl] steuerpflichtig

tax adviser ['tæks‿əd,vaɪzə] Steuerberater(in)

taxation [tæk'seɪʃn] Besteuerung

tax bracket ['tæks,brækɪt] Steuerklasse

tax consultant ['tæks,kənsʌltənt] Steuerberater(in)

tax-deductible [ˌtæksdɪ'dʌktəbl] (steuerlich) absetzbar

tax evasion ['tæks‿ɪ,veɪʒn] Steuerhinterziehung *f*

tax-free [ˌtæks'friː] steuerfrei

tax haven ['tæks,heɪvən] Steueroase, Steuerparadies

taxi[1] ['tæksɪ] Taxi, Taxe

taxi[2] ['tæksɪ] (*Flugzeug*) rollen

taxicab ['tæksɪkæb] Taxi, Taxe

taxi driver ['tæksɪ,draɪvə] Taxifahrer(in)

taxing ['tæksɪŋ] anstrengend

taxi rank ['tæksɪ‿ræŋk], **taxi stand** ['tæksɪ‿stænd] Taxistand

taxpayer ['tæks,peɪə] Steuerzahler(in)

tax return ['tæks‿rɪ,tɜːn] Steuererklärung

tea [tiː] **1.** Tee; **make tea** Tee kochen; **a cup of tea** eine Tasse Tee **2.** *BE* Abendessen; **high tea** *BE etwa* Kaffeetrinken

tea

Tea in der Bedeutung „Nachmittagstee" entspricht in etwa dem deutschen „Kaffeetrinken". Zum Tee (oder auch Kaffee) werden meistens Sandwiches oder Gebäck gegessen. Zum traditionellen **afternoon tea**, wie man ihn in Cafés und Hotels einnehmen kann, gehören auch die **scones** [skɒnz, skəʊnz]; das sind kleine runde Weizenmehlkuchen, die mit Butter oder **clotted cream** (sehr dicker Sahne) und Marmelade gegessen werden.

teabag ['tiːbæg] Teebeutel

tea break ['tiː‿breɪk] (Tee- oder Kaffee)-Pause

tea caddy ['tiː,kædɪ] Teebüchse, Teedose

teach [tiːtʃ], **taught** [tɔːt], **taught** [tɔːt] **1.** lehren, unterrichten (**at** an) (*einer Schule*); **she teaches English** sie unterrichtet Englisch; **teach someone (how to do) something** jemandem etwas beibringen **2.** **teach someone a lesson** *übertragen* jemandem eine Lektion erteilen **3.** **that'll teach you** *umg.* das hast du nun davon!

teacher ['tiːtʃə] Lehrer(in); **form teacher** *BE* Klassenlehrer(in)

teaching ['tiːtʃɪŋ] **1.** *das* Unterrichten **2.** Lehrerberuf; **go into teaching** Lehrer(in) werden **3.** **the teachings of Christ** die Lehren Christi

tea cosy ['tiː,kəʊzɪ] Teewärmer

teacup ['tiːkʌp] Teetasse

team [tiːm] **1.** Team, *Sport auch*: Mannschaft **2.** *Pferde usw.*: Gespann

team up [ˌtiːm'ʌp] sich zusammentun

team game ['tiːm‿geɪm] *Sport*: Mannschaftsspiel

teammate ['tiːmmeɪt] *Sport*: Mannschaftskamerad(in)

team player ['tiːm,pleɪə] **1.** *Sport*: Mannschaftsspieler(in) **2.** *übertragen* Teamarbeiter(in)

team spirit [ˌtiːm'spɪrɪt] **1.** *Sport*: Mannschaftsgeist **2.** *im weiteren Sinn*: Gemeinschaftsgeist

teamwork ['tiːmwɜːk] Teamwork, Gemeinschaftsarbeit

teapot ['tiːpɒt] Teekanne

T

tear[1] [tɪə] Träne; **in tears** in Tränen aufgelöst; **burst into tears** in Tränen ausbrechen; **tears of joy** Freudentränen

tear[2] [△ teə], **tore** [tɔː], **torn** [tɔːn] **1.** **tear something** etwas zerreißen, sich etwas zerreißen (**on** an) **2.** (*Stoff usw.*) (zer)reißen (**from** von) **3.** wegreißen (**from** von) **4.** **be torn between … and …** *übertragen* hin- und hergerissen sein zwischen … und … **5.** *umg.* rasen, sausen

---

tear down [ˌteə'daʊn] **1.** herunterreißen (*Plakat usw.*) **2.** abreißen (*Haus usw.*)
tear off [ˌteər'ɒf] **1.** abreißen **2.** sich vom Leib reißen (*Kleidung*)
tear out [ˌteər'aʊt] (her)ausreißen (**of** aus)
tear up [ˌteər'ʌp] **1.** aufreißen (*Boden, Straße usw.*) **2.** zerreißen (*Papier usw.*)

---

tear[3] [△ teə] Riss
teardrop ['tɪədrɒp] Träne
tearful ['tɪəfl] **1.** *Person:* weinend **2.** *Abschied usw.:* tränenreich
tear gas ['tɪəˌgæs] Tränengas
tearjerker ['tɪəˌdʒɜːkə] *sentimentaler Film usw.:* Schnulze
tearoom ['tiːruːm] Teestube, Café
tease [tiːz] **1.** necken, hänseln (**about** wegen) **2.** reizen, ärgern
tea set ['tiːˌset] Teeservice
teaspoon ['tiːspuːn] Teelöffel
teat [tiːt] **1.** *BE* (Gummi)Sauger (*einer Saugflasche*) **2.** *bei Tieren:* Zitze
teatime ['tiːtaɪm] Teestunde
tea towel ['tiːˌtaʊəl] *bes. BE* Geschirrtuch
technical ['teknɪkl] **1.** *allg.:* technisch **2.** Fach…; **technical term** Fachausdruck
technician [tek'nɪʃn] *Beruf:* Techniker(in) (*auch Sport, Kunst usw.*)
technique [tek'niːk] Verfahren, Technik (*auch Musik, Malerei, Sport usw.*)
techno ['teknəʊ] *Musik:* Techno
technocrat ['teknəkræt] Technokrat(in)
technological [ˌteknə'lɒdʒɪkl] technologisch, technisch
technology [tek'nɒlədʒɪ] Technik, Technologie
teddy ['tedɪ], **teddy bear** ['tedɪˌbeə] Teddy(bär)
tedious ['tiːdɪəs] langweilig

---

teem with ['tiːmˌwɪð] (*Ort*) wimmeln von

---

teen [tiːn] *bes. AE* Teenager…, für Teenager
teenage ['tiːneɪdʒ], **teenaged** ['tiːneɪdʒd] **1.** im Teenageralter **2.** Teenager…, für

Teenager
teenager ['tiːneɪdʒə] Teenager, Jugendliche(r)
teens [tiːnz] *Pl.* **be in one's teens** im Teenageralter sein
teeny ['tiːnɪ], **teeny weeny** [ˌtiːnɪ'wiːnɪ] *umg.* klitzeklein, winzig
tee shirt ['tiːˌʃɜːt] T-Shirt

T-shirt

Meistens wird „tee shirt" – ähnlich wie im Deutschen – **T-shirt** geschrieben. Der Name stammt von der Form des T-Shirts, die einem großen T ähnelt.

teeth [tiːθ] *Pl. von* → **tooth**
teethe [tiːð] (*Baby*) zahnen
teething ['tiːðɪŋ] **teething troubles** *übertragen* Kinderkrankheiten
teetotaller [ˌtiː'təʊtlə] Antialkoholiker(in), Abstinenzler(in)
telecast[1] ['telɪkɑːst] *mst* **telecast, telecast,** *auch* **telecasted, telecasted** im Fernsehen übertragen *oder* bringen
telecast[2] ['telɪkɑːst] Fernsehsendung
telecommunications [ˌtelɪkəmjuːnɪ'keɪʃnz] *Pl.* **1.** *allg.:* Telekommunikation **2.** *im engeren Sinn:* Fernmeldewesen, Nachrichtenübermittlung
telecommuter [ˌtelɪkə'mjuːtə] Telearbeiter(in)
telecommuting [ˌtelɪkə'mjuːtɪŋ] Telearbeit
teleconference[1] ['telɪˌkɒnfrəns] Telekonferenz
teleconference[2] ['telɪˌkɒnfrəns] eine (Besprechung per) Telekonferenz abhalten
telegram ['telɪgræm] Telegramm
telegraph ['telɪgrɑːf] **by telegraph** telegrafisch
telepathic [ˌtelɪ'pæθɪk] telepathisch
telepathy [tə'lepəθɪ] Telepathie
telephone[1] ['telɪfəʊn] **1.** Telefon; **by telephone** telefonisch **2.** Hörer
telephone[2] ['telɪfəʊn] telefonieren, anrufen
telephone banking [ˌtelɪfəʊn'bæŋkɪŋ] Telefonbanking
telephone booth ['telɪfəʊnˌbuːð] *bes. AE*, **telephone box** ['telɪfəʊnˌbɒks] *BE* Telefonzelle
telephone call ['telɪfəʊnˌkɔːl] Telefonanruf, Telefongespräch
telephone directory ['telɪfəʊnˌdəˌrektərɪ] Telefonbuch
telephone exchange ['telɪfəʊnˌɪksˌtʃeɪndʒ] Fernsprechamt
telephone number ['telɪfəʊnˌnʌmbə] Telefonnummer

telephoto lens [ˌtelɪfəʊtəʊˈlenz] *Fotografie*: Teleobjektiv

telescope [ˈtelɪskəʊp] Teleskop, Fernrohr

teleshopping [ˈtelɪˌʃɒpɪŋ] Teleshopping

teletext [ˈtelɪtekst] *BE* Videotext

televise [ˈtelɪvaɪz] im Fernsehen senden

television [ˈtelɪˌvɪʒn] **1.** *auch* **television set** Fernsehapparat **2.** Fernsehen; *on television* im Fernsehen; *watch television* fernsehen

teleworker [ˈtelɪˌwɜːkə] Telearbeiter(in)

telex [ˈteleks] **1.** Telex, Fernschreiben **2.** Fernschreiber

tell [tel], *told* [təʊld], *told* [təʊld] **1.** sagen, erzählen (*Geschiche usw.*); *he told me about it* er hat mir davon erzählt; *I can't tell you how …* ich kann dir gar nicht sagen, wie … **2.** sagen, befehlen; *I told you to stay at home* ich habe dir doch gesagt, du sollst zu Hause bleiben **3.** nennen (*seinen Namen usw.*), angeben (*Grund usw.*) **4.** *he can tell the time Kind*: er kennt die Uhr **5.** (mit Bestimmtheit) sagen, erkennen (*by* an); *I can't tell one from the other* oder *I can't tell them apart* ich kann sie nicht auseinanderhalten **6.** sich auswirken (*on* bei, auf), sich bemerkbar machen **7.** *you can never* (oder *never can*) *tell* man kann nie wissen **8.** *you're telling* '*me! umg.* wem sagst du das!

---

tell off [ˌtelˈɒf] *umg.* ausschimpfen, schimpfen mit (*for* wegen)

tell on [ˈtelˌɒn] *tell on someone* jemanden verpetzen *oder* verraten

---

teller [ˈtelə] *bes. AE* Kassierer(in) (*einer Bank*); *automatic teller* Geldautomat

telling-off [ˌtelɪŋˈɒf] *give someone a* (*good*) *telling-off umg.* jemandem eine Standpauke halten (*for* wegen)

telltale[1] [ˈtelt:eɪl] verräterisch

telltale[2] [ˈtelt=eɪl] *umg.* Petze(r)

telly [ˈtelɪ] *bes. BE, umg.* (≈ *Fernseher*) *what's on telly* was kommt im Fernsehen?

temp [temp] *BE, umg.* Zeitarbeitskraft; *work as a temp* Zeitarbeit machen

temper [ˈtempə] **1.** Temperament, Gemüt **2.** Laune, Stimmung; *be in a bad temper* schlecht gelaunt sein; *lose one's temper* die Beherrschung verlieren **3.** *be in a temper umg.* gereizt *oder* wütend sein

temperament [ˈtemprəmənt] Temperament (*auch im Sinne von Lebhaftigkeit*)

temperamental [ˌtemprəˈmentl] launisch (*auch Auto usw.*)

temperate [ˈtempərət] *Klima usw.*: gemäßigt

temperature [ˈtemprətʃə] Temperatur; *have* (oder *be running*) *a temperature* erhöhte Temperatur *oder* Fieber haben; *take someone's temperature* Fieber *oder* jemandes Temperatur messen

tempi [ˈtempiː] *Pl. von* → *tempo*

template [ˈtempleɪt] **1.** Schablone, Vorlage **2.** *Computer*: Dokumentvorlage, Maske

temple[1] [ˈtempl] Tempel

temple[2] [ˈtempl] *Teil des Kopfes*: Schläfe

tempo [ˈtempəʊ] *Pl.*: *tempos* oder *tempi* [ˈtempiː] *Musik*: Tempo (*auch übertragen*)

temporarily [ˈtempərəlɪ] vorübergehend

temporary [ˈtemprərɪ] vorübergehend, zeitweilig; *temporary work* Zeitarbeit

tempt [tempt] **1.** in Versuchung führen, verführen (*to* zu; *into doing something* dazu, etwas zu tun) **2.** *tempt fate* (oder *providence*) das Schicksal herausfordern

temptation [tempˈteɪʃn] Versuchung, Verführung

tempting [ˈtemptɪŋ] verführerisch

ten[1] [ten] zehn

ten[2] [ten] *Buslinie, Spielkarte usw.*: Zehn; *tens Pl. of thousands* zehntausende

tenant [△ ˈtenənt] Pächter(in), Mieter(in)

tend [tend] neigen, tendieren (*to, towards* zu)

tendency [ˈtendənsɪ] Tendenz, Neigung; *have a tendency to* (oder *towards*) neigen *oder* tendieren zu

tender [ˈtendə] **1.** *für Schmerz*: empfindlich **2.** *Fleisch*: zart **3.** *Blick usw.*: zärtlich

tenderloin [ˈtendəlɔɪn] *Fleisch*: zartes Lendenstück

tendon [ˈtendən] *Körper*: Sehne

tenement [ˈtenəmənt] Mietshaus, *abwertend* Mietskaserne

Tenerife [ˌtenəˈriːf] Teneriffa

tenner [ˈtenə] *umg.*; *Geldschein*: Zehner

tennis [ˈtenɪs] Tennis

tennis court [ˈtenɪsˌkɔːt] Tennisplatz

tennis elbow [ˈtenɪsˌelbəʊ] *Medizin*: Tennisarm

tennis player [ˈtenɪsˌpleɪə] Tennisspieler(in)

tennis racket [ˈtenɪsˌrækɪt] Tennisschläger

tennis shoe [ˈtenɪsˌʃuː] *AE* Turnschuh (*auch für die Straße*)

tenor [△ ˈtenə] *Musik*: Tenor

tenpin [ˈtenpɪn] **1.** *tenpin bowling BE* Bowling **2.** *tenpins Pl.* (△ *nur mit Sg.*) *AE* Bowling

tense[1] [tens] **1.** *Lage usw.*: (an)gespannt, *Person*: (über)nervös **2.** gespannt, straff

tense[2] [tens] *Sprache*: Zeit(stufe), Tempus; **present tense** Gegenwart, Präsens; **past tense** Vergangenheit, Präteritum; **future tense** Zukunft, Futur

tension ['tenʃn] **1.** *Technik usw.*: Spannung **2.** *übertragen* Spannung(en), Anspannung

tent [tent] Zelt

tentative ['tentətɪv] **1.** *Planung usw.*: vorläufig, versuchsweise **2.** *Bewegung usw.*: vorsichtig, zögernd

tenth[1] [tenθ] zehnte(r, -s)

tenth[2] [tenθ] **1.** Zehnte(r, -s) **2.** *Bruchteil*: Zehntel; **a tenth of a second** eine Zehntelsekunde

tent peg ['tent_peg] Hering, Zeltpflock

tent pole ['tent_pəʊl] Zeltstange

tepee ['tiːpiː] (≈ *Indianerzelt*) Tipi

tepid ['tepɪd] lau(warm) (*auch übertragen*)

term [tɜːm] **1.** *BE*; *Schule, Universität*: Trimester **2.** Ausdruck, Bezeichnung; **in no uncertain terms** unmissverständlich **3.** **in the long term** langfristig; **in the short term** kurzfristig; ☞ **terms**

terminal ['tɜːmɪnl] **1.** (≈ *Flughafengebäude*) Terminal **2.** *Eisenbahn usw.*: Endstation **3.** *Computer*: Terminal

terminate ['tɜːmɪneɪt] **1.** beenden, kündigen (*Vertrag usw.*) **2.** enden, (*Vertrag*) ablaufen **3.** abbrechen (*Schwangerschaft*)

termination [ˌtɜːmɪ'neɪʃn] **1.** Beendigung, Kündigung (*eines Vertrags*) **2.** Ende, Ablauf **3.** Abbruch (*einer Schwangerschaft*)

terminology [ˌtɜːmɪ'nɒlədʒɪ] Terminologie, Fachsprache

terminus ['tɜːmɪnəs] *Bus, Bahn*: Endstation

terms [tɜːmz] *Pl.* **1.** Bedingungen **2.** Beziehung, Verhältnis; **they're not on speaking terms** sie sprechen nicht miteinander **3.** **come to terms with something** sich mit etwas abfinden **4.** **in terms of ...** was ... betrifft

terrace ['terəs] **1.** *BE* Häuserreihe **2.** **terraces** *Pl. BE*; *Sport*: Ränge **3.** Terrasse **4.** *auch*: Reihenhaus

terraced house [ˌterəst'haʊs] *BE* Reihenhaus

terrestrial TV [tə'restrɪəl_tiːˌviː] Antennenfernsehen, terrestrisches Fernsehen

terrible ['terəbl] schrecklich, furchtbar (*beide auch übertragen, umg.*)

terribly ['terəblɪ] schrecklich, furchtbar (*beide auch übertragen, umg.*)

terrific [tə'rɪfɪk] *umg.* **1.** toll, fantastisch **2.** *Geschwindigkeit usw.*: wahnsinnig

terrify ['terɪfaɪ] schreckliche Angst einjagen; **I'm terrified of spiders** ich habe schreckliche Angst vor Spinnen

terrifying ['terəfaɪɪŋ] **1.** furchtbar, schrecklich **2.** *Anblick, Geschichte auch*: furchterregend

territorial [ˌterə'tɔːrɪəl] Gebiets...; **territorial claims** *Pl.* Gebietsansprüche

territory ['terətərɪ] **1.** (Staats)Gebiet, Territorium **2.** *von Tieren*: Revier **3.** *übertragen* Gebiet

terror ['terə] **1.** panische Angst **2.** *Person, Sache*: Schrecken **3.** *politisch usw.*: Terror **4.** *umg.*; *bes. Kind*: Landplage

terrorism ['terərɪzm] Terrorismus

terrorist[1] ['terərɪst] Terrorist(in)

terrorist[2] ['terərɪst] terroristisch, Terror...

terrorize ['terəraɪz] terrorisieren

terse [tɜːs] *Antwort, Nachricht*: knapp, kurz

test[1] [test] *allg.*: Test; **put to the test** auf die Probe stellen; **driving test** Fahrprüfung

test[2] [test] **1.** testen, prüfen; **the teacher tested me on this chapter** der Lehrer fragte mich dieses Kapitel ab **2.** auf die Probe stellen (*jemandes Geduld usw.*)

testament ['testəmənt] **1.** Old (New) Testament *Bibel*: Altes (Neues) Testament **2.** **last will and testament** *förmlich* Testament, Letzter Wille

test ban ['test_bæn] Atomteststopp

test card ['test_kɑːd] *BE*; *TV*: Testbild

test drive ['test_draɪv] *Auto*: Probefahrt

test-drive ['testdraɪv], **test-drove** ['testdrəʊv], **test-driven** ['test_drɪvn] *Auto*: Probe fahren, eine Probefahrt machen

tester ['testə] **1.** *Person*: Tester(in), Prüfer(in) **2.** *Gerät*: Testgerät, Prüfgerät

testicle ['testɪkl] *Körper*: Hoden

testify ['testɪfaɪ] *Recht* **1.** aussagen (**for** für; **against** gegen) **2.** **testify that ...** bezeugen, dass ...

testimony ['testɪmənɪ] *Recht*: Aussage

test match ['test_mætʃ] *Kricket*: internationaler Vergleichskampf

test tube ['test_tjuːb] Reagenzglas

test-tube baby [ˌtest_tjuːb'beɪbɪ] Retortenbaby

tether ['teðə] **at the end of one's tether** *übertragen* am Ende seiner Kräfte

text[1] [tekst] **1.** *allg.*: Text **2.** *Nachricht*: SMS; **he sent me a text** er hat mir eine SMS geschickt

text[2] [tekst] eine SMS schicken, simsen; **I'll text you as soon as ...** ich schicke dir eine SMS, sobald ...

textbook ['tekstbʊk] Lehrbuch

textile ['tekstaɪl] Stoff; **textiles** *Pl.* Textilien

texting ['tekstɪŋ] das Versenden von SMS-Nachrichten, Simsen

text message ['tekst,mesɪdʒ] SMS, SMS-Nachricht

text-message ['tekst,mesɪdʒ] simsen, eine SMS *oder* SMS-Nachricht verschicken

texture ['tekstʃə] Beschaffenheit, Struktur

Thames [temz] Themse

than [ðən] *in Vergleichen:* als

thank [θæŋk] **1.** danken, sich bedanken bei (**for** für); **thank you** danke; **thank you very much** vielen Dank; **no, thank you** nein, danke; **say thank you** sich bedanken **2.** **he's only got himself to thank for it** er hat es sich selbst zuzuschreiben **3.** **thank God** (*oder* **goodness, heaven**)! Gott sei Dank!

thankful ['θæŋkfl] dankbar (**for** für), froh (**that** dass; **to be** zu sein); **thankfully** *auch:* zum Glück, Gott sei Dank

thankless ['θæŋkləs] *Aufgabe:* undankbar

thanks [θæŋks] *Pl.* **1.** Dank; **with thanks** dankend, mit Dank; **thanks** danke; **many thanks** vielen Dank; **no, thanks** nein, danke; **say thanks** sich bedanken **2.** **thanks to** dank (+ *Genitiv*), wegen (+ *Genitiv*)

Thanksgiving [θæŋks'gɪvɪŋ] *AE*; *etwa:* Erntedankfest

Thanksgiving Day

Am **Thanksgiving Day** gedenken die Amerikaner des Jahres 1621, als ihnen die Indianer zeigten, wie man erfolgreich Getreide anbaut. Bei dieser Familienfeier werden als Hauptspeise traditionsgemäß Putenbraten mit Preiselbeersoße, Süßkartoffeln und Gemüse gegessen. Zum Nachtisch gibt es ☞ *pumpkin pie*.

thankyou ['θæŋkjuː] Danke(schön)

that¹ [ðæt] **1.** das; **that is** (**to say**) das heißt; **like 'that** so; **and all 'that** *umg.* und so; **let's leave it at that** *umg.* lassen wir es dabei bewenden; **and that's that** und damit basta; **that's five pounds** das macht fünf Pfund **2.** jener, jene, jenes; **that car over there** das Auto dort drüben

that² [ðət] der, die, das; welcher, welche, welches; **everything that** alles, was

that³ [ðət] dass

that⁴ [ðæt] *umg.* so, dermaßen; **it's that simple** so einfach ist das

thatched [θætʃt] *Cottage:* strohgedeckt

thaw¹ [θɔː] (auf)tauen, *übertragen* auftauen; **it's thawing** es taut

thaw² [θɔː] Tauwetter (*auch übertragen*)

the¹ [ðə, *vor Vokal:* ðɪ] **1.** der, die, das; *Plural:* die **2.** **play the piano** Klavier spielen **3.** *betont:* **it's 'the** [ðiː] **hit** das ist 'der Hit; **are you 'the** [ðiː] **Tom Cruise?**

sind Sie 'der Tom Cruise?

the² [ðə] **the … the** je … desto; **the sooner the better** je eher, desto besser

theatre, *AE* **theater** ['θɪətə] **1.** Theater; **be in the theatre** beim Theater sein **2.** **lecture theatre** Hörsaal **3.** *übertragen* Schauplatz; **theatre of war** Kriegsschauplatz **4.** *BE* Operationssaal

theft [θeft] Diebstahl

their [ðeə] ihr, ihre(n); **everyone took their seats** alle nahmen Platz

theirs [ðeəz] **it's theirs** es gehört ihnen; **a friend of theirs** ein Freund von ihnen

them [ðəm, *betont:* ðem] **1.** sie; **I can't find them** ich kann sie nicht finden **2.** ihnen; **it belongs to them** es gehört ihnen **3.** *umg.* sie; **we're younger than them** wir sind jünger als sie; **it's 'them** 'sie sinds; **them and us** die und wir (*z.B.* Arbeitgeber und Arbeitnehmer)

theme [θiːm] Thema (*auch Musik*)

theme park ['θiːm ˌpɑːk] Themenpark

theme song ['θiːm ˌsɒŋ] *Film:* Titelsong

themselves [ðəm'selvz] **1.** sich; **they're enjoying themselves** sie amüsieren sich **2.** *verstärkend:* selbst, selber, allein; **they did it themselves** (*bzw.* **all by themselves**) sie haben es selbst (*bzw.* ganz allein) getan **3.** sich (selbst); **they want it for themselves** sie wollen es für sich selbst

then [ðen] **1.** dann; **but then** andererseits **2.** da, damals; **by then** bis dahin; **from then on** von da an

then [ðen] damalige(r, -s); **the then chancellor** der damalige Kanzler

theologian [ˌθiːə'ləʊdʒn] Theologe, Theologin

theological [ˌθiːə'lɒdʒɪkl] theologisch; **theological seminary** Priesterseminar

theology [θɪ'ɒlədʒɪ] Theologie

theoretical [ˌθɪə'retɪkl] theoretisch

theorist ['θɪərɪst] Theoretiker(in)

theorize ['θɪəraɪz] theoretisieren (**about**, **on** über)

theory ['θɪərɪ] Theorie; **in theory** theoretisch

therapist ['θerəpɪst] Therapeut(in)

therapy ['θerəpɪ] Therapie

there¹ [ðeə] **1.** da, dort; **the phone's over there** das Telefon ist da drüben **2.** (da)hin, (dort)hin; **get there** hinkommen, *umg.* es schaffen; **go there** hingehen **3.** **there is**, *Plural:* **there are** es gibt *oder* ist *oder* sind; **there are too many cars on the road** auf der Straße sind zu viele Autos **4.** **there you are** hier bitte, *vorwurfsvoll:* siehst du!, da hast dus! **5.** **there and then** (≈ *sofort*) auf der Stelle

there² [ðeə] so, da hast dus!, na also;

T

there, there ist ja gut!

therefore ['ðeəfɔ:] **1.** deshalb, daher **2.** folglich, also

thermal ['θɜ:ml] Wärme..., thermisch, Thermal...; **thermal bath** Thermalbad; **thermal spring** Thermalquelle

thermals ['θɜ:mlz] *Pl.* Thermounterwäsche

thermometer [θə'mɒmɪtə] Thermometer

thermos® ['θɜ:məs], *auch* **thermos bottle** *AE oder* **thermos flask** *bes. BE* Thermosflasche®

these [ði:z] *Pl. von* → **this¹**, **this²**

thesis ['θi:sɪs] *Pl.:* **theses** ['θi:si:z] **1.** These **2.** *Universität*: Dissertation, Doktorarbeit

they [ðeɪ] **1.** sie *Pl.* **2.** man; **they say** man sagt

they'd [ðeɪd] *Kurzform von* **they had** *oder* **they would**

they'll [ðeɪl] *Kurzform von* **they will**

they're [ðeə] *Kurzform von* **they are**

they've [ðeɪv] *Kurzform von* **they have**

thick¹ [θɪk] **1.** *allg.*: dick **2.** *Nebel usw.*: dick, dicht; **thick with smoke** verräuchert **3.** *bes. BE, umg.* dumm **4.** **they're as thick as thieves** *bes. BE, umg.* sie sind dicke Freunde **5.** **that's a bit thick!** *bes. BE, umg.* das ist ein starkes Stück!

thick² [θɪk] **in the thick of** *übertragen* mitten in; **through thick and thin** durch dick und dünn

thicken ['θɪkən] **1.** eindicken, binden (*Soße*) **2.** dicker werden, *Nebel*: dichter werden

thicket ['θɪkɪt] Dickicht

thickheaded [,θɪk'hedəd] *umg.* strohdumm

thickness ['θɪknəs] Dicke, Stärke

thicko ['θɪkəʊ] *BE, umg.* Dummkopf, Blödmann

thick-skinned [,θɪk'skɪnd] *übertragen* dickfellig

thief [θi:f] *Pl.:* **thieves** [θi:vz] Dieb(in); **stop, thief!** haltet den Dieb!

thigh [θaɪ] *Körper*: (Ober)Schenkel

thimble ['θɪmbl] Fingerhut

thin¹ [θɪn], **thinner, thinnest 1.** dünn, *Haar auch*: schütter; **disappear** (*oder* **vanish**) **into thin air** *übertragen* sich in Luft auflösen **2.** *Rede, Ausrede usw.*: schwach

thin² [θɪn], **thinned, thinned 1.** verdünnen, strecken (*Soße usw.*) **2.** dünner werden, (*Nebel, Haar*) sich lichten

thing [θɪŋ] **1.** Ding; **what's this thing?** was ist das?; **I couldn't see a thing** ich konnte überhaupt nichts sehen **2.** *übertragen* Ding, Sache, Angelegenheit; **a funny thing** etwas Komisches; **another**

thing etwas anderes; **there's no such thing as** es gibt kein(e, -n); **for 'one thing** *bei Begründung*: zum einen; **know a thing or two about ...** etwas verstehen von ... **3.** *Person, Tier*: Ding **4.** **make a thing of** *umg.* aufbauschen; ☞ **things**

thingamajig ['θɪŋəmədʒɪg] *umg.* Dings, Dingsbums

thingamajig

Varianten dieses Wortes sind: **thingummy** ['θɪŋəmɪ], **thingummyjig** ['θɪŋəmɪdʒɪg], **thingumabob** ['θɪŋəmɪbɒb]

things [θɪŋz] *Pl.* **1.** Sachen, *Gepäck usw. auch*: Zeug **2.** *übertragen* Dinge, Lage; **don't rush things** nichts überstürzen!

think [θɪŋk], **thought** [θɔ:t], **thought** [θɔ:t] **1.** denken, glauben, meinen (**that** dass); **think hard** scharf nachdenken; **I think so** ich glaube ja, ich denke schon; **I thought as much** das habe ich mir gedacht **2.** halten für; **he thinks he's clever** er hält sich für klug **3.** **I can't think why** ich kann nicht verstehen, warum **4.** **try to think where** versuch dich zu erinnern, wo **5.** **think twice** es sich genau überlegen **6.** **come to think of it** da fällt mir ein, *einschränkend*: wenn ich es mir recht überlege

---

think about ['θɪŋk_əbaʊt] **1.** denken an **2.** nachdenken über; **I'll think about it** ich überlege es mir **3.** **what do you think about ...?** was halten Sie von ...?

think of ['θɪŋk_əv] **1.** denken an; **think of doing something** daran denken, etwas zu tun **2.** **what do you think of ...?** was halten Sie von ...? **3.** **I can't think of his name** mir fällt sein Name nicht ein **4.** **think better of it** es anders überlegen **5.** **think highly** (*bzw.* **little**) **of** viel (*bzw.* wenig) halten von **6.** **I'll think of something** ich lasse mir was einfallen

think out *oder* **through** [,θɪŋk'aʊt *oder* 'θru:] durchdenken

think over [,θɪŋk'əʊvə] nachdenken über, sich überlegen

think up [,θɪŋk'ʌp] sich ausdenken

---

thinker ['θɪŋkə] Denker(in)

thinking¹ ['θɪŋkɪŋ] denkend, Denk...; **put on one's thinking cap on** *umg.* scharf nachdenken

thinking² ['θɪŋkɪŋ] Denken; **do some thinking** nachdenken; **to my (way of)**

thinking meiner Meinung nach; *good thinking!* gute Idee!

think tank ['θɪŋk_tæŋk] Expertenkommission, Beraterstab

thin-skinned [,θɪn'skɪnd] *übertragen* dünnhäutig

third¹ [θɜːd] dritte(r, -s); *Third World* Dritte Welt

third² [θɜːd] **1.** Dritte(r, -s) **2.** *Bruchteil:* Drittel

third³ [θɜːd] als dritte(r, -s)

thirdly ['θɜːdlɪ] drittens

third-party insurance [,θɜːdpɑːtɪ_ɪn'ʃʊərəns] Haftpflichtversicherung

third-rate [,θɜːd'reɪt] drittklassig

thirst [θɜːst] Durst; *die of thirst* verdursten

thirsty ['θɜːstɪ] **1.** durstig; *be (oder feel) (very) thirsty* (sehr) durstig sein, (großen) Durst haben **2.** *gardening usw. is thirsty work* Gartenarbeit *usw.* macht durstig

thirteen¹ [,θɜː'tiːn] dreizehn

thirteen² [,θɜː'tiːn] *Buslinie usw.:* Dreizehn

thirty¹ ['θɜːtɪ] dreißig

thirty² ['θɜːtɪ] dreißig; *be in one's thirties* in den Dreißigern sein; *in the thirties* in den Dreißigerjahren *(eines Jahrhunderts)*

this¹ [ðɪs] **1.** dieser, diese, dieses, dies, das; *like this* so; *this is what I expected* (genau) das habe ich erwartet; *these are his children* das sind seine Kinder **2.** *after this* danach; *before this* zuvor

this² [ðɪs] **1.** dieser, diese, dieses; *this afternoon* heute Nachmittag; *this time* diesmal **2.** *there was this man umg.* da war so'n Mann

this³ [ðɪs] *umg.* so; *it's this big* es ist so groß

thistle [△ 'θɪsl] Distel

thorax ['θɔːræks], *Pl.:* **thoraxes** *oder* **thoraces** ['θɔːrəsiːz] *Medizin:* Thorax, Brustkorb

thorn [θɔːn] **1.** *Pflanze:* Dorn **2.** *be a thorn in someone's flesh (oder side) übertragen* jemandem ein Dorn im Auge sein

thorny ['θɔːnɪ] **1.** dornig **2.** *übertragen* heikel

thorough [△ 'θʌrə] **1.** *Kenntnisse usw.:* gründlich **2.** *Durcheinander usw.:* fürchterlich

thoroughfare [△ 'θʌrəfeə] Hauptverkehrsstraße; *no thoroughfare* Durchfahrt verboten!

thoroughly [△ 'θʌrəlɪ] **1.** gründlich **2.** völlig, total; *I thoroughly enjoyed it* es hat mir ausgesprochen gut gefallen

those [ðəʊz] *Pl. von* → *that¹, that²*

though [ðəʊ] **1.** obwohl; *even though* obwohl, auch wenn **2.** *as though* als ob, wie wenn **3.** doch, jedoch; *he's strange - I like him though* er ist komisch, aber *(oder* doch) ich mag ihn

thought¹ [θɔːt] *2. und 3. Form von* → *think*

thought² [θɔːt] **1.** Denken **2.** Gedanke *(of* an); *that's a thought* gute Idee!; *on second thoughts (AE thought)* wenn ich es mir recht überlege

thoughtful ['θɔːtfl] **1.** *in Gedanken vertieft:* nachdenklich **2.** rücksichtsvoll, aufmerksam

thoughtless ['θɔːtləs] **1.** (≈ *unüberlegt)* gedankenlos **2.** *Person, Verhalten:* rücksichtslos

thousand¹ ['θaʊznd] tausend; *a (oder one) thousand* (ein)tausend

thousand² ['θaʊznd] Tausend; *hundreds of thousands* hunderttausende

thousandth¹ ['θaʊznθ] tausendste(r, -s)

thousandth² ['θaʊznθ] **1.** Tausendste(r, -s) **2.** *Bruchteil:* Tausendstel

thrash [θræʃ] **1.** verdreschen, verprügeln **2.** *umg.; Sport:* eine Abfuhr erteilen

thrashing ['θræʃɪŋ] *give someone a thrashing* jemandem eine Tracht Prügel verpassen, *umg.; Sport:* jemandem eine Abfuhr erteilen

thread¹ [△ θred] Faden *(auch übertragen)*

thread² [△ θred] **1.** einfädeln *(Nadel)* **2.** auffädeln, aufreihen *(Perlen usw.) (on, onto* auf)

threadbare [△ 'θredbeə] fadenscheinig *(auch übertragen)*

threat [θret] **1.** Drohung **2.** Bedrohung *(to* für *oder* Genitiv), Gefahr *(to* für)

threaten ['θretn] **1.** drohen *(auch Gefahr),* bedrohen *(with* mit) **2.** androhen, drohen mit **3.** bedrohen, gefährden; *be threatened with extinction* vom Aussterben bedroht sein

three¹ [θriː] drei

three² [θriː] *Buslinie, Spielkarte usw.:* Drei

three-dimensional [,θriːdaɪ'menʃnəl] **1.** dreidimensional **2.** *übertragen* plastisch

three-piece ['θriːpiːs] dreiteilig

three-quarter [,θriː'kwɔːtə] Dreiviertel...

threshold ['θreʃhəʊld] Schwelle *(auch übertragen)*

threw [θruː] *2. Form von* → *throw¹*

thrifty ['θrɪftɪ] sparsam

thrill¹ [θrɪl] **1.** prickelndes Gefühl, Nervenkitzel **2.** aufregendes Erlebnis

thrill² [θrɪl] *be thrilled* hingerissen sein *(at, about* von); *I was thrilled to hear that ...* ich war von der Nachricht hingerissen, dass ...

T

thriller ['θrɪlə] Thriller, Reißer

thrilling ['θrɪlɪŋ] fesselnd, packend

thrive [θraɪv], **throve** [θrəʊv] *oder* **thrived, thriven** ['θrɪvn] *oder* **thrived 1.** *Pflanze, Tier*: gedeihen (*auch Kind*) **2.** *übertragen*; *Geschäft usw.*: blühen, florieren

throat [θrəʊt] **1.** Kehle, Rachen **2.** Hals

throb [θrɒb], **throbbed, throbbed** (*Herz*) pochen

throne [θrəʊn] Thron (*auch übertragen*)

throng [θrɒŋ] Schar (**of** von)

throttle[1] ['θrɒtl] erdrosseln

throttle[2] ['θrɒtl] **1.** *Technik*: Drossel(ventil) **2.** *at full throttle* mit Vollgas

through[1] [θruː] **1.** durch (*auch übertragen*) **2.** *Monday through Thursday bes. AE* Montag bis (einschließlich) Donnerstag

through[2] [θruː] **1.** durch **2.** durch…; *wet through* völlig durchnässt; *read through* durchlesen

through[3] [θruː] **1.** *Zug usw.*: durchgehend; *through traffic* Durchgangsverkehr **2.** *be through umg.* fertig sein (**with** mit)

throughout[1] [θruː'aʊt] **1.** *throughout the night* die ganze Nacht hindurch **2.** überall in; *throughout the country* im ganzen Land

throughout[2] [θruː'aʊt] **1.** ganz, überall; *carpeted throughout* ganz mit Teppichboden ausgelegt **2.** *zeitlich*: die ganze Zeit (hindurch)

throw[1] [θrəʊ], **threw** [θruː], **thrown** [θrəʊn] **1.** werfen (**at** nach); *throw someone something* jemandem etwas zuwerfen **2.** werfen, würfeln; *throw a three* eine Drei würfeln **3.** (*Pferd*) abwerfen (*Reiter*) **4.** *umg.* schmeißen, geben (*Party*)

throw away [ˌθrəʊ ə'weɪ] **1.** wegwerfen **2.** vertun (*Chance usw.*)

throw back [ˌθrəʊ'bæk] zurückwerfen

throw in [ˌθrəʊ'ɪn] **1.** hineinwerfen **2.** (gratis) dazugeben; *get something thrown in* etwas (gratis) dazubekommen **3.** *Sport*: einwerfen (*Ball*) **4.** *throw in the towel* Boxen: das Handtuch werfen (*auch übertragen*)

throw into ['θrəʊˌɪntʊ] *throw oneself into* sich stürzen in (*auch übertragen*)

throw on ['θrəʊ ɒn] sich 'überwerfen (*Kleidungsstück*)

throw out [ˌθrəʊ'aʊt] **1.** wegwerfen **2.** hinauswerfen (*Person*) (*auch im Sinne von entlassen*) **3.** ablehnen (*Vorschlag usw.*) **4.** äußern (*Vorschlag usw.*)

throw together [ˌθrəʊ tə'geðə] **1.** zusammenwerfen **2.** fabrizieren, zurechtbasteln **3.** zusammenbringen (*Leute*)

throw up [ˌθrəʊ'ʌp] **1.** hochwerfen **2.** *BE*, *umg.* hinschmeißen (*Job usw.*) **3.** *umg.* (≈ *sich übergeben*) brechen

throw[2] [θrəʊ] Wurf (*von Ball, Speer usw.*)

throwaway ['θrəʊəweɪ] **1.** *Bemerkung*: hingeworfen **2.** Wegwerf…, Einweg…

thrower ['θrəʊə] Werfer(in)

throw-in ['θrəʊɪn] *Fußball*: Einwurf

thrown [θrəʊn] *3. Form von →* **throw**[1]

thru [θruː] *AE, umg.* → **through**

thrush [θrʌʃ] *Vogel*: Drossel

thrust [θrʌst], **thrust, thrust 1.** stoßen (*auch Person*) (**into** in) **2.** stecken (**into** in)

thruway ['θruːweɪ] *AE, umg.* Schnellstraße

thud[1] [θʌd] dumpfes Geräusch, Plumps

thud[2] [θʌd], **thudded, thudded** plumpsen

thug [θʌg] Schläger (*gewalttätiger Mann*)

thumb[1] [△ θʌm] Daumen

thumb[2] [△ θʌm] *thumb a lift* per Anhalter fahren, trampen (**to** nach)

thumb through [△ 'θʌm θruː] *thumb through a book* ein Buch durchblättern

thumb index [△ 'θʌmˌɪndeks] *von Buch*: Daumenregister

thumbnail [△ 'θʌmneɪl] Daumennagel *m*

thumbnail sketch [△ ˌθʌmneɪl'sketʃ] **1.** Kurzbeschreibung **2.** *Zeichnung*: kleine Skizze

thumbscrew [△ 'θʌmskruː] **1.** *Technik*: Flügelschraube, Rändelschraube **2.** *historisch*: Daumenschraube; *put the thumbscrews on someone* übertragen jemandem die Daumenschrauben anlegen

thumbtack [△ 'θʌmtæk] *AE* Reißzwecke

thump[1] [θʌmp] **1.** einen Schlag versetzen, hauen (*Person*) **2.** (*Herz*) hämmern, pochen **3.** plumpsen **4.** trampeln

thump[2] [θʌmp] dumpfer Schlag; *give someone a thump* jemandem eine runterhauen

thunder[1] ['θʌndə] Donner

thunder[2] ['θʌndə] **1.** (*auch Zug usw.*) donnern **2.** brüllen, donnern

thunderclap ['θʌndəklæp] Donner, Donnerschlag

thundercloud ['θʌndəklaʊd] Gewitterwolke

thunderous ['θʌndərəs] *Applaus*: donnernd

thunderstorm ['θʌndəstɔːm] Gewitter, Unwetter

Thuringia [θjʊ'rɪndʒɪə] Thüringen

Thursday ['θɜːzdeɪ] Donnerstag; *on Thursday* (am) Donnerstag; *on Thurs-*

days donnerstags

thus [ðʌs] **1.** *Art und Weise*: so, auf diese Weise **2.** *als Konsequenz*: folglich, somit **3.** *thus far* bisher

thwart [θwɔːt] durchkreuzen, vereiteln (*Pläne usw.*)

tick[1] [tɪk] **1.** Ticken (*einer Uhr usw.*) **2.** *BE* Haken, Häkchen (*als Vermerkzeichen*) **3.** *BE, umg.* Augenblick; *in a tick* sofort

tick[2] [tɪk] **1.** (*Uhr usw.*) ticken **2.** *auch tick off* abhaken (*Namen usw.*)

tick[3] [tɪk] *Ungeziefer*: Zecke

tick[4] [tɪk] *on tick BE, umg.* auf Pump

ticket[1] ['tɪkɪt] **1.** *Theater usw.*: (Eintritts)-Karte, ⓐ Billett **2.** *Eisenbahn usw.*: Fahrkarte, ⓐ Billett, *Flugzeug*: Flugschein, Ticket **3.** *luggage ticket* Gepäckschein **4.** *an Ware*: Etikett, (Preis)Schild **5.** *Auto*: Strafzettel **6.** *bes. AE; politisch*: Wahlliste

ticket[2] ['tɪkɪt] *be ticketed for bes. AE* einen Strafzettel bekommen wegen

ticket collector ['tɪkɪt‿kə,lektə] (Bahnsteig)Schaffner(in)

ticket inspector ['tɪkɪt‿ɪn,spektə] Fahrkartenkontrolleur(in)

ticket machine ['tɪkɪt‿mə,ʃiːn] Fahrscheinautomat

ticket office ['tɪkɪt‿ɒfɪs] Fahrkartenschalter

tickle ['tɪkl] **1.** kitzeln **2.** *be tickled pink oder to death umg.* sich freuen wie ein Schneekönig

ticklish ['tɪklɪʃ] kitzlig (*auch übertragen*)

tidal wave [,taɪdl'weɪv] **1.** Flutwelle **2.** *übertragen* Welle, Woge

tidbit ['tɪdbɪt] *AE* Leckerbissen

tide [taɪd] **1.** Gezeiten, Tide, Ebbe und Flut; *high tide* Hochwasser, Flut; *low tide* Niedrigwasser, Ebbe **2.** *übertragen* Strömung, Trend

tidy[1] ['taɪdɪ] **1.** sauber, ordentlich, *Zimmer auch*: aufgeräumt **2.** *umg.; Summe*: ordentlich, beträchtlich

tidy[2] ['taɪdɪ] *auch tidy up* in Ordnung bringen, *von Zimmer auch*: aufräumen

tie[1] [taɪ] **1.** Krawatte, Schlips **2.** Band, Schnur **3.** *ties Pl.* übertragen Bindungen (*familiär usw.*) **4.** Last, Belastung **5.** Unentschieden; *end in a tie Spiel*: unentschieden ausgehen **6.** *AE; Eisenbahn*: Schwelle

tie[2] [taɪ], *tied, tied*; *-ing-Form tying* **1.** binden (*to* an), (sich) binden (*Krawatte usw.*) **2.** verschnüren (*Paket usw.*) **3.** *be tied to* übertragen (eng) verbunden sein mit **4.** *tie for second place Sport usw.*: gemeinsam den zweiten Platz belegen

tie down [,taɪ'daʊn] **1.** binden, einschränken **2.** festlegen (*Person*) (*to* auf)

tie in [,taɪ'ɪn] passen (*with* zu)

tie up [,taɪ'ʌp] **1.** fesseln, binden (*Gefangenen usw.*) **2.** verschnüren (*Paket usw.*) **3.** *be tied up* übertragen beschäftigt sein **4.** *be tied up with* mit etwas zusammenhängen

tiebreak ['taɪbreɪk], **tiebreaker** ['taɪ,breɪkə] *Tennis usw.*: Tie-Break

tiger ['taɪgə] Tiger

tight[1] [taɪt] **1.** fest, fest sitzend **2.** *Seil usw.*: straff **3.** eng (*auch Kleidungsstück*) **4.** *Rennen usw.*: knapp **5.** *umg.* knickerig **6.** *umg.* (≈ *betrunken*) blau **7.** *in Zusammensetzungen*: ...dicht; *watertight* wasserdicht

tight[2] [taɪt] **1.** fest; *hold tight* festhalten **2.** *umg.* gut; *sleep tight!* schlaf gut!

tighten ['taɪtn] **1.** anziehen (*Schraube usw.*) **2.** straffen (*Seil usw.*) **3.** *auch tighten up* verschärfen (*Gesetz usw.*)

tights [taɪts] *Pl. auch pair of tights BE* Strumpfhose

tigress ['taɪgrəs] Tigerin

til, 'til [tɪl] *AE, umg.* bis; ☞ *till*[1]

tile[1] [taɪl] **1.** (Dach)Ziegel **2.** Fliese, Kachel, ⓐ Plättli

tile[2] [taɪl] **1.** (mit Ziegeln) decken **2.** fliesen, kacheln, ⓐ plättln

till[1] [tɪl] **1.** *allg.*: bis **2.** *not till* erst (wenn), nicht vor, nicht bevor; *not till Monday* erst (am) Montag, nicht vor Montag

till[2] [tɪl] (Laden)Kasse

tilt[1] [tɪlt] kippen

tilt[2] [tɪlt] **1.** *at a tilt* schief, schräg **2.** (*at*) *full tilt umg.* mit Volldampf, mit Karacho

timber ['tɪmbə] **1.** Bauholz **2.** (Nutz)Wald **3.** Balken

time[1] [taɪm] **1.** *allg.*: Zeit; *some time ago* vor einiger Zeit; *all the time* die ganze Zeit; *at the time* damals; *three usw. at a time* (≈ *gleichzeitig*) drei *usw.* auf einmal; *at times* manchmal; *by the time* wenn, als, *Zukunft*: bis; *for a time* eine Zeit lang; *for the time being* vorläufig, fürs Erste; *from time to time* von Zeit zu Zeit; *in time* rechtzeitig; *on time* pünktlich; *in no time* (*at all*) im Nu; *in two years' time* in zwei Jahren; *take your time* lass dir Zeit!; *it's about time* es wird aber auch Zeit; *time's up* die Zeit ist um; *free time* Freizeit; *it's time for bed* es ist Zeit zum Zubettgehen; *have a good time* sich gut unterhalten, Spaß haben; *do time umg.* sitzen (*for* wegen); *get time off* freibekommen **2.** (Uhr)Zeit; *what's the time?* wie spät ist es?; **what time?** um wie viel Uhr?; **this time tomorrow** morgen um diese Zeit **3.** *Musik*: Takt; **in time** im Takt **4.** Mal; **time and again** *oder* **time after time** immer wieder; **every time I ...** jedes Mal, wenn ich ...; **how many times?** wie oft?; **next time (I ...)** nächstes Mal(, wenn ich ...); **this time** diesmal; **three times** dreimal; **three times four equals** (*oder* **is**) **twelve** *Rechnen*: drei mal vier ist zwölf

time² [taɪm] **1. time something well** sich für etwas einen günstigen Zeitpunkt aussuchen, *Sport*: etwas gut timen **2.** stoppen (*mit einer Stoppuhr*); **he was timed at 20 seconds** für ihn wurden 20 Sekunden gestoppt

time-consuming ['taɪmkənˌsjuːmɪŋ] zeitaufwändig, zeitraubend

time difference ['taɪmˌdɪfrəns] Zeitunterschied

time lag ['taɪm ˌlæg] Zeitdifferenz

timeless ['taɪmləs] **1.** ewig **2.** *Schönheit usw.*: zeitlos

time limit ['taɪmˌlɪmɪt] Frist; **there is a time limit on it** es ist befristet

timely ['taɪmlɪ] **1.** rechtzeitig **2. it was a timely call** *usw.* der Anruf *usw.* kam zur rechten Zeit

time out [ˌtaɪm'aʊt] *Pl.*: **time outs** *Sport*: Spielunterbrechung, Auszeit, Timeout

timer ['taɪmə] Timer, Schaltuhr

timesaving ['taɪmˌseɪvɪŋ] zeitsparend

timetable ['taɪmˌteɪbl] *bes. BE* **1.** Fahrplan, Flugplan **2.** *Schule*: Stundenplan **3.** Zeitplan

time zone ['taɪm ˌzəʊn] Zeitzone

timid ['tɪmɪd] ängstlich, furchtsam

timing ['taɪmɪŋ] Zeiteinteilung, Timing

tin [tɪn] **1.** *Metall*: Zinn **2.** *Material*: (Weiß)Blech; **tin can** Blechdose **3.** *BE* (Blech-, Konserven)Dose, Büchse; **a tin of beans** eine Dose Bohnen

tinfoil ['tɪnfɔɪl] Stanniol(papier), Alufolie

tinge¹ [tɪndʒ] **tinged with** mit einem Hauch von

tinge² [tɪndʒ] Tönung; **have a tinge of red** ins Rote spielen

tingle ['tɪŋgl] prickeln, kribbeln (**with** vor)

tinker ['tɪŋkə] *auch* **tinker about** herumbasteln (**with** an)

tinkle ['tɪŋkl] bimmeln, klirren

tinned [tɪnd] *BE* Dosen..., Büchsen...; **tinned fruit** Obstkonserven; **tinned foods** Konserven

tinny ['tɪnɪ] *Klang*: blechern

tin opener ['tɪnˌəʊpənə] *BE* Dosenöffner

tint¹ [tɪnt] (Farb)Ton, Tönung

tint² [tɪnt] tönen (*Haar usw.*)

tiny ['taɪnɪ] winzig

tip¹ [tɪp] **1.** *allg.*: Spitze; **it's on the tip of my tongue** übertragen es liegt mir auf der Zunge **2.** Filter (*einer Zigarette*)

tip² [tɪp], **tipped, tipped 1.** *bes BE* (aus-)kippen, schütten **2.** (*Stuhl usw.*) kippen

tip³ [tɪp] **1.** *bes. BE* Müllhalde **2.** *BE*; übertragen, umg. Saustall

tip⁴ [tɪp] Trinkgeld

tip⁵ [tɪp], **tipped, tipped** ein Trinkgeld geben; **tip someone 50p** jemandem 50 Pence Trinkgeld geben

tip⁶ [tɪp] Tipp, Rat(schlag); **take my tip and ...** hör auf mich und ...

tip off [ˌtɪp'ɒf] **tip someone off** jemandem einen Tipp *oder* Wink geben

tip-off ['tɪpɒf] *umg.* Tipp, Wink

tipsy ['tɪpsɪ] angeheitert, beschwipst

tiptoe¹ ['tɪptəʊ] **on tiptoe** auf Zehenspitzen

tiptoe² ['tɪptəʊ] auf Zehenspitzen gehen

tiptop [ˌtɪp'tɒp] *umg.* erstklassig; **be in tiptop condition** tipptopp in Ordnung sein

tire¹ ['taɪə] **1.** ermüden, müde machen **2.** müde werden, ermüden

tire² ['taɪə] *AE* Reifen, ⓖ Pneu; ☞ *BE* **tyre**

tired ['taɪəd] **1.** müde; **tired out** (völlig) erschöpft **2. be tired of someone** *oder* **something** übertragen jemanden *oder* etwas satthaben; **be tired of doing something** es satthaben, etwas zu tun

tireless ['taɪələs] unermüdlich

tiresome ['taɪəsəm] *übertragen* lästig

tiring ['taɪərɪŋ] ermüdend, anstrengend

tissue ['tɪʃuː] **1.** Papiertuch, Papiertaschentuch **2.** Gewebe (*von Pflanzen, Tieren*) **3.** *auch* **tissue paper** Seidenpapier

tit¹ [tɪt] *mst.* **tits** *Pl.* **salopp** (≈ *Brust*) Titte

tit² [tɪt] *Vogel*: Meise

tit³ [tɪt] **tit for tat** wie du mir, so ich dir

titanic [taɪ'tænɪk] gigantisch

titbit ['tɪtbɪt] *BE* Leckerbissen

title ['taɪtl] **1.** *allg.*: Titel **2.** *Recht*: (Rechts)Anspruch (**to** auf)

titleholder ['taɪtlˌhəʊldə] *Sport*: Titelhalter(in), Titelträger(in)

title page ['taɪtl ˌpeɪdʒ] Titelseite

title role ['taɪtl ˌrəʊl] *in Film, Theaterstück*: Titelrolle

titmouse ['tɪtmaʊs] *Pl.* **titmice** ['tɪtmaɪs] *Vogel*: Meise

titter ['tɪtə] kichern

TM [ˌtiː'em] *Abk. für* → **trademark** 1

to¹ [tə, *vor Vokal*: tʊ] **1.** *Richtung, Ziel*: zu, nach, an, in; **go to England** nach England fahren; **go to bed** ins Bett gehen; **go to one's room** auf *oder* in sein Zimmer gehen; **go to town** in die Stadt gehen; **go to the cinema** ins Kino gehen **2.** in; **have you ever been to London?** bist du schon einmal in London gewesen? **3.** *Zweck*: zu, auf, für; **invite someone to dinner** jemanden zum Essen einladen **4.** *Zugehörigkeit*: zu, für, in; **the key to this room** der Schlüssel zu diesem Zimmer **5.** (im Verhältnis *oder* Vergleich) zu; **compared to** im Vergleich zu **6.** *Ausmaß*: bis, (bis) zu, (bis) an **7.** *zeitlich*: bis, bis zu, bis gegen, vor; **from three to four** von drei bis vier (Uhr); **it's (a)quarter to six** es ist Viertel vor sechs **8.** *betonter Dativ*: **give it to me!** gib es mir! **9.** *Antwort usw.*: auf; **the answer to your question** die Antwort auf deine Frage

to² [tə, *vor Vokal*: tʊ] **1.** *Bildung des Infinitivs*: **to go** gehen; **easy to understand** leicht zu verstehen **2.** *Zweck*: um zu; **he does it only to please her** er tut es nur ihr zuliebe **3.** *verkürzter Nebensatz*: **the last man to leave the ship** der letzte Mann, der das Schiff verläßt; **he was the first to arrive** er kam als Erster; **to hear him talk** wenn man ihn (so) reden hört

to³ [tuː] **1.** **the door was leaned to** die Tür war angelehnt; **push the door to** mach die Tür zu **2.** **to and fro** hin und her, auf und ab

toad [təʊd] Kröte

toadstool ['təʊdstuːl] ungenießbarer Pilz

toast¹ [təʊst] **1.** *Brot*: Toast **2.** Trinkspruch, Toast

toast² [təʊst] **1.** toasten, rösten **2.** *umg.* sich wärmen (*die Füße usw.*)

toaster ['təʊstə] Toaster

tobacco [tə'bækəʊ] *Pl.*: **tobaccos** Tabak

tobacconist [tə'bækənɪst] Tabak(waren)händler(in), Ⓐ Trafikant(in)

toboggan¹ [tə'bɒgən] (Rodel)Schlitten

toboggan² [tə'bɒgən] rodeln, Ⓐ Ⓒ schlitteln

today¹ [tə'deɪ] **1.** heute; **a week ago today** heute vor acht Tagen; **a week today** *oder* **today week** BE heute in einer Woche *oder* in acht Tagen **2.** heutzutage

today² [tə'deɪ] **1.** **today's paper** die Zeitung von heute **2.** **of today** *oder* **today's** von heute, heutig

toddler ['tɒdlə] Kleinkind

to-do [tə'duː] *Pl.*: **to-dos** *umg.* Getue, Theater (**about** um)

toe [təʊ] **1.** Zehe **2.** Spitze (*von Schuh usw.*)

toenail ['təʊneɪl] Zehennagel

toffee ['tɒfɪ] Toffee, Karamellbonbon

together [tə'geðə] **1.** zusammen (**with** mit) **2.** zusammen…

toggle ['tɒgl], **toggle key** ['tɒgl‿kiː] *Computer*: Umschalttaste

toggle switch ['tɒgl‿swɪtʃ] *Technik*: Kippschalter

toil [tɔɪl] *auch* **toil away** sich abmühen *oder* plagen (**at** mit)

toilet ['tɔɪlət] Toilette

toilet bag ['tɔɪlət‿bæg] Kulturbeutel

toilet paper ['tɔɪlət‿peɪpə] Toilettenpapier

toiletries ['tɔɪlətrɪz] *Pl.* Toilettenartikel *Pl.*

toilet roll ['tɔɪlət‿rəʊl] Rolle Toilettenpapier

token¹ ['təʊkən] **1.** **as a** (*oder* **in**) **token of** als Zeichen (+ *Genitiv*) **2.** *Geschenk*: Andenken **3.** BE Gutschein **4.** Münze, Marke, Jeton

token² ['təʊkən] **token woman** *usw.* Alibifrau *usw.*

told [təʊld] *2. und 3. Form von* → **tell**

tolerable ['tɒlərəbl] erträglich

tolerance ['tɒlərəns] Toleranz (**for, of, towards** gegenüber)

tolerant ['tɒlərənt] tolerant (**of, towards** gegenüber)

tolerate ['tɒləreɪt] **1.** dulden **2.** ertragen

toll [təʊl] **1.** Benutzungsgebühr, *bes.* Ⓐ Maut **2.** Verlust(e), *übertragen* Preis; **death toll** Zahl der Toten; **take its toll** *übertragen* seinen Tribut fordern

toll-free [ˌtəʊl'friː] *AE*; *Telefon*: gebührenfrei

toll road ['təʊl‿rəʊd] Mautstraße

tomato [tə'mɑːtəʊ] *Pl.*: **tomatoes** Tomate, Ⓐ Paradeiser; **tomato sauce** Tomatensoße, *BE auch* Ketschup

tomb [△ tuːm] Grab(mal), Gruft

tomboy ['tɒmbɔɪ] *Mädchen*: Wildfang

tombstone [△ 'tuːmstəʊn] Grabstein

tomcat ['tɒmkæt] Kater

tome [təʊm] *humorvoll* (≈ *Buch*) Wälzer

tomfoolery [ˌtɒm'fuːlərɪ] Unsinn, Blödsinn

tomogram ['təʊməgræm] *Medizin*: Tomogramm

tomography [tə'mɒgrəfɪ] *Medizin*: Tomographie; **magnetic resonance tomography** (*Abk.* **MRT**) Kernspintomographie

tomorrow¹ [tə'mɒrəʊ] morgen; **a week tomorrow** *oder* **tomorrow week**, *AE* **a week from tomorrow** morgen in einer Woche *oder* in acht Tagen; **tomorrow morning** morgen früh; **tomorrow night** morgen Abend

tomorrow² [tə'mɒrəʊ] **1.** **tomorrow's paper** die Zeitung von morgen; **the day after tomorrow** übermorgen **2.** Zukunft; **of tomorrow** *oder* **tomorrow's** von mor-

T

gen

ton [tʌn] **1.** *Gewicht:* Tonne **2. tons** *Pl. of umg.* jede Menge

---

ton

Eine **ton** wiegt in Großbritannien 1016 Kilo, in den USA 907,2 Kilo. Die Entsprechung der metrischen Tonne (1000 Kilo) heißt **tonne** [tʌn].

---

tone [təun] **1.** *allg.:* Ton, Klang **2.** *AE; Musik:* Note **3.** *übertragen* Niveau

toner ['təunə] *von Drucker usw.:* Toner; **toner cartridge** Tonerkassette, Tonerkartusche

tongs [tɒŋz] *Pl., auch* **pair of tongs** Zange

tongue [⚠ tʌŋ] **1.** Zunge (*auch eines Schuhs usw.*); **tongue in cheek** scherzhaft, ironisch **2.** Sprache; **mother tongue** Muttersprache; **slip of the tongue** Versprecher; **hold one's tongue** den Mund halten

tongue twister ['tʌŋˌtwɪstə] Zungenbrecher

tonic ['tɒnɪk] **1. be a real tonic** *allg.:* richtig guttun **2. a gin and tonic** ein Gin Tonic

tonight¹ [tə'naɪt] heute Abend, heute Nacht

tonight² [tə'naɪt] **tonight's programme** das Programm (von) heute Abend

tonne [tʌn] *Gewicht:* Tonne (= *1000 kg*)

tonsil ['tɒnsl] *Körper:* Mandel

tonsilitis, *AE* **tonsilitis** [ˌtɒnsə'laɪtɪs] Mandelentzündung, Angina

too [tuː] **1.** zu; **she drives too fast** sie fährt zu schnell **2. not too …** nicht allzu …; **he isn't too well** es geht ihm nicht allzu gut **3.** *nachgestellt:* auch; **I liked it too** mir gefiel es auch **4.** *bei Erstaunen:* auch noch, noch dazu

took [tuk] **2.** *Form von* → **take¹**

tool [tuːl] Werkzeug (*auch übertragen*), Gerät

toolbar ['tuːlˌbɑː] *Computer:* Toolbalken, Symbolleiste

tool box ['tuːl bɒks] Werkzeugkasten

toot [tuːt] **toot (one's horn)** *Auto:* hupen

tooth [tuːθ] *Pl.:* **teeth** [tiːθ] Zahn (*auch eines Kamms, einer Säge usw.*)

toothache ['tuːθeɪk] Zahnschmerzen

toothbrush ['tuːθbrʌʃ] Zahnbürste

toothless ['tuːθləs] zahnlos

toothpaste ['tuːθpeɪst] Zahnpasta

toothpick ['tuːθpɪk] Zahnstocher

top¹ [tɒp] **1.** oberer Teil; **at the top of the page** oben auf der Seite; **from top to toe** von Kopf bis Fuß; **on top** oben(auf),

darauf; **on top of** (oben) auf, über; **on top of each other** aufeinander, übereinander **2.** Gipfel (*eines Bergs*) **3.** Krone, Wipfel (*eines Baums*) **4.** Kopfende (*eines Betts usw.*) **5.** *übertragen* Spitze; **be at the top of** an der Spitze (+ *Genitiv*) stehen **6. at the top of one's voice** aus vollem Hals **7.** Top, Oberteil (*eines Bikinis usw.*) **8.** Deckel (*eines Glases*), Verschluss **9. get on top of someone** *umg.* (*Arbeit usw.*) jemandem über den Kopf wachsen

top² [tɒp] **1.** oberste(r, -s) **2.** *übertragen* Höchst…, Spitzen…; **at top speed** mit Höchstgeschwindigkeit

top³ [tɒp], **topped, topped 1.** *übertragen* übersteigen, übertreffen **2.** bedecken (**with** mit) **3. top the bill** der Star des Programms sein

---

top up [ˌtɒp'ʌp] **1.** *bes. BE* auffüllen (*Tank usw.*) **2.** aufladen (*Handy*) **3. top someone up** *umg.* jemandem nachschenken (*Getränk*)

---

top⁴ [tɒp] *Spielzeug:* Kreisel

top-class [ˌtɒp'klɑːs] Spitzen…, Spitzen…; **a top-class restaurant** ein Restaurant der Spitzenklasse

top hat [ˌtɒp'hæt] *Hut:* Zylinder

topic ['tɒpɪk] Thema

topical ['tɒpɪkl] *Buch usw.:* aktuell

topless ['tɒpləs] oben ohne, Oben-ohne-…

top-level ['tɒpˌlevl] Spitzen…

topmost ['tɒpməust] oberste(r, -s)

topping ['tɒpɪŋ] **with a topping of whipped cream** mit Schlagsahne darauf

topple ['tɒpl] **1.** *mst.* **topple over** umkippen **2.** *übertragen* stürzen (*Regierung usw.*)

top-quality [ˌtɒp'kwɒlɪtɪ] spitzen…, Spitzen…; **top-quality product** Spitzenprodukt

top-secret [ˌtɒp'siːkrət] streng geheim

topsoil ['tɒpsɔɪl] Mutterboden

topspin ['tɒpspɪn] *Tennis:* Topspin

top-up card ['tɒpʌpˌkɑːd]] *fürs Handy:* Guthabenkarte

torch [tɔːtʃ] **1.** *BE* Taschenlampe **2.** Fackel

torchlight ['tɔːtʃlaɪt] **by torchlight** bei Fackelschein

tore [tɔː] **2.** *Form von* → **tear²**

torment¹ ['tɔːment] Qual

torment² [tɔː'ment] quälen, *übertragen auch:* plagen; **be tormented by** (*oder* **with**) gequält *oder* geplagt werden von

torn [tɔːn] **3.** *Form von* → **tear²**

torrent ['tɒrənt] reißender Strom

torrential [tə'renʃl] *Regen:* sintflutartig

tortoise [△ 'tɔːtəs] Schildkröte

tortuous ['tɔːtʃʊəs] **1.** *Pfad usw.*: gewunden **2.** *übertragen* umständlich

torture¹ ['tɔːtʃə] **1.** Folter **2.** *übertragen* Qual

torture² ['tɔːtʃə] **1.** foltern **2.** *be tortured by* (*oder* **with**) *übertragen* gequält werden von

Tory ['tɔːrɪ] *BE*; *politisch*: Tory, Konservative(r)

toss¹ [tɒs] **1.** werfen **2.** hochwerfen (*Münze*) **3.** *auch* **toss up** eine Münze hochwerfen; *toss for something* um etwas losen, etwas auslosen **4.** *auch* **toss about** *oder* **toss and turn** sich hin und her werfen (*im Schlaf*)

toss² [tɒs] Hochwerfen (*einer Münze*)

tot [tɒt] **1.** *auch* **tiny tot** *umg.* Knirps, kleiner Wicht **2.** Schluck (*Alkohol*)

---

tot up [ˌtɒt'ʌp], **totted up, totted up** *umg.* zusammenrechnen, zusammenzählen

---

total¹ ['təʊtl] **1.** völlig, total, Total... **2.** ganz, gesamt, gesamt...

total² ['təʊtl] Gesamtmenge, (End)Summe; *a total of 20 cases* insgesamt 20 Kisten; *in total* insgesamt

total³ ['təʊtl] **totalled, totalled**, *AE* **totaled, totaled** sich belaufen auf; *... totalling £500 ...* von insgesamt 500 Pfund

totalitarian [təʊˌtælɪ'teərɪən] *Regime, Staat*: totalitär

totally ['təʊtəlɪ] völlig, vollkommen

totter ['tɒtə] schwanken, wanken

touch¹ [tʌtʃ] **1.** (sich) berühren, anfassen **2.** anrühren (*Essen, Alkohol usw.*) **3.** *übertragen* rühren, bewegen; *deeply touched* tief bewegt **4.** *touch wood BE, umg.* (unberufen) toi, toi, toi

---

touch down [ˌtʌtʃ'daʊn] (*Flugzeug usw.*) aufsetzen

touch on ['tʌtʃ ˌɒn] (kurz) ansprechen, streifen (*Thema*)

touch up [ˌtʌtʃ'ʌp] **1.** ausbessern, *von Foto*: retuschieren **2.** *BE, umg.* begrapschen

---

touch² [tʌtʃ] **1.** Tastsinn; *be soft to the touch* sich weich anfühlen **2.** *mst. mit der Hand*: Berühren, Berührung **3.** *be in touch with* in Verbindung stehen mit; *get in touch with* sich in Verbindung setzen mit; *keep in touch with* in Verbindung bleiben mit **4.** *a personal touch* *übertragen* eine persönliche Note **5.** Spur (*Salz usw.*) **6.** *in touch* *Fußball*: im Aus

touch-and-go [ˌtʌtʃən'gəʊ] *Situation usw.*: kritisch; *it was touch-and-go whether ...* es stand auf des Messers Schneide, ob ...

touchdown ['tʌtʃdaʊn] **1.** *eines Flugzeugs usw.*: Landung **2.** *American Football, Rugby*: (≈ *Treffer*) Touchdown

touché ['tuːʃeɪ] *umg.* *touché!* eins zu null für dich!

touched [tʌtʃt] **1.** *emotional*: gerührt, bewegt **2.** *be touched* *umg.* einen Schlag haben

touching ['tʌtʃɪŋ] rührend, bewegend

touchline ['tʌtʃlaɪn] *Fußball*: Seitenlinie

touch screen ['tʌtʃ ˌskriːn] *Computer*: Touchscreen, Berührungsbildschirm

touchstone ['tʌtʃstəʊn] Prüfstein (*of* für)

touch-type ['tʌtʃtaɪp] *mit Schreibmaschine, Computer*: blindschreiben

touchy ['tʌtʃɪ] **1.** empfindlich, reizbar **2.** *Thema*: heikel

tough [△ tʌf] **1.** *allg.*: zäh **2.** *Material usw.*: robust, widerstandsfähig **3.** *Haltung usw.*: hart; *get tough with* hart vorgehen gegen **4.** *Konkurrenz usw.*: hart **5.** *Problem usw.*: schwierig **6.** gewalttätig, (knall)hart

toughen [△ 'tʌfn] *auch* **toughen up** hart *oder* zäh machen

tour¹ [tʊə] **1.** Tour (*of* durch) **2.** (Rund)Reise, (Rund)Fahrt; *tour operator* Reiseveranstalter **3.** Ausflug, Wanderung **4.** Rundgang (*of* durch); *guided tour* Führung **5.** *Theater usw.*: Tournee (*of* durch); *be on tour* auf Tournee sein (*in* in)

tour² [tʊə] **1.** *auch* **tour around** bereisen, reisen durch **2.** *Theater usw.*: eine Tournee machen (durch); *be touring Germany* auf Deutschlandtournee sein

tour guide ['tʊə ˌgaɪd] Reiseleiter(in)

tourism ['tʊərɪzm] Tourismus, Fremdenverkehr

tourist¹ ['tʊərɪst] Tourist(in)

tourist² ['tʊərɪst] Touristen...; *tourist class* *Flugzeug, Schiff*: Touristenklasse

tourist guide ['tʊərɪst ˌgaɪd] Fremdenführer(in)

tourist office ['tʊərɪst ˌɒfɪs] Touristeninformation, Fremdenverkehrsbüro

tournament ['tʊənəmənt] Turnier

tour operator ['tʊə ˌɒpəreɪtə] Reiseveranstalter

tousled ['taʊzld] *Haar*: zerzaust

tow¹ [△ təʊ] abschleppen (*Auto usw.*)

tow² [△ təʊ] *give someone a tow* jemanden abschleppen

towards [tə'wɔːdz] *bes. BE*, **toward** [tə'wɔːd] *bes. AE* **1.** *Richtung*: auf ... zu, (in) Richtung, zu **2.** *zeitlich*: gegen; *towards the end of* gegen Ende (+ *Geni-*

T

tiv) **3.** *Einstellung usw.*: gegenüber
towel ['tauəl] Handtuch
towelling, *AE* **toweling** ['tauəlıŋ] Frottee
tower ['tauə] Turm
tower block ['tauə‿blɒk] *BE* (großes) Hochhaus

tower block

Als **tower blocks** bezeichnet man sowohl (moderne) Bürohochhäuser als auch vielgeschossige Wohnhäuser. In Großbritannien wurden sie als Wohnhäuser mit preiswerten Mieten besonders in den Sechzigerjahren für Familien mit geringerem Einkommen gebaut. Von der Architektur her sind sie oft eintönig.

tower over *oder* **above** [,tauər'əuvə *oder* ə'bʌv] überragen (*auch übertragen*)

towering ['tauərıŋ] **1.** hoch aufragend **2.** *übertragen* überragend
town [taun] Stadt; *in town* in der Stadt; *go to town* in die Stadt fahren *oder* gehen; *be out on the town* *umg.* einen draufmachen
town centre [,taun'sentə] *BE* Stadtmitte
town hall [,taun'hɔ:l] Rathaus
township ['taunʃıp] *AE* (Stadt)Gemeinde, (Kreis)Bezirk
town twinning [,taun'twınıŋ] *BE* Städtepartnerschaft
towrope [△ 'təurəup] *Auto*: Abschleppseil
toxic ['tɒksık] giftig, Gift…, toxisch
toy[1] [tɔı] Spielzeug; *toys Pl.* Spielsachen, Spielzeug, *im Geschäft*: Spielwaren
toy[2] [tɔı] **1.** Spielzeug… **2.** *Hund*: Zwerg…; *toy poodle* Zwergpudel

toy with ['tɔı‿wıð] spielen mit (*auch mit einer Idee usw.*)

toy shop ['tɔı‿ʃɒp] Spielwarengeschäft
trace[1] [treıs] **1.** ausfindig machen, aufspüren, finden; *he was traced to …* seine Spur führte nach … **2.** *auch* **trace back** zurückverfolgen (*to* bis zu) **3.** (durch)pausen
trace[2] [treıs] Spur (*auch übertragen*); *without* (*a*) *trace* spurlos
tracing ['treısıŋ] Pause, Pauszeichnung
tracing paper ['treısıŋ,peıpə] Pauspapier
track[1] [træk] **1.** *auch* **tracks** *Pl.* Spur (*auch eines Tonbands usw. und übertragen*), Jagd *auch*: Fährte; *be on the*

wrong track auf der falschen Spur *oder* auf dem Holzweg sein **2.** Pfad, Weg **3.** *auch* **tracks** *Pl. Eisenbahn*: Gleis, Geleise **4.** *Sport*: (Renn)Bahn **5.** *AE*; *Sport*: Leichtathletik **6.** *keep* (*bzw. lose*) *track* (*of*) die Übersicht behalten (*bzw. verlieren*) (*über*)
track[2] [træk] verfolgen

track down [,træk'daun] aufspüren, auftreiben (*auch übertragen*)

track and field [,træk‿ən'fi:ld] *AE* Leichtathletik; ☞ *athletics*
trackball ['trækbɔ:l] *Computer* **1.** *von Laptop*: Trackball **2.** *von Maus*: Rollkugel
tracksuit ['træksu:t] Trainingsanzug
tract [trækt] Fläche, Gebiet
tractor ['træktə] Traktor, Zugmaschine
trade[1] [treıd] **1.** Handel (*in* mit) **2.** Branche, Gewerbe; *be in the tourist trade* im Fremdenverkehrsgewerbe (*tätig*) sein **3.** (*bes.* Handwerks)Beruf; *by trade* von Beruf
trade[2] [treıd] **1.** handeln (*in* mit), Handel treiben **2.** (ein)tauschen (*for* gegen)

trade in [,treıd'ın] in Zahlung geben (*Altwagen usw.*)

trade barrier ['treıd,bærıə] Handelsbarriere, Handelsschranke
trademark ['treıdmɑ:k] **1.** *Wirtschaft*: Warenzeichen **2.** *übertragen* Markenzeichen
trade name ['treıd‿neım] *Wirtschaft*: Markenname
trader ['treıdə] Händler(in)
trade school ['treıd‿sku:l] *AE* Berufsschule
tradesman ['treıdzmən] *Pl.*: *tradesmen* ['treıdzmən] *BE* **1.** Händler, Ladeninhaber **2.** Lieferant
trade union [,treıd'ju:nıən] Gewerkschaft
trade unionist [,treıd'ju:nıənıst] Gewerkschaftler(in)
tradition [trə'dıʃn] Tradition
traditional [trə'dıʃnəl] traditionell
traffic ['træfık] **1.** Verkehr; *traffic calming BE*; *in Stadt*: Verkehrsberuhigung **2.** (*bes.* illegaler) Handel (*in* mit) (*Drogen usw.*)

traffic in ['træfık‿ın], **trafficked in**, **trafficked in** (*bes.* illegal) handeln mit

traffic circle ['træfık,sɜ:kl] *AE* Kreisverkehr; ☞ *roundabout 1*
traffic jam ['træfık‿dʒæm] (Verkehrs)Stau

traffic lights ['træfɪk‿laɪts] *Pl. BE*, **traffic light** ['træfɪk‿laɪt] *AE* Verkehrsampel

traffic warden ['træfɪk‿wɔ:dn] *BE* Parküberwacher, Politesse

tragedy ['trædʒədɪ] Tragödie

tragic ['trædʒɪk] tragisch

trail[1] [treɪl] **1.** nachschleifen lassen **2.** *trail* (*along*) *behind someone* hinter jemandem herschleifen **3.** verfolgen (*Mensch, Tier*) **4.** *Sport:* zurückliegen (hinter) (*by* um)

trail[2] [treɪl] **1.** Spur (*auch übertragen*); *be* (*hot*) *on someone's trail* jemandem (dicht) auf der Spur sein **2.** Pfad, Weg

trailer ['treɪlə] **1.** *Auto:* Anhänger **2.** *AE* Caravan, Wohnwagen **3.** *Film, TV:* Trailer, Vorschau

train[1] [treɪn] **1.** *Eisenbahn:* Zug; *by train* mit der Bahn, mit dem Zug; *on the train* im Zug; *train set* (Spielzeug)Eisenbahn **2.** *Reihe von Fahrzeugen usw.:* Kolonne **3.** Schleppe (*von Hochzeitskleid*) **4.** *übertragen* Folge, Kette (*von Ereignissen usw.*)

train[2] [treɪn] **1.** ausbilden (*as* als, zum), *Sport:* trainieren (*Mannschaft usw.*) **2.** schulen (*Verstand usw.*) **3.** abrichten, dressieren (*Tier*) **4.** ausgebildet werden (*as* als, zum) **5.** *Sport:* trainieren (*for* für) **6.** richten (*Geschütz usw.*) (*on* auf)

trainee [ˌtreɪ'ni:] Auszubildende(r), Praktikant(in), *umg.* Azubi

trainer ['treɪnə] **1.** *Sport:* Trainer(in) **2.** *von Tieren:* Dresseur, Dompteur, Dompteuse **3.** *BE* Turnschuh, Trainingsschuh (*auch für die Straße*)

training ['treɪnɪŋ] **1.** Ausbildung, Schulung **2.** *von Tieren:* Abrichten, Dressur **3.** *Sport:* Training; *be out of training* nicht in Form sein

trait [treɪt] Charakterzug, Eigenschaft

traitor ['treɪtə] Verräter (*to* an)

tram [træm], **tramcar** ['træmkɑ:] *bes. BE* Straßenbahn(wagen); *by tram* mit der Straßenbahn

tramp[1] [træmp] stapfen, trampeln (durch) (△ *trampen* = *hitchhike*)

tramp[2] [træmp] **1.** Tramp, Landstreicher(in) **2.** *a long tramp* ein weiter Weg **3.** Flittchen

trample ['træmpl] **1.** trampeln **2.** zertrampeln

trampoline ['træmpəli:n] Trampolin

trance [trɑ:ns] Trance; *go into a trance* in Trance geraten

tranquil ['træŋkwɪl] ruhig, friedlich

tranquillity, *AE* **tranquility** [træŋ'kwɪlətɪ] Ruhe, Frieden

tranquillize, *AE* **tranquilize** ['træŋkwə-

laɪz] **1.** beruhigen (*Person*) **2.** betäuben (*Tier*)

tranquillizer, *AE* **tranquilizer** ['træŋkwəlaɪzə] Beruhigungsmittel

transact [træn'zækt] abwickeln (*Geschäft*), abschließen (*Handel*)

transaction [træn'zækʃn] **1.** Abwicklung, Abschluss **2.** Transaktion, Geschäft

transatlantic [ˌtrænzət'læntɪk] transatlantisch, Transatlantik...

transcendental [△ ˌtrænsen'dentl] *transcendental meditation* transzendentale Meditation

transcontinental ['trænz‿kɒntɪ'nentl] transkontinental

transcribe [træn'skraɪb] **1.** abschreiben, niederschreiben **2.** übertragen, schriftlich festhalten (*Aussage usw.*) **3.** in Lautschrift übertragen

transcript ['trænskrɪpt] Abschrift, Niederschrift

transcription [træn'skrɪpʃn] **1.** Abschreiben, Niederschreiben **2.** *von Manuskript usw.:* Abschrift, Niederschrift **3.** phonetische Umschrift

transfer[1] [træns'fɜ:], *transferred, transferred* **1.** verlegen (*Betrieb usw.*) (*to* nach) **2.** versetzen (*Person*) (*to* nach) **3.** *Sport:* (*Spieler*) wechseln (*to* zu) **4.** *Sport:* transferieren (*Spieler*) (*to* zu), abgeben (*to* an) **5.** überweisen (*Geld*) (*to someone* an jemanden, *to an account* auf ein Konto) **6.** *Recht:* übertragen (*Eigentum, Recht*) (*to* auf) **7.** *auf Reisen:* umsteigen (*from ... to* von ... auf)

---

transfer to [træns'fɜ:‿tʊ] *von Bandaufnahme usw.:* überspielen auf

---

transfer[2] ['trænsfɜ:] **1.** Verlegung (*eines Betriebs usw.*), Versetzung (*einer Person*) **2.** *Sport:* Transfer, Wechsel **3.** Überweisung (*von Geld*) **4.** *Recht:* Übertragung (*von Rechten usw.*) **5.** *bes. BE* Abziehbild **6.** *bes. AE* Umsteige(fahr)karte

transfer fee ['trænsfɜ:‿fi:] *Sport:* Transfersumme, Ablöse(summe)

transform [træns'fɔ:m] umwandeln, verwandeln (*into* in)

transformation [ˌtrænsfə'meɪʃn] Umwandlung, Verwandlung

transfusion [træns'fju:ʒn] Bluttransfusion

transgenic [ˌtrænz'dʒenɪk] *Biologie:* transgen

transistor [træn'zɪstə] **1.** *Elektronik:* Transistor **2.** *auch transistor radio* Transistorradio

transit ['trænsɪt] **1.** Durchfahrt (*durch ein Land*); *transit passenger* Transitreisen-

T

de(r); **transit camp** Durchgangslager **2.** Beförderung, Transport; **in transit** unterwegs, auf dem Transport

transition [træn'zıʃn] Übergang (**from ... to** von ... zu)

transitive ['trænsətiv] *Sprache:* transitiv

translate [træns'leit] übersetzen (**from English into German** aus dem Englischen ins Deutsche)

translation [træns'leiʃn] Übersetzung

translator [træns'leitə] Übersetzer(in)

transmission [trænz'mıʃn] **1.** *Rundfunk, TV:* Übertragung, Sendung; **transmissions** *Pl. auch:* Programm **2.** *Auto:* Getriebe **3.** Übertragung (*einer Krankheit*)

transmit [trænz'mıt] **transmitted, transmitted 1.** (aus)senden (*Signale*) **2.** *Rundfunk, TV:* senden (*Programm*) **3.** übertragen (*Krankheit*) **4.** *Physik:* leiten (*Wärme usw.*), durchlassen (*Licht usw.*)

transmitter [trænz'mıtə] Sender

transparency [træns'pærənsı] **1.** Durchsichtigkeit (*auch übertragen*) **2.** Overhead-Folie **3.** Dia(positiv)

transparent [træns'pærənt] **1.** durchsichtig **2.** *übertragen* durchsichtig, offenkundig

transpire [træn'spaıə] **1.** (*Pflanze*) transpirieren **2.** (*Mensch*) transpirieren, schwitzen **3.** **it transpired that ...** es sickerte durch *oder* wurde bekannt, dass ... **4.** *umg.* passieren, geschehen

transplant[1] [træns'plɑ:nt] **1.** umpflanzen (*Pflanze*) **2.** *medizinisch:* transplantieren, verpflanzen (*Organ*) **3.** umsiedeln (*Menschen*), verlegen (*Betrieb usw.*) (**to** nach)

transplant[2] ['trænsplɑ:nt] **1.** Transplantation, (Organ)Verpflanzung **2.** (≈ *Organ*) Transplantat

transport[1] ['trænspɔ:t] **1.** Transport, Beförderung **2.** Beförderungsmittel, Verkehrsmittel; **public transport** öffentliche Verkehrsmittel; **Department of Transport** *in GB:* Verkehrsministerium

transport[2] [træns'pɔ:t] transportieren (*Waren usw.*), befördern (*auch Personen*)

transportation [ˌtrænspɔ:'teiʃn] **1.** *bes. AE* Transport, Beförderung **2.** *bes. AE* Beförderungsmittel, Verkehrsmittel

trap[1] [træp] **1.** Falle (*auch übertragen*); **set a trap for someone** jemandem eine Falle stellen **2.** **keep one's trap shut** *salopp* die Schnauze halten

trap[2] [træp] **trapped, trapped 1. be trapped** (*Bergleute usw.*) eingeschlossen sein **2.** *übertragen* in eine Falle locken **3.** (in *oder* mit einer Falle) fangen **4.** *Sport:* stoppen (*Ball*)

trapper ['træpə] Trapper, Fallensteller

trash [træʃ] **1.** *umg.; Film, Buch usw.:* Schund **2.** *umg.* Quatsch, Unsinn; **don't talk trash** red keinen Unsinn **3.** *AE* Abfall, Müll; **trash can** Abfalleimer, Mülleimer **4.** *bes. AE* Gesindel

trashy ['træʃı] Schund...

trauma ['trɔ:mə] *Psychologie, Medizin:* Trauma

traumatic [trɔ:'mætık] *Psychologie:* traumatisch

travel[1] ['trævl] **travelled, travelled**, *AE* **traveled, traveled 1.** reisen **2.** bereisen (*Land usw.*) **3.** zurücklegen, fahren (*Strecke*)

travel[2] ['trævl] **1.** *das* Reisen **2. travels** *Pl.* (*bes.* Auslands)Reisen

travel agency ['trævl,eidʒənsı] Reisebüro

travel agent ['trævl,eidʒənt] **1.** Reisebürokaufmann, Reisebürokauffrau **2.** *Firma:* Reisebüro

travel bureau ['trævl,bjuərəu] Reisebüro

travel card ['trævl ,kɑ:d] *für öffentliche Verkehrsmittel:* Zeitkarte, *je nach Gültigkeit:* Wochen-, Monats-, Jahreskarte

traveler ['trævlə] *AE* Reisende(r); ☞ **traveller**

traveling ['trævlıŋ] *AE* Reise...; ☞ *BE* **travelling**

traveller ['trævlə] *BE* Reisende(r)

traveller's cheque, *AE* traveler's check ['trævləz,tʃek] Reisescheck, Travellerscheck

travelling ['trævlıŋ] *BE* **1.** Reise...; **travelling (alarm) clock** Reisewecker; **travelling salesman** *Wirtschaft:* (Handels-) Vertreter (**in** für) **2.** Wander...; **travelling circus** Wanderzirkus

travelsick ['trævlsık] reisekrank

travelsickness ['trævl,sıknəs] Reisekrankheit

trawler ['trɔ:lə] Fischdampfer

tray [trei] **1.** Tablett **2.** *BE* Ablagekorb

treacherous [△ 'tretʃərəs] **1.** verräterisch **2.** *übertragen* tückisch

treachery [△ 'tretʃərı] Verrat

treacle ['tri:kl] *BE* Sirup

tread[1] [△ tred] **trod** [trɒd], **trodden** ['trɒdn] *oder* **trod** treten (**on** auf, in); **tread carefully** *übertragen* vorsichtig vorgehen (*bei einem Problem*)

tread[2] [△ tred] **1.** Gang, Schritt(e) **2.** *Auto:* Profil (*eines Reifens*)

treason ['tri:zn] Landesverrat

treasure[1] ['treʒə] Schatz; **treasure hunt** Schatzsuche

treasure[2] ['treʒə] in Ehren halten, schätzen

treasurer ['treʒərə] *eines Klubs usw.:* Kassenwart, Kassenführerin

Treasury ['treʒərı] Finanzministerium

treat[1] [tri:t] **1.** behandeln (*like* wie), umgehen mit **2.** *treat a topic oder subject* (*Buch usw.*) ein Thema behandeln **3.** betrachten (*as* als) **4.** *medizinisch*: behandeln (*for* gegen); *be treated for* in ärztlicher Behandlung stehen wegen **5.** einladen (*to* zu); *treat someone to something* jemandem etwas spendieren; *treat oneself to something* sich etwas leisten **6.** *Chemie*, *Technik*: behandeln (*with* mit; *against* gegen)

treat[2] [tri:t] **1.** Freude, Überraschung **2.** *this is my treat* das geht auf meine Rechnung

treatise ['tri:tɪz] (wissenschaftliche) Abhandlung (*on* über)

treatment ['tri:tmənt] *allg.*: Behandlung

treaty ['tri:tɪ] *politisch*: Vertrag

treble[1] ['trebl] dreifach; *treble the number* die dreifache Zahl

treble[2] ['trebl] verdreifachen

treble[3] ['trebl] Sopran(stimme), Knabensopran; *he's a treble* er singt Sopran

tree [tri:] Baum; *in a tree* auf einem Baum

treeline ['tri:laɪn] *im Hochgebirge*: Baumgrenze

treetop ['tri:tɒp] (Baum)Wipfel

trek [trek], *trekked, trekked; -ing-Form trekking* **1.** marschieren, ziehen **2.** *umg.* latschen

tremble ['trembl] zittern (*with* vor); *tremble at the thought* (*oder* *to think*) bei dem Gedanken zittern

tremendous [trə'mendəs] **1.** gewaltig **2.** *umg.* klasse, toll

tremor ['tremə] Zittern, Beben (*auch von Erde*)

trench [trentʃ] **1.** Graben **2.** *militärisch*: Schützengraben

trend [trend] **1.** Trend, Tendenz (*towards* zu) **2.** Mode

trendy ['trendɪ] *umg.* modern; *be trendy* als schick gelten, in sein; *a trendy disco* eine In-Disko

trespass ['trespəs] *no trespassing* Betreten verboten!

trespasser ['trespəsə] *trespassers will be prosecuted* Betreten bei Strafe verboten!

trey [treɪ] *AE*; *Basketball*: Dreier, Dreipunktewurf

trial ['traɪəl] **1.** *Recht*: Prozess, Verhandlung; *be on* (*oder* *stand*) *trial* vor Gericht stehen (*for* wegen) **2.** Prüfung, Test; *on trial* auf *oder* zur Probe; *he's still on trial* er ist noch in der Probezeit **3.** *be a trial to someone* jemandem Ärger machen

trial balloon ['traɪəl_bə,lu:n] *übertragen* Versuchsballon

trial period [,traɪəl'pɪərɪəd] Probezeit

triangle ['traɪæŋgl] **1.** *Mathematik*: Dreieck **2.** *Musik*: Triangel **3.** *AE* Zeichendreieck

triangular [traɪ'æŋgjulə] dreieckig

triathlon [traɪ'æθlən] *Sport*: Triathlon

triathlete [traɪ'æθli:t] *Sport*: Triathlet(in)

tribal ['traɪbl] Stammes...

tribe [traɪb] *in Afrika usw.*: Stamm

tribunal [traɪ'bju:nl] *Recht*: Gericht

tributary [⚠ 'trɪbjʊtərɪ] Nebenfluss

tribute [⚠ 'trɪbju:t] *pay tribute to someone* jemandem Anerkennung zollen

trick[1] [trɪk] **1.** Trick (*auch im negativen Sinn*), *mit Karten usw.*: Kunststück; *by a trick* mit einem Trick **2.** *play a trick on someone* jemandem einen Streich spielen **3.** *take a trick* *Kartenspiel*: einen Stich machen **4.** *how's tricks?* *umg.* wie gehts?

trick[2] [trɪk] *trick question* Fangfrage

trick[3] [trɪk] überlisten, reinlegen

trickery ['trɪkərɪ] *im negativen Sinn*: Tricks

trickle ['trɪkl] tröpfeln, rieseln

trickster ['trɪkstə] Betrüger(in), Schwindler(in)

tricky ['trɪkɪ] **1.** schwierig, *Problem usw. auch*: heikel **2.** *Person*: durchtrieben, raffiniert

tricycle ['traɪsɪkl] Dreirad

tried [traɪd] *2. und 3. Form von →* **try**[1]

trifle ['traɪfl] **1.** Kleinigkeit, Lappalie **2.** *BE* Trifle (*Biskuitdessert*)

trifle

Ein **trifle** besteht aus einem Biskuitboden mit einer Schicht Wackelpudding, Obst aus der Dose und einer weiteren Schicht aus Vanillesoße und Sahne obendrauf.

trigger[1] ['trɪgə] Abzug (*am Gewehr usw.*)

trigger[2] ['trɪgə] *auch trigger off* übertragen auslösen

trilogy ['trɪlədʒɪ] Trilogie

trim[1] [trɪm], *trimmed, trimmed* **1.** stutzen, beschneiden (*Hecke, Bart usw.*) **2.** *trimmed with fur* *Kleidung*: mit Pelzbesatz

trim[2] [trɪm] **1.** *give something a trim* etwas stutzen *oder* beschneiden **2.** *be in good trim* *umg.*; *Auto usw.*: gut in Schuss sein, *Person auch*: gut in Form sein

trim[3] [trɪm], *trimmer, trimmest* gepflegt

trimming ['trɪmɪŋ] **1.** Besatz **2.** *trimmings* *Pl.* Zubehör; *with all the trimmings* mit allem Schnickschnack

T

trip¹ [trɪp], *tripped, tripped* **1.** stolpern (*over* über) **2.** *trip someone (up)* jemandem ein Bein stellen (*auch übertragen*)

trip² [trɪp] **1.** Reise, Ausflug, Trip; *go on a bus trip* eine Busreise machen **2.** *salopp* (≈ *Drogenrausch*) Trip

triple ['trɪpl] (sich) verdreifachen

triplet ['trɪplət] Drilling

trite [traɪt] *Bemerkung usw.*: abgedroschen; banal

triumph¹ ['traɪʌmf] Triumph (*over* über)

triumph² ['traɪʌmf] triumphieren (*over* über)

triumphal [traɪ'ʌmfl] Triumph...

triumphant [traɪ'ʌmfənt] triumphierend

trivial ['trɪvɪəl] **1.** unbedeutend, belanglos **2.** alltäglich, gewöhnlich

trod [trɒd] *2. Form von →* **tread¹**

trodden ['trɒdn] *3. Form von →* **tread¹**

trolley ['trɒlɪ] **1.** *bes. BE* Einkaufswagen, Gepäckwagen, Kofferkuli **2.** *tea trolley BE* Teewagen **3.** *AE* Straßenbahn

trombone [trɒm'bəʊn] Posaune

troop¹ [truːp] Schar; ☞ **troops**

troop² [truːp] (*Menschen usw.*) strömen

trooper ['truːpə] **1.** *militärisch*: Kavallerist **2.** *AE* Polizist (*eines Bundesstaats*)

troops [truːps] *Pl. Militär*: Truppen; *2000 troops* 2000 Soldaten

trophy ['trəʊfɪ] Trophäe

tropical ['trɒpɪkl] tropisch, Tropen...

tropics ['trɒpɪks] *Pl.* Tropen

trot¹ [trɒt] **1.** *Gangart*: Trab **2.** *on the trot BE, umg.* hintereinander **3.** *be on the trot BE, umg.* auf Trab sein

trot² [trɒt], *trotted, trotted* **1.** traben **2.** traben lassen (*Pferd*)

trouble¹ ['trʌbl] **1.** Schwierigkeit, Problem; *be in trouble* in Schwierigkeiten sein; *get into trouble* in Schwierigkeiten geraten, Schwierigkeiten bekommen (*with* mit); *get someone into trouble* jemanden in Schwierigkeiten bringen **2.** *take the trouble to do something* sich die Mühe machen, etwas zu tun **3.** *be looking for trouble* Streit suchen **4.** *auch troubles Pl. politisch*: Unruhen **5.** *medizinisch*: Leiden, Beschwerden

trouble² ['trʌbl] **1.** beunruhigen **2.** Umstände machen, bitten (*for* um; *to do* zu tun); *I don't want to trouble you* ich möchte Ihnen keine Umstände machen

troublemaker ['trʌbl,meɪkə] Unruhestifter(in)

troubleshooter ['trʌbl,ʃuːtə] **1.** *Technik*: Störungssucher(in), Fehlersucher(in) **2.** *bei Konflikten usw.*: Vermittler(in), Friedensstifter(in)

troublesome ['trʌblsəm] lästig

trouble spot ['trʌbl ˌspɒt] *bes. Politik*: Unruheherd

trough [△ trɒf] Trog

troupe [truːp] *Theater usw.*: Truppe

trousers ['traʊzəz] *Pl. bes. BE* Hose; *a new pair of trousers* eine neue Hose

trouser suit ['traʊzə ˌsuːt] *BE* Hosenanzug

trout [traʊt] Forelle

trowel ['traʊəl] Maurerkelle

truant ['truːənt] Schulschwänzer(in); *play truant BE* (die Schule) schwänzen

truce [truːs] Waffenstillstand (*auch übertragen*)

truck [trʌk] *bes. AE* Lastwagen, Fernlaster

truck driver ['trʌk,draɪvə] *bes. AE* Lastwagenfahrer, Fernfahrer

trucker ['trʌkə] *AE* Lastwagenfahrer, Fernfahrer

truck stop ['trʌk ˌstɒp] *AE* Fernfahrerlokal

trudge [trʌdʒ] stapfen (*through* durch)

true [truː], *truer, truest* **1.** wahr; *be true auch*: stimmen **2.** echt, wirklich, wahr; *true love* wahre Liebe **3.** treu (*to dt. Dativ*); *stay true to one's principles* seinen Grundsätzen treu bleiben **4.** getreu (*to dt. Dativ*) **5.** *come true* sich bewahrheiten

truffle ['trʌfl] *Pilz und Konfekt*: Trüffel

truly ['truːlɪ] **1.** wahrheitsgemäß **2.** wirklich, wahrhaft **3.** aufrichtig; *Yours truly bes. AE; Briefschluss*: Hochachtungsvoll

trump [trʌmp] *auch trump card* Trumpf(-karte); *play one's trump card übertragen* seinen Trumpf ausspielen; ☞ **trumps**

trumps [trʌmps] *Pl. Kartenspiel*: Trumpf

trumpet¹ ['trʌmpɪt] Trompete

trumpet² ['trʌmpɪt] (*Elefant*) trompeten

truncheon ['trʌntʃən] (Gummi)Knüppel, Schlagstock

trunk [trʌŋk] **1.** (Baum)Stamm **2.** *Elefant*: Rüssel **3.** Schrankkoffer **4.** *Körper*: Rumpf **5.** *bes. AE; Auto*: Kofferraum; ☞ **trunks**

trunks [trʌŋks] *Pl., auch pair of trunks* Badehose

trust¹ [trʌst] **1.** Vertrauen (*in* zu); *place* (*oder put*) *one's trust in* Vertrauen setzen in; *take something on trust* etwas einfach glauben **2.** *Wirtschaft*: Treuhand, Trust

trust² [trʌst] **1.** trauen, vertrauen (*in* auf) **2.** sich verlassen auf; *trust someone to do something* sich darauf verlassen, dass jemand etwas tut; *trust him!* das sieht ihm ähnlich! **3.** (zuversichtlich) hoffen

trustee [ˌtrʌ'stiː] *Recht*: Treuhänder(in), Vermögensverwalter(in)

tune

trusting ['trʌstɪŋ] vertrauensvoll
trustworthy ['trʌst‚wɜːðɪ] vertrauenswürdig
truth [truːθ] *Pl.*: **truths** [△ truːðz] Wahrheit; *in truth* in Wahrheit; *there's no truth in it* daran ist nichts Wahres; *to tell (you) the truth* um die Wahrheit zu sagen
truthful ['truːθfl] **1.** wahrheitsgemäß **2.** *Person*: wahrheitsliebend
try¹ [traɪ], **tried** [traɪd], **tried** [traɪd] **1.** versuchen (*to do* zu tun); *try hard* sich große Mühe geben **2.** (≈ *testen*) ausprobieren **3.** probieren, kosten (*Essen, Trinken*) **4.** *Recht*: verhandeln (über); *try someone* jemandem den Prozess machen (*for* wegen) **5.** auf die Probe stellen (*jemandes Geduld*) **6.** es versuchen; *try and come* umg. versuch zu kommen

---

try for ['traɪ‚fɔː] *BE* sich bemühen um (*Stelle, Stipendium usw.*)
try on [‚traɪ'ɒn] **1.** anprobieren, aufprobieren (*Hut usw.*) **2.** *try it on BE, umg.* probieren, wie weit man gehen kann
try out [‚traɪ'aʊt] **1.** ausprobieren **2.** *try out for AE* sich bemühen um

---

try² [traɪ] Versuch; *have a try* es versuchen; *I'll give it a try* ich werde es versuchen
trying ['traɪɪŋ] *Arbeit, Tag usw.*: anstrengend, aufreibend
T-shirt ['tiː‚ʃɜːt] T-Shirt
tub [tʌb] **1.** Bottich, Tonne **2.** Becher (*für Margarine usw.*) **3.** *AE* (Bade)Wanne
tube [tjuːb] **1.** Röhre, Rohr **2.** Schlauch **3.** Tube **4.** *the Tube* umg. die U-Bahn (*in*

London); *by Tube* mit der U-Bahn
TUC [‚tiːjuː'siː] (*Abk. für* Trades Union Congress) *BE* Gewerkschaftsbund
tuck [tʌk] stecken; *tuck something under one's arm* sich etwas unter den Arm klemmen

---

tuck in [‚tʌk'ɪn] **1.** *bes. BE, umg.* reinhauen **2.** ins Bett packen (*Kind*)
tuck up [‚tʌk'ʌp] *auch tuck up in bed* ins Bett packen (*Kind*)

Tuesday ['tjuːzdɪ] Dienstag; *on Tuesday* (am) Dienstag; *on Tuesdays* dienstags
tug¹ [tʌg], **tugged, tugged** zerren *oder* ziehen (an)
tug² [tʌg] **1.** Ruck; *tug-of-war* Tauziehen **2.** *Boot*: Schlepper
tuition [tjuː'ɪʃn] **1.** Unterricht **2.** *bes. AE* Unterrichtsgebühr(en)
tulip ['tjuːlɪp] Tulpe
tumble ['tʌmbl] fallen (*auch Preise*), stürzen
tumble dryer [‚tʌmbl'draɪə] Trockenautomat, Wäschetrockner
tummy ['tʌmɪ] *umg., Kindersprache* Bauch; *he's got (a) tummy-ache* er hat Bauchweh
tumour, *AE* **tumor** ['tjuːmə] Tumor
tumult ['tjuːmʌlt] Tumult
tumultuous [tjuː'mʌltʃʊəs] tumultartig, *Applaus, Empfang*: stürmisch
tuna ['tjuːnə] Thunfisch, ⓢ Thon
tune¹ [tjuːn] **1.** Melodie **2.** *be out of tune Instrument*: verstimmt sein
tune² [tjuːn] **1.** *auch tune up* stimmen (*Instrument*) **2.** *auch tune up* tunen (*Motor*) **3.** einstellen (*Radio usw.*) (*to* auf)

---

try – (es) versuchen, sich bemühen, etwas ausprobieren

Das Verb **try** kann sowohl mit dem Infinitiv (**try to do something**) als auch mit der **-ing**-Form (**try doing something**) erscheinen. Es gibt jedoch einen Unterschied in der Bedeutung:

try to do something	versuchen / sich bemühen etwas zu tun
I tried to reach the light, but it was too high up.	Ich versuchte ans Licht heranzukommen, aber es war zu hoch.
I tried to ring you at least five times.	Ich hab mindestens fünfmal versucht dich anzurufen.

Hier wird die Schwierigkeit oder Anstrengung betont, um das Erzielte zu erreichen.

try doing something	etwas ausprobieren, es mit etwas versuchen
"I can't lift this case." – "Try pushing it."	„Ich kann diesen Koffer nicht heben." – „Probier mal, ob du ihn schieben kannst."

Hier geht es um die Möglichkeit bzw. den Versuch, das erwünschte Ziel zu erreichen. Oft wird das in Form eines Vorschlags ausgedrückt.

T

tune in [ˌtjuːnˈɪn] **1.** (das Radio *usw.*) einschalten; *tune in to* einschalten (*Sender, Programm*); *be tuned in to* eingeschaltet haben (*Sender, Programm*) **2.** einstellen (*Radio usw.*) (*to* auf)

Tunisia [tjuːˈnɪzɪə] Tunesien

Tunisian[1] [tjuːˈnɪzɪən] tunesisch

Tunisian[2] [tjuːˈnɪzɪən] Tunesier(in)

tunnel[1] [ˈtʌnl] Tunnel, Unterführung

tunnel[2] [ˈtʌnl] *tunnelled, tunnelled, AE tunneled, tunneled* durchtunneln (*Berg*), untertunneln (*Fluss usw.*)

turbulence [ˈtɜːbjʊləns] *beim Fliegen:* Turbulenzen

turf [tɜːf] **1.** Rasen, Rasenstück **2.** *the turf* der Pferderennsport

Turk [tɜːk] Türke, Türkin

turkey [ˈtɜːkɪ] Truthahn, Truthenne

Turkey [ˈtɜːkɪ] *die* Türkei

Turkish[1] [ˈtɜːkɪʃ] türkisch

Turkish[2] [ˈtɜːkɪʃ] *Sprache:* Türkisch

turmoil [ˈtɜːmɔɪl] Aufruhr

turn[1] [tɜːn] **1.** sich drehen **2.** drehen, *von Schlüssel auch:* herumdrehen **3.** umdrehen (*Schallplatte usw.*), umblättern (*Seite*), wenden (*Braten usw.*) **4.** *auf Straße:* abbiegen, einbiegen (*into* in); *turn left* (sich) nach links wenden, *Auto:* links abbiegen **5.** (*Person*) sich umdrehen **6.** *turn the corner* um die Ecke biegen **7.** richten (*Schlauch usw.*) (*on* auf) **8.** zuwenden (*Aufmerksamkeit*) (*to* dt. Dativ) **9.** *mit Adjektiv:* werden; *turn pale* blass werden **10.** sich verwandeln, *übertragen* umschlagen (*into, to* in) **11.** *in einen anderen Zustand versetzen:* verwandeln (*into* in); *the novel was turned into a film* der Roman wurde verfilmt

turn away [ˌtɜːnəˈweɪ] **1.** abwenden (*Gesicht usw.*) (*from* von) **2.** abweisen (*Person*) **3.** sich abwenden (*from* von)

turn back [ˌtɜːnˈbæk] **1.** umkehren **2.** zurückschicken (*Person*) **3.** zurückstellen (*Uhr*) **4.** *Buch:* zurückblättern (*to* auf)

turn down [ˌtɜːnˈdaʊn] **1.** umlegen (*Kragen*), zurückschlagen (*Bettdecke*) **2.** leiser stellen (*Radio usw.*), zurückdrehen (*Heizung*) **3.** ablehnen (*Angebot usw.*)

turn in [ˌtɜːnˈɪn] **1.** *turn oneself in* sich stellen (*der Polizei*) **2.** *umg.* (≈ *zu Bett gehen*) sich aufs Ohr legen

turn off [ˌtɜːnˈɒf] **1.** abdrehen (*Gas, Wasser*) **2.** ausmachen, ausschalten (*Licht usw.*) **3.** abstellen (*Motor*) **4.** *auf Straße:* abbiegen **5.** *it turns me off*

umg. das widert mich an, das nimmt mir die Lust

turn on [ˌtɜːnˈɒn] **1.** aufdrehen (*Gas, Wasser*) **2.** anstellen (*Gerät*) **3.** anmachen, anschalten (*Licht, Radio usw.*) **4.** *umg.* anturnen, anmachen (*auch sexuell*) **5.** (*Erfolg usw.*) abhängen von **6.** (≈ *angreifen*) losgehen auf

turn out [ˌtɜːnˈaʊt] **1.** ausmachen, ausschalten (*Licht*) **2.** hinauswerfen (*Person*) **3.** (*Menschen*) erscheinen, kommen (*for* zu) **4.** (*Fabrik usw.*) ausstoßen (*Waren*) **5.** (aus)leeren (*Tasche usw.*) **6.** sich erweisen *oder* herausstellen (*a success* als Erfolg; *to be false* als falsch); *he turned out to be a good swimmer* er erwies sich als guter Schwimmer

turn over [ˌtɜːnˈəʊvə] **1.** umdrehen (*Schallplatte usw.*), umblättern (*Seite*), wenden (*Braten usw.*) **2.** (*Person*) sich umdrehen **3.** (*Gegenstand*) umkippen **4.** übergeben (*Person, Sache*) (*to;* dt. Dativ) **5.** *Buch:* umblättern; *please turn over* bitte wenden

turn round [ˌtɜːnˈraʊnd] **1.** sich umdrehen **2.** *turn one's car round* wenden

turn to [ˈtɜːn_tʊ] *turn to someone* sich jemandem zuwenden, *übertragen* sich an jemanden wenden

turn up [ˌtɜːnˈʌp] **1.** lauter stellen (*Radio usw.*) **2.** (*Verlorenes*) (wieder)auftauchen **3.** (≈ *kommen*) auftauchen

turn[2] [tɜːn] **1.** (Um)Drehung **2.** Biegung, Kurve; *make a right turn* nach rechts abbiegen **3.** *in turn* der Reihe nach, abwechselnd; *it's my turn* ich bin dran; *miss a turn Brettspiele:* einmal aussetzen; *take turns* sich abwechseln (*at* bei); *take turns* (*at*) *doing something oder take it in turn(s) to do something* etwas abwechselnd tun **4.** *übertragen* Wende, Wendung; *at the turn of the century* um die Jahrhundertwende; *take a turn for the better* (*bzw. worse*) sich zum Besseren (*bzw.* Schlechteren) wenden **5.** *do someone a good* (*bzw. bad*) *turn* jemandem einen guten (*bzw.* schlechten) Dienst erweisen

turncoat [ˈtɜːnkəʊt] Abtrünniger(r), *umg.* Wendehals

turning [ˈtɜːnɪŋ] Abzweigung

turning point [ˈtɜːnɪŋ_pɔɪnt] *übertragen* Wendepunkt

turnip [ˈtɜːnɪp] Rübe

turn-off [ˈtɜːnɒf] *Straße:* Abzweigung

turnout [ˈtɜːnaʊt] **1.** (Wahl)Beteiligung **2.** *umg.* Aufmachung (*einer Person*)

turnover [ˈtɜːnˌəʊvə] **1.** *Wirtschaft:* Umsatz **2.** *Essen*: **apple / apricot turnover** Apfel- / Aprikosentasche

turnpike ['tɜ:npaɪk] *AE* gebührenpflichtige Schnellstraße

turnstile ['tɜ:nstaɪl] Drehkreuz

turquoise[1] ['tɜ:kwɔɪz] türkis, türkisfarben

turquoise[2] ['tɜ:kwɔɪz] *Edelstein*: Türkis

turtle ['tɜ:tl] **1.** Wasserschildkröte **2.** *AE*; *allg.*: Schildkröte

turtleneck ['tɜ:tlnek] *bes. AE* Rollkragen(pullover)

Tuscany ['tʌskənɪ] die Toskana

tusk [tʌsk] *von Elefant usw.*: Stoßzahn

tutor[1] ['tju:tə] **1.** Privatlehrer(in) **2.** *in GB, Universität*: Studienleiter(in), Tutor(in)

tutor[2] ['tju:tə] unterrichten, Nachhilfe geben

tux [tʌks] *umg.*, **tuxedo** [tʌk'si:dəʊ] *Pl.*: **tuxedos** *AE* Smoking

TV[1] [ˌti:'vi:] **1.** Fernsehen; **on (the) TV** im Fernsehen; **watch TV** fernsehen **2.** *Gerät*: Fernseher

TV[2] [ˌti:'vi:] Fernseh...

tweezers ['twi:zəz] *Pl.*, *auch* **pair of tweezers** Pinzette

twelfth[1] [twelfθ] zwölfte(r, -s)

twelfth[2] [twelfθ] **1.** Zwölfte(r, -s) **2.** *Bruchteil*: Zwölftel

twelve[1] [twelv] zwölf

twelve[2] [twelv] *Buslinie usw.*: Zwölf

twenty[1] ['twentɪ] zwanzig

twenty[2] ['twentɪ] Zwanzig; **be in one's twenties** in den Zwanzigern sein; **in the twenties** in den Zwanzigerjahren (*eines Jahrhunderts*)

twenty-four seven [ˌtwentɪ ˌfɔ:'sevn] die ganze Woche rund um die Uhr, ständig

twice [twaɪs] zweimal; **twice as much** doppelt *oder* zweimal so viel; **think twice** es sich genau überlegen (**before** bevor)

twiddle ['twɪdl] **twiddle one's thumbs** *übertragen* Däumchen drehen

twig [twɪg] Zweig

twilight ['twaɪlaɪt] **1.** (*bes.* Abend)Dämmerung **2.** Zwielicht, Dämmerlicht

twin[1] [twɪn] Zwilling

twin[2] [twɪn] Zwillings...; **twin brother** Zwillingsbruder; **twin sister** Zwillingsschwester; **twin towers** *Pl.* Zwillingstürme; **twin beds** *Pl.* zwei Einzelbetten; **twin town** *BE* Partnerstadt

twin[3] [twɪn] **be twinned with** *BE*; *Stadt*: die Partnerstadt sein von

twine [twaɪn] Bindfaden, Schnur

twined [twaɪnd] **1.** *auch* **twined together** zusammengedreht **2.** gewunden (**round** um)

twinge [twɪndʒ] (leichter) Schmerz

twinkle[1] ['twɪŋkl] (*Sterne*) glitzern, (*auch Augen*) funkeln (**with** vor)

twinkle[2] ['twɪŋkl] **1.** Glitzern **2.** **with a twinkle in one's eye** augenzwinkernd

twinkling ['twɪŋklɪŋ] **in the twinkling of an eye** im Handumdrehen, im Nu

twirl [twɜ:l] **1.** (herum)wirbeln **2.** wirbeln (**round** über)

twist[1] [twɪst] **1.** sich winden, (*Fluss usw. auch*) sich schlängeln **2.** wickeln (**round** um); **twist someone round one's little finger** *übertragen* jemanden um den (kleinen) Finger wickeln **3.** drehen **4.** **twist one's ankle** (mit dem Fuß) umknicken, sich den Fuß vertreten **5.** *übertragen* entstellen, verdrehen

twist[2] [twɪst] **1.** Drehung **2.** Biegung **3.** *übertragen* Wendung **4.** *Tanz*: Twist **5.** **be round the twist** *BE*, *umg.* verrückt sein; **drive someone round the twist** jemanden verrückt machen

twister ['twɪstə] **1.** *BE*, *umg.* Gauner(in) **2.** *AE*, *umg.* Tornado

twit [twɪt] *umg.* Idiot

twitch[1] [twɪtʃ] **1.** zucken (mit) **2.** zupfen an

twitch[2] [twɪtʃ] Zucken, Zuckung

twitter ['twɪtə] zwitschern

two[1] [tu:] **1.** zwei **2.** **in a day or two** in ein paar Tagen; **break** (*bzw.* **cut**) **in two** in zwei Teile brechen (*bzw.* schneiden); **the two cars** die beiden Autos

two[2] [tu:] **1.** *Buslinie, Spielkarte usw.*: Zwei **2.** **the two of us** wir beide; **in twos** zu zweit, paarweise; **put two and two together** zwei und zwei zusammenzählen

two-faced [ˌtu:'feɪst] falsch, heuchlerisch

twofold ['tu:fəʊld] zweifach

twopence [△ 'tʌpəns] *BE* **1.** zwei Pence **2.** **I don't care** (*oder* **give**) **twopence** *umg.* das ist mir völlig egal

twopenny [△ 'tʌpnɪ] *BE*, *umg.* **1.** für zwei Pence, Zweipenny... **2.** *übertragen* billig

two-way ['tu:weɪ] **two-way traffic** Gegenverkehr

tycoon [taɪ'ku:n] (Industrie)Magnat

tying ['taɪɪŋ] -*ing*-Form von → **tie**[2]

type[1] [taɪp] **1.** Art, Sorte **2.** Typ; **of this type** dieser Art; **she's not my type** *umg.* sie ist nicht mein Typ

type[2] [taɪp] Maschine schreiben, tippen

typewriter ['taɪpˌraɪtə] Schreibmaschine

typewritten ['taɪpˌrɪtn] *Brief, Manuskript*: maschine(n)geschrieben

typhoon [taɪ'fu:n] *Sturm*: Taifun

typical ['tɪpɪkl] typisch (**of** für)

typing ['taɪpɪŋ] **typing error** Tippfehler

T

typist ['taɪpɪst] Schreibkraft; **shorthand typist** Stenotypistin

tyrannize [△ 'tɪrənaɪz] tyrannisieren

tyranny [△ 'tɪrənɪ] Tyrannei

tyrant ['taɪrənt] Tyrann

tyre ['taɪə] *bes. BE* Reifen, ⊕ Pneu

Tyrol [tɪ'rəʊl] Tirol

Tyrolean[1] [ˌtɪrə'liːən] tirol(er)isch

Tyrolean[2] [ˌtɪrə'liːən] Tiroler(in)

U

ubiquitous [juː'bɪkwɪtəs] allgegenwärtig

udder ['ʌdə] *von Tier*: Euter

UFO [ˌjuːef'əʊ, 'juːfəʊ] *Pl.*: **UFO's** *oder* **UFOs** (*Abk. für* **U**nidentified **F**lying **Ob**ject) Ufo, UFO

ugh [ʌg, ɜː] **ugh!** igitt!

ugliness ['ʌglɪnəs] Hässlichkeit

ugly ['ʌglɪ] **1.** hässlich (*auch übertragen*) **2.** *Wunde usw.*: bös, schlimm

UK [ˌjuː'keɪ] *Abk. für* → **United Kingdom**

Ukraine [juː'kreɪn] Ukraine

Ukrainian[1] [juː'kreɪnɪən] ukrainisch

Ukrainian[2] [juː'kreɪnɪən] *Sprache*: Ukrainisch

Ukrainian[3] [juː'kreɪnɪən] Ukrainer(in)

ulcer ['ʌlsə] *medizinisch*: Geschwür

ulterior [ʌl'tɪərɪə] **ulterior motive** Hintergedanke

ultimate[1] ['ʌltɪmət] **1.** *Ziel, Ergebnis usw.*: letzte(r, -s), End... **2.** *Autorität usw.*: höchste(r, -s)

ultimate[2] ['ʌltɪmət] **the ultimate in** das Höchste an

ultimately ['ʌltɪmətlɪ] **1.** schließlich **2.** (≈ *im Grunde genommen*) letztlich, letzten Endes

ultimatum [ˌʌltɪ'meɪtəm] *Pl.*: **ultimatums** *oder* **ultimata** [ˌʌltɪ'meɪtə] Ultimatum

ultrahigh ['ʌltrəhaɪ] **ultrahigh frequency** *Radio, Funk*: Ultrakurzwelle

ultrasonic [ˌʌltrə'sɒnɪk] Ultraschall...

ultrasound ['ʌltrəsaʊnd] Ultraschall

ultraviolet [ˌʌltrə'vaɪələt] ultraviolett

umbilical [ʌm'bɪlɪkl] **umbilical cord** *bei Neugeborenen*: Nabelschnur

umbrella [ʌm'brelə] **1.** (Regen)Schirm **2.** *übertragen* Schutz; **under the umbrella of** unter dem Schutz (+ *Genitiv*)

umbrella organization [ʌm'brelə‿ɔːgə-naɪ'zeɪʃn] Dachorganisation

umbrella stand [ʌm'brelə‿stænd] Schirmständer

umpire[1] ['ʌmpaɪə] *Sport*: Schiedsrichter(in)

umpire[2] ['ʌmpaɪə] *Sport*: als Schiedsrichter fungieren (bei)

umpteen [ˌʌmp'tiːn] **umpteen times** *umg.* x-mal

umpteenth [ˌʌmp'tiːnθ] **for the umpteenth time** *umg.* zum x-ten Mal

UN [ˌjuː'en] (*Abk. für* **U**nited **N**ations) UNO

unabashed [ˌʌnə'bæʃt] ungeniert, unverfroren

unable [ʌn'eɪbl] **be unable to do something** unfähig sein, etwas zu tun, etwas nicht tun können

unabridged [ˌʌnə'brɪdʒd] *Roman, Wörterbuch usw.*: ungekürzt

unacceptable [ˌʌnək'septəbl] unannehmbar (**to** für), unzumutbar

unaccompanied [△ ˌʌnə'kʌmpənɪd] ohne Begleitung (*auch musikalisch*)

unaccounted [ˌʌnə'kaʊntɪd] **ten persons are still unaccounted for** zehn Personen werden noch vermisst

unaccustomed [ˌʌnə'kʌstəmd] **1.** ungewohnt **2.** **be unaccustomed to something** etwas nicht gewohnt sein

unaffected [ˌʌnə'fektɪd] **1.** **be unaffected by** nicht betroffen werden von **2.** natürlich, ungekünstelt

unambiguous [ˌʌnæm'bɪgjuəs] unzweideutig, eindeutig

unanimous [△ juː'nænɪməs] einmütig, einstimmig; **by a unanimous decision** einstimmig

unanswered [ʌn'ɑːnsəd] *Brief, Frage usw.*: unbeantwortet

unapproachable [ˌʌnə'prəʊtʃəbl] **1.** *Gegend usw.*: unzugänglich **2.** *Person*: unnahbar

unarmed [ˌʌn'ɑːmd] unbewaffnet

unasked [ˌʌn'ɑːskt] **1.** *Frage*: ungestellt **2.** *Hilfe usw.*: unaufgefordert, ungebeten **3.** *Besucher, Gast*: uneingeladen, ungebeten

unassisted [ˌʌnə'sɪstɪd] (ganz) allein, ohne (fremde) Hilfe

unassuming [ˌʌnə'sjuːmɪŋ] bescheiden

unattached [ˌʌnə'tætʃt] *Person*: ungebunden

unattended [ˌʌnə'tendɪd] unbeaufsichtigt

unattractive [ˌʌnə'træktɪv] unattraktiv

unauthorized [ʌn'ɔːθəraɪzd] unbefugt, unberechtigt

unavailable [ˌʌnə'veɪləbl] **1.** nicht erhältlich **2.** *Person*: nicht erreichbar

unavoidable [ˌʌnə'vɔɪdəbl] unvermeidlich

unaware [ˌʌnə'weə] *be unaware of something* sich einer Sache nicht bewusst sein, etwas nicht bemerken; *be unaware that ...* nicht bemerken, dass ...

unawares [ˌʌnə'weəz] *catch* (*oder* *take*) *someone unawares* jemanden überraschen *oder* überrumpeln

unbalance [ˌʌn'bæləns] aus dem Gleichgewicht bringen (*auch seelisch*)

unbalanced [ˌʌn'bælənst] **1.** *Charakter, Person*: labil **2.** *Bericht, Gutachten usw.*: einseitig **3.** *Konto, Bilanz usw.*: unausgeglichen

unbearable [ʌn'beərəbl] unerträglich

unbeatable [ʌn'biːtəbl] unschlagbar (*auch Preise usw.*)

unbeaten [ʌn'biːtn] *Sport*: ungeschlagen

unbelievable [ˌʌnbɪ'liːvəbl] unglaublich

unbending [ʌn'bendɪŋ] unbeugsam

unbiased, unbiassed [ʌn'baɪəst] unvoreingenommen, *Recht*: unbefangen

unbind [ˌʌn'baɪnd], *unbound* [ˌʌn'baʊnd], *unbound* [ˌʌn'baʊnd] losbinden

unblemished [ˌʌn'blemɪʃt] *Ruf usw.*: makellos

unborn [ˌʌn'bɔːn] ungeboren

unbreakable [ʌn'breɪkəbl] unzerbrechlich

unbroken [ʌn'brəʊkən] **1.** (≈ *ganz*) unzerbrochen **2.** (≈ *andauernd*) ununterbrochen (*Frieden, Sonnenschein usw.*) **3.** *Rekord, Siegesserie*: ungebrochen **4.** *Pferd*: nicht zugeritten

unburden [ˌʌn'bɜːdn] von einer Last befreien; *unburden oneself to someone* jemandem sein Herz ausschütten

unbutton [ˌʌn'bʌtn] aufknöpfen

uncalled-for [ʌn'kɔːldfɔː] **1.** *Kritik*: ungerechtfertigt **2.** *Bemerkung usw.*: deplatziert, unpassend, unnötig

uncanny [ʌn'kænɪ] *Gefühl*: unheimlich

unceasing [ʌn'siːsɪŋ] unaufhörlich

uncertain [ʌn'sɜːtn] **1.** unsicher, ungewiss, unbestimmt **2.** *Wetter*: unbeständig

uncertainty [ʌn'sɜːtntɪ] Unsicherheit, Ungewissheit

unchanged [ʌn'dʒeɪndʒd] unverändert

unchanging [ʌn'dʒeɪndʒɪŋ] unveränderlich

uncharitable [ʌn'tʃærɪtəbl] unfair; *that was rather uncharitable of you* das war nicht gerade nett von dir (*to do* zu tun)

unchecked [ʌn'tʃekt] **1.** *Verbreitung usw.*: ungehindert, ungehemmt **2.** *bei Waren usw.*: unkontrolliert, ungeprüft

uncivil [ˌʌn'sɪvl] unhöflich

uncivilized [ʌn'sɪvəlaɪzd] unzivilisiert

uncle ['ʌŋkl] Onkel

Uncle Sam

Uncle Sam steht als Symbolfigur für die USA. Er wird als älterer, weißhaariger, bärtiger Herr dargestellt, auf dessen Anzug und Zylinder die amerikanische Flagge zu sehen ist.

unclean [ˌʌn'kliːn] unrein (*auch übertragen*)

uncomfortable [ʌn'kʌmftəbl] **1.** unbequem **2.** *feel uncomfortable* sich unbehaglich fühlen

uncommon [ʌn'kɒmən] ungewöhnlich

uncommunicative [ˌʌnkə'mjuːnɪkətɪv] verschlossen, wortkarg

uncompromising [ʌn'kɒmprəmaɪzɪŋ] kompromisslos

unconcerned [ˌʌnkən'sɜːnd] *be unconcerned about* sich keine Gedanken *oder* Sorgen machen über

unconditional [ˌʌnkən'dɪʃnəl] *Kapitulation usw.*: bedingungslos

unconfirmed [ˌʌnkən'fɜːmd] *Bericht, Gerücht usw.*: unbestätigt

unconscious [ʌn'kɒnʃəs] **1.** bewusstlos **2.** *be unconscious of something* sich einer Sache nicht bewusst sein, etwas nicht bemerken **3.** unbewusst, unbeabsichtigt

unconsciousness [ʌn'kɒnʃəsnəs] Bewusstlosigkeit

unconsidered [ˌʌnkən'sɪdəd] *Bemerkung usw.*: unbedacht, unüberlegt

unconstitutional ['ʌnˌkɒnstɪ'tjuːʃnəl] verfassungswidrig

uncontrollable [ˌʌnkən'trəʊləbl] **1.** unkontrollierbar, *Kind*: nicht zu bändigen(d) **2.** *Wut usw.*: unbändig

uncontrolled [ˌʌnkən'trəʊld] **1.** *Kinder*: unbeaufsichtigt **2.** *Gefühlsäußerung*: unkontrolliert, hemmungslos

unconventional [ˌʌnkən'venʃnəl] unkonventionell

uncooked [ˌʌn'kʊkt] ungekocht, roh

uncooperative [ˌʌnkəʊ'ɒprətɪv] nicht entgegenkommend, nicht hilfsbereit

uncork [ˌʌn'kɔːk] entkorken (*Flasche*)

uncountable [ʌn'kaʊntəbl] unzählbar

(*auch Sprache*)

uncouth [ʌn'kuːθ] *Person usw.*: ungehobelt

uncover [ʌn'kʌvə] aufdecken, *übertragen auch*: enthüllen

uncritical [ˌʌn'krɪtɪkl] unkritisch

uncrowned [ˌʌn'kraʊnd] ungekrönt (*auch übertragen*)

uncultured [ʌn'kʌltʃəd] unkultiviert

undamaged [ʌn'dæmɪdʒd] unbeschädigt

undated [ˌʌn'deɪtɪd] *Brief usw.*: undatiert, ohne Datum

undecided [ˌʌndɪ'saɪdɪd] **1.** *Person*: unentschlossen **2.** *Ergebnis usw.*: unentschieden, offen

undelete [ˌʌndɪ'liːt] *Computer*: wiederherstellen (*Datei, Text usw.*)

undeniable [ˌʌndɪ'naɪəbl] unbestreitbar

under[1] ['ʌndə] **1.** *allg.*: unter; *it costs under £10 auch*: es kostet weniger als 10 Pfund **2.** *have someone under one* jemanden unter sich haben

under[2] ['ʌndə] **1.** unten **2.** (≈ *weniger*) darunter

underachieve [ˌʌndərə'tʃiːv] *bes. in der Schule*: hinter den Erwartungen zurückbleiben

underachiever [ˌʌndərə'tʃiːvə] Schüler(in), der/die hinter den Erwartungen zurückbleibt

underage [ˌʌndər'eɪdʒ] minderjährig

undercarriage ['ʌndəˌkærɪdʒ] *Flugzeug*: Fahrwerk

undercharge [ˌʌndə'tʃɑːdʒ] zu wenig berechnen *oder* verlangen; *undercharge someone by £10* jemandem 10 Pfund zu wenig berechnen

underclothes ['ʌndəkləʊ(ð)z] *Pl.* Unterwäsche

undercover [ˌʌndə'kʌvə] *undercover agent* verdeckter Ermittler

undercut [ˌʌndə'kʌt], *undercut, undercut* (im Preis) unterbieten

underdeveloped country [ˌʌndədɪveləpt'kʌntrɪ] Entwicklungsland

underdog ['ʌndədɒg] Benachteiligte(r)

underdone [ˌʌndə'dʌn] *Steak usw.*: nicht gar, nicht durchgebraten

underdress [ˌʌndə'dres] sich zu leger anziehen (*für einen Anlass*)

underestimate [ˌʌndər'estɪmeɪt] **1.** zu niedrig veranschlagen (*Kosten usw.*) **2.** *übertragen* unterschätzen

underfloor ['ʌndəflɔː] *underfloor heating* Fußbodenheizung

undergo [ˌʌndə'gəʊ], *underwent* [ˌʌndə'went], *undergone* [ˌʌndə'gɒn] **1.** erleben, durchmachen **2.** sich unterziehen (*einer Operation usw.*)

undergrad ['ʌndəgræd] *umg.*, **undergrad-**

-uate [ˌʌndə'grædʒʊət] *Universität*: Student(in)

underground[1] [ˌʌndə'graʊnd] **1.** unterirdisch; *underground car park* Tiefgarage **2.** *übertragen* Untergrund...

underground[2] [ˌʌndə'graʊnd] **1.** unterirdisch **2.** *go underground übertragen* untertauchen, in den Untergrund gehen

underground[3] ['ʌndəgraʊnd] **1.** *bes.* BE U-Bahn; *by underground* mit der U-Bahn **2.** *übertragen* Untergrund

undergrowth ['ʌndəgrəʊθ] Unterholz

underhand [ˌʌndə'hænd], **underhanded** [ˌʌndə'hændɪd] hinterhältig

underlie [ˌʌndə'laɪ], *underlay* [ˌʌndə'leɪ], *underlain* [ˌʌndə'leɪn] zugrunde liegen

underline [ˌʌndə'laɪn] unterstreichen (*auch übertragen*)

undermine [ˌʌndə'maɪn] **1.** *übertragen* untergraben, unterminieren **2.** unterspülen

underneath[1] [ˌʌndə'niːθ] unter

underneath[2] [ˌʌndə'niːθ] darunter

underneath[3] [ˌʌndə'niːθ] *umg.* Unterseite

undernourished [ˌʌndə'nʌrɪʃt] unterernährt

underpants ['ʌndəpænts] *Pl.*, *auch pair of underpants* Unterhose

underpass ['ʌndəpɑːs] (Straßen-, Eisenbahn)Unterführung

underpay [ˌʌndə'peɪ], *underpaid* [ˌʌndə'peɪd], *underpaid* [ˌʌndə'peɪd] zu wenig zahlen, unterbezahlen

underprivileged [ˌʌndə'prɪvɪlɪdʒd] unterprivilegiert, benachteiligt

underrate [ˌʌndə'reɪt] unterschätzen

undersecretary [ˌʌndə'sekrətrɪ] *politisch*: Staatssekretär

undershirt ['ʌndəʃɜːt] *AE* Unterhemd

undersigned [ˌʌndə'saɪnd] *the undersigned* der *oder* die Unterzeichnete, die Unterzeichneten

undersize [ˌʌndə'saɪz], **undersized** [ˌʌndə'saɪzd] zu klein

understaffed [ˌʌndə'stɑːft] *Firma, Behörde usw.*: (personell) unterbesetzt

understand [ˌʌndə'stænd], *understood* [ˌʌndə'stʊd], *understood* [ˌʌndə'stʊd] **1.** verstehen; *make oneself understood* sich verständlich machen **2.** *I understand (that)* ... ich habe gehört *oder* erfahren, dass ...; *am I to understand that* ... soll das heißen, dass ...; *give someone to understand that* ... jemandem zu verstehen geben, dass ...

understandable [ˌʌndə'stændəbl] verständlich (*auch übertragen*); *understandably auch*: verständlicherweise

understanding[1] [ˌʌndə'stændɪŋ] **1.** Verstand; *be (oder go) beyond someone's understanding* über jemandes Verstand gehen **2.** Verständnis (*of* für); *with understanding* verständnisvoll **3.** *come to an understanding* eine Abmachung treffen (*with* mit); *on the understanding that ...* unter der Voraussetzung, dass ...

understanding² [ˌʌndə'stændɪŋ] verständnisvoll

understate [ˌʌndə'steɪt] untertreiben, untertrieben darstellen

understatement [ˌʌndə'steɪtmənt] Untertreibung

understood [ˌʌndə'stʊd] **2. und 3.** Form von → **understand**

undertake [ˌʌndə'teɪk], **undertook** [ˌʌndə'tʊk], **undertaken** [ˌʌndə'teɪkən] **1.** übernehmen (*Aufgabe usw.*) **2.** sich verpflichten (*to do* zu tun)

undertaker ['ʌndəteɪkə] (Leichen)Bestatter, Beerdigungsinstitut (△ *nicht Unternehmer*)

undertaking [ˌʌndə'teɪkɪŋ] *a risky undertaking* ein riskantes Unternehmen

underwater¹ [ˌʌndə'wɔːtə] Unterwasser...

underwater² [ˌʌndə'wɔːtə] unter Wasser

underwear ['ʌndəweə] Unterwäsche

underweight [ˌʌndə'weɪt] zu leicht (*by* um), *Person*: untergewichtig; *be underweight by five kilos oder be five kilos underweight* fünf Kilo Untergewicht haben

underwent [ˌʌndə'went] **2.** Form von → **undergo**

underworld ['ʌndəwɜːld] Unterwelt

undeserved [ˌʌndɪ'zɜːvd] *Lob, Tadel usw.*: unverdient

undeservedly [ˌʌndɪ'zɜːvɪdlɪ] unverdient(ermaßen)

undesirable [ˌʌndɪ'zaɪərəbl] unerwünscht

undid [ʌn'dɪd] **2.** Form von → **undo**

undies ['ʌndɪz] *Pl. umg.* (*bes.* Damen)Unterwäsche

undisciplined [ʌn'dɪsɪplɪnd] undiszipliniert, disziplinlos

undiscovered [ˌʌndɪ'skʌvəd] unentdeckt

undisturbed [ˌʌndɪ'stɜːbd] ungestört

undivided [ˌʌndɪ'vaɪdɪd] ungeteilt (*auch übertragen*)

undo [ʌn'duː], **undid** [ʌn'dɪd], **undone** [ʌn'dʌn] **1.** aufmachen, öffnen (*Paket, Verschluss usw.*) **2.** *übertragen* zunichtemachen

undoing [ʌn'duːɪŋ] *be someone's undoing* jemandes Verderben sein

undone [ʌn'dʌn] **3.** Form von → **undo**

undoubtedly [ʌn'daʊtɪdlɪ] zweifellos

undreamed-of [ʌn'driːmdɒv], **undreamt-of** [ʌn'dremtɒv] ungeahnt

undress [ʌn'dres] **1.** sich ausziehen, *beim Arzt*: sich frei machen **2.** ausziehen (*Baby usw.*); *get undressed* sich ausziehen

undrinkable [ʌn'drɪŋkəbl] ungenießbar

undying [ʌn'daɪɪŋ] ewig, unsterblich

unease [ʌn'iːz], **uneasiness** [ʌn'iːzɪnəs] Unbehagen

uneasy [ʌn'iːzɪ] unbehaglich; *I'm uneasy about* mir ist nicht wohl bei

uneatable [ˌʌn'iːtəbl] ungenießbar

uneconomic ['ʌnˌiːkə'nɒmɪk] *Unternehmen, Produkt usw.*: unwirtschaftlich

uneconomical ['ʌnˌiːkə'nɒmɪkl] *im Verbrauch von Rohstoffen, Energie usw.*: unwirtschaftlich, nicht sparsam

uneducated [ʌn'edjʊkeɪtɪd] ungebildet

unemotional [ˌʌnɪ'məʊʃnəl] leidenschaftslos, kühl, beherrscht

unemployed [ˌʌnɪm'plɔɪd] arbeitslos

unemployed [ˌʌnɪm'plɔɪd] *the unemployed Pl.* die Arbeitslosen

unemployment [ˌʌnɪm'plɔɪmənt] Arbeitslosigkeit; *unemployment benefit BE, unemployment compensation AE* Arbeitslosengeld

unemployment – Arbeitslosigkeit

jobcentre	Arbeitsamt
jobless, unemployed	arbeitslos
jobless figures	Arbeitslosenzahl *Sg.*
out of work	arbeitslos
plant closures, *AE* **factory closures**	Fabrikstilllegungen
redundancies, *AE* **layoffs**	Entlassungen
be made redundant, *AE* **be laid off**	seinen Arbeitsplatz verlieren
short-time work	Kurzarbeit
unemployment benefit, jobseeker's allowance; *AE* **unemployment benefits, unemployment compensation**	Arbeitslosengeld
unemployment figures	Arbeitslosenzahl *Sg.*

unending [ʌn'endɪŋ] endlos

unequal [ʌn'iːkwəl] **1.** ungleich, unterschiedlich **2.** *übertragen* ungleich, einseitig

unequalled, *AE* **unequaled** [ʌn'iːkwəld]

U

unerreicht, unübertroffen

uneven [ʌn'iːvn] **1.** *Fläche usw.*: uneben, ungerade **2.** *Verteilung usw.*: ungleichmäßig **3.** *Puls, Atmung usw.*: unregelmäßig **4.** *Leistung usw.*: unterschiedlich **5.** *Zahl*: ungerade

uneventful [ˌʌnɪ'ventfl] ereignislos

unexpected [ˌʌnɪk'spektɪd] unerwartet

unfailing [ʌn'feɪlɪŋ] unerschöpflich

unfair [ˌʌn'feə] unfair, *Wettbewerb*: unlauter

unfaithful [ʌn'feɪθfl] untreu (**to** *dt. Dativ*)

unfamiliar [ˌʌnfə'mɪlɪə] **1.** nicht vertraut **2. be unfamiliar with** nicht kennen

unfashionable [ʌn'fæʃnəbl] unmodern

unfasten [△ ʌn'fɑːsn] aufmachen, öffnen (*Gürtel, Verschluss usw.*)

unfavourable, *AE* **unfavorable** [ʌn'feɪvərəbl] **1.** ungünstig, unvorteilhaft (**to, for** für) **2.** *Reaktion usw.*: negativ, ablehnend

unfeeling [ʌn'fiːlɪŋ] gefühllos, herzlos

unfinished [ˌʌn'fɪnɪʃt] unfertig, unvollendet

unfit [ʌn'fɪt] **1.** *körperlich*: nicht fit, nicht in Form **2.** unfähig, untauglich; **unfit to drive** fahruntüchtig **3.** *für Aufgabe usw.*: unpassend, ungeeignet

unfold [ʌn'fəʊld] auseinanderfalten

unforeseen [ˌʌnfɔː'siːn] unvorhergesehen

unforgettable [ˌʌnfə'getəbl] unvergesslich

unforgivable [ˌʌnfə'gɪvəbl] unverzeihlich

unfortunate [ʌn'fɔːtʃənət] **1.** unglücklich, unglückselig **2.** *Vorfall usw.*: bedauerlich

unfortunately [ʌn'fɔːtʃənətlɪ] leider, bedauerlicherweise

unfounded [ʌn'faʊndɪd] unbegründet

unfriendly [ʌn'frendlɪ] unfreundlich (**to** zu)

unfulfilled [ˌʌnfʊl'fɪld] *Hoffnung, Wunsch usw.*: unerfüllt

unfurnished [ˌʌn'fɜːnɪʃt] *Wohnung, Zimmer*: unmöbliert

ungodly [ʌn'gɒdlɪ] **at some ungodly hour** *umg.* zu einer unchristlichen Zeit

ungrateful [ʌn'greɪtfl] undankbar

unguarded [ʌn'gɑːdɪd] *übertragen* unbedacht

unhappiness [ʌn'hæpɪnəs] Traurigkeit

unhappy [ʌn'hæpɪ] unglücklich

unharmed [ˌʌn'hɑːmd] **1.** *Person*: unverletzt, unversehrt **2.** *Sache, Ruf*: unbeschädigt

unhealthy [ʌn'helθɪ] **1.** kränklich, nicht gesund **2.** (≈ *krank machend*) ungesund **3.** *abwertend* unnatürlich, krankhaft

unheard-of [ʌn'hɜːd‿ɒv] noch nie da gewesen, beispiellos

unhelpful [ʌn'helpfl] nicht hilfreich

unhesitating [ʌn'hezɪteɪtɪŋ] **1.** prompt **2.** bereitwillig; **unhesitatingly** *auch*: anstandslos

unhoped-for [ʌn'həʊpt‿fɔː] unverhofft

unhurt [ʌn'hɜːt] unverletzt

uni ['juːnɪ] *BE, umg.* (≈ *Universität*) Uni

unicorn ['juːnɪkɔːn] *Fabeltier*: Einhorn

unidentified [ˌʌnaɪ'dentɪfaɪd] unbekannt, nicht identifiziert

unification [ˌjuːnɪfɪ'keɪʃn] *von Ländern*: Vereinigung

uniform[1] ['juːnɪfɔːm] Uniform

uniform[2] ['juːnɪfɔːm] einheitlich

uniformed ['juːnɪfɔːmd] in Uniform

uniformity [ˌjuːnɪ'fɔːmətɪ] Einheitlichkeit

unify ['juːnɪfaɪ] **1.** vereinen, vereinigen (*Länder, Organisationen*) **2.** vereinheitlichen (*Systeme usw.*)

unilateral [ˌjuːnɪ'lætrəl] *übertragen* einseitig, *bes. politisch*: unilateral

unimaginable [ˌʌnɪ'mædʒɪnəbl] unvorstellbar

unimaginative [ˌʌnɪ'mædʒɪnətɪv] einfallslos

unimportant [ˌʌnɪm'pɔːtnt] unwichtig

unimpressed [ˌʌnɪm'prest] unbeeindruckt (**by** von)

uninhabitable [ˌʌnɪn'hæbɪtəbl] *Gegend, Haus*: unbewohnbar

uninhabited [ˌʌnɪn'hæbɪtɪd] *Insel, Gegend*: unbewohnt

uninjured [ˌʌn'ɪndʒəd] unverletzt

uninsured [ˌʌnɪn'ʃʊəd] unversichert

unintelligent [ˌʌnɪn'telɪdʒənt] unintelligent

unintelligible [ˌʌnɪn'telɪdʒəbl] unverständlich (**to** für *oder Dativ*)

unintended [ˌʌnɪn'tendɪd], **unintentional** [ˌʌnɪn'tenʃnəl] unabsichtlich, unbeabsichtigt

uninterested [ʌn'ɪntrəstɪd] uninteressiert (**in** an)

uninteresting [ʌn'ɪntrəstɪŋ] uninteressant

uninterrupted [ˌʌnɪntə'rʌptɪd] ununterbrochen

uninvited [ˌʌnɪn'vaɪtɪd] uneingeladen, ungebeten

union ['juːnɪən] **1.** Vereinigung, Union **2.** Gewerkschaft **3. Union Jack** Union Jack (*britische Nationalflagge*)

unionize ['juːnɪənaɪz] (sich) gewerkschaftlich organisieren

unique [juː'niːk] einzigartig, einmalig

unison ['juːnɪsn] **in unison** einstimmig

unit ['juːnɪt] **1.** *allg.*: Einheit **2.** *Schule*: Unit, Lehreinheit **3.** *Technik*: Element, Teil, (Anbau)Element **4.** *in Firma usw.*: Abteilung **5.** *Mathematik*: Einer

unite [juː'naɪt] **1.** verbinden, vereinigen **2.** sich vereinigen *oder* zusammentun

Union Jack

Der Name der Flagge des Vereinigten Königreichs, **Union Jack**, bezieht sich auf die Vereinigung (**union**) Englands und Schottlands im Jahr 1707 sowie auf den Flaggenmast von Schiffen (**jack staff**). Die Flagge kann man sich aus drei übereinanderliegenden Flaggen zusammengesetzt vorstellen: 1. die von **St George** für England (rotes Kreuz auf weißem Hintergrund), 2. die von **St Andrew** für Schottland (zwei diagonale weiße Streifen, die sich auf einem blauen Hintergrund kreuzen) und 3. die von **St Patrick** für Nordirland (zwei diagonale rote Streifen auf weißem Hintergrund).

united [juːˈnaɪtɪd] vereint, vereinigt; **United Nations** Pl. Vereinte Nationen; **be united in** sich einig sein in

United Kingdom [juːˌnaɪtɪdˈkɪŋdəm] *das* Vereinigte Königreich (*Großbritannien und Nordirland*); ☞ *Karte S. 293*

United States [juːˌnaɪtɪdˈsteɪts], **United States of America** [juːˌnaɪtɪdˌsteɪts ˌ-əv əˈmerɪkə] die Vereinigten Staaten (von Amerika), die USA; ☞ *Karte S. 294, 295*

unity [ˈjuːnətɪ] **1.** Einheit **2.** *Mathematik*: Eins

universal [ˌjuːnɪˈvɜːsl] **1.** universal, universell **2.** allgemein

universe [ˈjuːnɪvɜːs] Universum, Weltall

university[1] [ˌjuːnɪˈvɜːsətɪ] Universität, Hochschule; **go to university** die Universität besuchen

university[2] [ˌjuːnɪˈvɜːsətɪ] Universitäts...; **university education** akademische Bildung, Hochschulbildung

unjust [ˌʌnˈdʒʌst] ungerecht (**to** gegen)

unkempt [ˌʌnˈkempt] **1.** *Kleidung usw.*: ungepflegt **2.** *Haar*: ungekämmt

unkind [ˌʌnˈkaɪnd] unfreundlich (**to** zu)

unkindness [ˌʌnˈkaɪndnəs] Unfreundlichkeit

unknown [ˌʌnˈnəʊn] unbekannt

unlawful [ʌnˈlɔːfl] ungesetzlich

unleaded [△ ˌʌnˈledɪd] *Benzin*: bleifrei, unverbleit

unleash [ʌnˈliːʃ] **1.** loslassen, von der Leine lassen (*Hund*) **2.** *übertragen* freien Lauf lassen (*seinem Zorn usw.*); **all his anger was unleashed on her** sein ganzer Zorn entlud sich auf sie

unless [ənˈles] wenn *oder* sofern ... nicht, es sei denn

unlike [ˌʌnˈlaɪk] **1.** im Gegensatz zu **2.** **he's quite unlike his father** er ist ganz anders als sein Vater; **that's very unlike him** das sieht ihm gar nicht ähnlich

unlikely [ʌnˈlaɪklɪ] **1.** **he's unlikely to come** es ist unwahrscheinlich, dass er kommt **2.** unwahrscheinlich, unglaubwürdig

unlimited [ʌnˈlɪmɪtɪd] unbegrenzt

unlisted [ʌnˈlɪstɪd] *Telefon*: **be unlisted** nicht im Telefonbuch stehen, geheim sein; **unlisted number** Geheimnummer

unload [ʌnˈləʊd] entladen (*Fahrzeug*), abladen, ausladen (*auch Gegenstände*)

unlock [ʌnˈlɒk] aufschließen

unluckily [ʌnˈlʌkɪlɪ] unglücklicherweise; **unluckily for me** zu meinem Pech

unlucky [ʌnˈlʌkɪ] Unglücks...; **unlucky day** Unglückstag; **be unlucky** Person: Pech haben, *Umstand usw.*: Unglück bringen

unmade [ˌʌnˈmeɪd] *Bett*: ungemacht

unmanned [ˌʌnˈmænd] *Raumschiff usw.*: unbemannt

unmarked [ˌʌnˈmɑːkt] **1.** nicht gekennzeichnet **2.** *Sport*: ungedeckt, frei

unmarried [ˌʌnˈmærɪd] unverheiratet, ledig

unmask [ˌʌnˈmɑːsk] *übertragen* entlarven

unmatched [ˌʌnˈmætʃt] unvergleichlich, unübertroffen

unmerciful [ʌnˈmɜːsɪfl] erbarmungslos, unbarmherzig

unmistakable [ˌʌnmɪˈsteɪkəbl] unverkennbar, unverwechselbar

unmoved [ʌnˈmuːvd] ungerührt; **he remained unmoved by it** es ließ ihn kalt

unmusical [ˌʌnˈmjuːzɪkl] unmusikalisch

unnamed [ˌʌnˈneɪmd] **1.** (≈ *anonym*) ungenannt **2.** namenlos

unnatural [ʌnˈnætʃrəl] **1.** unnatürlich **2.** *im negativen Sinn*: widernatürlich

unnecessarily [ʌnˈnesəsrəlɪ] unnötigerweise

unnecessary [ʌnˈnesəsərɪ] unnötig

unnerve [ʌnˈnɜːv] entnerven, entmutigen

unnoticed [ʌnˈnəʊtɪst] **go** (*oder* **pass**) **unnoticed** unbemerkt bleiben

unoccupied [ʌnˈɒkjʊpaɪd] **1.** *Haus usw.*: leer (stehend), unbewohnt; **be unoccupied** *Haus usw.*: leer stehen **2.** *Person*: unbeschäftigt **3.** *militärisch*: unbesetzt

unofficial [ˌʌnəˈfɪʃl] inoffiziell

unorthodox [ʌnˈɔːθədɒks] unorthodox, unkonventionell

unpack [ˌʌnˈpæk] auspacken

unpaid [ˌʌnˈpeɪd] unbezahlt

unparalleled [ʌnˈpærəleld] beispiellos

unpardonable [ʌnˈpɑːdnəbl] unverzeihlich

unperturbed [ˌʌnpəˈtɜːbd] gelassen, ruhig

U

unpleasant [ʌn'pleznt] **1.** unangenehm, *Nachricht usw. auch*: unerfreulich **2.** *Person*: unfreundlich

unplug [ˌʌn'plʌg] *von Elektrogerät*: den Stecker herausziehen

unplugged [ˌʌn'plʌgd] *Musik*: (rein) akustisch, unplugged

unpopular [ʌn'pɒpjʊlə] unpopulär, unbeliebt; *make oneself unpopular with* sich unbeliebt machen bei

unprecedented [ʌn'presɪdentɪd] beispiellos, noch nie da gewesen

unpredictable [ˌʌnprɪ'dɪktəbl] **1.** unvorhersehbar **2.** *Person*: unberechenbar

unprejudiced [△ ʌn'predʒʊdɪst] unvoreingenommen, *Recht*: unbefangen

unprepared [ˌʌnprɪ'peəd] **1.** unvorbereitet **2.** nicht gefasst *oder* vorbereitet (*for* auf)

unproductive [ˌʌnprə'dʌktɪv] unproduktiv (*auch übertragen*), unergiebig

unprofessional [ˌʌnprə'feʃnəl] **1.** *Verhalten, Auftreten*: unprofessionell **2.** *Arbeit*: unfachmännisch, laienhaft

unprofitable [ˌʌn'prɒfɪtəbl] **1.** *Geschäft*: unrentabel **2.** *übertragen* nutzlos, zwecklos

unpromising [ˌʌn'prɒmɪsɪŋ] wenig erfolgversprechend, ziemlich aussichtslos

unprovoked [ˌʌnprə'vəʊkt] grundlos

unpublished [ʌn'pʌblɪʃt] unveröffentlicht

unpunctual [ˌʌn'pʌŋktʃʊəl] unpünktlich

unpunctuality [ˌʌnpʌŋktʃʊ'ælətɪ] Unpünktlichkeit

unpunished [ʌn'pʌnɪʃt] unbestraft, ungestraft; *go unpunished* straflos bleiben

unqualified 1. [ˌʌn'kwɒlɪfaɪd] unqualifiziert, ungeeignet (*for* für) **2.** [ʌn'kwɒlɪfaɪd] *Lob usw.*: uneingeschränkt

unquestionable [ʌn'kwestʃənəbl] **1.** *Ansehen, Position usw.*: unbestritten **2.** *Tatsache usw.*: unbezweifelbar

unquestioning [ʌn'kwestʃənɪŋ] *Gehorsam usw.*: bedingungslos

unquote [ˌʌn'kwəʊt] *quote ... unquote* Zitat ... Zitat Ende

unravel [ʌn'rævl], *unravelled, unravelled, AE unraveled, unraveled* **1.** auftrennen (*Pullover usw.*) **2.** (*Pullover usw.*) sich auftrennen **3.** entwirren (*auch übertragen*)

unreadable [ʌn'riːdəbl] **1.** unlesbar, nicht lesbar **2.** *Schrift usw.*: unleserlich

unreal [ʌn'rɪəl] unwirklich

unrealistic [ˌʌnrɪə'lɪstɪk] unrealistisch

unreasonable [ʌn'riːznəbl] **1.** unvernünftig **2.** übertrieben, unzumutbar

unreliable [ˌʌnrɪ'laɪəbl] unzuverlässig

unrequited [ˌʌnrɪ'kwaɪtɪd] *Liebe*: unerwidert

unreserved [ˌʌnrɪ'zɜːvd] **1.** *Zustimmung*

usw.: uneingeschränkt **2.** *Platz im Theater usw.*: nicht reserviert **3.** *Person*: nicht reserviert, offen

unrest [ʌn'rest] *politisch usw.*: Unruhen

unrestrained [ˌʌnrɪ'streɪnd] hemmungslos

unrestricted [ˌʌnrɪ'strɪktɪd] uneingeschränkt

unrewarding [ˌʌnrɪ'wɔːdɪŋ] wenig lohnend, *Aufgabe usw. auch*: undankbar

unripe [ˌʌn'raɪp] unreif

unrivalled, *AE* **unrivaled** [ʌn'raɪvld] unerreicht, unübertroffen

unroll [ʌn'rəʊl] aufrollen, entrollen

unruly [ʌn'ruːlɪ] **1.** ungebärdig, wild **2.** *Haare*: widerspenstig

unsafe [ʌn'seɪf] unsicher, nicht sicher; *feel unsafe* sich nicht sicher fühlen

unsaid [ʌn'sed] *leave something unsaid* etwas nicht aussprechen; *be left* (*oder go*) *unsaid* ungesagt bleiben

unsal(e)able [ˌʌn'seɪləbl] unverkäuflich

unsalted [ˌʌn'sɔːltɪd] ungesalzen

unsanitary [ˌʌn'sænətərɪ] unhygienisch

unsatisfactory [ˌʌnsætɪs'fæktərɪ] **1.** *allg.*: unbefriedigend **2.** *Leistung, Ergebnis auch*: nicht zufriedenstellend

unsatisfied [ʌn'sætɪsfaɪd] unzufrieden (*with* mit)

unscientific ['ʌnˌsaɪən'tɪfɪk] unwissenschaftlich

unscrew [ˌʌn'skruː] abschrauben

unscrupulous [ʌn'skruːpjʊləs] skrupellos, gewissenlos

unseat [ʌn'siːt] **1.** abwerfen (*Reiter*) **2.** *übertragen* des Amtes entheben

unseeded [ˌʌn'siːdɪd] *Sport*: ungesetzt

unseemly [ʌn'siːmlɪ] *Verhalten*: ungebührlich, unziemlich

unseen [ˌʌn'siːn] **1.** ungesehen, unbemerkt (*verschwinden usw.*) **2.** *bes. Hindernis, Gefahr usw.*: unsichtbar

unselfish [ʌn'selfɪʃ] selbstlos, uneigennützig

unsentimental ['ʌnˌsentɪ'mentl] unsentimental

unsettle [ˌʌn'setl] beunruhigen, durcheinanderbringen

unsettled [ˌʌn'setld] **1.** *Frage usw.*: ungeklärt **2.** *Wetter*: unbeständig **3.** *Lage usw.*: unsicher **4.** *Rechnung*: unbeglichen

unshakable, **unshakeable** [ʌn'ʃeɪkəbl] unerschütterlich

unshaven [ˌʌn'ʃeɪvn] unrasiert

unsightly [ʌn'saɪtlɪ] unansehnlich, hässlich

unsigned [ˌʌn'saɪnd] **1.** *Gemälde usw.*: unsigniert **2.** *Brief, Dokument usw.*: nicht unterschrieben, nicht unterzeichnet, ohne Unterschrift

U

unskilled [ˌʌn'skɪld] *Arbeit, Arbeiter*: ungelernt; **unskilled worker** Hilfsarbeiter(in)

unsociable [ʌn'səʊʃəbl] ungesellig

unsocial [ˌʌn'səʊʃl] **1.** *Politik*: unsozial **2.** **work unsocial hours** *BE* außerhalb der normalen Arbeitszeit arbeiten

unsold [ˌʌn'səʊld] unverkauft

unsolicited [ˌʌnsə'lɪsɪtɪd] *Manuskript usw.*: unverlangt eingesandt, *Waren*: unaufgefordert zugesandt, unbestellt

unsolved [ˌʌn'sɒlvd] *Fall usw.*: ungelöst

unsophisticated [ˌʌnsə'fɪstɪkeɪtɪd] **1.** *Person*: einfach **2.** *Technik*: unkompliziert

unsound [ˌʌn'saʊnd] **1.** nicht gesund, krank, *Gesundheit auch*: angegriffen; **of unsound mind** nicht zurechnungsfähig **2.** *Gebäude usw.*: nicht intakt *oder* in Ordnung **3.** *übertragen* unklug, unvernünftig (*Rat usw.*); nicht stichhaltig (*Argument*)

unspeakable [ʌn'spiːkəbl] unbeschreiblich, unsäglich

unspoiled [ˌʌn'spɔɪld], **unspoilt** [ˌʌn'spɔɪlt] unverdorben

unstable [ˌʌn'steɪbl] **1.** instabil (*auch übertragen*) **2.** *Person*: labil

unsteady [ʌn'stedɪ] **1.** wackelig, *Hand*: unsicher **2.** *Preise usw.*: schwankend **3.** ungleichmäßig

unstressed [ˌʌn'strest] *Sprache*: unbetont

unstuck [ˌʌn'stʌk] **1.** **come unstuck** abgehen, sich lösen **2.** **come unstuck** *umg.*; *Person, Plan*: scheitern

unsuccessful [ˌʌnsək'sesfl] erfolglos, vergeblich; **be unsuccessful** keinen Erfolg haben

unsuitable [ʌn'suːtəbl] unpassend, ungeeignet (**for, to** für)

unsure [ˌʌn'ʃʊə] *allg.*: unsicher; **unsure of oneself** unsicher; **I'm unsure whether …** ich bin mir nicht sicher, ob …

unsurpassed [ˌʌnsə'pɑːst] *Qualität, Leistung usw.*: unübertroffen

unsuspected [ˌʌnsə'spektɪd] **1.** unvermutet **2.** *Person*: unverdächtig

unsuspecting [ˌʌnsə'spektɪŋ] nichts ahnend, ahnungslos

unsweetened [ˌʌn'swiːtnd] ungesüßt

unsympathetic [ˌʌnsɪmpə'θetɪk] gefühllos

unthinkable [ʌn'θɪŋkəbl] undenkbar, unvorstellbar

untidy [ʌn'taɪdɪ] unordentlich

untie [ˌʌn'taɪ], **untied, untied**; *-ing-Form* **untying** **1.** aufknoten, lösen (*Knoten*) **2.** losbinden (*Person usw.*) (**from** von)

until [ən'tɪl] **1.** *allg.*: bis **2.** **not until** erst (wenn), nicht vor, nicht bevor; **not until Monday** erst (am) Montag, nicht vor Montag

untimely [ʌn'taɪmlɪ] **1.** *Ankunft, Tod usw.*: vorzeitig, verfrüht **2.** *Zeitpunkt usw.*: unpassend, ungelegen

untiring [ʌn'taɪərɪŋ] unermüdlich

untouched [ʌn'tʌtʃt] **1.** unberührt, unangetastet (*auch Essen*) **2.** (≈ *unbeschädigt*) unversehrt, heil **3.** *emotional*: ungerührt, unbewegt

untranslatable [ˌʌn'trænz'leɪtəbl] unübersetzbar

untreated [ˌʌn'triːtɪd] **1.** *Obst, Gemüse usw.*: (≈ *naturbelassen*) unbehandelt **2.** *Verletzung, Krankheit*: unbehandelt

untrue [ʌn'truː] **1.** *Behauptung*: unwahr **2.** *Partner(in)*: untreu (**to** *dt. Dativ*)

untruth [ʌn'truːθ] Unwahrheit

unused[1] [ˌʌn'juːzd] unbenutzt, ungebraucht

unused[2] [ʌn'juːst] **be unused to something** etwas nicht gewohnt sein

unusual [ʌn'juːʒʊəl] ungewöhnlich

unveil [ˌʌn'veɪl] enthüllen (*Denkmal usw.*)

unvoiced [ˌʌn'vɔɪst] *Sprache*: stimmlos

unwanted [ʌn'wɒntɪd] unerwünscht, *Schwangerschaft auch*: ungewollt

unwelcome [ʌn'welkəm] unwillkommen

unwell [ʌn'wel] **be** (*oder* **feel**) **unwell** sich unwohl fühlen, sich nicht wohlfühlen

unwieldy [ʌn'wiːldɪ] unhandlich, sperrig

unwilling [ʌn'wɪlɪŋ] widerwillig; **be unwilling to do something** nicht bereit sein, etwas zu tun, etwas nicht tun wollen

unwind [ˌʌn'waɪnd], **unwound** [ˌʌn'waʊnd], **unwound** [ˌʌn'waʊnd] **1.** abwickeln **2.** sich abwickeln **3.** *umg.* abschalten, sich entspannen

unwise [ˌʌn'waɪz] unklug

unwitting [ʌn'wɪtɪŋ] **1.** unwissentlich **2.** unbeabsichtigt

unworthy [ʌn'wɜːðɪ] **be unworthy of something** einer Sache nicht würdig sein, etwas nicht verdienen

unwound [ˌʌn'waʊnd] *2. und 3. Form von* → **unwind**

unwrap [ʌn'ræp], **unwrapped, unwrapped** auswickeln, auspacken

unwritten [ˌʌn'rɪtn] **unwritten law** *übertragen* ungeschriebenes Gesetz

unyielding [ʌn'jiːldɪŋ] unnachgiebig

unzip [ˌʌn'zɪp], **unzipped, unzipped 1.** *eines Kleids, einer Tasche usw.*: den Reißverschluss aufmachen; **could you unzip me, please?** könntest du mir bitte den Reißverschluss aufmachen? **2.** *Computer*: entzippen, entpacken (*Datei*)

up[1] [ʌp] **1.** oben; **up there** dort oben;

U

jump up and down hüpfen; *walk up and down* auf und ab *oder* hin und her gehen **2.** *coffee prices usw. are up this month* die Kaffeepreise *usw.* sind diesen Monat gestiegen **3.** *come up to someone* auf jemanden zukommen **4.** (≈ *zu Ende*) *time's up* die Zeit ist um; *eat up* aufessen **5.** (≈ *nicht im Bett*) auf; *is he up yet?* ist er schon auf? **6.** *up to* bis zu; *up to a moment ago* bis vor einem Augenblick **7.** *be up to something umg.* etwas vorhaben, etwas im Schilde führen; *I'm not up to it* ich bin der Sache nicht gewachsen; *it's up to you* das liegt bei Ihnen (*bzw.* bei dir)

up² [ʌp] oben auf, herauf, hinauf; *up the river* flussaufwärts; *climb up a tree* auf einen Baum hinaufklettern

up³ [ʌp] **1.** nach oben (gerichtet), Aufwärts... **2.** *be well up in* (*oder* **on**) *umg.* viel verstehen von **3.** *be up for sale* zum Verkauf stehen **4.** *what's up? umg.* was ist los?

up⁴ [ʌp], **upped, upped 1.** *umg.* erhöhen (*Angebot, Preis usw.*) **2.** *he upped and left her umg.* er hat sie von heute auf morgen sitzen lassen

up-and-coming [ˌʌpən'kʌmɪŋ] *Talent usw.*: vielversprechend, Nachwuchs...

upbringing ['ʌpˌbrɪŋɪŋ] Erziehung

upcoming ['ʌpˌkʌmɪŋ] bevorstehend

update¹ [ˌʌp'deɪt] auf den neuesten Stand bringen, aktualisieren

update² ['ʌpdeɪt] **1.** Aktualisierung **2.** *von Computerprogramm*: Update

upgrade [ˌʌp'greɪd] nachrüsten (*Computer*)

upheaval [ʌp'hi:vl] Aufruhr, Umwälzung

uphill¹ [ˌʌp'hɪl] aufwärts, bergan

uphill² [ˌʌp'hɪl] **1.** *Straße usw.*: bergauf führend **2.** *übertragen* mühselig, hart

upholstery [ʌp'həʊlstəri] Polsterung

upkeep ['ʌpki:p] Unterhalt(ungskosten)

upload [ˌʌp'ləʊd] *Computer*: uploaden, heraufladen (*Programm usw.*)

upmarket [ˌʌp'mɑ:kɪt] **1.** *Kundenkreis*: anspruchsvoll **2.** *Produkt, Hotel usw.*: exklusiv

upon [ə'pɒn] **1.** *förmlich* auf **2.** *once upon a time there was ...* es war einmal ...

upper¹ ['ʌpə] obere(r, -s); *upper arm* Oberarm; *upper class(es) Gesellschaft*: Oberschicht; *upper deck Schiff, Bus*: Oberdeck

upper² ['ʌpə] Obermaterial (*eines Schuhs*)

Upper Austria [ˌʌpə(r)'ɒstriə] Oberösterreich

uppercase ['ʌpəkeɪs], **uppercase letter** [ˌʌpəkeɪs'letə] Großbuchstabe, Versal;

in uppercase (*letters*) in Großbuchstaben

upper class [ˌʌpə'klɑ:s] Oberschicht

upper-class [ˌʌpə'klɑ:s] **1.** Oberschicht..., der Oberschicht **2.** *Akzent, Auftreten*: vornehm

uppercut ['ʌpəkʌt] *Boxen*: Aufwärtshaken, Uppercut

uppermost ['ʌpəməʊst] oberste(r, -s); *be uppermost übertragen* an erster Stelle stehen

upright¹ ['ʌpraɪt] **1.** aufrecht, gerade, senkrecht **2.** *übertragen* rechtschaffen, aufrecht

upright² [ʌpraɪt] aufrecht, gerade; *sit upright* gerade sitzen

upright³ ['ʌpraɪt] Pfosten

uprising ['ʌpˌraɪzɪŋ] Aufstand

upriver [ʌp'rɪvə] flussaufwärts

uproar ['ʌprɔː] Aufruhr, Tumult; *be in uproar* in Aufruhr sein

ups and downs [ˌʌpsən'daʊnz] *Pl. die* Höhen und Tiefen (*des Lebens*)

upset¹ [ˌʌp'set], **upset, upset**; *-ing-Form* **upsetting 1.** *übertragen* aus der Fassung bringen, aufregen **2.** *übertragen* durcheinanderbringen (*Pläne usw.*) **3.** *the fish has upset my stomach* ich habe mir durch den Fisch den Magen verdorben **4.** umkippen, umstoßen, umwerfen

upset² ['ʌpset] **1.** *stomach upset* Magenverstimmung **2.** *bes. Sport*: Überraschung

upside down [ˌʌpsaɪd'daʊn] verkehrt herum; *turn upside down* umdrehen, *übertragen auch*: auf den Kopf stellen

upstairs [ʌp'steəz] ↔ *downstairs* **1.** *auf die Frage „wohin"*: nach oben, die Treppe herauf *oder* hinauf; *let's go upstairs* gehen wir nach oben **2.** *auf die Frage „wo"*: oben, im oberen Stockwerk; *the upstairs flats* oder *apartments* die oberen Wohnungen

upstream [ʌp'stri:m] flussauf(wärts)

uptake ['ʌpteɪk] *be quick on the uptake umg.* schnell schalten; *be slow on the uptake umg.* schwer von Begriff sein

up-to-date [ˌʌptə'deɪt] **1.** modern **2.** aktuell

up-to-the-minute [ˌʌptəðə'mɪnɪt] **1.** hochmodern **2.** allerneueste(r, -s)

uptown [ʌp'taʊn] *AE* in den besseren Wohnvierteln (gelegen *oder* lebend); *in uptown Los Angeles* in den Außenbezirken von Los Angeles

upward¹ ['ʌpwəd] *AE* nach oben; *face upward* mit dem Gesicht nach oben

upward² ['ʌpwəd] Aufwärts...

upwards ['ʌpwədz] **1.** nach oben; *face upwards* mit dem Gesicht nach oben **2.**

U

from £2 upwards ab 2 Pfund; *upwards of £2 umg.* mehr als 2 Pfund **3.** *übertragen* aufwärts

uranium [jʊ'reɪnɪəm] *Chemie:* Uran

urban ['ɜ:bən] städtisch, Stadt...

urge¹ [ɜ:dʒ] **1.** *auch* **urge on** antreiben, *übertragen auch:* ansporen (**to** zu) **2.** *urge someone* jemanden drängen (**to do** zu tun) **3.** drängen auf

urge² [ɜ:dʒ] Drang, Verlangen

urgency ['ɜ:dʒənsɪ] Dringlichkeit

urgent ['ɜ:dʒənt] dringend; *it's urgent auch:* es eilt; *they're in urgent need of ...* sie brauchen *oder* benötigen dringend ...

urine ['jʊərɪn] Urin

URL [ˌjuːɑːr'el] (*Abk. für* **U**niform *oder* **U**niversal **R**esource **L**ocator) *Computer:* URL-Adresse

urn [ɜ:n] **1.** Urne **2.** Großkaffeemaschine, Großteemaschine

us [əs, *betont* ʌs] **1.** uns (*Akkusativ oder Dativ von* **we**); *both of us* wir beide; *all of us* wir alle **2.** *umg.* wir; *they're older than us* sie sind älter als wir; *it's us* wir sinds **3.** *reflexiv:* uns; *we looked behind us* wir sahen hinter uns

US [ˌjuː'es] *Abk. für* → *the* **United States**

USA [ˌjuːes'eɪ] *Abk. für* → *the* **United States of America;** ☞ *Karte S. 294, 295*

usable ['juːzəbl] brauchbar, verwendbar

usage ['juːsɪdʒ] **1.** *von Wörtern:* (Sprach)Gebrauch **2.** *von Gegenständen:* Behandlung **3.** Brauch, Gepflogenheit; *it's common usage* es ist allgemein üblich

USB port [ˌjuːes'biːˌpɔːt] *Computer:* USB-Anschluss

use¹ [juːz], **used** [juːzd], **used** [juːzd] **1.** *allg.:* benutzen, gebrauchen, verwenden; *do you know how to use this?* kannst du damit umgehen? **2.** anwenden (*Taktik, Methode, Gewalt usw.*) **3.** (≈ *aufbrauchen*) brauchen, verbrauchen (*Benzin usw.*) **4.** *im negativen Sinn:* benutzen, ausnutzen (*Person*) (**for** für) **5.** *I usw. could use ...* ich *usw.* könnte ... brauchen; *I could use a drink* ich könnte etwas zu trinken brauchen

use² [△ juːs] **1.** Benutzung, Gebrauch, Verwendung; *come into use* in Gebrauch kommen; *make use of* Gebrauch machen von, benutzen **2.** Verwendung(szweck); *it has many uses* es

ist vielseitig verwendbar **3.** Nutzen; *be of use* nützlich *oder* von Nutzen sein (**to** für); *what's the use of that?* was nützt das?; *it's no use complaining* es hat keinen Zweck, sich zu beklagen

use³ [△ juːs], **used** [△ juːst], **used** [△ juːst] *I used to live here* ich habe früher hier gewohnt; *he used to be a chain smoker* er war früher einmal Kettenraucher

use-by date ['juːz baɪ ˌdeɪt] Verfallsdatum

used¹ [juːzd] gebraucht; *used car* Gebrauchtwagen

used² [juːst] *be used to something* etwas gewohnt sein; *be used to doing something* es gewohnt sein, etwas zu tun

useful ['juːsfl] nützlich; *make oneself useful* sich nützlich machen

useless ['juːsləs] nutzlos; *it's useless auch:* es ist zwecklos (**to do** zu tun)

user ['juːzə] **1.** Benutzer(in) **2.** Verbraucher(in)

user-friendly [ˌjuːzə'frendlɪ] *Wörterbuch usw.:* benutzerfreundlich, leicht zu handhaben

user name ['juːzəˌneɪm] *Computer:* Benutzername

usher ['ʌʃə] **1.** *in Theater, Kino:* Platzanweiser(in) **2.** *BE* Gerichtsdiener

usherette [ˌʌʃə'ret] Platzanweiserin

USSR [ˌjuːeses'ɑː] (*Abk. für* **U**nion of **S**oviet **S**ocialist **R**epublics) *historisch:* UdSSR

usual ['juːʒʊəl] üblich; *as usual* wie gewöhnlich *oder* üblich; *it's not usual for him to be so late* er kommt normalerweise nicht so spät

usually ['juːʒəlɪ] meistens, (für) gewöhnlich, normalerweise

usury ['juːʒərɪ] Wucher

utensil [juː'tensl] Gerät; *utensils Pl. auch:* Utensilien

uterus ['juːtərəs] *Pl.:* *uteruses oder uteri* [△ 'juːtəraɪ] *Körper:* Gebärmutter

utility [juː'tɪlətɪ] **1.** Nutzen, Nützlichkeit **2.** *auch* **public utility** Versorgungsbetrieb

utilize ['juːtəlaɪz] nutzen, verwenden

utmost¹ ['ʌtməʊst] äußerste(r, -s), höchste(r, -s), größte(r, -s)

utmost² ['ʌtməʊst] *das* Äußerste; *do one's utmost* sein Möglichstes tun

utter¹ ['ʌtə] *mst. bei Negativem:* total, völlig

utter² ['ʌtə] ausstoßen (*Seufzer*), äußern

utterance ['ʌtrəns] Äußerung

U-turn ['juːtɜ:n] **1.** *do a U-turn Auto:* wenden **2.** *übertragen* Kehrtwendung

---

use up [ˌjuːz'ʌp] aufbrauchen, verbrauchen

U

V

v. [viː, ˈvɜːsəs] *Abk. für* → *versus*

vac [væk] *BE*, *umg.* Semesterferien

vacancy [ˈveɪkənsɪ] **1.** *'vacancies'* „Zimmer frei"; *'no vacancies'* „belegt" **2.** *Arbeit*: freie *oder* offene Stelle; *'vacancies'* „wir stellen ein"

vacant [ˈveɪkənt] **1.** leer stehend, unbewohnt; *'vacant' Toilette*: „frei" **2.** *Arbeitsstelle*: frei, offen **3.** *Blick usw.*: leer

vacate [vəˈkeɪt] räumen (*Zimmer usw.*)

vacation[1] [vəˈkeɪʃn] **1.** *bes. AE* Ferien, Urlaub; *be on vacation* im Urlaub sein **2.**; *Universität*: Semesterferien

vacation[2] [vəˈkeɪʃn] *bes. AE* Urlaub machen, die Ferien verbringen

vacationer [vəˈkeɪʃnə] *bes. AE* Urlauber(in)

vaccinate [ˈvæksɪneɪt] impfen (*against* gegen)

vaccination [ˌvæksɪˈneɪʃn] Impfung

vaccination certificate [ˌvæksɪˈneɪʃn_səˌtɪfɪkət] Impfpass

vaccine [ˈvæksiːn] Impfstoff

vacuum[1] [ˈvækjʊəm] Vakuum

vacuum[2] [ˈvækjʊəm] saugen (*Teppich usw.*), staubsaugen

vacuum bottle [ˈvækjʊəmˌbɒtl] *AE* Warmhalteflasche

vacuum cleaner [ˈvækjʊəmˌkliːnə] Staubsauger

vacuum flask [ˈvækjʊəm_flɑːsk] *BE* Thermosflasche

vacuum packed [ˌvækjʊəmˈpækd] vakuumverpackt

vagina [△ vəˈdʒaɪnə] *Körper*: Scheide

vagrant [ˈveɪɡrənt] Landstreicher(in)

vague [△ veɪɡ] verschwommen, *übertragen auch*: vage; *be vague* sich nur vage äußern (*about* über, zu); *I haven't got the vaguest idea* ich habe nicht die leiseste Ahnung

vain [veɪn] **1.** eingebildet, eitel **2.** *Versuch usw.*: vergeblich; *in vain auch*: vergebens

valence [ˈveɪləns] *bes. AE*, **valency** [ˈveɪlənsɪ] *bes. BE Chemie*: Wertigkeit, Valenz

valentine [ˈvæləntaɪn] **1.** *Person, der man am Valentinstag einen Gruß schickt* **2.** Valentinskarte

valet [ˈvælɪt, ˈvæleɪ] (Kammer)Diener

valid [ˈvælɪd] **1.** *Argument usw.*: stichhaltig, triftig **2.** *Ausweis, Fahrkarte usw.*: gültig (*for two weeks* zwei Wochen); *be valid auch*: gelten **3.** *Recht*: rechtsgültig

valley [ˈvælɪ] Tal

validity [vəˈlɪdətɪ] **1.** *von Argument usw.*: Stichhaltigkeit **2.** *von Ausweis, Fahrkarte usw.*: Gültigkeit, Gültigkeitsdauer **3.** *Recht*: Rechtsgültigkeit

valuable[1] [ˈvæljʊəbl] wertvoll

valuable[2] [ˈvæljʊəbl] *mst.* **valuables** *Pl.* Wertsachen

value[1] [ˈvæljuː] *allg.*: Wert; *be of value* wertvoll sein (*to* für); *be good value oder be value for money* preiswert sein

value[2] [ˈvæljuː] **1.** schätzen (*Haus usw.*) (*at* auf) **2.** schätzen (*jemandes Rat usw.*)

value-added tax [ˌvæljuːˌædɪdˈtæks] *BE*; *Wirtschaft*: Mehrwertsteuer

values [ˈvæljuːz] *Pl.* (*bes.* sittliche) Werte

valve [vælv] **1.** *Technik, Instrument*: Ventil **2.** *Körper*: Klappe

vampire [ˈvæmpaɪə] Vampir

van [væn] **1.** Lieferwagen, Transporter **2.** *BE; Bahn*: (geschlossener) Güterwagen

vandal [ˈvændl] **1.** *Vandal historisch*: Vandale **2.** *übertragen* Vandale, Rowdy

vandalism [ˈvændəlɪzm] Wandalismus

vandalize [ˈvændəlaɪz] mutwillig zerstören

vanguard [ˈvænɡɑːd] **1.** *militärisch*: Vorhut **2.** *be in the vanguard (of)* an der Spitze stehen (von)

vanilla [vəˈnɪlə] Vanille

vanish [ˈvænɪʃ] **1.** (*Person*) verschwinden; *vanish into thin air* sich in Luft auflösen **2.** (*Angst, Hoffnung usw.*) schwinden

vanity [ˈvænətɪ] Eitelkeit

vanity case [ˈvænətɪ_keɪs] Schminkkoffer

vapor [ˈveɪpə] *AE* Dampf, Dunst; ☞ *BE* **vapour**

vaporize [ˈveɪpəraɪz] verdampfen, verdunsten

vapour [ˈveɪpə] *bes. BE* Dampf, Dunst

variable[1] [ˈveərɪəbl] **1.** *Größe, Wert usw.*: variabel, veränderlich **2.** *Maschine usw.*: regulierbar **3.** *Wetter usw.*: unbeständig

variable[2] [ˈveərɪəbl] *Mathematik*: Variable, veränderliche Größe (*beide auch übertragen*)

variant [ˈveərɪənt] Variante

variation [ˌveərɪˈeɪʃn] **1.** Schwankung, Abweichung **2.** *Musik*: Variation (*on* über)

varied [ˈveərɪd] **1.** unterschiedlich **2.** abwechslungsreich, *Leben*: bewegt

variety [vəˈraɪətɪ] **1.** Abwechslung **2.** Vielfalt; *for a variety of reasons* aus den verschiedensten Gründen **3.** *Wirt-*

schaft: Auswahl (*of* an) **4.** *Tierwelt, Pflanzenwelt*: Art, Sorte **5.** Varietee, Show

various ['veərɪəs] **1.** *bei Auswahl usw.*: verschieden **2.** mehrere, verschiedene; *for various reasons* aus mehreren Gründen

varnish¹ ['vɑːnɪʃ] Lack

varnish² ['vɑːnɪʃ] lackieren

vary ['veɪɪ] **1.** variieren, (*Meinungen*) auseinandergehen (*on* über); *vary in size* verschieden groß sein **2.** (ver)ändern

vase [vɑːz] Vase

vast [vɑːst] **1.** *Größe*: riesig **2.** *Fläche*: weit

vastly ['vɑːstlɪ] gewaltig, weitaus

VAT [ˌviːeɪˈtiː, væt] (*Abk. für* value-added tax) Mehrwertsteuer

Vatican ['vætɪkən] *the Vatican* der Vatikan

vault¹ [vɔːlt] **1.** *auch vaults Pl.* (Keller)-Gewölbe **2.** *auch vaults Pl.* Stahlkammer, Tresorraum **3.** *Baustil*: Gewölbe

vault² [vɔːlt] springen, setzen (über)

vault³ [vɔːlt] Sprung

VD [ˌviːˈdiː] (*Abk. für* **v**enereal **d**isease) Geschlechtskrankheit

've [v, əv] *Abk. für* → **have¹, have²**

veal [viːl] Kalbfleisch

veal cutlet [ˌviːlˈkʌtlət] Kalbsschnitzel

veer [vɪə] *veer to the left* (*Auto*) nach links scheren

veg [△ vedʒ] *Pl.*: *veg bes. BE, umg.* Gemüse; *and two veg* und zweierlei Gemüse

vegan ['viːgən] Veganer(in)

vegeburger ['vedʒɪˌbɜːgə] Gemüseburger

vegetable ['vedʒtəbl] *mst. vegetables Pl.* Gemüse; *and two vegetables* und zweierlei Gemüse; ☞ *Illu S. 883*

vegetarian¹ [ˌvedʒəˈteərɪən] Vegetarier(in)

vegetarian² [ˌvedʒəˈteərɪən] vegetarisch

vegetate ['vedʒəteɪt] dahinvegetieren

vegetation [ˌvedʒəˈteɪʃn] Vegetation

veggie¹ ['vedʒɪ] *umg.* **1.** *BE* Vegetarier(in) **2.** *bes. AE, mst. veggies* Gemüse

veggie² ['vedʒɪ] *umg.* **1.** *BE* vegetarisch **2.** *bes. AE* Gemüse…

vehement [△ 'viːəmənt] vehement, heftig

vehicle [△ 'viːɪkl] **1.** Fahrzeug **2.** *übertragen* Medium

veil [veɪl] Schleier

vein [veɪn] Ader (*auch bei Pflanzen, Geologie*), *im engeren Sinn*: Vene

Velcro® ['velkrəʊ] *Velcro (fastening)* Klettverschluss®

velocity [vəˈlɒsətɪ] *Physik, Technik*: Geschwindigkeit

velvet ['velvɪt] Samt

vendetta [venˈdetə] **1.** *ursprünglich*: Blutrache **2.** (≈ *lang andauernder Streit*) Fehde

vending machine ['vendɪŋ‿məˌʃiːn] (Waren)Automat

vendor ['vendə] Händler(in); *newspaper vendor* Zeitungsverkäufer(in)

venerable ['venərəbl] ehrwürdig

venerate ['venəreɪt] verehren

veneration [ˌvenəˈreɪʃn] Verehrung

venereal disease [vəˌnɪərɪəl‿dɪˈziːz] Geschlechtskrankheit

Venetian blind [vəˌniːʃnˈblaɪnd] Jalousie

vengeance ['vendʒəns] **1.** Rache; *take vengeance on* sich rächen an **2.** *with a vengeance umg.* gewaltig, und wie

Venice ['venɪs] Venedig

venison ['venɪsən] Wildbret (*Rehfleisch*)

venom [△ 'venəm] **1.** *von Tieren*: Gift **2.** *übertragen* Gehässigkeit

venomous [△ 'venəməs] **1.** *Tier*: giftig **2.** *übertragen* gehässig

vent¹ [vent] abreagieren (*Wut usw.*) (*on* an)

vent² [vent] **1.** (Abzugs)Öffnung **2.** *übertragen* Ventil; *give vent to* Luft machen (*seinem Ärger usw.*)

ventilate ['ventɪleɪt] lüften, belüften

ventilation [ˌventɪˈleɪʃn] (Be)Lüftung

ventilator ['ventɪleɪtə] **1.** Ventilator, Lüfter **2.** *Medizin*: Beatmungsgerät

venture¹ ['ventʃə] **1.** *bes. Wirtschaft*: Unternehmen **2.** (gewagtes) Unternehmen

venture² ['ventʃə] **1.** sich wagen (*wohin*) **2.** (zu äußern) wagen; *venture to do something* es wagen, etwas zu tun **3.** riskieren (*Ruf usw.*), aufs Spiel setzen (*on* bei)

venture capital ['ventʃəˌkæpɪtl] *Wirtschaft*: Risikokapital

venue ['venjuː] Schauplatz, *Sport*: Austragungsort

veranda, verandah [vəˈrændə] Veranda

verb [vɜːb] *Sprache*: Verb, Zeitwort

verbal ['vɜːbl] **1.** mündlich **2.** Wort…

verbalize ['vɜːbəlaɪz] ausdrücken, in Worte fassen, verbalisieren

verdict ['vɜːdɪkt] **1.** *Recht*: Spruch (*der Geschworenen*); *verdict of guilty* Schuldspruch **2.** Meinung, Urteil (*on* über)

verge [vɜːdʒ] Rand (*auch übertragen*); *be on the verge of tears* den Tränen nahe sein

---

verge on ['vɜːdʒ‿ɒn] *übertragen* grenzen an

verify ['verɪfaɪ] **1.** bestätigen (*Aussage usw.*) **2.** (über)prüfen **3.** nachweisen, beweisen (*Theorie usw.*)

veritable ['verɪtəbl] *verstärkend*: wahr (*Triumph usw.*)

vermin ['vɜːmɪn] **1.** Schädlinge, Ungeziefer **2.** *übertragen* Gesindel, Pack

vernacular [və'nækjʊlə] **1.** Landessprache **2.** *regional*: Dialekt, Mundart

versatile ['vɜːsətaɪl] **1.** vielseitig **2.** *Material usw.*: vielseitig verwendbar

verse [vɜːs] **1.** Poesie, Versdichtung **2.** Vers (*auch Bibelvers*) **3.** *von Lied*: Strophe

versed [vɜːst] *be (well) versed in* beschlagen *oder* bewandert sein in

version ['vɜːʃn] **1.** Ausführung, Version (*eines Geräts usw.*) **2.** Version, Darstellung (*eines Ereignisses*) **3.** Version, Fassung (*eines Textes*) **4.** Übersetzung

versus ['vɜːsəs] *Recht, Sport*: gegen

vertebra ['vɜːtɪbrə] *Pl.*: **vertebrae** ['vɜːtɪbriː] *Körper*: Wirbel

vertebral column [‚vɜːtɪbrəl'kɒləm] *Körper*: Rückgrat, Wirbelsäule

vertebrate ['vɜːtɪbrət] *Zoologie*: Wirbeltier

vertical ['vɜːtɪkl] senkrecht, vertikal

vertigo ['vɜːtɪgəʊ] *suffer from vertigo* an *oder* unter Höhenangst leiden

very[1] ['verɪ] **1.** sehr; *very much older* sehr viel älter; *I very much hope that ...* ich hoffe sehr, dass ...; *very well* also gut **2.** aller...; *the very last drop* der allerletzte Tropfen; *for the very last time* zum allerletzten Mal

very[2] ['verɪ] **1.** *the very* genau der *oder* die *oder* das; *the very opposite* genau das Gegenteil; *it's the very thing* es ist genau das Richtige (*for doing* zu tun) **2.** *the very thought* schon der Gedanke (*of* an); *the very idea!* um Himmels willen!

vessel ['vesl] **1.** Schiff **2.** Gefäß (*auch von Körper, Pflanze*)

vest [vest] **1.** △ *BE* Unterhemd, Ⓐ, Ⓒⱨ (Unter)Leibchen **2.** △ *AE* Weste (△ *Weste = BE waistcoat*)

vet[1] [vet] *umg.* Tierarzt, Tierärztin

vet[2] [vet], *vetted, vetted bes. BE, umg.* überprüfen

vet[3] [vet] *AE, umg.* Veteran

veteran[1] ['vetərən] Veteran (*auch übertragen*)

veteran[2] ['vetərən] **1.** altgedient, erfahren **2.** *veteran car BE*; *Auto*: Oldtimer (*Baujahr bis 1905*)

veterinarian [‚vetərɪ'neərɪən] *AE*, **veterinary surgeon** [‚vetərənərɪ'sɜːdʒən] *BE* Tierarzt, Tierärztin

veto[1] [△ 'viːtəʊ] *Pl.*: **vetos** Veto

veto[2] [△ 'viːtəʊ] sein Veto einlegen gegen

via ['vaɪə] über, *bei Städtenamen auch*: via

vibes [vaɪbz] *Pl. umg.* **1.** Atmosphäre (*eines Orts*), Ausstrahlung (*von Menschen*) **2.** Vibraphon

vibrant ['vaɪbrənt] **1.** *Farbe usw.*: kräftig **2.** *Leben*: pulsierend **3.** *Person*: dynamisch

vibrate [vaɪ'breɪt] **1.** vibrieren, zittern **2.** (*Luft*) flimmern (*with heat* vor Hitze) **3.** *the city vibrates with life* in der Stadt pulsiert das Leben

vibration [vaɪ'breɪʃn] **1.** Vibrieren, Zittern **2.** *vibrations Pl. umg.* Atmosphäre (*eines Orts*), Ausstrahlung (*von Menschen*)

vicar ['vɪkə] *BE* Pfarrer

vice[1] [vaɪs] Laster

vice[2] [vaɪs] *bes. BE, Technik*: Schraubstock

vice[3] [vaɪs] Vize..., stellvertretend

vice versa [‚vaɪs(ɪ)'vɜːsə] *and vice versa* und umgekehrt

vicinity [vɪ'sɪnətɪ] *in the vicinity of* in der Nähe von (*oder Genitiv*); *in this vicinity* hier in der Nähe

vicious ['vɪʃəs] **1.** *charakterlich*: boshaft, bösartig **2.** *Angriff, Täter usw.*: brutal **3.** *Kopfschmerzen usw.*: brutal, gemein

vicious circle [‚vɪʃəs'sɜːkl] Teufelskreis

victim ['vɪktɪm] Opfer; *fall victim to* betroffen werden von, *bei Krankheit*: erkranken an

victimize ['vɪktɪmaɪz] ungerecht behandeln, schikanieren

vest

V

victor ['vɪktə] *förmlich* Sieger(in)

victorious [vɪk'tɔːrɪəs] siegreich

victory ['vɪktərɪ] Sieg

video[1] ['vɪdɪəʊ] *Pl.*: **videos** 1. *auch vid-eo cassette, videotape* Video(kassette); *on video* auf Video 2. *auch video (cassette) recorder* Videorekorder

video[2] ['vɪdɪəʊ] *bes. BE* auf Video aufnehmen, aufzeichnen

video camera ['vɪdɪəʊˌkæmərə] Videokamera

video card ['vɪdɪəʊˌkɑːd] *Computer*: Video-Karte

video clip ['vɪdɪəʊˌklɪp] Videoclip

video nasty [ˌvɪdɪəʊ'nɑːstɪ] *BE* Horrorvideo, Pornovideo

videophone ['vɪdɪəʊfəʊn] Bildtelefon

video recorder ['vɪdɪəʊˌrɪˌkɔːdə] Videorekorder

video recording ['vɪdɪəʊˌrɪˌkɔːdɪŋ] Videoaufnahme

video shop ['vɪdɪəʊˌʃɒp] Videothek

videotape ['vɪdɪəʊteɪp] auf Video aufnehmen, aufzeichnen

vie [vaɪ], *vied, vied*; *-ing-Form* **vying** wetteifern (*with* mit; *for* um)

Vienna [vɪ'enə] Wien

view[1] [vjuː] 1. Sicht (*of* auf); *in full view of someone* direkt vor jemandes Augen; *in view of übertragen* angesichts (+ *Genitiv*); *with a view to übertragen* mit Blick auf; *with a view to doing something* in *oder* mit der Absicht, etwas zu tun; *be on view* ausgestellt *oder* zu besichtigen sein; *come into view* in Sicht kommen 2. Aussicht, Blick (*of* auf); *a room with a view* ein Zimmer mit schöner Aussicht 3. *Fotografie*: Ansicht 4. Meinung, Ansicht (*about, on* über); *in my view* meiner Ansicht nach 5. *übertragen* Überblick (*of* über) 6. *have in view* in Aussicht haben 7. *keep in view* im Auge behalten

view[2] [vjuː] 1. *übertragen* betrachten (*as* als; *with* mit) 2. besichtigen (*Haus usw.*) 3. fernsehen

viewer ['vjuːə] (Fernseh)Zuschauer(in)

viewfinder ['vjuːˌfaɪndə] *an Kamera*: Sucher

viewpoint ['vjuːpɔɪnt] Standpunkt

vigil ['vɪdʒɪl] (Nacht)Wache; *keep vigil* wachen (*over* bei) (*bes. bei Kranken*)

vigilance ['vɪdʒɪləns] Wachsamkeit

vigilant ['vɪdʒɪlənt] wachsam

vigilante [ˌvɪdʒɪ'læntɪ] Mitglied einer Bürgerwehr; *vigilantes* Bürgerwehr

vigor ['vɪgə] *AE* Energie; ☞ *BE* **vigour**

vigorous ['vɪgərəs] energisch

vigour ['vɪgə] *bes. BE* Energie

Viking ['vaɪkɪŋ] *historisch*: Wikinger

vile [vaɪl] 1. *Geruch, Wetter usw.*: scheußlich 2. *Denk-, Handlungsweise*: niedrig, gemein

villa ['vɪlə] Villa

village ['vɪlɪdʒ] Dorf

villager ['vɪlɪdʒə] Dorfbewohner(in)

villain ['vɪlən] 1. *in Film usw.*: Bösewicht 2. *BE, umg.* Ganove 3. *umg.* Bengel

vindictive [vɪn'dɪktɪv] nachtragend, rachsüchtig

vine [vaɪn] 1. (Wein)Rebe 2. Kletterpflanze (△ *Wein* = **wine**)

vinegar ['vɪnɪgə] Essig

vineyard [△ 'vɪnjəd] Weinberg

vintage[1] ['vɪntɪdʒ] 1. Jahrgang (*eines Weins*) 2. Weinlese

vintage[2] ['vɪntɪdʒ] 1. *Wein*: Jahrgangs… 2. glänzend, hervorragend 3. *vintage car bes. BE* Oldtimer (*Baujahr 1919-30*)

viola [vɪ'əʊlə] Bratsche

violate ['vaɪəleɪt] 1. verletzen, brechen (*Vertrag usw.*) 2. stören (*Frieden usw.*) 3. schänden (*Grab*) 4. vergewaltigen (*Frau*)

violation [ˌvaɪə'leɪʃn] 1. Verletzung, Bruch (*eines Vertrags usw.*) 2. Störung 3. Schändung (*eines Grabes*) 4. Vergewaltigung

violence ['vaɪələns] 1. Gewalt 2. Gewalttätigkeit 3. *von Unwetter*: Heftigkeit

violent ['vaɪələnt] 1. gewalttätig 2. gewaltsam; *violent crime* Gewaltverbrechen 3. *Auseinandersetzung, Sturm usw.*: heftig

violet[1] ['vaɪələt] Veilchen

violet[2] ['vaɪələt] *Farbe*: lila, *dunkler*: violett

violin [ˌvaɪə'lɪn] Geige, Violine

violinist [ˌvaɪə'lɪnɪst] Geiger(in), Violinist(in)

VIP [ˌviːaɪ'piː] (*Abk. für* **v**ery **i**mportant **p**erson) prominente Persönlichkeit

viral ['vaɪrəl] *medizinisch*: Virus…

virgin[1] ['vɜːdʒɪn] 1. Jungfrau 2. *umg., übertragen* (gänzlich) unerfahrene Person; *I'm an internet virgin* mit dem Internet habe ich überhaupt keine Erfahrung

virgin[2] ['vɜːdʒɪn] unberührt (*auch übertragen*)

Virgo ['vɜːgəʊ] *Sternzeichen*: Jungfrau

virile ['vɪraɪl] 1. männlich 2. potent

virility [vɪ'rɪlətɪ] 1. Männlichkeit 2. Potenz

virtual ['vɜːtʃʊəl] 1. *it's a virtual certainty that* es steht praktisch fest, dass 2. *virtual reality Computer*: virtuelle Realität

virtually ['vɜːtʃʊəlɪ] praktisch, so gut wie

virtue ['vɜːtʃuː] 1. Tugend(haftigkeit) 2. Tugend; *make a virtue of necessity* aus der Not eine Tugend machen 3. *by* (*oder in*) *virtue of* kraft (+ *Genitiv*), aufgrund

V

(+ *Genitiv*)

virtuous ['vɜːtʃʊəs] tugendhaft (△ *nicht* **virtuos**)

virulent ['vɪrʊlənt] **1.** *Krankheit*: bösartig, *Gift*: schnell wirkend **2.** *übertragen* gehässig

virus ['vaɪrəs] *medizinisch*: Virus (*auch Computer*); **virus scanner** *Computer*: Virensuchprogramm

visa ['viːzə] Visum, *im Pass eingetragenes auch*: Sichtvermerk

visibility [,vɪzə'bɪlətɪ] Sicht, Sichtweite

visible ['vɪzəbl] **1.** sichtbar **2.** *übertragen* (er)sichtlich

vision ['vɪʒn] **1.** Sehkraft **2.** *übertragen* Weitblick **3.** Vision; **have visions of doing something** sich schon etwas tun sehen

visionary[1] ['vɪʒnərɪ] **1.** *positiv*: weit blickend **2.** *negativ*: eingebildet, unwirklich

visionary[2] ['vɪʒnərɪ] **1.** *positiv*: Visionär, Seher(in) **2.** *negativ*: Fantast(in)

visit[1] ['vɪzɪt] **1.** besuchen (*Person*), besichtigen (*Museum usw.*) **2.** **be visiting** auf Besuch sein (*AE* **in**; **with** bei) **3.** inspizieren

visit with ['vɪzɪt_wɪð] *AE* plaudern mit

visit[2] ['vɪzɪt] **1.** Besuch, Besichtigung (**to** dt. *Genitiv*); **for** (*oder* **on**) **a visit** auf Besuch; **pay someone a visit** jemandem einen Besuch abstatten, *Arzt*: aufsuchen; **I've got to pay a visit** *BE*, *umg.* ich muss mal verschwinden **2.** *AE* Plauderei (**with** mit)

visiting card ['vɪzɪtɪŋ_kɑːd] Visitenkarte

visiting hours ['vɪzɪtɪŋ_aʊəz] *Pl.* Besuchszeit

visiting professor [,vɪzɪtɪŋ_prə'fesə] Gastprofessor(in)

visiting team [,vɪzɪtɪŋ'tiːm] *Sport*: **the visiting team** die Gäste *Pl.*

visitor ['vɪzɪtə] Besucher(in) (**to** dt. *Genitiv*; **from** aus); **visitors** *Pl.* **to England** Englandbesucher; **have visitors** Besuch haben; **visitors' book** Gästebuch

visor ['vaɪzə] **1.** an *Helm*: Visier **2.** Schirm (*einer Mütze*) **3.** *Auto*: (Sonnen)-Blende

vista ['vɪstə] Aussicht, Blick (**of** auf)

visual ['vɪʒʊəl] **1.** Seh… **2.** visuell; **visual aids** *Pl. Schule*: Anschauungsmaterial

visualize ['vɪʒʊəlaɪz] sich vorstellen

vital ['vaɪtl] **1.** unbedingt notwendig (**to**, **for** für); **of vital importance** von größter Wichtigkeit **2.** *Organ usw.*: lebenswichtig

vitality [vaɪ'tælətɪ] Vitalität, Lebenskraft

vitally ['vaɪtlɪ] **1.** vital, kraftvoll **2.** äußerst; **vitally important** äußerst wichtig

vital statistics [,vaɪtl_stə'tɪstɪks] **1.** Bevölkerungsstatistik **2.** *humorvoll* Maße (*einer Frau*)

vitamin ['vɪtəmɪn] Vitamin

viva ['vaɪvə] *BE*, *umg.* → **viva voce**

vivacious [vɪ'veɪʃəs] *bes. Frau*: lebhaft, temperamentvoll

viva voce [△ ,vaɪvə'vəʊsɪ] *Universität*: mündliche Prüfung

vivid ['vɪvɪd] **1.** *Licht*: hell **2.** *Farben*: kräftig, leuchtend **3.** *Schilderung usw.*: anschaulich **4.** *Fantasie*: lebhaft

vivisection [,vɪvɪ'sekʃn] Vivisektion

V-neck ['viːnek] V-Ausschnitt

vocab ['vəʊkæb] *umg.* Wörterverzeichnis

vocabulary [vəʊ'kæbjʊlərɪ] **1.** Vokabular, Wortschatz **2.** Wörterverzeichnis

vocal[1] ['vəʊkl] **1.** Stimm…; **vocal cords** *oder* **chords** *Pl. Körper*: Stimmbänder **2.** *Protest usw.*: lautstark

vocal[2] ['vəʊkl] **vocals by …** Gesang: …

vocalist ['vəʊkəlɪst] Sänger(in)

vocation [vəʊ'keɪʃn] **1.** Begabung (**for** für) **2.** Berufung

vocational [vəʊ'keɪʃnəl] Berufs…; **vocational training** Berufsausbildung

vogue [vəʊg] Mode; **be in vogue** Mode sein

vogue expression [,vəʊg_ɪk'spreʃn], **vogue word** [,vəʊg'wɜːd] Modewort

voice[1] [vɔɪs] **1.** Stimme (*auch übertragen*) **2.** **active voice** *Sprache*: Aktiv; **passive voice** *Sprache*: Passiv

voice[2] [vɔɪs] **1.** zum Ausdruck bringen (*Meinung usw.*) **2.** *Sprache*: stimmhaft aussprechen

voiced [vɔɪst] *Sprache*: stimmhaft

voiceless ['vɔɪsləs] *Sprache*: stimmlos

voice mail ['vɔɪs_meɪl] Voicemail, telefonische Nachricht

voice output ['vɔɪs,aʊtpʊt] *Computer*: Sprachausgabe

void[1] [vɔɪd] **1.** leer; **void of** ohne **2.** *Recht*: nichtig, ungültig

void[2] [vɔɪd] Leere

volatile ['vɒlətaɪl] **1.** *Lage*: unbeständig **2.** *Person*: sprunghaft

volcano [vɒl'keɪnəʊ] *Pl.*: **volcanoes** *oder* **volcanos** Vulkan

volley ['vɒlɪ] **1.** Salve, Hagel (*von Fragen usw.*) **2.** *Tennis*: Volley, Flugball, *Fußball*: Volleyschuss

volleyball ['vɒlɪbɔːl] *Sport*: Volleyball

volt [vəʊlt] *Elektrotechnik*: Volt

voltage ['vəʊltɪdʒ] *Elektrotechnik*: Spannung

volume ['vɒljuːm] **1.** Lautstärke; **at full volume** in voller Lautstärke; **turn the volume up** (*bzw.* **down**) lauter (*bzw.* leiser) drehen; **volume control** Lautstärkeregler **2.** *Mathematik, Physik*: Volumen, Rauminhalt **3.** *Handel usw.*: Volumen, *Verkehr*: Aufkommen **4.** *Buch*: Band; *a two-volume novel* ein zweibändiger Roman

voluminous [⚠ vəˈluːmɪnəs] **1.** *Behältnis*: geräumig **2.** *Bericht usw.*: umfangreich

voluntarily [ˈvɒləntərəlɪ] freiwillig

voluntary [ˈvɒləntərɪ] **1.** freiwillig **2.** *Tätigkeit*: unbezahlt

volunteer¹ [ˌvɒlənˈtɪə] **1.** sich freiwillig melden (*for* zu) (*auch zum Militär*) **2.** anbieten (*Hilfe usw.*); *volunteer to do something* sich anbieten, etwas zu tun **3.** von sich aus sagen

volunteer² [ˌvɒlənˈtɪə] Freiwillige(r) (*auch beim Militär*), freiwilliger Helfer

vomit [ˈvɒmɪt] **1.** sich übergeben **2.** erbrechen, spucken

vote¹ [vəʊt] **1.** Abstimmung (*about, on* über); *put to the vote* abstimmen lassen über; *take a vote on* abstimmen über **2.** *bei Wahl*: Stimme; *cast one's vote for oder give one's vote to* stimmen für **3.** Stimmzettel **4.** Wahlrecht; *get the vote* wahlberechtigt werden

vote² [vəʊt] **1.** wählen, abstimmen; *vote for* (*bzw. against*) stimmen für (*bzw.* gegen) **2.** *vote that umg.* vorschlagen, dass

vote on [ˈvəʊt‿ɒn] abstimmen über
vote out [ˌvəʊtˈaʊt] *vote out of office* abwählen

voter [ˈvəʊtə] Wähler(in)

vouch for [ˈvaʊʃ‿fɔː] **1.** sich verbürgen für **2.** bürgen für

voucher [ˈvaʊtʃə] Gutschein

vow¹ [vaʊ] Gelöbnis; *make* (*oder take*) *a vow* ein Gelöbnis ablegen

vow² [vaʊ] geloben, schwören (*to do* zu tun)

vowel [ˈvaʊəl] *Sprache*: Selbstlaut, Vokal

voyage [ˈvɔɪdʒ] (See)Reise

vs. [ˈvɜːsəs] *Abk. für* → *versus*

vulgar [ˈvʌlgə] **1.** vulgär, ordinär **2.** geschmacklos

vulnerable [ˈvʌlnərəbl] **1.** *übertragen* verwundbar, verletzbar **2.** anfällig (*to* für)

vulture [ˈvʌltʃə] *Vogel*: Geier

W

wacky [ˈwækɪ] *umg.* verrückt

wad [wɒd] **1.** Knäuel, *Watte usw.*: Bausch **2.** Bündel (*Banknoten, Papier usw.*)

waddle [ˈwɒdl] watscheln

wade [weɪd] *im Wasser*: waten

wafer [ˈweɪfə] **1.** (Eis)Waffel **2.** *Religion*: Hostie

waffle¹ [ˈwɒfl] Waffel

waffle² [ˈwɒfl] *bes. BE, umg.* schwafeln

wag [wæg], **wagged, wagged 1.** *wag one's finger at someone* jemandem mit dem Finger drohen **2.** *wag its tail* (*Hund*) mit dem Schwanz wedeln

wage¹ [weɪdʒ] *mst. wages Pl.* Lohn

wage² [weɪdʒ] *wage (a) war against* (*oder on*) Krieg führen gegen

wage claim [ˈweɪdʒ‿kleɪm], **wage demand** [ˈweɪdʒ‿dɪˌmɑːnd] Lohn- *oder* Gehaltsforderung

wage earner [ˈweɪdʒˌɜːnə] Lohnempfänger(in)

wage freeze [ˈweɪdʒ‿friːz] Lohnstopp

wage rise [ˈweɪdʒ‿raɪz] *BE* Lohnerhöhung

wages [ˈweɪdʒɪz] *Pl.* Lohn

wagon, *BE auch* **waggon** [ˈwægən] **1.** Fuhrwerk, Wagen **2.** *BE*; *Eisenbahn*: (offener) Güterwagen

wail [weɪl] **1.** (*Person*) jammern **2.** (*Wind*) heulen

waist [weɪst] Taille

waistcoat [⚠ ˈweɪskəʊt] *bes. BE* Weste

waistline [ˈweɪstlaɪn] Taille

wait¹ [weɪt] **1.** warten (*for* auf); *wait (for) 10 minutes* 10 Minuten warten; *wait for someone auch*: jemanden erwarten; *wait for someone to do something* darauf warten, dass jemand etwas tut; *it can wait* das kann warten (*until* bis); *keep someone waiting* jemanden warten lassen; *I can't wait to see him* ich kann es kaum erwarten, ihn zu sehen; *wait and see!* warte es ab!; *I'll have to wait and see how …* ich muss abwarten, wie … **2.** *wait* (*at table*) (*Kellner, Bedienung usw.*) bedienen

wait on ['weɪt ˌɒn] *wait on someone* jemanden bedienen (*bes. im Restaurant*)
wait up [ˌweɪt'ʌp] *wait up umg.* aufbleiben (*for* wegen)

wait² [weɪt] **1.** Wartezeit; *have a long wait* lange warten müssen (*for* auf) **2.** *lie in wait for someone* jemandem auflauern

waiter ['weɪtə] Kellner, Ober, *als Anrede*: (Herr) Ober

waiting ['weɪtɪŋ] *'no waiting'* „Halteverbot"

waiting room ['weɪtɪŋ ˌruːm] *Bahnhof*: Wartesaal, *beim Arzt usw.*: Wartezimmer

waitress¹ ['weɪtrəs] Kellnerin, Bedienung, ⊕ Serviertochter

waitress² ['weɪtrəs] kellnern; *she spent the summer waitressing* sie hat im Sommer als Kellnerin gearbeitet

wake¹ [weɪk], **woke** [wəʊk], **woken** ['wəʊkən] *AE auch* **waked, waked 1.** *auch* **wake up** (auf)wecken, *übertragen* wecken **2.** *auch* **wake up** aufwachen, wach werden, *übertragen* wach werden

wake² [weɪk] *in the wake of* als Folge von

wake³ [weɪk] Totenwache

waken ['weɪkən] **1.** *auch* **waken up** (auf)-wecken **2.** *auch* **waken up** aufwachen

wake-up call ['weɪkʌp ˌkɔːl] Weckruf, *übertragen* Alarmzeichen

Wales [weɪlz] Wales; ☞ *Karte S. 293*

walk¹ [wɔːk] **1.** (zu Fuß) gehen, laufen **2.** spazieren gehen, *über längere Strecke*: wandern **3.** bringen, begleiten (*Person*) (*to* zu); *walk someone home* jemanden nach Hause bringen **4.** ausführen (*Hund*)

walk away [ˌwɔːk ə'weɪ] weggehen
walk in [ˌwɔːk'ɪn] hineingehen, hereinkommen
walk into [ˌwɔːk'ɪntʊ] **1.** hineingehen in, hereinkommen in **2.** *walk into someone* mit jemandem zusammenstoßen **3.** *walk into a trap übertragen* in eine Falle gehen
walk off [ˌwɔːk'ɒf] fortgehen, weggehen
walk out on [ˌwɔːk'aʊt ˌɒn] *walk out on someone umg.* jemanden sitzen lassen
walk up [ˌwɔːk'ʌp] **1.** hinaufgehen, heraufkommen **2.** *walk up to someone* auf jemanden zugehen

walk² [wɔːk] **1.** Spaziergang, Wanderung; *go for* (*oder* **have, take**) *a walk* einen Spaziergang machen, spazieren gehen;

it's just a five-minute walk from here es sind zu Fuß nur fünf Minuten **2.** Spazierweg, Wanderweg **3.** *Art der Bewegung*: Gang

walkabout ['wɔːkəˌbaʊt] *bes. BE, umg.* Bad in der Menge; *do oder* **go on a walkabout** ein Bad in der Menge nehmen

walker ['wɔːkə] **1.** Spaziergänger(in), Wanderer, Wanderin **2.** *Sport*: Geher(in)

walkies ['wɔːkɪz] *Pl.* **go walkies** *BE umg.* Gassi gehen

walking ['wɔːkɪŋ] Gehen, Spazierengehen, Wandern

walking shoes ['wɔːkɪŋ ˌʃuːz] *Pl.* Wanderschuhe

walk-on ['wɔːkɒn] *walk-on part Theater*: Statistenrolle

walkout ['wɔːkaʊt] **1.** Arbeitsniederlegung, Streik **2.** *bei Verhandlung usw.*: Verlassen des Saales (unter Protest)

walkover ['wɔːkˌəʊvə] **1.** leichter *oder* müheloser Sieg **2.** *übertragen* Kinderspiel

wall¹ [wɔːl] **1.** Wand (*auch übertragen*); *wall of fire* Feuerwand **2.** Mauer (*auch übertragen*) **3.** *drive someone up the wall umg.* jemanden wahnsinnig machen

wall² [wɔːl] mit einer Mauer umgeben

wallet ['wɒlɪt] Brieftasche

wallflower ['wɔːlˌflaʊə] *übertragen, umg.* Mauerblümchen

wallop¹ [△ 'wɒləp] *umg.; harter Schlag*: Ding; *give someone a wallop* jemandem ein Ding verpassen

wallop² [△ 'wɒləp] *umg., Sport*: in die Pfanne hauen (*at* in)

wallow ['wɒləʊ] **1.** (*Tier*) sich wälzen **2.** *wallow in luxury* im Luxus schwelgen

wall painting ['wɔːlˌpeɪntɪŋ] Wandgemälde

wallpaper¹ ['wɔːlˌpeɪpə] **1.** Tapete **2.** *Computer*: Hintergrundbild

wallpaper² ['wɔːlˌpeɪpə] tapezieren

wall-to-wall [ˌwɔːltə'wɔːl] *wall-to-wall carpeting* Teppichboden

wally ['wɒlɪ] *BE, umg.* Trottel

walnut ['wɔːlnʌt] **1.** Walnuss **2.** Walnussbaum **3.** *Holz*: Nussbaum

walrus ['wɔːlrəs] Walross

waltz¹ [wɔːls] *Musik*: Walzer

waltz² [wɔːls] Walzer tanzen

wand [wɒnd] (Zauber)Stab

wander ['wɒndə] **1.** herumlaufen, streifen (*etwas ziellos*) (△ *eine Wanderung machen = hike*) **2.** *wander from* (*oder* **off**) *the topic* vom Thema abschweifen **3.** (*Gedanken usw.*) wandern

wander about *oder* **around** [ˌwɒndər ə'baʊt *oder* ə'raʊnd] herumirren

wane [weɪn] (*Mond*) abnehmen

wangle ['wæŋgl] *umg.* organisieren (*Eintrittskarten usw.*); **wangle something out of someone** jemandem etwas abluchsen

wank [wæŋk] *BE*; *vulgär* wichsen

wanker ['wæŋkə] *BE*; *vulgär* Wichser

wanna ['wɒnə] *Kurzform von* **want to** *oder* **want a**

want[1] [wɒnt] **1.** wollen; **I don't want to** ich will nicht; **he knows what he wants** er weiß, was er will; **want to do something** etwas tun wollen; **want someone to do something** wollen, dass jemand etwas tut; **want something done** wollen, dass etwas getan wird; **it wants doing straightaway** *BE*, *umg.* es muss sofort erledigt werden **2.** brauchen, sprechen wollen (*Person*); **you're wanted on the phone** du wirst am Telefon verlangt **3. be wanted** (polizeilich) gesucht werden (**for** wegen) **4.** *umg.* brauchen, nötig haben **5. you want to see a doctor** *umg.* du solltest zum Arzt gehen

want[2] [wɒnt] **1.** Mangel (**of** an); **for want of** mangels (+ *Genitiv*) **2.** Bedürfnis, Wunsch **3. live in want** Not leiden

wanting ['wɒntɪŋ] **1. be found wanting** den Ansprüchen nicht genügen **2. they're wanting in** es fehlt *oder* mangelt ihnen an

wanton ['wɒntən] **1.** mutwillig **2.** *Frau, Leben:* liederlich **3.** *Blick usw.:* lüstern

war [wɔː] **1.** Krieg (*auch übertragen*) **2.** *übertragen* Kampf (**against** gegen)

warble ['wɔːbl] (*Vogel*) trillern

war crime ['wɔː‿kraɪm] Kriegsverbrechen

war criminal ['wɔːˌkrɪmɪnl] Kriegsverbrecher(in)

ward [wɔːd] **1.** Station (*eines Krankenhauses*) **2.** *politisch:* Stadtbezirk **3.** *Recht:* Mündel

---

ward off [ˌwɔːd'ɒf] abwehren (*Schlag usw.*), abwenden (*Gefahr usw.*)

---

warden ['wɔːdn] **1.** *von Museum usw.:* Aufseher(in) **2.** *von Jugendherberge:* Herbergsvater, Herbergsmutter **3.** *AE* (Gefängnis)Direktor(in)

warder ['wɔːdə] *BE* Aufsichtsbeamte, Aufsichtsbeamtin (*in Gefängnis*)

wardrobe ['wɔːdrəʊb] **1.** (Kleider)-Schrank **2.** *Kleiderbestand:* Garderobe

ware [weə] *in Zusammensetzungen:* ...waren; **glassware** Glaswaren

warehouse ['weəhaʊs] *Pl.:* **warehouses** ['weəˌhaʊzɪz] Lager(haus), Warenlager (△ *Warenhaus* = **department store**)

warfare ['wɔːfeə] Kriegsführung (*auch psychologische*); **chemical warfare** Einsatz von chemischen Waffen

warhead ['wɔːhed] *militärisch:* Sprengkopf

warm[1] [wɔːm] **1.** warm (*auch Farben, Stimme usw.*); **I'm** (*oder* **I feel**) **warm** mir ist warm; **dress warmly** sich warm anziehen **2.** *Empfang:* warm, herzlich

warm[2] [wɔːm] **1.** wärmen; **warm one's hands** sich die Hände wärmen **2.** aufwärmen

---

warm to ['wɔːm‿tʊ] *übertragen* sich erwärmen für

warm up [ˌwɔːm'ʌp] **1.** wärmen **2.** warm *oder* wärmer werden **3.** aufwärmen (*Speise*) **4.** warm laufen lassen (*Motor*) **5.** *Sport:* sich aufwärmen

---

warm-hearted [ˌwɔːm'hɑːtɪd] **1.** warmherzig **2.** *Empfang:* warm, herzlich

warming ['wɔːmɪŋ] **global warming** Erwärmung der Erdatmosphäre

warmonger ['wɔːˌmʌŋɡə] Kriegshetzer(in)

warm start [ˌwɔːm'stɑːt] *Auto, Computer:* Warmstart

warmth ['wɔːmθ] Wärme

warm-up ['wɔːmʌp] Aufwärmtraining

warn [wɔːn] **1.** warnen (**against**, **of** vor); **warn someone not to do** (*oder* **against doing**) **something** jemanden davor warnen, etwas zu tun **2.** verständigen (*Person usw.*) (**of** von; **that** davon, dass)

warning[1] ['wɔːnɪŋ] **1.** Warnung (**of** vor); **without warning** ohne Vorwarnung; **let that be a warning to you** das soll dir eine Warnung sein! **2.** Verwarnung

warning[2] ['wɔːnɪŋ] Warn...; **warning signal** Warnsignal (*auch übertragen*); **warning triangle** *Auto:* Warndreieck

war paint ['wɔː‿peɪnt] **1.** *von Indianern usw.:* Kriegsbemalung **2.** *humorvoll* Make-up

warpath ['wɔːpɑːθ] **be on the warpath** auf dem Kriegspfad sein

warrant ['wɒrənt] **arrest warrant** Haftbefehl

warranty ['wɒrəntɪ] *für Ware:* Garantie; **the printer is still under warranty** auf dem Drucker ist noch Garantie

warrior ['wɒrɪə] Krieger

Warsaw ['wɔːsɔː] Warschau

warship ['wɔːʃɪp] Kriegsschiff

wart [wɔːt] Warze

wary ['weərɪ] vorsichtig

was [wəz, *betont* wɒz] **2.** *Form von* → **be** **1.** **I, he, she, it was** ich, er, sie, es war **2.** *Passiv:* **I, he, she, it was** ich, er, sie, es wurde

wash¹ [wɒʃ] **1.** waschen; **wash your hands** wasch dir die Hände!; **get washed** sich waschen; **wash the dishes** Geschirr spülen **2.** sich waschen **3.** *that won't wash* umg. das glaubt kein Mensch

---

wash out [ˌwɒʃˈaʊt] **1.** auswaschen **2.** **be washed out** Spiel usw.: wegen Regens abgesagt *oder* abgebrochen werden

wash up [ˌwɒʃˈʌp] **1.** abwaschen, (das) Geschirr spülen **2.** *AE* sich waschen **3.** (*Meer*) anschwemmen, anspülen

---

wash² [wɒʃ] **1.** Wäsche; **be in the wash** in der Wäsche sein; **give something a wash** etwas waschen; **have a wash** bes. *BE* sich waschen **2.** **car wash** Autowaschanlage

washable [ˈwɒʃəbl] waschbar, waschecht

washbasin [ˈwɒʃˌbeɪsn] *BE* Waschbecken, ⊕ Lavabo

washboard [ˈwɒʃbɔːd] Waschbrett (*auch Musikinstrument*)

washboard abs [ˌwɒʃbɔːdˈæbz] *Pl.*, *umg.* Waschbrettbauch

washbowl [ˈwɒʃbəʊl] *AE* Waschbecken, ⊕ Lavabo

washcloth [ˈwɒʃklɒθ] *AE* Waschlappen

washedout [ˌwɒʃtˈaʊt] **1.** *Stoff*: verwaschen **2.** *umg.* schlapp, erschöpft

washer [ˈwɒʃə] **1.** *Technik*: Dichtungsring **2.** *AE* Waschmaschine

washing [ˈwɒʃɪŋ] Wäsche (*auch Textilien*); **do the washing** die Wäsche waschen

washing machine [ˈwɒʃɪŋ məˌʃiːn] Waschmaschine

washing-up [ˌwɒʃɪŋˈʌp] *BE* Abwasch (*auch Geschirr*); **do the washing-up** den Abwasch machen

wash-out [ˈwɒʃaʊt] *umg.* **1.** Pleite **2.** *Person*: Niete

washroom [ˈwɒʃruːm] *AE* Toilette

wasn't [ˈwɒznt] *Kurzform von* **was not**

wasp [wɒsp] Wespe

waste¹ [weɪst] **1.** Verschwendung; **waste of time** Zeitverschwendung **2.** Abfall, Müll; **waste separation** Mülltrennung

waste² [weɪst] verschwenden, vergeuden (*Geld*, *Zeit usw.*) (**on** an, für); **waste one's time doing something** seine Zeit damit verschwenden, etwas zu tun

waste³ [weɪst] **1.** ungenutzt, überschüssig **2.** Abfall…; **waste material** Abfallstoffe **3.** *Land*: brachliegend

wastebasket [ˈweɪstˌbɑːskɪt] *AE* Papierkorb

waste disposal [ˈweɪst dɪˌspəʊzl] Abfallbeseitigung, Müllentsorgung

wasteful [ˈweɪstfl] verschwenderisch

waste paper [ˌweɪstˈpeɪpə] Papierabfall

wastepaper basket [ˌweɪstˈpeɪpəˌbɑːskɪt] Papierkorb

waste pipe [ˈweɪstˌpaɪp] Abflussrohr

waste product [ˈweɪstˌprɒdʌkt] Abfallprodukt

waster [ˈweɪstə] Verschwender(in)

watch¹ [wɒtʃ] **1.** beobachten, zuschauen (bei), sich ansehen; **watch someone do** (*oder* **doing**) **something** beobachten, wie jemand etwas tut; **watch TV** (*oder* **television**) fernsehen **2.** aufpassen auf, achten auf; **watch you don't spill your coffee** pass auf, dass du deinen Kaffee nicht verschüttest; **watch it!** umg. pass auf!, Vorsicht!, *drohend*: pass bloß auf!; **watch one's step** *übertragen* aufpassen

---

watch for [ˈwɒtʃ ˌfɔː] Ausschau halten nach

watch out [ˌwɒtʃˈaʊt] **watch out!** pass auf!, Vorsicht!

watch out for [ˌwɒtʃˈaʊt ˌfɔː] **1.** Ausschau halten nach **2.** sich in Acht nehmen vor

---

watch² [wɒtʃ] (Armband)Uhr

watch³ [wɒtʃ] Wache; **be on the watch for** Ausschau halten nach

watchdog [ˈwɒtʃdɒg] Wachhund

watchful [ˈwɒtʃfl] wachsam

watchman [ˈwɒtʃmən] *Pl.*: **watchmen** [ˈwɒtʃmən] Wachmann, Wächter

watchstrap [ˈwɒtʃstræp], *AE* **watchband** [ˈwɒtʃbænd] Uhrarmband

water¹ [ˈwɔːtə] Wasser; ☞ **waters**

---

water: Tipps zur Aussprache

v und **w** tun sich *im Englischen* gegenseitig nur weh, wenn man sie gleich ausspricht.

Das englische **w** wird ganz anders als das deutsche gesprochen, es klingt eher wie das „u" bei dem Entsetzensschrei „Uaah!" **What?** spricht sich also wie „uott", und **wind** spricht sich wie „uind"!

Das englische **v** wird dagegen wie ein deutsches **w** in „**W**asser", „**w**inzig", „**W**unsch" *usw.* ausgesprochen.

Kein Grund also, die beiden Laute im Eifer des Gefechts miteinander zu verwechseln oder gar beide wie das englische **w** zu sprechen.

W

water² ['wɔːtə] **1.** gießen (*Blumen*), sprengen (*Rasen usw.*) **2.** (*Augen*) tränen; *the sight made my mouth water* bei dem Anblick lief mir das Wasser im Mund zusammen **3.** tränken (*Vieh*)

waterbed ['wɔːtəbed] Wasserbett

water bird ['wɔːtə‿bɜːd] Wasservogel

watercolour, *AE* watercolor ['wɔːtəˌkʌlə] **1.** Wasserfarbe, Aquarellfarbe **2.** *Bild:* Aquarell

waterfall ['wɔːtəfɔːl] Wasserfall

waterfront ['wɔːtəfrʌnt] Hafenviertel

watering can ['wɔːtərɪŋ‿kæn] Gießkanne

water lily ['wɔːtəˌlɪlɪ] *Pflanze:* Seerose

watermark ['wɔːtəmɑːk] *in Geldscheinen usw.:* Wasserzeichen

watermelon ['wɔːtəˌmelən] *Frucht:* Wassermelone

water pipe ['wɔːtə‿paɪp] **1.** Wasserrohr **2.** *zum Rauchen:* Wasserpfeife

water polo ['wɔːtəˌpəʊləʊ] *Sport:* Wasserball (*Spiel*)

waterproof ['wɔːtəpruːf] wasserdicht

waters ['wɔːtəz] *Pl.* **1.** Gewässer *Pl.* **2.** Wasser *Pl.* (*eines Flusses usw.*) **3.** Heilquelle; *drink can take the waters* eine Kur machen; ☞ *water¹*

water skiing ['wɔːtəˌskiːɪŋ] Wasserskilaufen

watertight ['wɔːtətaɪt] **1.** wasserdicht **2.** *Argument, Alibi usw.:* hieb- und stichfest, wasserdicht

waterwings ['wɔːtəwɪŋz] *Pl.* Schwimmflügel *Pl.*

waterworks ['wɔːtəwɜːks] *Pl.* **1.** (△ *oft mit Sg.*) Wasserwerk **2.** *umg.* Blase **3.** *turn on the waterworks umg.* das Heulen anfangen

watery ['wɔːtərɪ] wässerig, wässrig

watt [wɒt] *Elektrotechnik:* Watt

wave¹ [weɪv] **1.** winken (mit), schwenken; *wave one's hand* winken; *wave someone goodbye* jemandem zum Abschied zuwinken; *wave at* (*oder* **to**) *someone* jemandem zuwinken **2.** (*Fahne*) wehen **3.** in Wellen legen (*Haar*) **4.** (*Haar*) sich wellen

wave² [weɪv] **1.** *allg.:* Welle (*auch übertragen*) **2.** *give someone a wave* jemandem zuwinken

wavelength ['weɪvleŋθ] *Radio usw.:* Wel-

lenlänge (*auch übertragen*)

waver ['weɪvə] **1.** (*Licht, Augen*) flackern **2.** *übertragen* schwanken (**between** zwischen)

wavy ['weɪvɪ] wellig, gewellt

wax¹ [wæks] **1.** Wachs **2.** (Ohren)Schmalz

wax² [wæks] wachsen, *von Fußboden:* bohnern

wax³ [wæks] (*Mond*) zunehmen

waxworks ['wækswɜːks] *Pl.* (△ *mst. mit Sg.*) Wachsfigurenkabinett

way¹ [weɪ] **1.** Weg; *way back* Rückweg; *way home* Heimweg; *way in* Eingang; *way out* Ausgang; *ways and means Pl. übertragen* Mittel und Wege; *be on the* (*oder* **one's**) *way to* unterwegs sein nach; *lose one's way* sich verirren; *make way* Platz machen (**for** für) **2.** Richtung; *this way* hierher, hier entlang; *the other way round* andersherum **3.** Weg, Strecke; *be a long way from* weit entfernt sein von; *Easter is still a long way off* bis Ostern ist es noch lang **4.** Art, Weise; *way of life* Lebensweise; *if I had my way* wenn es nach mir ginge; *you can't have it both ways* du kannst nicht beides haben **5.** Hinsicht; *in a way* (*oder* **some ways**) in gewisser Hinsicht; *no way! umg.* kommt überhaupt nicht infrage! **6.** *by the way übertragen* übrigens **7.** *give way* nachgeben; *'give way' BE* „Vorfahrt achten", ⒸⒺ „Vortritt beachten"; ☞ *ways*

way² [weɪ] *umg.* weit; *they're friends from way back* sie sind alte Freunde

waylay [weɪ'leɪ], *waylaid* [weɪ'leɪd], *waylaid* [weɪ'leɪd] **1.** auflauern **2.** *umg., übertragen* abpassen, abfangen

ways [weɪz] *Pl.* Brauch, Sitte, Gewohnheit

wayward ['weɪwəd] eigensinnig

we [wiː] wir

weak [wiːk] *allg.:* schwach, *Kaffee usw. auch:* dünn

weaken ['wiːkən] **1.** schwächen **2.** schwächer werden **3.** *übertragen* nachgeben

weak-kneed [ˌwiːk'niːd] *umg.* feige, ängstlich

weakling ['wiːklɪŋ] Schwächling

weakness ['wiːknəs] *allg.:* Schwäche

weal [wiːl] Striemen (*von Schlägen usw.*)

wealth [welθ] **1.** Reichtum **2.** *übertragen* Fülle (*of* von)

wealth tax ['welθ‿tæks] Vermögenssteuer

wealthy ['welθɪ] reich, wohlhabend

W

wean off [ˌwiːn'ɒf] *wean someone off something* jemandem etwas abgewöhnen, jemanden von etwas abbringen

weapon ['wepən] Waffe (*auch übertragen*)
wean [wi:n] entwöhnen (*Kleinkind*)
wear[1] [weə], *wore* [wɔ:], *worn* [wɔ:n] **1.** tragen (*Brille, Schmuck usw.*), anhaben (*Mantel usw.*), aufhaben (*Hut usw.*) **2.** *something to wear* etwas zum Anziehen **3.** *these shoes have worn well* diese Schuhe haben sich gut gehalten **4.** sich abnutzen **5.** abnutzen, durchwetzen; *I've worn a hole in my trousers* ich habe meine Hose durchgewetzt

> **wear down** [ˌweə'daʊn] **1.** abtreten (*Stufen*), ablaufen (*Absätze*), abfahren (*Reifen*) **2.** sich abtreten *oder* ablaufen *oder* abfahren **3.** *übertragen* zermürben
> **wear off** [ˌweər'ɒf] (*Schmerz usw.*) nachlassen
> **wear out** [ˌweər'aʊt] **1.** abnutzen, abtragen (*Kleidung*) **2.** sich abnutzen *oder* abtragen **3.** *übertragen* erschöpfen

wear[2] [weə] **1.** *auch wear and tear* Abnutzung **2.** *oft in Zusammensetzungen*: Kleidung; *menswear* Herrenkleidung
wearily [△ 'wɪərəlɪ] müde, lustlos
wearing ['weərɪŋ] *Arbeit, Streit usw.*: ermüdend
weary [△ 'wɪərɪ] **1.** *Person*: erschöpft **2.** *Tätigkeit*: ermüdend
weasel ['wi:zl] Wiesel
weather[1] ['weðə] Wetter, Witterung; *in all weathers* bei jedem Wetter
weather[2] ['weðə] **1.** überstehen (*Krise usw.*) **2.** *Geologie*: verwittern
weather-bound ['weðəbaʊnd] *the planes (ships) were weather-bound* die Flugzeuge (Schiffe) konnten wegen des schlechten Wetters nicht starten (auslaufen)
weather chart ['weðə_tʃɑ:t] Wetterkarte
weather forecast ['weðəˌfɔ:kɑ:st] Wettervorhersage
weatherman ['weðəmæn] *Pl.*: *weathermen* ['weðəmen] *im Radio, TV*: Wettermann; *what does the weatherman say?* was sagt der Wetterbericht?
weatherproof ['weðəpru:f] wetterfest
weather satellite ['weðəˌsætəlaɪt] Wettersatellit
weather station ['weðəˌsteɪʃn] Wetterwarte
weave [wi:v], *wove* [wəʊv], *woven* ['wəʊvn] **1.** weben **2.** flechten
web [web] **1.** Netz (*auch übertragen*) **2.** *auch The Web* Kurzform von → **The World-Wide Web**
webhead ['webhed] *Computer*: Computer-Freak, *im engeren Sinne*: Internet-Freak

web page ['webpeɪdʒ] *Computer*: Webseite (*einzelne Seite*)
website ['websaɪt] *Computer*: Website (*Homepage plus alle Seiten, auf die man von der Homepage aus weiterklicken kann*)
wed [wed], *wedded, wedded* oder *wed, wed* heiraten
we'd [wi:d] *Kurzform von* **we had** *oder* **we would**
wedding[1] ['wedɪŋ] Hochzeit
wedding[2] ['wedɪŋ] Hochzeits...; *wedding dress* Brautkleid, Hochzeitskleid; *wedding ring* Ehering, Trauring
wedge [wedʒ] **1.** Keil **2.** Stück (*Kuchen usw.*), Ecke (*Käse*)
Wednesday [△ 'wenzdeɪ] Mittwoch; *on Wednesday* (am) Mittwoch; *on Wednesdays* mittwochs
wee[1] [wi:] *bes. Schottisch, umg.* klein; *a wee bit* ein (kleines) bisschen
wee[2] [wi:] *BE; Kindersprache*: Pipi machen
wee[3] [wi:] *Kindersprache*: do (*oder* have) *a wee* Pipi machen
weed[1] [wi:d] Unkraut
weed[2] [wi:d] (Unkraut) jäten

> **weed out** [ˌwi:d'aʊt] *übertragen* aussieben, aussondern (*from* aus)

weedkiller ['wi:dˌkɪlə] Unkrautvernichtungsmittel
week [wi:k] Woche; *week after week oder week in, week out* Woche für Woche; *after weeks of waiting* nach wochenlangem Warten; *for weeks* wochenlang; *BE a week today oder today week, AE a week from today* heute in einer Woche *oder* in acht Tagen
weekday ['wi:kdeɪ] Wochentag, Werktag; *on weekdays* werktags
weekend[1] [ˌwi:k'end] Wochenende; *at* (*bes. AE on*) *the weekend* am Wochenende
weekend[2] ['wi:kend] Wochenend...
weekly[1] ['wi:klɪ] Wochen..., wöchentlich
weekly[2] ['wi:klɪ] Wochen(zeit)schrift
weep [wi:p], *wept* [wept], *wept* [wept] **1.** weinen (*for oder with joy* vor Freude; *for someone* um jemanden; *over* über) **2.** (Wunde) nässen
weepy ['wi:pɪ] *umg.* Schnulze
weigh [weɪ] **1.** wiegen; *it weighs 10 kilos* es wiegt 10 Kilo **2.** abwiegen, wiegen; *weigh oneself* (≈ *sein Gewicht kontrollieren*) sich wiegen **3.** *übertragen* abwägen (*against* gegen) **4.** *weigh anchor Schiff*: den Anker lichten

weigh down [ˌweɪˈdaʊn] niederdrücken (*auch übertragen*)
weigh out [ˌweɪˈaʊt] abwiegen
weigh up [ˌweɪˈʌp] **1.** abwägen **2.** einschätzen (*Person*)

weight[1] [weɪt] **1.** *allg.*: Gewicht; **weights and measures** *Pl.* Maße und Gewichte; **it's five kilos in weight** es wiegt fünf Kilo; **what's your weight?** wie viel wiegst du?; **gain** (*bes. BE* **put on**) **weight** zunehmen; **lose weight** abnehmen **2.** Last (*auch übertragen*) **3.** *übertragen* Bedeutung
weight[2] [weɪt] beschweren (*mit Gewicht*)
weightless ['weɪtləs] schwerelos
weightlifter ['weɪtˌlɪftə] *Sport*: Gewichtheber(in)
weightlifting ['weɪtˌlɪftɪŋ] *Sport*: Gewichtheben
weighty ['weɪtɪ] **1.** schwer **2.** *übertragen* gewichtig, schwerwiegend
weird [wɪəd] **1.** *umg.* sonderbar, verrückt **2.** unheimlich
weirdo ['wɪədəʊ] *umg.* irrer Typ
welcome[1] ['welkəm] **welcome back** (*oder* **home**)**!** willkommen zu Hause!; **welcome to England!** willkommen in England!
welcome[2] ['welkəm] begrüßen (*auch übertragen*)
welcome[3] ['welkəm] **1.** willkommen; **you're welcome to do it** Sie können es gerne tun **2.** *Nachricht usw.*: angenehm **3.** **you're welcome** nichts zu danken!, keine Ursache!
welcome[4] ['welkəm] Empfang
weld [weld] schweißen
welfare ['welfeə] **1.** Wohl; **welfare state** Wohlfahrtsstaat **2.** *AE* Sozialhilfe; **be on welfare** Sozialhilfe beziehen
well[1] [wel], **better** ['betə], **best** [best] **1.** gut; (**all**) **well and good** schön und gut; **as well** ebenso, auch; **as well as** sowohl … als auch, nicht nur …, sondern auch; **just as well** ebenso gut, genauso gut; **very well** also gut, na gut; **I couldn't very well say no** ich konnte schlecht Nein sagen; **do well** gut daran tun (**to do** zu tun); **well done!** *BE* bravo! **2.** gut, gründlich; **shake well** kräftig schütteln **3.** wohl; **well in advance** schon lange vorher
well[2] [wel] **1.** nun, also (*oft unübersetzt*) **2. well, well!** na so was!
well[3] [wel], **better** ['betə], **best** [best] **1.** gesund; **I don't feel well** ich fühle mich nicht wohl; **get well soon** werde bald wieder gesund **2. it's all very well for you to criticize** du kannst leicht kritisieren

well[4] [wel] **1.** Brunnen; **well water** Brunnenwasser **2.** Quelle; **oil well** Ölquelle
we'll [wiːl] *Kurzform von* **we will** *oder* **we shall**
well-balanced [ˌwelˈbælənst] **1.** *Person*: ausgeglichen **2.** *Ernährung*: ausgewogen
well-behaved [ˌwelbɪˈheɪvd] *Kind usw.*: artig
well-being [ˌwelˈbiːɪŋ] Wohl(ergehen)
well-done [ˌwelˈdʌn] *Steak*: durchgebraten
well-earned [ˌwelˈɜːnd] wohlverdient
well-informed [ˌwelɪnˈfɔːmd] **1.** *zu einem Thema*: gut unterrichtet **2.** *in vielerlei Hinsicht*: (vielseitig) gebildet
wellington ['welɪŋtən] *bes. BE*, *auch* **wellington boot** Gummistiefel

Wellington boots

Wellington boots, umgangssprachlich auch **wellies** genannt, haben ihren Namen von dem General und Staatsmann **Duke of Wellington**, der auf dem Schlachtfeld hohe Lederstiefel trug. Die heutigen **Wellingtons** sind allerdings aus Gummi.

well-kept [ˌwelˈkept] **1.** *Haus, Garten usw.*: gepflegt **2.** *Geheimnis*: streng gehütet
well-known [ˌwelˈnəʊn] (wohl)bekannt
well-meaning [ˌwelˈmiːnɪŋ] *Person*: wohlmeinend, *Rat usw. auch*: gut gemeint
well-meant [ˌwelˈment] *Rat usw.*: gut gemeint, wohlgemeint
well-off[1] [ˌwelˈɒf], **better-off** ['betər_ɒf], **best-off** ['bestɒf] begütert, reich
well-off[2] [ˌwelˈɒf] **the well-off** *Pl.* die Reichen
well-read [ˌwelˈred] (≈ *gebildet*) belesen
well-to-do [ˌweltəˈduː] *umg.* reich
Welsh[1] [welʃ] walisisch
Welsh[2] [welʃ] *Sprache*: Walisisch
Welsh[3] [welʃ] **the Welsh** *Pl.* die Waliser
Welshman ['welʃmən] *Pl.*: **Welshmen** ['welʃmən] Waliser
Welshwoman ['welʃˌwʊmən] *Pl.*: **Welshwomen** ['welʃˌwɪmɪn] Waliserin
went [went] *2. Form von* → **go**[1]
wept [wept] *2. und 3. Form von* → **weep**
were [wɜː] *2. Form von* **be you were** du warst, Sie waren, ihr wart; **we were** wir waren; **they were** sie waren; **if I were …** wenn ich …
we're [wɪə] *Kurzform von Kurzform von* **we are**
weren't [wɜːnt] *Kurzform von* **were not**
werewolf ['weəwʊlf] *Pl.*: **werewolves**

W

['wɪəwʊlvz] Werwolf

west¹ [west] **1.** Westen; *in the west of* im Westen von (*oder Genitiv*); *to the west of* westlich von (*oder Genitiv*) **2.** *auch West* Westen, westlicher Landesteil; *the West AE* der Westen, die Weststaaten

west² [west] West..., westlich

west³ [west] **1.** *Richtung:* westwärts, nach Westen **2.** *west of* westlich von (*oder Genitiv*)

westbound ['westbaʊnd] nach Westen gehend *oder* fahrend

West End

West End heißt der Stadtteil im Westen Londons, der für seine Theater, Kinos, Einkaufsstraßen und Luxushotels bekannt ist. Der Name steht besonders für das dortige Theaterleben: **West End play / show**.

westerly ['westəlɪ] *Richtung, Wind:* westlich, West...

western¹ ['westən] westlich, West...

western² ['westən] Western

West Indies [,west'ɪndɪz] (≈ *Karibik*) Westindische Inseln

West Indies

Die **West Indies** heißen so, weil Kolumbus glaubte, Indien erreicht zu haben.

Westphalia [west'feɪlɪə] Westfalen

westward ['westwəd], **westwards** ['westwədz] westlich, westwärts, nach Westen

wet¹ [wet], *wetter, wettest* **1.** nass, *Farbe usw. auch:* feucht; *wet paint! Aufschrift:* Vorsicht, frisch gestrichen! **2.** *Wetter:* regnerisch **3.** *BE, umg. Person:* weichlich, schlapp

wet² [wet] **1.** Nässe, Feuchtigkeit **2.** *BE, umg. Person:* Weichling, Waschlappen

wet³ [wet], *wetted, wetted oder wet, wet* nass machen; *wet one's bed* ins Bett machen; *wet oneself* in die Hose machen

wet blanket [,wet'blæŋkɪt] Miesmacher(in), Spielverderber(in)

wet dream [,wet'driːm] *umg.* feuchter Traum

wet suit ['wet‿suːt] Tauchanzug, Surfanzug

we've [wiːv] *Kurzform von we have*

whale [weɪl] Wal

whaling ['weɪlɪŋ] Walfang

wharf [wɔːf] *Pl.:* **wharfs** *oder* **wharves** [wɔːvz] *im Hafen:* Kai

what¹ [wɒt] **1.** was; *what's for lunch?*

was gibts zum Mittagessen?; *what is this called?* wie heißt das?; *what for?* wozu?, wofür; *what about ...?* wie wärs mit ...?; *what if ...?* was ist, wenn ...? **2.** was; *he told me what to do* er sagte mir, was ich tun sollte; *know what's what umg.* Bescheid wissen; *tell someone what's what umg.* jemandem Bescheid stoßen; *what's more* außerdem

what² [wɒt] **1.** was für ein(e), welch(er, -e, -es); *what luck!* so ein Glück! **2.** alle, die *oder* alles, was; *I gave him what money I had* ich gab ihm, was ich an Geld hatte

what'd [wɒtd] *Kurzform von what did oder what had oder what would*

whatever¹ [wɒt'evə] **1.** was (auch immer), alles, was **2.** egal, was

whatever² [wɒt'evə] **1.** welch(er, -e, -es) ... auch (immer) **2.** *no ... whatever* überhaupt kein(e)

what'll ['wɒtl] *Kurzform von what will oder what shall*

what's [wɒts] *Kurzform von what is oder what has*

whatsit ['wɒtsɪt] *umg.* Dingsbums

whatsoever¹ [,wɒtsəʊ'evə] **1.** was (auch immer), alles, was **2.** egal, was

whatsoever² [,wɒtsəʊ'evə] *no ... whatsoever* überhaupt kein(e)

what've [wɒtv] *Kurzform von what have*

wheat [wiːt] Weizen

wheedle ['wiːdl] umschmeicheln, schöntun; *wheedle someone into doing something* jemanden so lange beschwatzen, bis er *oder* sie etwas tut; *wheedle something out of someone* jemandem etwas abschwatzen

wheel¹ [wiːl] **1.** Rad **2.** *Schiff, Auto:* Steuer; *steering wheel* Lenkrad; *be at the wheel Auto:* am Steuer sitzen; ☞ *wheels*

wheel² [wiːl] schieben (*Fahrrad usw.*)

wheelbarrow ['wiːl,bærəʊ] Schubkarre(n)

wheelchair ['wiːltʃeə] Rollstuhl

wheel clamp ['wiːl‿klæmp] *bes. BE; für Auto:* Parkkralle

wheeled [wiːld] mit Rädern; *four-wheeled* vierrädrig

wheelie bin ['wiːlɪ‿bɪn] *BE; umg.* Mülltonne (mit Rädern)

wheels [wiːlz] *Pl.* salopp fahrbarer Untersatz, Wagen

wheeze [wiːz] keuchen

when¹ [wen] **1.** *fragend:* wann **2.** *the day when* der Tag, an dem *oder* als **3.** als ...; *he broke a leg when skiing* er brach sich beim Skifahren ein Bein **4.** (≈ *sobald*) wenn **5.** *say when! umg.; beim Einschenken usw.:* sag halt!

when² [wen] *since when?* seit wann?

whenever [wen'evə] wann auch (immer), jedesmal, wenn

when'll ['wenl] *Kurzform von* **when will** *oder* **when shall**

when's [wenz] *Kurzform von* **when is** *oder* **when has**

when've [wenv] *Kurzform von* **when have**

where [weə] **1.** wo; **where … (from)?** woher? **2.** wohin; **where … (to)?** wohin?

whereabouts¹ [ˌweərə'baʊts] **whereabouts?** wo (ungefähr)?

whereabouts² [ˈweərəbaʊts] *Pl.* (△ *auch mit Sg.*) Verbleib, Aufenthaltsort

whereas [weər'æz] während, wohingegen

whereby [weə'baɪ] wonach, wodurch

where'd [weəd] *Kurzform von* **where did** *oder* **where had** *oder* **where would**

where'll ['weəl] *Kurzform von Kurzform von* **where will** *oder* **where shall**

where's [weəz] *Kurzform von* **where is** *oder* **where has**

where've [weəv] *Kurzform von* **where have**

wherever [weər'evə] wo(hin) auch (immer), ganz gleich, wo(hin)

whether ['weðə] ob

which [wɪtʃ] **1.** welch(er, -e, -es); **which of you?** wer von euch? **2.** *nach vorhergehendem Substantiv:* der, die, das **3.** *nach vorhergehendem Satz:* was

whichever [wɪtʃ'evə] welch(er, -e, -es) auch (immer), ganz gleich, welch(er, -e, -es)

whiff [wɪf] **1.** *von Parfüm, Braten usw.:* Duft **2.** *übertragen* Hauch

while¹ [waɪl] Weile; **a little while ago** vor Kurzem; **for a while** eine Zeit lang, einen Augenblick; **once in a while** ab und zu

while² [waɪl] **1.** *zeitlich und bei Vergleichen:* während **2.** *einschränkend:* obwohl

while away [ˌwaɪl ə'weɪ] **while away the time** sich die Zeit vertreiben (**doing something** mit etwas)

whilst [waɪlst] während

whim [wɪm] Laune

whimper ['wɪmpə] **1.** *(Hund)* winseln **2.** wimmern

whimsical ['wɪmzɪkl] wunderlich, *Bemerkung usw.:* neckisch

whine [waɪn] **1.** *(Hund)* jaulen **2.** jammern (**about** über)

whip¹ [wɪp] **1.** Peitsche **2.** *Süßspeise:* Creme

whip² [wɪp], **whipped**, **whipped 1.** (aus)peitschen **2.** sausen, *(Wind)* fegen **3.** schlagen *(Sahne usw.)* **4.** *BE, umg.* klauen

whip out [ˌwɪp'aʊt] zücken *(Geld, Revolver usw.)*

whip up [ˌwɪp'ʌp] **1.** schnell vorbereiten *(Essen usw.)* **2.** entfachen *(Interesse usw.)*

whipped cream [ˌwɪpt'kriːm] Schlagsahne *(geschlagen)*, Ⓐ (Schlag)Obers, Schlag, Ⓒ geschwungene(r) Nidel

whirl¹ [wɜːl] wirbeln

whirl² [wɜːl] **1.** Wirbel **2.** *übertragen* Trubel

whirlpool ['wɜːlpuːl] **1.** *in Fluss usw.:* Strudel **2.** Whirlpool

whirlwind ['wɜːlwɪnd] Wirbelwind

whisk¹ [wɪsk] *zum Kochen:* Schneebesen

whisk² [wɪsk] schlagen *(Eiweiß usw.)*

whisker ['wɪskə] *Katze usw.:* Schnurrhaar

whiskers ['wɪskəz] *Pl.* Backenbart

whiskey ['wɪskɪ] Whisky *(USA oder Irland)*

whisky ['wɪskɪ] *(bes. schottischer)* Whisky; **whisky and soda** Whisky Soda

whisper¹ ['wɪspə] flüstern (**to** mit); **whisper something to someone** jemandem etwas zuflüstern

whisper² ['wɪspə] **1.** Flüstern; **in a whisper** im Flüsterton **2.** Gerücht

whistle¹ [wɪsl] **1.** Pfeife; **blow one's whistle** pfeifen **2.** Pfiff

whistle² [wɪsl] pfeifen

white¹ [waɪt] **1.** *allg.:* weiß; **white bread** Weißbrot; **white man** Weißer; **white wedding** Hochzeit in Weiß **2.** *übertragen* blass, bleich; **white as a sheet** kreidebleich **3.** **white lie** *übertragen* Notlüge

white² [waɪt] **1.** Weiß; **dressed in white** weiß gekleidet, in Weiß **2.** *oft* White Weiße(r) **3.** *das* Weiße *(im Auge)* **4.** *vom Ei:* Eiweiß

white-collar [ˌwaɪt'kɒlə] **white-collar worker** *etwa:* Schreibtischarbeiter(in); **white-collar crime** Wirtschaftskriminalität

whiten ['waɪtn] **1.** weiß machen **2.** weiß werden

whitewash ['waɪtwɒʃ] **1.** tünchen, weißen *(Wand)* **2.** *umg.* beschönigen

white wine [ˌwaɪt'waɪn] Weißwein

whitish ['waɪtɪʃ] *Farbe:* weißlich

Whitsun ['wɪtsn] *BE* **1.** Pfingstsonntag **2.** Pfingsten

Whit Sunday [ˌwɪt'sʌndeɪ] *BE* Pfingstsonntag

whiz(z) [wɪz] *umg.* Experte, Genie, Kanone; **computer whiz(z)** Computerexperte

whiz(z) by oder **past** [ˌwɪz'baɪ oder 'pɑːst], **whizzed by** oder **past, whizzed by** oder **past** vorbeizischen

whiz(z) kid ['wɪz‿kɪd] umg. Senkrechtstarter(in)

who [huː] **1.** wer, wen, wem; **who do you think you are?** für wen hältst du dich eigentlich? **2.** im Relativsatz: welch(er, -e, -es), der, die, das

who'd [huːd] Kurzform von **who did** oder **who would** oder **who had**

whodunit, whodunnit [ˌhuː'dʌnɪt] umg. Krimi

whodunit

Dieses eigenartige Wort ist eine Zusammenfügung von **who done it**, das grammatisch korrekt eigentlich **who did it?** (= wer hat es getan?) heißen müsste. Die Frage bezieht sich natürlich auf den Übeltäter der kriminellen Handlung.

whoever [huː'evə] **1.** wer auch (immer), wen auch (immer), wem auch (immer), egal, wer oder wen oder wem **2. whoever can that be?** wer kann denn das nur sein?

whole¹ [həʊl] ganz

whole² [həʊl] das Ganze; **on the whole** im Großen und Ganzen, alles in allem

wholefood ['həʊlfuːd] auch **wholefoods** Pl. Vollwertkost

wholegrain ['həʊlɡreɪn] AE → **wholemeal**

whole-hearted [ˌhəʊl'hɑːtɪd] Aufmerksamkeit: ungeteilt; Versuch usw.: ernsthaft

whole-heartedly [ˌhəʊl'hɑːtɪdlɪ] uneingeschränkt, voll und ganz

wholemeal ['həʊlmiːl] BE Vollkorn...; **wholemeal bread** Vollkornbrot

wholesale ['həʊlseɪl] Großhandel

wholesaler ['həʊlseɪlə] Großhändler(in)

wholesome ['həʊlsəm] **1.** gesund **2.** übertragen gut, nützlich

who'll [huːl] Kurzform von **who will** oder **who shall**

wholly [ˈhəʊlɪ] gänzlich, völlig

whom [huːm] **1.** wen, wem **2.** im Relativsatz: welch(en, -e, -es), den (die, das), welch(em, -er), dem (der); **the children, most of whom were tired, ...** die Kinder, von denen die meisten müde waren, ...

whoop [huːp] (bes. Freuden)Schrei

whooping cough [ˈhuːpɪŋ‿kɒf] Keuchhusten

whoops [wʊps] Ausruf: hoppla!

whopper ['wɒpə] umg. **1.** Mordsding **2.** faustdicke Lüge

whore [hɔː] Hure

who're ['huːə] Kurzform von **who are**

who's [huːz] Kurzform von **who is** oder **who has**

whose [huːz] **1.** wessen; **whose coat is this?** oder **whose is this coat?** wem gehört dieser Mantel? **2.** im Relativsatz: dessen, deren

why [waɪ] warum, weshalb; **why not go by bus?** warum nimmst du nicht den Bus?

why'd [waɪd] Kurzform von **why did** oder **why had** oder **why would**

why's [waɪz] Kurzform von **why is** oder **why has**

why've [waɪv] Kurzform von **why have**

wick [wɪk] **1.** von Kerze: Docht **2. get on someone's wick** BE, umg. jemandem auf den Wecker gehen

wicked [ˈwɪkɪd] **1.** gemein, niederträchtig **2.** übertragen unerhört **3.** umg. (≈ sehr gut) endgeil, voll krass

wicker ['wɪkə] Korb...; **wicker basket** Weidenkorb

wide¹ [waɪd] **1.** breit **2.** Augen: weit offen **3.** Interessen usw.: umfangreich, vielfältig

wide² [waɪd] **1.** weit **2. go wide** Sport: (Ball usw.) danebengehen

wide-angle lens [ˌwaɪdæŋɡl'lenz] Weitwinkelobjektiv

wide-awake [ˌwaɪdə'weɪk] **1.** hellwach **2.** übertragen aufgeweckt

widely ['waɪdlɪ] **1.** weit (auch übertragen); **it's widely known that** es ist weithin bekannt, dass **2. widely different** völlig verschieden

widen ['waɪdn] **1.** verbreitern **2.** breiter werden

wide-open [ˌwaɪd'əʊpən] weit offen

widescreen TV [ˌwaɪdskriːn‿tiː'viː] Breitbildfernseher

widespread ['waɪdspred] weit verbreitet

widow ['wɪdəʊ] Witwe

widowed ['wɪdəʊd] verwitwet

widower ['wɪdəʊə] Witwer

width [wɪdθ] **1.** Breite; **six feet in width** sechs Fuß breit; **what's the width of ...?** wie breit ist ...? **2.** Stoff usw.: Bahn

wield [wiːld] **1.** schwingen (Stock usw.) **2.** ausüben (Einfluss usw.)

wife [waɪf] Pl.: **wives** [waɪvz] (Ehe)Frau, Gattin

wig [wɪɡ] Perücke

wild¹ [waɪld] **1.** allg.: wild; **the Wild West** der Wilde Westen **2.** Wetter, Applaus usw.: stürmisch **3.** Person: außer sich (**with** vor) **4.** Idee usw.: verrückt

wild² [waɪld] *in the wild* in freier Wild-
bahn
wild³ [waɪld] *go wild* umg. ausflippen
wildcat ['waɪldkæt] Wildkatze
wilderness [△ 'wɪldənəs] Wildnis
wildfire ['waɪldˌfaɪə] *spread like wildfire*
sich wie ein Lauffeuer verbreiten
wildlife ['waɪldlaɪf] Tier- und Pflanzen-
welt
wilful ['wɪlfl] *BE* **1.** *Kind*: eigensinnig **2.**
Handlung usw.: absichtlich, *bes. im*
rechtlichen Sinn: vorsätzlich
will¹ [wɪl] **1.** *Futur*: *I'll be back in 10 min-*
utes ich bin in 10 Minuten zurück (△
ich will = I want to) **2.** *Bereitschaft, Ent-*
schluss: *I won't go there again* ich gehe
da nicht mehr hin; *the door won't shut*
die Tür schließt nicht; *will you have*
some coffee? möchtest du eine Tasse
Kaffee? **3.** *Bitte*: *shut the window, will*
you? mach bitte das Fenster zu **4.** *Wie-*
derholung: *accidents will happen* Un-
fälle wird es immer geben **5.** *Vermutung*:
that'll be my sister das wird meine
Schwester sein
will² [wɪl] **1.** Wille; *will to live* Lebenswil-
le; *against one's will* gegen seinen Wil-
len; *at will* nach Belieben; *of one's own*
free will aus freien Stücken **2.** *auch last*
will and testament Letzter Wille, Testa-
ment; *make one's will* sein Testament
machen
willful ['wɪlfl] *AE* **1.** *Kind*: eigensinnig **2.**
Handlung usw.: absichtlich, *bes. im*
rechtlichen Sinn: vorsätzlich
willies ['wɪlɪz] *Pl. umg.* *give someone*
the willies jemandem unheimlich sein
willing ['wɪlɪŋ] **1.** bereit (*to do* zu tun);
willing to compromise kompromissbe-
reit; *God willing* so Gott will **2.** (bereit)-
willig
willingly ['wɪlɪŋlɪ] gerne, bereitwillig
willingness ['wɪlɪŋnəs] Bereitschaft
willow ['wɪləʊ] *Baum*: Weide
willowy ['wɪləʊɪ] *Figur*: gertenschlank
willpower ['wɪlˌpaʊə] Willenskraft
willy-nilly [ˌwɪlɪ'nɪlɪ] wohl oder übel, no-
lens volens
wilt [wɪlt] verwelken, welk werden
wily ['waɪlɪ] gerissen, raffiniert
wimp [wɪmp] *umg.* Schwächling, Versa-
ger, Waschlappen
win¹ [wɪn], *won* [wʌn], *won* [wʌn]; *-ing*
-Form winning **1.** gewinnen, siegen; *OK,*
you win okay, wie du willst **2.** *it won*
her first prize es brachte ihr den ersten
Preis ein

win back [ˌwɪn'bæk] zurückgewinnen
win out *oder* **through** [ˌwɪn'aʊt *oder*

'θruː] sich durchsetzen
win over *oder* **round** [ˌwɪn'əʊvə *oder*
raʊnd] für sich gewinnen; *win some-*
one over to jemanden gewinnen für

win² [wɪn] *bes. Sport*: Sieg
wince [wɪns] zusammenzucken (*at* bei)
winch [wɪntʃ] *Technik*: Winde
wind¹ [wɪnd] **1.** Wind; *get wind of* über-
tragen Wind bekommen von **2.** Atem;
get one's wind wieder zu Atem kom-
men **3.** *Darm*: Blähungen **4.** *the wind*
Musik: die Blasinstrumente, die Bläser
(*eines Orchesters*)
wind² [△ waɪnd], **wound** [waʊnd],
wound [waʊnd] **1.** drehen (an) **2.** aufzie-
hen (*Uhr usw.*) **3.** wickeln (*round* um) **4.**
(*Pfad usw.*) sich winden *oder* schlängeln

wind back [ˌwaɪnd'bæk] zurückspulen
wind down [ˌwaɪnd'daʊn] **1.** *BE* herun-
terkurbeln (*Autofenster*) **2.** reduzieren
(*Produktion*) **3.** *umg.* sich entspannen
wind up [ˌwaɪnd'ʌp] **1.** *BE* hochkurbeln
(*Autofenster usw.*) **2.** aufziehen (*Uhr*
usw.) **3.** beschließen (*Versammlung*
usw.) **4.** auflösen (*Unternehmen*) **5.**
umg. landen (*in* in); *wind up doing*
something am Ende etwas tun; *you'll*
wind up with a heart attack du kriegst
noch mal einen Herzinfarkt

windchill factor ['wɪndtʃɪlˌfæktə] *etwa*:
gefühlte Temperatur (*durch den Wind*
beeinflusstes Kältegefühl)
wind energy ['wɪndˌenədʒɪ] Windenergie
windfall ['wɪndfɔːl] **1.** unverhofftes Ge-
schenk, unverhoffter Gewinn **2.** Fallobst
wind farm ['wɪndˌfɑːm] Windpark
winding [△ 'waɪndɪŋ] *Pfad usw.*: gewun-
den
wind instrument ['wɪndˌɪnstrəmənt] *Mu-*
sik: Blasinstrument
windmill ['wɪndmɪl] Windmühle
window ['wɪndəʊ] **1.** Fenster (*auch Com-*
puter) **2.** Schaufenster **3.** Schalter (*in*
Bank usw.)
window seat ['wɪndəʊ‿siːt] Fensterplatz
window shade ['wɪndəʊ‿ʃeɪd] *AE* Rollo
window-shopping ['wɪndəʊˌʃɒpɪŋ]
Schaufensterbummel; *go window-shop-*
ping einen Schaufensterbummel machen
windowsill ['wɪndəʊsɪl] Fensterbank,
Fensterbrett
windpipe ['wɪndpaɪp] *Körper*: Luftröhre
windscreen ['wɪndskriːn] *bes. BE*; *Auto*:
Windschutzscheibe; *windscreen wiper*
Scheibenwischer
windshield ['wɪndʃiːld] *AE*; *Auto*: Wind-
schutzscheibe; ☞ *BE* **windscreen**

W

windy ['wɪndɪ] windig

wine [waɪn] Wein

wine bar ['waɪn_bɑ:] Weinlokal

wine bottle ['waɪn,bɒtl] Weinflasche

wine glass ['waɪn_glɑ:s] Weinglas

wine list ['waɪn_lɪst] *in Lokal*: Weinkarte, Getränkekarte

winery ['waɪnərɪ] *AE* Weingut

wing [wɪŋ] **1.** *allg.*: Flügel (*auch von Gebäude*) **2.** *Flugzeug*: Tragfläche **3.** *BE*; *Auto*: Kotflügel

winger ['wɪŋə] *Sport*: Flügelstürmer(in)

wink¹ [wɪŋk] zwinkern (⚠ *nicht* **winken**)

wink² [wɪŋk] **1.** Zwinkern; *give someone a wink* jemandem zuzwinkern **2.** *I didn't get a wink of sleep* (*oder I didn't sleep a wink*) *last night* ich habe letzte Nacht kein Auge zugetan

winner ['wɪnə] **1.** Gewinner(in), *bes. Sport*: Sieger(in) **2.** *be a real winner umg.* ein Riesenerfolg sein

winning ['wɪnɪŋ] **1.** siegreich, Sieger…, Sieges… **2.** *bes. Sport usw.*: gewinnend

winnings ['wɪnɪŋz] *Pl.* Gewinn

winter ['wɪntə] Winter; *in (the) winter* im Winter

winter sports [,wɪntə'spɔ:ts] *Pl.* Wintersport

wintertime ['wɪntətaɪm] Winter(zeit); *in (the) wintertime* im Winter

wintery ['wɪntərɪ] **1.** winterlich, Winter… **2.** *Lächeln*: frostig

wipe¹ [waɪp] (ab)wischen (*Tisch usw.*), wischen (*Krümel usw.*) (*off* von); *wipe one's shoes* sich die Schuhe abputzen (*on* auf); *wipe one's nose* sich die Nase putzen; *wipe clean* abwischen (*Tafel usw.*)

---

wipe off [,waɪp'ɒf] wegwischen

wipe out [,waɪp'aʊt] **1.** auswischen **2.** auslöschen (*Menschen*), ausrotten (*Rasse*) **3.** *umg.* schlauchen

wipe up [,waɪp'ʌp] aufwischen

---

wipe² [waɪp] *give something a wipe* etwas abwischen

wiper ['waɪpə] *Auto*: (Scheiben)Wischer

wire¹ ['waɪə] **1.** Draht **2.** *Elektrotechnik*: Leitung **3.** *AE* Telegramm

wire² ['waɪə] **1.** *auch wire up* Leitungen verlegen in **2.** *bes. AE* ein Telegramm schicken, telegrafieren

wisdom ['wɪzdəm] Weisheit, Klugheit; *wisdom tooth* Weisheitszahn

wise [waɪz] vernünftig, weise, klug; *you were wise to do that* es war klug von dir, das zu tun; *be none the wiser umg.* nicht klüger sein als vorher; *get wise to something umg.* etwas spitzkriegen

wisely ['waɪzlɪ] **1.** weise, klug **2.** klugerweise

wish¹ [wɪʃ] **1.** *if you wish (to)* wenn du willst; *I wish he were here* ich wünschte, er wäre hier **2.** wollen; *I wish to make a complaint* ich möchte mich beschweren **3.** wünschen; *wish someone well* jemandem alles Gute wünschen

---

wish for ['wɪʃ_fɔ:] *wish for something* sich etwas wünschen

---

wish² [wɪʃ] Wunsch (*for* nach); *make a wish* sich etwas wünschen; (*with*) *best wishes Briefschluss*: Herzliche Grüße; *best wishes on passing your exam* herzlichen Glückwunsch zur bestandenen Prüfung

wishful thinking [,wɪʃfl'θɪŋkɪŋ] Wunschdenken

wishy-washy ['wɪʃɪ,wɒʃɪ] *umg.* **1.** *Farben usw.*: fad **2.** *Person*: lasch

wisp [wɪsp] Büschel (*Gras, Haar*)

wistful ['wɪstfl] wehmütig

wit [wɪt] **1.** Geist, Witz **2.** geistreicher Mensch **3.** *auch wits Pl.* Verstand

witch [wɪtʃ] Hexe

witchcraft ['wɪtʃkrɑ:ft] Hexerei

witch doctor ['wɪtʃ,dɒktə] Medizinmann

witch hunt ['wɪtʃ_hʌnt] *historisch*: Hexenjagd (*mst. übertragen*)

with [wɪð] **1.** *allg.*: mit; *are you still with me?* kannst du mir folgen? **2.** bei; *she's staying with a friend* sie wohnt bei einer Freundin **3.** vor; *tremble with fear* vor Angst zittern **4.** von; *part with* sich trennen von **5.** für; *are you with me or against me?* bist du für oder gegen mich? **6.** *go with Gegenstand*: gehören zu, passen zu

withdraw [wɪð'drɔ:], *withdrew* [wɪð'dru:], *withdrawn* [wɪð'drɔ:n] **1.** abheben (*Geld*) (*from* von) **2.** zurückziehen (*Angebot usw.*), zurücknehmen **3.** sich zurückziehen **4.** zurücktreten (*from* von)

withdrawal [wɪð'drɔ:əl] **1.** *make a withdrawal* Geld abheben (*from* von) **2.** Rücknahme **3.** *militärisch*: Abzug **4.** Rücktritt (*from* von) **5.** Entzug (*von Drogen*)

wither ['wɪðə] eingehen, verdorren

withering ['wɪðərɪŋ] *Blick, Ton, Kritik*: vernichtend

withhold [wɪð'həʊld], *withheld* [wɪð'held], *withheld* [wɪð'held] zurückhalten (*Zahlung, Information usw.*), verschweigen (*Wahrheit usw.*)

withholding tax [wɪð'həʊldɪŋ_tæks] *AE*; *etwa*: Quellensteuer within [wɪðˈɪn] innerhalb (+ *Genitiv*)

without [wɪðˈaʊt] ohne

withstand [wɪðˈstænd] **withstood** [wɪðˈstʊd], **withstood** [wɪðˈstʊd] standhalten (+ *Dativ*), widerstehen (+ *Dativ*)

witness[1] [ˈwɪtnəs] *allg.*: Zeuge, Zeugin

witness[2] [ˈwɪtnəs] **1. did anybody witness the accident?** hat jemand den Unfall gesehen? **2.** beglaubigen (*Unterschrift usw.*)

witty [ˈwɪtɪ] geistreich, witzig

wives [waɪvz] *Pl. von* → **wife**

wizard [ˈwɪzəd] *in Märchen*: Zauberer

wobble [ˈwɒbl] wackeln

woe [wəʊ] Kummer, Leid

woke [wəʊk] *2. Form von* → **wake**[1]

woken [ˈwəʊkən] *3. Form von* → **wake**[1]

wolf [△ wʊlf] *Pl.*: **wolves** [wʊlvz] Wolf

wolves [△ wʊlvz] *Pl. von* → **wolf**

woman[1] [ˈwʊmən] *Pl.*: **women** [△ ˈwɪmɪn] Frau

woman[2] [ˈwʊmən] **woman priest** Priesterin

woman

Achte auf die Bildung des Plurals bei Zusammensetzungen mit **woman**:

Singular	Plural
woman driver	**women drivers**
woman priest	**women priests**

womanize [ˈwʊmənaɪz] hinter den Frauen her sein

womanizer [ˈwʊmənaɪzə] Schürzenjäger, Casanova

womb [△ wuːm] *Körper*: Gebärmutter, Mutterleib

women [△ ˈwɪmɪn] *Pl. von* → **woman**[1]; **women's team** *Sport*: Damenmannschaft

won [wʌn] *2. und 3. Form von* → **win**[1]

wonder[1] [ˈwʌndə] **1.** neugierig *oder* gespannt sein (**if, whether** ob; **what** was); **well, I wonder** na, ich weiß nicht (recht) **2.** sich fragen, überlegen; **I wonder if you could help me** vielleicht können Sie mir helfen **3.** sich wundern (**about, at** über)

wonder[2] [ˈwʌndə] **1.** Staunen, Verwunderung **2.** Wunder; **it's a wonder (that)** es ist ein Wunder, dass; **(it's) no** (*oder* **small, little) wonder (that)** kein Wunder, dass; **do** (*oder* **work) wonders** wahre Wunder vollbringen (**for** bei)

wonderful [ˈwʌndəfl] wunderbar

wonderland [ˈwʌndələænd] **1.** Wunderland **2.** Paradies

wonky [ˈwɒŋkɪ] *BE, umg.* wacklig, schwach

won't [wəʊnt] *Kurzform von* **will not**

woo [wuː] umwerben (*Person*)

wood [wʊd] **1.** Holz **2.** *auch* **woods** *Pl.* Wald **3. be out of the wood** (*oder* **woods**) *übertragen* über den Berg sein

wooded [ˈwʊdɪd] bewaldet

wooden [ˈwʊdn] hölzern (*auch übertragen*), Holz...

woodland [ˈwʊdlənd] Waldland, Waldung

woodpecker [ˈwʊdˌpekə] *Vogel*: Specht

woodwind [ˈwʊdwɪnd] **the woodwind** *Musik*: die Holzblasinstrumente, die Holzbläser; **woodwind instrument** *Musik*: Holzblasinstrument

woodwork [ˈwʊdwɜːk] Holzarbeiten

wool [△ wʊl] Wolle

woollen *bes. BE*, woolen *AE* [△ ˈwʊlən] aus Wolle, wollen, Woll...

woollens *bes. BE*, woolens *AE* [△ ˈwʊlənz] *Pl.* Wollsachen, Wollkleidung

woolly, *AE auch* wooly [△ ˈwʊlɪ] **1.** aus Wolle, wollen, Woll... **2.** wollig **3.** *übertragen*; *Idee usw.*: wirr

Worcester sauce [△ ˌwʊstəˈsɔːs] *Würze*: Worcestersoße

word [wɜːd] **1.** *allg.*: Wort; **by word of mouth** mündlich; **word for word** Wort für Wort, wortwörtlich; **in a word** in 'einem Wort; **in other words** mit anderen Worten; **in one's own words** in eigenen Worten; **angry isn't the word (for ...)** ärgerlich ist gar kein Ausdruck (für ...); **he always has to have the last word** er muss immer das letzte Wort haben; **can I have a word** (*oder* **a few words) with you?** kann ich Sie mal kurz sprechen?; **have words** eine Auseinandersetzung haben (**with** mit); **put into words** ausdrücken, in Worte fassen **2.** (≈ *Versprechen*) **take someone at his word** jemanden beim Wort nehmen; **be as good as one's word** halten, was man verspricht; **take my word for it** *umg.* verlass dich drauf! **3. words** *Pl.* Text (*eines Lieds*) **4.** Nachricht; **send word that** Nachricht geben, dass

wording [ˈwɜːdɪŋ] Wortlaut

word order [ˈwɜːdˌɔːdə] Wortstellung

wordplay [ˈwɜːdpleɪ] Wortspiel

word processing [ˈwɜːdˌprəʊsesɪŋ] *Computer*: Textverarbeitung

word-processing [ˈwɜːdˌprəʊsesɪŋ] *Computer*: Textverarbeitungs...; **word-processing program** Textverarbeitungsprogramm

word processor [ˈwɜːdˌprəʊsesə] *Computer*: Textverarbeitungssystem

wordy [ˈwɜːdɪ] wortreich, langatmig

wore [wɔː] *2. Form von* → **wear**[1]

W

work¹ [wɜːk] **1.** *allg.*: Arbeit; **at work** am Arbeitsplatz; **be out of work** arbeitslos sein; **set to work** sich an die Arbeit machen; **make short work of** kurzen Prozess machen mit **2.** Werk (*auch Tat*); **work of art** Kunstwerk; ☞ **works**

work² [wɜːk] **1.** arbeiten (**at, on** an) **2.** funktionieren (*auch übertragen*) **3.** **work someone hard** jemanden hart rannehmen **4.** bedienen (*Maschine*)

---

work in [ˌwɜːk'ɪn] einbauen (*Zitat usw.*)
work off [ˌwɜːk'ɒf] **1.** abarbeiten (*Schulden*) **2.** abreagieren (*Zorn usw.*) (**on** an)
work out [ˌwɜːk'aʊt] **1.** ausrechnen, *übertragen* sich zusammenreimen **2.** ausarbeiten (*Plan usw.*) **3.** klappen; **it'll never work out** daraus kann nichts werden **4.** (*Rechnung usw.*) aufgehen **5.** *umg.* trainieren
work up [ˌwɜːk'ʌp] **1.** aufpeitschen (*Zuhörer usw.*); **be worked up** aufgeregt *oder* nervös sein (**about** wegen) **2.** sich holen (*Appetit usw.*), aufbringen (*Begeisterung usw.*) **3.** ausarbeiten (**into** zu)

---

workaholic [ˌwɜːkə'hɒlɪk] *umg.* Arbeitssüchtige(r)
workbench ['wɜːkbentʃ] Werkbank
workbook ['wɜːkbʊk] *Schule*: Arbeitsbuch
workday ['wɜːkdeɪ] Arbeitstag
worker ['wɜːkə] **1.** Arbeiter(in); **office worker** Büroangestellte(r) **2.** **be a real worker** hart arbeiten
workflow ['wɜːkfləʊ] Arbeitsablauf; **workflow schedule** Arbeitsablaufplan
workforce ['wɜːkfɔːs] Belegschaft, Arbeiterschaft (*einer Firma usw.*)
working ['wɜːkɪŋ] **1.** Arbeits...; **working day** Arbeitstag; **working hours** *Pl.* Arbeitszeit; **working relationship** Zusammenarbeit; **they have a good working relationship** sie arbeiten gut zusammen **2.** arbeitend; **working class(es)** Arbeiterklasse **3.** **a working knowledge of French** französische Grundkenntnisse **4.** **in working order** in betriebsfähigem Zustand
workload ['wɜːkləʊd] Arbeitspensum
workman ['wɜːkmən] *Pl.*: **workmen** ['wɜːkmən] Handwerker, Arbeiter
workout ['wɜːkaʊt] *umg.* (Fitness)Training
work permit ['wɜːkˌpɜːmɪt] Arbeitserlaubnis
workplace ['wɜːkpleɪs] Arbeitsplatz
works [wɜːks] *Pl.* **1.** *Technik*: Werk, Ge-

triebe (*einer Maschine usw.*) **2.** (△ *oft mit Sg.*) Werk, Fabrik; ☞ **work¹**
workshop ['wɜːkʃɒp] **1.** Werkstatt **2.** Seminar, Workshop
workstation ['wɜːkˌsteɪʃn] *Computer*: Computerarbeitsplatz, Workstation
work-to-rule [ˌwɜːktə'ruːl] Dienst nach Vorschrift
world¹ [wɜːld] **1.** *allg.*: Welt; **in the world** auf der Welt; **what in the world ...?** was um alles in der Welt ...?; **all over the world** in der ganzen Welt **2.** **do someone the world of good** jemandem unwahrscheinlich guttun **3.** **it means all the world to him** es bedeutet ihm alles
world² [wɜːld] Welt...; **world championship** Weltmeisterschaft; **world record** Weltrekord; **world war** Weltkrieg
World Cup [ˌwɜːld'kʌp] Fußballweltmeisterschaft
world-famous [ˌwɜːld'feɪməs] weltberühmt
World Heritage Site [ˌwɜːld'herɪtɪdʒˌsaɪt] *Gebäude, Naturdenkmal usw.*: Weltkulturerbe
worldly ['wɜːldlɪ] weltlich, irdisch
worldwide [ˌwɜːld'waɪd] weltweit; **World Wide Web** *Computer*: Internet
worm¹ [△ wɜːm] Wurm
worm² [△ wɜːm] **1.** **worm one's way through** sich schlängeln durch **2.** **worm one's way into someone's confidence** sich jemandes Vertrauen erschleichen
worn [wɔːn] *3. Form von* → **wear¹**
worn out [ˌwɔːn'aʊt] **1.** *Kleidung*: abgenutzt, abgetragen **2.** *Person*: erschöpft
worried [△ 'wʌrɪd] besorgt, beunruhigt; **be worried** sich sorgen, sich Sorgen machen (**about** über, um, wegen)
worry¹ [△ 'wʌrɪ] **1.** beunruhigen, Sorgen machen **2.** sich sorgen, sich Sorgen machen (**about, over** über, um, wegen)
worry² [△ 'wʌrɪ] Sorge
worrying [△ 'wʌrɪɪŋ] besorgniserregend
worse¹ [wɜːs] *Komparativ von* **bad** schlechter, schlimmer; **worse still** was noch schlimmer ist; **to make matters worse** zu allem Übel
worse² [wɜːs] Schlechteres, Schlimmeres
worsen ['wɜːsn] **1.** verschlechtern **2.** sich verschlechtern
worship¹ ['wɜːʃɪp] **1.** Verehrung **2.** Gottesdienst
worship² ['wɜːʃɪp], **worshipped, worshipped**, *AE* **worshiped, worshiped 1.** anbeten (*Gott*), verehren; **worship God** *auch*: zu Gott beten **2.** vergöttern
worst¹ [wɜːst] *Superlativ von* **bad**; schlechteste(r, -s), schlimmste(r, -s)
worst² [wɜːst] *der, die, das* Schlechteste

W

oder Schlimmste; *at* (*the*) *worst* schlimmstenfalls; *if the worst comes to the worst* wenn alle Stricke reißen; *get the worst of it* den Kürzeren ziehen

worst[3] [wɜːst] *Superlativ von badly*; *am schlechtesten oder* schlimmsten; *come off worst* den Kürzeren ziehen (*in* bei)

worth[1] [wɜːθ] wert; *it's worth £10* es ist 10 Pfund wert; *a skirt worth £20* ein Rock im Wert von 20 Pfund; *it's worth a try* es ist einen Versuch wert; *it isn't worth it* es lohnt sich nicht; *it might be worth your while* es könnte sich für dich lohnen (*to do* zu tun); *worth mentioning* erwähnenswert; *it isn't worth waiting any longer* es lohnt sich nicht, noch länger zu warten

worth[2] [wɜːθ] Wert

worthless ['wɜːθləs] wertlos

worthwhile [ˌwɜːθ'waɪl] lohnend; *be worthwhile* sich lohnen

worthy [△ 'wɜːðɪ] wert, würdig; *worthy of admiration* bewundernswürdig

would [wʊd] **1.** *he said he would come* er sagte, er werde kommen; *he would have come if …* er wäre gekommen, wenn …; *what would you do if … ?* was würdest du tun, wenn …?; *how would you know?* woher willst du denn das wissen?; *you wouldn't understand* das verstehst du sowieso nicht; *you would, wouldn't you?* *umg.* das sieht dir ähnlich! **2.** *Bereitschaft, Entschluss*: *he wouldn't tell us what had happened* er wollte uns nicht sagen, was passiert war; *the door wouldn't shut* die Tür schloss nicht; *I would rather not say what I think* ich sage lieber nicht, was ich denke **3.** *höfliche Bitte*: *shut the window, would you?* mach doch bitte das Fenster zu **4.** *frühere Gewohnheit*: *he would often take a walk after supper* er machte nach dem Abendessen oft einen Spaziergang

would-be ['wʊdbiː] Möchtegern…; *a would-be poet* ein Möchtegerndichter

wouldn't ['wʊdnt] *Kurzform von would not*

would've [wʊdv] *Kurzform von would have*

wound[1] [waʊnd] *2. und 3. Form von* → *wind*[2]

wound[2] [△ wuːnd] Wunde, Verletzung

wound[3] [△ wuːnd] **1.** verwunden, verletzen **2.** *übertragen* verletzen (*jemandes Stolz usw.*)

wove [wəʊv] *2. Form von* → *weave*

woven ['wəʊvn] *3. Form von* → *weave*

wow [waʊ] *umg. wow!* höchst erstaunt, überrascht: wow!, Mann!, Mensch!

---

wr-: Tipps zur Aussprache

Wrack klingt im Englischen ganz anders.

Wo wir [vr-] sagen, wie etwa beim (Schiffs)Wrack, sprechen englische Muttersprachler bei Wörtern, die mit „wr-" am Anfang geschrieben werden, das „w" *nicht* mit.

Beispiele:
wrap [ræp], **wreck** [rek], **wring** [rɪŋ], **wrong** [rɒŋ] und natürlich **write** [raɪt], **wrote** [rəʊt], **written** ['rɪtn]

Und wie spricht sich wohl der berühmte Erbauer der Londoner St-Paul's Cathedral, *Sir Christopher Wren*, aus?

---

wrangle [△ 'ræŋgl] (sich) streiten (*with* mit; *over* um)

wrap[1] [△ ræp], **wrapped, wrapped 1.** einpacken, einwickeln (*in* in) **2.** wickeln (*Papier usw.*) (*around, round* um)

---

wrap up [ˌræp'ʌp] **1.** einpacken, einwickeln (*in* in) **2.** sich warm anziehen **3.** unter Dach und Fach bringen (*Geschäft, Projekt usw.*)

---

wrap[2] [△ ræp] **1.** Hülle **2.** *um Schulter*: Umhang **3.** *Essen*: (gefüllte und zusammengerollte) Tortilla

wrapper [△ 'ræpə] **1.** *allg.*: Verpackung, *von Bonbon*: Papier **2.** *von Buch*: (Schutz)Umschlag

wrapping [△ 'ræpɪŋ] Verpackung; *wrapping paper* Packpapier, Geschenkpapier

wrath [△ rɒθ] Zorn

wreath [△ riːθ] *Pl.*: **wreaths** [△ riːðz] Kranz

wreck[1] [△ rek] *Schiff*: Wrack (*auch Person*)

wreck[2] [△ rek] **1.** *be wrecked* Schiffbruch erleiden **2.** zunichtemachen (*Hoffnungen*)

wreckage [△ 'rekɪdʒ] Trümmer (*auch übertragen*)

wren [△ ren] *Vogel*: Zaunkönig

wrench [△ rentʃ] **1.** *wrench something from someone* jemandem etwas entwinden **2.** *wrench one's ankle* sich den Fuß verrenken

wrest [△ rest] *wrest something from someone* jemandem etwas entreißen

wrestle [△ 'resl] **1.** ringen (*with* mit) **2.** *übertragen* ringen, kämpfen (*with* mit; *for* um)

wrestler [△ 'reslə] Ringer(in)

wrestling [△ 'reslɪŋ] *Sport*: Ringen

wretch [△ retʃ] *Person*: armer Teufel

W

wretched [△ 'retʃɪd] **1.** *allg.*: elend **2.** *Kopfschmerzen, Wetter usw.*: scheußlich **3.** *umg.*; *bei Verärgerung*: verflixt

wriggle [△ 'rɪgl] sich winden, zappeln

wring [△ rɪŋ], **wrung** [△ rʌŋ], **wring** [△ rʌŋ] **1. wring one's hands** die Hände ringen **2.** *oft* **wring out** auswringen (*Wäsche*)

wringing wet [△ ˌrɪŋɪŋ'wet] klatschnass

wrinkle[1] [△ 'rɪŋkl] **1.** Falte, Runzel **2.** *umg.* Kniff, Trick

wrinkle[2] [△ 'rɪŋkl] *auch* **wrinkle up** runzeln (*Stirn*), rümpfen (*Nase*)

wrinkled [△ 'rɪŋkld] zerknittert, *Haut*: faltig

wrist [△ rɪst] Handgelenk

wristband [△ 'rɪstbænd] **1.** Armband **2.** *Sport*: Schweißband

wristwatch [△ 'rɪstwɒtʃ] Armbanduhr

write [△ raɪt], **wrote** [△ rəʊt], **written** [△ 'rɪtn] **1.** schreiben; **write to someone** jemandem schreiben **2. write someone** *bes. AE* jemandem schreiben **3.** ausstellen (*Scheck*) **4. it was written all over his face** *übertragen* es stand ihm im Gesicht geschrieben

---

write down [ˌraɪt'daʊn] aufschreiben, niederschreiben

write in [ˌraɪt'ɪn] schreiben (**to** an) (*Behörde usw.*); **write in for something** etwas anfordern

write off [ˌraɪt'ɒf] **1.** *Wirtschaft*: abschreiben (*auch als Verlust*) **2.** *bes. BE* zu Schrott fahren (*Wagen*) **3. write off for something** etwas anfordern

---

write out [ˌraɪt'aʊt] **1.** ausschreiben (*Namen usw.*) **2.** aufschreiben (*Bericht usw.*) **3.** ausstellen (*Quittung usw.*)

write up [ˌraɪt'ʌp] **1.** ausarbeiten (*Notizen usw.*) **2.** berichten über

---

write-off [△ 'raɪtɒf] **1.** *bes. BE*; *Auto*: To-

talschaden **2.** *Wirtschaft*: Abschreibung

writer [△ 'raɪtə] **1.** *von Brief usw.*: Schreiber(in), Verfasser(in), Autor(in) **2.** *beruflich*: Schriftsteller(in)

writhe [△ raɪð] sich winden (**in, with** vor)

writing[1] [△ 'raɪtɪŋ] **1.** (Hand)Schrift **2.** Schreiben (*Tätigkeit*) **3. in writing** schriftlich; ☞ **writings**

writing[2] [△ 'raɪtɪŋ] Schreib...; **writing desk** Schreibtisch; **writing paper** Schreibpapier

writings [△ 'raɪtɪŋz] *Pl.* Werke; ☞ **writing**[1]

written[1] [△ 'rɪtn] *3. Form von* → **write**

written[2] [△ 'rɪtn] schriftlich; **written language** Schriftsprache

wrong[1] [△ rɒŋ] **1.** falsch; **be wrong** falsch sein, nicht stimmen, *Person*: unrecht haben, *Uhr*: falsch gehen **2.** unrecht; **you were wrong to say that** es war nicht recht von dir, das zu sagen **3. is anything wrong?** ist etwas nicht in Ordnung?; **what's wrong with you?** was ist los mit dir?

wrong[2] [△ rɒŋ] falsch; **get someone** *oder* **something wrong** jemanden *oder* etwas falsch verstehen; **go wrong** *Person*: einen Fehler machen, *Sache*: schiefgehen; **the printer usw. has gone wrong** der Drucker usw. ist nicht in Ordnung

wrong[3] [△ rɒŋ] Unrecht; **be in the wrong** im Unrecht sein

wrongdoer [△ 'rɒŋˌduːə] Missetäter(in), Übeltäter(in)

wrongful [△ 'rɒŋfl] ungerechtfertigt

wrongly [△ 'rɒŋlɪ] **1.** (≈ *nicht korrekt*) falsch **2.** zu Unrecht (*bestraft werden usw.*) **3.** fälschlicherweise (*etwas glauben usw.*)

wrote [△ rəʊt] *2. Form von* → **write**

wrung [△ rʌŋ] *2. und 3. Form von* → **wring**

wry [△ raɪ] *Lächeln*: süßsauer

X

xenophobia [△ ˌzenə'fəʊbɪə] Ausländerfeindlichkeit

xenophobic [△ ˌzenə'fəʊbɪk] ausländerfeindlich

Xmas [△ 'krɪsməs, 'eksməs] *umg.* Weihnachten; ☞ **Christmas**

X-ray[1] ['eksreɪ] röntgen

X-ray[2] ['eksreɪ] **1.** Röntgenaufnahme **2.** Röntgenuntersuchung

xylophone ['zaɪləfəʊn] Xylofon

Y

yacht [△ ˈjɒt] **1.** Jacht **2.** *Sport:* (Segel)-Boot

yachting [△ ˈjɒtɪŋ] Segeln

yank¹ [jæŋk] *umg.* ziehen *oder* reißen an

yank² [jæŋk] **give something a yank** *umg.* an etwas kräftig ziehen

Yankee [ˈjæŋkɪ] *umg.* Yankee, Ami

yap [jæp] *yapped, yapped* **1.** (*Hund*) kläffen **2.** *umg.* quasseln

yard¹ [jɑːd] *Maßeinheit:* Yard

yard² [jɑːd] **1.** Hof; **school yard** Schulhof **2.** **front yard** *AE* Vorgarten; ☞ **backyard**

yardstick [ˈjɑːdstɪk] *übertragen* Maßstab

yarn [jɑːn] **1.** (≈ *Faden*) Garn **2.** *umg.* (fantastische) Geschichte

yawn¹ [jɔːn] gähnen (*auch übertragen: Abgrund*)

yawn² [jɔːn] **1.** Gähnen **2.** **be a big yawn** *umg.* zum Gähnen (langweilig) sein

yd *Abk. für →* **yard¹**

yeah [jeə] *umg.* ja

year [jɪə] Jahr; **year after year** Jahr für Jahr; **year in, year out** jahraus, jahrein; **all the year round** das ganze Jahr hindurch; **this year** dieses Jahr, heuer

yearly [ˈjɪəlɪ] jährlich

yearn [jɜːn] sich sehnen (**for** nach; **to do** danach, zu tun)

yearning¹ [ˈjɜːnɪŋ] Sehnsucht

yearning² [ˈjɜːnɪŋ] sehnsüchtig

yeast [jiːst] Hefe

yell¹ [jel] **1.** schreien, brüllen (**with** vor) **2.** *auch* **yell out** brüllen (*Befehl usw.*)

yell² [jel] Schrei

yellow¹ [ˈjeləʊ] gelb; **Yellow Pages®** *Pl.* *Telefonbuch:* gelbe Seiten, Branchenverzeichnis; **yellow press** Sensationspresse

yellow² [ˈjeləʊ] Gelb

yellow³ [ˈjeləʊ] sich gelb färben, vergilben

yelp [jelp] **1.** aufschreien **2.** (*Hund*) (auf)jaulen

yep [jep] *umg.* ja

yes¹ [jes] ja; **oh yes** o doch, o ja

yes² [jes] Ja, Jastimme

yesterday¹ [ˈjestədɪ] **1.** gestern; **yesterday morning** gestern Morgen; **the day before yesterday** vorgestern **2.** **I wasn't born yesterday** ich bin (doch) nicht von gestern

yesterday² [ˈjestədɪ] **yesterday's paper** die gestrige Zeitung

yet [jet] **1.** *fragend:* schon **2.** noch; **not yet** noch nicht; **as yet** bis jetzt, bisher **3.**

mit Komparativ: (doch) noch **4.** (≈ *trotzdem*) doch, aber, dennoch

yew [juː] *Baum:* Eibe

y-fronts [△ ˈwaɪfrʌnts] *BE, umg.* Herrenunterhose

Yiddish [ˈjɪdɪʃ] *Sprache:* Jiddisch

yield¹ [jiːld] **1.** tragen (*Früchte*), abwerfen (*Gewinn*) **2.** (*Boden*) nachgeben **3.** nachgeben, *militärisch:* sich ergeben (**to**; *dt. Dativ*)

---
yield to [ˈjiːld_tʊ] **yield to someone** *AE; im Straßenverkehr:* jemandem Vorfahrt gewähren
---

yield² [jiːld] Ertrag

yoga [ˈjəʊgə] Yoga, Joga

yoghurt, yogurt [ˈjɒgət] Joghurt

yoke [jəʊk] Joch (*auch übertragen*)

yolk [△ jəʊk] (Ei)Dotter, Eigelb

Yosemite National Park

Yosemite [jəʊˈsemətɪ] **National Park** – weltberühmter Nationalpark im US-Bundesstaat Kalifornien mit vielen Naturwundern, wie z. B. Cañons, Wasserfällen und Mammutbäumen; ☞ *Karte S. 294*

---

you [juː] **1.** du, Sie, ihr **2.** *Dativ:* dir, Ihnen, euch **3.** *Akkusativ:* dich, Sie, euch **4.** *verallgemeinernd:* man; **you never know** man weiß nie

you'd [juːd] *Kurzform von* **you had** *oder* **you would**

you'll [juːl] *Kurzform von* **you will** *oder* **you shall**

young¹ [jʌŋ] jung

young² [jʌŋ] **1.** **the young** die jungen Leute, die Jugend **2.** *von Tier:* Junge *Pl.*

youngster [ˈjʌŋstə] Jugendliche(r)

your [jɔː] dein(e); *Plural:* euer, eure; Ihr(e) (*auch Pl.*)

you're [jɔː] *Kurzform von* **you are**

yours [jɔːz] dein(er, -e, -es); **is this book yours?** gehört dieses Buch dir?, ist dies dein Buch?; *Plural:* euer, eure(s); Ihr(er, -e, -es) (*auch Pl.*); **a friend of yours** ein Freund von dir

yourself [jɔːˈself] *Pl.:* **yourselves** [jɔːˈselvz] **1.** *verstärkend:* selbst; **you yourself told me** *oder* **you told me yourself** du hast es mir selbst erzählt **2.** *reflexiv:* dir, dich, sich; **did you hurt yourself?**

Y

hast du dich verletzt?

youth[1] [ju:θ] **1.** *Lebensalter*: Jugend; *in my youth* in meiner Jugend **2.** △ *Pl.*: **youths** [△ ju:ðz] *oft abwertend*; *bes. junger Mann*: Jugendlicher **3.** *today's youth* die heutige Jugend (*Mädchen und Jungen*)

youth[2] [ju:θ] Jugend...; *youth club* Jugendklub; *youth hostel* Jugendherberge

youthful ['ju:θfl] jugendlich

you've [ju:v] *Kurzform von* **you have**

yucca ['jʌkə] Yucca, Palmlilie

Yugoslav[1] ['ju:gəʊslɑ:v] jugoslawisch

Yugoslav[2] ['ju:gəʊslɑ:v] Jugoslawe, Jugoslawin

Yugoslavia [,ju:gəʊ'slɑ:vɪə] Jugoslawien (△ *nur bis 2003*)

yummy ['jʌmɪ] *umg.* lecker

yuppie[1] ['jʌpɪ] Yuppie

yuppie[2] ['jʌpɪ] yuppiemäßig

Z

zap [zæp], *zapped, zapped* **1.** *Computer*: löschen **2.** *bei Computerspiel*: zerstören, killen **3.** (≈ *schnell fahren*) düsen **4.** *TV*: ständig hin- und herschalten, zappen

zeal [zi:l] Eifer

zealot [△ 'zelət] Fanatiker(in)

zealous [△ 'zeləs] eifrig; *be zealous* eifrig bemüht sein (*for* um; *to do* darum, zu tun)

zebra ['zebrə, *bes. AE* 'zi:brə] Zebra

zebra crossing [,zebrə'krɒsɪŋ] *in GB*: Zebrastreifen

zero[1] ['zɪərəʊ] *Pl.*: **zeros** *oder* **zeroes** Null (*AE auch Telefon*); *10 degrees below zero* 10 Grad unter null

zero[2] ['zɪərəʊ] Null...; *zero growth* Nullwachstum; *zero-emission* schadstofffrei; *zero tolerance* (*gegenüber Kriminalität usw.*) Zerotoleranz, Nulltoleranz

zest [zest] **1.** *einer Zitrone, Orange usw.*: Schale **2.** Begeisterung; *zest for life* Lebensfreude

zigzag[1] ['zɪgzæg] Zickzack

zigzag[2] ['zɪgzæg], *zigzagged, zigzagged* **1.** im Zickzack laufen *oder* fahren **2.** (*Weg usw.*) zickzackförmig verlaufen

zinc [zɪŋk] Zink

zip[1] [zɪp] **1.** Reißverschluss **2.** *umg.* Schwung

zip[2] [zɪp], *zipped, zipped* **1.** *umg.* flitzen **2.** *Computer*: zippen, packen (*Datei*)

zip up [,zɪp'ʌp] *zip something up* den Reißverschluss von etwas zumachen; ☞ *unzip*

zip code ['zɪp_kəʊd] *AE* Postleitzahl

zip file ['zɪp_faɪl] *Computer*: Zip-Datei, komprimierte Datei, *umg.* gezippte Datei

zipper ['zɪpə] *bes. AE* Reißverschluss

zodiac ['zəʊdɪæk] *signs of the zodiac* Tierkreiszeichen

zombie ['zɒmbɪ] Zombie

zone [zəʊn] Zone

zonked [zɒŋkt] *umg.* total geschafft

zoo [zu:] Zoo

zoological [△ ,zəʊə'lɒdʒɪkl] zoologisch

zoology [△ zəʊ'ɒlədʒɪ] Zoologie

zoom[1] [zu:m] *umg.* sausen

zoom[2] [zu:m], **zoom lens** [△ 'zu:m_lenz] *an der Kamera*: Zoom, Zoomobjektiv

zucchini [zʊ'ki:nɪ] *Pl.*: *zucchinis AE* Zucchini

Zurich ['zʊərɪk] Zürich

Übungen und Rätsel

Übungen und Rätsel zum Umgang mit diesem Wörterbuch

Das **POWER Dictionary Englisch** ist ein speziell fürs Sprachenlernen entwickeltes Wörterbuch, das alle Stichwörter in Blau voll ausschreibt und großen Wert auf eine übersichtliche Darstellung der verschiedenen Bedeutungen legt. Auf missverständliche Symbole und Abkürzungen wird vollständig verzichtet. Dafür enthält das **POWER Dictionary** aber eine Vielzahl von wichtigen und interessanten Informationen aus dem grammatischen, stilistischen und kulturellen Bereich.

Du findest hier eine Reihe von Übungen, die dich auf einfache Weise in die vielfältigen Möglichkeiten des Nachschlagens im Wörterbuch einführen. Alle Übungen sind mit dem **Power Dictionary Englisch** zu lösen.

Übung 1: Alphabetischer Aufbau des Wörterbuchs

Ziel: Erfolgreiches Nachschlagen statt wahllosen Blätterns

a: Deutsche Stichwörter

Bringe in den folgenden Wortgruppen die Wörter in die richtige alphabetische Reihenfolge:

Kren	Kandidat(in)	Lüftung
hetzen	Kanal	Luftkurort
rot	Kampf	Luftfahrt
Befreiung	Känguru	Luftmatratze
Überfall	Karo	Luftpumpe
schulden	Kämpfer(in)	luftdicht
fundamental	Kammer	Luftkissenfahrzeug
Argument	kaltblütig	Luftballon
Luftzug	kapieren	Luftverschmutzung
sinnlos	kanadisch	Luftröhre

b: Englische Stichwörter

Bringe nun alle englischen Wörter in die richtige alphabetische Reihenfolge:

pharmacy	dog	glorious
background	capable	anniversary
jingle	unfair	jungle

Vgl. auch Seite 12/13 der Einführung zum Wörterbuch.

Übung 2: Beim richtigen Stichwort nachschlagen

Anhand eines kurzen englischen Texts kannst du deine Zielsicherheit beim Nachschlagen testen. Nachzuschlagende Wörter oder Ausdrücke sind blau hervorgehoben.

Playing truant **may prove expensive**

In Germany the practice of parents extending _their children's holidays by taking them out of school a couple of days before the end of the school year has been_ on the increase _and now may result in sanctions_ on the part of _the authorities._

The reasons for an „early" holiday are obvious. _Holiday trips, especially flights, are much cheaper before the_ peak _travelling time (i. e. the beginning of the school holidays) starts. And many families try to_ avoid _the traffic jams which are_ inevitable _at the start of the holiday season._

Headmasters claim that students can only be given time off for special reasons. If parents can't be bothered _to ask the school for official permission, their early family holiday may prove expensive. Should the school report the case to the_ local authorities _the parents may have to_ dig deep in their pockets _- fines ranging from € 1000 to € 5000 are possible._

a: Bringe die zu suchenden Wörter in eine alphabetische Reihenfolge:

play	inevitable
truant	bother
extend	local
increase	authorities
part	dig
obvious	deep
peak	pocket
avoid	fine

b: Sieh dir die (unterstrichenen) zusammengehörigen Wendungen an und unterstreiche die Suchwörter, bei denen du nachschlagen würdest:

play truant
on the increase
on the part of
can't be bothered
dig deep in their pockets

Übung 3: Aussprache und Lautschrift

a: Nach dem Stichwort wird in den meisten Fremdsprachen-Wörterbüchern gezeigt, wie ein Wort ausgesprochen wird. Dabei wird die international übliche Lautschrift der IPA (International Phonetic Association) verwendet. Schreibe die Lautschrift neben die nachfolgenden Stichwörter*:

	Lautschrift
hardly	
sadness	
puppet	
female	
bright	
helmet	
visa	
written	
highway	

* Eine Übersicht der Lautschriftzeichen findest du auch auf den Seiten 9-11 der Einführung zum Wörterbuch.

b: Manchmal musst du auch ein Wort im Wörterbuch suchen, das du nur gehört hast. Welches Wort wird in der folgenden Übung durch die Lautschrift dargestellt?

Lautschrift				
ʃeɪv	safe	shave	she's	have
dɒg	duck	dock	dunk	dog
'lɪvə	leave	live	liver	lively
'sjuːdəʊ	suicide	suede	pseudo	sudden
'θɪŋkə	thinker	finger	singer	thick
'æpɪtaɪt	episode	applied	apple pie	appetite
nɔːθ'iːst	nothing	nosebleed	northeast	naughty

Übung 4: Welche zusätzliche Information gibt das Wörterbuch?

Ziel: Erkennen und Nutzen der gegebenen Information

a: Wenn ein deutsches Wort im Englischen mehr als eine Bedeutung hat, findest du meistens kursive Erklärungen, die die unterschiedlichen Bedeutungen klarmachen. Achte in den folgenden Einträgen vor allem auf die in kursiver Schrift erscheinenden Übersetzungshilfen und notiere sie:

dicht	Pause
einstellen	Raum
Pass¹, Pass², Pass³	Scheibe

b: In Wörterbucheinträgen findest du manchmal auch Informationen zur Herkunft bzw. zum Sprachgebrauch eines Wortes oder einer Wendung. Welche Angaben macht das Wörterbuch zu folgenden Wörtern?

Deutsch	Angabe(n)	Englisch	Angabe(n)
Karfiol		trucker	
Kartoffelstock		loony bin	
klauen		banger	
Knast		pee	
Knete 2.		o.n.o.	
krass 4.		shit²	
Kulturbanause		thru	
Kumpel 1.		sitcom	

Vgl. auch Seite 16 f. der Einführung zum Wörterbuch.

Übung 5: Ähnliche Wörter - Unterschiedliche Bedeutungen

Ziel: Verwechslungen in der Fremdsprache vermeiden

Es gibt im Deutschen eine Menge Wörter, die einem englischen Wort gleichen oder ähnlich klingen, aber in Wirklichkeit wie „falsche Freunde" sind. Häufig gibt es auch kleine, aber wichtige Abweichungen in der Schreibung. Schlage die Übersetzungen zu folgenden englischen und deutschen Wörtern nach:

Englisches Stichwort	Übersetzung(en)	Deutsches Stichwort	Übersetzung(en)
alley		brav	
barracks		Handy	
become		Rente	
tramp		spenden	
undertaker		Warenhaus	

Vgl. auch S. 26 der Einführung zum Wörterbuch

Übung 6: Wörter im Zusammenhang richtig übersetzen

Oft wird die Bedeutung eines Wortes erst im Satzzusammenhang klar. Hier helfen im Wörterbuch angegebene Redewendungen oder Satzbeispiele. Schlage bei den folgenden Stichwörtern nach und übersetze den jeweils folgenden Satz:

a: Deutsch-Englisch:

bekannt	sie kommt mir bekannt vor.
besetzt	ist da besetzt?
Bessere(s)	sie denkt, sie ist etwas Besseres
Besuch	mein Onkel ist bei uns zu Besuch
biologisch	biologischer Anbau

b: Englisch-Deutsch:

catch	catch the train
charge	free of charge
exchange	exchange words
increase	increase threefold
smile[1]	be all smiles

Übung 7: Zusatzinformationen nutzen

Blau unterlegte oder gerahmte Info-Fenster bieten eine Vielfalt an zusätzlichen Informationen. Sie laden zum Schmökern ein, helfen aber auch bei kniffeligen Grammatikfragen. Trage die gesuchten Begriffe in die waagrechten Zeilen ein. Das Lösungswort (von oben nach unten gelesen) ist der Name einer beliebten und gesunden Zwischenmahlzeit.

1. Wie kommentiert man scherzhaft auf Englisch, wenn jemand **niest**: „Bless ...!"

2. Welche Universitäten sind an dem berühmten **Boat Race** beteiligt? Cambridge und ...

3. Welches Land liegt südlich von **Hadrian's Wall**?

4. Wie nennt man im Englischen das **Fleisch** des Hammels?

5. Welches **Rezept** stellt der Arzt aus? (pre......ion)

6. In englischen Fitnessstudios sieht man jede Menge **six-packs**? Wie sagt man im Deutschen? (Wasch.....bauch)

Übung 8: Farbtafeln

In den 20 Farbillustrationen (Verzeichnis auf der Seite 4 des Wörterbuchs) wird wichtiger Alltagswortschatz zu bestimmten Themenbereichen in Wort und Bild präsentiert.

Auf welchen Farbtafeln findest du folgende Begriffe:

arm, bra, colander, cornflakes, dental water jet, mantlepiece, mouse pad, overhead projector, saddle, seatbelt, ticket office, walking

Die Lösungen findest du ab S. 1071.

Deutsch – Englisch

A

A 1. *das A und O* the most important thing **2.** *von A bis Z durchlesen* read* through from beginning to end, *Buch*: read* from cover to cover **3.** *das ist von A bis Z erlogen* it's a pack of lies **4.** *wer A sagt, muss auch B sagen* in for a penny, in for a pound

à: *30 Bücher à € 9,80* 30 books at €9.80 each (△ *Preisangabe mit Punkt*; *gesprochen nine euros eighty*)

Aal eel; *sich winden wie ein Aal* wriggle [△ 'rɪgl] like an eel

aalen: *sich in der Sonne aalen* bask [bɑːsk] in the sun

Aas (≈ *Tierleiche*) carcass ['kɑːkəs]

ab 1. *allg.*: from; *ab heute* from today, starting today; *von jetzt ab* from now on **2.** *ab 40 Personen* from 40 people (upwards), ... for groups of 40 and more **3.** *Kinder ab 12* children over (the age of) 12 **4.** *ab 5000 Euro* from 5,000 euros (upwards) **5.** *ab und zu* now and then, from time to time, occasionally **6.** *der Knopf ist ab* the button has come off **7.** *London ab 17:30 im Fahrplan*: dep. (= departure) London 17:30

AB (*Abk. für* **A**nrufbeantworter) answering machine [△ 'ɑːnsərɪn̩_mə͜ˌʃiːn], *BE auch* answerphone [△ 'ɑːnsəfəʊn], *AE auch* answerer [△ 'ɑːnsərə]

abarbeiten work off (*Schulden*)

abartig 1. *allg.*: abnormal [æb'nɔːml] **2.** *Verhalten*: abnormal, perverse [pə'vɜːs]

Abbau 1. (≈ *Reduzierung*) reduction (+ *Gen. oder von of, in*); *der Abbau von Arbeitskräften* the reduction of the workforce, reducing the workforce **2.** (≈ *Rückgang*) decline *von Kohle*: mining **3.** *Chemie*: decomposition, disintegration

Abbau

der Abbau von Arbeitskräften = **reducing the workforce**

Oft verwendet man im Englischen eine Verbform mit *-ing* (**reducing**) als Entsprechung für das deutsche Substantiv (der Abbau).

abbauen 1. take* down (*Gerüst usw.*) **2.**

mine (*Kohle usw.*) **3.** (≈ *verringern*) reduce **4.** *übertragen* get* rid of (*Vorurteile usw.*)

abbeißen bite* off

abbestellen 1. cancel [△ 'kænsl] (*Zeitschrift usw.*) **2.** *jemanden abbestellen* tell* someone not to come

abbiegen 1. (*Auto, Straße*) turn (off) **2.** *nach rechts* (*bzw.* *links*) *abbiegen* turn right (*bzw.* left)

Abbild ↔ *Wirklichkeit*: image ['ɪmɪdʒ], (≈ *Spiegelbild*) reflection

abbilden 1. portray, depict **2.** *wie oben abgebildet* as shown above

Abbildung picture, illustration

abbinden 1. untie, undo* **2.** take* off (*Krawatte*) **3.** tie up (*Bein, Arm*)

abblasen *übertragen, umg.* call off

abblättern *allg.*: peel off

abblenden *Auto*: dip (*AE* dim) one's headlights

Abblendlicht 1. dipped beam, *bes. AE* low beam **2.** *mit Abblendlicht fahren* drive* with (*oder* on) dipped (*AE* dimmed) headlights

abblitzen: *sie ließ ihn abblitzen* she gave him the brush-off

abblocken block (*auch übertragen*)

abbrausen: *sich abbrausen* have* (*oder* take*) a shower

abbrechen 1. *allg. und übertragen*: break* off **2.** *Computer*: abort, cancel **3.** *die Schule abbrechen* drop out of school **4.** *seine Zelte abbrechen* *übertragen* pack one's bags and leave

abbremsen *beim Auto usw.*: brake, slow down

abbrennen burn* down (*auch Kerze usw.*)

abbringen: *jemanden von etwas abbringen* persuade someone not to do something; *ich habe versucht, sie davon abzubringen* I tried to talk her out of it

Abbruch 1. *eines Gebäudes usw.*: demolition [ˌdeməˈlɪʃn] **2.** *von Verhandlungen, diplomatischen Beziehungen usw.* breaking-off [ˌbreɪkɪŋˈɒf]

Abbrucharbeiten demolition work (△ *Sg.*)

abbuchen: *gestern wurden 100 Euro von meinem Konto abgebucht* my account was debited ['debɪtɪd] with 100 euros yesterday; *der Betrag wird von Ihrem Konto abgebucht* the sum will be debited <u>to</u> your account

Abbuchung charge, debit ['debɪt] (entry)

Abbuchungsauftrag debit ['debɪt] order

abbürsten brush off (*Staub*)

abbüßen: *eine Strafe abbüßen* serve a sentence

abchecken (≈ *kontrollieren*) check

Abc ABC, alphabet ['ælfəbet]; *nach dem Abc* alphabetica<u>lly</u> [ˌælfə'betɪklɪ], in alphabetical order

Abc-Schütze first year pupil ['pjuːpl], *AE* first grader; *sie ist noch ABC-Schütze* she's (only) just started school

abdampfen 1. evaporate [ɪ'væpəreɪt] **2.** *umg.* (≈ *weggehen*) clear off

abdanken 1. resign **2.** (*Kaiser, König usw.*) abdicate

Abdankung 1. resignation [ˌrezɪg'neɪʃn] **2.** *Monarch:* abdication

abdecken 1. cover (over) (*Grab, Tennisplatz usw.*) **2.** cover (*Bereich, Thema*) **3.** clear (*Tisch*) **4.** turn down (*Bett, Bettdecke*) **5.** *der Sturm hat das ganze Dach abgedeckt* the storm blew the whole roof off

Abdeckstift *bei Hautunreinheiten:* cover-up stick, concealer (stick)

abdrehen 1. turn off (*Gas, Wasser usw.*) **2.** (*Flugzeug, Schiff usw.*) change course

Abdruck impression, imprint ['ɪmprɪnt]

abdrücken (≈ *schießen*) fire, pull the trigger

abduschen: *sich abduschen* have* (*oder* take*) a quick shower

Abend 1. evening; *guten Abend!* good evening!; *am Abend* <u>in</u> the evening, at night, (≈ *jeden Abend*) *auch:* <u>in</u> the evenings; *heute Abend* <u>this</u> evening, tonight; *morgen Abend* tomorrow night, tomorrow evening; *gestern Abend* yesterday evening, last night; *am nächsten Abend* <u>the</u> next evening **2.** *es wird Abend* it's getting dark **3.** *zu Abend essen* have* dinner, have* supper

Abendbrot, Abendessen dinner, supper

Abendkasse box office

Abendkleid evening dress, *AE* evening gown [gaʊn]

Abendland: *das Abendland* the West

Abendmahl: *das Abendmahl* (Holy) Communion (△ *ohne* the)

Abendnachrichten <u>the</u> news (this evening) (△ *mit Sg.*)

Abendrot red sky, sunset (*Letzteres auch übertragen*)

abends in the evening, (≈ *jeden Abend*) *auch:* in the evenings; *um 8 Uhr abends* at 8 (o'clock) in the evening, at 8 pm

Abendschule evening classes (△ *Pl.*), night school

Abendvorstellung *Kino:* evening showing, *Theater usw.:* evening performance

Abendzeitung evening paper

Abenteuer adventure [əd'ventʃə]

Abenteuerfilm adventure film

abenteuerlich 1. *Reise usw.:* adventurous **2.** (≈ *riskant*) risky **3.** *Erscheinung usw.:* eccentric [ɪk'sentrɪk], bizarre [bɪ'zɑː]

Abenteuerspielplatz adventure playground

aber 1. but **2.** *aber sicher!* (but) of course **3.** *aber nein!* oh no, *versichernd:* of course not **4.** *aber dennoch* yet, (but) still, nevertheless **5.** *das ist aber nett von dir* that's really nice of you

Aberglaube superstition [ˌsuːpə'stɪʃn]

abergläubisch superstitious [ˌsuːpə'stɪʃəs]

abfahrbereit *Zug usw.:* ready to leave

abfahren 1. (≈ *wegfahren*) leave*, set* out *oder* off (*nach* for) **2.** *Ski:* ski down **3.** *ihm wurde ein Bein abgefahren* he was run over and lost a leg; → *abgefahren*

Abfahrt 1. (≈ *Abreise*) departure **2.** *Ski:* downhill run

Abfahrtslauf *Skisport:* downhill race

Abfahrtsläufer(in) downhill racer, downhiller

Abfahrtszeit departure time

Abfall 1. *allg., auch radioaktiv:* waste **2.** *bes. Hausmüll:* rubbish, *bes. AE* garbage, *AE* trash **3.** *in der Öffentlichkeit, bes. Papier:* litter

Abfallbeseitigung waste disposal

Abfalleimer waste bin, *AE* garbage can

abfallen 1. (≈ *herunterfallen*) fall* (*oder* drop) off **2.** *für dich wird auch etwas abfallen* there'll be* something in it for you too

abfallend *Gelände:* sloping

Abfallentsorgung waste disposal

abfällig *Bemerkung:* disparaging [dɪ'spærɪdʒɪŋ]; *sich abfällig über jemanden äußern* make* disparaging remarks about someone

Abfallprodukt 1. waste product **2.** *verwertbares:* by-product, spin-off

Abfallverwertung waste recycling

abfälschen deflect (*Ball*)

abfangen intercept [ˌɪntə'sept] (*Angriff, Ball, Brief, Feind usw.*)

Abfangjäger (≈ *Flugzeug*) interceptor [ˌɪntə'septə]

abfertigen 1. get* ready for dispatch (*Ware*) **2.** *wir wurden an der Grenze sehr schnell abgefertigt* we got through customs very quickly

Abfertigung 1. *Waren*: dispatch **2.** *Zoll*: (customs) clearance

Abfertigungshalle *Flugreise*: terminal

Abfertigungsschalter *Flug*: check-in desk

abfeuern 1. fire (*Schuss*) **2.** launch [lɔːntʃ] (*Rakete*)

abfinden 1. *jemanden abfinden* (≈ *entschädigen*) compensate someone **2.** *sich mit etwas abfinden* come* to terms with something

Abfindung 1. (≈ *Entschädigung*) compensation **2.** *von Angestellten*: redundancy payment *AE* severance pay

abflauen 1. (*Wind*) die down **2.** (*Nachfrage, Geschäft*) fall* (*oder* drop) off

abfliegen 1. (*Flugzeug*) take* off **2.** (*Person*) fly* **3.** *mit Flugzeug*: patrol [pə-ˈtrəʊl] (*Strecke*)

abfließen 1. run* off **2.** *in einen See usw.*: drain (*in* into)

Abflug 1. takeoff **2.** *Zeit*: departure; ☞ *Start*

abflugbereit ready for takeoff

Abflugzeit departure (time), flight departure (time)

Abfluss (≈ *Abflussstelle*) outlet, drain

Abfrage *per Computer*: (computer) search

abfragen: *jemanden abfragen* test (*AE* quiz) someone

abführen: *jemanden abführen* (≈ *verhaften*) take* someone into custody [ˈkʌstədɪ]

abfüllen 1. *allg.*: fill **2.** *in Flaschen*: bottle

Abgabe 1. *Fußball*: (≈ *Abspiel*) pass **2.** *Abgaben leisten Steuern*: pay* tax(es)

Abgang 1.: *nach seinem Abgang von der Schule reiste er viel* when (*oder* after) he left school he travelled a lot **2.** *Slang*: *ich mach 'nen Abgang* (≈ *ich gehe jetzt*) *AE* I gotta bounce

abgängig Ⓐ missing (*aus* from)

Abgangszeugnis (school-)leaving certificate [səˈtɪfɪkət], *AE* diploma

Abgase *beim Auto*: exhaust fumes [ɪgˈzɔːstˌfjuːmz]

abgasreduziert *beim Auto*: reduced-emission …

Abgastest *beim Auto*: exhaust [ɪgˈzɔːst] emission test

Abgasuntersuchung *beim Auto*: exhaust [ɪgˈzɔːst] emission test

abgearbeitet worn out

abgeben 1. (≈ *übergeben*) hand in (*Hefte, Aufgabe usw., auch Gepäck*); *am Ende der Stunde bitte die Hefte (bei mir) abgeben!* please hand in your exercise books at the end of the lesson **2.** *er gab ihr einen Keks usw. ab* he let her have one of his biscuits [ˈbɪskɪts] *usw.* **3.** *eine Erklärung usw. abgeben* make* a statement *usw.* **4.** *mit ihm gebe ich mich nicht ab* I won't have anything to do with him **5.** *Sport*: pass the ball (*an* to)

abgebildet: *wie oben abgebildet* as shown above

abgebrannt 1. *Gebäude usw., auch Kerze*: burnt down **2.** *umg.* (≈ *ohne Geld*) broke

abgefahren *Reifen*: worn, bald [bɔːld]

abgehackt *Redeweise*: disjointed, bitty

abgehärtet *körperlich*: tough [△ tʌf]

abgehen 1. *von der Schule abgehen* leave* school (△ *ohne* the) **2.** (*Knopf usw.*) come* off **3.** *er geht mir sehr ab* *übertragen* I miss him badly

abgehetzt exhausted [ɪgˈzɔːstɪd], *umg.* shattered

abgekartet: *abgekartetes Spiel* put-up job [ˈpʊtʌpˌdʒɒb]

abgelegen: *abgelegenes Dorf* remote village

abgemacht 1. *abgemacht!* (okay,) it's a deal **2.** *abgemacht ist abgemacht* a deal's a deal

abgemagert: *er sieht furchtbar abgemagert aus* he's just skin and bones

Abgeordnete(r) 1. *im Parlament*: member of parliament [△ ˈpɑːləmənt] **2.** *des britischen Unterhauses*: Member of Parliament (*Abkürzung*: MP [ˌemˈpiː]) **3.** *im amerikanischen Repräsentantenhaus*: Congressman (*männlich*), Congresswoman (*weiblich*)

Abgeordnetenhaus 1. *allg.*: parliament [△ ˈpɑːləmənt] **2.** *in GB*: House of Commons **3.** *in den USA*: House of Representatives

abgepackt *Lebensmittel*: prepacked

abgeschieden *Haus, Leben usw.*: secluded

abgeschlagen: *er ist weit abgeschlagen* *Läufer*: he's a long way behind

abgeschlossen 1. (≈ *beendet*) completed **2.** *ein abgeschlossenes Studium haben* have* a (university) degree

abgeschnitten: *von der Außenwelt abgeschnitten* cut off from the outside world

abgesehen: *abgesehen von* apart (*bes. AE* aside) from; *abgesehen davon, dass er krank ist* apart from the fact that he's ill

abgespannt exhausted [ɪgˈzɔːstɪd], worn out

abgestanden *Bier usw.*: flat, stale

abgestorben 1. *Pflanze, Gewebe*: dead **2.** *Zeh usw.*: numb [△ nʌm]; *meine Hand ist wie abgestorben* my hand has gone (completely) numb

abgestumpft *Mensch*: insensitive

abgetragen *Kleider*: worn, *stärker*: shabby

abgewöhnen 1. *sich das Rauchen usw.*
abgewöhnen give* up smoking *usw.* 2.
das werde ich ihm abgewöhnen I'll
soon cure him of that
Abgott idol ['aɪdl]
abgrenzen 1. mark (*oder* fence) off (*Ge-
biet, Grundstück*) 2. *wir müssen diese
Themen usw. voneinander abgrenzen*
we've got to look at these topics *usw.*
separately
Abgrund 1. abyss [ə'bɪs], chasm
[△ 'kæzm] 2. *sie steht am Rande des
Abgrunds übertragen* she's on the brink
of disaster
abgucken 1. *unerlaubt*: copy; *er hat ab-
geguckt* he was copying; *nicht abgu-
cken!* stop copying! 2. *sich bei jeman-
dem etwas abgucken* learn* something
from someone
Abguss cast, mould [məʊld]
abhaben: *willst du etwas abhaben?* do
you want a bit (*oder* some)?
abhacken chop off, cut* off
abhaken 1. tick (*AE* check) off (*Geschrie-
benes*) 2. *das (Thema) ist schon abge-
hakt* that's been dealt with
abhalten: *jemanden davon abhalten, et-
was zu tun* keep* (*oder* prevent *oder*
stop) someone from doing something
abhandeln (≈ *erörtern*) deal* with, dis-
cuss (*Thema usw.*)
Abhandlung treatise [△ 'triːtɪz] (*über
on*)

Abhang slope, *steil*: precipice [△ 'pre-
səpɪs]
abhängen 1. *abhängen von übertragen*
depend on; *es hängt davon ab, ob* it
depends (on) whether 2. take* down
(*Bild usw.*)
abhängig 1. dependent (*von* on) 2. *das
ist abhängig davon, ob* it depends (on)
whether 3. *er ist abhängig* (≈ *drogenab-
hängig*) he's a drug addict ['drʌg,ædɪkt],
he's an addict
Abhängigkeit *allg.*: dependence (*von* on)
abhärten: *sich abhärten umg.* toughen
[△ 'tʌfn] oneself up
abhauen 1. (≈ *abschlagen*) cut* off 2.
umg. (≈ *weglaufen*) run* off, run* away
3. *hau ab! umg.* clear off!, get lost!
abheben 1. (*Flugzeug usw.*) take* off 2.
ich muss Geld abheben I must go and
get some money (from the bank) 3. *ich
möchte 200 Euro abheben* I'd like to
withdraw 200 euros 4. *Spielkarten*: cut*
(the cards) 5. *kannst du mal abheben?*
Telefon: can you get it?
abheften file (away) (*Dokumente usw.*)
abhetzen: *sich abhetzen* wear* [weə]
oneself out
abholen fetch, pick up, collect (*jemanden,
Brief usw.*); *jemanden vom Bahnhof ab-
holen* meet* someone (*oder* pick some-
one up) at the station

At my Desk — An meinem Schreibtisch

	At my Desk	An meinem Schreibtisch			
1	calculator	Taschenrechner	19	mouse pad, mouse mat	Mauspad
2	CD writer	CD-Brenner	20	paper clip(s)	Büroklammer(n)
3	CD-ROM	CD-ROM	21	(ballpoint) pen	Kugelschreiber
4	CD-ROM drive	CD-ROM-Laufwerk	22	pencil	Bleistift
5	compasses (*Pl.*)	Zirkel	23	pencil case	Federmäppchen
6	computer	Computer, Rechner	24	pencil sharpener	(Bleistift)Spitzer
7	desk	Schreibtisch			
8	disk drive	Diskettenlaufwerk	25	printer	Drucker
9	DVD drive	DVD-Laufwerk	26	ring binder	Ringbuch
10	exercise book, *AE* notebook	Schul(Heft)	27	rubber, *AE* eraser	Radiergummi
11	felt-tip (pen)	Filzstift	28	rucksack, *AE* backpack	Rucksack
12	fountain pen	Füller			
13	glue stick	Klebestift	29	ruler	Lineal
14	highlighter	Leuchtstift	30	scanner	Scanner
15	keyboard	Tastatur	31	scissors (*Pl.*)	Schere
16	mobile (phone), *AE* cell(ular) phone	Handy	32	speaker	Lautsprecher
			33	staple(s)	Heftklammer(n)
17	monitor, screen	Bildschirm	34	stapler	Hefter

At my Desk

abholzen 1. cut* down (*Bäume*) **2.** clear (of trees) (*Gebiet*)

abhören 1. bug (*Telefon, Telefongespräch, Büro, Gebäude*) **2. *wir wurden abgehört*** we were bugged

Abi *umg.* → **Abitur**

Abitur: *das Abitur machen* *etwa*: take* one's school-leaving exams (*oder BE* A-levels), *AE* graduate from high school

Abiturient(in) 1. *vor dem Abitur, BE etwa*: sixth-former; ***er ist Abiturient*** he's in the sixth form, *AE* he's a senior **2.** *nach dem Abitur, AE etwa*: high-school graduate; ***sie ist Abiturientin*** she's done her Abitur (*oder* school-leaving exams)

Abiturklasse *etwa*: sixth form, *AE* senior grade

Abiturzeugnis „Abitur" certificate [sə-'tɪfɪkət], *BE etwa*: A-levels ['eɪ,levlz] (△ *Pl.*), *AE etwa*: (Senior High School) graduation diploma

abkapseln: *er kapselt sich ab* *übertragen* he's cutting himself off, he's isolating himself

abkaufen 1. *jemandem etwas abkaufen* buy* something from (*umg.* off) someone **2. *das kauf ich dir nicht ab!*** *übertragen* I don't believe you, I'm not going to buy that

abklappern scour ['skauə], comb [△ kəum] (*Läden, Gegend*) (**nach** for), do* (*Museen usw.*)

abklingen 1. (≈ *nachlassen*) wear* off [,weər'ɒf], abate **2.** (*Schmerz*) ease **3.** (*Fieber, Schwellung*) go* down **4.** (*Sturm, Erregung usw.*) subside [səb'saɪd], die down

abklopfen brush off (*Staub*)

abknallen: *jemanden abknallen* *umg.* shoot* someone, bump someone off

abkommen 1. *vom Weg abkommen* lose* [luːz] one's way **2. *von der Fahrbahn abkommen*** leave* the road **3. *vom Thema abkommen*** stray from the point

Abkommen: *ein Abkommen treffen* make* (*oder* come* to) an agreement (**über** on)

abkoppeln 1. unhitch (*Anhänger, Eisenbahnwagen*) **2.** undock (*Raumfähre*)

abkratzen 1. scrape off (*z. B. Rost*) **2.** *salopp* (≈ *sterben*) kick the bucket, snuff it

abkühlen: *sich abkühlen* cool off (*oder* down) (*auch übertragen*)

Abkühlung cooling (down), *übertragen* cooling (off)

abkupfern *übertragen* crib, lift

abkürzen 1. shorten (*Vorgang*) **2.** (≈ *eine Abkürzung verwenden*) abbreviate [ə'briːvɪeɪt] (*Wort, Begriff*) **3.** (**den Weg**) *abkürzen* take* a short cut

Abkürzung 1. *des Weges*: short cut **2.** *eines Wortes*: abbreviation [ə,briːvɪ'eɪʃn] ☞ *Übersicht S. 30*

abladen 1. unload **2.** dump (*Müll*)

Ablage ⓖ (≈ *Zweig-, Annahme-, Verkaufsstelle*) branch [brɑːntʃ]

ablagern: *sich ablagern* (*Stoffe, Mineralien usw.*) form a deposit [dɪ'pɒzɪt] (**auf** on)

ablassen 1. let* off (*Dampf*) **2.** let* out (*Luft*) **3.** drain off (*Wasser*)

Ablauf 1. (≈ *Verlauf*) course [kɔːs] **2. *der Ablauf der Ereignisse*** the course of events **3.** *einer Frist, eines Vertrages*: expiry [ɪk'spaɪərɪ]

ablaufen 1. (*Wasser usw.*) run* (*oder* flow) off **2.** (*Frist, Pass usw.*) run* out, expire [ɪk'spaɪə]

ablecken 1. (≈ *entfernen*) lick off **2. *den Teller*** *usw.* **ablecken** lick the plate *usw.* clean; ***er leckte sich die Finger ab*** he licked *his* fingers (clean)

ablegen 1. take* off (*Kleider*) **2.** file (*Akten*)

Ableger *Pflanze*: shoot

ablehnen 1. refuse [rɪ'fjuːz], turn down (*Einladung, Angebot*) **2.** reject (*Vor-*

In the Classroom   Im Klassenzimmer

1	blackboard	Tafel	6	pupil, *AE* student	Schüler, Schülerin
2	chair	Stuhl			
3	chalk	Kreide	7	sponge	Schwamm
4	desk	Schulbank	8	teacher	Lehrer, Lehrerin
5	digital projector, LCD projector	Beamer	9	washbasin	Waschbecken
			10	wastepaper basket	Papierkorb

It's on the tip of my tongue.   Es liegt mir auf der Zunge.

Abneigungen / Dinge, die man nicht mag

Dislikes

Ich mag Montage nicht.
Ich mag es nicht, wenn man mich anstarrt.
Ich mach mir nicht besonders viel aus Würstchen.

Ich kann Leute nicht ertragen, die endlos reden.

I don't like Mondays.
I don't like being stared at.
I'm not very keen on sausages.

I can't stand people who never stop talking.

---

schlag, Angebot, Gesetzentwurf) **3.** disapprove of (*jemanden, Abtreibung usw.*) **4.** turn down (*Bewerber*)

Ablehnung 1. (≈ *Zurückweisung*) refusal [rɪ'fjuːzl] **2.** *eines Vorschlags*: rejection

ableiten 1. (≈ *logisch folgern*) deduce [dɪ'djuːs] (*aus* from) **2.** *dieses Wort leitet sich aus dem Lateinischen ab* this word is derived from Latin

ablenken: *er lenkt mich immer von der Arbeit ab* he keeps distracting me from my work

Ablenkung (≈ *Zerstreuung*) diversion, distraction

Ablenkungsmanöver *übertragen* diversionary tactic, red herring ['herɪŋ]

ablesen 1. *Rede*: read* (from notes) **2.** *das Gas* (*bzw.* *den Strom*) *ablesen* read* the gas (*bzw.* electricity) meter **3.** *ich konnte ihr von den Augen ablesen, dass ...* I could see in her eyes that ...

abliefern 1. deliver [dɪ'lɪvə] (*Waren*) (*bei* to, at) **2.** (≈ *übergeben*) hand in (*Dokumente usw.*) (*an* to)

ablösen 1. (≈ *entfernen*) remove (*von* from), take* off **2.** take* over from (*einen Kollegen usw.*)

Ablösesumme *Sport*: transfer fee ['trænsfɜː ˌfiː]

Ablösung *im Amt usw.*: replacement

ABM (*Abk. für* **A**rbeits**b**eschaffungs**m**aßnahme) job-creation scheme ['dʒɒbkriːˌeɪʃn_skiːm]

abmachen 1. (≈ *lösen*) take* off, remove **2.** undo* (*Strick, Kette usw.*)

Abmachung agreement, arrangement; *eine Abmachung treffen* come* to an agreement (*über* on, about)

abmagern get* (very) thin; *er ist abgemagert* he's lost a lot of weight

abmalen (≈ *kopieren*) copy

abmelden 1. cancel ['kænsl] (*Zeitung usw.*) **2.** *sich polizeilich abmelden* notify the police that one is moving away **3.** *Jane hat ihr Auto abgemeldet* Jane took her car off the road

abmessen measure ['meʒə]

Abmessung 1. (≈ *das Abmessen*) measurement **2.** (≈ *Maße*) dimension

abmurksen: *jemanden abmurksen* *salopp* do* someone in

abnabeln: *sich abnabeln* cut* the cord

Abnahme (≈ *Verminderung*) decrease ['diːkriːs], decline [dɪ'klaɪn] (*der, des* in; *nicht of*)

abnehmbar removable, detachable

abnehmen 1. (≈ *herunternehmen*) take* down, remove **2.** (≈ *entfernen*) take* off **3.** *beim Telefonieren*: answer the phone **4.** *den Hörer abnehmen* pick up the receiver **5.** *sie will unbedingt abnehmen Gewicht*: she really wants to lose weight; *drei Kilo abnehmen* lose* three kilos **6.** (*Unfälle, Diebstähle usw.*) go* down **7.** (*Kräfte, Energie*) decline

Abneigung 1. dislike (*gegen* of) **2.** *stärker*: aversion [ə'vɜːʃn] (to)

abnorm 1. (≈ *unnormal*) abnormal **2.** (≈ *ungewöhnlich*) exceptional, unusual

abnutzen: *sich abnutzen* wear* (out) [weə (ˌweər'aʊt)]

Abnutzung wear (and tear) [ˌweə(r_ən-'teə)]

Abo *umg.* → **Abonnement**

Abonnement 1. *Zeitung*: subscription (*bei* to) **2.** *Theater*: subscription, season ticket (*bei* for)

Abonnent(in) subscriber [səb'skraɪbə]

abonnieren subscribe to; *wir haben zwei Zeitschriften abonniert* we subscribe to two magazines

abpfeifen *bei Spielende*: blow* the final whistle [△ 'wɪsl]

Abpfiff: *beim Abpfiff* at the final whistle [△ 'wɪsl]

abplatzen (*Metall, Farbe usw.*) flake off

abprallen rebound [rɪ'baʊnd], bounce off

abpumpen pump off

abquälen: *sich mit etwas abquälen* struggle (*oder* have* a hard time) with something

abrasieren shave off; *er hat sich den Bart abrasiert* he's shaved off his beard

abraten: *jemandem von etwas abraten* advise someone against something *jemandem davon abraten, etwas zu tun* advise someone against doing something

abräumen 1. (*den Tisch*) *abräumen* clear

the table **2.** *beim Turnier usw.*: (≈ *gewinnen*) sweep* the board

abreagieren 1. work off (*Ärger usw.*) (**an** on) **2. sich abreagieren** *umg.* let* off steam

abrechnen 1. (≈ *abziehen*) deduct, subtract **2.** (**mit jemandem**) **abrechnen** *übertragen* get* even (with someone)

abregen: reg dich ab! *umg.* cool it!, take it easy!

abreiben 1. *allg.*: rub off **2.** rub (down) (*Körper*) **3. sich abreiben** rub oneself down

Abreibung: jemandem eine Abreibung verpassen *umg.* give* someone a thrashing

Abreise departure (**nach** for); **meine Mutter weinte bei meiner Abreise** my mother cried when I left

abreisen leave* (**nach** for)

Abreisetag day of departure, departure date

abreißen 1. (≈ *abtrennen*) tear* [△ teə] (*oder* rip) off **2. ein Gebäude abreißen** pull (*oder* tear) down a building

abrichten train (*Tier*)

abriegeln block (off) (*Straße, Gebiet usw.*)

Abriss 1. *von Gebäuden*: demolition **2.** (≈ *kurze Darstellung*) outline, summary

abrücken 1. (≈ *wegrücken*) move away **2.** (*Truppen*) move out **3.** (≈ *sich distanzieren*) distance ['dɪstəns] oneself (**von** from)

Abruf: auf Abruf on call

abrufen *Computer*: call up, retrieve (*Daten*)

abrunden 1. round off (*auch übertragen*) **2. eine Zahl nach oben** (*bzw.* **unten**) **abrunden** round a number up (*bzw.* down)

abrüsten disarm

Abrüstung disarmament

Abrüstungsgespräche disarmament talks

abrutschen 1. slip off (*oder* down) **2. er ist in Mathe abgerutscht** he's fallen behind in maths [mæθs] (*AE* math)

ABS *im Auto*: ABS, anti-lock braking system

Absage (≈ *Ablehnung*) rejection, refusal

absagen 1. cancel [△ 'kænsl], call off (*Veranstaltung, Besuch usw.*) **2. ich muss leider absagen** I'm afraid I can't come

absahnen *BE* cream off, *AE* skim off (*Profit usw.*)

Absatz 1. (≈ *Abschnitt*) paragraph **2.** *Schuh*: heel **3.** (≈ *Verkauf*) sales (△ *Pl.*) **4.** (≈ *Treppenabsatz*) landing

abschaffen 1. abolish (*Todesstrafe, Zölle usw.*) **2. er will sein Auto usw. abschaf-**

-fen he wants to get rid of his car *usw.*

Abschaffung *der Sklaverei usw.*: abolition [ˌæbəˈlɪʃn]

abschalten 1. switch off, turn off (*Licht, Radio usw.*) **2.** *übertragen* switch off, relax; **im Biergarten kann man immer so richtig abschalten** a beer garden is a good place to relax (completely)

abschätzen 1. estimate (*Preis, Größe, Menge usw.*) **2.** assess (*Wert, Schaden, Lage*)

Abscheu 1. (≈ *Horror, Entsetzen*) horror (**vor** of) **2.** (≈ *Ekel*) disgust (**vor** for)

abscheulich 1. (≈ *ekelerregend*) disgusting **2.** (≈ *grauenhaft*) dreadful ['dredfl] **3.** *Verbrechen*: atrocious [əˈtrəʊʃəs]

abschicken 1. send* (off) (*Paket, Brief*) **2.** *mit der Post*: post, *AE* mail

abschieben 1. (≈ *jemanden loswerden*) get* rid of **2.** (≈ *ausweisen*) deport

Abschiebung (≈ *Ausweisung*) deportation

Abschied 1. (≈ *Trennung*) farewell **2. Abschied nehmen** say* goodbye (**von** to) **3. zum Abschied gab er ihr einen Kuss** he kissed her goodbye

Abschieds... *in Zusammensetzungen*: farewell; **Abschiedsbrief** farewell letter; **Abschiedsfeier** farewell (*oder* leaving) party; **Abschiedsrede** farewell speech; **Abschiedsworte** words of farewell

Abschiedskuss goodbye kiss

abschießen shoot* down (*Flugzeug, Pilot*)

abschlagen 1. *wörtlich allg.*: knock [△ nɒk] off **2.** cut* off (*Kopf*) **3. etwas abschlagen** *übertragen* refuse [rɪˈfjuːz] (to do) something

Abschleppdienst breakdown (*AE* towing) service; **ruf doch mal den Abschleppdienst an!** why don't you call the breakdown men (△ *Pl.*) (*AE* a tow truck?)

Abschleppseil towrope ['təʊrəʊp]

Abschleppwagen breakdown truck (*oder* lorry), *AE* tow truck, wrecker [△ 'rekə]

abschleppen: mein Auto ist abgeschleppt worden my car was towed [təʊd] away

abschließen 1. (≈ *zuschließen*) lock (*Auto, Zimmer, Schrank usw.*) **2.** (≈ *beenden*) end, finish (*Sitzung, Vortrag usw.*) **3.** sign (*Vertrag*)

abschließend 1. abschließende Bemerkungen concluding remarks **2. abschließend sagte er ...** he ended by saying ...

Abschluss (≈ *Beendigung*) conclusion

Abschlussball *Schule*: school leavers' ball, *AE* (commencement) prom

Abschlussfeier *Schule*: prize-giving day

Abschlussprüfung 1. *allg.*: final exam (-ination) **2.** *Uni*: finals (△ *Pl.*) **3.** *an der Schule*: school-leaving exam (*oder* exams *Pl.*)

abschmecken 1. (≈ *kosten*) taste **2.** (≈ *würzen*) season

abschminken 1. *sie schminkt sich gerade ab* she's taking her make-up off **2.** *das kannst du dir abschminken!* you can forget about that

abschnallen 1. *er schnallte sich ab Auto, Flugzeug*: he took off his seatbelt, he undid his seatbelt **2.** *da schnallste ab! salopp* it's mind-boggling

abschneiden 1. *allg.*: cut* off **2.** cut* (*Haare*): *er hat sich die Haare abgeschnitten* he's cut his hair **3.** *er hat bei der Prüfung gut* (*bzw. schlecht*) *abgeschnitten* he did well (*bzw.* badly) in the exam

Abschnitt 1. section **2.** *eines Buches*: section, *kürzerer*: passage ['pæsɪdʒ] **3.** *Zeit*: period **4.** (≈ *Kontrollabschnitt*) stub

abschrauben unscrew [ˌʌn'skruː]

abschrecken 1. (≈ *einschüchtern, verjagen*) scare off **2.** *übertragen* pour [pɔː] cold water over (*Eier, Nudeln*)

abschreckend: *ein abschreckendes Beispiel* a warning, a deterrent [dɪ'terənt]

Abschreckung deterrence [dɪ'terəns]

abschreiben *in der Schule*: copy, crib; *er hat* (*das*) *von seinem Nachbarn abgeschrieben* he copied (*oder* cribbed) (that) from the boy *usw.* next to him

Abschrift copy, duplicate ['djuːplɪkət]

Abschussrampe launch(ing) pad ['lɔːntʃ ˌ(ɪŋ)ˌpæd]

abschütteln shake* off (*auch übertragen*)

abschwächen tone down (*Kritik usw.*)

abschweifen *vom Thema*: digress [daɪ'gres]; *nicht abschweifen!* keep to the point

absehbar: *in absehbarer Zeit* in the foreseeable future

absehen 1. (≈ *voraussehen*) foresee*, see*; *es ist kein Ende abzusehen* there's no end in sight; *die Folgen sind noch nicht abzusehen* there's no telling how things will turn out **2.** *er hat es auf ihr Geld abgesehen* he's after her money

abseits → *abseitsstehen*

Abseits *Sport*: **1.** *im Abseits stehen* be* offside [ˌɒf'saɪd] **2.** *nicht im Abseits stehen* be* onside [ˌɒn'saɪd]

Abseitsfalle offside trap

abseitsstehen stand* apart (*auch übertragen*)

Abseitstor offside goal

absenden send*, post, *bes. AE* mail

(*Post*)

Absender (≈ *Adresse*) address [ə'dres], *AE auch*: ['ædres]

Absender

Auf einem Briefumschlag, Paket usw. schreibt man vor der Absenderadresse oft **From:** ..., seltener **Sender:** ...

Absender(in) *eines Briefes usw.*: sender

Absenz ⌾, Ⓐ absence ['æbsəns]

absetzen 1. take* off (*Hut, Brille*) **2.** put* down (*Glas, Koffer*) **3.** call off (*Streik, Fußballspiel*) **4.** *wo können wir Sie absetzen? Auto*: where can we drop you (off)? **5.** *kann man das steuerlich absetzen?* is it tax-deductible? **6.** *sich ins Ausland absetzen* leave* the country

absichern 1. *eine Baustelle usw. absichern* make* a building site *usw.* safe **2.** *sich absichern* (≈ *sichergehen*) cover oneself

Absicht 1. intention **2.** (≈ *Ziel*) aim, object ['ɒbdʒɪkt] **3.** *mit Absicht* on purpose ['pɜːpəs]; *ohne Absicht* unintentionally **4.** *es war nicht meine Absicht, ihn zu beleidigen* I didn't mean to offend him

absichtlich (≈ *mit Absicht*) on purpose

absitzen 1. (≈ *vom Pferd absteigen*) dismount, get* off one's horse **2.** *eine Strafe absitzen* serve a sentence, do* time

absolut 1. *allg.*: absolute **2.** *ich sehe absolut keinen Sinn darin* I don't see any point in it at all

Absolvent(in) 1. school-leaver, *AE* (high school) graduate ['grædʒʊət] **2.** *einer Hochschule*: graduate ['grædʒʊət]

absolvieren finish, *bes. AE* graduate ['grædʒʊeɪt] from (*Schule, Hochschule*)

Abspann *Film, Fernsehen*: (final) credits ['kredɪts] (△ *Pl.*)

abspeichern save, store (*Text, Daten usw.*)

absperren block (*Straße*)

Absperrung 1. (≈ *Sperre*) barrier ['bærɪə] **2.** *Straße*: roadblock

abspielen 1. play (*Kassette, CD usw.*) **2.** *den Ball an jemanden abspielen* pass the ball to someone **3.** *sich abspielen* (≈ *geschehen*) happen, take* place

absplittern 1. (*Holz*) splinter (off), chip off **2.** (*Farbe, Lack*) flake off

Absprache agreement, arrangement; *laut Absprache* according to the agreement

absprechen 1. *sich mit jemandem absprechen, dass ...* (≈ *abmachen, sich einigen*) arrange with someone that ... **2.** *wir hatten uns vorher abgesprochen* we agreed in advance what we would say

abspringen 1. *wörtlich* jump off (*oder* down); **abspringen von** jump off, jump down from 2. **abspringen von** *Kurs usw.*: drop out of, withdraw from

Absprung 1. *wörtlich* jump 2. **den Absprung wagen** *übertragen* take* the plunge

abstammen: **der Mensch stammt vom Affen ab** man is descended from the apes

Abstammung descent [dɪ'sent], origin ['ɒrɪdʒɪn]

Abstammungslehre theory of evolution [,iːvə'luːʃn]

Abstand 1. (≈ *Entfernung*) distance ['dɪstəns]; **im Abstand von 10 Metern** at a distance of 10 metres, 10 metres away, *bei mehreren Gegenständen usw.*: 10 metres apart 2. (≈ *kleinerer Zwischenraum*) space, gap 3. *zeitlich*: interval ['ɪntəvl]; **in regelmäßigen Abständen** at regular intervals

abstauben 1. (≈ *Staub entfernen*) dust 2. (≈ *unerlaubt mitnehmen*) *umg.* swipe, snitch 3. *Fußball*: tap (the ball) in

Abstecher detour ['diːtʊə], *AE* side trip

Absteige *salopp* dosshouse, *AE* flophouse

absteigen 1. *vom Fahrrad, vom Pferd usw.*: get* off 2. (*Mannschaft*) be* relegated, go* down

abstellen 1. *allg.*: put* down 2. park (*Auto*) 3. **stell dein Fahrrad im Garten ab!** put your bike in the garden 4. turn off (*Maschine; Gas, Wasser*)

Abstellplatz *für Auto*: parking space

Abstellraum storeroom, *BE auch* lumber room

Abstieg 1. (≈ *das Absteigen*) way down; **beim Abstieg** on the way down 2. (≈ *Weg*) descent [dɪ'sent]; **der Abstieg war schwierig** the descent was difficult 3. *Sport*: relegation [,relɪ'geɪʃn]

abstimmen 1. **Dinge aufeinander abstimmen** coordinate things 2. *zeitlich*: time 3. match (*Farben*) 4. (*Parlament usw.*) vote

Abstimmung (≈ *Stimmabgabe*) vote; **eine Abstimmung durchführen** take* a vote

Abstoß *Fußball*: goal kick

abstoßend repulsive, disgusting

abstrahlen emit [ɪ'mɪt], radiate (*Wärme*)

abstrakt abstract ['æbstrækt] (*auch Kunst*)

abstreiten (≈ *leugnen*) deny

Absturz 1. fall 2. *beim Flugzeug*: crash

abstürzen 1. fall* 2. (*Flugzeug*) crash 3. (*Computer*) crash

absuchen search (*Gebiet usw.*) (**nach** for)

Abt abbot ['æbət]

abtasten 1. feel* (**nach** for) 2. *nach Waffen usw.*: frisk (**nach** for) 3. *Radar usw.*: scan

abtauen defrost (*Kühlschrank*)

Abtei abbey ['æbɪ]

Abteil *im Zug*: compartment

Abteilung *allg.*: department

Abteilungsleiter(in) 1. head of (a *oder* the) department, department head 2. *im Kaufhaus*: floor [flɔː] manager

abtippen type up (*Text*)

Äbtissin abbess ['æbes]

abtrainieren work off (*Pfunde usw.*)

Abtransport removal, transportation

abtreiben: (**ein Kind**) **abtreiben lassen** have* an abortion

Abtreibung abortion

Abtreibungspille abortion pill [ə'bɔːʃn_pɪl], morning-after pill

abtrennen separate (**von** from)

abtreten 1. **sich die Schuhe abtreten** wipe one's feet 2. *vom Amt*: resign [rɪ'zaɪn]

abtrocknen 1. dry 2. **sich die Hände abtrocknen** dry one's hands (**an** on) 3. dry up (*das Geschirr*), do* the drying-up

abtun dismiss (*Vorschlag usw.*) (**als** as)

abwägen 1. consider carefully 2. **seine Worte abwägen** weigh [weɪ] one's words

abwählen 1. **jemanden abwählen** vote someone out of office 2. *Schule*: drop (*Fach*)

abwälzen shift (**auf** on to); **die Verantwortung auf einen anderen abwälzen** pass the buck (to someone else)

abwandeln modify

abwandern (*Bevölkerung*) migrate [maɪ'greɪt], move

Abwanderung migration [maɪ'greɪʃn]

Abwandlung variation, modification

Abwart ⊛ (≈ *Hausmeister*) caretaker

abwarten 1. wait for (*etwas*) 2. **wir müssen noch abwarten** we'll have to wait and see 3. **das bleibt abzuwarten** that remains to be seen

abwärts down, downwards ['daʊnwədz]

Abwasch 1. (≈ *schmutziges Geschirr*) dirty dishes (△ *Pl.*) 2. **den Abwasch machen** do* the dishes, do* the washing-up

abwaschbar *Tapete usw.*: washable

abwaschen 1. wash up (*Geschirr*) 2. (≈ *Geschirr spülen*) do* the dishes (△ *Pl.*), do* the washing-up 3. wash off (*Schmutz*)

Abwasser waste water, sewage ['suːɪdʒ]

abwechseln 1. **sie wechselten sich beim Fahren ab** *Auto*: they shared the driving 2. **Regen und Sonnenschein wechseln sich ab** one minute it was raining, the next the sun was shining

abwechselnd alternately [ɔːlˈtɜːnətlɪ]; *sie haben abwechselnd gespielt* auch: they took it in turns to play

Abwechslung change; *zur Abwechslung* for a change

abwechslungsreich varied [ˈveərɪd]

Abwehr 1. (≈ *Verteidigung*) defence, *AE* defense (*auch Sport*) **2.** (≈ *Widerstand*) resistance [rɪˈzɪstəns]

Abwehr… *in Zusammensetzungen*: defensive; ***Abwehrfehler*** *Sport*: defensive error; ***Abwehrreaktion*** defensive reaction; ***Abwehrspiel*** *Sport*: defensive play

abwehren 1. beat* back (*Angriff, Feind*) **2.** *Boxen, Fußball*: block **3.** (*Torwart*) save (*Schuss*) **4.** ward off (*Gefahr usw.*)

Abwehrspieler(in) defender

Abwehrstoff antibody [ˈæntɪˌbɒdɪ]

abweichen 1. (**stark**) **voneinander abweichen** differ (sharply) **2.** *von den Regeln abweichen* break* the rules

abweichend differing

Abweichung 1. deviation [ˌdiːvɪˈeɪʃn] (**von** from) **2.** (≈ *Unterschied*) difference

abweisen reject, turn down (*Bitte usw.*)

abweisend unfriendly, cool

Abweisung rejection

abwenden 1. (**sich**) **abwenden** turn away **2.** avert [əˈvɜːt] (*Gefahr, Krise, Unheil usw.*)

abwerben 1. poach (*Kunden*) **2.** headhunt (*Arbeitskraft*) **3.** woo (*bes. Wähler*)

abwerfen 1. (≈ *hinunterwerfen*) throw* down **2.** throw* (*Reiter*) **3.** drop (*Bomben*) **4.** yield (*Gewinn*)

abwerten devalue [ˌdiːˈvæljuː] (*Geld*)

Abwertung *Geld, Währung*: devaluation

abwesend 1. absent [ˈæbsənt] **2.** (≈ *zerstreut*) absent-minded

Abwesenheit absence [ˈæbsəns]

abwickeln 1. unwind* [ˌʌnˈwaɪnd] **2.** take* off (*Verband*) **3.** *mit jemandem ein Geschäft abwickeln* do* a deal with someone

abwiegen weigh out [△ ˌweɪˈaʊt]

abwimmeln 1. get* rid of (*jemanden*) **2.** get* out of (*Arbeit*)

abwischen 1. *etwas abwischen* wipe something off **2.** wipe (*Tisch, Mund*) **3.** *wisch dir die Tränen ab!* dry your tears now

abwürgen *umg.* **1.** stall (*Motor*) **2.** *etwas sofort abwürgen* nip something in the bud

abzahlen pay* off

abzählen 1. count **2.** count (out) (*Geld*) **3.** *das kannst du dir an den (fünf) Fingern abzählen* it's as clear as daylight

Abzahlung: *etwas auf Abzahlung kaufen* buy* something on hire purchase [ˌhaɪəˈpɜːtʃəs], *bes. AE* buy* something on an installment plan *oder* on layway

abzapfen tap, draw* (off) (*Bier usw.*)

Abzeichen 1. *allg.*: badge **2.** (≈ *Rangabzeichen*) insignia [ɪnˈsɪgnɪə] (*Pl.*)

abzeichnen 1. (≈ *kopieren*) copy, draw* (**von** from) **2.** (≈ *unterschreiben*) initial

Abziehbild transfer [△ ˈtrænsfɜː]

abziehen 1. *wörtlich* take* off **2.** *einem Kaninchen usw. das Fell abziehen* skin a rabbit *usw.* **3.** strip (*Bett*) **4.** take* out (*Schlüssel*) **5.** withdraw* (*Truppen*) **6.** (≈ *abrechnen*) subtract **7.** (≈ *weggehen*) go* away, *umg.* push off **8.** (*Rauch*) escape **9.** *das Gewitter ist abgezogen* the storm has passed (over)

abzielen 1. *auf etwas abzielen* (*Attacke, Bemerkung usw.*): be* aimed at something **2.** *worauf hat er abgezielt?* what was he driving at?

Abzocke *umg.*: *Abzocke sein* be* a rip-off

abzocken: *Kunden abzocken* *umg.* rip customers off

Abzocker(in) *umg.* swindler

Abzug 1. *von Truppen*: withdrawal, retreat **2.** *am Gewehr*: trigger **3.** (≈ *Vervielfältigung*) copy **4.** *von Foto*: print

Abzugshaube *Küche*: cooker hood [△ hʊd], *AE* range hood

abzweigen (*Weg usw.*) branch off

Abzweigung 1. *einer Straße*: turning, turn-off **2.** (≈ *Gabelung*) fork

ach 1. oh **2.** *ach, wie schade* (*oder wie ärgerlich*) *usw.!* oh no! **3.** *ach so!* oh, I see **4.** *ach was!* nonsense, rubbish **5.** *ach wo!* oh no, of course not

Ach: *mit Ach und Krach eine Prüfung bestehen* scrape through an exam

Achillesferse Achilles' heel [əˌkɪliːzˈhiːl]

Achillessehne Achilles tendon [əˌkɪliːzˈtendən]

Achse 1. *Technik, Auto*: axle **2.** *Mathe*: axis [ˈæksɪs] *Pl.*: axes [ˈæksiːz] **3.** (**dauernd**) **auf Achse sein** be* (always) on the move

Achsel shoulder [ˈʃəʊldə]

Achselhöhle armpit

acht 1. eight [eɪt] **2.** *in acht Tagen* in a week('s time); (*heute*) *vor acht Tagen* a week ago (today); *alle acht Tage* every week, once a week

Acht[1] **1.** *Zahl*: (number) eight **2.** *Bus, Straßenbahn usw.*: number eight bus, number eight tram *usw.*

Acht[2]: *Acht geben* be* careful

achte(r, -s) eighth [eɪtθ]; *8. April* 8(th) April, April 8(th) (△ *gesprochen* the eighth of April); *am 8. April* on 8(th) April, on April 8(th) (△ *gesprochen* on the eighth of April)

Achte(r) 1. (the) eighth [(ði)_eɪtθ] **2. er war Achter** he was eighth **3. Heinrich VIII.** Henry VIII (*gesprochen* Henry the Eighth; VIII *ohne Punkt!*) **4. heute ist der Achte** it's the eighth today

Achteck octagon ['ɒktəgn]

achtel eighth [eɪtθ]; **drei achtel Liter** three eighths of a litre

Achtel eighth [eɪtθ]

Achtelfinale *Sport*: **1.** round before the quarter final **2. das Achtelfinale erreichen** reach the last sixteen

achten 1. respect (*jemanden*) **2. achte auf dein Fahrrad** *usw.* keep an eye on your bike *usw.*

Achter *Rudern*: eight [eɪt]

Achterbahn roller coaster, *BE auch* big dipper

achtfach 1. die achtfache Menge eight times the amount **2. der achtfache deutsche Meister X** eight-times German champion X (△ *ohne* the)

achtgeben be* careful

Achtung 1. (≈ *Respekt*) respect (**vor** for) **2. Achtung!** *Warnung*: look out! **3. Ach-**

tung! *Militär*: attention! **4. Achtung Stufe!** mind the step, *AE* caution: step!

achtzehn *Zahl*: eighteen [ˌeɪ'tiːn]

achtzehnte(r, -s) eighteenth [ˌeɪ'tiːnθ]

achtzig eighty ['eɪtɪ]

Achtzigerjahre: in den Achtzigerjahren in the eighties ['eɪtɪz]

achtzigste(r, -s) eightieth ['eɪtɪəθ]

Acker field

Ackerbau agriculture ['ægrɪkʌltʃə], farming

Acryl (≈ *Chemiefaser*) acrylic [ə'krɪlɪk]

Acrylglas acrylic glass [əˌkrɪlɪk'glɑːs]

A.D. AD [ˌeɪ'diː] (*Abk. für* **a**nno **d**omini)

Adapter (≈ *Verbindungsteil*) adapter

addieren add (up) (*Zahlen*)

Addition 1. addition **2.** (≈ *Summe*) sum

Adel nobility, aristocracy [ˌærɪ'stɒkrəsɪ]

Ader 1. *allg.*: vein [veɪn], blood vessel **2.** (≈ *Schlagader*) artery ['ɑːtərɪ]

Adjektiv adjective

Adler eagle

adlig noble

Adlige noblewoman ['nəʊbl‚wʊmən]

Adliger nobleman ['nəʊblmən], aristocrat ['ærɪstəkræt]

Adjektiv in der Funktion eines Substantivs

Im Deutschen kann man ein Adjektiv ohne Weiteres in ein Substantiv zur Bezeichnung einer Person oder mehrerer Personen verwandeln: *blind – der/die Blinde, krank – ein Kranker / eine Kranke, grün – das Grüne* usw.

Im Englischen geht dies nur, wenn das vom Adjektiv abgeleitete Substantiv <u>alle</u> oder zumindest <u>eine Gruppe</u> von Menschen mit bestimmten Eigenschaften bezeichnet:

the old	die Alten
the sick	die Kranken
the homeless	die Obdachlosen
the injured ['ɪndʒəd]	die Verletzten *usw.*

Dies trifft auch für Nationalitätenbezeichnungen zu:

the French	die Franzosen
the English	die Engländer
the Dutch	die Holländer
the Chinese	die Chinesen *usw.*

Du musst dabei dem Substantiv immer **the** voranstellen, und obwohl die Substantive die Pluralform des Verbs fordern, erhalten sie selbst kein Plural-**s** am Ende:

The rich are people who have a lot of money and possessions.	Reiche sind Leute mit viel Geld und Besitz.

Im Singular musst du ein Substantiv wie **man, woman, lady, girl, boy, person** bzw. das Stützwort **one** hinzufügen:

a sick person	eine Kranke, ein Kranker, ein kranker Mensch
sick people	Kranke (= mehrere Kranke, aber vgl. **the sick** oben)
that fat man over there	der Dicke da drüben
I'll have the little one	ich nehme das Kleine
I mean the pretty girl	ich meine die Hübsche *usw.*

Admiral *Marine*: admiral ['ædmərəl]
adoptieren adopt
Adoption adoption
Adoptiveltern adoptive parents [ə,dɒptɪv-'peərənts]
Adoptivkind adopted [ə'dɒptɪd] child
Adrenalin adrenalin [ə'drenəlɪn]
Adressbuch directory [də'rektərɪ], *persönliches*: <u>add</u>ress book
Adresse <u>add</u>ress [ə'dres, *AE auch*: 'ædres]
adressieren <u>add</u>ress (**an** to)
Advent Advent ['ædvent]

Advent

Der Advent wird in den englischsprachigen Ländern im Allgemeinen nicht gefeiert, obwohl sich der Adventskalender nach dem deutschen Muster allmählich einbürgert.

Adventskalender Advent calendar
Adventskranz Advent wreath [ri:θ]
Adverb adverb ['ædvɜ:b]
Aerobic aerobics [eə'rəubɪks]; *Aerobic macht Spaß* aerobic<u>s</u> <u>is</u> fun
aerodynamisch aerodynamic [,eərəudaɪ-'næmɪk]
Affäre affair; *sie haben eine Affäre* they'<u>re</u> hav<u>ing</u> an affair
Affe 1. monkey ['mʌŋkɪ] **2.** (≈ *Menschenaffe*) ape **3.** *dummer Affe umg.* twit
Affenhitze scorching (*oder* sizzling) heat (△ *ohne* a); *hier ist eine Affenhitze! Raum*: it's scorching in here, *Gebiet*: it's scorching over here
Afghanistan Afghanistan [əf'gənɪstɑ:n]
Afrika Africa ['æfrɪkə]
Afrikaner(in), **afrikanisch** African ['æfrɪkən]; ☞ *Nationalitäten*
Afro-Look: *im Afro-Look* with (*oder* wearing) an Afro
After anus ['eɪnəs]
AG 1. (*Abk. für* **A**rbeitsgruppe) study group **2.** (*Abk. für* **A**ktiengemeinschaft) public limited company (*Abk.* PLC), *AE* (stock) corporation
Ägäis: *die Ägäis* the Aegean Sea [ɪ,dʒi:-ən'si:]
Agave *Pflanze*: agave [ə'geɪv(ɪ)]
Agent(in) agent ['eɪdʒənt]
Agentur agency ['eɪdʒənsɪ]
Aggression aggression
aggressiv aggressive [ə'gresɪv]
Aggressivität aggressiveness
Ägypten Egypt ['i:dʒɪpt]
Ägypter(in), **ägyptisch** Egyptian [ɪ'dʒɪpʃn]; ☞ *Nationalitäten*
ah: *ah! genießerisch*: ooh [u:], ah [ɑ:],

mmm
äh: *äh!* **1.** *Sprechpause*: er [ɜ:], um [ʌm] **2.** *angeekelt*: ugh [ɜ:], yuk [jʌk]
aha: *aha!* I see
Ahn *förmlich* (≈ *Vorfahre*) ancestor ['ænsestə], forefather
ähneln 1. look (*oder* be*) like, resemble **2.** *unsere Ansichten ähneln sich sehr* we have very similar opinions
ahnen 1. (≈ *vermuten*) suspect [sə'spekt] **2.** (≈ *vorhersehen*) foresee* **3.** *ich habs geahnt* I knew it
ähnlich 1. similar (to), like **2.** *jemandem ähnlich sehen* look (*oder* be*) like someone; → *ähnlichsehen*
Ähnlichkeit 1. resemblance (*mit* to), likeness **2.** (≈ *Vergleichbarkeit*) similarity (*mit* with) **3.** *viel Ähnlichkeit haben mit* look very much like, *übertragen* be* very similar to
ähnlichsehen *übertragen*: *das sieht ihm usw. ähnlich* that's him *usw.* all over, that's just like him *usw.*
Ahnung 1. (≈ *Vermutung*) suspicion **2.** *keine Ahnung haben* (*von*) know* nothing about **3.** *keine Ahnung!* no idea **4.** *ich hatte nicht die leiseste Ahnung* (*davon*) I hadn't the faintest idea (about it)
ahnungslos 1. (≈ *nichts ahnend*) unsuspecting **2.** *sie war völlig ahnungslos* she hadn't got a clue [klu:]
Ahorn maple ['meɪpl] (tree)
Ähre ear (of corn *usw.*)
Aids Aids, AIDS (*Abk. für* **A**cquired **I**mmune **D**eficiency **S**yndrome)
Aidshilfe *Institution*: Aids centre
aidsinfiziert Aids-infected, infected with Aids
Aidskranke(r) Aids victim (*oder* sufferer)
Aidstest Aids test; *einen Aidstest machen lassen* have* (*oder* go* for) an Aids test
Aidstote: *die Zahl der Aidstoten nimmt immer noch zu* the number of Aids deaths (*oder* of people dying of Aids) is still increasing
Airbag *Auto*: airbag
Aircondition airconditio<u>ning</u>
Ajatollah *islamisch*: ayatollah [,aɪə'tɒlə]
Akademie 1. *allg.*: academy [ə'kædəmɪ] **2.** (≈ *Fachschule*) college, institute ['ɪnstɪtjuːt]
Akademiker(in) (≈ *Hochschulabsolvent*) (university) graduate ['grædʒuət] (△ *engl.* academic = *Wissenschaftler(in)*, *Hochschullehrer(in)*)
Akazie (≈ *Baum*, *Strauch*) acacia [ə'keɪʃə]
Akkord *Musik*: chord [△ kɔːd]
Akkordarbeit piecework

Akkordeon accordion

Akku, Akkumulator (storage) battery, *BE auch* accumulator [ə'kjuːmjəleɪtə]

akkurat 1. (≈ *exakt*) precise [prɪ'saɪs] 2. *Handschrift usw.*: neat

Akkusativ accusative [ə'kjuːzətɪv] (case)

Akne (≈ *Hautunreinheit*) acne ['æknɪ]

Akrobat(in) acrobat ['ækrəbæt]

Akt 1. *Theater usw.*: act 2. *Kunst*: nude

Akte file, record ['rekɔːd]

Aktenordner file

Aktenschrank filing cabinet ['faɪlɪŋˌkæbɪnət]

Aktentasche briefcase (△ *Brieftasche* = wallet)

Aktie share, *AE auch* stock

Aktiengesellschaft joint-stock company, *AE auch* corporation

Aktienkurs share price, *AE auch* stock price

Aktienmarkt stock market

Aktion 1. (≈ *Kampagne*) campaign [kæm'peɪn] 2. *in Aktion treten* take* (some) action

Aktionär(in) shareholder, *AE* stockholder

aktiv *allg.*: active

Aktivität activity [æk'tɪvətɪ]

aktuell 1. *Thema*: topical (△ *engl.* actual = *eigentlich*) 2. *Problem, Mode*: current ['kʌrənt] 3. *von aktuellem Interesse* of topical interest 4. *ein aktueller Bericht über Großbritannien* a report on current affairs in Britain 5. *aktuelle Zahlen* up-to-date figures

Aktuelle(s): *Aktuelles aus der Politik (Literatur, Filmbranche usw.)* the latest developments in politics (the latest from the literary world, the movie world *usw.*)

Akupressur *Medizin*: acupressure ['ækjʊˌpreʃə]

Akupunktur *Medizin*: acupuncture ['ækjʊˌpʌŋktʃə]

Akustik: *die Akustik in diesem Theater ist ziemlich schlecht* the acoustics of this theatre are rather bad

akustisch acoustic [ə'kuːstɪk]

akut 1. *Schmerzen*: acute, severe 2. *übertragen* acute, severe, pressing

AKW (*Abk. für* **A**tomkraftwerk) nuclear power station [ˌnjuːklɪə'paʊəˌsteɪʃn]

Akzent (≈ *Aussprache*) accent ['æksnt]; *mit starkem schottischen Akzent* with a strong Scottish accent

akzentfrei without an accent ['æksnt], *betont*: without any accent; *sie spricht völlig akzentfrei* she hasn't got an (*oder* any) accent at all

akzeptabel 1. acceptable (*für* to) 2. *akzeptable Preise* reasonable prices

akzeptieren accept [ək'sept]

Alarm alarm; *Alarm schlagen* sound the alarm; *blinder Alarm* false alarm

Alarmanlage alarm system

alarmieren 1. alarm (*auch übertragen*) (△ *engl.* alert = *warnen*) 2. *die Polizei alarmieren* call the police

Albanien Albania [æl'beɪnɪə]

Albatros albatross ['ælbətrɒs]

albern 1. silly 2. *albernes Zeug* rubbish, nonsense ['nɒnsəns]

Albino albino [æl'biːnəʊ]

Albtraum nightmare (*auch übertragen*)

Album album (*auch LP*)

Algebra algebra ['ældʒɪbrə]

Algen algae ['ældʒiː]

Algerien Algeria [æl'dʒɪərɪə]

Algerier(in), algerisch Algerian [æl'dʒɪərɪən]; ☞ *Nationalitäten*

Alibi alibi ['æləbaɪ] (*auch übertragen*)

Alimente maintenance ['meɪntənəns] (△ *Sg.*); *Alimente zahlen* pay* maintenance

Alkohol alcohol ['ælkəhɒl]

alkoholfrei 1. non-alcoholic, alcohol-free 2. *alkoholfreie Getränke* soft drinks

Alkoholiker(in) alcoholic [ˌælkə'hɒlɪk]

alkoholisch *Getränke usw.*: alcoholic

Alkoholismus alcoholism ['ælkəhɒlɪzm]

Alkoholproblem: *er hat ein Alkoholproblem* he's got a drink problem (*AE* drinking problem)

Alkoholtest *für Autofahrer*: breath [breθ] test

Alkoholverbot ban on alcohol ['ælkəhɒl]

all 1. all; *all diese Sachen* all these things 2. *alle beide* both of them 3. *alle drei* all three (of them) 4. *sie (wir usw.) alle* all of them (us *usw.*) 5. *sind alle da?* is everyone (*oder* everybody) here? 6. *alle, die mitmachen wollen* anyone who wants to take part 7. *auf alle Fälle* in any case 8. *alle zwei Tage* every other day 9. *alle acht Tage* once a week 10. *alle Menschen* everyone, everybody 11. *alles Gute* all the best; → *alle, alle, alles*

All 1. universe 2. *das All* (≈ *Weltall*) (outer) space (△ *ohne* the)

alle (≈ *aufgebraucht*) finished, all gone

Allee avenue ['ævənjuː] (△ *engl.* alley = *mst. Gasse*)

allein 1. alone; *ganz allein* all alone 2. *kann ich dich allein lassen?* can I leave you alone? 3. (≈ *einsam*) lonely

Alleinerziehende(r) single parent

alleinige(r, -s) only, sole

Alleinsein: *das Alleinsein* loneliness, being alone (△ *beide ohne* the)

alleinstehend (≈ *ledig*) single, unmarried

allerbeste(r, -s) 1. *meine allerbeste Freundin* my very best friend 2. *am allerbesten* best of all

allerdings 1. (≈ *jedoch*) though [ðəʊ], but, however; *er war allerdings nicht da* but (*oder* though) he wasn't there, he wasn't there, however **2.** *„Warst du schon beim Direktor?" - „Allerdings!"* 'Have you been to the headmaster?' - 'You bet!'

allererste(r, -s) 1. very first **2.** *zu allererst* first of all

Allergie allergy ['ælədʒɪ]

Allergiepass allergy ID ['ælədʒɪ_aɪ͜di:]

Allergiker(in) allergy ['ælədʒɪ] sufferer; *sie ist Allergikerin* she suffers from an allergy (*bzw.* allergies)

allergisch allergic [ə'lɜ:dʒɪk] (*gegen* to) (*auch übertragen*)

allerhand 1. (≈ *viel*) all kinds of, lots of, quite a lot of **2.** *das ist allerhand lobend:* that's not bad **3.** *das ist ja allerhand umg.*, *tadelnd:* that's a bit thick (*AE* much)

Allerheiligen All Saints' Day

allerlei all kinds (*oder* sorts) of

allerletzte(r, -s) very last, last of all

allermeiste(r, -s) 1. *die allermeisten Leute* most people **2.** *am allermeisten* most of all

allerwenigste(r, -s) 1. *die allerwenigsten Leute* very few people **2.** *am allerwenigsten* least of all

alles 1. everything **2.** *alles in allem* all in all

Alleskleber all-purpose glue [glu:]

allgemein 1. general **2.** *im Allgemeinen* in general, generally **3.** *allgemein gesprochen* generally speaking **4.** *es ist allgemein üblich, dass man ...* it's common practice to (+ *Inf.*) **5.** *es ist allgemein bekannt, dass* it's a well-known fact that

Allgemeinarzt, Allgemeinärztin general practitioner, GP [,dʒi:'pi:]

Allgemeinbildung: *sie hat eine gute Allgemeinbildung* she has a good general (*oder* all-round) education

Allgemeinheit general public

Allgemeinwissen general knowledge

Allheilmittel cure-all, panacea [,pænə'sɪə] (*auch übertragen*)

Allianz alliance [ə'laɪəns]

Alligator alligator ['ælɪgeɪtə]

alliiert: *die alliierten Streitkräfte* the allied ['ælaɪd] forces

Alliierte(r) ally; *die Alliierten* the Allies ['ælaɪz]

allmählich 1. gradual ['grædʒʊəl] **2.** *allmählich müsstest du das können* you should be able to do that by now

Alltag daily routine [ru:'ti:n]

alltäglich 1. (≈ *tagtäglich*) daily **2.** *alltägli-*

che Probleme usw. everyday problems *usw.* **3.** *das ist nichts Alltägliches* it doesn't happen every day

allzu 1. far (*oder* much) too **2.** *nicht allzu* not too, not particularly

Alm alpine pasture [,ælpaɪn'pɑ:stʃə]

Almosen alms [△ ɑ:mz]

Alpen: *die Alpen* the Alps [ælps]

Alpenveilchen cyclamen [△ 'sɪkləmən]

Alphabet alphabet ['ælfəbet]

alphabetisch alphabetical [,ælfə'betɪkl]

alpin alpine ['ælpaɪn]

Alptraum nightmare (*auch übertragen*)

als 1. *vergleichend:* than; *er ist älter als du* he's older than you **2.** *wir hatten nichts als Ärger* we had nothing but trouble **3.** (≈ *in der Eigenschaft von*) as; *als Antwort* as an answer; *als kleines Mädchen* as a little girl **4.** *zeitlich:* when; *als er hereinkam, ging ich aus dem Zimmer* when he came in, I left the room **5.** *zeitlich:* while; *als ich aus dem Fenster schaute, kam er herein* while I was looking out of the window, he came in **6.** *als ob* as if

also 1. (≈ *deshalb*) so, therefore; *niemand war da, also gingen wir* no one was there, so we left **2.** *also, ich ...* well, I ... **3.** *also gut* all right (then)

alt 1. *allg.:* old **2.** *geschichtlich:* old, ancient ['eɪnʃnt] **3.** (≈ *gebraucht*) used, second-hand **4.** *Wendungen: wie alt bist du?* how old are you?; *er ist (doppelt) so alt wie ich* he's (twice) my age

Alt 1. *Stimmlage, Sängerin:* alto ['ɔ:ltəʊ] **2.** *Teil eines Chors:* altos (△ *Pl.*)

Altar altar ['ɔ:ltə]

Altbau old building

Altbauwohnung flat (*AE* apartment) in an old building

Alte 1. (≈ *alte Frau*) old woman **2.** *meine Alte salopp* (≈ *Mutter*) the old woman, (≈ *Ehefrau*) the missus

Alte(r) 1. (≈ *alter Mann*) old man **2.** *mein Alter salopp* (≈ *Vater, Ehemann*) the old man **3.** *Alte und Junge* young and old people, people of all ages

Altenheim old people's home

Alter 1. age **2.** *im Alter* in my *usw.* old age **3.** *Wendungen: er ist in meinem Alter* he's (about) my age; *im Alter von 40 Jahren* at the age of forty; *man sieht ihm sein Alter nicht an* he doesn't look his age

älter 1. *allg.:* older; *er ist älter als ich* he's older than me **2.** *ihr älterer Bruder* her elder brother **3.** *ein älterer Herr* an elderly (gentle)man **4.** *Cranach der Ältere (d. Ä.)* Cranach the Elder

alternativ alternative [ɔ:l'tɜ:nətɪv]; *alter-*

native Lebensweise alternative lifestyle
Alternative alternative [ɔːlˈtɜːnətɪv]
Altersgrenze 1. (≈ *Rentenalter*) retirement age **2.** *bei Sportlern usw.:* age limit
Altersgruppe age group
Altersheim old people's home
Altersklasse *Sport:* age group
Altersunterschied age difference
Altersversorgung pension scheme [ˈpenʃn̩ˌskiːm]
Altertum: *das Altertum* antiquity [ænˈtɪkwətɪ] (△ *ohne* the)
älteste(r, -s) 1. oldest **2.** *in der Familie:* eldest; *mein ältester Sohn* my eldest son
Altglas used glass, *leere Flaschen:* empty bottles (△ *Pl.*)
Altglascontainer bottle bank, *AE* glass recycling bin
altklug precocious [prɪˈkəʊʃəs]
Altlasten 1. *Boden:* contaminated soil (△ *Sg.*) **2.** *Müllhalden:* disused waste dumps **3.** *übertragen* burdens of the past
altmodisch old-fashioned
Altpapier waste paper
Altpapierverwertung waste-paper recycling
altsprachlich classical; *altsprachliche Abteilung* classics department
Altstadt: *in der Münchner Altstadt* in the old part of Munich [ˈmjuːnɪk]
Altweibersommer Indian summer
Alu-Felgen alloy [ˈælɔɪ] wheels, alloys
Alufolie tin foil, *AE* aluminum foil
Alzheimer(krankheit) Alzheimer's disease [ˈæltshaɪməzˌdɪˌziːz]
Aluminium aluminium [ˌæləˈmɪnɪəm], *AE* aluminum [əˈluːmɪnəm]
am (= *an dem*) → **an**
Amaryllis *Pflanze:* amaryllis [ˌæməˈrɪlɪs]
Amateur(in) amateur [△ ˈæmətə]
Amateurfunker(in) radio ham
Ambiente 1. ambience [ˈæmbɪəns] **2.** (≈ *Atmosphäre*) atmosphere [ˈætməsfɪə]
Amboss anvil [ˈænvɪl]
ambulant: *das konnte ambulant behandelt werden* I *usw.* had it done as an out-patient
Ambulanz 1. (≈ *Klinik*) outpatients' department **2.** (≈ *Krankenwagen*) ambulance [ˈæmbjələns]
Ameise ant [ænt]
Ameisenhaufen anthill [ˈænthɪl]
Amerika America
Amerikaner American; *er ist Amerikaner* he's (an) American; ☞ *Nationalitäten*
Amerikanerin American woman (*oder* lady *bzw.* girl); *sie ist Amerikanerin* she's (an) American; ☞ *Nationalitäten*
amerikanisch American

Ami *umg, oft auch im negativen Sinn* **1.** Yank **2.** (≈ *Soldat*) GI
Ammoniak ammonia
Amnestie amnesty; *eine Amnestie erlassen* declare (*oder* grant) an amnesty
Amok: *Amok laufen* run* amok [əˈmɒk]
Amokschütze mad gunman
Ampel traffic lights (△ *Pl.*), *AE auch* traffic light; *biegen Sie bei der ersten Ampel nach rechts ab* turn right at the first set of traffic lights
Amphitheater amphitheatre, *AE* amphitheater [ˈæmfɪˌθɪətə]
Ampulle ampoule [ˈæmpuːl]
Amputation amputation
amputieren amputate
Amsel blackbird
Amsterdam Amsterdam [ˈæmstədæm]
Amt 1. (≈ *Dienststelle*) office, department **2.** (≈ *Posten*) post, *AE* position **3.** (≈ *Aufgabe, Pflicht*) (official) duty, function
amtlich official
Amtsmissbrauch abuse [əˈbjuːs] of office
Amtszeichen *Telefon:* dialling tone, *AE* dial tone
amüsieren 1. *sich amüsieren* (≈ *sich gut unterhalten*) enjoy oneself, have* fun, have* a good time **2.** *er amüsierte sich über sie* he made fun of her
an 1. *zeitlich:* on; *am 1. März* on 1(st) March, on March 1(st) (△ *gesprochen* on the first of March); *am Abend* (*bzw.* *Morgen*) in the evening (*bzw.* morning); *am Tage* during the day **2.** *örtlich:* at; on; *am Fenster* at the window; *ans Fenster gehen usw.:* to the window; *an der Tür* *jemand:* at the door, *Gegenstand:* on the door; *an der Grenze* at the border; *am Himmel* in the sky; *an einer Schule* at a school; *am Meer* on the coast; *an der Themse* on the Thames **3.** (≈ *neben, nahe*) by, next to, near; *am Tisch sitzen* sit* at the table; *am Wald* near the woods **4.** *er war am schnellsten usw.* he was the fastest *usw.* **5.** *von nun an* from now on **6.** *London an 18.05 im Fahrplan:* arr. (= arrival) London 18.05 **7.** *an - aus* on - off
anal anal [ˈeɪnl]
Analphabet(in) illiterate [ɪˈlɪtərət]
Analyse analysis [əˈnæləsɪs] *Pl.:* analyses [əˈnæləsiːz]
analysieren analyse [ˈænəlaɪz], *AE* analyze
Anämie (≈ *Blutarmut*) an(a)emia [əˈniːmɪə]
Ananas pineapple [ˈpaɪnæpl]
Anarchie anarchy [ˈænəkɪ]
Anatomie anatomy [əˈnætəmɪ]

anatomisch anatomical [ˌænəˈtɒmɪkl]

anbahnen: *zwischen den beiden bahnt sich was an Beziehung:* there's something going on between them (*oder* those two)

Anbau 1. *am Gebäude:* annexe, *AE* annex [ˈæneks] **2.** *Landwirtschaft:* cultivation

anbauen 1. *Landwirtschaft:* grow* **2.** *wir haben angebaut beim Haus usw.:* we've extended the house *usw.*

anbehalten: *den Mantel usw. anbehalten* keep* one's coat *usw.* on

anbei: *anbei (senden wir Ihnen) ...* enclosed please find ...

anbeißen bite, *auch übertragen* take the bait

anbellen bark at (*auch übertragen*)

anbeten 1. worship [ˈwɜːʃɪp] **2.** *übertragen* worship, adore, idolize [ˈaɪdlaɪz]

Anbetracht: *in Anbetracht der schwierigen Lage* in view of the difficult situation

anbieten offer; *jemandem etwas anbieten* offer someone something

anbinden 1. tie up, fasten [△ ˈfɑːsn] (*an* to) **2.** *den Hund anbinden* put* the dog on the leash

Anblick sight; *beim ersten Anblick* at first sight (△ *ohne* the)

anbraten sear [sɪə] (*Steak usw.*); *etwas zu scharf anbraten* brown something too much

anbrechen 1. start on (*Dose, Packung usw.*) **2.** (≈ *öffnen*) open (*Flasche usw.*) **3.** *ein neues Zeitalter brach an* a new age was dawning

anbrennen 1. (*Speisen*) burn* **2.** *er hat das Essen anbrennen lassen* he's burnt the meal **3.** *das Fleisch schmeckt angebrannt* the meat tastes burnt

anbringen 1. (≈ *herbeibringen*) bring* **2.** (≈ *befestigen*) fix, fasten [△ ˈfɑːsn] **3.** make* (*Bemerkung, Beschwerde*)

anbrüllen 1. (*Löwe*) roar at **2.** (*Mensch*) scream at, yell at

Andenken 1. memory; *zum Andenken an* in memory of **2.** (≈ *Souvenir*) souvenir

andere(r, -s) 1. (≈ *weitere, -r, -s*) other; *ein anderes Beispiel* another example; *die anderen Bücher* the other books **2.** (≈ *zu unterscheidende, -r, -s*) different; *ein anderes Auto* a different car **3.** (≈ *folgende, -r, -s*) next; *am anderen Tag* the next day **4.** *ein anderer, eine andere* someone else; *die anderen* the others **5.** *alles andere* everything else **6.** *alles andere als* anything but **7.** *unter anderem* among other things

andererseits on the other hand

ändern 1. change **2.** alter [ˈɔːltə] (*Kleid usw.*) **3.** *ich kann es nicht ändern* übertragen I can't help it **4.** *sich ändern* change; *sich zum Vorteil (bzw. Nachteil) ändern* change for the better (*bzw.* worse)

anders 1. different **2.** (*alles muss*) *anders werden* (everything's got to) change **3.** *sie ist anders als ihre Schwester* she's not like her sister **4.** *anders ausgedrückt ...* to put* it another way ... **5.** *ich kann nicht anders* I can't help it **6.** *jemand anders* somebody (*bzw.* anybody) else **7.** *niemand anders* nobody else **8.** *irgendwo anders* somewhere else

Andersdenkende(r) *politisch:* dissenter

andersherum the other way round

anderswo(hin) somewhere else

anderthalb one and a half [hɑːf]; *anderthalb Pfund* a pound and a half

Änderung 1. change; *eine Änderung vornehmen* make* a change **2.** *Kleid:* alteration **3.** *übertragen; geringfügige:* modification

andeuten (≈ *zu verstehen geben*) hint, suggest [səˈdʒest]; *er deutete an, dass ...* he hinted (*oder* suggested) that ...

Andeutung: *eine Andeutung machen* drop a hint

Andorra Andorra [ænˈdɔːrə]

Andrang: *es herrschte großer Andrang* there was a huge crush

andrehen 1. turn on (*Gas, Licht usw.*) **2.** *wer hat dir denn dieses Kleid angedreht?* who talked you into (buying) that dress?

androhen: *jemandem etwas androhen* threaten [ˈθretn] someone with something

anecken: *bei jemandem anecken* umg. rub someone up the wrong way

aneignen 1. *sich Kenntnisse über etwas aneignen* learn* about something **2.** *er hat sich die polnische Sprache angeeignet* he learnt (how to speak) Polish

aneinander 1. *aneinander denken* think* of each other **2.** *sich aneinander gewöhnen* get* used to each other; → *aneinandergeraten*

aneinandergeraten clash (*mit* with), (≈ *handgreiflich werden*) come* to blows (*mit* with)

anerkannt 1. recognized [ˈrekəgnaɪzd]; *ein international anerkannter Wissenschaftler usw.* an internationally recognized scientist *usw.* **2.** *Tatsache, Wahrheit usw.:* accepted

anerkennen 1. recognize [ˈrekəgnaɪz] (*Staat, Rekord, Zeugnisse*) (*als* as) **2.** accept (*Forderung, Bedingungen*)

Anerkennung 1. recognition [ˌrekəg'nɪʃn] **2. Anerkennung finden** win* recognition **3. Anerkennung verdienen** deserve credit ['kredɪt] **4. in Anerkennung** (+ *Gen.*) in recognition of

anfahren 1. (≈ *rammen*) run* into, hit* (*Auto usw.*) **2.** run* into, knock down (*Fußgänger*) **3.** call at (*Hafen*)

Anfall attack; **einen Anfall bekommen** have* an attack

Anfang 1. beginning, start; **am Anfang** at the beginning, at the start **2. von Anfang an** (right) from the start **3. Anfang März** early in March, at the beginning of March; **Anfang 1996** early in 1996 **4. am Anfang** (+ *Gen.*) at the beginning of **5. Anfang der Sechzigerjahre** in the early sixties **6. sie ist Anfang 20** she's in her early twenties

anfangen 1. start (**mit** with), begin*; **anfangen zu arbeiten** *usw.* start working *usw.*, start work *usw.* **2. ich weiß nichts damit anzufangen** I don't know what to do with it

Anfänger(in) beginner (**in** at)

Anfängerkurs beginners' course [kɔːs]

anfangs at first

Anfangsbuchstabe first (*oder* initial) letter

anfassen 1. (≈ *berühren*) touch **2. fass doch mal mit an!** can you give me (*bzw.* us *usw.*) a hand? **3. das Handtuch fasst sich weich** *usw.* **an** the towel feels soft (⚠ *nicht* softly) *usw.*

anfauchen 1. (*Katze*) spit* at **2. jemanden anfauchen** *übertragen* snap at someone

anfechtbar contestable [kən'testəbl] (*auch juristisch*)

anfechten 1. (≈ *nicht anerkennen*) contest [kən'test] **2.** appeal against (*Urteil, Entscheidung*)

anfertigen 1. make* (*Regal, Kleid usw.*) **2.** do* (*Übersetzung usw.*); ☞ *Info unter* **machen**

anfeuern 1. *übertragen* encourage [ɪn-'kʌrɪdʒ] **2. durch Zuruf:** cheer (on), *AE auch* root for

Anflug *Flugzeug:* approach; **beim Anflug** during the approach

anfordern request, demand

Anforderung: hohe Anforderungen stellen *in der Schule:* set* high standards (**an** for)

Anfrage inquiry, enquiry [ɪn'kwaɪrɪ]

anfragen 1. inquire, ask **2. bei jemandem anfragen** ask someone (about something)

anfreunden 1. ich freundete mich mit ihm an I made friends with him **2. wir freundeten uns an** we became friends

anfühlen: es fühlt sich weich an it feels soft (⚠ *nicht* softly)

anführen 1. *wörtlich:* lead* **2.** (≈ *erwähnen*) state, say* **3.** (≈ *nennen*) quote, give* (*Beispiel*) **4. Beweise anführen** offer (*oder* give*) proof (**zu** of)

Anführer(in) leader

Anführungsstriche, Anführungszeichen quotation marks, inverted commas

Anführungsstriche

Die englischen Anführungsstriche sind jeweils oben angebracht und nach innen gekehrt. Sie erinnern in ihrer Form an die Zahlen 66 bzw. 99: " " – **sixty-six and ninety-nine, like washing hanging on a line.**

Angabe 1. (≈ *Aussage*) statement **2. Angabe, Angaben** (≈ *Auskunft*) information (*Sg.*) **3. genaue** (*oder* **nähere**) **Angaben** particulars, details **4.** (≈ *Prahlen*) bragging, showing off **5. Angaben zur Person** personal data

angeben 1. give* (*Name, Grund usw.*) **2.** (≈ *zeigen*) show, indicate **3.** quote (*Preis*) **4. mit jemandem** *bzw.* **etwas angeben** show off (with) someone *bzw.* something

Angeber(in) show-off

angeblich alleged [ə'ledʒd], supposed; **angeblich spricht er fließend Englisch** he's supposed to speak fluent English

angeboren inborn

Angebot 1. offer **2. Angebot und Nachfrage** supply and demand

angebracht 1. appropriate ['əprəuprɪət] **2. nicht angebracht** inappropriate **3. er hielt es für angebracht, zu ...** he thought it (was) appropriate to (+ *Inf.*)

angebrannt 1. *Essen:* (slightly) burnt **2. angebrannt schmecken** taste burnt, have* a burnt taste

angegossen: etwas passt wie angegossen something fits like a glove [glʌv]

angegriffen: angegriffen aussehen look exhausted (*oder* unwell)

angehen 1. (*Licht*) go* on **2.** tackle (*Problem*) **3.** (≈ *betreffen*) concern; **was ihn angeht** as far as he's concerned, as for him; **das geht dich nichts an** that's none of your business

angehören *als Mitglied:* belong (+ *Dativ* to), be* a member (of)

Angehörige(r) 1. (≈ *Mitglied*) member **2.** (≈ *Verwandte, -er*) relative ['relətɪv]

Angeklagte(r) *Gericht:* defendant

angeknackst 1. *Gesundheit, Beziehung:*

shaky **2.** *Selbstbewusstsein*: dented

Angel fishing rod

Angelegenheit matter, affair

angeln fish (**nach** for) (*auch übertragen*)

Angelsachse, Angelsächsin Anglo-Saxon

angelsächsisch Anglo-Saxon

Angelschein fishing licence ['fɪʃɪnˌlaɪsns] (*AE* license), fishing permit [△ 'fɪʃɪn‚pɜːmɪt]

Angelschnur fishing line

angemessen 1. (≈ *passend*) appropriate [əˈprəʊprɪət] (+*Dativ* to, for) **2.** *Preis*: reasonable **3.** (≈ *ausreichend*) adequate ['ædɪkwət]

angenehm pleasant ['pleznt], agreeable

angenommen (let's) suppose, supposing; *angenommen es regnet - was machen wir dann?* suppose it rains, what do we do then?

angeregt 1. *Gespräch*: lively, animated **2.** *sich angeregt unterhalten* have* a lively discussion (*oder* coversation)

angesagt (≈ *Mode*) *umg.* in, hip; *... ist jetzt total angesagt* *auch*: ... is the new rock 'n' roll

angeschlagen 1. *Gesundheit*: shaky **2.** *seelisch*: shaken

angesehen 1. respected **2.** *Firma usw.*: reputable ['repjʊtəbl] **3.** *Persönlichkeit*: distinguished [dɪˈstɪŋgwɪʃt]

angesichts: *angesichts der Tatsache, dass ...* in view of the fact that ...

angespannt 1. *Nerven usw.*: strained **2.** *Lage, Situation*: tense

Angestellte(r) (salaried) employee [(ˌsælərɪd)ˌɪmˈplɔɪiː], white-collar worker

angestrengt: *angestrengt arbeiten* (*bzw. nachdenken*) work (*bzw.* think*) hard (△ *engl.* hardly = *kaum*)

angetrunken: *er war angetrunken* he had been drinking

angewandt: *angewandte Künste* applied arts

angewiesen: *angewiesen sein auf* be* dependent on, depend on

angewöhnen: *gewöhn dir nicht das Lügen an!* don't get into the habit of telling lies

Angewohnheit habit

Angina (≈ *Mandelentzündung*) tonsillitis [ˌtɒnsəˈlaɪtɪs] (△ *engl.* angina = *Angina pectoris - Herzkrankheit*)

Angina Pectoris (≈ *Herzkrankheit*) angina (pectoris) [ænˈdʒaɪnə (ænˌdʒaɪnəˈpektərɪs)]

Angler(in) angler ['æŋglə]

Anglikaner(in) Anglican; *sie ist Anglikanerin* she's Anglican, she's Church of England

anglikanisch Anglican

Anglist(in) 1. (≈ *Student*) English student **2.** (≈ *Dozent*) English lecturer

Anglistik English language and literature, *AE* English studies (△ *Pl.*)

Anglizismus Anglicism ['æŋglɪsɪzm]

Angola Angola

angreifen *allg.*: attack

angrenzend adjacent [əˈdʒeɪsnt] (*an* to), adjoining [əˈdʒɔɪnɪŋ]

Angriff 1. attack (*auch Sport und übertragen*) **2.** *in Angriff nehmen Geschäfte usw.*: get* started on, get* down to

angriffslustig aggressive [əˈgresɪv]

Angst 1. fear (**vor** of) (△ *engl.* anxiety = *Sorge*; *Angstzustände*) **2.** *aus Angst* out of fear; *aus Angst, dass ...* for fear that ... **3.** *sie hat Angst vor der Dunkelheit* she's scared (*oder* afraid) of the dark **4.** *sie hat Angst, die Wahrheit zu sagen* she's scared (*oder* afraid) to tell the truth **5.** *jemandem Angst einjagen* frighten (*oder* scare) someone

Angsthase *umg.* scaredy-cat ['skeədɪkæt]

ängstlich 1. (≈ *schüchtern*) timid **2.** *er ist ängstlich* he's easily frightened **3.** (≈ *besorgt, beunruhigt*) anxious ['æŋkʃəs]

angucken look at

angurten: *du musst dich noch angurten!* you need to fasten [△ 'fɑːsn] your seatbelt

anhaben 1. have* (got) on (△ *nie in der Verlaufsform*), wear* [weə] (*Kleider*) **2.** have* (got) on (*Licht, Herd, Radio usw.*); *hast du dein Radio an?* have you got your radio on?

anhalten 1. *allg.*: stop; ☞ *Info unter engl.* *stop* **2.** *den Atem anhalten* hold* one's breath **3.** (≈ *andauern*) last

anhaltend: *anhaltender Regen* continuous rainfall

Anhalter(in) hitchhiker; *per Anhalter fahren* hitchhike, *umg.* hitch (a lift *oder* ride)

Anhaltspunkt clue [kluː], indication (*für* of); *keine Anhaltspunkte haben* have* nothing to go by

anhand: *anhand von* by means of

Anhang *eines Buches usw.*: appendix *Pl.*: appendices [əˈpendɪsiːz]; *einer E-Mail*: attachment

anhängen 1. (≈ *aufhängen*) hang* up (*an* on) **2.** (≈ *hinzufügen*) add (*an* to)

Anhänger 1. *Schmuck*: pendant **2.** (≈ *Schild*) label, tag **3.** *an Auto usw.*: trailer

Anhänger(in) 1. *allg.*: follower **2.** *Partei*; *Sport*: supporter

anhäufen: (*sich*) *anhäufen* accumulate [əˈkjuːmjəleɪt] (*auch Kapital*), pile up

anheben 1. (≈ *hochheben*) lift **2.** raise

(*Preise, Gehälter usw.*)

anheften 1. fasten [△ 'fɑːsn] (*an* to) **2.** *mit Reißzwecken:* pin (*an* to) **3.** *mit Heftklammern:* staple (*an* to) **4.** *mit Büroklammern:* attach (*an* to)

Anhieb: *auf Anhieb* straightaway, right now; *auf Anhieb fällt mir dazu nichts ein* I can't think of anything off-hand

anhimmeln idolize ['aɪdəlaɪz]; *er himmelte sie den ganzen Abend an* he just couldn't take his eyes off her all evening

anhören 1. (*sich*) *anhören* listen [△ 'lɪsn] to, hear* **2.** *etwas* (*zufällig*) *mit anhören* overhear* something (△ *dt.* *überhören* = not hear, miss) **3.** *hör dir das mal an* just listen to that **4.** *ich kann mir den Blödsinn nicht länger anhören* I can't listen to that rubbish (*oder* nonsense) any longer

Animateur(in) host, entertainments officer

Anis 1. (≈ *Pflanze*) anise ['ænɪs] **2.** (≈ *Gewürz*) aniseed ['ænɪsiːd]

ankämpfen 1. *ankämpfen gegen* fight*; *gegen den Wind ankämpfen* struggle against the wind **2.** *gegen den Schlaf ankämpfen* fight* (*oder* struggle) to stay awake

Ankauf purchase ['pɜːtʃəs]

Anker anchor ['æŋkə]; *vor Anker gehen* drop anchor

ankern (cast*) anchor ['æŋkə]

anketten 1. chain (*an* to) **2.** *den Hund anketten* put* the dog on the chain

Anklage 1. accusation, charge **2.** *Anklage erheben* bring* a charge (*gegen* against)

anklagen accuse [ə'kjuːz] (*wegen* of), charge (*wegen* with); *er wurde wegen* (*oder des*) *Mordes angeklagt* he was accused of (*oder* charged with) murder

Anklang: *Anklang finden* (≈ *befürwortet werden*) meet* with approval [ə'pruːvl]

ankleben stick* on; *ankleben an* stick* on(to)

anklicken *Computer:* click (on)

anklopfen knock [△ nɒk] (*an* at, on)

Anklopfen *Telefon:* call wait(ing)

ankommen 1. arrive (*in* at, in) **2.** *bin gut angekommen!* arrived safely **3.** *ist das Paket gut angekommen?* did the parcel (*AE* packet) get to you all right? **4.** *dauernd kommt er mit Fragen an* he keeps turning up with questions **5.** *gegen ihn kommst du nicht an* you're no match for him **6.** *es kommt ganz darauf an* it all depends (*ob* whether)

ankoppeln 1. connect (*an* to) **2.** *Raumfahrt:* dock (*an* with)

ankotzen: *es kotzt mich an* *vulgär* it makes me sick, it pisses me off

ankreuzen mark with a cross, put* a cross next to

ankündigen 1. announce; *die Lehrerin kündigte den Schülern die Klassenarbeit* (*vorher*) *an* the teacher announced the (class) test to the pupils (in advance) **2.** *der Frühling kündigt sich an* spring is on its way

Ankündigung announcement

Ankunft arrival; *bei Ankunft, nach Ankunft* on arrival

Ankunftszeit arrival time, time of arrival

ankurbeln: *die Wirtschaft ankurbeln* boost the economy

anlächeln: *sie lächelte ihn an* she smiled at him, she gave him a smile

Anlage 1. (≈ *Fabrikanlage*) plant **2.** (≈ *Stereoanlage*) hi-fi ['haɪfaɪ] system **3.** (≈ *Sportanlage*) sports complex **4.** (≈ *Grünanlage*) grounds (△ *Pl.*); *öffentliche Anlagen* public gardens **5.** (≈ *Kapitalanlage*) investment **6.** *zu einem Brief:* enclosure; *in der* (*oder als*) *Anlage senden wir Ihnen …* enclosed please find …

Anlass 1. (≈ *Gelegenheit*) occasion **2.** (≈ *Ursache, Grund*) reason, grounds (△ *Pl.*) (*für* for) **3.** *aus Anlass* (+ *Gen.*) on the occasion of **4.** *aus diesem Anlass* for this reason **5.** *ohne Anlass* for no reason

anlassen 1. keep* on (*Mantel*) **2.** start (up) (*Motor*)

Anlasser *beim Auto:* starter

anlässlich on the occasion of

Anlauf 1. *Sport:* run-up **2.** *übertragen* attempt; *beim ersten Anlauf* at the first attempt, at the first go

anlaufen 1. *Sport:* run* up **2.** *übertragen* start; *der Film läuft nächste Woche an* the film starts next week **3.** (≈ *beschlagen*) steam up **4.** (*Schiff*) call at (*Hafen*)

anlegen 1. *einen Verband anlegen* put* on a dressing **2.** start (*Akte, Sammlung usw.*) **3.** open (*Konto*) **4.** *wie viel willst du anlegen?* how much do you want to spend? **5.** *Geld in Aktien anlegen* invest money in shares (*AE auch* stock) **6.** (*Schiff*) dock (*in* at) **7.** *sich mit jemandem anlegen* start a fight (*bzw.* an argument) with someone

Anleger(in) (≈ *Investor*) investor

anlehnen 1. *lehn dein Fahrrad doch an die Hauswand an!* just lean your bike against the wall **2.** *sich anlehnen an* lean* on **3.** *bitte lehn die Tür nur an!* leave the door open a bit, please **4.** *sich* (*stark*) *anlehnen an* *übertragen* follow (closely)

anleiern: *etwas anleiern* *umg.* get* something going

Anleitung 1. direction [dəˈrekʃn], guidance [ˈgaɪdns] **2.** (≈ *Bedienungsanleitung*) instructions (△ *Pl.*)

Anlieger(in) (local) resident [ˈrezɪdənt]; *Anlieger frei Straßenschild*: access only

anlocken 1. lure [ljʊə] (*Tiere*) **2.** attract, stärker: lure (*Menschen*)

anmachen 1. (≈ *befestigen*) attach **2.** (≈ *anzünden*) light* **3.** (≈ *einschalten*) switch on **4.** turn on (*Licht, Radio usw.*) **5.** dress (*Salat*) **6.** *willst du mich anmachen?* salopp are you trying to chat me up?, *AE* are you trying to come on to me? **7.** *die Musik macht mich echt an* salopp that music really turns me on

anmalen 1. paint (*Gegenstand*) **2.** *sie malt sich zu stark an* übertragen she wears [weəz] too much make-up

Anmeldeformular registration form, (≈ *Antrag*) application form

Anmeldegebühr registration fee

anmelden 1. *sich* (*polizeilich usw.*) *anmelden* register (with the police *usw.*) **2.** *sich beim Arzt usw. anmelden* make* an appointment with the doctor *usw.* **3.** *Kurs usw.*: enrol, sign up (*zu* for)

Anmeldung 1. registration **2.** *zur Teilnahme*: enrolment

anmerken 1. *sie merkte ihm seinen Ärger usw. an* she could tell (that) he was annoyed *usw.* **2.** *ich werde mir nichts anmerken lassen* I won't let anything show

Anmerkung 1. *schriftliche*: note **2.** (≈ *Bemerkung*) comment **3.** (≈ *Fußnote*) footnote

annähen sew* [səʊ] on; *könntest du mir mal einen Knopf an den Mantel annähen?* could you sew a button on my coat (for me)?

annähernd roughly [ˈrʌflɪ], approximately

annähernde(r, -s): *annähernde Beschreibung* rough [rʌf] description

Annäherung approach (*an* to)

Annahme (≈ *Vermutung*) assumption; *in der Annahme, dass …* on the assumption that …, assuming that …

Annahmeschluss deadline, closing date

annehmbar acceptable (*für* to)

annehmen 1. (≈ *vermuten*) assume **2.** *nehmen wir an …* (let's) suppose, supposing … **3.** (≈ *akzeptieren*) accept **4.** adopt (*ein Kind, einen Namen*) **5.** take* on (*Form, Gestalt*) **6.** *Sport*: take* (*Ball*)

Annehmlichkeiten 1. *allg.*: comforts **2.** (≈ *Vorteile*) advantages [ədˈvɑːntɪdʒɪz]

Annonce (≈ *Kleinanzeige*) (classified) ad

annullieren cancel [ˈkænsl] (*Flug, Auftrag*)

anonym anonymous [əˈnɒnɪməs]

Anonymität anonymity [ˌænəˈnɪmətɪ]

Anorak anorak [ˈænəræk], *AE* parka

anordnen 1. (≈ *ordnen, aufstellen*) arrange (in order) **2.** (≈ *befehlen*) order

Anordnung 1. (≈ *Aufstellung*) arrangement **2.** (≈ *Befehl*) order

anorganisch inorganic [ˌɪnɔːˈgænɪk]

anpacken 1. tackle (*Arbeit, Problem usw.*) **2.** *bei jemandem mit anpacken* lend* someone a hand

anpassen: *sich an eine Situation usw. anpassen* adapt to a situation *usw.*

Anpassung adaptation, adjustment

anpfeifen 1. *das Spiel anpfeifen* start the game **2.** *jemanden anpfeifen* umg. give* someone a roasting, *AE* chew someone out

Anpfiff *Fußball usw.*: kick-off (△ *ohne* the)

anprobieren try on

Anrainer(in) *bes.* Ⓐ (≈ *Anlieger, -in*) neighbour [ˈneɪbə]; *ausgenommen Anrainer* except for access [ˈækses]

anrechnen 1. *ich rechne dir hoch an, was du für mich getan hast* I really appreciate what you've done for me **2.** *als Fehler anrechnen* count as a mistake

Anrede (form of) address

anregen 1. (≈ *ermuntern*) encourage [ɪnˈkʌrɪdʒ], stimulate [ˈstɪmjʊleɪt] **2.** (≈ *vorschlagen*) suggest [səˈdʒest] **3.** whet (*Appetit*) **4.** *jemanden zum Nachdenken anregen* make* someone think, set* (*oder* get*) someone thinking

anregend stimulating

Anregung 1. stimulation [ˌstɪmjʊˈleɪʃn] **2.** (≈ *Ermunterung*) encouragement [ɪnˈkʌrɪdʒmənt] **3.** (≈ *Vorschlag*) suggestion [səˈdʒestʃn]; *auf Anregung von* at the suggestion of

Anreise journey [ˈdʒɜːnɪ]

Anreisetag day of arrival, arrival date

Anreiz incentive [ɪnˈsentɪv]

anrempeln: *jemanden anrempeln* bump into someone, *böswillig*: jostle [△ ˈdʒɒsl] someone

anrichten 1. cause (*Unheil, Schaden*) **2.** prepare (*Speisen*)

Anruf (phone) call

Anrufbeantworter answering machine [△ ˈɑːnsərɪŋ_məˌʃiːn], *BE auch* answerphone [△ ˈɑːnsəfəʊn]

anrufen 1. call (up), ring* (up), phone (up) **2.** *ruf mich doch einfach an* just give me a call (*oder* a ring)

anrühren 1. *allg.*: touch (*auch Alkohol, Geld*); *er rührt keinen Tropfen Alkohol an* he won't touch a drop of alcohol

Ansage announcement

ansagen announce
Ansager(in) announcer
ansammeln: *sich ansammeln* (*Abfall, Arbeit usw.*) pile up
Ansatz 1. (≈ *Anzeichen*) first signs (△ *Pl.*); ***er zeigt Ansätze zur Besserung*** he's slowly beginning to get better **2.** (≈ *Methode*) approach; ***das ist im Ansatz richtig, aber ...*** you've got the right idea, but ...
anschaffen 1. *sich etwas anschaffen* buy* something, get* (oneself) something **2. *sich Kinder anschaffen*** have* children
Anschaffung: *das war eine große Anschaffung* that was a big investment
anschalten switch on, turn on
anschauen → *ansehen*
anschaulich 1. (≈ *deutlich*) clear **2.** *Beschreibung*: graphic **3. *etwas anschaulich machen*** illustrate something clearly
Anschauung (≈ *Ansicht*) view, opinion
Anschein 1. *dem* (*oder **allem***) ***Anschein nach ...*** it looks (very much) as if ... **2. *den Anschein erwecken, hart zu arbeiten*** *usw.* give* the impression of working hard *usw.*
anscheinend apparently [əˈpærəntlı]; ***er ist anscheinend krank*** he seems to be ill

anschieben 1. *er wird sein Auto anschieben müssen* he'll have to give his car a push **2. *können Sie mich mal anschieben?*** could you give me a push?
anschießen: *er wurde angeschossen* *mit Waffe*: he was shot at and wounded, he was hit
Anschlag 1. (≈ *Bekanntmachung*) notice, (≈ *Plakat*) poster **2.** (≈ *Überfall*) attack; ***auf den Präsidenten wurde ein Anschlag verübt*** there's been an attempt on the President's life **3. *ich hab einen Anschlag auf dich vor*** I've got a favour to ask of you **4. *60 Anschläge pro Zeile*** *Schreibmaschine*: 60 strokes per line
anschlagen 1. put* up (*Plakat usw.*) **2.** *Schwimmen*: touch **3.** (*Medikament usw.*) work
anschleppen: *wen bringst du denn da angeschleppt?* *übertragen* who have you got in tow [təʊ]?
anschließen 1. *technisch, elektrisch*: (≈ *verbinden*) connect (***an*** to) **2.** *mit Stecker*: plug in **3.** *mit Kette*: chain (***an*** to); ***schließ dein Fahrrad am Pfosten an!*** chain your bike to the post **4.** *übertragen*

Anrede und Titel

Im Englischen hat man den Vorteil, dass man nicht zwischen „Sie" und „du" unterscheiden muss. Es kann jeder mit **you** angeredet werden.

Bei Erwachsenen solltest du folgende Anrede benutzen:

bei Männern, egal ob verheiratet oder nicht:
Mr Harris [ˌmɪstəˈhærɪs]   Herr Harris

bei verheirateten Frauen:
Mrs Williams [ˌmɪsɪzˈwɪlɪəmz]   Frau Williams

bei unverheirateten Frauen bzw. wenn man nicht weiß, ob sie verheiratet sind:
Ms Collins [ˌmɪzˈkɒlɪnz]   Frau Collins

Heutzutage gilt die Anrede **Miss** (= Fräulein), außer in der Schule, als diskriminierend und sollte deshalb nur bei unverheirateten (älteren) Frauen benutzt werden, wenn diese es ausdrücklich wünschen. Ansonsten ist die neutrale Bezeichnung **Ms** höflicher. Eine unverheiratete Frau solltest du nie mit **Mrs** anreden, da dies sachlich falsch wäre.

Bei akademischen Titeln gibt es einen wichtigen Unterschied zum Deutschen: Du solltest den Titel (**Dr, Professor** usw.) nie zusammen mit der Anrede (**Mr, Mrs, Ms**) benutzen. Es heißt also:

Dr Marsden	Herr (bzw. Frau) Dr. Marsden
Professor Bond	Herr (bzw. Frau) Professor Bond

Für Ärzte gilt dies ebenfalls:

Good morning, Dr Hope!	Guten Morgen, Frau (bzw. Herr) Dr. Hope!
I've been feeling very dizzy lately, Doctor.	Mir ist in letzter Zeit immer so schwindlig, Herr (bzw. Frau) Doktor.

(≈ *hinzufügen*) add (*an* to) 5. *sich einer Gruppe* (*bzw. einer politischen Partei usw.*) *anschließen* join a group (*bzw.* a political party *usw.*) 6. *an den Vortrag schloss sich eine Diskussion an* the lecture was followed by a discussion

anschließend 1. *anschließend gingen wir nach Hause* afterwards we went home 2. *seine anschließenden Bemerkungen* his subsequent ['sʌbsɪkwənt] remarks

Anschluss 1. *allg.*: connection; *du hast Anschluss nach Glasgow Zug, Bus usw.*: there's a connection to Glasgow 2. *Telefon*: line; *ich bekomme keinen Anschluss* I can't get through 3. (≈ *Gasanschluss, Wasseranschluss usw.*) supply 4. *im Anschluss an die Diskussion* following the discussion

Anschlussflug connecting flight, (flight) connection

Anschlusszug connecting train, (train) connection

anschnallen 1. *vergiss nicht, dich anzuschnallen! Auto*: don't forget to put your seatbelt on 2. *„Bitte schnallen Sie sich an!" im Flugzeug*: 'Would you please fasten [△ 'fɑːsn] your seatbelt(s).' 3. put on (*Skier*)

anschnauzen shout at, yell at

anschneiden 1. start (*Brot usw.*) 2. raise, bring* up (*Thema, Frage usw.*)

anschrauben screw on (*an* to)

anschreiben 1. *können Sie das mal anschreiben? an die Tafel*: could you write it on the (black)board? 2. write* to (*Amt, Behörde*)

anschreien shout at, *stärker*: scream at

Anschrift a̲d̲d̲r̲e̲s̲s̲ [ə'dres, *AE auch* 'ædres]

Anschuldigung accusation, charge

anschwärzen: *jemanden anschwärzen umg., übertragen* run* someone down

anschwellen swell* (up) (*auch übertragen*)

anschwemmen wash ashore (*oder* up)

ansehen 1. (≈ *anschauen*) look at 2. *sich etwas* (*genau*) *ansehen* take* (*oder* have*) a (close) look at 3. (≈ *bei etwas zuschauen*) watch 4. *sich einen Film* (*ein Theaterstück, ein Spiel usw.*) *ansehen* (go* to) see* a film (a play, a game *usw.*) 5. *man sieht ihm sein Alter nicht an* he doesn't look his age

Ansehen 1. (≈ *Achtung*) reputation [ˌrepjʊ'teɪʃn] 2. *ein hohes Ansehen genießen* be* very highly regarded 3. *an Ansehen verlieren* lose* credit

ansehnlich (≈ *beträchtlich*) considerable

ansetzen 1. (≈ *hinzufügen*) add (*an* to) 2.

einen Termin ansetzen fix a date 3. *Rost ansetzen* start to rust

Ansicht 1. (≈ *Meinung*) opinion, view; *meiner Ansicht nach* i̲n̲ my opinion 2. (≈ *Anblick*) sight, view 3. (≈ *Blickwinkel*) view; *Ansicht von vorne* (*bzw. hinten*) front (*bzw.* rear) view

Ansichtskarte (picture) postcard

Ansichtskarte

Für „Ansichtskarte" sagt man meistens einfach **postcard**; nur wenn man betonen bzw. klarmachen will, dass es sich um eine Ansichtskarte und keine normale Postkarte handelt, sagt man **picture postcard**.

Ansichtssache: *das ist Ansichtssache* that's a matter of opinion

ansiedeln: (*sich*) *ansiedeln* settle

ansonsten 1. (≈ *im Übrigen*) otherwise, apart from that 2. (≈ *anderenfalls*) otherwise

anspannen tense, (≈ *zeigen*) flex (*Muskeln*); *du musst die Muskeln anspannen* you must tense y̲o̲u̲r̲ muscles ['mʌslz]

Anspannung *übertragen* strain, exertion [ɪg'zɜːʃn]

Anspielung allusion (*auf* to)

anspitzen sharpen (*Bleistift usw.*)

Anspitzer *für Bleistift*: (pencil) sharpener

Ansporn incentive [ɪn'sentɪv] (*für* to)

anspornen: *jemanden anspornen* spur someone on, encourage someone

Ansprache speech (*an* to); *eine Ansprache halten* make* a speech

ansprechen 1. address, speak* to 2. *jemanden auf* (*oder wegen*) *etwas ansprechen* speak* to someone about something 3. (≈ *gefallen, ankommen bei*) appeal to (*das Publikum usw.*)

Ansprechpartner(in) person to turn (*oder* talk) to, contact ['kɒntækt]

anspringen 1. *sie wurde von einem Hund angesprungen* (≈ *angefallen*) she was attacked by a dog 2. (*Motor*) start

anspritzen (≈ *bespritzen*) splash

Anspruch 1. claim (*auf* to); *Anspruch haben auf* be* entitled to 2. *Zeit in Anspruch nehmen* take* up time 3. *hohe Ansprüche an jemanden stellen* expect a lot of someone 4. *ihre Arbeit nimmt sie stark in Anspruch* her work keeps her very busy

anspruchslos 1. (≈ *bescheiden*) modest 2. (≈ *schlicht*) plain, simple 3. *Roman usw.*: light, lowbrow ['ləʊbrəʊ]

anspruchsvoll *allg.*: demanding

anspucken spit* at

anstacheln 1. *jemanden zum Klauen anstacheln* goad [gəʊd] someone into stealing things

Anstalt 1. establishment, institution **2.** (≈ *Nervenheilanstalt*) mental hospital

Anstand (≈ *Benehmen*) manners (△ *Pl.*); ***jemandem ein bisschen Anstand beibringen*** teach* someone how to behave

anständig 1. *allg. und übertragen:* decent ['diːsnt] **2. *eine anständige Tracht Prügel*** a good hiding **3. *benimm dich anständig!*** behave yourself (properly)! **4. *sie sagte ihm anständig die Meinung*** she gave him a piece of her mind

anstarren stare at

anstatt: *anstatt zu kommen* *usw.* instead of coming *usw.*

anstecken 1. *sich anstecken* *Erkältung, Masern usw.:* (≈ *sich infizieren*) catch* a cold (*bzw.* the measles) *usw.* (***bei*** from); ***ich habe mich bei X angesteckt*** I caught (*oder* got) it from X **2. *er hat mich mit seiner Erkältung angesteckt*** he's given me his cold, he's passed his cold on to me **3.** put* on (*Ring usw.*) **4.** set* fire to (*Haus usw.*) **5.** (≈ *anzünden*) light* (*Zigarette*)

ansteckend catching, infectious

Anstecknadel 1. pin **2.** (≈ *Abzeichen*) badge, *AE mst.* button

Ansteckung infection

anstehen 1. (≈ *sich anstellen*) queue up [ˌkjuːˈʌp], *AE* line up (***nach*** for) **2. *was steht an?*** what's next on the agenda?

ansteigen *allg.:* go* up, rise*

anstelle, an Stelle: *anstelle* (*oder an Stelle*) ***von*** (*oder Gen.*) instead of [ɪnˈsted əv], in place of

anstellen 1. switch on, turn on (*Radio, Licht*) **2.** turn on (*Wasser*) **3. *was hast du angestellt?*** what have you been up to? **4. *stell dich nicht so an!*** stop making such a fuss **5. *sich anstellen*** *in der Schlange:* queue up, *AE* line up (***nach*** for)

Anstieg *übertragen* rise, increase (+ *Gen. in*)

anstiften: *jemanden zu etwas anstiften* incite someone to do something; ***er hat mich dazu angestiftet*** *mst.:* he put me up to it

Anstifter(in) instigator ['ɪnstɪɡeɪtə]

anstinken: *das stinkt mich an* I'm sick of it

Anstoß 1. *Fußball:* kick-off (△ *ohne* the) **2.** *übertragen* (≈ *Antrieb*) impulse ['ɪmpʌls], impetus ['ɪmpɪtəs]

anstoßen 1. *etwas anstoßen* (≈ *etwas in Bewegung setzen*) give* something a

push **2. *stoßen wir auf dich an*** let's drink to your health

Anstößer(in) ⓒⓗ (≈ *Anlieger, -in*) resident ['rezɪdənt], (≈ *Nachbar, -in*) neighbour

anstrahlen illuminate (*Gebäude*)

anstreichen 1. *mit Farbe:* paint **2. *Sie haben das* (*als Fehler*) *angestrichen*** you marked it wrong

anstrengen 1. *sich anstrengen* make* an effort ['efət], try hard **2. *das strengt an*** it's hard work

anstrengend strenuous ['strenjʊəs], hard

Anstrengung effort ['efət], *stärker:* strain

Antarktis: *die Antarktis* the Antarctic, Antarctica (△ *ohne* the)

Anteil 1. *vom Ganzen:* share (***an*** of) **2. *Anteil an etwas nehmen*** take* (*oder* show) an interest in something **3. *sie hat großen Anteil an unserem Erfolg*** she contributed a lot to our success

Anteilnahme (≈ *Interesse*) interest (***an*** in)

Antenne aerial ['eərɪəl], *bes. AE* antenna

Antialkoholiker(in) teetotaller [tiːˈtəʊtlə]

antiautoritär anti-authoritarian [ˌæntɪɔːˌθɒrɪˈteərɪən]

Antibabypille birth control pill; ***die Antibabypille*** *umg.* the pill

Antibiotikum antibiotic [ˌæntɪbaɪˈɒtɪk]

Antifaschismus anti-Fascism [ˌæntɪˈfæʃɪzm]

antik 1. ancient (△ 'eɪnʃənt], classical **2. *antike Möbel*** antique [ænˈtiːk] furniture (△ *Sg.*)

Antike 1. *die Welt der Antike* the ancient ['eɪnʃənt] world **2. *die Kunst der Antike*** the art of the ancient world

Antikörper antibody ['æntɪˌbɒdɪ]

Antillen: *die Antillen* the Antilles [△ ænˈtɪliːz]

Antilope antelope ['æntɪləʊp]

Antiquariat *für Bücher:* second-hand bookshop

Antiquitäten antiques [ænˈtiːks]

Antisemitismus: *der Antisemitismus* anti-Semitism (△ *ohne* the)

Antiterroreinheit anti-terrorist squad [skwɒd]

Antiterrorgesetze anti-terrorist legislation [ˌledʒɪˈsleɪʃn] (△ *Sg.*)

antörnen: *das törnt mich an* *salopp; Musik usw.:* it turns me on

Antrag 1. *einen Antrag stellen auf* make* an application for **2.** (≈ *Antragsformular*) application form; ***einen Antrag ausfüllen*** fill in (*bes. AE* fill out) an application form

Antragsteller(in) applicant ['æplɪkənt]

antreffen 1. find*, come* across (*Ding*) **2.** meet* (*Person*)

antreiben 1. drive* (*Fahrzeug, Maschine*)

2. drive*, power (*Motor*); *das Flugzeug wird von zwei Düsentriebwerken angetrieben* the aircraft is powered by two jet engines **3.** *jemanden (zur Arbeit) antreiben* make* someone work

Antreiber(in) *übertragen* slave driver

antreten 1. (*zum Wettkampf*) *antreten Sport*: compete (*gegen* with, against) **2.** *sein Amt antreten* take* up office **3.** *eine Reise antreten* set* out (*oder* off) on a journey

Antrieb 1. *aus eigenem Antrieb* of one's own accord **2.** (≈ *Anreiz*) incentive [ɪn'sentɪv] **3.** *Technik*: drive

Antrittsbesuch first visit

antun 1. *jemandem Gewalt antun* act violently towards someone **2.** *er würde niemandem etwas antun* he wouldn't hurt (*oder* harm) a fly **3.** *das darfst du mir nicht antun* you can't do that to me

anturnen → *antörnen*

Antwort 1. answer ['ɑːnsə], reply (*auf* to); *in Antwort auf* in answer to **2.** *übertragen* response

antworten 1. answer ['ɑːnsə] (*jemandem* someone; *auf etwas* something), reply (*jemandem* to someone; *auf etwas* to something); *du hast mir auf meine Frage noch nicht geantwortet* you haven't answered my question yet; *hat sie dir geantwortet?* did she reply to you? **2.** *was hat sie geantwortet?* what did she say?

anvertrauen: *jemandem etwas anvertrauen* entrust someone with something, *Geheimnis*: confide something in someone

anwachsen 1. (≈ *Wurzeln schlagen*) take* root **2.** (≈ *zunehmen*) grow*, increase [in'kriːs] **3.** *anwachsen auf* (*Betrag*) run* up to

Anwalt, Anwältin 1. lawyer ['lɔːjə], *BE auch* solicitor, *AE* attorney [Δ ə'tɜːnɪ] **2.** (*sich*) *einen Anwalt nehmen* get* a lawyer

Anwaltskanzlei law office, *BE* solicitor's office [sə'lɪsɪtəz‚ɒfɪs]

Anweisung 1. (≈ *Anleitung*) instruction, instructions (Δ *Pl.*); *auf Anweisung von* on the instructions (Δ *Pl.*) of **2.** (≈ *Befehl*) order

anwenden 1. use [juːz] (*Methode, Gewalt*) **2.** apply (*Theorie, Regel, Mittel*) (*auf* to)

Anwender(in) *Computer*: user

Anwenderprogramm *Computer*: user program (Δ *auch BE nicht* programme)

Anwendersoftware *Computer*: user software

Anwendung 1. (≈ *Gebrauch*) use [Δ juːs]

2. (≈ *Nutzung*) application

Anwendungsbeispiel example; *kannst du mir ein Anwendungsbeispiel geben?* can you give me an example (of how it's used)?

anwerben recruit

Anwesen estate [Δ ɪ'steɪt], property

anwesend present ['preznt] (*bei* at); *er war nicht anwesend* he wasn't there

Anwesende(r): *die Anwesenden* those present ['preznt]

Anwesenheit 1. presence ['prezns] **2.** *in der Schule*: attendance

Anwesenheitsliste attendance list, *bes. in der Schule auch*: register ['redʒɪstə]

Anzahl number; *eine große Anzahl* (+ *Gen.*) a large number of

anzahlen: *£ 15 anzahlen* make* a down payment of £15 (*für* for, on) (*gesprochen* fifteen pounds)

Anzahlung 1. deposit [dɪ'pɒzɪt] **2.** *bei Ratenzahlung*: down payment

anzapfen *allg.*: tap (*Fass, Telefon, Leitung*)

Anzeichen 1. *allg.*: sign ['saɪn], indication **2.** *einer Krankheit*: symptom ['sɪmptəm]

Anzeige 1. (≈ *Zeitungsanzeige*) advertisement [Δ əd'vɜːtɪsmənt], ad **2.** (≈ *Bekanntgabe*) announcement

anzeigen: *jemanden anzeigen* report someone to the police

anziehen 1. draw* up (*Bein, Knie*) **2.** put* on (*einen Pullover, ein Kleid usw.*) **3.** *sich anziehen* get* dressed, dress **4.** (≈ *festziehen*) tighten (*Schraube, Seil*) **5.** *die Handbremse anziehen* put* the handbrake (*AE mst.* emergency brake) on **6.** (*Preise*) rise*

anziehend (≈ *schön*) attractive

Anziehung, Anziehungskraft *übertragen* attraction, appeal; *auf jemanden eine starke Anziehungskraft ausüben* have* a strong attraction for someone

Anzug 1. *Kleidung*: suit [suːt]; *im Anzug erscheinen* turn up in a suit (and tie) **2.** *es ist ein Gewitter im Anzug* there's a thunderstorm on the way

anzünden 1. light* (*Zigarre, Pfeife*) **2.** set* fire to (*Haus, Stroh usw.*)

Aorta aorta [eɪ'ɔːtə]

Apartheid apartheid [Δ ə'paːtheɪt]

Apartment (≈ *Kleinwohnung*) (small) flat, one-room flat, *AE* (small) apartment

aper *bes.* Ⓐ,Ⓖ (≈ *schneefrei*) snow-free

Aperitif aperitif [ə‚perɪ'tiːf]

Apfel apple

Apfelbaum apple tree

Apfelkuchen apple flan, *AE* apple cake

Apfelmus apple sauce

Apfelsaft apple juice
Apfelsine orange ['ɒrɪndʒ]
Apfelstrudel apfelstrudel ['æpfl,struːdl]
Apostel apostle [△ ə'pɒsl]
Apostroph apostrophe [△ ə'pɒstrəfɪ]

Apostroph

Der Apostroph wird vor allem in folgenden Fällen verwendet:

1. um bei abgekürzten Formen einen oder mehrere weggelassene(n) Buchstaben zu ersetzen:

I'm	←	**I am**
you're	←	**you are**
don't	←	**do not**
it's	←	**it is**
fish 'n' chips	←	**fish and chips**

2. um Besitz anzuzeigen:

Mr Brown's jacket
my mother's car
our friends' house (Plural: Apostroph nach dem **-s**)

bei Wörtern, die auf **-s** enden:
James' pen oder **James's pen**, beide gesprochen: [ˌdʒeɪmzɪz'pen]

3. bei Zeitangaben wie folgenden:

Saturday's newspaper
today's special offer

Vorsicht bei folgenden „Fallen":

it's a poodle	es ist ein Pudel
it's lost **its** lead	er hat seine Leine verloren

it's   **it is** *oder* **it has**
its = Besitzform von **it** (= sein, ihr)

Apotheke chemist's (shop), *AE* pharmacy, *bes. AE* drugstore
Apotheker(in) pharmacist, *BE auch* chemist, *AE auch* druggist
Apparat 1. *Technik*: apparatus [ˌæpə-'reɪtəs] 2. (≈ *Gerät, Vorrichtung*) device, machine 3. *kleiner*: gadget ['gædʒɪt] 4. *Telefon*: **am Apparat!** speaking; **am Apparat bleiben** hold* the line 5. *übertragen*; *Verwaltung*: organization
Appell (≈ *Aufruf*) appeal (**an** to)
appellieren an appellieren an appeal to
Appetit 1. appetite; **ich habe keinen Appetit** I'm not hungry; **ich habe keinen Appetit auf Fleisch** I don't feel like (eating) meat 2. **guten Appetit!** bon appetit! [ˌbɒn_æpəˈtiː], *bes. AE* enjoy your meal!
appetitlich appetizing

Guten Appetit

Während es im Deutschen höflich ist, vor dem Essen einen „Guten Appetit!" zu wünschen, ist im Englischen ein solches Startsignal zu Beginn der Mahlzeit nicht so üblich. Man hört aber gelegentlich Folgendes:

Bon appetit! (*etwas förmlich*)
Enjoy your meal! (*vorwiegend von Kellnerinnen und Kellnern verwendet*)
Enjoy! (*besonders in den USA*)

applaudieren applaud [ə'plɔːd]
Applaus applause [ə'plɔːz]
Aprikose apricot ['eɪprɪkɒt]
April 1. April ['eɪprəl]; **im April** in April (△ *ohne* the) 2. **April, April!** April fool!
Aprilscherz April fool joke
apropos: **apropos Bildung** ... talking about education ...
Aquarell watercolour ['wɔːtə,kʌlə]
Aquarium aquarium [ə'kweərɪəm]
Äquator equator [ɪ'kweɪtə]
Ära era ['ɪərə]
Araber Arab ['ærəb]; **er ist Araber** he's (an) Arab; ☞ *Nationalitäten*
Araberin Arab woman (*oder lady bzw. girl*); **sie ist Araberin** she's (an) Arab; ☞ *Nationalitäten*
Arabien Arabia [ə'reɪbɪə]
arabisch 1. *Länder*: Arab ['ærəb] 2. *Zahlen, Sprache, Schrift*: Arabic ['ærəbɪk]; **auf Arabisch** in Arabic
Arbeit 1. *allg.*: work; **schwere Arbeit** hard work; **es ist eine interessante usw. Arbeit** it's interesting *usw.* work (△ *ohne* an) 2. (≈ *Berufstätigkeit*) work, employment 3. (≈ *Stelle*) job 4. **bei** (*oder auf oder in*) **der Arbeit** (≈ *Arbeitsstelle*) at work (△ *ohne* the) 5. **sie ist gerade bei der Arbeit** (≈ *arbeitet gerade*) she's working, she's at work 6. **zur** (*oder* **in die**) **Arbeit gehen** go* to work 7. **an die Arbeit gehen** (≈ *mit der Arbeit beginnen*) start work 8. **ich hoffe, es macht Ihnen nicht zu viel Arbeit** (≈ *Mühe*) I hope it's not too much trouble for you 9. **ohne Arbeit** unemployed, out of work, jobless 10. (≈ *Ergebnis*) (piece of) work 11. (≈ *Klassenarbeit*) test
arbeiten 1. work; **sie arbeitet in einer Fabrik** she works in a factory; **er arbeitet bei BMW** *Firma*: he works for BMW, *Fabrik*: he works at BMW; **sie arbeitet an einem neuen Roman** she's working on a new novel 2. *Organe*: work, function
Arbeiter(in) 1. *allg.*: worker 2. *im Gegensatz zum Angestellten*: blue-collar worker

Arbeiterklasse working class, working classes (△ *Pl.*)
Arbeitgeber(in) employer [ɪmˈplɔɪə]
Arbeitnehmer(in) employee [ɪmˈplɔɪiː]
Arbeitsamt employment office, *BE auch* job centre
Arbeitsbedingungen working conditions
Arbeitsbeschaffungsprogramm job-creation scheme [ˈdʒɒbkriːˌeɪʃn_skiːm]
Arbeitsbescheinigung certificate [səˈtɪfɪkət] of employment
Arbeitserlaubnis work permit [ˈwɜːkˌpɜːmɪt]
Arbeitsessen working lunch (*bzw.* dinner), *geschäftlich*: business lunch (*bzw.* dinner)
Arbeitsgemeinschaft *Schule*: 1. *Gruppe*: study group 2. *Arbeitsgemeinschaften* (≈ *freiwillige Fächer*) extracurricular activities
Arbeitsgruppe *im Unterricht*: study group
Arbeitskampf labour dispute [ˈleɪbəˌdɪspjuːt], *BE* industrial action
Arbeitskleidung work(ing) clothes [△ kləʊ(ð)z] (*Pl.*)
Arbeitskraft 1. (≈ *Arbeiter*) worker 2. (≈ *Angestellter*) employee [ɪmˈplɔɪiː] 3. *Arbeitskräfte* workforce, manpower (△ *beide Sg.*; manpower *ohne the*); *wir brauchen mehr Arbeitskräfte* we need more manpower
Arbeitskräftemangel manpower shortage
Arbeitskreis working group, *Schule*: study group
Arbeitslager *für Zwangsarbeiter*: labour camp
arbeitslos unemployed, out of work
Arbeitslose(r) 1. unemployed person 2. *die Arbeitslosen* the unemployed (*Pl.*); *die Zahl der Arbeitslosen* the number of people out of work, unemployment figures (△ *Pl.*)
Arbeitslosengeld 1. unemployment benefit, *AE* unemployment benefits *oder* compensation 2. *Arbeitslosengeld beziehen* umg. be* on the dole
Arbeitslosenquote unemployment rate
Arbeitslosenversicherung unemployment insurance [ˌʌnɪmˈplɔɪməntɪnˌʃʊərəns]
Arbeitslosenzahl unemployment figures [ˌʌnɪmˈplɔɪməntˌfɪgəz] (△ *Pl.*), number of unemployed
Arbeitslosigkeit unemployment
Arbeitsmarkt labour market, job market; *die Lage auf dem Arbeitsmarkt* the job situation
Arbeitsniederlegung strike, walkout
Arbeitspensum workload
Arbeitsplatz 1. (≈ *Arbeitsstätte*) work-

place; *am Arbeitsplatz* at work 2. (≈ *Stelle*) job; *haben Sie noch freie Arbeitsplätze?* are there any vacancies [ˈveɪkənsɪz]?
Arbeitsspeicher *Computer*: main memory, random access memory (*Abk.* RAM)
Arbeitssuche 1. job-hunting (△ *ohne* the) 2. *er ist auf Arbeitssuche* he's looking for a job
Arbeitstag working day, workday
Arbeitsweise 1. (≈ *Methode*) working method [ˈmeθəd] 2. *eines Geräts*: functioning
Arbeitszeit working hours (△ *Pl.*)
Arbeitszeitverkürzung reduction in working hours (△ *nicht* of)
Arbeitszimmer study
Archäologe archaeologist, *bes. AE* archeologist [ˌɑːkɪˈɒlədʒɪst]
Archäologie archaeology, *bes. AE* archeology [ˌɑːkɪˈɒlədʒɪ]
Archäologin archaeologist, *bes. AE* archeologist [ˌɑːkɪˈɒlədʒɪst]
archäologisch archaeological, *bes. AE* archeological [ˌɑːkɪəˈlɒdʒɪkl]
Arche ark; *die Arche Noah* Noah's ark
Architekt(in) architect [ˈɑːkɪtekt]
Architektur architecture [ˈɑːkɪtektʃə]
Archiv archives [ˈɑːkaɪvz] (*Pl.*)
Arena 1. *Sport*; *politische usw.*: arena [əˈriːnə] 2. *Zirkus*: ring 3. *Stierkampf*: bull-ring [ˈbʊlrɪŋ]
Argentinien Argentina [ˌɑːdʒənˈtiːnə]
Ärger 1. (≈ *Unannehmlichkeiten*) trouble; *das alte Auto wird uns noch viel Ärger machen* that old car is going to cause us a lot of trouble; *Ärger kriegen* get* into trouble; *das gibt Ärger* there'll be trouble 2. (≈ *Verärgerung*) annoyance [əˈnɔɪəns], *stärker*: anger [ˈæŋgə]
ärgerlich 1. *ärgerlich über etwas* annoyed (*stärker*: angry) about something 2. *ärgerlich über* (*bzw. auf*) *jemanden* annoyed (*stärker*: angry) with someone 3. *das ist ärgerlich* that's annoying, that's a (real) nuisance [ˈnjuːsns]
ärgern 1. annoy 2. tease [tiːz] (*Kind, Tier*) 3. *ich habe mich richtig über ihn* (*bzw. darüber*) *geärgert* I was really annoyed with him (*bzw.* about it)
Argument argument; *das ist kein Argument* that's no argument
Arie (≈ *Sologesangsstück*) aria [ˈɑːrɪə]
Aristokratie aristocracy [ˌærɪˈstɒkrəsɪ]
Arktis: *die Arktis* the Arctic
arktisch arctic (*auch übertragen*)
arm poor (*auch übertragen*); *das Land ist arm an Bodenschätzen* the country is poor in natural resources
Arm 1. arm 2. (≈ *Ärmel*) sleeve 3. *eines*

Flusses: branch **4. du willst mich wohl auf den Arm nehmen?** you're pulling my leg!

Armaturen 1. (≈ *Hähne*) taps, *AE* faucets **2.** *Auto usw.*: instruments, controls

Armaturenbrett dashboard

Armband bracelet ['breɪslət]

Armbanduhr wristwatch ['rɪstwɒtʃ]

Arme(r) poor woman (*bzw.* man); **die Armen** the poor (△ *Pl.*)

Armee army (*auch übertragen*)

Armeehose combats ['kɒmbæts] (△ *Pl.*), combat trousers (△ *Pl.*); **er trug eine Armeehose** he was wearing (a pair of) combats

Ärmel 1. sleeve **2. er hat die Lösung förmlich aus dem Ärmel geschüttelt** he came up with the solution just like that

Ärmelkanal: der Ärmelkanal the (English) Channel ['tʃænl]

ärmellos sleeveless

Armenien Armenia [ɑːˈmiːnɪə]

Armut: (**die Armut** poverty (**an** of) (*auch übertragen*)

Armutsgrenze: an (*bzw.* **unter**) **der Armutsgrenze liegen** be* on (*bzw.* below) the poverty ['pɒvətɪ] line

Aroma (≈ *Geruch*) aroma [əˈrəʊmə]

Aromatherapie aromatherapy [əˌrəʊmə-ˈθerəpɪ]

aromatisch aromatic [ˌærəˈmætɪk]

arrogant arrogant [ˈærəgənt]

Arroganz arrogance [ˈærəgəns]

Arsch *salopp* arse [ɑːs], *AE* ass [æs]

Arschkriecher(in) *vulgär BE* arse-licker, *AE* ass-kisser, *AE umg.* suck-up

Arschloch *vulgär, Person*: arsehole, bastard ['bɑːstəd], *AE* asshole

Art 1. (≈ *Art und Weise*) way, manner; **auf die(se) Art** (in) this way; **auf die eine oder andere Art** somehow or other **2.** (≈ *Sorte*) kind, sort, type; **Waffen aller Art** all kinds (*oder* sorts) of weapons; **eine Art Obstsalat** *usw.* some kind (*oder* sort) of fruit salad *usw.* **3.** (≈ *Eigenart, Wesen*) nature; **das ist eigentlich nicht seine Art** that's not like him (at all) **4. einzig in seiner Art** unique [juːˈniːk] **5.** (≈ *Benehmen*) behaviour [bɪˈheɪvɪə], manner **6.** *Biologie*: (≈ *Gattung, Sorte*) species [ˈspiːʃiːz] *Pl.*: species

Artenreichtum biodiversity [ˌbaɪəʊdaɪ-ˈvɜːsətɪ], rich animal and plant life

Artenschutz protection of (endangered) species [(ɪnˌdeɪndʒəd)]ˈspiːʃiːz

Arterie artery [ˈɑːtərɪ]

artig 1. well-behaved, good **2. sei artig!** be good!, be a good boy (*bzw.* girl)!

Artikel 1. (≈ *Ware*) article [ˈɑːtɪkl], item **2.** *Grammatik*: article

Artischocke artichoke [ˈɑːtɪtʃəʊk]

Artist(in) acrobat [ˈækrəbæt], (circus) performer (△ *engl.* artist = *allg.* **Künstler, Künstlerin**)

Arznei(mittel) medicine [ˈmedsn], drug

Arzt doctor

Arzthelferin doctor's assistant, nurse

Ärztin (lady) doctor

ärztlich medical; **sie ließ sich ärztlich behandeln** she received medical treatment

As → Ass

Asbest asbestos [æsˈbestəs]

Asche ash, *mst*: ashes (△ *Pl.*)

Aschenbahn *Sport*: cinder track

Aschenbecher ashtray

Aschenputtel Cinderella (*auch übertragen*)

Aschermittwoch Ash Wednesday ['wenzdɪ]

Aserbaidschan Azerbaijan [ˌæzəbaɪ-ˈdʒɑːn]

Asiat(in) Asian [ˈeɪʃn]; ☞ **Nationalitäten**

asiatisch Asian [ˈeɪʃn]

Asien Asia [ˈeɪʃə]

asozial *Verhalten, Familie usw.*: antisocial

Aspekt aspect [ˈæspekt] (*auch grammatisch*)

Asphalt asphalt [ˈæsfælt]

Ass *Spielkarte, Person, Tennis*: ace [eɪs]

Assistent(in) assistant [əˈsɪstənt]

Ast 1. branch **2.** *im Holz*: knot (△ nɒt]

Aster aster [ˈæstə]

ästhetisch aesthetic [iːsˈθetɪk], *AE mst.* esthetic

Asthma asthma (△ ˈæsmə]

Asthmaanfall asthma(tic) attack [ˈæsməˌəˌtæk (æsˌmætɪkˌəˈtæk)]

astrein 1. die Sache ist nicht ganz astrein there's something fishy about the business **2.** *umg.* (≈ *ausgezeichnet*) great, fantastic

Astrologe astrologer [əˈstrɒlədʒə]

Astrologie astrology [əˈstrɒlədʒɪ]

Astrologin astrologer [əˈstrɒlədʒə]

Astronaut(in) astronaut [ˈæstrənɔːt]

Astronomie astronomy [əˈstrɒnəmɪ]

astronomisch astronomic(al) [ˌæstrə-ˈnɒmɪkl] (*auch übertragen*)

Asyl *politisch*: asylum [əˈsaɪləm]; **um** (**politisches**) **Asyl bitten** ask for (political) asylum

Asylbewerber(in) asylum-seeker [əˈsaɪ-ləmˌsiːkə]

Asylrecht right of asylum [əˈsaɪləm]

Atelier studio

Atem 1. (≈ *das Atmen*) breathing ['briːðɪŋ] **2.** (≈ *Atemluft*) breath (△ breθ] (*auch übertragen*); **außer Atem** out of breath; **sie hielt den Atem an** she held

<u>her</u> breath

atemberaubend breathtaking [△ 'breθ-‚teıkıŋ]

atemlos breathless [△ 'breθləs] (*auch übertragen*), out of breath

Atempause breather ['briːðə]; *eine Atempause einlegen* take* a breather

Atheist(in) atheist ['eıθ‚ıst]

Athen Athens ['æθınz]

Äther ether ['iːθə]

Äthiopien Ethiopia [ıːθı'əupıə]

Athlet(in) athlete ['æθliːt]

athletisch athletic [æθ'letık]

Atlantik: *der Atlantik* the Atlantic (Ocean)

Atlas atlas ['ætləs]

atmen breathe [briːð]

Atmosphäre atmosphere (*auch übertragen*)

Atmung breathing ['briːðıŋ]

Atom atom ['ætəm]

Atom... *in Zusammensetzungen:* nuclear ['njuːklıə], atomic; *Atombombe* atomic (*oder* atom) bomb [bɒm], A-bomb; *Atomenergie* nuclear (*oder* atomic) energy; *Atomforschung* nuclear research; *Atomgegner(in)* anti-nuclear activist; *Atomkern* atomic nucleus; *Atomkraftwerk* nuclear power station; *Atomkrieg* nuclear war; *Atommüll* nuclear waste; *Atomstreitmacht* nuclear power; *Atomtest* nuclear test; *Atomwaffe* nuclear (*oder* atomic) weapon; *Atomzeitalter* nuclear age

atomwaffenfrei: *atomwaffenfreie Zone* nuclear-free zone [‚njuːklıəfriː'zəun]

ätsch *Schadenfreude:* serves you right!

Attentat 1. (≈ *Versuch*) assassination attempt (*auf* on); *zwei Terroristen verübten ein Attentat auf den Präsidenten* two terrorists tried to assassinate the president **2.** *geglücktes:* assassination (*auf* of); *er fiel einem Attentat zum Opfer* he was assassinated **3.** *ich habe ein Attentat auf dich vor übertragen* I've got a favour to ask of you

Attentäter(in) assassin [ə'sæsın]

Attest certificate [sə'tıfıkət]; *ärztliches Attest* medical (*oder* doctor's) certificate

Attraktion attraction

attraktiv attractive

Attrappe 1. dummy *Pl.:* dummies **2.** *es ist alles Attrappe übertragen* it's all fake

Attribut attribute ['ætrıbjuːt]

ätzend 1. caustic, corrosive **2.** *Geruch:* pungent ['pʌndʒənt] **3.** (*das ist*) *echt ätzend salopp* it's the pits

au 1. ouch! [autʃ] **2.** *au ja!* yeah! [jeə]

Aubergine aubergine ['əubəʒiːn], *bes. AE auch* eggplant

auch 1. (≈ *ebenfalls*) too, as well, also; *wir kommen auch* we're also coming, we're coming too (*oder* as well) (△ *Wortstellung*) **2.** (≈ *selbst, sogar*) even; *auch ein Anfänger kann das!* even a beginner can do that! **3.** *auch wenn ...* even if ...; *auch wenn wir Zeit hätten, würden wir nicht kommen* even if we had time, we wouldn't come **4.** *ich kanns nicht - ich auch nicht* I can't do it - nor (*oder* neither) can I, I can't either **5.** *nicht nur ..., sondern auch* not only ..., but also **6.** *ohne auch nur zu fragen* without even asking

Audiokassette audio cassette

audiovisuell audiovisual [‚ɔːdıəu'vızuəl]

auf 1. on; *auf dem/den Tisch* on the table; *auf der Insel* on the island; *auf Seite 3* on page 3 **2.** in; *auf der Welt* in the world; *auf seinem Zimmer* in his room **3.** at; *auf der Post* at the post office; *auf einer Party* at a party; *auf der Schule* at school **4.** to; *auf die Post usw. gehen* go* to the post office *usw.*; *geh auf dein Zimmer* go to your room; *auf Reisen* travelling, on a trip; *auf Urlaub* on holiday, *AE* on vacation **5.** *auf der Straße* (≈ *in der Stadt*) in (*AE* auch on) the street; *auf der Straße zwischen Orten und Ortsteilen:* on the road **6.** (*etwas*) *auf dem Klavier usw. spielen* play (something) on the piano *usw.* **7.** *auf Englisch* in English **8.** (≈ *hoch*) up, upwards **9.** (≈ *offen*) open; *die Flasche ist auf* the bottle is open **10.** *das Geschäft ist auf* (≈ *geöffnet*) the shop is open; *wann machen Sie auf?* when do you open? **11.** *bist du schon auf?* (≈ *aus dem Bett*) are you up yet? **12.** *auf und ab* up and down; *das Auf und Ab des Lebens* the ups and downs of life **13.** *auf gehts! umg.* let's go!

aufarbeiten: *ich muß noch viel aufarbeiten Rückstände:* I've got a lot to catch up on

Aufbau 1. *eines Gebäudes:* (≈ *das Errichten*) construction, erection **2.** (≈ *Montage*) assembly **3.** (≈ *Struktur*) structure (*eines Gebäudes usw., eines Dramas, auch einer Organisation*) **4.** *eines Bildes:* composition

aufbauen 1. (≈ *errichten*) put* up (*Gebäude*) **2.** put* up (*Zelt*) **3.** structure (*Rede, Aufsatz, Organisation usw.*) **4.** (≈ *wieder aufbauen*) rebuild* **5.** *worauf baut diese neue Theorie usw. auf?* what is this new theory *usw.* based on?

aufbauschen *übertragen* exaggerate [ıg-'zædʒəreıt], play up

aufbekommen 1. *ich bekomme die Tür*

usw. **nicht auf** I can't get the door *usw.* open **2. ich bekomme den Knopf** *usw.* **nicht auf** I can't get this button *usw.* undone **3. viel aufbekommen** *Hausaufgaben*: get* a lot of homework; **wir haben heute nichts aufbekommen** we haven't got (*oder* didn't get) any homework today

aufbewahren 1. *allg.*: keep* **2.** keep*, store (*Lebensmittel*)

aufblasbar inflatable [ɪnˈfleɪtəbl]

aufblasen blow* up, inflate (*Ballon usw.*)

aufbleiben 1. (*Tür usw.*) stay open **2.** (≈ *wach bleiben*) stay up; **lange aufbleiben** stay up late

aufblenden *Auto*: turn (the headlights) on full (*AE* high) beam

aufbrechen 1. break* (*oder* force) open **2. ein Auto aufbrechen** break* into a car **3.** (≈ *weggehen*) leave*, set* off (**nach** for)

aufbringen 1. raise (*Geld*) **2.** summon up, muster (*Mut, Energie*)

Aufbruch 1. departure **2. wir sind gerade im Aufbruch** we're just about to leave

aufbrummen: jemandem eine Strafarbeit aufbrummen *Schule*: land someone with extra (home)work

aufdecken 1. uncover, expose (*Verbrechen, Verschwörung usw.*) **2.** disclose, reveal (*Fakten, Tatsachen usw.*) **3. das Bett aufdecken** turn the bedclothes down **4.** show* (*Spielkarten*)

aufdonnern: sich aufdonnern *umg.* get (all) dolled up

aufdrängen: jemandem etwas aufdrängen force something on someone **2. ich will mich ja nicht aufdrängen, aber** ... I don't want to intrude, but ...

aufdrehen 1. turn on (*Hahn usw.*) **2.** turn up (*Radio usw.*)

aufdringlich 1. obtrusive **2.** *Person*: obtrusive, *umg.* pushy

Aufdruck imprint [ˈɪmprɪnt]

aufeinander 1. (≈ *übereinander*) on top of each other **2. aufeinander angewiesen sein** depend on each other; → **aufeinanderfolgend**

aufeinanderfolgend successive, consecutive; **an drei aufeinanderfolgenden Tagen** (for) three days running

Aufenthalt 1. stay **2.** *Zug*: stop; **wie lange haben wir hier Aufenthalt?** how long do we stop here?

Aufenthaltserlaubnis residence permit [ˈrezɪdəns,pɜːmɪt]

Aufenthaltsgenehmigung residence permit [ˈrezɪdəns,pɜːmɪt]

Aufenthaltsraum lounge [laʊndʒ]

auferstehen rise* from the dead

Auferstehung: die Auferstehung the Resurrection [ˌrezəˈrekʃn]

aufessen eat* up

Auffahrt 1. *Autobahn*: slip road, *AE* ramp **2.** *zu einem Gebäude*: drive, driveway

auffallen 1. er will immer auffallen he's always trying to attract attention **2. jemandem fällt etwas auf** someone notices something; **mir ist es gar nicht aufgefallen** I didn't even notice (it) **3. das fällt nicht auf** nobody will notice

auffällig 1. striking, conspicuous [kənˈspɪkjʊəs] **2.** *Farben, Kleider*: loud, *umg.* flashy

auffangen 1. catch* (*Ball usw.*) **2.** cushion [△ ˈkʊʃn] (*Stoß, Aufprall usw.*)

auffassen 1. (≈ *begreifen*) understand*, grasp **2.** (≈ *deuten*) interpret [ɪnˈtɜːprɪt], understand*; **soll ich das als Beleidigung auffassen?** is that meant to be an insult?

Auffassung 1. (≈ *Meinung*) view; **die Auffassung vertreten, dass** ... take* the view that ... **2.** (≈ *Deutung*) interpretation

auffinden find*, discover

auffordern 1. sie forderte ihn auf, zu gehen *eindringlich*: she asked him to leave **2. der Politiker forderte seine Anhänger zur Stimmabgabe auf** the politician called on his followers to vote

Aufforderung 1. (≈ *Bitte*) request **2.** *eindringliche*: demand

auffressen 1. eat up, devour [dɪˈvaʊə] **2. er wird dich schon nicht auffressen** *umg., übertragen* he won't eat you **3. die Arbeit frisst mich auf** *übertragen* I'm drowning in work

auffrischen: du musst dein Englisch auffrischen! you must brush up your English!

aufführen 1. perform (*Theaterstück*) **2.** show* (*Film*) **3. sich aufführen wie** ... behave like ...

Aufführung 1. *Theater*: performance **2.** *Film*: showing, show

Aufgabe 1. (≈ *Arbeit*) job, task; **es ist nicht meine Aufgabe, zu** ... it's not my job (*oder* task) to (+ *Inf.*) **2.** (≈ *Pflicht*) duty **3.** (≈ *Rechenaufgabe usw.*) problem **4.** (≈ *Hausaufgabe*) homework (△ *Sg.*; *ohne* a)

Aufgang (≈ *Treppe*) staircase, stairs (△ *Pl.*)

aufgeben 1. (≈ *verzichten auf*) give* up; **das Rauchen** *usw.* **aufgeben** give* up (*oder* stop) smoking **2.** give* up (*Beruf, Wohnung, Hoffnung*) **3.** set* (*Aufgabe*); **sie gibt immer sehr viel auf** she always sets (*AE* assigns) a lot of homework **4.**

post, *AE* mail (*Brief*) **5.** check in (*Luft-gepäck*) **6.** place (*Bestellung*) **7.** *Boxen und übertragen*: throw* in the towel

aufgehen 1. (*Sonne, Mond, Sterne*) rise* **2.** (*Vorhang*) rise*, go* up **3.** (≈ *sich öffnen*) open (*auch Blume*)

aufgehoben: *er ist dort gut aufgehoben* he's in good hands there

aufgeilen: *sich an etwas aufgeilen umg.* be* (*oder* get*) turned on by something

aufgelegt: *ich bin gut* (*bzw.* *schlecht*) *aufgelegt* I'm in a good (*bzw.* bad) mood

aufgeregt 1. (≈ *erregt*) excited [ɪkˈsaɪtɪd] **2.** (≈ *nervös*) nervous [ˈnɜːvəs]

aufgeschlossen 1. (≈ *offen*) open (*für, gegenüber* to); *sie ist Kritik gegenüber immer aufgeschlossen* she's always open to criticism **2.** (≈ *interessiert*) open--minded

aufgeweckt *Kind*: (very) bright

aufgreifen 1. pick up (*Person*) **2.** *ein Thema* (*einen Vorschlag usw.*) *aufgreifen* take* up a subject (a suggestion *usw.*)

aufgrund: *aufgrund der* (*geltenden*) *Gesetze in Frankreich usw.* <u>because</u> of the law in France *usw.*; *aufgrund des Lehrermangels* <u>because</u> of the shortage of teachers

aufhaben 1. *sie hat einen Hut auf* she's got a hat on, she's wearing a hat **2.** *viel bzw.* *wenig aufhaben* *Hausaufgaben*: have* a lot of (*bzw.* very little) homework **3.** *das Geschäft hat auf* the shop <u>is</u> open

aufhalten 1. stop (*Dieb, Entwicklung*) **2.** (≈ *verzögern*) hold* up, delay **3.** *ich will Sie nicht länger aufhalten* I won't keep you any longer **4.** *er soll sich in Berlin aufhalten* he's said to be (staying) in Berlin

aufhängen 1. *etwas aufhängen* hang* (up) something (*an* on) **2.** *jemanden aufhängen* (≈ *töten*) hang someone

---

aufhängen

Achte auf die unterschiedlichen Zeitformen:

(*Kleider usw.*)	**hang, hung,**
(auf)hängen	**hung**
(*jemanden*) hängen	**hang, hanged,**
	hanged

He <u>hung</u> the coat up in the hall.
They <u>hanged</u> him for murder.

---

aufheben 1. *vom Boden*: pick up **2.** (≈ *nicht wegwerfen*) keep* **3.** (≈ *beenden*) call off (*Boykott, Streik*) **4.** lift (*Verbot,*

Blockade)

aufheitern 1. *jemanden aufheitern* cheer someone up **2.** *es heitert sich auf Wetter*: it's clearing up

Aufheiterungen *Wetter*: sunny spells

aufhetzen stir up; *er hat seine Kollegen gegen den Chef aufgehetzt* he's stirred his colleagues up against the boss

aufholen 1. *verlorene Zeit aufholen* make* up for lost time **2.** *in Biologie muss ich noch aufholen* I must try to catch* up in biology **3.** *Verspätung*: (*Zug*) make* up the delay

aufhören 1. stop (△ + *Verb in der* -ing-*Form*); *sie hörte nicht auf zu reden* she wouldn't stop talking; *hör auf* (*damit*)*!* stop it!; ☞ *Info unter engl.* **stop 2.** (≈ *ein Ende nehmen*) (come* to an) end

aufkaufen 1. *allg.*: buy* up **2.** take* over (*eine Firma usw.*)

aufklären 1. clear up (*Verbrechen, Missverständnis usw.*) **2.** *jemanden über etwas aufklären* (≈ *informieren*) inform someone about something **3.** *ein Kind aufklären* *sexuell*: explain the facts of life to a child

Aufklärung 1. *wir arbeiten noch an der Aufklärung des Verbrechens usw.* we're still trying to solve (*oder* clear up) the crime *usw.* **2.** *sexuelle Aufklärung* sex education **3.** *die Aufklärung* *Zeitalter*: the (Age of) Enlightenment

aufkleben stick* on; *aufkleben auf* stick* on(to)

Aufkleber sticker

aufknöpfen unbutton

aufkommen 1. (≈ *entstehen*) arise* **2.** *Zweifel aufkommen lassen* give* rise to doubt **3.** *für den Schaden usw. aufkommen* pay* for the damage *usw.*

aufkreuzen *umg.* turn up

aufladen 1. load (*auf* onto) **2.** *mit der Arbeit usw., da hast du dir ganz schön was aufgeladen* you've loaded yourself with a lot of work *usw.* there **3.** charge (*Batterie*)

Auflage 1. *eines Buches*: edition **2.** *einer Zeitung bzw. Zeitschrift*: circulation

auflassen: *die Tür usw. auflassen* leave* (*oder* keep*) the door *usw.* open

auflegen 1. put* on (*CD, Tischtuch usw.*) **2.** (*den Hörer*) *auflegen* put* the phone down, hang* up

auflehnen: *sich auflehnen* rebel [rɪˈbel], *stärker*: revolt [rɪˈvəʊlt] (*gegen* against)

auflesen pick up (*auch übertragen*)

aufleuchten 1. *allg.*: light* up **2.** (*Blitz usw.*) flash

auflisten make* a list of, list

auflockern 1. loosen (up), break* up (*Bo-*

den) **2.** relax, make* more relaxed (_Atmosphäre, Stimmung_) **3.** liven [△ 'laɪvn] up (_Unterricht, Vortrag usw._)
auflösen 1. _in Flüssigkeit_: dissolve [△ dɪ-'zɒlv] **2.** cancel [△ 'kænsl] (_Vertrag_) **3.** solve (_Rätsel_) **4.** close down (_Firma, Lager_) **5. _sich auflösen_** (_Nebel, Wolken_) disperse [dɪ'spɜːs], disappear; **_die Wolken lösen sich allmählich auf_** the clouds are beginning to break up **6. _der Stau hat sich aufgelöst_** traffic is back to normal
Auflösung 1. _Bildschirm, Drucker usw._: resolution **2.** _eines Vertrags_: cancellation **3.** _eines Rätsels usw._: solution **4.** _eines Parlaments_: dissolution, dissolving
aufmachen 1. _allg._: (≈ _öffnen_) open **2.** put* up (_Schirm_) **3.** open up (_Geschäft_) **4.** _Wohnungstür auf Klingelzeichen_: answer the door **5. _sich nach Schottland aufmachen_** set* off for Scotland
aufmerksam 1. _aufmerksam sein_ _in der Schule usw._: pay* attention **2. _ich möchte euch auf die interessante Deckenbemalung usw. aufmerksam machen_** I'd like to draw your attention to the interesting painting on the ceiling _usw._ **3.** (≈ _höflich_) attentive; **_danke, sehr aufmerksam!_** thank you, that's very kind (of you)
Aufmerksamkeit 1. attention; **_Aufmerksamkeit erregen_** attract attention; **_seine Aufmerksamkeit richten auf_** focus one's attention on; **_jemandem_** (_bzw._ **etwas**) **_Aufmerksamkeit schenken_** pay* attention to someone (_bzw._ something) **2.** (≈ _kleines Geschenk_) little present ['preznt]
aufmuntern 1. (≈ _ermutigen_) encourage [ɪn'kʌrɪdʒ] (**_zu etwas_** to do something) **2.** (≈ _aufheitern_) cheer up
aufmüpfig rebellious [rɪ'beljəs]
Aufnahme 1. (≈ _Tonaufnahme_) recording **2.** _eines Films_: shooting, _einzelne_: shot, take **3.** (≈ _Foto_) photo, shot **4.** (≈ _Zulassung_) admission (**in** to, into) **5.** _in ein Krankenhaus_: admission (**in** to)
Aufnahmebedingungen terms of admission
Aufnahmeprüfung entrance exam
aufnehmen 1. _auf Band, Schallplatte, Video_: record [△ rɪ'kɔːd] **2.** (≈ _filmen_) shoot* **3.** take* (_Nahrung_) **4.** (≈ _begreifen_) take* in, grasp **5.** (≈ _einbeziehen, eingliedern_) include (**in** in), incorporate (**in** in); **_haben Sie das ins Protokoll aufgenommen?_** have you put that in the minutes? **6.** _in einen Verein usw._: admit (**in** to) **7.** (≈ _empfangen_) receive; **_er wurde freundlich aufgenommen_** he was given a warm welcome **8. _wie hat sie die_**

Nachricht vom Tod ihres Mannes usw. aufgenommen? _emotional_: how did she take the news that her husband had died _usw.?_ **9. _Verhandlungen aufnehmen_** start negotiations
aufpassen 1. (≈ _aufmerksam sein_) pay* attention **2.** (≈ _vorsichtig sein_) take* care **3. _pass auf!_** look out!, watch out! **4. _aufpassen auf_** take* care of, look after **5.** (≈ _im Auge behalten_) keep* an eye on
aufpeppen _umg._ pep up
aufpolieren polish up (_auch übertragen_)
Aufprall impact
aufprallen: _aufprallen auf_ hit*
Aufpreis extra charge; **_gegen einen Aufpreis von fünfhundert Euro_** for an extra five hundred euros
aufpumpen pump up (_Reifen, Ballon_)
aufputschen 1. _sich aufputschen_ _allg._: get* oneself going **2.** stir up (_die Massen_)
Aufputschmittel stimulant ['stɪmjʊlənt], _umg._ upper, (≈ _Tablette_) _auch_ pep pill
aufräumen 1. tidy up (_Zimmer usw._) **2.** (≈ _wegräumen_) tidy away, put* away (_Sachen_)
aufrecht 1. upright, erect; **_aufrecht stehen_** stand* erect **2.** _übertragen_ upright, honest
aufrechterhalten 1. _allg._: maintain **2.** keep* up (_Kontakt usw._) **3.** stand* by (_Angebot_)
aufregen 1. (≈ _ärgern_) annoy **2.** (≈ _beunruhigen_) worry [△ 'wʌrɪ], _stärker_: upset* **3. _du regst mich auf!_** (≈ _ärgerst mich_) you're getting on my nerves **4. _sich aufregen_** get* excited [ɪk'saɪtɪd] (**über** about), get* worked up (**über** about)
aufregend 1. exciting [ɪk'saɪtɪŋ] **2.** (≈ _toll_) tremendous [trə'mendəs]
Aufregung 1. excitement [ɪk'saɪtmənt] **2. _kein Grund zur Aufregung!_** it's nothing to worry about
aufreißen 1. _wörtlich_ tear* [△ teər‿] open **2.** dig* up (_Straße_) **3.** fling* open (_Tür_) **4. _alte Wunden aufreißen_** open up old wounds **5.** _salopp, übertragen_ pick up (_ein Mädchen_)
aufrichten: _sich aufrichten_ _aus gebückter Haltung_: straighten up [ˌstreɪtn'ʌp]
aufrichtig 1. sincere **2.** (≈ _ehrlich_) honest [△ 'ɒnɪst] **3.** (≈ _offen_) open, frank
aufrollen 1. (≈ _zusammenrollen_) roll up **2.** go* into (_ein Thema usw._)
Aufruf 1. _öffentlicher_: appeal (**an** to) **2.** _zum Flug_: call **3.** _beim Computer_: call
aufrufen 1. ask (_Schüler_) **2.** call (_Zeugen_) **3.** _beim Computer_: call up **4. _zum Streik aufrufen_** call a strike
Aufruhr 1. (≈ _Tumult_) riot ['raɪət] **2.** (≈ _Erregung_) turmoil ['tɜːmɔɪl] (_auch über-_

tragen)

aufrunden round up (*auf* to)

aufrüsten 1. *militärisch:* (re)arm **2.** upgrade (*Computer usw.*)

Aufrüstung armament, rearmament

aufsagen recite [rɪˈsaɪt] (*Gedicht*)

Aufsatz 1. (≈ *Abhandlung*) essay [ˈeseɪ] **2.** (≈ *Schulaufsatz*) essay, composition, *AE mst.* theme **3.** (≈ *Oberteil*) top (part)

Aufsatzthema essay topic, *AE* theme

aufsaugen soak up, absorb (*auch übertragen*)

aufschichten stack up, pile up

aufschieben 1. (≈ *verschieben*) postpone, put* off (*auf, bis* until, till) **2.** (≈ *verzögern*) delay **3.** slide* open (*Tür usw.*)

Aufschlag 1. (≈ *Aufprall*) impact **2.** *Tennis:* service **3.** *an der Hose:* turn-up, *AE* cuff

aufschlagen 1. *aufschlagen auf* (≈ *auftreffen*) hit*; *er ist mit dem Kopf auf dem Boden aufgeschlagen* he hit his head on the floor **2.** *Tennis:* serve **3.** crack (*Nuss, Ei*) **4.** *er hat sich das Knie aufgeschlagen* he (fell and) cut his knee **5.** open (*Augen, Buch*); *schlagt Seite 10 auf!* open your books at page 10, *bei geöffnetem Buch:* turn to page 10 **6.** pitch (*Zelt*)

aufschließen unlock, open

Aufschluss 1. insight [ˈɪnsaɪt], insights (*Pl.*) (*über* into) **2.** (*jemandem*) *Aufschluss über etwas geben* inform someone about something, explain something to someone

aufschlussreich 1. informative [ɪnˈfɔːmətɪv] **2.** *das war sehr aufschlussreich* that was very interesting

aufschnappen *übertragen, umg.* pick up

aufschneiden 1. cut* open **2.** carve (*Braten*) **3.** *in Scheiben:* cut*, slice (*Brot, Käse usw.*) **4.** (≈ *angeben*) boast, show* off

Aufschnitt *kalter:* (sliced) cold meat (*oder* meats *Pl.*)

aufschnüren 1. (≈ *lösen*) untie **2.** untie, undo* (*Knoten*) **3.** unlace (*Schuh*)

aufschrauben (≈ *Schraube lösen*) unscrew

Aufschrei 1. cry, *stärker:* yell **2.** *schrill:* scream **3.** *hell und kurz:* shriek **4.** *übertragen* outcry (*gegen* against)

aufschreiben write* down

aufschreien 1. cry out **2.** *schrill:* scream

Aufschrift 1. inscription **2.** (≈ *Etikett*) label

Aufschub 1. (≈ *Vertagung*) postponement **2.** (≈ *Verzögerung*) delay

aufschürfen: *er hat sich das Knie usw. aufgeschürft* he's grazed his knee *usw.*

Aufschwung *Wirtschaft:* upturn, (economic) revival

Aufsehen 1. *Aufsehen erregen* cause (quite) a stir, *stärker:* cause a sensation **2.** *Aufsehen erregend* sensational

aufsehenerregend sensational

aufsetzen 1. *allg. und übertragen:* put* on (*Brille, Hut, Miene usw.*) **2.** draft (*Brief, Rede*) **3.** (*Flugzeug*) touch down

Aufsicht 1. supervision; *unter ärztlicher Aufsicht* under medical supervision **2.** (≈ *Person*) supervisor, person in charge **3.** *Aufsicht haben bei einer Prüfung:* invigilate [ɪnˈvɪdʒɪleɪt] (an exam), *AE* monitor an exam

Aufsichtsrat *Wirtschaft:* supervisory board [ˌsuːpəˈvaɪzərɪ_bɔːd]

aufspalten: (*sich*) *aufspalten* split* (up)

aufspannen: *den Schirm aufspannen* put* up the umbrella

aufspießen 1. spear [spɪə] (*Fleisch, Fisch usw.*) **2.** *mit Hörnern:* gore

aufspringen 1. (≈ *hochspringen*) jump up, leap* up **2.** *auf einen Zug usw. aufspringen* jump onto a train *usw.* **3.** (*Hände, Lippen*) crack, chap **4.** (*Schloss*) spring* open

aufspüren track down (*auch übertragen*)

Aufstand revolt [rɪˈvəʊlt], uprising

aufstechen 1. puncture **2.** lance (*Geschwür*)

aufstehen 1. (≈ *sich erheben*) get* up, stand* up **2.** *aus dem Bett:* get* up **3.** *vom Tisch aufstehen* get* up from (*oder* leave*) the table **4.** *die Tür usw. steht auf* the door *usw.* is open

aufsteigen 1. rise* (*auch übertragen*) **2.** *steig auf dein Rad* (*bzw. Pferd usw.*) *auf!* get on(to) your bicycle (*bzw.* horse *usw.*)! **3.** *die Mannschaft ist in die erste Bundesliga aufgestiegen* the team has gone up into the First Division

Aufsteiger 1. (≈ *Mannschaft*) promoted team **2.** (≈ *Hit*) chart climber [⚠ ˈklaɪmə]

aufstellen 1. set* up **2.** (≈ *errichten*) erect (*Denkmal usw.*) **3.** (≈ *anordnen*) arrange **4.** install [ɪnˈstɔːl] (*Maschine usw.*) **5.** *ein Zelt aufstellen* put* up a tent **6.** draw* up (*Liste, Tabelle*) **7.** (≈ *auswählen*) select, pick (*Spieler, Team*) **8.** nominate, put* forward (*Kandidaten*) **9.** *einen Rekord aufstellen* set* (up) a record [ˈrekɔːd] **10.** *Raketen aufstellen* deploy missiles

Aufstellung 1. setting up **2.** (≈ *Anordnung*) arrangement **3.** *einer Maschine usw.:* installation [ˌɪnstəˈleɪʃn] **4.** (≈ *Nominierung*) nomination **5.** (≈ *Liste*) list **6.** (≈ *Tabelle*) table **7.** *von Raketen usw.:* deployment; → *aufstellen*

Aufstieg 1. ascent [ə'sent] **2.** *übertragen* rise **3.** *Sport*: promotion [prə'məʊʃn]

aufstoßen 1. push open (*Tür usw.*) **2.** (≈ *rülpsen*) burp

aufstützen: *sich aufstützen auf* lean* on

aufsuchen 1. visit (*Ort*) **2.** see* (*Arzt*)

Auftakt 1. (≈ *Beginn*) start; ***zum Auftakt des Festivals ...*** to start the festival off ... **2.** *Musik*: upbeat

auftanken 1. fill up **2.** refuel [ˌriː'fjuːəl] (*Flugzeug*)

auftauchen 1. (≈ *erscheinen*) appear, turn up **2.** (*Frage, Problem*) come* up, crop up **3.** (*U-Boot*) surface ['sɜːfɪs]

auftauen 1. thaw [θɔː] **2.** (*Tiefkühlkost*) defrost [ˌdiː'frɒst]

aufteilen 1. (≈ *verteilen*) distribute [dɪ'strɪbjuːt] (*unter* to, among) **2.** (≈ *einteilen*) divide (*in* into)

Auftrag 1. (≈ *Weisung*) instructions (⚠ *Pl.*) **2.** (≈ *Bestellung*) order **3. *im Auftrag von*** on behalf [bɪ'hɑːf] of **4.** (≈ *Aufgabe*) job **5.** *eines Künstlers usw.*: commission

auftragen 1. apply (*Farbe, Salbe usw.*) **2. *dick auftragen*** *übertragen* lay* it on thick

Auftraggeber(in) client ['klaɪənt], customer ['kʌstəmə]

auftreffen: *auftreffen auf* hit*

auftreiben: *Geld auftreiben* *umg.* get* hold of money

auftrennen undo* (*Naht, Saum usw.*)

auftreten 1. *mit dem Fuß*: step, tread* [⚠ tred]; ***er kann mit dem verletzten Fuß nicht auftreten*** he can't walk on his injured foot **2.** *im Theater*: appear (on stage) **3.** *als Musiker usw.*: perform **4.** (≈ *vorkommen*) occur **5.** (≈ *sich verhalten*) behave, act

Auftreten 1. (≈ *Erscheinen*) appearance **2.** (≈ *Vorkommen*) occurrence [ə'kʌrəns] **3.** (≈ *Verhalten*) manner

Auftritt 1. *als Künstler*: appearance **2.** (≈ *Szene im Theater*) scene [siːn]

aufwachen wake* up (*auch übertragen*)

aufwachsen grow* up

Aufwand 1. (≈ *Kosten*) cost, expense **2.** (≈ *Anstrengung*) effort ['efət]; ***der Aufwand lohnt sich nicht*** it's not worth the effort **3.** (≈ *Luxus*) extravagance [ɪk'strævəgəns]

aufwändig → *aufwendig*

aufwärmen 1. warm up **2. *er möchte sich aufwärmen*** he'd like to warm himself up

Aufwärmen *Sport*: warm-up

aufwärts upward(s); **→ *aufwärtsgehen***

Aufwärtsentwicklung upward trend

aufwärtsgehen 1. (*Weg*) go *oder* lead upwards **2.** *mit ihm geht es aufwärts*

things are looking up for him

aufwecken wake* (up)

aufweichen *in Flüssigkeit*: soak

aufweisen 1. *sie kann mehrere Erfolge aufweisen* she's had several successes **2. *etwas* (*bzw. nichts*) *aufzuweisen haben*** have* something (*bzw.* nothing) to show

aufwenden 1. spend* (*Zeit*) (*für* on) **2.** *(viel) Mühe aufwenden* (*,um zu*) take* (great) pains (to + *Inf.*)

aufwendig 1. (≈ *kostspielig*) costly, expensive **2.** *Lebensweise*: extravagant [ɪk'strævəgənt]

aufwerfen raise, bring* up (*Frage, Problem*)

aufwerten 1. revalue **2.** *übertragen* upgrade

Aufwertung 1. *Währung*: revaluation **2.** *übertragen* upgrading

aufwickeln (≈ *aufrollen*) roll up

aufwiegen *übertragen* compensate for, make* 'up for

aufwirbeln 1. whirl up **2. *viel Staub aufwirbeln*** *übertragen* cause quite a stir [stɜː]

aufwischen 1. wipe up **2.** wipe (*Fußboden*)

aufzählen (≈ *aufführen*) enumerate [ɪ'njuːməreɪt], (≈ *aufsagen*) list

Aufzählung enumeration [ɪˌnjuːmə'reɪʃn], list

aufzeichnen *auf Band*: record [rɪ'kɔːd], tape

Aufzeichnung 1. (≈ *Aufnahme*) recording **2. *sich Aufzeichnungen machen*** (≈ *etwas aufschreiben*) make* (*oder* take*) notes

aufziehen 1. (≈ *hochziehen*) draw* up, pull up **2.** wind* [waɪnd] up (*Uhr*) **3.** put* on (*Reifen*)

Aufzug 1. (≈ *Fahrstuhl*) lift, *AE* elevator ['elɪveɪtə] **2.** *Theater*: act **3.** *im negativen Sinn* (≈ *Kleidung*) getup

aufzwingen: *jemandem etwas aufzwingen* force something on someone

Augapfel eyeball

Auge 1. eye **2.** *Wendungen*: ***gute*** (*bzw.* ***schlechte*) *Augen haben*** have* good (*bzw.* bad) eyesight; ***ich habs mit eigenen Augen gesehen*** I saw it with my own eyes; ***im Auge behalten*** *übertragen* bear* in mind; ***aus den Augen verlieren*** lose* sight of; ***unter vier Augen*** in private

Augenarzt, Augenärztin eye specialist, *AE* eye doctor

Augenblick 1. moment **2.** *Wendungen*: (***einen*) *Augenblick!*** one moment (*oder* just a minute), please; ***im letzten Augenblick*** at the last minute

augenblicklich 1. (≈ *sofortig*) immediate **2.** (≈ *gegenwärtig*) present; *die augenblickliche Lage* the situation now

Augenbraue eyebrow ['aɪbraʊ]

Augenfarbe: *ihre* (*bzw. seine*) *Augenfarbe* the colour of her (*bzw.* his) eyes

Augenlid eyelid

Augentropfen *Pl.* eyedrops

Augenzeuge eyewitness; *er war Augenzeuge bei diesem Terroranschlag* he was an eyewitness to this terrorist attack

Augenzeugenbericht eyewitness account

Augenzeugin eyewitness

August August ['ɔːɡəst]; *im August* in August (△ *ohne* the)

Auktion auction ['ɔːkʃn]

Aula assembly hall, *AE* auditorium

Au-pair-Mädchen au pair [əʊˈpeə] (girl)

aus 1. *räumlich*: out of, from; *aus dem Fenster* out of (*AE auch* out) the window; *aus München* from Munich **2.** *Material*: *aus Holz* made of wood, wooden ... **3.** (≈ *ausgeschaltet*) off; *Licht aus!* lights out!; *ein - aus* on - off **4.** *aus Angst* out of fear; *aus Versehen* by mistake **5.** *aus der Zeitung* from the newspaper **6.** *zeitlich*: from; *aus dem Mittelalter* from the Middle Ages (△ *Pl.*)

---

aus sein 1. (≈ *vorbei sein*) be* over; *damit ist es (jetzt) aus* it's all over now **2.** *zwischen den beiden ist es aus* they've split up **3.** *ich war gestern mit ihr aus* I was (*oder* went) out with her yesterday **4.** *der Fernseher ist aus* the TV is (switched) off; *das Licht ist aus* the light is off (*oder* out)

---

ausarbeiten 1. work out **2.** (≈ *vorbereiten*) prepare **3.** *sorgfältig*: elaborate [ɪˈlæbəreɪt] **4.** (≈ *entwickeln*) develop [dɪˈveləp] **5.** (≈ *entwerfen*) draw* up

ausatmen breathe [△ briːð] out

Ausbau 1. (≈ *Erweiterung*) extension **2.** (≈ *Verbesserung*) improvement [ɪmˈpruːvmənt]

ausbauen 1. (≈ *erweitern*) extend **2.** (≈ *verbessern*) improve [ɪmˈpruːv]

ausbessern mend, repair (*Sachen*)

Ausbeute 1. (≈ *Profit*) profit ['prɒfɪt], gain **2.** (≈ *Ertrag*) yield

Ausbeutung exploitation (*auch von Rohstoffen usw.*)

ausbilden (≈ *schulen*) train, instruct

Ausbildung 1. *berufliche*: training **2.** *schulische, akademische*: education

Ausblick view (*auf* of); *ein Zimmer mit Ausblick auf den See* a room overlooking the lake

ausborgen 1. *sich etwas ausborgen*

---

borrow something **2.** *jemandem etwas ausborgen* lend* someone something, lend* something (out) to someone

ausbrechen 1. (*Feuer, Krieg, Krankheit usw.*) break* out **2.** (*Vulkan*) erupt **3.** (*Gefangener*) break* out (*aus* of), escape (*aus* from) **4.** *in Tränen* (*bzw. Gelächter*) *ausbrechen* burst* out crying (*bzw.* laughing)

ausbreiten 1. spread* (out) **2.** *sich ausbreiten* (*Feuer, Krankheit usw.*) spread* (*auf* to)

Ausbruch 1. *Krieg, Seuche usw.*: outbreak **2.** *Vulkan*: eruption **3.** (≈ *Flucht*) escape

ausbrüten 1. hatch (out) (*Eier*) **2.** *übertragen* hatch (*Pläne, Maßnahmen*)

ausbürgern denaturalize [diːˈnætʃrəlaɪz]

Ausbürgerung expatriation [eksˌpætrɪˈeɪʃn]

Ausdauer 1. *im Sport, beim Lernen usw.*: endurance, staying power **2.** (≈ *Beharrlichkeit*) perseverance [ˌpɜːsɪˈvɪərəns]

ausdehnen 1. (≈ *dehnen*) stretch **2.** extend (*Macht, Einfluss usw.*) (*auf* to) **3.** *zeitlich*: extend, prolong [prəˈlɒŋ] **4.** *Wasser dehnt sich aus, wenn es gefriert* water expands when it freezes

Ausdehnung 1. (≈ *Vergrößerung*) expansion **2.** *zeitlich und übertragen* extension **3.** (≈ *Bereich, Umfang*) extent, scope, range

ausdenken: *sich etwas ausdenken* think* of something, come* up with something

Ausdruck 1. (≈ *Wort*) expression, word, (≈ *Wendung*) expression **2.** (≈ *Gesichtsausdruck, Ausdrucksweise*) expression; *zum Ausdruck bringen* express (*seine Meinung, Dank usw.*) **3.** *Computer*: printout

ausdrucken *Computer*: print out

ausdrücken 1. squeeze (*Schwamm, Zitrone, Pickel usw.*) **2.** squeeze out (*Flüssigkeit*) (*aus* of) **3.** stub out (*Zigarette*) **4.** (≈ *äußern*) express; *anders ausgedrückt* in other words **5.** *drück dich deutlich aus!* express yourself clearly **6.** (≈ *zeigen*) express, show*

ausdrücklich 1. express, explicit [ɪkˈsplɪsɪt] **2.** *etwas ausdrücklich erwähnen* mention something explicitly

ausdruckslos expressionless

ausdrucksvoll (very) expressive

Ausdrucksweise 1. *seine usw. Ausdrucksweise* his *usw.* way of expressing himself *usw.* **2.** (≈ *Sprache*) language ['læŋgwɪdʒ]

auseinander (≈ *getrennt*) apart, separated; *sie sind drei Jahre auseinander* they're three years apart; → *auseinan-*

dergehen usw.

auseinandergehen 1. (*Beziehung, Ehe*) break* up **2.** *ihre Meinungen gehen auseinander* they have (very) different opinions

auseinanderhalten: *Ursache und Wirkung auseinanderhalten* (≈ *unterscheiden*) distinguish between cause and effect

auseinandernehmen take* apart (*auch übertragen*)

auseinandersetzen 1. *Schule:* separate (*Kinder*) **2.** *sich mit jemandem auseinandersetzen übertragen* argue with someone

Ausfahrt 1. *aus Grundstück usw., Autobahn:* exit; *Ausfahrt frei halten!* keep* (exit) clear **2.** (≈ *Torausfahrt*) gateway **3.** (≈ *Spazierfahrt*) drive, ride

Ausfall 1. (≈ *Verlust*) loss **2.** (≈ *technisches Versagen*) failure ['feɪljə], breakdown

ausfallen 1. (*Zähne, Haare*) fall* out **2.** *das Konzert fällt aus* the concert has been cancelled ['kænsld]; *Englisch usw. fällt morgen aus* there's no English *usw.* (class) tomorrow **3.** *wie ist die Prüfung ausgefallen?* how did you do in the exam?

ausfertigen 1. (≈ *ausstellen*) issue ['ɪʃuː] (*Pass*) **2.** make* out (*Rechnung usw.*)

ausfindig: *ausfindig machen* find*

ausflippen *umg.* freak out, flip (out)

Ausflug excursion, outing; *einen Ausflug machen* go* on an outing

ausfragen: *jemanden über etwas ausfragen* question someone about something

ausfressen: *er hat wieder etwas ausgefressen umg.* he's been up to something (*oder* up to no good) again

Ausfuhr 1. (≈ *das Exportieren*) export ['ekspɔːt] **2.** (≈ *Export, Ausfuhrgüter*) exports (△ *Pl.*)

ausführen 1. (≈ *durchführen*) carry out **2.** (≈ *gestalten*) execute ['eksɪkjuːt] (*Plan, Entwurf usw.*) **3.** (≈ *darlegen*) explain **4.** *Fußball:* take* (*Strafstoß*)

ausführlich 1. (≈ *detailliert*) detailed **2.** *Brief:* long **3.** *sie beschrieb die Ereignisse ausführlich* she described the events at great length

Ausführung 1. (≈ *Durchführung*) implementation **2.** (≈ *Modell*) model ['mɒdl] **3.** *Ausführungen* (≈ *Darlegungen*) comments, remarks (*zu, über* on, about)

ausfüllen 1. complete, fill in, *bes. AE* fill out (*Formular*) **2.** take* up (*Raum, Zeitraum, Freizeit*) **3.** *übertragen* fill (*Lücke*) **4.** *sein Beruf füllt ihn ganz aus zeitlich:* his job takes up all his time, *geistig:* his

job gives him great satisfaction

Ausgabe 1. (≈ *Verteilung*) distribution **2.** *Buch usw.:* edition **3.** *von Briefmarken, Banknoten, einer Zeitschrift usw.:* issue ['ɪʃuː] **4.** *Ausgaben für* (≈ *Unkosten*) cost (△ *Sg.*) of **5.** *Computer:* output

Ausgang 1. way out, exit **2.** *am Flughafen:* (departure) gate **3.** (≈ *Ende*) end **4.** *einer Geschichte:* ending

Ausgangspunkt starting point (*auch übertragen*)

ausgeben 1. spend* (*Geld*) (*für* on) **2.** *er gab sich als Experte aus* he passed himself off as an expert **3.** *ich geb einen aus* what are you (all) having?, this is my round, this one's on me, I'll get this one

ausgebeult *Hose:* shapeless, baggy

ausgebildet trained, skilled

ausgebrannt burnt-out

ausgebucht: *das Hotel ist ausgebucht* the hotel is booked up *oder* fully booked

ausgedehnt 1. *Fläche:* extensive **2.** *übertragen* extensive, long **3.** (≈ *lang*) long (*auch zeitlich*)

ausgefallen *Kleider, Geschmack, Ideen usw.:* unusual [ʌn'juːʒʊəl], *umg.* off-beat

ausgeglichen: *ein ausgeglichener Mensch* a well-balanced person

ausgehen 1. go* out (*auch abends*) **2.** (≈ *enden*) end **3.** (*Haare*) fall* out; *ihm gehen die Haare aus* he's losing his hair **4.** (*Licht, Feuer usw.*) go* out **5.** (*Geld, Vorräte*) run* out; *ihm ging das Geld aus* he ran out of money **6.** *Wendungen: ich gehe davon aus, dass ...* I'm assuming that ...; *leer ausgehen übertragen* end up with nothing; *alles ging gut aus* everything turned out well; *das Spiel ging unentschieden aus* the game ended in a draw (*AE* tie)

ausgehungert: *ich bin völlig ausgehungert* I'm starving, I'm half-starved

ausgeklügelt ingenious [ɪn'dʒiːnɪəs], clever

ausgelassen 1. *Stimmung:* exuberant [ɪg-'zjuːbrənt], happy **2.** *Person:* lively

ausgenommen 1. except (for), apart from, with the exception of **2.** *ausgenommen, dass ...* except that ...

ausgeprägt distinct [dɪ'stɪŋkt], marked

ausgerechnet 1. *ausgerechnet er* he (*oder* him) of all people **2.** *ausgerechnet heute* today of all days

ausgeschlossen[1] (≈ *unmöglich*) impossible, out of the question

ausgeschlossen[2] (≈ *nicht berücksichtigt*) excluded; → *ausschließen*

ausgestorben 1. *Tierart, Pflanzenart:* extinct **2.** *Stadt usw.:* deserted [dɪ'zɜːtɪd]

ausgewachsen fully grown, full-grown

ausgewaschen *Jeans*: faded

ausgezeichnet 1. excellent **2.** *er kann ausgezeichnet Klavier spielen* he's an excellent pianist **3.** *das passt mir ausgezeichnet* that suits me very well (indeed)

ausgiebig 1. *ein ausgiebiges Essen usw.* a big (*oder* substantial) meal *usw.* **2.** *ein ausgiebiger Spaziergang usw.* a long walk *usw.* **3.** *ausgiebig frühstücken usw.* have* a big breakfast *usw.*

ausgießen 1. *aus einem Behälter*: pour out [ˌpɔːrˈaʊt] **2.** (≈ *leeren*) empty

Ausgleich 1. (≈ *Entschädigung*) compensation **2.** *Sport*: (≈ *Treffer*) equalizer, *AE* tying point

ausgleichen 1. balance **2.** level out (*Unterschiede*) **3.** compensate (for), make* up for (*Verlust usw.*) **4.** *Sport*: equalize, *AE* make* the score even

Ausgleichstor, **Ausgleichstreffer** equalizer, *AE* tying point

ausgraben dig* up (*auch übertragen*)

Ausgrabungen excavations [ˌekskəˈveɪʃnz], *umg.* dig (△ *Sg.*); *bei Ausgrabungen mitarbeiten* work on a dig

ausgrenzen *übertragen* exclude (*aus* from)

Ausguss 1. (≈ *Becken*) sink **2.** (≈ *Tülle*) spout

aushaben 1. *hast du die Schuhe aus?* have you taken (*oder* got) your shoes off? **2.** *hast du das Buch aus?* have you finished the book? **3.** *wann hast du heute aus? Schule*: when do you finish school today?

aushalten 1. put* up with **2.** *bes. bei Verneinung*: stand*, take* **3.** *Wendungen*: *ich halts nicht mehr aus* I can't stand (*oder* take) it any longer; *nicht zum Aushalten* unbearable [ʌnˈbeərəbl]

aushandeln negotiate [nɪˈgəʊʃɪeɪt] (*Vertrag usw.*)

aushändigen hand over

Aushang notice

aushängen 1. put* up (*Anzeige usw.*) **2.** *die Tür aushängen* take* the door off its hinges **3.** *die Listen hängen aus* the lists are up (on the notice board)

Aushängeschild *übertragen* advertisement [ədˈvɜːtɪsmənt] (*für* for)

ausheben 1. dig* up (*Erde, Bäume usw.*) **2.** excavate [ˈekskəveɪt] (*Kanal usw.*)

aushecken: *er heckt schon wieder etwas aus* he's up to something again

aushelfen 1. help out **2.** (*bei*) *jemandem aushelfen* help someone out

Aushilfe temporary help, *umg.*, *bes. Sekretärin*: temp; *als Aushilfe arbeiten* temp

Aushilfskraft casual [ˈkæʒʊəl] worker, *AE* temporary (worker), *umg.* temp

aushöhlen 1. hollow out **2.** *übertragen* undermine, erode [ɪˈrəʊd]

ausholen 1. *er holte zum Schlag aus* he raised his hand (ready) to strike **2.** *weit ausholen übertragen* go* a long way back; *etwas ausholen übertragen* go* back a bit

aushorchen: *jemanden aushorchen* sound someone out

auskehren sweep* (out)

auskennen 1. *sie kennt sich in Berlin gut aus* she knows her way around in Berlin **2.** *er kennt sich in ... gut aus Gebiet, Thema*: he knows a lot about ...; *er kennt sich in Biologie gut aus* he's (very) good at biology

auskippen 1. tip out **2.** pour out [ˌpɔːrˈaʊt] (*Flüssigkeit*) **3.** (≈ *leeren*) empty

ausklingen 1. (*Musik usw.*) die away **2.** *übertragen* come* to an end, end

auskommen 1. *mit etwas auskommen* manage with something; *ich kann mit so wenig Geld nicht auskommen* I can't manage on so little money **2.** (*gut*) *mit jemandem auskommen* get* on (well) with someone **3.** *er kommt ohne sie nicht aus* he can't live without her

auskugeln: *sie hat sich den Arm ausgekugelt* she's dislocated her arm

Auskunft 1. (≈ *Mitteilung*) information (△ *nie im Pl.*) (*über* about) **2.** *nähere Auskunft* more information, further details (△ *Pl.*) **3.** (≈ *Auskunftsbüro, Auskunftsschalter*) information office, information desk **4.** (≈ *Fernsprechauskunft*) directory enquiries [dəˈrektərɪˌɪnˌkwaɪərɪz] (△ *Pl.*), *AE* directory assistance (△ *beide ohne* the), *AE* information

auslachen: *jemanden auslachen* laugh [lɑːf] at someone

ausladen 1. unload (*Ware*) **2.** *jemanden ausladen übertragen* tell* someone not to come

Auslage 1. *von Ware*: window display **2.** *Auslagen* (≈ *Kosten*) expenses

Ausland 1. *das Ausland* foreign [ˈfɒrən] countries (△ *Pl., ohne* the) **2.** *ins Ausland, im Ausland* abroad [əˈbrɔːd] **3.** *aus dem Ausland* from abroad **4.** *Handel mit dem Ausland* foreign trade

Ausländer(in) foreigner [ˈfɒrənə]

Ausländerbeauftragte(r) official with special responsibility for foreigners [ˈfɒrənəz]

Ausländerfeindlichkeit hostility to foreigners [ˈfɒrənəz], xenophobia [ˌzenəˈfəʊbɪə]

ausländerfreundlich foreigner-friendly

['fʊrənəˌfrendlɪ]; *sie sind sehr ausländerfreundlich* they are very friendly to foreigners

ausländisch foreign ['fʊrən]

Auslandsaufenthalt stay abroad [ə'brɔːd]

Auslandskorrespondent(in) foreign correspondent [ˌfʊrənˌkɒrə'spɒndənt]

auslassen 1. (*Wort*) 2. (≈ *überspringen*) skip

Auslassung omission [ə'mɪʃn]

auslaufen 1. (*Flüssigkeit*) run* out 2. (*Schiff*) leave* port 3. (≈ *enden*) end 4. (*Vertrag*) run* out, expire 5. *beim Sport*: warm down

Auslaufmodell discontinued model ['mɒdl], discontinued line

auslegen 1. (≈ *ausbreiten*) lay* out 2. *mit Teppich(boden)*: carpet 3. *mit Papier usw.*: line 4. (≈ *deuten*) explain, interpret [ɪn'tɜːprɪt] 5. advance [əd'vɑːns] (*Geld*)

Auslegung interpretation [ɪnˌtɜːprɪ'teɪʃn]

ausleihen 1. (≈ *verleihen*) lend* (out), *bes. AE* loan; *sie hat ihm ihr Wörterbuch ausgeliehen* she lent him her dictionary, she lent her dictionary to him 2. (≈ *sich leihen*) borrow; *er hatte sich das Wörterbuch (von ihr) nur ausgeliehen* he'd only borrowed the dictionary (from her); ☞ *Info unter leihen*

auslernen 1. (≈ *seine Ausbildung beenden*) finish one's training 2. *Wendung*: *man lernt nie aus* you live and learn

Auslese (≈ *Auswahl*) choice, selection; *eine strenge Auslese treffen* make* a careful selection

auslesen select, choose* [tʃuːz], pick out

ausliefern 1. deliver [dɪ'lɪvə] (*Waren*) 2. hand over (*politische Gefangene*) (**an** to) 3. extradite [△ 'ekstrədaɪt] (*ausländische Verbrecher usw.*) (**an** to)

Auslieferung 1. *von Waren*: delivery [dɪ'lɪvərɪ] 2. *von politischen Gefangenen*: handing over 3. *von ausländischen Verbrechern*: extradition [ˌekstrə'dɪʃn]

ausloggen: *sich ausloggen Computer*: log out (*oder* off)

auslöschen put* out (*Licht, Feuer usw.*)

auslosen draw* lots for

auslösen 1. release [rɪ'liːs] (*Mechanismus*) 2. trigger off (*Alarm, Schuss*) 3. trigger off, spark off (*Streik, Krieg usw.*) 4. cause (*Gefühl, Reaktion*) 5. arouse [ə'rauz] (*Begeisterung, Wut*) 6. set* off (*chemische Reaktion*)

Auslöser 1. *allg.*: release [rɪ'liːs] 2. *Kamera*: shutter release 3. *Gewehr*: trigger

ausmachen 1. put* out (*Feuer, Licht*) 2. turn off, switch off (*Radio*) 3. (≈ *vereinbaren*) agree on (*Honorar, Preis usw.*) 4. *Wendungen*: *einen Termin ausmachen*

arrange (*oder* fix) a time; *das macht viel aus* it makes a big difference, it matters a lot; *das macht (gar) nichts aus* it doesn't matter at all; *macht es Ihnen etwas aus, wenn ich das Fenster öffne?* do you mind if I open the window?; *das macht mir nichts aus* I don't mind, *gleichgültig*: I don't care; *die Kälte macht ihm nichts aus* the cold doesn't bother him

ausmalen 1. colour (in) (*Bild*) 2. *sich etwas ausmalen* imagine [ɪ'mædʒɪn] something

Ausmaß *übertragen* extent [ɪk'stent]; *in großem Ausmaß* to a great extent

ausmerzen 1. weed out (*Fehler*) 2. (≈ *ausrotten*) wipe (*oder* stamp) out

ausmessen measure (out) [ˌmeʒə(r'aut)]

Ausnahme exception; *mit Ausnahme von* (*oder Gen.*) except (for), with the exception of; *bei dir mache ich eine Ausnahme* I'll make an exception in your case

Ausnahmezustand state of emergency

ausnahmslos without exception

ausnahmsweise as an exception; *„Darf ich mitkommen?"* – *„Ausnahmsweise."* 'Can I come too?' – 'Just this once.'

ausnehmen 1. clean, gut (*Fisch, Geflügel*) 2. (≈ *ausschließen*) except, exclude

ausnutzen, ausnützen 1. (≈ *nützen*) use [juːz], make* use [△ juːs] of 2. *unfair*: take* advantage of

auspacken 1. unpack (*Koffer*) 2. unwrap [ˌʌn'ræp] (*Geschenk usw.*) 3. *pack aus! umg.* (≈ *erzähls*) come* on, out with it

auspfeifen: *jemanden auspfeifen* boo (at) someone, *BE, umg.* give* someone the bird

ausprobieren try (out), test; ☞ *Info unter engl. try*

Auspuff exhaust [ɪg'zɔːst]

Auspuffgase exhaust [ɪg'zɔːst] fumes

ausradieren 1. rub out, erase [ɪ'reɪz] 2. *übertragen* wipe out, eradicate [ɪ'rædɪkeɪt]

ausrauben 1. rob 2. (≈ *plündern*) ransack

ausräumen 1. clear out (*Zimmer, Möbel*) 2. *übertragen* clear up (*Bedenken usw.*)

ausrechnen 1. work out (*auch übertragen*) 2. *ich rechne mir gute Chancen aus* I reckon (*oder* think) I've got a good chance (*Sg.*)

Ausrede excuse [ɪk'skjuːs]

ausreden 1. *lass ihn mal ausreden!* let him finish (speaking) 2. *jemandem etwas ausreden* talk someone out of something

ausreichen be* enough [ɪ'nʌf]; *seine Kenntnisse reichen nicht aus* he doesn't know enough

ausreichend 1. enough [ɪˈnʌf], sufficient [səˈfɪʃnt] **2.** *Zensur:* fair

ausreißen 1. pull (*oder* tear* [teər]) out (*Haare, Zahn, Unkraut*) **2. *dafür reiß ich mir kein Bein aus*** *umg.* I'm not going to bust a gut for it **3.** (≈ *weglaufen*) run* away (**von** from)

ausrenken: *sie hat sich den Arm* *usw.* **_ausgerenkt_** she's dislocated [ˈdɪslə-keɪtɪd] her arm *usw.*

ausrichten 1. *könntest du ihm ausrichten, dass ich komme?* could you tell him (that) I'm coming?; ***ich werds ausrichten*** I'll tell him *usw.*, I'll pass it on **2. *richten Sie ihm Grüße (von mir) aus*** give him my regards **3. *kann ich etwas ausrichten?*** can I take a message?

ausrotten wipe out (*auch übertragen*)

Ausrottung *Tierart, Volk:* extermination

ausrufen 1. cry, shout **2. *den Notstand ausrufen*** declare a state of emergency

Ausruf(e)zeichen exclamation mark, *AE* exclamation point

ausruhen: (*sich*) *ausruhen* (have* a) rest

Ausrüstung 1. *Sport usw.:* gear, *BE auch* kit **2.** *Militär usw.:* equipment [ɪˈkwɪpmənt]

ausrutschen slip (**auf** on)

Ausrutscher *übertragen* slip

Aussage 1. statement **2.** *künstlerische:* message **3.** *eines Zeugen:* evidence [ˈevɪdəns] (△ *nur Sg. und ohne* an)

aussagen 1. state, declare, say* **2.** *vor Gericht:* give* evidence (**gegen** against)

aussaugen suck (out)

ausschaffen ⊕ (≈ *aus dem Land ausweisen*) expel [ɪkˈspel] (*Asylbewerber usw.*)

ausschalten 1. switch off (*Licht, Radio usw.*) **2.** avoid (*Fehler*) **3.** get* rid of (*Rivale*)

ausschauen 1. *ausschauen nach* look out for **2.** → *aussehen*

ausscheiden 1. *Selbstmord scheidet aus* suicide can be ruled out **2. *er ist in der ersten Runde ausgeschieden*** he was eliminated in the first round **3. *sie scheidet von vornherein aus*** she can't be considered **4. *ausscheiden aus*** *einer Firma, Regierung usw.:* leave*

ausschimpfen: *schimpf ihn nicht aus, weil er zu spät kommt!* don't tell him off for being late

ausschlafen 1. (*sich*) *ausschlafen* get* a decent night's sleep, *bes. BE, umg.; morgens:* have* a lie-in, *AE* sleep in **2. *ich hab noch nicht ausgeschlafen*** I haven't had enough sleep **3. *seinen Rausch ausschlafen*** *umg.* sleep* it off

Ausschlag 1. (*einen*) *Ausschlag bekommen* break* out in a rash (*oder* in spots) **2. *den Ausschlag geben*** *übertragen* decide (the issue)

ausschlagen: *etwas ausschlagen* (≈ *ablehnen*) reject, turn down (*Angebot usw.*)

ausschlaggebend decisive [dɪˈsaɪsɪv]

ausschließen 1. *jemanden ausschließen* (≈ *aussperren*) lock someone out **2. *er wurde aus der Partei*** *usw.* **_ausgeschlossen_** he was expelled from the party *usw.* **3.** (≈ *nicht berücksichtigen*) exclude, rule out **4. *er schließt sich von allem aus*** he won't join in anything **5. *er fühlt sich immer ausgeschlossen*** he always feels left out

ausschließlich exclusively; ***er interessiert sich ausschließlich für Fußball*** all he's interested in is football

Ausschluss 1. exclusion **2.** *Sport:* disqualification **3. *unter Ausschluss der Öffentlichkeit*** behind closed doors

ausschneiden cut* out (*Artikel, Bild usw.*)

Ausschnitt 1. *am Kleid:* neck(line) **2.** *übertragen* (≈ *Teil*) part **3.** *Buch, Rede, Musikstück, Sendung usw.:* excerpt [ˈeks-sɜːpt] (**aus** from) **4.** (≈ *Zeitungsausschnitt*) cutting, clipping **5. *Ausschnitte*** (≈ *Höhepunkte*) highlights (**aus** of, from)

ausschreiben 1. write* [raɪt] out (in full) (*Wort usw.*) **2. *jemandem einen Scheck ausschreiben*** make* (*oder* write*) out a cheque (*AE* check) to someone **3. *eine Stelle ausschreiben*** advertise [ˈædvətaɪz] a post

Ausschreitungen riots, violent clashes

Ausschuss 1. (≈ *Komitee*) committee (△ *Schreibung*) **2.** (≈ *Abfall*) waste

ausschütten 1. pour out [ˌpɔːrˈaʊt] (*Flüssigkeit*) **2.** empty (*Gefäß, Behälter*) **3. *er schüttete ihr sein Herz aus*** he poured out [ˈpɔːd_aʊt] his heart to her

aussehen 1. look; ***gut aussehen*** be* good-looking; ***du siehst gut*** (*bzw. schlecht*) ***aus*** *gesundheitlich:* you look (*bzw.* don't look very) well; ***wie sieht er aus?*** what does he look like? **2. *es sieht nach Regen aus*** it looks like rain

Aussehen appearance, looks (△ *Pl.*)

außen outside; ***von außen*** from outside

Außenhandel foreign trade [ˌfɒrənˈtreɪd] (△ *ohne* the)

Außenminister(in) 1. foreign minister [ˌfɒrənˈmɪnɪstə] (*oder* secretary [ˈsekrətrɪ]) **2.** *in GB:* Foreign Secretary **3.** *in den USA:* Secretary of State

Außenministerium 1. foreign [ˈfɒrən] ministry **2.** *in GB mst:* Foreign Office, *offiziell:* Foreign and Commonwealth

Office **3.** *in den USA:* State Department

Außenpolitik 1. *allg.:* foreign ['fɒrən] affairs (△ *Pl. und ohne* the) **2.** *bestimmte:* foreign policy

außenpolitisch 1. *außenpolitische Debatte* debate (*oder* discussion) on foreign affairs [ˌfɒrən_ə'feəz] **2.** *außenpolitische Erfahrung* experience in foreign affairs

Außenseite outside

Außenseiter(in) outsider [ˌaʊt'saɪdə]

Außenspiegel *Auto:* outside mirror, wing mirror

Außenstürmer(in) *Fußball usw.:* winger; *linker Außenstürmer* outside left

Außenwelt outside world; *von der Außenwelt abgeschnitten* cut* off from the outside world (*oder* from the world around)

Außenwirtschaft foreign trade [ˌfɒrən-'treɪd] (△ *ohne* the)

außer 1. *außer Betrieb* not working, *kaputt:* out of order **2.** (≈ *abgesehen von*) except [ɪk'sept] (for), apart from, *bes. AE* aside from **3.** (≈ *zusätzlich zu*) besides, in addition to **4.** *außer (wenn)* unless **5.** *außer dass* except that

außerdem as well, in addition; *... außerdem gibt es was zu essen* ... and there'll be something to eat too (*oder* as well)

äußere(r, -s) 1. *Verletzung, Umstände, Gefahr:* external **2.** *Schicht usw.:* outer

Äußere(s) 1. outside **2.** (≈ *Erscheinung*) (outward) appearance

außergewöhnlich 1. unusual [ʌn'juːʒʊəl] **2.** *Leistung:* exceptional, outstanding **3.** (≈ *sehr*) extremely, exceptionally

außerhalb 1. outside **2.** (≈ *jenseits*) beyond **3.** *außerhalb der Arbeitszeit* out of working hours

außerirdisch extraterrestrial [ˌekstrətə-'restrɪəl]; *außerirdisches Wesen* alien ['eɪlɪən] (from outer space)

äußerlich 1. external **2.** *rein äußerlich betrachtet* on the surface ['sɜːfɪs]

äußern 1. express (*Wunsch usw.*) **2.** *sich äußern* say* something (*über, zu* about) **3.** *Kritik usw. äußern* express (some) criticism *usw.*

außerordentlich 1. extraordinary (△ ɪk-'strɔːdnərɪ] **2.** *ich bedaure das außerordentlich* I very much regret that

außerschulisch extracurricular [ˌekstrəkə'rɪkjʊlə], private ['praɪvət]

äußerst 1. *im äußersten Norden* in the far (*oder* extreme) north **2.** *das ist der äußerste Termin* that's the absolute deadline **3.** (≈ *sehr*) extremely

außerstande 1. *sie war außerstande zu*

kommen (≈ *nicht in der Lage*) she was unable to come **2.** *sie war außerstande zu sprechen* (≈ *unfähig*) she was incapable [ɪn'keɪpəbl] of speaking

Äußerung 1. (≈ *Bemerkung*) remark, comment ['kɒment] **2.** (≈ *Aussage*) statement, comment

aussetzen 1. offer (*Belohnung, Preis*) **2.** (≈ *unterbrechen*) interrupt **3.** *ich habe nichts daran auszusetzen* I have no objections, I have nothing against it **4.** abandon (*Kind, Tier*) **5.** (*Motor usw.*) stall **6.** *du musst einmal aussetzen beim Spiel:* you're out for a round, *AE* you lose a turn

Aussetzer *umg., übertragen* (mental) blackout

Aussicht 1. view (*auf* of); *ein Zimmer mit Aussicht aufs Meer* a room overlooking the sea (*oder* with a sea view) **2.** *übertragen* prospect ['prɒspekt], prospects (*Pl.*), chance (*auf* of); *er hat keine Aussicht zu gewinnen usw.* he hasn't got a chance of winning *usw.* **3.** *etwas in Aussicht haben* have* something in prospect

aussichtslos hopeless, desperate ['desprət]

Aussichtslosigkeit hopelessness

Aussichtsplattform observation platform (*oder* deck)

aussichtsreich promising ['prɒmɪsɪŋ]

Aussichtsturm observation tower

aussöhnen: *sie haben sich ausgesöhnt* they've made it up (again)

Aussöhnung reconciliation [ˌrekənsɪlɪ-'eɪʃn]

aussondern, aussortieren sort out

ausspannen 1. *übertragen* take* a rest, relax **2.** *er hat ihm die Freundin ausgespannt* *umg.* he's pinched his girlfriend

aussperren: *jemanden aussperren* lock someone out (*auch Arbeiter*)

ausspielen 1. *sie hat die beiden Freunde gegeneinander ausgespielt* she played the two friends off against each other **2.** *Kartenspiel:* lead*; *wer spielt aus?* whose lead (is it)?

ausspionieren 1. spy out (*etwas*) **2.** spy on (*jemanden*)

Aussprache 1. pronunciation [prə,nʌnsɪ-'eɪʃn] **2.** (≈ *Meinungsaustausch*) discussion **3.** (≈ *privates Gespräch*) talk [tɔːk]

aussprechen 1. pronounce [prə'naʊns] (*Laut, Wort*) **2.** (≈ *äußern*) express (*Hoffnung, Beileid*) **3.** *sie sprach sich für (bzw. gegen) den Plan aus* she supported (*bzw.* opposed) the plan **4.** *sich (mit jemandem) aussprechen* *zur Klärung eines Problems:* have* it out (with someone) **5. lass ihn doch ausspre-chen!** let him finish

Ausspruch 1. (≈ *Spruch*) saying **2.** (≈ *Be-merkung*) remark

ausspucken 1. spit* out (*etwas*) **2. spucks aus!** *übertragen, umg.* spit it out

ausspülen rinse (out) (*Schüssel, Mund*)

Ausstand 1. (≈ *Streik*) strike, walkout **2. seinen Ausstand geben** have* a leaving (*oder* going-away) party

ausstatten 1. (≈ *ausrüsten*) fit out, equip **2.** furnish (*Wohnung*)

Ausstattung 1. (≈ *Ausrüstung*) equip-ment **2.** *einer Wohnung:* furnishings (△ *Pl.*)

ausstechen 1. cut* (out) (*Torf, Plätzchen*) **2.** put* out (*Auge*) **3.** cut* out (*Rivalen*)

ausstehen 1. ich kann ihn (*bzw.* **es**) **nicht ausstehen** I can't stand him (*bzw.* it) **2. seine Antwort steht noch aus** we're still waiting for his answer

aussteigen 1. get* out (**aus** of) (*auch übertragen*) **2. aus dem Bus** (*bzw.* **Zug** *usw.*) **aussteigen** get* off the bus (*bzw.* train *usw.*) **3. aus einem Kurs ausstei-gen** drop out of a course **4. aus einem Projekt aussteigen** back (*oder* pull) out of a project

Aussteiger(in) *umg.* dropout

ausstellen 1. *zur Schau:* show*, display **2.** (*jemandem*) **einen Scheck ausstellen** make* out a cheque [tʃek] (*AE* check) (to someone) **3.** issue ['ɪʃuː] (*Pass, Ur-kunde*)

Aussteller *auf Messe:* exhibitor [ɪɡ'zɪbɪtə]

Ausstellung exhibition [ˌeksɪ'bɪʃn], *AE auch* exhibit [ɪɡ'zɪbɪt]

aussterben die out (*auch übertragen*)

Ausstieg 1. exit ['eɡzɪt] **2.** *Projekt, Ver-trag usw.:* withdrawal [wɪð'drɔːəl] (**aus** from)

ausstrahlen 1. radiate (*auch übertragen*) **2.** *Radio, TV:* broadcast* ['brɔːdkɑːst]

Ausstrahlung 1. *Radio, TV:* transmission **2. sie hat viel Ausstrahlung** she's got lots of personality

ausstrecken 1. (**sich**) **ausstrecken** stretch (oneself) out **2. die Hand aus-strecken nach** reach out for

ausstreichen cross out (*ein Wort usw.*)

ausströmen (*Gas usw.*) escape (**aus** from)

aussuchen pick, choose*

Austausch exchange; **im Austausch ge-gen** in exchange for

austauschen 1. exchange (**gegen** for) **2. A gegen B austauschen** replace A by B, substitute B for A

Austauschschüler(in) exchange pupil, *AE* exchange student

austeilen 1. hand out (**an, unter** to), dis-

tribute [dɪ'strɪbjuːt] (**an** to, **unter** among) (*Hefte, Bücher usw.*) **2.** serve (*Essen*) **3.** deal* (*Karten*)

Auster oyster ['ɔɪstə]

austragen 1. deliver [dɪ'lɪvə] (*Briefe usw.*) **2.** argue out (*Meinungsverschiedenhei-ten*) **3.** hold* (*Wettkampf usw.*)

Austragungsort venue ['venjuː]

Australien Australia [ɒ'streɪlɪə]; ☞ *Illu S. 296*

Australier Australian [ɒ'streɪlɪən]; **er ist Australier** he's (an) Australian; ☞ **Natio-nalitäten**

Australierin Australian woman (*oder* lady *bzw.* girl); **sie ist Australierin** she's (an) Australian; ☞ **Nationalitäten**

australisch Australian [ɒ'streɪlɪən]

austreten 1. stamp out (*Feuer, Glut*) **2.** (*Dampf, Gas*) escape **3. aus einem Ver-ein** (*bzw.* **einer Partei** *usw.*) **austreten** leave* a club (*bzw.* a party *usw.*)

austrinken 1. drink* up, finish (*Getränk*) **2.** (≈ *leeren*) empty (*Glas*) **3. los, trink aus!** come on, drink up

austrocknen dry up

ausüben 1. exercise (*Herrschaft, Macht*) **2.** exert [ɪɡ'zɜːt] (*Druck, Einfluss*) (**auf** on)

Ausverkauf sale, sales (*Pl.*), clearance sale

ausverkauft sold out (*auch Kino usw.*)

Auswahl 1. choice, selection (**an** of); **eine große Auswahl** a large (*oder* wide) choice *oder* selection **2. die deutsche Auswahl** *Sport:* the German team

auswählen choose*, select, pick out (**aus** from)

Auswanderer emigrant ['emɪɡrənt]

auswandern emigrate ['emɪɡreɪt]

Auswanderung emigration [ˌemɪ'ɡreɪʃn]

auswärts 1. (≈ *außerhalb der Stadt*) out of town **2. auswärts essen** eat* out

Auswärtsspiel *Sport:* away match, *AE* away game, road game

auswechseln 1. exchange (**gegen** for) **2.** (≈ *ersetzen*) replace (**gegen** by) **3.** change (*Rad, Reifen, Batterie*) **4. A ge-gen B auswechseln** *Sport:* substitute B for A

Auswechselspieler(in) substitute ['sʌb-stɪtjuːt]

Ausweg 1. *übertragen* way out (**aus** of) **2. letzter Ausweg** last resort

ausweglos hopeless

Ausweglosigkeit hopelessness

ausweichen 1. (*jemandem bzw.* **etwas**) **ausweichen** (≈ *Platz machen*) make* way (for someone *bzw.* something) **2. sie konnte gerade noch ausweichen** *vor dem Auto:* she just managed to jump out of the way in time **3.** *einem Schlag usw.* *ausweichen* dodge a blow *usw.* **4.** *nach links* (*bzw.* *rechts*) *ausweichen* swerve to the left (*bzw.* right) **5.** *jemandem* (*bzw.* *einer Sache*) *ausweichen* avoid someone (*bzw.* something); *einer Entscheidung ausweichen* avoid making a decision

Ausweis 1. (≈ *Personalausweis*) identity card, ID [ˌaɪˈdiː] (card) **2.** (≈ *Mitgliedsausweis usw.*) membership card **3.** (≈ *Pass*) passport [ˈpɑːspɔːt]

ausweisen *aus dem Land*: expel [ɪkˈspel], deport (*aus* from)

Ausweiskontrolle 1. *allg.*: identity check **2.** *am Flughafen usw.*: passport control

Ausweispapiere (identification) papers

Ausweisung expulsion, deportation

ausweiten 1. *sich ausweiten* expand, spread* (*auch übertragen*) **2.** *der Konflikt könnte sich zu einem Krieg ausweiten* the conflict could grow (*oder* develop *oder* escalate [ˈeskəleɪt]) into a war

auswendig 1. by heart; *etwas auswendig lernen* (*bzw.* *können*) learn* (*bzw.* know*) something by heart **2.** *auswendig spielen* play from memory

auswerten 1. evaluate [ɪˈvæljʊeɪt], analyse, *AE* analyze (*Daten*) **2.** (≈ *nutzen*) make* use of [juːs]

Auswertung evaluation [ɪˌvæljʊˈeɪʃn], analysis [əˈnæləsɪs] (*auch von Daten*)

auswickeln: *etwas auswickeln* unwrap [ˌʌnˈræp] something

auswirken: *sich positiv* (*bzw.* *negativ*) *auswirken auf* have* a positive (*bzw.* negative) effect on

Auswirkung effect (*auf* on)

auswischen 1. (≈ *reinigen*) wipe (*oder* clean) out **2.** *dem werd ich* (*anständig*) *eins auswischen* umg., *aus Rache*: I'll get my own back on him

auswringen wring* [△ rɪŋ] out

auszahlen 1. pay* (out) (*Summe*) **2.** pay* off (*eine Person*) **3.** *sich auszahlen* (≈ *lohnen*) pay* (off); *das zahlt sich nicht aus* it doesn't pay, it's not worth it

auszählen 1. count (*Stimmen*) **2.** count out (*Boxer*)

Auszahlung payment

auszeichnen 1. (≈ *ehren*) honour [△ ˈɒnə]; *jemanden mit einem Preis usw.* *auszeichnen* award [əˈwɔːd] a prize *usw.* to someone **2.** *was dieses Buch usw.* *auszeichnet ...* what distinguishes this book *usw.* ..., what is so special about this book *usw.* ...

Auszeichnung (≈ *Preis*) award, prize

ausziehen 1. take* off (*Kleidung*) **2.** *sich ausziehen* get* undressed, take* one's

clothes [△ kləʊ(ð)z] off **3.** *er ist ausgezogen aus seiner Wohnung*: he's moved **4.** pull out (*Tisch, Antenne usw.*)

Auszubildende(r) trainee [ˌtreɪˈniː], *bei Handwerk*: apprentice [əˈprentɪs]

Auszug 1. *aus einer Wohnung*: move (*aus* from) **2.** *aus einem Buch*: extract [ˈekstrækt], excerpt [ˈeksɜːpt] (*aus* from) **3.** (≈ *Kontoauszug*) (bank) statement

authentisch authentic [ɔːˈθentɪk]

Auto car, *bes. AE auch* auto [ˈɔːtəʊ], automobile [ˈɔːtəməbiːl]; *Auto fahren selbst*: drive* (a car); *mit dem Auto fahren* go* by car; ☞ *Illu S. 686*

Auto... *in Zusammensetzungen*: car ...; *Autobombe* car bomb [△ bɒm]; *Autodieb* car thief; *Autofriedhof* car dump; *Autohändler* car dealer, *Niederlassung*: car dealership; *Autoindustrie* car industry; *Autoradio* car radio; *Autorennen* car race; *Autotelefon* car phone; *Autounfall* car accident; *Autoverleih, Autovermietung* car hire, *AE* car rental; *Autowaschanlage* car wash

Autobahn 1. motorway, *AE* expressway, *AE* freeway **2.** *in Deutschland usw.*: autobahn [ˈɔːtəbɑːn]

Autobiografie, Autobiographie autobiography [ˌɔːtəbaɪˈɒɡrəfɪ]

Autodidakt(in) self-taught person [ˌselftɔːtˈpɜːsn], *förmlich*: autodidact [ˈɔːtəʊdɪˌdækt]; *er ist Autodidakt* he's self-taught

Autodieb(in) car thief

Autofahrer(in) motorist, driver

autogen: *autogenes Training* autogenic [ˌɔːtəʊˈdʒenɪk] training, relaxation [ˌriːlækˈseɪʃn] exercises (△ *Pl.*)

Autogramm autograph [ˈɔːtəɡrɑːf]

Autogrammjäger(in) autograph [ˈɔːtəɡrɑːf] hunter

Autohändler(in) car dealer

Autokarte road map

Autokino drive-in (cinema, *AE* theater)

Autoknacker(in) umg. car burglar

Autokolonne line of cars, *geschlossene*: convoy [ˈkɒnvɔɪ]

Automat 1. (≈ *Zigarettenautomat*) cigarette machine **2.** (≈ *Spielautomat*) slot machine **3.** (≈ *Maschine*) machine

automatisch automatic

Automobil, Automobil... *in Zusammensetzungen* → *Auto usw.*

autonom autonomous [ɔːˈtɒnəməs]

Autonomie autonomy [ɔːˈtɒnəmɪ]

Autonummer registration number, *AE* license [ˈlaɪsns] number

Autopilot *Flugzeug*: autopilot [ˈɔːtəʊˌpaɪlət]

Autopsie autopsy [ˈɔːtɒpsɪ]

Autor author [ˈɔːθə], writer
Autoradio car radio
Autorennen car race
Autoreparaturwerkstatt garage [ˈɡærɑːʒ], car repair shop
Autoreifen (car) tyre, *AE* (car) tire
Autorin author [ˈɔːθə], writer [ˈraɪtə]
autoritär authoritarian [ɔːˌθɒrɪˈteərɪən]; *autoritäre Erziehung* authoritarian upbringing
Autorität 1. authority [ɔːˈθɒrətɪ] **2.** *eine Autorität auf dem Gebiet der Physik* an authority (*oder* an expert) on physics
Autoschlüssel car key
Autoskooter bumper car, *BE auch* dodgem [ˈdɒdʒəm] (car), bumper car; *möchtet ihr noch Autoskooter fahren?* would you like to go on the bumper cars?

Autostunde: *drei Autostunden entfernt* three hours' (*oder* a three-hour) drive away (*oder* from here), three hours by car
Autounfall car accident [ˈkɑːˌæksɪdənt], car crash: *er kam bei einem Autounfall ums Leben* he died in a car crash
Autoverkehr road traffic
Autoversicherung car insurance
Autowerkstatt garage [ˈɡærɑːʒ], car repair shop
Autowrack wrecked car [△ ˌrektˈkɑː]
autsch! ouch! [aʊtʃ]
auweia! oh no!
Aversion aversion (*gegen* to)
Avocado avocado [ˌævəˈkɑːdəʊ]
Axt axe [æks], *AE auch* ax [æks]
Azubi *umg.* trainee [ˌtreɪˈniː], *bei Handwerk*: apprentice [əˈprentɪs]

B

Baby baby *Pl.*: babies; *sie bekommt ein Baby* she's expecting (*oder* going to have) a baby

Baby

Achte auf den Unterschied:

baby	Baby, Säugling
toddler	Kleinkind, das schon laufen kann

Babynahrung baby food
Babysitter(in) babysitter
Bach stream, *kleiner auch*: brook
Backbord port (side)
Backe (≈ *Wange*) cheek
backen 1. (*etwas*) *backen* bake (something) **2.** *etwas backen in der Pfanne*: fry something
Backenzahn molar [ˈməʊlə]
Bäcker baker; *beim Bäcker* at the baker's
Bäckerei 1. (≈ *Laden*) baker's (shop), bakery **2.** *bes.* Ⓐ (≈ *Kleingebäck*) (biscuits [ˈbɪskɪts] and) pastries (△ *Pl.*)
Backform baking tin, *AE* cake pan
Backhendl Ⓐ roast chicken (coated with breadcrumbs [ˈbredkrʌmz])
Backofen oven [△ ˈʌvn]
Backpflaume prune
Backpulver baking powder

Backrohr *bes.* Ⓐ oven [△ ˈʌvn]
Backstein brick
Backwaren bread, cakes and pastries
Bad 1. (≈ *Badewanne, Wannenbad*) bath; *ein Bad nehmen* have* (*oder* take*) a bath **2.** (≈ *Badezimmer*) bathroom; ☞ *Illu S. 393*
Badeanstalt swimming pool
Badeanzug swimsuit [ˈswɪmsuːt]
Badehose 1. (swimming) trunks (△ *Pl.*); *diese Badehose ist zu klein* these trunks are too small **2.** *eine Badehose* a pair of trunks
Badekappe bathing [△ ˈbeɪðɪŋ] cap
Bademantel bathrobe [ˈbɑːθrəʊb]
Badematte bath mat
Bademeister(in) pool attendant
Bademütze swimming cap, bathing [ˈbeɪðɪŋ] cap
baden 1. *in der Badewanne*: have* (*oder* take*) a bath **2.** (≈ *schwimmen*) swim*; *baden gehen* go* swimming, go* for a swim **3.** bath, *AE* bathe [△ beɪð] (*ein Kind usw.*)
Baden-Württemberg Baden-Württemberg
Badeort 1. seaside resort **2.** (≈ *Kurort*) health resort [ˈhelθˌrɪˌzɔːt]
Badesachen swimming things
Badetuch bath towel [ˈbɑːθˌtaʊəl]
Badewanne bath, bathtub

Badezeug *umg.* swimming things (△ *Pl.*)

Badezimmer bathroom; ☞ *Illu S. 393*

Badminton badminton

Bafög: *Bafög erhalten* get* a grant

Bagatelle trifle ['traɪfl]

Bagger excavator ['ekskəveɪtə], digger

Baggersee flooded gravel ['grævl] pit, flooded quarry ['kwɒrɪ]

Baguette baguette [bæ'get]

Bahamas: *die Bahamas* the Bahamas

Bahn 1. (≈ *Eisenbahn*) railway, *AE* railroad **2.** (≈ *Zug*) train; ***mit der Bahn (fahren)*** (travel) by train; ***jemanden zur Bahn bringen*** take* someone to the station **3.** (≈ *Weg*) way, path **4.** ***auf die schiefe Bahn geraten*** go* astray

bahnbrechend pioneering

Bahndamm railway (*AE* railroad) embankment

bahnen: *jemandem* *bzw.* ***etwas den Weg bahnen*** clear the way for someone *bzw.* something

Bahnfahrt train journey ['dʒɜːnɪ]

Bahnhof 1. (railway) station, *AE* (railroad) station; ***auf dem Bahnhof*** at the station; ☞ *Illu S. 981* **2. *ich verstehe nur Bahnhof*** it's all Greek to me

Bahnhofsrestaurant station restaurant

Bahnlinie railway (line), *AE* railroad (line)

Bahnstation railway (*AE* railroad) station

Bahnsteig platform

Bahnübergang level (*AE* grade) crossing

Bahnverbindung train connection, rail link

Bahre 1. (≈ *Tragbahre*) stretcher **2.** (≈ *Totenbahre*) bier [△ bɪə] **3. *von der Wiege bis zur Bahre*** from the cradle to the grave

Bajonett bayonet ['beɪənɪt]

Bakterien germs, bacteria (△ *Pl.*)

Balance balance ['bæləns] (*auch übertragen*)

balancieren balance ['bæləns]

bald 1. soon; ***bald darauf*** soon after (-wards); ***bald ist dein Geburtstag*** it's your birthday soon **2. *bis bald!*** see you soon! **3. *so bald wie möglich*** as soon as possible **4.** (≈ *beinahe*) almost, nearly

baldig 1. speedy **2. *auf ein baldiges Wiedersehen*** hope to see you again soon

Balearen: *die Balearen* the Balearic Islands [bælɪˌærɪk'aɪləndz], the Balearics [ˌbælɪ'ærɪks]

Balgerei scuffle, *umg.* scrap (***um*** for, over)

Balkan: *der Balkan* (≈ *die Länder des Balkan*) the Balkans ['bɔːlkənz], the Balkan States

Balken 1. beam **2.** (≈ *Dachbalken*) rafter

Balkendiagramm bar graph

Balkon 1. balcony ['bælkənɪ] **2.** *im Theater*: dress circle, *bes. AE* balcony

Balkontür balcony ['bælkənɪ] door, French windows (△ *Pl.*)

Ball¹ 1. ball **2. *am Ball bleiben*** *Sport*: hold* onto the ball, *übertragen* keep* at it

Ball² (≈ *Tanzball*) ball, dance [dɑːns]; ***auf einen Ball gehen*** go* to a ball

Ballabgabe *Sport*: pass

Ballade ballad ['bæləd]

Ballast ballast ['bæləst]

Ballaststoffe roughage [△ 'rʌfɪdʒ], fibre (△ *beide Sg.*)

ballaststoffreich: *ballaststoffreiche Nahrung* high-fibre food, high-fibre diet

ballen clench (*die Faust*)

Ballett 1. ballet [△ 'bæleɪ] **2.** (≈ *Balletttruppe*) ballet company

Balletttänzer(in) ballet [△ 'bæleɪ] dancer

Ballon balloon

Ballspiel ball game

Ballung *übertragen* concentration, build-up

Ballungsgebiet, Ballungsraum conurbation [ˌkɒnɜː'beɪʃn], densely populated area

Ballwechsel *Tennis*: rally

Baltikum: *das Baltikum* the Baltic ['bɔːltɪk] (States)

Bambus bamboo [ˌbæm'buː]

Bammel: *ich hab Bammel* *umg.* I'm scared stiff

banal trite, banal [bə'nɑːl]

Banane banana [bə'nɑːnə]

Bananenrepublik *umg.* banana republic

Band¹ *das* **1.** (≈ *Messband, Tonband, Zielband*) tape; ***auf Band aufnehmen*** tape, record [△ rɪ'kɔːd] **2.** (≈ *Farbband, Schmuckband, Ordensband*) ribbon **3.** (≈ *Fließband*) assembly (*oder* production) line **4. *am laufenden Band*** *übertragen* one after the other, (≈ *pausenlos*) nonstop

Band² *der* (≈ *Buch*) volume ['vɒljuːm]; ***das spricht Bände*** that speaks volumes; ***darüber könnte man Bände schreiben*** that would fill volumes

Band³ *die* (≈ *Musikgruppe*) band

Bandage bandage ['bændɪdʒ]; ***jemandem eine Bandage anlegen*** put* a bandage on someone, bandage someone up

Bande (≈ *Verbrecherbande*) gang, ring

Bandenchef gang leader

Bänderriss torn ligament [ˌtɔːn'lɪgəmənt]

Bänderzerrung stretched (*oder* pulled) ligament ['lɪgəmənt]

bändigen 1. tame (*Tier*) **2.** (bring* under) control (*Kinder, Leidenschaften usw.*)

B

Bandit bandit ['bændɪt]
Bandmaß tape measure, measuring tape
Bandscheibenschaden damaged disc (*AE* disk), (≈ *Vorfall*) slipped disc (*AE* disk)
Bandwurm tapeworm ['teɪpwɜːm]
bang(e) 1. (≈ *besorgt*) anxious ['æŋkʃəs] (*um* about), worried ['wʌrɪd] (*um* about) **2. ihm ist bange (vor)** he's afraid (*oder* scared *oder* frightened) (of)
Bange: keine Bange! don't (you) worry
bangen 1. um jemanden *bzw.* **etwas bangen** be* worried about someone *bzw.* something **2. um sein Leben bangen** fear for one's life
Bank¹ 1. (≈ *Sitzbank*) bench **2.** (≈ *Schulbank*) desk **3.** *Wendungen*: **durch die Bank** *umg.* right down the line, every one of them; **etwas auf die lange Bank schieben** shelve something for the time being
Bank² 1. (≈ *Geldinstitut*) bank **2.** *Wendungen*: **Geld auf der Bank haben** have* money in the bank; **auf die** (*oder* **zur**) **Bank gehen** go* to the bank; **ein Konto bei der Bank haben** have* an account at (*oder* with) the bank; **sie ist bei einer Bank** (≈ *arbeitet dort*) she works for a bank **3.** *bei Glücksspielen*: bank
Bankangestellte(r) bank employee
Bankautomat cash machine, cashpoint, cash dispenser, *AE auch* ATM
Bankett banquet ['bæŋkwɪt]
Bankgeheimnis banking secrecy ['bæŋkɪŋˌsiːkrəsɪ]
Bankier banker
Bankkauffrau, Bankkaufmann (qualified) bank clerk [△ 'bæŋkˌklɑːk]
Bankkonto bank account
Bankleitzahl (bank) sort code, *AE* A.B.A. [ˌeɪbiːˈeɪ] (*oder* routing ['ruːtɪŋ, 'raʊtɪŋ]) number
Banknote bank note, *AE* bill
Bankraub bank robbery
Bankräuber(in) bank robber
Bankrott bankruptcy ['bæŋkrʌptsɪ] (*auch übertragen*); **Bankrott machen** go* bankrupt, *umg.* go* bust; **vor dem Bankrott stehen** face (*oder* be* on the verge of) bankruptcy
bankrott bankrupt ['bæŋkrʌpt]; **jemanden bankrott machen** drive* someone bankrupt, bankrupt someone
Banküberfall bank raid, bank robbery
Bankverbindung (≈ *Konto*) bank account
Bann 1. (≈ *Zauber*) spell **2.** (≈ *Kirchenbann*) excommunication
bannen ward off (*Gefahr*)
bar 1. bares Geld (ready) cash; **(in) bar**

bezahlen pay* cash; **gegen bar** for cash; **zahlen Sie bar oder mit Scheck?** are you paying (in) cash or by cheque (*AE* check)? **2. bares Gold** pure [pjʊə] gold
Bar 1. bar (*auch Theke*), nightclub; **an der Bar** at the bar; **in eine Bar gehen** go* to a bar **2.** *im Schrank usw.*: drinks cabinet
Bär bear [△ beə]
Baracke hut, *im negativen Sinn* shack
Barbar barbarian [bɑːˈbeərɪən]
Barbarei barbarism [△ 'bɑːbərɪzm]
barbarisch barbaric [bɑːˈbærɪk]
Bardame barmaid
bärenstark 1. (as) strong as an ox **2. das ist bärenstark** *übertragen, umg.* it's great
barfuß barefoot; **barfuß herumlaufen** run* around barefoot
Bargeld cash
bargeldlos cashless; **bargeldloser Einkauf** cashless shopping
Barhocker bar stool
bärig *bes.* Ⓐ great
Bariton baritone ['bærɪtəʊn]
Barkeeper bartender, *BE auch* barman, *AE auch* barkeeper
barmherzig (≈ *mitleidig*) compassionate
Barmherzigkeit (≈ *Mitleid*) compassion
Barock 1. *Zeitalter*: Baroque [bəˈrɒk] (period) **2.** *Möbel usw.*: baroque (*oder* Baroque) furniture *usw.*
Barometer barometer [△ bəˈrɒmɪtə]
Baron baron ['bærən]
Baronesse, Baronin baroness ['bærənɪs]
Barren 1. (≈ *Goldbarren usw.*) bar, *Pl. auch*: bullion [△ 'bʊlɪən] (△ *Sg.*) **2.** (≈ *Turngerät*) parallel bars (△ *Pl.*)
Barriere barrier ['bærɪə] (*auch übertragen*)
Barrikade barricade [ˌbærɪˈkeɪd]; **auf die Barrikaden gehen** *auch übertragen* go to the barricades (*für* for)
Barsch perch [pɜːtʃ]
Bart 1. beard [bɪəd]; **ein Mann mit Bart** a man with a beard; **einen Bart tragen** have* a beard; **sich einen Bart stehen lassen** grow* a beard **2.** *Schlüssel*: bit, ward
Barzahlung cash payment
Basar bazaar [bəˈzɑː]
Basel Basel ['bɑːzl], Basle [△ bɑːl]
basieren: basieren auf be* based on; **die Angaben basieren auf den Zahlen des Vorjahres** the data are based on last year's figures; **worauf basiert seine Meinung?** what does he base his opinion on?
Basilika basilica [bəˈzɪlɪkə]
Basilikum *Pflanze und Gewürz*: basil ['bæzl]
Basis 1. (≈ *Grundlage*) basis ['beɪsɪs] (**für**

of, for); **auf der Basis von** on the basis of; **auf breiter Basis** on a broad basis 2. *Mathe*, *Militär*: base 3. *in einer Partei*: rank and file

Basislager *Hochgebirgsexpeditionen*: base camp

Basketball basketball [ˈbɑːskɪtbɔːl]

Bass 1. *Stimme*, *Sänger*, *Partie*: bass [△ beɪs]; **in unserem Chor ist er der Bass** he sings bass in our choir [ˈkwaɪə] (△ *ohne* e) **2.** (≈ *Kontrabass*) double bass; **er spielt Bass** he plays (the) double bass

Bass... in Zusammensetzungen: bass ... [△ beɪs]; **Bassgitarre** bass (guitar); **Bassregler** bass control; **Bassstimme** bass (voice)

Bast *zum Flechten*: raffia [ˈræfɪə]

basta: und damit basta! and that's that!

Bastard *vulgär*, *Mensch*: bastard [ˈbɑːstəd]

basteln 1. make* (*Dinge*) **2. er bastelt gern** he likes doing things with his hands

Batik batik [△ bəˈtiːk]

Batterie battery [ˈbætrɪ]; **das Fahrzeug wird mit Batterien betrieben** the vehicle runs on batteries

Batterieladegerät battery charger

Bau 1. (≈ *Vorgang*) construction; **im Bau** under construction **2.** (≈ *Gebäude*) building [ˈbɪldɪŋ]

Bauarbeiten 1. *Tätigkeit*, *Vorgang*: construction work (△ *Sg.*) **2.** *Straße*: roadworks, *AE* construction zone (△ *Sg.*)

Bauarbeiter(in) building (*oder* construction) worker

Bauch 1. *beim Menschen*: stomach [△ ˈstʌmək], *umg.* belly, tummy, *dicker*: paunch [pɔːntʃ], potbelly; **mit vollem** (*bzw. leerem*) **Bauch** on a full (*bzw.* an empty) stomach **2.** *beim Tier*: stomach, belly **3.** *Wendungen*: **ich hab eine Wut im Bauch** I'm ready to explode; **aus dem Bauch heraus reagieren** act on instinct

bauchfrei: bauchfreies Shirt (*oder* **Top**) crop(ped) top

Bauchklatscher *umg.* belly flop

Bauchlandung *umg.* belly landing

Bauchmuskeln stomach muscles [△ ˈstʌmək͵mʌslz], abdominal muscles, *umg.* abs

Bauchnabel navel, *umg.* belly button

Bauchschmerzen stomachache [△ ˈstʌmək͵eɪk] (△ *Sg.*); **Bauchschmerzen haben** have* (a) stomachache

bauen 1. *allg.*: build* [bɪld] **2.** (≈ *errichten*) build*, erect **3.** (≈ *herstellen*) make*, build* **4. bauen auf** *übertragen* count on, depend on

Bauer¹ 1. farmer **2.** *in Entwicklungsländern und historisch*: peasant [△ ˈpeznt] **3.** *verächtlich* peasant **4.** *Schach*: pawn

Bauer² (≈ *Vogelbauer*) (bird)cage

Bäuerin 1. (≈ *Landwirtin*) (woman) farmer **2.** (≈ *Frau des Bauern*) farmer's wife

bäuerlich 1. rural **2.** *Stil usw.*: rustic

Bauernhaus farmhouse

Bauernhof farm

baufällig dilapidated [dɪˈlæpɪdeɪtɪd]

Baufirma building (*oder* construction) firm

Bauindustrie building [ˈbɪldɪŋ] (*oder* construction) industry

Bauingenieur(in) civil engineer [͵sɪvl͵endʒɪˈnɪə]

Baujahr 1. year of construction (*bzw.* manufacture) **2. welches Baujahr ist es?** *Auto*: when was it built?

Baukasten construction set, *mit Holzklötzen*: box of bricks

Baukastensystem modular system [͵mɒdjulə'sɪstəm]

Bauklotz building block; **da staunt man Bauklötze!** *umg.* it's mind-boggling!

Baukosten building costs [ˈbɪldɪŋ͵kɒsts]

Baukunst architecture [ˈɑːkɪtektʃə]

Bauleiter(in) site manager

Baum tree

Baumarten

Ahorn	maple
Birke	**birch (tree)**
Buche	**beech (tree)**
Eiche	**oak**
Esche	**ash**
Fichte	**spruce,** *meist* *umg.* **pine (tree)** *oder* **fir (tree)**
Kastanie	**(horse) chestnut**
Lärche	**larch**
Palme	**palm (tree)**
Pappel	**poplar**
Tanne	**fir (tree)**
Ulme	**elm**
Weide	**willow (tree)**

Baumarkt (≈ *Warenhaus*) DIY [͵diːaɪ ˈwaɪ] store (△ DIY *ist eine bes. im BE verwendete Abkürzung für* do-it-yourself), *AE* home (improvement) center

Baumeister(in) 1. *auf dem Bau*: master builder **2.** (≈ *Architekt*) architect [ˈɑːkɪtekt]

baumeln dangle, swing* (**an** from); **mit den Beinen baumeln** dangle one's legs

Baumschule (tree) nursery

Baumstamm (tree) trunk, *gefällter*: log

Baumsterben 1. dying (off) of trees **2.** (≈

Waldsterben) dying (off) of forests, forest deaths (△ *Pl.*)

Baumwolle cotton (△ *engl.* cotton wool = *Watte*)

Baumwollhemd (100%) cotton shirt

Bauplatz site, (building) plot

Baustein *übertragen* element, component

Baustelle building site, *auf Straßen*: roadworks (△ *Pl.*), *AE* construction zone

Baustil (architectural [ˌɑːkɪˈtektʃrəl]) style

Baustoff building material

Bauteil component [kəmˈpəʊnənt] (part)

Bauten 1. buildings [ˈbɪldɪŋz] **2.** *Film usw.*: set (△ *Sg.*)

Bauunternehmen construction company

Bauunternehmer(in) building contractor [ˈbɪldɪŋ_kənˌtræktə]

Bauwerk building [ˈbɪldɪŋ]

Bauwirtschaft building [ˈbɪldɪŋ] (*oder* construction) industry

Bauzeit construction time

Bayer Bavarian [bəˈveərɪən]; *er ist Bayer* he's (a) Bavarian; ☞ *Nationalitäten*

Bayerin Bavarian woman (*oder* lady *bzw.* girl); *sie ist Bayerin* she's (a) Bavarian; ☞ *Nationalitäten*

bayerisch Bavarian [bəˈveərɪən]; *der Bayerische Wald* the Bavarian Forest

Bayern Bavaria [bəˈveərɪə]

Bazi *bes.* Ⓐ scoundrel, rascal [ˈrɑːskl]

Bazillus 1. germ [dʒɜːm] **2.** *Bazillen* germs

beabsichtigen 1. *sie beabsichtigt zu bleiben usw.* she intends to stay *usw.* **2.** *das war nicht beabsichtigt* it wasn't intentional, I *usw.* didn't do *usw.* it on purpose

beabsichtigt 1. intended; *die beabsichtigte Wirkung* the desired effect **2.** (≈ *absichtlich*) intentional, deliberate [dɪˈlɪbrət]

beachten 1. (≈ *Aufmerksamkeit schenken*) pay* attention to **2.** *etwas beachten* (≈ *zur Kenntnis nehmen*) note something **3.** (≈ *befolgen*) follow (*Anweisungen, Regeln*) **4.** (≈ *berücksichtigen*) bear* [beər] in mind, take* into account **5.** *man muss dabei beachten, dass ...* it's important to remember (*oder* bear in mind) that ... **6.** *nicht beachten* take* no notice of, ignore

beachtlich 1. (≈ *beträchtlich*) considerable [kənˈsɪdərəbl] **2.** (≈ *bemerkenswert*) remarkable **3.** *das war eine beachtliche Leistung* that was quite an achievement

Beachtung 1. (≈ *Aufmerksamkeit*) attention; *jemandem bzw. einer Sache* (*keine*) *Beachtung schenken* pay* (no) attention to someone *bzw.* something **2.**

(≈ *Berücksichtigung*) consideration **3.** (≈ *Befolgung*) observance [əbˈzɜːvns]

Beamte(r), **Beamtin 1.** *allg.*: official **2.** (≈ *Polizeibeamter*) officer **3.** (≈ *Staatsbeamter*) civil servant [ˌsɪvlˈsɜːvnt]

Beamte

Das Beamtentum in den englischsprachigen Ländern beschränkt sich in erster Linie auf Verwaltungsbeamte. Lehrer, Angestellte der Post, Bahn und ähnlicher Bereiche sind keine Beamten.

beängstigend alarming

beanspruchen 1. claim (*Recht usw.*) **2.** (≈ *erfordern*) demand, require, call for **3.** take* up (*Platz, Zeit*)

beanstanden 1. (≈ *kritisieren*) criticize **2.** (≈ *Einwände erheben gegen*) object [əbˈdʒekt] to

Beanstandung 1. (≈ *Beschwerde*) complaint (*an* about) **2.** (≈ *Einwand*) objection (*an* to)

beantragen: (*bei jemandem*) *etwas beantragen* apply (to someone) for something

beantworten 1. answer [ˈɑːnsə] (*auch übertragen*) (*mit* with), reply to **2.** *mit Ja* (*bzw. Nein*) *beantworten* answer yes (*bzw.* no)

Beantwortung answer [ˈɑːnsə], reply [rɪˈplaɪ]

bearbeiten 1. work (*Werkstoff, Material*) **2.** (≈ *behandeln*) treat **3.** deal* with (*Fall*) **4.** revise (*Buch*) **5.** *für die Bühne usw.*: adapt (*nach* from) **6.** *umg.* work on (*jemanden*)

Bearbeitung 1. (≈ *Behandlung*) treatment **2.** *eines Buchs*: revision **3.** *eines Theaterstücks usw.*: adaptation [ˌædæpˈteɪʃn]

Bearbeitungsgebühr handling charge, *Bank*: (bank) service charge

Bearbeitungszeit *Behörde*: process(ing) [ˈprəʊses(ɪŋ)] time; *die Bearbeitungszeit beträgt drei Wochen* processing will take three weeks, it takes three weeks to process

beatmen: *jemanden beatmen* give* someone artificial respiration [ˌrespəˈreɪʃn]

Beatmung: (*künstliche*) *Beatmung* artificial respiration [ˌrespəˈreɪʃn]

beaufsichtigen 1. supervise [ˈsuːpəvaɪz] **2.** look after (*Kind*)

beauftragen: *jemanden beauftragen, etwas zu tun* give* someone the job (*oder* task) of doing something

bebauen 1. build* [bɪld] on (*Grundstück usw.*) **2.** cultivate (*Boden usw.*)

beben shake*, tremble

Beben (≈ *Erdbeben*) earthquake

Becher (≈ *Trinkgefäß*) **1.** *aus Plastik usw.*: cup, *BE auch* beaker ['biːkə] **2.** *aus Ton, Porzellan*: mug

Becken 1. (≈ *Waschbecken*) basin ['beɪsn] **2.** (≈ *Spüle*) sink **3.** (≈ *Schwimmbecken*) pool **4.** *bei Mensch, Tier*: pelvis

Bedacht: *mit Bedacht* (≈ *vorsichtig*) carefully, with great care

bedächtig (≈ *langsam*) slowly, deliberately

bedanken 1. *sich bedanken* say* thanks **2.** *sich bei jemandem bedanken* thank someone (*für* for)

Bedarf 1. need (*an* for) **2.** (≈ *Nachfrage*) demand (*an* for); *den Bedarf decken* meet* the demand **3.** *bei Bedarf* if necessary

bedauerlich regrettable, unfortunate [ʌn-'fɔːtʃənət]

bedauerlicherweise unfortunately [ʌn-'fɔːtʃənətlɪ]

bedauern 1. *jemanden bedauern* feel* sorry for someone **2.** *etwas bedauern* regret something; *ich bedauere sehr, dass ...* I very much regret that ...

Bedauern regret

bedecken cover (up)

bedeckt *Himmel*: overcast [ˌəʊvə'kɑːst]; *teils bedeckt* partly cloudy

bedenken 1. (≈ *erwägen*) consider, think* over **2.** (≈ *beachten*) bear* [beər] in mind

Bedenken 1. (≈ *Zweifel*) doubts [⚠ daʊts] **2.** (≈ *Einwände*) objections **3.** *moralische*: scruples ['skruːplz]

bedenkenlos 1. (≈ *ohne lange zu überlegen*) without hesitation **2.** (≈ *skrupellos*) thoughtless, unscrupulous [ʌn-'skruːpjʊləs]

bedenklich 1. (≈ *besorgniserregend*) alarming **2.** (≈ *ernst*) critical, serious **3.** (≈ *zweifelhaft*) dubious ['djuːbɪəs]

Bedenkzeit: *eine Stunde usw. Bedenkzeit* one hour *usw.* to think it over

bedeuten 1. mean* **2.** *es hat nichts zu bedeuten* it doesn't mean a thing **3.** *jemandem viel* (*bzw. nichts*) *bedeuten* mean* a lot (*bzw.* nothing) to someone

bedeutend important, major, significant; *bedeutende Fortschritte machen* make* significant progress (⚠ *Sg.*) **2.** (≈ *beträchtlich*) considerable **3.** *Wissenschaftler, Politiker usw.*: leading, prominent **4.** *bedeutend besser usw.* much better *usw.*

Bedeutung 1. (≈ *Sinn*) meaning, sense **2.** (≈ *Wichtigkeit*) importance

bedeutungslos 1. (≈ *unwichtig*) unimportant, insignificant [ˌɪnsɪg'nɪfɪkənt] **2.** (≈

ohne Sinn, nichtssagend) meaningless

bedeutungsvoll 1. significant [sɪg-'nɪfɪkənt] **2.** (≈ *vielsagend*) meaningful

bedienen 1. (*Verkäuferin*) serve (*Kunden*) **2.** (*Kellner*) serve (*Gast*) **3.** *gut bedient werden* im Restaurant: get* good service **4.** *beim Kartenspiel*: follow suit [suːt] **5.** *bedien dich!* am Tisch: help yourself; *bedient euch!* help yourselves

Bedienung 1. service **2.** (≈ *Kellner*) waiter, (≈ *Kellnerin*) waitress

Bedienungsanleitung 1. (operating) instructions (⚠ *Pl.*) **2.** (≈ *Buch*) instruction manual [ɪn'strʌkʃn,mænjʊəl]

bedingen 1. (≈ *verursachen*) cause, give* rise to; *bedingt durch* caused by, due to **2.** (≈ *erfordern*) require, call for **3.** (≈ *bestimmen*) determine [dɪ'tɜːmɪn]

Bedingung 1. condition; *unter der Bedingung, dass ...* on condition that ..., provided (that) ... **2.** *Bedingungen* (≈ *Verhältnisse, Zustände*) conditions; *unter diesen Bedingungen* under these circumstances ['sɜːkəmstənsɪz]

Bedingungsform *Grammatik*: conditional

bedingungslos unconditional

Bedingungssatz *Nebensatz*: conditional clause

bedrohen threaten ['θretn]; *ihr Leben ist bedroht* her life is in danger

bedrohlich 1. threatening ['θretnɪŋ], menacing ['menəsɪŋ] **2.** *Lage, Ausmaße usw.*: alarming

Bedrohung threat [θret], menace ['menəs] (*beide für* oder + *Gen.*)

bedrücken: *etwas bedrückt jemanden* seelisch: something depresses someone, something gets someone down

bedrückend *seelisch*: depressing

bedrückt depressed

Bedürfnis need

Beefsteak 1. steak [⚠ steɪk] **2.** (≈ *deutsches Beefsteak*) *etwa*: meat loaf

beeilen: *sich beeilen* hurry [⚠ 'hʌrɪ]; *beeil dich!* hurry up!; *sich mit einer Sache beeilen* hurry up with something

beeindrucken impress

beeindruckend impressive

beeinflussen 1. influence **2.** (≈ *sich auswirken auf*) affect, have* an effect on

Beeinflussung influence ['ɪnflʊəns]

beeinträchtigen (≈ *negativ beeinflussen*) affect, have* a negative effect on

beend(ig)en 1. (≈ *zum Abschluss bringen*) end, bring* to an end (*oder* close [⚠ kləʊs]) **2.** (≈ *fertigstellen*) finish, complete (*eine Arbeit*) **3.** close [kləʊz], wind* [waɪnd] up (*Sitzung usw.*)

beerdigen bury [⚠ 'berɪ]

Beerdigung burial [△ 'berɪəl], *feierliche*: funeral ['fjuːnrəl]

Beerdigungsinstitut undertaker's, undertakers (△ *Pl.*)

Beere berry; *Beeren sammeln* pick berries

Beeren

Brombeere	**blackberry**
Erdbeere	**strawberry**
Heidelbeere	**blueberry, bilberry**
Himbeere	**raspberry** ['raːzbəri]
Preiselbeere	**cranberry**
Rote Johannis-beere	**redcurrant** [ˌred'kʌrənt]
Schwarze Johannisbeere	**blackcurrant** [ˌblæk'kʌrənt]
Stachelbeere	**gooseberry** ['gʊzbəri]

Beet 1. bed **2.** (≈ *Gemüsebeet*) patch

befähigen: *jemanden dazu befähigen, etwas zu tun* enable [ɪn'eɪbl] someone to do something

Befähigung 1. ability **2.** (≈ *Begabung*) aptitude, talent ['tælənt] **3.** (≈ *Qualifikation*) qualifications (△ *Pl.*)

befahren¹: *eine Straße befahren* use a road

befahren² 1. *stark befahren Strecke usw.*: busy ['bɪzɪ] **2.** *wenig befahren Strecke usw.*: quiet, uncrowded

befangen 1. (≈ *gehemmt*) inhibited, shy, self-conscious (△ *selbstbewusst* = self-confident) **2.** (≈ *voreingenommen*) prejudiced ['predʒʊdɪst]

Befangenheit 1. (≈ *Scheu*) inhibitions (△ *Pl.*), shyness, self-consciousness (△ *Selbstbewusstsein* = self-confidence) **2.** (≈ *Voreingenommenheit*) bias ['baɪəs], prejudice ['predʒʊdɪs]

befassen: *sich mit einer Frage* (*bzw. einem Problem*) *befassen* deal* with (*bzw.* look into) a question *oder* a problem

Befehl 1. order; *auf Befehl von* on the orders of; *auf Befehl handeln* act on orders **2.** *zu Befehl!* yes, sir! **3.** (≈ *Befehlsgewalt*) command (*über* of) **4.** *Computer*: command

befehlen 1. *jemandem befehlen, etwas zu tun* order someone to do something **2.** *etwas befehlen* order something

Befehlsform *Grammatik*: imperative [ɪm-'perətɪv]

Befehlshaber(in) commander

befestigen 1. fix, fasten [△ faːsn] (*an* to)

2. *mit Klebstoff*: stick* (*an* on, onto) **3.** *mit Nadeln, Schrauben*: fasten, fix

befeuchten moisten [△ 'mɔɪsn]

befinden: *sich befinden* be*; *wo befinden wir uns jetzt?* where are we now?

befolgen follow (*Regel, Rat, Vorschrift*)

befördern 1. carry, transport **2.** *beruflich*: promote (*zu* to, to the position of)

Beförderung 1. transportation **2.** *beruflich*: promotion (*zu* to, to the position of)

befragen 1. ask (*über* about; *nach* for) **2.** (≈ *ausfragen*) question (*über, zu* about)

befreien 1. free (*von* from), liberate (*von* from) (*ein Land usw.*) **2.** (≈ *retten*) rescue ['reskjuː] (*von, aus* from) **3.** *vom Unterricht*: excuse (*von* from) **4.** *von einer Pflicht, Last, Sorge*: relieve (*von* from) **5.** *jemanden aus seinem Autowrack usw. befreien* free someone from the wreckage of his *usw.* car *usw.* **6.** *sich befreien von* free oneself (*von* of)

Befreier(in) liberator ['lɪbəreɪtə]

Befreiung 1. setting free, liberation (*von* from) **2.** (≈ *Rettung*) rescue (*von* from)

Befreiungskampf fight for independence

befreunden: *sich* (*miteinander*) *befreunden* become* friends

befreundet 1. *sie sind miteinander befreundet* they're friends **2.** *ich bin mit ihr befreundet* she's a friend (of mine), we're friends

befriedigen 1. satisfy (*Wünsche, Neugierde usw.*) **2.** meet*, come* up to (*Erwartungen*)

befriedigend satisfactory (*auch Schulnote*)

befriedigt satisfied, pleased

Befriedigung satisfaction

befristen: *etwas auf drei Tage befristen* limit something to three days, set* a limit of three days on something

befristet limited (*auf* to), temporary

befruchten 1. *wörtlich* fertilize **2.** (≈ *anregen*) stimulate ['stɪmjʊleɪt]

Befruchtung 1. *wörtlich* fertilization **2.** (*die*) *künstliche Befruchtung* artificial insemination **3.** (≈ *Anregung*) stimulation

befugt authorized ['ɔːθəraɪzd], entitled (*zu* to + *Inf.*)

Befund 1. *allg.*: findings, results (△ *beide Pl.*) **2.** *ohne Befund ärztliche Untersuchung*: negative ['negətɪv]; *der Befund war negativ* he *bzw.* she tested negative

befürchten 1. fear [fɪə]; *wir befürchten das Schlimmste* we fear the worst; *es ist zu befürchten, dass ...* it is feared that ... **2.** (≈ *vermuten*) suspect [sə-'spekt]

Befürchtung 1. (≈ *Furcht*) fear; *ich habe die Befürchtung, dass* ... I fear (that) ... **2.** (≈ *Vermutung*) suspicion

befürworten 1. (≈ *empfehlen*) recommend [ˌrekə'mend] **2.** (≈ *unterstützen*) support

Befürworter(in) supporter (+ *Gen.* of)

begabt talented ['tæləntɪd], gifted; *er ist musikalisch usw. begabt* he's musically *usw.* gifted, he's got a gift for music *usw.*

Begabung gift, talent ['tælənt]

begeben: *sich in Gefahr begeben* put* oneself in danger, take* a risk

Begebenheit 1. (≈ *Vorkommnis*) incident ['ɪnsɪdənt] **2.** (≈ *Ereignis*) event [ɪ'vent]

begegnen 1. *jemandem begegnen zufällig:* meet* someone, *umg.* bump into someone **2.** *wir begegneten uns auf der Party* we met (*oder umg.* bumped into each other) at the party **3.** *förmlich* (≈ *überwinden*) face, confront [kən'frʌnt] (*Schwierigkeiten, einer Gefahr, Widerstand usw.*)

Begegnung 1. meeting, encounter **2.** *Sport:* match

begehen (≈ *verüben*) commit [kə'mɪt] (*Verbrechen, Selbstmord usw.*)

begehrenswert desirable [dɪ'zaɪərəbl]

begehrt 1. popular **2.** *Karten für dieses Konzert sind sehr begehrt* tickets for this concert are very much in demand

begeistern 1. inspire (*durch* with) **2.** *sich für etwas begeistern* get* (*oder* be*) enthusiastic [ɪn͵θjuːzɪ'æstɪk] about something

begeistert 1. enthusiastic [ɪn͵θjuːzɪ'æstɪk] **2.** *sie waren begeistert Publikum usw.:* they were thrilled (*von* by)

Begeisterung enthusiasm [ɪn'θjuːzɪæzm]

Begierde desire (*nach* for)

begierig: *sie war* (*ganz*) *begierig darauf, ihn kennenzulernen usw.* she was (really) keen (*AE* eager) to get to know him *usw.*

begießen (≈ *feiern*) celebrate ['seləbreɪt] (with a drink)

Beginn beginning, start; (*gleich*) *zu Beginn* (right) at the beginning

beginnen 1. begin*, start **2.** *die Arbeit oder mit der Arbeit usw. beginnen* start work *usw.*, get* down to work *usw.* **3.** *die Schule beginnt um 8.00 Uhr* school starts at 8.00 am

beglaubigen certify ['sɜːtɪfaɪ]

begleiten 1. (≈ *mitgehen*) go* with, accompany [△ ə'kʌmpənɪ] **2.** *musikalisch und übertragen:* accompany **3.** *jemanden nach Hause begleiten* take* (*oder* walk) someone home

Begleiter(in) companion

Begleitung 1. *er war in Begleitung seiner Mutter* he was with his mother, he was accompanied [△ ə'kʌmpənɪd] by his mother **2.** *musikalische:* accompaniment [△ ə'kʌmpənɪmənt]

beglückwünschen congratulate (*zu* on); *wir möchten dich zur bestandenen Prüfung beglückwünschen* we'd like to congratulate you on passing your exam

begnadigen pardon ['pɑːdn]

Begnadigung pardon, *politische:* amnesty

begnügen 1. *sich begnügen mit* (≈ *zufrieden sein*) be* satisfied (*oder* content [kən'tent]) with **2.** *sich begnügen mit* (≈ *auskommen*) make* do with

begraben 1. (≈ *beerdigen*) bury [△ 'berɪ] **2.** (≈ *beenden*) end (*Streit, Feindschaft*)

Begräbnis burial [△ 'berɪəl], *feierliches:* burial, funeral

begradigen straighten ['streɪtn]

begreifen 1. (*etwas*) *begreifen* (≈ *verstehen*) understand* (something) **2.** *etwas begreifen Zusammenhang usw.:* grasp something

begreiflich understandable

begrenzen 1. (≈ *die Grenze bilden von*) form the boundary of **2.** *übertragen* limit, restrict (*auf* to)

begrenzt *übertragen* limited, restricted

Begrenzung 1. *eines Grundstücks usw.:* boundary **2.** *übertragen* limitation, restriction

Begriff 1. (≈ *Vorstellung, Auffassung*) idea, concept [△ 'kɒnsept] **2.** *sich einen Begriff von etwas machen* imagine something **3.** *für meine Begriffe* in my opinion, as I see it **4.** (≈ *Ausdruck*) term, expression **5.** *ein Begriff für Qualität* a byword for quality **6.** *sie war im Begriff, zu gehen usw.* she was on the point of going *usw.*, she was about to go *usw.* **7.** *er ist etwas schwer von Begriff* he's a bit slow on the uptake

begriffsstutzig dense, slow (on the uptake)

begründen 1. (≈ *erklären*) give* reasons for, explain **2.** (≈ *rechtfertigen*) justify, back up **3.** *er begründete es damit, dass ...* he explained (*oder* justified) it by the fact that ...

begründet (≈ *gerechtfertigt*) justified

Begründung 1. (≈ *Erklärung*) explanation, reason, reasons (*Pl.*) **2.** (≈ *Rechtfertigung*) justification; *mit der Begründung, dass ...* on the grounds (△ *Pl.*) that ...

begrüßen 1. *jemanden begrüßen* greet (*oder umg.* say* hello to) someone **2.** (≈ *willkommen heißen*) welcome (*Gäste usw.*)

Begrüßung *offizielle*: welcome

Begrüßung

Zur Begrüßung sagt man meist **hello** oder **hi**. Vormittags hört man auch **morning** oder **good morning**. **Good evening** am Abend und **good afternoon** am Nachmittag existieren zwar auch, sie sind jedoch sehr förmlich und werden deshalb nur selten verwendet. Häufig hängt man der Höflichkeit halber eine kurze Frage an die Begrüßung an, was sich dann folgendermaßen anhört:

Morning, Rachel. How are you?	–	Great. And you?
(Guten) Morgen. Rachel. Wie geht's dir?	–	Fantastisch. Und dir?
Hi, Dave. How are things?	–	OK. How about you?
Hi, Dave. Wie geht's?	–	Geht schon. Und bei dir?

Begrüßungsansprache welcoming speech
begutachten 1. (≈ *prüfen*) examine [ɪg-'zæmɪn] **2. etwas begutachten lassen** get* an expert ['ekspɜːt] opinion on something
behaart hairy
behaglich *Atmosphäre usw.*: comfortable [⚠ 'kʌmftəbl], cosy
behalten 1. keep* **2. etwas behalten** (≈ *sich merken*) remember something **3. etwas für sich behalten** keep* something to oneself **4. die Nerven behalten** keep* cool
Behälter container; **hast du dafür irgendeinen Behälter?** have you got something to put it in?; ☞ *Illu S. 195*
behandeln 1. *in der Schule*: **in Bio behandeln wir heute den menschlichen Körper** we're doing the human body in biology today **2.** treat (*Material*; *Patient*, *Krankheit*) **3.** deal* with (*Thema*, *Frage*, *Problem*) **4. schonend behandeln** handle with care
Behandlung: **er befindet sich in (ärztlicher) Behandlung** he's receiving medical treatment
beharren: **er beharrte auf seiner Meinung** he stuck to his opinion
beharrlich (≈ *hartnäckig*) persistent
behaupten 1. claim, maintain, say*; **es wird behauptet, dass ...** it is said (*oder* claimed) that; **sie behauptet, nie dort gewesen zu sein** she says (*oder* claims)

(that) she's never been there **2. sich behaupten** (≈ *durchsetzen*) assert oneself
Behauptung claim, assertion
beheben repair (*Schaden*)
beheizbar: beheizbare Heckscheibe *usw.* heated rear window *usw.*
beheizt heated
behelfen: sich behelfen mit make* do with
beherbergen accommodate
beherrschen 1. sie beherrscht die englische Sprache *usw.* she has a good command of English *usw.* **2. sich beherrschen** *übertragen* control oneself, restrain oneself **3.** (≈ *dominieren*) dominate, control; **zwei große Unternehmen** *usw.* **beherrschen den Markt** two big companies *usw.* control (*oder* dominate) the market
Beherrschung 1. *einer Sprache*: command (+*Gen.* of) **2.** *übertragen* control (+*Gen.* of, over) **3. die Beherrschung verlieren** lose* control, lose* one's self-control
beherzigen: etwas beherzigen take* something to heart
behilflich 1. jemandem behilflich sein help someone (**bei** with) **2. darf ich Ihnen behilflich sein?** can I help you (at all)?
behindern 1. jemanden (*bzw.* **etwas**) **behindern** hinder someone (*bzw.* something) **2.** obstruct (*Verkehr*, *Sicht*; *Sportler*; *Plan*)
behindert disabled [dɪs'eɪbld]; **geistig behindert** mentally disabled; **schwer behindert** severely [sɪ'vɪəlɪ] disabled
Behinderte(r) 1. disabled) person **2. die Behinderten** the disabled (⚠ *Pl.*)
behindertengerecht suitable ['suːtəbl] for the disabled [dɪs'eɪbld], (≈ *rollstuhlgeeignet*) suitable for wheelchairs
Behinderung 1. hindrance ['hɪndrəns] **2.** *im Verkehr, Sport usw.*: obstruction **3.** *bei Person*: disability; **geistige Behinderung** mental disability
Behörde authority [ɔː'θɒrətɪ] (*mst. im Plural verwendet*: the authorities)
behüten 1. jemanden behüten (≈ *beschützen*) look after someone **2. jemanden vor etwas behüten** protect someone from something *oder* from doing something
behutsam cautious ['kɔːʃəs], careful
bei 1. *räumlich*: **bei Hamburg** near Hamburg **2. bei meinem Onkel** at my uncle's; **sie wohnt bei ihren Eltern** she lives with her parents; **beim Fleischer** *oder* **Metzger** at the butcher's; **bei uns (zu Hause)** at home; **bei uns** (≈ *in der Fa-*

milie) in our family; *er arbeitet bei der Post usw.* he works for the post office *usw.* **3.** *bei Schiller steht ... übertragen* Schiller says ... **4.** *zeitlich:* **bei Tag** by day; **bei Nacht** at night; **bei seiner Geburt** at his birth; *er ist beim Essen* he's having (his) dinner (*bzw.* lunch) **5.** *bei der Arbeit* (≈ *am Arbeitsplatz*) at work **6.** *wir haben Geschichte bei Herrn Frei* we have Mr Frei for history

beibehalten 1. keep* up (*Tradition usw.*) **2.** stick* to (*Gewohnheit*)

beibringen 1. *jemandem etwas beibringen* (≈ *lehren*) teach* someone something; *kannst du mir Schach beibringen?* can you teach me how to play chess? **2.** *wie soll ichs ihm beibringen?* (≈ *verständlich machen*) how shall I get it across to him?

Beichte confession; *zur Beichte gehen* go* to confession (△ *ohne* the)

beichten 1. (*etwas*) *beichten* confess (something) **2.** *ich muss dir etwas beichten übertragen* I've got something to confess (to you)

beide 1. both [bəʊθ], (≈ *die zwei*) the two; *wir beide* both of us, the two of us; *alle beide* both of them **2.** *meine beiden Brüder* my two brothers, *betont:* both my brothers **3.** *in beiden Fällen* in both cases **4.** *keins bzw. keine(r) von beiden* neither of them **5.** *30 beide Tennis:* thirty all

beides 1. both [bəʊθ] (of them) **2.** *ich mag beides nicht* I don't like either (of them)

beieinander 1. (≈ *zusammen*) together **2.** *sie ist (noch) gut beieinander gesundheitlich; umg.:* she's (still) in good shape; → **beieinanderbleiben**

beieinanderbleiben stay together, *umg.* stick* together

Beifahrer(in) *im PKW:* (front-seat) passenger

Beifahrerairbag *im PKW:* passenger airbag

Beifahrersitz (front) passenger seat

Beifall 1. applause [əˈplɔːz]; *Beifall klatschen* applaud [əˈplɔːd] **2.** *übertragen* (≈ *Zustimmung*) approval [əˈpruːvl]; *Beifall ernten* meet* with approval

Beifügung *Grammatik:* attribute [ˈætrɪbjuːt]

beige tan, beige [beɪʒ]

Beiheft 1. supplement **2.** *zu einer CD usw.:* (accompanying) booklet

Beihilfe *staatliche:* subsidy [ˈsʌbsədɪ], grant

Beil 1. *großes:* axe [æks], *AE auch* ax [æks] **2.** *kleines:* hatchet

Beilage 1. *Zeitung:* supplement **2.** *Essen:* side dish; *es gibt Reis usw. als Beilage* there's rice *usw.* with it, it's served with rice *usw.*

beiläufig 1. *beiläufige Bemerkung* passing remark **2.** *etwas beiläufig erwähnen* mention something in passing

beilegen 1. *ich lege (diesem Brief) noch ein Foto usw. bei* I enclose (*oder* I'm enclosing) a photo *usw.* (with this letter) **2.** settle (*Streit usw.*)

Beileid 1. condolences [kənˈdəʊlənsɪz] (*Pl.*), sympathy [ˈsɪmpəθɪ] **2.** *herzliches Beileid* I'm so sorry (to hear about your father *usw.*)

Beileidskarte condolence [kənˈdəʊləns] card

beiliegend enclosed; *beiliegend übersende ich Ihnen ...* enclosed please find ...

beim 1. *beim Arzt usw.* at the doctor's *usw.* **2.** *beim Sprechen* while speaking; → *bei*

Bein 1. leg (*auch eines Tisches, einer Hose usw.*) **2.** *die Beine übereinanderschlagen* cross one's legs **3.** *Wendungen:* *ich konnte mich kaum mehr auf den Beinen halten* I could hardly stay on my feet; *jemandem ein Bein stellen wörtlich und übertragen* trip someone up; *er hat sich kein Bein ausgerissen* he didn't exactly strain himself; *sie ist wieder auf den Beinen* (≈ *gesund*) she's on her feet again; *auf eigenen Beinen stehen* (≈ *unabhängig sein*) be* independent; *das geht in die Beine!* you really feel it in your legs; *er steht mit einem Bein im Gefängnis* he's going to end up in jail

beinah(e) almost, nearly

Beinbruch 1. fractured (*oder* broken) leg **2.** *das ist doch kein Beinbruch! übertragen* it's not the end of the world

Beipackzettel *für Medikamente:* package insert [ˈpækɪdʒˌɪnsɜːt], instructions (△ *Pl.*)

Beiried Ⓐ *etwa:* steamed beef

beirren: *sie lässt sich durch nichts beirren* she won't be put off

beisammen together

Beisammensein: *geselliges Beisammensein* get-together

Beisein presence [ˈprezns]; *im Beisein von* (*oder* +*Gen.*) in the presence of

beiseite → *beiseitegehen usw.*

beiseitegehen step aside

beiseitelegen put* aside, put* down (*Brille, Buch usw.*)

beiseiteschaffen *etwas beiseiteschaffen übertragen* get* rid of something

Beisetzung funeral [ˈfjuːnrəl]

Beispiel 1. example; *ein Beispiel für* an example of; *zum Beispiel* for example (*Abk.* eg, e.g.), for instance ['ɪnstəns] **2.** *Beispiele anführen* give* examples **3.** *alle möglichen Obstsorten, wie zum Beispiel Äpfel, Birnen und Pflaumen* all kinds of fruit, such as apples, pears and plums **4.** *Wendungen:* **sich ein Beispiel an jemandem nehmen** take* someone as an example; *mit gutem Beispiel vorangehen* set* an example, set* a good example

Beispielsatz example (sentence)

beispielsweise for example, for instance

beißen 1. *Vorsicht, der Hund beißt* careful, this dog bites **2.** *sein Hund hat mich ins Bein gebissen* his dog has bitten my leg, his dog has bitten me in the leg **3.** *in einen Apfel usw.* **beißen** bite* into an apple *usw.* **4.** *sie hat sich auf die Zunge* (*bzw.* *Lippe*) *gebissen* she's bitten her tongue (*bzw.* her lip) **5.** *er wird dich schon nicht beißen* humorvoll he won't bite (*oder* eat) you **6.** *sich beißen* (*Farben usw.*) clash

beißend 1. *Kälte usw.:* biting **2.** *Geruch usw.:* pungent ['pʌndʒənt]

Beitrag 1. contribution (*auch übertragen*); *einen Beitrag leisten* contribute [kən'trɪbjuːt] (*zu* to), make* a contribution (*zu* to) **2.** (≈ *Mitgliedsbeitrag*) subscription, fee, *AE* dues (△ *Pl.*)

beitragen contribute [kən'trɪbjuːt] (*zu* to)

beitreten 1. *einem Verein* usw.: join **2.** *einem Bündnis* usw.: enter (into)

Beitritt 1. *zu einem Verein usw.* joining (*zu* of) **2.** *zu einem Bündnis usw.* entry (*zu* into)

beizeiten in good time

bekämpfen fight* (against)

Bekämpfung: *die Bekämpfung des Terrorismus usw.* the fight against terrorism *usw.*

bekannt 1. *mit jemandem bekannt sein* know* someone **2.** *jemanden mit jemandem* (*bzw. etwas*) *bekannt machen* introduce someone to someone (*bzw.* something); *darf ich Sie mit Herrn Fischer bekannt machen?* may I introduce you to Mr Fischer? **3.** *etwas bekannt geben* (≈ *ankündigen*) announce something **4.** (≈ *vertraut*) familiar; *sie kommt mir bekannt vor* I'm sure I've seen her before, she looks familiar **5.** *es kommt mir bekannt vor* it looks (*bzw.* sounds *usw.*) familiar **6.** (≈ *berühmt*) well-known (*wegen* for)

Bekannte(r) acquaintance, *gute(r):* friend; *ein Bekannter von mir* a friend of mine

Bekanntgabe announcement

bekanntgeben → *bekannt 3*

bekanntlich: *sie ist bekanntlich Sängerin* as everybody knows, she's a singer

bekanntmachen → *bekannt 2*

Bekanntschaft 1. *jemandes Bekanntschaft machen* make* someone's acquaintance, meet* someone **2.** (≈ *Bekanntenkreis*) circle of friends

Bekehrung conversion (*zu* to)

bekennen 1. *er bekannte sich zu dem Bombenanschlag* he admitted (*oder* claimed) responsibility for the bomb [△ bɒm] attack **2.** *er hat sich schuldig bekannt* he admitted (*oder* confessed) his guilt [gɪlt], *vor Gericht:* he pleaded ['pliːdɪd] guilty **3.** *sich zum Christentum* (*bzw. zum Islam usw.*) *bekennen* be* a professed Christian (*bzw.* Muslim ['mʊzlɪm] *usw.*)

Bekenntnis: *ein Bekenntnis ablegen* make* a confession, confess

beklagen 1. *sich beklagen* complain (*über* about) **2.** *ich kann mich nicht beklagen* I can't complain, I have no complaints

beklauen: *jemanden beklauen* steal* (something) from someone

bekleben: *die Wand usw. mit Postern bekleben* stick* posters on the wall *usw.*

bekleckern 1. *du hast deinen Anzug* (*bzw. dein Hemd, deine Bluse usw.*) *mit Wein* (*bzw. Ketchup, Tinte, Farbe usw.*) *bekleckert* you've got (*oder* you've spilt) wine (*bzw.* ketchup *bzw.* ink *bzw.* paint *usw.*) on your suit (*bzw.* your shirt *bzw.* your blouse *usw.*) **2.** *du hast dich mit Tinte usw. bekleckert* you've got (*oder* you've spilt) ink *usw.* on your shirt *usw.* **3.** *etwas mit Farbe bekleckern* splash paint on something

bekleidet dressed; *bekleidet mit ...* dressed in ..., wearing [△ 'weərɪŋ] ...

Bekleidung clothing [△ 'kləʊðɪŋ], clothes [△ kləʊ(ð)z] (*Pl.*)

beklemmend: *ein beklemmendes Gefühl* an uneasy feeling

bekloppt *salopp* crazy

Bekloppte(r) *salopp* **1.** *BE* nutter **2.** *BE*, *AE* nut, loony (*Pl.* loonies) **3.** *AE* nutcase

beknackt *salopp* **1.** *Person:* nuts, crazy; *der ist wirklich beknackt* he's completely nuts **2.** *das ist doch beknackt, oder?* it's stupid ['stjuːpɪd], isn't it?

bekommen 1. get*, receive (*Geschenk, Brief, Lob usw.*) (△ *engl.* become = *werden*); *etwas geschenkt bekommen* get* a present ['preznt], be* given a present **2.** get*, develop (*Schmerzen, Fieber usw.*)

3. *Hunger* bzw. *Durst bekommen* get* (*oder* become*) hungry bzw. thirsty **4.** *Angst bekommen* get* (*oder* become*) afraid (*vor* of) **5.** *etwas zu essen bekommen* get* something to eat **6.** *Ärger bekommen* get* into trouble **7.** *den Zug, Bus usw. bekommen* catch* the train, bus usw. **8.** *jemanden dazu bekommen, etwas zu tun* get* someone to do something **9.** *wir bekommen Regen* we're going to have rain **10.** *sie bekommt ein Baby* she's going to have a baby **11.** *Pilze bekommen ihm nicht* mushrooms don't agree with him **12.** *was bekommen Sie dafür?* how much is that?

bekräftigen support (*Meinung usw.*)

bekreuzigen: *sich bekreuzigen* cross oneself, make* the sign of the cross

bekümmert worried ['wʌrɪd] (*über* about)

bekunden: *Interesse bekunden* show* (some) interest

Belag 1. (≈ *Überzug*) coating **2.** (≈ *Fußbodenbelag*) covering **3.** (≈ *Zahnbelag*) plaque [△ plɑːk]

belagern *militärisch*: besiege [bɪ'siːdʒ]

Belagerung *militärische*: siege [siːdʒ]

Belang 1. *Belange* (≈ *Angelegenheiten*) concerns, issues ['ɪʃuːz] **2.** *von Belang* of importance (*für* to), relevant (*für* to)

belanglos unimportant, insignificant

belassen: *wir wollen es dabei belassen* let's leave it at that

belasten 1. *die Umwelt belasten* pollute the environment **2.** strain (*Organ, Kreislauf*) **3.** *jemanden (stark) belasten physisch, psychisch*: put* a (heavy) strain on someone **4.** *sich belasten mit übertragen* burden (*oder* saddle) oneself with **5.** *vor Gericht usw.*: incriminate [ɪn'krɪmɪneɪt]

belastet 1. *physisch, psychisch*: under strain; (*stark*) *belastet mit* under (great) strain (*oder* pressure) from **2.** *Umwelt usw.*: polluted [pə'luːtɪd], contaminated

belästigen 1. (≈ *zudringlich werden*) pester **2.** *auf der Straße*: molest **3.** *mit einer Frage usw.*: trouble ['trʌbl], bother ['bɒðə]

Belästigung 1. (≈ *Zudringlichkeit*) pestering **2.** *auf der Straße*: molestation **3.** *sexuelle Belästigung* sexual harassment [ˌsekʃʊəl'hærəsmənt]

Belastung 1. *finanzielle*: (financial) burden (+*Gen.* on) **2.** *der Umwelt usw.*: pollution [pə'luːʃn], contamination (*für* of) **3.** *physische, psychische*: strain (*für* on)

belaufen: *sich belaufen auf* (*die Kosten usw.*) amount to, total ['təʊtl]

belauschen eavesdrop on

beleben 1. *die Wirtschaft usw. beleben* stimulate the economy usw., get* the economy usw. going **2.** (≈ *lebendiger machen*) liven up [ˌlaɪvn'ʌp] (*Zimmer, Bild usw.*)

belebend stimulating, refreshing

belebt 1. *Gespräch*: lively, animated **2.** *Straße, Szene*: busy, bustling [△ 'bʌslɪŋ]

Belebung *der Wirtschaft usw.*: stimulation

Beleg 1. *Beleg, Belege* (≈ *Beweis, Beweise*) proof **2.** (≈ *Quittung*) receipt [rɪ'siːt] **3.** (≈ *Beispiel*) example (*für* of) **4.** (≈ *Quelle*) reference ['refrəns]

belegen 1. (≈ *bedecken*) cover **2.** sign up for, register for (*einen Kurs usw.*) **3.** *den ersten (zweiten usw.) Platz belegen* *Sport*: take* first (second usw.) place, come* first (second usw.) **4.** (≈ *beweisen*) prove* [pruːv]; *kannst du es belegen?* do you have any evidence ['evɪdəns]?

Belegschaft staff (△ *Verb mst. im Pl.*), employees (△ *Pl.*); *die Belegschaft ist zu alt* the staff are too old

belegt 1. *Platz, Zimmer*: taken, occupied **2.** *Hotel*: full **3.** *Telefon*: engaged, *AE* busy **4.** *belegtes Brot* sandwich ['sænwɪdʒ] **5.** *Zunge*: coated, furred **6.** *Stimme*: husky

belehren 1. (≈ *unterweisen*) teach*, instruct **2.** (≈ *aufklären*) inform (*über* of) **3.** *sich belehren lassen* (≈ *Rat einholen*) take* (some) advice

beleidigen offend, *gröblich*: insult [ɪn'sʌlt]

beleidigend offensive, *grob*: insulting

beleidigt offended

Beleidigung insult ['ɪnsʌlt]

beleuchten 1. light* (up), *auch festlich*: illuminate **2.** *etwas von allen Seiten beleuchten übertragen* examine (*oder* look at) something from every angle

Beleuchtung 1. lighting, lights (△ *Pl.*) **2.** (≈ *Bestrahlung*) illumination

Belgien Belgium ['beldʒəm]

Belgier Belgian ['beldʒən]; *er ist Belgier* he's Belgian; ☞ *Nationalitäten*

Belgierin Belgian woman (*oder* lady bzw. girl); *sie ist Belgierin* she's Belgian; ☞ *Nationalitäten*

belgisch Belgian ['beldʒən]

Belichtung *Foto*: exposure [ɪk'spəʊʒə]

beliebig 1. any; *jedes beliebige Muster* any pattern (you like) **2.** *beliebig viele* as many as you like **3.** *jeder Beliebige* anyone

beliebt popular (*bei* with)

Beliebtheit popularity (*bei* with, among)

beliefern supply [sə'plaɪ] (*mit* with)

bellen bark (*auch übertragen*)

B

Belletristik (poetry and) fiction
belohnen 1. reward [rɪ'wɔːd] (*auch übertragen*) **2. mit etwas belohnt werden** get* something as a reward
Belohnung reward [rɪ'wɔːd]; **als** (*oder* **zur**) **Belohnung** as a reward (**für** for)
belügen 1. jemanden belügen lie to someone, tell* someone a lie (*bzw.* lies) **2. sich selbst belügen** deceive [dɪ'siːv] oneself
Belustigung amusement; **zur allgemeinen Belustigung** to everybody's amusement
bemalen paint
bemängeln 1. criticize, find* fault with **2. ich habe nichts zu bemängeln** I have no criticisms (*oder* complaints)
bemerkbar 1. noticeable [△ 'nəʊtɪsəbl] **2. sich bemerkbar machen** *Person*: draw* (*oder* attract) attention to oneself, *Sache*: begin* to show, become* apparent
bemerken 1. (≈ *wahrnehmen*) notice, become* aware of **2.** (≈ *erkennen*) realize **3.** (≈ *äußern, sagen*) say*, remark **4.** (≈ *erwähnen*) mention **5. nebenbei bemerkt** by the way, incidentally
bemerkenswert remarkable (**wegen** for)
Bemerkung 1. remark (**über** on, about) **2. Bemerkungen machen über** remark (*oder* comment) on, make* remarks about
bemitleiden feel* sorry for, pity
bemogeln: jemanden bemogeln *beim Spiel*: cheat someone
bemühen 1. er bemüht sich sehr he's trying hard **2. er hat sich bemüht, die Beziehungen zu verbessern** he's been trying to improve relations **3. sich um etwas bemühen** try to get something **4. sich um jemanden bemühen** (try to) help someone; ☞ *Info unter engl.* **try**
Bemühungen effort (△ *Sg.*), efforts (*Pl.*)
benachrichtigen inform, notify (**von** of)
Benachrichtigung 1. notification **2. die Benachrichtigung der Eltern erfolgte unverzüglich** all parents were immediately notified
benachteiligen: jemanden benachteiligen put* someone at a disadvantage, *bes. sozial*: discriminate against someone
Benachteiligung 1. discrimination (+*Gen.* against) **2.** (≈ *Nachteil*) handicap, disadvantage
benebelt *umg.* **1.** (be)fuddled **2.** *von Alkohol*: woozy
Benefizkonzert charity concert ['tʃærəti,kɒnsət] (*oder* performance)
benehmen 1. sich gut benehmen behave [bɪ'heɪv] (oneself), behave well **2. sich schlecht benehmen** behave badly, mis-

behave **3. benimm dich!** behave yourself!
Benehmen 1. behaviour [bɪ'heɪvɪə] **2. er hat kein Benehmen** he has no manners
beneiden 1. jemanden um etwas beneiden envy ['envɪ] someone something; **ich beneide dich um deine Geduld** I envy (you) your patience, I wish I had your patience **2. er ist nicht zu beneiden** he's not to be envied, *umg.* I wouldn't like to be in his shoes
Benelux-Länder: die Benelux-Länder the Benelux ['benɪlʌks] Countries

---

Benelux

Benelux ist eine Abkürzung für **Belgium, the Netherlands** und **Luxembourg.**

---

benennen name (**nach** after, *AE auch* for)
benommen dazed, *umg.* dopey, dopy
benoten mark, *AE auch* grade
benötigen need, require; **dringend benötigen** badly need
Benotung 1. marking, *AE auch* grading **2.** (≈ *Noten*) marks (△ *Pl.*), *bes. AE* grades (△ *Pl.*)
benutzen, benützen 1. use **2.** take*, go* by (*Taxi, Bus, U-Bahn, Straßenbahn usw.*)
Benutzer(in), Benützer(in) user
benutzerfreundlich user-friendly
Benutzerhandbuch (user) manual ['mænjʊəl]
Benutzeroberfläche *Computer*: user (*oder* system) interface
Benzin petrol, *AE* gas
Benzinpreis: Benzinpreis, Benzinpreise petrol (*AE* gas) prices (△ *Pl.*)
Benzinverbrauch fuel consumption
beobachten 1. watch, *genau*: observe **2. jemanden bei etwas beobachten** watch someone doing something **3.** *zufällig*: see*; **ich beobachtete, wie sie das Haus verließ** I saw her leave (*oder* leaving) the house
Beobachter(in) observer (*auch politisch usw.*)
Beobachtung *allg.*: observation
Beobachtungssatellit observation satellite
bequem 1. *Schuhe, Sessel usw.*: comfortable [△ 'kʌmftəbl] **2.** (≈ *gemütlich*) cosy **3.** (≈ *leicht, einfach*) easy **4. fürs Einkaufen usw. ist es sehr bequem** (≈ *praktisch*) it's very convenient for shopping usw. **5. eine bequeme Lösung** an easy way out **6.** *Person*: (≈ *faul*) lazy **7. ma-**

chen Sie sichs bequem make yourself at home, make yourself comfortable [△ 'kʌmftəbl]

Bequemlichkeit 1. (≈ *Behaglichkeit*) comfort [△ 'kʌmfət] **2.** (≈ *Faulheit*) laziness

beraten 1. *jemanden beraten* advise someone (*bei* on) **2. *etwas beraten*** discuss something **3. *sich beraten lassen von*** consult **4. *sich mit jemandem über etwas beraten*** discuss something with someone

Berater(in) adviser, *fachlich:* consultant

berauben: *sie wurde überfallen und beraubt* she was attacked and robbed, she was (*oder* got) mugged

berechenbar 1. *Kosten:* calculable ['kælkjʊləbl] **2.** *Verhalten usw.:* predictable [prɪ'dɪktəbl]

berechnen 1. calculate ['kælkjʊleɪt] (*auch übertragen*) **2. *jemandem (für etwas) 50 Euro usw. berechnen*** charge someone 50 euros *usw.* (for something)

Berechnung calculation

berechtigen: (*jemanden*) *zu etwas berechtigen* entitle someone to something (*bzw.* to do something); ***ist er überhaupt dazu berechtigt?*** is he entitled to do that?

Berechtigung 1. right (*zu* to) **2.** (≈ *Vollmacht*) authority (*zu* to)

Bereich 1. area **2.** *übertragen* (≈ *Gebiet*) field, area

bereichern 1. enrich **2.** expand, increase [ɪn'kriːs] (*sein Wissen usw.*) **3. *sich bereichern an*** make* a lot of money out of

Bereicherung 1. enrichment **2.** *des Wissens usw.:* expansion (+*Gen.* of), increase ['ɪŋkriːs] (+*Gen.* in) **3. *es war eine große Bereicherung für mich*** *übertragen* I gained (*oder* learned) a lot from it

bereinigen 1. settle (*Streit*) **2.** clear up (*Missverständnis*)

bereisen tour, travel around (*Land*)

bereit 1. ready ['redɪ] (*zu* to; *zu etwas* for something); ***sich bereit machen*** get* ready (*zu* for) **2.** (≈ *gewillt*) prepared, willing (*zu* to) **3.** *Wendungen:* ***bereit zur Abfahrt*** ready to leave; ***sich bereit erklären zu*** (+*Inf.*) agree to (+*Inf.*), *freiwillig:* volunteer [ˌvɒlən'tɪə] to (+*Inf.*)

bereiten 1. make* (*Tee, Kaffee usw.*); ***das Essen bereiten*** make* lunch (*bzw.* dinner), get* lunch (*bzw.* dinner) ready **2.** (≈ *verursachen*) cause (*Ärger*) **3. *es bereitet mir Vergnügen*** it gives me pleasure

bereiterklären → *bereit 3*

bereithalten 1. *etwas bereithalten* have* something ready **2. *sich bereithalten*** be* ready

bereitmachen → *bereit 1*

bereits 1. already; ***ich habe bereits drei*** I've got three already, I've already got three **2. *er schläft bereits seit zwei Stunden*** he's been asleep for two hours (already) **3.** (≈ *nur*) even, just; ***bereits fünf Tropfen können tödlich wirken*** even (*oder* just) five drops can be lethal [△ 'liːθl]

Bereitschaft 1. readiness **2. *Bereitschaft haben*** *Arzt usw.:* be* on call

bereitstellen 1. (≈ *zur Verfügung stellen*) make* available (*Geld usw.*) **2.** (≈ *liefern*) provide, supply

bereitwillig willing

bereuen regret; ***er bereut, dass er ihr nicht die Wahrheit gesagt hat*** he regrets not telling (*oder* not having told) her the truth; ***ich bereue gar nichts*** I have no regrets (about anything)

Berg 1. mountain ['maʊntɪn], *kleiner:* hill **2. *Berge von*** *übertragen* piles of, heaps of **3.** *Wendungen:* ***Berge versetzen*** move mountains; ***die Haare standen ihm zu Berge*** his hair (△ *Sg.*) stood on end

bergab downhill (*auch übertragen*); ***mit ihm gehts bergab*** things are going downhill with him

Bergarbeiter miner

bergauf 1. uphill **2. *es geht wieder bergauf*** *übertragen* things are looking up (*mit* for)

Bergbahn mountain railway, *AE* mountain railroad

Bergbau mining (industry)

bergen 1. (≈ *retten*) rescue ['reskjuː], save (*Personen*) **2.** recover (*Leichen, Güter, Fracht*)

bergig mountainous ['maʊntɪnəs], *schwächer:* hilly

Bergmann miner

Bergspitze mountain peak

Bergsteigen mountaineering, mountain climbing [△ 'klaɪmɪŋ]

Bergsteiger(in) (mountain) climber [△ 'klaɪmə], mountaineer [ˌmaʊntɪ'nɪə]

Bergtour mountain hike

Bergung 1. (≈ *Rettung*) rescue ['reskjuː] **2.** *von Toten, Fahrzeugen usw.:* recovery

Bergungsarbeiten rescue ['reskjuː] work (△ *Sg.*), salvage ['sælvɪdʒ] operations

Bergwerk mine

Bericht 1. report (*über* on); ***Bericht erstatten*** (give* a) report (*über* on; *jemandem* to someone) **2.** (≈ *Beschreibung*) account (*über* of)

berichten 1. *jemandem etwas berichten* (≈ *melden*) inform someone of something, report something to someone **2.**

über etwas berichten report on (*oder* give* a report on) something **3. du hast mir noch gar nicht über die Party usw. berichtet** (≈ *erzählt*) you haven't told me about the party *usw.* yet

berichtigen correct (*einen Fehler usw.*, *jemanden*, *sich selbst*)

Berichtigung correction

Berlin Berlin [bɜː'lɪn]

Berliner: **die Berliner Mauer** *historisch*: the Berlin Wall [△ ‚bɜːlɪn'wɔːl]

Berliner(in) Berliner [△ bɜː'lɪnə]

Bermudashorts bermudas [bə'mjuːdəz]

Bernhardiner *Hund*: St Bernard [snt-'bɜːnəd] (dog)

Bernstein amber ['æmbə]

berüchtigt notorious [nə'tɔːrɪəs] (**wegen** for)

berücksichtigen 1. consider (*Vorschlag, Bewerbung usw.*) **2.** (≈ *in Betracht ziehen*) take* into account (*oder* consideration)

Beruf 1. job, occupation **2.** *bes. Handwerk*: trade **3.** *Wendungen*: **einen Beruf ergreifen** take* up a career (*oder* a profession); **er ist von Beruf Lehrer** he's a teacher (by profession)

berufen¹: jemanden zum Vorsitzenden usw. berufen appoint someone (as) chairman *usw.*

berufen² (≈ *befähigt*) qualified, competent ['kɒmpɪtənt]

beruflich 1. professional **2. berufliche Aussichten** job (*oder* career) prospects **3. was machen Sie beruflich?** what do you do?

Berufsausbildung vocational training, *bes. akademisch*: professional training

Berufsberater(in) careers adviser, job counsellor, *AE* guidance counselor

Berufsberatung careers guidance, *AE* vocational guidance

Berufschancen job (*oder* career) prospects

Berufsschule vocational school

berufstätig 1. working …; **berufstätige Mütter** working mothers **2. berufstätig sein** work, have* a job

Berufsverkehr rush hour traffic

Berufung 1. *innere*: calling (**zu etwas** to (be) something) **2. Berufung einlegen** appeal (**gegen** against)

Bezeichnungen für Berufe

Bei den meisten Berufsbezeichnungen wird im Englischen normalerweise zwischen Mann und Frau nicht unterschieden:

Lehrer, Lehrerin	**teacher**
Arzt, Ärztin	**doctor**
Rechtsanwalt, Rechtsanwältin	**lawyer** ['lɔːjə]

Willst du jedoch besonders deutlich machen, dass es sich um eine Frau handelt, kannst du **female** oder auch **woman** voranstellen:

Politikerin	**female / woman politician**
Architektin	**female / woman architect**
Chirurgin *usw.*	**female / woman surgeon**

△ Beachte, dass der Plural **female** bzw. **women** ['wɪmɪn] **politicians** usw. lautet.

Es gibt zwar im Englischen einige weibliche Berufsbezeichnungen, wie z. B. **conductress** (Schaffnerin), **mayoress** [‚meər'es] (Bürgermeisterin), **authoress** (Schriftstellerin) und **manageress** (Managerin), jedoch werden diese heutzutage relativ selten benutzt, da sie mitunter einen „negativen Beigeschmack" haben. Am besten verwendest du in diesen Fällen einfach die neutrale Form (**mayor** [meə], **conductor**, **author** usw.), außer wenn du ausdrücklich klarmachen möchtest, dass es sich um eine Frau handelt.

Einige weibliche Berufsbezeichnungen sind aber dennoch erhalten geblieben:

Kellnerin	**waitress**
Schauspielerin	**actress** (man hört aber inzwischen auch **actor**)

Wichtig ist, dass du der Berufsbezeichnung – im Gegensatz zum Deutschen – grundsätzlich den unbestimmten Artikel (**a** bzw. **an**) voranstellst:

Sie ist Chirurgin.	**She's a surgeon** ['sɜːdʒən].
Sie ist Architektin.	**She's an architect.**

B

beruhen 1. *beruhen auf* be* based on 2. *das beruht auf Gegenseitigkeit* the feeling is mutual ['mjuːtʃʊəl] 3. *lassen wir die Sache auf sich beruhen* let's leave it at that

beruhigen 1. (*sich*) *beruhigen* calm [△ kɑːm] (down) 2. calm, soothe [suːð] (*die Nerven*) 3. *seien Sie beruhigt!* there's no need to worry [△ wʌrɪ]

beruhigend 1. *Gedanke usw.*: reassuring 2. *Medikament usw.*: sedative ['sedətɪv]

Beruhigung: *zu unserer großen Beruhigung* much to our relief [rɪ'liːf], to our great relief

Beruhigungsmittel sedative [△ 'sedətɪv], tranquillizer ['træŋkwəlaɪzə]

berühmt famous ['feɪməs] (*wegen, für* for)

Berühmtheit 1. fame; *Berühmtheit erlangen* become* famous 2. *Person*: celebrity [sə'lebrətɪ]

berühren 1. touch (*auch übertragen*) 2. (≈ *betreffen*) concern

Berührung 1. touch; *bei der leisesten Berührung* at the slightest touch 2. *in Berührung kommen mit* come* into contact with

Berührungspunkt point of contact (*auch übertragen*)

besagen: *das besagt noch gar nichts* that doesn't mean (*oder* prove) a thing

Besatzung (≈ *Mannschaft*) crew; *die Besatzung ist schon an Bord* the crew is *oder* are already on board

Besatzungsmacht occupying power

besaufen: *sich besaufen* get* drunk, *BE salopp* get* pissed, *AE salopp* get* bombed [bɒmd]

Besäufnis *salopp* booze-up

beschädigen damage

Beschädigung *auch Pl.*: damage

beschaffen[1]: (*sich*) *etwas beschaffen* get* something, *mit Mühe*: get* hold of something

beschaffen[2]: *gut* (*bzw. schlecht*) *beschaffen* in a good (*bzw.* bad) state

Beschaffenheit state, condition

beschäftigen 1. *sich beschäftigen mit den Kindern usw.*: be* busy ['bɪzɪ], *einem Problem, einem Thema usw.*: deal* with 2. *jemanden beschäftigen* (≈ *anstellen*) employ someone

beschäftigt busy ['bɪzɪ] (*mit* with); *sie ist mit den Hausaufgaben usw. beschäftigt* she's busy with her homework *usw.*, she's busy doing her homework *usw.*

Beschäftigung 1. (≈ *Anstellung*) employment 2. (≈ *Arbeit*) job; *sie sucht nach einer Beschäftigung* she's looking for a job (*oder* for work) 3. *er hat keine Be-*

schäftigung (≈ *nichts zu tun*) he's got nothing to do 4. *mit einem Thema*: treatment (*mit* of)

beschämend shameful

Bescheid 1. (≈ *Antwort*) answer ['ɑːnsə], reply 2. *ich gebe ihm Bescheid* I'll let him know (about it); *ich weiß Bescheid!* I know (all about it)

bescheiden modest ['mɒdɪst] (*auch übertragen*); *bescheidene Mittel* modest means

Bescheidenheit modesty; *falsche Bescheidenheit* false modesty

bescheinigen certify; *hiermit wird bescheinigt, dass …* this is to certify that …

Bescheinigung 1. (≈ *Schein*) certificate [sə'tɪfɪkət] 2. (≈ *Bestätigung*) (written) confirmation

bescheißen *übertragen* cheat, swindle, *salopp* rip off

Bescherung 1. *wann findet die Bescherung statt?* when are we going to open the (Christmas) presents? 2. *eine schöne Bescherung! ironisch* a fine mess

beschießen 1. fire at 2. *mit Granaten, Neutronen usw.; mit Fragen*: bombard [bɒm'bɑːd]

beschimpfen 1. *jemanden beschimpfen mit Kraftausdrücken*: swear* at someone 2. *jemanden als Lügner usw. beschimpfen* call someone a liar *usw.*

Beschimpfung *auch Pl.*: abuse [△ ə'bjuːs], (≈ *Beleidigung*) insult ['ɪnsʌlt], insults (*Pl.*)

Beschiss 1. *allg.*: swindle 2. *umg., in Geldangelegenheiten*: rip-off ['rɪpɒf]

beschissen 1. *umg.* lousy ['laʊzɪ], rotten, *BE salopp* bloody awful 2. *mir gehts beschissen* I feel lousy

beschlagen *Fenster usw.*: steamed up, *bes. im Auto*: misted up

beschlagnahmen seize [siːz], confiscate ['kɒnfɪskeɪt]

beschleunigen 1. (*Auto usw.*) accelerate [ək'seləreɪt]; *er beschleunigt von 0 auf 160 km/h in 10 Sekunden* it accelerates from 0 to 100 mph (△ *gesprochen* from nought [nɔːt] *oder AE* zero to a hundred miles per *oder* an hour) in 10 seconds 2. (≈ *schneller werden lassen*) speed up (*Vorgang*)

Beschleunigung acceleration, speeding up

beschließen 1. decide (*zu* to+*Inf.*), *endlich*: make* up one's mind (*zu* to+*Inf.*) 2. (≈ *beenden*) end, *endgültig auch*: settle

beschlossen: *es ist beschlossene Sache, dass* it's definite ['defənət] that …

Beschluss decision, *stärker und politisch*:

resolution [,rezə'lu:ʃn]

beschmieren 1. *etwas beschmieren* (≈ *schmutzig machen*) get* (*oder* make*) something dirty **2. *etwas mit Farbe*** *usw.* ***beschmieren*** smear paint *usw.* on something **3. *sich beschmieren*** (≈ *schmutzig machen*) get* oneself dirty **4. *du hast dein Gesicht*** (*bzw. **deine Sachen*** *usw.*) ***mit Farbe*** *usw.* ***beschmiert*** you've smeared (*oder* you've got) paint *usw.* on your face (*bzw.* on your clothes *usw.*) **5. *Brot mit Butter*** *usw.* ***beschmieren*** put* (*oder* spread*) butter *usw.* on bread

beschmutzen: *sein Hemd* *usw.* *beschmutzen* dirty one's shirt *usw.*, get* one's shirt *usw.* dirty

beschönigen gloss over (*Fehler usw.*)

beschränken limit, restrict (***auf*** to + *Inf.*)

beschränkt limited (*auch in Anzahl, Zeit*), restricted (***auf*** to +*Inf.*)

Beschränkung limitation, restriction (***auf*** to)

beschreiben (≈ *schildern*) describe; ***etwas genau beschreiben*** describe something in detail

Beschreibung (≈ *Schilderung*) description

beschriften write* [raɪt] on; ***ich muss die Kiste noch mit meinem Namen beschriften*** I still have to write my name on the box

beschuldigen: *jemanden einer Sache beschuldigen* accuse someone of something

Beschuldigung accusation, charge

Beschuss 1. shelling, bombardment **2. *unter Beschuss geraten*** come* under fire (*auch übertragen*), *nur übertragen* come* under attack (***wegen*** for)

beschützen protect (***vor, gegen*** from)

Beschützer(in) protector

beschwatzen 1. *sie haben ihn beschwatzt* they've talked him round **2. *sie haben ihn beschwatzt, zu kommen*** *usw.* they've talked him into coming *usw.*

Beschwerde 1. (≈ *Klage*) complaint (***über*** about; ***bei*** to) **2. *Beschwerden*** *körperliche*: aches [eɪks] and pains, problems (***mit*** with), trouble (△ *Sg.*) (***mit*** with); ***ich hab immer noch Beschwerden mit meinen Beinen*** I'm still having problems (*oder* trouble) with my legs

beschweren 1. *sich beschweren* complain (***über*** about; ***bei*** to) **2. *ich möchte mich beschweren*** I'd like to make a complaint

beschwichtigen 1. appease (*auch politisch*) **2.** calm [△ kɑːm] down (*aufgebrachte Menge, Kind*)

beschwindeln: *jemanden beschwindeln* lie to someone, tell* someone a lie (*oder* lies), *umg.* tell* someone a fib (*oder* fibs)

beschwipst tipsy, *BE umg. auch* tiddly

beschwören 1. *ich könnte* (*nicht*) *beschwören, dass ...* I could(n't) swear (that) ... **2.** conjure up [△ ,kʌndʒər'ʌp] (*Geister, Erinnerungen usw.*)

beseitigen 1. *allg.*: remove **2.** dispose of, get* rid of (*Abfälle usw.*) **3.** (≈ *abschaffen*; *ermorden*) get* rid of (*etwas*; *jemanden*)

Beseitigung 1. *allg.*: removal [rɪ'muːvl] **2.** *von Abfällen usw.*: disposal

Besen 1. broom, *kleiner*: brush **2. *neue Besen kehren gut*** *übertragen* a new broom sweeps clean

besessen 1. obsessed [əb'sest] (***von***) with) **2. *wie besessen*** like mad

besetzen 1. take*, occupy (*Sitzplatz*) **2.** occupy (*Land usw.*) **3.** cast* (*Stück, Rolle*) **4. *ein Haus besetzen*** squat [skwɒt] (in a house)

besetzt 1. *Sitzplatz*: occupied, taken; ***ist da besetzt?*** is anyone sitting there? **2.** *Toilette*: occupied **3.** *Telefon*: engaged, *AE* busy **4.** *von Militär usw.*: occupied

Besetztzeichen *Telefon*: engaged (*AE* busy) signal [ɪn'geɪdʒd,sɪɡnəl ('bɪzɪ,sɪɡnəl)]

Besetzung 1. *eines Landes usw.*: occupation **2.** *Theater*: cast

besichtigen (≈ *ansehen*) visit, see*, have* a look at (*Stadt, Kirche usw.*), tour (*Stadt, Fabrik usw.*)

Besichtigung: *eine Besichtigung des Schlosses* *usw.* a tour of the castle *usw.*

besiedeln 1. (≈ *sich ansiedeln*) settle **2.** (≈ *bevölkern*) populate

besiedelt 1. *besiedelte Gebiete* settled areas **2. *dicht*** (*bzw. **dünn***) ***besiedelt*** densely (*bzw.* sparsely) populated

Besiedlung settlement

besiegen defeat, *umg.* beat* (*Feind, Konkurrenten, Gegner*)

besinnen 1. *sich besinnen* (≈ *nachdenken*) reflect, think* **2. *sich besinnen*** (≈ *zur Vernunft kommen*) come* to one's senses **3. *sich besinnen auf*** recall, remember

Besinnung 1. (≈ *Bewusstsein*) consciousness [△ 'kɒnʃəsnəs]; ***die Besinnung verlieren*** lose* [luːz] consciousness; (*wieder*) ***zur Besinnung kommen*** regain consciousness, come* round **2.** (≈ *Nachdenken*) reflection, contemplation **3. *jemanden zur Besinnung bringen*** (≈ *Vernunft*) bring* someone to his (*bzw.* her) senses

besinnungslos unconscious [△ ʌn'kɒnʃəs]

Besitz 1. ownership, possession [pə'zeʃn] (*an, von* oder*+Gen.* of); *im Besitz sein von* be* in possession of **2.** (≈ *Eigentum*) property

besitzanzeigend: *besitzanzeigendes Fürwort* possessive [pə'zesıv] pronoun

besitzen 1. (≈ *haben*) have* (got) (*ein gutes Gedächtnis, Talent usw.*), own, have* (got) (*Haus, Hund, Auto usw.*) **2.** (≈ *verfügen über*) possess [pə'zes], own (*Vermögen*)

Besitzer(in) owner

besoffen drunk, *salopp* bombed, *BE* pissed

Besoldung 1. *Beamte:* salary ['sælərı] **2.** *Soldaten:* pay

besondere(r, -s) special, (≈ *bestimmt*) particular; *ein besonderer Fall* a special case; *dazu brauchst du eine besondere Ausbildung* you need special qualifications for that; *gibt es einen besonderen Grund?* is there any particular reason?

Besondere(s) 1. *etwas* (*bzw. nichts*) *Besonderes* something (*bzw.* nothing) special **2.** *das Besondere daran ist* what's so special about it is

Besonderheit 1. *eines Geräts usw.:* specific feature **2.** *es ist eine Besonderheit von ihm* it's one of his (little) quirks

besonders 1. (≈ *insbesondere*) particularly, in particular, especially; *besonders viele Fehler* a particularly high number of mistakes **2.** (≈ *vor allem*) above all

besorgen (≈ *beschaffen, kaufen*) **1.** *sich etwas besorgen* get* (oder buy*) something **2.** *ich besorge dir die neue CD* I'll get you the new CD

Besorgnis 1. *es besteht kein Grund zur Besorgnis* there's no cause for concern, there's no need to worry [△ 'wʌrı] **2.** *Besorgnis erregend* → *besorgniserregend*

besorgniserregend worrying [△ 'wʌrııŋ], *stärker:* alarming

besorgt worried ['wʌrıd], concerned (*um, wegen* about)

bespitzeln: *jemanden bespitzeln* spy on someone

besprechen 1. *etwas besprechen* discuss something, talk something over **2.** review (*Buch, Film usw.*)

Besprechung 1. (≈ *Unterredung*) meeting, discussion, discussions *Pl.:* *er ist in einer Besprechung* he's at a meeting, he's having a meeting **2.** (≈ *Buchbesprechung*) review

besser 1. better (*als* than); *es besser wissen* know better (△ *ohne* it) **2.** *besser gesagt* or rather **3.** *besser werden*

improve [ım'pruːv], get* better **4.** *es ist besser, wenn wir gehen* I think we should go, I think (oder perhaps) we'd better go **5.** *es geht ihm heute besser* he's feeling better today

Bessere(s) 1. *ich habe Besseres zu tun* I've got better things to do **2.** *sie denkt, sie ist etwas Besseres* she thinks she's somebody special

bessergehen → *besser 5*

bessern: *sich bessern* improve [ım-'pruːv], get* better; *er hat sich nicht gebessert* he hasn't changed, he's still the same (as ever)

Besserung 1. improvement **2.** *er ist auf dem Wege der Besserung gesundheitlich:* he's recovering, he's on the road to recovery **3.** *gute Besserung!* get well soon!

Besserwisser(in) know-it-all, know-all

Bestand: *Bestand, Bestände* (≈ *Vorrat*) stock, supplies (△ *Pl.*)

bestanden: *jemandem zur bestandenen Prüfung gratulieren* congratulate someone on passing his (oder her) exam

beständig 1. (≈ *dauerhaft*) permanent **2.** (≈ *andauernd*) continual, constant **3.** *Wetter:* settled **4.** (≈ *widerstandsfähig*) resistant (*gegen* to) **5.** (≈ *dauernd, immerzu*) constantly, continually

Bestandsaufnahme stocktaking, *AE* inventory; *Bestandsaufnahme machen* take* stock oder inventory

Bestandteil component, part

bestärken 1. (≈ *ermuntern, unterstützen*) encourage [ın'kʌrıdʒ] **2.** *jemanden in seiner Meinung usw. bestärken* back someone up

bestätigen 1. confirm **2.** *mein Verdacht usw. hat sich bestätigt* my suspicion usw. has proved [pruːvd] (to be) true

Bestätigung confirmation [ˌkɒnfə'meıʃn]

bestatten bury [△ 'berı]

Bestattung burial [△ 'berıəl]

bestaunen (≈ *bewundern*) marvel ['maːvl] at

beste(r, -s) 1. *der/die/das Beste* the best; *er ist der Beste* bzw. *sie ist die Beste* he's bzw. she's the best, *in der Klasse:* he's bzw. she's top of the class **2.** *das Beste wäre, du usw. ...* it would be best for you usw. to (+*Inf.*) **3.** *das beste Buch usw.* the best book usw. **4.** *am besten* best; *am besten bleibst du hier* the best thing would be for you to stay here, it would be best if you stayed here **5.** *Wendungen:* *in bestem Zustand* in perfect condition; *bei bester Gesundheit* in the best of health

Beste(r, -s) → *beste(r, -s)*

bestechen bribe
bestechlich corruptible [kə'rʌptəbl]
Bestechung bribery ['braɪbərɪ]
Bestechungsgeld bribe (money)
Bestechungsversuch attempted bribery ['braɪbərɪ]
Besteck 1. knife [naɪf], fork and spoon 2. **Besteck, Bestecke** BE cutlery (Sg.), AE silverware (Sg.)
bestehen 1. **sie hat (die Prüfung) bestanden** she passed (the exam) 2. **eine Probe** usw. **bestehen** stand* (oder pass) the test usw. 3. **die Prüfung** (bzw. **Probe**) **nicht bestehen** fail the exam (bzw. the test) 4. **es besteht die Gefahr, dass ...** there's a risk that ...; **es besteht kein Zweifel, dass ...** there's no doubt that ... 5. **das Buch** usw. **besteht aus drei Kapiteln** the book usw. consists of (oder comprises) three chapters 6. **der Unterschied besteht darin, dass ...** the difference is that ... 7. **bestehen auf** insist (up)on; **darauf bestehen, etwas zu tun** insist on doing something; **ich bestehe darauf, dass er kommt** I insist that he comes

---

bestehen

eine Prüfung machen	**take** an exam
eine Prüfung bestehen	**pass** an exam
eine Prüfung nicht bestehen	**fail** an exam

Bestehen 1. existence 2. **das 50-jährige Bestehen feiern** celebrate the fiftieth anniversary (**von etwas** of something)
besteigen climb [klaɪm] (up) (Berg usw.)
bestellen 1. order (**bei** from) 2. book, bes. AE reserve (Zimmer usw.) 3. **bestell ihr bitte ...** would you tell her ... 4. **bestell ihr einen schönen Gruß von mir** give her my regards (△ Pl.)
Bestellnummer order number
besteuern tax
Besteuerung taxation
Bestellschein order form
Bestellung 1. (≈ Auftrag) order 2. (≈ Reservierung) booking, bes. AE reservation
Bestellzettel order form (oder slip)
bestenfalls at best
bestens extremely (oder very) well
Bestform: sie ist zurzeit in Bestform she's in top form (bes. AE shape) at the moment
bestimmen 1. (≈ festsetzen) determine [dɪ'tɜːmɪn] 2. (≈ entscheiden) decide 3.

fix (Preis, Termin usw.) 4. (≈ prägen) characterize
bestimmt 1. Anzahl, Zeit: certain 2. Absicht, Plan usw.: particular, specific [spə'sɪfɪk] 3. **bestimmt sein für** be meant [ment] for 4. **bestimmter Artikel** Grammatik: definite ['defənət] article 5. (≈ sicher) definitely; **ich komme ganz bestimmt** I'm definitely coming 6. (≈ aller Wahrscheinlichkeit nach) probably; **er verpasst bestimmt den Zug** he's bound (oder sure) to miss the train
Bestimmte(s): etwas Bestimmtes something particular (oder specific [spə'sɪfɪk])
Bestimmung (≈ Vorschrift) regulation, rule
Bestleistung 1. best performance 2. **die persönliche Bestleistung übertreffen** beat* one's personal best
bestmöglich best possible, optimum
bestrafen 1. auch gerichtlich: punish (**wegen, für** for) 2. mit einer Geldstrafe: fine
Bestrafung punishment
Bestreben endeavour [△ ɪn'devə], aim
bestreiten 1. (≈ anfechten) contest [kən'test], challenge ['tʃælɪndʒ] 2. (≈ abstreiten) deny [dɪ'naɪ]
Bestseller bestseller (△ Betonung auf sel)
bestürmen mit Fragen, Bitten usw.: bombard [bɒm'bɑːd] (**mit** with)
Bestzeit 1. best time 2. **persönliche Bestzeit** personal record ['rekɔːd] oder best
Besuch 1. visit (**bei, in** oder+Gen. to) 2. (≈ Aufenthalt) stay 3. **mein Onkel ist bei uns zu Besuch** my uncle's staying with us 4. **meine Schwester kommt zu Besuch** my sister's coming to see me bzw. us 5. **dies ist mein erster Besuch in Rom** this is my first visit (oder trip) to Rome 6. (≈ Gäste) guests (Pl.)
besuchen 1. allg.: visit (jemanden, Land, Ort usw.) 2. bes. kurz: go* and see*, call on (jemanden) 3. als Schüler, Zuhörer, Teilnehmer usw.: attend [ə'tend], go* to (Vortrag, Versammlung usw.); **die Schule besuchen** go* to school (△ ohne the)
Besucher(in) 1. visitor (+Gen. to) 2. (≈ Gast) guest [gest]
Besuchszeit visiting hours (△ Pl.)
betätigen 1. (≈ bedienen) operate, work 2. press, push (Schalter) 3. apply (Bremse)
Betätigung (≈ Tätigkeit) activity
betäuben 1. durch Narkose: anaesthetize [ə'niːsθətaɪz] 2. mit einem Schlag: stun
Betäubung: (örtliche) Betäubung (local) anaesthetic [ˌænəs'θetɪk]
beteiligen 1. **jemanden beteiligen** give* someone a share (**an** in) 2. **sich beteili-**

gen an take* part (*oder* participate) in
beteiligt: ***beteiligt sein an*** be* involved in
Beteiligte(r) 1. person concerned (*oder* involved) **2. *die Beteiligten*** those concerned, those involved
Beteiligung 1. participation (***an*** in), involvement (***an*** in) **2.** *bei Wahlen*: turnout
beten 1. pray (***um*** for) **2.** say* a prayer, say* one's prayers **3.** *am Tisch*: say* grace
Beton concrete [△ 'kɒŋkriːt]
betonen 1. *wie wird das Wort betont?* how is that word stressed? **2.** *übertragen* (≈ *unterstreichen*) stress, *nachdrücklich*: emphasize [△ 'emfəsaɪz]
Betonsilo *abwertend* concrete ['kɒŋkriːt] pile
Betonung 1. stress, emphasis [△ 'emfəsɪs] (*auch übertragen*) **2. *die Betonung legen auf*** place the emphasis on (*auch übertragen*)
Betracht 1. *in Betracht ziehen* take* into consideration (*oder* account) **2. *in Betracht kommen*** be* a possibility; ***nicht in Betracht kommen*** be* out of the question
betrachten 1. look at (*auch übertragen*) **2. *betrachten als*** look upon as, consider (to be)
Betrachter(in) *eines Gemäldes usw.*: viewer
beträchtlich 1. considerable, substantial; ***beträchtliche Verluste*** considerable losses, heavy losses **2. *die Preise sind beträchtlich gestiegen*** prices have gone up considerably (△ *ohne* the)
Betrachtung: *bei näherer Betrachtung* on closer inspection (*oder* examination)
Betrag amount, sum
betragen 1. (≈ *sich belaufen auf*) amount to, come* to **2. *sich anständig betragen*** behave [bɪ'heɪv] (properly *oder* well)
Betragen behaviour, conduct ['kɒndʌkt]
betreffen (≈ *angehen*) concern; ***was mich*** (***dich*** *usw.*) ***betrifft*** as for me (you *usw.*), as far as I'm (you're *usw.*) concerned; ***was das*** *usw.* ***betrifft*** as far as that *usw.* is concerned, as for that *usw.*
betreffend concerning; ***die betreffenden Personen*** *usw.* the people *usw.* concerned
Betreffende(r) person concerned; ***die Betreffenden*** those concerned
betreten 1. step on, walk on **2.** set* foot on (*Gebiet*) **3.** enter, walk (*oder* come*) into (*Raum*) **4. *die Bühne betreten*** come* (*oder* walk) onto the stage
Betreten: *Betreten verboten!* keep off, *Privatgrundstück oder Privatgebiet*: no

trespassing [△ 'trespəsɪŋ]
betreuen 1. look after **2.** coach (*Sportler*)
Betreuer(in) 1. person in charge, someone who looks after someone (*bzw.* something), *BE auch* minder, *AE auch* caregiver **2.** *Sport*: doctor, physio ['fɪzɪəʊ]
Betreuung 1. *medizinische Betreuung* medical care **2. *soziale Betreuung*** (social) welfare
Betrieb business, firm, company [△ 'kʌmpənɪ]
Betriebsanleitung operating instructions (△ *Pl.*)
Betriebsrat works council
Betriebssystem *EDV*: operating system
betrinken: *sich betrinken* get* drunk
betroffen 1. *von einer Katastrophe usw.*: affected (***von*** by) **2. *die Betroffenen*** those concerned (*oder* affected)
Betroffenheit dismay, *stärker*: shock
betrübt sad (***über*** about)
Betrug: *das ist ja Betrug!* that's a swindle
betrügen 1. *allg.*: cheat, *bes. in Geldsachen usw.*: swindle **2. *er betrügt sie mit einer anderen Frau*** he's being unfaithful to her **3. *du betrügst dich (selbst)*** *usw.* you're deceiving (*oder* deluding) yourself *usw.* **4. *er betrügt manchmal beim Kartenspiel*** he sometimes cheats at cards
Betrüger(in) cheat, swindler
betrunken 1. *er ist betrunken* he's drunk (△ *nicht* drunken); ***er kam betrunken zu Hause an*** he arrived home drunk **2. *ein betrunkener Motorradfahrer*** a drunk motorcyclist
Betrunkene(r) drunk
Bett 1. bed; ***im Bett*** in bed **2. *ins Bett gehen*** go* to bed, *umg.* turn in **3. *jemanden zu Bett bringen*** put* someone to bed
Bettdecke 1. *wollene*: blanket ['blæŋkɪt] **2.** *gesteppte*: quilt [kwɪlt]
betteln 1. beg (***um*** for); ***betteln gehen*** go* begging **2.** (≈ *bitten*) beg (***um*** for)
Bettflasche ⊕ hot-water bottle
Bettlaken sheet
Bettler(in) beggar ['begə]
Bettruhe: *der Arzt hat mir Bettruhe verordnet* the doctor told me to stay in bed
Bettwäsche bed linen [△ 'bed,lɪnɪn]
Bettzeug bedclothes [△ 'bedkləʊ(ð)z] (*Pl.*), bedding
beugen 1. *allg.*: bend* **2.** bow [△ baʊ] (*den Kopf*) **3.** *Grammatik*: inflect, decline (*Substantiv*), conjugate (*Verb*) **4. *sich über etwas beugen*** bend* over something **5. *sich nach vorn beugen*** lean* forward
Beule 1. *am Kopf*: bump; ***dicke Beule*** big

bump **2.** *im Blech*: dent

beunruhigend worrying, *stärker*: alarming

beurlauben: *jemanden für eine Woche beurlauben* give* someone a week off

beurteilen 1. *jemanden bzw. etwas beurteilen* judge someone *bzw.* something (**nach** by); *falsch beurteilen* misjudge **2.** rate, assess [ə'ses] (*Leistung, Wert, Auswirkungen*)

Beurteilung 1. judgment, judgement **2.** (≈ *Einschätzung*) assessment

Beute 1. (≈ *Diebesbeute*) booty, loot **2.** *eines Tieres*: prey **3.** *übertragen* prey

Beutel 1. bag **2.** *bei Tieren*: pouch [paʊtʃ]

bevölkern 1. populate; *dicht bevölkert* densely populated **2.** (≈ *bewohnen*) inhabit

Bevölkerung population

Bevölkerungs... *in Zusammensetzungen*: population ...; *Bevölkerungsdichte* population density; *Bevölkerungsexplosion* population explosion; *Bevölkerungszunahme* population growth, increase ['ɪŋkriːs] in population

Bevölkerungsrückgang decline in population

bevollmächtigen: *jemanden bevollmächtigen, etwas zu tun* authorize ['ɔːθəraɪz] someone to do something

bevor before; *nicht bevor* not before, not until

bevorstehen 1. (*Schwierigkeiten usw.*) lie* ahead **2.** (*Gefahr*) be* imminent **3.** *jemandem steht etwas bevor* something is in store for someone **4.** *das Schlimmste steht noch bevor* the worst is yet to come

bevorstehend forthcoming, approaching

bevorzugen 1. prefer **2.** favour, give* preference [△ 'prefrəns] to (*einen Schüler, einen Bewerber*)

bevorzugt 1. *allg.*: preferred **2.** *Stellung*: privileged ['prɪvəlɪdʒd] **3.** *Gegend*: popular

bewachen guard [gɑːd], watch over

bewacht 1. (*streng*) *bewacht* (closely) guarded **2.** *bewachter Parkplatz* supervised car park, *AE* guarded parking lot

bewaffnet armed (*mit* with)

bewahren 1. (≈ *erhalten*) keep*, preserve, retain (*Eigenschaft, Aussehen usw.*) **2.** *jemanden bewahren vor* (≈ *behüten*) protect (*oder* keep*) someone from

bewähren 1. *er hat sich bewährt* he's proved [pruːvd] himself; *er hat sich als Lehrer bewährt* he's proved (to be) a good teacher **2.** *etwas hat sich bewährt* something has proved its worth, something has proved successful

bewahrheiten 1. *sich bewahrheiten* prove* [pruːv] (to be) true **2.** *meine Hoffnungen* (*Befürchtungen usw.*) *haben sich bewahrheitet* my hopes (fears *usw.*) have been confirmed

bewährt 1. (≈ *erprobt*) well-tried, tried and tested **2.** (≈ *zuverlässig*) reliable [rɪ'laɪəbl] **3.** *eine bewährte Methode* a proven method [ˌpruːvn'meθəd]

Bewährung *eines Verurteilten*: probation; *zwei Jahre Gefängnis mit Bewährung* a suspended sentence of two years

bewaldet wooded, tree-covered

bewältigen 1. cope with (*Arbeit usw.*) **2.** assimilate, *umg.* digest [daɪ'dʒest] (*Lehrstoff*) **3.** come* to grips with (*Problem*) **4.** cope with, overcome* (*Schwierigkeiten*)

bewässern irrigate

Bewässerung irrigation

Bewässerungsanlage irrigation plant

bewegen 1. (*sich*) *bewegen* move; ☞ *Illu S. 783* **2.** *sich leicht bewegen* (*Wasser, Blätter, Gardinen usw.*) stir **3.** *etwas bewegen* mechanisch und übertragen: set* something in motion

beweglich 1. (≈ *bewegbar*) movable ['muːvəbl], mobile ['məʊbaɪl]; *bewegliche Teile* moving parts **2.** *mit einem Auto ist man beweglicher* you can get around more easily (*oder* you're more mobile) with a car **3.** *geistig beweglich* mentally agile ['ædʒaɪl]

Beweglichkeit mobility

bewegt 1. *Meer*: rough [rʌf] **2.** *Zeiten, Leben*: exciting [ɪk'saɪtɪŋ] **3.** (≈ *ergriffen*) moved, touched **4.** *mit bewegter Stimme* in a choked (*oder* trembling) voice

Bewegung 1. *allg.*: movement, motion **2.** (*körperliche*) *Bewegung* (physical) exercise **3.** *politische usw.*: movement

bewegungslos motionless; *bewegungslos daliegen* lie* there motionless (*oder* without moving)

Bewegungsmelder motion sensor ['məʊʃn̩ˌsensə]

Beweis 1. proof (*für* of), evidence ['evidəns] (*für* of) **2.** *den Beweis erbringen für* provide evidence of **3.** *etwas unter Beweis stellen* prove* [pruːv] something

beweisen prove* [pruːv]; *jemandem etwas beweisen* prove* something to someone

bewenden: *lassen wirs dabei bewenden* let's leave it at that

bewerben 1. *sich bewerben um einen Job usw.*: apply (*um* for) **2.** *sich um das Amt des Präsidenten bewerben* (≈ *kandidieren*) stand* for (*oder bes. AE* run* for) the presidency ['prezɪdənsɪ]

Bewerber(in) applicant ['æplɪkənt], candidate ['kændɪdeɪt]

Bewerbung application (*um* for)

Bewerbungsgespräch (job) interview

Bewerbungsschreiben (letter of) application

Bewerbungsunterlagen application (△ *Sg.*), application papers

bewerten 1. assess [ə'ses] (*eine Leistung*) **2. *einen Aufsatz mit der Note 2 usw. bewerten*** *etwa*: give* an essay a B *usw.*

Bewertung 1. *einer Leistung*: assessment **2.** *in der Schule*: mark(s *Pl.*), *AE* grade(s *Pl.*)

bewirken 1. *etwas bewirken* (≈ *zustande bringen*) bring* something about **2.** (≈ *verursachen*) cause **3.** (≈ *hervorrufen*) give* rise to, result in **4.** (≈ *erreichen*) achieve [ə'tʃiːv]

bewohnen 1. live in (*ein Haus usw.*) **2.** (*Völker, Tiere usw.*) inhabit (*ein Gebiet usw.*)

Bewohner(in) 1. *eines Hauses usw.*: occupant **2.** *eines Gebiets usw.*: inhabitant

bewohnt 1. *Gebäude, Raum*: occupied; ***das Haus ist nicht bewohnt*** the house is empty, there's nobody living in the house **2.** *Land, Gegend*: inhabited (***von*** by)

bewölkt cloudy, *völlig*: overcast

Bewölkung (≈ *Wolken*) clouds (△ *Pl.*)

bewundern admire [əd'maɪə] (***wegen*** for)

bewundernswert admirable [△ 'ædmərəbl]

Bewunderung admiration [ˌædmə'reɪʃn]

bewusst 1. conscious [△ 'kɒnʃəs] **2.** *in Zusammensetzungen mst*: ...-conscious (*z.B. **gesundheitsbewusst*** health-conscious) **3. *sich einer Sache bewusst sein*** be* aware (*oder* conscious) of something **4.** (≈ *absichtlich*) deliberately, consciously **5. *jemandem etwas bewusst machen*** make* someone aware of something, make* someone realize something

bewusstlos unconscious [△ ʌn'kɒnʃəs]; ***bewusstlos werden*** lose* consciousness [△ ˌluːz'kɒnʃəsnəs], faint, *umg.* black out

Bewusstlosigkeit unconsciousness [△ ʌn'kɒnʃəsnəs]

bewusstmachen → ***bewusst** 5*

Bewusstsein 1. consciousness [△ 'kɒnʃəsnəs] **2. *er war bei (vollem) Bewusstsein*** he was fully conscious **3. *wieder zu Bewusstsein kommen*** regain consciousness, *umg.* come* round **4.** *übertragen* awareness

bezahlen 1. pay* (*Summe, Rechnung, je-*

manden) **2.** pay* for (*Ware, Leistung*)

Bezahlfernsehen pay TV

bezahlt: *es hat sich bezahlt gemacht* it paid off, it was worth it

Bezahlung 1. (≈ *Zahlung*) payment **2.** (≈ *Honorar*) fee **3.** (≈ *Entlohnung*) pay **4.** (≈ *Gehalt*) salary **5.** (≈ *Lohn*) wages (△ *Pl.*)

bezaubernd charming, delightful

bezeichnen 1. (≈ *benennen*) call; ***wie bezeichnet man ...?*** what do you call ...?, what's the name for ...?; ***jemanden als etwas bezeichnen*** call someone (a) ... **2. *dieses Wort bezeichnet ...*** (≈ *bedeutet*) this word denotes ...

bezeichnend typical ['tɪpɪkl], characteristic (***für*** of)

Bezeichnung 1. (≈ *Benennung*) name **2.** (≈ *Begriff*) term

beziehen 1. put* clean sheets on (*Bett*) **2.** move [muːv] into (*Wohnung*) **3.** get* (*Ware, Informationen usw.*) **4. *etwas beziehen auf*** relate something to; ***er bezog es auf sich*** he took it personally **5. *sich beziehen auf*** refer to, (≈ *betreffen*) concern

Beziehung 1. *von Dingen*: relation (***zu*** to), relationship (***zu*** with, to) **2.** (≈ *Zusammenhang*) connection (***zu*** with, to) **3. *wirtschaftliche Beziehungen*** eco-

nomic relations 4. (**gute**) **Beziehungen**
zu anderen Leuten: good (**oder** the right)
connections 5. **intime**: relationship (**zu**
with) 6. (≈ **innere Beziehung, Verhältnis,
Verständnis**) relationship (**zu** to), under-
standing (**zu** of); **ich habe keine Bezie-
hung zur Musik** I can't relate to music 7.
Wendungen: **in dieser Beziehung** (≈
Hinsicht) from that point of view, in that
respect; **in jeder Beziehung** in every
way (**oder** respect); **in mancher Bezie-
hung** in some ways (**oder** respects)
beziehungsweise → **bzw.**
Bezirk 1. district ['dɪstrɪkt] 2. (≈ **Stadtbe-
zirk**) district, borough [△ 'bʌrə] 3. **in
den USA**: (≈ **Polizeibezirk, Wahlbezirk**)
precinct ['priːsɪŋkt]
Bezug 1. (≈ **Überzug**) cover 2. (≈ **Kopf-
kissenbezug**) pillowcase, pillow slip 3. **in
Bezug auf** (≈ **hinsichtlich**) as far as …
goes (**oder** is concerned)
Bezüge (≈ **Einkünfte**) income (△ **Sg.**),
earnings
bezüglich regarding, concerning
Bezugspunkt reference ['refrəns] point
bezwecken: **was bezweckst du damit?**
what are you trying to achieve [ə'tʃiːv]
by that?
bezweifeln doubt [daʊt]; **ich bezweifle
das** I doubt it, I have my doubts (about
it)
bezwingen 1. (≈ **besiegen**) defeat 2. con-
quer ['kɒŋkə] (**Volk, Berg usw.**)
BH bra [brɑː]
Biathlon biathlon [△ baɪ'æθlən]
Bibel 1. **die Bibel** the Bible 2. **übertragen**
bible
Bibeli ⊕ 1. (≈ **Pickel**) BE spot, AE pim-
ple 2. (≈ **Mitesser**) blackhead
Biber beaver ['biːvə]
Bibliothek library ['laɪbrərɪ]
Bibliothekar(in) librarian [laɪ'breərɪən]
biblisch biblical ['bɪblɪkl]
biegen 1. (**sich**) **biegen** bend* 2. **um die
Ecke biegen** turn the corner
biegsam pliable ['plaɪəbl], flexible
Biegung bend
Biene 1. bee 2. **fleißig wie eine Biene**
übertragen busy as a bee
Bienenhonig (real **oder** natural) honey
['hʌnɪ]
Bienenkönigin queen bee
Bienenstich 1. **von Biene**: bee sting 2. (≈
Kuchen) almond-covered ['ɑːmənd-
,kʌvəd] (cream) cake
Bier 1. **allg.**: beer 2. **helles Bier etwa**: la-
ger, AE **auch** light beer; **dunkles Bier**
etwa: brown ale, AE dark beer 3. **zwei
Bier bitte!** two beers, please
Bier… **in Zusammensetzungen**: beer …;

Bierdeckel beer mat, **bes.** AE (beer)
coaster; **Bierdose** beer can; **Bierfass**
keg, beer barrel; **Bierflasche** beer bot-
tle; **Biergarten** beer garden; **Bierglas**
beer glass; **Bierkasten** beer crate, AE
beer case; **Bierzelt** beer tent
Bierkrug 1. **aus Steingut**: beer mug, stein
[staɪn] 2. **aus Zinn**: tankard ['tæŋkəd]
Biest 1. (≈ **Bestie**) creature ['kriːtʃə] 2.
Mensch: beast, **umg. Kind**: brat
bieten 1. **jemandem etwas bieten** offer
someone something 2. **es bot sich keine
Gelegenheit usw.** there was no opportu-
nity **usw.** 3. **bei Auktion**: bid; **wer bietet
mehr?** any more bids?
biken (≈ **Fahrrad fahren**) bike, cycle
Bikini bikini [bɪ'kiːnɪ]
Bilanz 1. **traurige Bilanz übertragen** sad
outcome 2. **Bilanz ziehen aus seinem
Leben**: take* stock of one's life
bilateral bilateral [ˌbaɪ'lætrəl]; **bilaterale
Gespräche** bilateral talks
Bild 1. **allg.**: picture (**auch Fernsehbild
und übertragen**) 2. (≈ **Gemälde**) painting
3. (≈ **Abbild, Ebenbild, sprachliches
Bild**) image ['ɪmɪdʒ] 4. (≈ **Foto**) photo,
picture 5. **ein Bild der Zerstörung** (**bzw.
des Grauens**) a scene [siːn] of destruc-
tion (**bzw.** horror) 6. **sich ein Bild ma-
chen** form an impression (**von** of) 7. **du
machst dir kein Bild** you have no idea
Bildband illustrated book [ˌɪləstreɪtɪd-
'bʊk], **aufwändig illustriert**: coffee-table
book
bilden 1. **allg.**: form (△ **engl.** build = **bau-
en**) 2. (≈ **gestalten**) form, shape, mould
[məʊld] 3. make* (up) (**Satz, Team usw.**)
4. **sich eine Meinung bilden** form an
opinion 5. (≈ **schaffen**) create 6. (≈ **grün-
den**) establish, set* up 7. form (**Regie-
rung**) 8. (≈ **hervorbringen**) form, develop
9. form, constitute, make* up (**Bestand-
teil usw.**) 10. **sich bilden geistig**: educate
oneself, **allgemeiner**: broaden one's hori-
zons 11. **es bildet sich ein Tumor usw.** a
tumour **usw.** is growing (**oder** develop-
ing)
Bilderbuch picture book
Bilderbuchwetter perfect ['pɜːfɪkt] (**oder**
glorious) weather
Bildergalerie picture gallery ['pɪktʃə-
,gælərɪ], **bes.** AE art gallery
Bilderrahmen picture frame
Bildfläche: **von der Bildfläche ver-
schwinden übertragen** disappear from
the scene
bildhaft 1. vivid ['vɪvɪd], graphic 2. **bild-
hafter Ausdruck** figurative ['fɪgərətɪv]
expression, image ['ɪmɪdʒ]
Bildhauer(in) sculptor

bildlich pictorial, graphic

Bildmaterial 1. (≈ *Illustrationen*) illustrations (*Pl.*) **2.** (≈ *Fotos*) photos (*Pl.*)

Bildnis portrait [△ 'pɔːtrət]

Bildpunkt *Elektronik*: pixel ['pɪksl]

Bildröhre *Fernseher*: tube

Bildschärfe definition, sharpness

Bildschirm 1. *allg.*: screen **2.** *Computer*: monitor, screen, display [dɪ'spleɪ]

Bildschirmarbeit work at a computer screen, VDU work [ˌviːdiː'juːˌwɜːk]

Bildschirmschoner *Computer*: screen saver

bildschön (just) beautiful ['bjuːtəfl]; *es ist bildschön* it's a dream

Bildtelefon videophone ['vɪdɪəʊfəʊn]

Bildung 1. *geistige*: education; *er hat überhaupt keine Bildung* he's got no education (*oder* culture) **2.** (≈ *Entstehung*) formation **3.** (≈ *Schaffung*) creation, formation **4.** (≈ *Entwicklung*) development

Bildungschancen educational opportunities

Bildungsgrad level of education, educational level

Bildungslücke gap in one's knowledge

Bildungspolitik educational policy

Billard billiards (△ *mit Verb im Sg.*)

Billett ⑩ **1.** (≈ *Fahrkarte, Eintrittskarte*) ticket **2.** *umg.* (≈ *Führerschein*) driving licence, *AE* driver's license

billig 1. *allg.*: cheap, inexpensive **2.** *Preis*: low **3.** *übertragen* cheap, *Ausrede*: lame, feeble

Billigangebot cut-price offer

Billigflug cheap flight

Billion trillion, *bes. BE* million million (= *1,000,000,000,000; 10¹²*); *eine Billion Dollar* a (*betont:* one) trillion dollars

binär *Mathematik, Physik usw.*: binary ['baɪnərɪ]

Binde 1. (≈ *Verband*) bandage **2.** *den Arm in einer Binde tragen* have* one's arm in a sling **3.** (≈ *Augenbinde*) blindfold **4.** (≈ *Armbinde*) armband **5.** (≈ *Monatsbinde*) sanitary pad, *BE auch* sanitary towel

binden 1. *wörtlich und übertragen* tie (*an* to) **2.** *jemanden an sich binden übertragen* tie someone to oneself **3.** (≈ *zusammenbinden, zubinden, fesseln*) tie (up) **4.** tie (*Knoten*) **5.** bind* [baɪnd] (*Buch*) **6.** (*Zement usw.*) harden **7.** *sie will sich noch nicht binden* (≈ *noch nicht verpflichten*) she doesn't want to commit herself yet, (≈ *noch nicht heiraten usw.*) she doesn't want to tie herself down yet

bindend *übertragen* binding

Bindestrich hyphen ['haɪfn]

Bindewort (≈ *Konjunktion*) conjunction

Bindfaden string; *ein Bindfaden* a piece of (*oder* some) string

Bindung 1. *zu jemandem*: (close) relationship (*zu* with, to) **2.** (≈ *Verbundenheit*) bond (*an* with) **3.** *politisch*: ties (△ *Pl.*) **4.** (≈ *Skibindung*) binding ['baɪndɪŋ]

Bingo (≈ *Spiel*) bingo

binnen within; *binnen einer Woche* within a week

Binnenhandel domestic trade

Binnenmarkt 1. home market, domestic market **2.** *europäischer Binnenmarkt* Single European Market

Binsenweisheit truism ['truːɪzm], commonplace ['kɒmənpleɪs]

Bio (≈ *Biologie*) biology [baɪ'ɒlədʒɪ]

Bio..., bio... *in Zusammensetzungen*: bio...; *Biochemie* biochemistry; *Biochemiker(in)* biochemist; *biochemisch* biochemical; *biodynamisch* biodynamic; *Biogas* biogas; *Biophysik* biophysics (△ *Sg.*); *Bioprodukte* bioproducts; *Biorhythmus* biorhythms (△ *Pl.*); *Biotechnik* biotechnology, bioengineering; *Biowissenschaft* bioscience

Bioerzeugnis organic product

Biografie, Biographie biography [baɪ'ɒgrəfɪ]

Biokost organic food

Bioladen wholefood shop, *bes. AE* health food store

Biologe biologist [baɪ'ɒlədʒɪst]

Biologie biology [baɪ'ɒlədʒɪ]

Biologin biologist [baɪ'ɒlədʒɪst]

biologisch 1. biological [ˌbaɪə'lɒdʒɪkl]; *biologische Uhr* biological clock; *biologische Waffen* biological weapons **2.** *biologischer Anbau* organic farming (*oder* gardening) **3.** *biologisch abbaubar* biodegradable [ˌbaɪəʊdɪ'greɪdəbl]

Biomüll organic waste

Biosphäre biosphere ['baɪəsfɪə]

Biotonne organic waste container, bio--waste container

Biotop biotope ['baɪəʊtəʊp]

BIP (*Abk. für* **B**rutto**i**nlands**p**rodukt) GDP [ˌdʒiːdiː'piː] (*Abk. für* **g**ross **d**omestic **p**roduct)

Birke birch (tree)

Birnbaum pear [△ peə] tree

Birne 1. *Obst*: pear [△ peə] **2.** (≈ *Glühlampe*) bulb

bis 1. *nur zeitlich*: till, until; *bis heute* so far; *bis jetzt* up to now, so far; *ich habe bis jetzt nichts gehört* I haven't heard anything yet (*oder* so far); *bis vor einigen Jahren* (up) until a few years ago; *(in der Zeit) vom ... bis ...* between ... and ...; *bis morgen* (*bzw.* *bald*)! *Ab-*

B

schied: see you tomorrow (*bzw.* soon); *bis dann!* see you then (*oder* later) 2. (≈ *bis spätestens*) by; *es muss bis Ende April fertig sein* it has to be ready by the end of April; *bis dahin* by then, by that time 3. *räumlich:* to, up to; *bis hierher* up to here 4. *vor Zahlen: 10 bis 12 Tage* 10 to 12 days; *bis zu 12 Meter hoch* up to 12 metres high, as high as 12 metres; *bis 100 zählen* count (up) to 100 5. *bis auf ...* except ... 6. *es wird eine Weile dauern, bis er es merkt* it'll be quite a while before he notices it

Bischof bishop

Biscuit ⓑ (≈ *Keks*) biscuit [△ 'bɪskɪt], *AE* cookie ['kʊkɪ]

bisexuell bisexual [ˌbaɪ'sekʃʊəl]

bisher 1. up to now, so far; *das bisher beste Ergebnis* the best result so far 2. *er hat bisher (noch) nicht geantwortet* he hasn't answered (as) yet 3. *wie bisher* as before

bisherig: *die bisherigen Ergebnisse usw.* the results (achieved) *usw.* so far *oder* up to now (△ *nachgestellt*)

Biskaya: *der Golf von Biskaya* the Bay of Biscay ['bɪskeɪ *oder* 'bɪskɪ]

bislang → *bisher*

Biss bite (*auch Bisswunde und übertragen*)

bisschen 1. *ein (klein) bisschen* a (little) bit, a little 2. *kein bisschen* not a bit

Bissen 1. bite (*von* of) 2. *winziger:* morsel 3. *schmackhafter:* titbit 4. *ich brachte keinen Bissen hinunter* I couldn't eat a thing

bissig 1. *der Hund ist (nicht) bissig* the dog bites (doesn't bite) 2. *Vorsicht, bissiger Hund!* beware of the dog 3. *Bemerkung:* cutting

Bisswunde bite (wound)

Bistum diocese [△ 'daɪəsɪs]

Bit *Computer:* bit

Bitte 1. request; *auf meine Bitte* at my request 2. *ich habe eine (große) Bitte an Sie* I want to ask you a (big) favour

„Bitte" als Antwort auf „danke"

Wenn sich im Deutschen jemand für etwas bedankt, sagt der/die andere oft *bitte*. Im Englischen gibt es dafür unterschiedliche Entsprechungen, aber niemals **please**.

bitte 1. *nur bei Bitten und Aufforderungen:* please; *bitte, gib mir die Zeitung!* would you pass me the paper, please 2. *nach „danke":* not at all, you're welcome,

that's all right 3. *nach „Entschuldigung":* it's all right, that's okay, *bes. AE umg.* no problem 4. *wie bitte?* pardon? 5. *beim Anbieten (mst. unübersetzt):* here you are, *umg.* there you go 6. *bitte schön?* (≈ *was wünschen Sie?*) can I help you?

bitten 1. *jemanden um etwas bitten* ask someone for something; *dürfte ich Sie bitten, das Fenster zu schließen?* would you mind closing the window, please 2. *darf ich bitten? Aufforderung zum Tanz:* may I have this dance?

bitter 1. bitter (*auch übertragen*) 2. *bitter schmecken* taste bitter, have* a bitter taste 3. *bis zum bitteren Ende* right to the bitter end 4. *das ist bitter* (≈ *das ist tragisch*) that's hard (*umg.* tough [tʌf]) 5. *sich bitter beklagen* complain bitterly

Bizeps biceps ['baɪseps]

Black-out (mental) blackout

Blähungen wind, flatulence ['flætjʊləns] (△ *beide Sg.*)

Blamage 1. disgrace 2. *es war eine Blamage* (≈ *peinlich*) it was embarrassing

blamieren: *jemanden (bzw. sich) blamieren* (≈ *lächerlich machen*) make* a fool of someone (*bzw.* oneself)

blank 1. (≈ *glänzend*) shining 2. (≈ *blank geputzt*) polished, *Schuhe:* shiny 3. *Unsinn, Neid usw.:* pure, sheer 4. *umg.* (≈ *pleite*) broke

Blankoscheck blank cheque [tʃek], *AE* blank check

Bläschen *auf der Haut:* blister

Blase 1. (≈ *Luftblase*) bubble 2. (≈ *Hautblase*) blister; *sich Blasen laufen* get* blisters on one's feet from walking 3. (≈ *Harnblase*) bladder 4. (≈ *Sprechblase*) balloon, (speech) bubble

blasen 1. *allg.:* blow* 2. (≈ *spielen*) play

Blasenentzündung cystitis [sɪ'staɪtɪs]

Bläser *Pl.:* *die Bläser im Orchester:* the wind (section)

Blasinstrument wind instrument ['wɪndˌɪnstrəmənt]

Blaskapelle brass [△ brɑːs] band

Blasmusik music for brass [brɑːs]; *magst du Blasmusik?* do you like brass bands?

blass 1. pale; *blasses Gesicht* pale face 2. *blass vor Neid* green with envy ['envɪ]

Blatt 1. *allg.:* leaf *Pl.:* leaves 2. (≈ *Blütenblatt*) petal ['petl] 3. *Buch:* leaf 4. *Papier:* sheet 5. (≈ *Zeitung*) (news)paper 6. *Säge, Ruder usw.:* blade 7. *ein gutes Blatt Kartenspiel:* a good hand 8. *das Blatt hat sich gewendet übertragen* the tide has turned

blättern: *in einem Buch blättern* leaf through a book

Blätterteig flaky (*oder* puff) pastry ['peɪstrɪ]

Blattsalat green salad

blau 1. blue **2.** *blaues Auge übertragen* <u>black</u> eye; *mit einem blauen Auge davonkommen* get* off lightly **3.** *umg.* (≈ *betrunken*) drunk, tight **4.** *jemandem das Blaue vom Himmel versprechen* promise ['prɒmɪs] someone the moon

blauäugig *übertragen* starry-eyed

Blaubeere bilberry ['bɪlbərɪ], *AE* blueberry

blaugrau blue-grey, *AE* blue-gray

Blauhelm UN soldier [ˌjuːen'səʊldʒə]

Blaukraut red cabbage

bläulich bl<u>ui</u>sh ['bluːɪʃ]

blaumachen 1. *Schule*: skip classes, *umg.* play hooky ['hʊkɪ], *BE* play truant ['truːənt] **2.** *Arbeit*: skip work, *BE* skive off work **3.** *einen Tag blaumachen umg.* take* a sickie, *Arbeit*: skip (*oder* skive off) work for a day

Blaumeise blue tit

Blech 1. metal ['metl], tin; *ein Eimer usw. aus Blech* a metal bucket *usw.* **2.** *red doch nicht son Blech!* don't talk such rubbish (*AE* garbage)

Blechbüchse, Blechdose tin (can), *bes. AE* (tin) can

blechen *salopp* cough up [ˌkɒf'ʌp], fork out

Blechlawine endless stream of traffic

Blei lead [△ led]

Blei... *in Zusammensetzungen*: lead [△ led] ...; *Bleigehalt* lead content; *Bleirohr* lead pipe; *Bleikristall* lead crystal

Bleibe place to stay; *keine Bleibe haben* have* nowhere to stay

bleiben 1. (≈ *sich aufhalten, verweilen*) stay; *zu Hause bleiben* stay in, stay at home; *im Bett bleiben* stay in bed; *zum Essen bleiben* stay for dinner **2.** *bleiben bei* einer Sache: keep* to, stick* to **3.** *in einem Zustand*: remain, stay, keep*; *gesund bleiben* stay (*oder* keep*) healthy **4.** *das bleibt unter uns* that's (just) between ourselves **5.** *mir bleibt keine (andere) Wahl* I have no (other) choice (*als zu* but to +*Inf.*) **6.** *es bleibt dabei!* that's final **7.** *lass das bleiben!* stop it!

bleibend lasting, permanent ['pɜːmənənt]

bleibenlassen → *bleiben 7*

bleich pale (*vor* with)

bleichen bleach (*Stoff, Haare usw.*)

bleifrei 1. *Benzin*: unleaded [ˌʌn'ledɪd] **2.** *kann man dort bleifrei tanken?* have they got unleaded petrol ['petrəl] (*AE* gas)?

Bleistift pencil ['pensl]

Bleistiftspitzer pencil sharpener

Blende *beim Fotografieren*: aperture [△ 'æpətʃə]; *bei Blende 8* (at) f-8 [ˌef'eɪt]

blenden blind [blaɪnd], dazzle (*jemanden, die Augen von jemandem*)

blendend 1. (≈ *großartig, genial*) brilliant, (≈ *prächtig*) dazzling **2.** *blendend aussehen* look great **3.** *sich blendend amüsieren* have* a great time **4.** *blendend miteinander auskommen* get* along brilliantly (*oder umg.* just great)

Blick 1. (≈ *Hinsehen*) look (*auf* at) **2.** *flüchtiger Blick* glance [glɑːns] **3.** (≈ *Ausdruck in den Augen*) look **4.** *Wendungen*: *einen (kurzen) Blick werfen auf* have* a (quick) look at; *auf den ersten Blick* at first sight (△ *ohne* the) **5.** (≈ *Aussicht*) view (*auf* of); *mit Blick auf ...* with a view of ..., overlooking ... **6.** *dafür hat er einen Blick übertragen* he has an eye for that kind of thing

blicken 1. look (*auf* at; *in* into) **2.** *das lässt tief blicken übertragen* that's very revealing **3.** *sich blicken lassen* (≈ *auftauchen*) show up, (≈ *vorbeikommen*) drop in (*bei* on), drop by (*bei* at)

blickenlassen → *blicken 2, 3*

Blickpunkt: *sie steht im Blickpunkt übertragen* she's in the limelight

Blickwinkel: *aus diesem Blickwinkel* (*betrachtet*) *übertragen* (seen) from this angle, (seen) from this point of view

blind 1. *wörtlich und übertragen* blind [blaɪnd] (*für* to; *vor* with) **2.** *er ist auf einem Auge blind* he's blind <u>in</u> one eye **3.** *bist du blind? übertragen* are you blind? **4.** *Spiegel*: cloudy **5.** *jemandem blind glauben* (*bzw. vertrauen*) believe (*bzw.* trust) someone blindly

Blindbewerbung speculative ['spekjʊlətɪv] application

Blinddarm appendix [ə'pendɪks]; *mit 14 ist mir der Blinddarm entfernt worden* I <u>had</u> my appendix <u>taken out</u> when I was 14

Blinddarmentzündung: *sie hat eine Blinddarmentzündung* she's got appendicitis [əˌpendə'saɪtɪs] (△ *ohne* an)

Blinde(r) 1. *allg.*: blind person **2.** *Mann*: blind man, *Frau*: blind woman **3.** *die Blinden* the blind (△ *Pl.*) **4.** *das sieht doch ein Blinder übertragen* any fool can see that

Blindenhund guide dog

Blindenschrift braille [breɪl] (△ *ohne* the)

Blindschleiche *Tier*: blindworm ['blaɪndwɜːm]

blinken 1. (*Sterne, Lichter*) twinkle **2.** (≈ *aufleuchten*) (*Licht*) flash **3.** *beim Auto*:

B

(≈ *Blinkzeichen geben*) flash one's lights

Blinker (≈ *Blinklicht beim Auto*) *BE* indicator, *AE* turn signal, *AE umg.* blinker

blinzeln: (*mit den Augen*) *blinzeln* blink

Blitz 1. (flash of) lightning; *der Blitz schlug in den Turm ein* the tower was struck by lightning **2.** *beim Fotoapparat:* flash **3.** *wie ein Blitz aus heiterem Himmel übertragen* like a bolt from the blue

Blitzableiter lightning conductor (*AE* rod)

blitzen 1. *es hat geblitzt!* that was lightning; *es blitzte und donnerte* there was thunder and lightning **2.** *beim Fotografieren:* use the (*oder* a) flash, (*Kamera*) flash **3.** *er ist geblitzt worden* he was caught by a speed camera

Blitzer *umg.* **1.** (≈ *Exhibitionist*) streaker ['striːkə] **2.** (≈ *Radarfalle*) speed camera

Blitzkarriere lightning career

Blitzlicht *Fotoapparat:* flash; (*etwas*) *mit Blitzlicht fotografieren* use a flash (to photograph something)

Blitzschlag lightning (strike)

Block 1. (≈ *Schreibblock*) writing pad **2.** (≈ *Schmierblock*) notepad **3.** (≈ *Wohnblock*) block of flats

Blockade blockade [blɒ'keɪd]

Blockflöte recorder

Blockhaus, Blockhütte log cabin

blockieren 1. block (*Straße, Zufahrtsweg, Verhandlungen usw.*) **2.** stop, hold* up (*Verkehr*) **3.** (*Räder*) lock

Blocksatz *Geschriebenes:* justified (*oder* flush) setting

Blockschrift block letters (△ *Pl.*)

blöd(e) 1. (≈ *dumm*) stupid, *umg.* thick, *bes. AE umg.* dumb [dʌm]; *blöde Frage* stupid (*umg.* dumb) question **2.** *grins nicht so blöd!* stop grinning like an idiot

Blödmann *salopp* (dumb [△ dʌm]) idiot ['ɪdɪət], *BE* thicko ['θɪkəʊ]

Blödsinn nonsense, *BE* rubbish, *AE auch* garbage

blödsinnig *salopp* stupid ['stjuːpɪd], *stärker:* idiotic

Blog blog

bloggen blog

blond 1. *Haarfarbe:* blond, *Frau:* blonde [blɒnd] **2.** *salopp* (≈ *naiv, dumm*) stupid ['stjuːpɪd], dumb [△ dʌm]

Blondine blonde [blɒnd]

bloß¹ 1. bare, naked ['neɪkɪd] **2.** *mit bloßem Auge* with the naked eye **3.** *das ist bloßes Gerede* that's just (empty) talk

bloß² 1. (≈ *nur*) just, only; *es war bloß ein bisschen kalt* it was just a bit cold **2.** *wer, wie, was usw. ... bloß* who, how, what *usw.* on earth; *wie machst du das bloß?* how on earth do you do it?

Bluff, bluffen bluff [blʌf]

blühen 1. blossom, flower (*auch übertragen*); *der Flieder blüht* the lilac is blossoming, the lilac is in flower; *die Wiese blüht* the meadow is full of flowers **2.** (≈ *gedeihen*) prosper ['prɒspə], thrive

blühend 1. flowering **2.** (≈ *gedeihend*) flourishing ['flʌrɪʃɪŋ], thriving **3.** *Aussehen:* healthy **4.** *Fantasie:* vivid ['vɪvɪd]

Blume 1. flower **2.** *Wein:* bouquet [buˈkeɪ] **3.** *Bier:* froth [frɒθ], head

Blumenbeet flowerbed

Blumenerde potting compost ['pɒtɪŋˌkɒmpɒst], potting soil

Blumenkohl cauliflower [△ 'kɒlɪˌflaʊə]

Blumenladen flower shop, florist's

Blumenstrauß bunch of flowers

Blumentopf flowerpot

Blumenvase vase [△ vɑːz]

Blumenzwiebel (flower) bulb

Bluse blouse [△ blaʊz]

Blut 1. blood [blʌd]; *ich kann kein Blut sehen* I can't stand the sight of blood **2.** *Blut spenden* give* (*oder* donate [dəʊ'neɪt]) blood **3.** *Blut und Wasser schwitzen übertragen* sweat [△ swet] blood

Blut..., blut... *in Zusammensetzungen:* blood..., blood ...; *Blutalkohol(gehalt)* blood alcohol level; *Blutbahn* bloodstream; *Blutbank* blood bank; *blutbefleckt, blutbeschmiert* bloodstained; *Blutbild* blood count; *Blutblase* blood blister; *Blutfleck* bloodstain; *Blutgefäß* blood vessel; *Blutkreislauf* (blood) circulation; *Blutspender(in)* blood donor ['blʌd,dəʊnə]; *Blutübertragung* blood transfusion; *Blutuntersuchung* blood test; *Blutvergießen* bloodshed; *Blutvergiftung* blood poisoning; *Blutzucker* blood sugar

Blutbad bloodbath ['blʌdbɑːθ], massacre ['mæsəkə]; *ein Blutbad anrichten* carry out a massacre, cause a bloodbath

Blutdruck blood pressure; *hohen* (*bzw.* *niedrigen*) *Blutdruck haben* have* high (*bzw.* low) blood pressure; (*bei jemandem*) *den Blutdruck messen* take* someone's blood pressure

Blüte flower, blossom, bloom; *in voller Blüte stehen* be* in full bloom

Blutegel leech [liːtʃ]

bluten bleed* (*aus* from)

Blütenblatt petal ['petl]

Blütenstaub pollen ['pɒlən]

Bluterguss (≈ *blauer Fleck*) bruise [bruːz]

Blutgerinnsel blood clot

Blutgruppe blood group; *welche Blutgruppe hast du?* which blood group are you?

Bluthochdruck high blood pressure

blutig 1. *wörtlich* bloody **2.** *Schlacht, Revolution, Auseinandersetzung, Szene usw.*: bloody **3.** *Wunde*: bleeding **4.** *blutiger Anfänger* absolute beginner

Blutorange blood orange ['blʌd,ɒrɪndʒ]

Blutprobe 1. *medizinisch*: blood sample ['blʌd,sɑːmpl] **2.** *bei Alkoholverdacht*: blood (alcohol) test ['blʌd-,ælkəhɒl)_test]

blutrünstig bloodthirsty ['blʌd,θɜːstɪ]

Blutschande incest ['ɪnsest]

Blutspende blood donation; *zur Blutspende gehen* go* to give blood

Bluttransfusion, Blutübertragung blood transfusion ['blʌd_træns,fjuːʒn]

Blutung 1. bleeding (△ *ohne* a) **2.** *starke*: haemorrhage [△ 'hemərɪdʒ]

Blutwurst *etwa*: black pudding [△ 'pʊdɪŋ], *AE* blood sausage

BLZ (*Abk. für* **B**ank**l**eit**z**ahl) (bank) sort code, *AE* A.B.A. [,eɪbiː'eɪ] (*oder* routing ['ruːtɪŋ, 'raʊtɪŋ]) number

BMX-Rad BMX [,biːem'eks] (bike)

BND (*Abk. für* **B**undes**n**achrichten**d**ienst) Federal Intelligence Service

Bö squall [skwɔːl], gust

Bob, Bobschlitten bob(sled), *BE auch* bob(sleigh) ['bɒb(sleɪ)]

Bock 1. *beim Hasen, Kaninchen, Reh*: buck **2.** (≈ *Ziegenbock*) he-goat, billy goat **3.** *Turngerät*: buck, *BE auch* (vaulting) horse **4.** *ich hab keinen Bock* (*drauf*) *salopp* I don't feel like it

Bockspringen 1. *Turnen*: vaulting **2.** *Spiel*: leapfrog

Bockwurst hot sausage

Boden 1. (≈ *Erdboden*) ground **2.** (≈ *Erdreich*) soil **3.** (≈ *Fußboden*) floor **4.** *eines Gefäßes, des Meeres*: bottom **5.** (≈ *Basis*) basis ['beɪsɪs] **6.** (≈ *Dachboden*) loft, attic **7.** *Wendungen*: *auf britischem usw. Boden* übertragen on British *usw.* soil; *Boden gewinnen* (*bzw. verlieren*) übertragen gain (*bzw.* lose*) ground; *Boden zurückgewinnen* übertragen make* up for lost ground; *auf dem Boden der Tatsachen bleiben* übertragen stick* (*oder* keep*) to the facts

Bodenfrost ground frost

bodenlos 1. bottomless **2.** *übertragen* incredible [ɪn'kredəbl]

Bodennebel ground fog

Bodenpersonal *Flugwesen*: ground staff; *das Bodenpersonal streikt* the ground staff is (*BE mst.* are) on strike

Bodenprobe soil sample ['sɑːmpl]

Bodenreform land reform

Bodenschätze mineral resources; *Russ-*

land usw. **ist reich an Bodenschätzen** Russia *usw.* is rich in mineral resources

Bodensee: *der Bodensee* Lake Constance [,leɪk'kɒnstəns] (△ *ohne* the)

Bodenstation 1. *Flugverkehr*: ground control **2.** *Satellit usw.*: tracking (*oder* earth) station

Bodenturnen floor exercises (△ *Pl.*)

Body *Kleidung*: body, *AE* body suit [suːt]

Bodybuilding: *Bodybuilding machen* do* (*oder* go*) body-building

Bodyguard bodyguard

Bodypainting body painting, body art

Bogen 1. (≈ *Krümmung*) curve **2.** *einer Straße, eines Flusses usw.*: bend; *die Straße* (*bzw. der Fluss*) *macht einen Bogen* there's a bend in the road (*bzw.* river) **3.** *Mathe*: arc **4.** *Architektur*: (≈ *Wölbung*) arch [ɑːtʃ] **5.** *Skisport*: turn **6.** (≈ *Geigenbogen usw.*) bow [bəʊ] **7.** (≈ *Bogen Papier*) sheet (of paper), piece of paper **8.** *Wendungen*: *er hat den Bogen raus* übertragen, *umg.* he's got the hang of it; *den Bogen überspannen* übertragen overstep the mark, overdo* it

Bohle plank

Böhmen Bohemia [bəʊ'hiːmɪə]

Bohne 1. bean **2.** *grüne Bohnen* green (*BE auch* French) beans; *weiße Bohnen*, haricot ['hærɪkəʊ] beans, *AE* navy beans **3.** *nicht die Bohne* umg. (≈ *überhaupt nicht*) not a bit

Bohnenkaffee fresh (*oder* filtered) coffee

Bohnenstange beanpole (*auch übertragen*)

bohren 1. *allg.*: drill; *ein Loch bohren* drill a hole (*in* into) **2.** *bore* (*Tunnel*) **3.** *in der Nase bohren* pick one's nose

bohrend 1. *Blick*: piercing, penetrating ['penətreɪtɪŋ] **2.** *Angst*: gnawing [△ 'nɔːɪŋ] **3.** *Frage*: penetrating, probing

Bohrer drill

Bohrinsel oilrig

Bohrmaschine drill

Bohrturm (drilling) derrick

Bohrung drilling

Boiler water heater

Boje buoy [△ bɔɪ, *AE* 'buːɪ]

Bolivien Bolivia [bə'lɪvɪə]

Bolschewismus Bolshevism ['bɒlʃəvɪzm]

Bolzen bolt [bəʊlt]

bombardieren 1. bomb [△ bɒm], bombard [△ bɒm'bɑːd] **2.** *mit Fragen bombardieren* übertragen bombard with questions

Bombe bomb [△ bɒm]

Bomben... *in Zusammensetzungen*: bomb ... [△ bɒm]; *Bombenalarm* bomb alert; *Bombenangriff*, *Bombenanschlag* bomb attack; *Bombendrohung* bomb

B

threat

Bombenbesetzung *Theater, Film*: star cast, superb cast

Bombenerfolg *umg.* tremendous [trə-'mendəs] success, huge [hju:dʒ] success

Bombenform: sie ist in Bombenform *umg.* she's in great form

Bombengeschäft: ein Bombengeschäft machen do* a roaring trade, *salopp* make* a bomb [△ bɒm]

Bombensache *umg.* knockout [△ 'nɒkaʊt]

Bombenstimmung *umg.* terrific [təˈrɪfɪk] (*oder* tremendous [trəˈmendəs]) atmosphere

Bomber bomber [△ 'bɒmə]

Bomberjacke bomber jacket [△ 'bɒmə-ˌdʒækɪt]

bombig *umg.* great, terrific [təˈrɪfɪk]

Bon 1. coupon ['ku:pɒn], voucher **2.** (≈ *Kassenzettel*) receipt [rɪˈsiːt], *AE auch* sales slip

Bonbon sweet, *AE* candy

Bonze *umg., abwertend* bigwig, big cheese

Boom boom

boomen boom

Boot 1. boat; **Boot fahren** go* out in a boat **2. wir sitzen alle im gleichen Boot** *übertragen* we're all in the same boat

booten boot (up) (*Computer*)

Bootsfahrt boat trip, *kürzere*: boat ride

Bootsflüchtlinge boat people

Bootshaus boathouse

Bootsverleih boat hire, *auf Schild*: boats for hire

Bord 1. an Bord *eines Flugzeugs, Schiffes*: on board, aboard **2. an Bord gehen** *Schiff*: go* aboard, board ship **3. an Bord gehen** *Flugzeug*: board (the aircraft) **4. von Bord gehen** *Schiff*: disembark, *Flugzeug*: leave* the aircraft

Bordell brothel ['brɒθl]

Bordkarte *Flugzeug*: boarding pass

Bordpersonal flight crew; **das Bordpersonal wartet auf Anweisungen des Flugkapitäns** the flight crew are (*seltener* is) waiting for instructions from the flight captain

Bordstein(kante) kerb, *AE* curb

borgen 1. sich etwas borgen borrow something **2. ich habe ihm meinen Füllhalter geborgt** I've lent him my fountain pen

Borke bark

Börse: (an der) Börse (on) the stock exchange (*oder* stock market)

Börsenbericht stock market report

Börsengeschäft stock market transaction

Börsenmakler(in) stockbroker

Borste bristle [△ 'brɪsl]

bösartig 1. nasty ['nɑːstɪ], malicious [mə-'lɪʃəs], vicious ['vɪʃəs] **2.** *Tumor*: malignant [məˈlɪgnənt]

Böschung bank, embankment

böse 1. (≈ *moralisch schlecht*) bad (△ **schlimmer** worse, **schlimmst-** worst), evil ['iːvl], wicked [△ 'wɪkɪd] **2.** (≈ *ärgerlich*) angry, *bes. AE* mad; **bist du mir böse?** are you angry with me?, are you mad at me? **3.** (≈ *unartig*) bad, naughty ['nɔːtɪ] **4.** (≈ *schlimm*) bad, nasty ['nɑːstɪ]; **eine böse Verletzung** a nasty cut (*oder* wound [wuːnd]) **5. ich hab es nicht böse gemeint** I didn't mean any harm

Böse(r) 1. bad person **2.** *Kind*: bad boy (*bzw.* girl) **3. die Bösen** *im Film usw*: the baddies

Böse(s) evil ['iːvl]; **Böses tun** do* evil

boshaft nasty ['nɑːstɪ], spiteful

Bosheit nastiness ['nɑːstɪnəs]; **aus Bosheit** out of spite

Bosnien Bosnia ['bɒznɪə]

Bosnien-Herzegowina Bosnia-Herzegovina [ˌbɒznɪəˌhɜːtsəˈgɒvɪnə]

Boss *umg.* boss

böswillig malicious [məˈlɪʃəs]

Botanik botany [△ 'bɒtənɪ]

Botaniker(in) botanist ['bɒtənɪst]

botanisch botanic(al)

Bote messenger ['mesɪndʒə], (≈ *Kurier*) courier [△ 'kʊrɪə]

Botschaft message (*an* to)

Botschafter(in) ambassador; **unser Botschafter in Spanien** (*bzw.* **in Madrid**) our ambassador to Spain (*bzw.* in Madrid)

Bouillon clear soup, consommé [kɒn-'sɒmeɪ]

Bouillonwürfel stock cube

Boulevard boulevard [△ 'buːləvɑːd]

Boulevardpresse 1. popular press, tabloid press [ˌtæblɔɪd'pres], tabloids (△ *Pl.*) **2.** *im negativen Sinn* gutter press ['gʌtə_pres]

Boulevardzeitung 1. popular newspaper **2.** *im negativen Sinn etwa*: tabloid ['tæblɔɪd]

Box 1. (≈ *Behälter*) box **2.** (≈ *Pferdebox*) box **3.** (≈ *Lautsprecherbox*) speaker

boxen 1. *Sport*: box **2.** (≈ *schlagen*) hit*, punch; **sie hat ihm in den Bauch geboxt** she hit (*oder* punched) him in the stomach

Boxen *Sport*: boxing

Boxer *Hund*: boxer

Boxer(in) *Sport*: boxer, fighter

Boxershorts boxer shorts

Boxkampf boxing match, fight

Boxring boxing ring

Boygroup boy band (△ *nicht* boy group)
Boykott boycott ['bɔɪkɒt]
boykottieren boycott ['bɔɪkɒt]
Brainstorming 1. brainstorming **2.** *Sitzung*: brainstorming session
Branche 1. (≈ *Wirtschaftszweig*) (industrial) sector **2.** (≈ *Geschäftszweig*) line of business
Brand 1. fire **2.** (≈ *Großbrand*) fire, blaze **3.** *Wendungen*: *das Haus usw.* **steht in Brand** the house *usw.* is on fire; *in Brand geraten* catch* fire; *in Brand stecken* set* fire to, set* on fire
brandaktuell *Hit usw.*: the latest …
Brandanschlag arson ['ɑːsn] attack
Brandenburg Brandenburg
Brandenburger Tor: *das Brandenburger Tor* the Brandenburg Gate [ˌbrændənbɜːɡ'ɡeɪt]
brandheiß: *brandheiße Nachrichten* up-to-the-minute news; *die Nachricht ist brandheiß* the news is hot off the press
Brandmal 1. brand **2.** *übertragen* stigma
brandmarken brand (*wörtlich und übertragen*)
Brandnarbe burn scar, scar from a burn
brandneu brand-new
Brandstifter(in) arsonist ['ɑːsnɪst]
Brandstiftung arson ['ɑːsn]
Brandung 1. surf **2.** *übertragen* surge, wave
Brandursache cause of (the) fire
Brandwunde 1. burn **2.** *durch Verbrühen*: scald [△ skɔːld]
Brasilianer Brazilian [brə'zɪlɪən]; *er ist Brasilianer* he's (a) Brazilian; ☞ *Nationalitäten*
Brasilianerin Brazilian woman (*oder* lady *bzw.* girl); *sie ist Brasilianerin* she's (a) Brazilian; ☞ *Nationalitäten*
brasilianisch Brazilian [brə'zɪlɪən]
Brasilien Brazil [brə'zɪl]
braten 1. *allg.*: roast **2.** *auf dem Rost*: grill **3.** *in der Pfanne*: fry **4.** *im Ofen, außer Fleisch*: bake **5.** *am Spieß braten* roast on a spit
Braten 1. roast **2.** *kalter Braten* cold meat
Bratensoße gravy ['ɡreɪvɪ]
Brathähnchen, **Brathühnchen** roast (*oder* grilled) chicken
Bratkartoffeln fried potatoes
Bratpfanne frying pan, *AE auch* skillet
Bratröhre oven [△ 'ʌvn]
Bratwurst fried (*oder* grilled) sausage
Brauch 1. (≈ *Sitte*) custom **2.** (≈ *Usus*) practice
brauchbar useful ['juːsfl]
brauchen 1. (≈ *nötig haben*) need; *wozu brauchst du es?* what do you need it for?; *du brauchst es mir nicht zu sa-*

gen you don't have to tell me **2.** (≈ *erfordern*) require **3.** *welche Größe brauchst du?* what size do you take (*AE* wear)? **4.** (≈ *in Anspruch nehmen*) take* (*bes. Zeit, Energie*); *wie lange wird er brauchen?* how long will it take him?; *das braucht* (*seine*) *Zeit* it takes time; *ich brauche eine halbe Stunde, um zur Schule zu kommen* it takes me half an hour to get to school

brauchen

brauchen, benötigen	**need**
brauchen, in Anspruch nehmen (*Zeit/Energie usw.*)	**take**

Brauerei brewery ['bruːərɪ]
braun 1. brown **2.** *du bist aber braun geworden!* you look very brown, you've got quite a tan **3.** *braun gebrannt* suntanned, tanned
bräunlich brownish
Brause 1. (≈ *Dusche*) shower; *sich unter die Brause stellen* have* (*oder* take*) a shower **2.** (≈ *Limo*) fizzy drink, *BE* lemonade [ˌleməˈneɪd], *AE* soda (pop)
Braut 1. *bei Hochzeit*: bride **2.** (≈ *Freundin*) girlfriend, *oft frauenfeindlich* bird
Bräutigam *bei Hochzeit*: (bride)groom
Brautkleid wedding dress
Brautpaar bride and (bride)groom, bridal couple [ˌbraɪdlˈkʌpl]
brav good, well-behaved; *sei(d) brav!* be good(, won't you)! (△ *engl.* brave = *mutig*)
bravo 1. well done **2.** *Theater usw.*: bravo!
brechen 1. *allg.*: break* (*auch Eid, Rekord, Schweigen, Stille, Gesetz, Vertrag usw.*) **2.** *sie hat sich den Arm gebrochen* she's broken her arm **3.** (≈ *sich übergeben*) vomit ['vɒmɪt], *umg.* throw* up, *bes. BE* be* sick; *ich muss brechen bes. BE* I'm going to be sick, I'm going to throw up
Brei 1. (≈ *Haferbrei*) *bes. BE* porridge, *AE* oatmeal **2.** (≈ *Breimasse*) mash, *im negativen Sinn* mush **3.** *für Babys*: pudding ['pʊdɪŋ], *AE* baby cereal **4.** *um den heißen Brei herumreden übertragen* beat* about the bush [△ bʊʃ]
breit 1. wide, broad; *50 cm breit* 50 centimetres wide (*oder* across) **2.** *ein breites Angebot von …* *übertragen* a wide (*oder* broad) range of … **3.** *die breite Öffentlichkeit* the public at large
Breite 1. width [wɪdθ], breadth [△ bredθ] **2.** *übertragen* scope **3.** *in diesen Breiten geographisch*: in these latitudes ['lætɪ-

tju:dz]

Breitengrad (degree of) latitude ['læt-ɪtjuːd]; *der 30. Breitengrad* the 30th parallel ['pærəlel]

breitschlagen 1. *jemanden breitschlagen übertragen* talk someone into (doing) something **2.** *sich breitschlagen lassen* give* in

Breitwandfilm wide-screen film

Bremen Bremen

Brems... *in Zusammensetzungen*: brake ...; *Bremskraftverstärker* brake booster; *Bremsleuchte, Bremslicht* brake light; *Bremspedal* brake pedal

Bremse brake; *auf die Bremse treten* step on the brake (*oder* brakes *Pl.*), *schlagartig*: slam on the brakes

bremsen 1. *Auto usw.*: brake **2.** *übertragen* check, curb **3.** *übertragen* (≈ *verlangsamen*) slow down; *jemanden bremsen* slow someone down (△ *Wortfolge*)

Bremsweg braking (*oder* stopping) distance

brennen 1. (*Sonne, Licht, Augen usw.*) burn*; *mir brennen die Augen* my eyes are burning **2.** *es brennt!* fire! **3.** *das Haus brennt* the house is on fire **4.** *übertragen* burn*; *sie brennt vor Ungeduld usw.* she's burning with impatience *usw.* **5.** distil (*Schnaps*); *Weinbrand wird aus Wein gebrannt* brandy is distilled from wine **6.** (*Säure, Salbe, Haut, Augen*) sting*; *mir brennen die Augen vom Rauch* my eyes are stinging from the smoke **7.** *das Licht brennen lassen* leave* the light on

brennend 1. *eine brennende Zigarette* a lighted *oder* lit cigarette **2.** *eine brennende Frage* Problem: an urgent matter

Brennnessel (stinging ['stɪŋɪŋ]) nettle

Brennpunkt focus, focal point (*auch übertragen*)

Brief an britische Freundin

Briefmuster

15. April 2006

April 15th 2006

Liebe Clare,

vielen Dank für Deinen Brief, der heute früh eingetroffen ist. Es war toll, Dich endlich kennenzulernen, und es hat uns alle sehr gefreut, dass Du hier warst. Ja, ich möchte liebend gerne zum Lake District fahren! Ich hab gehört, es soll ein wunderschönes Gebiet sein. Werden wir campen oder in einer Jugendherberge übernachten? Im Sommer gehe ich oft in die Alpen zum Wandern, also werde ich hoffentlich körperlich fit sein, wenn ich bei Euch ankomme!

In Bayern hat in dieser Woche die Schule wieder begonnen, und nun habe ich ne Menge Hausaufgaben auf. Also mache ich jetzt Schluss. Ich freue mich jetzt schon auf die Ferien und auf meinen Besuch bei Euch in England! Liebe Grüße von meinen Eltern. Schreib mal wieder und erzähl mir, wie es mit Steve läuft – jetzt, wo Du wieder zurück bist.

Alles Liebe,

Deine Lena
(*ein „x" steht für einen Kuss*)

Dear Clare,

Thanks very much for your letter, which arrived this morning. It was great to meet you at last, and we all really enjoyed having you here. Yes, I'd love to go to the Lake District! I've heard it's a beautiful area. Will we be camping or staying in a youth hostel? I often go hiking in the Alps in the summer, so hopefully I'll be in good shape by the time I come!

The schools in Bavaria went back this week and I've got loads of homework, so I'll stop here. I'm already looking forward to the holidays and to visiting you in England! My parents send their love. Please write again soon, and let me know how things are going with Steve now that you're back.

Lots of love,

Lena
xxx

Anmerkung: Trotz des Kommas nach der Anrede fängt man Briefe im Englischen im Gegensatz zum Deutschen mit einem Großbuchstaben an.

Brennstab fuel ['fjuːəl] rod
Brennstoff fuel ['fjuːəl]
brenzlig dangerous ['deɪndʒərəs], dicey ['daɪsɪ], *BE* dodgy; *es wird mir zu brenzlig umg.* things are getting too dicey for me
Bretagne: *die Bretagne* Brittany ['brɪtənɪ] (△ *ohne* the)
Brett 1. board **2.** *Bretter* (≈ *Skier*) skis **3.** *das Schwarze Brett* the noticeboard
Brettspiel board game

Brettspiele

Dame	**draughts** [drɑːfts], *AE* **checkers**
Halma	**halma** ['hælmə]
Mensch, ärgere dich nicht	**ludo** ['luːdəʊ], *AE* **Parcheesi®** [pɑː'tʃiːzɪ]
Mühle	**nine men's morris**
Schach	**chess**

Brezel pretzel ['pretsl]
Brief letter
Briefbogen sheet of writing paper
Briefbombe letter bomb [△ 'letə‿bɒm]
Brieffreund(in) penfriend, pen pal
Briefkasten letterbox, postbox, *AE* mailbox
Briefkastenfirma *umg.* letter-box company ['kʌmpənɪ]
Briefkopf letterhead
Briefmarke (postage) stamp
Briefmarkenalbum stamp album
Briefmarkensammler(in) stamp collector, *förmlich* philatelist [fɪ'lætəlɪst]
Briefmarkensammlung stamp collection
Brieföffner paper knife, letter opener
Briefpapier writing paper ['raɪtɪŋ‚peɪpə]
Brieftasche wallet, *AE* billfold, *AE auch* pocketbook (△ briefcase = *Aktentasche*)
Brieftaube carrier pigeon [‚kærɪə'pɪdʒən]
Briefträger postman, *AE auch* mailman, mail carrier
Briefträgerin postwoman *AE* mail carrier
Briefumschlag envelope [△ 'envələʊp]
Briefwahl postal vote; *ich werde Briefwahl machen* I'm voting by post (*AE* mail)
brillant brilliant, excellent
Brillant (cut) diamond ['daɪəmənd]
Brillantring diamond ring
Brille 1. glasses, spectacles ['spektəklz], *umg.* specs (△ *alle Pl.*); *meine Brille ist kaputt* my glasses <u>are</u> broken **2.** *eine Brille tragen* wear* glasses (△ *Pl.*) **3.** (≈

Klosettbrille) toilet seat
bringen 1. (≈ *wegbringen, hinbringen*) take*; *er wurde ins Krankenhaus gebracht* he was taken to (*AE* to the) hospital; *er brachte sie nach Hause* he took (*oder* saw) her home **2.** (≈ *herbringen*) bring*; *bringen Sie mir noch ein Glas* could you bring me another glass, please? **3.** (≈ *holen*) get*, fetch **4.** (≈ *setzen, legen, stellen*) put* **5.** (≈ *verursachen*) cause; *das bringt nur Ärger* that'll cause nothing but trouble **6.** *sie brachte ihn dahin, dass er das Angebot annahm* she got him to accept the offer **7.** *das bringt nichts* that's no use [△ juːs]

bringen	**bring / take**
irgendwohin bringen; vom Standort des Sprechers weg	take He was taken to (*AE* to the) hospital. Er wurde ins Krankenhaus gebracht.
herbringen; zum Standort des Sprechers oder Entgegennehmenden hin	bring Would you bring me another glass of beer, please. Bringen Sie mir bitte noch ein Glas Bier.
holen, herbringen	get, fetch Would you fetch me my shoes from the bedroom, please? Würdest du mir bitte die Schuhe aus dem Schlafzimmer bringen?

Brise breeze
Brite: *er ist Brite* he's British; *die Briten* the British; ☞ *Nationalitäten*
Britin British woman (*oder* lady *bzw.* girl); *sie ist Britin* she's British; ☞ *Nationalitäten*
britisch British; *die Britischen Inseln* the British Isles [aɪlz]
bröckeln crumble
Brocken 1. piece, bit **2.** (≈ *Bissen*) morsel **3.** (≈ *Klumpen*) lump, chunk **4.** *ein paar Brocken Englisch usw.* a few words of English **5.** *das war ein harter Brocken übertragen* that was a tough [tʌf] one
brodeln *allg. und Lava:* bubble

Broker(in) *Börse*: broker
Brokkoli *Pl.* broccoli ['brɒkəlɪ]
Brombeere blackberry ['blækbərɪ]
Bronchitis [△ brɒŋ'kaɪtɪs]
Bronze bronze [△ brɒnz]
Bronzemedaille bronze medal
Brosche brooch [△ brəʊtʃ], *AE auch* pin
Broschüre 1. pamphlet **2.** (≈ *Werbebroschüre*) brochure ['brəʊʃə] **3.** *dünne*: leaflet
Brot 1. bread; *zwei Brote* two loaves (△ *Sg.* loaf) of bread; *eine Scheibe Brot* a slice of bread **2.** *belegtes Brot* sandwich [△ 'sænwɪdʒ]
Brötchen roll [rəʊl]
Brot(schneide)maschine bread slicer
Brotzeit: *Brotzeit machen* have* a snack
browsen: *im Web browsen* browse (on) the Web
Browser *Internet*: browser
Bruch 1. (≈ *Knochenbruch*) fracture **2.** *zu Bruch gehen* break* **3.** *er hat sein Auto zu Bruch gefahren* he's smashed up his car **4.** *in die Brüche gehen Ehe, Beziehung usw.*: break* up
brüchig 1. (≈ *zerbrechlich*) fragile [△ 'frædʒaɪl] **2.** (≈ *spröde*) brittle **3.** *Leder*: cracked
Bruchlandung crash landing
Bruchrechnen fractions (△ *Pl.*)
bruchrechnen do* fractions
Bruchstück fragment ['frægmənt] (*auch übertragen*)
Bruchteil fraction; *im Bruchteil einer Sekunde* in a split (*oder* fraction of a) second
Bruchzahl fraction
Brücke 1. *allg.*: bridge (*auch als Zahnersatz*) **2.** (≈ *Teppich*) rug **3.** *Brücken schlagen* build* bridges (*zwischen* between)
Brückenpfeiler (bridge) pier [△ pɪə]
Bruder *allg., auch kirchlich*: brother *Pl.*: brothers, △ *Pl. für Ordensbrüder nur*: brethren ['breðrən]
brüderlich 1. brotherly **2.** (*etwas*) *brüderlich teilen* share and share alike
Brühe 1. (≈ *Fleischbrühe*) broth [△ brɒθ] **2.** *für Suppen usw.*: stock **3.** (≈ *schmutziges Wasser*) dirty water **4.** *mir läuft die Brühe runter* übertragen, *salopp* I'm sweating ['swetɪŋ] like a pig
Brühwürfel stock cube *AE* bouillon cube
brüllen 1. *allg.*: roar [rɔː] **2.** (*Mensch*) shout, *lauthals*: scream **3.** (≈ *heulen*) scream **4.** (*Rind*) bellow **5.** *vor Lachen brüllen* übertragen roar <u>with</u> laughter
brummeln mumble, mutter
brummen 1. (*Bär usw.*) growl [△ graʊl] **2.** (≈ *summen*) hum, buzz **3.** (*Motor*) drone

4. (*Lautsprecher usw.*) hum **5.** *mir brummt der Kopf* my head's throbbing
Brummi (≈ *Lastwagen*) truck, *BE auch* lorry
brummig umg. grumpy
Brunch brunch
Brunftzeit rutting season
Brunnen 1. well **2.** (≈ *Quelle*) spring **3.** (≈ *Springbrunnen*) fountain ['faʊntɪn]
Brüssel Brussels ['brʌslz]
Brust 1. breast [brest] **2.** (≈ *Brustkasten*) chest **3.** (≈ *Busen*) breast, breasts (*Pl.*) **4.** *einem Baby die Brust geben* (breast-) feed a baby
Brustbeutel money bag (worn around the neck), *AE* neck pouch
brüsten: *sich brüsten* boast (*mit* about)
Brustschwimmen breaststroke ['breststrəʊk]
Brustwarze nipple
brutal 1. brutal ['bruːtl] **2.** *Film*: brutal, violent **3.** (≈ *grausam*) cruel ['kruːəl]
Brutalität brutality, violence
brüten 1. *wörtlich* brood [bruːd] **2.** (≈ *nachdenken*) brood (*über* over)
Brüter: *Schneller Brüter* (≈ *Reaktor*) fast breeder (reactor)
Brutkasten incubator ['ɪŋkjʊbeɪtə]
brutto 1. gross [△ grəʊs] **2.** *50.000 Dollar brutto bekommen* earn (*oder* get*) $50,000 before tax (*gesprochen* fifty thousand dollars)
Bruttogehalt gross salary
Bruttolohn gross pay
Bruttosozialprodukt gross national product (*Abk.* GNP)
Bruttoverdienst gross earnings (△ *Pl.*)
BSE *Krankheit*: BSE [ˌbiːesˈiː] (*Abk. für* **B**ovine **S**pongiform **E**ncephalopathy); ☞ *Rinderwahn(sinn)*
BSE-Krise BSE crisis [ˌbiːesˈiːˌkraɪsɪs]
Bub *bes.* Ⓐ, Ⓒ *boy, lad
Bube *Spielkarte*: jack
Buch 1. book **2.** *er redet wie ein Buch* übertragen he never stops talking **3.** *ein Buch mit sieben Siegeln* a closed book
Buch... *in Zusammensetzungen*: book... *bzw.* book ...; *Buchbesprechung* book review [rɪˈvjuː]; *Buchhandlung* bookshop, *bes. AE* bookstore; *Buchhülle* (≈ *Schutzhülle*) dust jacket; *Buchkritik* book review; *Buchladen* bookshop, *bes. AE* bookstore
Buche beech (tree)
buchen 1. book, reserve (*Zimmer, Sitzplatz usw.*) **2.** book (*Flug*)
Bücher... *in Zusammensetzungen*: book... *bzw.* book ...; *Büchergutschein* book token; *Bücherregal* bookshelf; *Bücherschrank* bookcase; *Bücherwurm*

bookworm ['bʊkwɜːm]

Bücherbus mobile library, *AE* bookmobile ['bʊkməʊbiːl]

Bücherei library ['laɪbrərɪ]

Buchhandlung bookshop, *bes. AE* bookstore

Buchhalter(in) accountant

Büchse can, *BE auch* tin

Büchsenfleisch canned (*BE auch* tinned) meat

Büchsenöffner can opener, *BE auch* tin opener

Buchstabe 1. letter **2.** *großer Buchstabe* capital letter **3.** *kleiner Buchstabe* small letter

buchstabieren spell* (out)

buchstäblich literally

Bucht bay, *kleine*: bay, inlet ['ɪnlət]

Buchung booking, reservation [ˌrezə-ˈveɪʃn]

Buckel 1. *am Rücken*: hump **2.** (≈ *buckliger Rücken*) hunchback **3.** *die Katze machte einen Buckel* the cat arched [ɑːtʃt] its back **4.** *du kannst mir den Buckel runterrutschen* *salopp* you know what you can do **5.** (≈ *Unebenheit*) bump

Buckelpiste mogul ['məʊgl] field

bücken: *sich (nach etwas) bücken* bend* down *oder* over (to pick something up)

bucklig 1. *Mensch*: hunchbacked **2.** *Weg usw.*: bumpy

Bucklige(r) hunchback

Buddhismus Buddhism ['bʊdɪzm]

Buddhist(in), **buddhistisch** Buddhist ['bʊdɪst]

Bude 1. (≈ *Verkaufsbude*) kiosk ['kiːɒsk], (≈ *Marktbude*) stall [stɔːl] **2.** *salopp* (≈ *Zimmer*) place, pad **3.** *BE, salopp* (≈ *Studentenbude*) digs (△ *Pl.*)

Budget budget ['bʌdʒɪt]

Büfett → *Buffet*

Büffel buffalo ['bʌfələʊ]

büffeln: *er büffelt schon wieder (Latein)* he's swotting (up his Latin) again

Buffet 1. sideboard, *AE auch* buffet [△ bəˈfeɪ] **2.** *kaltes Buffet* cold buffet [△ 'bʊfeɪ]

Bug 1. *Schiff*: bow [△ baʊ] **2.** *Flugzeug*: nose

Bügel 1. (≈ *Kleiderbügel*) hanger **2.** (≈ *Handgriff*) handle

Bügeleisen iron [△ 'aɪən]

bügeln iron [△ 'aɪən], press (*Hose usw.*)

Buggy 1. (≈ *Kinderwagen*) buggy, *AE auch* stroller **2.** (≈ *Auto*) beach buggy

buh: *buh!* boo!

buhen boo

Buhmann bogeyman ['bəʊgɪmæn]

Bühne 1. *im Theater*: stage; *auf der Bühne* on (the) stage; *hinter der Bühne* backstage, behind the scenes [siːnz] (*auch übertragen*) **2.** (≈ *Theater*) theatre ['θɪətə]

Bühnenbild (stage) set, stage setting

Bühnenstück play

Buhrufe (loud) booing (△ *Sg.*), boos

Bukarest Bucharest [ˌbuːkəˈrest]

Bulette meatball

Bulgare Bulgarian [bʌlˈgeərɪən]; *er ist Bulgare* he's (a) Bulgarian; ☞ *Nationalitäten*

Bulgarien Bulgaria [bʌlˈgeərɪə]

Bulgarin Bulgarian woman (*oder* lady *bzw.* girl); *sie ist Bulgarin* she's (a) Bulgarian; ☞ *Nationalitäten*

bulgarisch, **Bulgarisch** Bulgarian [bʌlˈgeərɪən]

Bulimie *Medizin*: bulimia [bʊˈlɪmɪə]

Bullauge porthole

Bulldogge (≈ *Hund*) bulldog ['bʊldɒg]

Bulldozer bulldozer ['bʊldəʊzə]

Bulle 1. *männliches Tier*: bull [△ bʊl] **2.** *umg.* (≈ *bulliger Mann*) gorilla, heavyweight ['hevɪweɪt] **3.** *salopp* (≈ *Polizist*) cop; *die Bullen* the cops

Bullenhitze *umg.* scorching heat

Bumerang boomerang (*auch übertragen*); *sich als Bumerang erweisen* have* a boomerang effect

Bummel *umg.* (≈ *Spaziergang*) stroll [strəʊl], walk; *einen Bummel machen* go* for a walk (*oder* stroll)

bummeln 1. (≈ *schlendern*) stroll, go* for a stroll **2.** (≈ *trödeln*) dawdle ['dɔːdl]

Bummelstreik go-slow, *AE* slowdown

bums: *bums!* bang!

bumsen: (*jemanden*) *bumsen vulgär* screw (someone), *BE* have* it off (with someone)

Bund[1] **1.** (≈ *Verband, Vereinigung*) association **2.** (≈ *Bündnis*) alliance [əˈlaɪəns] **3.** *umg.* (≈ *Bundeswehr*) army; *beim Bund* in the army

Bund[2] *Petersilie, Mohrrüben, Radieschen, Spargel usw.*: bunch

Bund[3] *an der Hose usw.*: waistband

Bündel *allg.*: bundle (*auch übertragen*)

Bundes... *in Zusammensetzungen*: federal, Federal ...; *Bundesland* (federal) state; *Bundesnachrichtendienst* Federal Intelligence Service; *Bundesregierung* Federal Government; *Bundesrepublik Deutschland* Federal Republic of Germany; *Bundesstaat einzelner*: federal state; *Bundesverfassungsgericht* Federal Constitutional Court

Bundesbürger(in) German citizen, citizen of the Federal Republic

Bundeskanzler(in) *Regierungschef(in) in Deutschland und Österreich:* (Federal) Chancellor ['tʃɑːnsələ]; *Bundeskanzlerin Merkel* Chancellor Merkel (of Germany)

Bundesland 1. (federal) state **2. die neuen** (*bzw.* **die alten**) **Bundesländer** the eastern German (*bzw.* the western German) states

Bundesliga: *Sport:* (**erste, zweite**) **Bundesliga** (First, Second) Division

Bundesministerium ministry (**für** of)

Bundespräsident(in) *Staatsoberhaupt in Deutschland und in Österreich:* (German *bzw.* Austrian) President, Federal President

Bundesrat 1. *Deutschland und Österreich:* Bundesrat, Upper House of the German (*bzw.* Austrian) Parliament **2.** *Schweiz:* Bundesrat, Swiss government **3.** *Schweiz:* Swiss government minister ['mɪnɪstə] **4.** *Österreich:* member of the Upper House of the Austrian Parliament

Bundestag Bundestag, Lower House (of the German Parliament)

Bundestagsabgeordnete(r) member of the Bundestag

Bundestrainer(in) coach (*oder* manager) of the German (*bzw.* Austrian *usw.*) team

Bundeswehr (German) armed forces (△ *Pl.*)

bundesweit nationwide

Bündnis alliance [△ əˈlaɪəns]

Bündnispartner ally ['ælaɪ, əˈlaɪ]

Bundweite waist (size), waist measurement ['weɪst ˌmeʒəmənt]

Bungeejumping bungee jumping ['bʌndʒɪˌdʒʌmpɪŋ]

bunt 1. colourful (*auch übertragen*), multicoloured **2. etwas bunt bemalen** paint something in all sorts of colours **3. er treibt es zu bunt** *übertragen* he takes things too far, he overdoes it

Buntpapier coloured paper

Buntstift crayon ['kreɪɒn], coloured pencil

Buntwäsche coloured wash, coloureds ['kʌlədz] (△ *Pl.*)

Burg castle [△ 'kaːsl]

Bürger(in) 1. citizen **2.** (≈ *Einwohner, Einwohnerin*) inhabitant, resident ['rezɪdənt]

Bürgerinitiative citizens' (action) group

Bürgerkrieg civil war [ˌsɪvlˈwɔː]

bürgerlich 1. civil ['sɪvl] **2.** middle-class, *oft abwertend* bourgeois [△ 'bʊəʒwaː]

Bürgerliche(r) commoner ['kɒmənə]

Bürgermeister(in) mayor [△ meə]

Bürgerrechte civil rights [ˌsɪvl'raɪts]

Bürgerrechtler(in) civil rights campaigner

(*oder* activist)

Bürgersteig *BE* pavement, *AE* sidewalk

Bürgertum <u>the</u> middle classes, <u>the</u> bourgeoisie [ˌbʊəʒwaːˈziː]

Büro office

Büroangestellte(r) office worker, white-collar worker

Büroarbeit office work

Büroklammer paper clip

Bürokratie bureaucracy [△ bjʊˈrɒkrəsɪ]

bürokratisch bureaucratic [ˌbjʊərə-ˈkrætɪk]; **bürokratische Verfahrensweise** bureaucratic procedures [prəˈsiːdʒəz] (△ *Pl.*)

Bürokratismus (≈ *Amtsschimmel*) red tape

Bürozeit office hours (△ *Pl.*)

Bürste brush

bürsten brush

Bürstenschnitt crew cut

Bus 1. bus **2.** (≈ *Reisebus*) bus, *bes. BE* coach **3. mit dem Bus fahren** go* by bus, take* <u>the</u> bus

Bus... *in Zusammensetzungen:* bus ...; **Busbahnhof** (bus) terminal, bus station; **Busfahrer(in)** bus driver; **Busfahrplan** *BE* bus timetable, *AE* bus schedule ['skedʒuːl]; **Bushaltestelle** bus stop; **Busspur** bus lane; **Busverbindung** bus connection (*oder* service)

Bus

Streng genommen unterscheidet man zwischen **bus** (= Nahverkehrsbus) und **coach** (= Reisebus bzw. öffentlicher Bus aus der Stadt hinaus aufs Land oder für Verbindungen zwischen Städten). Jedoch wird **bus** auch allgemein, also auch für Reisebusse, verwendet.

Busch 1. bush [△ bʊʃ] **2.** (≈ *Strauch*) shrub **3.** *umg.* (≈ *Urwald*) jungle ['dʒʌŋgl] **4. da ist etwas im Busch** there's something going on

Buschfeuer bushfire [△ 'bʊʃfaɪə]

Busen 1. (≈ *Brust*) breasts [brests] (△ *Pl.*) **2.** *mit Kleidung:* bust, chest [tʃest] **3.** *übertragen* bosom [△ 'bʊzm], breast

Business Class business class

Busreise coach tour, coach trip

Bussard buzzard ['bʌzəd]

Buße 1. (≈ *Strafe*) penalty ['penltɪ] **2.** (≈ *Geldbuße*) fine, penalty

busseln *bes.* Ⓐ kiss

büßen: das sollst du mir büßen! you'll pay for that, I'll make you pay for that

busserln *bes.* Ⓐ kiss

Bußgeld fine; **er wurde zu einem Bußgeld in Höhe von € 10 verurteilt** he was

fined €10 (*gesprochen* ten euros)
Büste bust
Büstenhalter bra [brɑː]
Butter 1. butter; *mit Butter bestreichen* butter **2.** *alles in Butter übertragen* everything's just fine, *umg.* couldn't be better
Butterbrot (piece *oder* slice of) bread and butter
Buttermilch buttermilk
Button badge, *bes. AE* button
Bypass bypass

Bypassoperation bypass operation, *am Herzen auch*: heart bypass
Byte byte
bzw. 1. *ich schaue vorbei bzw. ich rufe dich an* either I'll drop by or I'll give you a ring *oder* call **2.** respectively (*Abk.* resp.); *zwei Bücher in englischer bzw. in deutscher Sprache* two books in English and German respectively, two books – one in English and one in German

C

C 1. *das hohe C Musik*: top C (△ *ohne* the) **2.** (≈ *Celsius*) C (*Abk. für* Celsius, centigrade)
ca. (≈ *circa, ungefähr, etwa*) approx. (△ *nur schriftlich*), approximately [əˈprɒksɪmətlɪ]
Cabrio(let) *Auto*: convertible, *bes. AE auch* cabriolet [ˈkæbrɪəleɪ]
Café café [ˈkæfeɪ, kæˈfeɪ]
Cafeteria snack bar, cafeteria [ˌkæfəˈtɪərɪə]
Callboy male prostitute [ˈprɒstɪtjuːt] (△ *nicht* call boy)
Callgirl call girl
Call-Center call centre, *bes. AE* call center
Camcorder camcorder
campen camp, go* camping
Camper(in) camper
Camping camping
Campingplatz camping site, campsite, *bes. AE* campground
canceln cancel [ˈkænsl] (*Flug usw.*)
Cappuccino *Getränk*: cappuccino [ˌkæpʊˈtʃiːnəʊ]
Cargohose cargoes, cargos [ˈkɑːɡəʊz] (△ *Pl.*), *BE auch* cargo trousers, *bes. AE auch* cargo pants (△ *Pl.*); *er trug eine Cargohose* he was wearing (a pair of) cargo(e)s
Carport *Auto*: carport
Cartoon 1. cartoon **2.** (≈ *Geschichte*) comic (*oder* cartoon) strip
Casino ⓐ → *Kasino*
Cassette cassette (tape)
Cassettenrecorder cassette recorder
Casting *bei Film, TV*: casting
Catcher(in) all-in wrestler [△ ˈreslə] (△

engl. catcher = *Fänger*)
CD CD [△ ˌsiːˈdiː], compact disc
CD-Brenner CD burner, CD writer [ˌsiːˈdiːˌraɪtə]
CD-Player CD player
CD-ROM CD-ROM [ˌsiːdiːˈrɒm] (ROM = **R**ead **O**nly **M**emory)
CD-ROM-Laufwerk CD-ROM drive [ˌsiːdiːˈrɒm_draɪv]
CD-Spieler CD player [ˌsiːˈdiːˌpleɪə]
Cello *Musikinstrument*: cello [ˈtʃeləʊ]
Celsius Celsius [ˈselsɪəs]; *20 Grad Celsius* 20 degrees Celsius (*oder* centigrade)
Cembalo harpsichord [ˈhɑːpsɪkɔːd]
Cent cent [sent] (*auch Eurocent*)
Chamäleon *Tier und übertragen*: chameleon [kəˈmiːlɪən]
Chancengleichheit equal opportunities (△ *Pl.*)
Chanson chanson [ˌʃɑ̃ːŋˈsɔ̃ːŋ]
Chalet (Swiss) chalet [ˈʃæleɪ], Swiss cottage
Champagner® champagne [ʃæmˈpeɪn]
Champignon button (*AE* field) mushroom
Chance 1. (≈ *Möglichkeit, Gelegenheit*) chance [tʃɑːns], opportunity (*zu* to + *Inf.*); *er hat keine Chance zu entkommen* he has no chance of escaping **2.** *Chancen* (≈ *Aussichten*) prospects; *die Chancen sind* (*oder* *stehen*) *gut* the prospects are good
chancenlos: *die Mannschaft ist chancenlos* the team's got no chance
Chaos chaos [ˈkeɪɒs]; *hier herrscht ja das reinste Chaos* it's absolutely chaotic [keɪˈɒtɪk] in this place
Chaot(in) completely disorganized person

chaotisch: *chaotische Zustände* chaos ['keɪɒs], a chaotic [keɪ'ɒtɪk] situation

Charakter 1. *einer Person*: character ['kærəktə], personality; *vom Charakter her* as far as his *usw.* character goes **2.** *einer Sache*: character, nature

Charaktereigenschaft personal trait

charakterisieren (≈ *schildern*) describe (*als* as)

charakteristisch characteristic, typical ['tɪpɪkl] (*für* of); *charakteristische Eigenschaft* characteristic feature

charakterlich in character; *sich charakterlich verändern* change in character

charmant charming ['tʃɑːmɪŋ]

Charme charm [tʃɑːm], personality

Charta charter ['tʃɑːtə]; *die Charta der Vereinten Nationen* the United Nations Charter

Charterflug charter flight

Chartergesellschaft charter company

Chartermaschine charter plane

chartern charter (*Flugzeug, Schiff usw.*)

Charts *umg.* charts [tʃɑːts]; *in die Charts kommen* get* into the charts

Chat *Internet*: chat

Chatraum, Chatroom *Internet*: chat room

chatten *Internet*: chat

Chauffeur(in) driver, chauffeur [△ 'ʃəʊfə]

Chauvi *umg.* male chauvinist [△ 'ʃəʊvənɪst] (pig), *Abk.*: MCP [ˌemsiː'piː]

Chauvinismus chauvinism [△ 'ʃəʊvənɪzm]

checken 1. (≈ *überprüfen*) check **2.** *umg.* (≈ *verstehen*) get*; *hast dus endlich gecheckt?* *umg.* have you got that into your thick head now?

Checkliste check list

Chef(in) head, *umg.* boss (△ *engl.* chef = *Koch, Köchin, Küchenchef(in)*)

Chef

Obwohl man besonders in den USA das Wort **chief** (neben dem sehr geläufigen **boss**) salopp für einen Vorgesetzten, Abteilungsleiter bzw. Firmenchef verwendet, sollte man als „Nicht-Muttersprachler" den Gebrauch dieses Wortes im Sinne von „Chef" vermeiden, denn **chief** bezeichnet in erster Linie einen „Häuptling" (bei den Indianern *usw.*). Nur in bestimmten Amtstiteln ist das Wort üblich, z. B. **Chief of Police** (Polizeipräsident), **Chief of Staff** (Generalstabschef). Ansonsten sollte man **boss** verwenden.

Chefarzt, Chefärztin senior consultant, *AE* medical director

Chefsache: *etwas zur Chefsache erklären* make something a matter for decision at the top level, (≈ *vorrangig behandeln*) give* top priority to something

Chefsekretär(in) personal assistant, *Abk.*: PA [ˌpiː'eɪ], *AE* executive [ɪg'zekjətɪv] secretary

Chemie *allg.*: chemistry ['kemɪstrɪ] (*auch als Unterrichtsfach*)

Chemikalien chemicals ['kemɪklz]

Chemiker(in) chemist ['kemɪst]

chemisch 1. chemical ['kemɪkl] **2.** *chemische Reinigung* (≈ *Vorgang*) dry cleaning, (≈ *Geschäft, Unternehmen*) dry cleaner's **3.** *etwas chemisch reinigen lassen* have* something dry-cleaned, take* something to the dry cleaner's

Chemotherapie chemotherapy [ˌkiːməʊ'θerəpɪ]

Chicago Chicago [△ ʃɪ'kɑːgəʊ]

Chicorée *Pflanze, Gemüse, Salat*: chicory ['tʃɪkərɪ], *AE* endive

Chile Chile

chillen (≈ *entspannen*) chill (out); *nach der Arbeit erst mal chillen* chill out after work

China China ['tʃaɪnə]

Chinese Chinese [ˌtʃaɪ'niːz]; *er ist Chinese* he's Chinese; *die Chinesen* the Chinese; ☞ *Nationalitäten*

Chinesin Chinese woman (*oder* lady *bzw.* girl); *sie ist Chinesin* she's Chinese; ☞ *Nationalitäten*

chinesisch 1. Chinese [ˌtʃaɪ'niːz] **2.** *die Chinesische Mauer* the Great Wall of

Chef

chef   boss

China

Chinesisch Chinese [ˌtʃaɪˈniːz]

Chip 1. *Computer*: chip **2. Chips zum Knabbern**: (potato) crisps, *AE* potato chips (△ *BE* chips = **Pommes frites**) **3.** (≈ *Spielmarke*) chip

Chipkarte *Computer*: chip card, smart card

Chirurg(in) surgeon [△ ˈsɜːdʒn]

Chirurgie surgery [ˈsɜːdʒərɪ]

chirurgisch surgical [ˈsɜːdʒɪkl]; **bei jemandem einen chirurgischen Eingriff vornehmen** carry out surgery on someone

Chlor chlorine [△ ˈklɔːriːn]

Cholera cholera [ˈkɒlərə]

Chor (≈ *Sängerchor*) choir [△ kwaɪə]

Choreograph(in) choreographer [ˌkɒrɪˈɒɡrəfə]

Choreographie choreography [ˌkɒrɪˈɒɡrəfɪ]

Christ(in) Christian [ˈkrɪstʃn] (△ *engl.* Christ [kraɪst] = **Christus**)

Christbaum Christmas tree [△ ˈkrɪsməs ˌtriː]

Christentum: **das Christentum** Christianity [ˌkrɪstɪˈænətɪ] (△ *ohne* the)

Christkind 1. das Christkind the infant Jesus, baby Jesus (△ *ohne* the) **2. was hat dir das Christkind gebracht?** what did Santa (Claus) bring you?

Christkindl *bes.* Ⓐ **1. das Christkindl** the Christ Child **2.** *Geschenk*: Christmas present [ˈkrɪsməsˌpreznt]

christlich 1. Christian [ˈkrɪstʃn] **2.** *Wendungen*: **christlich leben** live (*oder* lead*) a Christian life; **christlich handeln** act like a Christian

Christus 1. Christ [kraɪst] **2. vor Christi Geburt (v. Chr.)** before Christ, *Abk.*: BC [ˌbiːˈsiː]; **nach Christi Geburt (n. Chr.)** Anno Domini [ˌænəʊˈdɒmɪnaɪ], *Abk.*: AD [ˌeɪˈdiː]

Chrom 1. chrome **2.** *chemisches Element*: chromium [ˈkrəʊmɪəm] (*Abk.* Cr)

Chromosom chromosome [ˈkrəʊməsəʊm]

Chronik chronicle [ˈkrɒnɪkl]

chronisch chronic [ˈkrɒnɪk] (*auch übertragen*)

chronologisch chronological [ˌkrɒnəˈlɒdʒɪkl]; **in chronologischer Folge** in chronological order, chronologically

City town (*oder* city) centre, *AE* downtown (△ *engl.* city = **Stadt, Großstadt**); **in die City gehen** go* to the town (*oder* city) centre, *AE* go* downtown (△ *ohne* the)

clean *umg.* (≈ *nicht mehr drogenabhängig*) clean, off drugs

City

City bedeutet ganz allgemein „Großstadt": **London, Birmingham, Edinburgh, Glasgow, Liverpool, Manchester** *usw.* sind **cities**.

The City (mit großem „C") *bzw.* mit vollem Namen **the City of London** beschreibt das Londoner Finanzviertel, ein Gebiet von ca. 2,5 km², das tagsüber von Hunderttausenden von Pendlern wimmelt und nachts dagegen fast wie eine Geisterstadt wirkt.

Deutsch City für „Innenstadt" ist also nicht gleichbedeutend mit englisch **city** oder **City**! Deutsch „City" bedeutet im britischen Englisch **town centre** oder **city centre** *bzw.* im amerikanischen Englisch **downtown** [ˌdaʊnˈtaʊn].

clever smart, clever

Clinch: **mit jemandem im Clinch sein** be* at loggerheads [ˈlɒɡəhedz] with someone

Clique 1. (≈ *Freundeskreis*) group; **wir fahren mit der ganzen Clique nach England** the whole crowd of us are going to England together; **Elke und ihre Clique** Elke and her lot **2.** *abwertend* clique [△ kliːk]

Clou 1. (≈ *Höhepunkt*) climax, highlight **2. jetzt kommt der Clou!** wait for this

Clown clown

Club club

Cockpit cockpit

Cocktail cocktail

Code code

codieren code, encode

Codierung coding, encoding

Cola cola [ˈkəʊlə], *umg.* coke®; **zwei Cola** two colas (*oder* cokes)

Comeback comeback [△ ˈkʌmbæk]; **ein Comeback starten** (*bzw.* **erleben**) stage (*oder* make*) a comeback

Comic 1. (≈ *Comicstrip*) comic (*oder* cartoon) strip **2.** (≈ *Comic-Heft*) comic

Computer computer; ☞ *Illu S. 539*; ☞ *Info S. 616*

Computer... *in Zusammensetzungen*: computer ...; **Computerarbeitsplatz** work station; **Computerausdruck** computer printout; **Computerfreak** computer freak; **Computerprogramm** computer program; **Computerspiel** computer game; **Computerzeitschrift** computer magazine

computergesteuert computer-controlled

Container 1. *bei Schiffen*: container **2.** (≈ *Müllcontainer*) skip

Rund um den Computer

abbrechen	**abort, cancel**
abspeichern	**save**
abstürzen	**crash**
anklicken	**click (on)**
Ausdruck	**printout**
Befehl	**command**
Bildschirmschoner	**screen saver**
booten	**boot up**
Datei	**file**
entfernen	**delete**
Fenster	**window**
Festplatte	**hard disk**
formatieren	**format**
herunterladen	**download**
Laufwerk	**drive**
Menüleiste	**menu bar**
Ordner	**folder**
Pfad	**path**
Schnittstelle	**interface**
Sicherungskopie	**backup (copy)**
Softwarepaket	**software package**
Sonderzeichen	**symbol**
Soundkarte	**sound card**
Speicher	**memory**
speichern	**save** (auf **to**)
Statuszeile	**status bar**
Symbolleiste	**toolbar**
Treiber	**driver**
Zeichen	**character**
Zwischenablage	**clipboard**

Cookie *Internet*: cookie ['kʊkɪ]

cool *salopp* **1.** (≈ *gefasst*) cool, laid back [ˌleɪd'bæk]; ***cool bleiben*** stay cool **2.** (≈ *toll, super*) cool; ***sie ist echt cool drauf*** she's really awesome

Copyshop copy shop, *AE auch* copy center

Cord cord, corduroy ['kɔːdərɔɪ]

Cordhose ☞ ***Kordhose***

Corner Ⓐ, Ⓒⓗ (≈ *Eckball*) corner (kick)

Cornflakes cornflakes

Côte d'Ivoire *politisch korrekt für Elfenbeinküste*: Côte d'Ivoire [ˌkəʊt‿diːˈvwɑː]

Couch sofa, couch [kaʊtʃ]

Couchgarnitur three-piece suite [△ swiːt], *AE* three-piece set

Couchtisch coffee table

Countdown countdown

Coup coup [△ kuː]; ***einen Coup landen*** pull off a coup

Coupé *Auto*: coupé ['kuːpeɪ]

Coupon coupon ['kuːpɒn], voucher

Cousin(e) cousin ['kʌzn]

Cover 1. (≈ *Titelseite*) cover, front page [ˌfrʌnt'peɪdʒ] **2.** (≈ *Schallplattenhülle*) cover, *BE auch* sleeve

Creme cream

Cremetorte *BE* cream gateau [△ 'gætəʊ], *AE* chiffon pie, cream layer cake

Creutzfeld(t)-Jakob-Krankheit Creutzfeld(t)-Jakob disease; ☞ ***BSE***

cruisen *salopp* (≈ *ohne festes Ziel umherlaufen oder umherfahren*) cruise [kruːz] (around)

Crux: ***die Crux dabei ist*** the crux [krʌks] of the matter is

Cup *Sport*: cup

Cupfinale *Sport*: cup final ['kʌpˌfaɪnl]

Curry curry ['kʌrɪ] powder (△ *engl.* curry = ***Curry-Reisgericht***

Currywurst curried (*oder* grilled) sausage [ˌkʌrɪd'sɒsɪdʒ (ˌgrɪld'sɒsɪdʒ)]

Cursor cursor ['kɜːsə]

Cybercafé *Internet*: cybercafé ['saɪbəˌkæfeɪ]

Cyberspace *Internet*: cyberspace

D

da 1. (≈ *dort*) there; ***da oben*** (*bzw.* ***unten***) up (*bzw.* down) there; ***da drüben***, ***da hinüber*** over there **2.** ***da!*** (≈ *da hast dus!*) there you are **3.** *als Füllwort oft unübersetzt*: ***es gibt Leute, die da glauben ...*** there are people who believe ... **4.** *Zeit*: (≈ *dann, damals*) then, at that time; ***von da an*** from then on, since then; ***hier und da*** now and then **5.** ***da kann man nichts machen*** what can you do? **6.**

Grund: (≈ *weil*) as, since, because; ***da schönes Wetter war, haben wir draußen gegessen*** as the weather was fine, we had dinner outside

da sein 1. (≈ *anwesend sein*) be* there; ***ist jemand da?*** is there anybody there?; ***ich bin gleich wieder da*** I'll be right back **2.** (≈ *hier sein*) be* here; ***da bin ich*** here I am **3.** ***ist noch Brot***

da? is there any bread left? **4.** *es ist keine Milch mehr da* we've run out of milk **5.** *so etwas ist noch nie da gewesen* that's never happened before **6.** *sie ist (wieder) voll da* she's (back) in top form

dabehalten **1.** hold* onto (*Unterlagen usw.*) **2.** *sie behielten ihn gleich da* im *Krankenhaus usw.*: they kept him in

dabei **1.** (≈ *gleichzeitig*) at the same time; *sie machte Hausaufgaben und hörte dabei Musik* she was doing her homework and listening to music at the same time **2.** (≈ *dennoch*, *obwohl*) (even) though, but, yet; *... und dabei hat er gar keine Ahnung* ... even though he has no idea; *dabei hatte ich ihn gewarnt* (and) yet I warned him **3.** *nahe dabei* nearby **4.** *ich finde gar nichts dabei* I don't see anything wrong with it **5.** *dabei fällt mir ein ...* that reminds me ... **6.** *ich dachte mir nichts Schlimmes dabei* I meant no harm **7.** *was hast du dir eigentlich dabei gedacht?* what on earth made you do (*bzw.* say *usw.*) that? **8.** *was ist schon dabei?* so what? **9.** *lassen wir es dabei* let's leave it at that

---

dabei sein **1.** *sie ist dabei gewesen* she was there, (≈ *hat teilgenommen*) she took part (in it) **2.** *darf ich dabei sein?* can I come too?, (≈ *teilnehmen*) can I join in? **3.** *ich bin dabei!* (you can) count me in **4.** *er war gerade dabei, zu packen* he was just packing

---

dabeibleiben *Tätigkeit usw.*: keep* at it, stick* to it

dabeihaben **1.** *er hat keinen Schirm usw. dabei* he didn't bring his umbrella *usw.* (with him) **2.** *ich hab kein Geld dabei* I haven't got any money on me

dabeisitzen: *bei einer Besprechung dabeisitzen* sit* in on a discussion

dabeistehen: *er stand dabei und sagte nichts* he stood there and said nothing

dableiben **1.** *allg.*: stay **2.** *er muss noch dableiben Schule*: he's being kept in

Dach **1.** roof **2.** *beim Auto*: roof, top **3.** *sie wohnen alle unter einem Dach* *übertragen* they all live under the same roof

Dachdecker roofer

Dachgarten roof garden

Dachgeschoss, ⓐ Dachgeschoß top floor [floː]; *im Dachgeschoss* in the attic ['ætɪk], on the top floor [ˌtɒp'floː]

Dachrinne gutter

Dachterrasse roof terrace

Dachwohnung attic flat, *AE* (converted) attic

Dachziegel (roofing) tile

Dackel dachshund ['dæksnd, 'dækshʊnd]

dadurch **1.** *dadurch, dass* (≈ *weil*) because **2.** *... dadurch, dass er hart arbeitete* (≈ *indem*) ... by working hard

dafür **1.** (≈ *für diese Sache, für diesen Zweck*) for it, for them **2.** (≈ *als Ausgleich*) in return; *dafür hat er mich zum Essen eingeladen* in return he invited me to dinner **3.** *ich bin dafür* I'm for it, I'm in favour (of it) **4.** *alles spricht dafür, dass ...* it looks very much as if ... **5.** *dafür ist er ja da* (≈ *zu diesem Zweck*) that's what he's there for, that's his job, isn't it? **6.** *er wurde dafür bestraft, dass er gelogen hatte* he was punished for telling lies

dafürkönnen: *ich kann nichts dafür* it's not 'my fault, I can't help it

dagegen **1.** against it (*bzw.* them *usw.*) **2.** *ich bin dagegen* I'm against it **3.** *ich habe nichts dagegen* I don't mind **4.** (≈ *im Vergleich dazu*) in comparison, by contrast ['kɒntraːst] **5.** (≈ *andererseits*) on the other hand, however

dagegensprechen: *was spricht dagegen, dass wir ...?* why shouldn't we ...?

daheim (≈ *zu Hause*) at home

daher (≈ *deshalb*) that's why, and so

dahin **1.** *räumlich*: there **2.** *zeitlich*: *bis dahin* until then, till then; *hoffentlich bist du bis dahin fertig* I hope you'll be finished by then

dahinten back there

dahinter **1.** behind it (*bzw.* them *usw.*) **2.** *dahinter kommen* (≈ *es herausfinden*) find* out (about it) **3.** *ich komm nicht dahinter* (≈ *kapiere es nicht*) I don't get it

Dahlie *Blume*: dahlia ['deɪlɪə]

Dakapo encore [△ 'ɒŋkɔː]

dalassen leave* there (*oder* behind)

daliegen lie* there

damalig then, of (*oder* at) the time; *der damalige Besitzer* the owner at the time, the then owner

damals **1.** then, at the time **2.** *seit damals* since then, since that time **3.** *damals, als ...* (at the time) when ...

Dame **1.** lady **2.** *meine Damen und Herren* ladies and gentlemen **3.** *Schach und Kartenspiel*: queen **4.** *Brettspiel*: draughts [draːfts] (△ *Sg.*), *AE* checkers ['tʃekəz] (△ *Sg.*)

Damenhose ladies' trousers (△ *Pl.*), *AE* ladies' slacks (△ *Pl.*); *eine Damenhose* a pair of ladies' trousers; ☞ *Hose*

Damenkleidung

Achte auf die Schreibweise:

Damenkleidung	**ladies' wear** [weə]
Herrenbekleidung	**menswear**
Kinderbekleidung	**children's wear**

Aber wundere dich nicht, wenn in den Geschäften der Apostroph weggelassen wird. Dies ist grammatisch falsch, hat sich aber bei **menswear** längst eingebürgert.

Damenkleidung ladies' wear [weə]
Damenmode ladies' fashions (△ *Pl.*)
damit 1. (≈ *mit dieser Sache*) with it (*bzw.* them); *wie will er damit arbeiten?* how's he going to work with it (*bzw.* them)?; *ich bin damit fertig* I've finished with it (*bzw.* them) **2.** (≈ *mittels*) by it, with it **3.** (≈ *folglich, somit*) (and) so **4.** (≈ *infolgedessen*) as a result **5. *ich habe ihm nicht die Wahrheit gesagt, damit er sich nicht ärgert*** I didn't tell him the truth so that he <u>wouldn't</u> get angry **6.** *Wendungen: **was willst du damit?*** what do you want it for?; ***was willst du damit sagen?*** what are you trying to say?
Damm 1. (≈ *Staudamm*) dam **2.** (≈ *Eisenbahndamm, Flussdamm*) embankment
Dämmerung 1. (≈ *Morgendämmerung*) dawn; *bei Anbruch der Dämmerung* at dawn, at daybreak **2.** (≈ *Abenddämmerung*) twilight ['twaɪlaɪt]; dusk; *bei Einbruch der Dämmerung* at dusk
Dämon demon [△ 'di:mən], evil spirit
Dampf 1. steam; *Dampf ablassen wörtlich* blow* off steam, *übertragen, umg.* let* off steam **2.** *jemandem Dampf machen übertragen, umg.* give* someone a kick in the pants
Dampf... *in Zusammensetzungen:* steam..., steam ...; *Dampfbügeleisen* steam iron; *Dampflok(omotive), Dampfmaschine* steam engine; *Dampfwalze* steamroller
dampfen steam
Dampfer 1. steamer, steamship **2.** *da bist du auf dem falschen Dampfer übertragen, umg.* you're on the wrong track
Dämpfer: *einen Dämpfer bekommen umg.* (≈ *gerügt werden*) get* a rap over the knuckles ['nʌklz]
danach 1. after that (*oder* it) **2.** (≈ *anschließend*) then, afterwards ['ɑ:ftəwədz]; *sie geht gern schwimmen, danach fühlt sie sich immer viel besser* she likes to go swimming – she

always feels much better afterwards **3.** (≈ *später*) afterwards, later on; *eine Stunde danach* an hour later **4.** (≈ *entsprechend*) accordingly **5.** *danach fragen* ask for it **6.** *mir ist nicht danach* I don't feel like it
Däne Dane [deɪn]; *er ist Däne* he's Danish ['deɪnɪʃ]; *die Dänen* the Danish; ☞ *Nationalitäten*
daneben 1. *räumlich:* beside it (*bzw.* them), next to it (*bzw.* them); *das Zimmer daneben* the room next door, the next room **2.** *räumlich:* *rechts* (*bzw.* *links*) *daneben Sache:* to the right (*bzw.* left) of it, *Person:* on his *usw.* right (*bzw.* left) **3.** (≈ *außerdem*) in addition **4.** (≈ *im Vergleich dazu*) beside it (*bzw.* him *usw.*) (△ *mst. am Satzende*), in comparison **5.** (≈ *am Ziel vorbei*) off the mark; *daneben! missed!;* *total daneben! umg.* way out! (*auch übertragen*)
danebenschießen, danebenschlagen, danebentreffen miss
Dänemark Denmark ['denmɑ:k]
Dänin Danish ['deɪnɪʃ] woman (*oder* lady *bzw.* girl); *sie ist Dänin* she's Danish ['deɪnɪʃ]; ☞ *Nationalitäten*
dänisch, Dänisch Danish ['deɪnɪʃ]
dank thanks to
Dank 1. thanks (△ *Pl.*); *vielen* (*oder* *besten oder* *schönen*) *Dank!* many thanks, thank you very much **2.** (≈ *Dankbarkeit*) gratitude
dankbar 1. grateful **2.** *Aufgabe:* rewarding **3.** *ich wäre Ihnen dankbar, wenn ...* I'd appreciate [ə'pri:ʃɪeɪt] it if ...
Dankbarkeit gratitude ['grætɪtju:d]; *aus Dankbarkeit für* out of gratitude for
danke 1. *danke* (*schön*)! (many) thanks, thank you (very much), *BE umg. auch* cheers; *danke, Kumpel!* cheers, pal **2.** *danke!* (≈ *danke, ja!*) yes, thank you (*oder* yes, thanks) **3.** *danke!* (≈ *danke, nein!*) no, thank you (*oder* no, thanks)
danken 1. thank; *jemandem für etwas danken* thank someone for something **2.** *nichts zu danken!* that's all right, you're welcome
dann 1. (≈ *danach*) then; *was passierte dann?* what happened then (*oder* next)? **2.** (≈ *nachher*) then, after that, afterwards **3.** *wenn er es nicht weiß, wer dann?* if he doesn't know, who does? **4.** *Wendungen: dann und wann* now and then; *bis dann! umg.* see you (later)!; *dann eben nicht!* okay, forget it
daran 1. *allg.:* on it, to it; *etwas daran befestigen* attach something <u>to</u> it **2.** *betont:* on that, to that; *stecks daran* put it on that, put it there **3.** *daran glauben* put

believe in it **4.** *im Anschluss daran* following that, after that **5.** *daran schloss sich eine Rede an* that was followed by a speech

daransetzen: *er setzte alles daran, zu gewinnen* he did everything in his power to win

darauf 1. *räumlich*: on it *usw.*, (≈ *ganz oben*) on top of it *usw.* **2.** *zeitlich*: after that, then, next; *bald darauf* soon after

daraus 1. from *oder* out of it *usw.*; *daraus lernen* (*bzw.* **vorlesen**) learn* (*bzw.* read*) from it **2.** *ich mache mir nichts daraus* (≈ *es ist mir gleichgültig*) it doesn't bother ['bɒðə] me, (≈ *ich mag es nicht besonders*) I'm not very keen on it

darein in(to) it, in(to) that, in(to) them *usw.*

darin 1. *räumlich*: in it *usw.*; *was ist darin?* what's inside? **2.** *die Schwierigkeit liegt darin, dass ...* the difficulty is that ... **3.** (≈ *auf diesem Gebiet*) at it (*oder* that); *darin ist er gut* he's good at it

darlegen 1. present [prɪ'zent] (*Meinung usw.*) **2.** (≈ *erklären*) explain

Darlehen loan [ləʊn]

Darm 1. intestine [ɪn'testɪn], bowels ['baʊəlz] (△ *Pl.*) **2.** (≈ *Wursthülle*) skin

Darmgrippe gastroenteritis [ˌgæstrəʊentə'raɪtɪs], gastric flu [ˌgæstrɪk'fluː]

darstellen 1. (≈ *schildern*) describe **2.** present [prɪ'zent] (*Tatsachen usw.*) **3.** *künstlerisch*: (≈ *zeigen, wiedergeben*) show, depict **4.** *was stellt dieses Zeichen usw. dar?* what does this symbol *usw.* stand for (*oder* represent [ˌreprɪ'zent])? **5.** *etwas in einem Diagramm darstellen* draw* a graph of something **6.** *Theater*: act *oder* play (the part of)

Darsteller actor, performer

Darstellerin actress, performer

Darstellung 1. (≈ *Schilderung*) description **2.** *von Tatsachen*: presentation **3.** *einer Rolle im Theater usw.*: interpretation, acting **4.** *Computer*: display [dɪ'spleɪ]

darüber 1. *örtlich*: over it (*bzw.* over them), over that **2.** *räumlich*: above it *usw.*; *das Zimmer darüber* the room above **3.** (≈ *quer darüber*) across it *usw.* **4.** *darüber hinaus* (≈ *außerdem*) in addition, on top of that **5.** *ich freue mich darüber* I'm very glad about it

darum (≈ *deshalb*) that's why

darunter 1. *örtlich*: under it (*bzw.* under them), under there, underneath **2.** (≈ *weiter unten*) further down **3.** (≈ *dabei*) among them; *... darunter zehn Kinder* ... among them ten children **4.** (≈ *weniger*) less; *Schüler im Alter von 12 Jah-*

ren und darunter pupils aged 12 and under **5.** *was verstehst du darunter?* what do you understand by it? **6.** *er liegt mit seinen Leistungen weit darunter* he doesn't come up to this level

das 1. the **2.** *das Fernsehen* television (△ *ohne* the) **3.** *zwei Dollar das Kilo* two dollars a kilo **4.** *das sind Chinesen* they're Chinese; → *der*

Dasein existence [ɪg'zɪstəns], life

dasitzen 1. *wörtlich* sit* there **2.** *sie sitzt ganz allein da übertragen* she's been left all on her own

dass 1. that; *so dass* so that **2.** *es sei denn, dass* unless **3.** *ohne dass er sich verabschiedete usw.* without saying goodbye *usw.* **4.** *er entschuldigte sich dafür, dass er zu spät kam* he apologized for being late **5.** *es ist lange her, dass ich sie gesehen habe* it's a long time since I saw her

dasselbe → *derselbe*

dastehen 1. *wörtlich* stand* there **2.** *sie steht ganz allein da übertragen* she's been left all on her own **3.** *er steht gut da übertragen* he's doing all right

Date 1. (≈ *Termin, Treffen*) date; *ein Date haben* have* a date, go* (out) on a date; *sie hat mit dir noch ein Date* she's going out on a date with you **2.** (≈ *Person, mit der man sich trifft*) date

Datei (data) file

Dateiname *Computer*: file name

Daten 1. data ['deɪtə] (△ *Sg. und Pl.*), facts **2.** (≈ *Personalangaben*) particulars [pə'tɪkjʊləz], personal data

Daten... *in Zusammensetzungen*: data ... ['deɪtə]; *Datenaufbereitung* data preparation; *Datenbank* data bank, database; *Datenbasis* database; *Datenmissbrauch* data abuse ['deɪtə‿ə,bjuːs]; *Datennetz* data network; *Datenschutz* data protection; *Datensicherheit* data integrity, data security; *Datenträger* data medium; *Datenübertragung* data transfer ['deɪtə,trænsfɜː]; *Datenverarbeitung* data processing ['deɪtə,prəʊsesɪŋ]

Daten

Obwohl **data** eine (lateinische) Pluralform ist, steht das dazugehörige Verb meist im Singular, z. B. **the data is incomplete**.

Datenautobahn information (super)highway

Dativ dative ['deɪtɪv] (case)

Dativobjekt indirect object [ˌɪndərekt-'ɒbdʒɪkt]

Dattel date
Datum date; *welches Datum haben wir heute?* what's the date today?

Datumsangabe

Im amerikanischen Englisch wird das Datum in einem Brief auf eine Weise geschrieben, die für Deutschsprachige sehr verwirrend sein kann. Den **11. Oktober 2006** z. B. schreibt man oft folgendermaßen: **10/11/2006**, d. h. der **Monat** wird zuerst genannt, dann der Tag, dann das Jahr. Oft wird auch das **Jahr** zuerst genannt, dann der Monat und dann der Tag: **2006/10/11** oder **2006-10-11**. Das kann leicht zu Verwechslungen führen (11. Oktober oder 10. November?). Deshalb ist es ratsam – besonders bei wichtigen Verabredungen und Terminabsprachen – sich darauf zu einigen, den Monatsnamen auszuschreiben bzw. die übliche Kurzform dafür zu wählen, also: **11 October 2006** oder **11 Oct 2006**.

Datumsgrenze dateline
Dauer 1. duration **2.** (≈ *Zeitspanne*) period ['pɪərɪəd] (of time); *für die Dauer von* for a period of **3.** *auf (die) Dauer* in the long run
Dauerauftrag *bei der Bank*: standing order
dauerhaft 1. *allg.*: durable ['djʊərəbl] **2.** (≈ *beständig*) durable, permanent, lasting; *dauerhafter Friede(n)* lasting peace
dauern 1. *allg.*: last **2.** *Zeitaufwand*: take*; *wie lange dauert das noch?* how much longer is that going to take?
dauernd 1. lasting, permanent **2.** *er lachte dauernd* he kept laughing **3.** *unterbrich mich nicht dauernd* stop interrupting me (all the time)! **4.** *dauernd ist was los* there's always something going on
Dauerzustand permanent condition
Daumen 1. thumb [△ θʌm] **2.** *ich halte (oder drücke) dir die Daumen* I'll keep my fingers crossed (for you)
Daumenregister thumb [△ θʌm] index
Daunen *Pl.* down *Sg.*
Daunendecke eiderdown ['aɪdədaʊn], *AE* down comforter
Daunenjacke quilted jacket [ˌkwɪltɪd-'dʒækɪt]
davon 1. (≈ *von dieser Sache*) of it (*bzw.* them) **2.** (≈ *weg*) away; *das Dorf liegt nicht weit davon entfernt* the village isn't far away (from it) **3.** (≈ *darüber*) about it, of it; *hast du schon davon gehört?* have you heard about it yet? **4.** *da-*

von wird man dick it makes you fat
davonkommen 1. get* away, escape **2.** *mit dem Leben davonkommen* survive **3.** *mit leichten Verletzungen, mit einer Geldstrafe usw.*: get* away (*mit* with) **4.** *wir usw. sind noch einmal davongekommen* it was a close shave
davonlaufen: (*jemandem*) *davonlaufen* run* away (from someone)
davor 1. *örtlich*: in front of it (*bzw.* them *usw.*) **2.** *zeitlich*: beforehand, *vor einem Zeitpunkt*: before that **3.** *eine Stunde davor* an hour earlier
dazu 1. (≈ *zusätzlich*) on top of that **2.** *möchten Sie Reis usw. dazu?* would you like rice *usw.* with it? **3.** (≈ *zu diesem Zweck*) for it, for that, for that purpose; *dazu ist er ja da!* that's what he's there for
dazugehören 1. belong to it *usw.*, be* part of it *usw.* **2.** *das gehört dazu* übertragen that's part of it
dazukommen 1. (*Person*) join them (*bzw.* us *usw.*); *möchtest du nicht dazukommen?* wouldn't you like to join us? **2.** *dazu kommt noch, dass ...* Sache: on top of it ...
dazulernen learn* (something new)
dazwischen 1. *räumlich*: between (them) **2.** *zeitlich*: in between
dazwischenkommen: *wenn nichts dazwischenkommt* if all goes well
dazwischenreden interrupt (*jemandem* someone), *umg.* butt in
DDR (*Abk. für* **D**eutsche **D**emokratische **R**epublik) GDR [ˌdʒiːdiːˈɑː] (*Abk. für* **G**erman **D**emocratic **R**epublic)
dealen *umg.* push drugs
Dealer(in) (≈ *Drogenhändler*) dealer, *umg.* pusher
Debatte debate, discussion (*über* on)
debattieren: (*über*) *etwas debattieren* debate (*oder* discuss) something
Deck 1. *eines Schiffes oder Busses*: deck; *an Deck* on deck **2.** (≈ *Kassettendeck*) deck **3.** (≈ *Parkdeck*) level
Decke 1. (≈ *Wolldecke*) blanket ['blæŋkɪt] **2.** (≈ *Bettdecke*) (bed)cover **3.** (≈ *Tischdecke*) tablecloth **4.** (≈ *Zimmerdecke*) ceiling ['siːlɪŋ] **5.** *er steckt mit ihm unter einer Decke* umg. he's in cahoots [kəˈhuːts] with him
Deckel 1. *eines Behälters*: lid **2.** *auf Flaschen, Gläsern usw.*: top, cap **3.** *von Kisten, Schachteln usw., bei Büchern*: cover **4.** (≈ *Hut*) hat **5.** *eins auf den Deckel kriegen* umg. get* a real ticking-off
decken 1. *allg.*: cover **2.** *den Tisch decken* lay* (*oder* set*) the table **3.** *mit Ziegeln*: tile (*Dach*) **4.** *Fußball, Handball*

usw.: mark, *bes. AE* cover **5.** *Boxen*: guard **6.** *den Bedarf decken* meet* the demand **7.** *der Scheck war nicht gedeckt* the cheque wasn't covered, *AE* the check bounced **8.** *die Aussagen usw. decken sich* the statements *usw.* correspond

Deckname 1. *bes. eines Kriminellen*: alias ['eɪlɪəs] *Pl.*: aliases **2.** *eines Spions, eines militärischen Programms usw.*: code name

Deckung 1. (≈ *Schutz*) cover, shelter (*auch militärisch*); *in Deckung gehen* take* cover **2.** *Boxen, Fechten usw.*: guard **3.** *zur Deckung der Unkosten* to cover the costs

Decoder *TV usw.*: decoder [diːˈkəʊdə], set-top box

defekt *Gerät*: faulty

Defekt *an einem Gerät*: fault, defect

defensiv defensive [dɪˈfensɪv]

Defensive defensive [dɪˈfensɪv]; *in der Defensive* on the defensive

definieren define; *neu definieren* redefine

Definition definition

Defizit deficit [ˈdefəsɪt]

deftig 1. (*ein*) *deftiges Essen* (some) good solid food **2.** *Preise*: steep

Degen 1. sword [△ sɔːd] **2.** *Fechten*: épée [ˈepeɪ]

degradieren: *einen Major zum Oberleutnant degradieren* demote [ˌdiːˈməʊt] a major to (the rank of) lieutenant (*ohne* a)

Degradierung 1. *Dienstgrad*: demotion [ˌdiːˈməʊʃn] **2.** *übertragen* degradation [ˌdegrəˈdeɪʃn]

dehnbar flexible [ˈfleksəbl], elastic (*auch übertragen*)

dehnen 1. stretch (*auch übertragen*) **2.** *sich dehnen* (*Person*) stretch (oneself), (*Kleidung*) stretch **3.** lengthen (*Vokale*)

Deich dike

Deichsel pole

dein 1. your; *dein Buch* your book; *eines deiner Bücher* one of your books; *einer deiner Freunde* a friend of yours, one of your friends **2.** *das ist deiner* (*bzw. deine, deins*) that's yours

deinetwegen 1. (≈ *wegen dir*) because of you **2.** (≈ *dir zuliebe*) for you, for your sake

Deka, Dekagramm Ⓐ ten gram(me)s; *10 Deka Käse* 100 gram(me)s of cheese

Dekan *Kirche und Uni*: dean

Deklination *eines Wortes*: declension

deklinieren decline (*ein Wort*)

Dekoration 1. *allg.*: decoration **2.** (≈ *Schaufensterdekoration*) window display

Delegation delegation

delegieren delegate [ˈdelɪgeɪt](*an* to)

Delegierte(r) delegate [ˈdelɪgət]

Delfin[1] *Säugetier*: dolphin [ˈdɒlfɪn]

Delfin[2], **Delfinschwimmen**, **Delfinstil** butterfly (stroke)

delikat 1. (≈ *köstlich, lecker*) delicious [dɪˈlɪʃəs], exquisite [ɪkˈskwɪzɪt] **2.** (≈ *heikel*) delicate [ˈdelɪkət]; *eine delikate Angelegenheit* a delicate matter

Delikatesse (≈ *Leckerbissen*) delicacy [ˈdelɪkəsɪ]

Delikt offence [əˈfens], *AE* offense

Delle dent

Delphin *usw.* → *Delfin usw.*

Delta delta

dem 1. *gib es dem Lehrer* give it to the teacher **2.** *wie dem auch sei* be that as it may **3.** *der, dem ich es gegeben habe* the one (*oder* person) I gave it to

dementieren deny [dɪˈnaɪ]

dementsprechend accordingly (△ *steht mst. am Satzende*)

demgegenüber 1. compared with this ... **2.** on the other hand ... (△ *stehen beide am Anfang eines Nebensatzes oder neuen Hauptsatzes*)

demnach therefore

demnächst 1. soon, before long **2.** „*demnächst im Kino ...*" *usw.* 'coming (to your cinema) shortly ...'

Demo *umg.* (≈ *Demonstration*) demo [ˈdeməʊ] *Pl.*: demos

Demodiskette *umg. Computer*: demo disk

Demokrat(in) 1. *allg.*: democrat [ˈdeməkræt] **2.** *die Demokraten als Partei*: the Democrats

Demokratie democracy [△ dɪˈmɒkrəsɪ]

demokratisch democratic [ˌdeməˈkrætɪk]

demolieren 1. (≈ *beschädigen*) damage [ˈdæmɪdʒ] **2.** (≈ *zerstören*) wreck [△ rek] (*Auto usw.*), *mutwillig*: vandalize [ˈvændəlaɪz]

Demonstrant(in) demonstrator [ˈdemənstreɪtə]

Demonstration *allg.*: demonstration (*auch Bekundung, Veranschaulichung usw.*)

demonstrativ: *demonstrativ den Saal verlassen* walk out (in protest)

Demonstrativpronomen demonstrative pronoun [dɪˌmɒnstrətɪvˈprəʊnaʊn]

demonstrieren demonstrate [ˈdemənstreɪt] (*gegen* against)

Demoskopie public opinion research

demoskopisch: *demoskopische Umfrage* (public) opinion poll

Demoversion *einer Software*: demo version

Demütigung humiliation [△ hjuːˌmɪlɪˈeɪʃn]

demzufolge 1. accordingly **2.** (≈ *daher*) consequently [ˈkɒnsɪkwəntlɪ] (△ *stehen beide mst. am Satzanfang*)

den → *der*

Denkart 1. *konkret*: way of thinking **2.** (≈ *Gesinnung*) mentality

Denkaufgabe (≈ *Rätsel*) brainteaser

denkbar 1. *das ist denkbar* it's possible **2.** *das ist denkbar einfach* it's the easiest thing in the world **3.** *in der denkbar kürzesten Zeit* in the shortest possible time

denken 1. (≈ *nachdenken, überlegen*) think*; *woran denkst du?* what are you thinking about?, *umg.* a penny for your thoughts **2.** (≈ *vermuten, meinen*) think*; *ich denke, sie hat recht* I think she's right **3.** *denken an* think* of; *ich werd an dich denken* I'll be thinking of you **4.** *denken an* (≈ *sich erinnern an, nicht vergessen*) remember; *denk an deine Hausaufgaben!* don't forget your homework **5.** *denken an* (≈ *im Sinne haben*) have* in mind, think* of; *ans Heiraten denken* think* of getting married; *er denkt daran, sich selbstständig zu machen* he's thinking of starting up his own business **6.** *sich etwas denken* (≈ *vorstellen*) imagine [ɪˈmædʒɪn]; *das kann ich mir denken* I can well imagine **7.** *Wendungen*: *ich denke 'schon* I (should) think so; *ich dachte schon, du wolltest nicht mitkommen* I was beginning to think (*oder* for a minute I thought) you didn't want to come; *wie denkst du darüber?* what do you think (about *oder* of it)?; *wer hätte das gedacht!* who would have thought it; *es war für dich gedacht* it was meant for you

Denken: *das Denken* thinking, thought [θɔːt] (△ *ohne* the)

Denker(in) thinker; *großer Denker bzw. große Denkerin* great thinker

Denkfehler logical flaw; *das ist ein Denkfehler* that's not logical

Denkmal monument [ˈmɒnjʊmənt] (+*Gen.* to)

Denkmalschutz: *unter Denkmalschutz stehen* be* listed, be* a listed building (*bzw.* monument [ˈmɒnjʊmənt] *usw.*)

Denkweise way of thinking

Denkzettel: *jemandem einen Denkzettel geben* (*oder* *verpassen*) teach* someone a lesson

denn 1. *begründend*: for, because **2.** *mehr denn je* more than ever **3.** *es sei denn* unless **4.** *wo denn?* where?; *was denn?* what?; *wieso denn?* why? **5.** *was ist denn?* what's up?, *verärgert*: what (is it)?

6. *ist er denn so arm?* is he really that poor?

dennoch (yet ...) still, nevertheless; ... *(und) er hat sie dennoch geheiratet* ... (and) yet he still married her

Denunziant(in) informer

denunzieren: *jemanden denunzieren* inform on someone

Deo (≈ *Deodorant*) deodorant [diːˈəʊdərənt]

Deoroller roll-on (deodorant [diːˈəʊdərənt])

Deospray deodorant [diːˈəʊdərənt] spray, spray deodorant

Deostift deodorant [diːˈəʊdərənt] stick

Deponie (refuse [△ ˈrefjuːs] tip, waste disposal site

Deportation deportation [ˌdiːpɔːˈteɪʃn]

Depot 1. (≈ *Aufbewahrungsstelle*) depot [ˈdepəʊ] **2.** ⒼⒷ (≈ *Pfand*) deposit [dɪˈpɒzɪt]

Depp idiot [ˈɪdɪət], *umg.* twit

Depressionen: *an Depressionen leiden* suffer from depression (△ *Sg.*)

depressiv depressive [dɪˈpresɪv], depressed

deprimierend depressing

deprimiert depressed

der 1. the **2.** *der arme Peter* poor Peter; *der Hyde Park* Hyde Park (△ *beide ohne Artikel*) **3.** that (one), this (one); *der Mann hier* this man; *der mit der Brille* the one with the glasses; *nimm den hier* take this one **4.** *jeder, der ...* anyone who ...; *er war der Erste, der es erfuhr* he was the first to know

derart: *er hat derart geschrien, dass ...* he screamed so much (*oder* loud) that ...

derartig: *ein derartiger Fehler* a mistake like that

derb 1. (≈ *rau, grob*) rough [△ rʌf], coarse [kɔːs] **2.** *Witz usw.*: crude [kruːd]

dergleichen 1. *und dergleichen (mehr)* (*Abk.* *u. dgl.*) and the like, and so forth **2.** *er tat nichts dergleichen* he just didn't react, he just didn't do it

derjenige 1. the one **2.** *derjenige, der* (*oder* *welcher*) the one who

dermaßen → *derart*

derselbe 1. the same **2.** *Person*: the same person

derzeit at the moment

derzeitige(r, -s) (≈ *jetzig*) present, current

Deserteur(in) deserter [dɪˈzɜːtə]

deshalb 1. that's why **2.** *deshalb, weil* because

Designer... [dɪˈzaɪnə] *in Zusammensetzungen*: designer ...; *Designerdroge* designer drug; *Designerklamotten umg.* designer gear (△ *Sg.*); *Designerkleid* designer dress; **Designermode** designer fashion, designer fashions (*Pl.*)

Designer(in) designer [dɪ'zaɪnə]

Desinteresse lack of interest (**an** in)

desinteressiert <u>un</u>interested (**an** in) (△ *engl.* disinterested = **unparteiisch**)

Desktop-Publishing desktop publishing [,desktɒp'pʌblɪʃɪŋ] (*Abk.* DTP [,diːtiː-'piː])

dessen 1. *Person:* whose 2. *Sache:* whose, of which 3. **ich bin mir dessen bewusst, dass ...** I'm aware (of the fact) that ... 4. **mein Bruder und dessen Frau** my brother and his wife

Dessert dessert [△ dɪ'zɜːt]; **als** (*oder* **zum**) **Dessert** <u>for</u> dessert (△ *ohne* the)

desto ... the; **je eher usw., desto besser** *usw.* <u>the</u> sooner *usw.* the better *usw.*

deswegen that's why

Detail detail ['diːteɪl]; **ins Detail gehen** go* into detail (△ *ohne* the)

Detektiv(in) detective [dɪ'tektɪv]

Detonation detonation [,detə'neɪʃn]

deuten 1. (≈ *auslegen*) interpret [△ ɪn-'tɜːprɪt]; **falsch deuten** misinterpret 2. (≈ *erklären*) explain 3. **deuten auf** *übertragen* indicate, suggest [sə'dʒest]

deutlich 1. ['diːt-] clear, distinct 2. **jemandem etwas deutlich machen** make* something clear to someone, explain something to someone 3. **deutlich besser** much better

Deutlichkeit clearness, distinctness

deutsch German ['dʒɜːmən]

Deutsch 1. German ['dʒɜːmən], the German language; **Deutsch sprechen** speak* German 2. **auf** (*bzw.* **in**) **Deutsch** <u>in</u> German

Deutsche German ['dʒɜːmən] woman (*oder* lady *bzw.* girl); **sie ist Deutsche** she's German; ☞ **Nationalitäten**

deutsch-englisch German-English; **ein deutsch-englisches Wörterbuch** a German-English dictionary ['dɪkʃənrɪ]

Deutscher German ['dʒɜːmən]; **er ist Deutscher** he's German; ☞ **Nationalitäten**

Deutschland Germany ['dʒɜːmənз]; **die Bundesrepublik Deutschland** the Federal Republic <u>of</u> Germany

Deutschlehrer(in) German teacher

Deutschunterricht German lesson, German lessons (*Pl.*); **während des Deutschunterrichts** during our (their *usw.*) German lesson (△ *nicht* lessons); **Deutschunterricht geben** teach* German

Deutung 1. (≈ *Auslegung*) interpretation 2. (≈ *Erklärung*) explanation

Devise motto *Pl.*: mottos *oder* mottoes

Devisen foreign currency (△ *Sg.*)

Dezember December; **im Dezember** in December (△ *ohne* the)

dezent 1. discreet 2. *Farbe, Licht, Musik:* soft 3. *Kleidung:* tasteful

Dezimalrechnung decimals ['desəmlz] (△ *Pl.*)

Dezimalzahl decimal ['desəml]

Dezimalzahlen

Dezimalzahlen werden im Englischen anders geschrieben und gesprochen als im Deutschen. 7,2 (= sieben Komma zwei) wird zu **7.2** (= **seven point two**). Folgerichtig heißt das deutsche Komma bei Dezimalzahlen **decimal point** [,desəml'pɔɪnt].

d. h. (= *das heißt*) ie, i. e. [,aɪ'iː] (*Abk. für* lat. id est, *engl.* that is); **Senioren, d. h. Personen über 65, können eine Ermäßigung beantragen** senior citizens, <u>ie</u> (△ *gesprochen mst.* that is) people over 65, can apply for a reduction

Dia slide; **Dias machen** take* slides

Diabetes diabetes [,daɪə'biːtiːz]

Diabetiker(in) diabetic [,daɪə'betɪk]; **er ist Diabetiker** he's (a) diabetic

Diagnose diagnosis [,daɪəg'nəʊsɪs]; **eine Diagnose stellen** make* a diagnosis

diagonal, Diagonale diagonal [△ daɪ-'ægənl]

Diagramm graph [grɑːf]

Dialekt dialect ['daɪəlekt]; **Dialekt sprechen** speak* (a) dialect

Dialog dialogue ['daɪəlɒg] (*auch übertragen*)

Diamant diamond ['daɪəmənd]

Diaprojektor slide projector

Diät (special) diet ['daɪət]; **sie macht eine Diät** she's <u>on</u> a diet; **er will eine Diät machen** he wants to <u>go on</u> a diet

Diavortrag slide talk (*oder* show)

dich 1. you; **ich liebe dich** I love you 2. **du wirst dich noch verletzen!** you'll hurt yourself 3. **das ist für dich** that's for you 4. *unübersetzt:* **beruhige dich!** *usw.* calm down *usw.*

dicht 1. *Nebel, Haar, Gestrüpp usw.:* thick, dense 2. *Wald:* dense 3. *Verkehr:* heavy 4. **dicht gedrängt** *Leute:* squashed together 5. **in dichter Folge** in quick succession 6. *umg.* (≈ *geschlossen, zu*) closed, shut 7. (≈ *luftdicht*) airtight 8. (≈ *wasserdicht*) watertight 9. **er ist nicht ganz dicht** *salopp* he's got a screw loose 10. **dicht gefolgt von** closely followed by 11. **dicht bevölkert** densely populated

Dichte *physikalische*: density

dichten (≈ *ein Gedicht oder Gedichte schreiben*) write* a poem, write* poems

Dichter(in) **1.** poet ['pəʊɪt] **2.** (≈ *Schriftsteller*) author ['ɔːθə], writer ['raɪtə]

dichthalten: **ich halte dicht** *umg.* I'll keep my mouth shut

Dichtkunst poetry ['pəʊətrɪ]

Dichtung[1] (≈ *Verdichtung*) poetry ['pəʊətrɪ]; **die moderne Dichtung** modern poetry (△ *ohne* the)

Dichtung[2] *zum Abdichten*: seal

dick **1.** thick **2.** *Person*: fat (△ *engl.* he's thick = **er ist blöd**) **3.** **sich dick anziehen** wrap [△ ræp] up well

dick

The **fat** man is eating a **thick** sandwich.

dick

Buch, Stoff, Soße, Lippen usw.	**thick**
Person, Körperteile	**fat**

△ **thick** auf eine Person bezogen bedeutet „blöd, schwer von Begriff".

Dickdarm colon ['kəʊlən]

Dicke **1.** thickness **2.** (≈ *Durchmesser*) diameter [△ daɪ'æmɪtə]

Dicke(r), Dickerchen *umg.* fatty, fatso

die **1.** the **2. die Chemie, die Physik** *usw.* chemistry, physics *usw.* (△ *ohne* the) **3.** **die mit dem roten Mantel** the one in the red coat; → **der**

Dieb(in) **1.** thief **2.** (≈ *Einbrecher*) burglar

Diebstahl theft [θeft]

Diele (≈ *Vorraum*) hall, *AE* hall(way)

dienen: **dienen als ...** (≈ *verwendet werden als*) serve as ..., be* used as ...; **das Gebäude** usw. **dient heute als Museum** the building *usw.* is now used as a museum

Diener(in) servant (*auch übertragen*)

Dienst **1.** service **2.** (≈ *Arbeit*) work

Dienstag Tuesday ['tjuːzdɪ]; **wir sehen uns dann** (**am**) **Dienstag** see you (on) Tuesday

Dienstagabend: (**am**) **Dienstagabend** (on) Tuesday evening, (on) Tuesday night

dienstagabends (on) Tuesday evenings

Dienstagmorgen: (**am**) **Dienstagmorgen** (on) Tuesday morning

Dienstagnachmittag: (**am**) **Dienstagnachmittag** (on) Tuesday afternoon

dienstags on Tuesday ['tjuːzdɪ], on Tuesdays; **dienstags abends** usw. on Tuesday evenings *usw.*

dienstfrei **1.** **dienstfrei haben** be* off (duty) **2.** **dienstfreier Tag** day off

Dienstgespräch *Telefon*: business call

Dienstgrad rank

Dienstleister(in) service provider

Dienstleistungen services

Dienstleistungsgewerbe service industry ['sɜːvɪs͵ɪndəstrɪ], service industries (*Pl.*), services trade

dienstlich **1.** official **2.** **er ist dienstlich unterwegs** he's away on business

Dienstmädchen maid, home help

Dienstreise business trip

Dienststelle (≈ *Amt, Behörde*) department

dies **1.** **dies alles** all this **2.** **dies sind meine Schwestern** these are my sisters

diese **1.** **diese Bemerkung** this remark **2.** (≈ *diese hier*) this one, (≈ *diese da*) that one; „**Welche Schultasche möchtest du haben?**" - „**Diese.**" 'Which school bag would you like?' -'This one.' *bzw.* 'That one.' **3.** ... - „**Diese.**" *mehrere Dinge*: 'These.' *bzw.* 'Those.' **4.** **diese sind es** these are the ones

Diesel *Kraftstoff*: diesel ['diːzl]

dieselbe → **derselbe**

dieser **1.** **dieser Baum** this tree **2.** **dieser ist es** this is the one; → **diese**

dieses **1.** **dieses Mädchen** this girl **2.** **sie muss noch dieses und jenes erledigen** she still has a few things to do; → **diese**

diesig *Wetter*: hazy ['heɪzɪ]

diesjährig: *der* (*bzw. die, das*) **diesjährige** ... this year's ...; **der diesjährige Filmpreis** this year's film award

diesmal this time

Differenz **1.** difference ['dɪfrəns] (*auch in der Mathematik*) **2.** **Differenzen** (≈ *Meinungsverschiedenheiten*) a difference

(Sg.) *(oder* differences) of opinion

differenzieren distinguish [dɪ'stɪŋgwɪʃ], make* a distinction, differentiate [ˌdɪfə-'renʃɪəɪt] *(alle zwischen* between)

differieren differ, vary ['veərɪ] *(um* by)

digital digital [△ 'dɪdʒɪtl]

Digital... *in Zusammensetzungen:* digital ... ['dɪdʒɪtl]; **Digitalanzeige** digital display [dɪ'spleɪ]; **Digitalaufnahme** digital recording; **Digitalkamera** digital camera; **Digitaltechnik** digital technology [tek-'nɒlədʒɪ]; **Digitaluhr** digital clock *(bzw.* watch)

digitalisieren digitize ['dɪdʒɪtaɪz] *(Daten)*

Digitalisierung digitization [ˌdɪdʒɪtaɪ-'zeɪʃn]

Diktat *allg. und in der Schule:* dictation; *wir schreiben heute ein Diktat Schüler:* we've got a dictation today

Diktator(in) dictator

Diktatur dictatorship

Dilemma dilemma [dɪ'lemə]

Dimension *Physik, Mathe und übertragen:* dimension [daɪ'menʃn]

Dimmer 1. (≈ *Vorrichtung)* dimmer **2.** (≈ *Schalter)* dimmer switch

DIN A4 A4; **DIN-A4-Papier** A4(-sized) paper

Ding 1. (≈ *Sache)* thing **2.** *vor allen Dingen* above all **3.** *Dinge* (≈ *Angelegenheiten)* things; *so, wie die Dinge liegen* as things stand **4.** *ein Ding drehen übertragen, umg.* pull a job

Dinosaurier dinosaur [△ 'daɪnəsɔ:]

Dioxin dioxin [daɪ'ɒksɪn]

dioxinhaltig dioxinated [daɪ'ɒksɪneɪtɪd]

Diplom diploma, degree

Diplomarbeit (diploma) dissertation

Diplomat diplomat ['dɪpləmæt]

Diplomatenkoffer executive case [ɪg-'zekjutɪv ˌkeɪs]

Diplomatie diplomacy [dɪ'pləʊməsɪ] *(auch übertragen)*

Diplomatin diplomat ['dɪpləmæt]

diplomatisch diplomatic [ˌdɪplə'mætɪk]

dir 1. you *bzw.* to you; *wir wünschen dir alles Gute* we wish you all the best; *ich werde es dir erklären* I'll explain it to you **2.** *wasch dir die Hände* (go and) wash your hands **3.** *ein Freund usw. von dir* one of your friends *usw.*, a friend *usw.* of yours

direkt 1. *allg.:* direct [də'rekt] **2.** (≈ *unmittelbar)* direct, immediate [ɪ'mi:dɪət] **3.** *Antwort, Frage:* (≈ *unumwunden)* straight **4.** *direkte Rede Grammatik:* direct speech **5.** (≈ *sofort)* straightaway, at once **6.** *Wendungen: direkt am Bahnhof* right next to the station; *direkt nach dem Essen* right *(oder* straight) after

dinner (△ *ohne* the); *direkt gegenüber* right opposite; *nicht direkt falsch* not exactly wrong

Direktflug direct [də'rekt] flight

Direktor 1. (≈ *Schulleiter)* headmaster, *AE* principal **2.** *Wirtschaft:* director [də-'rektə], manager

Direktorin 1. (≈ *Schulleiterin)* headmistress, *AE* principal **2.** *Wirtschaft:* director [də'rektə], manager(ess)

Direktübertragung *TV:* live broadcast

Direktwahl *Telefon:* direct dialling

Dirigent conductor

Dirigentin (woman *oder* female) conductor

dirigieren conduct [kən'dʌkt] *(Orchester)*

Dirndl *bes.* Ⓐ **1.** *Kleid:* dirndl ['dɜ:ndl] **2.** (≈ *Mädchen)* girl, lass

Discjockey → **Diskjockey**

Disco *umg.* (≈ *Diskothek)* disco

Diskette diskette [dɪ'sket], floppy (disk)

Diskettenlaufwerk disk drive

Diskjockey disc jockey, *umg.* DJ, deejay ['di:dʒeɪ]

Disko *umg.* (≈ *Diskothek)* disco

Diskontsatz *Bankgeschäfte:* discount ['dɪskaʊnt] rate

Diskrepanz discrepancy [△ dɪs'krepənsɪ]

diskret *allg.:* discreet [dɪ'skri:t]

diskriminieren: *jemanden wegen ... diskriminieren* discriminate [dɪ'skrɪmɪneɪt] against someone because of ... (△ discriminate *ohne* against = *unterscheiden)*

Diskriminierung discrimination (+*Gen.* against)

Diskus *Sport:* discus ['dɪskəs]

Diskussion discussion *(um* on, about)

Diskussionsthema discussion topic

Diskuswerfen discus (throwing)

Diskuswerfer(in) discus thrower

diskutieren 1. discuss *(Thema usw.)* **2.** *über etwas diskutieren* discuss something, have* a discussion about something

Display *Computer, Waren:* display [dɪ-'spleɪ]

Disqualifikation disqualification

disqualifizieren disqualify *(wegen* for)

Dissertation (doctoral) thesis ['θi:sɪs]

Distanz 1. distance ['dɪstəns] *(auch übertragen); das Rennen geht über eine Distanz von 100 km* the race covers a distance of 100 km (△ *gesprochen* a hundred kilometres) **2.** *sie geht auf Distanz übertragen* she's backing off

distanzieren: *sich distanzieren von* dissociate oneself from

distanziert reserved, *etwas abwertend* aloof [ə'lu:f]

Distel *Pflanze*: thistle [△ θɪsl]

Disziplin 1. *allg.*: discipline ['dɪsəplɪn] (*auch Fachgebiet*) **2.** (≈ *Sportart*) event [ɪ'vent]

diszipliniert disciplined ['dɪsəplɪnd]; *sich diszipliniert verhalten* be* (very) disciplined

Dividende *Börsengeschäfte*: dividend ['dɪvɪdend]

dividieren divide (*durch* by); *12 dividiert durch 4 ist ...* 12 divided by 4 is ...

Division *Mathe, Militär*: division

DJ → *Diskjockey*

DM (= *Deutsche Mark*) *historisch*: German mark; *50 DM* 50 German marks, 50 Deutschmarks, 50 marks

doch 1. (≈ *aber*) but **2.** (≈ *dennoch*) still, nevertheless; *er hats doch gemacht* he still did it, he did it nevertheless **3.** *freundlich auffordernd*: do; *setzen Sie sich doch* 'do sit down **4.** *sei doch mal still!* ärgerlich: be quiet, will you **5.** *du kommst doch?* you 'are coming, aren't you? **6.** *wenn er doch käme* if only he would come **7.** *also doch!* (≈ *ich habs gewusst*) I knew it!

Docht wick

Doktor 1. *er ist Doktor der Philosophie usw.* he's a doctor of philosophy *usw.* **2.** *Frau (bzw. Herr) Dr. Kluge* Dr Kluge (△ *BE mst. ohne Punkt*) **3.** *umg.* (≈ *Arzt*) doctor; *Herr Doktor* Doctor; ☞ *Info unter Anrede und Titel*

Doktorarbeit (doctoral *oder* PhD [ˌpiːeɪtʃ'diː]) thesis ['θiːsɪs] *Pl.*: theses ['θiːsiːz], *AE* dissertation [dɪsər'teɪʃən]

Dokument document (*auch übertragen*)

Dokumentarfilm documentary (film)

Dolch dagger

Dole ⊕ (≈ *Gully*) drain

Dollar dollar (*Abk.* $); *zwei Dollar zehn* $2.10 (*gesprochen* two dollars ten)

Dollarkurs value of the dollar; *der Dollarkurs ist gestiegen* the dollar has gone up (in value)

Dolmetsch Ⓐ interpreter [ɪn'tɜːprɪtə]

dolmetschen 1. interpret [ɪn'tɜːprɪt] (*jemandem, für jemanden* for someone) **2.** *eine Rede ins Englische usw. dolmetschen* translate a speech into English *usw.*

Dolmetscher(in) interpreter [ɪn'tɜːprɪtə]

Dolomiten: *die Dolomiten* the Dolomites ['dɒləmaɪts]

Dom cathedral [△ kə'θiːdrəl] (△ *engl.* dome = *Kuppel*)

dominierend dominant ['dɒmɪnənt], *Person*: dominating; *im negativen Sinn* domineering [ˌdɒmɪ'nɪərɪŋ]

Dominikanische Republik Dominican

Republic [△ dəˌmɪnɪkən_rɪ'pʌblɪk]

Dompteur, Dompteuse (animal) trainer

Donau Danube [△ 'dænjuːb]

Döner doner kebab [ˌdəʊnəkɪ'bæb]

Donner thunder (*auch übertragen*)

donnern 1. thunder **2.** *gegen eine Mauer donnern* crash (*oder* smash) into a wall

Donnerstag Thursday; *wir sehen uns dann (am) Donnerstag* see you (on) Thursday

Donnerstagabend: (*am*) *Donnerstagabend* (on) Thursday evening, (on) Thursday night

donnerstagabends (on) Thursday evenings

Donnerstagmorgen: (*am*) *Donnerstagmorgen* (on) Thursday morning

Donnerstagnachmittag: (*am*) *Donnerstagnachmittag* (on) Thursday afternoon

donnerstags on Thursday, on Thursdays; *donnerstags abends usw.* on Thursday evenings *usw.*

doof 1. *umg.* (≈ *dumm*) stupid ['stjuːpɪd] **2.** (≈ *langweilig*) boring **3.** *dieses doofe Fenster schließt nicht richtig* I can't get this stupid window to shut properly

dopen 1. dope (*Pferd, Sportler*) **2.** *sich dopen* take* drugs

Doping *bes. Sportler*: drug use [juːs], *bes. Pferd*: doping

Dopingkontrolle *bes. Sportler*: drugs test, *bes. Pferd*: dope test

Doppel 1. (≈ *zweite Ausfertigung*) duplicate ['djuːplɪkət] **2.** *Tennis*: doubles (△ *Pl.*); *gemischtes Doppel* mixed doubles **3.** *Tennis*: (≈ *Match*) *das Doppel ist gestrichen worden* the doubles has been cancelled

Doppel... *in Zusammensetzungen*: double ... [ˌdʌblz]; *Doppelagent* double agent [ˌdʌbl'eɪdʒənt]; *Doppelbelastung* double load; *Doppelbett* double bed; *Doppeldecker* double-decker [ˌdʌbl'dekə]; *Doppelfehler* Tennis: double fault; *Doppelklick* Computer: double click; *Doppelmord* double murder; *Doppelrolle* Theater und übertragen: double role

doppeldeutig ambiguous [æm'bɪgjuəs]

Doppelgänger(in) double, lookalike

Doppelhaus *BE* pair of semi-detached houses [ˌsemɪdɪˌtætʃt'haʊzɪz], *umg.* semi ['semɪ], pair of semis, *AE* duplex (house) ['djuːpleks(ˌhaʊs)]

Doppelhaushälfte semi-detached house [ˌsemɪdɪˌtætʃt'haʊs], *umg.* semi ['semɪ], *AE* duplex (house) ['djuːpleks(ˌhaʊs)]

doppelklicken *Computer*: double-click ['dʌblklɪk]; *auf das Symbol doppelklicken* double-click (on) the icon ['aɪkɒn]

Doppelleben: *ein Doppelleben führen*

lead* (*oder* live*) a double life [ˌdʌbl-'laɪf]

Doppelpass 1. *Sport:* one-two [ˌwʌn'tuː] **2.** (≈ *zwei Pässe*) two passports **3.** (≈ *doppelte Staatsbürgerschaft*) dual citizenship [ˌdjuːəl'sɪtɪznʃɪp] (*oder* nationality)

Doppelpunkt colon ['kəʊlən]

doppelt 1. double ['dʌbl] (*auch Whisky usw.*) **2. den doppelten Preis** *usw.* **kosten** cost* double the price *usw.* **3.** *etwas* **doppelt haben** have* two (copies) of something **4. doppelt sehen** see* double **5. sie ist doppelt so alt wie ich** she's twice my age **6. doppelt so viel wie ...** twice as much as ..., double the amount (*bzw.* price *usw.*) of ...

Doppelverdiener(in) 1. double wage-earner; **er ist Doppelverdiener** he has two incomes **2. Doppelverdiener** (*Pl.*) dual-income couple (△ *Sg.*)

Dorf village; **auf dem Dorf wohnen** live in a village

Dorn thorn (*auch übertragen*); **er ist ihr ein Dorn im Auge** he's a thorn in her side

Dornröschen Sleeping Beauty

Dorsch *Fisch:* cod, *AE auch* codfish

dort 1. there **2. dort drüben** over there **3. von dort** from there

dortig: die dortigen Verhältnisse the conditions there

Dose 1. *allg.:* box **2.** (≈ *Konservendose*) can, *BE auch* tin

dösen doze; **ein bisschen dösen** have* a little doze

Dosenpfand deposit on cans

Dosis dose [dəʊs] (*auch übertragen*)

Dotter (egg) yolk [jəʊk]

Double stuntman *bzw.* stuntwoman, double

downloaden *Computer, Internet:* download

Dozent(in) (university) lecturer, *AE* assistant professor

Dr. (=*Doktor*) Dr, *AE* Dr. (*AE mit Punkt*)

Drache dragon ['drægən]

Drachen 1. (≈ *Papierdrachen*) kite; **einen Drachen steigen lassen** fly* a kite **2.** (≈ *Fluggerät*) hang glider

Drachenfliegen hang gliding

Drachenflieger(in) hang glider

Draht 1. *wörtlich:* wire **2.** *übertragen* (≈ *Verbindung*) direct line (**zu** to) **3. er ist auf Draht** *übertragen* he's on the ball

Drahtseil 1. wire rope, cable **2.** *im Zirkus:* tightrope, high wire

Drahtseilakt *übertragen* (careful) balancing act ['bælənsɪŋ ˌækt]

Drahtseilbahn cable railway

Drama drama ['drɑːmə] (*auch übertragen*)

Dramatiker(in) dramatist ['dræmətɪst], playwright ['pleɪraɪt]

dramatisch dramatic [drə'mætɪk]

dran 1. wer ist dran? *an der Reihe:* whose turn is it?; **ich bin dran** it's my turn **2. es ist etwas dran** *übertragen* there's something in it; **es ist nichts dran** *übertragen* there's nothing to it **3. er ist übel dran** he's in a bad way

dranbleiben 1. bleib dran! *am Apparat:* hang on a minute **2. an etwas dranbleiben** keep* at it **3.** (≈ *kleben bleiben*) stick*

Drang 1. (≈ *Trieb*) urge **2.** (≈ *Wunsch*) wish, desire [dɪ'zaɪə] **3.** (≈ *Bedürfnis*) need (*alle nach, zu* for; *zu* +*Inf.* to + *Inf.*) **4. der Drang nach Freiheit** the urge for freedom

Drängelei *umg.* pushing and shoving ['ʃʌvɪŋ], jostling [△ 'dʒɒslɪŋ]

drängeln: (**sich**) **drängeln** push, *umg.* shove [△ ʃʌv]

drängen 1. (≈ *schieben*) push; **jemanden zur Seite drängen** push someone aside (*oder* out of the way) **2. sie drängte darauf, dass wir bei ihr bleiben** she urged us to stay with her **3. ich möchte Sie nicht drängen** I don't mean to put pressure on you **4. die Menge drängte zum Eingang** the crowd pushed its (*oder* their) way towards the entrance **5. die Zeit drängt** time's running short

Drängen: auf Drängen der Regierung on the government's insistence

drängend *Adj* urgent

Drängler(in) *umg.* **1.** pusher **2.** (≈ *Autofahrer*) tailgater ['teɪlˌgeɪtə]

drankommen *in der Schule:* **1. ich komm jetzt dran** it's my turn, I'm next **2. wer kommt dran?** who's next? **3. das kommt nächste Woche dran** we'll be doing that next week

drannehmen: ich hab mich die ganze Zeit gemeldet, aber die Lehrerin hat mich nicht drangenommen I kept putting up my hand, but the teacher never asked me (*AE* called on me)

drastisch drastic

drauf: sie ist gut drauf she's on the ball, *seelisch:* she's feeling good; → **darauf**

Draufgänger, draufgängerisch daredevil ['deəˌdevl]

draufgehen 1. das ganze Geld ist draufgegangen all the money's gone **2. er ist (dabei) draufgegangen** *salopp* he snuffed it

draufhaben: sie hat was drauf she's really good, *fachlich auch:* she knows her stuff

draufkommen: ich komm nicht drauf I

can't think of it

draufkriegen: *eins draufkriegen* *umg.* get* a belt round the ears

draufmachen: *einen draufmachen* *umg.* have* (*oder* go* on) a binge

draufsetzen: *eins* (*bzw. **einen*) draufsetzen*** go* one better

draufstoßen: *jemanden draufstoßen* point it out to someone, *ironisch* spell* it out to someone

draufzahlen pay* extra

draußen 1. *allg.*: outside **2.** (≈ *im Freien*) outside, (out) in the open **3.** *da draußen* out there

Dreck 1. dirt, *stärker*: muck, filth **2.** (≈ *Schund*) rubbish, *bes. AE* garbage **3.** *Wendungen*: *er sitzt ganz schön im Dreck* he's in a real mess; *Dreck am Stecken haben* have* a skeleton ['skelɪtən] in the cupboard [△ 'kʌbəd] (*AE* closet ['klɒzɪt])

dreckig 1. dirty, *stärker*: filthy (*beide auch übertragen*) **2.** *Witz usw.*: dirty **3.** *es geht ihm dreckig gesundheitlich*: he's in a pretty bad state

Dreckloch *abwertend* pigsty ['pɪgstaɪ], *umg.* hole

Drecknest *abwertend, salopp* dump, hole

Drecksau *abwertend, vulgär* **1.** (dirty) pig **2.** (≈ *Lump*) swine

Dreckschwein *abwertend, salopp* (dirty) pig

Dreckskerl *abwertend, salopp* swine, bastard ['bɑːstəd]

Dreh 1. *umg.* (≈ *Trick*) trick **2.** *jetzt hab ich den Dreh raus* I've got the hang of it now

Dreharbeiten *Film*: shooting (△ *Sg.*)

Drehbuch script, screenplay

Drehbuchautor(in) scriptwriter ['skrɪpt-ˌraɪtə], screenwriter

drehen 1. turn **2.** *windend*: twist **3.** shoot* (*Film, Szene*) **4.** *sich drehen* turn, go* round **5.** *alles drehte sich um ihn* he was the centre of attraction **6.** *die Diskussion drehte sich um Geld* the discussion was about money

Drehpunkt: *Dreh- und Angelpunkt* pivot ['pɪvət]

Drehtür revolving door

Drehung 1. turn **2.** *um eine Achse*: rotation

Drehzahl revolutions (△ *Pl.*) per minute (*Abk.* rpm), revs

Drehzahlmesser rev counter

drei 1. *Zahl*: three [θraɪ] **2.** *in drei Tagen* in three days; *vor drei Tagen* three days ago

Drei 1. *Zahl*: (number) three **2.** *eine Drei schreiben* etwa: get* a <u>C</u> **3.** *Bus, Stra-*

ßenbahn usw.: <u>number</u> three <u>bus</u>, <u>number</u> three <u>tram</u> *usw.*

dreibändig: *ein dreibändiges Wörterbuch* *usw.* a three-volume dictionary *usw.*

Dreibettzimmer three-bed(ded) room

Dreieck triangle ['traɪæŋgl]

dreieckig triangular [traɪˈæŋgjʊlə]

dreieinhalb three and a half

dreifach 1. *die dreifache Menge* three times the amount **2.** *der dreifache deutsche Meister X* three-times German champion X (△ *ohne* the), *AE* the three--time German champion **3.** *ein Formular in dreifacher Ausfertigung* three copies of a form

dreimal three times

dreimalig: *nach dreimaligem Versuch* *usw.* after three attempts *usw.*

dreimotorig three-engine(d) [ˌθriː-ˈendʒɪn(d)]

Dreirad tricycle ['traɪsɪkl]

Dreisprung *Sport*: triple jump ['trɪpl-ˌdʒʌmp]

dreispurig *Fahrbahn*: three-lane …

dreißig 1. thirty ['θɜːtɪ] **2.** *dreißig beide* *Tennis*: thirty all

Dreißigerjahre: *in den Dreißigerjahren* in the thirties ['θɜːtɪz]

dreißigste(r, -s) thirtieth ['θɜːtɪəθ]

dreistellig: *dreistellige Ziffer* three-digit number ['θriːˌdɪdʒɪt'nʌmbə]

Dreitagebart three-day stubble (*oder* beard), designer stubble

dreizehn thirteen [ˌθɜːˈtiːn]

dreizehnte(r, -s) thirteenth [ˌθɜːˈtiːnθ]

Dreizimmerwohnung two-bedroom flat (*AE* apartment)

dressieren train (*Tier*)

Dressur 1. *Tier*: training **2.** (≈ *Dressurreiten*) dressage ['dresɑːʒ]

Dressman male model [ˌmeɪlˈmɒdl] (△ *das Wort* dressman *existiert im Englischen nicht*)

Drill *militärisch und übertragen*: drill

Drilling triplet ['trɪplət]

drin: *mehr war nicht drin* that was the best I *usw.* could do

dringen 1. (*Licht*) penetrate ['penətreɪt] (*in* into) **2.** (*Wasser*) leak (*in* into, *durch* through) **3.** *er drang durch das Dickicht* he forced his way through the jungle

dringend 1. *allg.*: urgent **2.** *Gefahr*: imminent ['ɪmɪnənt] **3.** *Verdacht usw.*: strong **4.** *Gründe*: compelling **5.** *etwas dringend brauchen* need something very <u>badly</u> **6.** *dringend empfehlen* strongly recommend

drinnen 1. *allg.*: inside [ɪnˈsaɪd] **2.** (≈ *im*

Haus) inside [ɪnˈsaɪd], indoors [ˌɪnˈdɔːz]

dritt 1. *wir waren zu dritt* there were three of us **2. *sie gingen zu dritt hin*** three of them went

Drittbeste(r) third best

drittbeste(r, -s): *der drittbeste Schüler* the third best pupil

dritte(r, -s) third [θɜːd]; ***3. April*** 3(rd) April, April 3(rd) (⚠ *gesprochen* the third of April); ***am 3. April*** on 3(rd) April, on April 3(rd) (⚠ *gesprochen* on the third of April)

Dritte(r) 1. third **2. *er wurde Dritter*** he was third, *bei Rennen*: he came (in) third **3.** *Heinrich III.* Henry III (*gesprochen* Henry the Third; III *ohne Punkt!*) **4. *heute ist der Dritte*** it's the third today **5. *jeder Dritte*** one (person) in three **6. *die Dritte Welt*** the Third World

drittel: *eine drittel Sekunde* *usw.* a third [θɜːd] of a second *usw.*

Drittel third [θɜːd]; ***zwei Drittel*** two thirds

drittens third(ly)

drittletzte(r, -s) 1. *allg.*: third last **2. *das drittletzte Haus*** the third house from the end

Droge drug

Drogen... *in Zusammensetzungen*: drug ...; ***Drogenabhängigkeit*** drug addiction; ***Drogenhandel*** drug trafficking; ***Drogenhändler(in)*** drug dealer; ***Drogenmissbrauch*** drug abuse [ˈdrʌɡˌəˌbjuːs]; ***Drogenszene*** drug scene [ˈdrʌɡˌsiːn]

drogenabhängig, drogensüchtig addicted [əˈdɪktɪd] to drugs; ***er ist drogenabhängig*** *oder* ***drogensüchtig*** he's a drug addict [ˈdrʌɡˌædɪkt]

Drogerie chemist [ˈkemɪst], chemist's (shop), *AE* drugstore

Drogist(in) chemist [ˈkemɪst], *AE* druggist

Drohbrief threatening [ˈθretnɪŋ] letter

drohen 1. *er drohte damit, die Polizei zu verständigen* *oder* ***er drohte ihm*** *usw.* ***mit der Polizei*** he threatened [ˈθretnd] to call the police **2.** (*bedrohlich bevorstehen*) threaten [ˈθretn], approach; ***der Wirtschaft droht der Kollaps*** the economy is threatened with (*oder* is on the brink of) collapse [kəˈlæps] **3. *er drohte zu ertrinken*** he was in danger of drowning

drohend threatening [ˈθretnɪŋ], menacing [ˈmenəsɪŋ]

dröhnen 1. *die Musik dröhnt mir in den Ohren* the music's ringing in my ears **2.** (*Motor, Maschine*) drone, *lauter*: roar

Drohung threat [θret]; ***er machte seine Drohung wahr, sie umzubringen*** he carried out his threat to kill her

drollig 1. *allg.*: funny **2.** (*niedlich*) cute

Drops: *saure Drops* acid [ˈæsɪd] drops

Drossel *Vogel*: thrush

drüben over there

Druck 1. *allg.*, *Technik*, *Physik*, *Wetter*: pressure **2.** (*Zwang*) pressure; ***jemanden unter Druck setzen*** put* someone under pressure **3.** (*nervliche Belastung*) stress **4.** *im Kopf*: tension **5.** *im Magen*: tight feeling

Druckabfall drop <u>in</u> pressure

Druckanstieg increase [ˈɪŋkriːs] (*oder* rise) <u>in</u> pressure

Druckbuchstabe 1. block letter **2. *in Druckbuchstaben schreiben*** print

Drückeberger(in) *umg.* shirker

drucken *allg.*: print; ***wir werden das drucken lassen*** we'll <u>have</u> that <u>printed</u>

drücken 1. *allg.*: press **2.** (*zerdrücken*) squash **3.** press, push (*Taste, Knopf usw.*) **4. *jemanden* (*an sich*) *drücken*** give* someone a hug, *länger*: hold* someone tight **5.** (*Schuhe usw.*) pinch **6. *er drückt sich dauernd*** *übertragen* he always manages to get out of it (*oder* things)

Drucker 1. *Gerät*: printer **2.** *Beruf*: printer

Drücker 1. (*Druckknopf*) button **2. *am Drücker sitzen*** *umg.*, *übertragen* be* in the driving seat **3. *auf den letzten Drücker*** *umg.* at the last minute

Druckerei printer's, printing press

Druckertreiber *Computer*: printer driver

Druckfehler misprint, printing error

Druckknopf *am Kleid usw.*: press stud, *bes. BE*, *umg.* popper, *AE* snap

Druckschrift 1. block letters (⚠ *Pl.*) **2. *in Druckschrift schreiben*** print; ***bitte in Druckschrift ausfüllen*** please write in block capitals

Druckstelle tender spot, *stärker*: bruise [bruːz] (*auch auf Obst usw.*)

Drucktaste (push)button

Druckwelle blast, shock wave

Drüse gland [ɡlænd]

Dschungel jungle [ˈdʒʌŋɡl] (*auch übertragen*)

DTP (*Abk. für* **D**esktop-**P**ublishing) DTP [ˌdiːtiːˈpiː]

du 1. you; ***bist du es?*** is that you? **2.** *oft unübersetzt, z. B.*: ***du, komm mal her!*** come here a minute, will you?

Dualsystem *Mathematik*, *Computer*: binary [ˈbaɪnəri] system

Dübel plug, dowel [ˈdaʊəl]

dubios dubious [ˈdjuːbɪəs]

ducken: *sich ducken* duck

Dudelsack bagpipes (⚠ *Pl.*); ***er spielt Dudelsack*** he plays the bagpipes

Duell duel [ˈdjuːəl]

Duett *Musik*: duet [djuːˈet]

Duft 1. *allg.*: (pleasant) smell **2.** *von Blu-*

men, *Parfüm usw.*: smell, scent [sent], fragrance ['freɪɡrəns]

duften 1. es duftet nach ... it smells of ... **2. das duftet!** it smells <u>good</u> (△ *nicht* well)

dulden 1. (≈ *ertragen*) endure [ɪn'djʊə], suffer **2.** (≈ *zulassen*) tolerate

Duldung toleration

dumm 1. stupid **2.** (≈ *albern*) silly **3.** (≈ *töricht, unklug*) foolish **4.** *Wendungen*: **es war dumm von mir, das zu tun** I was stupid (*bzw.* silly *bzw.* foolish) to have done that, <u>it</u> was stupid *usw.* of me to have done that; **du willst mich wohl für dumm verkaufen** you must think I'm stupid; **jetzt wirds mir zu dumm** I've had enough; **sich dumm anstellen** act the fool; **dummes Zeug!** nonsense!; **dummes Zeug reden** talk nonsense

Dumme(r) 1. fool **2.** (≈ *leichtgläubiger Mensch*) mug **3. ich bin immer der Dumme** I'm always left holding the baby

dummerweise 1. stupidly; **ich habe dummerweise zugesagt** I stupidly said yes, I was stupid enough to say yes **2.** (≈ *unglücklicherweise*) unfortunately [ʌn-'fɔːtʃnətlɪ]

Dummheit 1. stupidity **2.** (≈ *Unwissenheit*) ignorance ['ɪɡnərəns] **3.** *Handlung*: stupid thing to do

Dummkopf fool, *umg.* blockhead

dumpf 1. *Geräusch, Schmerz*: dull **2.** *Gefühl, Ahnung usw.*: vague [veɪɡ]

Düne dune [djuːn]

Dünger 1. (≈ *Dung*) manure [mə'njʊə], dung **2.** (≈ *Kunstdünger*) fertilizer

dunkel 1. dark (*auch übertragen*) **2. es wird** (*langsam*) **dunkel** it's getting dark **3. im Dunkeln** in the dark **4. im Dunkeln tappen** *übertragen, umg.* grope in the dark

dunkelblau dark blue

dunkelblond light brown

dunkelbraun dark brown

Dunkelheit darkness; **in der Dunkelheit** in the dark

Dunkelkammer *zum Entwickeln usw.*: darkroom

dünn 1. *allg.*: thin **2.** *Kaffee usw.*: weak **3. sie ist dünner geworden** she's lost weight **4. dünn besiedelt** sparsely ['spɑːslɪ] populated

Dünndarm small intestine [ˌsmɔːl ɪn-'testɪn]

Dunst (≈ *Nebel*) haze, mist

dünsten steam; ☞ **kochen**

Dunstglocke blanket of smog

Duo duo ['djuːəʊ]

Dur major ['meɪdʒə] (key); **A-Dur** A major

durch 1. *allg.*: through [θruː] **2.** (≈ *quer durch*) across **3.** (≈ *mit Hilfe von*) through; **ich bekam die Stelle durchs Arbeitsamt** I got the job through the employment office **4.** (≈ *mittels*) by, by means of; **er verdient seinen Lebensunterhalt durch den Verkauf von Zeitungen** he earns his living by selling newspapers **5.** (≈ *infolge von*) because of **6. das ganze Jahr** *usw.* **durch** the whole year *usw.* long

---

durch sein 1. ich bin mit dem Buch *usw.* **durch** I've finished the book *usw.* **2. er ist bei mir unten durch** I'm through with him **3. es ist drei** (*Uhr*) **durch** it's past three

---

durchaus 1. absolutely ['æbsəluːtlɪ]; **ich bin durchaus Ihrer Meinung** I absolutely agree **2. durchaus!** absolutely [△ ˌæbsə'luːtlɪ] **3. durchaus nicht** not at all

durchblättern leaf through, *umg.* flick through

Durchblick 1. (**den nötigen**) **Durchblick haben** know* what's going on **2. er hat überhaupt keinen Durchblick** he has no idea what's going on

durchblicken: ich blick da nicht durch *umg.* I don't get it

Durchblutung circulation (+*Gen.* in)

Durchblutungsstörung circulatory [ˌsɜːkjʊ'leɪtərɪ] problem

durchboxen 1. etwas durchboxen push something through **2. sich durchboxen** struggle through

durchbrechen[1] **1. etwas durchbrechen** break* something (in two) **2.** snap (*Zweig usw.*) **3.** (*Sonne*) come* through

durchbrechen[2] **1.** run* (*Blockade*) **2.** break* (*Regel usw.*)

durchbrennen 1. (*Birne*) burn* out **2.** *umg.* (≈ *ausreißen*) run* away

Durchbruch *übertragen* breakthrough ['breɪkθruː]; **ihm ist der Durchbruch gelungen** he finally made the breakthrough, he finally made it

durchchecken 1. etwas durchchecken check through something **2. sich durchchecken lassen** *umg.* (≈ *sich untersuchen lassen*) have* a complete checkup

durchdacht: (**gut**) **durchdacht** well thought-out

durchdenken: etwas durchdenken think* something through, (≈ *überlegen*) think* something through

durchdrehen 1. *salopp* (*Person*) crack up **2.** *vor Angst*: (*Person*) panic, *umg.* flip

durchdringen penetrate ['penətreɪt]

durchdürfen 1. *sie usw.* **durfte durch** she *usw.* was allowed through **2.** *darf ich mal durch?* excuse me, please

Durcheinander muddle, mess, confusion

durcheinander 1. *in seinem Zimmer war alles durcheinander* his room was (in) a mess **2.** *er ist ganz durcheinander* he's totally confused, *emotional*: he's all mixed up; → *durcheinanderbringen usw.*

durcheinanderbringen 1. *etwas durcheinanderbringen* mix something up, mix up something; *alles durcheinanderbringen* get* everything mixed up **2.** *jemanden durcheinanderbringen* confuse someone, *umg.* get* someone all flustered

durcheinanderliegen: *in seinem Zimmer lag alles durcheinander* his room was (in) a mess

durcheinanderreden: *sie redeten alle durcheinander* they were all talking at the same time

durchfahren 1. *bis München durchfahren mit dem Auto:* drive* nonstop to Munich **2.** *der Zug fährt in Starnberg durch* the train doesn't stop at Starnberg

Durchfahrt 1. (≈ *das Durchfahren*) passage ['pæsɪdʒ]; *Durchfahrt verboten!* no through road ['θru:_rəʊd], no thoroughfare [△ 'θʌrəfeə], *AE auch* dead end **2.** (≈ *Tor*) gate(way)

Durchfall diarrhoea [,daɪə'rɪə]

durchfallen 1. *in einer Prüfung:* fail, *umg.* flunk **2.** *er ist im Examen durchgefallen* he failed (*oder umg.* flunked) his exam

durchfeiern: *die Nacht durchfeiern* celebrate ['seləbreɪt] all night (long), make* a night of it

durchfinden 1. *er hat sich nicht durchgefunden* he couldn't find his way through **2.** *ich finde mich nicht mehr durch* I'm lost

durchfragen: *sich durchfragen* ask one's way (*nach, zu* to)

durchführen 1. *übertragen* carry out (*Experiment usw.*) **2.** hold* (*Kurs usw.*)

Durchführung *eines Projekts:* realization

Durchgang passage, passageway

durchgebraten well-done

durchgehen 1. (*Person*) *durchgehen* (*durch*) go* (*oder* walk) through (*durch*) **2.** *etwas durchgehen lassen* let* something pass **3.** (≈ *prüfen, lesen*) go* through, go* over

durchgehend 1. *durchgehender Zug* through train **2.** *durchgehend geöffnet* open all day

durchgeknallt *salopp*; *Freund(in)*, *Bemer-*

kung usw.; over-the-top ..., over the top, *Abk.* OTT [,əʊtiː'tiː]

durchgreifen 1. *durchgreifen* (*durch*) *wörtlich* reach through **2.** *übertragen* take* (tough [tʌf]) action

durchhaben: *hast du das Buch schon durch?* have you finished the book?

durchhalten hold* out, *umg.* stick* it out

Durchhänger: *er hat einen Durchhänger* he's having (*oder* going through) a low

durchkämpfen: *sich durchkämpfen durch* fight* one's way through (*auch übertragen*)

durchkauen: *etwas durchkauen* go* over something again and again

durchkommen 1. (≈ *hindurchgelangen*) (manage to) get* through (*auch telefonisch*) **2.** *in einer Prüfung:* pass **3.** (*Sonne*) break* through **4.** (≈ *sein Ziel erreichen*) make* it **5.** (*Kranker*) pull through **6.** *damit kommst du nicht durch* that won't get you anywhere

durchkreuzen thwart [θwɔːt] (*Pläne usw.*)

durchkriechen[1]: *durchkriechen* (*durch*) crawl through

durchkriechen[2] crawl through

durchkriegen 1. *etwas durchkriegen* (*durch*) get* something through (*auch übertragen*) **2.** *ich hoffe, wir kriegen ihn durch* den Kranken, den Patienten: I hope we can pull him through

durchlesen: *etwas durchlesen* read* something through, read* through something

durchlöchern 1. *wörtlich* make* holes in **2.** *mit Kugeln:* riddle with bullets ['bʊlɪts]

durchmachen 1. *allg.*: go* through **2.** undergo* (*Wandlung usw.*) **3.** *er hat einiges durchgemacht* he's been through a lot **4.** (*die ganze Nacht*) *durchmachen* make* a night of it

Durchmesser diameter [△ daɪ'æmɪtə]; *dieser Kreis hat einen Durchmesser von 3 cm* this circle is 3 cm (*gesprochen* centimetres) in diameter

durchmogeln: *er hat sich da letztlich durchgemogelt* he wangled his way through in the end

durchmüssen 1. *durchmüssen* (*durch*) have* to get (*oder* go) through **2.** *da muss ich einfach durch* I've (just) got to get through it somehow

durchnässt *allg.*: soaked, drenched

durchnehmen go* through, do* (*Lehrstoff*)

durchnummerieren number all the way through

durchorganisiert: (*gut*) *durchorganisiert* well-organized durchqueren cross

durchrasseln, durchrauschen: **in Englisch** *usw.* **durchrasseln** *bzw.* **durchrauschen** flunk English *usw.*

durchrechnen **1.** (≈ *berechnen*) calculate **2.** (≈ *nochmals rechnen*) go* over, check

durchregnen: **hier regnet es durch** the rain's coming through

Durchreiche hatch

Durchreise: **auf der Durchreise** (**durch**) on one's way through, passing through

durchreißen **1.** **etwas durchreißen** tear* [teə] something (in two) (*Papier, Seite, Stoff usw.*) **2.** (*Stoff, Gewebe usw.*) rip, tear*, get* torn **3.** (*Faden, Seil*) break*

durchringen: **sie hat sich endlich dazu durchgerungen, ihn zu verlassen** she finally made up her mind to leave him

durchrutschen: **sie ist bei der Prüfung gerade noch durchgerutscht** *umg.* she just about scraped through the exam

Durchsage announcement

durchsagen *im Radio:* announce

durchschaubar **1.** *Motiv usw.:* obvious ['ɒbvɪəs] **2.** **er ist leicht durchschaubar** you can read him like a book

durchschauen[1] **1.** **durchschauen** (**durch**) look through **2.** **man kann durch die Fenster kaum durchschauen** you can hardly see through the windows

durchschauen[2] (≈ *begreifen*) understand*

durchscheinen: **durchscheinen** (**durch**) shine* through (*auch übertragen*)

Durchschlag (≈ *Kopie*) (carbon) copy

durchschlagen **1.** **sich mühsam durchschlagen** have* a hard time of it **2.** „**Wie gehts?**" - „**Man schlägt sich so durch.**" 'How are you?' - 'Surviving.'

durchschlagend: **ein durchschlagender Erfolg** a sweeping success

durchschneiden cut* (in two)

Durchschnitt **1.** average ['ævərɪdʒ]; **im Durchschnitt** on average (△ *ohne* the) **2.** **über** (*bzw.* **unter**) **dem Durchschnitt liegen** be* above (*bzw.* below) average

durchschnittlich **1.** average **2.** (≈ *mittelmäßig*) average, *abwertend* mediocre [ˌmiːdɪ'əʊkə] **3.** **er arbeitet durchschnittlich zehn Stunden am Tag** he works an average of ten hours a day, he works ten hours a day on average

Durchschnitts... *in Zusammensetzungen:* average ...; **Durchschnittsalter** average age; **Durchschnittsleistung** average performance; **Durchschnittsnote** average mark, *bes. AE* average grade

durchschwitzen: **ich habe mein Hemd durchgeschwitzt** *oder* **mein Hemd ist durchgeschwitzt** my shirt's soaked with sweat [△ swet]

durchsehen **1.** **durchsehen** (**durch**) *wörtlich* see* (*oder* look) through **2.** (≈ *prüfen*) look (*oder* go*) through, go* over, check

durchsetzen **1.** **etwas durchsetzen** get* something through (*Plan usw.*) **2.** **sie hat sich durchgesetzt** she got her way **3.** **sich durchsetzen gegen** (≈ *siegen*) assert oneself against **4.** **sie kann sich bei den Kindern nicht durchsetzen** she has no control over the children

Durchsicht (≈ *Überprüfung*) checking; **bei der Durchsicht der Papiere** *usw.* while checking the papers *usw.*

durchsichtig **1.** *wörtlich* transparent [træns'pærənt] **2.** *übertragen* obvious ['ɒbvɪəs], transparent

durchsickern (*Informationen*) filter through, *ungewollt:* leak out

durchspielen *gedanklich:* go* through

durchsprechen: **etwas durchsprechen** talk something over, discuss something

durchstarten (*Flugzeug*) reaccelerate [ˌriːək'seləreɪt] *oder* pull up (for a new landing approach)

durchstieren ⓖ (≈ *durchdrücken, durchsetzen*) push through (*Plan usw.*)

durchstreichen: **etwas durchstreichen** cross something out, cross out something

durchsuchen search [sɜːtʃ] (**nach** for)

Durchsuchung [sɜːtʃ]

Durchsuchungsbefehl search warrant ['sɜːtʃˌwɒrənt]

durchtrainiert **1.** *Person:* very fit, *AE auch* in great shape **2.** *Körper:* athletic [æθ'letɪk]

durchtrennen, durchtrennen **1.** *allg.:* tear* [teə] (in two) **2.** (≈ *schneiden*) cut* in two

durchwachsen[1]: **durchwachsen** (**durch**) (*Pflanze*) grow* through

durchwachsen[2] **1.** *Speck:* streaky, *AE* streaked **2.** *Befinden* (≈ *leidlich*) so-so ['səʊsəʊ], mixed **3.** *Wetter:* up and down, unsettled

Durchwahl **1.** *Telefon:* direct [də'rekt] dialling **2.** (≈ *Durchwahlnummer*) extension

durchwählen dial direct [də'rekt]; **du kannst zu mir durchwählen** you can dial me direct

durchziehen **1.** *durch Öffnung:* **durchziehen** (**durch**) pull through **2.** **durchziehen** (**durch**) pass through (*Gebiet*) **3.** *umg.* carry through (*Plan usw.*) **4.** **sich durchziehen** (**durch**) go* right through

Durchzug *Luft:* draught [△ drɑːft]

durchzwängen **1.** **durchzwängen**

(**durch**) force (*oder* squeeze) through **2. sich durchzwängen** (**durch**) squeeze through

dürfen 1. *bei Erlaubnis bzw.* (*verneint*) *bei Verbot allgemein:* be* <u>allowed</u> to (*+Inf.*); **ich darf keinen Alkohol trinken** I'm not allowed (to drink) any alcohol **2. darf ich rausgehen?** <u>can</u> (*höflich:* may) *I go out?*; **nein, das darfst du nicht** no you can't, *bestimmter:* no you may not **3.** *bei Ratschlag, Aufforderung, Warnung usw.:* **du darfst den Hund nicht anfassen** you <u>mustn't</u> ['mʌsnt] touch the dog, don't touch the dog; **wir dürfen den Bus nicht verpassen** we <u>mustn't</u> miss the bus; **das hättest du nicht sagen dürfen** you <u>shouldn't</u> have said that **4.** *bei Annahmen usw.:* must* be, should* be *usw.*; **das dürfte der Neue sein** that <u>must</u> be the new teacher *usw.*; **es dürfte bald zu Ende sein** it <u>should</u> be finished soon; **das dürfte die beste Lösung sein** that's <u>probably</u> (*oder* that seems to be *oder* I think that's) the best solution **5.** *in Höflichkeitsformeln:* may*; **darf ich?** <u>may</u> I?

dürftig 1. (≈ *unzulänglich*) poor **2.** *Verhältnisse:* humble **3.** *Argument:* weak

dürr 1. *Person:* (≈ *mager*) thin, skinny **2.** (≈ *trocken*) dry

Dürre 1. dryness, aridity [ə'rɪdəti] **2.** (≈ *Regenmangel*) drought [△ draʊt]

Dürreperiode period of drought [△ draʊt]

Durst 1. thirst (**nach** for; *auch übertragen*) **2. ich habe Durst** I'm thirsty; **ich kriege Durst** I'm getting thirsty

durstig thirsty

Duschbad 1. shower; **ein Duschbad nehmen** have* (*oder* take*) a shower **2.** (≈ *Gel*) shower gel [△ 'ʃaʊə‿dʒel]

Dusche shower; **unter der Dusche** <u>in</u> the shower

duschen: (**sich**) **duschen** have (*oder* take) a shower

Duschgel shower gel [△ 'ʃaʊə‿dʒel]

Duschvorhang shower curtain ['ʃaʊə‿,kɜːtn]

Düse 1. nozzle ['nɒzl] **2.** (≈ *Spritzdüse*) jet

Düsenflugzeug jet (plane *oder* aircraft)

Düsenjäger jet fighter

Düsentriebwerk jet engine [,dʒet'endʒɪn]

Dussel *umg.* dope, twit, dumbo

dusslig *salopp* **1.** stupid ['stjuːpɪd], silly, daft [dɑːft] **2. sich dusslig anstellen** be* stupid **3. ich hab mich bald dusslig geredet** I talked till I was nearly blue in the face

düster 1. *allg.:* (≈ *dunkel*) dark, gloomy **2.** *Licht:* dim

Dutzend 1. dozen ['dʌzn] **2. ein** (*bzw.* **zwei**) **Dutzend Eier** a (*bzw.* two) dozen eggs **3. Dutzende von Leuten** dozens of people

duzen 1. jemanden duzen say* 'du' to someone **2. sich duzen** be* on 'du' terms

DV (*Abk. für* **D**atenverarbeitung) DP [,diː'piː] (*Abk. für* **d**ata **p**rocessing)

DVD (*Abk. für* **d**igital **v**ersatile **d**isk) DVD [,diːviː'diː]

DVD-Brenner DVD burner

DVD-Laufwerk DVD drive

DVD-Spieler DVD player

Dynamik 1. *übertragen* (≈ *Kraft*) dynamic force **2.** *einer Person:* dynamism, drive

dynamisch dynamic ['daɪnæmɪk]

Dynamit dynamite ['daɪnəmaɪt]

Dynamo dynamo ['daɪnəməʊ]

Dynastie dynasty [△ 'dɪnəsti, *AE* 'daɪnəsti]

D-Zug express, fast train

E

Ebbe 1. low tide **2. Ebbe und Flut** high tide and low tide

eben 1. *Oberfläche:* even, level **2.** *Landschaft usw.:* flat **3.** (≈ *gerade, soeben*) just (now) **4. eben!** exactly

Ebene 1. *geographisch:* plain **2.** *Geometrie:* plane; **schiefe Ebene** inclined plane **3.** (≈ *Stufe*) level

ebenfalls 1. *nachgestellt:* too, as well **2.**

ebenfalls nicht not … either; **er hat ihn ebenfalls nicht getroffen** he didn't meet him either

Ebenholz ebony [△ 'ebənɪ]

ebenso 1. just as; **es ist ebenso voll wie gestern** it's (just) as full as (it was) yesterday **2. ich habe ebenso reagiert** I reacted exactly the same

EC (*Abk. für* **E**uro**c**ity) *Zug:* eurocity

[ˌjuərəʊ'sɪtɪ] (train [ˌjuərəʊsɪtɪ'treɪn])
EC-Karte *etwa*: debit ['debɪt] card
Echo 1. echo [△ 'ekəʊ] **2.** *übertragen* response (**auf** to); *ein begeistertes Echo finden* meet* with an overwhelming response
Echse (≈ *Eidechse*) lizard ['lɪzəd]
echt 1. *Gold, Leder usw.*: real **2.** *Gemälde usw.*: genuine [△ 'dʒenjʊɪn] **3.** *übertragen* real; *ein echter Verlust* a real (*oder* great) loss **4.** *das war echt gut* umg. it was really (*AE* real) good
Echtzeit *Computer*: real time
Eckball *Fußball*: corner (kick)
Ecke 1. *allg.*: corner (*auch übertragen*) **2.** *an der Ecke* at the corner, *Haus*: on the corner **3.** *gleich um die Ecke* just (a)round the corner **4.** *das ist noch eine ganze Ecke* umg. that's still a fair way to go **5.** (≈ *Eckball*) corner (kick)
eckig 1. *Tisch*: rectangular [△ rek-'tæŋgjʊlə] **2.** *Gestalt*: angular **3.** *Gesicht, Kinn*: angular, square
Eckzahn eyetooth, canine [△ 'keɪnaɪn] (tooth)
E-Commerce (≈ *elektronischer Handel*) e-commerce ['iːˌkɒmɜːs]
Economyclass, Economyklasse *Flugverkehr*: economy [ɪ'kɒnəmɪ] class, *AE auch* coach
Ecstasy *Droge*: ecstasy ['ekstəsɪ]
Ecuador Ecuador ['ekwədɔː]
edel 1. noble **2.** *Qualität, Wein usw.*: fine
Edelstein precious stone [ˌpreʃəs'stəʊn]
EDV (*Abk. für* **e**lektronische **D**atenverarbeitung) EDP (*Abk. für* **e**lectronic **d**ata **p**rocessing), *gesagt wird mst.*: data processing
Efeu ivy ['aɪvɪ]
Effekt effect [ɪ'fekt]
effektiv 1. *Mittel, Handlung, Schutz, Arbeit* effective [ɪ'fektɪv] **2.** *Kosten, Gewicht usw.*: actual ['æktʃʊəl] **3.** (≈ *wirklich*) really, (≈ *ganz sicher*) definitely ['defənətlɪ]; *das geht effektiv zu weit* usw. that's really (*oder* definitely) going too far *usw.*
Effektivität effectiveness
effektvoll effective [ɪ'fektɪv], striking
effizient 1. (≈ *wirtschaftlich*) efficient [ɪ'fɪʃnt] **2.** (≈ *wirksam*) effective [ɪ'fektɪv]
Effizienz efficiency [ɪ'fɪʃnsɪ], effectiveness
EG *veraltet*: (*Abk. für* **E**uropäische **G**emeinschaft) EC (*Abk. für* **E**uropean **C**ommunity); → *EU*
egal 1. *das ist* (*ganz*) *egal* it doesn't matter **2.** *das ist mir* (*ganz*) *egal* (≈ *ich hab nichts dagegen*) I don't mind, (≈ *das kümmert mich nicht*) I couldn't care less

3. *ihr ist alles egal* she doesn't care about anything **4.** *ganz egal wo* (*warum, wer, was*) it doesn't matter where (why, who, what) **5.** *das ist egal* (≈ *bleibt sich gleich*) it's the same
Ego ego ['iːgəʊ]
Egoismus selfishness, egoism ['iːgəʊɪzm], egotism ['egəʊtɪzm]
Egoist(in) selfish person, egoist ['iːgəʊɪst], egotist
egoistisch selfish, egoistic(al) [ˌiːgəʊ-'ɪstɪk(l)]
eh 1. *umg.* (≈ *sowieso*) anyway, anyhow; *er weiß es eh schon* he knows already **2.** *das ist seit eh und je so* it's always been like that
ehe before
Ehe 1. marriage ['mærɪdʒ] **2.** *sie hat zwei Kinder mit in die Ehe gebracht* she's got two children from a previous marriage
Ehebruch adultery [ə'dʌltərɪ]; *Ehebruch begehen* commit adultery
Ehefrau 1. wife *Pl.*: wives [waɪvz] **2.** (≈ *verheiratete Frau*) married woman ['wʊmən] *Pl.*: married women ['wɪmɪn], wives
Ehegatte, Ehegattin *förmlich* spouse [spaʊs]
Ehekrise marital crisis [ˌmærɪtl'kraɪsɪs]
Eheleute 1. married couple (△ *Sg.*) **2.** *die Eheleute Berger* Mr and Mrs Berger
ehemalig(r, -s) 1. former, ex-...; *der ehemalige Minister* the former minister, the ex-minister **2.** *in meiner ehemaligen Wohnung* in my old flat (*AE* apartment), in the flat (*AE* apartment) I used to have
Ehemann 1. husband ['hʌzbənd] **2.** (≈ *verheirateter Mann*) married man *Pl. auch*: husbands
Ehepaar married couple (△ *Sg.*)
Ehepartner 1. (≈ *Ehefrau*) wife *Pl.*: wives **2.** (≈ *Ehemann*) husband **3.** *förmlich* spouse [spaʊs]
eher 1. (≈ *früher, zeitiger*) earlier, sooner; *ich konnte leider nicht eher kommen* I'm afraid I couldn't make it any earlier **2.** *je eher, desto besser* the sooner the better (△ *ohne Komma*) **3.** (≈ *lieber*) rather; *eher würde ich ...* I'd rather (*oder* sooner) ... **4.** (≈ *wahrscheinlicher*) more likely; *eher ist sie bei ihrer Mutter* she's more likely to be with her mother
Ehering wedding ring
Eheschließung marriage ['mærɪdʒ]
ehest- 1. *am ehesten* (≈ *am wahrscheinlichsten*) most likely **2.** *er kann uns am ehesten helfen* if anyone can help us, it's him **3.** *so geht es wohl am ehesten*

that's probably the best way

Ehre 1. honour [△ 'ɒnə]; *es ist mir eine (große) Ehre* it's an (a great) honour *for* me; *ihm zu Ehren* in his honour **2.** *jemandem die letzte Ehre erweisen* pay* one's last respects to someone

ehren 1. honour [△ 'ɒnə] **2.** (≈ *achten*) respect

ehrenamtlich 1. *Mitarbeiter*: honorary [△ 'ɒnrərɪ] **2.** *Helfer*, *Tätigkeit*: voluntary ['vɒlntrɪ] **3.** *etwas ehrenamtlich tun* do* something in an honorary capacity

Ehrenbürger(in) honorary citizen [△ ˌɒnrərɪ'sɪtɪzn]

Ehrendoktor 1. honorary doctor [△ ˌɒnrərɪ'dɒktə] **2.** (≈ *Ehrendoktorwürde*) honorary doctorate

Ehrengast guest of honour [△ 'ɒnə]

Ehrentag 1. (≈ *Geburtstag*) birthday **2.** (≈ *großer Tag*) big day, great day

Ehrenwort 1. word of honour [△ 'ɒnə] **2.** *Ehrenwort!* I promise ['prɒmɪs] (you) **3.** *ich gebe mein Ehrenwort* I give you my word

Ehrfurcht respect [rɪ'spekt] (*vor* for)

ehrfürchtig respectful

Ehrgeiz ambition

ehrgeizig ambitious [æm'bɪʃəs]

ehrlich 1. *allg.*: honest [△ 'ɒnɪst] **2.** *Spiel*, *Handel usw.*: fair **3.** (≈ *aufrichtig*) sincere [sɪn'sɪə] **4.** (≈ *echt*) genuine ['dʒenjʊɪn] **5.** (≈ *offen*) open, frank **6.** *Wendungen*: *sei mal ganz ehrlich* be honest (now); *ehrlich gesagt, ...* to tell you the truth, ...; *sie haben sich ehrlich bemüht* they really tried (hard); *ehrlich währt am längsten* *Sprichwort*: honesty is the best policy

Ehrlichkeit honesty [△ 'ɒnəstɪ], openness

Ei 1. *wörtlich*: egg **2.** *Eier* salopp (≈ *Hoden*) balls **3.** *Wendungen*: *sie gleichen sich wie ein Ei dem andern* they're as like as two peas (in a pod); *das ist ein dickes Ei!* umg. that's a bit thick (AE much)

ei: *ei!* oh!

Eibe *Baum*: yew [ju:] (tree)

Eiche *Baum*: oak (tree)

Eichel *Frucht der Eiche*: acorn [△ 'eɪkɔ:n]

Eichelhäher *Vogel*: jay [dʒeɪ]

Eichenholz oak

Eichhörnchen, **Eichkätzchen** squirrel [△ 'skwɪrəl, *AE* 'skwɜːrəl]

Eid oath [əʊθ] *Pl.*: oaths [△ əʊðz]; *einen Eid ablegen* (*oder leisten*) take* (*oder* swear* [sweə]) an oath

Eidechse lizard [△ 'lɪzəd]

Eidgenosse *Schweiz*: Swiss citizen

Eidgenossenschaft: *die Schweizer Eid-*

genossenschaft the Swiss Confederation, Switzerland ['swɪtsələnd]

Eidgenossin *Schweiz*: Swiss citizen ['sɪtɪzn]

Eidotter (egg) yolk [jəʊk], yolk of an egg

Eier... *in Zusammensetzungen*: egg ..., egg...; *Eierbecher* egg cup; *Eiergericht* egg dish; *Eierkocher* egg boiler; *Eierlöffel* egg spoon; *Eiersalat* egg salad; *Eierschale* eggshell; *Eieruhr* egg timer

Eierkuchen pancake

Eierschwamm Ⓐ, Ⓒ, **Eierschwammerl** Ⓐ chanterelle [ˌʃɒntə'rel] *Pl.*: chanterelles

Eierspeise 1. *allg.*: egg dish **2.** Ⓐ scrambled eggs (△ *Pl.*)

Eierstock *Mensch, Tier*: ovary ['əʊvərɪ]

Eifer keenness, eagerness, *stärker*: zeal [zi:l]

Eifersucht jealousy [△ 'dʒeləsɪ]

eifersüchtig jealous [△ 'dʒeləs] (*auf* of)

Eiffelturm: *der Eiffelturm* the Eiffel tower [ˌaɪfl'taʊə]

eiförmig egg-shaped, oval ['əʊvl]

eifrig 1. *allg.*: keen **2.** (≈ *fleißig*) hard-working, diligent ['dɪlɪdʒənt] **3.** *eifrig lernen* study hard **4.** *der Lehrer war eifrig bemüht, ihn zu beruhigen* the teacher was anxious to calm him down

Eigelb (egg) yolk [jəʊk], yolk of an egg; *vier Eigelb* four egg yolks

eigen 1. *hast du ein eigenes Zimmer?* do you have your own room?, do you have a room of your own?; *er braucht ein eigenes Zimmer* he needs a room to himself, he needs his own room **2.** *eigene Ansichten* personal views **3.** (≈ *genau, wählerisch*) particular [pə'tɪkjʊlə], fussy (*in* about)

Eigenart 1. *allg.*: peculiarity [pɪˌkju:lɪ'ærətɪ] **2.** *einer Sache*: characteristic feature, *bes. negativ*: peculiarity

eigenartig strange

eigenartigerweise strangely enough, oddly enough

Eigeninitiative: *etwas in Eigeninitiative tun* do* something on one's own initiative [ɪ'nɪʃətɪv]

Eigeninteresse: *aus Eigeninteresse* out of self-interest

Eigenkapital capital resources ['kæpɪtl ˌrɪˌzɔːsɪz] (△ *Pl.*)

eigenmächtig (≈ *unbefugt*) unauthorized

Eigenname proper name, proper noun

Eigennutz self-interest, selfishness

eigennützig selfish

Eigenschaft 1. (≈ *Merkmal*) quality **2.** (≈ *Eigenart*) feature, characteristic **3.** *chemische usw.*: property **4.** *gute* (*bzw. schlechte*) *Eigenschaften einer Person*:

good (*bzw.* bad) points **5.** *in seiner Eigenschaft als ...* in his capacity of (*oder* as) ...

Eigenschaftswort adjective ['ædʒɪktɪv]
eigenständig independent
Eigenständigkeit independence

eigentlich 1. (≈ *wirklich*) actual ['æktʃʋəl], real **2.** (≈ *genau*) specific [spə'sɪfɪk] **3.** (≈ *wesentlich*) essential **4.** (≈ *genau genommen*) strictly speaking ... **5.** *eigentlich nicht* not really **6.** *was ist eigentlich passiert?* what actually (*oder* exactly) happened?

Eigentor 1. *ein Eigentor Sport:* an own goal (*auch übertragen*) **2.** *ein Eigentor schießen* score an own goal (*auch übertragen*)

Eigentum property
Eigentümer(in) owner
eigentümlich (≈ *seltsam*) peculiar, strange

Eigentumswohnung 1. owner-occupied flat, *AE* condominium, *AE umg.* condo **2.** *sie haben eine Eigentumswohnung* they own a flat (*AE* an apartment), they've got a flat (*AE* an apartment) of their own

eigenwillig 1. *Stil usw.:* very individual, unusual **2.** *Person:* self-willed

eignen 1. *dieses Buch usw. eignet sich gut als Geschenk* this book *usw.* makes (*oder* would make) a good present ['preznt] **2.** *er würde sich als Lehrer eignen* he'd make (*oder* be) a good teacher

Eignung suitability [ˌsuːtə'bɪlətɪ] (*für* for; *zu, als* as, for), aptitude (*für* for); *seine Eignung als Lehrer* his suitability as a teacher

Eignungsprüfung, Eignungstest aptitude test

Eilbrief express letter, *AE* special delivery [dɪ'lɪvərɪ] (letter)

Eile hurry ['hʌrɪ, *AE* 'hɜːrɪ], rush; *sie ist in Eile* she's in a hurry

eilen: es eilt nicht there's no hurry

eilig 1. (≈ *dringend*) urgent ['ɜːdʒənt] **2.** *er hats eilig* he's in a hurry (*oder* rush)

Eimer 1. bucket, *bes. AE* pail; *ein Eimer Wasser* a bucket(ful) of water **2.** *es gießt wie aus Eimern umg.* it's coming down in buckets **3.** *meine Uhr usw. ist im Eimer* my watch *usw.* has had it

eimerweise by the bucket, in bucketfuls

ein¹ 1. *ein, eine, einer, eines:* one; *eine von drei Rosen* one of three roses; *einer nach dem andern* one after the other **2.** *die einen sagen ...* some people say ... **3.** *ein für alle Mal* once and for all **4.** *ein und derselbe (Mann)* one and the

same person **5.** *ein, eine, einer, eines; vor gesprochenem Konsonant:* a, *vor gesprochenem Vokal:* an; *eine Maus* a mouse; *eine Stunde* an hour; *einer meiner Freunde* a friend of mine; *ein* (*gewisser*) *Herr Meier* a (certain) Mr Meier

ein² 1. *am Schalter:* on; *ein - aus* on - off **2.** *ich weiß nicht mehr ein noch aus* I'm at my wits' end

einander: *sie kennen einander* they know each other (*oder* one another)

einarbeiten 1. *jemanden einarbeiten* (≈ *anlernen*) train someone, *umg.* show someone the ropes **2.** *etwas einarbeiten in* (≈ *einfügen*) work something into **3.** *sich einarbeiten* get into the work (*bzw.* subject *usw.*)

Einarbeitungszeit 1. *Ausbildung:* training period ['pɪərɪəd] **2.** (≈ *Gewöhnungszeit*) settling-in period

einatmen breathe [△ briːð] in; *tief einatmen* take* a deep breath [△ breθ] (*oder* deep breaths [△ breθs])

einäugig one-eyed; *unter den Blinden ist der Einäugige König* in the country of the blind, the one-eyed man is king

Einbahnstraße one-way street
Einband binding, cover

einbauen 1. install (*in* into) **2.** fit (*Motor*) **3.** (≈ *einfügen*) work in (*Satz usw.*)

Einbauküche fitted kitchen

Einbaumöbel fitted furniture ['fɜːnɪtʃə], built-in furniture

Einbauschrank 1. built-in cupboard [△ 'kʌbəd] **2.** *für Kleider:* fitted wardrobe, *AE* built-in closet

einberufen 1. call (*Versammlung*) **2.** *zum Militär usw.:* call up (*zu* for), *AE* draft (*zu* into)

Einberufung *Militär:* conscription, *AE* draft

Einbettzimmer single room

einbeziehen 1. include (*in* in) **2.** (≈ *integrieren*) incorporate (*in* into)

einbiegen 1. *einbiegen in* turn into (*eine Straße*) **2.** *rechts* (*bzw.* *links*) *einbiegen* turn right (*bzw.* left)

einbilden 1. *sich einbilden* (≈ *sich vorstellen*) imagine [ɪ'mædʒɪn]; *das bildest du dir nur ein* you're just imagining it **2.** *sich einbilden* (≈ *glauben*) think*; *er bildet sich ein, er ist beliebt* he thinks he's popular **3.** *darauf kannst du dir was einbilden* that's something to be proud of

Einbildung 1. (≈ *Vorstellung*) imagination **2.** (≈ *Illusion*) illusion

einbinden (≈ *integrieren*) integrate ['ɪntɪgreɪt] (*in* into)

einblenden 1. fade in (*Musik usw.*) **2.** superimpose (*Bild usw.*)

Einblick 1. *sich* (*einen*) *Einblick verschaffen in* get* (*oder* gain) an insight ['ɪnsaɪt] into **2.** *jemandem Einblick gewähren in Dokumente usw.*: allow someone access ['ækses]

einbrechen **1.** (*Dieb*) break* in; *einbrechen in* break* into, burgle (*Wohnung*) **2.** *bei ihm wurde eingebrochen* his house (*bzw.* flat *usw.*) was burgled (*bes. AE* was burglarized) **3.** *auf dem Eis*: fall* through (the ice)

Einbrecher(in) burglar ['bɜːglə]

einbringen **1.** bring* in (*Ernte*) **2.** bring* in, yield (*Gewinn usw.*) **3.** (≈ *beitragen*) contribute [kən'trɪbjuːt] (*Ideen usw.*) (*in* to)

einbrocken **1.** *da hast du dir was eingebrockt übertragen* you've landed yourself in it there **2.** *das hat er sich selbst eingebrockt! übertragen* it's his own fault, he has only himself to blame

Einbruch **1.** *in ein Haus*: burglary **2.** *bei Einbruch der Dunkelheit* at nightfall **3.** (≈ *schwere Niederlage*) severe [sɪ'vɪə] defeat

einbruchsicher burglar-proof

einbuchten: *jemanden einbuchten salopp* (≈ *einsperren*) clap someone in jail

einbürgern **1.** *jemanden einbürgern* naturalize [△ 'nætʃrəlaɪz] someone **2.** *sich einbürgern lassen* become* naturalized **3.** *es hat sich so eingebürgert* it's become a habit (*bei* with)

Einbürgerung *einer Person*: naturalization

einbüßen (≈ *verlieren*) lose* [△ luːz]

einchecken check in

Einchecken checking in, check-in; *beim Einchecken* as I was *usw.* checking in

eincremen **1.** (*sich*) *eincremen* put* some cream on **2.** *die Schuhe eincremen* put* (the) polish on the shoes

eindecken: *sich* (*gut*) *eindecken mit* stock up on plenty of

eindeutig **1.** (≈ *klar, offensichtlich*) clear, obvious ['ɒbvɪəs] **2.** (≈ *nicht zweideutig*) unambiguous [ˌʌnæm'bɪɡjʊəs] **3.** *es ist eindeutig seine Schuld* it was clearly his fault

eindringen get* in; *eindringen in* get* into, gewaltsam: force one's way into, (≈ *durchbohren*) penetrate ['penətreɪt], pierce (*Haut usw.*)

eindringlich *Warnung, Bitte usw.*: urgent

Eindruck **1.** impression; *Eindruck machen auf* impress, make* an impression on **2.** *er macht einen intelligenten Eindruck* he seems (to be) quite intelligent **3.** *ich habe den Eindruck, dass ...* I

have (*oder* get) the impression (that) ... **4.** *welchen Eindruck haben Sie von ihm?* what's your impression of him?

eindrucksvoll impressive

eineiig: *eineiige Zwillinge* identical twins

eineinhalb one and a half

einengen: *jemanden einengen* hem someone in, restrict someone

einer someone, somebody; → *ein¹*

Einer *Boot*: single (sculler)

einerseits on the one hand; *einerseits ..., andererseits* on the one hand ..., on the other hand

einfach **1.** (≈ *nicht schwierig*) easy, simple; *einfach zu verstehen* easy to understand (*oder* follow) **2.** *einfache Fahrkarte* single (ticket), *AE* one-way ticket **3.** *Wendungen*: *das ist gar nicht so einfach* it's not so easy, it's not as easy as it looks; *nichts einfacher als das!* no problem at all **4.** (≈ *unkompliziert*) simple **5.** (≈ *bescheiden*) modest ['mɒdɪst] **6.** *Mensch*: ordinary ['ɔːdnərɪ] **7.** *das ist einfach toll* that's really great **8.** *es ist einfach unglaublich* it's just incredible [ɪn'kredəbl]

einfädeln **1.** thread [θred] (*Nadel, Faden, Film usw.*) **2.** *übertragen; geschickt*: arrange, fix up **3.** *sich einfädeln* (*Autofahrer*) merge, filter in; *sich links* (*bzw. rechts*) *einfädeln* filter left (*bzw.* right)

einfahren **1.** drive* into (*Garagentor usw.*) **2.** (*Zug*) arrive, come* in **3.** retract (*Fahrgestell usw.*) **4.** bring* in (*die Ernte*)

Einfahrt **1.** (≈ *Eingang*) entrance ['entrəns] **2.** (≈ *Auffahrt*) drive **3.** *Einfahrt frei halten!* keep clear **4.** *des Zuges*: arrival; *Vorsicht bei der Einfahrt!* stand well back

Einfall **1.** (≈ *Gedanke*) idea [aɪ'dɪə] **2.** (≈ *Invasion*) invasion [ɪn'veɪʒn] (*in* of)

einfallen **1.** *mir fällt gerade ein, dass ...* it just occurred [ə'kɜːd] to me that ..., I've just remembered that ... **2.** *es fällt mir im Moment nicht ein* I can't think of it right now **3.** *ich werde mir schon was einfallen lassen* I'll think of something **4.** *was fällt dir ein!* what do you think you're doing? **5.** *in ein Land einfallen* invade a country **6.** (≈ *einstürzen*) collapse **7.** (*Licht*) enter, come* in; *einfallen in* (*Licht*) come* into

einfallslos unimaginative [ˌʌnɪ'mædʒɪnətɪv], boring ['bɔːrɪŋ]

einfallsreich full of ideas, original [ə'rɪdʒnl]

Einfamilienhaus detached [dɪ'tætʃt] house

einfangen **1.** *wörtlich* catch* **2.** *übertragen* capture (*Stimmung usw.*)

einfarbig 1. solid-coloured, *BE auch* self--coloured **2.** *etwas einfarbig gestalten usw.* design *usw.* something in one (basic) colour

einfetten 1. *allg.*: grease [gri:s] **2.** *mit Öl*: oil

einfinden: *sich einfinden* arrive, *umg.* turn up

Einflugschneise *Flugzeuge*: approach corridor [ə'prəʊtʃˌkɒridɔː]

Einfluss influence (*auf* on, over); *er hat schlechten Einfluss auf sie* he's a bad influence on her

einflussreich influential [ˌɪnfluˈenʃl]

einfressen: *sich einfressen in* eat* into

einfrieren 1. (*Rohre usw.*) freeze* (up) **2.** freeze* (*Lebensmittel*)

Einfügemodus *Computer*: insert mode [ɪnˈsɜːtˌməʊd]

einfügen 1. add (*in* to) **2.** *sich einfügen Dinge*: fit in (well) (*in* with), *Personen auch*: adapt (*in* to)

Einfügetaste *Computer*: insert key [ɪnˈsɜːtˌkiː]

einfühlsam 1. (≈ *sensibel*) sensitive **2.** (≈ *verständnisvoll*) understanding

Einfuhr (≈ *Importe*) imports ['ɪmpɔːts]

einführen 1. (≈ *vorstellen*) introduce [ˌɪntrəˈdjuːs] (*in* into) **2.** *das wollen wir gar nicht erst einführen* we're not going to start anything like that **3.** import [ɪmˈpɔːt] (*Waren*)

Einfuhrstopp, Einfuhrverbot import ['ɪmpɔːt] ban (*für* on)

Einführung 1. *allg* introduction, *bei Text*: introduction (*in* to) **2.** *die Einführung des Euro* the introduction (*oder* launching) of the euro

Einfuhrzoll import duty [ɪmpɔːtˌdjuːtɪ]

einfüllen 1. (*Flüssiges*) pour in [ˌpɔːrˈɪn]; *einfüllen in* pour into **2.** (≈ *in Flaschen abfüllen*) bottle

Eingabe *Computer*: input

Eingabedaten *Computer*: input data ['ɪnpʊtˌdeɪtə] *Pl.*

Eingabetaste *Computer*: enter key, return key

Eingang entrance ['entrəns], way in; *kein Eingang!* no entrance, no entry

Eingangshalle entrance hall, foyer ['fɔɪeɪ], *bes. AE* lobby

Eingangstür entrance ['entrəns]

eingebaut built-in

eingeben 1. *Computer*: enter (*Text, Befehl*) **2.** *Daten in den Computer eingeben* feed* (*oder* enter) data into the computer

eingebildet: *er ist sehr eingebildet* he's very arrogant ['ærəgənt], he's very full of himself

Eingeborene(r) 1. native [neɪtɪv] (△ *wird oft als abwertend empfunden*); *die Eingeborenen auch*: the native inhabitants **2.** *bes. Australiens*: aborigine [△ ˌæbəˈrɪdʒənɪ]

Eingebung 1. (≈ *Einfall*) brainwave **2.** (*eine göttliche*) *Eingebung* (divine) inspiration (△ *ohne a*)

eingebürgert naturalized ['nætʃrəlaɪzd]

eingedeckt: *sie ist mit Arbeit gut eingedeckt* she's got plenty of work to do

eingefallen 1. *Haus*: dilapidated [dɪˈlæpɪdeɪtɪd] **2.** *Gesicht*: haggard ['hægəd] **3.** *Wangen, Augen*: hollow, sunken

eingefleischt: *eingefleischter Junggeselle* confirmed bachelor ['bætʃlə]

eingefroren *wörtlich und übertragen* frozen

eingehen 1. *eingehen in die Sprache usw.*: enter **2.** *eingehen auf* (≈ *sich befassen mit*) deal* with, go* into (*eine Frage usw.*) **3.** *auf jemanden eingehen* respond to someone **4.** *näher eingehen auf* elaborate [ɪˈlæbəreɪt] on, expand on; *überhaupt nicht eingehen auf* completely ignore **5.** (*Pflanze*) die **6.** *ein Risiko eingehen* take* a chance **7.** *eine (chemische) Verbindung eingehen* form a (chemical) compound

eingehend 1. *Diskussion, Bericht usw.*: (≈ *ausführlich*) detailed ['diːteɪld]; *etwas eingehend diskutieren* discuss something in detail **2.** (≈ *gründlich*) thorough [△ 'θʌrə]

eingehüllt: *eingehüllt in eine Decke usw.*: wrapped up [ˌræptˈʌp] in

eingekeilt wedged in

eingeklammert in brackets, *bes. AE* in parentheses [△ pəˈrenθəsiːz] (△ *beide hinter dem Subst.*)

eingeklemmt 1. stuck **2.** *Nerv*: trapped

eingelegt *in Essig*: pickled

Eingemachte(s) 1. *Obst*: bottled fruit **2.** (≈ *Marmelade*) preserves [prɪˈzɜːvz] (△ *Pl.*) **3.** *jetzt gehts ans Eingemachte* *übertragen* we're really scraping the barrel now

eingemauert walled in

eingerahmt 1. *wörtlich* framed **2.** *eingerahmt von* *übertragen* framed by

eingerückt *Zeile usw.*: indented [ɪnˈdentɪd]

eingeschaltet (switched) on

eingeschlossen locked in

eingeschnappt *umg.* miffed, in a huff; *er ist leicht eingeschnappt* you have to watch what you say to him

eingesessen *übertragen* old-established

eingespielt: *sie sind gut aufeinander eingespielt* they make a good team

eingestellt 1. *ich bin darauf eingestellt* (≈ *vorbereitet*) I'm prepared for it **2.** *sozial eingestellt* socially-minded

Eingeweide 1. insides [ˌɪnˈsaɪdz], *umg.* innards [ˈɪnədz] **2.** (≈ *Gedärme*) intestines [ɪnˈtestɪns], *umg.* guts

eingeweiht: *sie ist eingeweiht* (≈ *ist Mitwisserin*) she's in the know

Eingeweihte(r) insider [△ ˌɪnˈsaɪdə]

eingewöhnen: *du musst dich noch eingewöhnen* you have to settle in

eingießen pour in [ˌpɔːˈrɪn]; *eingießen in* pour into

eingleisig *Bahnstrecke:* single-track …, *hinter dem Verb „sein":* single-tracked

eingliedern 1. integrate [ˈɪntɪgreɪt] (*in* to) **2.** *sich in das Team usw. eingliedern* integrate into the team *usw.*

Eingliederung integration, adaptation (*in* into)

eingraben drive* in(to the ground) (*Pfahl*)

eingreifen step in, intervene [ˌɪntəˈviːn] (*in* in), *unerlaubt, störend:* interfere [ˌɪntəˈfɪə] (*in* in)

Eingreiftruppe task force

eingrenzen 1. (≈ *begrenzen*) enclose [ɪnˈkləʊz] **2.** *übertragen* limit (*auf* to)

Eingriff 1. *Eingriff, Eingriffe* intervention (*in* in), *unerlaubte(r), störende(r):* interference [ˌɪntəˈfɪərəns] (*in* in) **2.** (*kleiner*) *Eingriff* (≈ *Operation*) (minor) operation

einhaken 1. *wörtlich* hook (*in* into), fasten [△ ˈfɑːsn] **2.** *sie hakte sich bei ihm ein* she linked arms with him **3.** *hier möchte ich mal einhaken Gespräch:* if I could just take up that point

einhalten 1. keep* to (*Vereinbarung usw.*) **2.** stick* to (*Regeln, Versprechen*) **3.** keep* (*Versprechen*)

Einhaltung: *Einhaltung der Vorschriften* compliance [kəmˈplaɪəns] with the rules

einhämmern: *jemandem etwas einhämmern* drum something into someone

einhandeln: *damit handelst du dir garantiert Ärger usw. ein* that's asking for trouble [ˈtrʌbl] *usw.*

einhängen 1. *Telefon:* hang* up **2.** fit (*Tür*)

einheften file (*Akten usw.*)

einheimisch 1. *Mensch, Tier, Pflanze:* native, indigenous [ɪnˈdɪdʒnəs]; *sie sind hier einheimisch Pflanzen usw.:* they're native to this area **2.** *Produkt, Industrie:* domestic, local

Einheimische(r): *die Einheimischen* the people (who live) here (*bzw.* there), *oft abwertend verstanden:* the natives, *einer Stadt:* the locals

Einheit 1. *allg.:* unity **2.** *eine Einheit bil-*

den form a (unified) whole **3.** (≈ *Maßeinheit, Telefoneinheit*) unit

einheitlich uniform [ˈjuːnɪfɔːm], standardized

Einheitlichkeit uniformity [ˌjuːnɪˈfɔːmɪtɪ]

einhellig unanimous [△ juːˈnænɪməs]

Einhelligkeit unanimity [△ ˌjuːnəˈnɪmətɪ]

einholen 1. *jemanden einholen wörtlich und übertragen* catch* up with someone **2.** *verlorene Zeit einholen* make* up for lost time **3.** take* down (*Segel*)

einhüllen 1. wrap [△ ræp] up (*in* in) **2.** *sich einhüllen* wrap oneself up (*in* in)

einhundert a hundred, *betont:* one hundred

einig 1. (*sich*) *einig werden* come* to an agreement (*über* about) **2.** *sich nicht einig sein* disagree (*über* on) **3.** *Volk usw.:* united

einige → *einige(r, -s)*

einigen 1. *sich einigen* agree (*über, auf* on), *bes. politisch:* reach (an) agreement *oder* a settlement (*über, auf* on) **2.** unite [juːˈnaɪt] (*ein Volk usw.*)

einige(r, -s) 1. *einige* a few, (≈ *mehrere*) several [ˈsevrəl], (≈ *viele*) quite a few; *einige Mal* several times **2.** *einiges* something, a few things; *es gibt noch einiges zu tun* there's (still) a fair bit to do; *das wird einiges kosten* that'll cost a fair bit **3.** *nach einiger Zeit* after some time

einigermaßen 1. quite, fairly **2.** *es geht ihm einigermaßen gut* he's not doing too badly

Einigkeit 1. (≈ *Eintracht*) unity [ˈjuːnətɪ] **2.** (≈ *Übereinstimmung*) agreement (*über* on, about) **3.** *es herrscht Übereinstimmung darüber, dass …* everybody agrees that …

Einigung agreement, settlement; *Einigung erzielen* reach (an) agreement (*über* on)

einjährig 1. (≈ *ein Jahr alt*) one-year-old … **2.** (≈ *ein Jahr dauernd*) year-long …, one-year … **3.** *Pflanze:* annual [ˈænjʊəl]

einkalkulieren take* into account

einkapseln: *sich einkapseln* withdraw* into one's shell, shut* oneself off

Einkauf 1. *Einkäufe* (≈ *Eingekauftes*) shopping; *Einkäufe machen* go* shopping **2.** (≈ *das Einkaufen*) buying

einkaufen 1. buy* **2.** *einkaufen (gehen)* go* shopping

Einkaufs… *in Zusammensetzungen:* shopping …; *Einkaufskorb* shopping basket; *Einkaufspassage* shopping arcade [ˈʃɒpɪŋ ɑːˌkeɪd]; *Einkaufstasche* shopping bag; *Einkaufszentrum* shopping centre; *Einkaufszettel* shopping list

Einkaufswagen (supermarket) trolley,

AE shopping cart

einklammern put* in brackets (*bes. AE* in parentheses [△ pə'renθəsiːz])

einkleben stick* in; **einkleben in** stick* into

einkleiden: *jemanden neu einkleiden* buy* someone a whole new set of clothes

einklemmen: *er klemmte sich den Finger* (*bzw.* *den Mantel usw.*) *ein* he got his finger (*bzw.* coat *usw.*) caught

Einkommen income, earnings (△ *Pl.*)

Einkommen(s)teuer income tax

Einkommen(s)teuererklärung income-tax return

einkriegen catch* up with

Einkünfte income (△ *Sg.*), earnings

einladen 1. *jemanden einladen* invite (*oder* ask) someone round; *jemanden zu einer Party einladen* invite (*oder* ask) someone to a party **2.** *ich lad dich ein* (≈ *bezahle*) I'll treat you

Einladung invitation; *auf seine usw. Einladung* at his *usw.* invitation

Einlage 1. *in Zeitungen usw.*: insert ['ɪn-sɜːt] **2.** (≈ *Zahneinlage*) temporary filling

Einlass admittance (*zu* to); *Einlass ab 18 Uhr* doors open at 6 pm

einlassen 1. run* (*Wasser*) (*in* into); *sich ein Bad einlassen* run* a bath **2.** *sie ließ sich auf ein Gespräch* (*bzw.* einen *Streit*) *ein* she got involved in a conversation (*bzw.* in an argument); *lass dich nicht darauf ein!* don't get involved **3.** *sich mit jemandem einlassen* get* involved with someone

Einlauf *Sport*: finish

einlaufen 1. (≈ *ankommen*) come* in, arrive **2.** (*Wasser*) run* (in); *einlaufen in* run* into **3.** (*Stoff, Kleidung*) shrink* **4.** *sich einlaufen* *Sport*: warm up

einleben: *sich einleben* settle in

einlegen 1. put* in (*Film usw.*) **2.** *eine Pause einlegen* have* a break

einleiten 1. (≈ *anfangen*) start, begin* **2.** introduce (*Maßnahmen usw.*) **3.** introduce (*Nebensatz*) **4.** dump (*in* into) (*Schadstoffe in einen Fluss usw.*)

einleitend 1. *sie sagte ein paar einleitende Worte* she made a few introductory remarks **2.** *einleitend möchte ich sagen* ... may I start by saying ...

Einleitung 1. *allg.*: introduction **2.** *eines Buches*: preface [△ 'prefəs] (+ *Gen.* to)

einlesen 1. *Daten einlesen* *Computer*: read* the data ['deɪtə] in **2.** *sich in einen Roman usw. einlesen* get* into a novel ['nɒvl] *usw.*

einleuchten: *das leuchtet mir ein* that

makes sense (to me)

einleuchtend 1. *es ist einleuchtend(, dass ...*) it makes sense (that ...), it stands to reason (that ...) **2.** *aus einleuchtenden Gründen* for obvious ['ɒb-vɪəs] reasons

einliefern: *jemanden ins Krankenhaus einliefern* take* someone to hospital (△ *BE ohne* the); ☞ *Info unter* **Schule**

Einlieferung *ins Krankenhaus*: admission (*in* to)

einlochen 1. *jemanden einlochen* *umg.*; *Gefängnis*: put* someone away, *AE* put* someone in the slammer **2.** *Golf*: putt

einloggen: (*sich*) *einloggen* *Internet*: log in (*od* on)

einlösen 1. cash (*Scheck*) **2.** keep* (*Versprechen*)

einmal 1. once; *einmal eins ist eins* once one is one; *einmal im Jahr* once a year; *noch einmal* one more time, again **2.** *noch einmal so viel* twice as much **3.** *auf einmal* (≈ *plötzlich*) suddenly, (≈ *gleichzeitig*) at the same time **4.** (≈ *zuvor*) before; *ich war schon einmal da* I've been there before **5.** *in Fragen*: (≈ *jemals*) ever; „*Warst du schon einmal in Athen?*" - „*Ja, da war ich auch schon.*" 'Have you ever been to Athens?' ['æθɪnz] - 'Yes I've been there too.' **6.** (≈ *eines Tages in der Zukunft*) one day **7.** *es war einmal* ... *im Märchen*: once upon a time there was ... **8.** *nicht einmal* not even; *er hat mich nicht einmal angesehen* he didn't even look at me **9.** *hör einmal!* listen [△ 'lɪsn] **10.** *sei endlich einmal ruhig* be quiet, will you! **11.** *stell dir einmal vor* ... just imagine ..., can you imagine ...?

Einmaleins 1. (multiplication) tables (△ *Pl.*); *das kleine* (*bzw.* *große*) *Einmaleins* (multiplication) tables up to (*bzw.* over) ten **2.** *kannst du das Einmaleins* (*aufsagen*)? do you know your tables?

einmalig 1. *eine einmalige Gelegenheit* (≈ *einzigartig*) a unique [juː'niːk] (*oder* one-off) chance **2.** (≈ *hervorragend*) brilliant ['brɪljənt], *umg.* fantastic **3.** *einmalig schön* absolutely beautiful

Einmann... *in Zusammensetzungen*: one-man ...; *Einmannbetrieb* one-man business (*oder* *umg.* show)

Einmarsch (≈ *Einfall*) invasion [ɪn-'veɪʒn]; *beim Einmarsch der Truppen* when the troops invaded

einmarschieren: *einmarschieren* (*in*) invade

einmischen 1. *sich einmischen* interfere [ˌɪntəˈfɪə] (*in* in, with) **2.** *sich ins Gespräch einmischen* join in the conversation, *umg.*, *störend*: butt in on the conversation 3. *misch dich lieber nicht ein* don't get involved

Einmischung interference (*in* in)

einmotorig single-engine(d) [ˌsɪŋgl-ˈendʒɪn(d)]

einmütig unanimous [juːˈnænɪməs]

Einnahmen 1. *einer Bank, eines Unternehmens*: receipts [△ rɪˈsiːts] 2. *des Staates*: revenue [ˈrevənjuː] (*Sg.*), revenues

einnehmen 1. take* (*Arznei*) 2. have* (*Mahlzeit*) 3. take* in (*Geld*) 4. (≈ *verdienen*) earn 5. occupy (*Land*) 6. take* up (*Platz, Raum*) 7. take* up, adopt (*Position, Haltung*); *den Standpunkt einnehmen, dass ...* take* the view that ...

einordnen 1. (≈ *klassifizieren*) classify 2. place, *zeitlich auch*: date (*Kunstwerk usw.*) 3. *sich rechts* (*bzw.* *links*) *einordnen* get* into the right (*bzw.* left) lane 4. *etwas alphabetisch einordnen* enter something in alphabetical order

einpacken 1. pack (up) 2. *ihr könnt schon einpacken!* *in der Schule*: you can pack up your things 3. do* up, *AE* put together (*Paket usw.*)

einparken 1. park, get* into a parking space 2. *rückwärts einparken* back into a parking space

einpendeln: *sich einpendeln* level out [ˌlevlˈaʊt] (*auf, bei* at)

einpennen *salopp* nod off

einpflanzen 1. *wörtlich* plant 2. implant [ɪmˈplɑːnt] (*Organ usw.*)

einplanen plan, (≈ *berücksichtigen*) allow for

einprägen 1. *sich etwas einprägen* (≈ *im Gedächtnis behalten*) remember something, *bei Lernmaterial*: memorize [ˈmeməraɪz] something 2. *das prägt sich leicht ein* that's easy to remember

einprägsam 1. easy to remember, memorable 2. *Melodie usw.*: catchy

einquetschen: *sie hat sich den Finger* (*in der Tür*) *eingequetscht* she got her finger stuck (*oder* jammed) (in the door)

einrahmen *wörtlich* frame (*Bild, Brief usw.*)

einrasten click into place

einräumen 1. (*das Wohnzimmer usw.*) *einräumen* put* the furniture in the living room *usw.* 2. put* (the) things in (*Schrank usw.*)

einreden 1. *jemandem* (*bzw.* *sich*) *einreden, dass ...* persuade [pəˈsweɪd] someone (*bzw.* oneself) that ... 2. *wer hat dir das eingeredet?* who gave you that idea? 3. *das redest du dir* (*doch*) *nur ein!* you're imagining it 4. *er redete die ganze Zeit auf sie ein* he kept on at her

all the time

einreiben: *du solltest dir die Haut mit dieser Salbe einreiben* you should rub this ointment into your skin; *du solltest dir das Gesicht mit dieser Salbe einreiben* *vorsichtig*: you should put this ointment on your face

einreichen 1. send* in 2. *persönlich*: hand in 3. submit (*Antrag*) 4. lodge (*Beschwerde*)

Einreise 1. entry [ˈentrɪ] (*in, nach* into) 2. *bei der Einreise* on arrival (△ *ohne* the); *bei der Einreise in ...* on arrival in ..., when entering ... 3. *jemandem die Einreise verweigern* refuse someone entry (*oder* admission) (△ *ohne* the)

Einreiseerlaubnis, Einreisegenehmigung entry permit [△ ˈpɜːmɪt]

einreisen 1. *durfte er in* (*oder* nach) *China einreisen?* was he allowed to enter China? 2. *durfte er einreisen?* was he allowed to enter the country (*bzw.* China *usw.*)?

Einreiseverbot: *er hatte Einreiseverbot* he wasn't allowed to enter the country *usw.*

Einreisevisum entry visa [ˈviːzə] *Pl.*: entry visas

einreißen 1. tear* [teə] (*Stoff, Papier usw.*) 2. pull *oder* tear down (*Zaun, Barrikaden*) 3. *das wollen wir gar nicht erst einreißen lassen* we'd better put a stop to that before it starts

einreiten break* in (*Pferd*)

einrenken 1. set* (*Arm, Bein usw.*) 2. *die Sache wird sich schon wieder einrenken* *übertragen* it'll straighten itself out

einrichten 1. furnish, *umg.* do* up (*Zimmer usw.*); *er hat sein Zimmer schön eingerichtet* he's done his room up very nicely 2. fit out (*Küche, Geschäft usw.*) 3. *kannst du es irgendwie einrichten, dass ...?* can you possibly arrange things so that ...? 4. *sich einrichten auf* (≈ *sich vorbereiten auf*) prepare for, get* ready for

Einrichtung 1. (≈ *Möbel*) furniture 2. *einer Küche*: fittings (△ *Pl.*) 3. (≈ *Anlage*) installation [ˌɪnstəˈleɪʃn] 4. (≈ *öffentliche Einrichtung*) institution

einrücken indent [ɪnˈdent] (*Zeile*)

Einrückung *einer Zeile*: indentation

eins 1. *Zahl*: one [wʌn] 2. *um eins* at one (o'clock) 3. *eins gefällt mir nicht* there's one thing I don't like about it 4. *noch eins* another one 5. *Wendungen*: *eins wollte ich dir noch sagen ...* another thing (I wanted to say) ...; *eins nach dem andern* one after the other; *das ist doch alles eins* it's all the same

Eins 1. *Zahl:* (number) one **2.** *eine Eins schreiben etwa:* get* an <u>A</u> **3.** *Bus, Straßenbahn usw.:* <u>number</u> one <u>bus</u>, <u>number</u> one <u>tram</u> *usw.*

einsam 1. *Person, Gegend, Haus usw.:* lonely **2.** *Straße, Strand usw.:* lonely, empty **3.** *sich einsam fühlen* feel* (very) isolated **4.** *sie ist einsame Spitze* she's brilliant

Einsamkeit 1. (≈ *Verlassenheit*) loneliness **2.** (≈ *Isoliertheit*) isolation

einsammeln collect (*Geld, Hefte*)

Einsatz 1. (≈ *Anstrengung*) effort ['efət], hard work **2.** (≈ *Verwendung*) use [ju:s] **3.** *von Arbeitskräften:* employment **4.** *polizeilicher:* operation **5.** *militärischer:* action, operation **6.** (≈ *Spieleinsatz*) stake **7.** *sie halfen den Flüchtlingen unter Einsatz des Lebens* they risked <u>their lives</u> to help the refugees [ˌrefjʊ'dʒi:z]

Einsatzkommando task force

einscannen: *etwas einscannen* scan something in

einschalten 1. switch (*oder* turn) on (*Licht, Gerät usw.*) **2.** start (*Motor*) **3.** put* on, switch on, tune in to (*Sender*)

Einschaltquote *TV, Radio:* ratings (△ *Pl.*)

einschärfen: *jemandem einschärfen, die Wahrheit zu sagen usw.* urge someone to tell the truth *usw.*

einschätzen 1. assess [ə'ses] (*Situation, Bedeutung, Qualität usw.*) **2.** judge (*jemanden*) **3.** *richtig einschätzen* be* right about (*Lage, jemanden*); *falsch einschätzen* misjudge (*Lage, jemanden*) **4.** *wie schätzt du die Lage ein?* how do you see (*oder* view) the situation? **5.** *das ist schwer einzuschätzen* it's hard to say

einschenken: *jemandem ein Glas Wein usw. einschenken* pour [pɔ:] someone a glass of wine *usw.*

einschlafen 1. fall* asleep, go* to sleep, *umg.* drop off **2.** *beschönigend* (≈ *sterben*) pass away **3.** (*Freundschaft*) cool off

einschläfern (≈ *töten*) put* down, put* to sleep (*Tier*)

Einschlag *eines Geschosses usw.:* impact

einschlagen 1. *einschlagen (in)* hammer in(to) (*Nagel usw.*) **2.** (≈ *zerbrechen*) smash (*Fensterscheibe usw.*) **3.** (*Geschoss*) hit* **4.** (*Blitz*) strike*; *es hat in der Schule eingeschlagen* the school was struck by lightning **5.** *Wendungen:* *jemandem den Schädel einschlagen* smash someone's head in; *eine künstlerische usw. Laufbahn einschlagen* take* up a career as an artist *usw.*

einschlägig 1. *Presse, Geschäfte:* specialist **2.** *Literatur:* relevant ['reləvənt]

einschleichen: *in deine Übersetzung usw. haben sich ein paar Fehler eingeschlichen* a few mistakes have crept into your translation *usw.*

einschleusen: *Flüchtlinge nach Deutschland einschleusen* smuggle refugees [ˌrefjʊ'dʒi:z] into Germany

einschließen 1. *wörtlich* lock up; *einschließen in* lock (up) in, lock into **2.** *übertragen* include

einschließlich including; *bis einschließlich Seite 7* (*bzw.* *Freitag*) up to and including page 7 (*bzw.* Friday, *AE* through till Friday)

einschmeicheln: *sich bei jemandem einschmeicheln* ingratiate [△ ɪn-'greɪʃɪeɪt] oneself with someone

einschmeißen smash (*Fensterscheibe*)

einschmieren: *sich einschmieren mit Creme:* rub (*oder* put*) some cream on

einschmuggeln: *Rauschgift nach Deutschland einschmuggeln* smuggle drugs into Germany

einschnappen (*Schloss*) snap shut; → *eingeschnappt*

einschneidend *Reformen:* drastic, radical

Einschnitt 1. (≈ *Schnitt*) cut **2.** (≈ *Kerbe*) notch **3.** (≈ *Wendepunkt*) turning point

einschnitzen carve (*in* into)

einschränken 1. (≈ *verringern*) reduce, curb (*Konsum, Macht*) **2.** (≈ *einengen*) limit, restrict **3.** *sich einschränken* cut* down (on things)

Einschränkung: *ohne Einschränkung* (≈ *ohne Vorbehalt*) without reservation [ˌrezə'veɪʃn]

Einschreibebrief registered letter

Einschreibung *an der Uni:* registration, *AE* enrollment

einschüchtern intimidate [ɪn'tɪmɪdeɪt], frighten

einschulen: *eingeschult werden* start school

Einschulung first day at school

Einschuss (≈ *Loch*) bullet [△ 'bʊlɪt] hole

Einsegnung 1. (≈ *Konfirmation*) confirmation **2.** (≈ *Einweihung*) consecration

einsehen 1. (≈ *verstehen*) see*, realize **2.** *das sehe ich nicht ein* I don't see why **3.** *er sah den Fehler ein* he recognized ['rekəgnaɪzd] <u>his</u> mistake

einseifen *wörtlich* soap down (*jemanden*), soap (*Rücken usw.*)

einseitig 1. one-sided (*auch übertragen*) **2.** *Politik:* unilateral **3.** (≈ *parteiisch*) biased ['baɪəst]; *einseitige Berichterstattung* biased reporting **4.** (≈ *unausgeglichen*) one-sided, unbalanced; *einseitige Ernährung* unbalanced diet ['daɪət]

einsenden send* in; *einsenden an* send* to

Einsender(in) sender

Einsendeschluss closing date (for entries)

Einsendung 1. sending in **2.** *bei einem Wettbewerb*: entry ['entrı] **3.** (≈ *Zuschrift*) letter, reply

Einser: *einen Einser bekommen* get* an A

einsetzen 1. (≈ *einfügen*) put* in, insert [ın's3ːt] **2.** use [juːz] (*Mittel*) **3.** *sein Leben einsetzen* risk one's life (*für* for) **4.** *sich einsetzen für* support **5.** *sich (voll) einsetzen* do* one's utmost **6.** *beim Wetten*: bet* (*Geld*) **7.** *sie setzte ihn als Erben ein* she made him her heir [△ eə] **8.** *Musik*: come* in

Einsicht 1. *Einsicht nehmen in* examine [ıg'zæmın], take* a look at **2.** (≈ *Verständnis*) understanding **3.** (≈ *Erkenntnis*) insight ['ınsaıt]

einsickern seep in, trickle in; *einsickern in* seep into, trickle into

einsitzen (≈ *im Gefängnis sitzen*) serve a sentence ['sentəns]

Einsitzer single-seater

einspannen 1. *ein Stück Holz (in den Schraubstock) einspannen* clamp a piece of wood (into the vice) **2.** *jemanden einspannen* übertragen rope someone in

einsparen save (*Geld usw.*)

Einsparung saving, savings (*Pl.*)

einspeichern *Computer*: store

einsperren 1. *allg.*: lock up **2.** *ins Gefängnis*: lock up, put* behind bars **3.** *in einen Käfig*: put* in a cage, cage

einspielen 1. bring* in (*Geld*) **2.** *sie sind gut aufeinander eingespielt* they make a good team

Einspielung (≈ *Aufnahme*) recording (*von* by)

einsprachig monolingual [,mɒnəʊ-'lıŋgwəl]

einspringen (≈ *aushelfen*) step in, help out

Einspruch 1. *allg.*: objection (*gegen* to) (*auch vor Gericht*); *Einspruch erheben* raise an objection (*gegen* to), object [əb-'dʒekt] (*gegen* to) **2.** (≈ *Berufung*) appeal (*gegen* against); *Einspruch erheben* (*oder einlegen*) (file an) appeal (*gegen* against)

einspurig 1. (≈ *eingleisig*) single-track ... **2.** *Straße*: single-lane ...

einst 1. *Zukunft*: one day, some day **2.** (≈ *früher*) once, at one time

Einstand *Tennis*: deuce [djuːs]

einstecken 1. *wörtlich*: put* in, *umg.*

stick* in **2.** *umg.* pop into the letterbox (*Brief*) **3.** take* (*Schlag*) **4.** *er kann viel einstecken* übertragen he can take a lot (of punishment) **5.** übertragen pocket (*Gewinn*)

einstehen: *einstehen für etwas* answer ['ɑːnsə] (*oder* take* responsibility) for something

einsteigen 1. *in ein Fahrzeug*: get* in; *einsteigen in* **2.** *einsteigen (in) Bus, Zug, Flugzeug*: get* on **3.** *in die Politik usw. einsteigen* go* into politics usw.

einstellen 1. tune in to (*Sender*) **2.** (≈ *beenden*) stop, *förmlicher* discontinue **3.** take* on, hire (*Arbeitskräfte usw.*) **4.** set* (*Uhr, Wecker*) **5.** *sie hat den Weltrekord im Diskuswerfen eingestellt* she's equalled ['iːkwəld] (△ *Grundform* equal) the world record ['rekɔːd] *for* discus throwing **6.** *sich einstellen auf Person*: (≈ *sich anpassen an*) adapt *oder* adjust oneself to, (≈ *sich vorbereiten auf*) prepare (oneself) for, get* ready for **7.** *du musst dich darauf einstellen* (≈ *daran gewöhnen*) you'll have to get used to it (*oder* learn to accept it)

einstellig: *einstellige Ziffer* single-digit number ['sıŋgl,dıdʒıt'nʌmbə]

Einstellknopf control (knob [nɒb])

Einstellplatz *für Auto*: parking space

Einstellung 1. (≈ *Haltung*) attitude ['ætıtjuːd] (*zu* to, towards) **2.** *von Arbeitskräften*: employment

Einstellungsgespräch interview; *ich muss zu einem Einstellungsgespräch gehen* I've got to go *for* an interview

Einstieg 1. *der Einstieg in den Bus usw.* getting on(to) the bus *usw.* **2.** (≈ *Eingang*) entrance ['entrəns] **3.** *der Einstieg war schwierig* übertragen it was hard at the start

Einstiegsdroge starter drug

einstimmig (≈ *einmütig*) unanimous [△ juː'nænıməs]

einstöckig *Gebäude*: one-storey ..., one--storeyed, *AE* one-story

einstreichen 1. *mit Farbe*: paint **2.** *umg.* rake in (*Geld*)

einstudieren 1. rehearse [rı'h3ːs] (*ein Stück*) **2.** learn* (*eine Rolle*)

einstufen 1. *allg.*: classify (*jemanden, etwas*) **2.** *Kinder nach ihren Fähigkeiten einstufen* grade children according to their abilities **3.** *hoch* (*bzw. niedrig*) *einstufen* rate *oder* rank high (*bzw.* low)

Einstufung 1. *allg.*: classification **2.** *nach Fähigkeiten usw.*: grading

Einsturz collapse [kə'læps]; *etwas zum Einsturz bringen* cause something to collapse

einstürzen (*Gebäude, Dach, Brücke usw.*) collapse [kə'læps]; *das Haus droht einzustürzen* the house is in danger of collapsing

Einsturzgefahr danger of collapse; *das Gebäude wird wegen Einsturzgefahr geschlossen* the building is going to be closed because it's unsafe

einstweilen (≈ *vorläufig*) for the time being, (≈ *für kurze Zeit*) for the moment

eintägig one-day …

eintauschen exchange (*gegen* for)

eintausend a thousand, *AE* one thousand, *BE betont:* one thousand

einteilen 1. *allg.:* (≈ *gruppieren*) divide (up), classify (*in* into) **2.** (≈ *anordnen*) arrange (*in* in; *nach* according to) **3.** organize (*Zeit*) **4.** (≈ *planen*) plan out, organize (*Arbeit*) **5.** *du musst* (*dir*) *dein Geld* (*besser*) *einteilen* you've got to learn to budget ['bʌdʒɪt]

Einteilung 1. (≈ *Gruppierung*) division, classification **2.** (≈ *Anordnung*) arrangement **3.** *zeitliche:* plan

eintönig monotonous [△ mə'nɒtənəs], dull

Eintönigkeit monotony [△ mə'nɒtənɪ]

Eintopf(gericht) stew [stjuː]

Eintrag 1. *allg.:* entry ['entrɪ] **2.** *ins Klassenbuch:* black mark

eintragen 1. *in eine Liste:* put* down (*in* on) **2.** *sich* (*in die Liste*) *eintragen* put* one's name down (on the list)

eintreffen 1. (≈ *ankommen*) arrive **2.** (≈ *geschehen*) happen **3.** (≈ *sich erfüllen*) prove [pruːv] true

eintreiben collect (*Schulden usw.*)

eintreten 1. go* in, come* in, enter; *eintreten* go* into, come* into, enter **2.** (*in einen Klub usw.*) *eintreten* join (a club *usw.*) **3.** (≈ *sich ereignen*) happen, take* place, occur [ə'kɜː] **4.** *es ist noch keine Besserung usw. eingetreten* there has been no improvement *usw.* as yet **5.** *für etwas eintreten* support something **6.** *in ein Kloster eintreten* enter (*oder* go* into) a monastery *bzw.* convent

Eintritt 1. (≈ *Beitritt*) entry ['entrɪ] (*in* into) **2.** *Eintritt frei* admission free

Eintrittsgeld 1. admission fee **2.** *Sport:* gate money

Eintrittskarte ticket

eintrocknen dry up

eintrüben: *es trübt sich ein* it's clouding over, it's getting cloudy

einüben 1. practise [△ præktɪs] **2.** rehearse [rɪ'hɜːs] (*Rolle*)

Einvernehmen agreement, understanding; *im Einvernehmen mit* in agreement with

einverstanden 1. (*mit etwas*) *einverstanden sein* agree (<u>to</u> something); *bist du damit einverstanden?* do you agree?, do you accept that?; (*mit jemandem*) *einverstanden sein* accept someone **2.** *er ist damit einverstanden, dass er bei uns bleibt* he <u>has</u> agreed to stay with us **3.** *ich bin damit einverstanden, dass du auf die Fete gehst usw.* you can go to the party *usw.* as far as I'm concerned **4.** *einverstanden!* okay, all right

Einverständnis: *sein Einverständnis geben* (give* one's) consent [kən'sent] (*zu* to)

Einwand objection (*gegen* to); *einen Einwand vorbringen* raise an objection

Einwanderer immigrant ['ɪmɪgrənt]

einwandern immigrate ['ɪmɪgreɪt] (*nach, in* to)

Einwanderung immigration [ˌɪmɪ'greɪʃn] (*nach, in* to)

Einwanderungsland country open to immigrants ['ɪmɪgrənts]

einwandfrei 1. (≈ *fehlerfrei*) perfect, flawless **2.** *er spricht einwandfrei Englisch* his English is perfect; *einwandfrei funktionieren* work perfectly **3.** *es steht einwandfrei fest, dass …* there's no question that …

einwechseln bring* on (as a substitute) (*Ersatzspieler*)

Einwegflasche non-returnable bottle

Einwegflasche

Da es in Großbritannien kaum Pfandflaschen (**returnable bottles**) gibt, sondern größtenteils Einwegflaschen, ist entsprechend selten die Rede von **non-returnable bottles**, sondern man sagt ganz einfach **bottles**.

einweichen soak

einweihen 1. (≈ *eröffnen*) open **2.** *seine Wohnung einweihen* have* a housewarming (*bzw.* flatwarming) party **3.** *jemanden in ein Geheimnis einweihen* let* someone <u>in on</u> a secret

Einweihungsfeier 1. (≈ *Eröffnungsfeier*) opening ceremony ['serəmənɪ] **2.** *für Haus usw.:* housewarming (*bzw.* flatwarming) party

einweisen 1. *jemanden* (*in eine Aufgabe*) *einweisen* show* someone what to do **2.** *jemanden ins Krankenhaus usw. einweisen* admit someone <u>to</u> hospital *usw.* (△ *BE* ohne the)

Einweisung *in eine Aufgabe:* introduction

(*in* to)

einwenden 1. *einwenden, dass* ... object [əb'dʒekt] *oder* argue that ... **2.** *ich habe nichts dagegen einzuwenden* I have no objections **3.** *wenn niemand etwas einzuwenden hat* ... if there are no objections (from anyone)

einwerfen 1. throw* in (*Ball*) **2.** post, *AE* mail (*Brief*) **3.** put* in (*Geld*) **4.** smash (*Fenster*) **5.** *umg.* take* (*Drogen*)

einwickeln 1. *wörtlich* wrap up [△ ,ræp-'ʌp] (*in* in) **2.** *lass dich nicht von ihm einwickeln übertragen* don't be taken in by him

einwilligen agree, consent [kən'sent] (*in* to)

Einwilligung approval [ə'pruːvl], consent [kən'sent]; *seine Einwilligung zu etwas geben* consent to something

einwirken: *einwirken auf* (≈ *beeinflussen*) influence

Einwirkung 1. (≈ *Einfluss*) influence (*auf* on) **2.** (≈ *Wirkung*) effect (*auf* on)

einwöchig week-long ..., one-week ...

Einwohner(in) inhabitant [ɪn'hæbɪtənt]

Einwohnermeldeamt residents' ['rezɪdənts] registration office

Einwurf *Fußball*: throw-in

Einzahl *Grammatik*: singular ['sɪŋgjʊlə]

einzahlen: *ich möchte 50 Pfund auf dieses Konto einzahlen* I'd like to pay £50 (*gesprochen* fifty pounds) into this account

Einzahlung payment

Einzahlungsschein ⊕ postal money order

einzäunen fence in

Einzel *Tennis*: singles (△ *Sg.*)

Einzelbeispiel isolated case

Einzelbett single bed

Einzelfahrschein single-trip ticket, *AE* one-way ticket

Einzelfall (≈ *Ausnahme*) isolated case

Einzelgänger(in) loner

Einzelhaft solitary ['sɒlɪtrɪ] confinement

Einzelhandel retail trade ['riːteɪl_treɪd]

Einzelhaus detached [dɪ'tætʃt] house

Einzelheit detail ['diːteɪl]; *nähere Einzelheiten* further ['fɜːðə] details

Einzelkind: *ein Einzelkind* an only child

einzeln 1. (≈ *für sich allein*) individual [,ɪndɪ'vɪdʒʊəl]; *jedes einzelne Stück* each individual piece **2.** (≈ *einzig*) single **3.** (≈ *abgetrennt*) separate ['seprət] **4.** (≈ *abgeschieden*) isolated

Einzelne(r, -s) 1. *der Einzelne* the individual [,ɪndɪ'vɪdʒʊəl]; *jeder Einzelne* every single person **2.** *Einzelne* (≈ *manche*) some, isolated ... **3.** *im Einzelnen* in detail ['diːteɪl]

Einzelperson individual [,ɪndɪ'vɪdʒʊəl]

Einzelunterricht private ['praɪvət] lessons (△ *Pl.*); *er bekommt Einzelunterricht* he has private lessons

Einzelzelle *im Gefängnis*: solitary cell [,sɒlətrɪ'sel]

Einzelzimmer single room

einziehen 1. *in eine Wohnung usw.*: move in; *einziehen in* move into **2.** draw* in (*Krallen, Fühler*) **3.** thread [△ θred] (*Faden, Gummiband*) **4.** *zieh den Kopf ein!* duck (your) head); *zieh den Bauch ein! umg.* pull your stomach ['stʌmək] in **5.** (*Flüssigkeit*) soak in **6.** *zum Militär*: call up, *AE* draft (*jemanden*) **7.** put* up (*Wand*)

einzig 1. only; *mein einziger Freund* my (one and) only friend **2.** *ein einziges Buch* (just) one book; *kein einziger Fehler* not one (*oder* a single) mistake **3.** *ein einziges Mal* just once **4.** *das einzig Gute daran ist* ... the only good (*oder* positive) thing about it is ...

einzigartig unique [△ juː'niːk]

Einzige(r, -s) 1. *der Einzige, die Einzige* the only one, the only person; *kein Einziger Person*: nobody at all **2.** *das Einzige* the only thing

Einzimmerappartement, Einzimmerwohnung one-room flat (*AE* apartment), *BE auch* bedsit(ter) [,bed'sɪt(ə)], studio ['stjuːdɪəʊ] flat, *AE auch* studio apartment

Einzug *in ein Haus usw.*: move; *nach dem Einzug in die neue Wohnung* after moving into the new apartment

Einzugsverfahren *Bankwesen*: direct debit(ing) [,daɪrekt'debɪt(ɪŋ)]

Eis 1. ice **2.** (≈ *Speiseeis*) ice cream; *zwei Eis bitte* two ice creams, please **3.** *Wendungen*: *auf Eis legen* put* on ice; *das Eis brechen übertragen* break* the ice

Eis... *in Zusammensetzungen*: ice..., ice-...., ice ...; *Eisbahn* ice-skating rink; *Eisberg* iceberg ['aɪsbɜːg]; *Eisbeutel* ice bag, ice pack; *Eisbrecher* icebreaker; *Eishockey* ice hockey, *AE* hockey; *Eiskrem* ice cream; *Eislauf* ice-skating ['aɪs-ˌskeɪtɪŋ]; *Eisrevue* ice show; *Eiswürfel* ice cube; *Eiszeit* ice age

Eisbär polar bear [,pəʊlə'beə]

Eisbecher (≈ *Eis mit Früchten usw.*) sundae [△ 'sʌndeɪ]

Eisbein *Essen*: pickled knuckle [△ 'nʌkl] of pork

Eisbergsalat iceberg lettuce [,aɪsbɜːg-'letɪs]

Eisbombe bombe glacée [△ ,bɒm'glæseɪ]

Eiscafé, Eisdiele ice cream parlour ['pɑːlə]

Eischnee (≈ *geschlagenes Eiweiß*) beaten egg white

Eisen *allg.*: iron ['aɪən] (△ r *ist stumm*)

Eisenbahn railway, *AE* railroad; *mit der Eisenbahn* by rail, by train

Eisenerz iron ore [ˌaɪənˈɔː]

eisern 1. *wörtlich und übertragen* iron ['aɪən] 2. *eiserne Nerven* nerves of steel

Eisfach freezing compartment

eisfrei free of ice, ice-free ...; *eisfreier Hafen* ice-free harbour

Eishockey *BE* ice hockey, *AE* hockey

eisig 1. *wörtlich und übertragen* icy ['aɪsɪ]; *eisiges Schweigen* an icy (*oder* a frosty) silence 2. *eisig kalt* ice-cold, icy cold

Eiskaffee iced coffee

eiskalt 1. *wörtlich* ice-cold 2. *Blick usw.*: icy

Eiskunstlauf figure skating ['fɪɡəˌskeɪtɪŋ]

Eiskunstläufer(in) figure skater ['fɪɡəˌskeɪtə]

Eislauf ice-skating

Eisläufer(in) ice-skater

Eisprung ovulation [ˌɒvjʊˈleɪʃn]

Eisrevue ice show

Eissalat iceberg lettuce [ˌaɪsbɜːɡˈletɪs]

Eisschnelllauf speed skating

Eisschnellläufer(in) speed skater

Eisschrank fridge [frɪdʒ], *AE auch* refrigerator [rɪˈfrɪdʒəreɪtə]

Eistanz(en) ice dancing

Eistee iced tea, ice tea

Eisverkäufer(in) ice cream seller

Eiswürfel ice cube

Eiszapfen icicle ['aɪsɪkl]

Eiszeit ice age, glacial period [ˌgleɪʃlˈpɪəriəd]

eitel *Mensch*: vain

Eitelkeit vanity ['vænətɪ]

Eiter pus [pʌs]

eitern (*Wunde usw.*) fester

Eiweiß 1. ↔ *Eigelb*: white of an egg, egg white; *du brauchst vier Eiweiß* you need four egg whites 2. *Biologie, Chemie*: protein [△ 'prəʊtiːn]; *pflanzliches Eiweiß* vegetable protein; *tierisches Eiweiß* animal protein

eiweißarm low in protein ['prəʊtiːn]; *ei-weißarme Kost usw.* low-protein diet ['ləʊˌprəʊtiːnˌdaɪət] *usw.*

Eiweißbedarf protein ['prəʊtiːn] requirement

Eiweißmangel protein deficiency ['prəʊtiːnˌdɪˌfɪʃnsɪ]

eiweißreich rich in protein ['prəʊtiːn]; *ei-weißreiche Kost usw.* high-protein diet ['haɪˌprəʊtiːnˌdaɪət] *usw.*

Eizelle *Biologie*: egg cell, ovum ['əʊvəm] *Pl.*: ova ['əʊvə]

Ejakulation ejaculation [ɪˌdʒækjʊˈleɪʃn]

Ekel[1] *Gefühl*: disgust, revulsion (*vor* at)

Ekel[2] *Person*: obnoxious [əbˈnɒkʃəs] person; *er ist ein Ekel* he's disgusting

ekelhaft, ekelig 1. (≈ *ekelerregend*) revolting, disgusting 2. *Wetter usw.*: nasty

ekeln: *es ekelt mich vor ihm umg.* he gives me the creeps

EKG *Medizin*: ECG [ˌiːsiːˈdʒiː], *AE* EKG [ˌiːkeɪˈdʒiː]

Eklat 1. (≈ *Skandal*) scandal ['skændl] 2. (≈ *Krach*) confrontation, row [△ raʊ]

eklatant *abwertend*; *Fehler, Unterschied usw.*: blatant ['bleɪtnt], glaring

Ekstase ecstasy ['ekstəsɪ]; *in Ekstase geraten* go* into ecstasies (△ *Pl.*)

Elan vigour [△ 'vɪɡə]

elastisch elastic, (≈ *biegsam*) flexible

Elastizität elasticity [ˌiːlæˈstɪsətɪ], (≈ *Biegsamkeit*) flexibility

Elch 1. *allg.*: elk 2. *nordamerikanischer*: moose [muːs]

Elefant 1. elephant ['elɪfənt] 2. *Wendungen*: *du machst aus einer Mücke einen Elefanten* you're making a mountain out of a molehill; *er benimmt sich wie ein Elefant im Porzellanladen* he's like a bull [bʊl] in a china shop

elegant 1. elegant ['elɪgənt] (*auch übertragen*), smart 2. *auf elegante Weise übertragen* elegantly 3. *sie hat sich elegant aus der Affäre gezogen* she got out of it nicely

Eleganz elegance ['elɪgəns]

elektrifizieren electrify [ɪˈlektrɪfaɪ]

Elektrifizierung electrification [ɪˌlektrɪfɪˈkeɪʃn]

Elektriker(in) electrician [ɪˌlekˈtrɪʃn]

elektrisch 1. electric, electrical; *elektrische Energie* electrical energy 2. *elektrisch geladen* electrically charged

Elektrizität electricity [ɪˌlekˈtrɪsətɪ]

Elektrizitätswerk (electric) power station

Elektroauto electric car

Elektrogerät electrical appliance [əˈplaɪəns]

Elektrogeschäft electrical shop (*AE* store)

Elektromagnet electromagnet [ɪˌlektrəʊˈmægnɪt]

Elektromotor (electric) motor ['məʊtə]

Elektronik 1. *als Fach, Gebiet*: electronics [ɪˌlekˈtrɒnɪks] (△ *mit Sg.*); *er arbeitet in der Elektronik* he works in electronics (△ *ohne* the) 2. *in einem Flugzeug usw.*: electronics (△ *mit Pl.*)

elektronisch 1. electronic [ɪˌlekˈtrɒnɪk] 2. *elektronisches Geld* e-cash ['iːkæʃ], electronic cash

Elektrorasierer electric razor ['reɪzə]

Elektroschock electric shock

Elektrosmog electronic smog

Elektrotechnik electrical engineering

Elektrotechniker(in) electrical engineer

Element 1. *allg.*: element ['elɪmənt] **2. *er ist in seinem Element*** *übertragen* he's in his element

elementar (≈ *grundlegend*) elementary [ˌelɪ'mentɑːrɪ], basic; ***elementarer Fehler*** basic mistake

Elend 1. misery ['mɪzərɪ] **2. *soziales Elend*** social hardship

elend miserable ['mɪzrəbl], wretched [△ 'retʃɪd]; ***in elenden Verhältnissen leben*** live in wretched conditions

Elendsviertel slum, slums (*Pl.*)

elf eleven [ɪ'levn]

Elf 1. (number) eleven **2.** *Bus, Straßenbahn usw.*: number eleven bus, number eleven tram *usw.*

Elfenbein ivory ['aɪvərɪ]

Elfenbeinküste: *die Elfenbeinküste* (the) Ivory Coast [ˌaɪvərɪ'kəʊst], *politisch korrekt*: Côte d'Ivoire [ˌkəʊt diː'vwɑː]

Elfenbeinturm: *im Elfenbeinturm leben* *übertragen* live in an ivory ['aɪvərɪ] tower

Elfmeter *Fußball*: penalty ['penltɪ] kick

Elfmeterschießen penalty ['penltɪ] shoot--out

elfte(r, -s) eleventh [ɪ'levnθ]; ***11. Mai*** 11(th) May, May 11(th) (△ *gesprochen* the eleventh of May); ***am 11. Mai*** on 11(th) May, on May 11(th) (△ *gesprochen* on the eleventh of May)

Elfte(r) 1. (the) eleventh **2. *er war Elfter*** he was (*oder* came in) eleventh **3. *heute ist der Elfte*** it's the eleventh today

Elite elite [△ eɪ'liːt]

Eliteeinheit *Militär*: crack troops (△ *Pl.*), crack unit

Ellbogen elbow ['elbəʊ]; ***am Ellbogen*** on one's elbow

Ellbogenfreiheit *auch übertragen* elbowroom ['elbəʊruːm], room to move

Ellbogengesellschaft dog-eat-dog world

Ellbogenschoner *Sport*: elbow ['elbəʊ] pad

Ellipse ellipse [ɪ'lɪps]

Elsass Alsace [æl'sæs]; ***im Elsass*** in Alsace (△ *ohne* the)

Elsässer(in), elsässisch Alsatian [æl-'seɪʃn]; ☞ *Nationalitäten*

Elster *Vogel*: magpie ['mægpaɪ]

Eltern parents

Elternabend parent-teacher meeting

Elterngeld parental allowance (*oder* benefit)

Elternzeit parental leave, *für Mütter auch*: maternity leave, *für Väter auch*: paternity leave

E-Mail e-mail, E-Mail, email; ***du kannst mir auch eine E-Mail schicken*** you can also send me an e-mail, you can also e--mail me; ☞ *Info S. 648*

E-Mail-Adresse e-mail address [ə'dres]

Email enamel [△ ɪ'næml]

Emanze *umg., frauenfeindlich* women's libber [ˌwɪmɪnz'lɪbə]

Emanzipation emancipation [ɪˌmænsɪ-'peɪʃn]; ***die Emanzipation der Frau*** women's lib, *förmlicher* women's liberation

emanzipiert emancipated [ɪ'mænsɪpeɪtɪd]

Embargo: *ein Embargo verhängen über* place (*oder* impose) an embargo on

Embryo embryo ['embrɪəʊ]

Emigrant(in) 1. emigrant ['emɪgrənt] **2.** (≈ *politischer Flüchtling*) refugee [ˌrefjʊ-'dʒiː], émigré ['emɪgreɪ]

Emigration: *in der Emigration* in exile ['eksaɪl]; ***in die Emigration gehen*** go* into exile (△ *beide ohne* the)

emigrieren emigrate ['emɪgreɪt]

Emir emir [e'mɪə]

Emirat emirate ['emərət]

Emission *von Schadstoffen usw.*: emission

Emoticon *Computer*: emoticon; ☞ *Info-Fenster S. 169*

Emotion emotion

emotional, emotionell emotional

emotionslos unemotional

Empfang 1. (≈ *Erhalt*) receipt [△ rɪ'siːt] **2.** (≈ *Begrüßung*) welcome; ***jemandem einen begeisterten Empfang bereiten*** give* someone an enthusiastic reception **3. *einen Empfang geben*** (≈ *Veranstaltung*) give* (*oder* hold*) a reception **4.** *Radio usw.*: reception **5.** *im Hotel usw.*: reception (desk)

empfangen 1. (≈ *erhalten*) receive [rɪ-'siːv] **2.** (≈ *begrüßen*) welcome ['welkəm] **3.** *Radio usw.*: receive, get*

Empfänger(in) 1. *allg.*: recipient [rɪ-'sɪpɪənt] **2.** *eines Briefes usw.*: addressee [ˌædres'iː]

Empfängnis conception

empfängnisverhütend: *empfängnisverhütendes Mittel* contraceptive [ˌkɒntrə-'septɪv]

Empfängnisverhütung contraception [ˌkɒntrə'sepʃn]

Empfangshalle reception hall

empfehlen recommend [ˌrekə'mend]

empfehlenswert recommendable [ˌrekə-'mendəbl], (≈ *ratsam*) advisable

Empfehlung recommendation [ˌrekəmen-'deɪʃn]

empfinden 1. *allg.*: feel* **2. *ich empfinde für ihn nichts*** I don't feel anything for him **3. *was empfindest du dabei?*** how does it make you feel?

empfindlich 1. (≈ *sensibel, feinfühlig*) sensitive (*gegen, gegenüber* to) **2. er ist ziemlich empfindlich** (≈ *leicht gekränkt*) he's very sensitive, he's easily offended **3.** (≈ *zart*) delicate ['delɪkət]

empfindsam 1. (≈ *sensibel, feinfühlig*) sensitive ['sensətɪv] **2.** (≈ *gefühlvoll*) sentimental [ˌsentɪ'mentl]

Empfindung *übertragen* feeling

empor 1. up, upwards ['ʌpwədz] **2.** *in Zusammensetzungen* → **hoch** *usw*, **hinauf** *usw*

empört (≈ *entrüstet*) indignant [ɪn'dɪgnənt], outraged ['aʊtreɪdʒd]

Empörung indignation, outrage ['aʊtreɪdʒ]

emsig 1. busy ['bɪzɪ] **2.** (≈ *eifrig*) eager, keen

E-Musik serious ['sɪərɪəs] (*oder* classical) music

Ende 1. *allg.*: end **2.** *Film usw.*: ending **3.** (≈ *Ergebnis*) result, outcome **4. Ende Januar** *usw.* at the end of January *usw.* **5. Ende der Sechzigerjahre** in the late sixties **6. er ist Ende zwanzig** he's in his late twenties **7. am Ende** *zeitlich*: in the end, (≈ *schließlich*) eventually [ɪ'ventʃʊəlɪ]; **am Ende mussten wir zu Fuß dorthin** we ended up having to walk there **8. ich bin am Ende** *übertragen* I'm finished, (≈ *umg.*) I've had it **9. letzten Endes** after all, in the end **10. die Party ist zu Ende** the party's over **11. ich will den Satz nur noch zu Ende schreiben** let me just finish (writing) this sentence **12.** *Wendungen:* **das dicke Ende kommt noch** the worst is yet to come; **das Ende vom Lied war ...** the end of the story was ...; **er wohnt am Ende der Welt** *umg.* he lives at the back of beyond

Endeffekt: im Endeffekt in the final anal-

Von: Vicky Preston
⟨vicp1985@btinternet.com⟩
An: „Laura Buchmann"
⟨laura.buchmann@stud.tu-muenchen.de⟩
Subject (*Thema*): Willkommen im Netz!
Datum: Mittwoch, 5. Mai 2006
Bytes: 2K

Hi Laura!

Also bist Du jetzt endlich im Internet – stark! Jetzt können wir stundenlang quatschen, ohne dass es ein Vermögen kostet. :-) (*steht für einen Smiley, also ein Lächeln*) Jetzt aber schreibe ich erst einmal online, deshalb ganz schnell:

⟩ ... nun hab ich das Halbfinale doch nicht erreicht.

Mist.

⟩ Ich glaube nicht, dass meine Eltern mich Camping machen lassen.

Das weißt Du doch gar nicht. Frag sie einfach! Du solltest es wenigstens versuchen.

⟩ Noch mit Johnny zusammen?

Nein. Wir haben uns letzte Woche getrennt, aber wir bleiben Freunde.

Nächstes Mal schreibe ich mehr.

Bis bald
xxxxx Vic

From: Vicky Preston
⟨vicp1985@btinternet.com⟩
To: "Laura Buchmann"
⟨laura.buchmann@stud.tu-muenchen.de⟩
Subject: Welcome to the Net!
Date: Wed, 5 May 2006
Bytes: 2K

Hi Laura!

So you're on the Internet at last – cool! Now we can gossip for hours without it costing a fortune. :-) I'm writing on-line now though, so just quickly:

⟩ ... but I didn't get through to the
⟩ semi-finals.

Bummer.

⟩ I don't think my parents will let me
⟩ go camping.

You'll never know for sure unless you ask them! There's no harm in trying.

⟩ Still with Johnny?

No. We split up last week but we're going to stay friends.

Will write more next time.

CU (= *see you*)
xxxxx Vic

ysis [△ ə'næləsɪs]

enden 1. (≈ *zu Ende gehen*) (come* to an) **end 2.** (≈ *aufhören*) finish, stop **3. *es endete damit, dass sie umzogen*** the result was that they moved, it ended up with them moving

Endergebnis final result (*auch Sport und Mathe*)

endgeil *salopp* wicked [△ 'wɪkɪd], *hinter dem Verb „sein“*: the tops, *AE* phat [fæt]

endgültig 1. *Entscheidung usw.*: final **2.** *Beweis*: conclusive **3. *das steht endgültig fest*** that's definite ['defənət] **4. *damit ist die Sache endgültig entschieden*** that settles the matter once and for all

Endivie *Pflanze*: endive ['endɪv]

Endlager(stätte) final disposal site

endlagern: ***radioaktive Abfälle endlagern*** permanently ['pɜːmənəntlɪ] dispose of radioactive waste

Endlagerung: ***Endlagerung von radioaktivem Material*** final disposal of nuclear waste

endlich 1. finally, at last **2. *hör endlich auf!*** stop it, will you! **3.** (≈ *begrenzt*) limited

endlos 1. endless, never-ending **2. *es zog sich endlos hin*** it went on forever

Endrunde, **Endspiel** *Sport*: final, finals (*Pl.*)

Endspurt final spurt [spɜːt] (*auch übertragen*), finish

Endstadium: ***im Endstadium*** in the final stages (△ *Pl.*)

Endstation terminus ['tɜːmɪnəs], *AE* auch end of the line

Endung *Grammatik*: ending

Endziel final objective [əb'dʒektɪv], ultimate goal [ˌʌltɪmət'ɡəʊl]

Energie 1. *allg.*: energy **2.** *elektrische*: energy, power **3.** *übertragen* energy, drive

Energie... *in Zusammensetzungen*: energy ['enədʒɪ] ...; ***Energiebedarf*** energy demand, energy requirement, energy requirements (*Pl.*); ***Energiekrise*** energy crisis; ***Energiepolitik*** energy policy; ***Energiereserven*** energy reserves; ***Energieverbrauch*** energy consumption; ***Energieversorgung*** energy supply

energisch (≈ *entschlossen*) forceful

eng 1. ↔ *breit* narrow (*auch übertragen*) **2.** (≈ *beengt, voll*) cramped, crowded **3.** *Kleidung usw.*: tight **4.** *Freund, Kontakt usw.*: close [kləʊs]; ***sie sind eng befreundet*** they're close friends **5. *das darfst du nicht so eng sehen*** you've got to take a broader view, (≈ *nicht so ernst nehmen*) don't take it so seriously

Engagement 1. *übertragen* commitment

2. *am Theater usw.*: engagement

engagieren 1. engage (*Künstler*) **2. *sie engagiert sich in der Politik usw.*** she's very involved in politics *usw.*

engagiert committed, dedicated (△ *engl.* engaged = ***verlobt***)

Enge 1. *Zustand*: narrowness (*auch übertragen*) **2.** (≈ *enge Stelle*) *auch übertragen* bottleneck **3. *jemanden in die Enge treiben*** drive* someone into a corner

Engel angel ['eɪndʒl] (*auch übertragen*)

England England ['ɪŋglənd]; ☞ *Illu S. 293* ☞ *Info unter engl.* ***Britain***

Engländer 1. Englishman ['ɪŋglɪʃmən]; ***er ist Engländer*** he's English, he's an Englishman **2. *die Engländer*** the English; ☞ ***Nationalitäten***

Engländerin Englishwoman, English lady (*bzw.* girl); ***sie ist Engländerin*** she's English; ☞ ***Nationalitäten***

englisch 1. English, *auf Großbritannien bezogen*: British **2. *englisch reden*** talk (in) English

Englisch English, the English language; ***auf*** (*bzw.* ***in***) ***Englisch*** in English; ☞ *Info S. 650*

englisch-deutsch 1. *politisch*: Anglo-German **2.** *sprachlich*: English-German

Englischunterricht English lesson (*oder* lessons *Pl.*), English class (*oder* classes *Pl.*); ***wann hast du Englischunterricht?*** when's <u>your</u> English class?

Engpass *übertragen* bottleneck (***in*** in)

engstirnig narrow-minded

Enkel grandchild ['græntʃaɪld], (≈ *Enkelsohn*) grandson ['grænsʌn]

Enkelin, **Enkeltochter** granddaughter ['græn,dɔːtə]

Enklave enclave ['enkleɪv]

enorm 1. (≈ *riesig*) enormous, huge [hjuːdʒ] **2.** *umg.* (≈ *herrlich*) tremendous [trə'mendəs] **3. *enorm viel Geld*** a huge amount of money

Ensemble ensemble [ɒn'sɒmbl], (≈ *Besetzung*) cast

entbehren: ***könntest du den Computer usw. ein paar Stunden entbehren?*** could you spare the computer *usw.* for a few hours?

entbehrlich dispensable, (≈ *überflüssig*) superfluous [△ suː'pɜːfluəs]

Entbehrung deprivation [ˌdeprɪ'veɪʃn]

entbinden: ***sie hat gestern entbunden*** she had her baby yesterday

Entbindung *bei einer Frau*: delivery [dɪ'lɪvrɪ]

entdecken 1. discover (*Land, Gesuchtes*) **2.** find*, spot (*Fehler usw.*) **3.** (≈ *herausfinden*) discover, find* out

Britisches und amerikanisches Englisch

Die mit einem Sternchen* gekennzeichneten Wörter werden auch im britischen Englisch – besonders in den Medien – verwendet.

Deutsch	Britisch	Amerikanisch
Abfall	rubbish	garbage*
Apotheke	chemist's	drugstore
Aufzug	lift	elevator
Autobahn	motorway	highway, freeway
Benzin	petrol	gas, gasoline
Bonbon	sweet	candy
Briefkasten	letterbox, postbox	mailbox
Brieftasche	wallet	billfold
Bürgersteig	pavement	sidewalk
Chips	crisps	potato chips
City, Innenstadt	city centre	downtown
Entschuldigung!	sorry	excuse me
Fahrplan	timetable	schedule
Schule: Ferien	holidays *Pl.*	vacation
Kino: Film	film	movie*
Führerschein	driving licence	driver's license
Fußball	football	soccer*
Gaspedal	accelerator	gas pedal
Geldschein	note	bill
Geschäft	shop	store*
Gleis(e)	rails	tracks*
Handtasche	handbag	purse
Herbst	autumn	fall
Hose	trousers	pants
Keks	biscuit	cookie
Kinderwagen	pram	baby carriage
Kino	cinema	movie theater
Kofferraum	boot	trunk
Laden	shop	store
Marmelade	jam	jelly
Natürlich!	of course	sure*
Pommes frites	chips	(French) fries*
Postleitzahl	postcode	zip code
Privatschule	public school	private school
Punkt	full stop	period, *bei Internet-Adressen*: dot*

Radiergummi	rubber	eraser*
Restaurant: Rechnung	bill	check
Reißverschluss	zip	zipper
Talkshow	chat show	talk show
Tankstelle	petrol station	gas station
Taschenlampe	torch	flashlight
Taxi	taxi	cab*
U-Bahn	underground	subway
Unterhemd	vest	undershirt
Urlaub	holiday	vacation
Watte	cotton wool	cotton
W.C.	toilet	bathroom, restroom
Weste	waistcoat	vest
Wie bitte?	pardon?, sorry?	excuse me?
Windel	nappy	diaper
Wohnung	flat	apartment*

Entdecker(in) discoverer [dɪˈskʌvərə]
Entdeckung: (**meine neueste**) **Entdeckung** (my latest) discovery [dɪˈskʌvərɪ]
Ente 1. duck (*auch als Essen*) **2.** (≈ *Zeitungsente*) hoax [həʊks]
enteignen dispossess [ˌdɪspəˈzes] (*jemanden*)
Enteignung *des Besitzers*: dispossession
enteisen 1. defrost [ˌdiːˈfrɒst] (*Autoscheibe*) **2.** *Flugzeug*: de-ice [ˌdiːˈaɪs]
Entenbraten roast duck
enterben disinherit [ˌdɪsɪnˈherɪt]
entern board (*ein Schiff*)
Enter-Taste *Computer*: enter key, return key
Entertainer(in) entertainer [ˌentəˈteɪnə]
entfachen 1. kindle [△ ˈkɪndl] (*Feuer*) **2.** provoke, spark off (*Diskussion usw.*)
entfalten 1. develop [dɪˈveləp] (*Fähigkeiten usw.*) **2.** *sich entfalten übertragen* develop, unfold
Entfaltungsmöglichkeiten opportunities for development
entfernen 1. remove [rɪˈmuːv] (*auch übertragen*), take* away **2.** *sich entfernen* go* away, leave* **3.** *sich* (*voneinander*) *entfernen übertragen* drift apart **4.** *Computer*: delete (*Zeichen usw.*)
entfernt 1. distant [ˈdɪstənt] (*auch übertragen*) **2.** (≈ *entlegen*) remote [rɪˈməʊt] **3.** *20 Meilen entfernt vom nächsten Dorf* twenty miles <u>away</u> <u>from</u> the next village
Entfernung 1. (≈ *Abstand*) distance [ˈdɪstəns]; *in einer Entfernung von* at a dis-

tance of; *aus der Entfernung* from (*oder* at) a distance; *aus kurzer* (*bzw. großer*) *Entfernung* at short (*bzw.* long) range **2.** (≈ *Beseitigung*) removal [rɪˈmuːvl]
entflechten disentangle [ˌdɪsɪnˈtæŋgl] (*auch übertragen*)
entführen 1. kidnap **2.** hijack (*Flugzeug*)
Entführer(in) 1. kidnapper **2.** *eines Flugzeugs*: hijacker [ˈhaɪdʒækə]
Entführung 1. kidnapping **2.** *eines Flugzeugs*: hijacking [ˈhaɪdʒækɪŋ]
entgegen 1. *entgegen allen Erwartungen usw.* contrary [ˈkɒntrərɪ] to all expectations *usw.* **2.** *Richtung*: towards [təˈwɔːdz]
entgegengehen 1. *du kannst ihr ein Stück entgegengehen* you can go and meet her on the way **2.** face (*einer Gefahr*) **3.** *entgegen dem Uhrzeigersinn* anticlockwise, in an anticlockwise direction, *AE* counterclockwise **4.** *der Krieg usw. ging langsam dem Ende entgegen* the war *usw.* was drawing to a close [kləʊs]
entgegengesetzt 1. *Richtung, Ende*: opposite [ˈɒpəzɪt] **2.** *Meinungen usw.*: opposing [əˈpəʊzɪŋ], contradictory [ˌkɒntrəˈdɪktərɪ]
entgegenkommen 1. *du könntest mir ein Stück entgegenkommen wörtlich* you could come and meet me on the way **2.** *jemandem entgegenkommen übertragen* oblige [əˈblaɪdʒ] someone
entgegennehmen accept [əkˈsept], take*
entgegensehen 1. await **2.** *einer Sache*

mit Freude entgegensehen look forward to something (*bzw.* to doing something)

entgegenstehen: *dem steht nichts entgegen* I can't see any reason why not

entgegentreten 1. oppose (*einer Sache*) 2. take* steps against (*Missständen usw.*) 3. counter (*Vorwürfen, Drohungen usw.*)

entgegenwirken counteract [ˌkaʊntə(r)-ˈækt], *stärker*: fight*

entgegnen reply, *schlagfertig, kurz*: retort

entgehen 1. *einer Strafe* (*bzw. die Gefahr*) *entgehen* escape [ɪˈskeɪp] punishment (*bzw.* danger) (⚠ *ohne* a) 2. *ihm entging nichts* he didn't miss a thing 3. *er ließ sich die Gelegenheit nicht entgehen* he seized [siːzd] (*umg.* grabbed) the opportunity

entgeistert 1. aghast [əˈɡɑːst], dumbfounded [dʌmˈfaʊndɪd] 2. *warum siehst du mich so entgeistert an?* why do you look so surprised [səˈpraɪzd] (*oder* shocked)?

entgiften detoxify [ˌdiːˈtɒksɪfaɪ], *von Gasen usw.*: decontaminate [ˌdiːkənˈtæmɪneɪt]

entgleisen 1. *gestern ist ein Zug entgleist* a train was derailed [diːˈreɪld] yesterday 2. *übertragen* commit a faux pas [ˌfəʊˈpɑː]

Entgleisung 1. *Zug*: derailment 2. *übertragen* faux pas [ˌfəʊˈpɑː]

enthalten 1. (≈ *beinhalten*) contain 2. (≈ *fassen*) hold* 3. (≈ *umfassen*) comprise 4. *das ist im Preis enthalten* it's included in the price 5. *sich der Stimme enthalten* abstain [əbˈsteɪn]

enthaltsam *allg.*: abstinent [ˈæbstɪnənt], *sexuell auch*: chaste [tʃeɪst]

Enthaltsamkeit *allg.*: abstinence [ˈæbstɪnəns], *sexuelle auch*: chastity [ˈtʃæstətɪ]

enthaupten behead [bɪˈhed], decapitate [dɪˈkæpɪteɪt]

Enthauptung beheading, decapitation

enthüllen 1. unveil [ˌʌnˈveɪl] (*Statue usw.*) 2. (≈ *zeigen*) show 3. *übertragen* reveal, (≈ *aufdecken*) bring* to light

Enthüllung 1. *einer Statue usw.*: unveiling [ˌʌnˈveɪlɪŋ] 2. *übertragen* disclosure (+*Gen.* of); *Enthüllungen* disclosures (*über* about) (*auch in der Presse*)

Enthusiasmus enthusiasm [ɪnˈθjuːzɪæzm]

enthusiastisch enthusiastic [ɪnˌθjuːzɪˈæstɪk]

entkalken descale [ˌdiːˈskeɪl]

Entkalker descaler [ˌdiːˈskeɪlə]

entkernen 1. (≈ *entsteinen*) stone 2. core (*Äpfel*) 3. seed, *AE* pit (*Trauben usw.*)

entkleiden: (*sich*) *entkleiden* undress

entkommen: *jemandem bzw. einer Sache entkommen* escape [ɪˈskeɪp] (*oder* get* away) from someone *bzw.* something

Entkommen: *da gibt es kein Entkommen* there's no escaping [ɪˈskeɪpɪŋ]

entkorken uncork

entkräften refute [rɪˈfjuːt] (*Behauptung, These usw.*)

entladen unload (*Schiff, Gewehr*)

entlang 1. *die Küste* (*bzw. die Straße usw.*) *entlang* along the coast (*bzw.* the street *usw.*) 2. *hier entlang, bitte!* this way, please

entlang… *in Zusammensetzungen*: …along; *entlanggehen* (*an*), *entlanglaufen* (*an*) go* (*oder* walk) along; *entlangfahren* (*an*) drive* along

entlarven unmask, expose

entlassen 1. dismiss, *umg.* fire (*Arbeitskräfte*) 2. release [rɪˈliːs] (*Gefangene*) 3. discharge [dɪsˈtʃɑːdʒ] (*Patienten*) (*aus* from)

Entlassung 1. *von Arbeitskräften*: dismissal 2. *eines Gefangenen*: release 3. *eines Patienten*: discharge [ˈdɪstʃɑːdʒ]

entlasten 1. *jemanden entlasten* (≈ *Arbeit abnehmen*) relieve someone (*von* of), take* some of the pressure off someone 2. *den Verkehr entlasten* ease the traffic load

Entlastung *von der Arbeit usw.*: relief; *das ist für mich eine Entlastung* that eases my (work)load

Entlastungszug relief train

entlegen remote

entlehnen borrow (*Wort, Idee usw.*) (+ *Dat., aus, von* from)

Entlehnung borrowing (*aus* from)

entlocken: *jemandem etwas entlocken* coax [kəʊks] something out of someone

entlohnen pay*

entmachten: *jemanden entmachten* strip someone of his (*bzw.* her) political power

entmilitarisieren demilitarize [diː-ˈmɪlɪtəraɪz]

Entmilitarisierung demilitarization

entmutigen discourage [dɪsˈkʌrɪdʒ]; *lass dich nicht entmutigen* don't be put off

Entnazifizierung denazification [diː-ˌnɑːtsɪfɪˈkeɪʃn]

entnehmen 1. *wörtlich* take* (+ *Dat.* from, out of) 2. (≈ *folgern*) take* it (+ *Dat.* from), gather (+ *Dat.* from); *ich entnehme Ihren Worten, dass Sie …* I take it (from what you say) that you …

entnervt enervated [ˈenəveɪtɪd]

entpacken *Computer*: unzip [ˌʌnˈzɪp] (*Datei*)

entpuppen: *die Sache hat sich als Schwindel usw.* **entpuppt** it turned out to be a swindle *usw.*

entreißen: *jemandem etwas entreißen* snatch something from someone (*auch übertragen*)

entriegeln unlock, release [rɪˈliːs]

Entriegelung unlocking, release [rɪˈliːs]

entrollen 1. *allg.:* unroll **2.** unfurl (*Fahne, Segel usw.*)

entrosten remove the rust from

Entsafter juice [dʒuːs] extractor, *bes. AE* juicer

entschädigen compensate [ˈkɒmpənseɪt] (*für* for) (*auch übertragen*)

Entschädigung compensation (*auch übertragen*)

entschärfen 1. defuse [ˌdiːˈfjuːz] (*Bombe, übertragen Lage*) **2.** tone down (*Diskussion, Kritik*) **3.** *die Lage entschärft sich* the situation is easing

entscheiden 1. decide, *endgültig:* settle **2.** *über etwas entscheiden* decide (on) something **3.** *das musst du entscheiden* that's up to you **4.** *sich für etwas entscheiden* decide on something; *wir haben uns entschieden, nicht hinzugehen* we('ve) decided not to go (*oder* against going) **5.** *das wird sich morgen entscheiden* that'll be decided (*oder* settled) tomorrow

entscheidend 1. (≈ *ausschlaggebend*) decisive [dɪˈsaɪsɪv] (*für* for, in) **2.** (≈ *kritisch*) crucial [ˈkruːʃl] **3.** *Augenblick:* critical **4.** *Fehler usw.:* fatal [ˈfeɪtl] **5.** *Problem usw.:* vital [ˈvaɪtl] **6.** *Änderungen:* fundamental **7.** *entscheidende Stimme* casting vote **8.** *das Entscheidende* the most important thing, the key factor **9.** *etwas entscheidend ändern* make* (some) key changes to something

Entscheidung decision [dɪˈsɪʒn] (*über* on); *eine Entscheidung treffen* make* (*oder* come* to) a decision, decide

Entscheidungsfreiheit freedom of choice

Entscheidungsprozess decision-making process [ˈprəʊses]

entschieden 1. (≈ *entschlossen*) determined [△ dɪˈtɜːmɪnd] **2.** *das geht entschieden zu weit* that really is going too far **3.** (*ganz*) *entschieden ablehnen* flatly refuse [rɪˈfjuːz] **4.** *sich entschieden aussprechen für* (*bzw. gegen*) come* out strongly in favour of (*bzw.* against)

Entschiedenheit determination

entschlafen *beschönigend* (≈ *sterben*) pass away (peacefully)

entschließen 1. *sich zu* (*bzw. für*) *etwas entschließen* decide on something **2.** *er*

entschloss sich, zu gehen *usw.* he decided (*oder* made up his mind) to go *usw.* **3.** *sich anders entschließen* change one's mind

entschlossen determined

Entschlossenheit determination

Entschluss 1. decision, resolution [ˌrezəˈluːʃn] **2.** *er kam zu dem Entschluss, das Land zu verlassen* *usw.* he made up his mind (*oder* he decided) to leave the country *usw.* **3.** *aus eigenem Entschluss* on one's own initiative

entschlüsseln decipher [dɪˈsaɪfə], decode

entschuldigen 1. excuse [ɪkˈskjuːz] **2.** *entschuldige, ..., entschuldigen Sie, ... vor einer Frage usw.:* excuse me, ... **3.** *entschuldige!, entschuldigen Sie!* (≈ *Verzeihung!*) (I'm) sorry, *AE auch* excuse me! **4.** *entschuldigen Sie die Störung!* sorry to bother [ˈbɒðə] (*oder* disturb) you **5.** *sich (bei jemandem) entschuldigen* apologize [əˈpɒlədʒaɪz] *oder* say* sorry (to someone) (*wegen, für* for, about)

Entschuldigung 1. apology [əˈpɒlədʒɪ] **2.** (≈ *Grund, Vorwand*) excuse [ɪkˈskjuːs] **3.** (≈ *schriftliche Mitteilung für den Lehrer*) note (for the teacher) **4.** *Entschuldigung!* (≈ *es tut mir leid*) (I'm) sorry, *AE auch* excuse me **5.** *Entschuldigung, ...* (≈ *darf ich mal stören?*) excuse [△ ɪkˈskjuːz] me, ... **6.** *ich bitte Sie vielmals um Entschuldigung* I do apologize [əˈpɒlədʒaɪz] (*wegen* for, about)

Entschuldigung

Im englischsprachigen Raum entschuldigt man sich relativ häufig. Wenn man z. B. mit jemandem im Geschäft, auf der Straße usw. aus Versehen in Berührung kommt, passiert es gar nicht so selten, dass sich beide betroffenen Personen gleichzeitig entschuldigen, egal wer an der „leichten Karambolage" schuld war.

So entschuldigt man sich im Allgemeinen auf Englisch:

Sorry.
I'm sorry.
AE **Excuse me.**
etwas formeller:
I'm so sorry.
AE **pardon me**
I (do) beg your pardon.
I do apologize.

bei Schluckauf, Magenknurren *usw.*:

Excuse me.

Als Auftakt zu einer Frage:

Excuse me, *where's the nearest …?*

Pardon?, Pardon me?, *förmlicher* **I beg your pardon?** mit fragender Stimme heißt „Wie bitte?", wenn man etwas nicht verstanden hat.

entschwinden disappear, vanish ['vænɪʃ] (*in* into)

Entsetzen horror, shock; *zu meinem Entsetzen* to my horror

entsetzlich dreadful ['dredfl], terrible

entsetzt appalled [ə'pɔːld], shocked, horrified (*alle über* at, by)

entseuchen decontaminate [,diːkən'tæmɪneɪt]

Entseuchung decontamination [,diːkəntæmɪ'neɪʃn]

entsinnen: *sich entsinnen* remember, recall; → *erinnern*

entsorgen dispose of (*Abfall, Müll, Atommüll usw.*)

Entsorgung waste disposal

entspannen 1. (*sich*) *entspannen* relax 2. *die Lage usw. entspannt sich* the situation *usw.* is easing (up) *oder* is cooling off

Entspannung 1. relaxation, rest 2. *politisch*: easing of tension(s), détente [△ 'deɪtɒnt]

Entspannungspolitik policy of détente [,pɒləsɪ_əv'deɪtɒnt]

Entspannungsübung relaxation [,riːlæk'seɪʃn] exercise

entsperren unlock (*Telefon usw.*)

entsprechen 1. *einer Sache*: correspond to (*oder* with) 2. (≈ *gleichwertig sein*) be* equivalent [△ ɪ'kwɪvələnt] to 3. *den Anforderungen, Erwartungen*: meet*, come* up to 4. *einer Bitte*: comply [kəm'plaɪ] with

entsprechend 1. *dem Alter usw. entsprechend* according to age *usw.* 2. *unseren Erwartungen entsprechend* as we had expected 3. (≈ *passend*) appropriate [ə'prəuprɪət] 4. (≈ *erforderlich*) necessary 5. (≈ *jeweilig, betreffend*) respective 6. *der entsprechende englische Ausdruck* the English equivalent [△ ɪ'kwɪvələnt]

Entsprechung *sprachliche*: equivalent [△ ɪ'kwɪvələnt]

entspringen: *der Fluss entspringt in …* the river rises (*oder* has its source [sɔːs]) in …

entstehen 1. (≈ *erwachsen*) emerge (*aus* from), develop [dɪ'veləp] (*aus* from) 2. (*Schwierigkeiten, Streit usw.*) arise* (*aus*

from) 3. *entstehen durch* result from; *durch das Feuer entstand großer Schaden* the fire caused a great deal of damage 4. (≈ *geschaffen, gebaut, hergestellt werden*) be* created *bzw.* be* built *bzw.* be* produced; *diese Kirche entstand im 17. Jahrhundert* this church was built in the 17th century 5. (≈ *geschrieben, komponiert, gemalt werden*) be* written *bzw.* be* composed *bzw.* be* painted

Entstehung 1. emergence 2. (≈ *Erwachsen*) development [dɪ'veləpmənt] 3. (≈ *Ursprung, Anfang*) origin [△ 'ɒrɪdʒɪn]

entstellen 1. disfigure [dɪs'fɪɡə] (*Gesicht usw.*) 2. (≈ *verzerren*) distort (*Tatsachen, Wahrheit*)

entstellt 1. *Gesicht usw.*: disfigured [dɪs'fɪɡəd] 2. *Tatsachen, Wahrheit*: distorted

enttarnen unmask (*Spion usw.*)

enttäuschen: *jemanden enttäuschen* disappoint someone, let* someone down

enttäuscht disappointed (*über* at, about; *von* with)

Enttäuschung disappointment, *umg.* letdown ['letdaun]; *es war eine einzige Enttäuschung* it was one big disappointment (*oder* letdown)

entwaffnen disarm (*auch übertragen*)

Entwarnung all-clear (signal); *Entwarnung geben* give* the all-clear

entwässern drain

entweder 1. *entweder … oder* either ['aɪðə] … or 2. *entweder oder!* take it or leave it

entweichen escape [ɪ'skeɪp] (*aus* from)

entwerfen 1. (≈ *skizzieren*) sketch, outline (*ein Modell, ein Schriftstück usw.*) 2. (≈ *ausarbeiten*) draw* up, draft [drɑːft] (*Plan, Vertrag usw.*) 3. design (*Kleider, Geräte usw.*) 4. übertragen draw* (*Bild der Zukunft usw.*)

entwerten 1. devalue [,diː'væljuː] (*Geld*) 2. cancel ['kænsl] (*Fahrschein*)

Entwerter ticket-cancelling machine

Entwertung *des Geldes*: devaluation

entwickeln 1. *allg.*: develop [dɪ'veləp] (*auch Film*) 2. display [dɪ'spleɪ], show (*Initiative, Tatkraft*) 3. *sich entwickeln* develop (*aus* from; *zu* into)

Entwicklung *allg.*: development, *biologisch auch*: evolution [,iːvə'luːʃn, ,evə'luːʃn]

Entwicklungsgeschichte 1. history ['hɪstrɪ] 2. *die Entwicklungsgeschichte des Menschen biologisch*: the history of evolution, (≈ *Zivilisationsprozess*) the history of mankind [△ mæn'kaɪnd]

Entwicklungshelfer(in) development aid worker (*oder* volunteer [,vɒlən'tɪə])

Entwicklungshilfe aid to developing countries, foreign aid

Entwicklungsland developing country

Entwicklungsprozess (process of) development, development process

entwirren disentangle [ˌdɪsɪn'tæŋgl], unravel [ʌn'rævl] (*beide auch übertragen*)

entwischen escape [ɪ'skeɪp] (+ *Dat.* from), slip away (+ *Dat.* from)

entwürdigend degrading

Entwurf 1. (≈ *Skizze*) sketch **2.** (≈ *Modell*) model ['mɒdl] **3.** *schriftlicher:* outline, draft [drɑːft] **4.** *technischer:* design (*für oder* + *Gen.* of)

entziehen 1. *ihm wurde der Führerschein entzogen* he had his driving licence (*AE* driver's license) revoked **2.** *jemandem etwas entziehen* deprive someone of something (*Rechte usw.*)

Entziehungskur withdrawal [wɪð'drɔːəl] treatment, *AE auch* (drug) rehabilitation, *umg.* rehab; *er ist auf Entziehungskur* he's having withdrawal treatment (△ *ohne* a)

entziffern decipher [dɪ'saɪfə], *Handschrift auch:* make* out

entzippen *Computer:* unzip [ˌʌn'zɪp] (*Datei*)

entzückend charming, *umg.* sweet

Entzugserscheinungen withdrawal symptoms [wɪð'drɔːəlˌsɪmptəmz]

entzündbar (in)flammable

entzünden: *sich entzünden* (≈ *zu brennen anfangen*) catch* fire

entzündet inflamed, *Augen auch:* red

Entzündung inflammation [ˌɪnflə'meɪʃn]

Enzian (≈ *Pflanze*) gentian [△ 'dʒenʃn]

Enzyklopädie encyclopaedia, encyclopedia [ɪnˌsaɪklə'piːdɪə]

Enzym enzyme [△ 'enzaɪm]

Epidemie epidemic [ˌepɪ'demɪk]

episch epic ['epɪk]

Episode episode ['epɪsəʊd]

Epizentrum epicentre ['epɪˌsentə]

Epoche era ['ɪərə], age, epoch ['iːpɒk]

Epos epic ['epɪk] (poem)

er 1. ↔ *sie:* he **2.** *von Dingen, kleinen Tieren:* it **3.** *er ist es* it's him **4.** *es ist ein Er auch bei Tieren:* it's a he

Erachten: *meines Erachtens* in my opinion

erarbeiten: *sich Wissen erarbeiten* acquire (*oder* gather) knowledge ['nɒlɪdʒ]

Erbanlage genes [dʒiːnz] (△ *Pl.*), genetic [dʒɪ'netɪk] make-up

Erbarmen 1. (≈ *Mitleid*) pity, compassion; *Erbarmen mit jemandem haben* have* pity on someone **2.** (≈ *Gnade*) mercy (*mit* on)

erbärmlich miserable ['mɪzərəbl], wretch-

ed [△ 'retʃɪd] (*auch abwertend*); *in einem erbärmlichen Zustand* in a wretched state

erbarmungslos merciless

erbauen build [bɪld], construct

Erbauer(in) builder ['bɪldə], constructor

Erbe¹ *der* heir [△ eə], successor (*beide auch übertragen*); *alleiniger Erbe* sole heir

Erbe² *das* **1.** inheritance [ɪn'herɪtəns] **2.** *kulturelles usw.:* heritage ['herɪtɪdʒ]

erben 1. inherit (*auch übertragen*) **2.** (≈ *kriegen*) get*; *das hat er von der Mutter geerbt* he's got that from his mother

erbeuten 1. (*Dieb usw.*) get* away with (*Wertgegenstände, Geld usw.*) **2.** *im Krieg:* capture ['kæptʃə] (*Gewehre, Panzer usw.*)

Erbfaktor gene [dʒiːn]

Erbin 1. heir [△ eə] **2.** (≈ *reiche Erbin*) heiress [△ 'eəres]

erbittert 1. *Kampf:* fierce [fɪəs]; *erbitterte Kämpfe* fierce fighting **2.** *Gegner, Feind usw.:* bitter

Erbkrankheit hereditary disease [həˌredɪtrɪˌdɪ'ziːz]

erblassen go* (*oder* turn) pale

erblich hereditary [hə'redɪtrɪ]

erblicken see*, *plötzlich:* catch* sight of

erblinden 1. *muss sie erblinden?* will she lose [luːz] her sight? **2.** *auf einem Auge erblinden* go* blind in one eye, lose* the sight of one eye

Erblindung loss of (one's) sight; *nach seiner Erblindung* after he went blind

erblühen blossom ['blɒsəm]

erbost angry (*über etwas* about something; *über jemanden* with someone)

Erbrechen vomiting ['vɒmɪtɪŋ]

Erbschaft inheritance [ɪn'herɪtəns]; *eine Erbschaft machen* come* into an inheritance

Erbschaftssteuer inheritance tax

Erbse pea

Erbsensuppe pea soup

Erbstück heirloom [△ 'eəluːm]

Erbsubstanz genes [dʒiːnz] (△ *Pl.*)

Erbteil share of the inheritance [ɪn'herɪtəns]

Erdachse earth's axis (△ *engl.* axle = *Achse beim Auto usw.*)

erdacht imaginary, fictitious [fɪk'tɪʃəs]

Erdanziehung earth's pull

Erdanziehungskraft (earth's) gravity ['grævətɪ]

Erdapfel *bes.* Ⓐ potato *Pl.*: potatoes

Erdatmosphäre (earth's) atmosphere ['ætməsfɪə]

Erdbahn earth's orbit

Erdball globe

Erdbeben earthquake; *bei einem Erdbeben umkommen* die in an earthquake

Erdbebengebiet 1. earthquake area **2.** area hit by an earthquake, earthquake disaster area

erdbebensicher earthquake-proof

Erdbeere strawberry ['strɔːbərɪ]

Erdbeertorte strawberry cake (*oder* gateau ['gætəʊ])

Erdboden ground, earth [ɜːθ]

Erde 1. (≈ *Erdreich*) earth [ɜːθ], soil **2.** (≈ *Boden*) ground; *über der Erde* above ground (△ *ohne* the); *unter der Erde* underground; *auf die* (*oder* zur) *Erde fallen* fall* to the ground **3.** (≈ *Erdball*) (planet) earth; *auf der ganzen Erde* all over the world **4.** (≈ *Fußboden*) floor

---

Erde – was ist gemeint?

| Planet | **(planet) earth**; auf der ganzen Erde **all over the world, in the whole world** |
| Boden | **ground**; 20 m über der Erde **20 m above ground** (△ *ohne* **the**); auf die Erde fallen **fall to the ground** |

---

erdenklich 1. *auf jede erdenkliche Weise* (in) every possible (*oder* imaginable) way **2.** *alles Erdenkliche tun* do* one's utmost

Erderwärmung global warming [ˌgləʊbl-ˈwɔːmɪŋ] (△ *ohne* the)

Erdgas natural gas [ˌnætʃrəlˈgæs]

Erdgeschoss, ⒶⒶ **Erdgeschoß:** (*im*) *Erdgeschoss* (on) the ground (*AE* first) floor; ☞ *Info unter engl.* **floor**

erdichten make* up, think* up, invent

erdichtet 1. *das ist eine erdichtete Geschichte* that's a made-up story **2.** *das ist alles erdichtet* it's all made up

Erdinnere interior of the earth

Erdkern earth's core

Erdklumpen clod of earth

Erdkruste earth's crust

Erdkugel globe

Erdkunde geography [dʒɪˈɒgrəfɪ]

Erdnuss peanut

Erdoberfläche earth's surface ['sɜːfɪs]

Erdöl (crude) oil, petroleum; *in Zusammensetzungen* → *Öl usw.*

erdrosseln strangle

erdrücken crush (to death)

erdrückend overwhelming [ˌəʊvəˈwelmɪŋ]

Erdrutsch landslide

Erdteil continent ['kɒntɪnənt]

erdulden endure [ɪnˈdjʊə]

Erdumdrehung earth's rotation, rotation of the earth

Erdumlaufbahn *eines Satelliten*: (earth) orbit

Erdung earthing ['ɜːθɪŋ], *bes. AE* grounding

Erdwärme geothermal [ˌdʒiːəʊˈθɜːml] energy

ereifern: *sich ereifern* get* excited [ɪkˈsaɪtɪd] (*über* over)

ereignen: *sich ereignen* happen, take* place, occur [əˈkɜː]

Ereignis event, (≈ *Vorfall*) incident ['ɪnsɪdənt]

ereignisreich (very) eventful

Erektion erection

Eremit hermit ['hɜːmɪt]

erfahren¹ 1. *ich habe erfahren ...* I've heard ..., I've been told ...; *ich habe nichts davon erfahren* nobody told me anything (*oder* about it) **2.** *sie hat es durch die Zeitung erfahren* she found out (*oder* read [red]) about it in the newspaper(s) **3.** *ich habe es nur durch Zufall erfahren* I only found out by chance **4.** (≈ *erleben*) experience

erfahren² 1. (≈ *reich an Erfahrung*) experienced **2.** (≈ *versiert*) well versed (*in* in)

Erfahrung 1. (≈ *Kenntnis, Praxis, Gewohnheit*) experience (△ *mst. als Sg.*); *Erfahrung(en) sammeln* (*oder* **machen**) gain (*oder* pick up) experience **2.** *ich habe die Erfahrung gemacht, dass ...* my experience is that ... **3.** *wir haben gute Erfahrungen gemacht* we've had no problems (*oder* trouble) at all (*mit* with) **4.** (≈ *Erlebnis*) experience

Erfahrungsaustausch exchange of views

erfahrungsgemäß experience has shown (*oder* shows) that

erfassen 1. (≈ *verstehen*) grasp [grɑːsp] **2.** (≈ *erkennen*) realize ['rɪəlaɪz] **3.** *statistisch*: register ['redʒɪstə], record [rɪˈkɔːd] **4.** gather (*Daten*) **5.** (≈ *einschließen*) include, (≈ *abdecken*) cover

erfinden 1. invent (*Gerät usw.*) **2.** (≈ *erdichten*) invent, make* up

Erfinder(in) inventor

erfinderisch 1. inventive **2.** (≈ *schöpferisch*) creative [krɪˈeɪtɪv]

Erfindung invention (*auch Erdichtetes*); *meine neueste Erfindung* my latest invention

Erfolg 1. success [səkˈses]; *großer Erfolg* great success; *sie hatte Erfolg* she succeeded, she was successful; *sie hatte keinen Erfolg* she was unsuccessful, she failed **2.** (≈ *Ergebnis*) result [rɪˈzʌlt], outcome; *mit dem Erfolg, dass ...* with the result that ... **3.** (≈ *Wirkung*) effect **4.** (≈

Leistung) achievement [ə'tʃiːvmənt] **5. Erfolg versprechend** promising ['prɒmɪsɪŋ]

erfolgen (≈ *sich ereignen*) happen, take* place, occur [ə'kɜː]

erfolglos unsuccessful [ˌʌnsək'sesfl]

Erfolglosigkeit lack of success, failure ['feɪljə]

erfolgreich 1. successful **2. eine Prüfung erfolgreich ablegen** pass an exam

Erfolgserlebnis (feeling of) success, sense of achievement [ə'tʃiːvmənt]

Erfolgsgeheimnis: ihr Erfolgsgeheimnis ist ... the secret behind her success is ...

Erfolgsrezept recipe [△ 'resəpɪ] for success

Erfolgsstory success story, tale of success

erforderlich 1. necessary ['nesəsrɪ], required; **die erforderlichen Maßnahmen ergreifen** take* the necessary steps **2. falls erforderlich** if required

erfordern 1. *allg.*: require, call for **2.** take* (*Zeit*) **3.** take* (*Geduld, Mut usw.*)

Erfordernis requirement, demand

erforschen 1. (≈ *untersuchen*) investigate [ɪn'vestɪɡeɪt] **2.** *wissenschaftlich*: study, research [rɪ'sɜːtʃ] (into) **3.** explore (*Gegend, Weltraum*)

Erforschung 1. (≈ *Untersuchung*) investigation (+ *Gen.* into) **2.** *wissenschaftliche*: research [rɪ'sɜːtʃ] (+ *Gen.* into) **3.** *Gegend, Weltraum*: exploration [ˌeksplə'reɪʃn]

erfreuen 1. jemanden erfreuen please someone **2. sich an etwas erfreuen** enjoy something

erfreulich 1. pleasing **2. eine erfreuliche Nachricht** good news (△ *ohne* a) **3.** (≈ *ermutigend*) encouraging [ɪn'kʌrɪdʒɪŋ]

erfreulicherweise fortunately ['fɔːtʃənətlɪ]

erfreut pleased (**über** at, about)

erfrieren 1. freeze* to death **2. alle Pflanzen sind erfroren** all the plants have been killed by frost **3. ihm sind zwei Finger erfroren** he lost two fingers through (*AE* to) frostbite

Erfrierung: Erfrierung, Erfrierungen frostbite (*Sg.*) (**an** on)

erfrischen: (sich) erfrischen refresh (oneself)

erfrischend refreshing (*auch übertragen*)

Erfrischung refreshment; **eine Erfrischung** (*oder* **Erfrischungen**) **zu sich nehmen** have* (*oder* take*) some refreshment

Erfrischungsgetränk cool drink

erfüllen 1. fulfil, *AE* fulfill (*Wunsch, Aufgabe*) **2.** (*Qualität usw.*) meet*, come* up to (*Erwartungen*) **3.** keep* (*Versprechen*)

4. es erfüllt seinen Zweck it serves its purpose ['pɜːpəs]

Erfüllung *allg.*: fulfilment, *AE* fulfillment; **in Erfüllung gehen** come* true, be* fulfilled

erfunden imaginary [ɪ'mædʒɪnərɪ], fictitious [fɪk'tɪʃəs]; **das ist alles erfunden** he's *usw.* made it all up

ergänzen 1. (≈ *hinzufügen*) add **2.** (≈ *vervollständigen*) complete **3. sich** (*oder* **einander**) **ergänzen** complement ['kɒmplɪment] one another

Ergänzung 1. (≈ *Vervollständigung*) completion **2.** (≈ *Zusatz*) supplement, addition; **zur Ergänzung** (+ *Gen.*) to add to ... **3.** *Grammatik und Mathe*: complement ['kɒmplɪment]

Ergänzungsspieler(in) *Fußball*: squad [skwɒd] player

ergattern: etwas ergattern *umg.* (manage to) get* hold of something

ergeben 1. come* to, make* (*Betrag, Summe*) **2.** (≈ *zum Ergebnis haben*) result [rɪ'zʌlt] in **3.** (*Untersuchung, Ermittlung*) show, prove* [pruːv] **4. sich ergeben aus** result (*oder* arise*) from; **daraus ergibt sich, dass ...** it follows that ... **5. sich** (*jemandem*) **ergeben** (≈ *kapitulieren*) surrender [sə'rendə] (to someone), give* oneself up (to someone)

Ergebnis 1. *allg.*: result [rɪ'zʌlt], outcome **2.** *Sport*: result, (≈ *Stand*) score **3.** *einer Untersuchung*: findings (△ *Pl.*), results (△ *Pl.*) **4.** (≈ *Lösung, Antwort*) answer ['ɑːnsə] **5. zu dem Ergebnis kommen, dass ...** come* to the conclusion that ...

ergebnislos: die Gespräche *usw.* **endeten ergebnislos** the talks *usw.* failed (*oder* led nowhere)

ergehen 1. etwas über sich ergehen lassen (patiently) endure [ɪn'djʊə] something **2. es ist ihm schlecht ergangen** he had a bad (*oder* rough [rʌf]) time of it

ergiebig 1. *Gespräch usw.*: productive, useful ['juːsfl] **2.** (≈ *reich*) rich (**an** in)

ergrauen turn grey

ergreifen 1. Maßnahmen ergreifen take* measures ['meʒəz] **2. einen Beruf ergreifen** begin* up a career, enter a profession

ergreifend (very) moving ['muːvɪŋ]

ergriffen *übertragen* (≈ *bewegt*) deeply moved [muːvd] (**von** by)

ergründen 1. find* out, determine [dɪ'tɜːmɪn] (*Ursache usw.*) **2.** fathom ['fæðəm] (out) (*Verhalten*)

erhalten[1] 1. (≈ *bekommen*) get*, receive [rɪ'siːv] **2.** (≈ *erlangen*) get*, obtain **3. sie erhielt einen Preis** she was awarded (*oder* given) a prize **4.** (≈ *bewahren*) keep* **5.** maintain, preserve [prɪˈzɜːv] (*Frieden*) **6.** keep* up, preserve (*Tradition*)

erhalten² 1. *etwas ist gut* (*bzw.* ***schlecht*) *erhalten*** something is in good (*bzw.* bad) condition **2. *ein paar alte Häuser*** *usw.* ***sind noch erhalten*** a few old buildings *usw.* are still standing

erhältlich obtainable, available

Erhaltung preservation [ˌprezəˈveɪʃn]

erhängen 1. (*sich*) *erhängen* hang (oneself) **2. *er wurde erhängt*** he was hanged (△ *engl.* hang - hung - hung = ***aufhängen***)

erheben 1. impose (*Steuern usw.*) **2.** charge (*Gebühr*)

erheblich 1. considerable **2.** (≈ *wichtig*) important

erheitern amuse [əˈmjuːz], cheer up

Erheiterung: *zur allgemeinen Erheiterung* to everyone's amusement

erhellen 1. *wörtlich* light* up, illuminate [ɪˈluːmɪneɪt] **2.** *übertragen* shed* (*oder* throw*) light on

erhitzen heat, heat up

erhoffen: *sich etwas erhoffen* (*von*) expect something (of)

erhöhen 1. *allg.:* raise (***auf*** to, ***um*** by) **2. (*sich*) *erhöhen*** (≈ *steigern*) increase [ɪnˈkriːs] (***auf*** to, ***um*** by) **3.** (≈ *verstärken*) intensify **4.** raise, put* up (*Preis*) **5.** increase (*Wirkung*)

Erhöhung (≈ *Zunahme*) increase [ˈɪŋkriːs]; ***Erhöhung der Löhne*** wage rise, *AE* pay raise; ***Erhöhung der Preise*** increase (*oder* rise) in prices

erholen 1. *sich erholen* *von einer Krankheit, einer Krise usw.; auch übertragen:* recover [rɪˈkʌvə] (***von*** from) **2. *sich erholen*** (≈ *sich ausruhen*) have* a rest, relax **3. *sich erholen im Urlaub:*** have* a (good) rest

erholsam restful, relaxing

Erholung 1. recovery [rɪˈkʌvərɪ] (*auch der Wirtschaft*) **2.** (≈ *Entspannung*) rest, relaxation; ***gute Erholung!*** have a good rest

Erholungsgebiet recreation [ˌrekrɪˈeɪʃn] area

Erholungsort health resort [ˈhelθ_rɪˌzɔːt], *bes. BE* holiday resort

Erholungsurlaub holiday, *AE* vacation [veɪˈkeɪʃn]

Erika *Pflanze:* heather [△ ˈheðə], erica

erinnern 1. *sich an jemanden* (*bzw.* ***etwas*) *erinnern*** remember someone (*bzw.* something) **2. *kannst du dich erinnern, dass sie gesehen hast?*** can you remember seeing her? **3. *jemanden***

an etwas erinnern remind someone of something **4. *erinnere mich bitte daran, dass ich dir noch die Karten gebe!*** please remind me to give you the tickets; ☞ *Info unter* **remember**

Erinnerung 1. memory; ***zur Erinnerung an*** in memory of **2.** (≈ *Andenken*) souvenir [ˌsuːvəˈnɪə], *an jemanden:* keepsake

erkalten (*Speise, Lava usw.*) cool (down)

erkälten: *sich erkälten* catch* (a) cold

erkältet: (*stark*) *erkältet sein* have* a (bad *oder* heavy) cold; ***ich bin furchtbar erkältet*** I've got a terrible cold

Erkältung cold; ***leichte*** (*bzw.* ***starke*) *Erkältung*** slight (*bzw.* bad *oder* heavy) cold

erkennbar recognizable [ˈrekəgnaɪzəbl]

erkennen 1. (≈ *wiedererkennen*) recognize [ˈrekəgnaɪz] (***an*** by) **2.** (≈ *optisch wahrnehmen*) make* out, see* **3.** (≈ *einsehen*) realize [ˈrɪəlaɪz], see*

Erkenntnis 1. *Erkenntnis, Erkenntnisse* (≈ *Wissen*) knowledge [△ ˈnɒlɪdʒ] (*Sg.*) **2.** (≈ *Einsicht*) realization [ˌrɪəlaɪˈzeɪʃn] **3.** (≈ *Entdeckung*) discovery, finding **4. *Erkenntnisse*** (≈ *Informationen*) findings; ***neueste Erkenntnisse*** the latest findings

Erker bay, *oben:* oriel [ˈɔːrɪəl]

erklären 1. *jemandem etwas erklären* explain something to someone **2. *kannst du mir erklären, warum?*** can you tell me why? **3. *ich kann es mir nicht erklären*** I don't understand it **4. *so erklärt es sich, wie …*** that explains how …

Erklärung 1. explanation [ˌekspləˈneɪʃn] (***für*** of, for) **2.** *eines Politikers usw.:* statement; ***eine Erklärung*** (***zu etwas*) *abgeben*** make* a statement (on *oder* about something)

erklingen sound

erkranken fall* ill, *AE auch* get* sick (***an*** with); ***er ist an Grippe erkrankt*** he's got (the) flu

Erkrankung 1. illness, sickness **2.** *eines Organs:* disease [dɪˈziːz]

erkunden explore (*Gelände usw.*)

erkundigen 1. *sich erkundigen* inquire *oder* enquire (***über*** about, ***nach*** after) **2. *ich werde mich erkundigen*** I'll try and find out; ***hast du dich erkundigt, wann …?*** did you find out when …?

Erkundung *von Gelände usw.:* exploration

Erlagschein Ⓐ (≈ *Zahlkarte*) postal money order

erlahmen 1. (≈ *ermüden*) tire, get* tired **2.** (*Kräfte, Interesse*) flag

erlangen 1. (≈ *bekommen, gewinnen*) gain **2.** reach (*Alter, Höhe usw.*)

Erlass 1. (≈ *Verordnung*) decree, edict ['i:dikt] **2.** (≈ *Straferlass, Schuldenerlass*) remission

erlassen 1. *sie haben ihm seine Schulden erlassen* they waived his debts [dets] **2.** enact [in'ækt] (*Gesetz*)

erlauben 1. *jemandem erlauben, etwas zu tun* allow someone to do something; *seine Eltern erlauben es ihm, ihr Auto zu benutzen* his parents allow him to use their car; *meine Eltern erlauben es nicht, dass ich nachts von zu Hause wegbleibe* my parents don't (*oder* won't) allow me to spend the night away from home **2. *erlauben Sie, dass ich etwas eher gehe?*** would you mind if I left a bit earlier?

Erlaubnis permission; *jemanden um Erlaubnis bitten* ask someone for permission (*etwas zu tun* to do something)

erlaubt 1. allowed; *das ist nicht erlaubt* that's not allowed **2. *Rauchen ist hier nicht erlaubt*** smoking is not allowed here, there's no smoking here **3. *es ist alles erlaubt*** you can do what you like

erläutern 1. (*jemandem*) *etwas erläutern* explain something (to someone) **2.** (≈ *veranschaulichen*) illustrate ['iləstreɪt] **3. *könntest du mir erläutern, wie ...?*** could you explain to me (*oder* show me) how ...?

Erläuterung 1. explanation [ˌeksplə'neɪʃn] **2.** (≈ *Veranschaulichung*) illustration

Erle alder ['ɔːldə]

erleben 1. *allg.*: experience **2.** have* (*Abenteuer, schöne Zeit, Enttäuschung*) **3.** go* through (*bes. Schlimmes*) **4.** (≈ *noch miterleben*) live to see **5.** (≈ *mit ansehen*) see*, witness **6. *ich habe es schon oft erlebt(, dass)*** I've often seen it happen (that) **7. *das muss man einfach erlebt haben*** (≈ *gesehen haben*) you've got to see it to believe it **8. *der kann was erleben*** *umg.* he's in for it

Erlebnis 1. experience; *das war ein Erlebnis!* that was quite an experience **2.** (≈ *Abenteuer*) adventure [əd'ventʃə]

erlebnisreich eventful, exciting [ik'saɪtiŋ]

erledigen 1. (≈ *sich kümmern um*) do*, deal* with, take* care of **2. *etwas erledigen*** (≈ *hinter sich bringen*) get* something out of the way **3.** settle (*Angelegenheit, Problem*) **4. *jemanden erledigen*** *umg.* finish someone off **5. *die Sache hat sich inzwischen erledigt*** that's been taken care of already

erledigt 1. (≈ *beendet*) finished **2.** (≈ *getan*) done **3.** (≈ *gelöst*) settled **4. *das wäre erledigt*** that's that **5. *du bist für***

mich erledigt I'm through with you **6.** *umg.* (≈ *erschöpft*) whacked [wækt], *AE* wiped (out)

Erledigung: *die Erledigung dieser Aufgaben* *usw.* dealing with these tasks *usw.*

erlegen shoot* (*Tier*)

erleichtern 1. *etwas erleichtern* *Aufgabe usw.*: make* something easier **2. *jemanden um seine Brieftasche erleichtern*** relieve [ri'liːv] someone of his wallet

erleichtert relieved [ri'liːvd]

Erleichterung *allg.*: relief [ri'liːf]

erleiden suffer, go* through

erlernen learn* [lɜːn]

Erliegen: *zum Erliegen bringen* bring* to a standstill, paralyse ['pærəlaɪz]

erlogen: *das ist erlogen* that's a lie

Erlös 1. proceeds ['prəʊsiːdz] (△ *Pl.*) **2.** (≈ *Gewinn*) (net) profit ['prɒfit], (net) profits (*Pl.*)

erloschen extinct [ik'stiŋkt] (*auch Vulkan*)

erlöschen (*Lichter usw.*) go* out

erlösen release [ri'liːs], free (*beide von* from)

Erlöser(in) 1. (≈ *Retter, -in*) rescuer ['reskjʊə], (≈ *Befreier, -in*) liberator **2. *der Erlöser*** *kirchlich*: the Redeemer

Erlösung 1. release **2.** (≈ *Erleichterung*) relief [ri'liːf] **3.** *kirchlich*: redemption

ermahnen: *jemanden ermahnen* *Schule, Sport*: give* someone a warning

Ermahnung 1. *Schule, Sport*: warning **2.** (≈ *Rüge*) rebuke [ri'bjuːk]

ermäßigt: *ermäßigte Preise* reduced prices, discounts ['diskaʊnts]

Ermäßigung reduction, discount ['diskaʊnt] (*von* of); *mit 20% Ermäßigung* at a 20 per cent (*oder* percent) reduction *oder* discount

Ermessensfrage matter of opinion

ermitteln 1. *allg.*: find* out **2.** locate [ləʊ'keɪt] (*Ort usw.*) **3.** trace (*Anrufer*) **4.** *polizeilich*: investigate, carry out investigations (*gegen* concerning); *in einem Fall ermitteln* investigate a case

Ermittlungen investigations

ermöglichen 1. *etwas ermöglichen* make* something possible **2. *ihre Eltern ermöglichten ihr ein Medizinstudium*** her parents enabled her to study medicine ['medsn]

ermorden murder, *durch Attentat*: assassinate [ə'sæsineɪt]

Ermordete(r) (murder) victim

Ermordung 1. *allg.*: murder **2.** (≈ *Attentat*) assassination [əˌsæsi'neɪʃn]

ermüdend tiring ['taɪriŋ]

ermuntern 1. *jemanden zum Heiraten usw. ermuntern* encourage [in'kʌridʒ] someone to get married *usw.* **2. jeman-den ermuntern** (≈ *aufmuntern*) cheer someone up

Ermunterung 1. (≈ *Ermutigung*) encouragement [ɪn'kʌrɪdʒmənt] **2.** (≈ *Aufmunterung*) cheering up

ermutigen: jemanden zu etwas ermutigen encourage [ɪn'kʌrɪdʒ] someone (*oder stärker* give* someone the courage) to do something

ermutigend encouraging [ɪn'kʌrɪdʒɪŋ]

Ermutigung encouragement [ɪn-'kʌrɪdʒmənt]

ernähren 1. feed* (*ein Kind, ein Junges*) **2. sich ernähren** (*von*) eat*

Ernährung 1. (≈ *Nahrung*) food [△ fuːd] **2.** (≈ *Nahrungsgabe*) feeding **3.** *spezielle:* diet ['daɪət]; **gesunde** (*bzw.* **ungesunde**) **Ernährung** a healthy (*bzw.* an unhealthy) diet

Ernährungsweise (≈ *Essgewohnheiten*) eating habits (△ *Pl.*)

ernennen appoint; **er wurde zum Vorsitzenden ernannt** he was appointed (*oder* made) chairman ['tʃeəmən] (△ *ohne* to *und* the)

Ernennung appointment (**zu** as *ohne* the)

erneuerbar renewable; **erneuerbare Energiequellen** renewable energy resources [rɪ,njuːəbl'enədʒɪ_rɪ,zɔːsɪz]

erneuern renew [rɪ'njuː]

Erneuerung renewal [rɪ'njuːəl]

erneut 1. renewed [rɪ'njuːd], new; **erneute Kämpfe** renewed fighting (△ *Sg.*) **2. erneut fragen** *usw.* ask *usw.* once again

erniedrigen (≈ *demütigen*) humiliate [hjuː'mɪlɪeɪt]

Erniedrigung (≈ *Demütigung*) humiliation [hjuː,mɪlɪ'eɪʃn]

Ernst 1. seriousness ['sɪərɪəsnəs], earnest ['ɜːnɪst] **2.** *Wendungen:* **es ist mein voller Ernst** I'm absolutely serious; **ist das Ihr Ernst?** are you serious?; **im Ernst?** seriously?, *umg.* you're kidding

ernst 1. serious ['sɪərɪəs] **2. etwas** (*bzw.* **jemanden**) **ernst nehmen** take* something (*bzw.* someone) seriously; **du darfst die Dinge nicht so ernst nehmen** you mustn't take things so seriously **3. ernst zu nehmend** serious ['sɪərɪəs] **4.** *Wendungen:* **ich meine es ernst** I'm serious (**mit** about), I'm not joking; **das war nicht ernst gemeint** I was *usw.* only joking

Ernstfall emergency [ɪ'mɜːdʒənsɪ]; **im Ernstfall** in case of emergency (△ *ohne* the), *Krieg:* in the event of a war [wɔː]

ernsthaft 1. serious ['sɪərɪəs] **2. ich mache mir ernsthaft(e) Sorgen um ihn**

I'm really worried ['wʌrɪd] about him

ernstlich serious ['sɪərɪəs]

Ernte 1. harvest ['hɑːvɪst] (*auch übertragen*) **2.** (≈ *Ertrag*) crop

ernten 1. harvest ['hɑːvɪst] (*Getreide*) **2.** dig* (*Kartoffeln*) **3.** pick (*Obst*) **4.** *übertragen* earn [ɜːn], win* (*Ruhm, Applaus*)

Ernüchterung *übertragen* disillusionment [,dɪsɪ'luːʒnmənt]

Eroberer conqueror ['kɒŋkərə]

erobern 1. conquer ['kɒŋkə] (*auch übertragen*) **2.** *militärisch:* take* (*Stadt, Gebiet*)

Eroberung conquest ['kɒŋkwest] (*auch übertragen*)

Eroberungskrieg war of conquest

eröffnen 1. *allg.:* open (*Sitzung, Diskussion, Konto usw.*) **2.** *feierlich:* inaugurate [ɪ'nɔːgjəreɪt], *AE* dedicate ['dedɪkeɪt]

Eröffnung 1. *allg.:* opening (*auch Schach*) **2.** *feierliche:* inauguration [ɪ,nɔːgjə-'reɪʃn], *AE* dedication [,dedɪ'keɪʃn]

Eröffnungsfeier opening ceremony ['serəmənɪ]

erörtern discuss (*Thema, Problem usw.*)

Erörterung 1. (≈ *Diskussion*) discussion **2.** *Aufsatz:* (discursive) essay

Erotik eroticism [ɪ'rɒtɪsɪzm]

erotisch erotic [ɪ'rɒtɪk]

erpicht: er ist ganz erpicht auf die neue Stelle he's really <u>keen on</u> the new job, he's really <u>keen to</u> get the new job

erpressen 1. jemanden erpressen, etwas zu tun blackmail someone into doing something **2. von jemandem Geld** (*bzw.* **ein Geständnis** *usw.*) **erpressen** extort [ɪk'stɔːt] money (*bzw.* a confession *usw.*) from someone

Erpresser(in) blackmailer

Erpressung blackmail

erproben try (out), test

erprobt well-tried, tried and tested

erraten guess [ges]; **du hast es erraten!** you've guessed (right)

errechnen work out, calculate

erregbar: er ist leicht erregbar he's very touchy, he easily gets upset (*oder* angry)

erregen 1. jemanden erregen *allg.:* excite [ɪk'saɪt] someone, *sexuell auch:* arouse someone, (≈ *ärgern*) annoy [ə'nɔɪ] someone **2. sich über etwas erregen** (≈ *aufregen*) get* upset [,ʌp'set] about something

Erreger 1. *einer Krankheit:* agent ['eɪdʒnt], virus ['vaɪrəs] **2.** (≈ *Keim*) germ [dʒɜːm]

erregt *allg.:* excited [ɪk'saɪtɪd], *sexuell auch:* aroused, (≈ *verärgert*) annoyed

Erregung 1. *allg.:* excitement [ɪk-'saɪtmənt] **2.** *sexuelle:* arousal [ə'raʊzl]

3. (≈ *Verärgerung*) annoyance

erreichbar 1. das Dorf ist leicht erreichbar the village is easy to get to (*oder* is within easy reach) **2. das Stadtzentrum ist zu Fuß** (*bzw. mit dem Wagen*) **leicht erreichbar** the city centre is within easy walking (*bzw.* driving) distance

erreichen 1. reach (*Ort, Person, Alter, Höhe usw.*) **2.** catch* (*Zug usw.*) **3. unsere Schule ist vom Bahnhof leicht zu erreichen** our school is within easy reach of the station **4. du kannst ihn unter dieser Telefonnummer erreichen** you can reach him on (*AE* at) this phone number; **hast du ihn erreicht?** *telefonisch:* did you get hold of him? **5.** (≈ *durchsetzen*) achieve [ə'tʃiːv] (*Ziel, Vorhaben*) **6. das Klassenziel erreichen** complete the school year successfully **7. hast du bei ihm was erreicht?** did you get anywhere (with him)?; **ich habe nichts erreicht** I didn't get anywhere

errichten 1. put* up (*Barrikaden, Monument, übertragen Barrieren usw.*) **2.** erect [ɪ'rekt], build* (*Gebäude*)

erringen 1. den Sieg erringen gain victory (△ *ohne* the), win* **2. einen Erfolg erringen** be* successful [sək'sesfl], *umg.* notch up a success

erröten 1. *vor Verlegenheit:* blush, go* red **2.** *vor Stolz:* flush

Errungenschaft 1. achievement [ə'tʃiːvmənt] **2. meine neueste Errungenschaft** my latest acquisition [ˌækwɪ'zɪʃn]

Ersatz 1. substitute ['sʌbstɪtjuːt] (*auch Person*) **2.** *auf Dauer:* replacement **3.** (≈ *Ausgleich*) compensation **4.** (≈ *Schadenersatz*) damages (△ *Pl.*)

Ersatzbank *Sport:* substitutes' bench ['sʌbstɪtjuːts,bentʃ]

Ersatzmann substitute ['sʌbstɪtjuːt] (*auch Sport*)

Ersatzmine *Kugelschreiber:* refill ['riːfɪl]

Ersatzreifen spare tyre, *AE* spare tire

Ersatzspieler(in) substitute

Ersatzteil spare part, spare

ersaufen (≈ *ertrinken*) drown [draʊn]

erschaffen create [kriː'eɪt], make*

Erschaffung creation [kriː'eɪʃn]

erscheinen 1. (≈ *kommen*) come* (*zu* to), turn up (*zu* at) **2.** (≈ *vorkommen, auftreten*) appear [ə'pɪə] **3.** (*Zeitung, Buch*) come* out; **das Buch erscheint nächsten Monat** the book comes out (*oder* will be published) next month

Erscheinung 1. (≈ *Vorgang*) phenomenon [fə'nɒmɪnən] *Pl.:* phenomena (*auch naturliche und physikalische*) **2.** (≈ *äußere Gestalt*) appearance [ə'pɪərəns] **3. er tritt kaum in Erscheinung** *übertragen* he

keeps very much in the background

erschießen 1. shoot* (dead); **drei Geiseln** *usw.* **wurden erschossen** three hostages *usw.* were shot dead; **sie haben sie erschießen lassen** they had them shot **2. er hat sich erschossen** he('s) shot himself

Erschießung 1. shooting **2.** *als Todesstrafe:* execution (by firing squad [skwɒd])

erschlaffen 1. (*Glieder*) go* limp **2.** (*Muskeln*) grow* tired, slacken

erschlagen¹ 1. jemanden erschlagen kill someone **2. er wurde vom Blitz erschlagen** he was struck (dead) by lightning

erschlagen² 1. (≈ *verblüfft*) flabbergasted ['flæbəgɑːstɪd] **2.** (≈ *erschöpft*) whacked [wækt]

erschließen 1. open up (*Absatzmarkt*) **2.** develop [dɪ'veləp] (*Baugelände*) **3.** tap (*Rohstoffquellen, Bodenschätze usw.*) **4.** deduce [dɪ'djuːs], reconstruct (*die Bedeutung von etwas*)

erschöpft 1. (≈ *abgespannt*) exhausted [ɪg'zɔːstɪd] (*von* by) **2. die Vorräte** *usw.* **sind erschöpft** *Bodenschätze:* the deposits *usw.* are (*oder* have become) depleted

Erschöpfung exhaustion [ɪg'zɔːstʃn]; **bis zur Erschöpfung** to the point of exhaustion; **vor Erschöpfung umfallen** collapse with (*oder* from) exhaustion

erschossen *umg.* (≈ *erschöpft*) whacked

erschrecken 1. jemanden erschrecken frighten (*oder* scare) someone, give* someone a fright (*bes. AE* scare) **2. bin ich erschrocken!** what a fright(*bes AE* scare) I got (*oder* you *usw.* gave me); **erschrick nicht, ...** don't get a fright, ..., *bes. AE* don't get scared **3. ich war erschrocken, wie alt er aussah** I was shocked at how old he looked **4. sich erschrecken** get* a fright, (≈ *zusammenfahren*) jump; **er hat sich ganz schön erschreckt** *oder* **erschrocken** he got quite a fright, *AE* he had quite a scare

erschreckend 1. alarming, frightening **2.** (≈ *furchtbar*) terrible, dreadful ['dredfl] **3.** (≈ *entsetzlich*) appalling [△ ə'pɔːlɪŋ]

erschrocken → erschrecken

erschüttern 1. shock **2. das kann mich nicht erschüttern** it leaves me cold **3. ihn kann nichts mehr erschüttern** he's seen (*oder* been through) it all

erschüttert: ich bin erschüttert I'm shocked

Erschütterung *der Erde:* vibration, *stärker:* tremor ['tremə]

erschweren 1. unsere Arbeit *usw.* **wird dadurch erschwert** it makes our work *usw.* more difficult **2.** hinder ['hɪndə]

(*Fortschritt, Wachstum usw.*)

erschwinglich 1. *zu erschwinglichen Preisen* at reasonable prices **2.** *es ist für uns nicht erschwinglich* we can't afford it

ersehen: *daraus ist zu ersehen, dass ...* this shows (*oder* indicates) that ...

ersetzbar replaceable [rɪ'pleɪsəbl]

ersetzen 1. *jemanden bzw. etwas ersetzen* replace someone *bzw.* something (*durch* by, with) **2.** *ihm wurde der Schaden ersetzt* he was compensated for the damage

ersichtlich 1. apparent [ə'pærənt]; *ohne ersichtlichen Grund* for no apparent reason **2.** (≈ *klar*) clear

erspähen catch* sight of, *umg.* spot

ersparen 1. *das wird uns nicht erspart bleiben* there's no getting round it **2.** *mir bleibt aber auch nichts erspart* why does everything have to happen to me?

Ersparnisse savings

erst 1. (≈ *als erstes*) first (of all) **2.** (≈ *anfangs*) at first **3.** (≈ *zuvor*) first; *ich muss erst* (*noch*) *telefonieren* I've got to make a phone call first **4.** (≈ *nicht früher als*) only, not until (*oder* till); *erst dann* only then, not until (*oder* till) then; *erst jetzt* only now, not until (*oder* till) now; *erst jetzt wissen wir ...* only now do we know ... (△ *Wortfolge*); *ich habe sie erst letzte Woche gesehen* it was only last week (that) I saw her **5.** (≈ *nicht später als*) only; *es ist erst sieben Uhr* it's only seven o'clock **6.** (≈ *bloß, nicht mehr als*) only, just; *sie ist erst fünf* she's only (*oder* just) five (years old); *ich habe erst zwei Antworten bekommen* I've only had two replies (so far)

erstarren 1. *wörtlich* grow* stiff, stiffen **2.** (*Lava usw.*) solidify [sə'lɪdɪfaɪ] **3.** (*Gesicht*) turn to stone

erstarrt 1. *wörtlich* stiff **2.** *vor Kälte:* stiff, numb [△ nʌm] (*vor* with)

erstatten 1. *jemandem seine Auslagen erstatten* refund [rɪ'fʌnd] (*oder* reimburse [ˌriːɪm'bɜːs]) someone for his (*bzw.* her) expenses **2.** *gegen ihn wurde Anzeige erstattet* he was reported to the police

Erstattung 1. (≈ *Rückzahlung*) refunding [rɪ'fʌndɪŋ]; *konkrete Summe:* refund ['riːfʌnd]

Erstaufführung *Theater, Film:* premiere [△ 'premɪə]

erstaunlich astonishing, *stärker:* amazing

erstaunlicherweise astonishingly [ə'stɒnɪʃɪŋlɪ], to my (his, her *usw.*) surprise [sə'praɪz]

erstaunt surprised [sə'praɪzd], astonished

[ə'stɒnɪʃt], *stärker:* amazed (*über* at)

Erstausgabe first edition

erstbeste(r, -s) 1. *kauf doch nicht einfach den erstbesten Computer!* don't go and buy just any old computer **2.** *der* (*bzw. die*) *Erstbeste* just anyone

erste(r, -s) 1. first; *1. Mai* May, May 1(st) (△ *gesprochen* the first of May); *am 1. Mai* on 1(st) May, on May 1(st) (△ *gesprochen* on the first of May) **2.** *das erste Kapitel* chapter ['tʃæptə] one **3.** *das erste Mal* the first time; *das erste Mal, als ich ihn sah usw.* the first time I saw him *usw.* **4.** *zum ersten Mal* for the first time; *ich sehe ihn zum ersten Mal* I've never seen him before

Erste(r) 1. (the) first **2.** *er wurde Erster* he was first, *bei Rennen:* he came in first **3.** *Karl I.* Charles I (*gesprochen* Charles the First; I *ohne Punkt!*) **4.** *heute ist der Erste* it's the first today

erstechen stab (to death)

erstehen (≈ *kaufen*) buy* (oneself)

ersteigern *etwas ersteigern* buy something at an auction ['ɔːkʃn]

erstens first(ly), first of all

ersticken 1. suffocate ['sʌfəkeɪt] (*an* from); *vor Hitze ersticken* suffocate from the heat **2.** *jemanden ersticken* suffocate someone **3.** *das Feuer ersticken* put* the fire out

erstklassig 1. first-class, first-rate **2.** *Waren:* top-quality

Erstklässler(in) first-year (primary) pupil, *AE* first grader

erstmals: *es erschien erstmals 1997* it first appeared in 1997

erstrangig 1. first-rate **2.** *Problem:* top-priority

erstrebenswert desirable, worthwhile

erstrecken 1. *sich erstrecken* *räumlich:* extend, stretch (*bis zu* to, as far as; *über* across, over) **2.** *sich über Jahrzehnte usw. erstrecken* cover (*oder* span) several decades ['dekeɪdz] *usw.*

Erstschlag *militärisch:* first strike

ertappen: *jemanden beim Stehlen usw. ertappen* catch* someone stealing *usw.*

erteilen give* (*Rat usw.*); *jemandem einen Rat erteilen* give* someone some advice

Ertrag 1. *Landwirtschaft:* yield **2.** (≈ *Einnahmen*) returns (△ *Pl.*) (*aus* from)

ertragen 1. bear* [beə] (*Schmerzen, Anblick, Gedanken*) **2.** (≈ *dulden*) put* up with

erträglich 1. *Schmerzen usw.:* bearable ['beərəbl] **2.** *Bedingungen:* tolerable ['tɒlərəbl]

ertränken: (*sich*) *ertränken* drown (oneself)

ertrinken 1. *er ertrank im Meer* he drowned in the sea **2.** *sie ertrank in den Fluten* she was drowned by the floods

Eruption eruption

erwachen (≈ *aufwachen*) wake* up

erwachsen grown-up, adult ['ædʌlt]

Erwachsene(r) adult ['ædʌlt]; *nur für Erwachsene* (for) adults only

erwägen: *die Vor- und Nachteile erwägen* weigh [weɪ] up the pros [prəʊz] and cons

Erwägung: *in Erwägung ziehen* take* into consideration, consider [kən'sɪdə]

erwähnen mention ['menʃn]

Erwähnung mention (+ *Gen.* of)

erwärmen warm (up), heat (up)

Erwärmung 1. warming up, heating up **2.** *die Erwärmung der Erdatmosphäre* global warming (△ *ohne* the)

erwarten 1. expect; *so was habe ich gar nicht erwartet* I wasn't expecting (*oder* I didn't expect) anything like that **2.** (≈ *warten auf*) wait for **3.** *sie erwartet ein Kind* she's expecting (a baby)

Erwartung expectation [ˌekspek'teɪʃn]; *es entsprach ihren Erwartungen nicht* it didn't come up to her expectations

erwecken 1. *etwas wieder zum Leben erwecken* revive something **2.** arouse [ə'raʊz] (*Interesse, Neugier, Verdacht*) **3.** bring* back (*Erinnerungen*) **4.** raise (*Hoffnung*) **5.** inspire (*Vertrauen*)

erweisen 1. *es ist erwiesen, dass ...* it has been proved [pruːvd] (*oder schwächer* shown) that ... **2.** *es erwies sich als falsch* it turned out to be wrong, it proved (to be) wrong **3.** do* (*Ehre, Dienst, Gefallen usw.*)

erweitern 1. (≈ *ausdehnen*) widen, enlarge **2.** extend (*Einfluss, Macht*) **3.** broaden (*Kenntnisse, Horizont*); *sie hat ihre Spanischkenntnisse beträchtlich erweitert* she's improved her Spanish considerably

Erweiterung 1. (≈ *Ausdehnung*) widening, enlargement **2.** *Einfluss, Macht:* extension **3.** *seiner Kenntnisse:* broadening ['brɔːdnɪŋ]

Erwerb acquisition [ˌækwɪ'zɪʃn]

erwerben 1. *allg.:* acquire [ə'kwaɪə] **2.** (≈ *kaufen*) acquire, purchase ['pɜːtʃəs] **3.** acquire (*Kenntnisse, Rechte usw.*)

erwerbslos unemployed

Erwerbstätige(r): *die Zahl der Erwerbstätigen* the number of people in work

erwidern 1. (≈ *antworten*) reply, answer ['ɑːnsə] (*auf* to) **2.** return (*Besuch, Gefälligkeit*)

erwirtschaften: *Gewinn usw.* *erwirtschaften* make* a profit ['prɒfɪt] *usw.*

erwischen 1. catch*, get* **2.** *ihn hats erwischt* *Krankheit:* he's been laid low, *Tod:* he's snuffed it

erwürgen strangle ['stræŋgl]

Erz ore [ɔː]

erzählen 1. *allg.:* tell*; *man hat mir erzählt ...* I've been told ... **2.** *er kann gut erzählen* he's a good storyteller

Erzähler(in) 1. *im Roman usw.:* narrator [nə'reɪtə] **2.** *sie ist eine gute Erzählerin* she's a good story teller

Erzählung story, *formeller* tale

Erzbischof archbishop [ˌɑːtʃ'bɪʃəp]

Erzengel archangel (△ 'ɑːk,eɪndʒl]

erzeugen 1. *allg.:* produce [prə'djuːs], make* **2.** generate ['dʒenəreɪt] (*Energie*) **3.** create [kriː'eɪt] (*Gefühl, Zustand*)

Erzeugnis product [△ 'prɒdʌkt]

Erzeugung *von Energie:* generation

Erzfeind arch-enemy [ˌɑːtʃ'enəmi]

erziehen 1. (≈ *aufziehen*) bring* up, raise; *er wurde streng erzogen* he had a strict upbringing **2.** *geistig:* educate ['edjʊkeɪt]

Erzieher 1. educator **2.** (≈ *Lehrer*) teacher

Erzieherin 1. *Kindergarten:* kindergarten teacher **2.** (≈ *Lehrerin*) teacher

Erziehung 1. upbringing **2.** *geistige, politische usw.:* education [ˌedjʊ'keɪʃn]

Erziehungsgeld parental allowance (*oder* benefit)

Erziehungsurlaub parental leave, *für Mütter auch:* maternity leave, *für Väter auch:* paternity leave

erzielen 1. achieve [ə'tʃiːv] (*Ergebnis, Erfolg*) **2.** score (*Punkt, Treffer*) **3.** (*einen*) *Gewinn erzielen* make* a profit ['prɒfɪt] **4.** *Einigung erzielen* reach (*oder* come* to) an agreement (*über* on)

erzogen 1. *er ist gut erzogen* he's very well-mannered **2.** *er ist schlecht erzogen* he's got no manners at all

erzwingen 1. *etwas erzwingen* force something, get* something by force **2.** *von jemandem ein Geständnis erzwingen* force a confession out of someone

es 1. *Sache:* it **2.** *Baby, Tier:* it, *emotional und bei bekanntem Geschlecht:* he, she **3.** *es ist kalt usw.* it's cold *usw.* **4.** *es war keiner da* there was nobody there **5.** *es wurde getanzt usw.* there was dancing *usw.* **6.** *ich bins* it's me **7.** *ich nahm es* I took it **8.** *ich hoffe es* I hope so **9.** *es war einmal ein König* once upon a time there was a king

Escape-Taste *Computer:* escape key

Esche ash, ash tree

Esel 1. *Tier:* donkey ['dɒŋkɪ] **2.** *abwertend* fool, idiot ['ɪdɪət]

Eselsohr *übertragen* dog-ear, turned-down corner; *ein Buch mit Eselsohren*

a dog-eared book
Eskalation *allg.*: escalation [ˌeskəˈleɪʃn]
Eskimo Eskimo [ˈeskɪməʊ]
Espresso espresso (△ *Pl.* espressos)
Essay essay [ˈeseɪ]
essbar 1. eatable **2.** (≈ *genießbar*) edible [ˈedəbl]; ***essbarer Pilz*** (edible) mushroom
Essbesteck cutlery (△ *ohne* a), cutlery set, knife, fork and spoon
essen 1. *allg.*: eat* **2.** *zu Mittag essen* have* lunch **3.** *zu Abend essen* have* dinner **4.** *was gibts zu essen?* what's for dinner (*bzw.* lunch)? **5.** *essen gehen* eat* out, eat* at a restaurant [ˈrestərɒnt]
Essen 1. (≈ *Kost, Verpflegung*) food [△ fuːd] **2.** (≈ *Gericht*) dish **3.** (≈ *Mahlzeit*) meal **4.** (≈ *Abendessen*) dinner, (≈ *Mittagessen*) lunch; *wir sind gerade beim Essen* we're just having (our) dinner (*bzw.* lunch *bzw.* tea)

Essen und Trinken

Mahlzeiten – wann?

break-fast	Früh-stück	07:00 – 10:00
eleven-ses	zweites Früh-stück	11:00 – 12:00
lunch	Mittag-essen	12:00 – 14:00
tea	Nachmit-tagstee, kleiner Imbiss	16:00 – 17:00
dinner	Abend-essen	18:00 – 23:00
supper	spätes Abend-essen	21:00 – 23:00

Die Zeiten sind nur Richtwerte, auch gibt es regionale Unterschiede in den Bezeichnungen der Mahlzeiten. Aber **dinner** ist fast immer die Hauptmahlzeit, und meist etwas Warmes. Sie wird in der Regel abends eingenommen.

Essen(s)marke meal ticket
Essenszeit mealtime; *während der Essenszeit* during mealtimes; *es ist Essenszeit* it's time to eat, it's time for lunch *bzw.* dinner
Essig vinegar [ˈvɪnɪgə]
Esslöffel tablespoon; *zwei Esslöffel Honig* two tablespoons(ful) of honey
Esstisch dining table

Esszimmer dining room
Este, Estin Estonian [eˈstəʊnɪən]; ☞ *Nationalitäten*
Estland Estonia [eˈstəʊnɪə]
estnisch, Estnisch Estonian [eˈstəʊnɪən]
Estragon *Pflanze, Gewürz:* tarragon [ˈtærəgən]
Estrich ⓒⓗ (≈ *Dachboden, Dachraum*) loft, attic
etablieren set* up, establish
Etage floor [flɔː], storey, *AE* story; *auf* (*oder* *in*) *der ersten Etage* on the first (*AE* second) floor; ☞ *Info unter engl. floor*
Etappe 1. *allg.*: stage **2.** *Sport:* stage, leg
etappenweise in stages, step by step
Etat budget [ˈbʌdʒɪt]
Ethik ethics [ˈeθɪks] (△ *Pl.*; als Fach mit *Sg.*)
ethisch: *aus ethischen Gründen ablehnen usw.* reject *usw.* on ethical [ˈeθɪkl] grounds
ethnisch ethnic [ˈeθnɪk]
Etikett 1. label **2.** (≈ *Preisschild*) price tag
etliche several [ˈsevrəl], quite a few; *etliche Millionen Euro* several million euro
Etui case
etwa 1. about, approximately [əˈprɒksɪmətlɪ], *umg.* around **2.** (≈ *zum Beispiel*) for instance [ˈɪnstəns], for example, (let's) say **3.** *war sie etwa da?* was she there then?, *stärker:* don't say she was there
etwaig any; *etwaige Schwierigkeiten* any difficulties (that might arise)
etwas 1. something; *etwas anderes* something else **2.** *verneinend, fragend oder bedingend:* (≈ *irgend etwas*) anything; *noch etwas?* anything else?; *so etwas habe ich noch nie gehört* I've never heard anything like it **3.** *so etwas kommt schon vor* that kind of thing (*oder* it) 'does happen **4.** (≈ *ein bisschen*) some, a little, a bit of; *ich brauche etwas Geld* I need some (*oder* a bit of) money; *etwas mehr* (*bzw.* *weniger*) a bit (*oder* a little) more (*bzw.* less)
EU (*Abk. für* **E**uropäische **U**nion) EU [ˌiːˈjuː] (*Abk. für* **E**uropean **U**nion)
EU- *in Zusammensetzungen:* EU ...; *EU-Behörde* EU institution; *EU-Kommissar(in)* EU Commissioner; *EU-Kommission* EU Commission; *EU-Ministerrat* EU Council of Ministers; *EU-Mitgliedsland* EU member state
euch 1. (to) you; *ich habs euch gesagt* I told you; *ich habs euch gegeben* I gave it to you **2.** (≈ *für euch*) for you **3.** *bei euch* with you; *wohnt sie bei euch?* is she living with you? **4.** *setzt euch!* sit

down

euer 1. your [jɔ:] **2. *euer Robert** am Briefende*: Yours, Robert

Eule owl [aʊl]; ***Eulen nach Athen tragen*** carry coals to Newcastle

euretwegen 1. (≈ *wegen euch*) because of you **2.** (≈ *euch zuliebe*) for you, for your sake

Euro *Europäische Währungseinheit*: Euro, euro ['jʊərəʊ] (*Symbol €, Pl.* euros); ***Sie können in Euro oder in Dollar bezahlen*** you can pay in euros or (in) dollars, *Rechnung, Geldumtausch auch*: we accept euros and dollars

Euro... *in Zusammensetzungen*: Euro..., euro..., Euro ..., euro ... ['jʊərəʊ]; ***Eurocent*** Eurocent, Euro cent; ***Eurocentmünze, Eurocentstück*** Eurocent coin, Euro cent coin; ***Eurocity(zug)*** eurocity (train); ***Eurogebiet*** eurozone, euro area; ***Eurozone*** eurozone

Euroland 1. (≈ *alle Länder mit Euro*) Euroland ['jʊərəʊlænd] **2.** (≈ *einzelnes Land mit Eurowährung*) euro country (*oder* state)

Europa Europe ['jʊərəp]

Ein bisschen Europa

Europa	**Europe**
Euro (*Währung*)	**euro**
den Euro einführen	**launch/introduce the euro**
Euroland (*alle Länder, die den Euro eingeführt haben*)	**Euroland**
Europäische Union (EU)	**European Union (EU)**
Europäische Währungsunion (EWU)	**European Monetary Union (EMU)**
Europäische Zentralbank (EZB)	**European Central Bank (ECB)**
Europäisches Parlament	**European Parliament (EP)**
Europäische Kommission (EuK)	**European Commission (EC)**
europäischer Binnenmarkt	**single (European) market**

Europäer European [ˌjʊərə'piːən]; ***er ist Europäer*** he's (a) European; ☞ ***Nationalitäten***

Europäerin European woman (*oder* lady *bzw.* girl); ***sie ist Europäerin*** she's (a) European; ☞ ***Nationalitäten***

europäisch European [ˌjʊərə'piːən]; ***Europäisches Parlament*** European Parliament ['pɑːləmənt]; ***Europäische Union***

European Union

Europameister(in) 1. European champion **2.** *Mannschaft*: European champions (△ *Pl.*)

Europameisterschaft European championships (△ *Pl.*)

Europaparlament European Parliament

Europapokal European Cup

Europapolitik Europolitics (△ *Pl.*)

Europarat Council of Europe

Euthanasie euthanasia [ˌjuːθə'neɪzɪə]

Euter udder ['ʌdə]

evakuieren evacuate [ɪ'vækjʊeɪt]

Evakuierung evacuation [ɪˌvækjʊ'eɪʃn]

evangelisch Protestant ['prɒtɪstənt]

Evangelium Gospel

eventuell 1. possibly (△ *engl.* eventually = ***endlich, schließlich***); ***er sagt, er würde eventuell kommen*** he says he might (possibly) come; ***eventuell als Antwort***: possibly, *umg.* maybe, I *usw.* might **2.** (≈ *notfalls*) if necessary ['nesəsrɪ]

eventuelle(r, -s) 1. possible (△ *nicht* eventual) **2. *eventuelle Beschwerden*** any complaints (that might arise)

Evolution evolution [ˌiːvə'luːʃn]

ewig 1. (≈ *unendlich*) eternal [ɪ'tɜːnl] **2.** *Glück, Frieden usw.*: eternal, everlasting [ˌevə'lɑːstɪŋ] **3.** (≈ *endlos*) endless **4.** (≈ *ständig*) eternal, constant ['kɒnstənt] **5.** (≈ *ewig lange, für immer*) forever **6. *sie hat ewig gebraucht*** it took her ages

Ewigkeit 1. *die Ewigkeit* eternity [ɪ'tɜːnətɪ] (△ *ohne* the) **2. *ich warte schon eine Ewigkeit*** I've been waiting for ages

ex 1. *sie tranken ex* they emptied their glasses in one go **2. *ex!* umg.** bottoms up!

Ex... *in Zusammensetzungen*: (≈ *ehemalig*) ex-..., former; ***Exfrau*** ex-wife; ***Exminister*** former (government) minister; ***Expräsident*** former president

exakt precise [prɪ'saɪs], accurate ['ækjərət]

Exaktheit precision [prɪ'sɪʒn], accuracy ['ækjərəsɪ]

Examen examination [ɪgˌzæmɪ'neɪʃn], exam; ***Examen machen*** take* one's exams

Exekutive executive [ɪg'zekjʊtɪv]

Exempel 1. (≈ *Beispiel*) example [ɪg'zɑːmpl] **2. *die Probe aufs Exempel machen*** put* it to the test

Exemplar 1. *einer Pflanze usw.*: specimen [△ 'spesəmɪn] **2.** *eines Buches*: copy

Exil exile ['eksaɪl]; ***im Exil*** in exile; ***ins Exil gehen*** go* into exile (△ *beide ohne* the)

Existenz 1. existence [ɪg'zɪstəns] **2.** (≈ *Unterhalt*) living

Existenzgründer(in) founder of a (new)

business

Existenzgründung *Unternehmen*: start-up (*oder* setting-up) of a new business, business start-up

Existenzminimum 1. subsistence [səb-ˈsɪstəns] level **2.** *knapp über dem Existenzminimum leben* live on the poverty [ˈpɒvətɪ] line

existieren 1. exist [ɪgˈzɪst], be* **2.** *davon existieren nur zwei* there are only two of them (in existence) **3.** (≈ *leben*) exist, live (*von* on)

exklusiv 1. exclusive [ɪkˈskluːsɪv] **2.** *exklusiver Kreis* select circle (*oder* group)

Exkursion excursion [ɪkˈskɜːʃn]

exotisch exotic [ɪgˈzɒtɪk]

Expansion expansion [ɪkˈspænʃn]

Expedition expedition [ˌekspɪˈdɪʃn]

Experiment experiment [ɪkˈsperɪmənt]

experimentieren experiment [ɪkˈsperɪment] (*an* on; *mit* with)

Experte, Expertin expert [ˈekspɜːt]

explodieren explode [ɪkˈspləʊd] (*auch übertragen*)

Explosion explosion [ɪkˈspləʊʒn] (*auch übertragen*)

explosiv explosive [ɪkˈspləʊsɪv] (*auch übertragen*)

Export 1. export [ˈekspɔːt], exporting [ɪk-'spɔːtɪŋ] **2.** (≈ *Waren*) exports (△ *Pl.*)

exportieren export [ɪkˈspɔːt] (*nach* to)

Exportland exporting country

Express (≈ *Expresszug*) express (train)

extra 1. (≈ *zusätzlich*) extra **2.** *Rechnung*: (≈ *getrennt*) separate [ˈseprət] **3.** *ich schicks dir extra* I'll send it to you separately **4.** (≈ *eigens*) specially; *extra für dich* just (*oder* specially) for you **5.** (≈ *absichtlich*) on purpose [ˈpɜːpəs]

Extrakt extract [ˈekstrækt]

extrem 1. extreme; *er ist ein bisschen extrem* he takes things a bit too far **2.** *extrem kalt* extremely cold, freezing cold

Extrem extreme; *von einem Extrem ins andere fallen* go* from one extreme to the other

Extremfall: (*im*) *Extremfall* (in an) extreme case

Extremismus extremism [ɪkˈstriːmɪzm]

Extremist(in), extremistisch extremist [ɪkˈstriːmɪst]

exzellent excellent [ˈeksələnt]

Exzess 1. excess [ɪkˈses] **2.** *etwas bis zum Exzess treiben* take* something to extremes

Eyeliner *Kosmetik*: eyeliner

F

Fabel fable (*auch übertragen*)

fabelhaft 1. fantastic, magnificent [mægˈnɪfɪsnt] **2.** *du hast fabelhaft gekocht* it was a wonderful meal

Fabrik 1. factory [ˈfæktrɪ], *AE auch* shop **2.** (≈ *Werk*) works (*Sg. oder Pl.*)

Fabrikarbeit factory work

Fabrikarbeiter(in) factory worker

Fabrikat 1. make, brand **2.** (≈ *Erzeugnis*) product [ˈprɒdʌkt]

Fabrikbesitzer(in) factory owner

Fabrikgelände factory site

Facette facet [ˈfæsɪt] (*auch übertragen*)

Fach 1. (≈ *Schrankfach usw.*) compartment **2.** (≈ *Brieffach*) pigeonhole [ˈpɪdʒənhəʊl] **3.** (≈ *Schul-, Studienfach*) subject [ˈsʌbdʒekt] **4.** (≈ *Beruf*) job; *er versteht sein Fach* he knows his job

Facharbeiter(in) skilled worker

Facharzt, Fachärztin (medical) specialist (*für* in)

Fachausdruck technical [ˈteknɪkl] term

Fächer fan

Fachfrau expert [ˈekspɜːt], specialist (*in* in, at; *für* on)

Fachgebiet (special) field, subject (area)

Fachgeschäft specialist shop, *AE* specialty store

Fachhochschule advanced technical [ˈteknɪkl] college

Fachjargon (technical) jargon [ˈdʒɑːgən]

Fachkenntnis(se) specialized knowledge [△ ˈnɒlɪdʒ] (*Sg.*)

Fachleute experts [ˈekspɜːts]

fachlich *Problem, Wissen usw.*: technical [ˈteknɪkl]

Fachliteratur specialist literature

Fachmann expert [ˈekspɜːt], specialist (*in* in, at; *für* on)

fachmännisch expert [ˈekspɜːt], specialist ...; *fachmännisches Urteil* expert opinion

Fachschule *etwa*: technical ['teknɪkl] college

Fachsimpelei shop talk

fachsimpeln talk shop

Fachsprache technical ['teknɪkl] language, technical jargon ['dʒɑːgən]

Fachwerkhaus half-timbered house

Fachwissen specialized knowledge ['nɒlɪdʒ]

Fackel torch [tɔːtʃ]

Fackelträger(in) torchbearer ['tɔːtʃˌbeərə]

Fackelzug: *einen Fackelzug veranstalten* hold a torchlight procession

fad *bes.* Ⓐ, Ⓒⓗ, **fade 1.** *Essen*: tasteless; *die Suppe schmeckt fade* the soup has no taste **2.** *bes.* Ⓐ, Ⓒⓗ (≈ *langweilig*) dull, boring

Faden 1. thread [θred] (*auch übertragen*) **2.** *Wendungen*: *ich hab den Faden verloren* I've lost the thread; *er hat die Fäden fest in der Hand* he's got a tight grip on things

fadenscheinig *Ausrede usw.*: flimsy, weak

fähig 1. *er ist nicht fähig, zu gehen usw.* he isn't capable of walking *usw.*, he isn't able to walk *usw.* **2.** (≈ *begabt*) talented ['tæləntɪd] **3.** *er ist zu allem fähig* he's capable of anything

Fähigkeit 1. *allg.*: ability [ə'bɪlətɪ] (*auch geistige*) **2.** (≈ *Tüchtigkeit*) capability **3.** (≈ *Begabung*) talent ['tælənt]

fahl pale

fahnden search [sɜːtʃ] (*nach* for)

Fahnder(in) investigator

Fahndung search [sɜːtʃ] (*nach* for)

Fahndungsliste: *er steht auf der Fahndungsliste* he's wanted by the police

Fahne 1. flag **2.** *er hat eine Fahne* übertragen he smells of drink (*oder* alcohol ['ælkəhɒl])

Fahnenmast, Fahnenstange flagpole

Fahrausweis ticket ['tɪkɪt]

Fahrbahn 1. road **2.** (≈ *Fahrspur*) lane

Fahrbahnrand 1. edge of the road **2.** *Autobahn*: hard shoulder, *AE* shoulder

fahrbar mobile ['məʊbaɪl]

Fähre ferry

fahren 1. *allg.*: go* (*mit* by); *mit der Bahn* (*bzw. mit dem Bus usw.*) *fahren* go* by train (*bzw. by bus usw.*) **2.** *selbstlenkend, im Auto usw.*: drive*; *sie fährt gut* (*bzw. schlecht*) she's a good (*bzw. not a very good*) driver **3.** *auf einem Fahrrad usw.*: ride*; *Fahrrad* (*bzw. Motorrad*) *fahren* ride* a bicycle (*bzw. a motorbike*) **4.** (≈ *verkehren*) run* **5.** (≈ *befördern*) take*, drive* **6.** (≈ *abfahren*) leave*, go* **7.** *rechts fahren!* keep to the right **8.** *nach Köln fährt man sieben Stunden* it's a seven-hour drive to Cologne, *mit dem Zug*: it's a seven-hour train journey to Cologne **9.** *50 km/h fahren* do* 50 kph (*gesprochen* kilometres per *oder* an hour) **10.** *über einen Fluss usw. fahren* cross a river *usw.* **11.** *einen fahren lassen* vulgär fart, *BE auch* let* off, *AE auch* let one

fahrenlassen → *fahren 11*

Fahrer 1. driver **2.** (≈ *Motorradfahrer*) motorcyclist **3.** (≈ *Radfahrer*) cyclist

Fahrerflucht 1. hit-and-run offence **2.** *er beging Fahrerflucht* he failed to stop after an (*bzw.* the) accident ['æksɪdənt], he drove away from an (*bzw.* the) accident

Fahrerin 1. driver **2.** (≈ *Motorradfahrerin*) motorcyclist **3.** (≈ *Radfahrerin*) cyclist

Fahrgast passenger ['pæsɪndʒə]

Fahrgeld fare

Fahrgemeinschaft carpool

Fahrgestell *Auto*: chassis ['ʃæsɪ]

Fahrkarte ticket ['tɪkɪt]; *eine Fahrkarte lösen* buy* a ticket (*nach* to)

Fahrkartenautomat ticket machine

Fahrkartenschalter ticket office

Fahrkartenkontrolle ticket inspection

Fahrkartenkontrolleur(in) ticket inspector

Fahrkosten travelling costs, travel costs

fahrlässig careless, reckless

Fahrlehrer(in) driving instructor

Fahrplan timetable (*auch übertragen*), *bes. AE* schedule ['ʃkedʒuːl]

Fahrplanänderung change in (the) timetable

fahrplanmäßig 1. according to schedule ['ʃedjuːl] **2.** *der Zug fährt fahrplanmäßig ab* (*bzw. kommt an*) *um 12 Uhr* the train is scheduled ['ʃedjuːld] to leave (*bzw.* is due) at 12 o'clock

Fahrpraxis driving experience ['draɪvɪŋ ˌɪkˌspɪərɪəns]

Fahrpreis fare

Fahrpreiserhöhung fare increase ['ɪŋkriːs], increase in fares

Fahrpreisermäßigung fare discount ['dɪskaʊnt]

Fahrprüfung driving test

Fahrrad bicycle ['baɪsɪkl], *umg.* bike; ☞ *Illu S. 685*

Fahrschein ticket ['tɪkɪt]

Fahrscheinautomat ticket machine

Fahrscheinentwerter ticket cancelling ['kænslɪŋ] machine

Fahrschule driving school

Fahrschüler(in) learner (driver), *AE* student driver

Fahrspur lane

Fahrstrecke 1. (≈ *Route*) route [ruːt] **2.** (≈ *Länge*) distance ['dɪstəns] (to be covered)

Fahrstreifen lane

Fahrstuhl lift, *AE* elevator ['elɪveɪtə]; *mit dem Fahrstuhl fahren* take* the lift (*bzw. AE* elevator)

Fahrstunde driving lesson

Fahrt 1. *im Wagen:* drive*, ride* **2.** (≈ *Reise*) journey ['dʒɜːnɪ], trip **3.** (≈ *Ausflug*) outing **4.** *eine Fahrt nach Rom machen* make* (*oder* go* on) a trip to Rome **5.** *gute Fahrt!* have a good trip **6.** (≈ *Tempo*) speed; *in voller Fahrt* (at) full speed

Fährte 1. trail (*auch übertragen*) **2.** *du bist auf der richtigen* (*bzw. falschen*) *Fährte* you're on the right (*bzw.* wrong) track

Fahrtenschreiber tachograph ['tækəgrɑːf]

Fahrverbot: *ihm wurde ein* (*einjähriges*) *Fahrverbot erteilt* he was banned from driving (for a year), *AE* he had his license suspended (for a year)

Fahrweise (style of) driving; *bei deiner Fahrweise* the way you drive

Fahrwerk *Flugzeug:* landing gear

Fahrzeug 1. vehicle [△ 'viːɪkl] **2.** *auf dem Wasser:* vessel ['vesl]

Fahrzeugbrief (vehicle [△ 'viːɪkl]) registration document ['dɒkjʊmənt]

Fahrzeughalter(in) registered keeper, (≈ *Besitzer*) car (*oder* vehicle [△ 'viːɪkl]) owner

fair fair; *fair spielen* play fair

Fairness fairness, *im Spiel:* fair play

Fakten facts, (≈ *Angaben*) data ['deɪtə]

Faktor *allg., Mathe:* factor

Fakultät *Uni:* faculty ['fækltɪ], *AE auch* department

fakultativ optional

Falke 1. falcon [△ 'fɔːlkən] **2.** *Politik:* ↔ *Taube:* hawk [hɔːk]

Fall 1. fall **2.** *im Fallschirm:* descent [dɪ'sent] **3.** *übertragen* downfall **4.** *der Kurse, der Preise:* fall, drop **5.** *zu Fall bringen* bring* down (*Gegner, eine Regierung*) **6.** *allg., Grammatik, Gericht, Medizin:* case; *in den meisten Fällen* in most cases; *der Fall Graf* the case of Graf **7.** (≈ *Einzelbeispiel*) instance ['ɪnstəns] **8.** *Wendungen:* *auf jeden Fall* anyway, (≈ *ganz bestimmt*) definitely ['defənətlɪ]; *auf keinen Fall* on no account, (≈ *ganz bestimmt nicht*) definitely not; *für alle Fälle* just in case; *das ist nicht ganz mein Fall* it's not my kind of thing; *klarer Fall! umg.* (oh,) sure!

Falle 1. trap (*auch übertragen*) **2.** *der Dieb ging ihm in die Falle* the thief walked right into his trap

fallen 1. *allg.:* fall*, drop **2.** (*Fieber, Preise*

usw.) go* down, drop, fall* **3.** (*Blick, Licht*) fall* (*auf* on) **4.** *durch eine Prüfung fallen* fail an exam **5.** *es fielen drei Schüsse* there were three shots, three shots were fired **6.** *es fielen zwei Tore* there were two goals **7.** *fallen lassen* drop (*Plan, Idee, Freund usw.*)

fallenlassen drop

fällen 1. cut* (*oder* chop) down (*Holz*) **2.** *eine Entscheidung fällen* make* a decision [dɪ'sɪʒn] **3.** *ein Urteil fällen* pass sentence ['sentəns] (△ *ohne* a) (*über* on)

fällig (≈ *zahlbar*) due [djuː], payable; *fällig zum 31. Mai* payable by May 31 (*gesprochen* the 31st of May)

Fallobst windfall

Fall-out (radioactive) fallout

Fallrückzieher *Fußball:* overhead kick

falls 1. if; *falls sie kommt* if she comes, if she should come **2.** (≈ *für den Fall, dass*) in case

Fallschirm parachute ['pærəʃuːt]

Fallschirmspringen 1. parachuting ['pærəʃuːtɪŋ], parachute jumping **2.** *Sport* skydiving

Fallschirmspringer(in) 1. parachutist ['pærəʃuːtɪst] **2.** *Sport:* skydiver

falsch 1. ↔ *richtig:* wrong [△ rɒŋ]; *etwas falsch beantworten* answer something wrong **2.** *etwas falsch verstehen* misunderstand* something, *umg.* get* something wrong **3.** (≈ *unecht, unehrlich*) false [fɔːls]; *unter falschem Namen* under a false name; *er ist ein ganz falscher Typ* he's so false **4.** *etwas falsch aussprechen* mispronounce something **5.** *falsch verbunden! Telefon:* sorry, wrong number

fälschen 1. fake (*Urkunde, Unterschrift*) **2.** counterfeit ['kaʊntəfɪt], forge (*Geld*)

Fälscher(in) forger, *Geld auch:* counterfeiter ['kaʊntəfɪtə]

Falschfahrer(in) wrong-way driver

Falschgeld counterfeit ['kaʊntəfɪt] money

Falschmeldung (≈ *Ente*) hoax [həʊks]

falschspielen cheat

Falschspieler(in) cheat [tʃiːt]

Fälschung 1. (≈ *das Fälschen*) forging **2.** *Bild usw.:* fake, forgery

fälschungssicher counterfeit-proof [ˌkaʊntəfɪt'pruːf]

Faltblatt leaflet ['liːflət]

Faltboot folding canoe [kə'nuː]

Falte 1. *im Stoff:* fold **2.** *in der Haut:* crease ['kriːs], *stärker:* wrinkle [△ 'rɪŋkl] **3.** (≈ *Knitterfalte, Bügelfalte*) crease

falten: *etwas falten* fold something

faltig 1. (≈ *zerknittert*) creased ['kriːst] **2.** *Haut:* wrinkled [△ 'rɪŋkld]

familiär 1. (≈ *zwanglos*) informal (△ *engl.* familiar = **bekannt, vertraut**) **2. familiäre Sorgen** family problems

Familie 1. *allg.*: family **2.** (**die**) **Familie Miller** the Miller family, the Millers (*Pl.*) **3. eine Familie haben** have* a family, (≈ *Kinder haben*) have* children **4. eine sechsköpfige Familie** a family of six

Familienangehörige(r) member of the family, family member, relative ['relətɪv]

Familienangelegenheit family affair

Familienfeier, Familienfest family celebration ['fæmlɪˌseləˈbreɪʃn]

Familienleben family life

Familienmitglied member of the family, family member, relative ['relətɪv]

Familienname surname ['sɜːneɪm], family name, *AE mst.* last name

Familienpackung family pack

Familienplanung family planning

Familienverhältnisse family background

Fan fan [fæn]

Fanatiker(in) fanatic [fəˈnætɪk]

fanatisch fanatic, fanatical [fəˈnætɪk(l)]

Fanatismus fanaticism [fəˈnætɪsɪzm]

Fanclub fan club

Fang 1. *allg.*: catch **2. mit ihm haben wir einen guten Fang gemacht** *übertragen* he was a good catch

Fangarm tentacle ['tentəkl]

fangen 1. *allg.*: catch* (*auch übertragen*) **2. Feuer fangen** catch* fire **3. ich werd mich schon wieder fangen** I'll be all right, I'll pull myself together

Fangen: Fangen spielen play catch, *AE* play tag

Fanmeile supporter area

Fantasie 1. (≈ *Vorstellungskraft*) imagination; **eine blühende Fantasie** a vivid ['vɪvɪd] imagination **2.** (≈ *Fantasievorstellung*) fantasy ['fæntəsɪ] **3.** *eines Kranken*: hallucination [həˌluːsɪˈneɪʃn]

fantasielos 1. unimaginative [ˌʌnɪˈmædʒɪnətɪv] **2. sei doch nicht so fantasielos!** use your imagination

fantasieren 1. (≈ *Unsinn reden*) rave (**von** about) **2.** *bei Krankheit*: hallucinate [həˈluːsɪneɪt]

fantasievoll imaginative [ɪˈmædʒɪnətɪv]

fantastisch 1. *umg.* (≈ *großartig*) brilliant ['brɪljənt], fantastic **2.** *Film, Geschichte usw.*: fantasy ['fæntəsɪ] (△ *nur vor dem Subst.*)

Farbdruck 1. (≈ *Verfahren*) colour ['kʌlə] printing **2.** (≈ *Ergebnis, Produkt*) colour print

Farbdrucker colour ['kʌlə] printer

Farbe 1. colour ['kʌlə]; ☞ *Illu S. 786* **2.** (≈ *Anstrich*) paint **3.** *für Haar, Stoffe*: dye [daɪ] **4.** (≈ *Bräune*) tan; **du hast richtig**

Farbe bekommen you've got yourself a nice tan

Farben und Farbtöne

dunkelblau	**dark blue**, *bes. Kleidung*: **navy**
dunkelgelb	**dark yellow**
dunkelgrün	**dark green**
dunkelrot	**dark red**
hellblau	**light blue**
hellgelb	**light/pale yellow**
hellgrün	**light green**
hellrot	**light red**
knallrot	**bright red**
lila	**lilac**, *dunkler*: **mauve**
orange	**orange**
pink	△ **shocking pink**
purpur(rot)	**crimson**
rosa	**pink**
türkis	**turquoise**
violett	**purple**, *heller*: **violet**

Die deutsche Endung *-lich* bei Farben wird im Englischen meist durch **-ish** bzw. **-y** wiedergegeben. Beachte dabei auch die Schreibweise:

bläulich	**bluish, bluey**
bräunlich	**brownish, browny**
gelblich	**yellowish, yellowy**
gräulich	**greyish**, *AE* **grayish**
grünlich	**greenish, greeny**
rötlich	**reddish, reddy**
weißlich	**whitish**
	☞ *Illu S. 786*

farbecht colourfast ['kʌləfɑːst]

färben 1. dye [daɪ] (*Haar, Stoff*); **sie hat sich die Haare färben lassen** she's had her hair dyed **2.** stain (*Glas, Papier*)

farbenblind colour-blind ['kʌləblaɪnd]

farbenfroh colourful ['kʌləfl]

Farbfernsehen colour television, colour TV [ˌkʌlə_tiːˈviː]

Farbfernseher colour television (set), colour TV (set) [ˌkʌlə_tiːˈviː(_set)]

Farbfilm colour film

Farbfoto colour photo, colour print

farbig 1. coloured **2.** *übertragen* colourful ['kʌləfl]

Farbige(r) 1. *allg.*: non-white **2.** (≈ *Schwarzer, Mulatte*) black (△ coloured *Tabuwort*); **ein Farbiger** a black man (*bzw.* boy)

Farbkopie colour copy

Farbkopierer colour copier

farblos 1. colourless (*auch übertragen*) **2. er ist völlig farblos** he has no personality

Farbmonitor colour monitor, colour screen

Farbstift 1. coloured pencil, crayon ['kreɪɒn]; **eine Packung Farbstifte** a packet of crayons **2.** (≈ *Filzstift*) coloured pen

Farbstoff 1. *für Haar, Stoffe*: dye [daɪ] **2. Farbstoffe** *in Lebensmittel usw.*: colouring (△ *Sg.*)

Farbton 1. *Bild, Foto*: tone **2.** *hell oder dunkel*: shade

Färbung colouring (*auch übertragen*)

Farm farm

Farmer(in) farmer

Farn(kraut) fern [fɜ:n]

Fasan pheasant ['feznt] (*auch als Essen*)

faschieren Ⓐ mince, *AE* grind* [graɪnd] (*Fleisch usw.*)

Faschiertes Ⓐ (≈ *Hackfleisch*) mince, minced meat, *AE* ground beef

Fasching carnival ['kɑ:nɪvl]

Faschismus fascism ['fæʃɪzm]

Faschist(in), faschistisch fascist ['fæʃɪst]

Faser fibre ['faɪbə]

faserig fibrous ['faɪbrəs]

fasern (*Stoff usw.*) fray

Fass 1. barrel ['bærəl] **2.** *kleines*: keg **3. ein Fass Bier** a barrel (*bzw.* keg) of beer **4. Bier vom Fass, kein Flaschenbier** draught [drɑ:ft] beer, not bottled beer **5. ein Fass aufmachen** *übertragen* have* a fling (*umg.* binge)

Fassade facade [fə'sɑ:d], front [△ frʌnt] (*beide auch übertragen*)

Fassbier draught beer [,drɑ:ft'bɪə], *AE* draft beer; **gibt es Fassbier?** do they have beer on draught?

fassen 1. (≈ *ergreifen*) take* hold of, grasp **2.** catch* (*Verbrecher usw.*) **3. jemanden zu fassen kriegen** get* hold of someone **4.** (≈ *aufnehmen können*) hold* **5.** (≈ *enthalten*) contain **6.** (≈ *glauben*) believe [bɪ'li:v]; **das ist nicht zu fassen** that's unbelievable, that's incredible [ɪn'kredəbl] **7. einen Entschluss fassen** make* a decision; → **kurzfassen**

Fassung 1. *einer Brille*: frame **2.** *einer Lampe*: socket **3.** *eines Edelsteins*: setting **4.** (≈ *Version*) version **5. sie verlor die Fassung** she lost her composure

fassungslos 1. stunned **2.** (≈ *sprachlos*) speechless

Fassungsvermögen capacity

fast 1. almost, nearly **2. fast nichts** next to nothing **3. fast nie** hardly ever **4. fast keine** hardly any

fasten fast, go* on a fast

Fastenzeit: die Fastenzeit *Religion*: Lent (△ *ohne* the)

Fast Food fast food [,fɑ:st'fu:d]

Fastnacht (≈ *Fasching*) carnival ['kɑ:nɪvl]

Fastnacht

Fastnacht *bzw.* Karneval wird in Großbritannien nicht gefeiert. Dafür gibt es in manchen Städten im Mai einen Karneval sowie im August in London den großen, farbenprächtigen **Notting Hill Carnival** mit lauter Tanzmusik aus der Karibik.

Faszination fascination [,fæsɪ'neɪʃn]

faszinieren fascinate ['fæsɪneɪt]

fatal 1. (≈ *unangenehm*) awkward ['ɔ:kwəd] **2.** (≈ *peinlich*) embarrassing [ɪm'bærəsɪŋ] **3.** (≈ *verhängnisvoll*) disastrous [dɪ'zɑ:strəs] (△ *engl.* fatal = *mst.* **tödlich**)

fauchen 1. (*Katze*) hiss **2.** (*Tiger usw.*) snarl **3.** *übertragen* hiss, snarl

faul 1. *Obst, Gemüse, Ei usw.*: rotten, bad **2.** *Fisch, Fleisch*: bad **3.** *Holz*: rotten **4.** (≈ *träge*) lazy, idle **5. an der Sache ist etwas faul** there's something fishy about it

faulen go* bad, rot

faulenzen 1. laze around **2. er faulenzt** *abwertend* he's lazy, he does nothing

Faulenzer(in) idler, lazybones (△ *Sg.*)

Faulheit laziness ['leɪzɪnəs]

faulig rotten

Faulpelz lazybones (△ *Sg.*)

Fauna fauna ['fɔ:nə]

Faust 1. fist **2. ich habs auf eigene Faust gemacht** I did it on my own initiative [ɪ'nɪʃətɪv], *BE umg.* I did it off my own bat

faustdick 1. as big as your fist, the size of your fist **2.** *Wendungen*: **eine faustdicke Lüge** a whopping ['wɒpɪŋ] great lie, a whopper ['wɒpə]; **er hat es faustdick hinter den Ohren** he's a crafty one

Fausthandschuh mitten

Faustregel (**als**) **Faustregel** (as a) general rule

Faustschlag punch [pʌntʃ]

Fauteuil Ⓐ, ⓒⒽ (≈ *Polstersessel*) armchair

Favorit favourite ['feɪvrət] (*auch im Sport*) **2. er ist klarer Favorit für die Stelle** he's the clear favourite for the job

Fax 1. (≈ *Mitteilung*) fax **2.** (≈ *Gerät*) fax (machine) **3. hast du Fax?** have you got a fax (machine)?

faxen fax; **jemandem etwas faxen** fax

Fax

AN:	Frau Anne Spencer, Northern Cameras, Liverpool	TO:	Ms Anne Spencer, Northern Cameras, Liverpool
FAX:	0044151-7941199	FAX:	0044151-7941199
VON:	Stephan Ebner	FROM:	Stephan Ebner
FAX:	(0049) 89-3227360	FAX:	(0049) 89-3227360
BETREFF:	Fuji MX 500 Digital-kamera	RE:	Fuji MX 500 Digital Camera
DATUM:	29. Oktober 2006	DATE:	29 October 2006
SEITEN	(inklusive Deckblatt): 1	PAGES	(including cover sheet): 1

Sehr geehrte Frau Spencer,

Dear Ms Spencer

vor drei Monaten habe ich während eines Urlaubs in England in Ihrem Geschäft eine Digitalkamera Fuji MX 500 gekauft. Leider hat der Autofocus von Anfang an nicht zufriedenstellend funktioniert, und ich muss ihn jetzt hier in Deutschland reparieren lassen.

Three months ago, while I was on holiday in England, I bought a Fuji MX 500 Digital Camera from your shop. Unfortunately, right from the beginning the autofocus did not work to my satisfaction and I need now to get it repaired here in Germany.

Beim Kauf wurde mir gesagt, dass für die Kamera weltweit eine zweijährige Garantie gewährt wird. Ich wäre Ihnen dankbar, wenn Sie mir dies per Fax umgehend bestätigen könnten und mir mitteilen würden, wo ich in München die Kamera auf Garantie reparieren lassen kann.

I was told when I bought the camera that it was under a 2-year worldwide guarantee. I would be grateful if you could confirm this by return fax and let me know where I can get it repaired under guarantee in Munich.

Vielen Dank für Ihre Hilfe.

Thank you very much for your help.

Mit freundlichen Grüßen

Yours sincerely

Stephan Ebner

Stephan Ebner

something (through) to someone, fax someone something
Faxen (≈ *Unsinn*) nonsense (△ *Sg.*)
Faxgerät fax machine
Faxnummer fax number
Fazit 1. result [rɪˈzʌlt], upshot **2. *das Fazit aus etwas ziehen*** sum something up
FCKW CFC [ˌsiːefˈsiː] (*Abk. für* **c**hloro**fluoroc**arbon)
FCKW-frei CFC-free [ˌsiːefˈsiːfriː]
Februar February [ˈfebruərɪ]; ***im Februar*** in February (△ *ohne* the)
fechten fence
Fechten fencing
Fechter(in) fencer
Feder 1. *Vogel usw.*: feather [ˈfeðə] **2.** *Technik*: spring **3.** (≈ *Schreibfeder*) nib, *mit Halter*: pen, (≈ *Gänsefeder*) quill
Federball 1. *Spiel*: badminton **2.** (≈ *Ball*) shuttlecock, *AE mst.* birdie
Federbett duvet [△ ˈduːveɪ], *AE* comfort-

er [ˈkʌmfətə]
federleicht (as) light as a feather [ˈfeðə]
Federmappe pencil case
federn: ***das federt*** (≈ *ist elastisch*) it's springy [ˈsprɪŋɪ], it springs
Federung *Auto*: suspension
Fee fairy [ˈfeərɪ]
fegen 1. sweep* (*auch übertragen*) **2.** ⒢ (≈ *scheuern*, *schrubben*) scour [ˈskaʊə], scrub
Fehlanzeige: *Fehlanzeige!* nothing doing
fehlen 1. *er fehlt oft* (*in der Schule*) he's often absent [ˈæbsənt] (from school); ***er hat eine Woche gefehlt*** he was absent for a week **2. *ihm fehlen zwei Zähne*** he has two teeth missing **3. *bei dir fehlt ein Knopf*** you've lost a button, there's a button missing from (*oder* on) *your coat usw.* **4. *ihm fehlt es an Mut*** he lacks courage [ˈkʌrɪdʒ], he's lacking in courage **5. *mir fehlt …*** I need …, I haven't got

(any *bzw.* enough) ... **6. es fehlt an ...**
there's (*bzw.* there are) no ..., (≈ *es man-
gelt an*) there isn't (*bzw.* there aren't)
enough [ɪ'nʌf] ... **7. fehlt dir etwas?** are
you all right?
Fehlen absence ['æbsəns] (*bei, in* from)
Fehlentscheidung 1. mistake **2.** *eines
Schiedsrichters usw.*: wrong decision
[,rɒŋ_dɪ'sɪʒn] **3. eine Fehlentschei-
dung treffen** make* a mistake, make* a
wrong decision
Fehler 1. (≈ *Versehen, Irrtum, Schreibfeh-
ler usw.*) mistake, *bes. schwerer*: error
['erə]; **einen Fehler machen** make* a
mistake **2.** (≈ *Materialfehler usw.*) fault
[fɔːlt], flaw, defect ['diːfekt] **3.** (≈ *Ma-
kel*) flaw, blemish ['blemɪʃ] **4.** (≈ *Cha-
rakterfehler; Schuld*) fault, weakness;
dein (eigener) Fehler! (it's) your (own)
fault! **5.** *Sport*: fault **6.** *Computer*: error
fehlerfrei 1. (≈ *einwandfrei*) perfect ['pɜː-
fɪkt] **2.** (≈ *richtig*) correct **3.** (≈ *makel-
los*) flawless
fehlerhaft 1. faulty ['fɔːltɪ] **2.** *schriftliche
Arbeit*: full of mistakes
Fehlermeldung *Computer*: error ['erə]
message
Fehlerquelle source of error [,sɔːs_əv-
'erə], *technisch*: source of trouble ['trʌbl]
Fehlgeburt miscarriage [⚠ ,mɪs'kærɪdʒ]
Fehlinvestition bad investment
Fehlschlag (≈ *Irrtum*) failure ['feɪljə]
Fehlstart false start [,fɔːls'stɑːt]

Fehltritt 1. slip (*auch übertragen*) **2.** *mora-
lischer*: lapse [læps]
Fehlurteil 1. *übertragen* misjudgment,
misjudgement **2.** *Gericht*: judicial error
[dʒuː,dɪʃl'erə]
Fehlzündung *Auto usw.*: misfiring [,mɪs-
'faɪərɪŋ]; **es war eine Fehlzündung** the
car *usw.* backfired [,bæk'faɪəd]
Feier 1. celebration [,selə'breɪʃn]; **eine
Feier begehen** have* (*oder* hold*) a cel-
ebration **2.** (≈ *Party*) party
Feierabend 1. Feierabend machen finish
(work) **2. nach Feierabend** after work
feierlich 1. (≈ *ernsthaft, würdig*) solemn
['sɒləm] **2.** (≈ *festlich*) festive **3.** (≈ *förm-
lich*) ceremonious [,serə'məʊnɪəs] **4. fei-
erlich begehen** celebrate ['seləbreɪt]
Feierlichkeit 1. *Stimmung*: solemnity [sə-
'lemnətɪ] **2. Feierlichkeiten** (≈ *Feier*)
ceremony ['serəmənɪ] (⚠ *Sg.*)
feiern 1. celebrate ['seləbreɪt] (*Geburtstag
usw.*) **2.** have* a party
Feiertag 1. *allg.*: holiday **2. gesetzlicher
Feiertag** public holiday, *BE* bank holi-
day, *AE auch* legal ['liːgl] holiday
feiertags: sonn- und feiertags on Sun-
days and public (*oder BE* bank) holidays
feig(e) 1. cowardly ['kaʊədlɪ], *umg.* chick-
en **2. sei doch nicht so feige!** don't be
such a coward ['kaʊəd]
Feige *Frucht*: fig
Feigenbaum fig tree
Feigheit cowardice ['kaʊədɪs]

Fehler

Bei der Übersetzung des deutschen Worts „Fehler" gibt es eine ganze Reihe mögli-
cher Entsprechungen: **mistake, error, fault** und andere mehr. Wann nimmt man was?

Fehler, Irrtum	**mistake**

Dies ist die häufigste Entsprechung für das deutsche Wort „Fehler". Es gibt verschie-
dene Arten von **mistakes**:

Rechtschreibfehler	**spelling mistake**
Du hast einen Rechenfehler gemacht.	**You've made a mistake in your calcu-** **lations.**
Deine Englischübersetzung ist voller Fehler.	**Your English translation is full of mis-** **takes.**

Fehler, Irrtum	**error** ['erə]

Error klingt ein bisschen gehobener als **mistake; error** wird auch in feststehenden
Ausdrücken wie **typing error** (Tippfehler) und **printing error** (Druckfehler) verwen-
det.

Fehler, Defekt	**fault** [fɔːlt]

In der Software ist ein Fehler.	**There's a fault in the software.**
Es ist nicht mein Fehler (= ich bin nicht schuld).	**It's not my fault.**

Fault bezeichnet bei einer Sache oft den qualitativen Fehler im Sinne von Defekt –
oder Schuld, wenn sich das Wort auf eine Person bezieht.

Wichtige Feiertage in GB und in den USA

(nicht alle sind arbeitsfreie Tage)

1. Januar	**New Year's Day**	Neujahrstag
25. Januar	**Burns Night** (*Schottland*)	Geburtstag des schottischen Nationaldichters Robert Burns
1. März	**St David's Day** (*Wales*)	*vgl. Infofenster S. 135*
17. März	**St Patrick's Day** (*Irland*)	*vgl. Infofenster S. 344*
23. April	**St George's Day** (*England*)	*vgl. Infofenster S. 210*
	Good Friday	Karfreitag
	Easter Monday	Ostermontag
erster Montag im Mai	**May Day Bank Holiday**	*vgl. Infofenster S. 56*
letzter Montag im Mai	**Spring Bank Holiday**	*vgl. Infofenster S. 56*
letzter Montag im Mai bzw. 30. Mai	**Memorial Day** (*USA*)	zum Gedenken an im Krieg Gefallene
4. Juli	**Independence Day** (*USA*)	Unabhängigkeitstag
letzter Montag im August	**August Bank Holiday**	freier Tag im August
erster Montag im September	**Labor Day** (*USA*)	Tag der Arbeit
12. Oktober	**Columbus Day** (*USA*)	zum Gedenken an die Landung von Kolumbus auf den Westindischen Inseln
31. Oktober	**Halloween** [ˌhæləʊˈiːn]	Tag vor Allerheiligen
5. November	**Guy Fawkes Night** [ˌgaɪˈfɔːks-naɪt]	zur Erinnerung an den versuchten Sprengstoffanschlag auf das Parlamentsgebäude im Jahr 1605
Donnerstag vor dem letzten Sonntag im November	**Thanksgiving Day** (*USA*)	*vgl. Infofenster S. 477*
30. November	**St Andrew's Day** (*Schottland*)	*vgl. Infofenster S. 41*
25. Dezember	**Christmas Day**	1. Weihnachtstag
26. Dezember	**Boxing Day**	2. Weihnachtstag
31. Dezember	**New Year's Eve**	Silvester

Feigling coward [ˈkaʊəd]
Feile file
feilen 1. file **2.** *feilen an* übertragen polish (up) [ˌpɒlɪʃ(ˈʌp)]
feilschen haggle (*um* over)
fein 1. *allg.:* fine; *feiner Unterschied* fine (*oder* subtle [△ ˈsʌtl]) distinction **2.** (≈ *dünn, zart*) fine, delicate [ˈdelɪkət] **3.** (≈ *elegant*) elegant [ˈelɪgənt], smart, *umg.* posh **4.** (≈ *genau*) accurate [ˈækjərət], precise [prɪˈsaɪs] **5.** *das schmeckt fein*

it tastes delicious [dɪˈlɪʃəs] **6.** *das Feinste vom Feinen* the very best **7.** *das hast du fein gemacht! zum Kind:* good boy (*bzw.* girl) **8.** *fein!* good!, splendid!, great!
Feind(in) *allg.:* enemy [ˈenəmɪ]
feindlich 1. hostile [ˈhɒstaɪl] **2.** *feindliche Übernahme* eines Konzerns usw.: hostile takeover **3.** *feindliche Truppen* enemy forces [ˌenəmɪˈfɔːsɪz]
Feindschaft enmity [ˈenmətɪ], *stärker:*

hostility [hɒˈstɪləti]

feindselig hostile [ˈhɒstaɪl] (**gegen** to)

Feindseligkeit hostility [hɒˈstɪlətɪ]; **Feindseligkeiten** hostility (△ *Sg.*)

feinfühlig sensitive [ˈsensətɪv]

Feingefühl 1. sensitiveness [ˈsensətɪvnəs] **2.** (≈ *Taktgefühl*) tact, delicacy [ˈdelɪkəsɪ]

Feinheit 1. fineness **2.** (≈ *Zartheit*) delicacy [ˈdelɪkəsɪ] **3.** *die Feinheiten* the finer points, the niceties [△ ˈnaɪsətiz] **4.** *die letzten Feinheiten* the final touches

Feinkostgeschäft delicatessen [ˌdelɪkə-ˈtesn], *umg.* deli [ˈdelɪ]

Feinmechaniker(in) precision mechanic [prɪˌsɪʒn_mɪˈkænɪk]

Feinschmecker(in) gourmet [ˈɡʊəmeɪ]

feixen *umg.* smirk [smɜːk]

Feld 1. *allg.*: field (*auch übertragen*) **2.** (≈ *Schachfeld, Kästchen*) square **3.** *das Feld anführen Sport*: lead* the field

Feldarbeit 1. *wörtlich* work in the fields **2.** (≈ *Feldforschung*) fieldwork

Feldherr general [ˈdʒenrəl]

Feldsalat lamb's lettuce [△ ˌlæmzˈletɪs], corn salad [ˈsæləd]

Feldwebel sergeant [ˈsɑːdʒnt]

Feldzug campaign [kæmˈpeɪn] (*auch übertragen*); *einen Feldzug führen gegen übertragen* wage a campaign against, campaign against

Felge 1. *am Rad*: rim **2.** *Turnen*: circle

Felgenbremse *Fahrrad*: calliper brake [ˈkælɪpə_breɪk]

Fell 1. (≈ *Haarkleid*) fur [fɜː] **2.** *bei Pferd, Hund, Katze*: coat **3.** *beim Schaf*: fleece **4.** *abgezogene Haut von größeren Tieren*: hide **5.** *abgezogene Haut von kleineren Tieren*: skin **6.** *ein dickes Fell haben übertragen* have* a thick skin

Fels(en) rock (*auch übertragen*)

felsenfest 1. *ich bin felsenfest davon überzeugt* I'm firmly (*oder* absolutely) convinced of it **2.** *ich kann mich felsenfest auf ihn verlassen* I can absolutely rely on him

felsig rocky

Felsspalte crevice [△ ˈkrevɪs]

Felswand rockface, wall of rock

feminin feminine [ˈfemənɪn] (*auch grammatisch*)

Feminismus feminism [ˈfemənɪzm]

Feministin feminist [ˈfemənɪst]

feministisch feminist [ˈfemənɪst]

Fenchel fennel [ˈfenl]

Fenster 1. *allg.*: window (*auch beim Computer*) **2.** *zum Fenster hinausschauen* look out of the window **3.** *er ist weg vom Fenster umg.* he's a goner [ˈɡɒnə], *BE auch* he's had his chips

Fenster... *in Zusammensetzungen*: window..., window ...; *Fensterbrett* windowsill; *Fensterplatz* window seat; *Fensterscheibe* windowpane

Ferien 1. holidays, *AE* vacation (△ *Sg.*); *Ferien machen* go* on holiday, *AE* go* on vacation (△ *beide Sg.*) **2.** *Uni*: vacation, *BE umg. auch* vac (△ *beide Sg.*)

Ferien... *in Zusammensetzungen*: holiday ..., *AE* vacation ...; *Ferienhaus* holiday (*AE* vacation) home; *Ferienjob* holiday job, *AE* summer job; *Ferienreise* holiday (*AE* vacation) trip; *Ferienzeit* holiday (*AE* vacation) period [ˈpɪərɪəd]

Ferienkurs vacation course [veɪ-ˈkeɪʃn_kɔːs], *im Sommer auch*: summer course

Ferienlager 1. holiday camp **2.** *für Kinder im Sommer*: summer camp; *ins Ferienlager fahren* go* to summer camp

Ferienort holiday resort

Ferienwohnung holiday flat, *AE* vacation rental

Ferkel 1. young pig, piglet [ˈpɪglət] **2.** *übertragen* pig

fern 1. far **2.** (≈ *entfernt*) far off, distant [ˈdɪstənt] **3.** *der Ferne Osten* the Far East **4.** *von fern* from (*oder* at) a distance [ˈdɪstəns] **5.** *in nicht allzu ferner Zukunft* in the not too distant future **6.** *fern von* far (away) from **7.** → *fernhalten*

Fernabfrage *Telefon*: remote pickup, remote interrogation [rɪˌməʊt_ɪnˌterə-ˈɡeɪʃn]

Fernbedienung remote control

Ferne distance [ˈdɪstəns]; *aus der Ferne* from a distance (*auch übertragen*)

ferner 1. further(more) **2.** (≈ *außerdem*) besides

Fernfahrer long-distance lorry driver, *AE* long-haul truck driver, *AE umg.* trucker

Ferngespräch long-distance call [ˌlɒŋdɪstəns-ˈkɒl]

ferngesteuert 1. remote-controlled, remote control ... **2.** *ferngesteuertes Geschoss* guided missile [ˌɡaɪdɪdˈmɪsaɪl]

Fernglas binoculars [baɪˈnɒkjʊləz] (△ *Pl.*)

fernhalten: (*sich*) *fernhalten von* keep* away from

Fernheizung municipal [mjuːˈnɪsɪpl] heating system

Fernkurs correspondence course

Fernlicht 1. full beam, *AE* high beam **2.** *mit Fernlicht fahren* drive* with (*oder* on) full (*AE* high) beam

Fernmeldesatellit communications satellite [ˈsætəlaɪt]

Fernost..., fernöstlich Far Eastern

Fernrohr telescope ['telɪskəʊp]
Fernseh... *in Zusammensetzungen*: television ... ['telɪˌvɪʒn], TV ... [ˌtiːˈviː, 'tiːviː]; **Fernsehansager(in)** television (*oder* TV) presenter (*bes. AE* announcer); **Fernsehansprache** television (*oder* TV) address; **Fernsehantenne** television (*oder* TV) aerial ['eərɪəl]; **Fernsehgerät** television (set), TV (set); **Fernsehkamera** television (*oder* TV) camera; **Fernsehprogramm** television (*oder* TV) programme; **Fernsehsatellit** TV (*oder* television) satellite ['sætəlaɪt]; **Fernsehschirm** TV screen; **Fernsehsendung** television (*oder* TV) programme; **Fernsehserie** television (*oder* TV) series ['sɪəriːz]; **Fernsehspiel** television (*oder* TV) play; **Fernsehturm** television (*oder* TV) tower; **Fernsehübertragung** television (*oder* TV) broadcast; **Fernsehzuschauer** (television *oder* TV) viewer
Fernsehen television ['telɪˌvɪʒn], TV [ˌtiːˈviː]; **im Fernsehen** on television
fernsehen watch television (*oder* TV)
Fernseher TV [ˌtiːˈviː] (set)
Fernsehsender 1. (≈ *technische Anlage*) television transmitter **2.** (≈ *Anstalt*) television (*oder* broadcasting ['brɔːdkɑːstɪŋ]) station **3.** (≈ *Kanal*) television channel ['telɪˌvɪʒnˌtʃænl]
Fernsicht *vom Berg usw.*: visibility [ˌvɪzəˈbɪlətɪ]
Fernsprechamt telephone exchange
Fernsteuerung remote control
Fernstraße major road
Fernstudium correspondence course
Fernüberwachung remote monitoring ['mɒnɪtərɪŋ]
Ferse 1. *allg.*: heel **2. sie war ihm dicht auf den Fersen** she was hard on his heels
fertig 1. (≈ *bereit*) ready ['redɪ]; **ich bin gleich fertig** I'll be ready in a minute; **sich** (*bzw.* **jemanden** *bzw.* **etwas**) **fertig machen** get* (someone *bzw.* something) ready **2. Auf die Plätze** (**,fertig, los**)**!** On your mark(s) (get set, go)! **3.** (≈ *beendet, abgeschlossen*) finished; **ich bin mit dem Buch** (*bzw.* **Brief** *usw.*) **fertig** I've finished with the book (*bzw.* letter *usw.*); **etwas fertig kriegen** *oder* **machen, mit etwas fertig werden** (≈ *etwas beenden*) finish something (off) **4.** (≈ *erschöpft*) shattered **5.** *übertragen*: **ich werde mit dieser Hitze nicht fertig** I can't cope with (*oder* take, handle) this heat; **mit ihm werd ich schon fertig** I can (*oder* know how to) handle him; → **fertigbringen, fertigkriegen** *usw.*
fertigbringen 1. etwas fertigbringen (≈ zustande bringen) manage something; **sie brachte es fertig, den Tresor zu öffnen** she managed to open the safe **2. er brachte es fertig, sie rauszuschmeißen** he actually threw her out **3. ich brachte es nicht fertig** I couldn't do it

fertig / bereit

(mit etwas) fertig sein, (etwas) beendet haben	have finished (doing something)
bereit sein (etwas zu tun)	be ready (to do something)
Ich bin fertig (= *bereit*) – gehen wir!	I'm ready – let's go.
Ich bin für heute fertig.	I've finished for today.

fertigen make*, produce [prəˈdjuːs], manufacture [ˌmænjʊˈfæktʃə]
Fertiggericht ready-to-serve meal; **sich von Fertiggerichten ernähren** live on convenience food [kənˈviːnɪəns_fuːd]
Fertighaus prefabricated house [ˌpriːˌfæbrɪkeɪtɪdˈhaʊs], *umg.* prefab ['priːfæb]
Fertigkeit (≈ *Geschick*) skill
fertigkriegen 1. sie kriegt es fertig, ihn rauszuschmeißen she's capable of throwing him out **2.** *konkret*: → **fertig** *3*
fertigmachen 1. *jemanden fertigmachen körperlich*: take* it out of someone, *seelisch*: finish someone off, *im Sport bes.*: slaughter ['slɔːtə] someone, annihilate [əˈnaɪəleɪt] someone **2.** *jemanden fertigmachen* (≈ *umbringen*) finish (*oder* bump) someone off **3.** ruin ['ruːɪn], *stärker*: wipe out (*die Konkurrenz*) **4.** *konkret*: → **fertig** *1, 3*
fertigstellen finish, complete
Fertigstellung completion
Fertigung manufacture [ˌmænjʊˈfæktʃə], production
Fertigwaren finished products
fertigwerden → **fertig** *3, 5*
fesch *bes.* Ⓐ **1.** (≈ *modisch*) smart **2.** (≈ *hübsch*) attractive **3.** *nur* Ⓐ (≈ *nett*) nice; **sei fesch!** be* a good boy *bzw.* girl!
Fessel¹ 1. (≈ *Strick*) rope **2.** (≈ *Kette*) chain; **jemandem Fesseln anlegen** put* someone in chains **3.** *übertragen* fetters (△ *Pl.*), shackles (△ *Pl.*)
Fessel² *am Fuß*: ankle
fesseln 1. tie up; **sie fesselten ihn an Händen und Füßen** they tied up his hands and feet **2.** *mit Ketten*: put* in chains **3.** *übertragen* fetter
fesselnd 1. captivating ['kæptɪveɪtɪŋ], fascinating ['fæsɪneɪtɪŋ] **2.** *Buch usw.*:

fest

absorbing **3.** (≈ *spannend*) gripping

fest 1. *allg.*: firm (*auch Entschluss usw.*) **2.** ↔ *flüssig*: solid [ˈsɒlɪd] (*auch Nahrung*) **3.** (≈ *hart*) hard **4. feste Schuhe** sturdy shoes, a good pair of shoes **5.** (≈ *starr*) fixed, rigid [ˈrɪdʒɪd] **6.** *Schraube*: tight **7.** *Termin, Wohnsitz, Preise, Preise, Einkommen, Gehalt*: fixed **8.** *Freund(in)*: steady **9.** *Freundschaft*: close [△ klǝʊs] **10.** (≈ *ständig*) permanent [ˈpɜːmǝnǝnt] **11.** *Schlaf*: sound **12. fester Bestandteil** integral part [ˌɪntɪɡrǝlˈpɑːt] **13. fest werden** harden, (*Pudding, Zement*) set* **14. fester machen** (*oder* **ziehen**) tighten **15. ich bin fest davon überzeugt, dass …** I'm absolutely convinced that … **16. ich bin fest entschlossen, zu gewinnen** *usw.* I'm determined [dɪˈtɜːmɪnd] to win *usw.*

Fest 1. (≈ *Feier*) celebration [ˌselǝˈbreɪʃn] **2.** (≈ *Party*) party; **ein Fest geben** have* (*oder* throw*) a party **3.** *kirchlich*: feast, festival **4. Frohes Fest!** Merry Christmas!

Festakt ceremony [ˈserǝmǝnɪ]

festbinden 1. jemanden (*bzw.* **etwas**) **festbinden** tie someone (*bzw.* something) up **2. jemanden** (*bzw.* **etwas**) **festbinden an** tie someone (*bzw.* something) to

festbleiben remain firm

festdrehen tighten [ˈtaɪtn]

Festessen dinner, *großes*: banquet [ˈbæŋkwɪt]

festfahren 1. sich festfahren get* stuck **2.** (*Verhandlungen*) come* to a standstill, reach (a) deadlock [ˈdedlɒk]

Festhalle auditorium [ˌɔːdɪˈtɔːrɪǝm], *BE auch* (festival) hall

festhalten 1. *wörtlich* hold* onto **2.** (≈ *zurückhalten*) stop **3.** *in Wort, Ton*: record [rɪˈkɔːd] **4.** *mit der Kamera*: get* a shot of **5. etwas schriftlich festhalten** put* something down in writing **6. sich festhalten** hold* tight, hold* on **7. sich festhalten an** hold* onto **8. festhalten an** *übertragen* stick* to, cling* to

festigen 1. *allg.*: strengthen [ˈstreŋθn] **2.** (≈ *sichern*) secure [sɪˈkjʊǝ]

Festigkeit 1. (≈ *Stärke*) strength [streŋθ] **2.** (≈ *Stabilität*) stability

Festigung strengthening [ˈstreŋθnɪŋ], consolidation [kǝnˌsɒlɪˈdeɪʃn]

Festival festival

festkleben stick* (**an** to)

Festland 1. mainland [ˈmeɪnlǝnd] **2.** ↔ *Meer*: land **3. das europäische Festland** the Continent [ˈkɒntɪnǝnt] (△ *Großschreibung*)

festlegen 1. fix (*Ort, Zeit, Termin*) **2.** set*

(*Termin*) (**auf** for) **3.** lay* down, define (*Grundsätze usw.*) **4. sich festlegen** (≈ *sich verpflichten*) commit oneself

festlich 1. festive **2.** (≈ *feierlich*) solemn [ˈsɒlǝm] **3. festlich begehen** celebrate [ˈselǝbreɪt]

Festlichkeit festivity [feˈstɪvǝtɪ]

festmachen 1. *wörtlich* fix, attach [ǝˈtætʃ] **2.** *übertragen, bes. BE* fix, *AE* set (*Termin, Treffen usw.*)

Festmahl banquet [ˈbæŋkwɪt]

festnageln 1. *wörtlich* nail down **2. festnageln an** nail to **3.** *übertragen* nail down (**auf** to)

Festnahme, festnehmen arrest

Festnetz *Telefon*: fixed line network

Festplatte *Computer*: hard disk

Festplattenlaufwerk *Computer*: hard disk drive

Festpreis fixed price

Festrede (ceremonial) address [ǝˈdres, *AE* ˈædres]

Festredner(in) (main) speaker

festschrauben screw on (*bzw.* down)

festsetzen 1. arrange, *bes. BE* fix, *AE* set (*Zeit, Ort usw.*) (**auf** for) **2.** fix (*Gehalt, Preis, Strafe*) (**auf** at) **3. sich festsetzen** (*Schmutz usw.*) settle

Festspeicher *Computer*: read-only memory (*Abk.* ROM)

Festspiel 1. festival performance **2. Festspiele** festival (△ *Sg.*)

feststecken 1. *im Schnee usw.*: be* stuck **2. etwas feststecken an** pin something (on)to

feststehen 1. der Termin *usw.* **steht fest** the date *usw.* is fixed (*AE* set) **2. eins steht fest …** one thing's for certain …

feststehend *Tatsache*: established

feststellen 1. (≈ *ermitteln*) find* out, discover [dɪˈskʌvǝ] **2.** establish (*Sachverhalt usw.*) **3.** locate (*Lage, Fehler*) **4.** (≈ *erkennen*) realize, see* **5.** (≈ *bemerken*) notice

Feststellung 1. (≈ *Entdeckung*) discovery **2.** (≈ *Worte*) statement, remark

Feststoffrakete solid fuel rocket [ˌsɒlɪd ˈfjuːǝlˈrɒkɪt]

Festtag 1. holiday [ˈhɒlǝdeɪ] **2.** *kirchlich*: religious holiday [rɪˌlɪdʒǝsˈhɒlǝdeɪ] **3.** *im Kalender*: red-letter day [ˌredˈletǝ ˌdeɪ]

festtreten 1. tread* (△ tred) down **2. das tritt sich fest** *humorvoll* it's good for the carpet

Festung fortress [ˈfɔːtrǝs], *kleinere*: fort [fɔːt]

Festungsanlagen fortifications

Festveranstaltung 1. event, festivities (△ *Pl.*) **2.** (≈ *Gala*) gala [ˈɡɑːlǝ] performance

festwachsen: festwachsen an grow* on-

to
Festzelt marquee [mɑːˈkiː]
festziehen tighten [ˈtaɪtn], pull tight
Festzug procession
Fete party, *umg.* do; *eine Fete feiern*
have* a party (*oder* do)
Fetischismus fetishism [ˈfetɪʃɪzm]
Fetischist(in) fetishist [ˈfetɪʃɪst]
fett 1. (≈ *dick*) fat 2. *Speisen:* fatty, *ölig:*
greasy [ˈgriːsɪ] 3. *Milch usw.:* rich 4. *sa-
lopp; Party, Fete usw.:* fab, cool 5. *fett es-
sen* eat* a lot of fatty food(s) 6. *fett ge-
druckt* bold-faced, in bold type 7. *fette
Beute machen* make* a big haul 8. *fette
Jahre* fat years
Fett 1. fat 2. (≈ *Schmalz*) lard 3. (≈ *Bra-
tenfett*) dripping 4. *Fett ansetzen* put*
on (*oder* gain) weight [weɪt]
fettarm: *eine fettarme Kost* a low-fat diet
[ˈdaɪət]
fetten 1. (≈ *mit Fett einreiben*) grease
[griːs] 2. lubricate [ˈluːbrɪkeɪt] (*Maschi-
ne usw.*)
Fettfleck grease [griːs] mark, grease spot
fetthaltig containing fat (△ *nur hinter
dem Subst.*), fatty
fettig fatty, *schmierig:* greasy [ˈgriːsɪ]
Fettnäpfchen: *da bist du ins Fettnäpf-
chen getreten* you've put your foot in it
fettreich 1. fatty, rich 2. *eine fettreiche
Kost* a high-fat diet [ˈdaɪət]
Fettsau *salopp* fat slob
Fettschicht layer of fat
Fettstift *für die Lippen:* chapstick
Fetus *biologisch:* foetus [ˈfiːtəs], fetus
[ˈfiːtəs]
Fetzen 1. (≈ *Papierfetzen*) scrap 2. (≈
Stofffetzen) rag
fetzen 1. *in Stücke fetzen* tear* [teə] to
shreds 2. *das fetzt!* it's brilliant [ˈbrɪl-
jənt], *AE* it's awesome 3. *... dass es
nur so fetzt* ... like crazy
feucht 1. *Gras, Keller, Kleidung, Tuch,
Wetter usw.:* damp 2. *Augen, Lippen,
Haut usw.:* moist; *er hatte feuchte Au-
gen* his eyes were moist 3. *Luft, Klima:*
humid [ˈhjuːmɪd] 4. (≈ *nass*) wet
Feuchtigkeit 1. damp(ness), moisture 2.
(≈ *Luftfeuchtigkeit*) humidity [hjuː-
ˈmɪdətɪ]
Feuchtigkeitscreme moisturizing cream
[ˈmɔɪstʃəraɪzɪŋˌkriːm], moisturizer
feudal 1. *historisch:* feudal [ˈfjuːdl] 2.
umg. (≈ *luxuriös*) classy, posh
Feudalherrschaft feudalism [ˈfjuːdlɪzm]
Feuer 1. *allg.:* fire 2. *jemandem Feuer
geben* give* someone a light; *hast du
Feuer? für Zigarette usw.:* have you got a
light? 3. *mit dem Feuer spielen* play
with fire (△ *ohne* the)

Feuer... *in Zusammensetzungen:* fire ...,
fire-..., fire-...; *Feueralarm* fire alarm;
Feuergefahr fire risk; *Feuerleiter* fire
ladder, (≈ *Nottreppe*) fire escape; *Feuer-
löscher* fire extinguisher [ɪkˈstɪŋgwɪʃə];
Feuermelder fire alarm; *Feuerschlu-
cker* fire-eater; *Feuerwehr* fire brigade,
AE fire department; *Feuerwehrauto* fire
engine, *AE* fire truck; *Feuerwehrfrau*
firewoman; *Feuerwehrleute* fire fight-
ers; *Feuerwehrmann* fireman, fire fight-
er; *Feuerwerk* fireworks (△ *Pl.*)
Feuerbestattung cremation [krɪˈmeɪʃn]
feuerfest   fireproof,   fire-resistant
[ˈfaɪəˌrɪˌzɪstənt]
feuern 1. (≈ *schießen*) fire (*auf* at) 2. (≈
schleudern) fling* 3. (≈ *entlassen*) fire; *er
wurde gefeuert* he was fired, he got the
sack
Feuerzeug (cigarette [ˌsɪgəˈret]) lighter
Feuilleton 1. (≈ *Zeitungsteil*) feature
(*oder* arts) pages (△ *Pl.*) 2. (≈ *Artikel*)
feature (article)
feurig *übertragen allg.:* fiery [ˈfaɪrɪ]
Fez 1. *Fez machen* fool around 2. *aus
Fez* for kicks
Fiaker 1. cab 2. (≈ *Kutscher*) coachman
[ˈkəʊtʃmən]
Fiasko fiasco [fɪˈæskəʊ]; *mit einem Fias-
ko enden* end in fiasco (△ *ohne* a)
Fibel primer [ˈpraɪmə]
Fichte spruce [spruːs], *umg. mst.* pine
(tree) *oder* fir tree
Fichtennadel pine needle
ficken *vulgär* fuck, screw
Fieber 1. fever [ˈfiːvə] (*auch übertragen*)
2. *sie hat leichtes* (*bzw.* hohes) *Fieber*
she's got a slight (*bzw.* a high) tempera-
ture
fieberhaft feverish [ˈfiːvərɪʃ]
Fieberthermometer (clinical) thermome-
ter [θəˈmɒmɪtə], *AE* (fever) thermome-
ter
fies nasty [ˈnɑːstɪ], horrible [ˈhɒrəbl]
Fiesling *salopp* swine, bastard [ˈbɑːstəd]
fifty-fifty 1. *machen wir fifty-fifty* let's go
fifty-fifty 2. *es steht fifty-fifty* it's fifty-
-fifty
Figur 1. *allg.:* figure [ˈfɪgə] 2. *im Buch,
Film usw.:* figure, character [ˈkærəktə] 3.
Schach: piece
Fiktion 1. (≈ *Einbildung*) myth [mɪθ] 2.
(≈ *Erfindung*) fiction (*auch literarische*)
fiktiv fictitious [fɪkˈtɪʃəs]
Filet *Fleisch, Fisch:* fillet [ˈfɪlɪt], *AE* filet
[fɪˈleɪ]
Filetsteak fillet [ˈfɪlɪt] steak, *AE* filet [fɪ-
ˈleɪ]
Filiale (≈ *Niederlassung*) branch [brɑːntʃ]
(office), subsidiary [səbˈsɪdɪərɪ]

Filialleiter(in) branch manager
Film 1. *Fotografie*: film **2.** *Kino*, *TV*: film, *bes. AE* movie ['muːvɪ] **3.** *einen Film drehen über* make* a film about **4.** *sie ist beim Film als Schauspielerin*: she's a film (*AE* movie) actress **5.** (≈ *Häutchen*, *Überzug*) film
Film... *in Zusammensetzungen*: film ..., screen ..., *bes. AE auch* movie ['muːvɪ] ...; *Filmausschnitt* film clip; *Filmbericht* film report; *Filmemacher(in)* film--maker, *AE* moviemaker; *Filmfestspiele* film festival (△ *Sg.*); *Filmkritik* film review; *Filmmusik* film music; *Filmpreis* film (*oder* screen, *AE auch* movie) award; *Filmproduktion* film production; *Filmregisseur(in)* film (*bes. AE auch* movie) director; *Filmrolle* film part, film role; *Filmschauspieler* film (*oder* screen, *bes. AE auch* movie) actor; *Filmschauspielerin* film (*oder* screen, *bes. AE auch* movie) actress; *Filmstar* film (*bes. AE auch* movie) star; *Filmstudio* film studio, film studios (*Pl.*); *Filmzeitschrift* film (*AE auch* movie) magazine [ˌmægə'ziːn]
Filmaufnahme 1. (≈ *Vorgang*) shooting; *Filmaufnahmen* shooting (△ *Sg.*) **2.** (≈ *Einzelszene*) shot, take
filmen film, shoot (*Szene*, *Vorgang usw.*)
Filmgesellschaft film (*AE* motion picture) company ['kʌmpənɪ]
Filmindustrie film (*AE* motion picture) industry
Filmkamera cine-camera ['sɪnɪˌkæmərə], *AE* motion-picture camera
Filter filter
Filterpapier filter paper
Filterzigarette filter(-tipped) cigarette
Filz 1. felt **2.** (≈ *Korruption*) sleaze
filzen 1. (*Wolle*) felt **2.** (≈ *durchsuchen*) frisk
Filzschreiber, Filzstift felt pen, felt tip, felt-tip pen
Finale 1. *Sport*: final ['faɪnl], final round, finals (*Pl.*) **2.** *Musik und übertragen*: finale [fɪ'nɑːlɪ]
Finanzamt 1. *Gebäude*: tax office **2.** *Behörde*: Inland Revenue [ˌɪnlənd-'revənjuː], *AE* Internal Revenue
Finanzen finances ['faɪnænsɪz] **2.** (≈ *Geld*) money ['mʌnɪ] (△ *Sg.*), funds
finanziell 1. financial [faɪ'nænʃl] **2.** *in finanzieller Hinsicht* financially
finanzieren 1. finance [faɪ'næns, 'faɪnæns] **2.** sponsor (*Veranstaltungen*)
Finanzlage financial situation
Finanzminister(in) 1. minister ['mɪnɪstə] of finance ['faɪnæns], finance minister **2.** *in GB*: Chancellor of the Exchequer **3.**

in den USA: Secretary of the Treasury ['treʒərɪ]
Finanzministerium 1. ministry ['mɪnɪstrɪ] of finance ['faɪnæns], finance ministry **2.** *in GB*: Treasury ['treʒərɪ] **3.** *in den USA*: Treasury Department
Finanzpolitik financial (*oder* fiscal ['fɪskl]) policy ['pɒləsɪ]
finden 1. *allg.*: find* **2.** (≈ *entdecken*) find*, discover [dɪ'skʌvə] **3.** *zufällig*: find*, come* across **4.** *ich finde es gut* I like it, I think it's a good idea **5.** *ich finde es schlecht* I don't like it, I don't think it's a good idea **6.** *ich finde, dass ...* I think (that) ..., I feel (that) ... **7.** *findest du nicht?* don't you think so? **8.** *wie findest du das Buch?* how do you like the book?, what do you think of the book? **9.** *ich kann nichts dabei finden* I don't see any harm in it **10.** *es fanden sich nur wenige Freiwillige* there were only a few volunteers [ˌvɒlən'tɪəz]
Finder(in) finder
Finderlohn finder's reward
findig clever
Finger 1. finger ['fɪŋə] **2.** *mit dem Finger auf jemanden zeigen* point at (*oder* to) someone **3.** *sie hat sich in den Finger geschnitten* she('s) cut her finger **4.** *Wendungen*: *lass die Finger davon!* *übertragen* keep your hands off!, don't you get involved!; *er macht keinen Finger krumm* he doesn't lift a finger; *er hat seine Finger im Spiel* he's got a hand in it
Fingerabdruck fingerprint; *die Polizei hat von ihm Fingerabdrücke genommen* the police have taken his fingerprints
Fingerfertigkeit dexterity [dek'sterətɪ]
Fingerhut thimble ['θɪmbl]
Fingernagel fingernail ['fɪŋgəneɪl]
Fingerspitze fingertip ['fɪŋgətɪp]
Fingerspitzengefühl instinct ['ɪnstɪŋkt], (≈ *Takt*) tact
fingiert 1. fake ..., faked **2.** (≈ *erfunden*) made-up, fictitious [fɪk'tɪʃəs]
Fink 1. *Vogel*: finch [fɪntʃ] **2.** ⊕ (≈ *Taugenichts*) rogue [rəʊg], good-for-nothing **3.** ⊕ (≈ *Schmutzfink*, *Schmierfink*) mucky pup
Finne Finn; *er ist Finne* he's Finnish; ☞ *Nationalitäten*
Finnin Finnish woman (*oder* lady *bzw.* girl); *sie ist Finnin* she's Finnish; ☞ *Nationalitäten*
finnisch, Finnisch Finnish
Finnland Finland ['fɪnlənd] (△ *nur ein* n)
finster 1. (≈ *dunkel*) dark; *es wird finster* it's getting dark; *im Finstern* in the dark

2. (≈ *trübe*) gloomy **3.** *übertragen* gloomy, dark **4.** *Miene*: (≈ *grimmig*) grim

Finsternis darkness

Firlefanz 1. (≈ *unnützer Kram*) rubbish **2.** (≈ *Unsinn*) nonsense

firm: *er ist darin (wirklich) firm* he's (really) well up in it, he's (really) good at it

Firma firm, company [△ 'kʌmpənɪ]

Firmenchef head of the company ['kʌmpənɪ] (*oder* firm)

Firmenleitung management ['mænɪdʒmənt]

Firmenwagen company car [△ ˌkʌmpənɪ'kɑː]

Fisch¹ 1. *Tier*: fish *Pl. mst.*: fish; *in diesem Teich leben 'ne Menge Fische* a lot of fish (△ *Pl.*) live in this pond **2.** *Essen*: fish **3.** *Wendungen*: *kleine Fische* (≈ *Kleinigkeiten*) peanuts; *weder Fisch noch Fleisch* neither fish nor fowl [faʊl]

Fisch

Der übliche Plural von **fish** lautet **fish**. Die Form **fishes** wird hauptsächlich dann gebraucht, wenn verschiedene Fischarten gemeint sind.

Fisch²: *Fische Sternzeichen*: Pisces [△ 'paɪsiːz]; *sie ist (ein) Fisch* she's (a) Pisces

Fisch... *in Zusammensetzungen*: fish..., fish ...; *Fischfilet* fish fillet ['fɪlɪt]; *Fischgericht* fish (dish); *Fischgeschäft* fishmonger('s) ['fɪʃˌmʌŋɡə(z)], *AE* fish dealer; *Fischgräte* fishbone; *Fischhändler* fishmonger, *AE* fish dealer; *Fischmarkt* fish market; *Fischmesser* fish knife [naɪf]; *Fischrestaurant* ['fɪʃˌrestərɒnt] fish restaurant; *Fischstäbchen* fish finger, *AE* fish stick; *Fischsterben* fish kill; *Fischsuppe* fish soup; *Fischvergiftung* fish poisoning; *Fischzucht* fish farming

fischen 1. *fischen nach* fish for (*auch übertragen*) **2.** *im Trüben fischen* *übertragen* fish in troubled waters

Fischen fishing

Fischer fisherman ['fɪʃəmən]

Fischer... *in Zusammensetzungen*: fishing ...; *Fischerboot* fishing boat; *Fischerdorf* fishing village; *Fischernetz* fishing net

Fischerei *Gewerbe*: fishing industry

Fischereihafen fishing port

Fischfang fishing

Fischgeruch fishy smell, smell of fish

Fisolen *Pl.* Ⓐ French beans, runner beans, string beans

fit 1. fit **2.** *sie ist fit in Mathe usw.* she's good at maths *usw.*

Fitness (physical) fitness [(ˌfɪzɪkl)'fɪtnəs]

Fitnesscenter fitness centre, gym [dʒɪm]

Fitnesslehrer(in) fitness instructor

Fitnesstraining: *Fitnesstraining machen* work out in the gym [dʒɪm]

fix 1. (≈ *schnell*) quick (*in* at) **2.** (≈ *gewandt*) smart, sharp **3.** *fixe Idee* obsession

fixen 1. shoot*, *gewohnheitsmäßig*: mainline **2.** *er fixt* he's a junkie

Fixer(in) junkie, mainliner

Fixerraum, Fixerstube junkies' centre

fixieren 1. focus ['fəʊkəs] on (*einen Punkt usw.*) **2.** *schriftlich fixieren* put* down in writing **3.** *sich fixieren auf* *psychisch*: fixate ['fɪkˈseɪt] on

FKK-Strand nudist ['njuːdɪst] beach

flach 1. flat **2.** (≈ *eben*) flat, level, even **3.** *Gewässer*: shallow **4.** (≈ *niedrig*) low **5.** *sich flach hinlegen* lie* down flat

Flachbildschirm flat screen

Fläche 1. (≈ *Oberfläche*) surface ['sɜːfɪs] **2.** (≈ *Ebene*) plain (*auch mathematisch*) **3.** (≈ *Gebiet*) area ['eərɪə]

Flachland plain, lowland ['ləʊlənd]

flachliegen: *er liegt seit einer Woche flach* *im Bett*: he's been laid up (in bed) for a week

Flachs *Pflanze*: flax

flackern *allg.*: flicker

Flackern *allg.*: flicker(ing)

Fladen(brot) flat bread, flat loaf *Pl.*: loaves

Flädlisuppe Ⓒ (≈ *Pfannkuchensuppe*) pancake soup

Flagge 1. *die Flagge hissen* (*oder aufziehen*) hoist the flag **2.** *die Flagge einholen* lower ['ləʊə] the flag **3.** *die britische Flagge* *allg.*: the British flag, *Eigenname*: the Union Jack **4.** *die amerikanische Flagge* *allg.*: the American flag, *Eigenname*: the Stars and Stripes **5.** *Flagge zeigen* make* a stand

Flair 1. (≈ *Ausstrahlung*) aura ['ɔːrə] **2.** (≈ *Atmosphäre*) atmosphere ['ætməsfɪə] **3.** (≈ *Reiz*) charm [tʃɑːm]

flambieren *Kochkunst*: flambé ['flɒmbeɪ]

flambiert *Kochkunst*: flambé(ed) ['flɒmbeɪ(d)]; *flambierte Banane(n)* banana(s) flambé(s), flambéed banana(s)

Flamingo flamingo [fləˈmɪŋɡəʊ]

Flamme 1. flame (*auch übertragen*) **2.** *in Flammen aufgehen* go* up in flames

Flanke 1. *allg.*: flank **2.** (≈ *Seite*) side **3.** *Fußball*: side, wing, (≈ *Flankenball*) cross

flanken *Fußball*: cross the ball

flapsig boorish ['bʊərɪʃ], uncouth

[△ ʌn'kuːθ]

Flasche 1. *allg.*: bottle; *eine Flasche Wein usw.* a bottle <u>of</u> wine *usw.* **2. in Flaschen füllen** bottle **3.** (≈ *Nichtskönner*) twerp
Flaschenbier bottled beer
Flaschenhals neck of the bottle
Flaschenöffner bottle opener
Flaschenpfand deposit on bottles
Flaschenzug (block and) tackle, pulley [△ 'pʊlɪ]
flattern 1. *allg.*: flutter, flap; *der Vogel flatterte (mit den Flügeln)* ... the bird flapped <u>its</u> wings ... **2.** (*Räder*) wobble
Flattersatz *Geschriebenes, linksbündig*: ragged right [△ ˌrægɪd'raɪt]
flau 1. (≈ *unwohl*) queasy; *mir ist (oder wird) ganz flau (im Magen)* I feel queasy **2.** (≈ *schwach*) weak, faint
Flausen 1. (≈ *Unsinn*) nonsense (△ *Sg.*); *er hat nur Flausen im Kopf* he's got nothing but nonsense in his head **2.** (≈ *Illusionen*) silly ideas
Flaute *Wirtschaft*: slack period, *umg.* lull
Flechte 1. *Pflanze*: lichen [△ 'laɪkən] **2.** (≈ *Hautausschlag*) eczema [△ 'eksɪmə]
flechten 1. plait [plæt] (*Haar*) **2.** bind* (*Kranz*) **3.** weave* [wiːv]
Fleck 1. (≈ *Schmutzfleck*) spot **2.** *bes. von Flüssigkeiten*: spot, stain **3.** (≈ *kleine Fläche*) patch **4. blauer Fleck** bruise [bruːz] **5.** (≈ *Stelle*) spot, place; *ein schöner Fleck* a nice (little) spot

Fleckenentferner stain remover
fleckenlos spotless (*auch übertragen*)
fleckig 1. spotted **2.** *Haut*: blotchy **3.** (≈ *schmutzig*) spotted, stained
Fledermaus bat
Flegel (≈ *Lümmel*) lout [laʊt]
flegelhaft loutish ['laʊtɪʃ]
Flegeljahre: er ist in den Flegeljahren he's <u>at</u> an awkward ['ɔːkwəd] age
flehen 1. beg (*um* for); *bei jemandem um Hilfe flehen* implore (*oder* beg) someone to help **2. zu Gott flehen** pray to God
Fleisch 1. *zum Verzehr*: meat **2.** *am Körper*: flesh **3.** (≈ *Fruchtfleisch*) flesh **4. Fleisch fressend → fleischfressend 5. das ist ihr in Fleisch und Blut übergegangen** it's become second nature to her
Fleischbrühe consommé [kɒn'sɒmeɪ]
Fleischer butcher [△ 'bʊtʃə]
Fleischerei, Fleischerladen butcher's [△ 'bʊtʃəz] (shop)
fleischfressend carnivorous [△ kɑː-'nɪvərəs]
Fleischgericht meat dish
Fleischhauer(in) ⓐ butcher [△ 'bʊtʃə]
Fleischkonserven canned meat, *BE auch* tinned meat
Fleischlaiberl ⓐ hamburger, burger
fleischlos: (eine) fleischlose Kost <u>a</u> vegetarian diet [ˌvedʒə'teərɪənˌdaɪət], vegetarian food (△ *ohne* a)
Fleischvergiftung meat poisoning

Fleischsorten

Im Englischen werden etliche Fleischsorten anders benannt, als es der Tiername vermuten lässt. Hier die wichtigsten:

Tier	**animal**	Fleisch	**meat**
Kuh, Rind	**cow**	Rindfleisch	**beef**
Kalb	**calf** [kɑːf]	Kalbfleisch	**veal**
Schwein	**pig**	Schweinefleisch	**pork**
		Schinken	**ham**
		Frühstücksspeck	**bacon** ['beɪkən]
Schaf	**sheep**	Hammelfleisch	**mutton**
Lamm	**lamb** [læm]	Lammfleisch	**lamb**
Reh, Hirsch	**deer**	Reh(fleisch), Hirsch(fleisch)	**venison** ['venɪsən]

Bei Geflügel ist es viel einfacher. Da verwendest du wie im Deutschen einfach den Tiernamen:

Tier	**animal**	Fleisch	**meat**
Huhn	**chicken**	Hühnerfleisch	**chicken**
Pute	**turkey**	Putenfleisch	**turkey**
Ente	**duck**	Entenfleisch	**duck**
Fasan	**pheasant** ['feznt]	Fasanenfleisch	**pheasant** ['feznt]

Fleischwaren meat products

Fleischwolf mincer, *AE* grinder ['graɪndə]

Fleischwunde flesh wound [wuːnd]

Fleiß 1. diligence ['dɪlɪdʒəns] **2.** (≈ *Mühe*) effort ['efət], hard work (*beide auch Schule*) **3.** *ohne Fleiß kein Preis* no gain without pain

Fleißarbeit hard work

fleißig 1. diligent ['dɪlɪdʒənt], hard-working; *fleißig arbeiten* work hard (△ *engl.* hardly = *kaum*) **2.** (≈ *emsig*) busy

flennen bawl [bɔːl]

flexibel 1. flexible ['fleksəbl] **2.** *flexible Arbeitszeit* flexitime, flexible working hours (△ *Pl.*)

Flexibilität flexibility

Flexion *Grammatik*: inflection

flicken 1. mend **2.** *übertragen* patch up

Flicken patch

Flickflack *Sport*: backflip

Flickwerk *übertragen* patch-up job

Flickzeug *zum Reifenflicken*: repair kit

Flieder *Pflanze, Farbe*: lilac ['laɪlək]

Fliege 1. fly **2.** ↔ *Krawatte*: bow tie [ˌbəʊ-'taɪ] **3.** *Wendungen*: *er tut keiner Fliege was zuleide* he wouldn't hurt a fly; *zwei Fliegen mit einer Klappe schlagen* kill two birds with one stone

fliegen 1. *allg.*: fly* **2.** *mit dem Flugzeug*: fly*, go* by air **3.** *wie lange fliegt man nach New York?* how long is the flight to New York? **4.** (≈ *fallen*) fall* (*von* off, from) **5.** *sie ist von der Schule geflogen* she was thrown out of school **6.** *fliegen auf* *übertragen* really go* for

Fliegen flying

fliegend 1. *allg.*: flying **2.** *fliegendes Personal* flight crew

Fliegengewicht *Boxen*: flyweight ['flaɪweɪt]

Fliegenpilz fly agaric [△ 'flaɪˌægərɪk]

Flieger *umg.* (≈ *Flugzeug*) plane

Flieger(in) (≈ *Pilot, -in*) pilot

Fliegeralarm air-raid warning

fliehen 1. run* away, flee* (*beide vor, aus* from) **2.** *aus dem Gefängnis usw.*: escape [ɪ'skeɪp] (*aus* from)

Fliese tile

Fliesenleger(in) tiler

Fließband 1. *als Einrichtung*: assembly line, production line; *am Fließband arbeiten* work on the assembly (*oder* production) line **2.** (≈ *Förderband*) conveyor belt

Fließbandfertigung assembly-line production

Fließheck *Auto*: fastback

Fließtext *Computer*: continuous text

fließen 1. *allg.*: flow (*auch übertragen*) **2.** (*Fluss, Wasser, Schweiß, Blut usw.*) flow, run* (*in* into)

fließend 1. *in fließendem Englisch* in fluent English **2.** *sie spricht fließend Deutsch* she speaks fluent German (*oder* German fluently) **3.** *fließend(es) Wasser* running water

Fließheck fastback

flimmern 1. shimmer **2.** (*Sterne*) twinkle

flink (≈ *schnell*) quick

Flinte 1. *umg., allg.*: gun **2.** (≈ *Schrotflinte*) shotgun **3.** *wirf die Flinte nicht ins Korn!* don't give up, don't throw in the towel

Flipchart *für Präsentationen*: flip chart

Flipper(automat) pinball machine (△ *engl.* flipper = *Flosse*)

flippern play pinball

Flirt flirtation (△ *engl.* flirt = *Person, die gern flirtet*)

flirten flirt; *er flirtet dauernd* he's a terrible flirt

Flitterwochen: *sie sind in den Flitterwochen* they're on their honeymoon

flitzen *umg.* whizz, dash

Flocke *allg.*: flake

flockig fluffy

Floh flea [fliː]

Flohmarkt flea market

Flop flop; *sich als Flop erweisen* turn out (to be) a flop

Floppy *Computer*: floppy (disk)

Flora flora ['flɔːrə]; *Flora und Fauna* flora and fauna ['fɔːnə]

Florenz Florence ['flɒrəns]

Florett foil

florieren flourish [△ 'flʌrɪʃ], prosper ['prɒspə]

florierend: *ein florierendes Geschäft* a flourishing ['flʌrɪʃɪŋ] business

Florist(in) florist ['flɒrɪst]

Floskel 1. *bedeutungslos*: meaningless phrase **2.** (≈ *feste Fügung*) set phrase

Floß raft [rɑːft]

Flosse 1. fin **2.** *Wal, Seelöwe usw.*: flipper

Flöte 1. flute [fluːt]; *Flöte spielen* play the flute **2.** (≈ *Blockflöte*) recorder

flott 1. (≈ *schnell*) fast **2.** (≈ *schwungvoll*) lively ['laɪvlɪ] **3.** (≈ *schick*) smart

flottbekommen: *ein Auto wieder flottbekommen* get* a car going (*oder* up and running) again

Flotte fleet

Flottenstützpunkt naval base [ˌneɪvl-'beɪs]

flottmachen: *ein Auto wieder flottmachen* get* a car going (*oder* up and running) again

Fluch curse [kɜːs]

fluchen: *fluchen* (*auf*) curse [kɜːs]

Flucht 1. flight (*vor* from) **2.** *eines Gefangenen*: escape [ɪ'skeɪp] **3.** *auf der Flucht* on the run

fluchtartig 1. hasty ['heɪstɪ], hurried ['hʌrɪd] **2.** *einen Ort fluchtartig verlassen* leave* a place in a hurry

Fluchtauto getaway car

flüchten 1. flee* (*vor* from) **2.** (*Gefangener*) escape [ɪ'skeɪp] (*auch übertragen*) **3.** *sich flüchten* flee* **4.** *sich in etwas flüchten* übertragen resort [rɪ'zɔːt] to something

Fluchthelfer(in) escape agent [ɪ'skeɪp-,eɪdʒənt]

flüchtig 1. (≈ *kurz*) brief **2.** *ich kenne ihn nur flüchtig* I vaguely ['veɪɡlɪ] know him

Flüchtigkeitsfehler careless mistake, slip

Flüchtling refugee [,refjʊ'dʒiː]

Flüchtlingslager refugee [,refjʊ'dʒiː] camp

Fluchtversuch escape [ɪ'skeɪp] (*oder* breakout) attempt; *einen Fluchtversuch unternehmen* attempt to escape (*oder* break out)

Fluchtwagen getaway car

Fluchtweg escape route [ɪ'skeɪp_ruːt]

Flug 1. flight **2.** (*wie*) *im Flug(e)* (≈ *schnell*) very quickly

Flugangst fear of flying

Flugbegleiter(in) flight attendant

Flugblatt leaflet ['liːflət]

Flugdauer flying time

Flügel¹ 1. *zum Fliegen*: wing **2.** *des Propellers, Ventilators*: blade **3.** *Gebäude*: wing

Flügel² (≈ *Klavier*) grand piano [pɪ'ænəʊ]

Fluggast (air) passenger ['pæsɪndʒə]

Fluggesellschaft airline (company)

Flughafen airport; ☞ *Illu S. 982*

Flughafenbus airport bus

Flughafengebäude (air) terminal

Fluglärm aircraft noise

Fluglehrer(in) flying instructor

Fluglotse, Fluglotsin air traffic controller

Flugnummer flight number

Flugobjekt: *unbekanntes Flugobjekt* unidentified flying object, UFO [⚠ ,juːef-'əʊ, 'juːfəʊ]

Flugplatz airfield, *großer*: airport

Flugschau air show

Flugschreiber flight recorder, black box

Flugsicherheit air safety

Flugsicherung air-traffic control

Flugsteig gate

Flugstrecke 1. (air) route [ruːt] **2.** *zurückgelegte*: distance flown [,dɪstəns'fləʊn]

Flugticket (*oder* flight) ticket

Flugüberwachung air traffic control

Flugverbindung air (*oder* flight) connection, air link; *gibt es eine Flugverbindung?* can you fly there?

Flugverbot ban on flying

Flugverbotszone no-fly zone [,nəʊflaɪ-'zəʊn]

Flugverkehr air traffic

Flugzeit flying time

Flugzeug plane, aircraft ['eəkrɑːft] *Pl.*: aircraft; *mit dem Flugzeug* by air, by plane

Flugzeugabsturz air crash, plane crash

Flugzeugbau aircraft construction

Flugzeugentführer hijacker ['haɪdʒækə]

Flugzeugentführung hijacking ['haɪdʒækɪŋ], *bes. AE auch* skyjacking ['skaɪdʒækɪŋ]

Flugzeughalle hangar [⚠ 'hæŋə]

Flugzeugindustrie aircraft industry [,eəkrɑːft'ɪndəstrɪ]

Flugzeugkatastrophe air(line) disaster

Flugzeugträger aircraft carrier ['eəkrɑːft-,kærɪə]

Flugzeugunglück air crash, plane crash, air(line) disaster [dɪ'zɑːstə]

Flugziel (flight) destination

Flunder flounder ['flaʊndə]

Fluor fluorine ['flʊəriːn]

Flur 1. (≈ *Hausflur*) hall **2.** (≈ *Gang*) corridor ['kɒrɪdɔː]; *auf dem Flur* in the corridor

Fluss 1. river **2.** *kleiner*: stream **3.** (≈ *das Fließen*) flow(ing) **4.** *im Fluss* übertragen in (a state of) flux

flussabwärts downstream

Am Flughafen

Ich möchte meinen Flug stornieren.	I'd like to cancel my flight.
Letzter Aufruf für Passagier …	Last call for passenger …
Ihr Flug wird in Kürze geschlossen.	The gate is about to be closed.
Die Passagiere des Fluges 6458 nach Edinburgh werden gebeten, sich zum Flugsteig/Ausgang sechs zu begeben.	Passengers for flight number 6458 to Edinburgh, please proceed to gate six.
Bitte halten Sie Ihre Bordkarten bereit!	Please have your boarding cards ready.

Flussarm arm of a (*bzw.* the) river

flussaufwärts upstream

Flussbett riverbed

flüssig 1. liquid **2.** (≈ *geschmolzen*) molten ['məʊltən], melted; **flüssig werden** melt **3.** *Stil usw.*: fluent ['fluːənt]

Flüssigkeit 1. liquid **2.** *sprachlich*: fluency

Flusslauf course [kɔːs] of a (*bzw.* the) river

Flussmündung mouth of a (*bzw.* the) river, estuary ['estjʊrɪ]

Flusspferd hippopotamus [ˌhɪpə-'pɒtəməs], *umg.* hippo ['hɪpəʊ] *Pl.*: hippopotamuses, hippopotami [ˌhɪpə-'pɒtəmaɪ], hippos

Flussufer riverbank; **am Flußufer** on the riverbank

flüstern whisper; **ich werd es dir ins Ohr flüstern** I'll whisper it in your ear

Flut 1. ↔ *Ebbe*: (high) tide **2.** (≈ *Wassermassen*) waters (△ *Pl.*) **3.** (≈ *Überschwemmung*) flood [flʌd] **4.** *von Tränen, von Protesten*: flood **5.** *von Worten*: torrent ['tɒrənt] **6. die Flut kommt** (*bzw.* **geht**) the tide is coming in (*bzw.* going out) **7. es ist Flut** the tide is in

fluten flood [flʌd] (*Schleuse, Tank usw.*)

Flutkatastrophe flood disaster ['flʌd_dɪ-ˌzɑːstə]

Flutlicht floodlight ['flʌdlaɪt]; **bei Flutlicht** under floodlight

Flutwelle tidal wave [ˌtaɪdl'weɪv]

Föderalismus federalism ['fedərəlɪzm]

Fohlen foal, (≈ *Hengstfohlen*) colt [kəʊlt]

Föhn 1. (≈ *Haarföhn*) hairdrier, hairdryer, *AE* blow-dryer **2. heute haben wir Föhn** it's foehn (*oder* föhn) today

föhnen blow-dry, dry

Fokus, fokussieren focus ['fəʊkəs] (△ *Vergangenheitsform*: focussed *oder bes. AE* focused)

Folge 1. (≈ *Aufeinanderfolge*) sequence, succession [sək'seʃn]; **in rascher Folge** in rapid succession **2.** (≈ *Reihenfolge*) order **3.** (≈ *Reihe, Serie*) series ['sɪərɪːz] **4.** (≈ *Fortsetzung eines Romans usw.*) instalment [ɪn'stɔːlmənt] **5.** (≈ *Fortsetzung einer Fernsehserie*) part **6.** (≈ *Ergebnis*) result [rɪ'zʌlt], consequence ['kɒnsɪkwəns]; **die Folgen tragen** bear* *oder* suffer the consequences; **ohne Folgen bleiben** have* no consequences; **zur Folge haben** result in, lead* to; **als Folge davon** as a result **7.** (≈ *logische Folge*) consequence **8.** (≈ *negative Nachwirkung*) aftermath [ɑːftəmæθ]

folgen 1. *allg.*: follow (*auch mit Blicken, auch zuhören, verstehen, sich richten nach*); **der Rede folgte ein Empfang** the speech was followed by a reception **2.**

ein Unglück folgte dem andern it was one disaster after the other **3. ... wie folgt ...** as follows **4. sie folgte seinem Rat** she followed (*oder* took) his advice **5. daraus folgt, dass ...** it follows (from this) that ...

folgende(r, -s) 1. following **2.** (≈ *später-*) subsequent ['sʌbsɪkwənt] **3.** (≈ *nächst-*) next; **am folgenden Tag** the next (*oder* following) day, the day after **4. es handelt sich um Folgendes** the matter is as follows, *umg.* what it's all about is this

folgendermaßen as follows

folgenschwer 1. (≈ *schwerwiegend*) momentous [məʊ'mentəs] **2.** (≈ *sehr ernst*) grave **3.** (≈ *weitreichend*) far-reaching

folgerichtig 1. logical **2.** (≈ *konsequent*) consistent [kən'sɪstənt] **3. folgerichtig denken** think* logically (*oder* along logical lines)

folgern conclude (**aus** from)

Folgerung conclusion; **eine Folgerung ziehen** draw* a conclusion (**aus** from)

folglich consequently ['kɒnsɪkwəntlɪ], therefore

Folie 1. *für Projektor*: transparency [træns'pærənsɪ] **2.** (≈ *Plastikfolie*) film **3.** (≈ *Metallfolie*) foil

Folienkartoffel jacket potato [ˌdʒækɪt_pə'teɪtəʊ], baked potato

Folter 1. torture (*auch übertragen*); **es war eine Folter** it was torture (△ *ohne* a) **2. jemanden auf die Folter spannen** keep* someone in suspense [sə'spens] (*oder* on tenterhooks)

foltern torture ['tɔːtʃə]

Folterung torture ['tɔːtʃə] (*auch übertragen*)

Fön → Föhn

Fonds 1. *Wirtschaft*: fund **2.** *zur Geldanlage*: investment package **3.** (≈ *Gelder*) funds (△ *Pl.*)

Fondue fondue ['fɒndjuː]

fönen → föhnen

Fontäne 1. (≈ *Strahl*) jet (of water) **2.** (≈ *Springbrunnen*) fountain ['faʊntɪn]

forcieren force (*Entwicklung, Tempo*)

Förderband conveyor belt [kən-'veɪə_belt]

fordern 1. von jemandem etwas fordern demand [dɪ'mɑːnd] something of someone **2. hunderte von Todesopfern usw. fordern** claim hundreds of lives *usw.* **3. er muss nur richtig gefordert werden** what he needs is a real challenge ['tʃæ-lɪndʒ]

fördern 1. support (*Kunst, Wisssenschaft, Entwicklung, Nachwuchs, Studierende usw.*) **2.** promote (*Handel, Projekt, Beziehungen*) **3.** (≈ *steigern*) increase [ɪn'kriːs]

(Wachstum, Produktion) **4.** help, provide remedial [rɪ'miːdɪəl] classes for, *bes. AE* tutor ['tjuːtə] *(Schüler)* **5.** *finanziell:* sponsor **6.** foster, promote *(Freundschaft, Frieden)* **7.** stimulate ['stɪmjʊleɪt] *(Appetit)* **8.** mine, extract *(Bodenschätze)*

Forderung 1. (≈ *Verlangen*) demand [dɪ-'maːnd] **(nach** for; **an** on); **Forderungen stellen** make* demands; **die Forderung stellen, dass** … demand *(oder* insist) that … **2.** (≈ *Lohnforderung*) claim **(nach** for) **3.** *in Aufrufen:* call **(nach** for)

Förderung 1. (≈ *Unterstützung*) support, promotion **2.** (≈ *Steigerung*) increase ['ɪŋkriːs] **3.** *finanzielle:* sponsorship **4.** *Bafög:* grant **5. zur Förderung des Appetits** to stimulate ['stɪmjʊleɪt] the appetite **6.** *von Bodenschätzen:* mining, extraction

Förderunterricht special instruction, remedial [rɪ'miːdɪəl] classes, *bes. AE* tutoring

Forelle trout [traʊt]

Form 1. *allg.:* form *(auch sprachliche, biologische, mathematische und physikalische)* **2.** (≈ *Gestalt, Umriss*) form, shape **3. aktive** *(bzw.* **passive) Form** active *(bzw.* passive) voice **4.** (≈ *Art und Weise*) way **5. in (guter) Form** in good form, *Sport auch:* in good shape *(oder* condition)

formal 1. formal **2. formal und inhaltlich** in form and content ['kɒntent]

Formalität formality

Format 1. (≈ *Größe*) size **2.** *von Foto, Buch usw.:* format ['fɔːmæt] **3. ein Musiker** *usw.* **von internationalem Format** a musician *usw.* of international standing

formatieren *Computer:* format ['fɔːmæt]

Formblatt form

Formel formula ['fɔːmjʊlə]

formell 1. formal **2. formell leitet sie das Projekt** officially she's in charge of the project ['prɒdʒekt]

formen form, shape

förmlich 1. (≈ *formell*) formal **2.** (≈ *buchstäblich*) literally **3. sie wurde förmlich hysterisch** she got really hysterical [hɪ-'sterɪkl]

formlos (≈ *zwanglos*) informal

Formsache: (eine reine) Formsache (just a) formality

formschön well-designed, very stylish

Formtief *Sport:* **er hat ein Formtief** he's off form

Formular form

formulieren 1. formulate *(Regel usw.)* **2. ich weiß nicht, wie ich es formulieren soll** I don't know how to put it

Formulierung formulation, wording

forsch energetic [,enə'dʒetɪk], dynamic [daɪ'næmɪk], *mst. negativ:* forceful

forschen 1. *wissenschaftlich:* do* research [rɪ'sɜːtʃ, 'riːsɜːtʃ] **(auf dem Gebiet** + *Gen.* on, in the field of) **2. forschen nach** search [sɜːtʃ] for

Forscher(in) 1. (≈ *Wissenschaftler*) researcher [rɪ'sɜːtʃə] **2.** (≈ *Naturwissenschaftler*) research scientist

Forschung 1. Forschung, Forschungen research [rɪ'sɜːtʃ, 'riːsɜːtʃ] work; **die Forschung** research (△ *ohne* the); **Forschungen betreiben** do* research (work) **2.** (≈ *Forscher*) researchers [rɪ-'sɜːtʃəz] (△ *Pl.*)

Forschungs… *in Zusammensetzungen:* research … [rɪ'sɜːtʃ, 'riːsɜːtʃ]; **Forschungsarbeit** research work; **For-**

	Bicycle	Fahrrad			
1	bell	Klingel	12	handlebars *(Pl.)*	Lenker
2	bicycle bag	Fahrradtasche	13	mountain bike	Mountainbike
3	bicycle helmet	(Fahrrad)Helm	14	pedal	Pedal
4	bicycle lock	Schloss	15	pump	Luftpumpe
5	carrier	Gepäckträger	16	racing bike	Rennrad
6	chain	Kette	17	rear light	Rücklicht
7	cycle path, *AE* bikepath	Radweg	18	reflector	Strahler
8	cycling shorts	Radhose	19	saddle	Sattel
9	dynamo ['daɪnəməʊ]	Dynamo	20	spoke(s)	Speiche(n)
10	front light	Vorderlicht	21	touring bike	Trekkingrad
11	gear lever, *AE* gear shift	Gangschaltung	22	tyre, *AE* tire	Reifen
			23	valve	Ventil
			24	water bottle	Trinkflasche

Bicycle

Car

schungsprogramm research programme; *Forschungsprojekt* research project; *Forschungssatellit* research satellite ['riːsɜːtʃˌsætəlaɪt]; *Forschungszentrum* research centre
Forschungsgebiet field of research
Förster(in) forester ['fɒrɪstə]
Forstwirtschaft forestry ['fɒrəstrɪ]
fort 1. (≈ *weg*) away; *weit fort* far away 2. (≈ *verschwunden*) gone [gɒn]; *das Auto ist fort* the car is (*oder* has) gone 3. *sie ist schon fort* (≈ *gegangen*) she's already gone, she's already left
fortbestehen continue [kən'tɪnjuː] (to exist), survive [sə'vaɪv]
fortbewegen 1. (≈ *wegbewegen*) move [muːv] (away) 2. *sich fortbewegen* move
Fortbildung continuing education; *berufliche Fortbildung* further (vocational) training
fortdürfen: *sie durfte nicht fort* she wasn't allowed to go
fortfahren leave*, go* away, *mit dem Auto auch*: drive* off, drive* away
fortführen 1. (≈ *fortsetzen*) continue [kən'tɪnjuː], go* on with 2. carry on (*Geschäft*)
fortgehen go* away, leave*
fortgeschritten advanced [əd'vɑːnst]; *Kurs für Fortgeschrittene* advanced course [əd'vɑːnstˌkɔːs]
Fortgeschrittenenkurs advanced course

[əd'vɑːnstˌkɔːs]

fortbewegen

Achte auf die unterschiedlichen Präpositionen:

mit dem Auto	**by car**
mit dem Bus	**by bus**
mit dem Zug	**by train**
mit der U-Bahn	**by underground**
mit dem Flugzeug	**by plane, by air**
mit dem Fahrrad	**by bicycle**

aber:

zu Fuß	**on foot**
zu Pferd	**on horseback**

fortkommen 1. get* away 2. *mach, dass du fortkommst!* get out of here
fortlaufen run* away (*jemandem* from someone; *vor jemandem* from someone)
fortmüssen 1. *ich muss fort* I've got to go, I must be off 2. *das muss fort* it's got to go
fortpflanzen: *sich fortpflanzen* multiply ['mʌltɪplaɪ], reproduce [ˌriːprə'djuːs]
Fortpflanzung reproduction [ˌriːprə'dʌkʃn]
fortschaffen remove [rɪ'muːv]
fortschreiten 1. progress [prə'gres] 2. (*Zeit*) march on [ˌmɑːtʃ'ɒn]
Fortschritt 1. progress ['prəʊgres], advances (△ *Pl.*) 2. *Fortschritte machen*

	Car	Auto			
1	accelerator, *AE* gas pedal	Gas(pedal)	12	headrest	Kopfstütze
2	aerial, *AE* antenna	Antenne	13	hubcap	Radkappe
3	bonnet, *AE* hood	Motorhaube	14	indicator, *AE* blinker	Blinker
4	boot, *AE* trunk	Kofferraum	15	rear light	Rücklicht
5	brake	Bremse, Bremspedal	16	rearview mirror	Rückspiegel
6	bumper	Stoßstange	17	roof	Dach
7	clutch	Kupplung, Kupplungspedal	18	seatbelt	Sicherheitsgurt
8	door	Tür	19	steering wheel	Lenkrad
9	gear lever, *AE* gear shift	Schalthebel	20	tyre, *AE* tire	Reifen
10	handbrake, *AE* emergency brake	Handbremse	21	windscreen (*AE* windshield) wiper	Scheibenwischer
11	headlight	Scheinwerfer	22	windscreen, *AE* windshield	Windschutzscheibe
			23	wing, *AE* fender	Kotflügel
			24	wing mirror, *AE* side mirror	Außenspiegel

make* progress (△ *Sg*.), get* on

fortschrittlich progressive [prəˈgresɪv]

fortsetzen (*sich*) **fortsetzen** continue [kənˈtɪnjuː]

Fortsetzung 1. (≈ *das Weitermachen*) continuation **2.** *nach Unterbrechung*: resumption **2.** (≈ *Folge*) part, instalment [ɪnˈstɔːlmənt] **3. *Fortsetzung folgt*** to be continued

forttragen carry away

fortwerfen throw* away

fortziehen (≈ *umziehen*) move [muːv] away

Forum 1. forum (*auch übertragen*) **2.** *für Diskussionen usw.*: platform **3.** (≈ *Podiumsgespräch*) panel [ˈpænl] discussion

fossil, Fossil fossil [ˈfɒsl]

Foto photo [ˈfəʊtəʊ]

Fotoalbum photo album

Fotoapparat camera [ˈkæmərə]

Fotoausrüstung photographic equipment

fotogen photogenic

Fotograf(in) photographer [fəˈtɒgrəfə] (△ *engl*. photograph = *Foto*)

Fotografie 1. *die Fotografie* photography (△ *ohne* the) [fəˈtɒgrəfɪ] **2.** (≈ *Bild*) photograph [ˈfəʊtəgrɑːf], picture

fotografieren 1. (≈ *ein Foto bzw. Fotos machen*) take* a photo (*bzw.* photos), take* a picture (*bzw.* pictures) **2. *jemanden fotografieren*** take* (*oder* get*) a photo *oder* picture of someone **3. *ich möchte mich fotografieren lassen*** I'd like to have my (*oder* a) *photo* (*oder* picture) taken

Fotokopie photocopy [ˈfəʊtəʊˌkɒpɪ]

fotokopieren photocopy [ˈfəʊtəʊˌkɒpɪ]

Fotokopierer photocopier [ˈfəʊtəʊˌkɒpɪə]

Fotolabor photo lab

Fotomodell (photographic) model [ˈmɒdl]

Fotomontage photomontage [ˌfəʊtəmɒnˈtɑːʒ]

Fotoreportage photo reportage [ˈfəʊtəʊˌrepɔːˌtɑːʒ]

fotzen: *jemanden fotzen* *bes*. Ⓐ (≈ *ohrfeigen*) give* someone a cuff on the ear

Foul foul

Foulelfmeter penalty [ˈpenltɪ] (kick)

foulen *Sport*: foul

Foyer 1. foyer [△ ˈfɔɪeɪ] (*auch im Theater usw.*) **2.** (≈ *Eingangshalle*) entrance hall, *bes. AE* lobby (*auch im Theater usw.*)

Fracht 1. (≈ *Ladung*) load, freight [△ freɪt] **2.** (≈ *Schiffsfracht*) cargo

Frachter freighter [△ ˈfreɪtə]

Frack tails (△ *Pl*.), tailcoat; *im Frack* in tails, in evening dress

Frage 1. *allg*.: question (*zu* about, on); *jemandem eine Frage stellen* ask someone a question; *ich habe mal eine Frage*

can I ask you something? **2.** (≈ *Rückfrage*) query [△ ˈkwɪərɪ] **3.** (≈ *Erkundigung*) inquiry, enquiry [ɪnˈkwaɪrɪ] **4.** (≈ *Angelegenheit*) matter, question; *das ist eine Frage der Zeit* that's a matter (*oder* question) of time **5.** (≈ *Problem*) problem [ˈprɒbləm], issue [ˈɪʃuː] **6. *in Frage kommen, stellen* → *infrage***

Fragebogen questionnaire [ˌkwestʃəˈneə]

Fragefürwort interrogative [ˌɪntəˈrɒgətɪv] (pronoun)

fragen 1. *allg*.: ask; (*jemanden*) *etwas fragen* ask (someone) a question; (*jemanden*) *fragen nach* ask (someone) for; *jemanden nach seinem Namen fragen* ask someone his (*bzw*. her) name; *jemanden nach dem Weg usw. fragen* ask someone the way *usw*.; *jemanden um Rat fragen* ask someone's advice; *wenn ich fragen darf* if I may ask **2.** (≈ *ausfragen*) question, query [ˈkwɪərɪ] **3.** (≈ *sich erkundigen*) inquire, enquire [ɪnˈkwaɪə] (*nach etwas* about something; *nach jemandem* after someone) **4. *ich wollte fragen, ob ...*** I was wondering if (*oder* whether) ..., I wanted to ask if (*oder* whether) ... **5. *sich fragen*** wonder [△ ˈwʌndə]; *ich frage mich, warum* I (just) wonder why **6. *es fragt sich, ob* (*bzw*. *wann usw*.)** it's a question of whether (*bzw*. when *usw*.), the question is whether (*bzw*. when *usw*.)

Fragesatz interrogative [ˌɪntəˈrɒgətɪv] sentence (*oder* clause)

Fragewort interrogative [ˌɪntəˈrɒgətɪv]

Fragezeichen 1. question mark **2. *etwas mit einem Fragezeichen versehen*** *übertragen* put* a (big) question mark behind something

fraglich 1. (≈ *zweifelhaft*) doubtful [ˈdaʊtfl] **2. *an dem fraglichen Tag*** on the day in question

Fragment fragment [ˈfrægmənt]

fragwürdig (≈ *verdächtig*) dubious [ˈdjuːbɪəs]

Fraktion *Parlament*: parliamentary party

Franken 1. *Land*: Franconia [frænˈkəʊnɪə] **2.** *Währung*: (Swiss) franc [fræŋk]

frankieren stamp (*Brief usw*.)

Frankreich France [frɑːns]

Franse 1. fringe [frɪndʒ] **2.** (≈ *loser Faden*) (loose [luːs]) thread [θred]

Franzose Frenchman [ˈfrentʃmən]; *er ist Franzose* he's French; *die Franzosen* the French; ☞ *Nationalitäten*

Französin Frenchwoman [ˈfrentʃˌwʊmən] (*oder* French lady *bzw*. French girl); *sie ist Französin* she's French; ☞ *Nationalitäten*

französisch, **Französisch** French [frɛntʃ]; *sie kann ausgezeichnet Französisch* she can speak perfect French
Fraß *abwertend* muck, swill
Fratze 1. (≈ *Grimasse*) grimace [grɪˈmeɪs, ˈgrɪməs]; *Fratzen schneiden* pull* faces **2.** *Gesicht:* ugly face, grotesque [grəʊˈtesk] face
Frau 1. ↔ *Mann:* woman [ˈwʊmən] *Pl.:* women [△ ˈwɪmɪn] **2.** (≈ *Dame*) lady *Pl.:* ladies **3.** (≈ *Ehefrau*) wife [waɪf] *Pl.:* wives [waɪvz] **4.** *Anrede bei verheirateter Frau:* Mrs, *AE* Mrs. [ˈmɪsɪz], Ms [mɪz], *Anrede bei unverheirateter Frau:* Ms [mɪz]; ☞ *Info unter* **Anrede und Titel**

Frau

Die neutrale Anrede für eine Frau, ohne einen Unterschied zwischen einer ledigen und einer verheirateten zu machen, ist das vorwiegend schriftlich verwendete **Ms** [mɪz]. Wenn bekannt ist, dass eine Frau verheiratet ist, sollte man **Mrs** verwenden, ansonsten ist **Ms** heutzutage die „politisch korrekte" Form.

In britischen Schulen ist es allerdings noch üblich, die Lehrerin, auch wenn sie verheiratet ist, mit **Miss** anzureden, z. B. **Please Miss, may I go to the toilet?** Es gilt hier als die weibliche Entsprechung von **Sir**. In amerikanischen Schulen werden Lehrerinnen mit ihrem Namen angesprochen, z. B. **Ms Smith**.

Frauenarzt, **Frauenärztin** gynaecologist [△ ˌgaɪnɪˈkɒlədʒɪst]
Frauenbeauftragte women's representative [△ ˌwɪmɪnzˌreprɪˈzentətɪv]
Frauenberuf female profession
Frauenbewegung: *die Frauenbewegung* women's [△ ˈwɪmɪnz] lib(eration) (△ *ohne* the), the women's lib(eration) movement
frauenfeindlich sexist [ˈseksɪst], chauvinistic [ˌʃəʊvəˈnɪstɪk]
Frauenfeindlichkeit sexism, male chauvinism [ˈʃəʊvənɪzm]
Frauenquote quota of women [△ ˈwɪmɪn]
Frauenrechte women's rights [△ ˌwɪmɪnzˈraɪts]
Frauenrechtlerin feminist [ˈfemənɪst]
Frauenzeitschrift women's magazine [△ ˌwɪmɪnzˈmægəˈziːn]
Fräulein 1. (≈ *junge Dame*) (young) lady **2.** *Anrede, veraltend:* Miss; ☞ *Info unter* **Anrede und Titel**
frech 1. cheeky, *bes. AE* fresh **2.** *er grins-* *te frech kurz:* he gave a cheeky grin, *länger:* he had a cheeky grin on his face
Frechheit: *so eine Frechheit!* what a cheek
frei 1. *allg.:* free; *frei von* free from *bzw.* of **2.** *Mensch, Leben, Entscheidung usw.:* (≈ *unabhängig*) free, independent **3.** (≈ *in Freiheit*) free **4.** *ein freier Tag* a day off; → *freibekommen, freihaben usw.* **5.** *Straße usw.:* clear **6.** (≈ *moralisch großzügig*) liberal [ˈlɪbrəl] **7.** (≈ *unentgeltlich*) free (of charge) **8.** *Journalist, Künstler usw.:* freelance [ˈfriːlɑːns] **9.** *Stuhl, Raum usw.:* free **10.** *Stelle:* vacant [ˈveɪkənt], open; *freie Stelle* vacancy [ˈveɪkənsɪ] **11.** „*Zimmer frei*" room(s) to let, *AE* room(s) for rent **12.** *freier Markt* open market **13.** *im Freien, unter freiem Himmel* in the open (air) **14.** *frei sprechen ohne Manuskript:* speak* without notes **15.** *das hat er frei erfunden* he('s) made that up **16.** *frei nach (einem Stück von) Shakespeare* freely adapted from the play by Shakespeare **17.** (*Angebot, Stelle*) *frei halten* keep* open, (*Ausfahrt, Einfahrt*) keep* clear; *halte bitte für mich einen Platz frei!* will you save me a seat, please **18.** *sich frei machen* (≈ *ausziehen*) undress [ʌnˈdres], get* undressed **19.** *die Wohnung usw. steht seit einem Jahr frei* the flat *usw.* has been empty (*oder* unoccupied [ʌnˈɒkjʊpaɪd]) for a year **20.** *zum Verkehr, zur Veröffentlichung frei geben* → *freigeben* **21.** *jemanden frei lassen* → *freilassen* **22.** (*Ruinen usw.*) *frei legen* → *freilegen*

Ist hier noch frei?

Während man im Deutschen im Zug oder auch im Kino fragt, ob der Platz, auf den man sich setzen möchte, noch frei ist, fragt man im Englischen, ob der Platz bereits besetzt ist. Die Frage könnte also lauten **Excuse me, is this seat taken?** oder auch **Is anybody sitting here?**. Wenn der Platz frei ist, antwortet man dementsprechend mit **no**, wenn er besetzt ist, mit **yes**.

Freibad outdoor swimming pool
freibekommen: *einen Tag* (*bzw.* *den Vormittag usw.*) *freibekommen* get* a day (*bzw.* the morning *usw.*) off
Freiberufler(in): *sie ist Freiberuflerin* she's (a) freelance [ˈfriːlɑːns]
freiberuflich freelance [ˈfriːlɑːns]; *freiberuflich tätig sein* work (as a) freelance
Freibier free beer
Freier *einer Prostituierten:* client [ˈklaɪənt]

Freiexemplar free copy

freigeben 1. *für den Verkehr freigeben* open to traffic (△ *ohne* the) **2.** *zur Veröffentlichung freigeben* release for publication (△ *ohne* the) **3.** *jemandem* (*einen Tag usw.*) *freigeben* give* someone a day *usw.* off

freihaben 1. *sie hat heute frei* it's her day off today **2.** *morgen haben wir frei Schule:* there's no school tomorrow

freihalten → *frei 17*

freihändig *Rad fahren:* with no hands

Freiheit freedom, liberty ['lɪbətɪ]

Freiheitsbewegung freedom movement

Freiheitskampf struggle for freedom

Freiheitskämpfer(in) freedom fighter

Freiheitsstrafe prison ['prɪzn] sentence; *er wurde zu einer Freiheitsstrafe von drei Jahren verurteilt* he was sentenced to five years' imprisonment [ɪm-'prɪznmənt]

freiheraus openly, straight out [ˌstreɪt-'aʊt]

Freikarte free ticket

freikaufen: *sie wollten ihn freikaufen* they wanted to pay for his release [rɪ'liːs]

Freilandhaltung: *Eier aus Freilandhaltung* free-range eggs [ˌfriːreɪndʒ'egz]

freilassen: *jemanden* (*gegen Kaution*) *freilassen* release [rɪ'liːs] someone (on bail)

Freilassung release [rɪ'liːs]

freilegen uncover [ʌn'kʌvə] (*Ruinen usw.*)

freilich 1. of course **2.** (≈ *jedoch*) however

Freilicht... *in Zusammensetzungen:* open-air ...; *Freilichtkino* open-air cinema, *AE* drive-in theater; *Freilichtkonzert* open-air concert; *Freilichttheater* open-air theatre

Freilos 1. *Sport:* bye; *in der ersten Pokalrunde haben 10 Vereine ein Freilos* 10 teams have a bye in the first round of the cup **2.** *in Lotterie:* free (lottery) ticket

freimachen 1. *einen Tag freimachen* take* a day off **2.** *sich freimachen* → *frei 18*

freimütig candid, open

freinehmen (*sich*) *einen Tag freinehmen* take* a day off

Freiraum: *Freiraum, Freiräume* (personal) freedom, scope for development

freischaffend 1. freelance ['friːlɑːns] **2.** *sie ist freischaffend tätig* she works (as a) freelance

Freisprechanlage *für Handy im Auto:* hands-free car kit

freisprechen *Gericht:* acquit [ə'kwɪt] (*von* of)

Freispruch 1. acquittal [ə'kwɪtl] **2.** *auf Freispruch plädieren* plead [pliːd] not guilty

Freistaat: *der Freistaat Bayern* (*bzw.* *Sachsen*) the Free State of Bavaria [bə-'veərɪə] (*bzw.* Saxony ['sæksənɪ])

freistehen → *frei 19*

Freistellung exemption [ɪg'zempʃn], release [rɪ'liːs]

Freistil *Sport:* freestyle

Freistoß *Fußball:* free kick

Freistunde *Schule:* free period ['pɪərɪəd]

Freitag Friday ['fraɪdeɪ]; *wir sehen uns dann* (*am*) *Freitag* see you (on) Friday

Freitagabend: (*am*) *Freitagabend* (on) Friday evening, (on) Friday night

freitagabends (on) Friday evenings

Freitagmorgen: (*am*) *Freitagmorgen* (on) Friday morning

Freitagnachmittag: (*am*) *Freitagnachmittag* (on) Friday afternoon

freitags on Friday, on Fridays; *freitags abends usw.* on Friday evenings *usw.*

freiwillig 1. voluntary ['vɒləntrɪ] **2.** *er verließ den Betrieb freiwillig* he left the company ['kʌmpənɪ] voluntarily ['vɒləntrəlɪ] (*oder* of his own free will) **3.** *sich freiwillig melden* volunteer [ˌvɒlən'tɪə] (*zu* for)

Freiwillige(r) volunteer [ˌvɒlən'tɪə]

Freizeit free time, leisure ['leʒə] time

Freizeit... *in Zusammensetzungen:* leisure ['leʒə] ...; *Freizeitgesellschaft* leisure(-oriented) ['leʒə(ˌɔːrɪentɪd)] society; *Freizeitgestaltung* leisure-time activities (△ *Pl.*); *Freizeitkleidung* leisurewear ['leʒəweə]; *Freizeitpark* leisure park; *Freizeitzentrum* leisure centre, *AE* recreation center

freizügig (≈ *großzügig*) generous ['dʒenrəs], liberal ['lɪbrəl]

Freizügigkeit 1. (≈ *Großzügigkeit*) generosity [ˌdʒenə'rɒsətɪ] **2.** *moralische:* permissiveness [pə'mɪsɪvnəs]

fremd 1. *Land, Regierung, Sprache:* foreign [△ 'fɒrən] **2.** (≈ *unbekannt*) strange; *fremde Leute* strangers **3.** *ich bin hier* (*auch*) *fremd* I'm a stranger here (myself) **4.** *fremde Hilfe* outside help

Fremde: *in die* (*bzw.* *der*) *Fremde* abroad [ə'brɔːd]

Fremde(r) 1. (≈ *Unbekannte, -r*) stranger **2.** (≈ *Ausländer, -in*) foreigner [△ 'fɒrənə]

fremdenfeindlich xenophobic [△ ˌzenə-'fəʊbɪk], hostile to foreigners ['fɒrənəz]

Fremdenfeindlichkeit xenophobia [△ ˌzenə'fəʊbɪə], hostility [hɒ'stɪlətɪ] towards foreigners ['fɒrənəz]

Fremdenführer(in) (tourist) guide [gaɪd]

Fremdenverkehr tourism ['tʊərɪzm]; *der Fremdenverkehr* tourism (△ *ohne* the)

fremdgehen: *er geht fremd* he's unfaithful, he's going out with another woman

Fremdsprache foreign ['fɒrən] language

Fremdsprachenkenntnisse a knowledge ['nɒlɪdʒ] (△ *Sg.*) of foreign ['fɒrən] languages

Fremdsprachensekretärin bilingual secretary [baɪ,lɪŋgwəl'sekrətrɪ]

Fremdsprachenunterricht foreign ['fɒrən] language teaching

fremdsprachig, fremdsprachlich: *fremdsprachiger* bzw. *fremdsprachlicher Unterricht* teaching in the (*bzw.* a) foreign ['fɒrən] language

Fremdwort foreign word [,fɒrən'wɜːd]

Frequenz (≈ *Häufigkeit*) frequency ['friːkwənsɪ] (*auch Physik*)

Frequenzbereich frequency ['friːkwənsɪ] range

Freske, Fresko fresco

Fresse *salopp* (≈ *Gesicht*) mug

fressen 1. (≈ *verzehren*) (*Tier*) eat* **2.** (≈ *sich ernähren von*) (*Tier*) feed* on **3.** *einem Tier (etwas) zu fressen geben* feed* an animal (on something) **4.** (*Mensch*) stuff oneself with (*Schokolade usw.*), guzzle, *schnell:* gobble **5.** *er frisst nicht, er frisst* he eats like a pig **6.** eat* up, *umg.* guzzle (*Benzin*)

Fressen 1. *für Tiere:* food [fuːd] **2.** *salopp* grub

Freude 1. (≈ *Vergnügen*) pleasure ['pleʒə] **2.** (≈ *Entzücken*) delight [dɪ'laɪt] **3.** *an etwas Freude haben* enjoy [ɪn'dʒɔɪ] something; *es macht mir (keine) Freude I* (don't) enjoy it; *es macht mir keine Freude, in die Schule zu gehen* I dont enjoy going to school **4.** *er hat viel Freude daran* it gives him a lot of pleasure

Freudentränen tears [tɪəz] of joy

freudestrahlend beaming with joy

freudig 1. (≈ *froh*) happy; *ein freudiges Ereignis* a happy event **2.** (≈ *heiter*) cheerful ['tʃɪəfl] **3.** (≈ *begeistert*) enthusiastic [ɪn,θjuːzɪ'æstɪk]

freudlos joyless, cheerless ['tʃɪələs]

freuen 1. *ich freue mich* I'm glad, I'm pleased (*über etwas*) **2.** *freust du dich über das Geschenk?* are you pleased with your present ['preznt]?, do you like your present? **3.** *sie hat sich über deinen Besuch gefreut* she was pleased that you visited her **4.** *ich freue mich auf deinen Besuch* I'm looking forward to your visit (*oder* to seeing you) **5.** *es würde mich freuen, wenn ...* I'd be very pleased if ... **6.** *freut mich! bei Vorstellung:* how d'you do

Freund 1. *allg.:* friend [frend] **2.** *eines Mädchens:* boyfriend **3.** *Freund und*

Feind friend and foe [fəʊ] **4.** *jemanden zum Freund haben* have* a friend in someone

Freundeskreis: *einen großen Freundeskreis haben* have* a lot of friends

Freundin 1. *allg.:* friend [frend] **2.** *eines Jungen:* girlfriend

Freund und Freundin

Wenn man mit *Freundin* eine Partnerin meint, mit der man geht, verwendet man im Englischen **girlfriend**, für *Freund* entsprechend **boyfriend**. Handelt es sich um einen Freund oder Freundin im Sinne von *guter Bekannter / gute Bekannte* bzw. *bester Freund / beste Freundin*, spricht man von **friend** bzw. **best friend**.

Sagt man **This is my friend.** (und nicht **This is a friend of mine.**), dann klingt das so, als ob die Person der / die einzige Bekannte wäre, den / die man hat.

freundlich 1. *allg.:* friendly ['frendlɪ]; *freundliche Atmosphäre* friendly atmosphere **2.** *würden Sie bitte so freundlich sein und mich durchlassen?* would you be so kind as to let me through? **3.** *Wetter:* pleasant ['pleznt], mild

freundlicherweise (very) kindly ['kaɪndlɪ]

Freundlichkeit friendliness, kindness

Freundschaft 1. friendship **2.** *Freundschaft schließen mit* make* friends with **3.** *aus Freundschaft* because we're *usw.* friends

freundschaftlich 1. friendly ['frendlɪ] **2.** *freundschaftlich auseinandergehen* part as friends

Freundschaftsbesuch *Politik:* goodwill visit

Freundschaftsspiel friendly ['frendlɪ] (game)

Frieden 1. ↔ *Krieg:* peace; *Frieden schließen* make* peace; *den Frieden bewahren* keep* the peace **2.** (≈ *Einklang*) harmony ['hɑːmənɪ] **3.** *lass mich in Frieden!* leave me alone

Friedens... *in Zusammensetzungen:* ... of peace, peace ...; *Friedensangebot* peace offer; *Friedensbedingungen* peace terms, terms of peace; *Friedensbewegung* peace movement; *Friedensgespräche* peace talks; *Friedensinitiative* peace initiative [ɪ'nɪʃətɪv]; *Friedenskonferenz* peace conference; *Friedensnobelpreis* Nobel Peace Prize (△ *Wortstellung*); *Friedenspolitik* policy ['pɒləsɪ] of peace; **_Friedenspreis_** peace prize [praɪz], peace award ['piːs_ə,wɔːd]; **_Friedenssicherung_** securing (*oder* preservation [,prezə'veɪʃn]) of peace; **_Friedenstaube_** dove [⚠ dʌv] of peace (⚠ *engl.* pigeon = *allg.* **_Taube_**); **_Friedenstruppe_** peacekeeping force; **_Friedensverhandlungen_** peace negotiations, peace talks; **_Friedensvertrag_** peace treaty

Friedenspfeife peace pipe; **_die Friedenspfeife rauchen_** smoke the pipe of peace

friedfertig peaceable

Friedhof cemetery ['semətrɪ], *an einer Kirche auch*: graveyard; **_auf welchem Friedhof liegt er (begraben)?_** which cemetery is he buried [⚠ 'berɪd] in?

friedlich peaceful ['piːsfl]

frieren 1. **_mich friert, ich friere_** I'm cold, I'm freezing **2.** **_mich friert (oder ich friere) an den Füßen_** I've got cold feet, my feet are cold **3.** **_es friert_** it's freezing

Frikadelle meatball

Frikassee fricassee ['frɪkəseɪ, ,frɪkə'siː]

Frisbee® frisbee® ['frɪzbiː]

Frisbeescheibe® frisbee® (disc) ['frɪzbiː(ˌdɪsk)]

frisch 1. *allg.*: fresh **2.** *Farbe*: bright **3.** (≈ *kühl*) cool, chilly ['tʃɪlɪ] **4.** **_sich frisch machen_** freshen up **5.** **_frisch gestrichen!_** *Schild*: wet (*AE* fresh) paint

Frische 1. *allg.*: freshness **2.** (≈ *Kühle*) coolness, chill [tʃɪl], chilliness

Frischhaltefolie clingfilm, *AE* plastic wrap [⚠ ræp]

frischmachen → **_frisch 4_**

Friseur(in) hairdresser, *für Herren auch*: barber ['bɑːbə]

Friseurladen, Friseursalon hairdresser's shop, hair salon, *für Herren auch*: barber's shop, *AE* barbershop

Friseuse hairdresser

Frist 1. **_innerhalb einer Frist von zehn Tagen_** within a ten-day period ['pɪərɪəd] **2.** **_eine Frist einhalten_** meet* a deadline ['dedlaɪn]; **_eine Frist setzen_** fix a deadline **3.** **_die Frist ist abgelaufen_** the deadline has expired, *übertragen* your *usw.* time is up, *umg.* time's up

fristgemäß, fristgerecht in time

fristlos 1. **_fristlose Entlassung_** dismissal [dɪs'mɪsl] without notice **2.** **_er wurde fristlos entlassen_** he was dismissed without notice, he was fired on the spot

Frisur hairstyle, hairdo ['heəduː]

Frittatensuppe Ⓐ pancake soup

Fritten chips, *AE* fries

Frittenbude *etwa*: fish-and-chip stand [,fɪʃən'tʃɪp_stænd], *BE umg.* chippy

Fritteuse deep (fat) fryer, chip pan

froh 1. (≈ *erfreut*) glad (**_über_** about) **2.** (≈ *fröhlich*) cheerful ['tʃɪəfl] **3.** (≈ *glücklich*) happy **4.** **_sei froh, dass du nicht dabei warst_** be thankful (*oder* glad) that you weren't there **5.** **_Frohe Weihnachten!_** Merry Christmas ['krɪsməs]!; **_Frohe Ostern!_** Happy Easter!

fröhlich cheerful ['tʃɪəfl], happy

Fröhlichkeit, Frohsinn cheerfulness

fromm 1. (≈ *gläubig*) religious [rɪ'lɪdʒəs], pious ['paɪəs]; **_fromme Sprüche_** pious words **2.** *Christ, Moslem usw.*: devout [dɪ'vaʊt]

Fronleichnam Corpus Christi [,kɔːpəs'krɪstɪ]

Front 1. *allg.*: front [⚠ frʌnt] (*auch eines Gebäudes, militärisch, beim Wetter und übertragen*); **_an der Front_** at the front **2.** **_die blaue Mannschaft liegt in Front_** the blue team is (*oder* are) in the lead [liːd]

frontal 1. *nur vor einem Subst.*: frontal ['frʌntl] … **2.** **_die Autos stießen frontal zusammen_** the cars crashed head-'on

Frontalzusammenstoß head-on collision

Frontantrieb front-wheel drive

Frosch 1. frog **2.** *Wendungen*: **_ich hab nen Frosch im Hals_** I've got a frog in my throat; **_sei kein Frosch!_** don't be a spoilsport

Froschmann frogman ['frɒgmən], (scuba) diver

Froschperspektive: **_etwas aus der Froschperspektive sehen_** have* a worm's eye view of something

Froschschenkel *Gastronomie*: frog's legs

Frost frost; **_bei Frost_** when there's frost, in frosty weather; **_bei starkem Frost_** in heavy frost

frostig 1. *wörtlich* frosty **2.** *übertragen* frosty, icy

Frostschutzmittel antifreeze ['æntɪfriːz]

Frottee terry(cloth), towelling

Frotteehandtuch (fleecy) towel

Frotzelei: **_Frotzelei, Frotzeleien_** teasing ['tiːzɪŋ] (*Sg.*); **_hör auf mit der Frotzelei_** stop teasing

frotzeln tease [tiːz], make* fun of

Frucht 1. fruit [fruːt]; **_Früchte_** fruit (*Sg.*), (≈ *Fruchtarten*) fruits (*Pl.*) **2.** **_Früchte_** *übertragen* fruit (*Sg.*), fruits, result (*Sg.*); **_Früchte tragen_** bear* fruit (⚠ *Sg.*)

fruchtbar 1. *biologisch*: fertile ['fɜːtaɪl]; **_nicht fruchtbar_** infertile **2.** *übertragen* fruitful ['fruːtfl]

Fruchtbarkeit *biologisch*: fertility [fɜː'tɪlətɪ]

Fruchtblase *Embryo*: amniotic sac [,æmnɪɒtɪk'sæk]

Früchtetee fruit tea ['fruːt_tiː], fruit infusion

Fruchtfleisch flesh, pulp

fruchtlos fruitless ['fruːtləs], futile ['fjuːtaɪl]

Fruchtsaft fruit juice ['fruːt‿dʒuːs]

Fruchtsalat fruit salad [,fruːt'sæləd]

Fruchtwasser *Embryo*: amniotic fluid [,æmnɪɒtɪk'fluːɪd]

früh 1. *allg.*: early ['ɜːlɪ]; *am frühen Morgen* early (*oder* first thing) in the morning **2.** *früh aufstehen* get* up early **3.** *heute früh* this morning **4.** *früh um fünf, um fünf Uhr früh* at five (o'clock) in the morning **5.** *früh genug* soon enough **6.** *von früh bis spät* from morning till night **7.** (≈ *im frühen Stadium*) early on, at an early stage **8.** *er kam wieder zu früh* he was early again

Frühaufsteher(in) early riser, *umg.* early bird

Frühe (early) morning; *in aller Frühe* early in the morning, first thing in the morning

früher 1. (≈ *zeitiger*) earlier; *frühere Fassung* earlier version **2.** (≈ *ehemalig*) former **3.** (≈ *vorherig*) former, previous ['priːvɪəs]; *der frühere Besitzer* the previous owner **4.** *in früheren Zeiten* in the past **5.** *früher hat sie geraucht* she used to smoke; *hast du früher wirklich geraucht?* did you really use to smoke? **6.** (≈ *eher*) earlier, sooner

---

früher (= used to)

Beachte, dass die geläufigste Übersetzung von „früher" mit **used to** gebildet wird:

Sie war früher Innenarchitektin.
She used to be an interior designer.
Früher bin ich viel ins Kino gegangen.
I used to go to the cinema a lot.

△ Der Ausdruck **formerly** bzw. **in former times** bedeutet nur im historischen Kontext „früher, in früheren Zeiten".

Früherkennung early detection

frühestens 1. *frühestens am Sonntag usw.* (on) Sunday *usw.* at the earliest, not before Sunday *usw.* **2.** *das Haus ist frühestens in einem Jahr fertig* it will take at least a year to build (*oder* finish) the house

Frühgeburt 1. *Vorgang*: premature birth [,premət‿ʃə'bɜːθ] **2.** *Baby*: premature baby

Frühjahr spring; *im Frühjahr* in spring; *im Frühjahr 1945* in the spring of 1945

Frühjahrsmüdigkeit springtime lethargy [△ 'leθədʒɪ] (*oder* tiredness)

Frühjahrsputz spring cleaning; (*den*) *Frühjahrsputz machen* do* the spring cleaning

Frühling spring, (≈ *Frühlingszeit*) springtime; *im Frühling* in spring

Frühlingsrolle *Gastronomie*: spring roll

Frühlingstag spring day

Frühlingswetter spring weather

frühmorgens early in the morning

frühreif *Kind usw.*: precocious [prɪ-'kəʊʃəs]

Frühsport early morning exercises (△ *Pl.*)

Frühstück 1. breakfast ['brekfəst]; *Info unter engl.* **breakfast** *und Illu S. 196* **2.** *zweites Frühstück* BE *umg.* elevenses [ɪ'levnzɪz] (△ *Pl.*) **3.** *Zimmer mit Frühstück* bed and breakfast

frühstücken: *wollen wir frühstücken?* shall we have (some) breakfast?

Frühstücksbüfett breakfast buffet [△ 'brekfəst,bʊfeɪ]

Frühstücksfernsehen breakfast TV

Frühstückspause morning break [breɪk], coffee break; *wann machen Sie Frühstückspause?* when do you have your coffee break?

Frühstücksraum breakfast room

Frühwarnsystem early warning system

Frust, Frustration 1. frustration **2.** *das ist der totale Frust, wenn …* it's totally frustrating when …

Fuchs 1. fox (*auch übertragen*) **2.** *er ist ein alter Fuchs* he's a cunning old devil ['devl] (*oder* fox); *schlau wie ein Fuchs* as cunning as a fox **3.** *Pelz*: fox (fur)

Fuchsie *Pflanze*: fuchsia ['fjuːʃə]

Füchsin vixen ['vɪksn]

Fuchsjagd 1. fox hunting **2.** *eine*: fox hunt

Fuge joint [dʒɔɪnt]

Fügung 1. *eine Fügung des Schicksals* a twist (*oder* stroke) of fate (△ *ohne* the) **2.** *durch eine glückliche Fügung* by a lucky coincidence [△ kəʊ'ɪnsɪdəns]

fühlbar 1. (≈ *merklich*) noticeable ['nəʊtɪsəbl] **2.** (≈ *beträchtlich*) considerable **3.** (≈ *wahrnehmbar*) tangible ['tændʒəbl]

fühlen 1. *allg.*: feel* **2.** *fühlen nach* (≈ *tasten*) feel* (*oder* grope) for **3.** *sich glücklich fühlen* feel* happy

Fühler feeler (*auch übertragen*); *ich muss mal die Fühler ausstrecken* übertragen I'll have to put out my feelers

führen 1. lead* [liːd] (*nach, zu* to) **2.** (≈ *führend sein*) lead* **3.** *jemanden führen* (≈ *den Weg zeigen*) lead* someone, guide someone **4.** (*Mannschaft*) lead*; *das gelbe Team führt* the yellow team is (*oder* are) leading, the yellow team is (*oder* are) in the lead **5.** *unsere Mannschaft führt mit 3:1* our team is (*oder*

are) 3-1 up (△ *gesprochen* three (to) one)
6. diese Straße führt nach Edinburgh
this road leads to Edinburgh ['edɪnbrə]
7. manage, run* (*Geschäft*) **8. ein glück-
liches Leben führen** lead* (*oder* live) a
happy life **9. führen zu** *übertragen* lead*
<u>to</u>, end <u>in</u>, (≈ *zur Folge haben*) result [rɪ-
'zʌlt] <u>in</u> **10. das führt zu nichts** that
won't get us *usw.* anywhere

führend 1. leading **2.** *Politiker usw.*: lead-
ing, senior ['siːnɪə], top-ranking … **3.
führende Position** senior position **4. ei-
ne führende Rolle spielen** play a key
role

Führer(in) 1. leader ['liːdə] **2.** (≈ *Frem-
denführer usw.*) guide [gaɪd]

Führerschein 1. driving licence, *AE* driv-
er's license **2. wann machst du deinen
Führerschein?** when do you take (*oder*
do) your driving (*AE* driver's) test?

Führung 1. *eines Unternehmens*: manage-
ment **2.** *militärische*: command [kə-
'maːnd] **3.** *einer Partei*: leadership **4. un-
ter der Führung von** *bzw.* + *Gen.* under
the management *bzw.* command *bzw.*
leadership of, managed *bzw.* com-
manded *bzw.* led by **5.** (≈ *Fremdenfüh-
rung*) guided tour **6. wir liegen in Füh-
rung** *Mannschaft*: we're in the lead; **er
geht in Führung** he's going (*bzw.* he
goes) into the lead

Führungswechsel change <u>in</u> leadership

Fuhrunternehmen haulage company
['hɔːlɪdʒˌkʌmpənɪ]

Fülle 1. *von Einfällen usw.*: wealth [welθ],
abundance [ə'bʌndəns] **2.** (≈ *Gedränge*)
crush

füllen 1. *allg.*: fill (*Lücke, Eimer, Zahn
usw.*) **2.** stuff (*Gans usw.*)

Füller, Füll(feder)halter fountain pen

füllig *Person*: stout

fummeln 1. fumble, fiddle **2.** *salopp*; *ero-
tisch*: grope

Fund 1. (≈ *Gefundenes*) find **2.** *eines
Schatzes usw.*: discovery [dɪ'skʌvərɪ]; **ei-
nen Fund machen** make* a discovery

Fundament 1. *eines Gebäudes*: founda-
tions (△ *Pl.*) **2.** *übertragen* (≈ *Basis*)
foundation, basis ['beɪsɪs]

fundamental 1. fundamental [ˌfʌndə-
'mentl], basic **2. fundamentaler Irrtum**
grave mistake

Fundamentalismus fundamentalism
[ˌfʌndə'mentlɪst]

Fundamentalist(in) fundamentalist
[ˌfʌndə'mentlɪzm]

fundamentalistisch fundamentalist
[ˌfʌndə'mentlɪst]

Fundbüro lost property office, *AE* lost-
-and-found (office)

Fundi radical ['rædɪkl] Green

fundiert 1. *Wissen*: sound **2.** *Tatsachen*:
well-founded **3. wissenschaftlich fun-
diert** well-founded, backed up by re-
search

fünf 1. *Zahl*: five [faɪv] **2. es ist fünf vor
zwölf** *wörtlich* it's five to twelve, *übertra-
gen* it's almost too late, *übertragen, selte-
ner*: it's five to twelve **3. nimm deine
fünf Sinne zusammen!** you'd better
have your wits about you

Fünf 1. *Zahl*: (number) five **2. eine Fünf
schreiben** *etwa*: get* an <u>E</u> **3.** *Bus, Stra-
ßenbahn usw.*: <u>number</u> five bus, <u>number</u>
five <u>tram</u> usw.

Fünfeck pentagon ['pentəgən]

Fünfer → *Fünf*

Fünfeuroschein five-euro note, *AE* five-
-euro bill

fünffach 1. die fünffache Menge five
times the amount **2. die fünffache deut-
sche Meisterin X** five-times German
champion X (△ *ohne* the) **3. ein Formu-
lar in fünffacher Ausfertigung** five cop-
ies of a form

fünfhundert five hundred

Fünfhunderteuroschein five hundred-eu-
ro note, *AE* five hundred-euro bill

Fünfkampf pentathlon [△ pen'tæθlən]

Fünfkämpfer(in) pentathlete [pen'tæθliːt]

Fünflinge quintuplets [△ 'kwɪntjʊpləts,
kwɪn'tjuːpləts], *umg.* quins [kwɪnz]

fünfmal five times

Fünfprozenthürde *Parlament*: five per
cent (*AE* percent) hurdle [ˌfaɪv pə'sent-
ˌhɜːdl]

Fünfprozentklausel *Parlament*: five per
cent (*AE* percent) clause [ˌfaɪv pə-
'sent klɔːz]

fünfstellig: fünfstellige Zahl *usw.* five-
-digit number ['faɪvˌdɪdʒɪt'nʌmbə] *usw.*

fünft: wir waren zu fünft there were five
of us

Fünftagewoche five-day (working) week

fünfte(r, -s) 1. fifth [fɪfθ]; **5. Mai** 5(th)
May, May 5(th) (△ *gesprochen* the fifth
of May); **am 5. Mai** on 5(th) May, on
May 5(th) (△ *gesprochen* on the fifth of
May) **2. wir waren zu fünft** there were
five of us

Fünfte(r) 1. (the) fifth [fɪfθ] **2. er wurde
Fünfter** he was (*bzw.* came in) fifth **3.
Georg V.** George V (*gesprochen* George
the Fifth; V *ohne Punkt!*) **4. heute ist
der Fünfte** it's the fifth today

Fünftel fifth [fɪfθ]

fünftens fifth, fifthly, in the fifth place

fünfzehn fifteen [ˌfɪf'tiːn]

fünfzehnte(r, -s) fifteenth [ˌfɪf'tiːnθ]

fünfzig fifty ['fɪftɪ]

Fünfzigerjahre: *in den Fünfzigerjahren* in the fifties ['fɪftɪz]

Fünfzigeuroschein fifty-euro note, *AE* fifty-euro bill

fünfzigste(r, -s) fiftieth ['fɪftɪəθ]

Funke spark

funkeln 1. *allg.*: sparkle, glitter **2.** (*Sterne*) twinkle

funken 1. send* out, radio (*SOS usw.*) **2.** *hat es bei ihm endlich gefunkt?* (≈ *hat er es kapiert?*) has it got through to him at last? **3.** *es hat bei ihnen gefunkt* they clicked

Funker(in) radio operator

Funkgerät (two-way) radio set

Funksprechgerät walkie-talkie

Funkspruch radio message

Funkstreife 1. radio patrol [pə'trəʊl] **2.** (≈ *Funkstreifenwagen*) squad [skwɒd] car

Funktion 1. function **2.** *eines Organs*: functioning **3.** (≈ *Stellung*) position **4.** *außer Funktion* not working, out of operation **5.** *was hat es für eine Funktion?* what's it used for?

Funktionär(in) official [ə'fɪʃl]; *hoher Funktionär, hohe Funktionärin* top official

funktionieren: *die Maschine funktioniert nicht* the machine doesn't work

Funktionstaste function key

Funkturm radio tower

Funkuhr radio-controlled clock

Funkverbindung radio contact ['reɪdɪəʊ-ˌkɒntækt]

Funkverkehr radio communication

für 1. *allg.*: for **2.** (≈ *als Ersatz*) for, in exchange (*oder* return) for **3.** (≈ *im Namen von*) on behalf [bɪ'hɑːf] of **4.** *was für (ein)?* what kind of ...? **5.** *Tag für Tag* day after day **6.** *Schritt für Schritt* step by step **7.** *fürs Erste* for the moment **8.** *ich halte es für unklug* I don't think it's a good idea

Furche furrow ['fʌrəʊ]

Furcht 1. fear (*vor* of), *stärker*: dread [dred] (*vor* of) **2.** *sie hat Furcht vorm Fliegen usw.* she's afraid (*oder* scared) of flying *usw.* **3.** *aus Furcht vorm Fliegen usw.* because she's *usw.* afraid (*oder* scared) of flying *usw.*, for fear of flying **4.** *Furcht erregend* → furchterregend

furchtbar 1. awful ['ɔːfl], terrible ['terəbl], *stärker*: dreadful ['dredfl] **2.** *furchtbar aufregend* really ['rɪəlɪ] exciting **3.** *ich bin furchtbar erschrocken* I got such a fright, I got a real fright, *AE* I had a real scare

fürchten 1. *wir fürchteten, dass unser Lehrer uns auf die Schliche kommt* we

were afraid (that) our teacher would find out **2.** *ich fürchte, wir schaffen es nicht* I don't think we're going to make it **3.** *sie fürchtet um sein Leben* she fears for his life **4.** *sie fürchtet sich (davor), die Wahrheit zu sagen* she's afraid of telling the truth

fürchterlich terrible ['terəbl], *stärker*: dreadful ['dredfl]

furchterregend frightening, *stärker*: horrific [hə'rɪfɪk]

füreinander for each other, for one another

Fürsorge 1. care (*für* for) **2.** *öffentliche Fürsorge* public welfare ['welfeə]; *von der Fürsorge leben* be* on social security, *AE* be* on welfare (△ *beide ohne* the)

Fürsprech(er) ⊕ lawyer ['lɔːjə]

Fürsprecher(in) advocate ['ædvəkət]

Fürst prince (*auch Titel und übertragen*)

Fürstentum principality; *das Fürstentum Monaco* the Principality of Monaco

Fürstin princess [ˌprɪn'ses; *vor Namen* 'prɪnses]

fürstlich *übertragen* splendid ['splendɪd]

Fürwort (≈ *Pronomen*) pronoun ['prəʊnaʊn]

Furz, furzen *salopp* fart

Fusion *von Unternehmen, Organisationen*: merger ['mɜːdʒə]

fusionieren (*Unternehmen, Organisationen*) merge

Fuß 1. *wörtlich und übertragen* foot *Pl.*: feet **2.** *einer Säule*: base [beɪs] **3.** *eines Glases*: stem **4.** *einer Lampe*: stand **5.** *eines Tisches, eines Stuhls*: leg **6.** *zu Fuß* on foot; *zu Fuß gehen* walk **7.** *zu Fuß (bequem) erreichbar* within (easy) walking distance ['wɔːkɪŋˌdɪstəns] **8.** *Fuß fassen übertragen* get* (*oder* gain) a foothold **9.** *jemanden auf freien Fuß setzen* release [rɪ'liːs] someone, set* someone free **10.** *kalte Füße bekommen wörtlich und übertragen* get* cold feet **11.** *Längenmaß*: foot (= *30,48 cm*); *zehn Fuß lang* ten feet long; *ein zehn Fuß langes Brett* a ten-foot(-long) plank

Fußabdruck footprint

Fußbad footbath

Fußball 1. (≈ *Spiel*) football, *bes. AE* soccer **2.** (≈ *Ball*) football, *AE* soccer ball; ☞ *Info S. 696*

Fußball... *in Zusammensetzungen*: football ..., soccer ...; *Fußballfan* football fan; *Fußballfeld* football field; *Fußballländerspiel* international (football) match; *Fußballmannschaft* football team; *Fußballplatz* football field; *Fußballspiel* football match, *AE* soccer game; **Fußballspieler(in)** *BE* football player, *AE* soccer player; **Fußballstadion** football stadium ['sterdɪəm]; **Fußballstar** football star; **Fußballtrainer(in)** football coach; **Fußballverein** football club

Fußball

„Fußball" in der Art, wie wir ihn in Europa kennen, heißt in Großbritannien **football**, während man in den USA mit **football** den **American football** bezeichnet. Unseren traditionellen europäischen Fußball nennt man in den USA **soccer**. Neben **football** wird dieses Wort aber auch in Großbritannien gebraucht. Es stammt von **association football**.

Einige Begriffe aus dem Fußball

Abseits	**offside** [ˌɒf'saɪd]
Abstoß	**goal kick**
Eckball, Ecke	**corner**
Einwurf	**throw-in**
Elfmeter	**penalty** ['penltɪ]
Ergänzungs-	**squad player**
spieler(in)	
Foul	**foul**
Freistoß	**free kick**
Kopfball	**header**
Latte, Querlatte	**crossbar**
Linienrichter(in)	**linesman** bzw.
	lineswoman
Pfosten, Tor-	**goalpost**
pfosten	
Schiedsrichter	**referee**
Schiedsrichter-	**referee's**
assistent(in)	**assistant**
(offizielle Bezeich-	
nung für Linien-	
richter[in])	
Seitenlinie	**touch line**
Strafraum	**penalty area**
Tor	**goal**
Torlinie	**goal line**
Torraum	**box, goal area**

Fußballer(in) footballer
Fußballweltmeister World Cup holders (△ *Pl.*)
Fußballweltmeisterschaft World Cup
Fußboden floor
Fußbodenbelag floor covering ['flɔː-ˌkʌvərɪŋ], flooring ['flɔːrɪŋ]
Fußbodenheizung underfloor heating
Fußbremse footbrake
Fussel (piece of) fluff, *AE* (piece of) lint
fusselig covered in fluff, *AE* linty
fusseln shed* a lot of fluff (*AE* lint)
Fußgänger pedestrian [pə'destrɪən]
Fußgänger... *in Zusammensetzungen*: pedestrian [pə'destrɪən] ...; **Fußgängerampel** pedestrian lights (△ *Pl.*); **Fußgängerübergang, Fußgängerüberweg** pedestrian crossing, *AE* crosswalk; **Fußgängerzone** pedestrian precinct ['priːsɪŋkt], *AE* (pedestrian) mall [mɔːl]
Fußgängerbrücke footbridge
Fußgängerunterführung subway, *bes. AE* underpass
Fußgeher(in) Ⓐ pedestrian [pə'destrɪən]
Fußgelenk, Fußknöchel ankle
Fußmarsch 1. long walk **2.** *Militär*: march
Fußnote footnote
Fußpilz athlete's foot [ˌæθliːts'fʊt]
Fußspur 1. (≈ *Abdruck*) footprint **2.** (≈ *Fährte*) track
Fußstapfe 1. *wörtlich* footstep **2.** *wird er in seine Fußstapfen treten?* *übertragen* will he follow in his footsteps?
Fußtritt: *jemandem einen Fußtritt geben* give* someone a kick, kick someone
Fußvolk *übertragen* rank and file
Fußweg 1. (≈ *Gehweg*) footpath **2.** *ein Fußweg von einer Stunde* an hour's walk
futsch 1. (≈ *kaputt*) broken **2.** (≈ *zerschlagen*) smashed **3.** (≈ *weg, verloren*) gone [gɒn]
Futter¹ (≈ *Viehfutter*) feed, fodder
Futter² *Rock, Mantel usw.*: lining
Futteral 1. case **2.** (≈ *Hülle*) cover
füttern¹ *allg.*: feed* (*auch Computer*)
füttern² line (*Rock, Mantel usw.*)
Futternapf (feeding) bowl [bəʊl]
Fütterung 1. *Vorgang*: feeding **2.** *Zeitpunkt*: feeding time
Futur *Grammatik*: future ['fjuːtʃə] (tense)

G

Gabe 1. (≈ *Geschenk*) gift, present ['preznt] (*an* to) **2.** (≈ *Begabung*) gift, talent ['tælənt]
Gabel 1. ↔ *Messer*: fork **2.** (≈ *Heugabel, Mistgabel*) pitchfork
Gabelstapler forklift truck
gackern cackle (*auch übertragen*)
gaffen gawk, gawp
Gag 1. *allg.*: gag **2.** *Werbung*: gimmick ['gɪmɪk]
Gage fee
gähnen yawn [jɔːn]
Gala... *in Zusammensetzungen*: gala ['gɑːlə]; *Galaabend* gala night; *Galaaufführung* gala performance; *Galakonzert* gala concert; *Galavorstellung* gala performance
Galaxie Galaxy ['gæləksɪ], Milky 'Way
Galerie *allg.*: gallery ['gælərɪ]
Galgenhumor gallows humour ['gæləʊzˌhjuːmə]
Galle 1. *Organ*: gall [gɔːl] bladder **2.** *Sekret und übertragen*: bile
Gallenblase gall [gɔːl] bladder
Gallenstein gallstone ['gɔːlstəʊn]
Gallier(in) *historisch*: Gaul [gɔːl]
Galopp gallop ['gæləp]; *im Galopp* wörtlich und übertragen at a gallop
galoppieren gallop ['gæləp]
gammeln (≈ *faulenzen*) loaf around, *umg.* bum around, *bes. AE umg.* goof around
Gammler(in) layabout ['leɪəˌbaʊt], *AE* bum
Gämse chamois [△ 'ʃæmwɑː] *Pl.*: chamois
Gang 1. (≈ *Gangart*) walk; *seine Gangart* the way he walks **2.** (≈ *Weg*) way **3.** (≈ *Flur*) corridor **4.** *im Flugzeug usw.*: aisle [△ aɪl] **5.** (≈ *Bogengang*) arcade [ɑːˈkeɪd] **6.** *beim Essen*: course [kɔːs]; *Essen mit drei Gängen* three-course meal **7.** *beim Auto*: gear [gɪə]; *zweiter usw. Gang* second usw. gear; *in den zweiten Gang schalten* change (*bes. AE* shift) into second (gear) **8.** *anatomisch*: duct, canal [kəˈnæl] **9.** (≈ *Verlauf*) course; *der Gang der Dinge* the course of events **10.** *etwas in Gang setzen* (*oder bringen*) wörtlich und übertragen get* something going, start something **11.** *in Gang kommen* get* going, get* started **12.** *es ist etwas im Gange* *übertragen* there's something going on **13.** *die Feier war in vollem Gange, als ...* the party was in full swing when ...

gängig 1. *Ausdruck*: current ['kʌrənt] **2.** *Methode usw.*: (very) common
Gangplatz *Flugzeug, Zug usw.*: aisle [△ 'aɪl] seat
Gangschaltung 1. (≈ *System*) gears (△ *Pl.*) **2.** (≈ *Hebel*) gear lever ['gɪəˌliːvə], *AE* gear shift
Gangster gangster
Gangsterbande gang of criminals
Gangsterboss gang boss
Gangway 1. *Flugzeug*: steps (△ *Pl.*) **2.** *Schiff*: gangway
Ganove crook, *AE auch* hood
Gans goose [guːs] *Pl.*: geese [giːs]
Gänseblümchen daisy ['deɪzɪ]
Gänsebraten roast goose [ˌrəʊstˈguːs]
Gänsefüßchen quotation marks, inverted commas
Gänsehaut 1. goose [guːs] pimples (△ *Pl.*), goose flesh **2.** *ich bekam eine Gänsehaut* (≈ *erschrak zutiefst*) it sent shivers ['ʃɪvəz] down my spine
Gänseleber goose liver [ˌguːsˈlɪvə]
Gänsemarsch: *im Gänsemarsch* in single (*oder bes. AE* Indian) file
Gänserich gander ['gændə]
Gänseschmalz goose [guːs] dripping
ganz 1. (≈ *ungeteilt*) whole, all; *ganz Deutschland* the whole (*oder* all) of Germany; *die ganze Stadt* the whole town; *auf der ganzen Welt* all over the world; *den ganzen Morgen* (*bzw. Tag*) all morning (*bzw.* day) (△ *ohne* the); *die ganze Zeit* all the time, the whole time **2.** (≈ *vollständig*) complete **3.** *es hat ganze fünf Minuten gedauert* (≈ *nicht mehr*) it didn't take more than five minutes, it was all over in five minutes **4.** (≈ *unbeschädigt*) whole, undamaged [ʌnˈdæmɪdʒd], intact; *etwas wieder ganz machen* mend something; *die Tasse ist noch ganz* the cup is still in one piece **5.** (≈ *völlig*) completely, totally ['təʊtəlɪ]; *ganz nass* wet through **6.** (≈ *ziemlich*) quite, *umg.* pretty; *ganz gut* quite good, not bad; *es hat mir ganz gut gefallen* I quite liked it, I quite enjoyed it; *ganz schön viel* quite a lot **7.** (≈ *sehr*) very, really ['rɪəlɪ] **8.** *Wendungen*: *ganz und gar nicht* not at all; *das ist was ganz anderes* that's a completely different matter; *nicht ganz dasselbe* not quite the same thing; *ganz gewiss* certainly ['sɜːtnlɪ], (≈ *ohne Zweifel*) definitely ['defənətlɪ]

Ganze(s) 1. whole; *einheitliches Ganzes* integral ['ɪntɪgrəl] whole **2.** *das Ganze* the whole thing **3.** *Wendungen:* **im Großen und Ganzen** on the whole, all in all; *aufs Ganze gehen* go* all out; *jetzt gehts ums Ganze* it's all or nothing now

ganzheitlich 1. *Betrachtungsweise:* global, holistic **2.** *Behandlung:* holistic **3.** *Unterricht:* integrated **4.** *betrachten:* globally, holistically **5.** *behandeln:* holistically

gänzlich completely, totally ['tɔʊtəlɪ]

ganzmachen → *ganz 4*

Ganztagsbetreuung all-day care

Ganztagsschule 1. *Prinzip:* all-day schooling **2.** *Einrichtung:* all-day school

gar¹ 1. *gar nicht* not at all **2.** *gar nichts* not a thing, nothing at all, absolutely nothing **3.** *gar keiner* nobody at all **4.** *es besteht gar kein Zweifel* there's no doubt whatsoever **5.** *gar nicht schlecht* not bad at all

gar² ↔ *roh:* done, cooked; *nicht gar* underdone [,ʌndə'dʌn]

Garage garage [△ 'gærɑːʒ]

Garantie 1. guarantee [,gærən'tiː]; *darauf gibts ein Jahr Garantie* there's a year's guarantee on it **2.** *dafür kann ich keine Garantie übernehmen* I can't guarantee that (*oder* anything) **3.** *er fällt unter Garantie durch* I guarantee you he will fail

garantieren *(für etwas)* **garantieren** guarantee [,gærən'tiː]

Garantieschein, Garantiezeit guarantee [,gærən'tiː]

Gardasee: *der Gardasee* Lake Garda (△ *ohne* la)

Garderobe 1. (≈ *Kleidung*) clothes [△ kləʊ(ð)z] (△ *Pl.*), *formeller:* wardrobe ['wɔːdrəʊb] (△ *engl.* wardrobe = *mst.* **Kleiderschrank**) **2.** (≈ *Garderobenraum*) cloakroom, *AE auch* checkroom; *etwas an der Garderobe abgeben* leave* something in the cloakroom **3.** (≈ *Flurgarderobe*) coat rack, *frei stehend:* coatstand **4.** (≈ *Umkleideraum im Theater*) dressing room

Garderobenfrau cloakroom attendant [ə'tendənt], *AE* checkroom attendant

Gardine *allg.:* curtain ['kɜːtn]

garen: *garen (lassen)* cook slowly

gären: *gären (lassen)* ferment [fə'ment]

Garn (≈ *Faden*) thread [θred]

Garnele shrimp, *größere:* prawn

garnieren garnish (*Gericht und übertragen*)

Garnison garrison ['gærɪsn]

Garnitur (≈ *Satz*) set

garstig nasty ['nɑːstɪ]

Garten 1. *allg.:* garden **2.** *botanischer Garten* botanical [bə'tænɪkl] gardens (△ *Pl.*)

Garten... *in Zusammensetzungen:* garden ...; *Gartenfest* garden party; *Gartenschlauch* garden hose; *Gartenstuhl* garden chair; *Gartenzaun* garden fence; *Gartenzwerg* (garden) gnome [△ nəʊm]

Gartenarbeit gardening

Gartenbau horticulture ['hɔːtɪkʌltʃə]

Gartengeräte gardening tools

Gärtner(in) gardener

Gärtnerei (≈ *Betrieb*) market garden, *AE* truck garden, *AE* truck farm

Gärung fermentation [,fɜːmen'teɪʃn]

Garzeit cooking time

Gas 1. *allg.:* gas **2.** *Gas geben* (≈ *beschleunigen*) accelerate [ək'seləreɪt]; *gib Gas!* *umg.* 'step on it!, *AE* step on the 'gas! **3.** *Gas wegnehmen* (≈ *langsamer werden*) decelerate [,diː'seləreɪt], throttle down (*AE* back)

Gas... *in Zusammensetzungen:* *Gasbehälter* gas tank; *Gasexplosion* gas explosion; *Gasflasche* gas bottle; *Gashahn* gas tap; *Gasheizung* gas heating; *Gasherd* gas cooker, gas stove [stəʊv]; *Gaskammer* gas chamber ['gæs,tʃeɪmbə]; *Gasmaske* gas mask [mɑːsk]

gasförmig gaseous [△ 'gæsɪəs]

Gaspedal accelerator [ək'seləreɪtə], *AE auch* gas pedal [△ 'gæs,pedl]

Gasse 1. *allg.:* narrow street, (narrow) lane **2.** (≈ *Seitengasse*) backstreet

Gast 1. guest [gest] **2.** *Gäste haben* have* visitors

Gästebuch visitors' book

Gästehaus guest house

Gästezimmer guest room

Gastfamilie host family ['həʊst,fæmlɪ]

gastfreundlich hospitable [hɒ'spɪtəbl]

Gastfreundschaft hospitality [,hɒspɪ-'tælətɪ]

Gastgeber host [həʊst]

Gastgeberin hostess ['həʊstɪs]

Gasthaus, Gasthof restaurant ['restərɒnt], *mit Unterkunft:* inn

gastieren give* a guest performance, guest

Gastland host country ['həʊst,kʌntrɪ]

gastlich hospitable [hɒ'spɪtəbl]

Gastlichkeit hospitality [,hɒspɪ'tælətɪ]

Gastritis gastritis [gæ'straɪtɪs]

Gastronomie (≈ *Gewerbe*) catering ['keɪtərɪŋ] (trade); *sie arbeitet in der Gastronomie* she works in catering

Gastspiel 1. *Theater usw.:* guest performance **2.** *Orchester:* concert

Gaststätte, Gastwirtschaft restaurant ['restərɒnt]

Gatte husband ['hʌzbənd], *förmlich* spouse [spaʊs]

Gatter 1. (≈ *Tor*) gate **2.** (≈ *Zaun*) fence

Gattin wife, *förmlich* spouse [spaʊs]

Gattung 1. *biologisch*: genus [△ 'dʒiːnəs] *Pl.*: genera ['dʒenərə] **2.** *Kunst*: form **3.** *Literatur*: genre ['ʒɒnrə] **4.** (≈ *Sorte*) kind, type

GAU 1. MCA [ˌemsiːˈeɪ] (*Abk. für* **m**aximum **c**redible **a**ccident), worst-case scenario [səˈnɑːrɪəʊ] **2.** (≈ *Durchschmelzen eines Reaktors*) nuclear meltdown [ˌnjuːklɪəˈmeltdaʊn]

Gaul *abwertend* (≈ *Pferd*) nag

Gaumen palate ['pælət] (*auch übertragen*)

Gauner(in) crook, swindler

Gazastreifen Gaza ['gɑːzə] Strip

Gazelle gazelle [gəˈzel]

GB (= *Gigabyte*) GB [ˌdʒiːˈbiː]

geachtet respected

Gebäck 1. (≈ *Kuchensorten*) cakes (△ *Pl.*) **2.** (≈ *Kekse*) biscuits ['bɪskɪts] (△ *Pl.*), *AE* cookies ['kʊkɪz] (△ *Pl.*)

geballt: *geballt auftreten Probleme usw.*: come* all at once

gebannt: (*wie*) *gebannt* fascinated ['fæsɪneɪtɪd], spellbound

Gebärde gesture ['dʒestʃə]

gebärden: *sich gebärden wie ...* behave [bɪˈheɪv] (*oder* act) like ...

Gebärdensprache sign [saɪn] language

Gebärmutter uterus ['juːtərəs]

Gebäude 1. *allg.*: building ['bɪldɪŋ] **2.** (≈ *Haus*) house [haʊs] *Pl.*: houses [△ 'haʊzɪz] **3.** *bes. großes, bemerkenswertes, prächtiges*: edifice ['edɪfɪs]

Gebeine (≈ *sterbliche Reste*) bones, (mortal) remains [rɪˈmeɪnz]

geben 1. *allg.*: give*; *jemandem etwas geben* give* someone something, give* something <u>to</u> someone **2.** (≈ *reichen*) give*, pass, hand **3.** *lass dir eine Quittung usw. geben* ask for a receipt [rɪˈsiːt] *usw.* **4.** have*, give* (*Essen, Party*) **5.** give* (*Konzert usw.*), teach* (*Unterricht, Fach usw.*) **6.** *das gibt keinen Sinn* it doesn't <u>make</u> (any) sense **7.** *wer gibt? Kartenspiel*: whose deal is it? **8.** *was wird heute Abend gegeben? Theater, Kino, Fernsehen*: what's on tonight? **9.** *sich natürlich geben* act naturally **10.** *das gibt sich wieder* (≈ *das wird wieder gut*) it'll come right, (≈ *das legt sich*) it'll sort itself out **11.** *es gibt ...* there is ..., there are ...; *es gibt Leute, die ...* some people ... **12.** *der beste Spieler, den es je gab* the best player of all time **13.** *es gab viel zu tun* there was a lot to do **14.** *das gibt Ärger* there'll be trouble **15.** *Rotwein gibt Flecken* red wine leaves stains **16.** *was gibts?* what's up? **17.** *was gibt es zum Mittagessen?* what's for lunch? **18.** *das gibts* (*bei mir*) *nicht verbietend*: that's not on **19.** *das gibts doch nicht* (≈ *das darf nicht wahr sein*) you're joking, that can't be true **20.** *gibts den noch?* is he still around? **21.** *heut gibts noch was Gewitter*: I think we're in for something

Gebet prayer [△ preə]

Gebettel (constant) begging

Gebiet 1. (≈ *Gegend*) area, region **2.** (≈ *Staatsgebiet*) territory ['terətrɪ] **3.** (≈ *Fachgebiet*) field **4.** (≈ *Bereich*) field, area, sector; *auf politischem Gebiet* in the political field

Gebietsanspruch territorial claim

gebietsweise: *gebietsweise Regen* scattered (*oder* local) showers, rain in places

Gebilde 1. (≈ *Ding*) thing, object ['ɒbdʒɪkt] **2.** (≈ *Werk*) work, creation **3.** (≈ *Gefüge*) structure

gebildet educated ['edjʊkeɪtɪd, 'edʒʊkeɪtɪd]

Gebirge mountains ['maʊntɪnz] (△ *Pl.*), mountain range

gebirgig mountainous ['maʊntɪnəs]

Gebirgsbewohner(in) mountain dweller

Gebiss 1. teeth (△ *Pl.*) **2.** *künstliches*: (set of) false [fɔːls] teeth (△ *Pl.*), (set of) dentures ['dentʃəz] (△ *Pl.*); *sie hat* (*oder* *trägt*) *ein Gebiss* she's got false teeth

Gebläse fan, blower

geblümt: *geblümte Tapete usw.* floral ['flɔːrəl] wallpaper *usw.*

gebogen 1. bent **2.** (≈ *geschwungen, rund*) curved

gebongt: *ist gebongt* will do

geboren 1. born; *wo bist du geboren?* where <u>were</u> you born?; *ich bin in Moskau geboren* I <u>was</u> born in Moscow **2.** *geborene Schmidt* née [neɪ] Schmidt **3.** *ein geborener Geschäftsmann* a born businessman

geborgen: *sie fühlt sich bei ihm geborgen* she feels very secure [sɪˈkjʊə] <u>with</u> him

Geborgenheit security [sɪˈkjʊərətɪ]

Gebot 1. *die Zehn Gebote* the Ten Commandments **2.** *es ist ein Gebot der Vernunft, dass ...* reason demands that ... (△ *ohne* the) **3.** *... ist oberstes Gebot ...* is top priority [praɪˈɒrɪtɪ], ... is of paramount importance [ˌpærəmaʊnt ɪmˈpɔːtns]

Gebrauch 1. (≈ *Benutzung*) use [△ juːs]; *von etwas Gebrauch machen* make* use of something, use [juːz] something **2.** (≈ *Anwendung*) application **3.** *eines Wortes usw.*: usage ['juːsɪdʒ] **4.** (≈ *Sitte*) custom ['kʌstəm]

gebrauchen 1. (≈ *benutzen*) use [juːz];

gebrauche deinen Verstand! use your head **2.** *ich könnte einen Schirm* (*bzw.* *einen Whisky*) *gebrauchen* I could do with an umbrella (*bzw.* a Scotch) **3.** *dich kann ich jetzt nicht gebrauchen* I haven't got time for you right now **4.** *er ist zu nichts zu gebrauchen* he's absolutely hopeless

gebräuchlich 1. *das ist absolut gebräuchlich* (≈ *verbreitet*) it's perfectly common ['kɒmən] **2.** (≈ *üblich*) normal ['nɔːml], usual ['juːʒʊəl] **3.** *Wörter*: common ['kɒmən]

Gebrauchsanleitung, Gebrauchsanweisung 1. *für Medikamente*: directions [də'rekʃnz] (△ *Pl.*) for use [△ juːs] **2.** *für Geräte*: instructions (△ *Pl.*) (for use)

gebrauchsfertig ready for use [△ juːs]

gebraucht 1. second-hand, used [juːzd] **2.** *etwas gebraucht kaufen* buy* something second-'hand

Gebrauchtwagen used [juːzd] car, second-hand 'car

gebräunt tanned

Gebrechen (physical) disability [ˌfɪzɪklˌdɪsə'bɪlətɪ], handicap

Gebrechlichkeit frailty, weakness

Gebrüll 1. (≈ *Geschrei*) screaming **2.** *von Löwen*: roar, roaring

Gebühr charge, fee

Gebührenerhöhung increase ['ɪŋkriːs] *in* charges ['tʃɑːdʒɪz]

gebührenfrei free of charge

gebührenpflichtig: *gebührenpflichtige Verwarnung* ticket ['tɪkɪt], fine

gebunden 1. *Buch*: bound, ↔ *Paperback*: hardcover **2.** (≈ *verpflichtet*) bound; *vertraglich gebunden* bound by contract **3.** *gebunden an* tied to (*Ort usw.*) **4.** *Person*: (≈ *vergeben*) no longer free

Geburt 1. birth; *von Geburt an* from birth **2.** *das war eine schwere Geburt* *übertragen* it was a tough [tʌf] job, it was tough going

Geburtenkontrolle, Geburtenregelung birth control

Geburtenrückgang decline [dɪ'klaɪn] (*oder* drop) in the birthrate

geburtenschwach: *geburtenschwacher Jahrgang* low-birthrate year

geburtenstark: *geburtenstarker Jahrgang* high-birthrate year

Geburtenüberschuss excess [ɪk'ses] of births (over deaths)

Geburtenziffer birthrate

gebürtig: *Thomas ist gebürtiger Engländer* (*und nicht gebürtiger Ire*) Thomas is English by birth (and not Irish)

Geburtsdatum date of birth

Geburtshaus: *mein usw.* *Geburtshaus* the house where I *usw.* was born; *Shakespeares Geburtshaus* Shakespeare's birthplace

Geburtsjahr year of birth

Geburtsland native country

Geburtsname birth name, *einer Frau*: maiden name

Geburtsort birthplace

Geburtstag 1. birthday; *wann hast du Geburtstag?* when's your birthday?; *er hat heute Geburtstag* it's his birthday today; *alles Gute zum Geburtstag* happy birthday; *was hast du zum Geburtstag bekommen?* what did you get for your birthday?; *was wünschst du dir zum Geburtstag?* what would you like for your birthday? **2.** *ich gratuliere* (*oder* *herzlichen Glückwunsch*) *zum Geburtstag* happy birthday, many happy returns of the day **3.** *Geburtstag und Geburtsort* *amtlich*: place and date of birth (△ *Wortstellung*)

Geburtstags... *in Zusammensetzungen*: birthday ...; *Geburtstagsfeier* birthday party; *Geburtstagsgeschenk* birthday present ['preznt]; *Geburtstagskarte* birthday card; *Geburtstagskind* birthday boy (*bzw.* girl); *Geburtstagskuchen* birthday cake

Geburtsurkunde birth certificate [sə'tɪfɪkət]

Gebüsch 1. bushes [△ 'bʊʃɪz] (△ *Pl.*) **2.** (≈ *Unterholz*) undergrowth ['ʌndəɡrəʊθ], *AE* underbrush

gedacht 1. (≈ *vorgestellt*) imagined [ɪ'mædʒɪnd], imaginary [ɪ'mædʒɪnrɪ] **2.** (≈ *angenommen*) assumed [ə'sjuːmd] **3.** *gedacht als* intended as, meant [ment] to be **4.** *gedacht für* intended for, meant for

Gedächtnis 1. memory **2.** *aus dem Gedächtnis* (≈ *auswendig*) by heart [hɑːt]

Gedächtnislücke gap in one's memory; *er hatte eine Gedächtnislücke* there was a gap in his memory

Gedächtnistraining memory training

Gedanke 1. thought [θɔːt] (*an* of) **2.** (≈ *Vorstellung, Einfall, Plan*) idea [aɪ'dɪə]; *jemanden auf den Gedanken bringen, etwas zu tun* give* someone the idea of doing something **3.** (≈ *Gefühl, Ahnung*) notion **4.** (≈ *Gedankengang, Betrachtung*) thought, thoughts (*Pl.*) **5.** *der Gedanke der Demokratie usw.* the idea (*oder* concept ['kɒnsept]) of democracy [dɪ'mɒkrəsɪ] *usw.* **6.** *sich Gedanken machen über* (≈ *nachdenken*) think* about, (≈ *sich sorgen*) worry ['wʌrɪ] about, be* worried about **7.** *mach dir keine Gedanken* (*darüber*)*!* don't worry about it! **8.**

ich hab das ganz in Gedanken getan I did it without thinking **9.** *sie kann seine Gedanken lesen* she can read his mind **10.** *allein der Gedanke (daran)...* just to think of it ..., just the thought of it ...

Gedankenaustausch exchange of ideas

gedankenlos (≈ *leichtsinnig*) careless

Gedankenstrich *Grammatik*: dash

Gedankenübertragung telepathy [△ tə-ˈlepəθɪ]

gedanklich 1. intellectual [ˌɪntəˈlektʃʊəl] **2.** *gedanklich verarbeiten* (mentally) digest [(ˌmentlɪ_)daɪˈdʒest]

Gedärme bowels [ˈbaʊəlz], intestines [△ ɪnˈtestɪnz]

gedeckt 1. covered (*auch Scheck*) **2.** *Tisch*: laid, *bes. AE* set

gedeihen 1. (*Pflanzen, Kinder usw.*) thrive* **2.** (≈ *wachsen*) grow* **3.** *übertragen* flourish [△ ˈflʌrɪʃ], prosper [ˈprɒspə], thrive*

gedenken + *Gen.*: think* of, remember

Gedenken: *zum* (*oder im*) *Gedenken an* in memory of

Gedenkfeier commemoration (ceremony)

Gedenkgottesdienst memorial service [məˈmɔːrɪəlˌsɜːvɪs]

Gedenkminute: *eine Gedenkminute einlegen für ...* observe a minute's silence in memory of ...

Gedenkmünze commemorative coin [kəˌmemərətɪvˈkɔɪn]

Gedenkstätte memorial [məˈmɔːrɪəl] (site)

Gedenktafel commemorative plaque [kəˌmemərətɪvˈplæk]

Gedenktag day of remembrance [rɪˈmembrəns]

Gedicht 1. poem [ˈpəʊɪm] **2.** *das Kleid usw. ist ein Gedicht* the dress *usw.* is a dream

Gedränge, Gedrängel 1. *Aktivität*: pushing (and shoving [△ ˈʃʌvɪŋ]) **2.** (≈ *Menge*) crowd

Gedröhne droning, *lauter*: roaring

gedruckt 1. printed **2.** *wenn er das zu dir gesagt hat, lügt er wie gedruckt* if he told you that, he's lying through his teeth

Geduld patience [ˈpeɪʃns]; *verlier nicht die Geduld* don't lose [luːz] your patience

gedulden: *wenn Sie sich noch ein wenig gedulden würden* if you wouldn't mind waiting a moment

geduldig patient [ˈpeɪʃnt]

Geduldsspiel *übertragen* test of patience [ˈpeɪʃns]

geehrt *in Briefen*: **Sehr geehrter Herr Smith, ...** Dear Mr Smith, ... (△ Mr *im*

BE ohne Punkt, im AE mit Punkt); **Sehr geehrte Damen und Herren, ...** Dear Sir or Madam, Dear Sir/Madam, ... (△ *erstes Wort des Brieftextes nach all diesen Anreden fängt mit einem Großbuchstaben an*)

geeignet 1. (≈ *passend*) suitable [ˈsuːtəbl] **(für, zu** for) **2.** (≈ *richtig*) right **3.** (≈ *befähigt*) qualified; *er ist nicht dafür geeignet* he's not the right man (for it)

Gefahr 1. danger [ˈdeɪndʒə] **(für** for, to) **2.** *es besteht keine Gefahr* there's no danger; *außer Gefahr* out of danger **3.** (≈ *Risiko*) risk; *wenn du mit meinem Fahrrad fährst, dann auf eigene Gefahr* if you use my bike, it's at your own risk **4.** *Gefahr laufen, etwas zu tun* run the risk of doing something

gefährden 1. endanger [ɪnˈdeɪndʒə] **2.** *du darfst deine Gesundheit nicht gefährden* you mustn't [ˈmʌsnt] put your health at risk

gefährdet 1. *Kinder usw. sind am meisten gefährdet* children *usw.* run the highest risk **2.** *Bäume usw. sind am meisten gefährdet* trees *usw.* are most at risk

Gefährdung danger [ˈdeɪndʒə], threat [θret], menace [ˈmenəs]; *eine Gefährdung seiner Gesundheit* a danger (*oder* threat) to his health

Gefahrenherd 1. (constant) source [sɔːs] of danger **2.** *politisch*: trouble spot

Gefahrenquelle safety hazard [ˈseɪftɪˌhæzəd]

Gefahrenstelle danger [ˈdeɪndʒə] spot

Gefahrenzone danger zone [ˈdeɪndʒəˌzəʊn]

Gefahrenzulage danger money [ˈdeɪndʒəˌmʌnɪ]

gefährlich 1. dangerous [ˈdeɪndʒərəs] **2.** (≈ *riskant*) risky

gefahrlos 1. not dangerous **2.** (≈ *sicher*) safe **3.** (≈ *harmlos*) harmless

Gefährte, Gefährtin companion [kəmˈpænjən]

Gefälle *Straße*: slope

Gefallen favour [ˈfeɪvə]; *jemandem einen Gefallen tun* do* someone a favour; *jemanden um einen Gefallen bitten* ask a favour of someone

gefallen¹ 1. *es gefällt mir* I like it; *es gefällt mir nicht* I don't like it **2.** *wie gefällt dir mein Hemd?* how do you like my shirt? **3.** *hat dir das Lied gefallen?* did you enjoy [ɪnˈdʒɔɪ] the song? **4.** *was mir daran* (*bzw. an ihr*) *gefällt ...* what I like about it (*bzw.* her) ... **5.** *das lasse ich mir nicht gefallen* I'm not going to put up with it

gefallen² *im Krieg usw.*: killed in action, fallen ['fɔːlən]

Gefälligkeit (≈ *Gefallen*) favour ['feɪvə]

gefälligst *grob*: …, will you!; **sei gefälligst still!** be quiet, will you!

gefangen 1. *im Gefängnis*: imprisoned [ɪm'prɪznd], in prison ['prɪzn] 2. **jemanden gefangen nehmen** *Krieg*: capture someone, take* someone prisoner

Gefangene(r) prisoner ['prɪznə], (≈ *Sträfling*) convict ['kɒnvɪkt]

Gefangenenlager prison ['prɪzn] camp, *im Krieg*: prisoner-of-war (*Abk*. POW [ˌpiːəʊ'dʌblju:]) camp [ˌprɪznər_əv-'wɔː_kæmp]

Gefangennahme *Krieg*: capture ['kæptʃə]

Gefangenschaft *allg.*: captivity [kæp'tɪvəti]

Gefängnis 1. prison ['prɪzn], jail [dʒeɪl] 2. **jemanden ins Gefängnis stecken** *umg.* put* someone in prison 3. **fünf Jahre Gefängnis bekommen** get* five years in prison

Gefängnisstrafe prison ['prɪzn] sentence

Gefängniswärter(in) prison officer ['prɪzn ˌɒfɪsə], *AE* prison guard [gɑːd], *AE* jailer

Gefängniszelle prison cell ['prɪzn_sel]

gefärbt *Haare*: dyed [daɪd]

Gefäß 1. *allg.*: container; ☞ *Illu S. 195* 2. (≈ *Blutgefäß*) vessel

gefasst 1. (≈ *besonnen*) calm [△ kɑːm], composed 2. **ich bin darauf gefasst** I'm prepared for it

Gefecht 1. battle (*auch übertragen*) 2. **jemanden außer Gefecht setzen** put* someone out of action

Gefechtskopf: (**nuklearer**) **Gefechtskopf** (nuclear) warhead [(ˌnjuːkliə)'wɔːhed]

Gefieder plumage ['pluːmɪdʒ], feathers ['feðəz] (△ *Pl.*)

Geflügel poultry ['pəʊltrɪ] (△ *ohne Pl.*)

Geflügelsalat chicken salad [ˌtʃɪkɪn-'sæləd]

Geflügelschere: (**eine**) **Geflügelschere** (a pair of) poultry shears ['pəʊltrɪˌʃɪəz] (△ *Pl.*)

Geflüster whispering ['wɪspərɪŋ]

Gefolgschaft, Gefolgsleute followers (△ *Pl.*), supporters (△ *Pl.*)

gefragt in demand [dɪ'mɑːnd], popular

gefräßig greedy, gluttonous ['glʌtnəs]

Gefreite(r) lance corporal, *AE* private ['praɪvət] 1st class (△ *gesprochen* first class)

gefreute(r, -s) ⓐ 1. (≈ *erfreulich, befriedigend*) pleasant ['pleznt], good 2. (≈ *sympathisch*) likeable ['laɪkəbl], nice

Gefrierbeutel freezer bag

gefrieren: **gefrieren** (**lassen**) freeze*

Gefrierfach freezer, freezing compartment

Gefrierfleisch frozen meat

Gefrierpunkt 1. freezing point 2. **unter dem Gefrierpunkt** below zero, below freezing

Gefrierschrank, Gefriertruhe freezer, deep-freeze

Gefüge structure

Gefühl 1. *allg.*: feeling; **ich habe das Gefühl, dass …** I have a feeling that …; **ich habe dabei ein ungutes Gefühl** I've got a funny feeling about it; **mit gemischten Gefühlen** with mixed feelings 2. (≈ *Sinn, Gespür*) sense [sens], feeling; **Gefühl für Recht und Unrecht** *usw.* sense of justice *usw.* 3. **ich hab kein Gefühl im Arm** I can't feel anything in my arm

gefühllos (≈ *hartherzig*) unfeeling

gefühlsmäßig instinctive [ɪn'stɪŋktɪv]

gefühlvoll 1. (≈ *empfindsam*) sensitive ['sensətɪv] 2. (≈ *gefühlsbetont*) emotional [ɪ'məʊʃnəl]

gefüllt 1. filled (**mit** with) 2. **gefüllte Tomaten** *usw.* stuffed tomatoes *usw.*

Gefummel *erotisch*: groping

gegeben 1. **etwas als gegeben voraussetzen** take* something for granted ['grɑːntɪd] 2. **unter den gegebenen Umständen** under the circumstances ['sɜːkəmstænsɪz]

gegebenenfalls if necessary ['nesəsrɪ]

gegen 1. ↔ *für*: against [ə'genst]; **gegen Stellenkürzungen protestieren** protest [prə'test] against job cuts; **ich hab nichts gegen ihn** I've nothing against him 2. **gegen einen Baum fahren** drive* (*oder* crash) into a tree 3. *Mittel*: for; **haben Sie etwas gegen Husten?** have you got something for a cough? [kɒf] 4. **gegen 8 Uhr** about (*bes. AE* around) 8 o'clock 5. (≈ *verglichen mit*) compared with, in comparison [kəm'pærɪsn] with

Gegenangriff counterattack (*auch übertragen*); **einen Gegenangriff führen gegen** counterattack, launch a counterattack against

Gegenanzeige *Medizin*: contraindication [ˌkɒntrəˌɪndɪ'keɪʃn]

Gegenargument counterargument ['kaʊntəˌɑːgjʊmənt]

Gegenbewegung countermovement ['kaʊntəˌmuːvmənt] (*auch übertragen*)

Gegenbeweis proof to the contrary ['kɒntrərɪ]; **den Gegenbeweis antreten** provide evidence ['evɪdəns] to the contrary

Gegend 1. *allg.*: area ['eərɪə], *innerhalb einer Stadt auch*: part of town (△ *mst.*

ohne the), *innerhalb eines Landes auch*: part of <u>the</u> country; *in der Gegend von München* in the Munich ['mjuːnɪk] area **2.** *hier in der Gegend* around here, in this area **3.** (≈ *Wohngegend*) neighbourhood ['neɪbəhʊd]

Gegendarstellung 1. correction, (≈ *Widerlegung*) refutation [ˌrefjʊ'teɪʃn] **2.** (≈ *Version*) version

Gegendemonstration counterdemonstration ['kaʊntədemən,streɪʃn]

gegeneinander against [ə'genst] one another (*oder* each other)

Gegenfahrbahn opposite lane [ˌɒpəzɪt'leɪn]

Gegenfrage counterquestion; *ich will dir mal ne Gegenfrage stellen* let me ask 'you something (△ *Betonung auf* you)

Gegengewicht counterweight [△ 'kaʊntəweɪt] (*auch übertragen*); *ein Gegengewicht bilden zu* counterbalance

Gegenleistung: *als Gegenleistung* in return (*für* for)

Gegenmaßnahme countermeasure

Gegenmittel *wörtlich und übertragen* remedy ['remədɪ] (*gegen* for)

Gegenprobe: *die Gegenprobe (auf etwas) machen* cross-check (something)

Gegenrichtung opposite ['ɒpəzɪt] direction

Gegensatz 1. *im Gegensatz zu ...* in contrast ['kɒntrɑːst] to (*oder* with) ..., unlike ... **2.** *Gegensätze in den Meinungen usw.*: differences ['dɪfrənsɪz]

gegensätzlich opposing [ə'pəʊzɪŋ], *Meinungen*: conflicting [kən'flɪktɪŋ]

Gegenseite opposite ['ɒpəzɪt] (*oder* other) side

gegenseitig 1. *gegenseitige Hilfe (Interesse usw.*) mutual ['mjuːtʃʊəl] help (interest *usw.*) **2.** *sich gegenseitig helfen usw.* help *usw.* one another (*oder* each other)

Gegenspieler(in) *Sport und übertragen*: opponent [ə'pəʊnənt]

Gegenstand 1. (≈ *Ding*) object ['ɒbdʒɪkt], thing **2.** (≈ *Thema*) subject ['sʌbdʒekt], topic ['tɒpɪk]

gegenstandslos irrelevant [ɪ'reləvənt], (≈ *ungültig*) invalid [ɪn'vælɪd]

gegensteuern *übertragen* take* countermeasures ['kaʊntə,meʒəz]

Gegenstimme *Parlament*: dissenting [dɪ'sentɪŋ] vote, vote against; *es gab fünf Gegenstimmen* there were five noes [nəʊz]

Gegenstück counterpart

Gegenteil 1. opposite ['ɒpəzɪt] (*von* of) **2.** (*ganz*) *im Gegenteil* <u>on</u> the contrary ['kɒntrərɪ], oh no(, not at all) **3.** *das be-*

wirkt (genau) das Gegenteil it has the opposite effect, it's counterproductive

gegenteilig contrary ['kɒntrərɪ], opposite ['ɒpəzɪt]

gegenüber 1. *allg.*: opposite ['ɒpəzɪt]; *direkt gegenüber* right *oder* directly opposite **2.** (≈ *auf der anderen Straßenseite*) across the street **3.** (≈ *im Vergleich zu*) compared with **4.** (≈ *im Gegensatz zu*) in contrast ['kɒntrɑːst] to

gegenüberliegen be* opposite ['ɒpəzɪt], face; *die beiden Parks liegen direkt gegenüber* the two parks face each other

gegenüberstehen 1. *jemandem gegenüberstehen* face someone **2.** *einem Problem gegenüberstehen* be* faced (*oder* confronted [△ kən'frʌntɪd]) with a problem ['prɒbləm], be* up against a problem

Gegenüberstellung 1. confrontation [ˌkɒnfrʌn'teɪʃn] (*auch vor Gericht*) **2.** (≈ *Vergleich*) comparison [kəm'pærɪsn]

Gegenverkehr oncoming traffic

Gegenvorschlag counterproposal ['kaʊntəprəˌpəʊzl]; *dann mach mir einen Gegenvorschlag* okay, what would 'you suggest, then?

Gegenwart 1. (≈ *jetzige Zeit*) present ['preznt] (time) **2.** *Grammatik*: present (tense)

gegenwärtig 1. (≈ *jetzig*) present ['preznt], current ['kʌrənt] **2.** (≈ *zurzeit*) at present **3.** (≈ *heutzutage*) nowadays ['naʊədeɪz], these days

Gegenwartsliteratur contemporary literature [kən,tempərərɪ'lɪtrətʃə]

Gegenwind headwind ['hedwɪnd]; *wir haben Gegenwind* there's a headwind (blowing)

Gegner(in) 1. opponent [ə'pəʊnənt] **2.** (≈ *Rivale*) rival ['raɪvl], competitor [kəm'petɪtə] **3.** (≈ *Feind*) enemy ['enəmɪ]

gegnerisch 1. opposing **2.** enemy ...

gehabt 1. (*alles*) *wie gehabt* same as ever **2.** ... *wie gehabt* ... as always, ... as usual

Gehalt¹ *der* (≈ *Inhalt, Anteil*) content ['kɒntent]

Gehalt² *das* (≈ *Einkommen*) salary ['sælərɪ], pay

Gehaltsabrechnung salary ['sælərɪ] statement, *umg.* pay slip

Gehaltsabzug deduction from (one's) salary ['sælərɪ]

Gehaltserhöhung (pay) rise, *AE* raise, salary increase ['sælərɪˌɪŋkriːs]

Gehaltsforderung salary ['sælərɪ] claim

Gehaltskürzung salary ['sælərɪ] cut

gehandikapt handicapped

gehässig spiteful ['spaɪtfl]

Gehässigkeit spitefulness; *aus reiner Gehässigkeit* out of sheer spite

Gehäuse 1. casing, case 2. *einer Kamera*: body 3. *eines Apfels*: core

gehbehindert: *sie ist gehbehindert* she has difficulty walking, she can't walk properly

Gehege enclosure [ɪn'kləʊʒə], *für Tiere auch*: pen

geheim 1. secret ['siːkrət]; *streng geheim* top secret 2. *etwas geheim halten* keep* something secret

Geheim... *in Zusammensetzungen*: secret [ˌsiːkrət ʒ] ...; *Geheimdienst* secret service; *Geheimpolizei* secret police; *Geheimrezept* secret recipe ['resəpɪ]; *Geheimsache* secret matter; *Geheimwaffe* secret weapon

Geheimnis 1. secret ['siːkrət] 2. *Wendungen*: *ein Geheimnis aus etwas machen* make* a secret out of something; *kein Geheimnis aus etwas machen* make* no secret of something; *ein offenes Geheimis* an open secret

Geheimnistuerei: *hör doch auf mit dieser Geheimnistuerei* stop making such a big secret ['siːkrət] out of it

geheimnisvoll mysterious [mɪ'stɪərɪəs]

Geheimratsecken receding hairline (△ *Sg.*); *er hat Geheimratsecken* his hair is receding at the temples

Geheimtipp hot tip

Geheimzahl *für EC-Karte, Handy usw.*: PIN (*PIN = personal identification number*)

gehemmt inhibited [ɪn'hɪbɪtɪd], (≈ *scheu*) *auch*: shy

gehen 1. (*zu Fuß*) *gehen* walk, go* (on foot) 2. *schwimmen* (*bzw. tanzen usw.*) *gehen* go* swimming (*bzw.* dancing *usw.*) 3. *zur Post usw. gehen* go* to the post office 4. *zur* (*oder in die*) *Schule gehen* (≈ *schulpflichtig sein*) go* to school (△ *ohne* the); ☞ *Info unter* **Schule** 5. *über die Straße gehen* cross the road; *über die Brücke gehen* cross the bridge 6. *an die Arbeit gehen* get* down to work 7. (≈ *fortgehen*) go*, leave*; *er ist gegangen* he's gone [gɒn], he's left (△ he's = he has) 8. *die Straße geht nach Salzburg* this road goes (*oder* leads) to Salzburg 9. *jemanden gehen lassen* let* someone go, *ungestraft*: let* someone off 10. (≈ *funktionieren*) work; *es geht* it works 11. *es geht nicht* (≈ *funktioniert nicht*) it doesn't (*oder* won't) work, (≈ *ist unmöglich*) it's impossible, *umg.* no way 12. (≈ *klappen*) work 13. *es geht mir gut* I'm fine; *es geht mir schlecht* I'm not feeling too good 14.

das Lied geht so the song goes like this 15. *wie geht es Ihnen?, wie gehts?* how 'are you? 16. *gehen durch* go* (*oder* pass) through 17. *gehen in* (≈ *hineingehen*) go* into, enter ['entə] 18. *gehen in* (≈ *passen in*) go* (*oder* fit*) in(to); *es gehen 200 Personen in den Saal* the hall holds two hundred people 19. *der Schaden geht in die Millionen* the damage runs into millions 20. *worum gehts?* what's the problem? 21. *'darum geht es* that's what it's about; *darum 'geht es nicht* that's not the point

Gehen 1. walking ['wɔːkɪŋ] (*auch Sport*) 2. *etwas zum Gehen bringen* get* something going

Geher(in) *Sport*: walker ['wɔːkə]

Geheul(e) howling ['haʊlɪŋ]

Gehirn 1. brain 2. (≈ *Geist*) mind

Gehirnerschütterung concussion; *sie hat eine Gehirnerschütterung* she has concussion (△ *ohne* a)

Gehirnwäsche brainwashing

gehoben 1. *Stellung*: high, senior ['siːnɪə] 2. *Stil*: elevated ['elɪveɪtɪd]

Gehör (sense of) hearing; *nach dem Gehör* by ear (△ *ohne* the)

gehorchen 1. *jemandem gehorchen* obey [ə'beɪ] someone 2. *jemandem nicht gehorchen* disobey [ˌdɪsə'beɪ] someone

gehören 1. *jemandem gehören* belong to someone (*auch übertragen*); *der Computer gehört mir* the computer belongs to me, it's my computer 2. *wem gehört das Buch?* whose book is this?, who does this book belong to? 3. *gehört es dir?* is it yours? 4. *sie gehört zu den besten Spielern* she's one of the best players 5. *das Fahrrad gehört nicht in die Wohnung!* the flat is no place for a bike 6. *das gehört zu seiner Arbeit* it's part of his job

gehörig: *ich hab ihm gehörig die Meinung gesagt* I gave him a piece of my mind

gehörlos deaf [def]

gehorsam obedient [ə'biːdɪənt]

Gehorsam obedience [ə'biːdɪəns]

Gehsteig, Gehweg pavement, *AE* sidewalk ['saɪdwɔːk]

Geier vulture ['vʌltʃə], *AE auch* buzzard ['bʌzəd]

Geige violin [ˌvaɪə'lɪn]; *Geige spielen* play the violin

Geigenbauer(in) violin [ˌvaɪə'lɪn] maker

Geiger(in) violinist [ˌvaɪə'lɪnɪst]

geil 1. (≈ *toll*) brill, ace [eɪs], *AE* awesome ['ɔːsəm] 2. *sexuell*: randy, horny

Geisel hostage [△ 'hɒstɪdʒ]; *jemanden als Geisel nehmen* take* someone hostage

Geiselbefreiung freeing (*oder* release [rɪ-'liːs]) of (the) hostages ['hɒstɪdʒɪz]

Geiseldrama hostage drama ['hɒstɪdʒ-ˌdrɑːmə] (*oder* crisis)

Geiselnahme taking of hostages ['hɒs-tɪdʒɪz], kidnapping

Geiselnehmer hostage-taker ['hɒstɪdʒ-ˌteɪkə], kidnapper

Geist 1. (≈ *Verstand, Sinn, Gemüt*) mind **2.** (≈ *Seele*) spirit ['spɪrɪt]; *Körper und Geist* body and spirit **3.** *das geht mir auf den Geist umg.* it's driving me mad

Geisterbahn ghost [gəʊst] train, *AE* tunnel ['tʌnl] of horror(s)

Geisterfahrer(in) *bes. AE* wrong-way driver [△ ˌrɒŋweɪ'draɪvə]; *der Unfall wurde von einem Geisterfahrer verursacht* the accident was caused by a motorist driving on the wrong [rɒŋ] side of the road

Geisterstadt ghost town ['gəʊst_taʊn]

geistesabwesend absent-minded

geistesgegenwärtig 1. *Person*: alert [ə'lɜːt], *umg.* on the ball **2.** *Reaktion*: quick

geistesgestört mentally disturbed

geisteskrank mentally ill [ˌmentlɪ'ɪl]

Geisteskranke(r) mental patient ['peɪʃnt]

Geisteskrankheit mental illness

Geistesstörung mental disorder

Geisteswissenschaft 1. arts subject ['ɑːts_sʌbdʒekt] **2.** *die Geisteswissenschaften* the arts, the humanities [hjuː-'mænətɪz]

Geisteszustand mental state [ˌmentl-'steɪt]

geistig 1. ↔ *körperlich*: spiritual ['spɪrɪt-ʃʊəl], (≈ *intellektuell*) intellectual [ˌɪntə-'lektʃʊəl] **2.** (≈ *mental*) mental ['mentl] **3.** *geistig behindert* mentally disabled

geistlich 1. (≈ *religiös*) religious [rɪ-'lɪdʒəs] **2.** *Lied usw.*: religious, spiritual ['spɪrɪtʃʊəl] **3.** (≈ *kirchlich*) ecclesiastical [ɪˌkliːzɪ'æstɪkl]

Geistliche(r) clergyman ['klɜːdʒɪmən], *Frau*: clergywoman ['klɜːdʒɪˌwʊmən] **2.** *die Geistlichen* the clergy ['klɜːdʒɪ] (△ *Pl.*) **3.** *bes. protestantisch*: minister ['mɪn-ɪstə]

geistlos 1. (≈ *langweilig*) dull **2.** (≈ *dumm*) stupid ['stjuːpɪd]

geistreich, geistvoll witty, clever

Geiz stinginess ['stɪndʒɪnəs], miserliness ['maɪzəlɪnəs]

Geizhals skinflint, (old) miser ['maɪzə]

geizig stingy ['stɪndʒɪ], tight-fisted, miserly ['maɪzəlɪ]

Gejammer moaning, whining

Gejohle *umg.* hooting, howling

Gekicher giggling

Gekläff yapping, barking

Geklapper rattling, clatter

Geklimper *Klavier*: tinkling

gekonnt 1. skilful ['skɪlfl], masterly **2.** *das war gekonnt!* it was brilliant ['brɪl-jənt]

gekränkt hurt, offended

Gekritzel 1. (≈ *das Kritzeln*) scrawling, scribbling **2.** *Schrift*: scrawl, scribble

gekünstelt artificial, affected

Gel gel [△ dʒel]

Gelaber(e) drivel ['drɪvl]

Gelächter 1. laughing ['lɑːfɪŋ], laughter ['lɑːftə] **2.** *in schallendes Gelächter ausbrechen* roar with laughter

geladen 1. *Waffe*: loaded **2.** *elektrisch*: charged [tʃɑːdʒd] **3.** *Gäste*: invited **4.** (≈ *wütend*) fuming ['fjuːmɪŋ], mad

gelähmt 1. *wörtlich und übertragen* paralysed ['pærəlaɪzd] **2.** *gelähmt vor Angst* paralysed with (*oder* by) fear

Gelände 1. (≈ *Gebiet, Terrain*) ground, terrain [tə'reɪn] **2.** (*offenes*) *Gelände* open country **3.** (≈ *Baugelände*) site **4.** *einer Fabrik, einer Schule usw.*: grounds (△ *Pl.*)

Geländelauf *Wettlauf*: cross-country race

Geländer 1. *einer Treppe*: banisters ['bæ-nɪstəz] (△ *Pl.*) **2.** *am Balkon usw.*: railings (△ *Pl.*)

Geländewagen off-road vehicle ['viːɪkl], off-roader [ˌɒf'rəʊdə]

gelangen 1. *an* (*auf, zu usw.*) *etwas gelangen* reach (*oder* get* to) something **2.** *sie gelangte zum Ziel übertragen* she reached her goal **3.** *Wendungen*: *zu Macht gelangen* gain power; *zu Reichtum gelangen* acquire [ə'kwaɪə] a fortune ['fɔːtʃən]; *zu einer Übereinkunft gelangen* reach (*oder* come* to) an agreement

gelangweilt bored [bɔːd]

gelassen 1. calm [△ kɑːm], composed, cool **2.** *sie blieb gelassen* she kept (her) cool

Gelassenheit calm [△ kɑːm], coolness

Gelatine gelatin ['dʒelətɪn], gelatine ['dʒelətiːn]

geläufig common

gelaunt: *er ist gut* (*bzw. schlecht*) *gelaunt* he's in a good (*bzw.* bad) mood

gelb 1. *allg.*: yellow **2.** *BE Verkehrsampel*: amber ['æmbə]

Gelb 1. *allg.*: yellow **2.** *BE Verkehrsampel*: amber ['æmbə]; *bei Gelb sollte man besser anhalten* you should stop when the lights are at (*oder* on) amber, *AE* you should stop when the light turns yellow

gelblich yellowish

Gelbsucht jaundice ['dʒɔːndɪs]

Geld 1. *allg.:* money [△ 'mʌnɪ], *umg.* cash **2.** *Gelder* money (△ *Sg.*), funds **3.** *teures Geld* hard-earned money **4.** *zu Geld kommen* get* hold of some money **5.** *Geld auftreiben* raise money **6.** *Wendungen:* **Geld spielt keine Rolle** money is no object ['ɒbdʒɪkt]; *das geht ins Geld* that could run into a lot of money; *etwas zu Geld machen* turn something into cash; *Geld stinkt nicht* money's money, money talks

Geldangelegenheiten money matters, financial matters (*oder* affairs)

Geldanlage investment

Geldautomat cash machine, *BE auch* cash dispenser, cashpoint, *bes. AE* automated teller (machine), ATM [ˌeɪtiːˈem]

Geldbeutel, Geldbörse purse (△ *AE* purse = *Handtasche*)

Geldbuße fine; *er wurde zu einer Geldbuße von 40 Pfund verurteilt* he was fined £40 (*gesprochen* forty pounds)

Geldgeschäfte money transactions

geldgierig greedy (for money)

Geldhahn: *jemandem den Geldhahn zudrehen* cut* off someone's money supply

Geldknappheit, Geldmangel lack of money

Geldprämie 1. bonus ['bəʊnəs] **2.** (≈ *Belohnung*) reward [rɪ'wɔːd]

Geldquelle source of money [ˌsɔːs ̩əv-'mʌnɪ]

Geldschein (bank)note, *AE* bill

Geldschrank safe

Geldschrankknacker *umg.* safecracker

Geldschwierigkeiten financial difficulties ['dɪfɪkltɪz]; *er hat Geldschwierigkeiten* he's in financial difficulty (*oder* difficulties)

Geldsorgen money worries [△ 'mʌnɪ-ˌwʌrɪz]

Geldspende donation

Geldstrafe fine; *er wurde zu einer Geldstrafe von 40 Pfund verurteilt* he was fined £40 (*gesprochen* forty pounds)

Geldstück coin [kɔɪn]

Geldumtausch currency exchange ['kʌrənsɪ ̩ɪksˌtʃeɪndʒ]

Geldverschwendung waste of money

Geldwäsche *übertragen* money laundering ['mʌnɪˌlɔːndərɪŋ]

Geldwechsel 1. *Vorgang:* exchange of money, currency ['kʌrənsɪ] exchange **2.** *Schild:* Bureau de Change [ˌbjʊərəʊ ̩də-'ʃɒndʒ], currency exchange office

geleckt: *in ihrem Zimmer sieht es im-*

mer wie geleckt aus her room's always spick and span [ˌspɪkən'spæn]

Gelee jelly ['dʒelɪ]

gelegen 1. (≈ *befindlich*) lying, situated, located **2.** (≈ *passend*) convenient [kən-'viːnɪənt], opportune ['ɒpətjuːn] **3.** *das kommt mir ganz gelegen Termin usw.:* that suits [suːts] me just fine, *Sache:* that's just what I need **4.** *mir ist sehr daran gelegen, es zu tun* I'm very keen (*oder* anxious ['æŋkʃəs]) to do it **5.** *mir ist sehr daran gelegen, dass er es tut* I'm very anxious (*oder* keen) for him to do it, I'm very anxious (*oder* keen) that he should do it **6.** *mir ist nichts daran gelegen* I don't care one way or the other

Gelegenheit 1. *günstige:* opportunity, chance [tʃɑːns]; *die Gelegenheit haben, etwas zu tun* have* the opportunity (*oder* chance) to do something; *die Gelegenheit nutzen* (*oder* *wahrnehmen*), *etwas zu tun* take* the opportunity to do something **2.** (≈ *Anlass*) occasion [ə'keɪʒn]; *jemandem Gelegenheit geben, etwas zu tun* give* someone the opportunity (*oder* chance) to do something **3.** *bei Gelegenheit* (≈ *irgendwann einmal*) some time, (≈ *wenn sich die Möglichkeit ergibt*) when I *usw.* get a chance **4.** *bei der ersten* (*besten*) *Gelegenheit* at the first best opportunity **5.** *bei dieser Gelegenheit lernte ich ihn kennen* that's (*oder* that was) when I got to know him

Gelegenheitsjob occasional job [ə̩keɪ-ʒnəl'dʒɒb], (≈ *Tätigkeit*) occasional *oder* casual work

Gelegenheitskauf bargain ['bɑːgɪn]

gelegentlich (≈ *mitunter*) occasionally [ə'keɪʒnəlɪ], (≈ *ab und zu*) now and then, (≈ *von Zeit zu Zeit*) from time to time

gelehrig *Tier:* docile ['dəʊsaɪl]

Gelehrte(r) scholar ['skɒlə]

Gelenk 1. *mechanisch:* joint **2.** (≈ *Handgelenk*) wrist [rɪst] **3.** (≈ *Fußgelenk*) ankle

Gelenkbus articulated bus [ɑːˌtɪkjʊleɪtɪd-'bʌs]

Gelenkentzündung arthritis [ɑː'θraɪtɪs]

gelenkig supple

gelernt: *er ist gelernter Elektriker* he's a trained electrician

Geliebte(r) lover

gelingen 1. succeed [sək'siːd] **2.** *Wendungen:* *es ist ihr gelungen* she succeeded, she was successful; *es gelang ihr, die Tür aufzubrechen* she managed to force the door open, she succeeded in forcing the door open; *es gelang der Polizei nicht, das Verbrechen aufzuklären* the police failed to solve the crime, the police didn't succeed <u>in</u> solving the crime; *es gelingt mir einfach nicht, meine Freundin zu vergessen* I just can't forget my girlfriend; *die Zeichnung usw. ist ihr gut gelungen umg.* she has made a good job of her (*oder* the) drawing *usw.*; → *gelungen*

gellend *Schrei*: shrill, piercing ['pɪəsɪŋ]

geloben *eidlich, feierlich*: vow [vaʊ], pledge

Gelöbnis vow, pledge

gelobt: *das Gelobte Land* the Promised Land [ˌprɒmɪst'lænd]

gelöst (≈ *erholt, entspannt*) relaxed

gelten 1. (*Ausweis usw.*) be* valid; *der Pass gilt nicht mehr* this passport is no longer valid (*oder* has run out) **2.** *Tor usw.*: count **3.** (*Münze usw.*) be* legal tender **4.** (*Regel usw.*) apply **5.** *Herr Buller gilt als Experte für Fußball* Mr Buller is considered (to be) an expert <u>on</u> soccer **6.** *etwas gelten lassen* (≈ *akzeptieren*) accept something; *ich kann Ihr Argument nicht gelten lassen* I can't accept your argument **7.** *Wendungen*: *das gilt auch für dich!* the same goes for (*oder* applies to) you too; *das gilt nicht! bei Spielen*: (≈ *ist nicht erlaubt*) that's not allowed, that's unfair

Geltung 1. (≈ *Gültigkeit*) validity; *Geltung haben Gesetz usw.*: be valid **2.** (≈ *Achtung*) respect, recognition [ˌrekəg-'nɪʃn]; *sich Geltung verschaffen* assert oneself **3.** *das Bild kommt dort nicht zur Geltung* the picture doesn't look its best there

Gelübde vow [vaʊ]; *ein Gelübde ablegen oder machen* take* (*oder* make*) a vow

gelungen 1. very good, successful **2.** *das war ja gelungen!* that was brilliant **3.** *ein gelungener Abend* a great evening; → *gelingen*

gemächlich leisurely [△ 'leʒəlɪ]

gemahlen *Kaffee usw.*: ground

Gemälde painting, picture

Gemäldegalerie art (*oder* picture) gallery

gemäßigt 1. *allg.*: moderate ['mɒdərət] **2.** *Klima(zone)*: temperate ['tempərət]

gemein 1. (≈ *boshaft*) mean, nasty ['nɑːstɪ]; *das ist gemein!* that's not fair, that's mean **2.** (≈ *gewöhnlich*) common; *das gemeine Volk* the common people **3.** *sie haben nichts miteinander gemein* they have nothing in common

Gemeinde 1. *Verwaltungseinheit*: municipality [mjuːˌnɪsɪ'pælətɪ] **2.** *Behörde*: local authority **3.** *Gemeinschaft*: community **4.** (≈ *Kirchengemeinde*) parish, *beim Gottesdienst*: congregation

Gemeinderat 1. local council, *AE* city council **2.** *Person*: local councillor, *AE* member of the city council

Gemeinderätin local councillor, *AE* member of the city council

gemeingefährlich 1. *er ist gemeingefährlich* he's a public danger ['deɪndʒə], he's a danger <u>to</u> the public **2.** *ein gemeingefährlicher Verbrecher* a dangerous criminal [ˌdeɪndʒərəs'krɪmɪnl], *AE auch* a public enemy ['enəmɪ]

Gemeinheit meanness, nastiness ['nɑːstɪnəs]; *so eine Gemeinheit!* what a nasty thing to do (*bzw.* say)

gemeinnützig: *eine gemeinnützige Organisation* a non-profit(-making) organization, *AE* a nonprofit organization

gemeinsam 1. *allg.*: common **2.** *Erklärung usw.*: joint, mutual ['mjuːtʃʊəl] **3.** *Freund, -in*: mutual **4.** *gemeinsame Anstrengung* combined (*oder* joint) effort **5.** *wir haben es gemeinsam getan* we did it together **6.** *das Haus gehört uns (beiden) gemeinsam* the house belongs to both of us

Gemeinsamkeit: *sie haben viele Gemeinsamkeiten* they have a lot (of things) in common

Gemeinschaft 1. *allg.*: community (*auch politisch*) **2.** (≈ *Vereinigung*) association **3.** *in Gemeinschaft mit* together with

gemessen: *gemessen an* compared with

Gemetzel bloodbath, massacre ['mæsəkə]

Gemisch mixture (*aus* of)

gemischt mixed (*auch Gefühle*)

Gemse → *Gämse*

Gemurmel murmuring, muttering

Gemüse 1. vegetables ['vedʒtəblz] (△ *Pl.*); *Gemüse ist gesund* vegetables <u>are</u> good for you ☞ *Illu S. 883* **2.** *was für ein Gemüse hättest du gern?* which kind of vegetable would you like? **3.** *junges Gemüse salopp* (≈ *Jugendliche*) youngsters (*Pl.*)

Gemüsegarten vegetable ['vedʒtəbl] garden, kitchen garden [ˌkɪtʃən'gɑːdn]

Gemüsehändler 1. *Gemüsehändler(in)* greengrocer **2.** *Laden*: greengrocer's; → *Gemüseladen*

Gemüseladen greengrocer's; *im Gemüseladen* at the greengrocer's

gemustert patterned ['pætnd]

Gemüt 1. (≈ *Gefühlswelt*) mind, feelings (△ *Pl.*), emotions (△ *Pl.*); *das geht mir aufs Gemüt* it's getting me down **2.** (≈ *Wesen, Charakter*) nature, disposition

gemütlich 1. (≈ *behaglich*) comfortable [△ 'kʌmftəbl], cosy; *es sich gemütlich machen* make* oneself at home **2.** *Mensch*: easygoing **3.** (≈ *gemächlich*) lei-

surely ['leʒəlɪ]
Gemütlichkeit 1. (≈ *Atmosphäre, in der man sich wohlfühlt*) relaxed atmosphere **2. in aller Gemütlichkeit frühstücken** have* a nice leisurely ['leʒəlɪ] breakfast

Gemütlichkeit

Da der Begriff „Gemütlichkeit" sich durch keinen englischen Ausdruck genau wiedergeben lässt, begegnet man auch im Englischen diesem aus dem Deutschen stammenden Lehnwort. Es wird oft kleingeschrieben und etwa [gə'mju:t…] ausgesprochen.

Gemütsverfassung, **Gemütszustand** frame (*oder* state) of mind
Gen gene ['dʒiːn]
Genabdruck genetic [dʒɪ'netɪk] fingerprint
genau 1. (≈ *richtig, korrekt*) exact [ɪg'zækt], accurate ['ækjərət] **2.** (≈ *exakt*) exact, precise [prɪ'saɪs]; **die genaue (Uhr)Zeit** the exact time **3.** (≈ *sorgfältig*) careful, thorough [△ 'θʌrə] **4.** (≈ *detailliert*) detailed **5. Genaueres** further details (*Pl.*) **6. genau!** exactly **7. genau dasselbe** exactly the same (thing) **8. genau in der Mitte** right in the middle **9. genau genommen** strictly speaking **10.** *Wendungen:* **genau das wollte ich auch sagen** that's exactly what I was going to say; **ich weiß es genau** I know for certain (△ *ohne* it); **ich weiß es noch nicht genau** I'm not sure yet; **er nimmt es mit der Wahrheit** *usw.* **nicht so genau** he doesn't worry too much about telling the truth *usw.*
Genauigkeit 1. *allg.:* accuracy ['ækjərəsɪ] **2.** *bei Maschinen:* precision [prɪ'sɪʒn]
genauso 1. exactly (*oder* just) the same (way) **2.** *vor Adj.:* just as (*good usw.*) **3. genauso wie ihr Bruder** just like her brother **4. ich mag ihn genauso gern wie meinen Bruder** I like him just as much as my brother **5. genauso gut** (just) as well (**wie** as) **6. genauso viel** just as much (**wie** as); **genauso viel(e) Leute** just as many people
Genbank gene [dʒiːn] bank
Gendarm policeman *Pl.:* policemen
Gendarmerie *allg.:* police (△ *Pl.*)
Gendatei DNA file [ˌdiːen'eɪ ˌfaɪl]
genehmigen 1. approve [△ ə'pruːv] (*Antrag, Plan usw.*); **amtlich genehmigt** (officially) approved **2.** (≈ *bewilligen*) grant (*Zuschuss usw.*) **3.** *umg.* okay; **er hat es mir genehmigt** he's okayed it
Genehmigung 1. (≈ *Billigung*) approval

[△ ə'pruːvl] **2.** (≈ *Erlaubnis*) permission **3.** *schriftliche, zum Vorzeigen:* permit ['pɜːmɪt]
geneigt: eine geneigte Fläche a slope
General general
Generaldirektor(in) managing director [də'rektə], general manager, *AE* president ['prezɪdənt]
Generalkonsulat consulate general
Generalprobe 1. *Theater:* dress rehearsal [rɪ'hɜːsl] **2.** *für Musiker:* final rehearsal
Generalsekretär(in) secretary general
Generalstab *Militär:* general staff
Generalstreik general strike
Generation generation (*auch übertragen*)
Generationsproblem generation gap; **das ist das Generationsproblem** it's the generation gap
Generator *zur Stromerzeugung:* generator
genesen recover (**von** from)
Genesung 1. recovery; **sie ist auf dem Weg der Genesung** she's on the road to recovery **2.** *allmähliche:* convalescence [ˌkɒnvə'lesns]
Genetik genetics [dʒə'netɪks] (△ *mit Sg.*); **Genetik ist ein Thema, über das sie immer wieder gern spricht** genetics is a subject she always likes to talk about
Genetiker(in) geneticist [dʒə'netɪsɪst], genetic scientist [dʒə,netɪk'saɪəntɪst]
genetisch genetic [dʒə'netɪk]; **genetischer Fingerabdruck** genetic fingerprint
Genf Geneva [dʒə'niːvə]
Genfer: der Genfer See Lake Geneva [ˌleɪk dʒə'niːvə] (△ *ohne* the *am Anfang*)
Genfood GM food(s *Pl.*) [ˌdʒiːem'fuːd(z)] (*GM = genetically modified*)
Genforschung *Fach:* genetics (△ *mit Sg.*); **die Genforschung ist eine relativ neue Fachrichtung** genetics is a comparatively new field of study (△ *ohne* the *am Anfang*)
genial 1. ingenious [ɪn'dʒiːnɪəs], brilliant ['brɪljənt] **2. sie ist genial** she's a genius
Genialität genius ['dʒiːnɪəs], brilliance
Genick (back of the) neck, nape (of the neck); **er hat sich das Genick gebrochen** he broke his neck (△ *nicht* the neck)
Genickschuss shot in the back of the neck
Genie genius ['dʒiːnɪəs]
genieren 1. sich genieren feel* embarrassed [ɪm'bærəst], feel* awkward ['ɔːkwəd] **2. ich geniere mich vor ihm** he makes me feel embarrassed
genießbar 1. *Essen allg.:* acceptable, (≈ *essbar*) eatable, (≈ *trinkbar*) drinkable **2.**

gerade

(≈ *unschädlich*) edible ['edəbl]
genießen 1. *allg.*: enjoy (*auch Ruf, Vorteil usw.*); **er genießt es, im Mittelpunkt zu stehen** he enjoys <u>being</u> the centre of attention **2.** *sinnlich*: savour ['seɪvə] (*Wein usw.*)
Genießer(in): sie ist eine Genießerin *des Lebens*: she really enjoys the good things in life, *beim Essen*: she really enjoys her food, she's a real gourmet ['gʊəmeɪ]
Genitalien genitals ['dʒenɪtlz]
Genitiv genitive ['dʒenɪtɪv] (case)
Genmais genetically-modified maize [dʒə‚netɪklɪ‚mɒdɪfaɪd'meɪz], GM maize [‚dʒiːem'meɪz]
Genmanipulation genetic engineering [dʒə‚netɪk‚endʒɪ'nɪərɪŋ]
genmanipuliert genetically engineered [dʒə‚netɪklɪ‚endʒɪ'nɪəd], genetically modified ['mɒdɪfaɪd], genetically manipulated [mə'nɪpjʊleɪtɪd]; **genmanipulierte Nahrungsmittel** GM food(s *Pl.*) [‚dʒiːem'fuːd(z)] (△ *GM = genetically modified*)
Genom *Biologie*: genome ['dʒiːnəʊm]
genormt standardized
Genosse comrade ['kɒmreɪd]
Genossenschaft (≈ *Erzeugervereinigung*) cooperative [kəʊ'ɒpərətɪv] (society)
genossenschaftlich cooperative [kəʊ'ɒpərətɪv]
Genossin comrade ['kɒmreɪd]
Genre genre ['ʒɒnrə]
Gentechnik genetic engineering (△ *ohne* the)
gentechnikfrei GM-free [‚dʒiːem'friː] (△ *GM = genetically modified*)
gentechnisch: gentechnisch verändert genetically modified [dʒə‚netɪklɪ'mɒdɪfaɪd], genetically engineered [‚endʒɪ'nɪəd]; **gentechnisch veränderter Reis** *usw.* GM rice [‚dʒiːem'raɪs] *usw.* (△ *GM = genetically modified*)
Gentest DNA test [‚diːen'eɪ_test] (△ *engl. DNA = dt. DNS*)
Gentherapie gene therapy [‚dʒiːn'θerəpɪ]
Genua Genoa ['dʒenəʊə]
genug enough [△ ɪ'nʌf]
Genüge: das kennen wir zur Genüge we know that only too well
genügen: das genügt mir that's enough (for me); **das genügt** that'll do; **danke, das genügt** *beim Einschenken usw.*: that's enough, thanks
genügend enough [△ ɪ'nʌf], plenty of
genügsam 1. easy to please **2.** undemanding (*auch Pflanze, Tier*)
Genus *Grammatik*: gender ['dʒendə]
Genuss 1. (≈ *Freude*) pleasure [△ 'pleʒə], delight **2.** *von Nahrung*: consumption

geöffnet open; **wie lange haben Sie geöffnet?** what time do you close?
Geographie geography [dʒɪ'ɒgrəfɪ]
geographisch geographic(al) [‚dʒɪːə'græfɪk(l)]
Geologe, Geologin geologist [dʒɪ'ɒlədʒɪst]
Geologie geology [dʒɪ'ɒlədʒɪ]
geologisch geological [‚dʒɪːə'lɒdʒɪkl]
Geometrie geometry [dʒɪ'ɒmətrɪ]
geometrisch geometric(al)
Gepäck luggage ['lʌgɪdʒ], *bes. AE und Luftfahrt*: baggage ['bægɪdʒ]
Gepäckablage luggage rack
Gepäckannahme 1. *Schalter*: luggage (*bes. AE* baggage) counter **2.** *Luftfahrt*: baggage check-in
Gepäckaufbewahrung left luggage (office), *AE* baggage room
Gepäckausgabe 1. *Schalter*: luggage (*bes. AE* baggage) counter **2.** *Luftfahrt*: baggage (re)claim (area)
Gepäckkontrolle luggage (*AE* baggage) check
Gepäckschein luggage ticket, *AE* baggage check
Gepäckstück piece (*oder* item) of luggage
Gepäckträger 1. *am Fahrrad*: rack, carrier **2.** *am Auto*: roof rack **3.** *Person*: porter
Gepäckwagen *Zug*: luggage van, *AE* baggage car
gepanscht: dieser Wein ist gepanscht there's something funny about this wine
gepanzert armoured ['ɑːməd]; **gepanzerter Geländewagen** armoured off-road vehicle
Gepard cheetah ['tʃiːtə]
gepfeffert *umg.*, *Preise, Rechnung usw.*: steep
gepflegt 1. *Person*: well-groomed, neatly dressed **2.** *Sache, Gerät*: well looked after (△ *nur hinter dem Verb*); **das Haus ist sehr gepflegt** the house is well looked after **3.** *Garten usw.*: well-kept **4.** *Sprache, Stil*: cultivated
Geplapper *umg.* babbling (*auch abwertend*)
gepolstert *Möbel*: upholstered [ʌp'həʊlstəd]
gepresst 1. *allg.*: pressed **2.** **frisch gepresster Orangensaft** fresh (*oder* freshly squeezed) orange juice [dʒuːs]
gepunktet 1. *Linie*: dotted **2.** *Muster*: spotted **3. ein gepunktetes Kleid** a polka-dot dress
Gequassel, Gequatsche *salopp* blather ['blæðə], blathering
gerade[1] **1.** *Linie usw.*: straight [streɪt] **2.** *Haltung usw.*: straight, erect [ɪ'rekt] **3.**

G

Zahl: even

gerade² 1. (≈ *soeben*) just; **sie ist gerade angekommen** she's just arrived 2. (≈ *eben, genau*) just, exactly; **gerade zur rechten Zeit, um zu helfen** just in time to help 3. *Wendungen:* **ich habs gerade noch geschafft** I only just made it; **das ist nicht gerade viel** (*bzw.* **großzügig** *usw.*) it's not exactly a lot (*bzw.* generous *usw.*)

Gerade 1. (≈ *Linie*) straight [streɪt] line 2. *auf der Rennbahn:* straight

geradeaus straight ahead, *BE auch* straight on

gerädert: (**wie**) **gerädert** absolutely shattered

geradewegs: er ging geradewegs auf sie zu he went straight [streɪt] up to her

gerammelt: gerammelt voll *salopp* jam-packed [ˌdʒæmˈpækt]

Geranie *Pflanze:* geranium [dʒəˈreɪnɪəm]

Gerät 1. (≈ *Vorrichtung*) device [dɪˈvaɪs], gadget [ˈgædʒɪt] 2. (≈ *Radio, Fernseher*) set 3. (≈ *Elektrogerät, Haushaltsgerät*) appliance 4. (≈ *Maschine*) machine 5. (≈ *Werkzeug*) tool 6. (≈ *Ausrüstung*) equipment (△ *nur im Sg.*)

geraten 1. **in Gefahr geraten** run* into danger; **in einen Stau geraten** get* (*oder* run*) into a traffic jam; **unter ein Auto geraten** be* (*oder* get*) run over by a car 2. **an etwas geraten** (≈ *zufällig finden*) come* across something 3. **wie bist du denn an den geraten?** *umg.* how did you get involved with him? 4. **nach jemandem geraten** (*Kind usw.*) take* after someone

Geräteturnen (apparatus) gymnastics [(-ˌæpəˈreɪtəs) dʒɪmˈnæstɪks] (△ *mit Sg.*)

Geräucherte(s) smoked meat

geräumig spacious [ˈspeɪʃəs], roomy, large

Geräusch 1. sound 2. *unerwünschtes:* noise

geräuschlos 1. *Gerät usw.:* noiseless 2. *laufen usw.:* without a sound

gerecht 1. just (*auch Strafe*), fair 2. (≈ *unparteiisch*) impartial 3. (≈ *berechtigt*) justified 4. **gerechte Sache** good cause 5. **jemandem** (*bzw.* **einer Sache**) **gerecht werden** (≈ *angemessen beurteilen*) do* justice to someone (*bzw.* something)

gerechtfertigt justified, justifiable

Gerechtigkeit justice [ˈdʒʌstɪs]

Gerede 1. talk 2. (≈ *Klatsch*) gossip 3. (≈ *Gerüchte*) rumours

geregelt *Leben, Arbeit, Zeiten usw.:* regular [ˈregjʊlə]

gereizt 1. (≈ *verärgert, gekränkt*) irritated 2. *Stimmung:* tense, strained

Gericht¹ 1. dish, meal 2. (≈ *Gang*) course

Gericht² 1. *Institution:* (law) court [kɔːt] 2. *Gebäude:* law court (*oder* courts), *AE* courthouse 3. (≈ *Richter*) judge *bzw.* judges 4. *Wendungen:* **vor Gericht gehen** go* to court; **jemanden** (*bzw.* et-

---

Geräusche: einige Verben mit ihren englischen Übersetzungen

bimmeln	**ring**
brummen	*Insekten:* **hum, buzz**; *Motor:* **drone**
brutzeln	*in der Pfanne:* **sizzle**
glucksen	*Wasser usw.:* **gurgle**; *vor Lachen:* **chortle**
hupen	*beim Autofahren:* **honk, hoot, toot**
klimpern	*Schüssel, Geld:* **jingle, jangle**; *auf dem Klavier:* **tinkle**
klirren	*Gläser beim Anstoßen:* **clink**; *brechendes Glas:* **tinkle**; *Ketten, Schlüsselbund:* **jingle, jangle**; *Teller, Fensterscheiben:* **rattle**
knacken	*Gelenke, Nüsse:* **crack**; *brechendes Holz:* **snap**
knallen	*Schuss:* **bang**; *Peitsche:* **crack**; *Sektkorken:* **pop**
knirschen	*Kies, Sand, Schnee:* **crunch**; *mit den Zähnen:* **grind one's teeth**
knistern	*Feuer:* **crackle**; *Papier:* **rustle** [ˈrʌsl]
krachen	*Becken* (= *Musikinstrument*), *Donner usw.:* **crash**; *Schuss:* **bang**; *Tür beim Zufallen:* **bang, slam**; *Eis:* **crack**
läuten	*Wecker:* **ring**
rascheln	*Laub, Papier:* **rustle** [ˈrʌsl]
rauschen	*Wasser:* **rush**; *Blätter im Wind:* **rustle**; *Brandung, Sturm:* **roar**; *Tonband, Aufnahme:* **hiss**
schwirren	*kleine Insekten:* **buzz**; *Pfeil:* **whiz(z)**; *Flügel:* **whirr**, *AE* **whir**
summen	*Bienen usw.:* **buzz**; *ein Lied:* **hum**
surren	*Insekt:* **buzz**; *Kamera, Motor:* **whirr**, *AE* **whir**, *leiser:* **hum**
ticken	*Uhr:* **tick**
zischen	*Schlange:* **hiss**; *Sprudel:* **fizz**; *aus Reifen usw. entweichende Luft:* **hiss**

was) *vor Gericht bringen* take* someone (*bzw.* something) to court; *vor Gericht aussagen* testify in court

gerichtlich 1. *gerichtliche Untersuchung* judicial inquiry [dʒʊˌdɪʃl ɪn-ˈkwaɪrɪ] 2. *gegen jemanden gerichtlich vorgehen* take* legal action against someone

gerichtsmedizinisch: *gerichtsmedizinische Untersuchung* forensic [fəˈrensɪk] tests (△ *Pl.*)

Gerichtssaal courtroom

Gerichtsurteil verdict [ˈvɜːdɪkt]

Gerichtsverfahren legal proceedings (△ *Pl.*), lawsuit [ˈlɔːsuːt]

Gerichtsverhandlung 1. *zivilrechtlich:* (judicial) hearing 2. *strafrechtlich:* trial

Gerichtsvollzieher bailiff

gering 1. *Menge, Anzahl:* small 2. (≈ *minimal*) slight 3. *Entfernung:* short, small 4. *Einkommen:* low 5. *Wert:* little 6. *Qualität:* low 7. *Auswahl:* limited 8. *geringes Interesse* little interest 9. *von geringer Bedeutung* of little importance 10. *deine Idee hat nur geringe Chancen* your idea only has a small chance of success (△ *Sg.*) 11. *gegen eine geringe Gebühr* for a small charge

geringfügig 1. slight 2. *Unterschied, Verletzung:* minor

geringschätzig *Bemerkung usw.:* disparaging [dɪˈspærɪdʒɪŋ]

geringste(r, -s) 1. least, slightest 2. *Wendungen: ich habe nicht den geringsten Zweifel* I haven't the slightest doubt; *sie hat nicht die geringste Ahnung* she hasn't the faintest idea; *beim geringsten Anzeichen von Müdigkeit* at the first sign of tiredness; *nicht im Geringsten* not in the least

gerinnen 1. *allg.:* coagulate [kəʊˈægjʊleɪt] 2. (*Blut*) clot 3. (*Milch*) curdle

Gerinnsel *Blut:* clot

Gerippe 1. skeleton [ˈskelɪtən] 2. *von Schiff usw.:* frame(work)

gerissen 1. (≈ *schlau*) cunning, crafty 2. *ein gerissener Bursche* a shrewd operator

Germ *bes.* Ⓐ (≈ *Hefe*) yeast [jiːst]

Germane Teuton [ˈtjuːtən]; *die* (*alten*) *Germanen auch:* the ancient Germans

Germanin Teuton [ˈtjuːtən]

germanisch Germanic [dʒɜːˈmænɪk] (*auch Sprachen*), Teutonic [tjuːˈtɒnɪk]

Germanist(in) Germanist [ˈdʒɜːmənɪst], (≈ *Student*) *auch* student of German (language and literature [ˈlɪtrətʃə]), German student

Germanistik German, German studies [ˈdʒɜːmənˌstʌdɪz] (△ *Pl.*); *Germanistik*

studieren study German, do* German studies

Germknödel *bes.* Ⓐ dumpling made of yeast dough [△ ˈjiːst ˌdəʊ]

gern(e) 1. gladly 2. (≈ *bereitwillig*) willingly 3. *ich schwimme usw. gerne* I like (*oder* enjoy) swimming *usw.* 4. *ich würde gerne Ski fahren können* I'd like to be able to ski 5. *ich hätte gern ein Pfund Butter* im *Lebensmittelgeschäft:* I'd like a pound of butter; → *gernhaben*

gernhaben: *jemanden gernhaben* like someone, be* fond of someone

Geröll (a patch of) loose rock, gravel [ˈgrævl]

Gerste barley

Geruch 1. smell 2. (≈ *Duft*) scent [sent] 3. *übler Geruch* bad (*oder* nasty) smell

---

Gerüche

neutral:	**smell**
angenehm:	**scent** [sent] (= Duft)
	fragrance [ˈfreɪgrəns] (= Duft)
	aroma (= Aroma, *bes. von Essen*)
unangenehm:	**smell** (= schlechter Geruch)
	odour [ˈəʊdə] (= Geruch, Gestank)
	stink (= Gestank)
	stench [stenʃ] (= penetranter Gestank)
	umg. **pong** (= Mief)

Mit **smell** verbindet man – wenn es nicht näher bezeichnet wird – einen neutralen oder auch unangenehmen Geruch. Es kann aber auch näher bestimmt werden:
pleasant / nice / lovely smell *oder auch* **horrible / nasty / bad smell.**

---

geruchlos 1. odourless [ˈəʊdələs] 2. *Seife usw.:* unscented [ʌnˈsentɪd]

Geruchssinn sense of smell

Gerücht rumour [ˈruːmə]

gerührt *übertragen* touched, moved; *zu Tränen gerührt* moved to tears

Gerümpel junk

Gerund(ium) gerund [ˈdʒerənd]

Gerüst 1. *am Bau:* scaffold(ing) [ˈskæfəʊld(ɪŋ)] 2. *übertragen* framework

gerüstet ready, prepared (*für* for)

gesalzen 1. salted 2. *die Preise waren ganz schön gesalzen* the prices were a bit steep

gesamt 1. whole, entire; *sein gesamtes Geld usw.* all his money *usw.* 2. (≈ *voll-*

ständig) complete

Gesamtbetrag total (amount), grand total

Gesamteindruck general impression, overall impression

Gesamtgewicht total weight [△ ˌtəʊtl-'weɪt]

Gesamthöhe total height [△ ˌtəʊtl'haɪt]

Gesamtkonzept overall (*oder* master) plan

Gesamtkosten total cost (△ *Sg.*)

Gesamtlänge total length [leŋθ]

Gesamtnote overall mark, overall grade

Gesamtschule *etwa*: comprehensive (school) [ˌkɒmprɪ'hensɪv ˌskuːl]

Gesamtwerk 1. *eines Künstlers*: œuvre ['ɜːvrə] **2.** *eines Schriftstellers*: complete works (△ *Pl.*)

Gesamtwertung: *X führt in der Gesamtwertung* X has the overall lead [liːd]

Gesamtzahl total number

Gesang (≈ *Singen*) singing

Gesang(s)unterricht singing lessons, singing classes (△ *beide mit Pl.*)

Geschäft 1. *allg.*: business **2.** (≈ *Vereinbarung*) deal; *ein Geschäft abschließen* do* (*bes. AE* make*) a deal; *sie hat ein gutes Geschäft gemacht* she did very well out of it **3.** *mit jemandem Geschäfte machen* do* business with someone; *mit etwas Geschäfte machen* deal* in something **4.** *wie läuft das Geschäft?* how's business? **5.** (≈ *Laden*) shop, *bes. AE* store **6.** (≈ *Firma*) business, firm, company [△ 'kʌmpənɪ]

geschäftig busy ['bɪzɪ], active

geschäftlich: *er ist geschäftlich unterwegs* he's away on business

Geschäftsaufgabe: *Räumungsverkauf wegen Geschäftsaufgabe* closing-down sale

Geschäftsbrief business letter

Geschäftsessen *kleineres, besonders mittags*: business lunch, *abends*: business dinner

Geschäftsfrau businesswoman

Geschäftsfreund(in) business associate ['bɪznəs ˌəˌsəʊʃɪət], colleague ['kɒliːɡ]

geschäftsführend: *der geschäftsführende Direktor* the managing director

Geschäftsführer(in) 1. manager **2.** *eines Vereins*: secretary ['sekrətrɪ]

Geschäftsleben business (life)

Geschäftsleitung management

Geschäftsleute business people, businessmen and -women

Geschäftsmann businessman

geschäftsmäßig businesslike

Geschäftspartner(in) (business) partner

Geschäftsräume business premises [△ 'premɪsɪz]

Geschäfte und Läden

Antiquitätenladen	**antique shop** [æn'tiːkʃɒp]
Apotheke	**chemist's**, *bes. AE* **pharmacy**
Bäckerei	**bakery**
Blumengeschäft	**florist's** ['flɒrɪsts]
Buchhandlung	**bookshop**, *bes. AE* **bookstore**
Drogerie	**chemist's**, *AE* **drugstore**
Fotogeschäft	**photo shop**
Friseur(laden)	**hairdresser's**
Gemüsehändler	**greengrocer's**
Juwelier(laden)	**jeweller's**
Kaufhaus	**department store**
Metzger(ei)	**butcher's** ['bʊtʃəz]
Optiker	**optician**
Reinigung	**dry cleaner's**
Schreibwarengeschäft	**stationery shop**
Schuhgeschäft	**shoe shop**
Supermarkt	**supermarket**
Zeitungshändler	**newsagent**, *AE* **newsdealer**

Geschäftsreise business trip

Geschäftsstelle 1. office **2.** *Bank*: branch

Geschäftsstraße shopping street

Geschäftsstunden business (*oder* office) hours

geschäftstüchtig businesslike, efficient [ɪ'fɪʃnt]; *sie ist sehr geschäftstüchtig* she's a good businesswoman

Geschäftszeit(en) business (*oder* office) hours

geschätzt 1. (≈ *in etwa berechnet*) estimated **2.** *Mensch*: respected **3.** *Freund*: valued

geschehen 1. *allg.*: happen **2.** (≈ *sich ereignen*) happen, occur [ə'kɜː] **3.** (≈ *stattfinden*) take* place **4.** *Wendungen*: *was soll damit geschehen?* what am I (what are we *usw.*) supposed to do with it?; *es muss etwas geschehen* something has got to be done (about it); *es wird dir nichts geschehen* you'll be all right; *es geschieht ihm recht!* it serves him right; *gern geschehen!* you're welcome, don't mention it

gescheit 1. (≈ *klug*) clever, bright **2.** (≈ *vernünftig*) sensible ['sensəbl] **3.** *umg.* (≈ *ordentlich*) decent ['diːsnt] **4.** *Wendungen*: *das ist doch nichts Gescheites* that's no good; *hier gibts nichts Gescheites zu essen* there's nothing worth eating here

Geschenk present [△ 'preznt], gift

Geschenkgutschein gift voucher ['gɪft-
ˌvaʊtʃə]
Geschenkpackung gift box, gift pack
Geschenkpapier (gift) wrapping [△ 'ræp-
ɪŋ] paper
Geschichte 1. (≈ *Erzählung usw.*) story **2.**
die Geschichte (≈ *vergangene Zeiten*)
history ['hɪstrɪ] (△ *ohne* the); *in die Ge-
schichte eingehen* go* down in history
3. *umg.* (≈ *Angelegenheit*) affair, busi-
ness; *eine schöne Geschichte! im nega-
tiven Sinn* a fine mess; *das ist eine böse
Geschichte mit seinem Knie* that's a
nasty business he's got with his knee
[niː]
geschichtlich 1. *Forschung, Roman usw.*:
historical **2.** *ein Ereignis von geschicht-
licher Bedeutung* a historic event
Geschichtsbuch history book
Geschichtslehrer(in) history teacher
Geschichtsunterricht history, history
classes (*Pl.*), history lessons (*Pl.*)
Geschicklichkeit 1. skill **2.** *bes. der Hän-
de*: dexterity [dek'sterətɪ]
geschickt 1. *allg.*: skilful **2.** *beim Kochen
ist er sehr geschickt* he's very skilled at
cooking **3.** *geistig*: clever, quick
geschieden *allg.*: divorced [dɪ'vɔːst]
Geschiedene(r) divorced [dɪ'vɔːst] man,
Frau: divorced woman
Geschirr 1. *zum Abspülen*: dishes (△ *Pl.*);
Geschirr spülen do* (*oder* wash) the
dishes, do* the washing-up **2.** *Teller usw.*:
crockery, *aus Porzellan*: china ['tʃaɪnə] **3.**
zum Kochen: kitchen utensils [juː-
'tenslz], pots and pans
Geschirrspüler, Geschirrspülmaschine
dishwasher
Geschirrspülmittel washing-up liquid
[wɒʃɪŋˈʌpˌlɪkwɪd], *AE* dishwashing liq-
uid
Geschirrtuch tea towel, drying-up towel,
AE dish towel
Geschlecht 1. sex; *das andere Ge-
schlecht* the opposite sex; *beiderlei Ge-
schlechts* of both sexes **2.** (≈ *Fürstenge-
schlecht*) dynasty ['dɪnəstɪ]; *das Ge-
schlecht der Habsburger* the House of
Habsburg, the Habsburg dinasty **3.** (≈
Gattung) species ['spiːʃiːz] *Pl.*: species;
das menschliche Geschlecht the hu-
man race **4.** *eines Substantivs*: gender
['dʒendər]
Geschlechtskrankheit sexually transmit-
ted disease
Geschlechtsreife sexual maturity [mə-
'tʃʊərətɪ]
Geschlechtsumwandlung sex change
Geschlechtsverkehr (sexual) intercourse,
sex

geschliffen 1. *Glas*: cut **2.** *Stil, Sprache
usw.*: polished ['pɒlɪʃt]
geschlossen 1. *allg.*: closed; *geschlos-
sener Stromkreis* closed circuit ['sɜːkɪt]
2. *geschlossene Ortschaft* built-up ar-
ea **3.** *geschlossene Gesellschaft* pri-
vate party
Geschmack 1. *allg.*: taste **2.** (≈ *Aroma*)
flavour, taste **3.** *beim Auswählen von
Kleidung usw.*: taste; (*einen guten*) *Ge-
schmack haben* have* (good) taste (△
ohne a); *keinen Geschmack haben*
have* no (sense of) taste
geschmacklos tasteless (*auch übertragen*)
Geschmacklosigkeit 1. tastelessness
(*auch übertragen*) **2.** *das neue Gebäude
ist eine echte Geschmacklosigkeit* the
new building is in really bad taste
Geschmackssache: *das ist Ge-
schmackssache* that's a matter of taste
Geschmacksverstärker flavour enhancer
['fleɪvər ˌɪnˌhɑːnsə]
geschmackvoll 1. tasteful **2.** *sie kleidet
sich sehr geschmackvoll* she dresses
very well
geschmeidig 1. *Leder, Haut*: soft, supple
2. *Körper*: supple
Geschnatter 1. *von Enten*: quacking
['kwækɪŋ] **2.** *von Gänsen*: cackling **3.**
übertragen chatter(ing)
Geschöpf creature [△ 'kriːtʃə]
Geschoss¹, ⒶGeschoß¹ (≈ *Stockwerk*)
floor [flɔː], storey, *AE* story; *im ersten
Geschoss* on the first (*AE* second)
floor; ☞ *Info unter engl.* **floor**
Geschoss², ⒶGeschoß² **1.** *auch Wurf-
geschoss*: missile ['mɪsaɪl] **2.** (≈ *Kugel*)
bullet [△ 'bʊlɪt] **3.** (≈ *Granate*) shell
geschraubt *Rede, Stil usw.*: stilted
Geschrei shouting, *stärker*: screaming
Geschütz gun
geschützt 1. protected (*auch Pflanze,
Tierart*) **2.** *geschütztes Warenzeichen*
registered ['redʒɪstəd] trademark
Geschwader squadron ['skwɒdrən]
Geschwafel *umg., abwertend, bes. BE*
waffle ['wɒfl]
Geschwätz 1. (≈ *Geplapper*) talk, idle
chatter **2.** (≈ *Klatsch*) gossip
geschwätzig talkative ['tɔːkətɪv]
Geschwindigkeit speed; *mit einer Ge-
schwindigkeit von 60 km/h* at a speed
of sixty kilometres per hour (*Abk.* 60
kph [ˌkeɪpiːˈeɪtʃ])
Geschwindigkeitsbegrenzung speed
limit
Geschwindigkeitsrekord speed record
['spiːdˌrekɔːd]
Geschwister 1. *zwei*: brother and sister **2.**
mehr als zwei: brothers and sisters; *hast*

G

du noch Geschwister? have you got any brothers or sisters?

geschwollen 1. (≈ *angeschwollen*) swollen ['swəʊlən] **2.** *Stil usw.:* pompous, inflated

Geschworene(r) 1. member of the jury **2. die Geschworenen** the jury (△ *mit Sg. oder Pl.*)

Geschwulst growth, tumour ['tjuːmə]

Geschwür 1. ulcer ['ʌlsə] **2.** *auf der Haut:* sore **3.** (≈ *Furunkel*) boil

Geselchte(s) *bes.* Ⓐ (salted and) smoked meat

Geselle: er ist (*Schneider- usw.*)*Geselle* he's a qualified tailor *usw.*

gesellen: sich zu jemandem gesellen join someone

gesellig 1. *Person:* sociable ['səʊʃəbl] **2. ein geselliges Beisammensein** a little get-together

Gesellin: sie ist (*Friseur- usw.*)*Gesellin* she's a qualified hairdresser *usw.*

Gesellschaft *allg.:* society; **die** (*feine*) *Gesellschaft* (high) society (△ *ohne the*) **2.** (≈ *Umgang mit anderen*) company [△ 'kʌmpəni]; **jemandem Gesellschaft leisten** keep* someone company **3.** (≈ *geselliges Beisammensein*) social gathering, party **4.** (≈ *Vereinigung*) society, association **5.** (≈ *Firma*) company, *AE auch* corporation

gesellschaftlich, Gesellschafts... social

Gesellschaftsordnung social order

Gesellschaftswissenschaften social sciences [ˌsəʊʃl'saɪənsɪz]

Gesetz law, *im Parlament auch:* act

Gesetzentwurf *im Parlament:* bill

Gesetzgeber legislator ['ledʒɪsleɪtə], legislative body [ˌledʒɪslətɪv'bɒdɪ]

Gesetzgebung legislation [ˌledʒɪ'sleɪʃn]

gesetzlich 1. *Bestimmungen usw.:* legal ['liːgl] **2.** *Erbe, Anspruch usw.:* (≈ *rechtmäßig*) lawful **3. gesetzlicher Feiertag** public holiday, *BE mst.* bank holiday

gesetzlos lawless

gesetzmäßig 1. legal ['liːgl], lawful, *Anspruch:* legitimate [lɪ'dʒɪtəmət] **2. eine gesetzmäßige Entwicklung** a regular development [ˌreɡjələ dɪ'veləpmənt]

gesetzwidrig illegal [ɪ'liːgl], unlawful

Gesicht 1. face **2.** (≈ *Miene*) expression **3. das Gesicht verlieren** lose* face (△ *ohne the*) **4.** *Wendungen:* **ich kann ihm nicht mehr ins Gesicht sehen** I can't look him in the eye any more; **was machst du denn für ein Gesicht?** what are you pulling such a face for?; **mach doch nicht so ein Gesicht!** stop pulling such a face, take (*oder* wipe) that look off your face; **er hat sein wahres Ge-**

sicht gezeigt he showed his true face

Gesichtsausdruck (facial) expression, look

Gesichtscreme face cream, facial cream

Gesichtsfarbe complexion

Gesichtskontrolle *umg.* face check

Gesichtsmaske *Kosmetik:* (face) mask

Gesichtsmassage facial massage [ˌfeɪʃl-'mæsɑːʒ]

Gesichtspunkt 1. (≈ *Betrachtungsweise*) point of view **2.** (≈ *ein wichtiger Punkt von mehreren*) point, factor

Gesichtszüge (facial) features

Gesindel rabble, *AE auch* trash

Gesinnung 1. (≈ *Ansichten*) opinions, views **2.** (≈ *grundsätzliche Einstellung*) basic (*oder* fundamental) attitude *oder* convictions (△ *Pl.*) **3. ein Mann von liberaler Gesinnung** a liberal-minded man

gesittet 1. civilized **2. auf der Party ging es recht gesittet zu** everybody at the party was very well-behaved

Gesöff *umg.* brew, *salopp* (god)awful stuff

gesondert 1. separate [△ 'seprət] **2. etwas gesondert behandeln** deal* separately with something

gespalten *allg.:* split, *Partei usw. auch:* divided

Gespann (≈ *zwei Menschen*) team; **die beiden bilden ein ideales Gespann** those two make a perfect team

gespannt 1. *Muskel, Lage usw.:* tense **2.** *Beziehungen:* strained **3. ich bin gespannt auf** I'm looking forward to, *stärker:* I can't wait to see; **auf das Konzert usw. bin ich schon gespannt** I wonder what the concert *usw.* is going to be like; **ich bin gespannt, ob** I wonder if **4.** (≈ *aufmerksam*) intently [ɪn'tentlɪ]; **gespannt zuhören** listen intently [ˌlɪsn ɪn-'tentlɪ]

Gespenst 1. ghost [ɡəʊst] **2. das Gespenst der Arbeitslosigkeit** *übertragen* the spectre ['spektə] of unemployment

Gespenstergeschichte ghost story

gespenstisch 1. eerie ['ɪərɪ] **2.** (≈ *unglaublich*) incredible [ɪn'kredəbl], mind-boggling ['maɪndbɒglɪŋ]

gesperrt 1. *allg., auch Straße:* closed (**für** to); **für den Verkehr gesperrt** closed to traffic (△ *ohne the*) **2. einige Wörter sind gesperrt gedruckt** some of the words are spaced (out)

Gespött mockery, ridicule ['rɪdɪkjuːl]; **sich zum Gespött (der Leute) machen** make* a fool of oneself

Gespräch 1. talk, conversation (**über** about, on); **ein Gespräch führen mit**

have* a talk (*oder* conversation) with; *ins Gespräch kommen* get* talking (*mit* to) 2. *Gespräche* Politik usw.: talks; *Gespräche führen mit* have* talks with 3. (≈ *Telefongespräch*) telephone conversation, (≈ *Anruf*) call; *ein Gespräch für Sie!* you're wanted on the phone

gesprächig talkative ['tɔːkətɪv]; *er ist nicht sehr gesprächig* he doesn't say much

Gespür feel, *seltener*: feeling (*für* for)

Gestalt 1. (≈ *äußere Form*) shape, form; (*feste*) *Gestalt annehmen* take* shape 2. (≈ *Körperbau*) build 3. *eine dunkle Gestalt* a dark shape (*oder* figure ['fɪɡə]) 4. *in* Roman usw.: character ['kærəktə]

gestalten 1. (≈ *formen*) shape, form, *in* Ton: model ['mɒdl] 2. (≈ *entwerfen*, künstlerisch gestalten) design [dɪ'zaɪn] 3. *etwas abwechslungsreich(er) gestalten* add (some) variety to something 4. (≈ *schmücken*) decorate ['dekəreɪt] 5. *schöpferisch*: create, make*; *etwas interessanter* usw. *gestalten* make* something more interesting usw.

Gestaltung 1. durch Künstler, Architekten usw.: design 2. eines Programms: artistic direction [də'rekʃn] 3. einer Veranstaltung: organization 4. (≈ Aussehen) style, design [dɪ'zaɪn] (einer Packung usw.) 5. (≈ Dekoration) decoration [ˌdekə'reɪʃn]

Geständnis 1. confession 2. *ich muss dir ein Geständnis machen* I have a confession to make

Gestank stench [stentʃ], stink, umg. pong

gestatten 1. allow, permit [pə'mɪt]; *jemandem etwas gestatten* allow someone to do something 2. *gestatten Sie(, dass ich …)?* may I (…)?

Geste gesture ['dʒestʃə] (auch übertragen)

gestehen 1. confess 2. (≈ zugeben) admit 3. *das glaube ich, offen gestanden, nicht* to be quite honest, I don't believe that

Gestein 1. allg.: rock, rocks (Pl.) 2. Bergbau: rock

Gestell 1. für Zeitungen, CDs, Flaschen usw.: rack 2. (≈ Regal) shelves (△ Pl.) 3. (≈ Fassung, Rahmen) frame 4. (≈ Stütze) support

gestellt 1. Bild usw.: posed 2. Szene: acted; *es ist gestellt* they're (bzw. he's usw.) acting

gestern 1. allg.: yesterday; *die Zeitung von gestern* yesterday's paper 2. *gestern Abend* last night, yesterday evening

gestochen: *gestochen scharfe Fotos* pin-sharp photos, needle-sharp photos

gestreift Hemd, Bluse usw.: striped, stripy

gestrichelt Linie: broken

gestrichen 1. *frisch gestrichen!* wet paint, AE auch fresh paint 2. *zwei gestrichene Teelöffel Zucker* two level teaspoons(ful) of sugar

Gestrüpp undergrowth ['ʌndəɡrəʊθ]

Gestüt stud farm

Gesuch request (*um* for)

gesucht 1. *sie ist ein sehr gesuchtes Modell* she's a (much) sought-after ['sɔːt,ɑːftə] model ['mɒdl] 2. *preisgünstige Wohnungen sind zurzeit sehr gesucht* inexpensive flats are in great demand these days 3. in Inseraten oder polizeilich: wanted

gesund 1. healthy ['helθɪ] (auch Appetit, Klima usw.) 2. Instinkt, Ansichten: sound 3. *gesunde Nahrung* good(, wholesome) food; *Obst ist gesund* fruit is good for you 4. *der gesunde Menschenverstand* common sense (△ ohne the) 5. (*wieder*) *gesund werden* get* well (again), recover; *werd schnell wieder gesund!* get well soon!

Gesundheit 1. health [helθ] 2. *Gesundheit!* beim Niesen: bless you!

Gesundheit!

Bless you! steht kurz für **God bless you!** und bedeutet „Gott segne dich/Sie!". Früher glaubte man nämlich, dass eine Person beim Niesen einen Dämon loswürde.

gesundheitlich 1. *ihr gesundheitlicher Zustand* the state of her health 2. *wie geht es Ihnen gesundheitlich?* how's your health?; *gesundheitlich geht es ihr gut* (bzw. *schlecht*) she's in good (bzw. she's not in very good) health

gesundheitsbewusst health-conscious ['helθ,kɒnʃəs]

Gesundheitsreform reform of the health-care system

gesundheitsschädlich 1. Nahrung: unhealthy 2. Gas usw.: noxious ['nɒkʃəs] 3. *Rauchen* usw. *ist gesundheitsschädlich* smoking usw. is bad for your health

Gesundheitszeugnis health certificate

getönt Haar, Glas usw.: tinted

Getöse 1. din, deafening ['defnɪŋ] noise 2. umg. racket

getragen: *getragene Sachen anhaben* wear* [weə] second-hand (*oder* old) clothes [kləʊ(ð)z]

Getränk drink, förmlich beverage [△ 'bevərɪdʒ]

Getränkeautomat drinks machine, AE soft drink (oder soda) machine

Getränkekarte 1. list of beverages ['bevərɪdʒɪz] 2. (≈ Weinkarte) wine list

Getreide grain, cereals [ˈsɪərɪəlz] (△ *Pl.*), *BE auch* corn

Getreideernte grain harvest [ˈgreɪn-ˌhɑːvɪst]

getrennt 1. separate [△ ˈseprət] **2. *getrennt zahlen*** pay* separately; *wir zahlen getrennt* could we have separate bills? **3. *sie leben getrennt*** they're living apart (*von* from), *bei getrennt lebenden Ehepartnern*: they're separated [ˈsepəreɪtɪd]

Getriebe *im Auto usw.*: transmission

Getto ghetto [ˈgetəʊ]

Getue *umg.* fuss (*um* about, over)

Getümmel tumult [ˈtjuːmʌlt]; *sich ins Getümmel stürzen* enter the fray

getüpfelt, getupft spotted; *ein getüpfeltes Hemd* a polka-dot shirt, a shirt with dots

geübt *in Tätigkeit*: experienced, skilled, trained; *sie hat ein geübtes Ohr* she's got a trained (*oder* practised [ˈpræktɪst]) ear

Gewächs 1. plant **2. *unser eigenes Gewächs*** our own produce [ˈprɒdjuːs]

gewachsen: *er ist ihr nicht gewachsen* he's no match for her; *er war der Aufgabe nicht gewachsen* he wasn't up to the task

Gewächshaus greenhouse, hothouse

gewagt 1. (≈ *gefährlich*) risky **2.** (≈ *kühn*) daring (*auch Ausschnitt eines Kleids usw.*)

gewählt 1. *Sprache usw.*: refined **2. *sich gewählt ausdrücken*** choose* one's words carefully

Gewähr guarantee [ˌgærənˈtiː]; *Gewähr bieten* (*bzw.* *leisten*) *für* guarantee

gewähren (≈ *bewilligen*) grant, give* (*auch Asyl, Kredit*)

Gewalt 1. (≈ *Macht*) power (*über* over) **2.** *durch Amt*: authority [ɔːˈθɒrətɪ] **3.** (≈ *Kontrolle*) control (*über* of, over); *die Gewalt verlieren über* lose* control over (△ *ohne* the); *etwas in seine Gewalt bringen* gain control of something **4.** (≈ *Gewalttätigkeit*) violence, force; *mit Gewalt* by force; *etwas mit Gewalt öffnen* force something open **5.** (≈ *Kraft*) strength **6.** *einer Detonation, eines Aufpralls usw.*: force

Gewaltanwendung (use of) force, (use [△ juːs] of) violence [ˈvaɪələns]

Gewaltbereitschaft propensity for violence

gewaltfrei *Protest usw.*: nonviolent [ˌnɒnˈvaɪələnt]

Gewaltherrschaft despotism [ˈdespətɪzm], tyranny [△ ˈtɪrənɪ]

gewaltig 1. (≈ *leistungsstark*) powerful **2.** (≈ *ungeheuer*) enormous, immense; *eine gewaltige Leistung* a tremendous feat *oder* achievement; *ein gewaltiger Irrtum* a (big,) big mistake **3.** (≈ *riesengroß*) gigantic [dʒaɪˈgæntɪk], *Gebiet, Anlage*: huge [hjuːdʒ], vast **4. *da irrst du dich gewaltig!*** you couldn't be more wrong

gewaltlos 1. *Politik*: nonviolent **2.** without (using any) violence

Gewaltlosigkeit *als Prinzip*: nonviolence

gewaltsam 1. violent [ˈvaɪələnt]; *gewaltsames Vorgehen* der Polizei usw.: use [juːs] of force **2.** (≈ *mit Gewalt*) violently, by force

Gewalttat act of violence [ˈvaɪələns]

Gewalttäter(in) violent criminal [ˌvaɪələntˈkrɪmɪnl]

gewalttätig violent [ˈvaɪələnt]

Gewand 1. *feierliches*: robe, gown **2.** *bes.* Ⓐ, Ⓒ (≈ *Kleidung*) clothes [kləʊ(ð)z]

gewandt 1. (≈ *flink*) nimble **2.** (≈ *geschickt*) skilful, *AE* skillful **3.** (≈ *raffiniert*) clever **4.** *Redner*: articulate [ɑːˈtɪkjʊlət], fluent

Gewäsch *umg., abwertend* twaddle [ˈtwɒdl]

Gewässer 1. *Pl.*: waters **2. *die meisten Gewässer hier sind verschmutzt*** most rivers and lakes here are polluted

Gewebe 1. (≈ *Stoff*) fabric [ˈfæbrɪk], *AE auch* material [məˈtɪərɪəl] **2.** *im Körper*: tissue [ˈtɪʃuː]

Gewebeprobe *Medizin*: tissue sample [ˈtɪʃjuːˌsɑːmpl]

Gewehr 1. rifle **2.** *allgemeiner*: gun (△ *mit* gun *werden alle Schusswaffen bezeichnet, von der Pistole bis zur Kanone*)

Geweih antlers [ˈæntləz] (△ *Pl.*)

Gewerbe trade, business

Gewerbegebiet industrial estate [△ ɪˈsteɪt], *bes. AE* industrial park

gewerblich commercial, industrial [ɪnˈdʌstrɪəl]

Gewerkschaft (trade) union, *AE* labor union

Gewicht 1. weight [△ weɪt] (*auch übertragen*) **2.** (≈ *Last*) load, weight **3.** (≈ *Bedeutung*) importance **4. *großes Gewicht legen auf*** set* great store by, (≈ *betonen*) place great emphasis [ˈemfəsɪs] on

Gewichtheben weightlifting [△ ˈweɪtˌlɪftɪŋ]

Gewichtheber(in) weightlifter [△ ˈweɪtˌlɪftə]

gewieft 1. smart **2.** (≈ *gerissen*) shrewd

gewillt willing, prepared

Gewimmel 1. swarm(ing) **2.** (≈ *Menschenmasse*) mass [mæs] of people, (teeming) crowd

Gewinde *Schraube usw.*: thread [θred]

Gewinn 1. (≈ *Profit*) profit ['prɒfɪt] (*auch übertragen*); *Gewinn bringen* yield a profit (△ *mit* a); *Gewinn bringend* profitable ['prɒfɪtəbl]; *Gewinn ziehen aus* profit from **2.** *Lotterie:* prize [praɪz] (△ *mit* z *geschrieben*) **3.** (≈ *Geldgewinn bei Spiel usw.*) winnings (△ *Pl.*)

Gewinnbeteiligung 1. *System:* profit sharing ['prɒfɪt ˌʃeərɪŋ] **2.** *Geldbetrag:* bonus

gewinnbringend profitable ['prɒfɪtəbl]

Gewinnchancen chances of winning, odds

gewinnen 1. *allg.:* win* (*auch Preis usw.*) **2.** gain (*Vorteil, Einfluss, Zeit, Einblick usw.*) **3.** *Bergbau:* mine, extract (*Erz, Kohle usw.*) **4.** (≈ *siegen*) win*, be* the winner(s) **5.** *gewinnen gegen* beat*

gewinnend *Wesen, Lächeln:* winning

Gewinner(in) winner

Gewinnspanne profit margin ['prɒfɪtˌmɑːdʒɪn]

Gewinnung 1. *von Bodenschätzen:* extraction **2.** *von Energie:* production

Gewirr 1. *von Fäden, Zweigen usw.;* auch übertragen: tangle **2.** *von Straßen:* maze

gewiss 1. (≈ *sicher*) certain, sure **2.** (≈ *nicht näher bestimmt*) certain; *in gewisser Herr X* a certain Mr X; *in gewissen Fällen* in certain (*oder* some) cases **3.** *das weiß ich ganz gewiss!* I know that for sure (*oder* certain) **4.** (≈ *zweifellos*) no doubt [daʊt]; *aber gewiss!* (but) of course!, certainly!

Gewissen conscience ['kɒnʃəns]; *ein reines oder gutes Gewissen* a clear conscience; *ein schlechtes Gewissen* a bad (*oder* guilty) conscience; *jemanden* (*bzw.* etwas) *auf dem Gewissen haben* have* someone (*bzw.* something) on one's conscience

gewissenhaft conscientious [ˌkɒnʃɪ-'enʃəs]

gewissenlos unscrupulous [ʌn-'skruːpjʊləs]

Gewissensbisse pangs (*oder* pricks) of conscience ['kɒnʃəns]

Gewissensfrage matter of conscience ['kɒnʃəns]

Gewissensgründe: *aus Gewissensgründen* for reasons of conscience ['kɒnʃəns]

Gewissenskonflikt moral conflict [ˌmɒrəl'kɒnflɪkt]

Gewissheit certainty; *sich Gewissheit verschaffen über* make* sure about

Gewitter (thunder)storm

Gewitterwolke thundercloud

gewöhnen 1. *sich an harte Arbeit gewöhnen* get* used to hard work; *sich daran gewöhnen, hart zu arbeiten* get* used to working hard **2.** *jemanden an et-*

was gewöhnen get* someone used to something **3.** *ich bin daran gewöhnt, früh aufzustehen* I'm used to getting up early

Gewohnheit habit ['hæbɪt]; *ich rauche aus reiner Gewohnheit* I only smoke out of habit

Gewohnheitssache matter (*oder* question) of habit ['hæbɪt]

gewöhnlich 1. (≈ *üblich*) usual ['juːʒʊəl] **2.** *Leben, Ereignis usw.:* (≈ *alltäglich, normal*) ordinary ['ɔːdnərɪ], everyday **3.** *im negativen Sinn* common **4.** (≈ *normalerweise*) usually; *gewöhnlich steht sie sehr früh auf* she usually gets up very early **5.** *wie gewöhnlich* as usual

gewohnt 1. (≈ *üblich*) usual ['juːʒʊəl]; *auf gewohnte Weise* in the usual way **2.** *Umgebung usw.:* familiar [fə'mɪlɪə] **3.** *er ist* (*es*) *gewohnt, früh aufzustehen* he's used to getting up early

Gewöhnung 1. *die Gewöhnung an seine neue Stiefmutter fiel ihm nicht leicht* getting used to his new stepmother wasn't easy for him **2.** *die Gewöhnung an harte Drogen endet für viele tödlich* addiction to hard drugs ends fatally for many people (△ *ohne the am Anfang*)

Gewölbe vault, *Raum auch:* vaults (*Pl.*)

gewölbt 1. *Zimmerdecke:* vaulted ['vɔːltɪd], arched [ɑːtʃt] **2.** *Oberfläche usw.:* convex [ˌkɒn'veks] **3.** *gewölbte Stirn* domed forehead ['fɒrɪd, 'fɔːhed]

Gewühl 1. (≈ *Durcheinander*) turmoil ['tɜːmɔɪl] **2.** (≈ *Menschenmenge*) crowd

gewunden *Weg, Fluss:* winding ['waɪndɪŋ]

Gewürz spice

Gewürze

Basilikum	basil ['bæzl]
Chili	chil(l)i
Dill	dill
Estragon	tarragon ['tærəgən]
Ingwer	ginger
Knoblauch	garlic
Koriander	coriander [ˌkɒrɪ'ændə]
Lorbeer(blätter)	bay (leaves)
Majoran	marjoram ['mɑːdʒərəm]
Minze	mint
Muskat	nutmeg
Nelke	clove [kləʊv]
Oregano	oregano [ˌɒrɪ'gɑːnəʊ]
Paprika	paprika ['pæprɪkə, pə'priːkə]

G

Petersilie	**parsley** ['pɑːslɪ]
Pfeffer	**pepper**
Piment	**allspice, pimento** [pɪ'mentəʊ]
Rosmarin	**rosemary** ['rəʊzmərɪ]
Safran	**saffron** ['sæfrən]
Salbei	**sage**
Schnittlauch	**chives** [tʃaɪvz], *AE* **chive**
Thymian	**thyme** [taɪm]
Zimt	**cinnamon** ['sɪnəmən]

Gewürzgurke gherkin ['gɜːkɪn], *AE auch* pickle

Gewürzmischung mixed herbs [hɜːbz], mixed spices (△ *beide Pl.*)

gezeichnet 1. (≈ *unterschrieben*) signed [saɪnd] **2.** *von Strapazen usw.:* marked (**von** by)

Gezeiten tide (△ *Sg.*), tides

gezielt 1. *Frage, Maßnahme:* specific [spə-'sɪfɪk] **2.** *ein gezielter Versuch* a deliberate [dɪ'lɪbərət] attempt (**zu** to + *Inf.*)

gezuckert sugared ['ʃʊgəd]

Gezwitscher chirping, twittering

gezwungen 1. *Lächeln:* forced **2.** *gezwungen lachen* force a laugh [lɑːf]

gezwungenermaßen: *ich habe es gezwungenermaßen getan* I was forced to do it

Ghana Ghana ['gɑːnə]

Ghetto ghetto ['getəʊ]

Gicht (≈ *Gelenkentzündung*) gout

Giebel gable

Gier 1. greed (**nach** for) **2.** *nach Essen, Macht usw.:* craving (**nach** for)

gierig 1. greedy (**nach, auf** for) **2.** *gierig essen* eat* greedily **3.** *etwas gierig verschlingen* devour [dɪ'vaʊə] something (*auch Buch usw.*)

gießen 1. pour [△ pɔː] (*Wasser usw.*) **2.** *die Blumen* (≈ *Topfpflanzen*) *gießen* water the plants (△ *nicht* the flowers) **3.** *es gießt* (≈ *regnet*) it's pouring **4.** cast* (*Eisen usw.*)

Gießkanne watering can

Gift 1. poison (*auch übertragen*) **2.** (≈ *Schadstoff*) toxin ['tɒksɪn], toxic agent ['eɪdʒənt] **3.** *darauf kannst du Gift nehmen!* umg. you can bet your bottom dollar on that

Giftgas poison gas [ˌpɔɪzn'gæs]

giftig 1. poisonous ['pɔɪznəs] **2.** *Substanz:* toxic ['tɒksɪk]

Giftmüll toxic waste

Giftpilz poisonous mushroom [ˌpɔɪznəs-'mʌʃrʊm], toadstool ['təʊdstuːl]

Giftschlange poisonous snake

Giftstoff poisonous (*oder* toxic) substance ['sʌbstəns]

Gigabyte gigabyte, GB [ˌdʒɪːˈbiː]

Gigant giant ['dʒaɪənt]

gigantisch gigantic [dʒaɪ'gæntɪk]

Ginster *Pflanze:* broom

Gipfel 1. *Berg:* summit, peak **2.** (≈ *Höhepunkt*) peak, height [△ haɪt]; *das ist ja der Gipfel!* that really is the limit **3.** *Politik:* (≈ *Gipfeltreffen*) summit (meeting)

Gipfelkonferenz *Politik:* summit conference ['sʌmɪtˌkɒnfrəns]

Gipfeltreffen *Politik:* summit (meeting)

Gips 1. plaster (of Paris) **2.** (≈ *Gipsverband*) plaster (cast); *in Gips* in plaster, *AE* in a cast **3.** *Mineral:* gypsum ['dʒɪpsəm]

Gipsabdruck plaster cast

Gipsbein: *sie hat ein Gipsbein* she's got her leg in a (plaster) cast(*BE auch* in plaster)

gipsen plaster

Gipsverband plaster cast

Giraffe giraffe [dʒə'rɑːf]

Girlande 1. *aufgehängte; förmlich:* festoon [fe'stuːn]; *mit Girlanden verziert* festooned **2.** *bes. zum Umhängen:* garland ['gɑːlənd]

Girokonto current account, *AE* checking account, *Post:* giro ['dʒaɪrəʊ] account

Gischt (sea) spray

Gitarre guitar [gɪ'tɑː]; *Gitarre spielen* play the guitar (△ *mit* the)

Gitter 1. *im Fußboden, vor Tür usw.:* grating **2.** *aus Eisen:* (iron) bars (△ *Pl.*); *hinter Gittern* behind bars

Gladiole *Pflanze:* gladiolus [ˌglædɪ'əʊləs] *Pl.:* gladioli [ˌglædɪ'əʊlaɪ]

Glanz 1. shine **2.** *von Farben:* brilliance

glänzen 1. shine* **2.** (≈ *funkeln*) glitter, (*Augen, Diamanten*) sparkle

glänzend 1. gleaming (*auch Haar*) **2.** *Stoff, Nase usw.:* shiny **3.** (≈ *funkelnd*) glittering, sparkling **4.** *übertragen* (≈ *hervorragend*) brilliant, excellent ['eksələnt] **5.** *ihr gehts glänzend* she's doing just fine **6.** *du siehst glänzend aus* you look dazzling

Glanzleistung brilliant performance

Glas 1. glass (*auch Gefäß*); *zwei Glas Wein* two glasses of wine **2.** (≈ *Einweckglas*) jar **3.** (≈ *Brillenglas*) lens [△ lenz]

Gläschen small glass; *möchtest du ein Gläschen Wein?* would you like a glass of wine?

Glascontainer bottle bank

Glasdach glass roof [ˌglɑːˈsruːf]

Glaser(in) glazier ['gleɪzɪə]

Glasfaserkabel fibre-optic cable

Glashaus (≈ *Gewächshaus*) greenhouse

glasieren 1. glaze (*Keramik, Ziegel*) **2.** ice (*Kuchen usw.*)

glasklar crystal-clear [ˌkrɪstlˈklɪə] (*auch übertragen*)

Glasmalerei 1. painting on glass **2.** *konkret*: stained glass

Glasnudeln glass noodles

Glasscheibe *in Fenster usw.*: pane (of glass)

Glassplitter splinter of glass

Glasur 1. *Kuchen usw.*: icing, *AE* frosting **2.** *Keramik*: glaze

glatt 1. ↔ *rau*: smooth [△ smuːð], *eine glatte Landung* a smooth landing **2.** *Straße usw.*: (≈ *glitschig*) slippery, (≈ *eisglatt*) icy **3.** *Haar*: straight **4.** *Haut*: smooth **5.** *umg. glatter Unsinn* absolute nonsense; *eine glatte Lüge* a complete lie **6.** (≈ *komplikationslos*) smoothly; → *glattgehen, glattlaufen* **7.** *glatt rasiert* clean-shaven **8.** *er hat glatt abgelehnt* he flatly refused

Glätte 1. ↔ *Rauheit*: smoothness **2.** *wegen Glätte gesperrt* *Straße*: closed due to icy conditions (*Pl.*)

Glatteis ice, *auf Straße oft*: black ice; *es ist Glatteis* *umg.* the roads are icy

Glatteisgefahr icy roads, ice on the roads

glätten 1. smooth out [ˌsmuːðˈaʊt] (*Tischtuch usw.*) **2.** smooth (down) (*Haar usw.*) **3.** ℍ (≈ *bügeln*) iron [ˈaɪən]

glattgehen *umg.* go* (off) well (*oder* smoothly); *wird schon glattgehen!* *umg.* it'll work out all right

glattlaufen: *es ist alles glattgelaufen* *umg.* everything went (off) smoothly

glattrasiert → *glatt* 7

Glatze 1. *er hat eine Glatze* he's bald [bɔːld] **2.** *er kriegt eine Glatze* he's going bald

Glaube 1. belief (*an* in) **2.** (≈ *Vertrauen*) faith (*an* in); *den Glauben an jemanden* (*bzw. etwas*) *verlieren* lose* (one's) faith in someone (*bzw.* something) **3.** *jemandem Glauben schenken* believe someone

glauben 1. believe; *es ist kaum zu glauben, aber ...* you won't believe it, but ...; *ich glaube dir kein Wort* I don't believe a word (you're saying) **2.** *glauben an* believe in (*Gott usw.*) **3.** *an jemanden glauben* (≈ *jemanden für sehr fähig halten*) believe (*oder* have* faith) in someone **4.** (≈ *meinen*) think*, believe; *ich glaube, ja* (*oder schon*) I think so; *ich glaube, nein* (*oder nicht*) I don't think so; *ich glaube nicht, dass er recht hat* I don't think he's right

Glaubensfreiheit freedom of religion

Glaubenskrieg religious war [rɪˌlɪdʒəsˈwɔː]

glaubhaft 1. *Ausrede usw.*: plausible [ˈplɔːzəbl] **2.** *es klingt nicht sehr glaubhaft* it doesn't sound very convincing

gläubig 1. religious **2.** (≈ *fromm*) devout

Gläubiger(in) *eines Schuldners*: creditor

glaubwürdig 1. *Erklärung usw.*: plausible [ˈplɔːzəbl] **2.** *Person*: trustworthy **3.** (≈ *verlässlich*) reliable

gleich 1. *die gleiche Sache usw.* the same thing *usw.* (*wie* as); *das gleiche* the same; *in gleicher Weise* in the same way; *zur gleichen Zeit* at the same time **2.** *8 minus 3 ist gleich 5* eight minus three is five **3.** *Rechte, Bezahlung usw.*: equal **4.** *es ist mir (völlig) gleich* *umg.* (≈ *egal*) it's all the same to me, *im negativen Sinn* I couldn't care less; *ganz gleich wann* (*wo usw.*) no matter when (where *usw.*) **5.** *sie behandelt alle Schüler gleich* she treats all her pupils the same **6.** *gleich aussehen* look alike (*oder* the same) **7.** *sie sind gleich alt* (*groß usw.*) they're the same age (size *usw.*) **8.** (≈ *unmittelbar*) right; *gleich nach* (*neben usw.*) right after (next to) *usw.*); *gleich gegenüber* right opposite **9.** (≈ *sofort*) straightaway; *gleich zu Beginn* right at the outset **10.** *es ist gleich zehn* (*Uhr*) it's nearly ten (o'clock) **11.** *Wendungen*: *bis gleich!* see you later; (*ich komme*) *gleich!* I won't be a minute, just a minute; *ich bin gleich wieder da* I won't be long; → *gleichbleibend, gleichlautend*

gleichaltrig: *zwei gleichaltrige Kinder* two children (of) the same age; *gleichaltrig mit* the same age *as*; *die zwei sind gleichaltrig* they're (both) the same age

gleichberechtigt: *Frauen sollten (den Männern) gleichberechtigt sein* women should have equal rights (to men)

Gleichberechtigung: *die Gleichberechtigung der Frau* equal rights for women [ˈwɪmɪn], women's rights

gleichbleibend (≈ *unveränderlich*) constant

gleichen 1. *er gleicht seinem Vater* *charakterlich*: he's like his father, *äußerlich*: he looks like his father **2.** *die beiden gleichen sich sehr* *charakterlich*: the two <u>are</u> very much alike, *äußerlich*: the two <u>look</u> very much alike

gleichfalls 1. likewise **2.** *danke, gleichfalls!* thanks, and (the same to) you

gleichförmig 1. *Bewegungen*: uniform [ˈjuːnɪfɔːm] **2.** *Arbeit*: (≈ *eintönig*) monotonous [məˈnɒtənəs]

Gleichgewicht balance [ˈbæləns]

G

gleichgültig 1. *allg.:* indifferent (**gegenüber** to) **2. ist dir das wirklich gleichgültig?** don't you care about it at all?

Gleichgültigkeit indifference (**gegenüber** to)

Gleichheitszeichen *beim Rechnen:* equals sign ['iːkwəlz ˌsaɪn]

gleichlautend *Erklärung usw.:* identical

Gleichmacherei *abwertend* egalitarianism [ɪˌɡælɪ'teərɪənɪzm], level(l)ing

gleichmäßig 1. (≈ *regelmäßig*) regular; *in* **gleichmäßigen Abständen** at regular intervals ['ɪntəvlz] **2.** (≈ *ohne Schwankungen*) steady ['stedɪ] **3. die Farbe** *usw.* **gleichmäßig auftragen** apply the paint *usw.* evenly **4. gleichmäßig gut** consistently good

Gleichnis *biblisch:* parable ['pærəbl]

Gleichschritt: im Gleichschritt in step (**mit** with)

gleichsehen: das sieht ihr gleich! that's just like her

gleichsetzen 1. *auch mathematisch:* equate [ɪ'kweɪt] (**mit** with) **2.** (≈ *auf dieselbe Ebene stellen*) put* on a level (**mit** with)

Gleichstrom direct current (*Abk.* DC [ˌdiː'siː])

Gleichung equation [ɪ'kweɪʒn]

gleichzeitig 1. ich kann nicht fünf verschiedene Dinge gleichzeitig machen! I can't do five different things at the same time; **die beiden Läufer gingen gleichzeitig durchs Ziel** the two runners crossed the finishing line at (exactly) the same time **2. das Konzert wird gleichzeitig im Fernsehen und im Radio übertragen** the concert is being broadcast simultaneously [ˌsɪml'teɪnɪəslɪ] on TV and radio

Gleis 1. *allg.:* track, rails (△ *Pl.*) **2. Gleis 6** *Bahnhof:* platform 6, *AE auch* gate 6

gleiten glide (**über** across)

gleitend: gleitende Arbeitszeit flexible working hours, *BE* flexitime, *AE* flextime

Gleiter, Gleitflugzeug glider

Gleitschirm paraglider

Gleitschirmfliegen paragliding

Gleitsegler hang-glider

Gleitzeit flexible working hours, *BE* flexitime, *AE* flextime

Gletscher glacier ['ɡlæsɪə]

Gletscherspalte crevasse [krə'væs]

Glied 1. *Arm, Bein:* limb [△ lɪm]; **mir tun alle Glieder weh** every bone in my body is aching ['eɪkɪŋ] **2.** *von Finger usw.:* joint **3.** *einer Kette:* link (*auch übertragen*)

gliedern 1. (≈ *anordnen*) arrange **2.** (≈ *aufbauen*) structure **3.** *in Teile:* divide (**in**

into); **die schriftliche Prüfung gliedert sich in drei Abschnitte** the written examination is divided into three sections

Gliederung 1. (≈ *Anordnung*) arrangement **2.** (≈ *Aufbau*) structure **3.** *nach Sachgebieten usw.:* classification **4.** *Aufsatz:* (≈ *kurze Inhaltsübersicht*) plan

Gliedsatz *bes.* Ⓐ subordinate clause

glimmen 1. (*Zigarette usw.*) glow **2.** (≈ *schwelen*) smoulder ['sməʊldə]

glimpflich: er ist glimpflich davongekommen he got off lightly

glitschig slippery

glitzern 1. glitter, (*Sterne*) *auch:* twinkle **2.** (*Augen, Schnee*) glisten [△ 'ɡlɪsn]

global global, worldwide

Globalisierung globalization [ˌɡləʊblaɪ'zeɪʃn]

Globus globe

Glocke 1. bell **2. etwas an die große Glocke hängen** *übertragen* make* a big thing (out) of something

Glockenturm bell tower, belfry ['belfrɪ]

glorreich 1. glorious **2. eine glorreiche Idee** *ironisch* a bright idea

Glossar glossary ['ɡlɒsərɪ] (of terms)

Glotze *salopp* (≈ *Fernseher*) box, *AE* (boob) tube; **vor der Glotze sitzen** be* glued to the box

glotzen 1. stare **2.** *mit offenem Mund:* gape

Glück 1. luck; **Glück haben** be* lucky; **kein Glück haben** be* unlucky; **da hast du Glück gehabt!** you were lucky there; **jemandem Glück wünschen** wish someone luck; **viel Glück!** good luck!, *umg.* best of luck!; **zum Glück** fortunately ['fɔːtʃnətlɪ] **2.** (≈ *Glücksfall*) stroke of (good) luck **3.** (≈ *Glücksgefühl*) happiness

glücken 1. (*Operation, Unternehmen usw.*) be* a success, work (*oder* turn) out well **2. es ist ihr geglückt, das Rennen zu gewinnen** she succeeded in winning the race

glücklich 1. (≈ *froh*) happy; **glücklich sein** be* happy, feel* happy **2.** (≈ *vom Glück begünstigt*) lucky, fortunate ['fɔːtʃnət]; **ein glücklicher Zufall** a lucky chance; **der glückliche Gewinner** *Lotto usw.:* the lucky winner **3. eine glückliche Hand haben** have* the right touch (**bei** for *oder* when it comes to)

glücklicherweise fortunately ['fɔːtʃnətlɪ], luckily

Glücksfall stroke of (good) luck

Glückspilz *umg.* lucky devil ['devl]

Glückssache: das ist reine Glückssache! it's a matter of luck

Glücksspiel 1. *einzelnes:* game of chance

Glück, glücklich

Glück haben	be lucky
Er hatte Glück und fand seine Schultasche wieder.	He was lucky to find his schoolbag again.
Hast du ein Glück!	**You lucky devil** ['devl]! (**devil** = Teufel)
Heute ist mein Glückstag.	It's my lucky day.
Glückszahl	lucky number
Glücksbringer	lucky charm
(innerlich) glücklich	happy
glücklich sein	be happy
Sie scheint in ihrer neuen Klasse ganz glücklich zu sein.	She seems very happy in her new class.

2. *übertragen* **das ist das reinste Glücksspiel!** it's all a matter of luck

Glückssträhne run (*oder* streak [striːk]) of good luck

Glückwunsch congratulations (△ *Pl.*) (**zu** on); **herzlichen Glückwunsch!** congratulations, *zum Geburtstag*: happy birthday

Glückwunschkarte greetings (*AE* greeting) card

Glühbirne (light) bulb

glühen 1. glow (*auch Zigarette, Gesicht*) **2.** *vor Zorn, Leidenschaft*: burn* (**vor** with)

glühend 1. *Farben, Berge usw.*: glowing **2. glühende Hitze** scorching heat; **es war glühend heiß** it was scorching **3.** *Eisen*: red-hot **4.** *Hass, Verlangen*: burning **5.** *Verehrer, Anhänger*: fervent, ardent

Glühlampe (light) bulb

Glühwein mulled wine

Glühwürmchen   glow-worm [△ 'gləʊwɜːm]

Glut *im Feuer*: embers (△ *Pl.*)

Glyzerin glycerine ['glɪsərɪn], *bes. AE* glycerin ['glɪsərɪn]

GmbH *allg.*: limited liability company, *BE etwa*: plc, PLC [ˌpiːel'siː] (*Abk. für* **p**rivate **l**imited (liability) **c**ompany), *AE etwa*: limited liability corporation, limited partnership

Gnade 1. (≈ *Barmherzigkeit*) mercy; **um Gnade bitten** beg for mercy **2.** *Gottes*: grace **3.** (≈ *Gunst*) favour

Gnadengesuch plea for clemency ['kleмənsɪ]

gnadenlos merciless, pitiless

gnädig 1. *auch humorvoll* (≈ *gunstvoll*) gracious (**gegen, gegenüber** to) **2.** (≈ *barmherzig*) merciful **3.** *Urteil*: lenient ['liːnɪənt]

Gnom gnome [△ nəʊm]

Gold 1. gold (*auch übertragen*) **2. Gold gewinnen** *Sport*: win* gold, win* a gold medal

Goldbarren gold ingot ['ɪŋɡət], gold bar

goldbraun golden-brown

golden 1. *vor dem Subst.*: gold, *nach dem Subst. oder Verb*: (made) of gold; **eine goldene Uhr** a gold watch **2.** *übertragen* golden; **goldene Hochzeit** golden wedding, *AE* golden anniversary

Goldfisch goldfish

goldgelb yellow(y)-gold

Goldgräber(in) gold digger

Goldgrube (≈ *sehr profitables Geschäft*) goldmine, *BE umg.* moneyspinner

Goldhamster golden hamster

goldig *Baby, Tier usw.*: lovely, cute, sweet

Goldmedaille gold medal ['medl]

Goldmedaillengewinner(in) gold medalist ['medlɪst]

Goldmünze gold coin

Goldrausch 1. gold fever **2.** *historisches Ereignis in Amerika*: gold rush

goldrichtig 1. exactly right **2. goldrichtig handeln** do* just the right thing

Goldschmied(in) goldsmith

Golf[1] *der* (≈ *große Meeresbucht*) gulf

Golf[2] *das*; *Sport*: golf [gɒlf]

Golfplatz golf course

Golfschläger golf club

Golfspieler(in) golfer

Golfstaat Gulf state

Golfstrom Gulf Stream ['gʌlf striːm]

Gondel gondola [△ 'gɒndələ], *einer Seilbahn auch*: cabin ['kæbɪn]

Gong 1. *allg.*: gong **2.** *Boxen*: bell

gönnen 1. ich gönne es ihm I'm really pleased for him; **ich gönne ihm seinen beruflichen Erfolg** I'm pleased he's been so successful in his career **2. er gönnt ihr ihren Erfolg nicht** he's jealous ['dʒeləs] of her success **3. ich gönne mir jetzt eine kleine Pause** I'm going to allow myself a little break now

googeln google

Gorilla gorilla (*auch Leibwächter*)

Gosse 1. gutter (*auch übertragen*) **2. jemanden durch die Gosse ziehen** drag someone's name through the mud

G

Gotik 1. *Stil*: Gothic ['gɒθɪk] (style) **2.** *Epoche*: Gothic period [ˌgɒθɪk'pɪərɪəd]

gotisch Gothic ['gɒθɪk]

Gott 1. (≈ *Gottheit*) god, deity [△ 'deɪəti] **2.** *der Christen, Moslems, Juden*: God (△ *immer ohne* the), the Lord (△ *immer mit* the, *außer bei Ausrufen*); *der liebe Gott* God **3.** *Wendungen*: *ach du lieber Gott!* *umg.* oh (my) God!, oh Lord!; *Gott sei Dank* thank God, thank goodness; *um Gottes willen!* *erschrocken*: for heaven's sake!, *betroffen*: (oh,) goodness!, oh no!; *grüß Gott!* *Gruß*: hello

Gottesdienst (church) service

Gotteslästerung blasphemy ['blæsfəmɪ]

Gottheit *bes. heidnische*: deity [△ 'deɪəti], *männliche auch*: god, *weibliche auch*: goddess ['gɒdes]

Göttin goddess ['gɒdes]

göttlich divine [dɪ'vaɪn] (*auch übertragen*)

gottlos 1. *allg.*: godless **2.** *Leben usw.*: sinful, wicked [△ 'wɪkɪd]

Götze, Götzenbild idol ['aɪdl]

Gouverneur(in) governor ['gʌvnə]

Grab 1. grave **2.** (≈ *Grabmal*) tomb [△ tuːm] **3.** *bis ins Grab* übertragen to the end

graben 1. dig* (*ein Loch, eine Grube usw.*) **2.** *graben nach* dig* for **3.** (*Kaninchen usw.*) burrow ['bʌrəʊ] (*einen Gang, Bau usw.*)

Graben 1. ditch **2.** (≈ *Schützengraben*) trench **3.** *Geologie*: rift valley

Grabmal 1. tomb [△ tuːm] **2.** (≈ *Ehrenmal*) monument ['mɒnjʊmənt]

Grabstein gravestone, tombstone [△ 'tuːmstəʊn]

Grabung excavation [ˌekskə'veɪʃn]

Grad 1. degree (*auch Winkelmaß, Temperaturmaß, Breitengrad*) (△ *engl.* grade = *Qualitätsstufe*); *wir haben* (*oder es sind*) *30 Grad Celsius* it's thirty degrees Celsius ['selsɪəs] (*geschrieben*: 30°C); *40 Grad nördlicher Breite* forty degrees north (*geschrieben*: 40°N); *Verbrennungen zweiten Grades* second-degree burns **2.** (≈ *militärischer Rang*) rank **3.** (≈ *Ausmaß*) extent, degree **4.** (≈ *Stufe*) stage **5.** *Wendungen*: *bis zu einem gewissen Grad* up to a point; *in höchstem Grad(e)* extremely

Graf 1. count, *als Titel*: Count (△ *nur außerhalb von GB*) **2.** *in GB*: earl [ɜːl], *als Titel*: Earl

Graffiti graffiti [grə'fiːtɪ]

Grafik 1. (≈ *einzelne grafische Darstellung*) graphic ['græfɪk], diagram ['daɪəgræm] **2.** *als Kunstwerk*: print **3.** *als Fachrichtung*: graphic arts (△ *Pl.*)

Grafiker(in) graphic designer

Grafikkarte *in Computer*: graphics card

Gräfin countess ['kaʊntɪs], *als Titel*: Countess

grafisch 1. graphic ['græfɪk] **2.** *grafische Darstellung* graphic, diagram ['daɪəgræm] **3.** *grafische Gestaltung* eines Buches, einer Zeitschrift usw.: layout, (≈ *Bildmaterial*) artwork

Grafschaft (≈ *Verwaltungsbezirk*) county

Gramm gram, *BE auch* gramme

Grammatik grammar; *die englische Grammatik* English grammar (△ *ohne* the)

grammatikalisch, grammatisch grammatical [grə'mætɪkl]

Granatapfel pomegranate [△ 'pɒmɪˌgrænət]

Granate shell (△ *engl.* grenade = *Handgranate*)

grandios grand, magnificent [mæg'nɪfɪsənt]

Granit granite [△ 'grænɪt]

Grant *bes.* Ⓐ grumpiness, anger; *einen Grant haben* be* in a bad mood, be* grumpy

grantig *bes.* Ⓐ grumpy, grouchy

Grapefruit grapefruit

Grapefruitsaft grapefruit juice ['greɪpfruːt ˌdʒuːs]

Graphik *usw.* → *Grafik usw.*

Gras 1. grass **2.** *über etwas Gras wachsen lassen* let* the dust settle (on something)

grasen graze

Grashalm blade of grass

grassieren (*Krankheit, Missstände usw.*) be* rampant ['ræmpənt], be* rife

grässlich 1. *Verbrechen usw.*: hideous [△ 'hɪdɪəs], atrocious [ə'trəʊʃəs] **2.** *schmeckt grässlich!* it tastes awful (*oder* terrible)

Grat (≈ *Bergrücken*) ridge

Gräte (fish)bone

Gratifikation 1. gratuity [grə'tjuːətɪ] **2.** (≈ *Weihnachtsgratifikation usw.*) bonus

gratis free (of charge)

Grätsche 1. *Turnen*: straddle **2.** *Sprung*: straddle vault [vɔːlt]

Gratulant(in) well-wisher

Gratulation congratulations (△ *Pl.*) (*zu* on); *meine Gratulation!* congratulations!

gratulieren 1. *jemandem zu etwas gratulieren* congratulate someone on something **2.** *jemandem zum Geburtstag gratulieren* wish someone a happy birthday **3.** *gratuliere!* (*bzw. wir gratulieren!*) congratulations!

Gratwanderung *übertragen* tightrope walk ['taɪtrəʊp ˌwɔːk]

grau 1. grey, *AE mst.* gray; *grau werden*

turn (*oder* go*) grey; *sie hat schon (etliche)* **graue Haare** she's going grey already **2.** (≈ *trostlos*) dark, gloomy **3. grau meliert** *Haar*: greying, *AE mst.* graying

Gräuel 1. (≈ *Gräueltat*) atrocity [ə'trɒsətɪ] **2. es ist mir ein Gräuel, ihn noch einmal treffen zu müssen** I hate the idea of having to see him again

Gräueltat atrocity [ə'trɒsətɪ]

grauen 1. mir graut davor I shudder at the thought **2. mir graut vor dieser Prüfung** I'm dreading ['dredɪŋ] that exam

Grauen dread [dred], horror (**vor** of)

grauenhaft, grauenvoll 1. horrific, ghastly ['gɑːstlɪ] **2.** *Fehler usw.*: dreadful, terrible

grauhaarig grey-haired, *AE mst.* gray--haired

gräulich (≈ *leicht grau*) greyish, *AE mst.* grayish

Graupel(schauer) (soft) hail, sleet (△ *ohne* a)

grausam 1. cruel ['kruːəl] (**gegen** to) **2.** (≈ *schlimm*) terrible, awful

Grausamkeit 1. cruelty ['kruːəltɪ] **2.** (≈ *Gräueltat*) atrocity [ə'trɒsətɪ]

grausen 1. mir graust (es) vor Spinnen I'm terrified of spiders **2. mir graust es davor** I'm dreading ['dredɪŋ] it

Grauzone *übertragen* grey area, *AE* gray area

gravieren engrave [ɪn'greɪv]

Gravierung engraving [ɪn'greɪvɪŋ]

Gravitation gravitation [ˌgrævɪ'teɪʃn], gravity ['grævətɪ]

Grazie grace, gracefulness

graziös graceful (△ *engl.* gracious = *freundlich, gnädig*)

greifen 1. greifen in reach into (*Handtasche usw.*) **2. greifen nach** reach for, *hastig*: snatch at **3. sich etwas greifen** take* (hold of) something, *fest*: grasp something, (≈ *packen*) grab (hold of) something **4. greifen zu** *wörtlich*: reach for, *übertragen*: resort to (*einer Maßnahme usw.*) **5. um sich greifen** (*Unsitte usw.*) spread* **6.** (*Maßnahme usw.*) (≈ *zu wirken beginnen*) (begin* to) take* effect **7. zum Äußersten greifen** go* to extremes

Greis old man

Greisin old woman

grell 1. (≈ *blendend*) dazzling, glaring **2.** *Farbe*: garish ['geərɪʃ], loud **3.** *Ton*: shrill, piercing

Gremium body, committee (△ *Schreibung*)

Grenze 1. boundary (*auch von Gemeinde, Grundstücken*) **2.** (≈ *Landesgrenze*) border, frontier ['frʌntɪə] **3.** *übertragen* limit, limits (*Pl.*); **seine Grenzen kennen**

know* one's limitations; **sich in Grenzen halten** keep* within (reasonable) limits; **alles hat seine Grenzen** there's a limit to everything

grenzen 1. grenzen an border on **2. das grenzt an Wahnsinn** *usw.* that verges on madness *usw.*

grenzenlos 1. boundless, unbounded **2.** *Macht*: unlimited

Grenzgebiet border area

Grenzkontrolle border control

Grenzland border area, borderland

Grenzlinie 1. borderline (*auch übertragen*) **2.** *Sport*: line

Grenzübergang border crossing point, checkpoint

Grenzverkehr: der Grenzverkehr border traffic (△ *ohne* the)

Grieche 1. Greek; **er ist Grieche** he's Greek; ☞ **Nationalitäten 2.** *umg.* (≈ *griechisches Lokal*) Greek place, Greek restaurant ['restərɒnt]

Griechenland Greece [griːs]

Griechin Greek woman (*oder* lady *bzw.* girl); **sie ist Griechin** she's Greek; ☞ **Nationalitäten**

griechisch, Griechisch Greek [griːk]

Grieß(brei) semolina [ˌseməˈliːnə]

Griff 1. *an Messer, Koffer, Tür usw.*: handle **2.** (≈ *festes Halten mit der Hand*) grip, grasp (*beide auch übertragen*) **3. etwas in den Griff bekommen** come* to grips (△ *Pl.*) with something **4.** (≈ *das Greifen*) grasping (**nach** at) **5.** *Ringen*: hold **6.** *Turnen*: grip **7.** (≈ *Fingerstellung auf Musikinstrument*) fingering; **das ist ein sehr schwieriger Griff** the fingering is very difficult here

Grill grill, barbecue ['bɑːbɪkjuː]; **Hähnchen** *usw.* **vom Grill** grilled chicken *usw.*

Grille *Insekt*: cricket

grillen 1. grill, barbecue ['bɑːbɪkjuː] (*Fleisch usw.*) **2.** (≈ *eine Grillparty haben*) have* a barbecue

Grillfest, Grillparty barbecue ['bɑːbɪkjuː]

Grimasse grimace [grɪ'meɪs]; **Grimassen schneiden** pull faces

grimmig 1. fierce (*auch Gesichtsausdruck, Blick*) **2.** *Kälte, Schmerzen*: severe [sɪ-'vɪə] **3.** *Lachen, Gesichtsausdruck*: grim

grinsen 1. grin **2.** *spöttisch*: smirk, *stärker*: sneer (**über** at)

Grinsen 1. grin **2.** *spöttisches*: smirk

Grippe flu [fluː], *förmlich* influenza [ˌɪnfluˈenzə]; **er hat Grippe** he's got (the) flu

Grips *umg.* brains (△ *Pl.*)

grob 1. *Sand, Gewebe, Wolle usw.*; *auch Person, Benehmen*: coarse **2.** (≈ *unhöflich*) rude **3.** (≈ *unverarbeitet*) raw, crude

4. (≈ *schlimm*) gross [grəʊs]; *grobe Fahrlässigkeit* gross negligence ['neglɪdʒəns]; *grober Fehler* bad (*oder* serious) mistake **5.** (≈ *ungefähr*) rough [△ rʌf], *Entfernung*: approximate; *grobe Skizze* rough sketch **6.** *grob geschätzt* at a rough guess

grölen bawl, bellow

Grönland Greenland ['griːnlənd]

Groschen 1. Ⓐ *historisch*: groschen ['grɒʃn] **2.** *historisch, umg.* ten-pfennig piece **3.** *übertragen* penny; *der Groschen ist gefallen* the penny has dropped

groß 1. *allg.*: big (*auch von Vorteil, Frage, Problem usw.*); *ein großes Hotel* a big hotel **2.** large (*etwas sachlicher als big*); *eine große Zahl von* a large number of; *eine große Menge* a large amount (*oder* quantity) of **3.** *Person*: tall (*≈ groß und stark*) big **4.** *Gebäude, Baum usw.*: tall, big **5.** (≈ *großflächig*) vast **6.** *Entfernung*: long, great **7.** *Breite, Länge usw.*: great **8.** (≈ *bedeutend*) great, major, important **9.** *Große Koalition* Grand Coalition **10.** *Interesse, Mut, Fehler, Schmerz, Hitze, Spaß, Mühe usw.*: great; *in großer Eile* in a great hurry; *die große Mehrheit* the great (*oder* vast) majority **11.** *Kälte*: severe [sɪ'vɪə] **12.** *ein großer Verlust* bei *Kündigung, Todesfall*: a great loss; *große Verluste* an Soldaten: heavy losses **13.** (≈ *erwachsen*) grown-up **14.** *ihre große Schwester* her big sister **15.** *großer Buchstabe* capital letter **16.** *eine große Auswahl* a wide selection (*an of*) **17.** *ein großer Unterschied* a big (*oder* great) difference **18.** *große Ferien* summer holidays, *AE* summer vacation **19.** *Wendungen*: *der größere Teil* most of it (*bei Lebewesen*: them); (*ganz*) *groß in etwas sein* be* (very) good at something; *ich bin kein großer Tänzer* I'm not much of a dancer; *im Großen und Ganzen* on the whole; *Groß und Klein* young and old

groß

Beachte den Unterschied bei der Beschreibung einer „großen" Person:

groß und kräftig gebaut	**big**
hoch gewachsen	**tall**
groß(artig)	**great**

Großangriff *militärisch*: large-scale attack, major attack [ˌmeɪdʒər_ə'tæk]

großartig 1. tremendous [trə'mendəs], great [greɪt] **2.** (≈ *ausgezeichnet*) excellent ['eksələnt], brilliant ['brɪljənt] **3.** *sich großartig amüsieren* have* a great time

Großaufnahme *Film*: close-up ['kləʊsʌp]

Großbildleinwand big screen

Großbritannien (Great) Britain [(ˌ)greɪt-'brɪtn]; ☞ *Karte S. 293, Info unter engl. Britain*

Großbuchstabe capital ['kæpɪtl] (letter)

Größe 1. size (*auch von Kleidung*); *welche Größe haben Sie?* what size do you take (*AE mst.* wear)?; *von mittlerer Größe Sache*: medium-sized; *dieselbe Größe haben* be* the same size (*Person*: height) (*wie* as) **2.** (≈ *Körpergröße*) height [△ haɪt]; *sie hat ungefähr deine Größe* she's about your height **3.** (≈ *Ausdehnung*) size **4.** (≈ *Menge, mathematische Größe*) quantity; *eine unbekannte Größe* an unknown quantity **5.** (≈ *Ausmaß*) extent [ɪk'stent] **6.** *einer Person usw.*: (≈ *Bedeutung*) greatness **7.** (≈ *bedeutende Persönlichkeit*) celebrity [sə'lebrətɪ] **8.** *ein Projekt dieser Größe* a project on this scale

Großeltern grandparents

großenteils largely, to a great extent

Größenwahn megalomania [ˌmegələʊ-'meɪnɪə]

größenwahnsinnig megalomaniac; *er ist größenwahnsinnig* he's a megalomaniac

Großfahndung large-scale search (*oder* manhunt)

Großhandel 1. wholesale trade **2.** *Laden*: wholesaler's, wholesale store

Großhändler(in) wholesaler

großkotzig *salopp, abwertend* **1.** (≈ *angeberisch*) arrogant ['ærəgənt] **2.** *Auto, Hotel, Restaurant usw.*: swanky ['swæŋkɪ], *bes. AE auch* swank

Großmacht great power, superpower

Großmarkt 1. *für Einzelhändler*: wholesale market **2.** *für Normalkunden*: hypermarket

Großmaul *umg.* loudmouth, bigmouth

Großmutter grandmother ['græn,mʌðə]

Großraum (metropolitan) area; *der Großraum München* the Greater Munich area

Großraumbüro open-plan office [ˌəʊpənplæn'ɒfɪs]

Großraumflugzeug widebody jet

Großrechner mainframe (computer)

großschreiben: *etwas großschreiben* (≈ *mit großem Anfangsbuchstaben schreiben*) write* something with a capital letter ['kæpɪtl'letə]

Großschreibung capitalization [ˌkæpɪtlaɪ'zeɪʃn]

Großstadt big city, *BE auch* city

größtenteils for the most part, mainly

größtmögliche(r, -s) greatest possible (△ *nur mit* the *gebräuchlich*)

Großtuer(in) show-off

Großvater grandfather

Großverdiener(in) big earner

Großwild big game

großziehen 1. bring* up, raise [reɪz] (*Kinder*) **2.** raise, rear (*Tiere*)

großzügig 1. generous ['dʒenrəs] (*auch Trinkgeld*) **2.** *Ansichten, Charakter usw.*: liberal **3.** *Anlage, Planung usw.*: large--scale **4.** (≈ *weiträumig*) spacious

Großzügigkeit 1. generosity [,dʒenə-'rɒsətɪ] **2.** *von Ansichten usw.*: liberality **3.** *einer Anlage, Planung usw.*: (large) scale

grotesk grotesque

Grübchen *in der Wange*: dimple

Grube pit, *Bergbau auch*: mine

grübeln 1. brood (*über* over, about) **2.** (≈ *nachdenken*) ponder (*über* over)

grüezi ⊕ hello, *umg.* hi

Gruft 1. *Grabstätte*: tomb [△ tuːm] **2.** (≈ *Krypta*) crypt [krɪpt]

Grufti *salopp* wrinkly [△ 'rɪŋklɪ]

grün 1. *allg.*: green (*auch politisch*) **2.** *grüner Salat* lettuce ['letɪs] **3.** *grüne Bohnen* French beans **4.** *die Bananen usw. sind noch zu grün* the bananas *usw.* aren't ripe yet **5.** *er hat mir grünes Licht gegeben übertragen* he gave me the go--ahead

Grün 1. *Farbe*: green **2.** (≈ *Bäume und andere Grünpflanzen*) greenery **3.** *die Ampel steht auf Grün* the lights are green

Grünanlage (public) park, public gardens (△ *Pl.*)

Grund¹ 1. (≈ *Vernunftgrund, Ursache*) reason; *aus dem einfachen Grund, weil bzw. dass* for the simple reason that; *aus gesundheitlichen Gründen* for health reasons; *sie hat schon ihre Gründe* she knows what she's doing; *ohne jeden Grund* for no apparent reason **2.** (≈ *Anlass*) cause; *du hast keinen Grund, dich zu beklagen* you have no cause to complain; *kein Grund zur Besorgnis!* there's no need to get worried **3.** *auf Grund des Lehrermangels* because of the shortage of teachers; → *aufgrund*

Grund² 1. (≈ *Grundbesitz*) land, property ['prɒpətɪ] **2.** (≈ *Baugrundstück*) site, plot **3.** *von Gewässern, Gefäßen usw.*: bottom **4.** *von Grund auf übertragen* completely, (≈ *gründlich*) through and through **5.** *im Grunde genommen* basically **6.** *auf Grund laufen mit einem Schiff usw.*:

run* aground

Grund... *in Zusammensetzungen*: basic; **Grundausbildung** basic training; **Grundausstattung** basic equipment; **Grundbedürfnisse** basic needs; **Grundgebühr** basic rate, basic charge; **Grundgehalt** *Geld*: basic salary ['sælərɪ]; **Grundkenntnisse** basic knowledge [△ 'nɒlɪdʒ] (*in* of); **Grundkurs** basic course; **Grundlagenforschung** basic research; **Grundrechte** basic rights; **Grundregel** basic rule; **Grundwortschatz** basic vocabulary

Grundbegriffe basics, fundamentals

Grundbesitz property ['prɒpətɪ], *bes. AE* real estate ['rɪəl ˌɪˌsteɪt]

gründen 1. *allg.*: found **2.** establish, set* up (*Geschäft, Firma*) **3.** start (*Familie*)

Gründer(in) founder

Grundgesetz: *das Grundgesetz* (≈ *Verfassung der Bundesrepublik Deutschland*) *amtlich*: the Basic Law; → *Verfassung*

Grundlage 1. basis **2.** *die Grundlagen schaffen für* lay* the foundations for

gründlich 1. thorough [△ 'θʌrə], (≈ *sorgfältig*) careful; *er arbeitet langsam, aber gründlich* he's slow but thorough; *ich habe mich gründlich vorbereitet* I'm well-prepared **2.** *da hast du dich gründlich getäuscht* you're very much mistaken there

Gründonnerstag Maundy Thursday [ˌmɔːndɪˈθɜːzdɪ]

Grundriss 1. *eines Hauses usw.*: ground plan **2.** (≈ *kurzgefasstes Lehrbuch usw.*) outline

Grundsatz principle ['prɪnsəpl]

grundsätzlich 1. *Unterschied, Frage usw.*: fundamental, basic **2.** *ich bin grundsätzlich gegen das Rauchen aus Überzeugung*: I'm against smoking on principle **3.** *sie sind grundsätzlich mit unserem Plan einverstanden* they agree to our plan in principle **4.** *sie kommt grundsätzlich zu spät* she's always late **5.** *Fußball interessiert mich grundsätzlich nicht* I'm not at all interested in soccer

Grundschule primary school, *AE* elementary (*oder* grade) school; *auf die Grundschule gehen* go* to primary school (△ *ohne* the)

Grundstück 1. piece of land, plot, *AE auch* lot **2.** *Besitz*: property **3.** (≈ *Bauplatz*) site

Grundstücksmakler(in) estate [△ ɪ'steɪt] agent, *AE* real estate agent ['rɪəl ˌɪ,steɪt-ˌeɪdʒənt], *AE auch* Realtor ['rɪəltə]

Gründung 1. foundation **2.** *eines Geschäfts usw.*: establishment, opening

Grundwasser groundwater
Grundwasserspiegel water <u>table</u>
Grundzug 1. characteristic, main feature **2. _Grundzüge der Physik_ _usw._** fundamentals of physics _usw._, _als Buchtitel:_ <u>an</u> outline of physics _usw._
Grüne: _ein Häuschen im Grünen_ a house in the country
Grüne(r) _Parteimitglied:_ Green; **_die Grünen_** the Greens
Grünfläche 1. green space **2.** _gepflegte:_ lawn
Grüngürtel green belt
grunzen grunt
Grünzeug 1. _umg._ (≈ _Rohkost_) raw green vegetables ['vedʒtəblz] (△ _Pl._) **2.** (≈ _frische Würzkräuter_) herbs (△ _Pl._) **3.** _humorvoll_ rabbit food
Gruppe 1. _allg.:_ group **2.** (≈ _Arbeitsgruppe_) team **3.** (≈ _Kategorie_) category ['kætəgəri]
Gruppenarbeit 1. teamwork **2.** _Schule:_ group work
Gruppenreise group tour, organized tour
Gruppensex group sex
Gruppentherapie group therapy [ˌgruːp-ˈθerəpɪ]
gruppenweise in groups
gruppieren 1. group, arrange in groups **2. _sich gruppieren_** form a group (**_um_** round), (_Häuser usw._) be* arranged _oder_ grouped (**_um_** round)
Gruppierung 1. (≈ _Einteilung_) grouping **2.** (≈ _Gruppe_) group, _politisch auch:_ faction
Gruselfilm horror film
gruselig creepy, spooky ['spuːkɪ]
gruseln: _mich_ (_oder_ _mir_) **_gruselts_** I'm scared, it's giving me the creeps
Gruß 1. greeting; **_viele Grüße aus Wien_** greetings from Vienna **2.** _am Briefende:_ **_mit freundlichen Grüßen_** Yours sincerely; **_herzliche Grüße_** Kind regards, _AE_ Best regards, _weniger förmlich:_ Best wishes, _bei Freunden:_ Love (△ _alle Anfangswörter großgeschrieben_) **3. _sag ihm einen schönen Gruß von mir_** give him my regards, _bei guten Bekannten, Freunden:_ say hello to him from me, _intimer, bes. von Frau:_ <u>give</u> him my love
grüßen 1. greet, say* hello, _beim Militär usw.:_ salute [səˈluːt]; **_jemanden grüßen_** say* hello to someone, _beim Militär:_ salute someone; **_sie hat nicht einmal gegrüßt_** she didn't even say hello **2. _sie grüßen sich nicht mehr_** they don't even say hello to each other any more **3. _grüß dich!_** hello!, hi!; **_grüß Gott!_** _etwa:_ hello **4. _grüßen Sie Alf von mir_** say hello to Alf from me **5. _sie lässt Sie grüßen_** she

sends her regards
gschamig _bes._ Ⓐ shy
gucken _umg._ look, _heimlich auch:_ peep, _AE mst._ peek; **_guck mal!_** look!; **_guck mal, die Frau da!_** look at that woman!; **_nicht gucken!_** _beim Anziehen usw.:_ no peeping!, _AE_ no peeking!
Guerillakämpfer guer(r)illa [gəˈrɪlə] (fighter)
Guerillakrieg guer(r)illa war(fare) [gəˌrɪləˈwɔː(feə)]
Gugelhupf _bes._ ⒶⒹ _etwa:_ ring cake
Güggeli ⒸⒽ chicken
Gulasch goulash ['guːlæʃ]
Gulaschsuppe goulash soup [ˌguːlæʃˈsuːp]
Gülle _bes._ ⒸⒽ (≈ _Jauche_) liquid manure [△ ˌlɪkwɪd_məˈnjʊə]
gültig 1. _Pass, Fahrkarte usw.:_ valid; **_die Fahrkarte ist drei Tage gültig_** the ticket is valid (_umg._ good) for three days **2.** _Bestimmungen usw.:_ current **3. _ist dieser Geldschein noch gültig?_** is this note still legal tender? **4.** _Gesetz:_ in force (△ _immer nach dem Verb_) **5. _ab wann ist der Winterfahrplan gültig?_** when does the winter timetable (_AE_ schedule) come into effect?; **_gültig ab 1. Mai_** valid from 1 May (△ _sprich:_ from the first of May)
Gültigkeit validity [vəˈlɪdətɪ]
Gummi 1. rubber **2.** _in Kleidung:_ elastic **3.** (≈ _Gummiring_) rubber band **4.** _umg._ (≈ _Kondom_) rubber
Gummiband elastic band
Gummibärchen _Pl.:_ gummy bears ['gʌmɪ_beəz]
Gummibaum _als Zimmerpflanze:_ rubber plant ['rʌbə_plɑːnt]
Gummihandschuhe rubber gloves [△ ˌrʌbəˈglʌvz]
Gummiknüppel (rubber) truncheon [(ˌrʌbə)ˈtrʌnʃən]
Gummistiefel wellington ['welɪŋtən] (boot), _AE_ rubber boot ['rʌbə_buːt]
Gunst 1. favour ['feɪvə] **2. _zu meinen Gunsten_** in my favour
günstig 1. _Antwort, Eindruck, Bedingungen:_ favourable ['feɪvrəbl] **2.** (≈ _gut_) good (_auch Preis, Angebot_) **3. _auf einen günstigen Augenblick warten_** wait for the right moment ['məʊmənt] **4. _günstig abschneiden_** do* well, come* off well (**_bei_** in)
gurgeln (≈ _den Hals spülen_) gargle
Gurke 1. (≈ _Salatgurke_) cucumber ['kjuːkʌmbə] **2.** (≈ _Essiggurke_) gherkin ['gɜːkɪn], _AE auch_ pickle
Gurt 1. _allg.:_ belt **2.** _im Auto und Flugzeug:_ seatbelt **3.** (≈ _Tragegurt, Riemen_) strap

Gürtel *allg.*: belt; **den Gürtel enger schnallen** *übertragen* tighten one's belt

Gürtellinie waist(line); **unter der** (*bzw.* **die) Gürtellinie** *Boxen und übertragen*: below the belt; **das war ein Schlag unter die Gürtellinie** that was (a punch) below the belt, *übertragen* that was (hitting) below the belt

Gürteltasche bumbag, beltbag, *AE* fanny pack

Guru guru ['guru:] (*auch übertragen*)

GUS CIS [ˌsiːaɪˈes] (*Abk. für* **C**ommonwealth of **I**ndependent **S**tates)

gut 1. good (△ **besser** better, **best-** best), *Wetter auch*: fine; **sie ist gut in Englisch** she's good at English; **das schmeckt** (*bzw.* **riecht) gut** it tastes (*bzw.* smells) good; **sie sieht gut aus** *grundsätzlich*: she's good-looking, *im Moment*: she's looking good, *gesundheitlich*: she's looking well **2. ganz gut** not bad **3. schon gut!** it's all right, *verärgert*: okay, okay **4. so gut wie unmöglich** virtually impossible **5. der Tisch ist so gut wie fertig** the table is more or less finished **6. eine gute Stunde** a good hour **7. wozu soll das gut sein?** what's that in aid of? **8. mir ist nicht gut** I don't feel well **9. ich finde sie gut** I like her **10. er ist kein besonders guter Tänzer** *usw*. he's not much of a dancer *usw.* **11. sei so gut und mach die Tür zu** do me a favour and close the door, will you? **12. das hast du gut gemacht** well done!, you did a great job **13. das kann gut 'sein** that's quite possible **14. es gefällt mir gut** I like it **15. mach es so gut du kannst** do it as best you can **16. 'du hasts gut!** you don't know how lucky you are **17. in Dublin kennt er sich gut aus** he knows his way around Dublin **18. machs gut!** take care!, bye!; → **guttun**

---

gut aussehend good-looking, attractive

gut gehen 1. go* well, turn out all right; **wenn das nur gut geht!** let's hope for the best; **das ist noch einmal gut gegangen** that was close **2. mir gehts gut** I'm fine, *geschäftlich*: I'm doing fine **3. gut gehend** *Geschäft usw.*: flourishing [△ 'flʌrɪʃɪŋ], thriving

gut gelaunt cheerful, *nur hinter dem Verb*: in a good mood

gut gemeint: ein gut gemeinter Vorschlag a well-meant suggestion

---

Gut 1. (≈ *Landgut*) estate [△ ɪ'steɪt], farm **2. Hab und Gut** possessions (△ *Pl.*) **3. Güter** goods, *zum Transport*: freight [freɪt] (△ *Sg.*)

Gutachten 1. expert ['ekspɜːt] opinion, expert('s) report **2. ärztliches Gutachten** medical certificate [sə'tɪfɪkət] **3.** (≈ *Zeugnis*) reference [△ 'refrəns], testimonial

Gutachter(in) expert, *beratend*: consultant

gutartig *Geschwulst usw.*: benign [△ bə'naɪn]

gutaussehend → **gut aussehend**

Gute(s) 1. Gutes tun do* good **2. alles Gute!** all the best!

Güte 1. (≈ *gütiges Wesen*) goodness, kindness **2.** (≈ *Qualität*) quality **3. ach du meine Güte!** goodness me!, my goodness!

Güterbahnhof goods station, *bes. AE* freight depot ['freɪtˌdiːpəʊ]

Güterwagen goods wagon, *AE* freight car

Güterzug goods train, *AE* freight train

gutgehen → **gut gehen**

gutgelaunt → **gut gelaunt**

gutgemeint → **gut gemeint**

gutgläubig gullible, very trusting

Guthaben *auf Konto*: balance; **sie hat ein großes Guthaben auf dem Konto** she's got a large balance in her bank account, she's got a lot of money in her account

guthaben: du hast noch 10 Euro gut I still owe you 10 euros

gütig good, kind (**gegen** to)

gutmütig good-natured

Gutschein 1. voucher **2.** (≈ *Geschenkgutschein*) gift token

gutschreiben credit ['kredɪt]; **sie schreiben den Betrag meinem Konto gut** they'll credit the amount to my account

Gutschrift *auf Konto*: credit ['kredɪt]

Gutshaus manor house ['mænəˌhaʊs]

Gutshof estate [△ ɪ'steɪt], farm

gutstehen → **stehen** 16

guttun: das wird dir guttun that'll do you good; **das tut gut!** that's just what I need

Gymnasiast(in) *etwa*: grammar school pupil, *AE* high school student

Gymnasium *etwa*: grammar school, *AE* high school (△ *engl.* gymnasium = **Sport-, Turnhalle**); **aufs Gymnasium gehen** go* to grammar school (△ *ohne* the)

Gymnastik 1. exercises (△ *Pl.*) **2.** *Disziplin*: gymnastics [dʒɪm'næstɪks] (△ *Sg.*) **3. sie macht Gymnastik regelmäßig**: she does gymnastics, (≈ *sie übt gerade*) she's doing her exercises

Gymnastikball exercise ball ['eksəsaɪzˌbɔːl], *aus Plastik*: plastic ball [ˌplæstɪk'bɔːl]

Gynäkologe, Gynäkologin gynaecologist [ˌgaɪnɪ'kɒlədʒɪst], *AE* gynecologist

H

Haar 1. (≈ *die Haare*) hair (△ *Sg.*); *sie hat hellblonde Haare* she's got blonde hair; *ich glaube, ich muss mir die Haare schneiden lassen* I think I need a haircut; *sie hat sich die Haare schneiden lassen* she's *had* her hair cut (△ *nicht* let); *sich die Haare kämmen* comb [△ kəʊm] one's hair **2.** *ein Haar* a hair; *zwei Haare* two hairs

Haare

welliges / lockiges / krauses / gerades Haar	**wavy / curly / frizzy / straight hair**
Bubikopf	**bob**
Bürstenschnitt	**crew cut**
Pony	**fringe**, *AE* **bangs**
Zopf	**pigtail, plait** [plæt], *AE* **braid**
Pferdeschwanz	**ponytail**

Haarausfall hair loss
Haarbürste hairbrush
Haaresbreite: *um Haaresbreite* by a hair's breadth ['heəz_bredθ]
Haareschneiden haircut
Haarewaschen *beim Friseur*: shampoo [ʃæm'puː], wash
Haarfarbe colour of hair; *was für eine Haarfarbe hat er?* what colour hair has he got? (△ *ohne* of)

Haarfarben

blond	**fair, blond,** *bes. Frau*: **blonde** ['blɒnd]
dunkelbraun	**dark brown**
grau	**grey,** *AE* **gray**
hellbraun	**light brown**
kastanienbraun	**chestnut**
mattbraun	**mousy, mousey**
pechschwarz	**jet black**
rot	**red**
rotblond	**sandy**
rotbraun	**auburn** ['ɔːbən]
rötlich, kupferfarben	**ginger**
schwarz	**black**

Haarfestiger setting lotion
Haargel hair gel ['heədʒel]
haargenau 1. exact, very precise **2.** *das stimmt haargenau* that's exactly right

haarig hairy (*auch Sache, Angelegenheit*)
Haarklammer hair clip, *AE* bobby pin
Haarnadelkurve hairpin bend

Haarpflege

Haarpflege	**hairdressing**
Kamm	**comb**
Föhn	**hairdrier, hairdryer,** *AE* **blow-dryer**
färben (*Haare*)	**dye – she dyes ..., she dyed ..., she is/was dyeing ...**
sie hat sich die Haare schneiden lassen	**she's had her hair cut** (△ *nicht* let)
sie hat sich die Haare blond färben lassen	**she's had her hair dyed blonde**
ich hab keinen Bock mir die Haare zu kämmen	**I don't feel like combing my hair** (△ *nicht* **hairs**)
Dauerwelle	**perm,** *AE* **permanent**
Strähnchen	**streaks**
mein Haar / meine Haare	**my hair** (*Sg.*)

Haarriss 1. hairline crack **2.** *Keramik*: craze
Haarschnitt haircut
Haarspange hair slide, *AE* barrette [△ bə'ret]
Haarspray hairspray
haarsträubend 1. *Erlebnis, Geschichten usw.*: hair-raising, incredible [ɪn'kredəbl] **2.** (≈ *skandalös*) outrageous [aʊt'reɪdʒəs]
Haartrockner hair dryer, blow dryer
Haarwaschmittel shampoo [ʃæm'puː]
Haarwasser hair tonic ['heə‿tɒnɪk]
haben 1. have*, have* got; *er hat kein Geld* he hasn't got any money, *bes. AE* he doesn't have any money **2.** *ich habe Hunger* (*bzw.* *Durst*) I'm hungry (*bzw.* thirsty); *wir haben Ferien* (*oder Urlaub*) we're on holiday (*AE* vacation) **3.** *sie hat Geburtstag* it's her birthday; *welches Datum haben wir heute?* what's the date today?; *wir haben Juli* it's July; *welche Farbe hat das Auto?* what colour is the car? **4.** *er will es so haben* that's the way he wants it **5.** *ist das Bild*

noch zu haben? is the painting still available? **6. sie hat dreißig Mitarbeiter unter sich** she's in charge of thirty employees **7. hast du das gehört?** did you hear that?; **sie hätte es machen sollen** she should have done it **8.** *Wendungen*: **da hast dus!** there you are; **das hast du jetzt davon!** see?; **ich habs gleich!** I'm nearly finished; **das hätten wir!** well, that's that; **ich habs!** *umg.* I've got it!; **die Sache hat es in sich** it's not so easy; **hab dich nicht so!** don't make such a fuss

Habgier greed

habgierig greedy

Habicht hawk

Hachse *vom Schwein oder Kalb*: knuckle [△ 'naksl]

Hackbraten meat loaf

Hacke[1] **1.** hoe [həʊ] **2.** (≈ *Pickel*) pick, pickaxe, *AE auch* pickax **3.** Ⓐ (≈ *Beil, Axt*) axe, *AE auch* ax

Hacke[2] (≈ *Ferse, Absatz*) heel

hacken 1. hack (*ein Loch*) **2.** *im Garten*: hoe [həʊ] (*Erde, den Boden*) **3.** chop (*Holz, Gemüse*) **4.** (*Vogel*) peck (**nach** at)

Hacker(in) *Computer*: hacker

Hackfleisch minced meat, mince, *AE* ground beef

Hacksteak beefburger, hamburger

Hafen harbour, port

Hafenanlagen docks

Hafenrundfahrt harbour cruise (*oder* tour)

Hafenstadt port, *am Meer auch*: seaport

Hafenviertel docklands (△ *Pl.*), *AE* waterfront ['wɔːtəfrʌnt]

Hafer oats (△ *Pl.*)

Haferbrei porridge, *AE mst.* oatmeal (porridge)

Haferflocken porridge oats, *AE* rolled oats

Haferl, Häferl *bes.* Ⓐ **1.** (≈ *größere Tasse*) mug **2.** (≈ *Töpfchen, auf das man ein Kleinkind setzt*) potty

Haferschleim(suppe) gruel ['gruːəl]

Haft 1. (≈ *Gewahrsam*) custody ['kʌstədɪ]; **in Haft** under arrest, in custody; **sie wurde gestern aus der Haft entlassen** she was released (from custody) yesterday **2.** *bei politischen Häftlingen*: detention **3.** (≈ *Gefängnishaft*) imprisonment; **er wurde wegen Mordes zu zwanzig Jahren Haft verurteilt** he was sentenced to twenty years' imprisonment for murder

Haftbefehl arrest warrant ['wɒrənt]

haften 1. (≈ *kleben*) stick* (**an** to) **2.** (*Staub, Geruch usw.*) cling* (**an** to) **3.** **haften für** (≈ *bürgen*) be* liable for, answer for

Haftentlassene(r) released prisoner

Häftling 1. prisoner **2. politischer Häftling** political detainee [△ ˌdiːteɪˈniː]

Haftnotiz self-stick (*bes. AE* self-adhesive) note

Haftpflichtversicherung *für Autofahrer usw.*: third party insurance

Haftung *im juristischen Sinn*: liability; **Gesellschaft mit beschränkter Haftung** private limited (liability) company, *AE* close (*oder* closed) corporation

Hagebutte rose hip ['rəʊz_hɪp]

Hagebuttentee rose hip tea [ˌrəʊz_hɪp-ˈtiː]

Hagel 1. hail **2. ein Hagel von Protesten** a volley of protest ['prəʊtest] (△ *Sg.*)

hageln hail

Hagelschauer hailstorm

hager lean, gaunt [gɔːnt]

Hahn 1. *Vogel*: cock, *bes. AE* rooster **2.** (≈ *Wasserhahn*) tap, *AE* faucet ['fɔːsɪt]

Hähnchen chicken; **ein halbes Hähnchen** half a chicken (△ *Wortstellung*)

Hai, Haifisch shark

häkeln crochet [△ 'krəʊʃeɪ]

Häkchen *beim Abhaken*: tick, *AE* check

Haken 1. hook (*auch beim Boxen*) **2.** *Zeichen*: tick, *AE* check **3. einen Haken schlagen** *Hase usw.*: double back **4.** *Wendungen*: **die Sache muss doch einen Haken haben** there must be a catch to it somewhere; **der Haken daran ist** the only problem (*oder* thing) is

Hakenkreuz swastika ['swɒstɪkə]

halb 1. half [△ hɑːf]; **halb vier** half past three, *AE* three-thirty; **halb Deutschland** half of Germany (△ *mit* of); **halb so viel** half as much; **das Glas ist halb leer** the glass is half-empty **2. wir sind halb erfroren** we almost froze to death; **ich habe mich halb totgelacht** I nearly killed myself laughing **3. es ist halb so schlimm** it's not as bad as all that; **das ist ja halb geschenkt** that's dirt cheap **4. halb verhungert** starving, half-starved

Halbbruder half-brother

Halbdunkel semi-darkness [ˌsemiˈdɑːknəs], twilight

Halbe *Bier*; *etwa*: pint [paint], pint of beer

halbe(r, -s) 1. half [△ hɑːf]; **eine halbes Pfund** half a pound; **eine halbe Stunde** half an hour; **zum halben Preis** for half the price, (at) half-price; **die halbe Summe** half the amount **2. das ist nur die halbe Wahrheit** that's only part of the truth

Halbfinale semi-final [ˌsemiˈfaɪnl]; **das deutsche Team ist ins Halbfinale gekommen** the German team has reached the semi-finals (△ *Pl.*)

halbieren 1. *allg.*: halve [△ hɑːv], divide in half [△ hɑːf] **2.** *mit Messer*: cut* in half (*Apfel usw.*) **3.** cut* by half (*Kosten usw.*)

Halbinsel peninsula [pəˈnɪnsjʊlə]

Halbjahr half-year; *im zweiten Halbjahr* in the last six months

halbjährlich 1. half-yearly **2.** *die Zahlung erfolgt halbjährlich* payment is made twice yearly (*oder* every six months)

Halbkreis semicircle [ˈsemɪˌsɜːkl]

Halbkugel hemisphere [ˈhemɪsfɪə]

halbleer half-empty

Halbmond half moon, crescent [△ ˈkreznt]

Halbpension half board, *AE* room plus one meal

Halbschuh shoe [ʃuː], low shoe

Halbschwester half-sister

halbseitig: *halbseitig gelähmt* paralyzed [ˈpærəlaɪzd] on one side

halbstündlich 1. half-hourly **2.** *die Züge fahren halbstündlich* trains leave every half-hour

halbtags: *halbtags arbeiten* work half-days, have* a part-time job

Halbton *Musik*: semitone, *AE* half tone

halbverhungert starving, half-starved

halbwegs (≈ *leidlich*) fairly, reasonably, (≈ *in etwa*) more or less; *kannst du dich nicht mal halbwegs normal benehmen?* can't you try and act like a human being for a change?

Halbzeit 1. *Sport*: half [△ hɑːf]; *in der ersten Halbzeit* in the first half; *nach der Halbzeit* in the second half **2.** *Sport*: (≈ *Pause*) half-time; *zur Halbzeit steht es 3:0* the half-time score is 3-0 (△ *gesprochen* three nil, *AE* three zero)

Halbzeitstand *Sport*: half-time score

Halfpipe *für Skateboard, Snowboard*: half-pipe

Hälfte half [△ hɑːf] *Pl.* halves [hɑːvz]; *die Hälfte* half of it; *gib mir die Hälfte* give me half (of it); *die Hälfte meiner Zeit* half (of) my time; *die andere Wohnung ist um die Hälfte teurer* the other flat costs half as much again

Hall echo [△ ˈekəʊ]

Halle 1. hall **2.** (≈ *Vorhalle*) entrance hall **3.** *in der Halle spielen* *Sport*: play indoors [ɪnˈdɔːz]

hallen echo [△ ˈekəʊ], resound (*von* with)

Hallenbad indoor (swimming) pool

Hallenfußball five-a-sides, five-a-side football (*AE* soccer)

hallo hello, *umg.* hi

Halluzination hallucination [həˌluːsɪˈneɪʃn]

Halm 1. (≈ *Grashalm*) blade **2.** (≈ *Getreidehalm*) stalk [stɔːk]

Halogenlicht halogen [ˈhælədʒen] light

Halogenscheinwerfer *Auto*: halogen headlight [ˌhælədʒenˈhedlaɪt], *BE auch* halogen headlamp [ˌhælədʒenˈhedlæmp]

Hals 1. *als Ganzes, einschließlich Nacken*: neck (*auch einer Flasche, einer Geige*); *steifer Hals* stiff neck; *er hat sich den Hals gebrochen* he broke his neck **2.** (≈ *Rachen, äußere Kehle*) throat **3.** *Wendungen*: *es hängt mir zum Hals heraus* *umg.* I'm sick of it; *sie ist Hals über Kopf abgereist* she left in a great hurry

Halsband, Halskette 1. necklace [△ ˈnekləs] **2.** *für Hunde usw.*: collar [ˈkɒlə]

Hals-Nasen-Ohren-Arzt, Hals-Nasen-Ohren-Ärztin ear, nose and throat specialist

Halsschmerzen: *Halsschmerzen haben* have* a sore throat

Halstuch neckerchief [△ ˈnekətʃɪf], scarf *Pl.*: scarfs *oder* scarves [skɑːvz]; *vornehmer*: cravat [krəˈvæt], *AE* ascot [ˈæskət]

Halt 1. (≈ *Anhalten, kurzer Aufenthalt, Haltestelle*) stop **2.** (≈ *Stand- oder Griffestigkeit*) hold, *für die Füße*: foothold **3.** *ein Mensch ohne Halt* a disoriented [dɪsˈɔːrɪentɪd] (*oder* an unstable) person **4.** *Halt machen* → **haltmachen**

halt¹: *halt!* stop!, (≈ *warte! usw.*) wait!, (≈ *Moment mal!*) wait a minute

halt²: *da kann man halt nichts machen* there's nothing you can do; *das ist halt so* that's the way it is; *dann gehe ich halt ins Kino* I'll go and see a film then

haltbar 1. *Material*: durable, *BE auch* hardwearing [ˌhɑːdˈweərɪŋ], *AE auch* longwearing **2.** *Lebensmittel*: non-perishable, *Milch*: *bes. BE* long-life (△ *nur vor dem Subst.*); *haltbar bis* best before; *haltbar machen* preserve **3.** *Argument, Theorie usw.*: tenable [△ ˈtenəbl] **4.** *der (Schuss) war haltbar Kritik an Tormann*: he could have saved that one

Haltbarkeitsdatum best-by date [ˌbestˈbaɪ ˌdeɪt], best-before date [ˌbestbɪˈfɔː ˌdeɪt], sell-by date [ˈselbaɪ ˌdeɪt], *AE mst.* expiration [ˌekspəˈreɪʃn] date

halten 1. *allg.*: hold*; *er hielt sie bei der Hand* he was holding her hand **2.** (≈ *etwas in eine gewisse Stellung bringen*) hold*; *den Kopf hoch halten* hold* one's head up **3.** (≈ *in einem Zustand halten*) keep*; *Ordnung halten* keep* things in order; *etwas frisch (warm usw.) halten* keep* something fresh (warm *usw.*); *du musst dich warm halten* you've got to keep warm **4.** (≈ *abhal-*

ten) hold* (*Versammlung usw.*) **5. *sein Wort*** (*bzw.* **Versprechen**) ***halten*** keep* one's word (*bzw.* promise) **6. *der Torwart hat den Elfmeter gehalten*** the keeper saved the penalty **7. *sie hält den Weltrekord im 100-Meter-Lauf*** she holds the world record in the hundred metres **8. *eine Rede halten*** give* (*oder* make*) a speech; ***einen Vortrag halten*** give* a lecture **9. *ich halte sie für begabt*** I think she's talented; ***für wie alt hältst du sie?*** how old do you think she is?; ***ich habe sie zuerst für ihre Schwester gehalten*** at first I mistook her for her sister **10. *was hältst du von der neuen Mathelehrerin?*** what do you think of our new maths teacher?; ***sie hält sehr viel von dir*** she thinks you're great; ***sie hält nichts vom Sparen*** she doesn't believe in saving money **11.** (≈ *fest sein*) hold*; ***so, das dürfte halten!*** well, that should hold now **12.** (≈ *Halt machen*) stop, (*Fahrzeug*) stop, draw* up **13.** (≈ *funktionsfähig bleiben*) last; ***ihr billiges Auto wird nicht lange halten*** her cheap car won't last very long **14.** (*Freundschaft usw.*) last **15.** (***sich***) ***halten*** (*Lebensmittel*) keep*, last **16.** (***sich***) ***halten*** (*Wetter usw.*) hold* **17. *sie hat sich gut gehalten*** (≈ *ist wenig gealtert*) she looks good for her age **18. *zu jemandem halten*** stand* by someone, *umg.* stick* to someone **19. *sich an die Vorschriften usw. halten*** keep* (*oder* stick*) to the rules *usw.* **20. *sich links*** (*bzw.* **rechts**) ***halten*** keep* to the left (*bzw.* right)

Haltestelle stop

Halteverbot: *er hat im Halteverbot geparkt* he's parked his car in a no stopping (*AE* parking) zone

haltmachen 1. stop, make* a stop **2. *er macht vor nichts halt*** *übertragen* he'll stop at nothing

Haltung 1. (≈ *Körperhaltung*) posture [△ 'pɒstʃə] **2.** (≈ *Einstellung*) attitude (***zu*** towards) **3.** (≈ *inneres Gleichgewicht*) composure; ***Haltung bewahren*** keep* a stiff upper lip, *im Zorn:* keep* one's cool

Halunke 1. *allg.:* crook, rogue [rəʊg] **2.** *Kind:* rascal ['rɑːskl]

Hamburg Hamburg

hämisch 1. *allg.:* malicious [məˈlɪʃəs] **2. *eine hämische Bemerkung*** a snide remark

Hammel 1. wether **2.** *Fleisch:* mutton

Hammer 1. hammer (*auch Sportgerät*) **2. *das ist ein Hammer!*** *umg.* (≈ *ist toll*) that's great, (≈ *ist unerhört*) that's incredible, that's a bit thick (*AE* much)

hämmern hammer (*auch mit Faust an*

Tür)

Hammerwerfen *Sport:* hammer throwing
Hammerwerfer(in) hammer thrower
Hämoglobin haemoglobin, *AE* hemoglobin [ˌhiːməˈgləʊbɪn]
Hämorrhoiden, Hämorriden haemorrhoids ['hemərɔɪdz], *bes. AE* hemorrhoids, *umg.* piles
Hampelmann 1. *Mensch:* sucker **2.** *Spielzeug:* jumping jack ['dʒʌmpɪŋˌdʒæk]
Hamster hamster
Hamsterkäufe (≈ *Panikkäufe*) panic buying ['pænɪkˌbaɪɪŋ] (△ *Sg.*); ***Hamsterkäufe machen*** hoard (*food usw.*)
hamstern hoard [hɔːd]
Hand 1. hand; ***jemandem die Hand geben*** shake* hands with someone; ***sie nahm das Kind an die Hand*** she took the child by the hand **2.** *Wendungen:* ***etwas bei der Hand*** (*oder* **zur Hand**) ***haben*** have* something handy; ***aus erster*** (*bzw.* **zweiter**) ***Hand*** first-hand (*bzw.* second-hand); ***unter der Hand verkaufen:*** secretly, under the counter, *erfahren:* through unofficial channels; ***es liegt in deiner Hand*** it's up to you; ***zu Händen Herrn X*** attention Mr X (*Abk.* att. *oder* attn Mr X); ***an Hand von*** → **anhand**; ***eine Hand voll*** → **Handvoll**
Handarbeit 1. *gestrickte usw.:* needlework (*auch Schulfach*) **2.** *fertiges Produkt:* handmade article; ***ich möchte eine Handarbeit kaufen*** I'd like to buy something handmade **3. *es ist alles Handarbeit*** it's all handmade
Handball handball
Handballer(in), Handballspieler(in) handball player
Handbewegung (≈ *Geste*) gesture ['dʒestʃə]
Handbremse handbrake, *AE* emergency brake, *AE auch* parking brake
Handbuch 1. *für bestimmte Fachrichtung:* textbook **2.** *mit Anweisungen:* manual
Händedruck handshake
Handel 1. *als Wirtschaftszweig:* commerce [△ 'kɒmɜːs], trade **2.** (≈ *Handeln, Warenverkehr*) trade, *an der Börse:* trading (***mit*** in) **3.** *mit Waffen, Drogen:* traffic, trafficking (***mit*** in) **4. *im Handel sein*** be* on the market; ***etwas in den Handel bringen*** put* something on the market **5. *mit jemandem Handel treiben*** do* business with someone
handeln 1. *allg.:* act; ***du hast richtig gehandelt*** you did the right thing **2.** (≈ *etwas unternehmen*) take* action **3.** *um bessere Bedingungen usw.:* bargain ['bɑːgɪn] (***um*** for), *um den Preis:* bargain (***um*** over), haggle (***um*** over) **4.** *mit Wa-*

ren: trade (*mit* in), deal* (*mit* in) **5. *der Film handelt von Liebe und Eifersucht*** the film is about love and jealousy [△ 'dʒeləsɪ] **6. *es handelt sich um Folgendes*** the thing is this; ***worum handelt es sich?*** what's the problem?

Handelsabkommen trade agreement

Handelsbarriere trade barrier ['treɪd‚bærɪə]

Handelsschule commercial college, business school

handfest 1. *Person*: sturdy **2.** *Beweis*: tangible ['tændʒəbl], solid ['sɒlɪd] **3.** *Grund*: solid **4.** *Drohung*: serious, severe [sɪ'vɪə]

Handfläche palm [△ pɑːm]

Handgelenk wrist [△ rɪst]

handgemacht handmade

handgemalt handpainted

Handgepäck hand luggage, hand baggage

handgeschrieben *Brief usw.*: handwritten

Handgranate hand grenade ['hænd‚grə‚neɪd]

Handgriff: *mit* '*einem Handgriff* with a flick of the wrist [rɪst], (≈ *schnell*) in no time

handhaben 1. handle, deal* with (*Vorschrift usw.*) **2.** operate (*Maschine*) **3.** use, go* about with (*Werkzeug usw.*)

Handheld *Computer*: handheld (computer)

Handicap handicap; ***es stellte sich als großes Handicap heraus*** it proved [pruːvd] to be a big handicap; ***das war für ihn überhaupt kein Handicap*** it was no handicap to him whatsoever

Händler(in) 1. *allg.*: trader (*auch auf Märkten*) **2.** (*Wein*)*Händler* (wine) merchant **3.** (*Auto*)*Händler* (car) dealer; ***wenden Sie sich an Ihren Händler*** ask at your local dealer's **4.** (≈ *Einzelhändler*) retailer [△ 'riːteɪlə] **5. *fliegender Händler*** hawker

handlich 1. *Kamera, Gerät, Format usw.*: handy **2.** *Auto usw.*: easy to handle (△ *immer hinter dem Verb*)

Handlung 1. *eines Romans, Films usw.*: action, story, *im Grundriss*: plot (*auch von Theaterstück*); ***Ort der Handlung ist eine Kirche*** the scene is set in a church **2.** (≈ *Tat*) act **3.** (≈ *Handeln, Vorgehen*) action

Handschellen handcuffs

Handschrift 1. handwriting ['hænd‚raɪtɪŋ], hand; ***sie hat eine unleserliche Handschrift*** she has an illegible [ɪ'ledʒəbl] hand **2. *der Banküberfall trägt seine Handschrift*** the bank raid carries his signature ['sɪgnətʃə] **3.** *altes Buch*: manuscript ['mænjʊskrɪpt]

handschriftlich handwritten ['hænd‚rɪtn]

Handschuh 1. glove [△ glʌv] **2.** (≈ *Fausthandschuh*) mitten

Handspiel *Fußball*: hand ball, hands (△ *nur mit Sg.*); ***das war Handspiel*** that was hands

Handstand handstand

Handsteuerung manual control [‚mænjʊəl_kən'trəʊl]

Handtasche handbag, *AE auch* purse, *AE auch* pocketbook

Handtasche usw.

	BE	AE
Handtasche	**handbag**	*auch* **purse**
Geldbeutel	**purse**	**change purse**
Brieftasche	**wallet**	*auch* **pocketbook**
Aktentasche	**briefcase**	**briefcase**

Handtuch towel ['taʊəl]

Handvoll *eine Handvoll Reis* (*bzw. Leute*) a handful of rice (*bzw.* of people)

Handwerk 1. *ein bestimmtes*: trade, *bes. Kunsthandwerk*: craft; ***ein Handwerk lernen*** learn* a trade **2. *das Handwerk im Gegensatz zur Industrie usw.*:** the craft, the trade **3. *er versteht sein Handwerk*** he knows his business

Handwerker 1. workman ['wɜːkmən], ***morgen kommen die Handwerker*** we're having the workmen in tomorrow **2.** *künstlerischer*: craftsman ['krɑːftsmən]

Handwerker

Im Englischen verwendet man meist nicht den allgemeinen Begriff „Handwerker", sondern konkretisiert, um welchen Handwerksberuf es sich tatsächlich handelt: **plumber** ['plʌmə] (Klempner), **electrician** [ɪ‚lek'trɪʃn] (Elektriker), **decorator** ['dekəreɪtə] / **painter** (Maler) *usw.* Dies ist ein Beispiel dafür, wie trotz prinzipiell gleicher Ausdrucksmöglichkeiten zwei Sprachen unterschiedlichen Gebrauch von bestimmten Wörtern machen.

handwerklich: *ein handwerklicher Beruf* a skilled trade

Handwerkszeug 1. (≈ *Arbeitsgerät*) tools (△ *Pl.*) **2. *Fremdsprachenkenntnisse gehören zum Handwerkszeug eines Wissenschaftlers*** a knowledge of foreign languages is part of a scientist's stock-in-trade ['stɒkɪntreɪd]

Handy mobile (phone), *AE* cell (phone) (⚠ *engl.* handy = *handlich*)

Handzettel leaflet, flyer

Hanf hemp

Hang 1. *eines Berges, Hügels*: slope 2. *übertragen* (≈ *Neigung*) inclination (*zu* to), tendency (*zu* towards) 3. (≈ *Vorliebe*) penchant ['pɑ̃ʃɑ̃] (*zu* for) 4. (≈ *Anfälligkeit*) proneness (*zu* to)

Hang

In der übertragenen Bedeutung wird „Hang" oft durch eine englische Verbkonstruktion ausgedrückt, z. B. „er hat einen Hang zum Übertreiben" **he's inclined** (*oder* **he tends) to exaggerate** [ɪg'zædʒəreɪt].

Hangar *für Flugzeuge, Luftschiffe*: hangar [⚠ 'hæŋə]

Hängebrücke suspension bridge [sə'spenʃn̩_brɪdʒ]

Hängematte hammock ['hæmək]

hängen 1. hang*; *das Bild hängt an der Wand* the picture is hanging on the wall; *die Lampe hängt an der Decke* the lamp is hanging from the ceiling; *in der National Gallery hängen einige Bilder von Constable* there are a number of Constables (*oder* paintings by Constable ['kɒnstəbl]) (hanging) in the National Gallery 2. *ein Bild an die Wand hängen* put* a picture on the wall 3. *das Bild hängt schief* the picture isn't straight 4. *sie hängt dauernd am Telefon* she's on the phone all day 5. *sie hängt sehr an ihrem Vater* she's very attached to her father; *er hängt sehr an der Musik* he's devoted to music 6. *das hängt jetzt ganz an dir* it depends entirely on you now 7. *jemanden hängen* (≈ *hinrichten*) hang someone; *er wurde gehängt* he was hanged

hängen bleiben 1. *sie blieb mit dem Rock am Zaun hängen* she got her skirt caught on the fence 2. *wir wollten eigentlich nach Dublin, sind dann aber hier hängen geblieben* umg. we actually wanted to go to Dublin, but we got stuck here 3. *von Latein ist bei mir nicht viel hängen geblieben* I can't remember much of what we learnt in Latin

hängenbleiben → *hängen bleiben*

hänseln: *er hänselt sie immer wegen ih-*

rer O-Beine he's always teasing her because of her bandy legs (*AE* bowlegs)

Hanswurst umg. fool, idiot ['ɪdɪət]

Hantel dumbbell [⚠ 'dʌmbel]

Happen bite (to eat); *einen Happen essen* have* a bite

Happy End happy ending

Hardliner(in) hardliner

Hardware *Computer*: hardware

Harem harem ['hɑːrəm]

Harfe harp

Harke 1. rake 2. *jemandem zeigen, was eine Harke ist* übertragen tell* someone what's what

harmlos 1. *Mensch, Tier, Vergnügen usw.*: harmless 2. *Miene*: innocent ['ɪnəsənt]

Harmonie harmony ['hɑːmənɪ]

Harn urine ['jʊərɪn]

Harpune harpoon [hɑː'puːn]

hart 1. *Boden, Holz, Käse, Wasser, Winter usw.*: hard (*auch Arbeit, Leben, Droge*); *zu jemandem hart sein* be* hard on someone; *hart arbeiten* work hard (⚠ *nicht* hardly) 2. *ein harter Schlag* übertragen a heavy blow 3. *Bursche, Kerl usw.*: (≈ *zäh*) tough [⚠ tʌf] 4. *Arbeit, Verhandeln, Standpunkt*: tough 5. *Strafe*: severe [sɪ'vɪə], harsh; *jemanden hart bestrafen* punish someone hard (⚠ *nicht* hardly) *oder* severely 6. *harte Sachen* (≈ *Alkohol*) the hard stuff 7. *ein hartes* (*oder* *hart gekochtes*) *Ei* a hard-boiled egg 8. *Währung*: hard, stable 9. *Licht, Stimme, Aussprache, Realität*: harsh 10. *Sport, Gegner*: rough [⚠ rʌf]

Härte 1. *des Bodens, von Material*: hardness 2. (≈ *Zähigkeit, Brutalität*) toughness [⚠ 'tʌfnəs] 3. (≈ *Strenge*) severity [sɪ'verətɪ] 4. *des Lebens*: hardship; *soziale Härte* social hardship 5. *im Sport*: tough play 6. *mit aller Härte* neutral: extremely hard, (≈ *verbissen*) fiercely, (≈ *erbarmungslos*) relentlessly, (≈ *drastisch*) drastically

Härtefall 1. case of hardship 2. *sie ist ein Härtefall* she's a hardship case

härten 1. *etwas härten* harden something 2. *temper* (*Stahl*) 3. (≈ *hart werden*) harden, grow* hard

Härtetest 1. endurance test [ɪn'djʊərəns_test] 2. *übertragen* acid test [ˌæsɪd'test]

hartgekocht *Ei* hard-boiled

hartherzig hard-hearted, unfeeling

Hartkäse hard cheese

hartnäckig 1. *Mensch, Widerstand*: stubborn ['stʌbən] (*auch Krankheit*) 2. (≈ *beharrlich*) persistent [pə'sɪstənt]

Hartnäckigkeit 1. (≈ *Eigensinn*) stubbornness ['stʌbənnəs] 2. (≈ *Ausdauer*) persistence [pə'sɪstəns], doggedness [△ 'dɒ-gɪdnəs]

Hartwurst dry sausage ['sɒsɪdʒ]

Harz resin [△ 'rezɪn]

Hascherl: _armes Hascherl_ _bes._ Ⓐ poor little thing

Haschisch hashish, cannabis, _salopp_ hash

Hase 1. _Tier:_ hare **2. _er ist ein alter Hase_** _übertragen, umg._ he's an old hand

Haselnuss hazelnut ['heɪzlnʌt]

Hass 1. hatred [△ 'heɪtrɪd], hate (**_auf, gegen_** for); **_aus Hass_** out of hatred **2. _einen Hass kriegen_** _umg._ see* red, go* wild

hassen hate, (≈ _verabscheuen_) loathe [△ ləʊð], detest [dɪ'test]

hässlich 1. _dem Aussehen nach:_ ugly; **_ein hässlicher Anblick_** an ugly sight **2.** _Handlung, Person:_ nasty ['nɑːstɪ]; **_sich hässlich benehmen_** be* nasty, behave nastily **3.** _Wetter:_ awful ['ɔːfl], nasty

Hast hurry ['hɑrɪ], hurrying; **_ohne Hast_** without hurrying; **_in großer Hast_** in a great hurry

hasten hurry ['hɑrɪ], (≈ _rennen_) rush, race

hastig 1. hurried ['hɑrɪd], (≈ _voreilig_) rash **2.** (≈ _schlampig_) slapdash **3. _etwas hastig tun_** do* something quickly (_oder_ in a hurry) **4. _nicht so hastig!_** hang on a minute!

hatschen _bes._ Ⓐ **1.** (≈ _schleppend gehen_) shuffle **2.** (≈ _hinken_) limp

Haube 1. _eines Babys:_ bonnet **2.** _einer Krankenschwester:_ cap **3.** (≈ _Kapuze_) hood **4.** (≈ _Motorhaube_) bonnet, _AE_ hood

hauchdünn 1. _Schicht, Scheibe:_ wafer-thin **2.** _Gewebe:_ flimsy **3.** _Strumpf, Kondom:_ sheer **4.** _Mehrheit, Vorsprung:_ very slim

hauchen breathe [briːð]

Haue: _Haue kriegen_ get* a spanking

hauen 1. _jemanden hauen_ hit* someone, _Kindersprache:_ smack someone **2.** (≈ _hacken_) chop (_Holz_), chop down (_Bäume_) **3.** carve (_Statue aus einem Stein_) **4.** _mit Werkzeug:_ cut*, make* (_Loch usw._) **5. _jemandem ins Gesicht hauen_** hit* (_oder_ slap) someone in the face **6. _auf den Tisch hauen_** bang the table

Haufen 1. _von gleichen Dingen, z.B. Bücher, Teller:_ pile; **_ein Haufen Zeitungen_** a pile of papers **2.** _größer und ungeordnet:_ heap **3.** (≈ _große Menge_) load of, lots of, _umg._ loads of, piles of; **_sie hat einen Haufen Freunde_** _umg._ she's got a lot of (_oder_ lots of) friends; **_ein Haufen Arbeit_** _umg._ a pile of (_oder_ piles of) work; **_ein Haufen Leute_** crowds of people; **_er hat einen Haufen Geld_** _umg._ he's got heaps of money; **_es hat einen Hau-_**

fen Geld gekostet _umg._ it cost a packet (_AE_ bundle) **4.** _Wendungen:_ **_jemanden über den Haufen fahren_** _umg._ knock someone down; **_sie hat ihre Pläne bald wieder über den Haufen geworfen_** _umg._ she soon threw her plans overboard

häufen: _die Beschwerden häufen sich_ more and more complaints are coming in; **_die Todesfälle häufen sich_** the number of deaths is going up

haufenweise: _er hat haufenweise CDs_ _umg._ he's got masses of CDs; **_die Leute kamen haufenweise_** _umg._ masses of people turned up

häufig 1. frequent ['friːkwənt], (≈ _weit verbreitet_) widespread; **_ein häufiger Besucher_** a frequent visitor; **_ein häufiger Fehler_** a common mistake; **_häufiger werden_** be* on the increase [△ 'ɪŋkriːs] **2. _das passiert ziemlich häufig_** that happens quite often (_oder umg._ a lot)

Häufigkeit frequency ['friːkwənsɪ]

Haupt… _in Zusammensetzungen:_ main, chief, principal; **_Hauptaufgabe_** main task; **_Hauptberuf, Hauptbeschäftigung_** main job; **_Hauptbestandteil_** main ingredient; **_Haupteingang_** main entrance; **_Hauptfigur_** main character; **_Hauptfilm_** main feature; **_Hauptgebäude_** main building; **_Hauptgedanke_** main idea; **_Hauptgericht_** _beim Essen:_ main course; **_Hauptgewicht_** main emphasis ['emf-əsɪs]; **_Hauptgrund_** main reason; **_Hauptmahlzeit_** main meal; **_Hauptmenü_** _Computer:_ main menu; **_Hauptmerkmal_** main feature, chief characteristic; **_Hauptproblem_** main problem; **_Hauptpunkt_** main point, main issue; **_Hauptregel_** principal rule; **_Hauptschwierigkeit_** main (_oder_ chief) difficulty; **_Hauptsorge_** main (_oder_ chief) concern; **_Hauptstraße_** main street; **_Haupttätigkeit_** main job, main duty; **_Hauptthema_** main subject, _Musik:_ principal theme; **_Hauptunterschied_** main difference; **_Hauptverkehrsstraße_** main road, _Durchgangsstraße:_ main thoroughfare ['θʌrəfeə]; **_Hauptwaschgang_** main wash; **_Hauptwohnsitz_** main residence; **_Hauptzeuge_** chief witness; **_Hauptzweck_** main purpose

Hauptbahnhof main station, central station

Hauptdarsteller leading actor, lead

Hauptdarstellerin leading lady, lead

Häuptelsalat Ⓐ lettuce ['letɪs]

Hauptfach main subject, _AE_ major

Hauptgewinn first prize (△ _mit_ z)

Häuptling _eines Stammes usw.:_ chief [tʃiːf]

Hauptmann _Militär:_ captain ['kæptɪn]

Hauptperson 1. main (*oder* central) figure **2.** *Theater, Film usw.*: main character, hero ['hɪərəʊ], *Frau*: heroine [△ 'herəʊɪn] **3.** *sie will immer die Hauptperson sein* she always wants to be number one (*oder* the centre of attention)

Hauptpostamt main post office, *AE* general post office

Hauptquartier headquarters; *das Hauptquartier ist in Wien* the headquarters are (*seltener*: is) in Vienna

Hauptrolle 1. *Theater, Film*: leading role [,liːdɪŋ'rəʊl], main part, lead [liːd]; *die Hauptrolle spielen* play the leading role (*oder* the main part *usw.*) **2.** *von allen Staatsoberhäuptern spielte er die Hauptrolle politisch*: he was the central figure [,sentrəl'fɪɡə] among all the heads of state **3.** (*Stress, Übergewicht, Alkohol usw.*) *spielt die Hauptrolle* (stress, overweight, alcohol usw.) is the most important factor

Hauptsatz *Grammatik*: main clause [,meɪn'klɔːz]

Hauptsache main thing, most important thing; *das ist die Hauptsache* that's what matters most; *Hauptsache, sie gewinnt* the main thing is that she wins

hauptsächlich: *sie interessiert sich hauptsächlich für Kleider* she's mainly interested in clothes [kləʊ(ð)z]

Hauptsaison high season [,haɪ'siːzn], peak season

Hauptschule *etwa*: secondary modern school (△ *diesen Schultyp gibt es in GB nicht mehr*), *AE etwa*: junior high school

Hauptspeicher *Computer*: main memory

Hauptstadt capital ['kæpɪtl]

Hauptstraße main street

Hauptverkehrszeit rush hour

Hauptwort noun

Haus 1. house [haʊs] *Pl.*: houses [△ 'haʊzɪz]; *von Haus zu Haus* from door to door; *wir wohnen Haus an Haus* we're next-door neighbours; *das kommt mir nicht ins Haus!* I'm not having that in the house **2.** (≈ *Gebäude*)

building **3.** (≈ *Heim*) home; *zu Hause* at home; *ist John zu Hause?* (≈ *daheim*) is John at home?, (≈ *im Haus*) is John in?; *wir sind wieder zu Hause* we're back home again; *nach Hause gehen* go* home*; *er brachte sie nach Hause* he took her home; *sie ist in Genf zu Hause* she comes from Geneva [dʒə-'niːvə]; *tu, als ob du zu Hause wärst!* make yourself at home; *bei uns zu Hause* (≈ *in meiner bzw. unserer Heimat*) where I (*bzw.* we) come from, (≈ *in meiner bzw. unserer Familie*) in my (*bzw.* our) family, (≈ *in unserem Haus, in unserer Wohnung, unserer Stadt usw.*) at our place **4.** *das erste Haus am Platz* the best hotel (*bzw.* restaurant *bzw.* store) in town **5.** *wir haben immer volles Haus* Theater usw.: we're always sold out **6.** *sie ist aus gutem Hause* she comes from a good family

Hausarbeit 1. (≈ *Arbeiten im Haushalt*) housework (△ *nur im Sg. und ohne a*) **2.** (≈ *Hausaufgabe*) homework (△ *nur im Sg. und ohne a*) **3.** *im Studium*: paper, *AE auch* research [rɪ'sɜːtʃ] paper

Hausarzt, Hausärztin family doctor, *BE etwa*: GP [,dʒiː'piː]

Hausaufgabe homework; *ich muss noch meine Hausaufgaben machen* wörtlich I've still got to do my homework (*umg. auch* prep) (△ *kein Pl.*)

Hausbesetzer(in) squatter ['skwɒtə]

Hausbesitzer(in) house owner, (≈ *Vermieter*) landlord, (≈ *Vermieterin*) landlady

Hausbewohner(in) occupant ['ɒkjʊpənt], (≈ *Mieter, -in*) tenant ['tenənt]

Häuschen 1. small house, *auf dem Land*: cottage **2.** *sie war ganz aus dem Häuschen* vor Freude: she was all excited, *umg.* she was over the moon

Häusel bes. Ⓐ (≈ *Toilette*) loo

Häuserblock block (of houses [△ 'haʊzɪz])

Hausflur hall, *bes. AE* hallway

Hausfrau housewife, *AE auch* homemaker

Häuser und Wohnungen

block of flats, *AE* **apartment house**	Wohnblock
flat, *AE* **apartment**	Wohnung, Apartment
bedsit	möbliertes Zimmer, Einzimmerapartment
terrace(d) house, *AE* **row house**	Reihenhaus
BE **end-of-terrace house**	Reiheneckhaus
semi-detached (house), *umg.* **semi**, *AE* **duplex, double**	Doppelhaushälfte
detached house	alleinstehendes Haus, Einzelhaus

Hausgebrauch: *für den Hausgebrauch reichts* it's enough to get by on

hausgemacht homemade (*auch Problem*)

Haushalt 1. *allg.*: household **2.** *sie führt ihm den Haushalt* she keeps house for him; *er hilft mir im Haushalt* he helps in the house **3.** (≈ *Arbeiten in einem Haushalt*) housekeeping **4.** *eines Staates*: budget ['bʌdʒɪt]

Haushälterin housekeeper

Haushaltsloch budget deficit ['bʌdʒɪt‚defəsɪt]

Hausherr 1. (≈ *Vermieter*) landlord **2.** (≈ *Eigentümer*) owner **3.** (≈ *Gastgeber*) host

Hausherrin 1. (≈ *Vermieterin*) landlady **2.** (≈ *Eigentümerin*) owner **3.** (≈ *Gastgeberin*) hostess ['həʊstɪs], lady of the house

haushoch very high, huge [hjuːdʒ], *übertragen* vast, enormous [ɪˈnɔːməs]; *ein haushoher Sieg* a smashing (*oder* sweeping, crushing) victory; *eine haushohe Niederlage* a crushing defeat; *haushoch gewinnen* win* hands down; *haushoch verlieren* suffer a crushing defeat; *sie ist ihm haushoch überlegen* he's no match for her

Hausierer(in) hawker, *BE auch* pedlar, *AE auch* peddler

Häusl *bes.* Ⓐ (≈ *Toilette*) loo

häuslich 1. *allg.*: domestic [dəˈmestɪk] **2.** *er ist ein häuslicher Typ* he's quite domesticated (*oder* happy to be at home)

Hausmann house husband

Hausmeister(in) caretaker, *bes. AE* janitor

Hausmittel *Medizin*: household remedy

Hausordnung (house) rules (△ *Pl.*)

Hausschlüssel doorkey, front-door key

Hausschuhe slippers

Haussuchung house search

Haussuchungsbefehl search warrant ['sɜːtʃ‚wɒrənt]

Haustier 1. *von Tierliebhaber(in)*: pet **2.** *Nutztier, Stück Vieh*: domestic animal

Haustür front door

Haut 1. *von Mensch, Tier*: skin (*auch von Wurst und auf der Milch*); *bis auf die Haut durchnässt* soaked to the skin **2.** *abgezogene Haut eines größeren Tieres*: hide **3.** *einer Frucht*: skin, *falls entfernt*: peel **4.** (≈ *Gesichtshaut*) complexion

Hautarzt, Hautärztin dermatologist [‚dɜːməˈtɒlədʒɪst], skin specialist

Hautcreme skin cream

hauteng *Kleidung*: skin-tight

Hautfarbe colour ['kʌlə]

Hautkrankheit skin disease ['skɪn dɪ‚ziːz]

Hautkrebs skin cancer ['skɪn‚kænsə]

hautnah 1. *umg., übertragen* (≈ *anschaulich*) vivid ['vɪvɪd], graphic **2.** *wir haben es hautnah miterlebt* it happened right in front [frʌnt] of our eyes

Havarie Ⓐ **1.** (≈ *Unfall auf Straße*) crash **2.** (≈ *Unfallschaden*) damage ['dæmɪdʒ]

Hebamme midwife *Pl.*: midwives

Hebel 1. *Stange zum Heben schwerer Gegenstände*: lever ['liːvə] **2.** *an Maschine usw.*: handle, lever **3.** *er hat alle Hebel in Bewegung gesetzt* *übertragen* he did everything in his power

heben 1. lift (*Gegenstand, Arm usw.*) **2.** raise (*Arm usw., Glas, Wrack*) **3.** (≈ *hochwinden*) hoist **4.** (≈ *verbessern*) raise, improve (*Niveau, Qualität*) **5.** *sich heben* (*Vorhang usw.*) rise*, go* up **6.** *sich heben* (*Nebel usw.*) lift

hebräisch, Hebräisch Hebrew ['hiːbruː]

Hecht *Fisch*: pike

hechten 1. *ins Wasser*: do* a racing dive **2.** *beim Turnen*: do* a long-fly **3.** *als Torwart*: dive (*nach* for)

Heck 1. *von Schiff*: stern **2.** *von Flugzeug*: tail **3.** *von Auto*: rear

Heckantrieb rear-wheel drive

Hecke hedge, *lange*: hedgerow ['hedʒrəʊ]

Heckklappe *Auto*: tailgate

Heer (≈ *Landtruppen*) army

Hefe yeast [jiːst]

Heft 1. *in Schule*: exercise book, *AE mst.* notebook **2.** *einer Zeitschrift*: number, issue ['ɪʃuː]

heften 1. (≈ *befestigen*) fix (*an* on, onto) **2.** *mit Reißzwecken, Stecknadeln*: pin (*an* on, onto) **3.** *mit Klammer*: clip (*an* on, onto)

Hefter 1. *zum Zusammenklammern von Seiten*: stapler ['steɪplə] **2.** (≈ *Ordner*) file

heftig 1. *Sturm, Stoß, Angriff usw.*: violent ['vaɪələnt] **2.** *Schlag, Regen usw.*: heavy ['hevɪ] **3.** *Streit, Kritik, Kämpfe usw.*: fierce [fɪəs] **4.** *Schmerz*: severe [sɪˈvɪə] **5.** *salopp* (≈ *super, spitze*) brilliant, *bes. AE* awesome ['ɔːsəm] **6.** *dann wurde sie ziemlich heftig* and then she got quite upset [ʌpˈset]

Heftklammer 1. (≈ *Büroklammer*) paper clip **2.** *die Papier durchbohrt*: staple

Heftpflaster plaster, *AE* Band-Aid®

Hehler(in) receiver of stolen goods, *umg.* fence

Heide[1] *die* heath [hiːθ], heathland (△ *ohne* a)

Heide[2] *der* heathen ['hiːðn]

Heidekraut heather [△ 'heðə]

Heidelbeere bilberry ['bɪlbərɪ], *in Amerika und Schottland mst.*: blueberry

heidnisch heathen ['hiːðn]; *heidnische Bräuche* pagan ['peɪgən] rites

heikel 1. *Angelegenheit usw.*: awkward ['ɔːkwəd], *Problem*: tricky; **ein heikles Thema** a delicate ['delɪkət] subject **2. sie ist sehr heikel** *beim Essen*: she's very fussy about her food, (≈ *sehr wählerisch*) she's hard to please

heil 1. *Person*: unhurt, unharmed **2.** *Sache*: undamaged, intact

heilbar curable ['kjʊərəbl]; **nicht heilbar** incurable

Heilbutt halibut ['hælɪbət]

heilen 1. cure (*jemanden, eine Krankheit*), heal (*eine Wunde*) **2. die Wunde heilt schon** the wound is already healing (up)

heilfroh: ich war heilfroh, als ich den Weg wiedergefunden hatte I was really glad (*BE auch* jolly glad) to have found the path again

Heilgymnastik physiotherapy [ˌfɪzɪə-ˈθerəpi], *AE* physical therapy

heilig 1. holy; **der Heilige Vater** the Holy Father; **die Heilige Schrift** the (Holy) Scriptures (△ *Pl.*), the Bible; **der Heilige Geist** the Holy Spirit, the Holy Ghost **2.** *ein Ort usw.*: (≈ *Gott geweiht*) sacred ['seɪkrɪd] **3.** *vor Eigennamen*: Saint (*Abk.*: St); **der heilige Martin** St Martin [△ snt'mɑːtɪn]

Heiligabend Christmas Eve [ˌkrɪsməs'iːv]

Heilige(r) saint; → **heilig**

Heiligtum *Stätte*: (holy) shrine

Heilmittel remedy ['remədɪ], cure (**gegen** for)

Heilpraktiker(in) non-medical practitioner

heilsam *Erfahrung, Klima*: salutary [△ 'sæljʊtərɪ]

Heilung 1. cure **2.** (≈ *das Heilen*) *von Krankheiten*: curing, *von Wunden*: healing **3.** (≈ *Genesung*) recovery

heim (≈ *nach Hause*) home

Heim 1. home (*auch Anstalt*) **2.** (≈ *Studentenheim*) students' hostel ['hɒstl], *bes. auf Universitätsgelände*: hall of residence ['rezɪdəns], *AE* dormitory **3.** (≈ *Vereinsheim*) club, clubhouse **4.** (≈ *Obdachlosenheim*) shelter **5.** (≈ *Erholungsheim*) recreation centre [ˌrekrɪ'eɪʃn,sentə]

Heimat 1. *allg.*: home; **fern der Heimat** far from home; **in der Heimat** back home; **Bayern ist die Heimat der Weißwurst** Bavaria is the home of veal sausage **2.** (≈ *Heimatland*) home country **3.** (≈ *Heimatort*) *Stadt*: home town, *Dorf*: home village

Heimatland home country, homeland

heimatlos 1. homeless **2.** (≈ *ausgestoßen*) outcast

Heimatort *Stadt*: home town, *Dorf*: home village

Heimatvertriebene(r) displaced person,

expellee [△ ɪk,spel'iː]

heimisch 1. *Bevölkerung, Brauchtum, Gewerbe usw.*: local ['ləʊkl] **2.** *Pflanzen, Tiere*: native, indigenous [ɪn'dɪdʒənəs] (**in** to) **3. sich heimisch fühlen** feel* at home

Heimkehr return (home)

heimkehren, heimkommen come* (*oder* return) home, come* back

heimlich 1. secret ['siːkrət] **2. sie haben heimlich geheiratet** they were secretly married; **er hat es heimlich getan** *umg.* he did it on the quiet

Heimniederlage *Sport*: home defeat

Heimreise journey ['dʒɜːnɪ] home, return trip

Heimsieg *Sport*: home win [ˌhəʊm'wɪn]

Heimspiel *Sport*: home game [ˌhəʊm-'geɪm]

heimtückisch 1. *bes. Krankheit*: insidious [ɪn'sɪdɪəs] **2.** (≈ *boshaft*) malicious **3.** *Mord usw.*: treacherous [△ 'tretʃərəs]

Heimvorteil home advantage [ˌhəʊm_əd-'vɑːntɪdʒ] (*auch übertragen*)

heimwärts homeward(s) ['həʊmwəd(z)]

Heimweg way home; **sich auf den Heimweg machen** set* off (for) home

Heimweh homesickness; **sie hat Heimweh** (**nach Irland**) she's homesick (for Ireland)

Heimwerker(in) DIY enthusiast [ˌdiːaɪ-'waɪ_ɪn,θjuːzɪæst]

Heimwerkermarkt DIY [ˌdiːaɪ'waɪ] store, *AE* home improvement center

Heirat marriage ['mærɪdʒ]

heiraten get* married, *förmlich*: marry; **sie haben geheiratet** they got married; **Anne heiratet Tom** Anne is getting married to Tom; **sie hat Tom geheiratet** she married Tom

Heiratsantrag 1. (marriage ['mærɪdʒ]) proposal **2. er hat ihr einen Heiratsantrag gemacht** he proposed to her

heiser hoarse [hɔːs], (≈ *belegt*) husky; **mit heiserer Stimme** in a hoarse voice

heiß 1. *allg.*: hot; **mir ist heiß** I'm hot, I feel hot; **mir wird heiß** I'm getting hot; **glühend heiß** *Sonne, Klima usw.*: scorching (hot); **heiße Musik** hot sounds (*oder* rhythms ['rɪðəmz]); **ein heißer Tipp** a hot tip **2.** *Liebesaffäre usw.*: passionate ['pæʃnət] **3.** *Diskussion, Kämpfe usw.*: heated, fierce [fɪəs] **4. ein heißes Thema** a highly controversial issue **5. echt heiß!** *salopp* well cool!, *AE* awesome!; **das ist ein heißer Typ!** *salopp* what a hunk!; **eine heiße Frau!** *salopp* what a babe! **6. sie liebt ihn heiß und innig** she loves him madly (*oder* dearly); → **heißmachen**

heißen 1. be* called; *ich heiße Barbara* my name's Barbara; *wie heißen Sie?* what's your name?; *wie heißt das?* what's that called?; *wie heißt sie mit Nachnamen?* what's her surname?; *wie heißt ... auf English?* what's the English for ... ?, what's ... in English? 2. *das heißt* (*Abk. d.h.*) that is, that is to say (*Abk.* i e) 3. (≈ *bedeuten*) mean*; *das soll nicht heißen, dass* that doesn't mean that; *was soll das eigentlich heißen?* what's this all about? 4. *es heißt in dem Brief* it says in the letter

Heißluft hot air

heißmachen: *das macht mich nicht heiß* *umg.* that doesn't turn me on

heiter 1. (≈ *fröhlich*) cheerful 2. *Geschichte usw.*: amusing, funny 3. (≈ *sonnig*) bright; *heiter bis wolkig Wetter*: fair to cloudy; *aus heiterem Himmel* out of the blue 4. *das kann ja* (*noch*) *heiter werden* (it) looks like we're in for some fun and games

Heiterkeit 1. (≈ *Fröhlichkeit*) cheerfulness 2. *zur allgemeinen Heiterkeit* to everybody's amusement

heizen 1. heat (*ein Zimmer usw.*) 2. fire (*einen Ofen*) 3. *wir heizen schon* we've already got the heating on

Heizkissen electric heating pad [ɪˌlektrɪk-ˈhiːtɪŋ‿pæd]

Heizkörper radiator [ˈreɪdɪeɪtə]

Heizkosten heating costs

Heizung heating

Hektik hectic atmosphere [ˈætməsfɪə]; *nur keine Hektik! umg.* take it easy

hektisch 1. hectic 2. *Person*: nervous [ˈnɜːvəs]

Held hero [ˈhɪərəʊ] *Pl.*: heroes

heldenhaft heroic [həˈrəʊɪk]

Heldentat heroic deed

Heldin heroine [△ ˈherəʊɪn]

helfen 1. help; *jemandem bei etwas helfen* help someone with something; *sie hat mir beim Abspülen geholfen* she helped me with the washing-up (*AE* dishes); *kann ich irgendwie helfen?* is there anything I can do? 2. *Vitamin C hilft gegen Schmerzen* vitamin C is good for pain 3. *sie weiß sich zu helfen* she can manage (*oder* cope) 4. *es hilft nichts* it's no use [juːs]; *da hilft kein Jammern* it's no use complaining

Helfer(in) 1. *allg.*: helper 2. (≈ *Gehilfe*) assistant (△ *mit* -ant *geschrieben*)

Helfershelfer(in) *eines Verbrechers*: accomplice [△ əˈkʌmplɪs], *umg.* stooge

hell 1. *Licht, Himmel*: bright; *es wird hell morgens*: it's getting light, *nach Gewitter usw.*: it's brightening up; *es ist schon* *hell morgens*: it's light already; *der Mond leuchtete hell* the moon was shining bright 2. *Farbe*: light 3. *Hautfarbe*: fair, light 4. *Kleidung*: light-coloured 5. *Klang*: clear 6. *helles Bier etwa*: lager [ˈlɑːgə], *AE* beer 7. *er ist ein heller Kopf* he's a bright young spark, he's got brains 8. *das ist heller Wahnsinn* that's sheer madness

hellblau light blue

hellblond blond(e), very fair

Helle(s) *Bier*; *etwa*: lager [ˈlɑːgə], *AE* beer

hellgelb pale yellow, straw yellow

hellgrün light green

hellhörig 1. *da wurde sie hellhörig* that made her prick up her ears 2. *Wand*: wafer-thin 3. *Haus*: badly sound-proofed; *das Haus ist sehr hellhörig* you can hear virtually everything in this house

Helligkeit brightness (*auch von Fernseher*)

hellrot light red

hellsehen: *sie kann hellsehen* she's got second sight

Hellseher(in) clairvoyant [kleəˈvɔɪənt]

hellwach wide awake, *vor dem Subst.*: wide-awake

Helm helmet [ˈhelmɪt]

Hemd shirt

hemmen 1. (≈ *aufhalten*) check (*auch den Fortschritt*), *ganz*: stop 2. (≈ *behindern*) impede, hamper 3. *sich gegenseitig hemmen* hold* each other back; → *gehemmt*

Hemmung 1. (≈ *Scheu*) inhibition; *er hat Hemmungen* he's inhibited 2. *moralische*: scruple; *sie hatte keine Hemmungen, ihn zu betrügen* she had no scruples about deceiving him

hemmungslos 1. *Gewalt, Zorn usw.*: unrestrained 2. *Mensch*: unscrupulous [ʌnˈskruːpjʊləs]

Hendl chicken [ˈtʃɪkɪn]

Hengst stallion [ˈstæljən]

Henkel handle

Henker executioner [ˌeksɪˈkjuːʃnə]

Henne hen

Hepatitis *Krankheit*: hepatitis [ˌhepəˈtaɪtɪs]

her 1. (≈ *hierher*) here 2. *von oben* (*bzw.* *unten*) *her* from above (*bzw.* below); *er ist von weit her gekommen* he's come a long way 3. *vom Inhalt her* as far as the content [ˈkɒntent] goes 4. *her damit!* let's have it!, *drohend*: hand it over!

---

her sein 1. *das ist lange* (*bzw.* *jetzt zehn Jahre*) *her* that was a long time ago (*bzw.* ten years ago today); *es ist lange her, dass wir uns gesehen ha-*

ben it's been a long time since we last met **2. wo ist sie her?** where is she from? **3. er ist nur hinter ihrem Geld her** he's only after her money

herab 1. down; **von oben herab** from above **2. sie behandelt mich immer von oben herab** *übertragen* she always patronizes ['pætrənaɪzɪz] me

herablassend 1. *Bemerkung usw.*: condescending [ˌkɒndɪ'sendɪŋ] **2.** (≈ *auf herablassende Art*) condescendingly

herabsehen: auf jemanden herabsehen look down on someone

herabsetzen reduce [rɪ'djuːs], lower (*Kosten, Preise, Geschwindigkeit*)

heran near, close [kləʊs]; **heran an** up to

herangehen 1. geh nicht zu nahe heran! don't go (*oder* get) too close! **2. du bist falsch an die Sache herangegangen** you tackled (*oder* approached) it the wrong way

herankommen 1. an etwas herankommen *mit der Hand*: reach something, get* hold of something **2. an etwas herankommen** (≈ *Zugang haben zu*) be* able to get (through) to (*eine Stelle, einen See usw.*) **3. ich komme einfach nicht an sie heran** (≈ *ich kann sie nie sprechen*) I just can't get hold of her, (≈ *sie gibt sich sehr verschlossen*) she just won't open up **4. an ihn kommt niemand heran** *leistungsmäßig*: nobody can compare with him

heranlassen: sie lässt niemanden an sich heran she won't let anyone come near her

heranwachsen grow* up (**zu** into)

herauf up, upwards ['ʌpwədz]; **hier herauf** up here; **die Treppe herauf** up the stairs, upstairs; **von unten herauf** from below

heraufkommen come* up, *die Treppe*: come* upstairs

heraufziehen 1. jemanden *bzw.* **etwas heraufziehen** pull someone *bzw.* something up **2. ich glaube, ein Gewitter zieht herauf** I think there's a (thunder)-storm coming up

heraus out; **zum Fenster heraus** out of the window, *AE mst.* out the window; **von innen heraus** from inside; **er wohnt nach vorn heraus** he lives at the front

herausbekommen 1. etwas aus etwas herausbekommen get* something out of something **2.** find* out (*Geheimnis usw.*), solve (*Rätsel usw.*), make* out (*den Sinn usw.*); **was hast du herausbekommen?** *bei Rechenaufgabe usw.*: what do

you make it (*oder* the answer)? **3. Sie bekommen zwei Euro heraus** you get two euros change; **sein Geld wieder herausbekommen** get* one's money back

herausbringen 1. bring* out (*neues Produkt, Buch*), release (*CD usw.*) **2.** produce, stage (*Theaterstück usw.*) **3. er brachte kein Wort heraus** he couldn't say a word

herausfinden 1. sie versucht herauszufinden, wie es funktioniert she's trying to find out how it works **2. er hat nicht herausgefunden** he couldn't find his way out

Herausforderer, Herausforderin challenger ['tʃælɪndʒə]

herausfordern 1. jemanden herausfordern challenge someone (**zu** to) **2.** (≈ *provozieren*) provoke (*jemanden, eine Tat*)

Herausforderung challenge ['tʃælɪndʒ]

herausgeben 1. hand over (*etwas Geraubtes, eine Geisel usw.*) **2.** (≈ *zurückgeben*) give* back **3. jemandem zwei Euro herausgeben** *Wechselgeld*: give* someone two euros change; **geben Sie mir bitte auf zwanzig Euro heraus** could you give me change for twenty euros, please? **4.** publish (*ein Buch usw.*), *als Bearbeiter*: edit ['edɪt] **5.** issue ['ɪʃuː] (*Briefmarken usw.*)

Herausgeber(in) 1. *Einzelperson, als Betreuer*: editor ['edɪtə] **2.** *Verlag*: publisher

heraushalten: sich aus etwas heraushalten keep* out of something

herauskommen 1. come* out (**aus** of) **2.** (≈ *wegkommen*) get* out (**aus** of) **3.** (*Erzeugnis*) come* out, (*Buch*) *auch*: be* published, appear, (*Briefmarken usw.*) be* issued

herausnehmen 1. take* out (**aus** of) **2. sie hat sich die Mandeln herausnehmen lassen** she had her tonsils (taken) out **3.** *Fußball usw.*: take* off (*einen Spieler*)

herausreden: sich herausreden make* excuses, *mit Erfolg*: talk one's way out of it

herausstellen 1. (≈ *betonen*) emphasize ['emfəsaɪz], underline **2. es hat sich herausgestellt, dass er krank war** it turned out that he was ill; **sie hat sich als völlig ungeeignet für diese Arbeit herausgestellt** she turned out to be completely unsuited to this kind of job

herausstrecken stick* out (*Kopf, Zunge usw.*) (**aus** of)

heraussuchen pick out, choose* [tʃuːz]

herb 1. *Geschmack*: tart, sour ['saʊə] **2.** *Wein*: dry **3.** *Duft*: tangy ['tæŋɪ] **4.** *Ent-*

täuschung, Niederlage usw.: bitter **5.** *Kritik*: harsh

herbeiführen 1. (≈ *verursachen*) cause, bring* about **2.** (≈ *bewirken*) lead* to

herbekommen get*, get* hold of

Herbergsmutter, Herbergsvater warden ['wɔːdn], *AE* (youth hostel) manager

Herbst autumn [△ 'ɔːtəm], *AE auch* fall

Herbstferien autumn break (△ *Sg.*)

Herd 1. (≈ *Küchenherd*) stove [stəʊv], cooker **2.** *einer Krankheit*: focus **3.** *eines Erdbebens*: epicentre ['epɪˌsentə]

Herde 1. *von Tieren allg.*: herd **2.** *von Schafen*: flock **3.** *mit der Herde laufen übertragen* (just) follow the herd

Herdplatte hotplate

herein in; *herein!* come in!; *hier herein* this way, please; *von draußen herein* from outside [ˌaʊtˈsaɪd]

hereinbrechen 1. (*Dämmerung usw.*) fall* **2.** (*Winter*) set* in

hereinfallen 1. (*Licht usw.*) come* in **2.** *wir sind auf einen Betrüger hereingefallen* we were taken in by a swindler (*oder* fraud)

hereinkommen come* in, come* inside

hereinlassen: *jemanden hereinlassen* let* someone in

hereinlegen: *jemanden hereinlegen* take* someone for a ride, (≈ *an der Nase herumführen*) take* the mickey out of someone, *AE* put* someone on

Herfahrt journey ['dʒɜːnɪ] here, trip here; *auf der Herfahrt* on the (*oder* my *usw.*) way here

herfallen: *über jemanden herfallen* (≈ *jemanden angreifen*) pounce on someone (*auch übertragen*), (≈ *jemanden heftig kritisieren*) have* a real go at someone

herfinden: *wie hast du denn hier hergefunden?* how did you find your way here?

hergeben 1. (≈ *weggeben*) give* away; *gib es her!* give it to me!; *gib mal her!* (≈ *lass mal sehen*) let me have a look **2.** *dazu gebe ich mich nicht her umg.* I'm not doing anything like that

Hering 1. *Fisch*: herring [△ 'herɪŋ] **2.** *zum Befestigen eines Zeltes*: (tent) peg

herkommen 1. come* (here), (≈ *sich nähern*) approach **2.** (*von*) *wo kommt sie her?* where does she come from?

herkömmlich 1. *Methoden usw.*: customary ['kʌstəmərɪ], usual **2.** *Brauch*: traditional **3.** *Waffen*: conventional

herkriegen *umg.* get* (*Sender, Fernsehkanal usw.*)

Herkunft 1. *allg.*: origin **2.** *einer Person*: origin, descent [dɪ'sent]; *sie ist ihrer Herkunft nach Schweizerin* she's of

Swiss origin (*oder* descent)

Herkunftsland *von Waren usw.*: country of origin ['ɒrɪdʒɪn]

hermetisch hermetic [hɜːˈmetɪk]; *hermetisch verschlossen* hermetically sealed

Heroin heroin ['herəʊɪn]; *Heroin spritzen* shoot* heroin

heroinsüchtig addicted to heroin ['herəʊɪn]

Herpes (≈ *Hautausschlag*) herpes ['hɜːpiːz]

Herr 1. (≈ *Mann*) man, *sehr höflich*: gentleman ['dʒentlmən] **2.** *vor Eigennamen*: Mr ['mɪstə] *Pl.*: Messrs ['mesəz]; *Herr Müller* Mr Müller **3.** *vor Titeln*: *Herr Dr. Schmidt* Dr Schmidt (△ *ohne* Mr); *ja, Herr Doktor* yes, doctor **4.** *meine (Damen und) Herren als Anrede*: (ladies and) gentlemen **5.** *Sehr geehrter Herr X* *in Briefen*: Dear Sir, *vertraulicher*: Dear Mr X **6.** (≈ *Gebieter*) master (*auch eines Hundes usw.*) **7.** *der Herr* (≈ *Gott*) the Lord; *Gott, der Herr* the Lord God **8.** *aus aller Herren Länder* from the four corners of the earth

Herrenhose men's trousers (△ *Pl.*), *AE* men's pants (△ *Pl.*); *eine Herrenhose* a pair of men's trousers; ☞ *Hose*

Herrenkleidung men's clothing ['menzˌkləʊðɪŋ], menswear ['menzweə]

herrenlos 1. *Gepäckstück usw.*: abandoned [əˈbændənd] **2.** *eine herrenlose Katze usw.* a stray cat [ˌstreɪˈkæt] *usw.*

Herrenmode men's fashion, men's fashions (*Pl*), *Schild*: menswear

herrichten 1. get* ready (*das Essen, die Betten usw.*) **2.** arrange, set* (*den Tisch*) **3.** (≈ *säubern, in Ordnung bringen*) tidy up (*ein Zimmer usw.*) **4.** *sie haben das alte Haus wieder hergerichtet* they've done up the old house **5.** *sich herrichten umg.* get* ready

herrlich 1. *allg.*: wonderful, marvellous ['mɑːvləs] **2.** *Wetter*: beautiful, glorious, marvellous **3.** *Ausblick, Anblick, Kleid, Urlaub usw.*: splendid

Herrschaft 1. (≈ *Regierungszeit, Art des Regierens*) rule, government, *eines Königs usw.*: reign [△ reɪn] **2.** (≈ *Macht, Gewalt*) power (*über* over) **3.** (≈ *Kontrolle*) control (*über* of); *die Herrschaft verlieren über* lose* control of (△ *ohne* the) **4.** *meine Herrschaften!* ladies and gentlemen!

herrschen 1. rule (*über* over), (*König usw.*) reign [△ reɪn] (*über* over) **2.** *es herrscht Terror usw. im Land* terror *usw.* is ruling the country **3.** *es herrschte eine gute Stimmung* everyone was in good spirits

Herrscher(in) 1. *allg.*: ruler **2.** (≈ *König, -in*) monarch ['mɒnək], sovereign [⚠ 'sɒvrɪn]

herrschsüchtig domineering, power-mad

herstellen 1. (≈ *erzeugen*) make*, *industriell*: produce, manufacture [,mænjʊ-ˈfæktʃə] **2.** (≈ *schaffen, zustande bringen*) establish (*Verbindung, Kontakte usw.*)

Hersteller *industriell*: manufacturer, producer, *umg. auch* maker, makers (*Pl.*)

Herstellung 1. *industriell*: production, manufacture [,mænjʊˈfæktʃə] **2.** *einer Verbindung usw.*: establishment

Herstellungskosten production costs, production cost (*Sg.*)

herüber over, over here

herum 1. *du hast den Pulli falsch herum an* you're wearing your sweater inside-out (*oder* the wrong way round); *anders herum* the other way round **2.** *um ... herum* *örtlich*: around; round; *um das Dorf herum waren Felder* the village was surrounded by fields; → *herumgehen* **3.** *um ... herum* (≈ *ungefähr*) around; *um vier Uhr herum* (at) about four o'clock, (at) around four o'clock; *um Weihnachten herum* round about Christmas, around Christmas; *sie ist um die zwanzig herum* she's about twenty, she's twentyish

herumführen 1. *ich würde Sie gerne in der Stadt herumführen* I'd love to show you around the town **2.** *diese Straße führt um das Stadtzentrum herum* this road goes (*oder* runs) around the city centre

herumgehen 1. (*Person*) walk (a)round, (≈ *die Runde machen*) go* (a)round; *sie ging um die Kirche herum* she walked (a)round the church; *er geht gerne in der Stadt herum* he loves walking (a)round town **2.** *die Fotos gingen in der Klasse herum* the photos were passed round in the class **3.** *etwas herumgehen lassen* *zum Ansehen*: pass something round

herumhängen *untätig*: hang* (a)round

herumkommandieren *jemanden herumkommandieren* boss someone around (*oder* about)

herumkommen 1. (≈ *weit reisen*) get* around; *sie ist viel in der Welt herumgekommen* she's seen quite a lot of the world **2.** *du kommst um die Prüfung nicht herum* (≈ *kannst sie nicht vermeiden*) you can't get out of the exam

herumkriegen 1. *sie hat ihn herumgekriegt(, mitzukommen)* she talked him into it, she got him round to coming with

her (*bzw.* us, them *usw.*) **2.** *ich frage mich, wie wir die sechs Stunden noch herumkriegen sollen* I wonder what we're going to do for the next six hours

herumlaufen 1. *ziellos, hektisch usw.*: run* (a)round **2.** *um etwas herumlaufen* run* (*bzw.* go*) (a)round something **3.** *seit ein paar Wochen läuft er mit einer Glatze herum* he's been going around bald-headed for a couple of weeks now

herumreichen: *etwas herumreichen* hand (*oder* pass) something round

herumschlagen: *sich mit einem Problem usw. herumschlagen* grapple with a problem *usw.*

herumsitzen sit* around, *untätig*: sit* around doing nothing

herumsprechen: *sich herumsprechen* get* around; *bei uns spricht sich alles schnell herum* in our town (*bzw.* village, school *usw.*) things get (*oder* news gets) around quickly

herumtreiben: *sich herumtreiben* in *Lokalen usw.*: hang* out, hang* around (*in* in); *wo hast du dich wieder herumgetrieben?* where have you been (all this time)?

herunter 1. down; *hier herunter* down here; *die Treppe herunter* down the stairs, downstairs **2.** *von der Mauer!* get off that wall! **3.** *sie ist völlig mit den Nerven herunter* she's a nervous wreck [rek]

heruntergehen 1. go down (*eine Treppe usw.*) **2.** *geh von der Leiter herunter!* get off the ladder! **3.** (*Temperatur, Preise*) go* down, fall*, drop (*bis auf* to) **4.** *heruntergehen mit* reduce, lower (*Preis, Geschwindigkeit usw.*)

heruntergekommen 1. *Gebäude, Gegend, Geschäft usw.*: run-down **2.** *Person*: down-at-heel, scruffy

herunterhängen hang* down (*von* from)

herunterkommen 1. come* down **2.** *kommt von dem Baum herunter!* get off that tree! **3.** *das alte Haus ist völlig heruntergekommen* the old house has gone to rack and ruin; → *heruntergekommen*

herunterladen *Computer*: download (*Programm usw.*)

herunterlassen let* down, lower (*Jalousie usw.*)

heruntermachen 1. *etwas von etwas heruntermachen* take* something off something **2.** *jemanden heruntermachen* run* someone down **3.** *die Kritiker haben den Film total heruntergemacht* the film has really been slated by the critics

herunterputzen: *jemanden herunterputzen* *umg.* give* someone a dressing down, blow* up at someone

herunterspielen: *etwas herunterspielen* (≈ *beschönigen*) play something down

hervor *aus ... hervor* out of ...; *hinter ... hervor* from behind ...; *unter ... hervor* from under ...

hervorbringen 1. produce (*auch Nachkommen*) **2.** (≈ *verursachen, schaffen*) create [kri:'eit] **3.** utter (*Worte usw.*)

hervorheben (≈ *besonders betonen*) emphasize ['emfəsaiz], underline, stress

hervorragend 1. excellent ['eksələnt], outstanding [aut'stændiŋ], first-rate **2.** *sie hat hervorragend gespielt* she played extremely well (*oder* outstandingly well)

hervorrufen 1. (≈ *bewirken*) cause, bring* about **2.** provoke (*Ärger, Proteste usw.*) **3.** create [kri:'eit] (*den Eindruck, Verwirrung usw.*)

Herz 1. heart [△ hɑːt] **2.** (≈ *Mittelpunkt*) heart, core, centre **3.** *Spielkartenfarbe*: hearts (△ *Pl.*), *Einzelkarte*: heart **4.** *Wendungen*: *er hats am Herzen* he's got heart trouble *oder* (a heart condition); *von ganzem Herzen* with all my (*bzw.* her *usw.*) heart; *sich etwas zu Herzen nehmen* take* something to heart; *etwas auf dem Herzen haben* *übertragen* have* something on one's mind

Herzanfall heart attack

Herzbeschwerden heart trouble (△ *Sg.*)

herzeigen show; *zeig mal her!* let me see!, let me have a look!

Herzfehler heart defect ['hɑːt,diːfekt]

herziehen 1. *wir sind erst vor Kurzem hergezogen* we only recently moved here **2.** *als ich John gestern traf, ist er wieder ganz schön über seinen Vater hergezogen* when I met John yesterday he started ripping into his father as usual **3.** *etwas näher zu sich herziehen* draw* (*oder* pull) something closer **4.** *sie zog etwas hinter sich her* she was pulling something along (behind her)

herzig sweet, lovely, cute

Herzinfarkt *umg.* heart attack, coronary [△ 'kɒrənəri], *wissenschaftlich*: cardiac ['kɑːdiæk] infarction

Herzklopfen: *ich hatte Herzklopfen (vor Aufregung)* my heart was pounding (with excitement)

herzkrank: *sie ist herzkrank* she's got a heart condition

herzlich 1. *Empfang, Aufnahme*: warm, hearty [△ 'hɑːti]; *wir wurden sehr herzlich empfangen* we were given a warm

welcome **2.** *Mensch*: warm-hearted **3.** *Lächeln*: friendly, warm **4.** *Worte*: kind **5.** (≈ *liebevoll*) affectionate [ə'fekʃnət] **6.** (≈ *innig empfunden*) sincere [sin'siə] *ich habe eine herzliche Bitte an dich* I wonder if you could do me a big favour **8.** *herzlich lachen* have* a good laugh **9.** *herzlich wenig* not very much at all **10.** *Wendungen*: *herzliche Grüße* best regards, *vertraulicher*: love; *herzlichen Dank* many thanks (indeed); *herzlichen Glückwunsch!* congratulations!, *zum Geburtstag*: happy birthday!

Herzlichkeit warmth, kindness

herzlos heartless [△ 'hɑːtləs], unfeeling

Herzog duke [djuːk], *als Titel*: Duke

Herzogin duchess ['dʌtʃis], *als Titel*: Duchess

Herzoperation heart surgery ['hɑːt,sɜːdʒəri], heart operation; *er hat eine Herzoperation hinter sich* he's had heart surgery (*oder* a heart operation)

Herzschlag 1. (≈ *Herzversagen*) heart failure; *an einem Herzschlag sterben* die of heart failure (△ *ohne* a) **2.** (≈ *Schlagen bzw. einzelner Schlag des Herzens*) heartbeat

Herzschrittmacher pacemaker

Herztransplantation heart transplant [△ 'hɑːt,trænsplɑːnt]

herzzerreißend heartrending

Hesse, Hessin Hessian ['hesiən]; *sie ist Hessin* she's from Hesse [hes]; ☞ *Nationalitäten*

Hessen *Bundesland*: Hesse [△ hes]

hetero *sexuell*: straight [streit], hetero

heterosexuell, Heterosexuelle(r) heterosexual [,hetərəu'sekʃuəl]

Hetz Ⓐ (≈ *Spaß, Vergnügen*) fun

Hetze 1. (≈ *Eile*) rush, hurry **2.** (≈ *Stimmungsmache, Aufhetzung*) agitation [,ædʒi'teiʃn] (*gegen* against) **3.** *gegen einen Politiker usw.*: smear campaign ['smiə ,kəm,pein] (*gegen* against)

hetzen 1. *jemanden hetzen* (≈ *verfolgen, jagen*) chase (*oder* hunt) someone **2.** *jemanden hetzen* (≈ *antreiben*) rush someone **3.** *einen Hund auf jemanden hetzen* set* a dog on someone **4.** *(sich) hetzen* rush; *du brauchst dich nicht zu hetzen* there's no rush **5.** *gegen jemanden hetzen* stir up hatred against someone

Heu hay [hei]

Heuchelei hypocrisy [△ hi'pɒkrəsi]

heucheln 1. (≈ *sich heuchlerisch benehmen*) be* hypocritical [△ ,hipə'kritikl] **2.** (≈ *vortäuschen*) feign [△ fein] (*Freude, Mitleid, Reue usw.*)

Heuchler(in) hypocrite [△ 'hipəkrit]

heuer *bes.* Ⓐ, Ⓒ this year
heulen 1. (*Wind usw.*) howl [haʊl] **2.** (≈ *weinen*) cry, *laut*: howl **3.** (*Sirene*) wail **4.** (*Hund, Wolf usw.*) *laut*: howl, *leise*: whine **5.** (*Automotor usw.*) roar
Heulen 1. *allg.*: howling (*auch Tieres*) **2.** *einer Sirene*: wailing **3.** *eines Automotors usw.*: roaring **4. es ist zum Heulen** it's enough to make you weep
Heurige(r) Ⓐ **1.** (≈ *der neue Wein*) new wine **2.** (≈ *Heurigenlokal*) *etwa*: Viennese wine tavern [ˌviːəniːzˈwaɪnˌtævn]
heurige(r, -s) *bes.* Ⓐ, Ⓒ this year's (△ *nur vor dem Subst.*)
Heuschnupfen hay fever
Heuschrecke 1. grasshopper **2.** *schädliche*: locust [ˈləʊkəst]
heute 1. today [təˈdeɪ]; *heute Abend* this evening, tonight [təˈnaɪt]; *heute früh, heute Morgen* this morning; *heute Nacht* tonight, (≈ *letzte Nacht*) last night; *heute Mittag* at noon (*oder* midday) today; *heute in acht Tagen* a week (from) today, *BE auch* today week; *heute vor einer Woche* a week ago today; *von heute an, ab heute* from today; *sie hat bis heute nicht bezahlt* she hasn't paid to this day; *die Zeitung von heute* today's paper **2.** *das Amerika von heute* present-day America (△ *ohne* the); *die Frau von heute* the woman of today **3.** (≈ *heutzutage*) nowadays, these days, today
heutig 1. *die heutige Zeitung usw.* today's paper *usw.* **2.** *das heutige Deutschland* present-day Germany, Germany today (△ *beide ohne* the) **3.** *bis zum heutigen Tag* to this day **4.** *in der heutigen Zeit* nowadays, these days
heutzutage nowadays, these days, today
Hexe 1. witch **2.** *alte Hexe umg.* old hag
hexen practise [△ ˈpræktɪs] (*AE* practice) witchcraft; *ich kann doch nicht hexen!* I can't work (*oder* perform) miracles [△ ˈmɪrəklz]
Hexenschuss lumbago [lʌmˈbeɪɡəʊ]
Hexerei witchcraft, sorcery [ˈsɔːsərɪ]
Hieb 1. (≈ *Schlag*) blow (*auch mit einer Waffe*) **2.** *mit der Faust*: punch, blow; *Hiebe bekommen* get* a hiding (*oder* beating) **3.** *mit der Peitsche*: lash
hier 1. here, in this place; *hier draußen* (*bzw.* **drinnen**) out (*bzw.* in) here; *hier entlang* this way; *das Haus hier* this house; *ich bin auch nicht von hier* I'm a stranger here myself; *wann sollte sie hier sein?* when was she supposed to be here (*oder* come)? → **hierbehalten, hierbleiben 2.** (≈ *in diesem Fall*) here, in this case; *hier ist nichts mehr zu machen*

there's nothing more we can do
Hierarchie hierarchy [ˈhaɪrɑːkɪ]
hierarchisch hierarchical [haɪˈrɑːkɪkl]
hierbehalten: *jemanden* (*bzw.* **etwas**) *hierbehalten* keep* someone (*bzw.* something) here
hierbleiben stay here
hierdurch 1. (≈ *dadurch*) because of this, this way **2.** (≈ *hiermit*) hereby
hierher 1. here, this way, over here; *komm hierher!* come here!; *bis hierher* up to here, this far **2.** *das gehört nicht hierher* (≈ *gehört nicht an diesen Platz*) this doesn't belong here, (≈ *ist hier nicht von Bedeutung*) that's irrelevant here
hiermit 1. *allg.*: with this **2. hiermit ist die Sache erledigt** that settles that **3.** (≈ *hierdurch*) hereby; *hiermit wird bescheinigt …* this is to certify …
hierüber 1. (≈ *über dieses Thema*) about this (*oder* it) **2.** *örtlich*: over here
hiervon 1. of this, from this, of it, from it **2.** (≈ *hierüber*) about it, about this
hierzu 1. (≈ *zu diesem Punkt, Thema usw.*) about this, concerning this (△ *mst. am Satzende*) **2.** (≈ *zu diesem Zweck*) for this (purpose) **3.** (≈ *als Ergänzung, Zubehör*) *hierzu gibt es noch einige Zusatzgeräte* there are also some additional attachments available
hiesige(r, -s) local [ˈləʊkl]
Hiesige(r): *ein Hiesiger* one of the locals
Hi-Fi hi-fi [ˈhaɪfaɪ, ˌhaɪˈfaɪ]
Hi-Fi-Anlage stereo (system) [ˈsterɪəʊˌ(ˌsɪstəm)], hi-fi [ˈhaɪfaɪ] (system)
high *umg.* high; *wir waren alle echt high* we were all really high
Highlife *umg.* high life [ˈhaɪˌlaɪf]; *Highlife machen* live it up
Hightech *umg.* high tech, hi tech
Hightech…, Hightech-… *umg., in Zusammensetzungen*: high-tech, hi-tech; *Hightech-Ausrüstung* high-tech equipment; *Hightech-Industrie* high-tech industry; *Hightech-Unternehmen* high-tech company; *Hightech-Waffe* high-tech weapon
Hilfe 1. *allg.*: help (*auch Person*); *sie hat mich um Hilfe gebeten* she asked me to help her, she asked for my help; *um Hilfe rufen* call (*lauter*: shout) for help; *mit Hilfe* → *mithilfe* **2.** (≈ *Beistand*) aid (*auch finanziell*), assistance (*auch medizinisch*); *Erste Hilfe leisten* give* first aid **3.** *bei Katastrophen usw.*: relief (*für* to) **4.** (≈ *Unterstützung*) support **5.** (≈ *Mitwirkung*) cooperation **6.** *etwas zu Hilfe nehmen* make* use [△ juːs] of something
hilflos helpless

Hilfsarbeiter(in) unskilled worker

hilfsbereit helpful, ready to help, *am Arbeitsplatz auch*: cooperative [kəʊ-'ɒprətɪv]

Hilfsmittel 1. aid (*auch technisches*) **2.** *übertragen* remedy ['remədɪ]

Hilfsorganisation relief organization

Hilfsverb, Hilfszeitwort auxiliary [ɔːg-'zɪlɪərɪ] verb

Himbeere raspberry [△ 'rɑːzbərɪ]

Himmel 1. sky; *am Himmel* in the sky **2.** *in Wettervorhersage häufig*: skies (△ *Pl.*) **3.** *im religiösen Sinn und übertragen*: heaven ['hevn]; *im Himmel* in heaven (△ *ohne* the); *in den Himmel kommen* go* to heaven **4.** *Wendungen*: *unter freiem Himmel* in the open (air); *aus heiterem Himmel* (completely) out of the blue; *ach du lieber Himmel!* goodness me!, good Heavens!

Himmelsrichtung 1. direction; *aus allen Himmelsrichtungen* from everywhere **2.** *Kompass*: point of the compass, cardinal point [,kɑːdɪnl'pɔɪnt]

himmlisch 1. *allg.*: heavenly **2.** (≈ *herrlich*) (absolutely) wonderful (*auch Wetter*), *Kleid usw.*: gorgeous ['gɔːdʒəs]

hin 1. *allg.*: there **2.** *auf* (*oder nach, gegen, zu*) ... *hin als Richtungsangabe*: towards [tə'wɔːdz] **3.** *bis zum Haus hin* as far as the house **4.** *bis Ostern usw. ist noch lange hin* Easter *usw.* is still a long way off **5.** *auf meine Bitte hin* at my request **6.** *sie wurde auf Krebs hin untersucht* she was tested for cancer **7.** *hin und zurück* there and back; *zweimal Wien hin und zurück, bitte* two returns (*AE* round trip tickets) to Vienna, please **8.** *hin und her schaukeln usw.*: to and fro, back and forth **9.** *hin und wieder* now and then

hinauf up (there), upwards ['ʌpwədz]; *die Straße hinauf* up the street; *die Treppe hinauf* upstairs, up the stairs; *hier hinauf* up here, this way; *bis hinauf zu* ... up to ...

hinaufgehen 1. go* (*oder* walk) up; *die Treppe hinaufgehen* go* upstairs; *einen Berg hinaufgehen* go* (*oder* walk) up a mountain **2.** (*Preise, Zahl der Arbeitslosen usw.*) go* up, rise* **3.** *der Weg geht dort hinauf* the path goes (*oder* leads) up there

hinaufkommen 1. (≈ *nach oben gehen oder fahren*) come* up, *die Treppe hoch*: come* upstairs **2.** *ich komm nicht hinauf* (≈ *es gelingt mir nicht, hinaufzuklettern usw.*) I can't get up there, I can't make it

hinaufsteigen 1. climb [△ klaɪm] up; *er*

ist bis ganz oben hinaufgestiegen he climbed right (up) to the top **2.** *ich muss aufs Dach hinaufsteigen* I've got to get onto the roof

hinaufziehen 1. *jemanden* (*bzw. etwas*) *hinaufziehen* pull someone (*bzw.* something) up **2.** *die Felder ziehen sich das ganze Tal hinauf* the fields stretch along the whole length of the valley **3.** *die Schmerzen ziehen sich den Arm hinauf* the pain spreads up the arm **4.** *in den dritten Stock hinaufziehen* move up to the third (*AE* fourth) floor

hinaus 1. (≈ *nach außen*) out, out there, outside; *hinaus* (*mit dir usw.*)*!* (get) out!; *hinaus aus* ... out of ...; *hier hinaus* this way, out here; *sie wohnen nach hinten* (*bzw. vorn*) *hinaus* they live at the back (*bzw.* front); *bitte kein Zimmer zur Straße hinaus* I (*bzw.* we *usw.*) don't want a room facing (*oder* overlooking) the street, please **2.** *auf Jahre hinaus* for years (to come) **3.** *über etwas hinaus* beyond something

hinausfinden find* one's way out

hinausgehen 1. go* out (*aus* of), leave* **2.** *das Zimmer geht auf den See hinaus* the room looks out onto the lake

hinauslaufen 1. run* (*oder* rush) out (*aus* of) **2.** *das läuft auf dasselbe hinaus* it comes (*oder* amounts) to the same thing

hinausschieben (≈ *aufschieben*) put* off, postpone (*Entscheidung usw.*)

hinausstellen 1. *Fußball usw.*: *der Schiedsrichter hat zwei Spieler hinausgestellt* the referee sent two players off **2.** *stell den Tisch bitte auf die Terrasse hinaus* could you put the table out on the terrace ['terəs], please?

hinauswerfen 1. throw* out; *etwas zum Fenster hinauswerfen* throw* something out of the window (*AE mst.* out the window) **2.** *jemanden hinauswerfen aus Firma usw.*: *umg.* give* someone the sack, fire someone

hinauswollen 1. *er will hinaus ins Freie*: he wants to get out **2.** *worauf will sie hinaus?* what is she driving (*oder* getting) at?

hinauszögern 1. put* off, delay (*eine Entscheidung usw.*) **2.** *es zögert sich hinaus* it's taking longer than expected

hinbringen: *ich bringe Sie hin* I'll take you there (△ *nicht* bring)

hindern 1. *jemanden daran hindern, etwas zu tun* stop (*oder* prevent) someone from doing something **2.** *niemand hindert dich daran, zu gehen* you're quite free to go

Hindernis 1. *allg.*: barrier ['bærɪə], obstacle ['ɒbstəkl] (*auch übertragen*) **2.** *Lauf-sport*: hurdle **3.** *Reitsport*: fence

Hindernislauf, Hindernisrennen steeple-chase ['stiːpltʃeɪs]

hindurch 1. *räumlich*: through [θruː] **2.** *zeitlich*: throughout, through, during; *das ganze Jahr hindurch* throughout the year, all year round; *die ganze Nacht hindurch* all night (long)

hinein 1. in, inside; *ins Haus hinein* into the house; *da hinein* in there, this way; *hinein mit dir!* in you go!; *nur hinein!* go on in! **2.** *bis in den Mai hinein* well into May; *bis tief in die Nacht hinein* well into the night

hineingehen 1. *gehen wir hinein?* shall we go in (*oder* inside)?; *sie gingen in die Kirche hinein* they went into the church **2.** *in den Saal gehen 600 Personen hinein* umg. the hall seats six hundred (people); *in den Kanister gehen 30 Liter hinein* umg. the container holds thirty litres

hinfahren 1. go* there **2.** *ich fahre dich gerne hin* I don't mind driving (*oder* taking) you there

Hinfahrt journey ['dʒɜːnɪ] there; *auf der Hinfahrt* on the (*bzw.* my *usw.*) way there

hinfallen fall* (down)

Hingabe devotion (*an* to); *mit Hingabe* devotedly, (≈ *begeistert*) passionately

hingehen 1. go* (there); *zu jemandem hingehen* go* (up) to someone **2.** *wo gehst du hin?* where are you going? **3.** *wo kann man hier hingehen?* (≈ *ausgehen*) what sort of places can you go to around here?

hingerissen fascinated ['fæsɪneɪtɪd], enthral(l)ed [ɪn'θrɔːld], carried away (*von* by)

Hingucker umg. eye catcher

hinhalten 1. *jemanden hinhalten* (≈ *lange warten lassen*) put* someone off, keep* someone hanging **2.** *jemandem etwas hinhalten* hold* something out to someone

hinhören listen [△ 'lɪsn]

hinken 1. limp, walk with a limp, *dauernd*: have* a limp **2.** *der Vergleich hinkt* the metaphor ['metəfə] doesn't work

hinknien: *sich hinknien* kneel* down [△ ˌniːl'daʊn]

hinkommen 1. get* there **2.** *weißt du, wo mein Kuli hingekommen ist?* do you know where my pen has got (*AE* gotten) to? **3.** *wo kommen die Bücher hin?* where do the books go (*oder* belong)? **4.** *das dürfte hinkommen* (≈ *stimmen*) that should be right, *mengenmäßig*: that should be enough **5.** *wo kämen wir hin,*

wenn ... where would we be if ...

hinkriegen 1. *das hast du gut hingekriegt* umg. you've done a good job of it **2.** *kriegst du das wieder hin?* bei Reparatur: can you fix it?; *das werden wir schon wieder hinkriegen* we'll have that fixed again, no problem

hinlegen 1. *etwas hinlegen* lay* (*oder* put*) something down **2.** *sich hinlegen* lie* down

hinnehmen put* up with, take* (*Frechheit usw.*)

Hinreise trip (*oder* journey ['dʒɜːnɪ]) there; *auf der Hinreise* on the (*oder* my *usw.*) way there

hinreißend 1. *Person, Sänger(in) usw.*: fascinating [△ 'fæsɪneɪtɪŋ], enchanting [ɪn'tʃɑːntɪŋ] **2.** *Schönheit*: captivating **3.** *du siehst hinreißend aus* you look quite enchanting [ɪn'tʃɑːntɪŋ]; *sie hat hinreißend gespielt* it was a wonderful performance

hinrichten execute ['eksɪkjuːt] (*Mörder usw.*)

Hinrichtung execution [ˌeksɪ'kjuːʃn]

hinschmeißen: *am liebsten würde ich alles hinschmeißen* salopp I feel like chucking it all in

hinsehen look; *ohne hinzusehen* without looking

hinsetzen 1. sit* down (*Baby usw.*) **2.** (≈ *Sitzplatz zuteilen*) seat, put*; *die Oma setzen wir hier drüben hin* we'll put grandma over here **3.** *sich hinsetzen* sit* down

Hinsicht: *in gewisser Hinsicht* in a way; *in jeder Hinsicht* in every respect

hinsichtlich with regard to, concerning

Hinspiel *Sport*: first leg

hinstellen 1. *etwas hinstellen* (≈ *abstellen*) put* something (down) (*auf* on) **2.** umg. put* up (*ein Haus usw.*) **3.** *er stellt ihn immer als Versager hin* he always makes him out to be a failure **4.** *sich hinstellen* stand* (up) **5.** *sich vor jemanden hinstellen* stand* in front of someone

hinten 1. *allg.*: at the back; *weiter hinten* further back, *im Buch usw.*: further on; *nach hinten* to(wards) the back, *umfallen usw.*: backwards; *von hinten* from behind **2.** *im Auto*: in the back **3.** *stell dich hinten an!* get to the back of the queue (*AE* line)! **4.** *das Zimmer geht nach hinten hinaus* the room's at the back **5.** *das stimmt hinten und vorne nicht* umg. that's totally wrong

hinter 1. *allg.*: behind; *hinter meinem Rücken* behind my back; *stell das Bild hinter den Schrank* put the picture behind the cupboard **2.** *zur Angabe der Lage*: behind, at the back of; *hinter dem Haus* behind (*oder* at the back of) the house **3.** *Reihenfolge*: after; *der nächste Halt hinter Bonn ist Köln* the next stop after Bonn is Cologne [kə'ləʊn] **4.** *hinter etwas kommen* (≈ *etwas herausfinden*) find* out about something, (≈ *etwas verstehen*) get* the hang of something **5.** *sie hat gerade eine schwere Erkältung hinter sich* she's just got over a bad cold **6.** *etwas hinter sich bringen* get* something over (and done)

Hinterachse *Auto*: rear axle [ˌrɪər'æksl]

Hinterbein hind leg [△ 'haɪnd‿leg]

Hinterbliebene(r) 1. *im juristischen Sinn*: (surviving) dependant (*oder* dependent) **2.** *die Hinterbliebenen* (≈ *die trauernden Angehörigen*) the bereaved (family)

hintere(r, -s) 1. rear, back; *die hinteren Wagen* *Eisenbahn*: the rear coaches (*AE* cars); *das hintere Ende* the rear (*oder* far) end **2.** *die hinteren Zimmer* the rooms at the back; *das hintere Ende* the rear (*oder* far) end

hintereinander 1. *in einer Reihe*: one behind the other **2.** (≈ *hintereinander her*) one after the other, one by one **3.** *dicht hintereinander* close together **4.** *drei Tage hintereinander* three days running, three days in a row [rəʊ]; *dreimal hintereinander* three times in a row **5.** *an fünf Wochenenden hintereinander* on five consecutive [kən'sekjʊtɪv] weekends

Hintereingang back (*oder* rear) entrance

Hintergedanke (≈ *verborgene Absicht*) ulterior motive; *ohne Hintergedanken* quite innocently ['ɪnəsntlɪ]

hintergehen deceive [dɪ'siːv] (*einen Geschäftspartner, Ehepartner usw.*)

Hintergrund background (*auch übertragen*)

Hintergrundinformation (piece of) background information

hinterhältig underhanded, *Methoden auch*: underhand

hinterher 1. after, behind; *das Fahrrad hinterher* the bicycle behind (*oder* after them *bzw.* him *usw.*); *los, hinterher!* come on, after him (her *usw.*)! **2.** *zeitlich*: afterwards

Hinterhof backyard [ˌbæk'jɑːd]

Hinterkopf back of the head [hed]; *sie hat sich am Hinterkopf verletzt* she's injured the back of her head

hinterlassen 1. leave* (*Nachricht, Eindruck*) **2.** *jemandem etwas hinterlassen* leave* something to someone **3.** leave* behind (*Frau und Kinder*; *Fingerabdrücke*)

Hinterlist 1. cunning, deceitfulness [dɪ'siːtflnəs] **2.** (≈ *Trick*) deceit, trick

hinterlistig cunning, deceitful [dɪ'siːtfl], *Methoden auch*: underhand

Hintermann: *mein Hintermann* the person (*bzw.* driver *oder* car *usw.*) behind me

Hintern *umg.* backside, bottom, behind

Hinterrad back wheel [ˌbæk'wiːl], rear wheel [ˌrɪə'wiːl]

Hinterradantrieb *Auto*: rear-wheel drive [ˌrɪəwiːl'draɪv]

hinterrücks (≈ *von hinten*) from behind

Hinterseite back, reverse [rɪ'vɜːs]

hinterste(r, -s) back, last; *die hinterste Reihe* the back row [rəʊ]

Hinterteil 1. *allg.*: back (part) **2.** (≈ *Hintern*) backside, bottom, behind

Hintertreffen: *ins Hintertreffen geraten* fall* behind

Hintertreppe back stairs (△ *Pl.*)

Hintertür back door

hinterziehen evade (*Steuern*)

hintun: *wo soll ich es hintun?* where shall I put it?; *tus da hin* put it there

hinüber 1. over (there) **2.** *über den See usw.* hinüber across (*oder* over) the lake *usw.*

hinunter down; *die Straße hinunter* down the street; *die Treppe hinunter* down the stairs, downstairs; *da hinunter* down there, this way

Hinweg: *auf dem Hinweg* on the (*bzw.* my *usw.*) way there

hinweg: *über etwas hinweg* over (*oder* across) something

hinwegsetzen: *sich über etwas hinwegsetzen* ignore something

Hinweis 1. (≈ *Tip, Rat*) tip, some advice (*auf* as to); *anonymer Hinweis* anonymous [ə'nɒnɪməs] tip-off **2.** (≈ *Anhaltspunkt*) clue (*auf* to), pointer (*auf* to), evidence ['evɪdəns] (*auf* of) **3.** (≈ *Anzeichen*) indication (*auf* of) **4.** (≈ *Verweis*) reference ['refrəns] (*auf* to)

hinweisen 1. *jemanden auf etwas hinweisen* point something out to someone **2.** *ich möchte dich nochmals auf die Gefahren hinweisen* I'd like to remind you once again of the dangers *usw.* **3.** *hinweisen auf* point to, (≈ *anspielen*) allude [ə'luːd] to, (≈ *verweisen*) refer to **4.** *darauf hinweisen, dass ...* point out that ..., *nachdrücklich*: stress (*oder* emphasize ['emfəsaɪz]) that ... **5.** *alles weist darauf hin, dass ...* everything indicates that ...

Hinweisschild sign [△ saɪn]

hinwerfen 1. *etwas hinwerfen* throw* something down **2.** *etwas hinwerfen* (≈

aufgeben) give* up something, *umg.* chuck something (in) **3. er warf ihr die Schlüssel** *usw.* **hin** he threw her the keys *usw.*

hinwollen want to go (there); **ich will hin!** I want to go!; **wo willst du hin?** where are you going?

hinziehen 1. *bei Umzug*: move there; **wo zieht ihr hin?** where are you moving to? **2. sich zu jemandem hingezogen fühlen** be* drawn to(wards) someone **3. das zieht sich ganz schön hin!** *entfernungsmäßig*: that's quite a long way to go; **die Wiesen ziehen sich bis zum Fluss hin** the meadows stretch as far as the river **4. die Sitzung zog sich bis zum Abend hin** the meeting dragged [drægd] on into the evening

hinzufügen 1. add (+*Dativ oder zu* to) **2.** *einem Brief*: (≈ *beilegen*) enclose

hinzukommen 1. wir waren zuerst zu zweit, aber dann kam Peter noch hinzu *zufällig*: at first there were just the two of us, but then Peter came along too, *in einem Team usw.*: … but then Peter joined the team **2. es war sehr kalt; hinzu kam, dass es auch noch regnete** it was very cold, and on top of that it was raining **3. es kommen noch die Heizkosten hinzu** you've got to add the heating costs, you mustn't forget (to add) the heating costs **4. es kamen noch weitere Probleme hinzu** more problems cropped up

hip *salopp* (≈ *modern*, *in*) hip

Hipsters (≈ *Hüfthose*) hipsters, *AE* hip-huggers ['hɪp,hʌgəz], *AE* low-rise pants

Hirn 1. brain **2.** (≈ *Verstand*) brains (△ *Pl.*) **3.** *als Speise*: brains (△ *Pl.*)

Hirnhautentzündung meningitis [,menɪn-'dʒaɪtɪs]

Hirntod brain death

Hirsch 1. *Tier*: (red) deer, *männliches Tier*: stag **2.** *als Speise*: venison [△ 'venɪsən] **3.** *als Schimpfwort*: clot

Hirschkuh hind [△ haɪnd]

Hirse millet ['mɪlɪt]

Hirte 1. *allg.*: herdsman ['hɜːdzmən] **2.** (≈ *Schafhirte*) shepherd [△ 'ʃepəd]

hissen hoist (*Segel*, *Fahne*)

Historiker(in) historian [hɪ'stɔːrɪən]

historisch 1. *Forschung*, *Studie(n)*, *Verein usw.*: historical **2.** *Ereignis*, *Ort*, *Gebäude usw.*: (≈ *von geschichtlicher Bedeutung*) historic

Hit hit

Hitliste, **Hitparade** hit parade

Hitze heat; **bei dieser Hitze** in this heat

hitzefrei: **hitzefrei haben** have* the day off because of the heat

Hitzeperiode *Wetter*: hot spell

Hitzewelle *Wetter*: heatwave

hitzig 1. *Mensch*: quick-tempered, hot-blooded **2.** *Diskussion usw.*: heated

Hitzschlag heatstroke; **sie bekam einen Hitzschlag** she got heatstroke (△ *ohne* a)

HIV HIV [,eɪt ʃaɪ'viː] (*Abk. für* **h**uman immuno**d**eficiency **v**irus)

HIV-negativ HIV-negative [,eɪt ʃaɪviː-'negətɪv]

HIV-positiv HIV-positive [,eɪt ʃaɪviː-'pɒzətɪv]

HIV-Test HIV test [,eɪt ʃaɪ'viː test]

H-Milch long-life milk, UHT milk [,juːeɪtʃtiː'mɪlk] (*Abk. für* **u**ltra-**h**eat-**t**reated)

HNO-Arzt ear, nose and throat doctor [,ɪə-,nəʊz ən'θrəʊt,dɒktə], *bes. AE* ENT specialist [,iːenti:'speʃlɪst]

Hobby hobby *Pl.*: hobbies

Hobby… *in Zusammensetzungen*: amateur ['æmətə], Sunday; **Hobbyfotograf(in)** amateur photographer; **Hobbymaler(in)** Sunday painter

Hobbyraum hobby room

Hobel 1. *Werkzeug*: plane **2.** *Küche*: slicer

hobeln 1. plane (*Holz*) **2.** slice (*Gurke usw.*)

hoch 1. *allg.*: high; **der Zaun ist drei Meter hoch** the fence is three metres high **2.** *Baum*, *Haus usw.*: tall **3.** *Schnee*: deep **4.** *Strafe*: heavy, severe [sɪ'vɪə] **5.** *Einkommen*, *Gehalt*: big, high **6.** *Summe usw.*: large **7.** *Gast usw.*: distinguished **8.** *Alter*: great, advanced **9.** *Posten*: high, important **10. ein hoher Beamter** a senior official, a high-ranking civil servant **11. ein hoher Offizier** a high-ranking officer **12. das ist mir zu hoch** (≈ *zu schwierig*) that's above my head, that's beyond me **13. wir fliegen jetzt 11.000 Meter hoch** we're now flying at a height [haɪt] of 11,000 metres **14. hoch oben** high up; **hoch oben im Norden** up in the far North **15. sie wohnt zwei Etagen höher** she lives two floors higher up **16. er ist hoch verschuldet** he's heavily in debt [△ det] **17. hoch begabt → hochbegabt 18. sie haben hoch gewonnen** they won easily; **er hat hoch verloren** he was (completely) trounced **19. wenn es hoch kommt** at (the) most **20. auf dem Fest ging es hoch her** it was a very lively party **21. sie lebe hoch!, hoch soll sie leben!** three cheers (for + *Name*)! **22. sie hat es hoch und heilig versprochen** she gave me her solemn ['sɒləm] word **23. 4 hoch 2 ist 16** four squared is sixteen; **4 hoch 5** four to the fifth (power); → **hochempfindlich**, **höchste(r, -s)**

Hoch 1. (≈ *hoher Luftdruck*) high **2.** *ein dreifaches Hoch auf …!* three cheers for …!

Hochachtung (great) respect (**vor** for)

hochachtungsvoll *in Brief:* Yours faithfully, *bes. AE* Yours truly

hocharbeiten: *sich hocharbeiten* work one's way up

hohbegabt very (*oder* highly) gifted

Hochdeutsch 1. *im Gegensatz zu Dialekten:* standard German; *Hochdeutsch sprechen* speak* standard German; *wie heißt das auf Hochdeutsch?* what's that in standard German? **2.** *im Gegensatz zu Niederdeutsch:* High German

Hochdruck high pressure (*auch hoher Luftdruck und übertragen*); *mit Hochdruck arbeiten* work flat out (*an* on)

Hochdruckgebiet high-pressure area, high

Hochebene plateau ['plætəʊ] *Pl.:* plateaus *oder* plateaux ['plætəʊz]

hochempfindlich 1. *Gerät, Material usw.:* highly sensitive **2.** *Film:* high-speed (△ *nur vor dem Subst.*), fast

Hochform: *in Hochform* in top form

Hochgebirge high mountains (△ *Pl.*); *im Hochgebirge* high up in the mountains

hochgehen 1. go* up **2.** (*Preis, Vorhang*) go* up, rise* **3.** *umg.* (≈ *wütend werden*) flare up, hit* the roof **4.** (*Sprengsatz*) *umg.* blow* up, go* off **5.** *etwas hochgehen lassen umg.* (≈ *explodieren lassen*) blow* something up

Hochgeschwindigkeitszug high-speed train

hochgestochen *Formulierungen, Redeweise usw.:* *umg.* high-falutin [,haɪˈfə-ˈluːtɪn]

hochhackig *Schuhe:* high-heeled

hochhalten: *etwas hochhalten* (≈ *in die Höhe halten*) hold* something up

Hochhaus 1. high-rise (building), tower block **2.** *höherer Wohnblock:* block of flats

hochheben: *etwas hochheben* lift something (up)

hochklappen 1. turn up (*Kragen usw.*) **2.** fold up (*Bett usw.*) **3.** tip up (*Sitz*)

Hochkonjunktur (economic) boom

Hochland uplands ['ʌpləndz], highlands ['haɪləndz] (△ *beide Pl.*)

Hochmut arrogance ['ærəgəns], pride

hochmütig haughty ['hɔːtɪ], arrogant

Hochofen blast furnace ['blɑːst,fɜːnɪs]

Hochsaison peak season, high season; *es ist Hochsaison* it's the peak (*oder* high) season

Hochschulabschluss (university *oder* college) degree [(,juːnɪˈvɜːsətɪ_ *oder* ˈkɒlɪdʒ_)dɪˌgriː]

Hochschule college, university (△ *engl.* high school = *Gymnasium, Oberschule*); *technische Hochschule* technical university, *AE* institute of technology

hochschwanger very *oder* heavily pregnant ['pregnənt]

Hochsee high sea (*oder* seas *Pl.*), open sea

Hochseefischerei deep-sea fishing

Hochseejacht ocean yacht [△ jɒt]

Hochsommer: *im Hochsommer* in the middle (*oder* at the height [haɪt]) of summer

hochsommerlich: *hochsommerliche Temperaturen* very summery temperatures, temperatures in the high eighties (*nach der Fahrenheit-Skala*); *hochsommerliches Wetter* very summery weather

Hochspannung 1. *elektrisch:* high voltage ['vəʊltɪdʒ] **2.** (≈ *sehr gespannte Erwartung*) great suspense; *es herrschte Hochspannung* things were very tense

Hochspannungsleitung power line

hochspielen blow* up (*eine Sache usw.*)

Hochspringer(in) high jumper

Hochsprung high jump

höchst (≈ *äußerst*) highly, extremely, most; *eine höchst interessante Nachricht* a most interesting piece of news

Hochstapler 1. *umg.* conman **2.** (≈ *Angeber*) braggart ['brægət], *umg.* big mouth

höchste(r, -s) 1. highest; *der höchste Punkt* in Landschaft usw.: the highest point, *bes. in Bergland:* the peak **2.** *Wichtigkeit, Bedeutung usw.:* (≈ *größte*) greatest, utmost ['ʌtməʊst] **3.** *höchste Gefahr* extreme danger **4.** *das ist das höchste der Gefühle* it's the most wonderful feeling **5.** *es ist höchste Zeit, dass du zu Bett gehst* it's high time you went to bed **6.** *zur Sommersonnenwende steht die Sonne am höchsten* at the summer solstice the sun is at its highest point

höchstens 1. at (the) most, at best **2.** *sie ist höchstens zwanzig* she can't be more than twenty **3.** *das gibt es höchstens noch in einem Antiquariat* the only place you might find it is in a second-hand bookshop **4.** *er liest nicht viel, höchstens mal die Zeitung* he doesn't read much, apart from the newspaper occasionally

Höchstform: *in Höchstform* in top form

Höchstgeschwindigkeit 1. maximum (*oder* top) speed **2.** *zulässige Höchstge-*

schwindigkeit speed limit

Höchstleistung 1. *allg.*: top (*oder* outstanding) performance **2. *ihre bisherige Höchstleistung*** her all-time best performance **3.** *wissenschaftliche usw.*: great achievement **4.** *einer Maschine*: maximum performance, *bei Produktion*: maximum output

Höchststrafe maximum penalty ['penltɪ], maximum sentence ['sentəns]

höchstwahrscheinlich very probably, most likely

hochtrabend *Worte usw.*: pompous

hochtreiben force up (*die Preise usw.*)

hochverdient *Sieg usw.*: well-deserved, well-earned

Hochverrat high treason ['triːzn]

Hochwasser 1. *eines Flusses usw.*: high water; ***der Fluss hat Hochwasser*** the river is swollen, *mit Überschwemmung*: the river is flooding *oder* in flood **2.** *des Meeres bei Flut*: high tide **3.** (≈ *Überschwemmung*) flood, floods (*Pl.*)

hochwertig 1. *Produkt usw.*: high-grade, high-quality **2.** *Nahrungsmittel*: highly nutritious [njuː'trɪʃəs]

Hochzeit (≈ *Heirat*; *Hochzeitsfeier*) wedding

Hochzeitsnacht wedding night

Hochzeitsreise honeymoon ['hʌnɪmuːn]; ***sie sind auf Hochzeitsreise*** *umg.* they're on their honeymoon

Hochzeitstag 1. wedding day **2.** *Jahrestag*: wedding anniversary [ˌænɪ'vɜːsərɪ]

hochziehen 1. *wörtlich* pull up **2.** pull up, hitch up (*Hosen*) **3.** raise, lift (*Augenbrauen*) **4. *sich hochziehen an*** *wörtlich* pull oneself up by, *übertragen* make* a fuss about

Hocke *Turnen usw.*: crouch [krautʃ], squatting [ˈskwɒtɪŋ] position; ***in die Hocke gehen*** crouch (*oder* squat [skwɒt]) down

hocken 1. *auf dem Boden*: squat [△ skwɒt], crouch [krautʃ] **2.** *umg.* (≈ *sitzen*) sit*

Hocker stool

Höcker (≈ *Buckel*) hump (*auch eines Kamels usw.*)

Hockey hockey, *AE* field hockey

Hoden testicle ['testɪkl]

Hof 1. yard, (≈ *Innenhof*) courtyard, (≈ *Hinterhof*) backyard [ˌbæk'jɑːd] **2.** (≈ *Schulhof*) playground, schoolyard **3.** (≈ *Bauernhof*) farm **4.** (≈ *Fürstenhof*) court [△ kɔːt]

hoffen hope (***auf*** for); ***auf jemanden hoffen*** set* (*oder* pin) one's hopes on someone; ***ich hoffe es*** I hope so; ***wir hoffen, rechtzeitig da zu sein*** we hope to be

(*oder* get) there on time

hoffentlich 1. I hope, let's hope, hopefully **2.** *in Antworten*: I hope so, let's hope so **3. *hoffentlich nicht*** I hope not, let's hope not

Hoffnung 1. hope (***auf*** for, of) **2.** (≈ *Erwartung*) hope, expectation [ˌekspek'teɪʃn] **3.** *Wendungen*: ***die Hoffnung aufgeben*** give* up hope (△ *ohne* the); ***sich Hoffnungen machen*** be* hopeful; ***mach dir keine zu großen Hoffnungen*** don't expect too much

hoffnungslos 1. hopeless **2.** (≈ *verzweifelt*) desperate ['despərət]

Hoffnungslosigkeit hopelessness, *eines Menschen auch*: despair [dɪ'speə]

höflich polite, courteous [△ 'kɜːtɪəs] (***zu*** to)

Höflichkeit politeness, courtesy [△ 'kɜːtə-sɪ]

Höhe 1. *allg.*: height [△ haɪt] **2.** (≈ *Höhe über dem Meeresspiegel*) altitude [△ 'æl-tɪtjuːd]; ***in einer Höhe von 5000 Metern*** at an altitude (*oder* at a height) of 5,000 metres **3. *New York liegt auf der Höhe von Neapel*** New York is on the same latitude ['lætɪtjuːd] as Naples **4.** *einer Summe*: size, amount **5.** *der Preise, Mieten, des Einkommens, der Geschwindigkeit, Temperatur, Stromspannung usw.*: level; ***die Preise gingen um 20 Prozent in die Höhe*** prices went up (by) 20 per cent **6.** *eines Schadens usw.*: extent [ɪk-'stent], level **7.** (≈ *Tonhöhe*) pitch **8. *heb es mal in die Höhe!*** come on, lift it up! **9. *das ist ja wohl die Höhe!*** that really is the limit!

Hoheit 1. *über ein Gebiet usw.*: sovereignty [△ 'sɒvrəntɪ] (***über*** over) **2. *Seine*** (*bzw.* ***Ihre***) ***Königliche Hoheit*** His (*bzw.* Her) Royal Highness

Hoheitsgebiet territory ['terətərɪ]

Hoheitsgewässer *Pl.* territorial waters *Pl.*

Höhenregler *Radio usw.*: treble control

Höhensonne® *Lampe*: sun lamp

Höhenunterschied difference in altitude

Höhepunkt 1. *einer Reise usw.*: high point **2.** *einer Veranstaltung*: highlight **3.** *eines Konflikts usw.*: critical stage, height [△ haɪt] **4.** *eines Films, Theaterstücks, einer Auseinandersetzung; auch sexuell*: climax ['klaɪmæks] **5.** *der Saison, einer Karriere, einer Krise usw.*: height

höherschrauben: ***die Preise höherschrauben*** push prices up (△ *ohne* the)

hohl 1. *allg.*: hollow **2.** *Hand*: cupped **3.** *Linse, Spiegel*: concave [kɒn'keɪv]

Höhle 1. cave **2.** *von Raubtieren*: den, lair **3.** *im negativen Sinn* (≈ *Wohnung, Zim-*

mer) hole, hovel [△ 'hɒvl]

Hohlkreuz hollow back

Hohlraum 1. hollow (space) **2.** *medizinisch, technisch*: cavity ['kævətɪ]

Hohn: *das ist der reinste Hohn* that's sheer mockery

höhnisch 1. *eine höhnische Bemerkung machen* make* a derisive remark (*über* about), sneer (*über* at) **2.** *höhnisch grinsen* sneer (*über* at)

Hokuspokus 1. *Zauberformel*: abracadabra [ˌæbrəkə'dæbrə] **2.** (≈ *Schwindel*) hocus-pocus **3.** (≈ *Aufhebens*) fuss

holen 1. (≈ *herbringen*) get*, go* and get*, go* for, fetch; *sie holte die Kinder, und ihr Mann holte den Wagen* she went to get the children while her husband fetched the car **2.** (≈ *abholen*) pick up, *BE auch* call for; *ich hol dich dann um vier* I'll (come and) pick you up at four **3.** *die Polizei usw. holen* call the police *usw.* **4.** *jemanden holen lassen* send* for someone **5.** *sie hat (sich) den ersten Preis geholt umg.* she got (*oder* won) first prize **6.** *ich habe mir beim Schwimmen eine Erkältung geholt* I caught a cold (when I was) swimming

Holland Holland ['hɒlənd]

Holländer Dutchman ['dʌtʃmən]; *er ist Holländer* he's Dutch; *die Holländer* the Dutch; ☞ *Nationalitäten*

Holländerin Dutchwoman ['dʌtʃˌwʊmən] (*oder* Dutch girl *bzw.* Dutch lady *bzw.*); *sie ist Holländerin* she's Dutch; ☞ *Nationalitäten*

holländisch, holländisch Dutch

Hölle hell; *in der Hölle* in hell (△ *ohne* the); *in die Hölle kommen* go* to hell; *da war die Hölle los* it was sheer pandemonium

Holler *bes.* ⓐ **1.** (≈ *Holunder*) elder **2.** (≈ *Holunderbeeren*) elderberries ['eldəˌberɪz]

holpern (*Wagen usw.*) bump (along), jolt (along); *wir holperten die Straße lang im Auto usw.*: we were bumping along the road

holprig *Weg, Straße*: bumpy, rough [△ rʌf]

Holunder elder

Holz 1. wood; *aus Holz* made of wood, wooden; *Holz hacken* chop wood **2.** (≈ *Bau-, Nutzholz*) timber, *AE auch* lumber

hölzern 1. wooden (*auch Bewegung, Interpretation usw.*) **2.** (≈ *ungeschickt*) awkward ['ɔːkwəd]

Holzfäller woodcutter, *bes. AE* lumberjack

Holzhaus wooden house

holzig *Stängel usw.*: woody

Holzkohle charcoal ['tʃɑːkəʊl]

Holzscheit piece of (fire)wood

Holzschnitzerei woodcarving

Holzschnitt *fertiges Kunstwerk*: woodcut

Holzschuh clog

Holzspäne wood shavings

Holzstapel, Holzstoß pile of wood

Homebanking *per Computer*: home banking

Homepage *Internet*: home page

Homeshopping home shopping

Hometrainer exercise machine, (≈ *Fahrrad*) exercise bike

Homo *umg.* gay, *abwertend auch* queer

Homoehe *umg.* gay marriage [ˌgeɪ-'mærɪdʒ], *förmlicher* same-sex marriage [ˌseɪmseks'mærɪdʒ]

homöopathisch homeopathic, *BE auch* homoeopathic [ˌhəʊmɪə'pæθɪk]

Homosexualität homosexuality [ˌhəʊməˌsekʃʊ'ælətɪ]

homosexuell homosexual [ˌhəʊmə-'sekʃʊəl]

Homosexuelle(r) homosexual [ˌhəʊmə-'sekʃʊəl]

Honig honey [△ 'hʌnɪ]

Honigmelone honeydew melon [ˌhʌnɪdjuː'melən]

Honorar 1. *von Arzt, Rechtsanwalt usw.*: fee **2.** *eines Autors usw.*: royalties (△ *Pl.*)

Hopfen 1. *Pflanze*: hop **2.** (≈ *Brauhopfen*) hops (△ *Pl.*)

hoppeln (*Hase*) hop

hoppla whoops! [wʊps], oops! [ʊps]

hopsen hop, skip

Hörbuch talking book ['tɔːkɪŋˌbʊk]

horchen 1. listen [△ 'lɪsn] (*auf* to) **2.** *an der Tür usw.*: eavesdrop ['iːvzdrɒp]

Horde (≈ *laute oder gewalttätige Gruppe*) horde [hɔːd], mob

hören 1. *hast du das gehört?* did you hear that?; *gut hören* have* good ears (*oder* hearing); *schlecht hören* be* slightly deaf [def], be* hard of hearing **2.** *zufällig*: overhear*; *ich hab zufällig gehört, wie er sagte, dass er mich nicht mag* I overheard [ˌəʊvə'hɜːd] him saying he didn't like me **3.** (≈ *zuhören*) listen [△ 'lɪsn]; *hör doch!, hör mal!* listen!; *hör mal, Linda bes. vor Zurechtweisung*: look here, Linda; *also, hör mal! als Einwand*: wait a minute! **4.** *Radio hören* listen to the radio **5.** *sie hört gerade Musik* she's listening to (some) music **6.** *auf jemanden hören* listen to someone *oder* to someone's advice **7.** *ich höre es an deiner Stimme, dass du lügst* I can tell by your voice that you're lying **8.** *ich hab schon viel von Ihnen gehört* I've heard a lot about you **9.** *hast du schon* *von Peter gehört?* (≈ *das Neueste über ihn erfahren*) have you heard about Peter?, (≈ *hat er sich selbst bei dir gemeldet?*) have you heard <u>from</u> Peter? **10. ich lasse von mir hören** I'll let you know **11. lasst mal von euch hören!** keep in touch

hören

Susan can't **hear** Jason ringing the bell because she's **listening to** the radio.

hören

passiv hören, mitbekommen	**hear** (*a strange noise usw.*)
aufmerksam zuhören	**listen** (*to the news usw.*)

Hörer (≈ *Telefonhörer*) receiver [rɪˈsiːvə]; **den Hörer abnehmen** pick up the receiver
Hörer(in) (≈ *Radiohörer*) listener [△ ˈlɪsnə]
Hörgerät hearing aid
hörig: *sie ist ihm hörig* she's sexually dependent on him
Horizont 1. horizon [△ həˈraɪzn] (*auch übertragen*); *am Horizont* on the horizon; *die Sonne sank unter den Horizont* the sun sank below the horizon **2.** *das geht über meinen Horizont* that's beyond me; *er sollte seinen Horizont erweitern* he ought to broaden his horizons (△ *Pl.*)
horizontal horizontal [△ ˌhɒrɪˈzɒntl]
Hormon hormone [ˈhɔːməʊn]
Horn 1. *eines Tieres usw.*: horn **2.** *Blasinst-*

rument: (French) horn
Hörnchen 1. *Gebäck*: croissant [△ ˈkwæsɑ̃] **2.** *Nagetier*: squirrel [△ ˈskwɪrəl]
Hornisse hornet [ˈhɔːnɪt]
Horoskop horoscope [ˈhɒrəskəʊp]
Horror horror (**vor** of); *ich habe einen Horror vor dem Test* I'm terrified <u>of</u> the test
Horrorfilm horror film, horror movie [ˈhɒrəˌmuːvɪ]
Hörsaal *einer Hochschule*: lecture hall
Hörspiel *im Radio*: radio play
Hortensie *Pflanze*: hydrangea [haɪˈdreɪndʒə]
Höschen 1. (≈ *Damenslip*) panties, *BE mst.* knickers (△ *Pl.*); *ein Höschen* a pair of panties **2.** (≈ *Kinderhose*) trousers (△ *Pl.*), *bes. AE* pants (△ *Pl.*), *kurzes*: shorts (△ *Pl.*); *ein Höschen* a pair of trousers (*oder* pants *bzw.* shorts)
Hose 1. trousers [ˈtraʊzəz] (△ *Pl.*), *bes. AE* pants (△ *Pl.*) *oder* slacks (△ *Pl.*); *eine Hose* (<u>a pair of</u>) trousers (*bes. AE* pants); *diese Hose ist zu kurz* these trousers <u>are</u> too short **2.** *eine kurze Hose* shorts (△ *Pl.*, *ohne* a), a pair of shorts (△ *Pl.*)
Hosenanzug trouser suit [ˈtraʊzə‿suːt], *AE* pantsuit [ˈpæntsuːt]
Hosenträger *Pl.*: (a pair of) braces, *AE* (a pair of) suspenders
Hostie host [həʊst]
Hotel hotel [həʊˈtel]; *in welchem Hotel seid ihr?* which hotel are you (staying) at?
Hotelzimmer hotel room [həʊˈtel‿ruːm]
Hotline hotline, *Information, Beratung*: *BE auch* helpline
Hubraum *eines Kfz-Motors*: cubic capacity
hübsch 1. *Mädchen, Kind, Kleid, Melodie usw.*: pretty **2.** (≈ *gut aussehend*) *Frau, Mann*: good-looking, attractive [əˈtræktɪv] **3.** *Geschenk, Zimmer, Aussicht usw.*: nice **4.** *umg.* (≈ *beträchtlich*) nice, tidy, pretty; *ein hübsches Sümmchen umg.* a tidy sum **5.** *hübsche Aussichten humorvoll* nice prospects **6.** *hübsch angezogen* nicely dressed **7.** (≈ *ziemlich*) pretty; *es ist hübsch kalt draußen* it's pretty cold outside **8.** *immer hübsch der Reihe nach!* one after the other, please
Hubschrauber helicopter [ˈhelɪkɒptə]
Hubschrauberlandeplatz heliport [ˈhelɪpɔːt], helipad [ˈhelɪpæd]
Huf hoof *Pl.*: hoofs *oder* hooves
Hufeisen horseshoe [ˈhɔːsˌʃuː]
Hüfte hip; *mit den Hüften wackeln* wiggle <u>one's</u> hips (△ *ohne* with)

Hügel 1. hill **2.** *kleiner*: hillock ['hɪlək]
hügelig hilly
Huhn 1. chicken (*auch als Essen*) **2.** (≈ *Henne*) hen **3. so ein verrücktes Huhn!** *übertragen* she's (*bzw.* he's) a real nutcase
Hühnchen 1. chicken **2.** (≈ *Brathühnchen*) roast chicken
Hühnerauge *an einer Zehe*: corn
Hühnerbrühe chicken broth ['tʃɪkɪn‿brɒθ]
Hülle 1. *allg.*: cover [△ 'kʌvə] (*auch einer Zeitkarte*) **2.** (≈ *Buchhülle*) cover, jacket **3.** *einer Schallplatte*: cover, *BE auch* sleeve, *AE auch* jacket **4.** *einer CD*: box, case **5.** (≈ *Futteral, Gehäuse*) case
Hülse 1. *für Thermometer, Füller, Brille; auch von Patrone*: case **2.** *von Bohnen, Erbsen*: pod
human 1. *Vorgesetzte(r), eine Einstellung usw.*: human ['hjuːmən], humane [hjuː'meɪn] **2.** *eine Methode usw.*: humane
Humanismus humanism ['hjuːmənɪzm]
humanistisch humanist ['hjuːmənɪst]; *humanistische Bildung* classical education
Humanität 1. humaneness [hjuː'meɪnnəs], humanity [hjuː'mænətɪ] **2.** *als Bildungsideal*: humanitarianism [hjuːˌmænɪ'teərɪənɪzm]
Hummel bumblebee ['bʌmblbiː]
Hummer lobster ['lɒbstə]
Humor humour ['hjuːmə]; *er hat keinen Humor* he has no <u>sense</u> of humour, (≈ *versteht keinen Spaß*) he can't take a joke
humorlos humourless; *sie ist ziemlich humorlos* she has no <u>sense</u> of humour; *sei doch nicht so humorlos!* don't take everything so seriously
humorvoll *Mensch, Art*: hum<u>o</u>rous ['hjuːmərəs]
humpeln 1. *nach Fußverletzung*: hobble **2.** (≈ *ständig hinken*) have* a limp
Humus, Humuserde humus ['hjuːməs]
Hund 1. dog; *junger Hund* puppy *Pl.*: puppies **2.** (≈ *Jagdhund*) hound, dog **3.** *als Schimpfwort*: swine, bastard ['bɑːstəd]; *blöder Hund!* idiot!; *so ein blöder Hund!* what a stupid bastard! **4.** *er ist ein armer Hund* *umg.* he's a poor devil **5.** *das ist vielleicht ein fauler Hund!* *umg.* he's a lazy devil! **6.** *das ist ein dicker Hund!* *übertragen, umg.* that's a bit thick (*AE* much)
hundemüde dog-tired
hundert a hundred, *betont*: one hundred
Hundert¹ *das* **1.** (≈ *Einheit von hundert Stück, Menschen usw.*) hundred; *fünf vom Hundert* five per cent *oder* percent

2. Hunderte (≈ *einige hundert Menschen, Dinge usw.*) hundreds; *Hunderte von Menschen* hundreds of people; *zu Hunderten* by the (*oder* in their) hundreds
Hundert² *die* (≈ *die Zahl 100*) number hundred
Hunderter *umg., Geldschein*: hundred-euro *usw.* note (*AE* bill)
Hunderteuroschein hundred-euro note, *AE* hundred-euro bill
hundertfach: *in hundertfacher Vergrößerung* enlarged a hundred times; *der hundertfache Betrag* (≈ *das Hundertfache*) a hundred times that (*oder* as much)
Hundertjahrfeier centenary [sen'tiːnərɪ], *AE* centennial [sen'tenɪəl]
hundertmal a hundred times
hundertprozentig 1. one hundred per cent (*AE* percent) [pə'sent] **2.** *Alkohol, Wolle usw.*: pure [pjʊə] **3.** *das weiß ich hundertprozentig* I know that for sure [ʃɔː]
hundertste(r, -s) hundredth ['hʌndrədθ]
hundertstel: *drei hundertstel Sekunden* three hundredths of a second
hunderttausend a (*betont*: one) hundred thousand
Hündin bitch, female (dog)
Hunger 1. hunger; *Hunger haben* be* hungry; *Hunger bekommen* get* hungry; *ich bekomme allmählich Hunger* I'm getting hungry **2.** *Millionen von Menschen müssen Hunger leiden* millions of people are starving **3.** *ich sterbe vor Hunger* *umg.* I'm starving, I'm famished [△ 'fæmɪʃt], I'm ravenous ['rævnəs]
hungern 1. go* hungry (△ *nicht* be); *der Kühlschrank ist leer, also muss ich hungern* the fridge is empty, so I'll have to go hungry **2.** *ernsthaft, dauernd*: starve; *viele Menschen in Afrika hungern* there are a lot of people starving in Africa
Hungersnot famine [△ 'fæmɪn]; *es herrscht (eine) Hungersnot* there's a famine, there's widespread famine
hungrig hungry (*übertragen* **nach** for)
Hupe horn
hupen hoot, sound (*umg.* toot) one's horn
hüpfen 1. hop **2.** (≈ *springen*) jump **3.** (*Ball usw.*) bounce
Hürde hurdle (*auch übertragen*); *eine Hürde nehmen* take* (*oder* clear) a hurdle
Hürdenlauf hurdles (△ *mit Sg.*); *der 100-Meter-Hürdenlauf findet um zwei statt* the 100-metre hurdles <u>is</u> at two
Hürdenläufer(in) hurdler
Hure whore [hɔː], prostitute ['prɒstɪtjuːt]

hurra hooray! [hʊ'reɪ], hurrah! [həˈrɑː], *BE auch* hurray! [hə'reɪ]

Hurrikan hurricane [△ 'hʌrɪkən]

huschen 1. (*Person, Tier*) dart **2.** (*Vogel, kleines Tier, Lächeln usw.*) flit

hüsteln give* a little cough [△ kɒf]

husten 1. cough [△ kɒf]; *stark husten* have* a bad cough **2.** *Blut husten* cough (up) blood

Husten cough [△ kɒf]; *sie hat einen schlimmen Husten* she's got a bad cough

Hustenbonbon cough sweet [△ 'kɒf‿swiːt], cough drop

Hustensaft cough syrup [△ 'kɒfˌsɪrəp], *BE auch* cough mixture

Hut¹ *der* **1.** hat; *den Hut aufsetzen* (*bzw. abnehmen*) put* on (*bzw.* take* off) one's hat **2.** *Wendungen:* *das ist doch ein alter Hut!* *übertragen, umg.* that's old hat! (△ *ohne* an); *mit Oper usw.* *hab ich nichts am Hut umg.* opera *usw.* isn't my cup of tea

Hut² *die:* *auf der Hut sein* be* on one's guard (*vor* against)

hüten 1. look after, *AE mst.* take care of (*ein Kind, das Haus usw.*) **2.** tend (*Vieh*) **3.** (≈ *bewachen*) watch over, guard [gɑːd] (*das Haus usw.*) **4.** *sich hüten vor* watch out for, be* careful of; *hüte dich davor, allzu wörtlich zu übersetzen* be careful not to translate too literally

Hütte 1. hut **2.** *elende:* hovel [△ 'hɒvl], shack **3.** (≈ *Berghütte*) alpine ['ælpaɪn]

hut, mountain lodge, chalet [△ 'ʃæleɪ]

Hüttenschuhe slipper socks

Hyäne hyena [haɪˈiːnə]

Hyazinthe *Pflanze:* hyacinth ['haɪəsɪnθ]

Hybridfahrzeug hybrid vehicle ['haɪbrɪdˌviːɪkl]

Hydrant (fire) hydrant ['haɪdrənt]

Hydrokultur hydroponics [ˌhaɪdrəʊ'pɒnɪks] (△ *mit Sg.*)

Hygiene hygiene [△ 'haɪdʒiːn]

hygienisch hygienic [△ haɪ'dʒiːnɪk]

Hymne 1. hymn [△ hɪm] **2.** (≈ *Nationalhymne*) national anthem ['ænθəm]

hyperaktiv hyperactive [ˌhaɪpər'æktɪv]

Hyperbel *Mathe:* hyperbola [△ haɪ'pɜːbələ]

Hypnose hypnosis [△ hɪp'nəʊsɪs]; *er steht unter Hypnose* he's under hypnosis

hypnotisieren hypnotize [△ 'hɪpnətaɪz]

Hypothek mortgage [△ 'mɔːgɪdʒ]; *eine Hypothek aufnehmen* take* out a mortgage

Hypothese hypothesis [△ haɪ'pɒθəsɪs] *Pl.:* hypotheses [haɪ'pɒθəsiːz], supposition [ˌsʌpə'zɪʃn]; *die Hypothese bestätigen* confirm the hypothesis; *die Hypothese widerlegen* refute the hypothesis

hypothetisch hypothetical [ˌhaɪpə'θetɪkl]

Hysterie hysteria [△ hɪ'stɪərɪə]

hysterisch hysterical [△ hɪ'sterɪkl]; *werd nicht gleich hysterisch* don't get hysterical, *umg.* keep your hair (*AE* shirt) on

---

i. A. p. p., pp (*Abk. für* **p**er **p**rocurationem, *englisch* by proxy, *deutsch* im Auftrag)

IC intercity (train)

ICE intercity express (train); *mit dem ICE fahren* travel by intercity express, go* intercity express

ich I; *ich bins* it's me; *ich nicht* not me; *du und ich* you and me; *hier bin ich!* here I am!; *ich Idiot!* what an idiot I am!

Ich 1. self; *mein zweites Ich* my other self **2.** *psychologisch usw.:* ego ['iːɡəʊ]; *sie ist mein zweites Ich* (≈ *meine beste Freundin*) she's my alter ego [ˌɔːltə(r)-'iːɡəʊ]

ideal ideal [△ aɪ'dɪəl], perfect ['pɜːfɪkt]; *er ist der ideale Ehemann* he's a model

husband [ˌmɒdl'hʌzbənd]

Ideal ideal [△ aɪ'dɪəl]; *das Ideal der Freiheit* the ideal of liberty

Idealismus idealism [△ aɪ'dɪəlɪzm]

Idealist(in) idealist [aɪ'dɪəlɪst]

Idee 1. idea [△ aɪ'dɪə]; *gute Idee* good idea; *wie bist du denn auf 'die Idee gekommen?* *im negativen Sinn* what on earth gave you that idea?; *wie bist du auf die Idee gekommen, das zu tun?* what made you think of doing that?; *sie kam auf die Idee, ihre Wohnung während ihres Urlaubs zu vermieten* she had the idea to rent her flat while she was on holiday; *das ist 'die Idee!* that's it! **2.** *eine Idee länger usw.* just a bit longer *usw.*

ideenlos lacking in ideas [aɪ'dɪəz], unimaginative [ˌʌnɪ'mædʒɪnətɪv]

ideenreich full of ideas [aɪ'dɪəz], (very) imaginative [ɪ'mædʒɪnətɪv]

identifizieren 1. *jemanden identifizieren* identify [aɪ'dentɪfaɪ] someone (*als* as) **2.** *sich mit jemandem identifizieren* identify with someone

Identifizierung identification [aɪˌdentɪfɪ-'keɪʃn]

identisch identical [aɪ'dentɪkl] (*mit* to)

Identität identity [aɪ'dentətɪ]

Ideologie ideology [ˌaɪdɪ'ɒlədʒɪ]

ideologisch ideological [ˌaɪdɪə'lɒdʒɪkl]

idiomatisch idiomatic [ˌɪdɪə'mætɪk]; *idiomatische Wendung* idiom ['ɪdɪəm], idiomatic phrase

Idiot idiot ['ɪdɪət]

idiotensicher *umg.* foolproof

idiotisch idiotic [ˌɪdɪ'ɒtɪk], ridiculous [rɪ-'dɪkjʊləs]

Idol idol [△ 'aɪdl]

idyllisch idyllic [△ ɪ'dɪlɪk]; *ein idyllisches Plätzchen* an idyllic spot

Igel hedgehog ['hedʒhɒg]

Iglu (≈ *Hütte der Eskimos*) igloo ['ɪgluː]

ignorieren: *jemanden* (*bzw. etwas*) *ignorieren* ignore someone (*bzw.* something), take* no notice of someone (*bzw.* something)

ihm 1. *bei Personen und männlichen Tieren:* him; *ich habs ihm gesagt* I told him; *wie gehts ihm?* how is he?; *gib es ihm!* give it to him!; *ein Freund von ihm* a friend of his, one of his friends **2.** *bei Dingen, Tieren:* it

ihn 1. *bei Personen und männlichen Tieren:* him **2.** *bei Dingen:* it

ihnen them; *ich habs ihnen gesagt* I told them; *wie gehts ihnen?* how are they?; *gib es ihnen!* give it to them!; *Freunde von ihnen* friends of theirs, some of their friends; *bei ihnen* (≈ *mit ihnen zusammen*) with them, (≈ *in ihrer Wohnung usw.*) at their place

Ihnen you; *ich habs Ihnen gesagt* I told you; *wie gehts Ihnen?* how are you?; *ich gebe es Ihnen* I'll give it to you; *ein Freund von Ihnen* a friend of yours

ihr[1] 1. *bei Personen und weiblichen Tieren:* her; *ich habs ihr gesagt* I told her; *wie gehts ihr?* how is she?; *gib es ihr!* give it to her!; *ein Freund von ihr* a friend of hers, one of her friends **2.** *bei Dingen und Tieren mit unbekanntem Geschlecht:* it; *die Maus blieb in ihrem Käfig* the mouse stayed in its cage **3.** *meine Eltern und einige ihrer Freunde* my parents and some of their friends (*oder* some

friends of theirs)

ihr[2] *Pl. von du:* you

Ihr 1. *Höflichkeitsform von dein bzw. euer:* your **2.** *Ihr(e) XY am Briefende:* Yours, XY (△ Yours *wird hier immer großgeschrieben, dahinter Komma*) **3.** *welches Auto ist Ihres?* which car is yours?

ihretwegen 1. (≈ *wegen ihr bzw. ihnen*) because of her (*bzw. Pl.* them) **2.** (≈ *ihr bzw. ihnen zuliebe*) for her (*bzw. Pl.* their) sake

Ikone icon ['aɪkɒn]

illegal illegal [ɪ'liːgl]

Illusion 1. illusion **2.** *Wendungen: sich Illusionen machen* delude [dɪ'luːd] oneself; *sie macht sich Illusionen über ihn* she's under an illusion about him; *mach dir bloß keine Illusionen!* don't fool yourself!

illusorisch illusory [ɪ'luːsərɪ]; *das ist doch illusorisch!* that's an illusion, *umg.* you're fooling yourself

Illustration illustration, picture ['pɪktʃə]

Illustrierte magazine [ˌmægə'ziːn]

im 1. *als Ortsangabe: im Bett beim Schlafen, Ruhen:* in bed (△ *ohne* the); *im Haus* in (*oder* inside) the house, indoors; *im Kino* (*Theater usw.*) at the cinema (theatre *usw.*), *AE* at the movies ['muːvɪz] (theater *usw.*); *im ersten Stock* on the first (*AE* second) floor; *warst du schon im Elsass?* have you ever been to Alsace [æl'sæs]? (△ *ohne* the); *im Fernsehen* on television (△ *ohne* the); *im Radio* on the radio **2.** *zeitlich:* in; *im nächsten* (*bzw. letzten*) *Jahr* next (*bzw.* last) year; *im Jahr 1999* in (the year) 1999; *im Januar* in January (△ *ohne* the); *im Herbst* in (the) autumn (*AE* fall); *im Alter von 20 Jahren* at the age of twenty **3.** *zur Angabe eines Zustands: im Stehen schreiben* write* (while) standing up

Imbiss snack, *umg.* bite to eat

Imker(in) bee-keeper

immer 1. always, (≈ *jedesmal*) every time, (≈ *fortwährend*) constantly ['kɒnstəntlɪ], all the time **2.** *immer noch, noch immer* still; *sie ist immer noch nicht da* she still hasn't arrived, she still isn't here **3.** *immer wenn* every time, whenever **4.** *es kommt immer wieder vor, dass ...* it happens every now and again that ...; *ich hab dir immer wieder gesagt ...* I've told you time and again ... **5.** *schon immer* always; *wir haben schon immer ein Auto gehabt* we've always had a car **6.** *immer weiterreden* keep* on talking, *umg.* go* on and on **7.** *immer besser* better and better **8.** *für immer* forever, for good

immerhin 1. (≈ *schließlich, ja, dennoch*) after all **2.** (≈ *zumindest, wenigstens*) at least

immerzu all the time; *sie ärgert mich immerzu* she keeps on annoying me

Immigrant(in) immigrant ['ɪmɪgrənt]

Immigration immigration [ˌɪmɪ'greɪʃn]

immigrieren immigrate ['ɪmɪgreɪt]

Immobilien real estate [△ 'rɪəl ɪˌsteɪt] (△ *Sg.*), property ['prɒpəti] (△ *Sg.*)

Immobilienhändler(in), Immobilienmakler(in) estate agent [ɪ'steɪtˌeɪdʒənt], *AE* Realtor ['rɪəltə]

Immobilienmarkt property ['prɒpəti] market

immun immune [ɪ'mjuːn] (*gegen* to)

Immunschwäche immunodeficiency [ˌɪmjʊnəʊdɪ'fɪʃnsɪ]

Immunsystem immune system [ɪ'mjuːnˌsɪstəm]

Imperativ imperative [△ ɪm'perətɪv]

Imperfekt *Grammatik*: past (tense)

Imperialismus imperialism [ɪm'pɪərɪəlɪzm]; *der Imperialismus* imperialism (△ *ohne* the)

impfen vaccinate ['væksɪneɪt], inoculate [ɪ'nɒkjʊleɪt]; *ich muss mich gegen Pocken impfen lassen* I've got to have a smallpox vaccination, I've got to get myself vaccinated against smallpox (△ *Sg.*)

Impfpass vaccination card [ˌvæksɪ-'neɪʃn ˌkɑːd]

Impfstoff vaccine ['væksiːn]

Impfung vaccination [ˌvæksɪ'neɪʃn], inoculation [ɪˌnɒkjʊ'leɪʃn]

imponieren *jemandem imponieren* impress someone

imponierend impressive

Import 1. (≈ *Einfuhr von Waren*) import [△ 'ɪmpɔːt] **2.** (≈ *die eingeführten Waren*) imports (△ *Pl.*)

importieren import [ɪm'pɔːt]

impotent impotent ['ɪmpətənt]

imprägnieren 1. impregnate ['ɪmpregneɪt] **2.** waterproof (*Stoff usw.*)

improvisieren improvise ['ɪmprəvaɪz], *beim Reden usw. auch*: ad-lib [ˌæd'lɪb]

improvisiert improvised ['ɪmprəvaɪzd], *Rede usw. auch*: off-the-cuff (△ *nur vor dem Subst.*)

Impuls impulse [△ 'ɪmpʌls]

impulsiv 1. impulsive [ɪm'pʌlsɪv] **2.** *impulsiv handeln* act on impulse

in¹ 1. *auf die Frage „wo?"*: in, at, (≈ *innerhalb*) within; *sie ist in der Kirche* (≈ *im Kircheninneren*) she's in (*oder* inside) the church, (≈ *beim Gottesdienst*) she's at church; *in der Schule* (≈ *beim Unterricht*) at school; *in der Stadt* in town (△

ohne the); *sie lebt in London* she lives in London; *wir waren in der Kneipe* we were at the pub; *er studiert in Oxford* he's studying at Oxford; *waren Sie schon in Irland?* have you ever been to Ireland? **2.** *auf die Frage „wohin?"*: into, in; *sie ging in die Kirche ins Innere der Kirche*: she went into the church, (≈ *zum Gottesdienst*) she went to church; *er geht in die Schule als Schüler*: he goes to school **3.** *zeitlich*: in, at; *im* Kreis in, (≈ *während*) during, (≈ *innerhalb*) within; *noch in dieser Woche* by the end of this week; *in diesem Jahr* this year; *heute in acht Tagen* a week (from) today; *in der Nacht* at night, during the night; *in diesem Alter* (*bzw.* *Augenblick*) at this age (*bzw.* moment) **4.** *zur Angabe eines Zustands usw.*: in, at; *im Kreis* in a circle; *in Reparatur* under repair; *➡ ins, im*

in² (≈ *in Mode, aktuell*) in; *Surfen ist in* surfing is in, surfing is the fashion now

Inbegriff epitome [△ ɪ'pɪtəmɪ], paragon ['pærəgən]; *die Göttin Venus ist der Inbegriff der Schönheit* the goddess Venus is the epitome of beauty

inbegriffen: *Mahlzeiten inbegriffen* meals included, including meals

indem: *sie gewann, indem sie mogelte* she won by cheating

Inder Indian; *er ist Inder* he's (an) Indian; *➡ Nationalitäten*

Inderin Indian woman (*oder* lady *bzw.* girl); *sie ist Inderin* she's (an) Indian; *➡ Nationalitäten*

Indianer American Indian, Native American; *➡ Nationalitäten*

Indianerin American Indian (*oder* Native American) woman (*oder* lady *bzw.* girl); *sie ist Indianerin* she's a Native American; *➡ Nationalitäten*

Indien India ['ɪndɪə]

Indikativ indicative [△ ɪn'dɪkətɪv]

indirekt indirect [ˌɪndə'rekt]; *in der indirekten Rede* *Grammatik*: in indirect (*oder* reported) speech (△ *ohne* the)

indisch Indian ['ɪndɪən]

individuell 1. individual [ˌɪndɪ'vɪdʒʊəl], personal ['pɜːsnəl] **2.** *individuell gestalten* personalize ['pɜːsnəlaɪz], individualize [ˌɪndɪ'vɪdʒʊəlaɪz]; *das ist individuell verschieden* that varies from person to person

Individuum individual [ˌɪndɪ'vɪdʒʊəl]

Indonesien Indonesia [ˌɪndəʊ'niːzɪə]

Indonesier(in), indonesisch Indonesian; *➡ Nationalitäten*

industrialisieren industrialize [ɪn-'dʌstrɪəlaɪz]

Industrialisierung industrialization [ɪn-

‚dʌstriəlaɪˈzeɪʃn]

Industrie industry [ˈɪndəstrɪ], *einzelne*: (branch of) industry

Industriegebiet 1. industrial area **2.** *in Planung*: industrial estate [△ ɪˈsteɪt]

Industriezentrum industrial [ɪnˈdʌstrɪəl] centre

ineinander 1. into one another, into each other **2. sie sind ineinander verliebt** they're in love (with each other); → *ineinanderfließen, ineinandergreifen*

ineinanderfließen 1. (*Farben, Konturen usw.*) merge (into one another) **2.** (*Farben*) *beim Malen*: run* into one another

ineinandergreifen 1. (*Zahnräder usw.*) interlock [ˌɪntəˈlɒk] **2.** (*Maßnahmen usw.*) be* interconnected [ˌɪntəkəˈnektɪd]

Infektion infection [ɪnˈfekʃn]

Infektionsgefahr risk of infection

Infektionskrankheit infectious disease [ɪnˌfekʃəs_dɪˈziːz]

Infinitiv infinitive [ɪnˈfɪnətɪv]

Inflation inflation

Info *umg.* (≈ *Information*) info (*Pl. auch* info, *ohne* s)

Informatik computer science [kəmˈpjuːtəˌsaɪəns]

Informatiker(in) computer scientist [kəmˌpjuːtəˈsaɪəntɪst], information scientist

Information 1. information (**über** about, on) (△ *Informationen* wird im Englischen ebenfalls mit information wiedergegeben); *die neuesten Informationen* the latest information (△ *Sg.*); *ich brauche Informationen über das neue Textverarbeitungsprogramm* I need some information on the new word processing program **2.** (≈ *Auskunftsschalter*) information desk

Informationstechnologie information technology [ˌɪnfəˈmeɪʃn_tek,nɒlədʒɪ] (*Abk.* IT [ˌaɪˈtiː])

informieren 1. das Buch informiert über Radfahren in Holland the book offers information on cycling in Holland **2. jemanden informieren** let* someone know, tell* (*oder* inform) someone (**über** about) **3. sich informieren** find* out (**über** about)

Infostand information stand

Infotainment infotainment

infrage 1. das (*bzw.* **er** *usw.*) **kommt nicht infrage** that's (*bzw.* he's *usw.*) out of the question **2. etwas infrage stellen** question (*oder* query [△ ˈkwɪərɪ]) something, *stärker*: challenge something

infrarot infrared

Infrastruktur infrastructure [ˈɪnfrəˌstrʌktʃə]

Ingenieur(in) engineer [ˌendʒɪˈnɪə]

Ingwer ginger [ˈdʒɪndʒə]

Inhaber(in) 1. (≈ *Eigentümer*) owner, proprietor [prəˈpraɪətə], *Frau*: proprietress [prəˈpraɪətrəs] **2.** *eines Amts, Titels, einer Urkunde usw., auch im Sport*: holder **3.** *eines Schecks*: bearer [ˈbeərə]

Inhalt 1. *eines Pakets usw.*: contents [△ ˈkɒntents] (△ *Pl.*) **2.** (≈ *Rauminhalt*) capacity, volume [ˈvɒljuːm] **3.** (≈ *gedanklicher Inhalt*) content **4.** *Überschrift in Buch*: contents (△ *Pl.*) **5. den Inhalt eines Romans erzählen** summarize the plot of a novel **6.** (≈ *Sinn*) meaning

Inhaltsangabe 1. *allg.*: summary [ˈsʌmərɪ]; *eine Inhaltsangabe von einer Kurzgeschichte machen* summarize a short story **2.** *bes. von Film, Drama, längerem Roman*: synopsis [sɪˈnɒpsɪs]

Inhaltsverzeichnis 1. *in einem Buch usw.*: table of contents [△ ˈkɒntents] **2.** *als beigefügte Liste*: list of contents **3.** *einer Computersoftware*: directory [dəˈrektərɪ]

Initiative 1. initiative [ɪˈnɪʃətɪv]; *die Initiative ergreifen* take* the initiative; *auf seine Initiative hin* on his initiative; *aus eigener Initiative* on one's own initiative, of one's own accord **2.** (≈ *Bürgerinitiative*) action group

Injektion injection [ɪnˈdʒekʃn]

inklusive 1. including, *nachgestellt*: included; *das Zimmer kostet 40 Euro inklusive Frühstück* the room costs forty euros, including breakfast *oder* breakfast included **2. bis zum 3. Mai inklusive** up to and including May 3rd (*gesprochen* the third of May)

inkompatibel incompatible [ˌɪnkəmˈpætəbl]

inkompetent incompetent [ɪnˈkɒmpɪtənt]

Inkompetenz incompetence [ɪnˈkɒmpɪtəns]

inkonsequent inconsistent [ˌɪnkənˈsɪstənt]

Inkonsequenz inconsistency [ˌɪnkənˈsɪstənsɪ]

Inkubationszeit *Medizin*: incubation period [ˌɪŋkjʊˈbeɪʃnˌpɪərɪəd]

Inland 1. im In- und Ausland at home and abroad [əˈbrɔːd]; *im Inland hergestellte Ware(n)* domestic [dəˈmestɪk] products **2.** (≈ *Landesinnere*) interior [ɪnˈtɪərɪə]; *weiter ins Inland hinein bzw. weiter im Inland* further inland [ɪnˈlænd]

inländisch 1. *Waren, Handel*: domestic [dəˈmestɪk] **2.** *Markt*: domestic, home

Inlandsflug domestic flight, internal flight

Inlineskaten in-line skating

Inlineskater(in) in-line skater

Inlineskates in-line skates

innen 1. (≈ *drinnen*) inside [ɪnˈsaɪd] **2.** (≈

auf der Innenseite) on the inside ['ınsaıd]
3. *nach innen* inwards ['ınwədz]; *die
Tür geht nach innen auf* the door opens
inwards **4. *von innen*** from (the) inside
[ın'saıd]
Innenarchitekt(in) interior designer
Innenhof (inner) courtyard ['kɔːtjɑːd]
Innenminister 1. minister of the interior
2. *in GB*: Home Secretary [,həʊm-
'sekrətərı] **3.** *in USA*: Secretary of the
Interior
Innenministerium 1. ministry of the inte-
rior **2.** *in GB*: Home Office **3.** *in USA*:
Department of the Interior
Innenpolitik 1. *allg.*: home affairs (△ *Pl.*;
ohne the) **2.** *bestimmte*: domestic policy
['pɒləsı]
innenpolitisch domestic [də'mestık], in-
ternal; *innenpolitische Auseinander-
setzung* dispute over domestic policy
Innenseite inside [ın'saıd, *falls Gegensatz
zu Außenseite betont werden soll*:
'ınsaıd]
Innenstadt 1. town centre **2.** *in Großstadt*:
city centre, *AE auch* downtown [,daʊn-
'taʊn]
Innere 1. *allg.*: interior (*auch eines Gebäu-
des, Landes usw.*) **2.** *eines Hauses, einer
Frucht usw.*: inside [ın'saıd]
innere(r, -s) 1. *allg.*: inner **2.** (≈ *auf der
Innenseite*) inside ['ınsaıd] **3.** *Räume
usw.*: interior **4.** *Angelegenheiten usw.*: in-
ternal, domestic [də'mestık] **5.** *Verlet-
zungen, Krankheiten usw.*: internal
Innereien 1. *eines Schlachttieres*: innards
['ınədz], entrails [△ 'entreılz] **2.** *als Es-
sen*: offal ['ɒfl] (△ *nur im Sg. verwendet*)
innerhalb 1. *örtlich*: inside [ın'saıd],
förmlicher: within [wıð'ın]; *innerhalb
des Hauses* inside the house; *innerhalb
Europas* within Europe **2.** *zeitlich*: with-
in, in; *innerhalb einer Woche* within a
week
innerlich: *er wirkt zwar ruhig, aber in-
nerlich ist er sehr nervös* he seems
calm, but inwardly ['ınwədlı] he's quite
nervous
Innerste 1. innermost part **2.** *in seinem
Innersten fühlte er sich tief getroffen*
deep down inside he felt very hurt
innerste(r, -s) innermost
innig 1. *Beziehung usw.*: close [△ kləʊs],
intimate ['ıntımət] **2.** *sie lieben sich
heiß und innig* they're madly in love
(with each other) **3.** *ihr innigster
Wunsch ist es, einmal um die Welt zu
segeln* her most fervent wish is one day
to sail round the world
Innovation innovation
inoffiziell 1. unofficial [,ʌnə'fıʃl] **2.** (≈

zwanglos) informal [ın'fɔːml]; *inoffi-
zielle Gespräche* informal talks
ins 1. (≈ *in das*); → *in*[1] **2. *ins Kino gehen***
go* to the cinema, *AE* go* to the movies
3. *ins Bett gehen* go* to bed **4. *ins Eng-
lische übersetzen*** translate into English
Insasse, Insassin 1. *Bus usw.*: passenger
2. *Gefängnis usw.*: inmate ['ınmeıt]
Inschrift inscription
Insekt insect ['ınsekt], *bes. AE* bug
Insel 1. island [△ 'aılənd] **2. *die Briti-
schen Inseln*** the British Isles [△ aılz];
die Insel Wight the Isle of Wight
Inselbewohner(in) islander [△ 'aıləndə]
Inserat advertisement [△ əd'vɜːtısmənt],
umg. ad, *BE auch* advert [△ 'ædvɜːt];
ein Inserat aufgeben put* an ad in the
paper
insgeheim secretly ['siːkrətlı]
insgesamt 1. altogether, in all; *sie erhielt
insgesamt 200 Briefe* she received a to-
tal of 200 letters **2.** (≈ *als Ganzes*) as a
whole **3.** (≈ *insgesamt gesehen*) on the
whole
insofern 1. (≈ *in dieser Hinsicht*) as far as
that goes, from that point of view **2. *er
hat insofern Glück gehabt, als er sich
nur die Hand brach*** he was lucky in so
far (*oder* inasmuch as he only broke his
hand
Inspektor(in) inspector
Installateur(in) 1. (≈ *Klempner, -in*)
plumber [△ 'plʌmə] **2.** (≈ *Elektroinstal-
lateur, -in*) electrician [ı,lek'trıʃn] **3.** *für
Gas*: gas fitter
instand 1. *etwas instand halten* keep*
something in good condition **2. *etwas in-
stand setzen*** repair something, (≈ *reno-
vieren*) renovate [△ 'renəveıt] something
Instandhaltung upkeep ['ʌpkiːp], mainte-
nance ['meıntənəns]
Instandsetzung 1. repair **2.** (≈ *Renovie-
rung*) renovation [△ ,renə'veıʃn]
Instinkt instinct ['ınstıŋkt]
instinktiv instinctive [ın'stıŋktıv]
Institut institute ['ınstıtjuːt]
Instrument 1. instrument ['ınstrəmənt]
(*auch übertragen*) **2.** (≈ *Werkzeug*) tool
Insulin insulin ['ınsjʊlın]
inszenieren stage (*ein Theaterstück usw.*)
intakt 1. intact (*auch Verhältnis usw.*) **2.
der Motor usw. *ist noch intakt*** the en-
gine *usw.* is still in good working order
Integration integration [,ıntı'greıʃn]
integrieren 1. integrate ['ıntıgreıt] (*in* in-
to) **2. *sich integrieren*** integrate (one-
self), become* integrated (*in* into)
intellektuell, Intellektuelle(r) intellectual
[,ıntə'lektʃʊəl], *umg.* highbrow ['haı-
braʊ]

intelligent intelligent [ɪn'telɪdʒənt]

Intelligenz intelligence [ɪn'telɪdʒəns]

Intelligenzquotient intelligence quotient [ɪn'telɪdʒəns‿kwəʊʃnt], IQ [‿aɪ'kjuː]

Intelligenztest intelligence test [ɪn'telɪdʒəns‿test]

intensiv 1. (≈ *gründlich*) intensive [ɪn'tensɪv], thorough [△ 'θʌrə] **2.** *Gefühl, Schmerz usw.*: intense [ɪn'tens] **3.** *sich intensiv vorbereiten* study hard (*auf* for)

Intensivkurs crash course

Intensivstation intensive care unit; *auf der Intensivstation* in the intensive care unit

interaktiv interactive [‿ɪntər'æktɪv]

interessant interesting ['ɪntrəstɪŋ]

Interessante: *das Interessante daran ist* ... the interesting thing about it is ...

Interesse interest (*an, für* in); *Interesse haben* be* interested (*an* in); *das Interesse verlieren* lose* interest (△ *ohne* the)

Interessent(in) 1. *an Kauf*: prospective (*oder* potential) buyer; *drei Interessenten haben angerufen* three people have rung up (*AE* have called) **2.** *an einer Mitgliedschaft*: prospective member **3.** *Interessenten bitte melden bei ...* anyone (*oder* those) interested please contact ...

interessieren 1. *sich interessieren für* be* interested in, take* an interest in; *er interessiert sich für gar nichts* he's not interested in anything **2.** *das Thema interessiert mich* I'm interested in this topic **3.** *es wird dich interessieren – Sue und Fred heiraten* you'll be interested to know that Sue and Fred are getting married

Internat boarding school

international international

Internet *Computer*: Internet, *umg.* net, Net; *im Internet* on the (Inter)net; *im Internet surfen* surf the (Inter)net (△ *ohne* in *oder* on)

Internetcafé Internet café, cybercafé ['saɪbə‿kæfeɪ]

Internetfirma dot-com (company) ['dɒtkɒm (‿dɒtkɒm'kʌmpəni)]

Internethandel e-commerce [‿iː'kɒmɜːs]

Internetseite Internet site, Web page

Interpretation interpretation [△ ɪn‿tɜːprɪ'teɪʃn] (*auch von Gedicht usw.*)

interpretieren 1. interpret [△ ɪn'tɜːprɪt] (*auch Musikstück usw.*) (*als* as) **2.** (≈ *auffassen*) understand* (*als* as)

Intervall interval ['ɪntəvl]

Interview interview ['ɪntəvjuː]

interviewen interview ['ɪntəvjuː]

intim 1. *Freund, Angelegenheit, Gedan-*

ken, Gespräch usw.: intimate ['ɪntɪmət] **2.** *Freundschaft*: close [kləʊs], intimate

intolerant intolerant [ɪn'tɒlərənt] (*gegenüber, gegen* towards, *bei Sache auch*: of)

Intoleranz intolerance [ɪn'tɒlərəns] (*gegenüber, gegen* towards, *bei Sache auch*: of)

intransitiv intransitive [ɪn'trænsətɪv]

intuitiv 1. intuitive [ɪn'tjuːətɪv] **2.** *ich habe intuitiv das Richtige getan* intuitively I did the right thing

Invalide invalid ['ɪnvəliːd], disabled [dɪs'eɪbld] person

investieren invest (*in* in)

Investition investment; *die Investitionen haben nachgelassen* investment has gone down (△ *Sg.*; *ohne* the)

inwiefern 1. in what way, how **2.** (≈ *inwieweit*) to what extent

inwieweit to what extent

Inzest incest ['ɪnsest]

Inzucht inbreeding ['ɪn‿briːdɪŋ]

inzwischen 1. *allg.*: in the meantime, meanwhile **2.** (≈ *bis dahin*) till (*oder* before) then **3.** (≈ *bis spätestens dann*) by then **4.** *es ist inzwischen 10 Uhr* it's now 10 o'clock **5.** *ich habe inzwischen hundert CDs* I've got a hundred CDs so far

i-Punkt 1. dot over the i [aɪ] **2.** *bis auf den i-Punkt übertragen* down to the last detail ['diːteɪl]

Irak Iraq [ɪ'rɑːk]

Iran Iran [ɪ'rɑːn]

Ire Irishman ['aɪrɪʃmən]; *er ist Ire* he's Irish, he's an Irishman; *die Iren* the Irish; ☞ *Nationalitäten*

irgend 1. *irgend so ein Schauspieler auch im negativen Sinn* one of those actors, some actor (or other) **2.** *wenn irgend möglich* if at all possible

irgendein 1. some, *bei Frage, im Bedingungssatz*: any; *ruf mich an, wenn es irgendein Problem gibt* if there's any problem, ring me up; *gib mir bitte irgendeine Tasse* can you give me a cup – any old cup **2.** *irgendein anderer* someone else, *bei Frage, im Bedingungssatz*: anyone else

irgendeine(r) 1. someone, somebody, *bei Frage, Verneinung*: anyone, anybody **2.** *„Welchen Wagen hätten Sie gerne?" – „Irgendeinen."* 'What car would you like?' – 'Any of them.' *oder* 'I don't mind.'

irgendeines, irgendeins any of them, *bei zweien*: either ['aɪðə] (of them); *„Welches Zimmer willst du haben?" – „Welches Zimmer willst du haben?" – „Irgendeines."* 'Which room would you like?' – 'Any of them.', 'It doesn't matter.', *bei zweien auch*: 'Either (of them).'

irgendetwas 1. something (or other), *bei Fragen meist*: anything; *aber bring bitte nicht einfach irgendetwas!* but don't just bring anything! **2.** (≈ *egal was*) anything

irgendjemand 1. someone, somebody, *bei Fragen meist*: anyone, anybody **2.** *irgendjemand* (≈ *egal wer*) anyone, anybody; *sie ist ja schließlich nicht irgendjemand* I mean, she isn't just anybody

irgendwann 1. sometime, some time or other **2.** (≈ *egal wann*) any time, whenever you *usw.* like **3.** *ruf mich an, falls du irgendwann mal nach Bonn kommst!* give me a ring if you're ever in Bonn

irgendwas something, *in Fragen, im Bedingungssatz*: anything

irgendwelche any; *ohne irgendwelche Kosten* without any expense(s) (at all)

irgendwie 1. somehow (or other) **2.** *irgendwie tut sie mir leid* I can't help feeling sorry for her

irgendwo somewhere (or other), *in Fragen, im Bedingungssatz*: anywhere

Irin Irishwoman (*oder* Irish lady *bzw.* girl); *sie ist Irin* she's Irish; ☞ *Nationalitäten*

Iris 1. (≈ *Schwertlilie*) iris ['aɪrɪs] **2.** (≈ *Regenbogenhaut des Auges*) iris ['aɪrɪs]

irisch, Irisch Irish ['aɪrɪʃ]

Irland Ireland ['aɪələnd]; ☞ *Karte S. 293*

Ironie irony ['aɪrənɪ]

ironisch ironic [aɪ'rɒnɪk]

irre 1. (≈ *geistesgestört*) mad, *umg.* crazy **2.** *irres Zeug reden* rave **3.** *wie irre schuften umg.* work like mad **4.** (≈ *sagenhaft*) terrific [tə'rɪfɪk]; *ein irrer Typ* an amazing guy **5.** *sie ist irre schnell* she's incredibly quick

Irre (≈ *Verrückte*) madwoman, lunatic ['luːnətɪk]

irremachen: *lass dich von ihm nicht irremachen!* don't let him confuse you

irren¹ 1. *sich irren* be* wrong [△ rɒŋ], be* mistaken; *da irrst du dich aber!* you're wrong; *ich kann mich auch irren* I may be wrong; *wenn ich mich nicht irre* if I'm not mistaken **2.** *sich in der Nummer irren* get* the wrong number; *ich hab mich in der Tür geirrt* I went to the wrong door

irren² (≈ *ziellos umherschweifen*) wander ['wɒndə], roam [rəʊm]; *durch die Stadt irren* wander about in town

Irrenhaus: *hier gehts zu wie im Irrenhaus* it's like a madhouse (in) here

Irrer 1. madman, lunatic ['luːnətɪk] **2.** *wie ein Irrer* like a maniac ['meɪnɪæk], like mad

irrsinnig 1. (≈ *verrückt*) mad (*vor* with) **2.** (≈ *unvorstellbar*) incredible; *ich hab irrsinnig geschuftet* I worked like mad **3.** *Tempo, Sturm*: terrific **4.** (≈ *äußerst*) incredibly; *irrsinnig reich* incredibly rich

Irrtum mistake, error ['erə]

irrtümlich wrong [△ rɒŋ]

irrtümlicherweise by mistake

Ischias *Medizin*: sciatica [△ saɪ'ætɪkə]

ISDN *Telefon*: ISDN [ˌaɪesdiː'en] (*Abk. für* integrated services digital network)

ISDN-Anschluss ISDN [ˌaɪesdiː'en] connection (*oder* access ['ækses]); *hast du einen ISDN-Anschluss?* have you got ISDN access (*oder* an ISDN connection)?

Islam Islam [△ 'ɪzlɑːm]

islamisch islamic [ɪz'læmɪk]

Islamist(in) Islamist ['ɪzlæmɪst]

Island Iceland ['aɪslənd]

Isländer Icelander ['aɪsləndə]; *er ist Isländer* he's from Iceland; ☞ *Nationalitäten*

Isländerin woman (*oder* lady *bzw.* girl) from Iceland; *sie ist Isländerin* she's from Iceland; *die Isländerinnen sind Kälte gewohnt* the women of Iceland are used to low temperatures; ☞ *Nationalitäten*

isländisch, Isländisch Icelandic [aɪs'lændɪk]

Isolation 1. (≈ *Abgeschnittensein*) isolation **2.** *von elektrischen Leitungen usw.*: (≈ *Isolierung*) insulation [ˌɪnsjʊ'leɪʃn]

Isolierband insulating ['ɪnsjʊleɪtɪŋ] tape

isolieren 1. *allg., auch politisch, chemisch*: isolate ['aɪsəleɪt] (*auch Kranken, Häftling usw.*) **2.** *technisch*: insulate ['ɪnsjʊleɪt] (*Stromleitung, eine Wand usw.*)

Isolierung 1. *allg., auch politisch, eines Kranken usw.*: isolation **2.** *von Leitungen usw.*: insulation [ˌɪnsjʊ'leɪʃn]

Isomatte thermomat ['θɜːməʊmæt], *aus Schaumstoff*: foam mattress [ˌfəʊm'mætrəs]

Israel Israel [△ 'ɪzreɪl]

Israeli *Mann oder Frau*: Israeli [△ ɪz'reɪlɪ]; *sie ist Israeli* she's (an) Israeli; ☞ *Nationalitäten*

israelisch Israeli [△ ɪz'reɪlɪ]

israelitisch Israelite [△ 'ɪzrɪəlaɪt]

Italien Italy ['ɪtəlɪ]

Italiener 1. Italian [ɪ'tæljən]; *er ist Italiener* he's (an) Italian; ☞ *Nationalitäten* **2.** *umg.* (≈ *italienisches Lokal*) Italian place, Italian restaurant ['restərɒnt]

Italienerin Italian woman (*oder* lady *bzw.* girl; *sie ist Italienerin* she's (an) Italian; ☞ *Nationalitäten*

italienisch, Italienisch Italian [ɪ'tæljən];

die italienische Schweiz Italian-speaking Switzerland (△ *ohne* the)
i-Tüpfelchen: *bis aufs i-Tüpfelchen übertragen* down to the last (*oder* tiniest) detail ['diːteɪl]

IWF (*Abk. für* Internationaler Währungsfonds) IMF [ˌaɪem'ef] (*Abk. für* International Monetary Fund ['mʌnətrɪˌfʌnd])

J

ja 1. *Antwort, allg.*: yes, *umg.* yeah [△ jeə]; *ja sagen → Ja* 2. *aber ja! beruhigend*: yes, of course 3. *beim Nachdenken*: well; *ja, wissen Sie* well, you know 4. *du kommst doch, ja?* you're coming, aren't you? 5. *ich glaube, ja* I think so 6. *ja?* (≈ *tatsächlich?*) really?, *umg.* oh yeah? 7. *ja? am Telefon*: hello? 8. *da bist du ja!* 'there you are! 9. *ich habs dir ja gesagt* didn't I tell you?, I told you so 10. *das ist ja unglaublich* that really is incredible 11. *sags ihr ja nicht!* don't you dare tell her!; *lass sie ja in Ruhe!* just leave her alone!; *vergiss es ja nicht!* be sure not to forget it! 12. *ja so eine Überraschung!* well, this really is a surprise 13. *er ist ja schließlich mein Freund* after all, he's my friend 14. *wenn ja, …* if so, … 15. *du weißt ja gar nicht …* you have no idea … 16. *das sag ich ja!* that's what I'm saying
Ja yes; *Ja sagen* say* yes, (≈ *zustimmen*) agree (*zu* to); *mit Ja antworten* answer yes; *sie haben mit Ja gestimmt* they voted yes
Jacht yacht [△ jɒt]
Jacke 1. jacket ['dʒækɪt], *AE auch* coat 2. (≈ *Strickjacke*) cardigan ['kɑːdɪgən]
Jackett jacket ['dʒækɪt], *AE auch* coat
Jagd 1. hunt, hunting, *mit Gewehr auch*: shooting; *auf die Jagd gehen* go* hunting 2. (≈ *Verfolgung*) chase, pursuit [pə-'sjuːt]; *die Jagd auf Terroristen* the hunt for terrorists; *die Polizei macht Jagd auf Temposünder* the police are chasing (after) *oder* hunting (for) speeders
Jagdbomber *Militär*: fighter bomber [△ 'faɪtəˌbɒmə]
Jagdflugzeug *Militär*: fighter (plane *oder* aircraft)
Jagdhund hound
jagen 1. hunt, *mit Gewehr auch*: shoot* (*Rotwild usw.*); *er jagt* (*gerade*) *Hasen* he's hunting hare 2. (≈ *verfolgen*) chase (after) (*Flüchtige usw.*) 3. (≈ *suchen*)

hunt (for) (*Mörder usw.*) 4. *eine Brücke usw. in die Luft jagen umg.* blow* up a bridge *usw.* 5. *sie hat sich eine Kugel durch den Kopf gejagt* she blew her brains out
Jäger hunter, huntsman ['hʌntsmən]
Jaguar jaguar ['dʒægjuə]
Jahr year; *ein halbes Jahr* half [△ hɑːf] a year, six months; *ein dreiviertel Jahr* nine months; *anderthalb Jahre* a year and a half; *im Jahr 1789* in (the year) 1789; *bis 31. Mai dieses Jahres* until May 31st (of) this year (*gesprochen* the thirty-first of May); *Anfang* (*bzw. Ende*) *der Neunzigerjahre* (*oder neunziger Jahre*) in the early (*bzw.* late) nineties; *heute vor einem Jahr* a year ago today; *sie ist 10 Jahre alt* she's ten (years old); *mit 16 Jahren* at (the age of) sixteen; *ein 8 Jahre altes Auto* an eight-year-old car; *einmal im Jahr* once a year; *Jahr für Jahr* year after year

Jahr

Beachte bitte, wie man die Jahre im neuen Jahrtausend ausspricht:

2000	**two thousand**
2001	**two thousand and one**
2002	**two thousand and two**
2003	**two thousand and three** usw.
2010	**twenty ten**
2011	**twenty eleven**
2020	**twenty twenty**
2032	**twenty thirty-two**
2055	**twenty fifty-five** usw.

Bei den Jahren 2000 bis 2009 kann man natürlich nicht **twenty** … sagen, denn das wäre irreführend: **twenty four** würde z. B. wie „24" klingen.

jahrelang 1. *wir mussten jahrelang warten* we had to wait (for) years 2. *nach jahrelangem Warten* after years of wait-

ing
Jahrestag anniversary [ˌænɪ'vɜːsərɪ]
Jahreszeit season ['siːzn], time of the year; *zu jeder Jahreszeit* (in) any season

Jahreszeiten

(im) Frühling	**(in) spring**
(im) Sommer	**(in) summer**
(im) Herbst	**(in) autumn**, *AE* **(in the) fall**
(im) Winter	**(in) winter**

Jahrgang 1. *der Jahrgang 1983 Personen:* those born in 1983 **2.** *was ist das für ein Jahrgang? Wein:* what vintage ['vɪntɪdʒ] (*oder* year) is it?; *ein Portwein Jahrgang 1970* a 1970 port
Jahrhundert century ['sentʃərɪ]
...jährig 1. *ein fünfjähriges Kind* a five--year-old child **2.** *eine dreijährige Ausbildung* three years of training; *mit zweijähriger Verspätung* two years late
jährlich 1. annual, yearly; *ein jährliches Gehalt von 50 000 Dollar* an annual salary of $50,000 (*gesprochen* fifty thousand dollars) **2.** *einmal jährlich* once a year
Jahrtausend millennium [mɪ'lenɪəm] *Pl.:* millennia [mɪ'lenɪə]
Jahrzehnt decade [△ 'dekeɪd], ten years
jähzornig hot-tempered; *er ist sehr jähzornig* he's got a violent temper
Jalousie (venetian) blind [(və,ni:ʃn)-'blaɪnd]
Jamaika Jamaica [△ dʒə'meɪkə]
jämmerlich 1. *Leben usw.:* wretched [△ 'retʃɪd] **2.** *Anblick:* pitiful **3.** *Zustände usw.:* miserable ['mɪzrəbl] **4.** *jämmerlich wenig usw.* terribly little *usw.*
jammern 1. moan, *laut:* wail; *hör auf, zu jammern!* stop moaning! **2.** *er jammert immer darüber, dass er so allein ist* he's always moaning that he's so lonely
Jammern moaning, *lautes:* wailing
Janker *bes.* Ⓐ **1.** (≈ *Jackett*) jacket **2.** (≈ *Strickjacke*) cardigan ['kɑːdɪgən]
Jänner Ⓐ January ['dʒænjʊərɪ]
Januar January ['dʒænjʊərɪ]; *im Januar* in January (△ *ohne* the)
Japan Japan [dʒə'pæn]
Japaner Japanese [ˌdʒæpə'niːz]; *er ist Japaner* he's Japanese; *die Japaner* the Japanese; ☞ *Nationalitäten*
Japanerin Japanese woman (*oder* lady *bzw.* girl); *sie ist Japanerin* she's Japanese; ☞ *Nationalitäten*
japanisch, Japanisch Japanese [ˌdʒæpə-'niːz]
Jasmin *Zierstrauch:* jasmine ['dʒæzmɪn]
Jastimme yes-vote, *BE auch* aye [△ aɪ],

AE auch yea [△ jeɪ]
jäten 1. weed (out) **2.** *Unkraut jäten* weed, do* the (*oder* some) weeding
Jauche liquid manure [mə'njʊə]
jaulen 1. (*Hund usw.*) howl **2.** (*bes. Katze*) yowl
Jause Ⓐ (break for a) snack; *eine Jause machen* have* a snack, have* a bite to eat
jausnen Ⓐ have* a (break for a) snack
jawohl *beim Militär usw.:* yes, sir, *bei der Marine:* aye aye, sir [aɪ'aɪ,sɜː]
Jazz *Musik:* jazz [dʒæz]
Jazzband jazz band
Jazzsänger(in) jazz singer
je[1] 1. (≈ *jemals*) ever; *ohne sie je gesehen zu haben* without ever having seen her **2.** (≈ *jeweils*) *sie kosten je ein Pfund* they cost a pound each **3.** *je nach Größe usw.* according to size *usw.*; *je nachdem!* it (all) depends; *..., je nachdem, was du willst ...*, depending on what you want **4.** *je schneller usw., desto besser usw.* the quicker *usw.* the better *usw.*
je[2]: *o je!* oh no!, oh dear!
Jeans jeans (△ *Pl.*); *ich brauche (eine) Jeans* I need a *pair* of jeans
Jeansanzug denim suit [ˌdenɪm'suːt]
Jeansjacke denim jacket [ˌdenɪm'dʒækɪt]
jede(r, -s) 1. *insgesamt gesehen:* every; *jeden Tag* every day; *das Schiff fährt jeden Tag zweimal* the boat goes *twice* a day; *jeden zweiten Tag* every other day **2.** *einzeln gesehen:* each; *sie hat an jedem Finger einen Ring* she's got a ring on each finger; *hier sind ein paar alte Münzen - jede ist äußerst wertvoll* here are someold coins - each one is extremely precious **3.** *vor* "of": each; *jeder von euch* (*bzw. uns*) each of you (*bzw.* us) **4.** *von zweien:* either ['aɪðə] **5.** (≈ *jede, -er, -es beliebige*) any; *jeder Computer reicht aus* any computer will do; *jeden Moment* any minute; *bei jedem Wetter* in any weather **6.** *du kannst jeden fragen* (you can) ask anyone **7.** *jede(r) von ihnen ist verheiratet* they're all married **8.** *jeder weiß das* everyone *oder* everybody knows (that) **9.** *jeder hat seine Fehler* we all have our faults **10.** *jeder, der* whoever **11.** *jedes Mal* every time, (≈ *immer*) always; *jedes Mal, wenn ich lesen will* every time (*oder* whenever) I want to read
jedenfalls 1. *nun, ich ging jedenfalls nach Hause* well, anyhow, I walked home; *ich geh jedenfalls nicht hin* I'm not going there, anyway **2.** (≈ *wenigstens*) at least; *ich wars jedenfalls nicht* it

J

wasn't me, anyway

jederzeit any time, always

jedoch though [ðəʊ] (△ *immer nachgestellt*), however (△ *meist nachgestellt*); *sie ist ziemlich frech, ich mag sie jedoch* she's a bit cheeky (*AE* sassy) – I like her, though

jemals ever; *wirst du das jemals lernen?* will you ever learn (that)?

jemand somebody, someone, *fragend, im Bedingungssatz:* anybody, anyone; *ist jemand da?* is there anybody here?; *sonst noch jemand?* anyone else?

jene(r, -s) 1. that *Pl.:* those; *seit jenem Tag* from that day on **2.** *substantivisch:* that one *Pl.:* those **3.** (≈ *der, die, das vorher bzw. zuerst Erwähnte bzw. Pl.*) the former

jenseits 1. on the other side of **2.** *weiter weg:* beyond [bɪˈjɒnd]; *jenseits aller Kritik* beyond all criticism

Jenseits hereafter; *er glaubt nicht an ein Jenseits* he doesn't believe in the hereafter

Jesus Christus Jesus Christ [ˌdʒiːzəsˈkraɪst]

Jetlag *Flugreise:* jet lag

jetzige(r, -s) present [ˈpreznt]; *ihr jetziger Freund* her present boyfriend

jetzt 1. now; *erst jetzt* only now; *jetzt gleich* right now, right away; *jetzt eben* just now **2.** (≈ *heutzutage*) nowadays **3.** *bis jetzt* so far, up to now, *bei Verneinung auch:* as yet **4.** *von jetzt an* from now on

jeweilige(n) 1. *wendet euch an die jeweiligen Klassenleiter* contact the relevant [ˈreləvənt] form masters **2.** *die jeweiligen Umstände* the particular circumstances

jeweils 1. *für die Fragen gibt es jeweils drei Punkte* there are three points for each question; *Übungen mit jeweils zehn Fragen* exercises with ten questions each **2.** *die Miete ist jeweils am Monatsersten zu zahlen* the rent is due on the first of every month **3.** *wir nehmen jeweils nur zwei neue Lehrlinge auf* we only take on two new apprentices at a time

Job *umg.* job

jobben job (around); *als Kurier jobben* work (*oder* do* temporary work) as a courier [△ ˈkʊrɪə]

Jobsharing job sharing

Jod iodine [ˈaɪədiːn]

jodeln yodel [ˈjəʊdl]

Jodsalz iodized salt [ˌaɪədaɪzdˈsɔːlt]

Joga yoga [ˈjəʊgə]; *Joga machen* do* yoga

joggen jog, go* jogging

Jogger(in) jogger

Jogging jogging

Jogginganzug tracksuit [ˈtræksuːt], *AE* sweat suit

Jogginghose jogging pants, joggers, *AE* sweatpants [ˈswetpænts] (△ *alle Pl.*)

Joghurt yog(h)urt [ˈjɒgət]

Johannisbeere 1. *Rote Johannisbeere* redcurrant **2.** *Schwarze Johannisbeere* blackcurrant

Joker 1. *Spielkarte:* joker **2.** *übertragen* trump card

Jongleur(in) juggler

jonglieren juggle (*mit* with)

Jordanien Jordan [ˈdʒɔːdn]

Journalismus journalism [ˈdʒɜːnəlɪzm]

Journalist(in) journalist [ˈdʒɜːnəlɪst]

Joystick *Computerspiele:* joystick

Jubel 1. cheering, cheers (△ *Pl.*) **2.** (≈ *Freude*) (great) joy, rejoicing; *es herrschte großer Jubel* there was great rejoicing

jubeln 1. cheer, shout with joy **2.** *über etwas jubeln* rejoice at (*oder* over) something, celebrate [ˈseləbreɪt] something

Jubiläum 1. *allg.:* anniversary [ˌænɪˈvɜːsərɪ]; *heute ist ihr 25-jähriges Jubiläum* it's their twenty-fifth anniversary today **2.** *einer bedeutenden Person:* jubilee [ˈdʒuːbɪliː]; *25-jähriges* (*bzw.* *50-jähriges*) *Jubiläum* silver (*bzw.* golden) jubilee

jucken 1. *mich juckts am Arm usw.* my arm *usw.* is itching; *mich juckts hier* I've got an itch here **2.** *Mückenstiche jucken fürchterlich* mosquito bites itch terribly

Jude *historisch, politisch:* Jew [dʒuː], *höflicher:* Jewish person; *die Juden historisch, politisch:* the Jews, *heute auch:* the Jewish people (△ *kann beleidigend wirken*); *er ist Jude* he's Jewish (△ he's a Jew *wirkt heute oft beleidigend*)

Judenverfolgung persecution [ˌpɜːsɪˈkjuːʃn] of the Jews, Jewish persecution

Jüdin Jewish woman (*oder* lady *bzw.* girl); *sie ist Jüdin* she's Jewish (△ she's a Jewess [ˈdʒuːes] *wirkt heute oft beleidigend*)

jüdisch Jewish [ˈdʒuːɪʃ]

Jugend 1. (≈ *Jugendzeit*) youth [juːθ]; *in meiner Jugend* when I was young [jʌŋ] **2.** *die Jugend* (the) young people; *die heutige Jugend* young people today, today's youth

Jugendarbeitslosigkeit youth unemployment

Jugendherberge youth hostel [ˈjuːθˌhɒstl]

Jugendkriminalität juvenile crime [ˌdʒuːvənaɪlˈkraɪm]

jugendlich ['juːθfl] **1.** *Aussehen usw.*: youthful ['juːθfl] **2.** *Publikum usw.*: young [jʌŋ] **3.** *jugendlich aussehen* look young

Jugendliche(r) young person, *männlicher auch:* youth [juːθ] *Pl.*: youths [△ juːðz]; *die Jugendlichen* (the) young people, the young ones

Jugendmeisterschaft(en) junior (*oder* youth) championships (△ *Pl.*)

Jugendzentrum youth centre (*AE* center)

Jugoslawien Yugoslavia [ˌjuːgəʊˈslɑːvɪə] (△ *nur bis 2003*)

Juli July [dʒʊˈlaɪ]; *im Juli* in July (△ *ohne* the)

jung 1. *allg.*: young [jʌŋ] **2.** *Staat, Firma usw.*: new; → *jungverheiratet* **3.** *von jung auf* from childhood; → *jünger, jüngste(r, -s)*

Junge¹ *der* **1.** boy **2.** (≈ *junger Mann*) lad

Junge² *das* **1.** *umg.* baby; *Junge bekommen* have* young (ones) *oder* babies *bzw.* puppies, kittens *usw., je nach Tierart* **2.** *Hund:* puppy; *unser Hund kriegt Junge* our dog is going to have puppies **3.** *Katze:* kitten **4.** *Rind, Elefant, Seehund:* calf [△ kɑːf] *Pl.*: calves [△ kɑːvz] **5.** *Bär, Löwe usw.*: cub **6.** *Reh, Rotwild:* fawn **7.** *Vogel:* nestling ['nes(t)lɪŋ]

jünger 1. younger ['jʌŋgə]; *er ist zwei Jahre jünger als ich* he's two years younger than me; *sie sieht jünger aus als sie ist* she looks younger than her age **2.** (≈ *eher jung als alt*) youngish ['jʌŋɪʃ] **3.** *Entwicklung:* (more) recent ['riːsnt]

Jünger *von Jesus usw.*: disciple [△ dɪˈsaɪpl]

Jüngere(r) younger person; *die Jüngeren* (*unter euch*) the younger ones (among you)

Jungfer: *alte Jungfer* old maid, spinster

Jungfrau 1. virgin ['vɜːdʒɪn] **2.** *Sternzeichen:* Virgo ['vɜːgəʊ]; *er ist (eine) Jungfrau* he's (a) Virgo

Junggeselle bachelor ['bætʃələ]

Junggesellin bachelor girl

Jüngste(r, -s) 1. *unser Jüngster, unsere Jüngste, unser Jüngstes* our youngest (one *oder* child) **2.** *sie ist nicht mehr die Jüngste* she's no spring chicken any more **3.** *der Jüngste Tag* the Day of Judg(e)ment

jüngste(r, -s) 1. youngest ['jʌŋgɪst] **2.** *zeitlich:* latest; *die jüngsten Ereignisse* the latest (*oder* most recent ['riːsnt]) events **3.** *in jüngster Zeit* lately, recently

jungverheiratet newly married

Juni June [dʒuːn]; *im Juni* in June (△ *ohne* the)

Junior 1. *allg.*: junior ['dʒuːnɪə] (*auch Sport*) **2.** (≈ *Juniorchef*) son of the boss

junior: *John F. Kennedy junior* (*Abk. jun. oder jr.*) John F. Kennedy Junior (*Abk.* Jr *oder* Jnr *oder* Jun.)

Junkmail *Computer, Internet:* junk mail, spam

Jupe ⑭ (≈ *Rock*) skirt

Jupiter *Planet:* Jupiter ['dʒuːpɪtə] (△ *ohne* the)

Jura *Fachrichtung an Universität:* law; *sie studiert Jura* she's studying law, *AE auch* she goes to law school

Jurist(in) lawyer [△ 'lɔːjə]

Jury jury ['dʒʊərɪ] (*auch bei Gericht*)

Justiz: *die Justiz* the legal authorities (△ *Pl.*), (≈ *die Gerichte*) the courts [kɔːts]

Justizgebäude law courts (△ *Pl.*)

Justizminister(in) 1. minister of justice **2.** *in GB etwa:* Lord Chancellor [ˌlɔːdˈtʃɑːnsələ] **3.** *in USA etwa:* Attorney General [əˌtɜːnɪˈdʒenrəl]

Justizministerium 1. ministry of justice **2.** *in USA:* Department of Justice

Juwel jewel ['dʒuːəl], gem [dʒem] (*auch Bauwerk, Ortschaft usw.*)

Juwelen jewellery ['dʒuːəlrɪ], *AE* jewelry

Juwelier(in) jeweller ['dʒuːələ], *AE* jeweler

Juweliergeschäft jeweller's ['dʒuːələz] shop, *AE* jeweler(s)

Jux *umg.* (practical) joke; *aus* (*lauter*) *Jux* (just) for fun, (just) for kicks

J

K

Kabarett (political) revue [rɪ'vjuː]
Kabel (≈ *Stromkabel, Stahlkabel*) cable
Kabelanschluss *TV, Radio*: cable connection; **haben Sie Kabelanschluss?** do you get cable?
Kabelfernsehen cable TV
Kabeljau cod
Kabelkanal *TV, Radio*: cable channel
Kabine 1. *Schiff, Flugzeug*: cabin ['kæbɪn] **2.** *in Schwimmbad, beim Arzt*: cubicle ['kjuːbɪkl] **3.** *Sport*: dressing room
Kabinett 1. *politisch*: cabinet ['kæbɪnət] **2.** Ⓐ(≈ *kleines Zimmer*) closet ['klɒzɪt], small room
Kabrio *Auto*: convertible [kən'vɜːtəbl], *bes. AE auch* cabriolet ['kæbrɪəleɪ]
Kachel tile
Kachelofen ceramic stove [sə,ræmɪk-'stəʊv]
Kacke, kacken *vulgär, salopp* shit
Käfer beetle, *bes. AE* bug
Kaff *salopp* dump, hole, one-horse town
Kaffee coffee; **Kaffee kochen** make* (some *oder* the) coffee; **eine Tasse** (*bzw.* **ein Kännchen**) **Kaffee** a cup (*bzw.* a pot) of coffee; **Kaffee mit Milch** white coffee, *AE* coffee with milk *oder* cream; **wir waren bei ihnen zum Kaffee eingeladen** they had invited us for afternoon coffee
Kaffeeautomat coffee machine
Kaffeehaus Ⓐ coffee house, café ['kæfeɪ]
Kaffeekanne coffee pot
Kaffeemaschine 1. *im Haushalt*: coffeemaker **2.** (≈ *Kaffeeautomat*) coffee machine
Kaffeesatz coffee grounds (△ *Pl.*)
Kaffeetasse coffee cup
Käfig cage
kahl 1. (≈ *glatzköpfig*) bald [bɔːld] **2.** *Ast, Baum*: bare, leafless **3.** *Landschaft*: barren [△ 'bærən], bleak **4.** *Wand, Felsen*: bare **5. er ließ sich kahl rasieren** *oder* **scheren** he had his head shaved **6. kahl geschoren** *Kopf*: shaven ['ʃeɪvn]
kahlgeschoren → **kahl** 6
kahlrasieren → **kahl** 5
kahlscheren → **kahl** 5
Kahn 1. *mit Rudern*: rowing boat **2.** (≈ *Lastkahn*) barge
Kai quay [△ kiː], wharf [wɔːf] *Pl.*: wharfs *oder* wharves
Kaiser emperor ['empərə]
Kaiserin empress ['empres]
Kaiserschmarrn *bes.* Ⓐ cut-up and sug-

ared pancake with raisins
Kajüte *auf Boot, Schiff*: cabin ['kæbɪn]
Kakao 1. cocoa [△ 'kəʊkəʊ] (*auch Pulver*) **2.** *Getränk*: (hot) chocolate ['tʃɒklət]
Kakerlake cockroach ['kɒkrəʊtʃ], *AE umg. auch* roach
Kaktee, Kaktus cactus ['kæktəs] *Pl.*: cactuses *oder* cacti ['kæktaɪ]
Kalauer 1. (≈ *dummer Witz*) corny joke **2.** (≈ *dummes Wortspiel*) terrible pun
Kalb *lebendes Tier*: calf [△ kɑːf] *Pl.*: calves
Kalbfleisch veal [viːl]
Kalbsbraten roast veal
Kalbsschnitzel 1. veal cutlet **2.** *paniertes*: escalope [△ 'eskəlɒp] of veal
Kalender calendar ['kæləndə]
Kaliber 1. *einer Kugel, eines Gewehrs usw.*: calibre, *AE* caliber ['kæləbə] **2.** *übertragen* type, sort, kind
Kalifornien California
Kalium potassium [pə'tæsɪəm]
Kalk 1. *Baustoff*: lime **2.** *in Knochen*: calcium ['kælsɪəm] **3.** *zum Tünchen*: whitewash **4.** *Geologie*: (≈ *Kalkstein*) limestone, (≈ *Kreide*) chalk [tʃɔːk]
kalkhaltig 1. *Wasser*: hard **2.** *Boden, Erde*: chalky ['tʃɔːkɪ]
Kalkstein limestone
Kalorie calorie ['kælərɪ]
kalorienarm 1. ein kalorienarmer Joghurt *usw.* a low-calorie yoghurt *usw.* **2. diese Getränke sind kalorienarm** these drinks are low in calories
kalt 1. *allg.*: cold; **mir ist kalt** I'm cold; → **kaltlassen 2. sie zeigte ihm die kalte Schulter** *übertragen* she gave him the cold shoulder **3. heute Abend bleibt die Küche kalt** we're (*bzw.* I'm) having a cold meal this evening **4. den Wein kalt stellen** chill [tʃɪl] the wine
kaltblütig 1. *Mord usw.*: cold-blooded ['kəʊld,blʌdɪd] **2. er hat sie kaltblütig umgebracht** he murdered her in cold blood
Kälte 1. cold; **vor Kälte zittern** shiver with cold **2.** *einer Person, Farbe usw.*: coldness
Kälteperiode, Kältewelle cold spell ['kəʊld ˌspel]
kaltlassen: das lässt mich kalt that leaves me cold
Kaltluft cold air; **polare Kaltluft** polar air
kaltmachen: jemanden kaltmachen *umg.* (≈ *töten*) bump someone off

Kaltstart *Computer*: cold start [ˌkəʊld-ˈstɑːt], cold boot

kaltstellen → *kalt 4*

Kalzium calcium [ˈkælsɪəm]

Kambodscha Cambodia [kæmˈbəʊdɪə]

Kamel 1. *Tier*: camel [ˈkæml] 2. *übertragen* (≈ *Dummkopf*) fool, idiot, *BE auch* clot

Kamera camera

Kamerad(in) 1. *als Begleiter(in) usw.*: companion [kəmˈpænjən] 2. *Schule, Sport*: mate 3. *beim Militär*: comrade [ˈkɒmreɪd]

Kamerafrau camerawoman [ˈkæmrəˌwʊmən]

Kameramann cameraman [ˈkæmrəmæn]

Kamerun Cameroon [ˌkæməˈruːn]

Kamille *Pflanze*: camomile [ˈkæməmaɪl]

Kamillentee camomile tea [ˌkæməmaɪlˈtiː]

Kamin 1. (≈ *offene Feuerstelle*) fireplace; *am Kamin sitzen* sit* by the fireside 2. (≈ *Schornstein*) chimney [ˈtʃɪmnɪ]

Kaminfeger, Kaminkehrer chimney sweep

Kamm *zum Kämmen*: comb [△ kəʊm]

kämmen: *sich* (*die Haare*) *kämmen* comb [△ kəʊm] one's hair

Kammer 1. (≈ *Zimmer*) (small) room 2. (≈ *Abstellraum*) box room

Kampagne campaign [kæmˈpeɪn]; *eine Kampagne starten* launch a campaign

Kampf 1. *allg.* fight [faɪt] (*für, um* for; *gegen* against) 2. *übertragen* fight, battle, *schwerer*: struggle [ˈstrʌgl] (*für, um* for; *gegen* against) 3. *im Krieg usw.*: combat [ˈkɒmbæt], (≈ *Schlacht*) battle; *die Kämpfe einstellen* stop fighting 4. *innerer*: struggle, inner conflict 5. (≈ *Wettkampf*) contest [ˈkɒntest]

Kampfeinsatz *Militär*: combat [ˈkɒmbæt] mission

kämpfen 1. fight* (*für, um* for); *gegen jemanden* bzw. *etwas kämpfen* fight* (against) someone bzw. something (*auch übertragen*); *mit jemandem* bzw. *etwas kämpfen* fight* (with) someone bzw. something (*auch übertragen*); *sie kämpfte mit den Tränen* she was fighting back her tears 2. *sie hat mit großen Schwierigkeiten zu kämpfen* she's facing tremendous difficulties 3. (≈ *ringen*) struggle (*mit* with; *gegen* against), wrestle [△ ˈresl] (*mit* with) (*auch übertragen*); *mit dem Schlaf kämpfen* struggle to keep awake 4. *sich durch etwas kämpfen* fight* one's way through something

Kämpfer(in) fighter (*für* for)

Kampfflugzeug fighter (*oder* combat [ˈkɒmbæt]) aircraft

Kampfhubschrauber (helicopter) gunship [(ˌhelɪkɒptə)ˈgʌnʃɪp]

Kampfhund fighting dog

Kampfrichter(in) 1. *bei Ballsportarten*: referee [ˌrefəˈriː] 2. *beim Tennis*: umpire [ˈʌmpaɪə] 3. *beim Schwimmen, Skilaufen*: judge [dʒʌdʒ]

Kampfsport *Judo, Karate usw.*: martial arts [ˌmɑːʃlˈɑːts] (△ *Pl.*)

Kampfsportart martial art [ˌmɑːʃlˈɑːt]; *Karate ist eine Kampfsportart auch* karate [kəˈrɑːtɪ] is one of the martial arts

kampfunfähig 1. *Person, Truppen*: unfit for action (△ *nie vor dem Subst.*); *er ist kampfunfähig* he's out of action 2. *jemanden kampfunfähig machen* put* someone out of action

Kanada Canada [ˈkænədə]

Kanadier Canadian [kəˈneɪdɪən]; *er ist Kanadier* he's (a) Canadian; ☞ *Nationalitäten*

Kanadierin Canadian woman (*oder* lady *bzw.* girl); *sie ist Kanadierin* she's (a) Canadian; ☞ *Nationalitäten*

kanadisch Canadian [kəˈneɪdɪən]

Kanal 1. *für Schifffahrt, zum Wassertransport*: canal [kəˈnæl] 2. *zur Be- und Entwässerung*: channel [ˈtʃænl] 3. *der Kanal* (≈ *Ärmelkanal*) the (English) Channel 4. *Fernsehen, Radio*: channel; *auf Kanal fünf* on channel five 5. *für Abwässer*: drain, sewer [ˈsuːə]

Kanalinseln: *die Kanalinseln* the Channel Islands [△ ˌtʃænlˈaɪləndz]

Kanalisation 1. *für Abwässer*: sewerage [ˈsuːərɪdʒ] *system* 2. *eines Flusses*: canalization [ˌkænəlaɪˈzeɪʃn]

Kanaltunnel *Ärmelkanal*: Channel Tunnel [ˌtʃænlˈtʌnl]

Kanarienvogel canary [kəˈneərɪ]

Kanarische Inseln: *die Kanarischen Inseln* the Canary Islands [△ kəˌneərɪˈaɪləndz]

Kandidat(in) 1. candidate [ˈkændɪdeɪt] 2. *in Quizsendung usw.*: contestant [kənˈtestənt] 3. *bei Bewerbung*: applicant [ˈæplɪkənt] 4. *jemanden als Kandidaten aufstellen* bei Wahl usw.: nominate [ˈnɒmɪneɪt] someone

Kandidatur candidacy [ˈkændɪdəsɪ], *BE auch* candidature [ˈkændɪdətʃə]

kandidieren run*, stand* (*für* for); *für das Amt des Präsidenten kandidieren* run* for the presidency [ˈprezɪdənsɪ]; *für das Amt des Bürgermeisters kandidieren* run* for mayor [ˈmeɪə] (*oder* the office of mayor)

kandiert *Früchte*: candied [ˈkændɪd]

Kandis(zucker) rock candy [ˈrɒkˌkændɪ]

Känguru kangaroo [ˌkæŋɡəˈruː]

K

Kaninchen rabbit

Kanister *für Benzin, Wasser usw.*: (jerry) can

Kanne 1. *für Kaffee, Tee*: pot **2.** *für Milch auf dem Tisch*: jug, (≈ *Milchkanne*) (milk) can **3.** *für Milchtransport zur Molkerei*: churn [tʃɜːn] **4.** *für Öl*: can

Kannibale cannibal ['kænɪbl]

Kanone 1. (big) gun, cannon ['kænən] *Pl.*: cannons *oder* cannon **2.** *salopp* (≈ *Revolver*) gun, iron [△ 'aɪən], *AE* rod **3.** *salopp* (≈ *Könner*) wizard [△ 'wɪzəd], *bes. Sport*: ace **4.** *das war unter aller Kanone* umg. that was lousy ['laʊzɪ]

Kante edge

kantig 1. *Stein, Holz*: square-edged **2.** *Fels*: jagged [△ 'dʒægɪd] **3.** *Gesicht*: angular ['æŋɡjʊlə] **4.** *Kinn*: square

Kantine canteen [kæn'tiːn], *AE* cafeteria [ˌkæfə'tɪərɪə]

Kanton *der Schweiz*: canton ['kæntɒn]

Kanu canoe [△ kə'nuː]

Kanzler chancellor ['tʃɑːnsələ]

Kap cape

Kapelle 1. *kleine Kirche*: chapel ['tʃæpl] **2.** (≈ *Musikkapelle*) band

Kaper caper ['keɪpə]

kapern capture ['kæptʃə], seize [siːz] (*Schiff usw.*)

kapieren: *etwas kapieren* umg. get* something; *ich kapier das einfach nicht!* I just don't get it; *kapiert?* got it?

Kapital 1. capital ['kæpɪtl] **2.** *übertragen* (≈ *Vorzug*) asset ['æset]

Kapitalanlage (capital) investment

Kapitalismus capitalism ['kæpɪtəlɪzm]

Kapitalverbrechen capital crime [ˌkæpɪtl-'kraɪm]

Kapitän 1. *Schiff, Flugzeug*: captain ['kæptɪn] **2.** *auf kleinerem Schiff*: skipper **3.** *Sport*: captain, *umg.* skipper

Kapitel 1. *eines Buches*: chapter ['tʃæptə] **2.** *das ist ein anderes Kapitel* übertragen that's another story

kapitulieren 1. (≈ *aufgeben*) give* up; *vor etwas kapitulieren* give* up in the face of something **2.** (≈ *sich ergeben*) capitulate [kə'pɪtʃʊleɪt], surrender [sə'rendə]

Kappe 1. *Kopfbedeckung*: cap **2.** *Verschluss von Flasche, Schreibstift*: cap, top **3.** *eines Schuhs*: toecap ['təʊkæp], cap

kappen 1. cut* (*ein Tau*) **2.** cut* off (*Verbindungen, Zweige usw.*)

Kapsel 1. *allg.*: capsule ['kæpsjuːl] (*auch Arzneimittel, einer Pflanze*) **2.** (≈ *Raumkapsel*) capsule, module ['mɒdjuːl]

kaputt 1. *der Fernseher ist kaputt* allg.: there's something wrong with the TV, umg. the TV's on the blink, (≈ *funktioniert überhaupt nicht mehr*) the TV

doesn't work, the TV's broken **2.** *die Birne ist kaputt* (≈ *brennt nicht mehr*) the light bulb's gone **3.** *der Lift* (*die Maschine usw.*) *ist kaputt* the lift (the machine usw.) is out of order (*oder* doesn't work) **4.** *ich bin kaputt* umg. (≈ *erschöpft*) I'm shattered **5.** *ein kaputter Typ* umg. a wreck [rek] **6.** *er hat eine kaputte Leber* he's got a bad (*oder* ruined) liver **7.** *eine kaputte Ehe* a broken marriage; *ihre Ehe ist kaputt* their marriage has broken up

---

kaputt machen 1. allg.: break* [breɪk] (*Gerät, Uhr usw.*) **2.** ruin ['ruːɪn] (*Hose usw.*); → *kaputtmachen*

---

kaputtgehen 1. (*Computer usw.*) break* [breɪk] **2.** (*Maschine, Auto*) break* down **3.** (*Ehe, Freundschaft*) break* up

kaputtlachen: *sich kaputtlachen* kill oneself laughing ['lɑːfɪŋ], die laughing

kaputtmachen ruin ['ruːɪn] (*Ruf usw.*)

Kapuze hood [△ hʊd]

Kapuzenjacke hooded jacket [ˌhʊdɪd-'dʒækɪt]

Kapuzenmantel hooded coat [ˌhʊdɪd-'kəʊt]

Kapuzenpulli hooded jumper [ˌhʊdɪd-'dʒʌmpə], hooded sweater ['swetə]

Karambole *Frucht*: starfruit, carambola [ˌkærəm'bəʊlə]

Karate *Sport*: karate [kə'rɑːtɪ]

Karawane caravan ['kærəvæn]

Kardamom *Pflanze, Gewürz*: cardamom ['kɑːdəməm]

Kardinal cardinal ['kɑːdɪnl]

Karfiol Ⓐ cauliflower [△ 'kɒlɪˌflaʊə]

Karfreitag Good Friday; *am Karfreitag* on Good Friday

karg 1. *Mahlzeit, Leben*: frugal ['fruːgl] **2.** *Boden*: poor, barren ['bærən] **3.** *Lohn usw.*: meagre **4.** *Raum*: bare

kärglich 1. *Leben, Mahlzeit*: frugal ['fruːgl] **2.** *Lohn usw.*: meagre

Karibik: *die Karibik* the Caribbean [△ ˌkærə'biːən]

karibisch Caribbean [△ ˌkærə'biːən]

kariert 1. *Hemd, Muster usw.*: checked, chequered, *AE* checkered, *Hemd, Jacke usw. auch*: check (△ *nur vor dem Subst.*) **2.** *Heft, Papier*: squared

Karies *der Zähne*: tooth decay, caries ['keərɪːz]

Karikatur 1. caricature ['kærɪkətʃʊə] **2.** (≈ *Witzzeichnung*) cartoon

Karneval carnival ['kɑːnɪvl]

Kärnten Carinthia [kə'rɪnθɪə]

Karo 1. *im Stoff*: check, square **2.** *Spielkartenfarbe*: diamonds (△ *Pl.*), *Einzel-*

karte: diamond
Karosserie (car) body, bodywork
Karotte car̲r̲o̲t̲ ['kærət] (△ *Schreibung*)
Karpfen carp
Karre 1. cart **2.** (≈ *Schubkarre*) wheelbarrow **3.** *salopp* (≈ *Auto*) jalopy [dʒə'lɒpɪ]
Karren → *Karre*
Karriere career; *sie will Karriere machen* she wants to get ahead (*oder* to the top)
Karte 1. *allg.*: card (*auch Post-, Kredit-, Scheck-, Visitenkarte*) **2.** (≈ *Landkarte*) map (△ *nicht* card) **3.** (≈ *Fahr-, Eintrittskarte*) ticket **4.** (≈ *Speisekarte*) menu ['menjuː] **5.** (≈ *Spielkarte*) (playing) card; *Karten spielen* play cards **6.** *alles auf* '*eine Karte setzen* übertragen put* all one's eggs in one basket

Karte

card   tickets

map

Kartei card index
Karteikarte file card, index card
Kartenspiel 1. card game (△ *nicht* play) **2.** (≈ *Spielkarten*) pack of cards
Kartenverkauf 1. *Vorgang*: ticket sales (△ *Pl.*); *der Kartenverkauf beginnt nächste Woche* ticket sales start next week **2.** *Verkaufsstelle*: box office
Kartenvorverkauf 1. *Vorgang*: advance booking **2.** *Verkaufsstelle*: box office
Kartoffel potato [pə'teɪtəʊ] *Pl.*: potatoes
Kartoffelbrei mashed potatoes (△ *Pl.*)
Kartoffelchips potato crisps (*AE* chips)
Kartoffelmus mashed potatoes (△ *Pl.*)
Kartoffelpuffer *Pl.*: potato fritters
Kartoffelpüree mashed potatoes (△ *Pl.*)
Kartoffelsalat potato salad [pə,teɪtəʊ-'sæləd]

Kartoffel

Kartoffelbrei, Kartoffelpüree	mashed potatoes
Bratkartoffeln	fried potatoes
Pommes frites	chips, bes. *AE* (French) fries
Salzkartoffeln	boiled potatoes
Kartoffelsalat	potato salad

Kartoffelstock ⑭ mashed potatoes (△ *Pl.*)
Kartoffelsuppe potato soup [pə-'teɪtəʊ_suːp]
Karton 1. (≈ *Schachtel*) cardboard box **2.** (≈ *Pappe*) cardboard
Karussell merry-go-round, *BE auch* roundabout, *AE auch* car(r)ousel [,kærə-'sel]
Karwoche: *die Karwoche* Holy Week (△ *ohne* the)
Kasachstan Kazakhstan [,kæzæk'stɑːn]
Käse 1. *Milchprodukt*: cheese **2.** *umg.* (≈ *Unsinn*) rubbish, *AE* garbage
Käsekuchen cheesecake
Kaserne barracks (△ *Pl.*)
Kasino 1. (≈ *Spielkasino*) casino [kə-'siːnəʊ] **2.** *in Firma, BE*: canteen, *AE* cafeteria [,kæfə'tɪərɪə] **3.** *für Offiziere*: officers' mess
Kasper, Kasperl(e) 1. Punch **2.** *übertragen, umg.* clown
Kasperl(e)theater *etwa*: Punch and Judy show [,pʌntʃ ən'dʒuːdɪ_ʃəʊ]
Kassa ⑭ → *Kasse¹*
Kasse¹ 1. *in Laden*: till, *einfache*: cashbox **2.** (≈ *Registrierkasse*) cash register **3.** (≈ *Kassentisch*) cash desk **4.** *im Supermarkt*: checkout (counter) **5.** (≈ *Zahlstelle*) cashier [△ kæ'ʃɪə], cashier's office, *einer Bank*: counter **6.** *Theater usw.*: box office **7.** *Sport usw.*: ticket window **8.** *knapp bei Kasse sein* umg. be* a bit hard up
**Kasse² ** (≈ *Krankenkasse*) health insurance scheme [skiːm] (*bzw.* company)
Kassenautomat *im Parkhaus*: (car park) pay machine
Kassenpatient (≈ *Krankenkasse*) health plan patient
Kassenzettel receipt [rɪ'siːt]
Kassette 1. *mit Tonband*: cassette [kə'set] **2.** *für Bücher*: slipcase **3.** *mit CDs, Schallplatten*: (boxed) set **4.** *für Geld*: cashbox **5.** *für Schmuck*: case, box
Kassettendeck cassette deck
Kassettenrekorder cassette recorder
kassieren 1. *persönlich abholen*: collect (*Miete usw.*) **2.** *umg.* (≈ *kriegen*) get* **3.** (≈ *verdienen*) make* (*Geld*) **4.** (≈ *verlangen*) charge (*viel Geld usw.*) **5.** *die Polizei hat seinen Führerschein kassiert*

umg. the police took away his driving (*AE* driver's) licence **6. dürfte ich jetzt kassieren?** *im Lokal*: do you mind if I give you the bill now?

Kassierer(in) cashier [△ kæˈʃɪə]

Kastanie 1. chestnut [△ ˈtʃesnʌt] **2.** *Baum*: chestnut (tree)

Kästchen 1. *Formular*: box **2.** *in Quadratmuster*: square **3.** *aus Holz usw.*: small box

Kasten 1. *Behälter*: box, case **2.** *für Flaschen*: crate **3.** *in Zeitung usw.*: box **4.** *Turngerät*: box **5.** *umg.* (≈ *hässliches Gebäude*) barn, box **6.** *bes.* Ⓐ, Ⓒ (≈ *Schrank*) cupboard [△ ˈkʌbəd] **7.** (≈ *Schublade*) drawer [△ drɔː]

Kasus *Grammatik*: case

Katalog catalogue [ˈkætəlɒg], *AE auch* catalog

Katalysator 1. *Chemie*: catalyst [ˈkætəlɪst] (*auch übertragen*) **2.** *Auto*: catalytic converter [ˌkætəlɪtɪk_kənˈvɜːtə], catalyst [ˈkætəlɪst], *umg.* cat

katastrophal disastrous [dɪˈzɑːstrəs]

Katastrophe disaster [dɪˈzɑːstə], catastrophe [△ kəˈtæstrəfɪ]

Katechismus catechism [ˈkætəkɪzm]

Kategorie category [ˈkætɪgərɪ]

Kater¹ tomcat, male cat, *umg.* tom

Kater² *nach zu viel Alkohol*: hangover

Kathedrale cathedral [kəˈθiːdrəl]

Katholik(in) (Roman) Catholic [ˈkæθlɪk]

katholisch (Roman) Catholic [ˈkæθlɪk]

Kätzchen 1. (≈ *junge Katze*) kitten **2.** (≈ *Katze*) pussy [△ ˈpʊsɪ] **3.** *Blütenstand*: (≈ *Weidenkätzchen usw.*) catkin

Katze cat

Kauderwelsch gibberish [ˈdʒɪbərɪʃ]

kauen 1. chew [tʃuː] **2. hör auf, an den Nägeln zu kauen!** stop biting your nails!

kauern 1. crouch, squat [skwɒt] (**auf** on) **2. sich kauern** crouch (*oder* squat) down (**auf** on)

Kauf 1. purchase [△ ˈpɜːtʃəs], *umg.* buy [baɪ] **2.** (≈ *das Kaufen*) purchasing, buying **3. günstiger Kauf** bargain [ˈbɑːgɪn], *umg.* good buy **4. etwas in Kauf nehmen** *übertragen* accept [əkˈsept] something

kaufen 1. buy* [baɪ] **2. jemanden kaufen** *salopp* (≈ *bestechen*) bribe (*oder* buy*) someone **3. den werd ich mir kaufen!** *umg.* I'll buy him what's what **4.** (≈ *einkaufen*) shop (**bei** at)

Käufer(in) 1. buyer **2.** (≈ *Kunde*) customer

Kauffrau businesswoman

Kaufhaus department store

Kaufkraft 1. *einer Währung*: purchasing [△ ˈpɜːtʃəsɪŋ] (*oder* buying) power **2.** *ei-*

ner Käuferschicht: spending power

käuflich 1. for sale (△ *immer hinter dem Verb*) **2. er ist käuflich** (≈ *bestechlich*) he's open to bribery

Kaufmann 1. (≈ *Geschäftsmann*) businessman **2.** (≈ *Händler*) trader **3.** (≈ *Einzelhändler*) shopkeeper, *AE* storekeeper

Kaufvertrag contract [ˈkɒntrækt] of sale, sales contract

Kaugummi chewing gum [ˈtʃuːɪŋ_gʌm], *AE mst.* gum

kaum 1. hardly; **es ist kaum zu sehen** you can hardly see it; **sie hatte kaum noch Wasser** she had hardly any water left **2. ich glaube kaum, dass ...** I hardly think (that) ... **3. wohl kaum!** I doubt it very much **4. er hatte kaum gegessen, da musste er schon wieder arbeiten** he had hardly finished his meal when he had to start working again

Kaution 1. *für Wohnung, Mietauto usw.*: deposit [dɪˈpɒzɪt] **2.** *für Entlassung aus Untersuchungshaft*: bail; **er wurde gegen Kaution entlassen** he was released on bail

Kavalier gentleman [ˈdʒentlmən]

KB (= **Kilobyte**) KB [ˌkeɪˈbiː]

Kegel 1. *geometrische Figur*: cone **2.** *beim Kegeln*: skittle, *Bowling*: pin

Kegelbahn bowling alley [ˈbəʊlɪŋˌælɪ]

kegeln play skittles (*oder* ninepins); **sie sind kegeln gegangen** *Bowling*: they've gone bowling

Kegeln bowling [ˈbəʊlɪŋ], *BE auch* skittles, ninepins (△ *beide mit Verb im Sg.*)

Kehle throat

Kehlkopf larynx [ˈlærɪŋks]

Kehre 1. (≈ *Kurve*) sharp bend, bend **2.** (≈ *Richtungsänderung*) turn

kehren¹ (≈ *fegen*) sweep* (up)

kehren²: jemandem den Rücken kehren turn one's back on someone

Kehrmaschine 1. *für Straße*: road sweeper **2.** *für Teppich*: carpet sweeper

Kehrschaufel dust pan

Kehrseite 1. other side, reverse [rɪˈvɜːs], reverse side **2. das ist die Kehrseite der Medaille** that's the other side of the coin

Keil 1. wedge **2.** *Haltekeil unter Rad*: chock

Keile: Keile kriegen *umg.* get* a hiding

Keilerei fight, scuffle, *umg.* scrap

Keilriemen *in Automotor*: fan belt

Keim 1. *mst. Pl.*: (≈ *Krankheitserreger*) germ [dʒɜːm] **2.** *von Pflanze*: (≈ *Trieb*) shoot, (≈ *Samen*) seed **3.** *übertragen* bud, seed, seeds (*Pl.*); **etwas im Keim ersticken** nip something in the bud

keimen 1. germinate **2.** (≈ *treiben*) sprout

keimfrei sterile [ˈsteraɪl]; **keimfrei ma-**

chen sterilize ['sterəlaɪz]

kein 1. *vor Subst.:* no, not any; *ich habe kein Geld* I haven't got any money **2.** *du bist kein Kind mehr* you're not a child any more

keine(r, -s), keins *allein stehend* **1.** *von Personen:* no-one, nobody; *keiner war da* there was no-one there **2.** *keine(r) von ihnen* *bei zwei Personen bzw. Sachen:* neither of them, *bei mehreren Personen:* none of them, *zur Betonung:* not one of them **3.** *keiner von uns* *bei zwei Personen:* neither of us, *bei mehreren Personen:* none of us **4.** *von Sachen:* not any, none; *ich will keins von beiden* I don't want either (of them)

keinerlei: *sie nimmt keinerlei Rücksicht* she doesn't show any consideration at all

keinesfalls on no account, under no circumstances ['sɜːkəmstənsɪz]

keineswegs by no means, not at all

Keks biscuit [△ 'bɪskɪt], *AE* cookie ['kʊkɪ]

Kelch 1. cup, goblet ['gɒblət] **2.** *in der Kirche:* chalice ['tʃælɪs]

Keller cellar ['selə] (*auch Weinkeller*)

Kellergeschoss, Ⓐ **Kellergeschoß** basement

Kellner waiter

Kellnerin waitress

Kellner/Kellnerin

Will man einen Kellner oder eine Kellnerin herbeirufen, so zieht man in Großbritannien üblicherweise die Aufmerksamkeit durch Augenkontakt und Handzeichen auf sich. Ist die Bedienung in der Nähe, sieht einen jedoch nicht, kann man auch **"Excuse me"** sagen.

Kenia Kenya ['kenjə]

kennen 1. know* [nəʊ] (△ *nie in der Verlaufsform*); *wir kennen uns seit 1990* we've known each other since 1990; *das kennen wir!* we know all about that **2.** *wir kennen uns schon* we've already met **3.** *kennst du mich noch?* do you remember me? **4.** *kennst du den (Witz schon)?* have you heard this one? **5.** *kennen lernen* → *kennenlernen*

kennenlernen 1. get* to know; *die neue Lehrerin braucht etwas Zeit, um ihre Schüler kennenzulernen* the new teacher needs some time to get to know her pupils **2.** (≈ *zum 1. Mal treffen*) meet*; *als ich ihn kennenlernte* when I first met him

Kenner(in) 1. *Weinkenner, -in usw.:* connoisseur [ˌkɒnə'sɜː] **2.** (≈ *Experte, Ex-*

pertin) expert ['ekspɜːt]

Kenntnis 1. *gute Kenntnisse in Chemie usw. haben* have* a good knowledge [△ 'nɒlɪdʒ] (△ *Sg.*) of chemistry *usw.* **2.** *etwas zur Kenntnis nehmen* take* note of something, note something

Kennwort password (*auch beim Computer*)

Kennzeichen 1. mark, sign [saɪn] **2.** *besondere Kennzeichen* distinguishing marks **3.** *am Auto:* registration number, *AE* license plate number

kennzeichnen 1. (≈ *markieren*) mark, identify [aɪ'dentɪfaɪ] **2.** brand (*Tiere*) **3.** (≈ *charakteristisch sein für*) reflect

kentern (*Schiff*) capsize [kæp'saɪz], overturn [ˌəʊvə'tɜːn]

Kerl guy, fellow; *ein netter Kerl* a nice guy; *blöder Kerl!* idiot!

Kern 1. *Obst:* seed **2.** *Apfel:* pip **3.** *Pfirsich usw.:* (≈ *Stein*) stone **4.** (≈ *Zentrum, Hauptteil*) core **5.** *Zelle, Atom:* nucleus ['njuːklɪəs] *Pl.:* nuclei ['njuːklɪaɪ]

Kernenergie nuclear energy [ˌnjuːklɪər-'enədʒɪ]; *die Kernenergie* nuclear energy (△ *ohne* the)

Kernfach core subject

Kernfusion nuclear fusion [ˌnjuːklɪə-'fjuːʒn]

Kerngehäuse *Frucht:* core

kerngesund in perfect health; *ich bin doch kerngesund!* (but) I'm as fit as a fiddle

Kernkraft nuclear power [ˌnjuːklɪə'paʊə]; *die Kernkraft* nuclear power (△ *ohne* the)

Kernkraftgegner(in) opponent of nuclear power, *bei Demonstrationen usw.:* anti--nuclear protester (*oder* campaigner)

Kernkraftwerk nuclear power station [ˌnjuːklɪə'paʊəˌsteɪʃn], *bes. AE* nuclear power plant

Kernpunkt *übertragen* essential point [ˌɪˌsenʃl'pɔɪnt], central issue ['ɪʃuː]

kennenlernen

Wenn man jemanden zum ersten Mal kennenlernt, sagt man **meet**:

Where did you meet?
Wo habt ihr euch kennengelernt?

Lernt man jemanden über einen längeren Zeitraum hin besser kennen, sagt man **get to know**:

I got to know him while I was working in London.
Ich lernte ihn (näher) kennen, als ich in London arbeitete.

K

Kernspaltung nuclear fission [ˌnjuːklɪəˈfɪʃn]

Kernwaffe nuclear weapon [ˌnjuːklɪəˈwepən]

Kerze 1. candle **2.** *Turnen*: shoulder stand

Kerzenständer candle holder

Kessel 1. (≈ *Teekessel*) kettle **2.** (≈ *Heizkessel*) boiler **3.** *Behälter*: tank

Ketchup ketchup, *bes. BE* tomato sauce

Kette 1. chain (*auch Ladenkette und übertragen*) **2.** (≈ *Halskette*) necklace ['nekləs] **3.** *von Kettenfahrzeug*: track **4.** *sie bildeten eine Kette* they formed a line (*oder* a human chain)

Kettenraucher(in) chain smoker

Kettenreaktion chain reaction

keuchen pant [pænt], gasp [gɑːsp]

Keuchhusten whooping cough [⚠ 'huːpɪŋ_kɒf]

Keule 1. *Waffe*: club **2.** *vom Lamm usw.*: leg **3.** *vom Hähnchen usw.*: leg, drumstick

Keyboard keyboard

Kfz (≈ *Kraftfahrzeug*) motor vehicle [⚠ 'məʊtə,viːɪkl]

KI (*Abk. für* **k**ünstliche **I**ntelligenz) AI [ˌei'ai] (*Abk. für* **a**rtificial **i**ntelligence [ˌɑːtɪˌfɪʃl_ɪn'telɪdʒəns])

kichern giggle (*über* at); *hört auf, zu kichern!* stop giggling

Kickboard (skate) scooter, kickboard (scooter)

Kiefer[1] *der* jaw

Kiefer[2] *die* **1.** *Baum*: pine **2.** *Holz*: pine, pinewood; *ein Bücherregal aus Kiefer* a pine bookshelf

Kiel *am Schiff*: keel

Kieme: *Kiemen eines Fisches*: gills [⚠ gɪlz]

Kies 1. gravel [⚠ 'grævl] **2.** *salopp* (≈ *Geld*) dough [⚠ dəʊ]

Kieselstein pebble

kiffen *umg.* smoke pot (*oder* hash)

Kilo, Kilogramm kilo ['kiːləʊ], kilogram ['kɪləgræm]; *sie wiegt 50 Kilo* she weighs 50 kilos *oder* (*bes. AE*) 110 pounds

Kilobyte kilobyte, KB [ˌkei'bai]

Kilohertz kilohertz ['kɪləhɜːts], kilocycle ['kɪlə,saɪkl]

Kilometer kilometre ['kɪlə,miːtə]; *es sind ungefähr 600 Kilometer von Berlin nach München* it is (⚠ *Sg.*) about 600 kilometres / 370 miles from Berlin to Munich

Kilometerstand mileage ['maɪlɪdʒ]; *wie ist der Kilometerstand?* what's the mileage?

Kilometerzähler mileage indicator, mileometer [⚠ maɪ'lɒmɪtə], *AE* odometer [əʊ'dɒmətər]

Kilowatt kilowatt ['kɪləwɒt]

Kind 1. *auch übertragen*: child *Pl.*: children, *umg.* kid **2.** (≈ *Kleinkind*) baby *Pl.*: babies; *ein Kind bekommen* have* a baby; *sie erwartet oder bekommt ein Kind* she's expecting (*oder* she's going to have) a baby

Kinderarmut child poverty

Kinderarzt, Kinderärztin paediatrician, *bes. AE* pediatrician [ˌpiːdɪə'trɪʃn]

Kinderbett, Kinderbettchen cot, *AE* crib

Kinderbuch children's book

Kindergarten *für Kinder unter 5 Jahren*: nursery school, *seltener*: kindergarten

Kindergärtnerin nursery school teacher, *seltener*: kindergarten teacher

Kinderkrankheit 1. children's disease **2.** *Kinderkrankheiten übertragen* teething troubles; *der neue Drucker hat noch ein paar Kinderkrankheiten* we're having a few teething troubles with the new printer

Kinderkrippe crèche [kreɪʃ], day nursery, *AE* daycare (center)

Kinderlähmung polio ['pəʊlɪəʊ]; *er hatte Kinderlähmung* he had polio

kinderleicht dead easy, *AE* really easy

kinderlieb very fond of children

Kinderlied 1. children's song **2.** *traditionelles Lied für Kleinkinder*: nursery rhyme

kinderlos childless; *ein kinderloses Ehepaar* a married couple with no children

Kindermädchen nurse(maid), *bes. BE* nanny

kinderreich: *eine kinderreiche Familie* a large family

kindersicher childproof

Kindersitz *Auto*: child seat, car seat

Kinderspiel: *das ist (für ihn) ein Kinderspiel* that's child's play (for him) (⚠ *ohne* a)

Kinderspielplatz children's playground

Kindertagesstätte day nursery, *AE* daycare center

Kinderwagen pram, *AE* baby carriage

Kinderzimmer children's room

Kindesmisshandlung child abuse ['tʃaɪld_ə,bjuːs]

kindgerecht suitable ['suːtəbl] for children (*bzw.* for a child)

Kindheit 1. childhood; *ich habe von Kindheit an Musik gemocht* I've loved music (ever) since I was a child **2.** *frühe Kindheit*: infancy ['ɪnfənsɪ]

kindisch childish

kindlich 1. childlike; *ein kindliches Gesicht* a childlike face **2.** (≈ *kindisch*) childish

Kinn chin
Kinnhaken hook to the chin
Kino 1. *Gebäude*: cinema ['sɪnəmə], *AE* movie theater **2.** *als Ort, wo man hingeht*: cinema, *bes. AE umg.* the movies ['muːvɪz] (⚠ *Pl.*); *ins Kino gehen* go* to the cinema *oder AE* the movies
Kiosk 1. kiosk ['kiːɒsk] **2.** (≈ *Zeitungsstand*) newsstand
Kipferl *bes.* ⒶE croissant ['kwæsɑ̃]
Kippe¹ (≈ *Zigarettenstummel*) cigarette butt *oder* end, *BE umg.* fag end
Kippe² (≈ *Müllkippe*) dump
Kippe³: *es steht auf der Kippe („ob ...")* *umg.*, *übertragen* it's touch and go (whether ...)
kippen 1. tilt (*Fenster*) **2.** (≈ *schütten*) tip (*Sand, Wasser usw.*), *umg. oder um etwas loszuwerden*: dump (*Müll usw.*) **3.** (*Stuhl usw.*) tip over **4.** (*Boot*) capsize [kæp-'saɪz]
Kirche church; *in der Kirche* (≈ *beim Gottesdienst*) at church; *in die oder zur Kirche gehen zur Messe*: go* to church (⚠ *ohne* the)
Kirchenschiff nave
Kirchensteuer church tax
Kirchentag church congress [,tʃɜːtʃ-'kɒŋgres]
kirchlich 1. church ..., ecclesiastical [ɪ-,kliːzɪ'æstɪkl] **2.** *sich kirchlich trauen lassen* have* a church wedding, get* married in church
Kirchturm 1. *allg.*: church tower **2.** *mit Spitze*: (church) steeple
Kirsch *in Zusammensetzungen*: cherry ..., cherry...; *Kirschbaum* cherry tree, *Holz*: cherrywood; *Kirschblüte* cherry blossom; *Kirschkern* cherry stone, *AE* cherry pit; *Kirschlikör* cherry brandy [,tʃerɪ'brændɪ]; *Kirschkuchen* cherry cake; *Kirschsaft* cherry juice; *Kirschtomate* cherry tomato [,tʃerɪ_tə'mɑːtəʊ]; *Kirschtorte* cherry gateau [,tʃerɪ'gætəʊ]
Kirsche cherry
Kirtag ⒶE parish fair
Kissen 1. cushion [⚠ 'kʊʃn] **2.** (≈ *Kopfkissen*) pillow
Kiste 1. (≈ *Lattenkiste*) crate **2.** *kleinere*: box; *eine Kiste Zigarren* a box of cigars; *eine Kiste Tomaten* a box (*oder* crate) of tomatoes **3.** *für empfindliche Ware*: case **4.** *salopp* (≈ *Auto, Flugzeug*) crate
Kitsch 1. kitsch **2.** (≈ *minderwertige Ware usw.*) trash, junk
kitschig kitschy, trashy
Kittel 1. (≈ *Arbeitskittel*) overall, *bes. AE* work coat, smock **2.** *von Arzt, im Büro*: (white) coat **3.** ⒸH (≈ *Jacke, Jackett*) jacket ['dʒækɪt]

kitzeln tickle; *jemanden an den Zehen kitzeln* tickle someone's toes; *mich kitzelts am Fuß* my foot's tickling
kitzlig 1. ticklish **2.** *Angelegenheit usw.*: ticklish, tricky
Kiwi *Frucht*: kiwi ['kiːwiː] (fruit)
klaffen (*Abgrund, Spalte usw.*) gape; *eine klaffende Wunde* a gaping wound
Klage 1. (≈ *Beschwerde*) complaint (*über* about); *(keinen) Grund zur Klage haben* have* (no) cause for complaint **2.** *vor Gericht*: lawsuit ['lɔːsuːt], suit [suːt], action
klagen 1. (≈ *sich beschweren*) complain (*über* about, *of*; *bei* to) **2.** *sie klagt seit Jahren über heftige Kopfschmerzen usw.* she's been complaining of terrible headaches *usw.* for years
klamm (≈ *feucht*) clammy **2.** (≈ *steif vor Kälte*) numb [⚠ nʌm] (*vor* with)
Klammer 1. (≈ *Büroklammer*) paper clip **2.** (≈ *Heftklammer*) staple **3.** (≈ *Wäscheklammer*) (clothes [kləʊ(ð)z]) peg, *AE* (clothes) pin **4.** *in Text*; beim Rechnen: bracket; *in Klammern* in brackets, *bes. AE* in parentheses [⚠ pə'renθəsiːz]
klammern 1. clip, attach (*an* to) **2.** *sich klammern an jemanden* cling* to (*auch übertragen*)
Klamotten (≈ *Kleider*) *salopp* gear, clobber (⚠ *beide Sg.*)
Klang 1. sound **2.** (≈ *Ton*) tone
Klapp... *in Zusammensetzungen*: folding ...; *Klappstuhl* folding chair
Klappe 1. *lose*: flap (*z.B. an Hose oder Tasche*) **2.** *am Lastwagen hinten*: tailboard, *AE* tailgate **3.** *salopp* (≈ *Mund*) trap; *halt die Klappe!* shut up
klappen 1. fold; *der Sitz lässt sich nach hinten klappen* the seat folds back **2.** *es klappt!* it's working; *wenn alles klappt* if all goes well
klappern 1. (*Fenster usw.*) rattle; *mit etwas klappern* rattle something **2.** (*Geschirr usw.*) clatter
Klapperschlange rattlesnake
Klapphandy flip phone, *umg.* flip
klapprig 1. shaky, *Person auch*: doddery **2.** *Stuhl usw.*: rickety
Klaps 1. (≈ *Schlag*) slap **2.** *du hast ja einen Klaps!* *umg.* you're off your nut (*AE* rocker)
klar 1. clear **2.** *Entscheidung, Ziel usw.*: clear(-cut), definite [⚠ 'defɪnət] **3.** *Wendungen*: *es ist klar, dass* it's obvious (that); *ich bin mir noch nicht klar (darüber), was ich tun soll* I'm not quite sure what to do; *ist dir klar, dass ...?* do you realize that (...)?; *alles klar?* everything okay?
Kläranlage sewage [⚠ 'suːɪdʒ] plant

klären 1. *übertragen* clear up, clarify (*Sache*) 2. (≈ *reinigen*) purify 3. *eine Frage klären* settle (*oder* resolve) a question 4. *ein Problem klären* solve a problem

klargehen: *geht klar! umg.* that's OK (*oder* okay)

Klarheit *allg.*: clarity

Klarinette clarinet [ˌklærəˈnet]

klarkommen 1. *mit etwas klarkommen* cope with something; *kommst du klar?* are you managing all right? 2. *mit jemandem klarkommen* get* along with someone

klarmachen: *jemandem etwas klarmachen* make* something clear to someone

Klarsichtfolie clingfilm [ˈklɪŋfɪlm], *AE* plastic wrap [△ ˌplæstɪkˈræp]

klarstellen: *etwas klarstellen* get* something straight, make* something clear

Klasse 1. *allg.*: class (*auch Schulklasse*); *die Klasse macht morgen einen Ausflug* the class is *oder* are going on an outing tomorrow 2. (≈ *Klassenstufe*) form, *AE* grade; *in welche Klasse gehst du?* which form (*oder* class) are you in? 3. (≈ *Klassenzimmer*) classroom 4. *im Fußball*: division, league [liːg] 5. *erster Klasse reisen* travel first-class 6. *große Klasse!* great, fantastic

klasse: *klasse (sein)* (be) great, fantastic

Klassenarbeit (class) test

Klassenbeste(r): *sie ist Klassenbeste* she's top of the class

Klassenbuch (class) register [ˈredʒɪstə]

Klassenfahrt school trip

Klassenkamerad(in) classmate

Klassenlehrer(in), Klassenleiter(in) *etwa*: form teacher, *AE* class *oder* homeroom teacher

Klassensprecher(in) form captain, *bes. AE* class president

Klassenzimmer classroom; ☞ *Illu S. 540*

Klassik 1. *Zeitalter*: classical period *oder* age 2. *Musik*: classical music

klassisch 1. *die Antike und die Musik betreffend*: classical 2. *übertragen* classic, typical (*auch Fehler, Beispiel usw.*)

Klatsch 1. *Geräusch*: splash 2. (≈ *Geschwätz*) gossip

klatschen 1. (≈ *Beifall klatschen*) applaud 2. *in die Hände klatschen* clap one's hands 3. (≈ *schwatzen*) gossip

klatschnass soaking (wet); *klatschnass werden* get* soaked (to the skin)

Klaue 1. claw 2. *umg.* (≈ *schlechte Handschrift*) scrawl

klauen *umg.* pinch, steal*, *salopp* nick (*Geld, Autos usw.*); *hier wird geklaut* things get pinched (*oder* nicked) here; *er hat schon wieder geklaut* he's been

stealing again

Klausur exam [ɪgˈzæm], paper; *eine Klausur schreiben* sit* an exam

Klavier piano [pɪˈænəʊ]; *Klavier spielen* play the piano (△ *mit* the)

Klavierspieler(in) pianist [ˈpiːənɪst]

Klavierunterricht piano lessons (△ *Pl.*)

Klebeband adhesive tape, sticky tape

kleben 1. stick*; *es klebt nicht* it won't stick 2. glue (*Holz usw.*), stick* (*Papier usw.*) (*an* to) 3. (≈ *klebrig sein*) be* sticky

Kleber glue [gluː], adhesive [ədˈhiːsɪv]

Klebestift glue stick

Klebestreifen adhesive tape [ədˌhiːsɪv-ˈteɪp]

klebrig sticky

kleckern 1. make* a mess 2. *ich hab mir Suppe aufs Hemd gekleckert* I've spilled (*oder* spilt) soup on my shirt

Klecks 1. *festgetrocknet*: mark, blotch 2. *von nasser Farbe*: blob

klecksen 1. *du hast gekleckst mit Tinte*: you've made a blot *bzw.* blots 2. (*Füller*) smudge

Klee clover [△ ˈkləʊvə]

Kleeblatt 1. cloverleaf 2. *vierblättriges Kleeblatt* four-leaf(ed) clover [△ ˈkləʊvə]

Kleid 1. dress 2. *Kleider* (≈ *Kleidung*) clothes [△ kləʊ(ð)z]

kleiden 1. *die gelbe Bluse usw. kleidet dich gut* that yellow blouse [blaʊz] *usw.* suits [suːts] you, *AE* the yellow blouse looks good on you 2. *sich modern usw. kleiden* dress fashionably *usw.*

Kleiderbügel hanger, clothes [△ kləʊ(ð)z] hanger, coat hanger

Kleiderschrank wardrobe [ˈwɔːdrəʊb]

Kleidung clothes [△ kləʊ(ð)z] (△ *Pl.*); ☞ *Illu S. 98*

Kleidungsstück piece (*oder* article) of clothing [△ ˈkləʊðɪŋ]

klein 1. *allg.*: small 2. *bes. vor dem Subst. und gefühlsbetont*: little (△ *kleiner* smaller, *kleinst-* smallest) 3. (≈ *von geringer Körpergröße*) short 4. (≈ *unbedeutend*) small, little 5. *Fehler, Vergehen usw.*: little, minor 6. *Buchstabe*: small 7. *Finger, Zehe*: little 8. *mein kleiner Bruder* my little (*oder* younger) brother 9. *der kleine Mann übertragen* the man in the street 10. *als ich noch klein war* when I was a little boy *bzw.* girl 11. *klein gedruckt* in small print

Kleinanzeige *in Zeitung*: classified ad [ˌklæsɪfaɪdˈæd], small ad [ˈsmɔːlˌæd]

Kleinbuchstabe small letter

Kleingedruckte: *das Kleingedruckte* the small print

klein

Small ist sachlich-neutral, **little** eher gefühlsbetont.

Little erscheint oft (ohne Komma) nach einem anderen Adjektiv, wobei es auch das vorangehende Adjektiv betont: **a lovely little café, a horrible little girl.**

Little entspricht auch der Endung „-chen" bzw. „-lein" im Deutschen:

ein Hündchen – a little dog
ein Häuslein – a little house.

Little hat die gleichen Steigerungsformen wie **small**:

small – smaller – smallest
little – smaller – smallest.

Kleingeld (small) change
Kleinigkeit 1. little thing **2.** (≈ *unwichtige Sache*) minor detail **3.** *eine Kleinigkeit* (≈ *Geschenk*) a little something **4.** *zu essen*: snack, bite (to eat)
Kleinkind toddler, small child
kleinkriegen: *jemanden kleinkriegen übertragen* cut* someone down to size
kleinlich 1. (≈ *engstirnig*) petty **2.** (≈ *pingelig*) fussy **3.** (≈ *geizig*) stingy ['stɪndʒɪ]
kleinschreiben: *etwas kleinschreiben* (≈ *mit kleinem Anfangsbuchstaben schreiben*) write* something with a lowercase initial letter, △ *als Verb*: lowercase ['ləʊəkeɪs]
Kleinstadt small town
Klementine *Frucht*: clementine ['kleməntaɪn, 'klemənti:n]
Klemme 1. *zum Befestigen*: clamp **2.** *Wendungen*: *in der Klemme sein* (*oder* *sitzen*) *umg.* be* in a fix; *jemandem aus der Klemme helfen umg.* help someone out of a fix
klemmen 1. *die Tür klemmt immer wieder*: the door sticks, (≈ *lässt sich nicht mehr öffnen*) the door is stuck **2.** (≈ *zwängen*) wedge, jam (*hinter* behind) **3.** *klemm doch die Bücher einfach unter den Arm* just tuck the books under <u>your</u> arm
Klempner(in) 1. metal roofer **2.** (≈ *Installateur*) plumber [△ 'plʌmə]
Klette 1. *Pflanze*: burr **2.** *sich wie eine Klette an jemanden hängen übertragen* cling* to someone like a leech
Kletterer, Kletterin climber [△ 'klaɪmə]
klettern: *auf einen Baum* (*Berg usw.*) *klettern* climb [△ klaɪm] (up) a tree (mountain *usw.*)
Klettverschluss velcro® fastening

[△ 'fɑːsnɪŋ]
klicken *Computer*: click; *wenn du auf dieses Symbol klickst, kommst du ins Internet* if you click (on) that icon ['aɪkɒn] you can get onto the Internet
Klient(in) client ['klaɪənt]
Klima 1. climate ['klaɪmət] **2.** *übertragen* atmosphere ['ætməsfɪə], climate
Klimaanlage air conditioning; *sie haben eine Klimaanlage* they've got air conditioning (△ *ohne* an)
Klimakatastrophe climate catastrophe ['klaɪmətkə,tæstrəfɪ]
klimatisiert air-conditioned
Klimaveränderung climate change ['klaɪmət,tʃeɪndʒ]
Klimazone climatic zone [klaɪ,mætɪk-'zəʊn]
Klimmzug: *Klimmzüge machen* do* pull-ups ['pʊlʌps] (*bes. AE* chin-ups)
Klinge blade
Klingel bell
klingeln ring*; *es hat geklingelt* there's somebody at the door, *in der Schule usw.*: the bell has gone
Klingelton *eines Handys*: ringtone
klingen sound; *das klingt verrückt* it sounds crazy
Klinik clinic ['klɪnɪk], (≈ *Krankenhaus*) hospital ['hɒspɪtl]
Klinke *Tür*: (door)handle
Klippe 1. cliff **2.** *Fels*: rock **3.** *übertragen* obstacle [△ 'ɒbstəkl]
klirren 1. (*Teller, Fensterscheiben usw.*) rattle **2.** (*Gläser*) clink
Klo *umg.* loo, *AE umg.* john
klobig 1. *Nase, Hände usw.*: big **2.** (≈ *unförmig, grob*) bulky **3.** *Schuhe*: heavy
Klon *Pflanzen, Tiere*: clone
klonen clone (*Pflanzen, Tiere*)
Klopapier *umg.* toilet paper, *BE umg. auch* loo paper
klopfen 1. knock [△ nɒk] (*an, auf* at, on); *es klopft* there's somebody (knocking) at the door **2.** (*Herz*) beat* **3.** (*Motor*) knock **4.** beat* (*Fleisch, Teppich*) **5.** *einen Nagel in die Wand klopfen* knock (*AE* bang) a nail into the wall
Kloß 1. *Essen*: dumpling **2.** (≈ *Fleischkloß*) meatball **3.** *ich hatte einen Kloß im Hals* I had got a lump in <u>my</u> throat
Kloster 1. (≈ *Mönchskloster*) monastery ['mɒnəstərɪ] **2.** (≈ *Nonnenkloster*) convent ['kɒnvənt] **3.** *ins Kloster gehen* (≈ *Mönch bzw. Nonne werden*) enter <u>a</u> monastery (*bei Frauen*: convent)
Klotz 1. (≈ *Holzklotz*) block (of wood) **2.** *jemandem ein Klotz am Bein sein* be* a millstone around someone's neck
klotzig *umg.* **1.** (≈ *groß*) huge [hju:dʒ],

massive **2.** *Möbel usw.*: unwieldy [ʌn-'wiːldɪ]

Klub club

Kluft[1] **1.** *übertragen* (≈ *Gegensatz*) gap, gulf **2.** *übertragen* (≈ *Feindschaft*) rift **3.** *zwischen Felsen*: (≈ *Spalt*) crevice [△ 'krevɪs] **4.** (≈ *Abgrund*) chasm [△ 'kæzm], abyss [△ ə'bɪs] (*auch übertragen*)

Kluft[2] *salopp* **1.** *Kleidung*: gear [gɪə] **2.** (≈ *Uniform*) uniform ['juːnɪfɔːm]

klug 1. (≈ *intelligent*) clever (*z.B. Verhandlungspartner, Frage*), intelligent [ɪn-'telɪdʒənt] (*z.B. Gesicht, Augen*) **2.** (≈ *weise*) wise **3. das Klügste wäre, zu ...** the best idea would be to (+*Inf.*) **4.** *Wendungen*: **hinterher ist man immer klüger** it's easy to be wise after the event; **er ist ein kluger Kopf** he's clever *oder* bright, he's got brains, he's smart

Klugheit 1. cleverness, intelligence [ɪn-'telɪdʒəns] **2.** (≈ *Weisheit*) wisdom ['wɪzdəm]

Klumpen 1. lump; **ein Klumpen Erde** a lump (*oder* clod) of earth **2. ein Klumpen Gold** a gold nugget ['nʌgɪt]

knabbern 1. nibble (**an** at) **2. hätten Sie gern was zu knabbern?** would you like a little something to eat?

Knabe 1. boy **2. alter Knabe** old chap (*oder* boy)

Knackarsch *salopp* (≈ *Po*) pert [pɜːt] bum

Knäckebrot crispbread

knacken 1. crack (open) (*Nüsse, Geldschrank usw.*) **2.** break* into (*Auto*) **3.** break* open (*Schloss*)

knackig 1. *Brötchen, Apfel usw.*: crisp, crunchy **2.** *Po*: firm **3.** *salopp*; *Mädchen*: gorgeous ['gɔːdʒəs], scrumptious ['skrʌmpʃəs]

Knacks 1. (≈ *knackender Ton*; *Sprung*) crack **2. ihre Ehe hat einen Knacks** their marriage is in trouble (*oder* difficulties)

Knall 1. bang **2.** (≈ *Schuss*) shot **3. einen Knall haben** *salopp* be* nuts, be* crazy

knallen 1. bang; **plötzlich knallte es** suddenly there was a loud bang (*bei Schuss*: shot) **2. sie knallte das Buch auf den Tisch** she banged the book on the table

Knallkörper banger, *bes. AE* firecracker

knapp 1. (≈ *kaum ausreichend*) scarce [skeəs]; **Lebensmittel** *usw.* **sind knapp** food *usw.* is in short supply (*oder* is scarce) **2. ich bin zurzeit etwas knapp bei Kasse** I'm a bit short (of money) at the moment, *AE* I'm a bit short on cash at the moment **3.** *Sieg*: narrow **4. eine knappe Mehrheit** a slim (*oder* small)

majority **5.** *Rente usw.*: (≈ *niedrig*) low, meagre **6. knapp zwei Stunden** just under two hours

knarren (*Tür usw.*) creak

Knast *salopp* (≈ *Gefängnis*) clink, *bes. AE* cooler; **im Knast** *salopp* in (the) clink

Knäuel *Wolle*: ball

knauserig stingy ['stɪndʒɪ], mean

Knautschzone *Auto*: crumple zone

knebeln gag (*auch übertragen* ≈ *zum Schweigen bringen*)

Knecht 1. farmhand **2.** *übertragen* slave

kneifen[1] pinch; **jemanden in den Arm kneifen** pinch someone's arm

kneifen[2] *umg.* chicken out (**vor etwas** of something); **willst du etwa kneifen?** you're not chickening out, are you?

Kneifzange: **eine Kneifzange** pincers (△ *Pl.*), a pair of pincers

Kneipe pub, *AE* bar; ☞ *Info unter* **pub**

Knete 1. (≈ *Knetgummi*) plasticine ['plæstəsiːn], *AE* modeling clay **2.** (≈ *Geld*) *salopp* dough [△ dəʊ]

kneten knead [△ niːd] (*Teig*; *den Rücken usw. von jemandem*)

Knick 1. *in Schlauch usw.*: kink **2.** (≈ *Falte*) crease **3.** (≈ *Kurve*) (sharp) bend, kink

knickerig, knickrig (≈ *geizig*) *umg.* stingy [△ 'stɪndʒɪ], mean, tight-fisted

Knie 1. knee [△ niː] **2.** *Rohrstück*: elbow ['elbəʊ], knee **3.** *Wendungen*: **jemanden übers Knie legen** *übertragen*, *umg.* give* someone a good hiding; **in die Knie gehen** bend* one's knees, *übertragen* (≈ *nachgeben müssen*) submit [səb'mɪt] (**vor** to)

Kniebeuge *Sport*: knee bend [△ 'niː‿bend]

knien 1. kneel [△ niːl] **2.** (≈ *niederknien*) kneel down

Knieschoner, Knieschützer *Sport*: knee pad [△ 'niː‿pæd]

Kniestrumpf (knee-length) sock [△ ‚niː-leŋθ)'sɒk]

Kniff 1. (≈ *Trick*) trick **2.** (≈ *Kneifen*) pinch

knifflig *Problem, Frage usw.*: tricky

knipsen 1. take* photos *oder BE* snaps; **sie knipst gern** she likes to take (*oder* she likes taking) photos **2. jemanden** *bzw.* **etwas knipsen** take* a photo (*oder BE* snap) of someone *bzw.* something

Knirps (≈ *kleiner Junge*) little lad, *umg., abwertend* squirt

knirschen 1. (*Sand, Kies usw.*) crunch **2. mit den Zähnen knirschen** grind* one's teeth

knistern 1. (*Feuer*) crackle **2.** (*Papier*

usw.) rustle [△ 'rʌsl] **3. *mit etwas knistern*** rustle something

knittern 1. crease [kriːs]; ***dieser Stoff knittert leicht*** this material creases (*AE* wrinkles) easily **2. *etwas knittern*** crease (*AE* wrinkle something

Knoblauch garlic ['gɑːlɪk]

Knoblauchbrot garlic bread

Knoblauchpresse garlic press

Knoblauchzehe clove of garlic [ˌklɔʊv_əvˈgɑːlɪk]

Knöchel 1. *am Fuß*: ankle **2.** *am Finger*: knuckle [△ 'nʌkl]

Knochen 1. bone **2.** *Wendungen*: ***mir tun sämtliche Knochen weh*** every bone in my body is aching; ***das sitzt mir noch in den Knochen*** I still haven't (quite) got over it

Knochenarbeit *umg.* hard graft [ˌhɑːdˈgrɑːft]

Knochenbau bone structure

Knochenbruch fracture

Knochenmark bone marrow ['bəʊnˌmærəʊ]

knochig 1. *Person*: skinny, bony **2.** *Gesicht, Knie usw.*: bony

Knödel dumpling

Knopf 1. button (*auch als Schalter*); ***auf den Knopf drücken*** press the button **2.** *an der Tür*: knob [△ nɒb]

Knopfdruck: *auf Knopfdruck* at the touch of a button

Knopfloch buttonhole

Knopfzelle (≈ *Batterie*) round cell [ˌraʊndˈsel]

Knospe bud

Knoten 1. knot [△ nɒt] (*auch Geschwindigkeitsmaß*) **2.** *Geschwulst*: lump

Know-how, Knowhow ['nəʊhaʊ], know-how [△ ˌeksˈpɜːˈtiːz]

Knüller *umg.* **1.** sensation (*auch Meldung*) **2.** *Film, Buch usw.*: blockbuster

knüpfen 1. tie, make* (*Knoten, Netz*) **2.** (≈ *befestigen*) attach [əˈtætʃ], fasten [△ 'fɑːsn] (*an* to) **3. *Bedingungen an etwas knüpfen*** attach conditions (to something) **4. *Kontakte zu jemandem knüpfen*** make* contact (△ *Sg.*) with someone, get* in touch with someone

Knüppel 1. (heavy) stick, club **2.** (≈ *Polizeiknüppel*) truncheon ['trʌnʃn], *AE* billy (club) **3.** (≈ *Steuerknüppel*) control stick, *umg.* joystick

knurren 1. (*Tier*) growl [graʊl] **2.** (*Magen*) rumble

knusprig *Brot, Gebäck usw.*: crunchy, crisp

knutschen *salopp* snog, *bes. AE* smooch

Knutschfleck *umg.* love bite, *AE umg.* hickey

K.o.[1] knockout [△ 'nɒkaʊt], k.o. [ˌkeɪˈəʊ]

k.o.[2] **1. *ich bin völlig k.o.*** *umg.* I'm whacked [wækt] **2. *jemanden k.o. schlagen*** knock [nɒk] someone out, k.o. [ˌkeɪˈəʊ] someone

Koalition coalition [ˌkəʊəˈlɪʃn]

Koch cook

Kochbuch cookery book, *bes. AE* cookbook

kochen 1. cook, do* the cooking; ***sie kocht gut*** she's a good cook **2.** make*, cook (*Abendessen usw.*) **3.** boil (*Wasser, Eier*) (△ *nicht* cook); ***das Wasser kocht!*** the water's (*oder* kettle's) boiling **4.** make* (*Kaffee, Tee*) (△ *nicht* cook) **5. *er kocht vor Wut*** he's seething ['siːðɪŋ] with rage

Köchin cook

Kochrezept recipe [△ 'resəpɪ]

Kochtopf saucepan ['sɔːspən], pot

Kode code

Köder bait (*auch übertragen*)

kodieren code, encode

Kodierung coding, encoding

Koffein caffeine ['kæfiːn]

Koffer 1. case, suitcase ['suːtkeɪs] **2. *seine Koffer packen*** pack (one's bags), *übertragen* pack one's bags (and leave)

Kofferraum boot, *AE* trunk

Kohl cabbage ['kæbɪdʒ]

Kohle 1. coal **2.** *zum Zeichnen*: charcoal ['tʃɑːkəʊl] **3.** *umg.* (≈ *Geld*) cash

Kohlekraftwerk coal-fired power station

Kohlenbergbau: (*der*) *Kohlenbergbau* coal-mining (△ *ohne* the), the coal-mining industry

Kohlendioxyd carbon dioxide [ˌkɑːbənˌdaɪˈɒksaɪd]

Kohlensäure carbonic acid [kɑːˌbɒnɪˈæsɪd]; ***ohne Kohlensäure*** *Getränk*: still, *AE* non carbonated; ***mit Kohlensäure*** fizzy, *AE* carbonated ['kɑːbəneɪtɪd]

Kohlenstoff carbon ['kɑːbən]

Kohlmeise great tit

Kohlrabi kohlrabi [ˌkəʊlˈrɑːbɪ]

Kohlsprossen ⒶⒹ (≈ *Rosenkohl*) Brussels sprouts [ˌbrʌslˈspraʊts] (*Pl.*)

Kokain cocaine [kəʊˈkeɪn]

Kokosnuss coconut ['kəʊkənʌt]

Kokospalme coconut palm [△ 'kəʊkənʌt_pɑːm], coconut tree

Koks 1. coke **2.** *salopp* (≈ *Kokain*) coke

Kolben 1. *beim Motor*: piston **2.** (≈ *Gewehrkolben*) butt **3.** *salopp* (≈ *Nase*) conk

Kolik colic ['kɒlɪk]

Kollege colleague ['kɒliːg]; ***ein Kollege sagte mir*** someone at work told me

kollegial 1. (≈ *nett*) friendly **2.** (≈ *hilfsbereit*) helpful **3.** (≈ *aufrichtig*) loyal ['lɔɪəl]

Kollegin colleague [ˈkɒliːg]

Kollegstufe *etwa*: sixth-form college, *AE* junior college

Kollektion collection, (≈ *Sortiment*) *auch* range

Kollision 1. collision [kəˈlɪʒn] **2.** *übertragen* conflict [ˈkɒnflɪkt]

Köln Cologne [kəˈləʊn]

Kolonial... *in Zusammensetzungen*: colonial [kəˈləʊnɪəl]; **Kolonialherrschaft** colonial rule; **Kolonialmacht** colonial power; **Kolonialzeit** colonial age

Kolonialismus: *der Kolonialismus* colonialism [kəˈləʊnɪəlɪzm] (△ *ohne* the)

Kolonie colony [ˈkɒləni]

kolossal gigantic [dʒaɪˈgæntɪk]

Koma coma [ˈkəʊmə]; *im Koma liegen* be* in a coma

Kombi *Auto*: estate car [△ ɪˈsteɪt_kɑː], *bes. AE* station wagon [ˈsteɪʃn͵wægən]

Kombination 1. combination (*auch beim Schach und eines Schlosses*) **2.** *Anzug*: matching jacket and trousers **3.** (≈ *Folgerung*) deduction

kombinieren 1. (≈ *verbinden*) combine **2.** (≈ *folgern*) deduce [dɪˈdjuːs]; *da hast du falsch kombiniert!* you thought wrong there

Kombizange: *eine Kombizange* (combination) pliers [ˈplaɪəz] (△ *Pl.*, *ohne* a), a pair of pliers

Komet comet [ˈkɒmɪt]

kometenhaft: *ein kometenhafter Aufstieg* a meteoric rise [͵miːtɪɒrɪkˈraɪz]

Komfort 1. conveniences [kənˈviːnɪənsɪz] (△ *Pl.*); *mit allem Komfort Wohnung*: with all (the) conveniences (*BE auch* mod cons) **2.** (≈ *Luxus*) luxury [ˈlʌkʃəri]

komfortabel 1. *Hotel, Wohnung*: well-appointed, *nur hinter dem Subst.*: with all (the) conveniences (*BE auch* mod cons) **2.** (≈ *luxuriös*) luxurious [lʌgˈzjʊərɪəs]

Komik humour [ˈhjuːmə]

Komiker(in) comedian [kəˈmiːdɪən], comic

komisch 1. funny (*auch im Sinn von* merkwürdig) **2.** *das Komische daran ist* the funny thing (about it) is

Komitee committee [kəˈmɪti] (△ *Schreibung*)

Komma 1. comma; *hier fehlt ein Komma* there's a comma missing here **2.** *drei Komma vier (3,4)* three point four (3.4) (△ *mit Punkt geschrieben*) **3.** *null Komma drei (0,3)* (nought, *AE* O [əʊ]) point three (0.3) (△ *mit Punkt geschrieben*; nought *wird mündlich oft weggelassen*)

Kommafehler punctuation mistake

Kommandeur(in) commander [kəˈmɑːndə]

kommandieren (≈ *befehlen*) command

Kommando 1. (≈ *Befehl*) command [kəˈmɑːnd], order **2.** *das Kommando haben* be* in command (*über* of) **3.** (≈ *Einheit mit Sonderauftrag*) commando [kəˈmɑːndəʊ]

kommen 1. *allg.*: come*; *ich komme!* (I'm) coming!; *es kommt jemand* someone's coming; *na komm schon!* come on! **2.** (≈ *ankommen*) arrive **3.** (≈ *hinkommen, gelangen*) get*; *wie komme ich von hier zum Bahnhof?* how do I get to the station?; *er ist nicht weit gekommen* he didn't get far **4.** *sie kommt aus Schottland* she's from Scotland **5.** *wann kommt der nächste Bus?* when is the next bus (due)? **6.** *sie wird bald kommen* she won't be long **7.** *jemanden kommen sehen* see* someone coming **8.** *ich komme bald aufs Gymnasium* I'm starting grammar school (*AE* high school) soon **9.** *er kommt morgen ins Krankenhaus* he's going (in)to hospital tomorrow **10.** *ich glaube, es kommt ein Gewitter* I think there's a storm coming (up) **11.** *wie kommt es, dass ...?* how is it that ...?, how come ...? **12.** *woher kommt es, dass ...?* why is it that ...? **13.** *sie kommt immer zu spät* she's always late **14.** *jemanden kommen lassen* send* for someone **15.** *da kommst du nie drauf!* *umg.* you'll never get it! **16.** *wie kommst du darauf?* what gives you that idea? **17.** *ich bin nicht dazu gekommen, den Brief zu schreiben* I didn't get round to writing the letter **18.** *so kommst du nie zu etwas!* you'll never get anywhere if you go on like that! **19.** *hinter etwas kommen* find* something out

Kommen: *Sneakers sind wieder im Kommen* sneakers are coming back into fashion

kommend 1. coming, (≈ *zukünftig*) *auch* future [ˈfjuːtʃə] **2.** *Wendungen*: *kommende Woche* next week; *in den kommenden Jahren* in the years to come; *die kommende Generation* the rising generation

Kommentar 1. (≈ *Stellungnahme*) comment [ˈkɒment] (*zu* on) **2.** *zu Fußballspiel im Fernsehen usw.*: commentary [ˈkɒməntəri] **3.** *in Zeitung*: opinion column [△ əˈpɪnjən͵kɒləm]

Kommissar(in) 1. *Polizei*: superintendent [͵suːpərɪnˈtendənt], *AE* captain [ˈkæptən] **2.** (≈ *Bevollmächtigte, -er*) commissioner

Kommode chest of drawers [͵tʃest_əvˈdrɔːz], *AE auch* bureau [ˈbjʊərəʊ]

Kommune (≈ *Gemeinde*) community
Kommunikationsmittel: *ein modernes Kommunikationsmittel* a modern means of communication
Kommunion *Sakrament*: (Holy) Communion
Kommunismus communism ['kɒmjʊnɪzm]
Kommunist(in) communist ['kɒmjʊnɪst]
kommunistisch communist ['kɒmjʊnɪst]
kommunizieren communicate [kə'mju:nɪkeɪt]
Komödie 1. comedy ['kɒmədɪ] 2. *übertragen* farce 3. *sie spielt nur Komödie übertragen* she's just play-acting
kompakt compact [kəm'pækt]
Kompanie *Militär*: company [△ 'kʌmpənɪ]
Kompass compass [△ 'kʌmpəs]
kompatibel compatible [kəm'pætəbl]
komplett complete, *Unsinn usw. auch*: utter
Komplex complex ['kɒmpleks]; *er hat Komplexe* he's full of complexes
Kompliment 1. compliment ['kɒmplɪmənt]; *jemandem ein Kompliment machen* pay* someone a compliment 2. *Kompliment!* congratulations!
Komplize accomplice [△ ə'kʌmplɪs]
kompliziert 1. *Problem*: complicated, complex ['kɒmpleks] 2. *Gerät usw.*: complicated, intricate ['ɪntrɪkət] 3. *Mensch*: difficult 4. *ein komplizierter Knochenbruch* a compound fracture [ˌkɒmpaʊnd'fræktʃə]
Komplott plot, conspiracy [kən'spɪrəsɪ]; *ein Komplott schmieden* plot, conspire [kən'spaɪə] (*gegen* against)
Komponente component [kəm'pəʊnənt]
Komposition composition [ˌkɒmpə'zɪʃn] (*auch übertragen*)
komponieren 1. *allg.*: compose [kəm'pəʊz] 2. write [raɪt] (*ein Lied usw.*)
Komponist(in) composer [kəm'pəʊzə]
Kompott stewed fruit [ˌstju:d'fru:t]
komprimieren 1. compress [kəm'pres] (*auch Daten*) 2. condense [kən'dens] (*Gase, auch Text usw.*)
Kompromiss compromise ['kɒmprəmaɪz]; *einen Kompromiss schließen* make* a compromise, compromise (*über* on, about)
kompromisslos uncompromising [ʌn'kɒmprəmaɪzɪŋ]
kondensieren (*Wasser, Gas usw.*) condense [kən'dens]
Kondensmilch evaporated milk [ɪˌvæpəreɪtɪd'mɪlk] (△ condensed milk = *gezuckerte Dosenmilch*; *zum Kochen*)
Kondition (≈ *Leistungsfähigkeit*) condition, shape, form; *sie hat eine gute Kondition* she's very fit, she's in good shape *oder* form; *er hat keine* (*oder eine schlechte*) *Kondition* he's very unfit, *AE* he's out of shape
Konditionstraining *Sport*: fitness training
Konditor(in) pastry ['peɪstrɪ] cook
Konditorei cake shop
Kondom condom ['kɒndəm]
Kondukteur(in) ⊕ (≈ *Schaffner, -in*) conductor, *Frau*: conductress, *BE auch* guard [gɑ:d]
Konferenz conference ['kɒnfrəns], *in kleinerem Rahmen*: meeting
Konfession religion, denomination
Konfetti confetti [kən'fetɪ]
Konfirmation confirmation [ˌkɒnfə'meɪʃn]
Konfitüre jam
Konflikt conflict ['kɒnflɪkt]
Konfrontation confrontation [ˌkɒnfrʌn'teɪʃn]
konfrontieren: *jemanden konfrontieren mit* confront [△ kən'frʌnt] someone with
konfus confused, *Gedanken usw. auch*: muddled
Kongress congress ['kɒŋgres], conference ['kɒnfrəns], *bes. AE auch* convention
König 1. king (*auch Schach, Kartenspiel und übertragen*) 2. *die Heiligen Drei Könige* the Three Wise Men (from the East), the Magi [△ 'meɪdʒaɪ]
Königin queen
königlich royal ['rɔɪəl]
Königreich kingdom
Königshaus royal dynasty ['dɪnəstɪ, *AE* 'daɪnəstɪ]
Konjunktiv subjunctive [səb'dʒʌŋktɪv]
Konjunktur 1. (≈ *Wirtschaftslage*) economic situation 2. (≈ *Hochkonjunktur*) boom
konkret (*Beispiel, Vorschlag usw.*) concrete ['kɒŋkri:t]
Konkurrent(in) rival ['raɪvl], *Wirtschaft, Handel, Sport*: competitor [kəm'petɪtə]
Konkurrenz 1. competition [ˌkɒmpə'tɪʃn] 2. *jemandem Konkurrenz machen* compete with someone 3. (≈ *Wettkampf*) event, competition, contest ['kɒntest]
konkurrenzfähig competitive [kəm'petətɪv]
Konkurrenzkampf 1. *allg.*: competition, *stärker*: rivalry ['raɪvlrɪ] 2. *bes. beruflich, umg.*: rat race
konkurrenzlos 1. unrivalled [ʌn'raɪvld] 2. *Preise*: unmatched
Konkurs bankruptcy ['bæŋkrʌptsɪ]; *Konkurs machen* go* bankrupt
können 1. *ich kann es* I can do it; *ich*

kann es nicht I can't [kɑːnt] do it; **sie hätte es machen können** she could have done it **2.** (≈ *die Fähigkeit oder Möglichkeit haben*) be* able to (△ be able to *wird im Futur, im Present Perfect sowie im Past Perfect als Ersatz für eine fehlende Form von* can *verwendet*); **wird sie morgen kommen können?** will she be able to come tomorrow? **3.** (≈ *fähig sein zu*) be* capable of (+ *Gerund*) (*auch im negativen Sinn*); **er könnte sie umbringen** he's capable of killing her, *vor Wut*: he could kill her **4.** (≈ *dürfen*) may, can, be* allowed to (△ be allowed to *wird im Futur, im Past Tense, Present Perfect sowie im Past Perfect als Ersatz für eine fehlende Form von* may *verwendet*); **kann ich mal?** may I?; **sie kann gehen** she can go; **du kannst es mir glauben** take my word for it; **kannst du machen** go ahead **5. es kann sein** it may be **6. ich kann nicht mehr** *beim Essen*: I can't eat any more, *umg.* (≈ *ich bin erschöpft*) I've had it, *nervlich, psychisch*: I can't take any more; **wir konnten nicht mehr** *vor Lachen*: we were rolling about (*AE* around) **7. heute kann ich nicht** I can't (*manage*) today **8. es könnte sein, dass ...** it might (*oder* could) be that ...; **es kann etwas länger dauern** it might (*oder* could) take a while; **ich kann mich auch täuschen** I may be wrong, of course; **das kann schon sein** it's possible, (≈ *das kann stimmen*) that may be true **9. kannst du schwimmen?** can you swim?, do you know how to swim?; **sie kann gut schwimmen** she's a good swimmer, she can swim well **10. er kann Französisch** he speaks (*oder* knows) French; **sie kann gut Englisch** she speaks good English, she speaks English well **11.** *Wendungen*: **man kann nie wissen** you never know; **der kann mich mal!** *BE umg.* he can get stuffed, *AE umg.* he can go stuff himself

Könner(in) expert ['eksp3ːt], *salopp* ace

konsequent 1. (≈ *folgerichtig*) consistent [kən'sɪstənt], logical **2.** (≈ *unbeirrbar*) firm, resolute ['rezəluːt]; **konsequent bleiben** remain firm **3.** (≈ *kompromisslos*) uncompromising [ʌn'kɒmprəmaɪzɪŋ]

Konsequenz 1. (≈ *Folge*) consequence ['kɒnsɪkwəns] **2. die Konsequenzen ziehen** take* the necessary steps

konservativ 1. conservative [kən'sɜːvətɪv] **2.** *Parteimitglied in GB*: Tory, Conservative

Konserve 1. can, *BE auch* tin; **sich von Konserven ernähren** live on canned (*BE auch* tinned) food(s) **2.** *Musik aus*

der Konserve canned music

Konservenbüchse, Konservendose can, *bes. BE* tin

konservieren 1. *allg.*: preserve (*Blut, Gebäude usw.*) **2.** *in Büchsen*: can, *BE auch* tin

Konservierungsmittel preservative [prɪ'zɜːvətɪv]

Konsonant consonant ['kɒnsənənt]

konstant 1. *Geschwindigkeit, Größe*: constant ['kɒnstənt] **2.** *Wachstum, Anstieg, Geschwindigkeit usw.*: steady ['stedɪ] **3.** *Leistung*: steady, consistent [kən'sɪstənt]

konstruieren 1. *allg.*: construct (*auch in der Geometrie*) **2.** (≈ *entwerfen*) design

Konstruktion 1. *allg.*: construction (*auch eines Satzes*) **2.** (≈ *Entwurf*) design

Konsulat consulate ['kɒnsjʊlət]

Konsum consumption

Konsument consumer

Konsumgesellschaft consumer society

Konsumgüter consumer goods

konsumieren consume [kən'sjuːm]

Kontakt 1. *allg.*: contact ['kɒntækt] (*auch elektrisch*) **2. mit jemandem Kontakt aufnehmen** get* in touch (*oder* contact) with someone, contact someone; **die Kontakte abbrechen** break* ties (**mit, zu** with)

kontaktfreudig sociable ['səʊʃəbl]

Kontaktlinsen contact lenses ['kɒntækt‚lenzɪz], *umg.* contacts

Konter, kontern 1. *Boxen*: counter (*auch übertragen*) **2.** *Fußball usw.*: counterattack (*auch übertragen*)

Kontinent continent ['kɒntɪnənt]; **der (europäische) Kontinent** *bes. BE* the Continent

Konto 1. (≈ *Bankkonto*) account; **ein Konto eröffnen** open an account **2. die Getränke gehen auf mein Konto** *übertragen* the drinks are on me; **das geht auf 'ihr Konto** *übertragen* that's 'her doing

Kontoauszug (bank) statement

Kontoinhaber(in) account holder

Kontonummer account number

Kontostand balance (of an account); **den Kontostand abfragen** check one's bank balance

kontra against, *bei Gerichtsverfahren und übertragen*: versus ['vɜːsəs] (*Abk.* vs.)

Kontra 1. Kontra geben *beim Kartenspiel*: double ['dʌbl] **2. jemandem Kontra geben** *übertragen* hit* back at someone **3. (das) Pro und Kontra** the pros and cons [‚prəʊz‚ɒn'kɒnz] (△ *Pl.*)

Kontrabass double bass [‚dʌbl'beɪs]

Kontrast contrast ['kɒntrɑːst]; **einen Kontrast bilden zu** contrast [△ kən-

'traːst] with, form a contrast ['kɒntraːst] to

Kontrolle 1. (≈ *Überwachung, Beherrschung*) control; *er hat die Kontrolle über seinen Wagen verloren* he lost control of his car (△ *ohne* the); *etwas unter Kontrolle bringen* get* something under control **2.** *von Eintrittskarte*: check **3.** *von Fahrkarte*: inspection, check **4.** *von Gepäck usw.*: check(ing) **5.** *von Maschinen, Lebensmitteln usw.*: inspection **6.** (≈ *Aufsicht*) supervision **7. Kontrollen machen** *oder* **durchführen** make* (*oder* carry out) checks

Kontrolleur(in) inspector

kontrollieren 1. (≈ *überprüfen, prüfen*) check (*auch Gepäck*) **2.** (≈ *beherrschen, überwachen, steuern, regeln*) control **3.** inspect (*Maschine, Lebensmittel*) **4.** (≈ *beaufsichtigen*) supervise, *ab und zu*: check; *jemanden kontrollieren* check up on someone

---

kontrollieren

„Kontrollieren" heißt meistens **check**. Nur im Sinne von „steuern, regeln" verwendet man **control**.

Kontrollpunkt checkpoint
konventionell conventional
Konzentration concentration
Konzentrationslager concentration camp
konzentrieren 1. concentrate (*auf* upon) (*seine Bemühungen, Gedanken usw.*) **2.** focus (*auf* on) (*seine Aufmerksamkeit usw.*) **3. sich auf etwas konzentrieren** concentrate on something; *ich kann mich nur schwer konzentrieren* I have difficulty concentrating **4.** *die Fahndung konzentriert sich auf München* the search is concentrated on the Munich area

Konzept 1. (≈ *Entwurf*) rough draft [ˌrʌf'draːft], *für Rede auch*: notes (△ *Pl.*) **2.** (≈ *Plan*) plan, plans (*Pl.*) **3.** *Wendungen*: *jemanden aus dem Konzept bringen* put* someone off; *das passt ihr nicht ins Konzept* it doesn't fit in with her plans, (≈ *gefällt ihr nicht*) it doesn't suit her

Konzern (≈ *Großunternehmen*) group, combine (△ 'kɒmbaɪn], big company
Konzert 1. *Veranstaltung*: concert ['kɒnsət]; *ins Konzert gehen* go* to a concert **2.** (≈ *Musikstück für Soloinstrument und Orchester*) concerto [kən-'tʃeatəʊ]

Konzertsaal concert hall ['kɒnsət ˌhɔːl]
Kooperation cooperation [kəʊˌɒpə'reɪʃn],

collaboration [kəˌlæbə'reɪʃn]

Kopf 1. *allg.*: head [hed] (*auch übertragen, Anführer, eines Briefes usw.*); *von Kopf bis Fuß* from head to foot, from top to toe [təʊ]; *es steht auf dem Kopf* it's upside down **2.** *ein kluger Kopf* übertragen an intelligent person **3.** *es gab nur einen Teller Suppe pro Kopf* we were given only a plateful of soup each (*oder* per person) **4.** *Wendungen*: *sich den Kopf zerbrechen* rack one's brains (*wegen, über* over); *die Melodie usw.* *geht mir nicht mehr aus dem Kopf* I can't get the tune *usw.* out of my head; *sich etwas durch den Kopf gehen lassen* think* something over; *sie hat andere Dinge als die Schule im Kopf* she's got other things besides school on her mind; *er hat nur Fußball im Kopf* all he ever thinks about is football; *das kannst du dir gleich aus dem Kopf schlagen!* you can forget (about) that; *Kopf hoch!* chin up!

Kopfball *Sport*: header ['hedə]
Köpfchen: *Köpfchen (muss man haben)! umg.* it's brains you need
köpfen 1. *Fußball*: head (*auch den Ball*); *und X köpft den Ball ins Tor* and X heads the ball in **2.** *er wurde geköpft Hinrichtung*: he was beheaded [bɪ'hedɪd]
Kopfhaut scalp [skælp]
Kopfhörer headphones (△ *Pl.*); *ich hab die Musik mit Kopfhörer gehört* I listened to the music on headphones
Kopfkissen pillow
Köpfler ⊛ **1.** *einen Köpfler machen* dive headfirst **2.** (≈ *Kopfball*) header ['hedə]
Kopfrechnen mental arithmetic [ˌmentl̩ ə'rɪθmətɪk]
Kopfsalat lettuce ['letɪs]
Kopfschmerzen: *sie hat Kopfschmerzen* she's got a headache ['hedeɪk] (△ *Sg.*)
Kopfsprung: *einen Kopfsprung machen* dive in headfirst
Kopfstand headstand; *einen Kopfstand machen* stand* on one's head
Kopfstütze headrest
Kopftuch headscarf *Pl.*: headscarfs *oder* headscarves
Kopfweh headache; → *Kopfschmerzen*
Kopie 1. *allg.*: copy (*auch übertragen*) **2.** (≈ *Fotokopie*) (photo)copy **3.** *eines Fotos*: print **4.** *eines Gemäldes usw.*: reproduction [ˌriːprə'dʌkʃn], *besonders sorgfältige*: replica (△ 'replɪkə]
kopieren 1. *allg.*: copy **2.** (≈ *fotokopieren*) (photo)copy **3.** (≈ *nachahmen*) imitate
Kopierer (≈ *Kopiergerät*) (photo)copier [('fəʊtəʊˌkɒpɪə) 'kɒpɪə]
Kopilot(in) copilot ['kəʊˌpaɪlət]

Koppel *für Pferde*: paddock ['pædək]

koppeln 1. *die Raumfähre an die Raumstation koppeln* link up the space shuttle <u>with</u> the space station, dock the space shuttle <u>to</u> the space station **2.** *den Anhänger ans Auto koppeln* hitch the trailer <u>to</u> the car

Koralle coral ['kɒrəl]

Korallenriff coral reef [ˌkɒrəl'riːf]

Korb 1. *allg.*: basket **2.** *sie hat ihm einen Korb gegeben* übertragen, *umg.* she gave him the brush-off ['brʌʃɒf]

Korbstuhl wicker chair

Kord corduroy [△ 'kɔːdərɔɪ]

Kordhose cords (△ *Pl.*), cord (*oder* corduroy ['kɔːdərɔɪ]) trousers (△ *Pl.*), *AE mst.* corduroy pants (△ *Pl.*); *eine Kordhose* a pair <u>of</u> cords, a pair <u>of</u> cord(uroy) trousers (*AE mst.* pants)

Korea Korea [kə'rɪə]

Koreaner Korean [kə'rɪən]; *er ist Koreaner* he's (a) Korean; ☞ *Nationalitäten*

Koreanerin Korean [kə'rɪən] woman (*oder* lady *bzw.* girl); *sie ist Koreanerin* she's (a) Korean; ☞ *Nationalitäten*

koreanisch, Koreanisch Korean [kə'rɪən]

Kork, Korken cork

Korkenzieher corkscrew

Korn[1] *das* **1.** *von Sand, Getreide usw.*: grain **2.** (≈ *Getreide*) grain, *BE auch* corn **3.** (≈ *Samenkorn*) seed **4.** *jemanden bzw. etwas aufs Korn nehmen* übertragen keep* tabs on someone *bzw.* something

Korn[2] *der* (≈ *Kornschnaps*) schnapps

Körper 1. body (*auch in Physik*); ☞ *Illu S. 97*; *sie zitterte am ganzen Körper* she was trembling all over **2.** *Geometrie*: solid, solid body

Körperbau build [bɪld], physique [fɪ'ziːk]

körperbehindert (physically) disabled [dɪs'eɪbld], (physically) handicapped

Körperbehinderte(r) handicapped person; *die Körperbehinderten* the handicapped

Körpergeruch body odour ['bɒdɪˌəʊdə], *umg.* BO [ˌbiː'əʊ]

Körpergröße height [△ haɪt]

körperlich physical ['fɪzɪkl]; *körperliche Arbeit* physical labour, manual work; *körperliche Betätigung* physical exercise

Körperpflege personal hygiene ['haɪdʒiːn]

Körperteil part of the body (*oder* anatomy [ə'nætəmɪ])

korrekt 1. (≈ *richtig*) correct [kə'rekt] **2.** (≈ *angemessen*) proper, correct; *er ist sehr korrekt* im Benehmen: he's very correct; *sich korrekt verhalten* behave correctly

Korrektur correction

Korrekturtaste correction key

Korrekturzeichen *des Lehrers usw.*: correction mark

Korrespondent(in) correspondent [ˌkɒrə'spɒndənt]

Korridor 1. (≈ *Gang*) corridor (*auch übertragen*) **2.** (≈ *Flur*) hall

korrigieren 1. correct **2.** (≈ *benoten*) mark, *AE auch* grade (*einen Aufsatz usw.*) **3.** revise (*seine Meinung usw.*)

korrupt corrupt [kə'rʌpt]

Korruption 1. corruption **2.** (≈ *Bestechung*) bribery

Korsika *Insel*: Corsica ['kɔːsɪkə]

Kosename pet name

Kosmetik 1. (≈ *Kosmetika*) cosmetics [kɒz'metɪks] **2.** (≈ *Schönheitspflege*) beauty treatment

Kosmetikerin beautician [bjuː'tɪʃn]

Kosmos cosmos ['kɒzmɒs], universe ['juːnɪvɜːs]

Kosovo Kosovo ['kɒsəvəʊ]

Kost (≈ *Nahrung, Essen*) food [fuːd]; *magere Kost* low-fat diet ['daɪət]; *leichte Kost* light food (*oder* foods *Pl.*), *Buch usw.*: light reading

kostbar precious ['preʃəs], valuable ['væljubl] (*auch Zeit usw.*)

Kostbarkeit 1. *Sache*: precious object, treasure ['treʒə] **2.** *der Ring ist eine Kostbarkeit* the ring is highly valuable

kosten[1] *allg.*: cost*; *wie viel kostet es?* how much is it?, how much does it cost?; *koste es, was es wolle* whatever the price **2.** *es hat mich viel Zeit gekostet* it took me a lot of time **3.** *sie hat es sich viel kosten lassen* she spent a lot of money <u>on</u> it

kosten[2] (≈ *probieren*) taste, try (*Speisen usw.*); *darf ich mal kosten?* may I have a taste (*oder* try)?

Kosten 1. *allg.*: cost (△ *Sg.*), costs; *ohne Kosten* at no cost (*für* to) **2.** (≈ *Gebühren*) fees, charges **3.** (≈ *Unkosten*) expenses **4.** *Wendungen*: *auf jemands Kosten* at someone's expense (△ *Sg.*); *keine Kosten scheuen* spare no expense (△ *Sg.*)

kostenlos 1. *ein kostenloser Stadtplan* a free city map **2.** *ich habs kostenlos bekommen* I got it for nothing

köstlich 1. *Essen usw.*: delicious [dɪ'lɪʃəs] **2.** (≈ *sehr komisch*) priceless **3.** *sich köstlich amüsieren* have* a great time

Kostprobe sample ['sɑːmpl], taster

Kostüm 1. *für Damen*: suit [suːt] **2.** *als Verkleidung*: costume ['kɒstjuːm], *im Karneval usw. auch*: fancy dress [ˌfænsɪ'dres] (△ *ohne* a), *AE* costume

Kot excrement ['ekskrɪmənt], faeces, *AE* feces [△ 'fiːsiːz] (△ *Pl.*)

Kotelett 1. *vom Schwein, Lamm*: chop **2.** *vom Kalb, auch Lamm*: cutlet ['kʌtlət]

Koteletten (≈ *Backenbart*) sideburns

Kotflügel wing, *bei älteren Automodellen*: mudguard ['mʌdgɑːd], *AE* fender

kotzen *vulgär* **1.** puke, barf, *BE auch* throw* up **2.** *es ist zum Kotzen* it's absolutely sickening

Krabbe 1. crab **2.** (≈ *Garnele*) shrimp, *größere*: prawn

krabbeln (*Baby, Insekt usw.*) crawl

Krach 1. (≈ *Lärm*) noise, *umg.* racket; *mach nicht so viel Krach!* stop making such a racket! **2.** (≈ *Knall, Schlag*) crash **3.** (≈ *Streit*) row [△ raʊ]; *Krach haben mit* have* a row with; *Krach bekommen mit* get* into trouble with

krachen 1. crash (*auch Donner*) **2.** (*Schuss*) ring* out **3.** (≈ *bersten*) burst*, explode, (*Eis*) crack **4.** *das Auto krachte gegen die Wand* the car crashed <u>into</u> the wall **5.** *da hats gekracht Unfall*: there's been a crash

Kracherl *bes.* ⒶE (fizzy) pop

krächzen 1. (*Rabe usw.*) caw **2.** *mit krächzender Stimme* <u>in</u> a croaking voice

Kraft 1. strength; *du hast aber nicht viel Kraft!* you're not very strong, are you? **2.** *Naturkraft*: force **3.** (≈ *Macht, Wirksamkeit*) power (*auch Heilkraft*) **4.** (≈ *Tatkraft*) energy ['enədʒɪ] **5.** (≈ *Machtgruppe*) force, power; *politische Kräfte* political forces **6.** *Wendungen*: *sie konnte sich mit letzter Kraft retten* she just managed to escape with her last ounce of strength; *mit frischer Kraft* with renewed strength

Kraftausdruck swear word ['sweə wɜːd]

Kraftfahrzeug motor vehicle ['məʊtə ˌviːɪkl]

kräftig 1. *allg.*: strong **2.** *Schlag usw.*: heavy ['hevɪ], powerful **3.** (≈ *gesund*) healthy **4.** *Mahlzeit*: nourishing ['nʌrɪʃɪŋ], substantial **5.** *Farben*: bright, strong **6.** *Händedruck*: firm **7.** *Baby, Beine usw.*: sturdy **8.** *kräftig schütteln* shake* well **9.** *kräftig zuschlagen mit den Fäusten*: hit* out hard

Kraftverschwendung: *das ist nur Kraftverschwendung!* it's a waste of energy

kraftvoll powerful (*auch Sprache, Stil*)

Kraftwerk power station, *AE auch* power plant

Kragen 1. collar **2.** *jetzt geht es ihr an den Kragen* übertragen she's in for it now

Krähe 1. crow [krəʊ] **2.** (≈ *Saatkrähe*) rook

krähen crow [krəʊ]

Kralle claw

Kram 1. *umg.* stuff, *BE auch* rubbish, *AE auch* junk **2.** *den ganzen Kram hinschmeißen* umg. chuck the whole thing

Krampf 1. *von Muskeln*: cramp **2.** (≈ *Zuckungen*) spasms, convulsions **3.** *so ein Krampf!* umg. (≈ *Unsinn*) (what) nonsense!, (what) rubbish!

Krampfader varicose vein [ˌværɪkəʊsˈveɪn]

krampfhaft 1. *Versuch usw.*: desperate ['despərət] **2.** *Lachen*: forced [fɔːst]

Kran 1. *für Lasten*: crane **2.** (≈ *Wasserhahn*) tap, *AE auch* faucet ['fɔːsɪt]

Kranich crane

krank 1. *allg.*: sick, *nach dem Verb auch*: ill (△ ill *wird im AE sehr selten gebraucht*); *ein kranker Mann* a sick man; *sie wurde krank* she fell ill (*AE* sick); *er ist schwer krank* he's seriously ill (*AE* sick); *du siehst krank aus* you don't look well **2.** *Pflanze, Organ*: diseased [dɪˈziːzd] **3.** *er macht mich krank!* umg. he's driving me nuts

K

krank

Achte auf den Unterschied:

Er ist krank.	**He's sick.**
Ich muss mich gleich übergeben.	**I'm going to be sick.** *AE mst.* I'm going to throw up.
Mir ist unwohl.	**I feel ill.** (*AE mst.* sick).
Mir ist übel/ schlecht.	**I feel sick.** *AE* I feel like throwing up.

Kranke(r) sick person; *die Kranken* the sick (△ *Pl.*)

kränken 1. *jemanden kränken* hurt* someone's feelings **2.** *es hat sie schwer gekränkt, dass ...* it really upset her that ...

Krankengeld 1. *von Firma*: sick pay **2.** *vom Staat*: sickness benefit

Krankengymnastik physiotherapy [ˌfɪzɪəʊˈθerəpɪ], *AE mst.* physical therapy

Krankenhaus hospital ['hɒspɪtl]; *sie liegt im Krankenhaus* she's in (*AE* in the) hospital; *er muss ins Krankenhaus als Patient*: he has to go to (*AE* to the) hospital, *im Krankenwagen usw.*: he has to be taken to (*AE* to the) hospital

Krankenkasse 1. *als Vorsorgeeinrichtung*: health insurance (scheme [skiːm]); *bei welcher Krankenkasse bist du?* what

Krankheiten

Bei manchen Kinderkrankheiten und bei Grippe <u>kannst</u> du den bestimmten Artikel
the benutzen:

Er hat Grippe.	**He's got (the) flu.**
Er hat Masern.	**He's got (the) measles.**
Er hat Mumps.	**He's got (the) mumps.**

Bei anderen Krankheiten wird **the** nicht benutzt:

Sie hat Röteln.	**She's got German measles.**
Sie hat Windpocken.	**She's got chickenpox.**
Ich habe Scharlach.	**I've got scarlet fever.**
Er hatte Kinderlähmung.	**He had polio.**

Im Zweifelsfall lässt du **the** weg. Das klappt meistens.

Beachte, dass man bei Krankheiten im Englischen eher untertreibt. So wird eine relativ harmlose Grippe im Sinne einer (starken) Erkältung meistens als **a cold** (eine Erkältung) beschrieben. Bei **flu** muss man schon das Bett hüten!

---

kind of health insurance have you got?
2. *als Firma*: health insurance company
[△ 'kʌmpənɪ]
Krankenpfleger male nurse [ˌmeɪl'nɜːs]
Krankenschein health insurance certificate ['helθ ˌɪnˌʃʊərəns ˌsəˌtɪfɪkət]
Krankenschwester nurse
Krankenversicherung 1. health insurance
2. *Firma*: health insurance company
[△ 'kʌmpənɪ]
Krankenwagen ambulance ['æmbjələns]
krankhaft 1. *Wucherung usw., auch Verhalten usw.*: pathological [ˌpæθəˈlɒdʒɪkl]
2. krankhaft eifersüchtig chronically jealous
Krankheit 1. illness, sickness; *wegen Krankheit* due to illness **2.** *bestimmte*: disease [dɪˈziːz] (*auch von Pflanzen*)
krankmachen → *krank 3*
krankmelden: sich krankmelden telefonisch: ring* in sick
Kranz 1. *aus Blumen, Zweigen*: garland ['gɑːlənd], wreath [△ riːθ] **2.** *als Grabschmuck*: wreath
krass 1. ein krasser Fall a blatant ['bleɪtnt] case **2. ein krasser Gegensatz** a stark contrast [ˌstɑːk'kɒntrɑːst] **3.**

krass gesagt to put it bluntly **4.** *salopp* (≈ *extrem gut, bemerkenswert*) cool, wicked [△ 'wɪkɪd], *AE* phat [fæt], (≈ *extrem schlecht*) gross [grəʊs]; *die Fete war voll krass* (≈ *extrem gut*) the party was really cool (*AE* really phat)
Krater crater ['kreɪtə]
kratzen 1. jemanden (*bzw. sich*) *kratzen* scratch someone (*bzw.* oneself) **2. etwas vom Tisch** *usw. kratzen* scrape something <u>off</u> the table
Kratzer (≈ *Kratzspur*) scratch
kraulen¹ **1.** fondle (*Katze usw.*) **2. sie kraulte ihm das Haar** she ran her fingers through his hair
kraulen² *Schwimmstil*: do* the crawl
kraus *Haar*: (very) curly, *stärker*: frizzy ['frɪzɪ]
kräuseln 1. frizz [frɪz] (*Haar*), *mit Lockenstab*: crimp **2. die Stirn kräuseln** frown **3. sich kräuseln** (*Haar*) curl, (*Wasser*) ripple
Kraut 1. (≈ *Heil-, Würzkraut*) herb **2.** (≈ *Sauerkraut*) sauerkraut ['saʊəkraʊt] **3.** (≈ *Kohl*) cabbage ['kæbɪdʒ]
Kräutertee herb tea [ˌhɜːb'tiː], herbal tea [ˌhɜːbl'tiː]

Verbs of Motion   Verben der Bewegung

1	falling	fallen	7	pushing	stoßen
2	hopping	hüpfen	8	running	rennen, laufen
3	jumping	springen	9	sitting	sitzen
4	kneeling	knien	10	squatting	hocken
5	picking (something) up	(etw.) aufheben	11	standing	stehen
6	pushing	schieben	12	throwing	werfen
			13	walking	gehen

Verbs of Motion

1 Tim is sitting in the tree **above** the halfpipe.
   Tim sitzt im Baum über der Halfpipe.
2 The bridge takes you **across** the stream.
   Die Brücke führt über den Bach.
3 James is leaning **against** a post.
   James lehnt an einem Pfosten.
4 A woman is walking **along** the path.
   Eine Frau geht den Weg entlang.
5 There's a lot of activity **at** the halfpipe.
   An der Halfpipe ist viel Action.
6 The bike is **behind** the tree.
   Das Fahrrad steht hinter dem Baum.
7 Jack is sitting **between** Sophie and Nicole.
   Jack sitzt zwischen Sophie und Nicole.
8 Pete is skating **down** the slope **towards** his friends.
   Pete skatet den Berg zu seinen Freunden hinunter.
9 The dog is playing **in** the water.
   Der Hund spielt im Wasser.

Prepositions

10 There's a BMX bike **in front of** the halfpipe.
   Vor der Halfpipe liegt ein BMX-Rad.

11 The bench is **near** the halfpipe.
   Die Bank steht in der Nähe der Halfpipe.

12 Sophie is sitting **next to** Jack.
   Sophie sitzt neben Jack.

13 Thomas is jumping **off** the top of the halfpipe.
   Thomas springt vom Rand der Halfpipe ab.

14 There are three kids sitting **on** the bench.
   Drei Jugendliche sitzen auf der Bank.

15 Tina is standing **on the top** of the halfpipe.
   Tina steht oben auf der Halfpipe.

16 Harry is taking his skates **out of** the rucksack and putting his shoes **into** it.
   Harry nimmt seine Skates aus dem Rucksack und steckt seine Schuhe hinein.

17 The stream runs **under** the bridge.
   Der Bach fließt unter der Brücke hindurch.

18 Oliver is climbing **up** the tree.
   Oliver klettert den Baum hinauf.

Krawall 1. *umg.* (≈ *Krach*) row [△ raʊ], racket **2.** *Krawalle* riots ['raɪəts], rioting (△ *Sg.*)

Krawatte tie (△ *engl.* cravat = **Halstuch**)

kreativ creative [kriː'eɪtɪv]

Kreativität creativity [ˌkriːeɪ'tɪvəti]

Krebs[1] *Krankheit:* cancer [△ 'kænsə]

Krebs[2] **1.** (≈ *Flusskrebs*) crayfish, *AE* crawfish **2.** (≈ *Krabbe*) crab **3.** *Sternzeichen:* Cancer [△ 'kænsə]; *sie ist (ein)* **Krebs** she's (a) Cancer

Kredit 1. credit ['kredɪt]; *auf Kredit* on credit **2.** *Darlehen:* loan; *einen Kredit aufnehmen* take* out a loan

Kreditkarte credit card ['kredɪt_kɑːd]

Kreditkartennummer credit card number ['kredɪt_kɑːd,nʌmbə]

Kreide chalk [tʃɔːk]

Kreis 1. circle (*auch übertragen*); *einen Kreis bilden* form a circle; *im Kreis sitzen usw.:* in a circle **2.** *Bezirk:* district ['dɪstrɪkt]

Kreisbahn *eines Satelliten usw.:* orbit

kreischen 1. screech (*auch Bremsen*), shriek **2.** *vor Vergnügen kreischen* squeal with pleasure ['pleʒə]

Kreisel *Spielzeug:* (spinning) top

kreisen 1. (*Vogel, Flugzeug*) circle (*um* round) **2.** (*Planet, Satellit*) orbit; *die Erde kreist um die Sonne* the earth revolves around (*oder* orbits) the sun

kreisförmig 1. circular **2.** *kreisförmig angeordnet* arranged in a circle *bzw.* in circles

Kreislauf 1. *des Blutes, von Geld usw.:* circulation **2.** *des Lebens usw.:* cycle ['saɪkl]

Kreislaufstörungen: *ich habe Kreislaufstörungen* I've got problems with my circulation

kreisrund circular

Kreisverkehr 1. *Stelle:* roundabout, *AE* traffic circle, rotary ['rəʊtəri] **2.** *Verkehr:* roundabout traffic, *AE* rotary traffic; *im Kreisverkehr* on a roundabout

Krematorium crematorium [ˌkremə'tɔːrɪəm], *AE auch* crematory ['kriːmətɔːrɪ]

Kreml: *der Kreml* the Kremlin ['kremlɪn] (*auch übertragen für Regierung Russlands*)

Krempel 1. *umg.* stuff, *BE auch* rubbish, *AE auch* junk **2.** *den ganzen Krempel hinschmeißen* *umg.* chuck the whole thing

Kren *bes.* Ⓐ horseradish ['hɔːsˌrædɪʃ]

krepieren 1. (*Mensch*) *umg.* kick the bucket, snuff it **2.** (*Tier*) perish **3.** (*Granate usw.*) burst*, explode

Kresse cress

Kreuz 1. cross **2.** (≈ *Kruzifix*) crucifix ['kruːsəfɪks] **3.** *ein Kreuz machen* *oder* *schlagen* make* the sign [saɪn] of the cross **4.** *Rücken:* lower back, small of the back; *mir tut das Kreuz weh* I've got (a) backache ['bækeɪk] **5.** (≈ *Autobahnkreuz*) intersection **6.** *Spielkartenfarbe:* clubs (△ *Pl.*), *Einzelkarte:* club **7.** *Musik:* sharp **8.** *jemanden aufs Kreuz legen* *umg.* take* someone for a ride

kreuz: *wir sind kreuz und quer durch Wales gefahren* we drove all over Wales

kreuzen 1. *die Straße kreuzt die Bahnlinie* the road crosses the railway (*AE* railroad tracks) **2.** crossbreed, cross (*Tiere, Pflanzen*) **3.** *sich kreuzen* cross, (*Interessen usw.*) clash, (*Blicke*) meet*; *die Straßen kreuzen sich* the streets intersect *oder* cross **4.** (*Schiff*) cruise [kruːz]

Kreuzer *Kriegsschiff:* cruiser ['kruːzə]

Kreuzfahrt cruise [kruːz]; *eine Kreuzfahrt machen* go* on a cruise

kreuzigen crucify ['kruːsɪfaɪ]

Kreuzigung crucifixion [ˌkruːsə'fɪkʃn]

Kreuzung 1. *von Straßen:* crossroads (△

Shapes and Colours   Formen und Farben

1	circle	Kreis
2	cone	Kegel
3	cube	Würfel
4	rectangle	Rechteck
5	sphere	Kugel
6	square	Quadrat
7	triangle	Dreieck
8	black	schwarz
9	brown	braun
10	dark blue	dunkelblau

12	grey, *AE* gray	grau
13	light blue	hellblau
14	lilac	lila
15	orange	orange
16	pink	rosa, pink
17	purple	violett
18	red	rot
19	royal blue	königsblau
20	turquoise ['tɜːkwɔɪz]	türkis
21	white	weiß

Sg.), *bes. AE* intersection; *eine gefährli-*
che Kreuzung <u>a</u> dangerous crossroads 2.
beim Züchten: cross-breeding, *als Zucht-*
ergebnis: crossbreed, cross
Kreuzworträtsel crossword (puzzle); *ein*
Kreuzworträtsel machen <u>do</u>* a cross-
word

Kreuzworträtsel

Kreuzworträtsel sind in Großbritannien
ein sehr beliebter Zeitvertreib, wobei
der Schwierigkeitsgrad z. B. der bekann-
ten **Times Crosswords** oder **Daily
Telegraph Crosswords** recht hoch ist.

---

kribbelig nervous ['nɜːvəs], *umg.* jittery;
das macht mich ganz kribbelig umg. it
gives me the heebie-jeebies [ˌhiːbɪ-
'dʒiːbɪz]
kribbeln 1. (≈ *prickeln*) tingle **2.** (≈ *ju-*
cken) itch **3.** *mir kribbelts in den Fin-*
gern wörtlich: my fingers are tingling, *et-*
was zu tun: I'm itching to do it
Kricket cricket ['krɪkɪt]
Kricketspieler(in) cricketer ['krɪkɪtə],
cricket player
kriechen 1. (*Baby, Käfer usw.*) crawl **2.**
verstohlen, Schutz suchend: creep* **3.**
(*Schlange, Schnecke*) crawl, slither
['slɪðə] **4.** *übertragen* (≈ *sich langsam*
fortbewegen) crawl, *im Auto usw. auch:*
creep* **5.** *vor jemandem kriechen über-*
tragen, umg. suck up to someone
Kriecher *verächtlich* toady ['təʊdɪ], crawl-
er
Krieg 1. war [wɔː]; *im Krieg* <u>at</u> war (*mit*
with); *Krieg führen gegen* be* at war
<u>with</u>, wage war <u>on</u> (*auch übertragen*); *ei-*
nem Land den Krieg erklären declare
war <u>on</u> a country **2.** *totaler Krieg* total
warfare
kriegen *umg.* **1.** (≈ *bekommen*) get* **2.** (≈
erwischen) catch* (*Zug usw., Krimin-*
ellen) **3.** *wir kriegen morgen Besuch*
we've got visitors (*bzw.* a visitor) coming
tomorrow **4.** *sie kriegt ein Baby* (≈ *sie*
ist schwanger) she's having a baby **5.** *ich*
krieg noch Geld von dir you still owe
[əʊ] me some money, don't you?; → *be-*
kommen
Krieger(in) warrior ['wɒrɪə]
kriegerisch 1. *Volk usw.:* warlike **2.** *Kon-*
flikt: military ['mɪlɪtrɪ], armed
Kriegsausbruch outbreak of (the) war;
bei Kriegsausbruch when the war
broke out
Kriegsdienst military service [ˌmɪlɪtrɪ-
'sɜːvɪs]
Kriegsdienstverweigerer conscientious

objector [△ kɒnʃɪˌenʃəs_əb'dʒektə]
Kriegserklärung declaration [ˌdeklə-
'reɪʃn] of war
Kriegsfilm war film
Kriegsgefangene(r) prisoner ['prɪznə] of
war (*Abk.* POW)
Kriegsgericht court martial [ˌkɔːt'mɑːʃl];
er wurde vor ein Kriegsgericht gestellt
he was tried by court martial
Kriegsschiff warship
Kriegsverbrechen war crime
Kriegsverbrecher war criminal ['wɔː-
ˌkrɪmɪnl]
Krimi 1. *Buch:* (crime) thriller, detective
story *oder* novel [dɪ'tektɪvˌstɔːrɪ, dɪ-
'tektɪvˌnɒvl] **2.** *Film:* crime thriller
Kriminalbeamte(r), Kriminalbeamtin de-
tective [dɪ'tektɪv]
Kriminalkommissar(in) detective super-
intendent [dɪˌtektɪvˌsuːpərɪn'tendənt]
Kriminalpolizei *bes. BE* CID [ˌsiːaɪ'diː]
(*Abk. für* **C**riminal **I**nvestigation **D**epart-
ment *bzw.* **D**ivision), *AE etwa* detective
[dɪ'tektɪv] force, Criminal Division
['krɪmɪnl_dɪˌvɪʒn]
kriminell, Kriminelle(r) criminal ['krɪ-
mɪnl]
Kripo *bes. BE* CID [ˌsiːaɪ'diː], *AE etwa*
detective [dɪ'tektɪv] force, Criminal Di-
vision ['krɪmɪnl_dɪˌvɪʒn]
Krippe 1. (≈ *Weihnachtskrippe*) crib, *AE*
crèche [kreʃ] **2.** (≈ *Kinderkrippe*) crèche,
day nursery, *AE* daycare center
Krise crisis ['kraɪsɪs] *Pl.:* crises ['kraɪsiːz]
Kristall[1] *der* crystal ['krɪstl]
Kristall[2] *das* **1.** *Material:* crystal ['krɪstl];
ein Leuchter aus Kristall a crystal chan-
delier [ˌʃændə'lɪə] **2.** (≈ *Glaswaren aus*
Kristall) crystal
Kritik 1. (≈ *das Kritisieren*) criticism ['krɪ-
tɪsɪzm] (*an* of) (△ *engl.* critic = *Kritiker,*
-in) **2.** *Buch- oder Filmbesprechung in*
Zeitung usw.: review [rɪ'vjuː]; *der Film*
usw. hat gute Kritiken the film *usw.* got
good reviews **3.** *was sagt die Kritik?*
what do the critics ['krɪtɪks] say?
Kritiker(in) critic ['krɪtɪk], *von Buch, Film*
auch: reviewer [rɪ'vjuːə]
kritiklos uncritical [ʌn'krɪtɪkl]
kritisch 1. critical (*gegenüber* of) **2.** *Pub-*
likum usw.: (≈ *aufmerksam*) discriminat-
ing **3.** *Lage usw.:* (≈ *bedenklich*) critical
kritisieren 1. (≈ *Kritik äußern an*) criticize
['krɪtɪsaɪz] **2.** *in Zeitung usw.:* (≈ *rezen-*
sieren) review (*Buch, Film usw.*)
kritzeln scribble, *malend:* doodle
Kroate Croatian [krəʊ'eɪʃn]; *er ist Kroate*
he's Croatian; → *Nationalitäten*
Kroatien Croatia [krəʊ'eɪʃə]
Kroatin Croatian woman (*oder* lady *bzw.*

girl); *sie ist Kroatin* she's Croatian; ☞ *Nationalitäten*

kroatisch, Kroatisch Croatian [krəʊ'eɪʃn]

Krokant cracknel ['kræknəl]

Kroketten croquettes [krɒ'kets]

Krokodil crocodile ['krɒkədaɪl]

Krone 1. *eines Königs*: crown **2.** (≈ *Baumkrone*) top **3.** (≈ *Zahnkrone*) crown

krönen 1. *jemanden zum König usw.* *krönen* crown someone king *usw.* **2.** (≈ *den Höhepunkt bilden*) crown; *der krönende Abschluss* the culmination

Kronprinz 1. crown prince **2.** *in GB*: Prince of Wales

Kronprinzessin 1. crown princess **2.** *in GB*: Princess Royal [,prɪnses'rɔɪəl]

Krönung 1. *eines Königs usw.*: coronation [,kɒrə'neɪʃn] **2.** *übertragen* (≈ *Höhepunkt*) climax, high point, crowning event

Kropf 1. *krankhafte Wucherung*: goitre ['ɡɔɪtə] **2.** *bei Vögeln*: crop

Kröte toad

Krücke 1. crutch; *an Krücken gehen* walk on crutches **2.** *umg.* (≈ *Versager*, *-in*) washout

Krug 1. *allg.*: jug, *AE auch* pitcher; *er hat einen Krug Wein getrunken* he drank a jug (*oder* jugful) of wine **2.** (≈ *Bierkrug*) (beer) mug, *großer*: stein [staɪn], *aus Metall, mit Deckel*: tankard ['tæŋkəd]

Krümel crumb [△ krʌm]

krumm 1. *Zweig, Nase usw.*: crooked [△ 'krʊkɪd] **2.** *krumme Beine* bandy legs **3.** (≈ *verbogen*) bent **4.** (≈ *verdreht*) twisted

krümmen 1. bend* (*Zweig usw.*) **2.** *sie hat keinen Finger gekrümmt* she didn't even lift a finger **3.** *sich vor Schmerzen krümmen* be* doubled up with pain

Krümmung 1. *Straße, Fluss usw.*: bend **2.** *Wirbelsäule, Kurve*: curvature ['kɜːvətʃə]

Krüppel 1. cripple **2.** *zum Krüppel werden* be* crippled

Kruste 1. *am Brot, Gebäck, aus Eis usw.*: crust **2.** *eines Bratens*: crackling

Kruzifix crucifix ['kruːsəfɪks]

Kuba Cuba ['kjuːbə]

Kübel bucket, *bes. AE* pail, *größer*: tub

Kubikmeter cubic ['kjuːbɪk] metre

Küche 1. *Raum*: kitchen ['kɪtʃən] **2.** (≈ *Kochart*) cooking, cuisine [△ kwɪ'ziːn]; *die italienische Küche* Italian cuisine (△ *ohne* the)

Kuchen 1. *allg.*: cake **2.** *mit Obst- oder anderer Füllung*: pie

Küchenmaschine food processor ['fuːd,prəʊsesə]

Kuckuck cuckoo [△ 'kʊkuː]

Kugel 1. *allg.*: ball (*auch Billard usw.*) **2.**

Kugelstoßen: shot **3.** *Geschoss*: bullet [△ 'bʊlɪt] **4.** *die Erde ist eine Kugel* the earth is a sphere [sfɪə]

Kugellager ball bearing [,bɔːl'beərɪŋ]

Kugelschreiber ballpoint (pen), *oft auch*: pen, *BE auch* biro® ['baɪrəʊ]

Kugelstoßen shot-put, putting the shot

Kuh cow

kühl 1. *allg.*: cool (*auch übertragen*), *Wetter, Raum auch*: chilly **2.** *mir ist kühl* I feel a bit chilly **3.** *etwas kühl lagern* keep* something in a cool place

Kühle 1. coolness (*auch übertragen*) **2.** *der Nacht, des Morgens usw.*: cool

kühlen 1. *allg.*: cool **2.** refrigerate [rɪ'frɪdʒəreɪt] (*Lebensmittel*) **3.** chill (*Getränke*) **4.** *die Salbe kühlt* the ointment has a cooling effect

Kühler 1. *Auto*: radiator ['reɪdɪeɪtə] **2.** *umg.* (≈ *Kühlerhaube*) bonnet, *AE* hood

Kühlschrank fridge, refrigerator [rɪ'frɪdʒəreɪtə]

Kühltruhe (deep) freeze, (chest) freezer

Kühlung 1. *Vorgang*: cooling **2.** *Anlage*: cooling system **3.** (≈ *Kühle*) coolness

Kuhmilch cow's milk

kühn 1. bold (*auch Entwurf*) **2.** (≈ *riskant*) daring **3.** *das übertrifft meine kühnsten Träume* it's beyond my wildest dreams

Kühnheit 1. boldness (*auch eines Entwurfs*) **2.** (≈ *Gewagtheit*) daring

Kuhstall cowshed ['kaʊʃed]

Küken (≈ *junges Huhn*) chick

Kukuruz Ⓐ maize [meɪz], *AE* corn

Kuli (≈ *Kugelschreiber*) ballpoint (pen), *oft auch*: pen, *BE auch* biro® ['baɪrəʊ]

Kulisse 1. *im Theater, einzelne*: piece of scenery ['siːnərɪ]; *die Kulissen* the set, the scenery (△ *beide Sg.*) **2.** (≈ *Hintergrund*) backdrop, background **3.** *hinter den Kulissen* *übertragen* behind the scenes [siːnz]

Kult 1. cult [kʌlt] (*auch übertragen*); *einen Kult treiben mit* make* a cult out of

Kultfigur cult figure [,kʌlt'fɪɡə]

Kultfilm cult film [,kʌlt'fɪlm], *bes. AE* cult movie [,kʌlt'muːvɪ]

kultig (≈ *sehr im Trend, ganz dem Kult entsprechend*) trendy

Kultur 1. (≈ *künstlerische und geistige Werte und Tätigkeiten als Ganzes*) culture ['kʌltʃə] **2.** (≈ *Gesellschafts- und Lebensform*) civilization; *die abendländische Kultur* western civilization (△ *ohne* the). **3.** (≈ *Anbauen*) cultivation (*von Getreide, Pflanzen usw.*) **4.** *von Bakterien usw.*: culture

Kulturabkommen cultural agreement [,kʌltʃrəl_ə'griːmənt]

K

Kulturaustausch cultural exchange [ˌkʌltʃrəl_ɪksˈtʃeɪndʒ]

Kulturbanause *abwertend* philistine [ˈfɪlɪstaɪn]

kulturell cultural [ˈkʌltʃrəl]

Kulturgeschichte 1. *des Menschen*: history of civilization **2.** *eines Landes*: cultural history [ˌkʌltʃrəlˈhɪstrɪ]

kulturlos uncultured [ˌʌnˈkʌltʃəd]

Kulturschock culture [ˈkʌltʃə] shock

Kulturzentrum *Gebäude*: arts centre

Kultusminister(in) minister (*AE* secretary) for education and cultural affairs

Kümmel caraway [ˈkærəweɪ] (seeds *Pl.*)

Kummer 1. (≈ *große Sorgen*) grief, sorrow **2.** (≈ *Verdruss*) worry [△ ˈwʌrɪ], trouble; ***Kummer haben mit*** have* problems with

kümmerlich 1. *Leben usw.*: miserable [ˈmɪzərəbl], wretched [△ ˈretʃɪd] **2.** *Lohn, Mahlzeit usw.*: measly [ˈmiːzlɪ], paltry [ˈpɔːltrɪ] **3.** *Wissen*: scanty, poor

kümmern 1. ***sich um jemanden*** *bzw.* ***etwas kümmern*** take* care of someone *bzw.* something; ***du musst dich um Karten kümmern*** you'll have to see about getting tickets **2.** ***sich darum kümmern, dass*** see* to it that **3.** ***sich nicht kümmern um*** (≈ *nicht beachten*) not bother [ˈbɒðə] (*oder* care) about, ignore, (≈ *vernachlässigen*) neglect **4.** *Wendungen*: ***kümmere dich um deine eigenen Sachen!*** (just) mind your own business; ***was kümmert das mich?*** it's not 'my problem

Kumpel 1. *umg.* (≈ *Freund*) mate, *AE* buddy **2.** (≈ *Bergmann*) miner

kumpelhaft pally [ˈpælɪ]

Kumquat *Frucht und Strauch*: kumquat [ˈkʌmkwɒt]

Kunde 1. *in Geschäft*: customer [ˈkʌstəmə] **2.** *einer Bank, Versicherung usw.*: client [ˈklaɪənt]

Kundendienst 1. *Leistungen*: after-sales service, (customer) service **2.** *Stelle*: service department; ***morgen kommt der Kundendienst*** they're sending someone from the service department tomorrow **3.** *für Auto*: servicing; ***mein Auto muss zum Kundendienst*** my car needs a service

Kundgebung *politische*: rally

kündigen 1. *als Arbeitnehmer, Mieter*: hand (*oder* give*) in one's notice (***bei*** to; ***zum*** +*Datum* for); ***habt ihr schon gekündigt?*** *als Mieter*: have you already given notice (that you're moving out)? **2.** ***jemandem kündigen*** *als Arbeitgeber oder Vermieter*: give* someone notice; ***mir wurde gekündigt*** I've been given

(my) notice **3.** ***er hat uns die Wohnung gekündigt*** he gave us notice to quit our flat **4.** cancel [ˈkænsl] (*Abo, Mitgliedschaft*) **5.** terminate (*Vertrag usw.*)

Kündigung 1. notice; ***die Kündigung erhalten*** be* given notice **2.** (≈ *Entlassung*) dismissal **3.** *Schreiben*: written notice (△ *ohne* a), *einer Firma*: letter of dismissal **4.** *von Mitgliedschaft, Abo*: cancellation [ˌkænsəˈleɪʃn] **5.** *eines Vertrags*: termination

Kundin 1. *in Geschäft*: customer [ˈkʌstəmə] **2.** *einer Bank, Versicherung usw.*: client [ˈklaɪənt]

Kundschaft 1. *in Geschäft*: customers (△ *Pl.*) **2.** *einer Bank usw.*: clients (△ *Pl.*)

künftig 1. *Leben usw.*: future [ˈfjuːtʃə] **2.** (≈ *von jetzt an*) from now on, in future

Kunst 1. (≈ *schöne Kunst*) art; ***die Kunst*** art (△ *ohne* the); ***die griechische Kunst*** Greek art; ***die schönen Künste*** the fine arts **2.** (≈ *Fertigkeit, Geschicklichkeit*) skill, art; ***die Kunst, zu schreiben*** the art of writing

Kunstausstellung art exhibition

Kunstdünger (artificial) fertilizer [ˈfɜːtəlaɪzə]

Kunsterziehung *Schulfach*: art

Kunstfaser synthetic fibre [sɪnˌθetɪkˈfaɪbə]

Kunstgalerie art gallery (△ *Schreibung*)

Kunstgeschichte history of art, art history

Kunstleder imitation leather [ˌɪmɪteɪʃnˈleðə]

Künstler(in) 1. *allg.*: artist [ˈɑːtɪst], *Musik, Theater auch*: performer **2.** *Zirkus usw.*: performer, artiste [△ ɑːˈtiːst]

künstlerisch artistic; ***künstlerische(r) Leiter(in)*** artistic director [dəˈrektə]

Künstlername 1. *eines Schauspielers, Sängers usw.*: stage name **2.** *eines Schriftstellers*: pen name

künstlich 1. *Licht, Blume, See usw.*: artificial **2.** *Zähne usw.*: false [fɔːls] **3.** ***künstliches Leder*** imitation leather **4.** (≈ *künstlich hergestellt*) synthetic [sɪnˈθetɪk] **5.** *Lachen usw.*: forced

Kunstspringen: ***das Kunstspringen*** (springboard) diving (△ *ohne* the)

Kunststoff plastic [ˈplæstɪk]; ***es ist aus Kunststoff*** it's (made of) plastic

Kunststück 1. *von Zauberer, Akrobat usw.*: trick **2.** ***wie hast du denn 'das Kunststück fertiggebracht?*** *humorvoll* how on earth did you manage that?

Kunststudent(in) art student [ˈɑːtˌstjuːdnt]

Kunstwerk work of art

Kupfer copper

Kuppe 1. (≈ *Bergkuppe*) hilltop **2.** (≈ *Fingerkuppe*) fingertip ['fɪŋgətɪp]

Kuppel 1. dome, *kleine*: cupola [⚠ 'kjuːpələ]

kuppeln 1. (≈ *die Kupplung betätigen*) operate the clutch **2. einen Anhänger ans Auto kuppeln** hitch a trailer to the car

Kupplung 1. *Auto usw.*: clutch; *die Kupplung treten* operate the clutch **2.** *von Waggons usw.*: coupling ['kʌplɪŋ]

Kur 1. *Behandlung*: (course of) treatment **2.** *in Kurort*: (health) cure; **auf Kur gehen** go* for a cure

Kür 1. *Eiskunstlauf*: free skating **2.** *Turnen*: optional exercises **3.** *Tanzen*: free section

Kurbel 1. *allg.*: crank **2.** *zum Aufziehen, auch für Rollo usw.*: winder [⚠ 'waɪndə]

kurbeln 1. wind* [waɪnd] **2.** *bei Auto*: crank the engine

Kürbis pumpkin, squash [skwɒʃ]

Kurde, Kurdin Kurd [kɜːd]; ☞ **Nationalitäten**

Kurier 1. courier ['kʊrɪə], messenger ['mesndʒə] **2.** *auf Motorrad*: dispatch rider

Kurklinik sanatorium, *AE mst.* sanitarium, *private auch*: health farm

Kurort 1. health resort **2.** (≈ *Kurbad*) spa [spaː]

Kurpfuscher(in) quack [kwæk] (doctor)

Kurs¹ 1. *von Schiff, Flugzeug*: course [kɔːs]; **Kurs nehmen auf** head for **2.** *politisch*: course; **ein harter Kurs** a hard line **3.** *Aktien usw.*: price **4.** (≈ *Wechselkurs*) exchange rate **5. Fußball steht bei uns hoch im Kurs** football's very popular here

Kurs² 1. (≈ *Lehrgang*) course [kɔːs], class; **sie macht einen Kurs in Volkstanz** she's taking a class in folk dance ['fəʊk_daːns] *oder* dancing

Kürschner(in) furrier [⚠ 'fʌrɪə]

Kursteilnehmer(in) (course) participant [paː'tɪsɪpənt]

Kurswagen *Eisenbahn*: through coach

Kurve 1. *einer Straße*: bend; **er ist zu schnell in die Kurve gegangen** he took the corner too fast **2.** *Mathematik*: curve **3.** *einer Grafik*: graph [graːf, græf]

kurven: (*ziellos*) **durch die Gegend kurven** cruise [kruːz] around

kurz 1. short, *zeitlich auch*: brief; **eine kurze Hose** shorts (⚠ *Pl.*); **ein Hemd mit kurzen Ärmeln** a short-sleeved shirt; **kurze Zusammenfassung** brief summary **2.** *Blick*: brief, quick **3. kürzer machen** shorten (*Hose usw.*) **4. seit Kurzem gehts ihr besser** she's been feeling better lately; **vor Kurzem** recently ['riːsntlɪ],

not long ago **5. kurz vorher** shortly before (this); **kurz darauf** shortly after (this) **6. könntest du kurz kommen?** could you come here for a minute?; **kurz weggehen** go* away for a moment **7. ich werde mich kurz fassen** I'll try to make it short **8. kurz gesagt** in short, in a word **9. schreib ihr doch kurz** why don't you drop her a line? **10. kurz angebunden** curt; → **kürzertreten, kurzfassen**

Kurzarbeit short time (work); **sie macht Kurzarbeit** she's on short time

kurzarbeiten be* on short time

kurzärmelig *Hemd, Bluse*: short-sleeved

Kürze 1. shortness, *eines Berichts usw. auch*: brevity ['brevətɪ] **2. in Kürze** shortly

Kürzel 1. (≈ *Abkürzung*) abbreviation (**für** of) **2.** *Stenografie*: shorthand symbol

kürzen 1. *allg.*: shorten (*auch Hose usw.*) (**um** by) **2.** abridge [ə'brɪdʒ] (*Buch usw.*) **3.** cut* (*Film, Rolle in Theaterstück*) **4.** reduce, cut* (*Arbeitszeit, Gehälter*) **5.** *Mathematik*: reduce (*Bruch*)

kürzermachen → **kurz** 3

kürzertreten 1. dann müssen wir eben etwas kürzertreten *finanziell*: we'll have to tighten our belts a bit then **2. er muss etwas kürzertreten** *aus gesundheitlichen Gründen*: he's got to take things a bit slower (*oder* easier)

kurzfassen: fass dich bitte kurz! please be brief

Kurzfassung abridged [ə'brɪdʒd] version

Kurzfilm short film

kurzfristig 1. *Lösung, Planung usw.*: (≈ *für eine kurze Zeitspanne*) short-term (⚠ *nur vor dem Subst.*) **2.** *Ersatz usw.*: (≈ *sofortig*) immediate [ɪ'miːdɪət] **3.** (≈ *vorübergehend*) for a short time **4. das Konzert wurde kurzfristig abgesagt** the concert was called off at short notice

Kurzgeschichte short story

kurzlebig short-lived

kürzlich recently ['riːsntlɪ]; **erst kürzlich** just the other day

Kurzschluss short circuit [ˌʃɔːt'sɜːkɪt]

Kurzschrift shorthand

kurzsichtig short-sighted (*auch übertragen*)

Kurzstreckenflugzeug short-haul aircraft [ˌʃɔːthɔːl'eəkraːft]

Kurzstreckenläufer(in) sprinter

Kurzstreckenrakete short-range missile [ˌʃɔːtreɪndʒ'mɪsaɪl]

Kürzung 1. eine Kürzung der Gehälter *usw.* a cut (*oder* cutback) in salaries *usw.* **2.** *von Ausgaben, Löhnen, auch beim Bruchrechnen*: reduction

Kurzwelle short wave
Kurzzeitgedächtnis short-term memory
[ˌʃɔːttɜːmˈmemərɪ]
kuschelig 1. soft and cuddly **2.** *Sessel usw.*: cosy
kuscheln 1. *sich an jemanden kuscheln* snuggle (*oder* cuddle) up to someone **2. *sich ins Bett usw. kuscheln*** snuggle up in bed *usw.*
kuschen knuckle [ˈnʌkl] under (*vor* to)
Kusine cousin [△ ˈkʌzn]
Kuss kiss
küssen 1. kiss **2. *sie küssen sich*** they're kissing (each other) **3. *sie hat ihn auf den Mund geküsst*** she kissed him on the lips

Küste 1. coast; *an der Küste* on the coast **2.** (≈ *unmittelbarer Uferbereich*) shore; *an die Küste vom Meer her*: ashore [əˈʃɔː]
Küstengebiet coastal area [ˈkəʊstlˌeərɪə]
Küstengewässer coastal waters
Küstenwache coastguard [ˈkəʊstɡɑːd]
Küster sacristan [ˈsækrɪstən], sexton
Kutsche coach, carriage [ˈkærɪdʒ]
Kutte (monk's *bzw.* nun's) habit
Kutteln *bes.* Ⓐ, Ⓓ tripe (△ *Sg.*)
Kuvert envelope [ˈenvələʊp]
Kuwait Kuwait [kʊˈweɪt]
KZ concentration camp
KZ-Häftling concentration camp prisoner [ˈprɪznə]

L

labil 1. *Lage usw.*: unstable **2.** *Gesundheitszustand*: frail, delicate [ˈdelɪkət] **3. *ein labiler Mensch*** an unstable person
Labor laboratory [ləˈbɒrətrɪ], *umg.* lab
Labyrinth 1. labyrinth [ˈlæbərɪnθ] **2.** (≈ *Irrgarten*) maze (*auch übertragen*)
Lachanfall laughing [ˈlɑːfɪŋ] fit; *sie bekam einen Lachanfall* she went into fits (of laughter)
Lache¹ (≈ *Lachen*) laugh [lɑːf]
Lache² 1. *nach Regen*: puddle **2.** *von Bier, Blut, Öl usw.*: pool
lächeln 1. smile (*über* at) **2.** *spitzbübisch*: grin (*über* at) **3.** *höhnisch*: sneer (*über* at)
Lächeln 1. smile **2.** *spitzbübisches*: grin **3.** *höhnisches*: sneer
lachen 1. laugh [lɑːf] (*über* at); *laut lachen* laugh out loud **2.** *Wendungen*: *dass ich nicht lache!* don't make me laugh; *was gibts da zu lachen?* what's so funny about that?; *bei ihr hat er nichts zu lachen* she really gives him a hard time; *wer zuletzt lacht, lacht am besten* he who laughs last, laughs loudest (*AE* best)
Lachen 1. laugh [lɑːf], laughing, laughter [ˈlɑːftə] **2. *das ist ja zum Lachen*** that's ridiculous; *das ist nicht zum Lachen* it's no joke **3. *vor Lachen brüllen*** shriek with laughter; *wir haben uns vor Lachen gebogen* we (nearly) killed ourselves laughing
lächerlich 1. ridiculous [rɪˈdɪkjʊləs] **2.** *je-*

manden lächerlich machen make* a fool of someone; *du machst dich nur lächerlich* you'll only make a fool of yourself **3. *lächerlich wenig*** ridiculously little
lachhaft 1. ridiculous [rɪˈdɪkjʊləs], laughable [ˈlɑːfəbl] **2. *das ist doch lachhaft!*** that's ridiculous
Lachs salmon [ˈsæmən] *Pl.*: salmon
Lack 1. *für Holz, Finger- und Zehennägel*: varnish **2.** *für Metall, Lackarbeiten*: lacquer [ˈlækə] **3.** *an Autos usw.*: paint, paintwork, *AE* paint job
Lackerl Ⓐ **1. *ein Lackerl*** in Glas: a little, a drop of (*Wein, Milch usw.*) **2.** (≈ *Pfütze*) small puddle
lackieren 1. varnish (*bes. Holz*) **2.** paint, spray (*Auto usw.*) **3. *sie hat sich die Fingernägel lackiert*** she's painted her nails
Lackschuhe patent leather shoes [ˌpeɪtntˈleðə ˈʃuːz]
Ladegerät charger [ˈtʃɑːdʒə]
laden 1. (≈ *beladen*) load; *der Lastwagen hat Früchte geladen* the lorry is loaded up with fruit; *der Lastwagen hat zu viel geladen* the lorry is overloaded **2.** *mit Strom*: charge (*Batterie, Akku usw.*) **3.** *mit Munition*: load (*Pistole usw.*) **4.** boot, boot up (*Computer*) **5. *der Chef ist ganz schön geladen*** *umg.* (≈ *wütend*) the boss is really fuming
Laden 1. shop, *bes. AE* store **2.** *umg.* (≈ *Unternehmen*) business [ˈbɪznəs]; *der Laden läuft (gut)* business is good **3.** (≈

Fensterladen) shutter
Ladendieb(in) shoplifter [ˈʃɒpˌlɪftə]
Ladendiebstahl shoplifting [ˈʃɒpˌlɪftɪŋ]
Ladenschluss 1. closing time **2. nach La-
denschluss** after hours
Ladentisch counter; **unter dem Laden-
tisch** *übertragen* under the counter
Ladung 1. (≈ *Fracht*) load, freight [freɪt],
eines Schiffes, Flugzeugs: cargo, freight
2. (≈ *Lieferung*) shipment; **eine Ladung
Bananen** a shipment of bananas **3. eine
Ladung Dynamit** a charge [tʃɑːdʒ] of
dynamite **4.** *elektrische:* charge
Lage 1. *räumliche, auch des Körpers:* posi-
tion **2.** *eines Gebäudes usw.:* site, location
3. (≈ *Lebenslage usw.*) situation, (≈ *Um-
stände*) circumstances [ˈsɜːkəmstənsɪz]
(△ *Pl.*); **die wirtschaftliche Lage** the
economic situation **4. in der Lage sein
zu** be* able to, be* in a position to **5.** (≈
Schicht) layer **6. eine Lage Bier ausge-
ben** buy* a round of beer
Lager 1. (≈ *Militär-, Flüchtlings-, Ferien-
lager usw.*) camp **2.** (≈ *Lagerhaus*) ware-
house, (≈ *Lagerraum*) storeroom **3.** (≈
Warenbestand) stock **4. sie hat eine
Menge Witze auf Lager** she's got a huge
stock of jokes **5.** (≈ *Partei usw.*) camp;
ins andere Lager überwechseln
change sides **6.** *von Bodenschätzen:* de-
posit [dɪˈpɒzɪt] **7.** *einer Maschine usw.:*
bearing [ˈbeərɪŋ]
Lagerfeuer campfire
Lagerhalle, Lagerhaus warehouse
lagern 1. (≈ *rasten*) rest, camp, *liegend:*
lie* **2.** *Waren:* be* stored **3. etwas lagern**
store (*oder* keep*) something; **etwas
kühl lagern** keep* something in a cool
place **4. du musst das Bein hoch la-
gern** you must keep your leg in a raised
position **5.** season (*Holz*)
Lagerraum storeroom
Lagerung 1. (≈ *Aufbewahrung*) storage
2. *zur Alterung, bes. von Holz:* seasoning
Lagune lagoon [ləˈguːn]
lahm 1. (≈ *gelähmt*) lame **2.** (≈ *langweilig*)
dull **3.** (≈ *langsam, träge*) slow, sluggish;
lahme Ente *Mensch:* sluggard [ˈslʌɡəd],
Auto: crawler **4.** *Witz usw.:* tame, feeble;
→ **lahmlegen**
Lahmarsch *salopp* drip
lahmarschig *salopp* (damn) slow [△
(ˌdæm) ˈsləʊ]
lähmen paralyze [ˈpærəlaɪz]
lahmlegen 1. *allg.:* paralyze **2.** bring* to a
standstill (*Verkehr*) **3.** (*Stromausfall,
Sturm usw.*) put* out of action (*Gerät
usw.*)
Lähmung paralysis [△ pəˈræləsɪs] (*auch
übertragen, des Handels usw.*)

Laib loaf *Pl.:* loaves [ləʊvz]; **ein Laib Brot**
a loaf of bread
Laiberl *bes.* Ⓐ **1.** (≈ *Teiggebackenes in
runder Form*) round loaf **2.** *aus Fleisch:*
burger **3. ein Laiberl Brot** a loaf of
bread
Laich, laichen spawn
Laie 1. layman [ˈleɪmən] (*auch als Gegen-
satz zu Priestern*) **2. da bin ich absolu-
ter Laie** I don't know the first thing
about it
Laken (≈ *Bettlaken*) sheet
Lakritze liquorice [ˈlɪkərɪs]
lallen 1. er konnte nur noch lallen he
was slurring [ˈslɜːrɪŋ] his words **2.** (*Baby*)
babble
Lametta 1. *etwa:* (silver) tinsel [ˈtɪnsl] **2.**
ironisch (≈ *Orden*) fruit salad [ˌfruːt-
ˈsæləd], gongs [ɡɒŋz] (△ *Pl.*)
Lamm lamb [△ læm] (*auch Fleisch*)
Lampe 1. *als Gegenstand:* lamp **2.** *als
Lichtquelle:* light **3.** (≈ *Glühlampe*) bulb
Lampenfieber stage fright
Lampion Chinese lantern [ˌtʃaɪniːz-
ˈlæntən]
Land 1. *allg.:* land (*auch Festland*); **an
Land gehen** go* ashore [əˈʃɔː], disem-
bark [ˌdɪsɪmˈbaːk] **2.** (≈ *Staat*) country
[△ ˈkʌntrɪ] **3.** (≈ *Grundbesitz*) land,
property **4.** *Gegensatz zur Stadt:* country,
countryside; **auf dem Land** in the coun-
try; **aufs Land ziehen** move to the
country(side) **5.** (≈ *Landschaft*) country
6. (≈ *Bundesland*) federal state, Land
Landbesitzer(in) landowner
Landbevölkerung rural population
Landeanflug landing approach
Landebahn runway, *kleinere:* landing
strip
landeinwärts (further) inland [ɪnˈlænd]
landen 1. *allg.:* land **2.** *Schiff:* dock **3.** (≈
ankommen) arrive **4. schließlich sind
wir an der Nordsee gelandet** *umg.* we
finally got to (*oder* ended up on) the
North Sea coast **5. im Gefängnis usw.
landen** end (*oder* land) up in prison *usw.*
6. sie ist auf dem dritten Platz gelandet
umg., Sport: she came third **7. bei ihr
kannst du damit nicht landen** *umg.* that
won't get you anywhere with her **8. ein
Flugzeug landen** land a plane
Länderspiel international match
Landesgrenze national border, frontier
[ˈfrʌntɪə]
Landesinnere interior [ɪnˈtɪərɪə]
landesüblich customary [ˈkʌstəmərɪ]
landesweit nationwide
Landflucht drift to the cities
Landgericht *etwa:* district court [ˌdɪstrɪkt-
ˈkɔːt], regional court

Landgewinnung land reclamation [ˌrekləˈmeɪʃn]

Landkarte map

Landkreis district [ˈdɪstrɪkt]

Landleben country life, life in the country

ländlich rural, *nur vor dem Subst.*: country

Landrat, Landrätin *etwa:* (elected) regional administrator [ədˈmɪnɪstreɪtə]

Landschaft 1. *allg.:* landscape **2.** *als hübsch empfundene:* scenery [⚠ ˈsiːnərɪ] (⚠ *ohne* a) **3.** *als Gegend:* countryside (⚠ *ohne* a)

Landsmann fellow countryman [ˈkʌntrɪmən], compatriot [kəmˈpætrɪət]

Landsmännin fellow countrywoman [ˈkʌntrɪˌwʊmən], compatriot [kəmˈpætrɪət]

Landstraße country road

Landung 1. landing **2.** (≈ *Ankunft*) arrival

Landwirt(in) farmer

Landwirtschaft 1. agriculture [ˈægrɪkʌltʃə], farming; *die Landwirtschaft* agriculture *oder* farming (⚠ *ohne* the) **2.** *wir haben eine Landwirtschaft* we've got a (small) farm

landwirtschaftlich 1. agricultural [ˌægrɪˈkʌltʃrəl] **2.** *landwirtschaftlicher Betrieb* farm

lang¹ 1. long (*auch zeitlich*); *ein zwei Meter langer Tisch* a table two metres long (*oder* in length); *vier Meter lang und zwei Meter breit* four metres by two; *sie sind gleich lang* they're the same length **2.** *Mensch:* tall **3.** *drei Jahre lang* for three years; *den ganzen Tag lang* all day long; *seit Langem* for a long time; *vor langer Zeit* a long time ago **4.** *lang ersehnt* long-awaited; → *lange*

lang²: *die Straße lang* along the street

langärmelig long-sleeved

lange 1. *ich musste lange warten* I had to wait (for) a long time; *ich bleib nicht lange weg* I won't be (away) long; *es dauert nicht lange* it won't take long **2.** *es ist schon lange her, dass wir uns gesehen haben* it's ages since we last met **3.** *wie lange noch?* how much longer? **4.** *da kannst du lange warten umg.* you can wait till the cows come home **5.** *ich hab nicht erst lange gefragt* I didn't want to ask

Länge 1. length (*auch zeitlich*) **2.** (≈ *geographische Länge*) longitude [⚠ ˈlɒndʒɪtjuːd] **3.** (≈ *Körpergröße*) height [⚠ haɪt] **4.** *Bauarbeiten auf einer Länge von vier Kilometern* roadworks for four kilometres **5.** *Cambridge hat mit*

drei Längen Vorsprung gewonnen Cambridge won (the boat race) by three lengths

langen¹ 1. *nach etwas langen* reach for something **2.** *er langte in seine Tasche* he reached into his pocket

langen² 1. *das langt* that's enough [ɪˈnʌf] **2.** *mir langts* I've had enough, *stärker:* I'm sick of it

Längengrad degree (*oder* line) of longitude [⚠ ˈlɒndʒɪtjuːd]

länger 1. longer **2.** (≈ *ziemlich lang*) fairly long **3.** *längere Zeit* for quite a while

Langeweile boredom [ˈbɔːdəm]; *aus Langeweile* out of sheer boredom; *Langeweile haben* be* (*oder* feel*) bored

langfristig 1. *Planung, Anleihe usw.:* long-term (⚠ *nur vor dem Subst.*) **2.** *langfristig (gesehen)* in the long term

langjährig 1. *Freundschaft usw.:* long-standing **2.** *langjährige Erfahrung* many years of experience (*in*)

Langlauf cross-country skiing [ˌkrɒsˌkʌntrɪˈskiːɪŋ]

länglich oblong [ˈɒblɒŋ]

längs¹: *die Bäume längs der Straße* the trees along (*oder* alongside) the road

längs²: *die Streifen laufen längs über das Hemd* the stripes run lengthways (*oder* lengthwise) down the shirt

langsam 1. slow (*auch geistig*); *langsamer werden* slow down **2.** (≈ *allmählich*) gradually; *es wird langsam Zeit, dass wir gehen* we'd better be thinking about going

Langschläfer(in) late riser, *umg.* sleepyhead

Längsschiff *Kirche:* nave

längst 1. *das hab ich längst gewusst* I've known that for a long time **2.** *das ist längst vorbei* that's long past **3.** *sie sollte längst da sein* she should have been here long ago **4.** *als sie kam, waren wir längst weg* when she arrived we had long since left **5.** *es war längst nicht so heiß, wie ich gedacht hatte* it wasn't nearly as hot as I had expected **6.** *am längsten* longest

längstens 1. (≈ *spätestens*) at the latest **2.** (≈ *höchstens*) at (the) most

Langstreckenflugzeug long-haul aircraft [ˌlɒŋhɔːlˈeəkrɑːft]

Langstreckenläufer(in) long-distance runner

Langstreckenrakete long-range missile [ˌlɒŋreɪndʒˈmɪsaɪl]

langweilen 1. *jemanden langweilen* bore someone **2.** *sich langweilen* be* (*oder* feel*) bored (*zu Tode* to death)

langweilig 1. boring, tedious [ˈtiːdɪəs] **2.**

es (*bzw.* **er, sie**) **war so was von langweilig** *umg.* it (*bzw.* he, she) was a crushing bore **3. ein langweiliger Mensch** a bore

langwierig 1. *allg.*: lengthy **2.** (≈ *mühselig*) tedious ['tiːdɪəs]

Langzeitarbeitslose(r) long-term unemployed person; **die Langzeitarbeitslosen** the long-term unemployed

Lanze 1. lance [lɑːns] **2.** (≈ *Wurflanze*) spear [△ sprə]

Laos Laos [laʊs]

Lappalie trifle, trivial ['trɪvɪəl] matter

Lappen 1. piece of cloth **2.** (≈ *Putzlappen*) cloth

läppern: **es läppert sich** it all adds up

läppisch *Summe usw.*: ridiculous [rɪˈdɪkjʊləs]; **reg dich doch nicht wegen läppischer fünf Euro auf!** don't make a fuss about a measly ['miːzlɪ] five euros!

Laptop *Computer*: laptop

Lärche *Baum*: larch [lɑːtʃ]

Lärm 1. *allg.*: noise **2.** (≈ *Krach*) racket, din; **mach nicht so einen Lärm!** stop that racket (, will you)!

Lärmbelästigung noise pollution ['nɔɪz‿pəˌluːʃn]

lärmen 1. make* a (lot of) noise **2.** (*Radio, Musik*) blare (away)

lärmend noisy

Lärmschutz noise protection

Lärmschutzwall noise barrier ['nɔɪzˌbærɪə]

Larve *von Insekt*: larva *Pl.*: larvae ['lɑːviː]

lasch 1. (≈ *schlaff*) limp **2.** (≈ *lässig, disziplinlos*) slack, lax; **lascher Typ** *umg.* wimp

Laser laser

Laser... *in Zusammensetzungen*: laser ...; **Laserdrucker** laser printer; **Laserpistole** laser gun; **Laserstrahl** laser beam; **Lasertechnik** laser technology ['leɪzə‿ˌtekˌnɒlədʒɪ]

lassen 1. (≈ *erlauben, zulassen*) let* (△ *Zustand ändert sich*); **jemanden gehen** *usw.* **lassen** let* someone go *usw.*; **lass mich mal sehen!** let me see, let me have a look; **sie ließ ihn ins Haus** let him in **2.** (≈ *an einem Ort, in einem bestimmten Zustand lassen bzw. zurücklassen*) leave* (△ *Zustand bleibt unverändert*); **jemanden** *bzw.* **etwas zu Hause lassen** leave* someone *bzw.* something at home; **das Licht brennen lassen** leave* the light(s) on; **die Tür offen lassen** leave* the door open; **ich hab alles so gelassen, wie es war** I left everything as it was; **lass mich in Ruhe!** leave me alone!; *aber*: **wo hab ich nur meinen Schirm gelassen?** where did I put my

umbrella? **3.** (≈ *veranlassen, dass etwas gemacht wird*) have*; **sie hat sich die Haare schneiden lassen** she had her hair cut; **ich hab es mir schicken lassen** I had it sent (to me); *aber*: **sie haben den Arzt kommen lassen** they sent for the doctor, they called the doctor **4.** (≈ *veranlassen, dass jemand etwas macht*) get*, make*; **er hat sie alles alleine machen lassen** he got her to do everything on her own, *stärker*: he made her do everything on her own **5.** *bei Vorschlägen*: let*; **lass uns gehen!** let's go **6.** (≈ *mit etwas aufhören*) stop; **sie kann das Rauchen** *usw.* **nicht lassen** she can't stop smoking *usw.*; **lass das!** stop it! **7.** *etwas* **fallen lassen** drop something **8. jemanden warten lassen** keep* someone waiting **9. X lässt dich grüßen** X sends his *bzw.* her regards **10. die Kamera lässt sich gut bedienen** the camera is easy to operate **11. das lässt sich schon machen** (that's) no problem **12. lass mich nur machen** just leave it to me

lassen

Wird der Zustand <u>geändert</u>, nimmt man **let**:
Let the dog out.
Let them play upstairs.

Bleibt der Zustand <u>unverändert</u>, nimmt man **leave**:
Leave him in the car.
I left my computer switched on.

lässig 1. *Kleidung usw.*: casual ['kæʒʊəl]; **lässig gekleidet** in casual clothes, dressed casually **2. er ist total lässig** *umg.* he's so laid-back **3. das mache ich lässig** *umg.* I can do that no problem

Last 1. load (*auch übertragen*) **2.** (≈ *Gewicht*) weight [weɪt] (*auch übertragen*) **3.** (≈ *Bürde*) burden

Laster[1] (≈ *Lastwagen*) lorry, *bes. AE* truck

Laster[2] (≈ *Untugend*) vice

lästern be* nasty ['nɑːstɪ], *umg.* bitch (**über** about); **über jemanden lästern** *auch*: run* someone down

lästig 1. ein lästiger Mensch a pest **2.** *Aufgabe, Arbeit*: tiresome, irksome ['ɜːksəm] **3. es** *usw.* **ist (so) lästig** it's *usw.* a (real) nuisance ['njuːsns]; **es** *usw.* **wird mir langsam lästig** it's *usw.* beginning to get on my nerves

Lastwagen lorry, *bes. großer und AE* truck

Latein, lateinisch Latin ['lætɪn]; **auf La-**

teinisch in Latin

Laterne 1. lantern ['læntən] **2.** (≈ *Straßenlaterne*) streetlamp

Latte 1. *allg.*: slat **2. an die Latte!** *Fußball usw.*: it's hit the bar **3. eine ganze Latte von Fragen** *usw.* a whole string of questions *usw.*

Latz, Lätzchen bib

Latzhose dungarees [ˌdʌŋgəˈriːz], overalls (△ *beide Pl.*); **er trug eine Latzhose** he was wearing overalls *oder* (a pair of) dungarees [ˌdʌŋgəˈriːz]

lau 1. lukewarm [ˌluːkˈwɔːm] (*auch übertragen*) **2.** *Wind, Luft usw.*: mild

Laub leaves (△ *Pl.*), *an Baum usw. auch*: foliage [ˈfəʊlɪɪdʒ]

Laubbaum deciduous tree [dɪˌsɪdjʊəsˈtriː]

Laubfrosch tree frog

Laubsäge fretsaw

Laubwald deciduous [dɪˈsɪdjʊəs] forest

Lauch leek, *als Beilage*: leeks (△ *Pl.*)

Lauchzwiebeln spring onions [ˌsprɪŋˈʌnjənz], *AE mst.* green onions

Lauer: auf der Lauer liegen be* lying in wait

lauern 1. (≈ *gespannt warten*) lie* in wait (**auf** for) **2. auf eine Gelegenheit** *usw.*: be* on the lookout (**auf** for) **3.** (*Gefahr*) lurk

Lauf 1. *Sport*: run, *Durchgang auch*: heat **2.** (≈ *Wettlauf*) race, *über kurze Distanz*: dash, sprint; **100-Meter-Lauf** 100-metre dash (*oder* sprint), 100 metres (△ *Sg.*) **3.** (≈ *Verlauf*) course [kɔːs]; **im Lauf der nächsten Woche** some time next week; **im Lauf der Zeit** (in the course of) time, *Vergangenheit*: as time went on; **sie ließ ihren Gefühlen freien Lauf** she let her emotions run wild **4.** *Gewehr usw.*: barrel [ˈbærəl]

laufen 1. *allg.*: run*, *in Eile auch*: rush, race **2.** (≈ *zu Fuß gehen*) walk; **laufen lernen** learn* to walk; **wir laufen viel zu Fuß** we do a lot of walking **3.** (*Motor usw.*) run*, (≈ *eingeschaltet sein*) be* running, (≈ *funktionieren*) work **4.** (*Linie, Grenze*) run* **5. der Fernseher** *usw.* **läuft** the TV *usw.* is on **6. der Film läuft noch bis Ende der Woche** the film is on (*oder* runs) till the end of the week **7. Ski laufen** ski [skiː]; **wir gehen Ski laufen** we're going skiing **8.** (*Vertrag usw.*) be* valid, run* **9. wie läuft's so?** *umg.* how are things? **10. sich warm laufen** warm up

laufen lassen (≈ *in die Freiheit entlassen*) **1. jemanden laufen lassen** let* someone go, *straffrei*: let* someone off

2. ein Tier laufen lassen set* an animal free

laufend 1. *Jahr, Monat, Nummer einer Zeitschrift usw.*: current [ˈkʌrənt] **2.** *Verhandlungen usw.*: ongoing **3. laufende Kosten** overheads [ˈəʊvəhedz] **4. sie beschwert sich laufend** she's always complaining (**über** about) **5. jemanden auf dem Laufenden halten** keep* someone informed (*oder* posted); **sich auf dem Laufenden halten** keep* up with things

laufenlassen → **laufen lassen**

Läufer 1. *Teppich*: rug **2.** *Schach*: bishop

Läufer(in) *Sport*: runner

Laufmasche ladder, *bes. AE* run

Laufpass: er hat ihr den Laufpass gegeben he gave her the boot

Laufsteg catwalk (*auch bei Modenschau*)

Lauftraining running (workout)

Laufwerk *CD-Spieler, Computer*: (disk) drive

Lauge 1. (≈ *Salzlauge*) brine **2.** (≈ *Seifenlauge*) suds (△ *Pl.*), soapy water

Laune 1. (≈ *Stimmung*) mood; **gute** (*bzw.* **schlechte**) **Laune haben** be* in a good (*bzw.* bad) mood **2.** *plötzliche*: whim; **aus einer Laune heraus** on a whim

launenhaft, launisch 1. *Person*: moody **2.** (≈ *sprunghaft, unbeständig*) fickle, capricious [kəˈprɪʃəs]

Laus louse [laʊs] *Pl.*: lice

Lausbub young (*oder* little) rascal [ˈrɑːskl]

Lauschangriff bugging operation

lauschen 1. *heimlich*: eavesdrop **2.** (≈ *aufmerksam zuhören*) listen [ˈlɪsn]; **sie lauschten der Musik** they were listening to the music

laut¹ 1. *Musik, Stimme, Gelächter usw.*:

---

laut   loud/noisy

loud:
vom Ton, von der Lautstärke her laut (Gegenteil „leise"):

loud music, a loud voice, a loud doorbell, a loud cry/shriek

Hier kann man das, was laut ist, theoretisch „leiser stellen".

noisy:
unangenehmen Lärm verursachend, geräuschvoll (Gegenteil „ruhig"):

a noisy family / street / pub

Hier geht es um etwas „von Natur aus" Lautes/Lärmendes, das man mehr oder weniger so hinnehmen muss, wie es ist.

loud; **lautes Geräusch** loud noise **2.** *Straße, Person, Auto usw.:* (≈ *lärmend*) noisy; **laute Nachbarn** noisy neighbours **3. dann wurde er laut** then he raised his voice, *stärker:* then he started shouting **4. laut vorlesen** read* (out) aloud **5. lauter, bitte!** speak up, please

laut²: **laut Fahrplan (Vertrag usw.)** according to the timetable (contract *usw.*)

Laut sound

lauten 1. (*Text*) read*, run* **2.** (*Satz, Ausspruch usw.*) go* **3.** (*Antwort, Bitte, Meinung usw.*) be*; **ihre Antwort lautet: „Nein"** her answer is 'no'

läuten 1. ring* (*auch klingeln*) **2. es hat geläutet** *an der Tür:* there's somebody at the door, *in der Schule:* the bell has gone (*AE* rung) **3.** (*Wecker*) go* off **4.** (*Glöckchen*) tinkle **5. eine Glocke läuten** ring* a bell

lauter (≈ *nichts als*) **1. lauter Probleme (Lügen usw.)** nothing but trouble (lies *usw.*) **2. lauter Unsinn usw.** a lot of nonsense *usw.* **3. aus lauter Bosheit** out of sheer spite **4. in diesem Haus sind lauter 1-Zimmer-Wohnungen** there are only one-room apartments in this building

lautlos 1. *silent,* (≈ *geräuschlos*) *auch:* noiseless **2. lautlose Stille** complete (*oder* absolute) silence

Lautschrift 1. *alle Zeichen:* phonetic alphabet [fə͵netɪk'ælfəbet] **2.** (≈ *Text in Lautschrift*) phonetic transcription

Lautsprecher 1. loudspeaker **2.** *in Stereoanlage:* speaker

Lautstärke 1. *allg.:* loudness **2.** *eines Radios, Verstärkers:* volume ['vɒljuːm]

Lautstärkeregler volume control

lauwarm lukewarm [͵luːk'wɔːm]

Lava lava ['lɑːvə]

Lavabo ⊕ washbasin ['wɒʃ͵beɪsn], *AE* sink

Lavendel lavender [△ 'lævəndə]

Lawine avalanche [△ 'ævəlɑːntʃ]

Lazarett military hospital [͵mɪlɪtərɪ'hɒspɪtl]

leasen lease [liːs] (*Auto, Bürogeräte usw.*)

leben 1. live (*auch wohnen*); **wie lange leben Sie schon hier?** how long have you been living here? **2.** (≈ *am Leben sein*) be* alive [ə'laɪv] **3. sie leben hauptsächlich von Obst und Gemüse** they mainly live on fruit and vegetables; **von ihrem Gehalt kann sie kaum leben** her salary is hardly enough to live on **4. sie lebt vegetarisch** she's a vegetarian **5. es lebt sich ganz gut hier** life's not bad (over *oder* around) here

Leben 1. *allg.:* life *Pl.:* lives [△ laɪvz]; **so ist das Leben** that's life, such is life (△

beide ohne the); **das Leben in der Großstadt** life in a big city, big city life (△ *beide ohne* the); **das Leben genießen** enjoy life (△ *ohne* the) **2. am Leben sein** be* alive [ə'laɪv]; **am Leben bleiben** stay alive **3. er hat sich das Leben genommen** he took his own life, he committed suicide ['suːɪsaɪd] **4. sie ist bei einem Unfall ums Leben gekommen** she was killed (*oder* she lost her life) in an accident **5. sie hat ihr Leben lang gearbeitet** she's worked all her life **6. nie im Leben!** never!, *umg.* (≈ *auf gar keinen Fall*) not on your life! **7. jetzt bringen wir mal etwas Leben in die Bude** salopp let's hot (*AE* heat) things up a bit!

lebend 1. *allg.:* living (*auch Sprachen*); **er ist der größte lebende Schriftsteller** *usw.* he's the greatest living writer *usw.* **2.** *Tiere, Ziele:* live [△ laɪv] (△ *nur vor dem Subst.*)

lebendig 1. *übertragen* (≈ *lebhaft*) lively [△ 'laɪvlɪ], *Schilderung auch:* vivid ['vɪvɪd] **2.** *Farben:* cheerful **3.** (≈ *lebend*) living **4. immer noch lebendig** still alive [△ ə'laɪv] (*auch Erinnerung usw.*)

Lebensbedingungen living conditions

Lebensdauer *bes. von Menschen:* lifespan, *von Maschinen, Batterien usw. meist:* life

Lebenserwartung life expectancy ['laɪf͵ɪk͵spektənsɪ]

Lebensgefahr 1. Lebensgefahr! danger! ['deɪndʒə] **2. in Lebensgefahr schweben** *bei Krankheit, Verletzung:* be* in a critical condition **3. außer Lebensgefahr sein** be* out of danger **4. sie hat ihn unter Lebensgefahr gerettet** she risked her life to save him

lebensgefährlich 1. *eine Aktion usw.:* extremely dangerous **2.** *Krankheit, Verletzung:* very serious, critical **3. lebensgefährlich verletzt** very seriously hurt, critically injured [△ 'ɪndʒəd]

Lebensgefährte, Lebensgefährtin (life-time) partner *oder* companion

Lebensgefährte

Die Bezeichnungen für „Lebensgefährte/Lebensgefährtin" im Englischen reichen von **live-in lover** über **significant other** bis zu **POSSLQ** ['pɒslkjuː] (kurz für **person of opposite sex sharing living quarters**). Am besten beschränkst du dich aber auf die neutralen Übersetzungen, die unter dem Stichwort angegeben sind.

lebenslänglich: er hat „lebenslänglich"

bekommen umg. he got life

Lebenslauf 1. *schriftlicher*: curriculum vitae [kə,rɪkjʊləmˈviːtaɪ], *Abk.*: CV [,siːˈviː], *AE mst.* résumé [ˈrezjʊmeɪ] **2.** *im Rückblick*: life; *sein Lebenslauf auch*: the story of his life

lebenslustig: *sie ist sehr lebenslustig* she really enjoys life

Lebensmittel *als Plural*: food (△ *Sg.*), foodstuffs

Lebensmittelgeschäft food store, grocery (shop *oder AE* store)

Lebensmittelvergiftung food poisoning [ˈfuːd,pɔɪznɪŋ]

lebensmüde 1. tired of life (△ *nur nach dem Verb*) **2.** *du bist wohl lebensmüde!* are you trying to kill yourself?

lebensnotwendig vital [ˈvaɪtl], essential

Lebenspartner(in) partner

Lebensraum 1. *von Tieren, Pflanzen*: habitat [ˈhæbɪtæt] **2.** *als Platzproblem*: living space

Lebensstandard standard of living

Lebensstil lifestyle

lebenstüchtig: *sie ist nicht sehr lebenstüchtig* she just can't cope with life

Lebensunterhalt livelihood [△ ˈlaɪvlɪhʊd]; *sie verdient ihren Lebensunterhalt als Taxifahrerin* (*bzw. mit Nachhilfestunden*) she earns (*oder* makes) a living as a taxi driver (*bzw.* by giving private lessons)

Lebensversicherung life insurance (*BE auch* assurance); *eine Lebensversicherung abschließen* take* out a life insurance policy, take* out life insurance (△ *ohne* a)

Lebensweise way of life

lebenswichtig 1. *allg.*: essential (*für* to, for) **2.** *Organ, Stoff, auch Frage usw.*: vital [ˈvaɪtl] (*für* to, for)

Leber liver [ˈlɪvə] (*auch als Gericht*)

Leberfleck mole

Lebertran cod-liver oil

Leberwurst liver sausage, *AE* liverwurst [ˈlɪvəwɜːst]

Lebewesen 1. *allg.*: living being **2.** (≈ *Kleinstlebewesen*) living organism [ˈɔːgənɪzm]

lebhaft 1. *Interesse, Person usw.*: lively [△ ˈlaɪvlɪ]; *eine lebhafte Fantasie* a lively imagination **2.** *Schilderung*: vivid [ˈvɪvɪd] **3.** *Diskussion*: lively, (≈ *hitzig*) heated **4.** *sich lebhaft unterhalten* have* a lively conversation **5.** *Verkehr*: heavy [ˈhevɪ]

Lebkuchen *etwa*: (piece of) gingerbread [ˈdʒɪndʒəbred]

leck 1. leaky **2.** *das Fass ist leck* the barrel leaks *oder* is leaking

Leck leak

lecken 1. lick; *an etwas lecken* lick something **2.** *leck mich doch!* *vulgär* piss off!, up yours!

lecker 1. *Essen usw.*: tasty, *stärker*: delicious [dɪˈlɪʃəs]; *lecker! umg.* yum!, yummy! **2.** *riecht lecker!* smells good

Leckerbissen 1. *Essen*: tasty titbit (*AE* tidbit) **2.** *übertragen* (real) treat

Leder leather [ˈleðə]; *es ist aus Leder* it's (made of) leather; *eine Tasche aus Leder* a leather bag

Lederhose leather trousers [,leðəˈtraʊzəz], lederhosen [ˈleɪdəˌhəʊzn], *AE* leather pants (△ *alle Pl.*); *eine Lederhose* a pair of leather trousers (*oder* lederhosen); ☞ *Hose*

Lederjacke leather jacket [,leðəˈdʒækɪt]

ledig 1. single; *sie ist ledig* she's single **2.** *ledige Mütter* unmarried mothers

Lee 1. lee **2.** *nach Lee* leeward [ˈliːwəd]

leer 1. *allg.*: empty; → *leerlaufen* **2.** (≈ *unmöbliert*) unfurnished **3.** *ein leeres Blatt Papier* a blank sheet of paper **4.** *die Batterie ist leer* the battery has run out, *eines Autos*: the battery is flat (*oder* dead)

leer stehend *Haus, Wohnung*: unoccupied

Leere emptiness (*auch übertragen*)

leeren empty (*Mülleimer, Glas usw.*)

Leerlauf *eines Autos usw.*: neutral (gear); *es ist im Leerlauf* it's in neutral (△ *ohne* the)

leerlaufen 1. (*Fass usw.*) run* dry **2.** *etwas leerlaufen lassen* drain something

Leerstelle *beim Tippen*: blank, space

Leertaste space bar, *Computer auch*: space key

Leerung 1. *allg.*: emptying **2.** *eines Briefkastens*: collection, *AE* mail pick-up

Leerzeichen *Computer*: blank, space

legal legal [ˈliːgl]

legen 1. *allg.*: put*; *leg es auf den Tisch* put it on the table **2.** *vorsichtig*: lay* (*auch Eier*); *sie legten ihn aufs Sofa* they laid him on the sofa **3.** (≈ *verlegen*) lay* (*Leitung, Mine, Teppich usw.*) **4.** *sich auf den Sand usw. legen* lie* down on the sand *usw.* **5.** *sich legen* (*Sturm, Begeisterung usw.*) die down, (*Spannung*) ease off **6.** *das legt sich schon wieder* *humorvoll über jemands Benehmen*: don't worry - it'll blow over

legendär legendary [△ ˈledʒəndərɪ]

Legende legend [△ ˈledʒənd] (*auch auf Landkarte*)

leger 1. *Benehmen usw.*: informal, casual

['kæʒʊəl] **2.** *Mensch*: relaxed **3.** *leger gekleidet* casually dressed

Legierung alloy [△ 'ælɔɪ]

Lehm 1. loam **2.** (≈ *Ton*) clay

Lehne 1. (≈ *Rückenlehne*) back, backrest **2.** (≈ *Armlehne*) arm, armrest

lehnen 1. *etwas an etwas lehnen* lean* something <u>against</u> something **2.** (*sich*) *lehnen* lean* (*an, gegen* against; *auf* on) **3.** *sich aus dem Fenster lehnen* lean* out of (*AE auch* out) the window

Lehrbuch textbook

Lehre 1. *eines Lehrlings*: apprenticeship [ə'prentɪsʃɪp] **2.** (≈ *abschreckende Erfahrung*) lesson; *lass dir das eine Lehre sein* let that be a lesson to you **3.** (≈ *Wissenschaft*) science **4.** (≈ *Theorie*) theory ['θɪərɪ] **5.** *eines Glaubensgründers usw.*: teachings (△ *Pl.*) **6.** *der katholischen usw. Kirche*: doctrine ['dɒktrɪn]

lehren 1. teach*, instruct; *jemanden etwas lehren* teach* someone (how to do) something **2.** *die Erfahrung lehrt* experience shows (us), experience tells us

Lehrer(in) 1. *in Schule*: teacher **2.** *für bestimmte Dinge, z. B. Skilaufen*: instructor **3.** *für Privatstunden*: tutor ['tjuːtə]

Lehrerzimmer staff room, *AE* staff lounge

Lehrgang course [kɔːs]

Lehrling apprentice [ə'prentɪs], trainee [treɪ'niː]

Lehrplan 1. syllabus ['sɪləbəs] **2.** *über mehrere Jahre*: curriculum [kə'rɪkjələm]

lehrreich instructive [ɪn'strʌktɪv]

Lehrstelle 1. apprenticeship [ə'prentɪsʃɪp] **2.** *offene*: vacancy for an apprentice (*oder* a trainee)

Lehrtochter ⑭ (≈ *weiblicher Lehrling*) apprentice [ə'prentɪs]

Lehrzeit *eines Lehrlings*: apprenticeship

Leib 1. (≈ *Körper*) body **2.** *mit Leib und Seele* heart [hɑːt] and soul (△ *ohne* with) **3.** *sich jemanden vom Leib halten* keep* someone at arm's length; *halt sie mir bloß vom Leib!* just don't let her come near me

Leibchen ⓐ, ⑭ **1.** (≈ *Unterhemd*) vest, *AE* undershirt **2.** *Sport*: (≈ *Trikot*) shirt, jersey ['dʒɜːzɪ]

Leiberl ⓐ → *Leibchen*

Leibgarde bodyguard ['bɒdɪgɑːd]

Leibgericht, Leibspeise favourite dish [ˌfeɪvrət'dɪʃ]

Leibwächter(in) bodyguard ['bɒdɪgɑːd]

Leiche 1. corpse, (dead) body **2.** *sie geht über Leichen* she'll stop at nothing

leichenblass deathly pale, as white as a sheet *oder* ghost

Leichenhalle mortuary ['mɔːtjʊərɪ], *AE*

auch funeral home ['fjuːnrəl_həʊm]

Leichenschauhaus mortuary ['mɔːtjʊərɪ], *bes. für unbekannte Tote*: morgue [mɔːg]

Leichenwagen hearse [△ hɜːs]

leicht 1. *Essen, Kleidung, Lektüre, Musik, Wein, Zigarette usw.*: light; *sie hat einen leichten Schlaf* she's a light sleeper **2.** *an Gewicht*: light, lightweight ['laɪtweɪt] **3.** *Arbeit, Aufgabe usw.*: (≈ *einfach*) easy **4.** (≈ *nicht schlimm*) slight (*auch Erkältung*), *Entzündung usw. auch*: mild; *sie hat eine leichte Bronchitis* she's got a mild case of bronchitis **5.** *Verletzung*: minor, slight **6.** *Fehler*: minor, small **7.** *er hats nicht leicht* he doesn't have an easy time of it; *sie hats nicht leicht mit ihm* she has a hard time with him **8.** (≈ *mühelos, schnell*) easily; *es geht ganz leicht* it's easy; *das ist leicht gesagt* it's not as easy as that **9.** *das ist leicht möglich* that's quite possible **10.** (≈ *geringfügig*) slightly; *sein Zustand hat sich leicht gebessert* his condition has improved slightly **11.** *du kannst dir leicht vorstellen ...* you can well imagine ... **12.** *jemandem etwas leicht machen* make* something easy for someone **13.** *es sich leicht machen* take* the easy way out; *du machst es dir zu leicht* *allgemein*: you're taking things too lightly, *in diesem Fall*: it's not as easy as that **14.** *er nimmts zu leicht* he doesn't take it seriously enough; → *leichtfallen, leichtnehmen usw.*

Leichtathlet(in) athlete ['æθliːt]

Leichtathletik athletics [æθ'letɪks] (△ *mst. mit Sg.*), *bes. AE* track and field

Die Hauptdisziplinen der Leichtathletik (athletics)

100-Meter-Lauf	**100 metres**
Diskuswerfen	**discus (throwing)**
Dreisprung	**triple jump** ['trɪpldʒʌmp]
Hammerwerfen	**hammer (throwing)**
Hochsprung	**high jump**
Hürdenlauf	**hurdles**
Kugelstoßen	**shot-put**
Speerwerfen	**javelin (throwing)** ['dʒævlɪn]
Stabhochsprung	**pole vault**
Staffellauf	**relay** ['riːleɪ] **(race)**
Weitsprung	**long jump**
Zehnkampf	**decathlon** [dɪ'kæθlɒn]

leichtfallen: *es fällt ihr nicht leicht, das*

Rauchen aufzugeben it isn't easy for her to give up (*oder* quit) smoking
Leichtgewicht *Sport*: lightweight ['laɪtweɪt]
Leichtgewichtler(in) lightweight ['laɪtweɪt]
leichtgläubig gullible ['gʌləbl], credulous ['kredjʊləs]
Leichtigkeit 1. (≈ *Mühelosigkeit*) easiness, ease; ***mit Leichtigkeit*** with ease, effortlessly; ***es ist für sie eine Leichtigkeit*** it's the easiest thing in the world for her **2.** (≈ *Leichtheit*) lightness
leichtmachen → *leicht 12, 13*
leichtnehmen 1. *sie nimmt das Leben leicht* she takes life as it comes **2. *nimms leicht!*** *umg.* don't worry ['wʌrɪ] about it; → *leicht 14*
Leichtsinn carelessness, *stärker*: recklessness; ***aus purem Leichtsinn*** out of sheer recklessness
leichtsinnig 1. careless, *stärker*: reckless **2. *leichtsinnig umgehen mit*** be* careless with
leichttun: *sich mit etwas leichttun* have* no difficulties with something, have* no difficulty doing something
leichtverdaulich → *verdaulich 2*
Leid 1. (≈ *Leiden*) suffering **2.** (≈ *Kummer*) sorrow, grief **3. *es wird dir kein Leid geschehen*** you won't come to any harm; → *leidtun*
leiden 1. suffer (***an, unter*** from) **2. *Hunger leiden*** starve **3. *ich kann sie nicht leiden*** I can't stand her
Leiden 1. *allg.*: suffering **2.** (≈ *Krankheit*) illness, *bestimmte*: disease [dɪˈziːz]; ***ein Herzleiden*** (***Leberleiden*** *usw.*) a heart (liver *usw.*) condition

Leidenschaft 1. passion **2. *Angeln ist seine Leidenschaft*** he's a passionate angler
leidenschaftlich 1. *allg.*: passionate ['pæʃnət], *Mensch auch*: very emotional **2. *sie ist eine leidenschaftliche Skifahrerin*** she loves skiing **3. *ich gehe leidenschaftlich gern ins Kino*** I love going to the cinema
leider 1. unfortunately [ʌnˈfɔːtʃnətlɪ] **2. *wir müssen jetzt leider gehen*** I'm afraid we have to go now; ***leider ja*** I'm afraid so; ***leider nein*** I'm afraid not
Leidtragende(r): *sie ist die Leidtragende* she's the one who suffers
leidtun 1. (es) *tut mir leid* (I'm) sorry; ***tut mir leid, dass ich so spät komme*** sorry for being so late; ***sie tut mir wirklich leid*** I really feel sorry for her; ***das tut mir aber leid*** *mitfühlend*: I'm (really) sorry to hear that; ***es wird dir leidtun*** you'll be sorry, you'll regret it **2. *es tut mir leid, aber ich kann nicht kommen*** I'm afraid I can't come
Leierkasten barrel organ
Leihbücherei lending library ['lendɪŋˌlaɪbrərɪ]
leihen 1. *jemandem etwas leihen* lend* (*etwas Wertvolles*: loan) someone something; ***sie hats mir geliehen*** she lent it to me; ***kannst du mir dein Fahrrad leihen?*** could you lend me your bike? **2. *sich etwas von jemandem leihen*** borrow something from someone; ***es ist (nur) geliehen*** I (only) borrowed it
Leihgebühr 1. *für Auto usw.*: rental fee, *BE auch* hire charge **2.** *für Bücher*: lending fee
Leihhaus pawnshop

---

leihen   borrow / lend / loan

sich etwas (von jemandem) leihen	**borrow something (from someone)**
Kann ich mir mal kurz deinen Kuli leihen?	**Could I borrow your pen for a minute?**
Ich hab mir Lindas Fahrrad fürs Wochenende geliehen.	**I've borrowed Linda's bike for the weekend.**
jemandem etwas (aus)leihen	**lend (*AE* loan) someone something, lend (*AE* loan) something to someone**
Ich habe ihm meinen Tennisschläger geliehen, aber er hat ihn mir nicht zurückgegeben.	**I lent (*AE* loaned) him my tennis racket but he hasn't given it back to me.**
Kannst du mir etwas Geld leihen?	**Can you lend (*AE* loan) me some money?**

Bei **borrow** leiht man sich etwas aus, man bekommt etwas geliehen, bei **lend** bzw. *AE* **loan** verleiht man etwas.

Leihwagen hire (*AE* rental) car
Leim 1. *Klebstoff:* glue **2. aus dem Leim gehen** *umg. (auch Beziehung)* fall* apart
leimen: (*etwas***) leimen** glue (something)
Leine 1. *allg.:* (thin) rope **2.** *für Hund:* lead [liːd], *bes. AE* leash [liːʃ]; **den Hund an die Leine nehmen** put* the dog on the lead **3.** *einer Angel, für Wäsche:* line
Leinen *Stoff:* linen [△ ˈlɪnɪn]
Leinwand 1. *Film:* screen **2.** *eines Malers:* canvas [ˈkænvəs]
leise 1. *allg.:* quiet **2.** *Musik, Ton:* soft **3.** *Stimme:* soft, low; **mit leiser Stimme** in a low voice **4.** *Geräusch, Hoffnung, Ahnung:* faint **5.** *Bewegung, Verdacht:* slight **6. die Musik leiser stellen** turn the music down **7.** *singen, klopfen usw.:* softly **8. leise sprechen** speak* in a low voice; **sprich leiser!** keep your voice down!
Leiste 1. *aus Holz, Metall usw.:* strip (of wood *bzw.* metal *usw.*) **2.** (≈ *Fußbodenleiste*) skirting board **3.** *Umrandung:* border **4.** *Verzierung:* trim **5.** *zum Aufhängen von Bildern usw.:* rail **6.** *am Unterkörper:* groin
leisten 1. *allg.:* do*; **du hast gute Arbeit geleistet** you've done a good job **2.** (≈ *vollbringen*) achieve [əˈtʃiːv], accomplish [△ əˈkʌmplɪʃ] **3. Hilfe leisten** help **4. das kann ich mir nicht leisten** *wegen des Preises:* I can't afford that, *wegen meiner Stellung usw.:* I can't afford to do that **5. da hast du dir ja wieder mal was geleistet!** *abwertend* what have you been up to this time? **6. komm, heute leisten wir uns mal ein gutes Essen** come on, let's treat ourselves to a decent [ˈdiːsnt] meal today
Leistung 1. *bei der Arbeit, in der Schule, bei Prüfung, beim Sport usw.:* performance; **schwache Leistung!** poor show!, *AE* bad job! **2.** *besondere:* achievement [əˈtʃiːvmənt] **3.** (≈ *Großtat*) feat **4.** *Produktionsleistung einer Maschine usw.:* output **5.** *in der Physik, Arbeitsleistung eines Gerätes:* power **6.** *des Gehirns usw.:* capacity **7.** (≈ *Dienstleistung*) service **8.** *als Zahlung:* payment
Leistungsdruck pressure, stress
leistungsfähig 1. efficient (*auch Maschine*) **2.** *körperlich:* fit **3.** *schulisch usw.:* capable
Leistungskontrolle *in der Schule:* assessment
Leistungskurs *in der Schule etwa:* special subject, *AE* honors course; **ich bin im Leistungskurs Geschichte** I'm taking history as a special subject
Leistungssport competitive sport [kəmˌpetətɪvˈspɔːt] (*oder* sports *Pl.*)

Leitartikel *bes. BE* leading article [ˌliːdɪŋˈɑːtɪkl], leader, *bes. AE* editorial [ˌedɪˈtɔːrɪəl]
leiten 1. (≈ *führen*) lead* [liːd] (*auch Mannschaft, Partei usw.*) **2.** (≈ *anführen*) head [hed] **3.** run*, be* in charge of (*Firma, Abteilung*), manage (*Firma*) **4.** head, be* in charge of (*Projekt usw.*) **5.** chair (*Versammlung, Diskussion usw.*) **6.** conduct [kənˈdʌkt] (*Orchester*) **7. eine Band leiten** be* (the) leader of a band, be* (the) bandleader **8.** referee (*Fußballspiel usw.*) **9.** *als Moderator:* host [həʊst] (*Sendung, Show*) **10.** direct [dəˈrekt] (*Verkehr*) **11.** pass on (*an* to) **12. sie ließ sich von ihren Gefühlen leiten** she was guided [ˈɡaɪdɪd] by her emotions
leitend 1. *allg.:* leading **2. leitende Stellung** managerial [ˌmænəˈdʒɪərɪəl] position **3. leitende(r) Angestellte(r)** executive [ɪɡˈzekjʊtɪv] **4. leitende(r) Ingenieur(in)** chief engineer
Leiter[1] *die* **1.** ladder (*auch übertragen*) **2.** *mit Stütze:* (≈ *Trittleiter*) stepladder
Leiter[2] *der; Physik:* (≈ *Strom leitender Stoff*) conductor
Leiter(in) 1. *einer Firma:* director [dəˈrektə], manager, *Frau auch:* manageress **2.** *einer Abteilung:* head of department **3.** *eines Projekts:* head **4.** *einer Versammlung:* chairperson, chair, *Mann auch:* chairman, *Frau auch:* chairwoman **5.** *eines Orchesters:* conductor **6.** *einer Band:* leader **7.** *eines Instituts, Teilbereichs usw.:* director; **technischer Leiter, technische Leiterin** technical director
Leitplanke crash barrier [ˈkræʃˌbærɪə], *AE* guardrail [ˈɡɑːdreɪl]
Leitung 1. *allg.:* management (*auch die leitenden Personen*), *Büro:* head office **2.** *eines Projekts, Instituts usw.:* (≈ *Führung*) direction (*auch künstlerische usw.*) **3.** (≈ *Aufsicht*) control, supervision [ˌsuːpəˈvɪʒn] **4.** *bei Veranstaltungen:* management committee [kəˈmɪtɪ] **5.** (≈ *Vorsitz*) chairmanship **6. die Leitung haben** be* in charge; **unter der Leitung von X** *Orchester:* conducted by X; **die Leitung hatte X** *als Dirigent:* the conductor was X **7.** *Hauptleitung für Wasser, Gas oder Strom:* main, *BE auch:* mains (△ *mit Sg. oder Pl.*) **8.** *für Telefon, Strom:* line **9.** (≈ *Rohrleitung*) *im Haus:* pipes (△ *Pl.*), *Fernleitung:* pipeline **10.** (≈ *Kabel*) lead **11.** (≈ *Draht*) wire **12.** (≈ *Stromkreis*) circuit [△ ˈsɜːkɪt]
Leitungsmast (electricity) pylon [ˈpaɪlən]
Leitungswasser tap water
Lektion 1. *in Schulbuch:* chapter

['tʃæptə], unit **2. jemandem eine Lektion erteilen** übertragen teach* someone a lesson

Lektüre 1. (≈ *Lesestoff*) reading (matter) (△ *ohne* a), something to read **2. in der** *Schule*: reader

Lende 1. *als Speise*: loin, *vom Rind*: sirloin ['sɜːlɔɪn] **2. die Lenden** *des Menschen*: the lumbar ['lʌmbə] region, the lower back (△ *beide Sg.*)

lenken 1. steer (*Auto usw.*) **2.** guide (*Flugzeug, Rakete, auch jemanden*) **3.** übertragen control (*den Staat, die Wirtschaft usw.*) **4. jemands Aufmerksamkeit auf etwas lenken** draw* someone's attention to something

Lenker 1. *Motorrad, Fahrrad*: handlebars (△ *Pl.*) **2.** (≈ *Lenkrad*) steering wheel

Lenker(in) (≈ *Fahrer, -in*) driver

Lenkrad steering wheel

Leopard leopard [△ 'lepəd]

Lerche lark

lernen 1. (≈ *sein Wissen erweitern*) learn* (**aus** from); **Kinder lernen schnell** children learn quickly *oder* are quick learners **2. lesen** *bzw.* **Auto fahren** *usw.* **lernen** learn* (how) to read *bzw.* drive *usw.* **3.** *für die Schule usw.*: study, *für Prüfung auch*: revise, *AE* review; **fleißig lernen** work (*oder* study) hard **4. ein Gedicht auswendig lernen** learn* a poem by heart **5. sie lernt Französisch** *freiwillig oder in der Schule*: she's learning French,

---

lernen   learn / study

„Lernen" ist nicht unbedingt gleich **learn**. Wenn man für eine Prüfung, einen Abschluss *usw.* lernt, heißt es **study** bzw. bei Wiederholung von Stoff **revise** oder im amerikanischen Englisch **review**.

learn

Kinder lernen schnell.	**Children learn quickly.**
Schlittschuhlaufen lernen	**learn to skate**
ein Gedicht auswendig lernen	**learn a poem by heart**

study

Was macht Peter? – Er lernt.	**What's Peter doing? – He's studying.**

revise

Ich muss für die Prüfung morgen lernen.	**I've got to revise** (*AE* review) **for tomorrow's exam.**

---

im Augenblick, für den Unterricht usw.: she's studying French

lesbar 1. *Buch usw.*: readable; **das Buch ist gut lesbar** the book is easy to read **2.** (≈ *leserlich*) legible [△ 'ledʒəbl]

Lesbe *umg., oft abwertend* dyke

Lesbierin, lesbisch lesbian ['lezbɪən]

Lesebuch reader

lesen[1] read*; **viel lesen** read* a lot, do* a lot of reading

lesen[2] pick (*Beeren, Trauben*)

lesenswert worth reading; **ein lesenswertes Buch** a book worth reading

Leser(in) reader

Leserbrief letter to the editor ['edɪtə]

leserlich *Schrift usw.*: legible [△ 'ledʒəbl]

Lesespeicher *Computer*: read-only memory (*Abk.*: ROM)

Lesezeichen bookmark

Lesung reading (*auch von Gesetzentwurf*), *von Gedichten auch*: recital [△ rɪ'saɪtl]; **eine Lesung halten** give* a reading

Lette, Lettin, lettisch, Lettisch Latvian ['lætvɪən]; ☞ **Nationalitäten**

Lettland Latvia ['lætvɪə]

letzte(r, -s) 1. *in einer Reihe*: last; **am letzten Mittwoch** last Wednesday; **im letzten Augenblick** at the last minute; **zum letzten Mal** for the last time; **beim letzten Mal** last time; **er kam als Letzter** he arrived last; **sie kam als Letzte ins Ziel, sie wurde Letzte** she came in last **2.** (≈ *endgültig*) final; **das letzte Angebot** the final offer **3.** (≈ *neueste*) latest; **die letzten Nachrichten** the latest news (△ *Sg.*) **4. mit letzter Kraft erreichte sie das Auto** she got to the car with her last ounce of strength **5. letzten Endes** in the end **6. in letzter Zeit** lately **7. bis ins Letzte** down to the last detail **8. das ist ja wohl das Letzte!** *umg.* that really is the limit **9. sie gab ihr Letztes** she made an all-out effort, she gave her all

letztere(r, -s) the latter

Leuchte 1. light, lamp **2. sie ist nicht gerade eine Leuchte** she's not exactly a shining (*oder* leading) light

leuchten 1. *allg.*: shine* **2.** (≈ *glühen*) glow **3.** (*Augen*) glow, gleam **4. die Lampe leuchtet nur schwach** the lamp doesn't give much light **5. sie leuchtete mit ihrer Taschenlampe ins Zimmer** she shone [△ ʃɒn] her torch (*AE* flashlight) into the room

leuchtend 1. *Farben*: vivid ['vɪvɪd], brilliant ['brɪljənt] **2. leuchtende Augen** gleaming (*oder* shining) eyes **3. ein leuchtendes Vorbild** a shining example

Leuchter 1. (≈ *Kerzenleuchter*) candlestick **2.** *für viele Glühlampen oder Kerzen*: candelabra [ˌkændəˈlɑːbrə] **3.** (≈ *Kronleuchter*) chandelier [△ ˌʃændəˈlɪə]

Leuchtfarbe luminescent paint [ˌluːmɪnesntˈpeɪnt]

Leuchtfeuer beacon [ˈbiːkən]

Leuchtreklame neon lights [ˌniːɒnˈlaɪts], neon signs [ˌniːɒnˈsaɪnz] (△ *beide Pl.*)

Leuchtstift *zum Textmarkieren*: marker pen, highlighter

Leuchtturm lighthouse

leugnen deny [dɪˈnaɪ]

Leukämie leuk(a)emia [luːˈkiːmɪə]

Leute 1. people [ˈpiːpl], *einzelne auch*: persons; *die Leute sagen* they say, people say (△ *ohne* the) **2.** *meine Leute umg.* (≈ *meine Familie*) my folks [fəʊks] **3.** *vor allen Leuten* in front of everyone

Leutnant (second) lieutenant [△ lefˈtenənt / *AE* luːˈtenənt]

Leviten: *jemandem die Leviten lesen umg.* read* someone the riot act [ˈraɪətˌækt]

Lexikon 1. *allg.*: encyclop(a)edia [ɪnˌsaɪkləˈpiːdɪə] **2.** (≈ *Wörterbuch*) dictionary [ˈdɪkʃənrɪ]

Libanese Lebanese [ˌlebəˈniːz]; *er ist Libanese* he's Lebanese; ☞ *Nationalitäten*

Libanesin Lebanese woman (*oder* lady *bzw.* girl); *sie ist Libanesin* she's Lebanese; ☞ *Nationalitäten*

Libanon: *der Libanon* Lebanon [ˈlebənən] (△ *ohne* the)

Libelle dragonfly [ˈdrægənflaɪ]

liberal open-minded, liberal

Liberale(r) *politisch*: Liberal

Liberia Liberia [laɪˈbɪərɪə]

liberianisch Liberian; *unter liberianischer Flagge* under a Liberian flag

Libero *Fußball*: sweeper

Libyen Libya [ˈlɪbɪə]

Libyer(in), **libysch** Libyan [ˈlɪbɪən]; ☞ *Nationalitäten*

Licht 1. *allg., auch elektrisches*: light; *Licht machen* switch (*oder* turn) the light *bzw.* lights on; *das Licht ausmachen* switch (*oder* turn) the light *bzw.* lights off; *etwas gegen das Licht halten* hold* something up to the light **2.** (≈ *Lampe*) lamp

licht *Haar usw.*: sparse [spɑːs], thin

Lichtblick *umg.* ray of hope, bright spot on the horizon [həˈraɪzn]

lichtempfindlich 1. sensitive to light (△ *nur nach dem Verb, mst. am Satzende*) **2.** *Film*: fast

Lichtempfindlichkeit *eines Films*: speed

Lichtgeschwindigkeit speed of light

Lichthupe: *sie gab uns Zeichen mit der*

Lichthupe *als Warnung*: she flashed her lights to warn us

Lichtjahr light year

Lichtschacht 1. *über mehrere Etagen*: light shaft [ʃɑːft] **2.** *vor Kellerfenster*: well

Lichtschalter light switch

Lichtschranke light barrier [ˈlaɪtˌbærɪə]

Lichtschutzfaktor sun protection factor, SPF

Lichtung *im Wald*: clearing

Lid eyelid

Lidschatten *Kosmetik*: eye shadow

lieb 1. (≈ *nett*) nice, *stärker*: sweet; *das war lieb von dir* that was nice (*stärker*: sweet) of you; *etwas Liebes sagen usw.*: something nice; *sie sieht lieb aus* she looks sweet; *jemanden lieb behandeln* be* nice to someone; *das hast du lieb gesagt* you've said (*oder* put) that very nicely **2.** (≈ *brav*) good; *warst du auch lieb?* *zu Kind*: have you been a good girl *bzw.* boy? **3.** (≈ *teuer, geliebt*) dear; *Lieber Herr X* *in Brief*: Dear Mr X **4.** *sei so lieb und hol mir ein Glas* do me a favour and get me a glass, will you? **5.** *jemanden lieb haben* love someone; → *liebste(r, -s)*

Liebe 1. *allg.*: love (*zu Person mst.* for, *Sache mst.* of); *aus Liebe* for love; *aus Liebe zu* for the love of (△ *mit* the); *Liebe auf den ersten Blick* love at first sight; *Liebe macht blind* love is blind **2.** (≈ *Zuneigung*) liking (*zu, für* for) **3.** (≈ *geliebter Mensch*) love, sweetheart

lieben 1. *allg.*: love **2.** *er liebt sie* he loves her, he's in love with her **3.** *sie lieben sich* they love each other (*oder* one another), they're in love (with each other) **4.** *sich lieben* (≈ *miteinander schlafen*) make* love **5.** *sie liebt gutes Essen* she's very fond of (*oder* she loves) good food **6.** *sie liebt es nicht, wenn jemand zu spät kommt* she doesn't like people to be late

liebend: *etwas liebend gern tun* love doing (*oder* to do) something; *ich würde es ja liebend gern tun, wenn ich Zeit hätte* I'd love to do it if I had (the) time

liebenswürdig 1. (very) kind **2.** (≈ *gewandt und höflich*) charming

lieber 1. *ich würde lieber ins Kino gehen* I'd rather go and see a film; *ich möchte lieber nicht* I'd rather not **2.** *du solltest lieber gehen* you'd better go **3.** *lass es lieber* (you'd) better leave it **4.** *machen wir es lieber gleich* I think we should do it now **5.** *ich mag Englisch lieber als Bio* I like English better than biology **6.** *es wäre mir lieber, wenn du*

nicht mitkommen würdest I'd prefer it if you <u>didn't</u> come (with me *bzw.* us) **7. welches** *usw.* **ist dir lieber?** which one do you prefer?

Liebesbrief love letter

Liebeskummer: *Liebeskummer haben* (≈ *unglücklich verliebt sein*) be* lovesick

Liebespaar lovers (*Pl.*), couple ['kʌpl]

Liebesszene love scene ['lʌv ˌsiːn]

liebevoll 1. *liebevoll zubereitet* prepared with loving care **2. *sie sah ihn liebevoll an*** she gave him a tender look

liebhaben → **lieb** 5

Liebhaber 1. *einer Frau*: lover **2.** (≈ *Kenner*) connoisseur [ˌkɒnəˈsɜː]; ***das ist etwas für Liebhaber*** it's something for <u>the</u> connoisseur (△ *Sg.*) **3. *er ist ein großer Liebhaber der Musik*** he's a great music lover

Liebhaberin lover, enthusiast [ɪnˈθjuːzɪæst]; ***sie ist eine große Liebhaberin des Jazz*** she's a great lover of jazz (*oder* jazz lover, jazz enthusiast)

Liebling 1. darling, *als Anrede auch*: love **2.** (≈ *Günstling*) favourite ['feɪvrət]

Lieblings... *in Zusammensetzungen*: *mst.* favourite ['feɪvrət]; ***Lieblingsstück*** *Musik*: favourite piece of music; ***Lieblingsthema*** favourite subject

Lieblingsschüler(in) teacher's pet [ˌtiːtʃəzˈpet]

lieblos 1. *Benehmen usw.*: unkind **2.** *Eltern usw.*: uncaring **3.** (≈ *sorglos*) careless **4. *er geht sehr lieblos mit ihr um*** he doesn't treat her very well

liebste(r, -s) 1. *meine liebste Katze* *usw.* my favourite cat *usw.* **2. *am liebsten würde ich bleiben*** I'd really like to stay; ***am liebsten schwimme ich, Schwimmen ist mir am liebsten*** I like swimming <u>best</u>

Lied song

Liedermacher(in) singer-songwriter [ˌsɪŋəˈsɒŋˌraɪtə]

lieferbar available; ***nicht lieferbar*** not available, out of stock

liefern 1. *allg.*: deliver [dɪˈlɪvə]; ***jemandem etwas liefern*** deliver something to someone **2.** (≈ *beschaffen*) supply [səˈplaɪ]; ***sie liefern ihnen Waffen*** they supply them <u>with</u> weapons **3. *sie haben sich einen harten Kampf geliefert*** *Fußball usw.*: they really went at each other, *Boxen usw.*: it was a tough fight **4. *wenn das mein Vater erfährt, bin ich geliefert*** *umg.* if my father finds out I'm done for

Lieferschein delivery note [dɪˈlɪvərɪ ˌnəʊt]

Lieferung 1. *als Vorgang*: delivery [dɪˈlɪvərɪ], (≈ *Beschaffung*) supply [səˈplaɪ]

2. *als Ware*: consignment [kənˈsaɪnmənt]

Lieferwagen delivery van

Liege 1. *beim Arzt*: couch **2.** *Notbett für Gäste*: campbed **3.** (≈ *Gartenliege*) sunbed, lounger ['laʊndʒə]

Liegen: *etwas im Liegen tun* do* something <u>lying down</u>

liegen 1. *allg.*: lie*; ***auf dem Tisch lag alles Mögliche*** all sorts of things were lying on the table; ***sie muss flach liegen*** she has to lie flat **2. *sie liegt im Bett*** she's in bed (△ *ohne* the) **3. *der Boden lag voller Zeitungen*** the floor was covered with papers **4. *Genf liegt in der Schweiz*** Geneva is in Switzerland; ***das Haus liegt auf einem Hügel*** the house is (situated) on a hill **5. *mein Zimmer liegt nach Süden*** my room faces south **6. *es liegt viel Schnee*** there's a lot of snow **7. *an der Spitze liegen*** be* in front **8. *die Temperatur liegt bei 30 Grad*** temperatures are around 30 degrees (△ *mst. Pl.*) **9. *da liegt der Fehler!*** that's where the trouble lies **10. *das liegt mir nicht*** I'm not very good at that, *umg.* it's not my thing **11. *mir liegt sehr viel daran*** it means a lot to me **12. *woran liegt es wohl?*** I wonder what the reason is; ***es liegt daran, dass ...*** it's because ... **13. *es liegt an dir* es zu tun*** it's up to you, *Schuld*: it's your fault **14. *an mir soll's nicht liegen*** (≈ *ich werde aktiv mitarbeiten*) I'll certainly do all I can, (≈ *ich werde keine Schwierigkeiten machen*) I won't stand in the way

---

liegen bleiben 1. (≈ *nicht aufstehen*) just lie* there **2.** *im Bett*: stay in bed **3.** (*Sachen*) be* left (*auf* on), (≈ *vergessen werden*) be* left behind **4.** (*Arbeit*) be* left unfinished **5.** (*Fahrzeug*) break* down

liegen lassen 1. (≈ *vergessen*) leave* behind, forget* (*Schirm usw.*) **2. *lass das liegen!*** leave it alone! **3. *jemanden links liegen lassen*** give* someone the cold shoulder ['ʃəʊldə] **4. *er lässt immer alles einfach liegen*** he always just leaves things lying around

---

liegenbleiben → **liegen bleiben**

liegenlassen → **liegen lassen**

Liegestuhl deckchair, *AE* beachchair

Liegestütz press-up, *bes. AE* push-up; ***20 Liegestütze machen*** <u>do</u>* twenty press-ups

Liegewagen *Bahn*: couchette [kuːˈʃet] car

Lift 1. *allg.*: lift, *AE* elevator ['elɪveɪtə] **2.** (≈ *Skilift*) (ski) lift

Liga league [liːg], *Sport auch*: division
Likör liqueur [⚠ lɪˈkjʊə] (⚠ *AE* liquor [ˈlɪkə] = *Spirituosen*)
Lila, lila lilac [ˈlaɪlək], *dunkler*: mauve [məʊv]
Lilie lily [⚠ ˈlɪlɪ]
Liliputaner(in) midget [ˈmɪdʒɪt], dwarf [⚠ dwɔːf] *Pl.*: dwarfs *oder* dwarves
Limo, Limonade 1. *allg.*: lemonade **2.** (≈ *Orangenlimonade*) orangeade [ˌɒrɪndʒ-ˈeɪd] **3.** (≈ *Zitronenlimonade*) lemonade
Limousine 1. saloon (car), *AE* sedan [sɪ-ˈdæn] **2.** *luxuriöse*: limousine [ˌlɪməˈziːn], *umg.* limo [ˈlɪməʊ]
Linde 1. *Baum*: lime (tree) **2.** *Holz*: lime-wood
lindern 1. relieve [rɪˈliːv], ease (*Schmerzen*) **2.** relieve (*Not, Armut*)
Lineal ruler
Linie 1. *allg.*: line **2.** *Route eines Linienbusses usw.*: route [ruːt], *von Eisenbahn, Tram mst.*: line **3.** *nehmen Sie die Linie 5 Bus, Tram*: take the number 5 (bus *bzw.* tram), *U-Bahn, S-Bahn*: take the number 5 (train) **4.** *ich muss auf meine Linie achten* I've got to watch my weight [weɪt] **5.** *in erster Linie* first of all, first and foremost
Linienbus public service bus [ˌpʌblɪk-ˈsɜːvɪs ˌbʌs], regular bus [ˌreɡjʊləˈbʌs]
Linienflug scheduled flight [ˌʃedjuːld-ˈflaɪt]
Linienrichter *Sport*: linesman [ˈlaɪnzmən]
liniert, liniiert *Heft usw.*: ruled, lined
Linke 1. *Hand*: left hand, *beim Boxen*: left **2.** *politisch, einer Partei*: left wing
Linke(r) *politisch*: leftist, left-winger
linke(r, -s) 1. ↔ *rechte(r, -s)*: left; *am linken Ufer* on the left bank **2.** *auf der linken Seite* on the left, on the left-hand side **3.** *Partei usw.*: left-wing
links 1. on the left (*auch politisch*), on the left-hand side **2.** *nach links* left, to the left; *links abbiegen* turn left **3.** *links von* to the left of; *links von ihr* to her left **4.** *links oben* on the top left (*in* of); *links unten* on the bottom left (*in* of) **5.** *sich links halten* keep* to the left **6.** *links der Themse* on the left bank of the Thames [temz]
Linksaußen *Fußball*: left wing(er)
Linkshänder(in) left-hander; *sie ist Linkshänderin* she's left-handed
linksherum *drehen usw.*: to the left, anticlockwise [ˌæntɪˈklɒkwaɪz]
Linksverkehr: *in Irland ist Linksverkehr* in Ireland they drive on the left(-hand side)
Linse 1. *Nahrungsmittel*: lentil [ˈlentɪl] **2.** *im Auge, im Fotoapparat usw.*: lens

[⚠ lenz]
Lippe lip
Lippenstift lipstick
lispeln: *er lispelt* he's got a lisp, he lisps
Lissabon Lisbon [ˈlɪzbən]
List 1. (≈ *Trick*) trick **2.** *mit List und Tücke* with a great deal of cunning
Liste 1. *allg.*: list **2.** *schwarze Liste* blacklist
listig cunning, crafty [ˈkrɑːftɪ]
Litauen Lithuania [ˌlɪθjuːˈeɪnɪə]
Litauer(in), litauisch, Litauisch Lithuanian [ˌlɪθjuːˈeɪnɪən]; ☞ *Nationalitäten*
Liter litre [ˈliːtə]; *3 Liter Wein* 3 litres of wine
Literatur literature [ˈlɪtrətʃə]; *die moderne Literatur* modern literature (⚠ *ohne* the)
Literaturverzeichnis bibliography [ˌbɪblɪ-ˈɒɡrəfɪ]
Litfaßsäule advertising column [ˈædvətaɪzɪŋˌkɒləm]
Litschi *Frucht und Baum*: lychee [ˈlaɪtʃiː]
live live [laɪv]
Live... *in Zusammensetzungen*: live ...; *Live-Aufnahme* live recording [ˌlaɪv rɪ-ˈkɔːdɪŋ]; *Live-Berichterstattung* live coverage [ˌlaɪvˈkʌvərɪdʒ]; *Live-Sendung* live broadcast [ˌlaɪvˈbrɔːdkɑːst]; *Live-Übertragung* live transmission
Lizenz licence [ˈlaɪsns]
Lkw lorry, *bes. großer und AE*: truck
Lob praise; *großes Lob ernten* earn a lot of praise; *sie hat viel Lob bekommen* she was highly praised (*für* for); *dafür hast du wirklich ein Lob verdient* you really deserve praise for that (⚠ *ohne* a)
loben: *jemanden* (*bzw.* *etwas*) *loben* praise someone (*bzw.* something), *gegenüber anderen*: speak* very highly of someone (*bzw.* something)
Loch 1. *allg.*: hole (*auch übertragen*) **2.** *im Reifen*: puncture **3.** (≈ *Öffnung*) opening **4.** (≈ *Lücke*) gap
lochen, Locher punch
löcherig full of holes
Locke 1. *im Haar*: curl **2.** *abgeschnittene*: lock **3.** *sie hat blonde Locken* she's got curly blonde hair (⚠ *Sg.*)
locken 1. *jemanden* (*bzw.* *ein Tier*) *in eine Falle locken* lure someone (*bzw.* an animal) into a trap **2.** *es lockt mich sehr* (*Angebot usw.*) I feel very tempted
Lockenwickler curler
locker 1. *Schraube, Knopf, Zahn usw.*: loose [luːs] **2.** *Seil usw.*: slack **3.** *Teig, Schaum*: light **4.** *Haltung, Regelung*: relaxed **5.** *Person*: easygoing **6.** *Beziehung*: (very) casual [ˈkæʒʊəl] **7.** *lockerer werden* *Person, Muskeln*: loosen up **8.** *sie*

macht das ganz locker she does it just like that **9. das schaffe ich locker** *umg.* I'll manage it no problem **10. dort geht es sehr locker zu** it's all very relaxed (there) **11. bleib locker!** *beruhigend*: calm the beans!

lockerlassen: sie ließ nicht locker, bis she wouldn't give up until

lockern 1. *allg.*: loosen ['luːsn] **2.** slacken (*Seil usw.*) **3.** loosen up, relax (*Muskeln*) **4.** relax (*Regeln usw.*) **5. sich lockern** *allg.*: loosen, (*Zahn, Schraube usw.*) come* loose, *körperlich*: loosen up, *beim Sport auch*: limber up

Lockerung 1. *allg.*: loosening **2.** *von Muskeln*: loosening-up, relaxation [ˌriːlækˈseɪʃn] **3.** *von Vorschriften*: relaxation

Lockerungsübung: Lockerungsübungen machen do* some loosening-up (*Sport auch*: limbering-up) exercises

Löffel 1. spoon **2. einen Löffel Mehl zugeben** add a spoonful of flour **3.** *eines Baggers*: scoop

Loge 1. *Oper usw.*: box **2.** (≈ *Pförtnerloge, Freimaurerloge*) lodge

Logik logic ['loːdʒɪk] (△ *ohne* the)

logisch 1. logical **2. ist doch logisch!** logical, isn't it?, *salopp* (≈ *na klar!*) you bet!

logischerweise 1. (≈ *selbstverständlich*) naturally **2.** *als offensichtliche Folge*: obviously ['ɒbvɪəslɪ]

logo *salopp* sure thing!, (≈ *klar!*) you bet!

Logopäde, Logopädin speech therapist ['spiːtʃˌθerəpɪst]

Lohn 1. *für Arbeit*: wage, wages (*Pl.*), pay **2.** (≈ *Belohnung*) reward; **als Lohn** as a reward (**für** for), *übertragen* in return (**für** for)

lohnen 1. das lohnt sich wirklich it's really worth it **2. die Mühe lohnt sich** it's worth the trouble **3. das lange Warten hat sich gelohnt** it was worth waiting all that time; **es lohnt sich nicht zu warten** (≈ *es ist zwecklos*) it's no use waiting; **der Film lohnt sich** the film's worth seeing

lohnend 1. *Tätigkeit, Erfahrung, Aufgabe*: rewarding **2.** *Umweg usw.*: worthwhile **3.** (≈ *rentabel*) profitable ['prɒfɪtəbl]

Lohnerhöhung wage increase ['ɪŋkriːs], pay rise (*AE* raise)

Lohnforderung wage claim

Lohnkürzung pay cut

Lohnsteuer income tax

Lohnsteuerkarte tax card

Lohnstopp wage freeze

Loipe 1. *Piste*: trail, course [kɔːs] **2.** *Rundkurs*: circuit ['sɜːkɪt]

Lokal 1. (≈ *Gaststätte*) restaurant ['res-

tərɒnt]; **kennst du ein gutes Lokal?** do you know a good place to eat? **2.** (≈ *Kneipe*) pub, *bes. AE* bar

Lokalteil *Zeitung*: local pages (△ *Pl.*)

Lokomotive engine ['endʒɪn]

Lokomotivführer engine driver, *AE* engineer [ˌendʒɪ'nɪə]

London London (△ 'lʌndən)

Looping: einen Looping drehen do* a loop

Lorbeer 1. *Baum*: laurel [△ 'lɒrəl] **2.** *als Gewürz*: bay leaf (*bzw.* leaves)

Los 1. (≈ *Lotterielos*) lottery ticket **2. sie hat das große Los gezogen** *übertragen* she's hit the jackpot **3. durch Los** (*entscheiden*) (decide) by drawing lots

los¹ 1. der Knopf ist los the button has come off **2. was ist los?** what's up?, what's the matter?, *hier*: what's going on here?; **was ist mit ihr?** what's wrong with her? **3. den wären wir endlich los** thank goodness he's gone; **ich bin den alten Fernseher immer noch nicht los** I still haven't got rid of my old TV **4. hier ist nicht viel los** there's nothing much going on here **5. als ich mit dem Zeugnis nach Hause kam, war vielleicht was los!** when I brought my report home, they gave me merry hell

los² 1. los! go on!, *bei Wettkampf usw.*: go! **2. los jetzt!** (≈ *mach schnell!*) let's go!, come on! **3. also los!** okay, let's go!

losbinden 1. untie [ˌʌn'taɪ] (*Gefangenen usw.*) **2.** set* free (*Tier*)

Löschblatt: ein Löschblatt a piece of blotting paper

löschen 1. put* out (*Feuer, Brand*) **2.** put* out, switch off, turn off (*oder* out) (*Licht*) **3. den Durst löschen** quench one's thirst **4.** *Computer*: delete (*Zeile, Daten usw.*) **5.** *Tonband*: erase [ɪ'reɪz] **6.** delete (*Eintragung*) **7.** wipe out (*Erinnerungen, Spuren*) (**aus** of)

Löschpapier blotting paper

Löschtaste *Computer*: delete key [dɪ'liːt̩ˌkiː]

lose 1. (≈ *locker, unbefestigt*) loose [luːs]; **ein loses Blatt** *aus Buch usw.*: a loose leaf; **ein loses Mundwerk** a loose tongue [tʌŋ] **2. lose Teile** separate ['seprət] parts

Lösegeld ransom ['rænsəm]

losen 1. draw* lots (**um** for) **2.** *mit Münze*: toss (**um** for)

lösen 1. solve (*Problem, Aufgabe, Rätsel usw.*) **2.** break* off (*Verbindung, auch Verlobung*) **3.** cancel ['kænsl] (*Vertrag*) **4.** resolve, settle (*Konflikt usw.*) **5.** buy* (*Fahrkarte usw.*) **6. etwas von etwas lösen** take* something off something **7.** (≈

lockern) loosen ['luːsn] (Schraube usw.)
8. release (Bremse) **9.** undo* (Knoten)
10. sich lösen (Tapete usw.) come* off,
(Schraube usw.) come* **loose** [luːs],
(Spannung) ease **11. sich von etwas lösen** von Vorstellung usw.: free oneself from something

losfahren 1. (≈ abfahren) leave* (auch Zug usw.) **2.** mit Auto usw.: drive* off

losgehen 1. (≈ aufbrechen) leave*; **ich geh jetzt los** I'm off now **2.** (Schuss) go* off **3. auf jemanden losgehen** go* for someone **4.** (≈ beginnen) start; **jetzt gehts los** here we go; **wann gehts endlich los?** Film, Aufführung usw.: when is it going to start?

loskommen 1. (≈ fortkommen) get* away **2. er kommt nicht vom Alkohol los** he can't get off alcohol **3. ich komm nicht los davon** von Angewohnheit: I can't stop doing it, von einem Gedanken, einer Erinnerung: I can't get it out of my mind

loskriegen: sie kriegt ihr altes Auto nicht los she can't get rid of her old car

loslassen 1. lass bloß nicht los! don't let go! **2. lass mich los!** let (me) go! **3. er ließ den Hund auf mich los** he set his dog on me

loslegen 1. umg. (≈ anfangen) get* cracking **2. dann legte sie richtig los** (≈ redete, schimpfte) then she really got going

löslich in Wasser usw.: soluble ['sɒljʊbl]

losmachen 1. den Hund von der Leine losmachen take* (oder let*) the dog off the lead [liːd] **2.** unmoor (Boot usw.); **das Boot losmachen und gleichzeitig ablegen:** cast* [kɑːst] off

losreißen 1. sich losreißen (Tier) break* loose [luːs], (Mensch) break* away (von from) **2. sie kann sich von dem Buch gar nicht mehr losreißen** she can't tear [teə] herself away from that book

losschlagen: auf jemanden losschlagen let* fly at someone, hit* out at someone

losstürzen 1. (≈ loslaufen) tear* off [ˌteəˈrɒf] **2. auf jemanden losstürzen** fly* at someone

Lösung 1. allg.: solution (auch chemische); **die Lösung des Problems** the solution to the problem **2.** (≈ Antwort) answer ['ɑːnsə] **3.** eines Konflikts usw.: settlement

loswerden 1. get* rid of (lästigen Menschen usw.) **2.** umg. (≈ ausgeben) spend* (Geld) **3.** umg. (≈ verlieren) lose* [luːz] (Geld)

losziehen 1. (≈ aufbrechen) set* off **2. sie sind ganz schön gegen mich losgezogen** umg. they had a real go at me

löten solder [△ 'sɒldə]

Lothringen Lorraine [ləˈreɪn]

Lötkolben soldering iron [△ 'sɒldərɪŋˌaɪən]

Lotse, Lotsin, lotsen 1. Schifffahrt: pilot **2.** übertragen guide [gaɪd]

Lotterie lottery

Lotto 1. in GB: national lottery **2.** in deutschsprachigen Ländern: lotto; **Lotto spielen** do the lotto; **sie hat nie (etwas) im Lotto gewonnen** she's never won (anything) in the lotto

Lottozahlen winning (lottery) numbers

Löwe 1. Tier: lion **2.** Sternzeichen: Leo ['liːəʊ]; **sie ist (ein) Löwe** she's a(n) Leo

Löwenzahn dandelion ['dændɪlaɪən]

Löwin lioness ['laɪənes]

Luchs lynx [lɪŋks]

Lücke 1. allg.: gap **2.** in Gesetz usw.: loophole **3.** (≈ leere Stelle) empty space

lückenhaft 1. allg.: full of gaps (△ nur hinter dem Subst. bzw. Verb) **2.** Bericht: incomplete **3.** Wissen, Gedächtnis: sketchy

lückenlos 1. allg.: complete **2. ein lückenloses Gebiss** a full set of teeth **3.** Wissen: perfect ['pɜːfɪkt] **4.** Alibi: watertight

Luft 1. air; **frische Luft schnappen** umg. get* some fresh air **2. tief Luft holen** wörtlich take* a deep breath [breθ], vor Erstaunen usw.: swallow hard; **ich musste die Luft anhalten** I had to hold my breath **3. ich bekam keine Luft mehr** I could hardly breathe [briːð] **4. die Tankstelle flog in die Luft** the filling station blew up **5. sich in Luft auflösen** disappear into thin air **6. mir blieb die Luft weg** it took my breath away

Luftangriff air raid, air strike

Luftballon balloon [bəˈluːn]

Luftblase (air) bubble

Luftbrücke als Hilfsmaßnahme: airlift

luftdicht 1. airtight **2. luftdicht verschlossen** airtight

Luftdruck 1. Wetterkunde: atmospheric [ˌætməˈsferɪk] pressure **2.** in Reifen usw.: air pressure **3.** (≈ Explosionsdruck) blast [blɑːst]

lüften 1. air (Raum usw.) **2. hier muss mal gelüftet werden** this place needs airing

Luftfahrt: die Luftfahrt aviation [ˌeɪviˈeɪʃn] (△ ohne the)

Luftfahrtgesellschaft airline

Luftfeuchtigkeit humidity [hjuːˈmɪdəti]

Luftfilter air filter

Luftfracht air freight [△ 'eəfreɪt]

Luftgewehr airgun

luftig 1. Raum usw.: airy **2.** Platz: breezy **3.** Kleidung: light; **luftig gekleidet sein**

be* wearing light clothes

Luftkissenfahrzeug hovercraft [△ 'hɒvə-krɑːft]

Luftkurort health resort

luftleer 1. completely airless **2. ein luftleerer Raum** a vacuum ['vækjʊəm]

Luftlinie: es sind 500 km Luftlinie it's 500 kilometres as the crow [krəʊ] flies

Luftloch 1. Öffnung: air hole, vent **2.** beim Fliegen: air pocket

Luftmatratze airbed, BE auch Lilo®, umg. lilo ['laɪləʊ]

Luftpost airmail; **mit Luftpost** (by) airmail

Luftpumpe für Fahrrad: (bicycle) pump

Luftraum airspace

Luftröhre windpipe

Einige Luftsportarten

Luftsportart	**air sport**
Ballonfahren	**ballooning**
Drachenfliegen	**hang gliding**
Fallschirmspringen	**parachuting** ['pærəʃuːtɪŋ], **skydiving** ['skaɪˌdaɪvɪŋ]
Fallschirmspringen mit freiem Fall	**freefalling** ['friːˌfɔːlɪŋ]
Gleitschirmfliegen	**paragliding**
Kunstfliegen	**aerobatics** [ˌeərəˈbætɪks]
Segelfliegen	**gliding**

Lüftung 1. als Vorgang: airing, künstliche: ventilation **2.** (≈ Lüftungsanlage) ventilation, ventilation system

Luftveränderung change of air

Luftverschmutzung air pollution ['eəˌpəˌluːʃn]; **die Luftverschmutzung** air pollution (△ ohne the)

Luftwaffe air force

Luftzug draught [△ drɑːft], AE draft

Lüge 1. lie; **alles Lüge** all lies (△ Pl.) **2. jemanden bei einer Lüge ertappen** catch* someone lying

lügen 1. lie, tell* a lie (oder lies); **sie lügt** she's lying **2. das ist gelogen!** that's a lie

Lügner(in) liar ['laɪə]

Luke 1. (≈ Einstiegsluke, Ladeluke) hatch **2.** (≈ Dachluke) skylight

Lümmel 1. (≈ Flegel) lout **2.** (≈ Schlingel) rascal ['rɑːskl]

Lump rogue [rəʊg], umg. louse [laʊs]

Lumpen rag; **in Lumpen** gekleidet: in rags

lumpig: wegen lumpiger fünf Euro umg. because of a measly ['miːzlɪ] five euros

Lunchpaket packed lunch, AE box lunch

Lunge 1. als Organ: lungs (△ Pl.) **2.** (≈ Lungenflügel) lung **3. er hats auf der Lunge** he's got lung trouble

Lungenbraten ⒶA etwa: fillet ['fɪlɪt] of beef

Lungenentzündung pneumonia [△ njuː-'məʊniə]; **sie hat (eine) Lungenentzündung** she's got pneumonia (△ ohne a)

Lungenkrebs lung cancer ['lʌŋˌkænsə]

Lupe 1. magnifying glass ['mægnɪfaɪɪŋ ˌglɑːs] **2. etwas unter die Lupe nehmen** have* a close look [ˌkləʊs'lʊk] at something

Lust 1. (≈ Verlangen) desire (**auf** for) (△ engl. lust = **Begierde**) **2.** (≈ starkes Verlangen) appetite (**auf** for) **3. ich hab Lust auf ein Stück Kuchen** I feel like a piece of cake; **ich hab keine Lust** I don't feel like it; **sie hat keine Lust, die Hausfrau zu spielen** she doesn't feel like playing housewife; **ich hätte Lust auf ein Bier** I wouldn't mind a beer **4. hast du Lust, bei uns mitzumachen?** would you like to join us? **5. ich hab keine Lust mehr** I've had enough **6. die Lust verlieren** lose* interest (**an** in) **7. mir ist die Lust vergangen** I don't feel like it any more **8. du kannst schlafen, solange du Lust hast** you can sleep as long as you like

lustig 1. (≈ komisch) funny; **ein lustiger Film** a funny film **2.** Person: jolly; **er ist ein lustiger Typ** he's good fun **3. es war sehr lustig** it was great fun **4. sich lustig machen über** laugh [lɑːf] at, offen: make* fun of **5. das ist ja lustig!** (≈ merkwürdig) that's funny oder strange **6. das kann ja lustig werden!** im negativen Sinn looks like we're in for some fun and games; **du bist lustig!** im negativen Sinn you're a right one

lustlos 1. allg.: listless **2.** (≈ gleichgültig) indifferent

lutschen 1. etwas lutschen suck (away at) something (Bonbon usw.) **2. an etwas lutschen** suck something

Lutscher lollipop, umg. lolly

Luv 1. windward ['wɪndwəd] **2. nach Luv** windward

Luxemburg Luxemb(o)urg ['lʌksəmbɜːg]

Luxemburger[1] Person: Luxemb(o)urger; **er ist Luxemburger** he's from Luxemb(o)urg; ☞ **Nationalitäten**

Luxemburger[2] (≈ luxemburgisch) Luxemb(o)urgian, nachgestellt: from Luxemb(o)urg

Luxemburgerin woman (oder lady bzw. girl) from Luxemb(o)urg; **sie ist Luxemburgerin** she's from Luxemb(o)urg; ☞ **Nationalitäten**

luxemburgisch Luxemb(o)urgian, *nach-gestellt*: from Luxemb(o)urg

luxuriös 1. luxurious [lʌgˈzjʊərɪəs] **2. *ein luxuriöses Leben*** a life of luxury [ˈlʌkʃərɪ]

Luxus 1. *allg.*: luxury [ˈlʌkʃərɪ] **2. *das ist reiner Luxus*** that's sheer extravagance [ɪkˈstrævəgəns], that's pure luxury

Luxusausführung de luxe model [dəˈlʌks‿mɒdl]

Lymphdrüse lymph(atic) gland [ˈlɪmf‿glænd (lɪmˌfætɪkˈglænd)]

Lymphknoten lymph node [ˈlɪmf‿nəʊd]

Lyrik poetry [ˈpəʊətrɪ]; ***die Lyrik*** poetry (△ *ohne* the)

M

machbar doable [ˈduːəbl]

machen 1. (≈ *tun, erledigen*) do*; ***was machst du?*** *gerade*: what are you do-ing?, *beruflich*: what do you do?; ***sie macht ihre Hausaufgaben*** she's doing her homework **2.** (≈ *herstellen, verursa-chen*) make*; ***das Essen machen*** make* dinner (*bzw.* lunch *usw.*) (△ *mst. ohne* the); ***einen Fehler machen*** make* a mis-take **3. *das Bett machen*** make* the bed; ***das Zimmer machen*** do* (*oder* tidy up) the room, *AE* clean up the room **4. *ein Foto machen*** take* a photo; ***eine Prüfung machen*** take* *oder* sit* an ex-am **5. *einen Kurs machen*** do* (*oder* take*) a course **6. *einen Spaziergang machen*** go* for a walk; ***eine Reise ma-chen*** go* on a trip (***nach*** to) **7. *Pause machen*** have* (*oder* take*) a break; ***ei-ne unangenehme Erfahrung machen***

---

machen   do/make/take

Das deutsche Verb „machen" wird häufig mit **do** oder **make** übersetzt. Wann nimmt man was? Bei **do** wird das „Tun" betont, d. h. die Aktivität, der Prozess:

die Hausaufgaben machen	**do one's homework**
Einkäufe machen	**do the shopping**
sich die Haare machen	**do one's hair**
den Abwasch machen	**do the washing-up** (*AE* **dishes**)

Bei **make** dagegen handelt es sich oft um etwas, das produziert / hergestellt, begangen oder unternommen wird. Es steht das „Endprodukt" im Vordergrund, nicht so sehr die Aktivität oder Anstrengung:

Kaffee machen (= kochen)	**make some coffee**
einen Fehler machen	**make a mistake**
einen Versuch machen	**make an attempt**
einen Vorschlag machen	**make a suggestion**

Der Unterschied lässt sich an folgendem Beispiel gut veranschaulichen:

kochen	**do the cooking**
das Essen machen	**make dinner**

Bei **do the cooking** geht es um den Vorgang des Kochens, während man bei **make dinner** an das Endprodukt, nämlich das Gericht denkt.

Diese Unterschiede sind aber nur Anhaltspunkte für dich. Am besten du merkst dir, welches Substantiv mit **make** und welches mit **do** kombiniert werden kann. Zu allem „Übel" gibt es auch noch **take** als Entsprechung von „machen". Und da werden die meisten Fehler gemacht:

eine Pause machen	**take a break**
ein Foto von jemandem machen	**take a photo of someone**
eine Prüfung machen	**take an exam**

M

have* an unpleasant experience 8. *wir haben Peter zu unserem Klassensprecher gemacht* we've made Peter our form captain (*AE* class president) 9. *was macht das?* (≈ *wie viel kostet das?*) how much is that?; *das macht zwei Pfund fünfzig* that's (*oder* that'll be) £2.50 (*gesprochen* two pounds fifty) 10. *das macht nichts* it doesn't matter, never mind; *das macht mir nichts (aus)* I don't mind; *mach dir nichts draus!* don't worry about it 11. *da kann man nichts machen* it's just one of those things 12. *mach, was du willst* do what you like 13. *machs gut! als Gruß*: see you, take care (of yourself)! 14. *machts euch bequem* make yourselves at home 15. *lass mich nur machen* just leave it to me 16. *Wandern macht hungrig* hiking makes you hungry 17. *das lässt sich schon machen* that can be arranged, that's no problem 18. *unsere neue Mitschülerin macht sich gut* our new classmate is doing fine (*oder* is coming along well) 19. *wir machten uns an die Arbeit* we got down to work 20. *sie machten sich früh auf den Weg* they set out (*oder* off) early 21. *mach schon!* hurry up!, *umg.* get a move on! 22. *er macht auf Künstler* he's acting the artist 23. *gut gemacht!* well done!

Macho macho ['mætʃəʊ]

Macht power; *die Macht ergreifen* seize [siːz] power; *an die Macht kommen* come* into (*oder* to) power (△ *beide ohne* the)

Machthaber(in) ruler

mächtig 1. *allg.*: powerful 2. (≈ *gewaltig groß*) massive, huge, enormous 3. *sie hat sich mächtig angestrengt umg.* she worked like mad

Machtkampf power struggle

machtlos: *da ist man machtlos* there's nothing you can do (about it)

machtvoll powerful (*auch übertragen*)

Macke 1. *er hat ne Macke* he's got a screw loose 2. (≈ *Fehler*) fault

Macker 1. *umg.* (≈ *Freund, Typ*) guy, fella, *bes. BE* bloke 2. *er spielt den großen Macker* he's acting the tough [tʌf] guy

Mädchen 1. *allg.*: girl 2. (≈ *Dienstmädchen*) maid

Mädchenname 1. girl's name 2. *einer Frau vor der Ehe*: maiden name

Made *in Käse, Fleisch usw.*: maggot ['mægət], *in Obst auch*: worm [△ wɜːm]

Madrid Madrid [məˈdrɪd]

Maf(f)ia mafia ['mæfɪə]

Magazin 1. (≈ *Zeitschrift*) magazine

[ˌmægəˈziːn] 2. *TV, Radio*: magazine program(me) 3. *für Patronen, Dias usw.*: magazine 4. (≈ *Lager*) depot ['depəʊ], *Raum*: storeroom 5. *einer Bibliothek*: stacks (△ *Pl.*)

Magen stomach [△ 'stʌmək]; *ich hab mir den Magen verdorben* I've got an upset stomach; *auf nüchternen Magen* on an empty stomach

Magenbeschwerden: *er hat Magenbeschwerden* he's got stomach trouble

Magengeschwür stomach ulcer ['stʌməkˌʌlsə]

Magenschmerzen: *er hat Magenschmerzen* he's got (a) stomachache ['stʌməkeɪk]; ☞ *Info unter* **Schmerzen**

Magenverstimmung: *er hat eine Magenverstimmung* he's got an upset stomache ['stʌmək]

mager 1. *Person*: thin, *umg.* skinny 2. *Fleisch, Wurst*: lean 3. *Essen, Joghurt, Wurst usw.*: low-fat 4. *Ergebnis, Leistung usw.*: poor

Magermilch skimmed milk

Magerquark low-fat curd (*AE* cottage cheese, low-fat quark [△ kwɑːk]

Magersucht anorexia [ˌænəˈreksɪə]

magersüchtig anorexic [ˌænəˈreksɪk]

Magie magic ['mædʒɪk]

magisch 1. *Künste, Kräfte*: magic 2. *Anziehungskraft, Atmosphäre*: magical

Magister *als Titel etwa*: MA [ˌemˈeɪ] (△ *ansonsten unübersetzbar*)

Magnesium magnesium

Magnet magnet ['mægnɪt]

magnetisch magnetic (*auch übertragen*)

Magnetstreifen magnetic stripe (*oder* strip)

Magnetstreifenkarte *für elektronisch gesicherte Türen usw.*: swipe card ['swaɪp‿kɑːd]

Mahagoni *Holz*: mahogany [△ məˈhɒgənɪ]

Mähdrescher combine ['kɒmbaɪn], combined harvester

mähen 1. mow* [məʊ] (*Rasen*) 2. cut* (*Gras, Getreide*)

mahlen 1. grind* [graɪnd], mill (*Getreide*) 2. grind* (*Kaffee*)

Mahlzeit 1. meal 2. *Mahlzeit! als Spruch beim Essen*: bon appetit, (*bes. von Bedienung zu hören*) enjoy your meal

Mahlzeit!

Meistens sagt man im Englischen vor dem Essen gar nichts. Das gilt nicht als unhöflich.

Mähne mane (*auch humorvoll für Haare*)

mahnen 1. (≈ *auffordern*) urge **2. *jemanden* (*schriftlich*) *mahnen*** send* someone a reminder

Mahnung 1. *allg.*: warning **2.** *schriftliche*: reminder

Mai May; ***im Mai*** in May (△ *ohne* the); ***der Erste Mai*** May Day (△ *ohne* the), the first of May

Mailand *in Italien*: Milan [△ mɪˈlæn]

Mailbox mailbox

mailen e-mail, mail; ***jemandem*** (*etwas*) ***mailen*** e-mail *oder* mail (something to) someone

Mais maize [meɪz], *bes. AE* corn

Maiskolben 1. *an der Pflanze*: corncob, cob **2.** *als Gericht*: corn on the cob

Majestät: Majesty; ***Eure*** (***Ihre*** *usw.*) ***Majestät*** Your (*bzw.* Her, His *usw.*) Majesty

Majonäse mayonnaise [ˌmeɪəˈneɪz], *AE umg.* mayo [ˈmeɪəʊ]

Major major [ˈmeɪdʒə]

Majoran marjoram [ˈmɑːdʒərəm]

Makedonien Macedonia [ˌmæsɪˈdəʊnɪə]

Make-up makeup [ˈmeɪkʌp] (△ *Betonung*)

Makler(in) (≈ *Grundstücksmakler, -in*) estate agent [ɪˈsteɪt ˌeɪdʒənt], *AE* real estate agent [ˈrɪəl ˌɪ ˌsteɪt ˌeɪdʒənt], Realtor [ˈrɪəltə]

Makrele mackerel [ˈmækrəl]

Makro *Computer*: macro [ˈmækrəʊ]

mal 1. *beim Rechnen*: times; ***vier mal fünf ist zwanzig*** four times five is twenty, four fives are (*AE* make) twenty **2. *das Zimmer ist vier mal fünf Meter groß*** the room is four metres by five **3.** *Wendungen*: ***komm mal her*** come here a minute(, will you?); ***guck mal!*** look, have a look at this; ***hör mal*** listen; ***sag mal*** tell me; → *einmal*

Mal¹ 1. *zum ersten* (*bzw.* ***letzten*) *Mal*** for the first (*bzw.* last) time; ***letztes Mal*** (the) last time; ***ein anderes Mal*** some other time; ***nur das eine Mal*** just this once; ***das einzige Mal*** the only time; ***ein einziges Mal*** just once; ***kein einziges Mal*** not once; ***das nächste Mal*** next time; ***beim ersten Mal*** the first time **2. *für dieses Mal*** for now

Mal² *auf der Haut*: mark, *braunes*: mole

Malaria malaria [məˈleərɪə]

Malaysia Malaysia [məˈleɪzɪə]

malen 1. paint (*Bild usw.*), *mit Stiften*: draw* **2. *sich malen lassen*** have* one's portrait [△ ˈpɔːtrət] done

Maler(in) painter (*auch Handwerker*)

Malerei *Kunst*: painting

Malkasten paintbox

Mallorca Majorca [məˈjɔːkə]

malnehmen multiply (*Zahl usw.*) (*mit* by)

Malstift crayon [ˈkreɪɒn]

Malta Malta [ˈmɔːltə]

Malz malt [mɔːlt]

Mama mummy, mum, *AE* mommy, mom

man 1. you, *förmlicher*: one; ***man kann nicht alles haben*** you can't 'have your cake and eat it; ***wie schreibt man das?*** how do you spell it?; ***man kann nie wissen*** you can never tell **2. *man trägt jetzt wieder kurze Röcke*** miniskirts are in again **3. *man hat mir gesagt*** I've been told; ***hat man dir das denn nicht gesagt?*** didn't anybody tell you?; ***man sagt*** they say

managen *umg.* **1.** *allg.*: manage **2.** (≈ *deichseln*) wangle

Manager(in) manager [ˈmænɪdʒə], *BE Frau auch*: manageress [ˌmænɪdʒəˈres]

manch(e, -er, -es) 1. *manche sind eben unbelehrbar* some people just won't learn **2. *an manchen Tagen kann ich mich einfach nicht konzentrieren*** on 'some days I just can't concentrate **3. *in manchem hat er recht*** he's right about 'some things **4. *sie hat so manches zu erzählen*** she's got a few things to tell us; ***ich hab schon so manches erlebt*** I've seen a fair bit, *mitgemacht*: I've been through a fair bit

manchmal sometimes, occasionally

Mandarine tangerine [ˌtændʒəˈriːn], mandarin [ˈmændərɪn]

Mandatar(in) ⒜ (≈ *Abgeordnete*) elected representative [ɪˌlektɪdˌreprɪˈzentətɪv]

Mandel 1. *Frucht*: almond [△ ˈɑːmənd] **2. *die Mandeln*** *im Hals*: the tonsils [ˈtɒnslz]

Mandelentzündung tonsillitis [ˌtɒnsəˈlaɪtɪs]; ***sie hat*** (***eine***) ***Mandelentzündung*** she's got tonsillitis (△ *ohne* a)

Manege *im Zirkus*: ring

Mangan manganese [ˈmæŋgəniːz]

Mangel 1. (≈ *Knappheit*) lack, shortage (***an*** of); ***ein Mangel an Vitaminen*** a lack of vitamins; ***aus Mangel an*** for lack of **2.** (≈ *Fehler*) defect [ˈdiːfekt], fault, *inhaltlicher, charakterlicher*: flaw; ***einen Mangel beseitigen*** correct a fault **3.** (≈ *Unzulänglichkeit*) weakness

Mangelerscheinung deficiency symptom [dɪˈfɪʃnsɪˌsɪmptəm]

mangelhaft 1. *Waren*: faulty **2.** *Qualität, Gedächtnis, Leistung*: poor **3.** *Wissen*: inadequate [ɪnˈædɪkwət] **4.** *im Zeugnis*: unsatisfactory

mangelnd: *wegen mangelnder Nachfrage* due to lack of demand; ***mangelndes Selbstvertrauen*** lack of self-confidence

mangels *allg.*: for lack of

Mangelware: *gute Lehrer sind Mangel-*

M

ware good teachers are scarce [△ skeəs] (*oder* are in short supply)

Manieren manners; *er hat keine Manieren* he has no manners

Maniküre manicure ['mænɪkjʊə]

Manipulation manipulation [mə,nɪpjʊ-'leɪʃn]

manipulieren manipulate [mə'nɪpjʊleɪt]

Mann 1. man *Pl.*: men; *drei Mann* three men *oder* people **2.** (≈ *Ehemann*) husband ['hʌzbənd] **3.** *wir brauchen noch einen vierten Mann für ein* (*Karten*)*Spiel*: we need a fourth player **4.** *wir kriegten 10 Euro pro Mann* we got ten euros each (*oder* a head) **5.** (*Mann o*) *Mann!* überrascht *oder* bewundernd: wow!, *verärgert*: hey! [heɪ] **6.** *typisch Mann!* abwertend typical male!

Mann und Frau

Mann im Sinne von „erwachsene männliche Person" und *Frau* im Sinne von „erwachsene weibliche Person" werden im Englischen mit **man** (*Pl.* **men**) bzw. **woman** (*Pl.* **women**) wiedergegeben, *Mann* in der Bedeutung *Ehemann* und *Frau* in der Bedeutung *Ehefrau* dagegen mit **husband** bzw. **wife** (*Pl.* **wives**).

Also:

Ihr Mann ist	**Her husband**
Bäcker.	(△ *nicht* her man)
	is a baker.

Männchen 1. (≈ *kleiner Mann*) little man **2.** *es ist ein Männchen* Tier: it's a he **3.** *Männchen machen* Tier: stand* on its hind [haɪnd] legs, *Hund auch*: sit* up and beg

Mannequin model ['mɒdl]

männerfeindlich anti-male; *sie ist männerfeindlich* she hates men

männlich 1. *biologisches Geschlecht*: male **2.** *Wesen, Auftreten, Aussehen, auch einer Frau*: masculine ['mæskjʊlɪn] **3.** *Grammatik*: masculine **4.** *Verhalten*: (≈ *mannhaft*) manly, (≈ *für Männer typisch*) male

Männlichkeit manliness, masculinity [,mæskjʊ'lɪnətɪ]

Mannschaft 1. *Sport, bei der Arbeit*: team **2.** (≈ *Besatzung*) crew **3.** *vor versammelter Mannschaft* umg. in front of everyone

Mannschaftsaufstellung *Sport*: lineup ['laɪnʌp]

Mannschaftsgeist *Sport*: team spirit [,ti:m'spɪrɪt]

Mannschaftskapitän (team) captain

['kæptɪn], *umg.* skipper

Mannschaftskamerad(in) *Sport*: teammate ['ti:m_meɪt]

Mannschaftsspiel *Sport*: team game

mannshoch head-high

Manöver 1. *des Militärs*: exercise, manoeuvres [mə'nu:vəz], *AE* maneuvers [mə'nu:vəz] (△ *Pl.*) **2.** *ein geschicktes Manöver* a clever move

manövrierbar manoeuvrable [mə-'nu:vrəbl], *AE* maneuverable [mə-'nu:vrəbl]

manövrieren manoeuvre [mə'nu:və], *AE* maneuver [mə'nu:və]

Mansarde 1. attic **2.** *Zimmer*: attic room

Mansardenfenster dormer window

Mansardenwohnung attic flat, *AE* attic apartment

Manschette *an Hemd, Bluse*: cuff

Manschettenknopf cufflink

Mantel 1. *Kleidungsstück*: coat **2.** *eines Autoreifens*: casing **3.** *von Fahrradreifen*: tyre

Manuskript 1. manuscript ['mænjʊskrɪpt] **2.** *ohne Manuskript sprechen* speak* without notes

Mäppchen (≈ *Federmäppchen*) pencil case

Mappe 1. *für Dokumente*: folder **2.** *für Zeichnungen usw.*: portfolio **3.** (≈ *Aktentasche*) briefcase (△ *engl.* map = *Landkarte, Stadtplan*)

Maracuja passion fruit ['pæʃnfru:t]

Marathonlauf marathon ['mærəθn]

Märchen 1. *für Kinder*: fairytale **2.** umg. (≈ *Lüge*) story; *erzähl doch keine Märchen!* don't tell me stories

Märchenprinz Prince Charming (△ *ohne* the *bzw.* a)

Marder marten [△ 'ma:tɪn]

Margarine margarine [,ma:dʒə'ri:n]

Marienkäfer ladybird, *AE* ladybug

Marihuana marijuana [△ ,mærə'wa:nə], *salopp* grass, pot

Marille *bes.* Ⓐ apricot [△ 'eɪprɪkɒt]

Marine navy (△ *engl.* marine [mə'ri:n] = *Marineinfanterist*)

Marionette 1. *wörtlich* puppet, marionette [,mærɪə'net] **2.** *übertragen; Person*: puppet

Mark¹ *historisch, Münze und Währung*: mark; *die Deutsche Mark* the German mark, the deutschmark; *zehn Mark* ten marks

Mark² 1. (≈ *Knochenmark*) marrow **2.** *von Früchten*: pulp **3.** *im Stängel von Pflanzen*: pith [pɪθ] **4.** *ihr Schreien ging mir durch Mark und Bein* her screams set my teeth on edge

Marke¹ 1. *Auto, Gerät usw.*: (≈ *Fabrikat*)

make; *was ist das für eine Marke?* what make is it? **2.** *Lebensmittel, Zigaretten usw.*: (≈ *Warenname*) brand
Marke² (≈ *Briefmarke*) stamp
Marke³ (≈ *Messmarke, Messpunkt*) mark
Markenzeichen trademark
Marker *Stift*: marker pen
markieren 1. (≈ *kennzeichnen*) mark **2.** (≈ *vortäuschen*) act, play; *sie markiert eine Grippe usw.* she's pretending she's got flu *usw.*; *sie markiert nur* she's just putting it on, *AE* she's just faking it
Markierung 1. (≈ *das Markieren*) marking **2.** *Zeichen*: mark
Markise *als Sonnenschutz*: awning ['ɔ:nɪŋ]
Markt 1. *allg.*: market; *etwas auf den Markt bringen* put* something on the market **2.** (≈ *Marktplatz*) marketplace
Markthalle, Markthallen covered market
Marktlücke gap in the market
Marktnische market niche: *eine Marktnische besetzen* fill a gap in the market
Marktplatz marketplace, market square
Marktwirtschaft market economy; *die freie Marktwirtschaft* free enterprise (△ *ohne* the); *soziale Marktwirtschaft* social market economy
Marmelade 1. *allg.*: jam **2.** *aus Orangen, Zitronen*: marmalade ['mɑ:məleɪd]
Marmor marble ['mɑ:bl]
Marokkaner Moroccan [məˈrɒkən]; *er ist Marokkaner* he's (a) Moroccan; ☞ *Nationalitäten*
Marokkanerin Moroccan woman (*oder* lady *bzw.* girl); *sie ist Marokkanerin* she's (a) Moroccan; ☞ *Nationalitäten*
marokkanisch Moroccan [məˈrɒkən]
Marokko Morocco [məˈrɒkəʊ]
Marone (sweet) chestnut [△ 'tʃesnʌt]
Marotte (≈ *Eigenart*) funny habit, quirk, *vorübergehende*: fad
Mars *Planet*: Mars [△ mɑ:z] (△ *ohne* the)
Marsch¹ 1. march (*auch Musikstück*) **2.** (≈ *Wanderung*) walk, *längere*: trek
Marsch² *fruchtbares Küstengebiet*: marsh
marschieren 1. *Militär*: march **2.** (≈ *laufen*) walk, *über längere Strecke*: trek
Marschland *an der Küste*: marshes (△ *Pl.*)
Marschmusik military marches (△*Pl.*)
Marsmensch Martian ['mɑ:ʃn]
Marterpfahl stake
Märtyrer(in) martyr [△ 'mɑ:tə]
Marxist(in), marxistisch Marxist ['mɑ:ksɪst]
März March; *im März* in March (△ *ohne* the)
Marzipan marzipan ['mɑ:zɪpæn]
Masche 1. *beim Stricken*: stitch **2.** *eines Netzes*: mesh **3.** (≈ *Trick*) trick; *komm mir nicht mit 'der Masche!* don't try

that one on me **4.** (≈ *Modeerscheinung*) fad, craze; *das ist die neueste Masche* it's the latest fad
Maschine 1. *allg.*: machine [məˈʃi:n] **2.** (≈ *Motor*) engine ['endʒɪn] **3.** (≈ *Flugzeug*) plane; *ich fliege mit der nächsten Maschine* I'm catching the next plane **4.** *umg.* (≈ *Motorrad*) bike **5.** *etwas mit der Maschine schreiben* type something; *mit der Maschine geschrieben* typewritten, typed
maschinell 1. machine-... [məˈʃi:n], mechanical [mɪˈkænɪkl], mechanized ['mekənaɪzd] **2.** by machine, machine-...; *maschinell bearbeiten* machine; *maschinell betrieben* machine-driven, machine-operated; *maschinell hergestellt* machine-made
Maschinenbau mechanical engineering [mɪˌkænɪkl_endʒɪˈnɪərɪŋ]
Maschinengewehr machine gun
Maschinenpistole submachine gun
Maschinenschaden: *sie haben einen Maschinenschaden* they've got engine trouble (△ *ohne* an)
Masern measles ['mi:zlz] (△ *Sg.*); *sie hat Masern* she's got (the) measles; ☞ *Info unter Krankheiten*
Maserung *im Holz*: grain
Maske 1. *allg.*: mask [mɑ:sk] (*auch Computer und übertragen*) **2.** (≈ *Gesichtsschminke von Schauspielern*) makeup ['meɪkʌp]
Maskenball fancy-dress ball, *AE* costume ball
maskieren 1. *sich maskieren* (≈ *eine Maske aufsetzen*) put* on a mask; *zwei maskierte Männer* two masked men **2.** *sich maskieren* (≈ *sich verkleiden*) dress up
Maskottchen mascot ['mæskət]
maskiert masked [mɑ:skt]
maskulin, Maskulinum masculine ['mæskjʊlɪn]
Maß¹ *das* **1.** (≈ *Maßeinheit*) unit of measurement ['meʒəmənt] (*für* of); *Maße und Gewichte* weights [△ weɪts] and measures **2.** (≈ *Ausmaß*) extent, degree; *ein gewisses Maß an* a certain degree of, some **3.** *Maße* (≈ *Körpermaße*) measurements, *eines Zimmers, Kartons usw.*: dimensions
Maß² *die* (≈ *Maß Bier*) litre of beer
Massage massage ['mæsɑ:ʒ]
Massaker massacre ['mæsəkə]; *ein Massaker anrichten* carry out a massacre
Maßanzug tailor-made suit [su:t], *AE* custom-made suit
Maßarbeit precision work [prɪˈsɪʒn_wɜ:k]
Maßband tape measure ['teɪpˌmeʒə]

Masse 1. (≈ *ungeformter Stoff*) mass [mæs] **2.** (≈ *Brei, Mischung*) mixture (**aus** of) **3.** (≈ *Menschenmasse*) crowd, crowds (*Pl.*); **die breite Masse** the masses (△ *Pl.*) **4.** *umg.* (≈ *große Menge*) masses (△ *Pl.*), loads (△ *Pl.*), *AE* tons (△ *Pl.*) (**an, von** of); **eine Masse Geld** loads of money **5.** (≈ *Großteil*) majority [mə-ˈdʒɒrətɪ]; **die Masse der Fernsehzuschauer will synchronisierte Filme** the majority of TV viewers prefer(s) dubbed films

massenhaft 1. **am See gibt es massenhaft Mücken** there are masses [ˈmæsɪz] of mosquitos at the lake; **sie hat massenhaft CDs** she's got masses (*oder* piles) of CDs **2.** **es gab massenhaft Entlassungen** a huge number of people lost their jobs

Massenkarambolage *umg.* pileup [ˈpaɪlʌp]

Massenmedien mass media [ˌmæsˈmiːdɪə] (△ *mit Sg. oder Pl.*)

Massenproduktion mass [mæs] production

Massentierhaltung factory farming

massenweise → **massenhaft**

Masseur masseur [mæˈsɜː]

Masseurin masseur, masseuse [mæˈsɜːz]

maßgeschneidert 1. *Lösung usw.*: tailor-made **2.** *Kleid usw.*: made-to-measure

massieren: jemanden massieren give* someone a massage [ˈmæsɑːʒ]

mäßig 1. *Tempo, Ansprüche, Preise usw.*: moderate [ˈmɒdərət] **2.** (≈ *ziemlich schlecht*) fairly poor; **es war mäßig** *auch*: it wasn't very good

mäßigen 1. *allg* moderate **2.** curb, control (*Zorn usw.*) **3.** tone down (*Kritik usw.*) **4.** **du musst dich mäßigen** you've got to restrain (*oder* control) yourself; **sich beim Trinken usw. mäßigen** cut* down on drinking *usw.*

massiv 1. *Eisen, Holz usw.*: solid [ˈsɒlɪd] **2.** *Widerstand, Angriff*: massive [ˈmæsɪv], heavy **3.** *Drohung, Kritik, Druck*: severe [sɪˈvɪə]

Massiv (≈ *Bergmassiv*) massif [ˈmæsiːf]

Maßkrug 1. litre beer mug **2.** *aus Ton*: stein [△ staɪn]

maßlos: das ist maßlos übertrieben that's a gross exaggeration [ˈgrəʊs ˌɪgˌzædʒəˈreɪʃn]

Maßnahme measure [ˈmeʒə]; step; **Maßnahmen ergreifen gegen** take* steps (*oder* action *Sg.*) against

Maßstab 1. *von Karten, Plänen usw.*: scale; **im Maßstab 1:5** on a scale of 1:5 (*gesprochen* one to five) **2.** **einen Maßstab setzen** set* a (*oder* the) standard

maßstabgerecht (true) to scale

maßvoll moderate [ˈmɒdərət]

Mast¹ der 1. *auf Schiffen, für Antenne*: mast [mɑːst] **2.** (≈ *Stange, Flaggenmast*) pole **3.** (≈ *Stromleitungsmast*) pylon [ˈpaɪlən]

Mast² die (≈ *Gänsemast usw.*) fattening

mästen 1. fatten (*Gänse, Hühner usw.*) **2.** **jemanden mästen** *umg.* stuff someone

masturbieren masturbate [ˈmæstəbeɪt]

Match match, *bes. AE* game

Matchball *Tennis*: match point

Material 1. *allg.*: material [məˈtɪərɪəl] (*auch für Buch, Referat usw.*) **2.** (≈ *Arbeitsmittel, Material zum Bauen, Schreiben usw.*) materials (△ *Pl.*)

Materie matter (*auch übertragen*)

Mathe maths (△ *Sg.*), *AE* math; **Mathe ist mein Lieblingsfach** maths is my favourite subject

Mathematik mathematics [ˌmæθəˈmætɪks] (△ *Sg.*); **Mathematik ist ein Fach, das ich hasse** mathematics is a subject I hate

Mathematiker(in) mathematician [ˌmæθəməˈtɪʃn]

mathematisch mathematical

Matinee (≈ *Morgenvorstellung*) morning performance

Matjeshering matjes herring [ˈmaːtjəsˌherɪŋ]

Matratze mattress [ˈmætrəs]

Matrose sailor, seaman [ˈsiːmən] *Pl.*: seamen [ˈsiːmən]

Matsch 1. (≈ *aufgeweichter Boden*) mud **2.** (≈ *Schneematsch*) slush

matschig 1. *Boden*: muddy, sludgy **2.** *Schnee*: slushy

matt 1. **sich matt fühlen** feel* weak, feel* worn out **2.** *Oberfläche, Farbe, Augen*: dull **3.** *Foto, Lack*: matt **4.** *Glühbirne*: pearl [pɜːl] (△ *nur vor dem Subst.*) **5.** *Glas*: frosted **6.** *Licht*: dim **7.** *Stimme, Lächeln*: faint, weak **8.** *Schachspiel*: checkmate; **jemanden matt setzen** checkmate someone

Matte mat

Matura: Matura machen Ⓐ, Ⓒ *etwa*: take* one's A levels, *AE* graduate [ˈgrædʒʊeɪt] from high school

Maturand Ⓒ, **Maturant(in)** Ⓐ *etwa*: sixth former, *AE* highschool graduate

maturieren Ⓐ, Ⓒ *etwa*: take* one's A levels, *AE* graduate from high school

Mätzchen *Pl.* **1.** (≈ *Unsinn*) nonsense (△ *Sg.*) **2.** tricks (*Pl.*); **keine Mätzchen!** none of your tricks!

Mauer wall (*auch übertragen und im Sport*)

mauern 1. *Fußball usw.*: play defensively

2. *mit Steinen und Mörtel*: build* [bɪld]

Maul 1. *bei Tieren*: mouth **2.** *umg.; eines Menschen*: trap, gob; **er hat ein großes Maul** he's a bigmouth; **halts Maul!** *salopp* shut up!, shut your trap!

Maulesel mule [mjuːl]

Maulkorb 1. muzzle **2.** *jemandem einen Maulkorb verpassen* muzzle someone

Maultier mule [mjuːl]

Maul-und-Klauenseuche foot-and-mouth disease, *umg.* foot-and-mouth

Maulwurf mole

Maulwurfshügel molehill

Maurer(in) bricklayer, *umg.* brickie

Maurermeister(in) master bricklayer

Mauritius Mauritius [məˈrɪʃəs]

Maus mouse [maʊs], *Pl.*: mice (△ *Pl. für* „*Computermäuse*" *mst.* mouses)

Mausefalle mousetrap

mausern 1. *sich mausern zu* (≈ *sich entwickeln zu*) develop into **2.** *die Vögel mausern sich gerade* the birds are moulting [ˈmaʊltɪŋ]

Mausklick mouse click; *per Mausklick* by clicking the mouse

Mauspad mouse pad (*oder* mat)

Maustaste mouse key (*oder* button)

Mauszeiger mouse pointer

Maut, Mautgebühr toll [təʊl]

Mautstelle toll gate

maximal 1. *ihr habt maximal zwei Stunden Zeit* you've got two hours at (the) most **2.** *in den Lift passen maximal sechs Leute* a maximum of six people fit into the lift

Maximum maximum *Pl.*: maxima *oder* maximums (*an* of)

Mayonnaise mayonnaise [ˌmeɪəˈneɪz], *AE umg.* mayo [ˈmeɪəʊ]

Mazedonien Macedonia [ˌmæsɪˈdəʊnɪə]

MB (= **Megabyte**) MB [ˌemˈbiː]

Mechaniker(in) mechanic [mɪˈkænɪk]

mechanisch 1. *allg.*: mechanical (△ *engl.* mechanic = **Mechaniker**) **2.** *etwas mechanisch herunterleiern* reel (*oder* rattle) something off

Mechanismus mechanism [ˈmekənɪzm]

Meckerer, Meckerin *umg.* grumbler

meckern 1. (≈ *sich aufregen*) moan (*über* about), *AE auch:* bitch (*über* about) **2.** (*Ziege*) bleat (*auch übertragen*)

Mecklenburg-Vorpommern Mecklenburg-Western Pomerania [ˈmeklənbɜːgˌwestənˌpɒməˈreɪnɪə]

Medaille medal [ˈmedl]

Medaillengewinner(in) medallist [ˈmedlɪst]

Medaillon 1. *als Gericht oder Kunstform*: medallion [məˈdælɪən] **2.** *Schmuckstück*: locket

Medien 1. *Fernsehen, Presse usw.*: media [ˈmiːdɪə] (△ *mit Sg. oder Pl.*) **2.** (≈ *Unterrichtsmittel*) teaching aids, audio-visual aids [ˈɔːdɪəʊˌvɪʒʊəlˈeɪdz]

Medikament medicine [ˈmedsn], drug, *bes. AE* medication; **er nimmt Medikamente** he's taking medicine (△ *Sg.*)

Mediothek media library [ˈmiːdɪəˌlaɪbrərɪ]

Meditation meditation [ˌmedɪˈteɪʃn]

meditieren meditate (*über* on)

Medium 1. (≈ *Person mit übersinnlichen Fähigkeiten*) medium *Pl.*: mediums **2.** → *Medien*

Medizin medicine [ˈmedsn] (△ *mst. ohne* a), *Heilmittel auch*: remedy [ˈremədɪ] (*gegen* for)

medizinisch 1. *Behandlung, Versorgung*: medical [ˈmedɪkl] **2.** (≈ *arzneilich*) medicinal [məˈdɪsnəl]

medizinisch-technische(r) Assistent(in) medical laboratory assistant, *AE* medical technologist [tekˈnɒlədʒɪst]

Medizinmann 1. *allg.*: witchdoctor **2.** *bei Indianern*: medicine man [ˈmedsn ˌmæn]

Meer 1. *allg.*: sea, *bes. AE* ocean [ˈəʊʃn]; **am Meer** <u>by</u> the sea, *Urlaub auch*: at the seaside; **auf dem Meer** (out) at sea (△ *ohne* the) **2.** *ans Meer fahren* go* to the seaside

Meerenge strait, *häufig*: straits (*Pl.*)

Meeresboden, Meeresgrund sea bed, seafloor, bottom of the sea, *AE* ocean floor

Meereshöhe, Meeresspiegel: 10 m über Meereshöhe *oder* **über dem Meeresspiegel** ten metres <u>above</u> sea level (△ *ohne* the)

Meerrettich horseradish [ˈhɔːsˌrædɪʃ]

Meersalz sea salt

Meerschweinchen guinea pig [ˈgɪnɪˌpɪg]

Megabyte megabyte, MB [ˌemˈbiː]

Megafon megaphone

Megahertz megahertz [ˈmegəhɜːts], megacycle [ˈmegəˌsaɪkl]

Megaphon megaphone

megatrendy *umg.* really trendy, hypertrendy [ˌhaɪpəˈtrendɪ]

Mehl flour [ˈflaʊə]

mehlig *Apfel, Kartoffel*: mealy

Mehlspeise Ⓐ **1.** (≈ *Süßspeise*) sweet dish **2.** (≈ *Kuchen*) cake

mehr 1. *allg.*: more; **immer mehr** more and more; **mehr als zehn Leute** more than [ðən] ten people; **je mehr ..., desto besser** *usw.* <u>the</u> more ..., <u>the</u> better *usw.*; **noch mehr** even more; **umso mehr** all the more; **ich kann nicht mehr stehen** I can't stand any more (*oder* any longer); **ich hab keins** (*bzw.* **keine**)

mehr I haven't got any more; *was will er mehr?* what more does he want? **2.** *nie mehr* never again **3.** *es ist kein Brot mehr da* there's no bread left; *es ist niemand mehr da* there's no one left; *ich hab nichts mehr* I've got nothing left **4.** *ich kann nicht mehr* vor Erschöpfung: I've had it, *beim Essen:* I couldn't eat another thing, (≈ *ich ertrage es nicht mehr*) I can't take it any more **5.** *er ist mehr ein praktischer Mensch* he's more of a practical man

Mehrbettzimmer multi-bedded room

mehrdeutig ambiguous [æm'bɪgjʊəs]

mehren 1. increase [ɪn'kriːs], augment [ɔːg'ment] (*Besitz usw.*) **2.** *sich mehren* (*Beschwerden usw.*) increase, rise*, go* up

mehrere 1. *Dinge, Personen, Stunden usw.:* several ['sevrəl] **2.** *es war nicht nur einer, es waren mehrere* it wasn't just one person - it was several

mehrfach 1. *sie ist mehrfache deutsche Meisterin* she's been German champion several times; *B. B., mehrfacher deutscher Meister* B. B., several times German champion **2.** *ein mehrfacher Millionär* a multimillionaire [ˌmʌltɪmɪljə'neə]

mehrfarbig multicolour ['mʌltɪˌkʌlə], multicoloured [ˌmʌltɪ'kʌləd]

Mehrheit majority [mə'dʒɒrɪtɪ]; *mit zehn Stimmen Mehrheit* by a majority of ten; *mit knapper* (*bzw.* *großer*) *Mehrheit gewinnen* win by a narrow (*bzw.* large) majority

Mehrkosten additional (*oder* extra) cost (*Sg.*) *oder* costs (*Pl.*)

mehrmals several times

mehrsprachig 1. multilingual **2.** *sie ist mehrsprachig aufgewachsen* she grew up speaking several languages

mehrstöckig *Gebäude:* multistor(e)y ... ['mʌltɪˌstɔːrɪ], multistoried [ˌmʌltɪ'stɔːrɪd]

Mehrwegflasche returnable bottle

Mehrwertsteuer value-added tax, VAT [ˌviːeɪ'tiː]

Mehrzahl 1. *eines Wortes:* plural **2.** (≈ *Mehrheit*) majority [mə'dʒɒrɪtɪ]

Mehrzweck... *in Zusammensetzungen:* multipurpose ... ['mʌltɪˌpɜːpəs]

meiden: *jemanden* (*bzw.* *etwas*) *meiden* avoid someone (*bzw.* something)

Meile mile

Meilenstein milestone (*auch übertragen*)

mein 1. *allg.:* my **2.** *meine Damen und Herren* ladies and gentlemen **3.** *das ist meine(r, -s)* that's mine **4.** *ich hab das Meine* (*oder* *Meinige*) *getan* I've done my share (*umg.* my bit), *mein Möglichs-*

tes: I've done my best, I've done all I can

Meineid perjury [△ 'pɜːdʒərɪ]; *er hat einen Meineid geschworen* he swore a false oath

meinen 1. (≈ *glauben, der Ansicht sein*) think*; *was meinst 'du dazu?* what do 'you think (*oder* say)?; *meinst du?* do you 'think so? **2.** (≈ *sagen wollen, beabsichtigen*) mean*; *wie meinst du das?* how do you mean?, *stärker:* what do you mean by that?; *meinst du das im Ernst?* do you really mean that?; *es war nicht so gemeint* I *usw.* didn't mean it (like that); *er meint es gut mit dir* he's only thinking of your own good **3.** *meinst du ihn?* do you mean him?; *sie hat dich gemeint* she meant you **4.** *'was meinen Sie?* 'what did you say?, *höflicher:* I beg your pardon? **5.** *wenn du meinst* if you say so **6.** *ich meine ja nur* it was just a thought

meinetwegen 1. (≈ *wegen mir*) because of me, (≈ *mir zuliebe*) for my sake, (≈ *für mich*) for me **2.** *meinetwegen!* (≈ *von mir aus*) I don't mind; *meinetwegen kann er gehen* he can go as far as I'm concerned, I don't mind if he goes

Meinung opinion [ə'pɪnjən] (*zu* about, on; *über* about; *von* of) (△ *engl.* meaning = *Bedeutung*); *meiner Meinung nach* in my opinion; *ich bin der Meinung, dass er gehen sollte* I think he should go; *ich bin anderer Meinung* I disagree; *sie hat ihre Meinung geändert* (≈ *sie hat es sich anders überlegt*) she's changed her mind, (≈ *sie ist jetzt anderer Meinung*) she's changed her views (*Pl.*) *oder* opinion

Meinungsforscher(in) opinion pollster [ə'pɪnjənˌpəʊlstə]

Meinungsfreiheit freedom of opinion (*oder* speech)

Meinungsmacher *bes. Politik:* opinion-maker, *im negativen Sinn* spin doctor

Meinungsumfrage opinion poll

Meinungsverschiedenheit difference of opinion, disagreement

Meise 1. *du hast wohl ne Meise!* salopp you must be off your nut (*AE* rocker) **2.** *Vogel:* tit, titmouse

Meißel chisel [△ 'tʃɪzl]

meißeln 1. *allg.:* chisel [△ 'tʃɪzl] **2.** carve (*Statue usw.*)

meist (≈ *gewöhnlich*) usually, mostly

meiste(n) 1. most (△ *meist ohne* the); *die meisten* (*Leute*) most people; *die meiste Zeit* most of the time; *die meisten von ihnen* most of them; *das meiste von ihm* most of it; *sie ist schneller als die meisten* she's quicker than most; *wer*

die meisten Punkte hat, gewinnt whoever has <u>the</u> most points wins **2. *am meisten*** (the) most; ***sie hat am meisten*** *Geld usw.*: she's got (the) most; ***sie spricht am meisten*** she's the one that speaks (the) most; ***das hat mich am meisten geärgert*** that annoyed me <u>most</u> <u>of</u> <u>all</u>

meistens (≈ *gewöhnlich*) usually, mostly

Meister 1. (≈ *großer Könner oder Künstler*) master **2.** (≈ *Handwerksmeister*) master craftsman, *in Zusammensetzungen*: master; ***Bäckermeister*** *usw.* master baker *usw.* **3.** *Sport*: champion

Meisterin 1. (≈ *große Könnerin oder Künstlerin*) master **2.** (≈ *Handwerksmeisterin*) master craftswoman, *in Zusammensetzungen*: master; ***Schneidermeisterin*** *usw.* master tailor *usw.* **3.** *Sport*: (women's) champion

meistern master (*eine Aufgabe usw.*), cope with (*das Leben usw.*)

Meisterschaft *Sport*: championship

Meisterwerk masterpiece

melancholisch melancholy ['melənkəlɪ]

Melanzani *Pl.* ⒶＡ aubergines ['əʊbəʒɪːnz], *AE* eggplants

melden 1. (≈ *berichten*) report; ***etwas bei jemandem melden*** report something <u>to</u> someone **2. *sich bei jemandem melden*** get* in touch with someone, contact ['kɒntækt] someone; ***ich werd mich melden!*** I'll be in touch **3. *es meldet sich niemand*** *am Telefon*: nobody's answering, there's no answer (*oder* reply) **4. *sich melden*** *im Unterricht*: put* one's hand up **5. *sich melden*** *zu einer Prüfung usw.*: sign up (***zu, für*** for) **6. *sich freiwillig melden*** volunteer [ˌvɒlən'tɪə] (***zu, für*** for) **7. *sich auf ein Inserat* (*hin*) *melden*** answer an ad

Meldung 1. *in Presse usw.*: report, (≈ *Nachricht*) news (△ *Sg., ohne* a); ***es gab eine Meldung über das Erdbeben*** there was news of (*oder* a report on) the earthquake **2.** (≈ *Mitteilung*) announcement

melken milk (*Kuh usw.*)

Melodie melody ['melədɪ], tune

Melone 1. *Frucht*: melon ['melən] **2.** *Hut*: bowler [△ 'bəʊlə], bowler hat, *AE* derby ['dɜːbɪ, *BE* 'dɑːbɪ]

Membran 1. *allg.*: membrane ['membreɪn] **2.** *technisch auch*: diaphragm [△ 'daɪəfræm]

Memoiren memoirs ['memwɑːz]

Menge 1. *bestimmte*: quantity ['kwɒntətɪ], amount **2.** (≈ *große Menge*) a lot (of), *umg.* lots (of); ***eine Menge Autos*** lots of cars; ***eine Menge zu essen*** a lot (*oder* lots) to eat; ***er hat eine Menge gegessen*** he ate [△ et] a lot, *umg.* he ate lots **3.** (≈ *Menschenmenge*) crowd **4.** *Mengenlehre*: set

Mengenlehre: *die Mengenlehre* *Mathematik*: set theory (△ *ohne* the)

Mensa *einer Universität usw.*: refectory [rɪ'fektərɪ], *bes. AE* cafeteria [ˌkæfə'tɪərɪə]

Mensch 1. *als Lebewesen*: human being; ***ich bin auch nur ein Mensch*** I'm only human **2. *der Mensch*** (≈ *die Menschheit*) man, mankind [mæn'kaɪnd] (△ *ohne* the) **3. *die Menschen*** people (△ *ohne* the) **4. *als Mensch ist sie in Ordnung*** from a personal point of view she's okay **5. *kein Mensch*** nobody, not a soul **6. *Mensch!*** *umg.*; *erstaunt*: goodness!, *BE auch* crumbs [krʌmz]!, *positiv*: wow!, *vorwurfsvoll*: hey!

Mensch, ärgere dich nicht *Spiel*: ludo, *AE* Parcheesi® [pɑː'tʃiːzɪ]

Menschenaffe ape

Menschenfresser(in) cannibal ['kænɪbl]

Menschenhändler(in) body trader

Menschenkenntnis: *sie hat eine gute Menschenkenntnis* she's a good judge of character

menschenleer deserted [△ dɪ'zɜːtɪd]

Menschenmenge crowd

Menschenrechte human rights

Menschenseele: *keine Menschenseele war zu sehen* there wasn't a living soul to be seen

Menschenverstand: *das sagt einem doch der gesunde Menschenverstand* common sense tells you that

Menschenwürde: *die Menschenwürde* human dignity (△ *ohne* the)

menschenwürdig 1. *Behandlung*: humane [hju:'meɪn] **2.** *Zustände*: fit for human beings [ˌhju:mən'bi:ɪŋz]

Menschheit: *die Menschheit* mankind [mæn'kaɪnd], the human race, humanity

menschlich 1. human; ***die menschliche Natur*** human nature (△ *ohne* the); ***menschliches Versagen*** human error **2.** (≈ *human*) humane [hju:'meɪn]; ***jemanden menschlich behandeln*** treat someone humanely (*oder* like a human being)

Menschlichkeit humanity [hju:'mænətɪ]; ***ein Verbrechen gegen die Menschlichkeit*** a crime against humanity (△ *ohne* the)

Mentalität mentality, way of thinking

Menü 1. *Essen*: fixed(-price) menu ['menju:], *BE auch* set meal, *mittags auch*: set lunch (△ *engl.* menu = ***Speisekarte***) **2.** *Computer*: menu

menügesteuert *Computerprogramm*: menu-driven ['menju:ˌdrɪvn]

Menüleiste *Computer*: menu bar ['menju:_bɑ:]

Merkblatt 1. leaflet ['li:flət] **2.** *mit Erläuterungen*: instructions (△ *Pl.*)

merken 1. (≈ *bemerken*) notice; *ich hab nichts gemerkt* I didn't notice a thing **2.** (≈ *spüren*) feel*, sense; *sie hat was gemerkt umg.* she smelled a rat **3.** (≈ *erkennen*) realize, see* **4.** *merkt man es?* can you tell? (△ *ohne* it), does it show? **5.** *sich etwas merken* remember something **6.** *das merke ich mir!* I won't forget that

merklich 1. *Veränderung, Besserung usw.*: noticeable ['nəʊtɪsəbl] **2.** *ihr Zustand hat sich merklich gebessert* her condition has improved a lot

Merkmal 1. *allg.*: (characteristic) feature **2.** *besondere Merkmale* distinguishing marks (*oder* features)

Merkur *Planet*: Mercury ['mɜ:kjʊrɪ] (△ *ohne* the)

merkwürdig strange, odd, *stärker*: curious ['kjʊərɪəs]

merkwürdigerweise strangely enough

messbar measurable ['meʒərəbl]

Messe[1] (≈ *Gottesdienst*) Mass, mass [△ mæs]; *zur Messe gehen* go* to Mass (△ *ohne* the)

Messe[2] (≈ *Ausstellung*) trade fair

Messegelände exhibition site [,eksɪ'bɪʃn_saɪt] (*oder* centre, grounds *Pl.*)

messen 1. measure ['meʒə] (*Höhe, Breite usw.*) **2.** take* (*Blutdruck, Puls usw.*); *hast du schon Fieber gemessen?* have you taken your temperature yet? **3.** *gemessen an* compared with **4.** *er kann sich nicht mit ihr messen* he's no match for her

Messer knife [naɪf] *Pl.*: knives [naɪvz]

Messerstich 1. *Vorgang*: stab **2.** *Wunde*: stab wound ['stæb_wu:nd]

Messing brass [brɑ:s]

Messung measurement ['meʒəmənt]

Metall metal ['metl]

metallisch metallic [me'tælɪk]

Metallverarbeitung metal processing ['metl,prəʊsesɪŋ]

Metapher metaphor ['metəfɔ:, 'metəfə]

Meteor meteor ['mi:tɪə]

Meteorit meteorite ['mi:tɪəraɪt]

Meteorologe meteorologist [,mi:tɪə'rɒlədʒɪst], *umg.* weatherman ['weðəmæn]

Meteorologie meteorology [,mi:tɪə'rɒlədʒɪ]

Meteorologin meteorologist [,mi:tɪə'rɒlədʒɪst], *umg.* weather lady

Meter metre; *es ist zwei Meter lang* it's two metres long

meterhoch 1. *meterhohe Wellen* metre-high waves, (≈ *sehr hoch*) waves several metres high **2.** *meterhoher Schnee* waist-deep snow, (≈ *sehr hoch*) snow several metres deep; *in den Bergen liegt der Schnee meterhoch* there are several metres of snow (up) in the mountains

Metermaß 1. *Band*: tape measure ['teɪp,meʒə] **2.** *Stab*: metre rule

Methadon methadone ['meθədəʊn]

Methode method ['meθəd]

Mettwurst smoked sausage ['sɒsɪdʒ] spread

Metzger butcher [△ 'bʊtʃə]; *zum Metzger gehen* go* to the butcher's (*AE* butcher[s])

Metzgerei butcher's shop [△ 'bʊtʃəz_ʃɒp], butcher's, *AE* butcher shop

Meuterei 1. *in Gefängnis usw.*: revolt [rɪ'vəʊlt] **2.** *auf Schiff*: mutiny ['mju:tənɪ]

Mexikaner Mexican ['meksɪkən]; *er ist Mexikaner* he's (a) Mexican; ☞ *Nationalitäten*

Mexikanerin Mexican woman (*oder* lady *bzw.* girl); *sie ist Mexikanerin* she's (a) Mexican; ☞ *Nationalitäten*

mexikanisch Mexican

Mexiko Mexico ['meksɪkəʊ]

MEZ CET [,si:i:'ti:] (*Abk. für* Central European Time)

miau *Katze*: miaow [mi:'aʊ], meow [mi:'aʊ]

miau: einige Tierlaute

kikeriki!	cock-a-doodle-doo! [,kɒkədu:dl'du:]
miau!	miaow [mi:'aʊ]
quak!	quack [kwæk]
wau wau!	woof, woof! [,wʊf'wʊf]

miauen miaow [mi:'aʊ]

mich 1. me; *meinst du mich?* do you mean me? **2.** myself, *nach Präposition*: me; *ich habe mich gefragt* I asked myself; *stell dich hinter mich* stand behind me **3.** *ohne Übersetzung*: *ich setzte mich* I sat down

mickrig *Sache*: measly ['mi:zlɪ], *stärker*: lousy ['laʊzɪ]

Mief *umg.* **1.** fug, *BE auch* pong, *stärker*: stink **2.** *übertragen* stuffy atmosphere

Miene 1. *allg.*: expression, look **2.** (≈ *Gesicht*) face **3.** *gute Miene zum bösen Spiel machen umg.* grin and bear* it

mies *umg.* lousy ['laʊzɪ], rotten; → *miesmachen*

miesmachen 1. *du musst aber auch alles miesmachen!* you're always running things down **2.** *von dir lass ich mir den*

Urlaub nicht miesmachen! I'm not going to let you spoil my holiday (*AE* vacation)

Miete 1. *für Wohnung usw.:* rent **2.** *für Auto usw.:* hire charge, *AE* rental fee

Mieteinnahmen *Pl.* rental income (△*Sg.*)

mieten 1. rent (*Wohnung, Haus usw.*) **2.** hire, *bes. AE* rent (*Auto, Boot usw.*)

Mieter(in) tenant ['tenənt]

Mieterhöhung rent increase ['rent-ˌɪŋkriːs]

Mietshaus block of flats, *AE* apartment house

Mietvertrag 1. *für Wohnung usw.:* lease [liːs] **2.** *für Sachen:* hire (*AE* rental) contract

Mietwagen 1. hire car, *AE* rental car **2.** *sich einen Mietwagen nehmen* hire (*AE* rent) a car

Mietwohnung rented flat (*AE* apartment)

Migräne migraine ['miːgreɪn]

Mikrochip microchip ['maɪkrətʃɪp]

Mikrofon microphone ['maɪkrəfəʊn]

Mikrofilm microfilm ['maɪkrəfɪlm]

mikroskopisch: *auch* **mikroskopisch klein** microscopic(al) [ˌmaɪkrə'skɒpɪk(l)]

Mikrowelle microwave ['maɪkrəweɪv]

Mikrowellenherd microwave (oven ['ʌvn])

Milbe mite

Milch milk

Milchglas (≈ *dickes, trübes Glas*) frosted glass

milchig milky

Milchkaffee milky coffee, *AE* coffee with cream

Milchpulver powdered milk, milk powder

Milchreis rice pudding [ˌraɪs'pʊdɪŋ]

Milchstraße Milky Way [ˌmɪlkɪ'weɪ]

mild 1. *allg.:* mild (*auch Klima*) **2.** *Strafe, Richter:* mild, lenient ['liːnɪənt] **3.** *Licht:* soft

milde: *milde gesagt* to put it mildly

mildern 1. soothe [suːð], ease (*Schmerzen*) **2.** reduce, soften (*Wirkung*) **3.** *er hat mildernde Umstände bekommen* he was given mitigating ['mɪtɪgeɪtɪŋ] circumstances

Milieu 1. *allg.:* environment [ɪn'vaɪrənmənt] **2.** *Herkunft:* social background

Militär 1. *allg.:* armed forces (△ *Pl.*), military ['mɪlɪtərɪ] (△ *mit Pl. oder Sg.*); *er ist beim Militär* he's in the army **2.** (≈ *Soldaten*) soldiers (*Pl.*)

militärisch military ['mɪlɪtərɪ]

Milliardär(in) multimillionaire [ˌmʌltɪmɪljə'neə], *AE* billionaire [ˌbɪljə'neə]

Milliarde billion ['bɪljən] (*geschriebene Abk. BE* bn); *zwei Milliarden Pfund* two billion pounds (*£2bn*)

Milliarde

Obwohl „Milliarde" im Allgemeinen mit **billion** übersetzt wird, sagen noch einige Briten **a thousand million**. In der <u>veraltenden</u> Bedeutung ist **billion** nämlich 1.000.000.000.000 und entspricht damit der Billion bei uns (= 10^{12}, eine Million Millionen *oder* tausend Milliarden).

Milligramm milligram(me)

Millimeter millimetre; *es ist vierzehn Millimeter hoch* it's fourteen millimetres high

Millimeterarbeit: *das war Millimeterarbeit* that was a precision job [prɪˌsɪʒn'dʒɒb]

Millimeterpapier graph [grɑːf] paper

Million million ['mɪljən]; *fünf Millionen Dollar* five million dollars; *der Schaden geht in die Millionen* the damage runs into millions (of dollars *usw.*)

Millionär(in) millionaire [ˌmɪljə'neə], *Frau auch:* millionairess [ˌmɪljə'neərɪs]

Millionenhöhe: *ein Schaden in Millionenhöhe* damage amounting to millions of euros *usw.* (△ *ohne* a)

millionstel, Millionstel millionth

Milz spleen

Minarett minaret [ˌmɪnə'ret]

Minderheit minority [maɪ'nɒrɪtɪ]

minderjährig: *sie ist noch minderjährig* she's still underage [ˌʌndər'eɪdʒ]

Minderjährige(r) minor ['maɪnə]

minderwertig 1. *allg.:* inferior [ɪn'fɪərɪə] **2.** *Ware, Material:* low-quality, low-grade, *nachgestellt:* of inferior quality **3.** *Qualität:* low, inferior

Minderwertigkeitskomplex inferiority complex [ɪnˌfɪərɪ'ɒrɪtɪˌkɒmpleks]

Mindest... *in Zusammensetzungen:* minimum ['mɪnɪməm]; *Mindestgehalt an Früchten usw.:* minimum content ['kɒntent]; *Mindestlohn* minimum wage

mindeste(n) 1. *er hat nicht die mindeste Ahnung von Musik* he doesn't know the first thing about music **2.** *das ist doch wohl das Mindeste, das man von dir erwarten kann* that's the very least that can be expected of you **3.** *nicht im Mindesten* not in the least, not at all

mindestens at least

Mindestmaß minimum (*an* of)

Mine 1. *Bergwerk:* mine **2.** *Sprengkörper:* mine **3.** *Bleistift:* lead [led] **4.** *Kugelschreiber:* cartridge, *als Ersatz:* refill

M

['ri:fɪl]

Minenfeld minefield

Mineralwasser mineral water

Minibus minibus

Minigolf crazy golf ['kreɪzɪ ɡɒlf], *AE* miniature golf [ˌmɪnətʃə'ɡɒlf]

Minikleid minidress

minimal 1. *Schaden, Unterschied usw.*: minimal **2. *ein minimaler Vorsprung*** a marginal lead [ˌmɑːdʒɪnl'liːd] (***gegenüber, vor*** over)

Minimum minimum ['mɪnɪməm] *Pl.*: minima *oder* minimums (***an*** of)

Minirock miniskirt ['mɪnɪskɜːt]

Minister(in) 1. *allg.*: minister ['mɪnɪstə] **2.** *in GB*: Secretary ['sekrətrɪ] of State (***für*** *oder* + *Gen.* for) **3.** *in USA*: Secretary (***für*** *oder* + *Gen.* of)

Ministerium 1. ministry ['mɪnɪstrɪ], *in GB in Zusammensetzungen auch*: Office **2.** *in USA*: department

Ministerpräsident(in) prime minister (*auch eines Bundeslandes*), premier ['premɪə]

Ministrant(in) server, *bes. AE* acolyte ['ækəlaɪt]

minus 1. minus ['maɪnəs]; ***acht minus zwei ist sechs*** eight minus two is six **2. *bei zehn Grad minus*** at ten (degrees) below zero

Minus 1. (≈ *Fehlbetrag*) deficit ['defəsɪt] **2.** *auf dem Konto*: overdraft **3.** *im Minus sein* be* in the red; ***Minus machen*** make* a loss

Minuspunkt 1. *Sport*: penalty point ['penltɪ ˌpɔɪnt] **2.** *übertragen* minus ['maɪnəs], drawback

Minuszeichen *Rechnen*: minus sign ['maɪnəs ˌsaɪn]

Minute 1. *allg.*: minute ['mɪnɪt]; ***in letzter Minute*** at the last minute **2. *sie kam auf die Minute genau*** she came on the dot

Minutenzeiger minute hand ['mɪnɪt-ˌhænd]

mir 1. *allg.*: (to) me; ***sie gab es mir*** she gave it to me **2.** (≈ *mir selbst*) myself; ***ich genehmigte mir eine Pizza*** I treated myself to a pizza **3.** *nach Präposition*: me; ***über mir*** above me **4. *ein Freund von mir*** a friend of mine **5. *mir ist kalt*** I feel cold **6. *bei mir*** (*zu Hause*) at my place **7. *von mir aus*** it's fine with 'me; ***von mir aus könnt ihr bleiben*** you can stay as far as I'm concerned

Mirabelle *Obst*: yellow plum, mirabelle plum [ˌmɪrə'bel ˌplʌm]

Mischehe mixed marriage

mischen 1. *allg.*: mix **2.** shuffle (*Karten*) **3.** blend (*Tabak, Tee*) **4. *sich mischen*** mix, (*Geruch usw.*) blend (***mit*** with) **5.**

sich unter die Leute mischen mingle (with the crowd) **6. *misch dich nicht in meine Angelegenheiten!*** keep (your nose) out of my business

Mischling 1. *Mensch*; *mst. abwertend*: half-caste [⚠ 'hɑːfkɑːst] **2.** *Hund*: mongrel ['mʌŋgrəl]

Mischmasch *umg.* mishmash, hotchpotch ['hɒtʃpɒtʃ], hodgepodge ['hɒtʃpɑːtʃ]

Mischpult mixer

Mischung 1. *allg.*: mixture; ***eine Mischung aus …*** a mixture of … **2.** *von Tabak, Tee*: blend (***aus*** of) **3.** *von Pralinen usw.*: assortment (***aus*** of)

Mischwald mixed forest ['fɒrɪst]

miserabel 1. terrible ['terəbl], dreadful ['dredfl], *umg.* lousy ['laʊzɪ] **2. *eine miserable Leistung*** a pathetic performance [pəˌθetɪk ˌpə'fɔːməns]

missachten 1. (≈ *nicht beachten*) disregard [ˌdɪsrɪ'gɑːd] **2.** (≈ *verachten*) disdain [dɪs'deɪn]

Missachtung 1. disregard [ˌdɪsrɪ'gɑːd] **2.** (≈ *Verachtung*) disdain [dɪs'deɪn]

Missbildung deformity

Missbrauch abuse [⚠ ə'bjuːs]; ***der Missbrauch von Medikamenten*** drug abuse (⚠ *ohne* the)

missbrauchen *sexuell*: abuse [ə'bjuːz] (*Kind*)

missen: ***das möchte ich nicht*** (*mehr*) ***missen*** I wouldn't like to be without it

Misserfolg failure, *eines Buchs usw.*: flop

Missernte crop failure ['krɒp ˌfeɪljə]

Missgeburt 1. *Kind*: deformed child **2.** *als Schimpfwort*: scab **3.** *Tier*: freak

Missgeschick (≈ *Unfall*) mishap ['mɪshæp]

missglücken 1. *allg.*: fail, be* a failure **2. *der Kuchen ist mir missglückt*** the cake didn't turn out **3. *ein missglückter Versuch*** an unsuccessful (*oder* a failed) attempt

misshandeln 1. *jemanden misshandeln* to mistreat someone [ˌmɪs'triːt] someone **2. *eine misshandelte Frau*** a battered woman

Misshandlung mistreatment [ˌmɪs'triːtmənt]

Mission mission (*auch übertragen*)

Missionar(in) missionary ['mɪʃnərɪ]

missionieren 1. (≈ *als Missionar*[*in*] *tätig sein*) do* missionary work **2.** (≈ *bekehren*) convert

misslingen 1. *allg.*: fail, turn out a failure **2. *es ist mir misslungen*** I didn't manage it

misstrauen *allg.*: distrust, mistrust; ***meine Oma misstraut der Computertechnik*** *auch*: my grandma has no confidence in

computers
Misstrauen 1. distrust, mistrust (*gegen* of) **2.** *sie ist voller Misstrauen* she's very distrustful (*oder* suspicious) (*gegen* of)

misstrauisch 1. distrustful (*gegen* of) **2.** *misstrauisch werden* become* (*oder* get*) suspicious [sə'spɪʃəs]

missverständlich unclear, misleading; *das ist etwas missverständlich formuliert* it's a bit misleading

Missverständnis misunderstanding, (≈ *Streit*) *auch*: disagreement

missverstehen misunderstand*; *du hast mich missverstanden* umg.; *auch*: you've got me wrong [rɒŋ]

Misswahl beauty contest ['bjuːtɪˌkɒntest]

Misswirtschaft mismanagement [ˌmɪs-'mænɪdʒmənt]

Mist 1. *umg.* (≈ *Unsinn*) rubbish, *bes. AE* trash **2.** *sie hat Mist gebaut* umg. she's botched it up; *mach keinen Mist!* don't do anything stupid **3.** *(so ein) Mist!* damn it! ['dæm_ɪt] **4.** *von Kühen usw.*: dung, *zum Düngen*: manure [△ mə-'njuə], (≈ *Tierkot*) droppings (△ *Pl.*) **5.** *umg.* (≈ *Plunder*) rubbish, junk

Mistel mistletoe [△ 'mɪsltəu]

Mistelzweig *Weihnachtsschmuck*: (sprig of) mistletoe [△ 'mɪsltəu]; *ein Mistelzweig* a sprig of mistletoe

Misthaufen manure [△ mə'njuə] heap, dung heap

Mistkerl *umg.* bastard ['bɑːstəd]

Mistkübel Ⓐ rubbish bin, *AE* trashcan

Miststück *umg.*; *Frau*: bitch

mit 1. *allg.*: with; *ein Mann mit Hund* a man with a dog **2.** *ein Korb mit Obst* a basket of fruit **3.** *mit der Bahn fahren* go* by train; *mit dem Auto kommen* come* by car **4.** *es ist mit Bleistift geschrieben* it's written in pencil **5.** *mit Bargeld* (*bzw.* *Kreditkarte bzw.* *Scheck*) *bezahlen* pay* in cash (*bzw.* by cheque *bzw.* by credit card) **6.** *mit Gewalt* by force **7.** *mit dem nächsten Bus fahren* (*bzw.* *kommen*) take* the next bus (*bzw.* arrive on the next bus) **8.** *mit Verlust verkaufen usw.*: at a loss **9.** *mit einer Mehrheit von* by a majority of **10.** *wie wärs mit einer Partie Schach?* how about a game of chess? **11.** *was ist mit ihr?* what's the matter with her?, (≈ *wie stehts mit 'ihr?*) what about her? **12.** *mit 15 (Jahren)* at (the age of) fifteen **13.** *sie war mit die Beste* she was one of the very best

Mitarbeit cooperation, collaboration, (≈ *Hilfe*) *auch*: assistance [ə'sɪstəns] (*bei* in); *unter Mitarbeit von* (*oder* + *Gen.*) in

collaboration with
mitarbeiten 1. *sie arbeitet im Geschäft mit* she works in the shop too **2.** *er arbeitet an einem neuen Wörterbuch mit* he's involved in a new dictionary project

Mitarbeiter(in) 1. *einer Firma*: employee [ɪm'plɔɪiː] **2.** *einer Zeitung usw.* *für einzelne Artikel*: contributor [kən'trɪbjutə] (*bei oder* + *Gen.* to); *sie ist Mitarbeiterin beim „Spiegel" usw.* she writes for 'Spiegel' magazine *usw.* **3.** *freier Mitarbeiter, freie Mitarbeiterin* *einer Firma*: freelance ['friːlɑːns], *bei Projekt*: collaborator [kə'læbəreɪtə] **4.** *einer seiner Mitarbeiter* one of his assistants [ə'sɪstənts]

mitbekommen *umg.* **1.** (≈ *aufschnappen*) catch* **2.** (≈ *hören*) hear* **3.** (≈ *bemerken*) realize **4.** (≈ *verstehen, kapieren*) get*

mitbenutzen: *er benutzt das Bad mit* he shares the bathroom with me *bzw.* us *bzw.* them *usw.*

mitbestimmen: *bei etwas mitbestimmen* have* a say in something

Mitbewerber(in) competitor [kəm'petɪtə], *um Stelle*: fellow applicant ['æplɪkənt]

Mitbewohner(in) fellow occupant [ˌfeləu-'ɒkjupənt]

mitbringen 1. *ich hab dir etwas mitgebracht* I've brought something for you, *Geschenk*: I've brought you a little something **2.** *übertragen* have* (*Fähigkeit usw.*)

Mitbringsel 1. *Geschenk*: little present ['preznt] **2.** *von Reise*: souvenir [ˌsuːvə-'nɪə]

Mitbürger(in) *allg.*: fellow citizen ['sɪtɪzn]; *ausländische Mitbürger(innen)* immigrant-residents [ˌɪmɪgrənt'rezɪdənts], *AE* resident aliens

mitdürfen: *der Hund darf nicht mit* the dog can't come (*oder* go); *darf ich mit?* can I come (*oder* go) too?

miteinander 1. *allg.*: with each other, with one another **2.** (≈ *zusammen*) together **3.** *alle miteinander* everyone **4.** *sie sind miteinander bekannt* they know each other

miterleben: *sie hat den Krieg noch miterlebt* *in ihrer Jugend*: she was a young girl during the war, *im Alter*: she was still alive during the war

Mitesser *in der Haut*: blackhead

mitfahren: (*mit jemandem*) *mitfahren* go* (*oder* drive*) with someone; *fährst du mit?* are you coming with me (*bzw.* us)?, are you going with him (*bzw.* her *bzw.* them)?

Mitfahrgelegenheit lift, *AE auch* ride; *suche Mitfahrgelegenheit nach Köln*

M

seeking lift (*AE* ride) to Cologne [kə-
'ləʊn]

mitfühlen: *ich kann mit dir mitfühlen* I
(can) sympathize ['sɪmpəθaɪz] with you

mitgeben: *kann ich dir das Buch für
Thomas mitgeben?* can I give you this
book to give to Thomas?

Mitgefühl sympathy ['sɪmpəθɪ]

mitgehen go* (*oder* come*) along (*mit*
with); *ich geh mit* I'll come with you

mitgenommen 1. *umg., übertragen* worn
out, exhausted [ɪg'zɔːstɪd] **2.** *mitgenom-
men aussehen auch Person:* look the
worse for wear [weə]

Mitgift dowry ['daʊrɪ]

Mitglied member; *ich bin Mitglied beim
Sportverein* I'm a member of the sports
club

Mitgliedsbeitrag (membership) fee (*AE
mst.* dues △*Pl.*)

mithaben: *ich hab den Ausweis nicht
mit* I haven't got my ID [,aɪ'diː] (card)
with me

mithalten *mit jemandem, Tempo usw.:*
keep* up (*mit* with)

mithelfen help; *ich muss zu Hause mit-
helfen im Haushalt:* I've got to help with
the housework, *bei anderer Aufgabe:* I've
got to help out at home

Mithilfe *einer Person, eines Werkzeugs
usw.:* with the help of, *einer Sache, Hand-
lung usw.:* by means of

mithören 1. *absichtlich:* listen in on, listen
to (*Gespräch usw.*) **2.** *ich habs zufällig
mitgehört* I overheard [,əʊvə'hɜːd] it **3.**
man hört von oben alles mit you can
hear everything that goes on from up-
stairs

mitkommen 1. *wörtlich* come* along;
kommt ihr mit? are you coming (too)?
2. *da komm ich nicht mehr mit* (≈ *das
kapier ich nicht*) I don't get it, it's beyond
me **3.** *sie kommt in der Schule gut*
(*bzw.* *schlecht*) *mit* she's doing well
(*bzw.* badly) at school

mitlaufen 1. *allg.:* run* (along) with **2.**
Sport, bei Rennen: run* (in the race)

Mitlaut consonant ['kɒnsənənt]

Mitleid pity; *aus Mitleid für* out of pity
for; *Mitleid mit jemandem haben* have*
(*oder* take*) pity on someone

mitleiderregend pitiful

mitleidig 1. (≈ *mitfühlend*) compassionate
[kəm'pæʃənət], sympathetic [,sɪmpə-
'θetɪk] **2.** *ein mitleidiges Lächeln* a con-
temptuous [kən'temptjʊəs] smile

mitlesen: *ich spiele euch den Text vor
und ihr lest mit* I'll play the text to you,
and you can read along with it

mitmachen 1. *willst du mitmachen?* do

you want to join in? **2.** *bei etwas mitma-
chen* take* part in something **3.** *da
mach ich nicht mit!* (≈ *damit bin ich
nicht einverstanden*) I can't go along with
that **4.** *sie hat schon einiges mitge-
macht umg.* she's been through a lot

Mitmensch 1. *allg.:* fellow human being **2.**
die lieben Mitmenschen ironisch peo-
ple!

mitmischen *salopp* be* in on the action;
sie will überall mitmischen she wants
to be in on everything, she wants to be
involved in everything

mitnehmen 1. *ich nehm es* (*bzw. ihn
usw.*) *mit* I'll take it (*bzw. him usw.*) with
me **2.** *er hat mich mitgenommen* he
took me along, *im Auto:* he gave me a
lift (*nach* to) **3.** *das hat sie ziemlich
mitgenommen* it's really got to her **4.**
Essen zum Mitnehmen takeaway (*AE*
carryout) food

mitreißen 1. *er wurde von einer Lawine
mitgerissen* he was swept away by an
avalanche ['ævəlɑːntʃ] **2.** *wir wurden al-
le mitgerissen* (≈ *waren begeistert*) we
were all carried away (by it)

mitreißend 1. *Rede usw.:* rousing ['raʊzɪŋ]
2. *Rhythmus:* infectious **3.** *Spiel:* exciting

mitsamt together with, along with

mitschicken: (*jemandem*) *etwas mit-
schicken in Brief usw.:* enclose some-
thing

mitschleppen drag along (with one) (*Kof-
fer usw., Person, Kind*)

mitschneiden *auf Tonband usw.:* record
[rɪ'kɔːd]

mitschreiben 1. make* notes **2.** *etwas
mitschreiben* write* (*oder* take*) some-
thing down **3.** *eine Schularbeit mit-
schreiben* do* (*oder* take*) a test

mitschuldig: *mitschuldig sein* be* partly
to blame (*an* for)

Mitschüler(in) schoolmate, classmate

mitsingen 1. *allg.:* join in (the singing),
sing* along **2.** *er singt beim Kirchen-
chor mit* he sings in the church choir
[△ 'kwaɪə]

mitspielen 1. *willst du mitspielen? bei
Spiel:* do you want to join in? **2.** *Sport:*
play (*bei* for), be* on the team **3.** *bei
Theaterstück:* play (*bei* in); *spielt sie
mit?* is she in it? **4.** *in Orchester:* play (*in*
in)

Mitspieler(in) 1. *allg.:* player, *Sport auch:*
team-mate **2.** *Theater:* member of the
cast

Mittag 1. midday, noon, lunchtime; *heute
Mittag* at noon today; *sie haben über
Mittag geschlossen* they're closed at
lunchtime (*oder* for lunch) **2.** *zu Mittag*

essen have* lunch; **was esst ihr zu Mittag?** what are you having for lunch?

Mittagessen lunch; **was gibts heute zum Mittagessen?** what's for lunch today?

mittagessen: mittagessen gehen go* to have lunch, go* for lunch

mittags 1. at midday, at noon, at lunchtime **2. (um) 12 Uhr mittags** (at) 12 noon

Mittagspause lunch break, lunch hour; **wir haben Mittagspause** it's our lunch break

Mittagsschlaf afternoon nap; **(einen) Mittagsschlaf halten** have* an afternoon nap

Mittagszeit: zur Mittagszeit at lunchtime

Mitte 1. *allg.*: middle **2.** (≈ *Mittelpunkt*) centre **3. Mitte Juni** in the middle of June, (in) mid-June **4. sie ist Mitte zwanzig** she's in her mid-twenties

mitteilen: jemandem etwas mitteilen inform someone of (*oder* about) something

Mitteilung 1. (≈ *Benachrichtigung*) notification **2.** (≈ *Bekanntgabe*) announcement

Mittel 1. (≈ *Hilfsmittel*) means (△ *Sg.*) *Pl.*: means (**zu, um zu** of + *-ing-Form*) **2.** (≈ *Weg, Methode*) method ['meθəd] (**zu, um zu** for + *-ing-Form*), way (**zu, um zu** of + *-ing-Form*) **3. als letztes Mittel** as a last resort **4. ihr ist jedes Mittel recht** she'll stop at nothing **5.** (≈ *Heilmittel*) cure, remedy ['remədɪ] (**gegen** for); **ein Mittel gegen Kopfschmerzen** *usw.* something for a headache *usw.* **6. ein starkes Mittel** (≈ *Medizin*) strong medicine ['medsn] (△ *ohne* a), (≈ *Putzmittel*) a powerful cleaner **7.** (≈ *Geldmittel*) means (△ *Pl.*), öffentliche, einer Stiftung *usw.*: funds (△ *Pl.*) **8.** (≈ *Durchschnitt*) average ['ævərɪdʒ]

Mittelalter: im Mittelalter in the Middle Ages (△ *Pl.*), in medi(a)eval times (△ *Pl.*)

mittelalterlich medi(a)eval, [ˌmedr'iːvl]

Mittelamerika Central America

Mitteleuropa Central Europe ['jʊərəp]

Mitteleuropäer(in) Central European; **Nationalitäten**

mitteleuropäisch Central European; **mitteleuropäische Zeit** (*Abk.* MEZ) Central European Time (*Abk.* CET)

mitteleuropäisch Central European; **mitteleuropäische Zeit** (*Abk.* MEZ) Central European Time (*Abk.* CET)

Mittelfeld *Fußball*: midfield ['mɪdfiːld]

Mittelfeldspieler(in) *Fußball*: midfielder

Mittelgang *in Flugzeug usw.*: aisle [△ aɪl]

Mittelgebirge highlands (△ *Pl.*), low mountain range

Mittelgewicht middleweight ['mɪdlweɪt]

mittelgroß 1. *allg.*: medium-sized **2. sie ist mittelgroß** *Person*: she's (of) medium height [△ haɪt]

Mittelklassewagen *Auto*: mid-range (*oder* medium-range) car, *AE* midsized car

Mittellinie 1. *Fußball*: halfway line **2.** *allg.*: centre line

mittelmäßig 1. *Leistung*: mediocre [ˌmiːdɪ'əʊkə] **2.** (≈ *durchschnittlich*) average ['ævərɪdʒ] **3.** (≈ *so la la*) middling

Mittelmeer Mediterranean (Sea) [ˌmedɪtə-'reɪnɪən'siː)]

Mittelpunkt 1. *allg.*: centre **2. sie will immer im Mittelpunkt stehen** she always wants to be at the centre of attention

Mittelschicht middle classes (△ *Pl.*)

Mittelschiff *Kirche*: nave [neɪv]

Mittelstreckenflugzeug medium-haul aircraft

Mittelstreckenrakete medium-range missile

Mittelstreifen *Autobahn usw.*: central reservation, *AE* median ['miːdɪən] strip

Mittelstufe 1. *Kurs usw.*: intermediate [ˌɪntə'miːdɪət] stage **2.** *Schule; etwa*: middle school, *AE auch* junior high school

Mittelstürmer(in) *Fußball*: striker, centre-forward [ˌsentə'fɔːwəd]

Mittelweg middle course

Mittelwelle *Radio*: medium wave, AM [ˌeɪ'em]

Mittelwert mean (value ['væljuː])

Mittelwort participle ['pɑːtɪsɪpl]

mitten 1. mitten in (*bzw.* **auf** *bzw.* **unter**) in the middle of; **mitten in der Nacht** in the middle of the night **2. mitten in etwas hinein** right into something

mittendrin right in the middle (of it)

mittendurch right through (the middle)

Mitternacht midnight; **um Mitternacht** at midnight

mittlere(r, -s) 1. *allg.*: middle; **sie ist im mittleren Alter** she's middle-aged; **der Mittlere Osten** the Middle East **2.** (≈ *durchschnittlich*) average ['ævərɪdʒ]; **mittlere Leistungen** an average performance (△ *Sg.*) **3.** *Größe, Qualität*: medium **4. mittlere Reife** *Schulabschluss*: intermediate secondary school certificate, *in GB etwa*: GCSEs [ˌdʒiːsiːesˈiːz] (△ *Pl.*)

mittlerweile 1. meanwhile, in the meantime **2.** (≈ *seitdem*) since then

Mitwirkende(r) *im Theater*: actor ['æktə], player (*auch in Orchester*); **Mitwirkende** *Pl.* cast (△ *Sg.*); **Mitwirkende sind …** the cast includes …

Mittwoch Wednesday ['wenzdeɪ]; **wir sehen uns dann (am) Mittwoch** see you (on) Wednesday

M

Mittwochabend: (*am*) ***Mittwochabend*** (on) Wednesday evening, (on) Wednesday night

mittwochabends (on) Wednesday evenings

Mittwochmorgen: (*am*) ***Mittwochmorgen*** (on) Wednesday morning

Mittwochnachmittag: (*am*) ***Mittwochnachmittag*** (on) Wednesday afternoon

mittwochs on Wednesday, on Wednesdays; ***mittwochs abends*** *usw.* (on) Wednesday evenings *usw.*

mitverdienen: ***meine Mutter muss mitverdienen*** my mother has to work as well

mitwirken 1. (≈ *teilnehmen*) take* part (***bei***) in) **2.** *bei Projekt*: be* involved (***bei***, ***an***) in)

mitzählen 1. ***ich hab nicht mitgezählt*** I wasn't counting **2.** ***das zählt nicht mit*** (≈ *gilt nicht*) that doesn't count

mixen mix (*Getränk usw.*)

Mixer (≈ *Mixgerät*) blender, liquidizer

mobben bully [△ 'bɒlɪ], harass ['hærəs]

Mobbing harassment ['hærəsmənt] in the workplace, *umg.* bullying ['bɒlɪŋ] (△ *das Wort* mobbing *wird in der englischen Alltagssprache nicht verwendet!*)

Möbel 1. *einzelnes*: piece of furniture ['fɜːnɪtʃə] **2.** ***die Möbel sollen morgen geliefert werden*** the furniture is to be delivered tomorrow (△ furniture *steht nie im Pl.*)

Möbelgeschäft furniture ['fɜːnɪtʃə] shop

Möbelwagen furniture van, *bei Umzug*: removal van, *AE* moving van

mobil 1. *allg.*: mobile ['məʊbaɪl] **2.** ***mobil machen*** mobilize ['məʊbəlaɪz] (*Truppen*)

Mobilfunk *Telefon*: mobile (*oder* wireless *oder* cellular) communications *Pl.*, cellular radio

Mobilfunknetz *Telefon*: cellular radio network [ˌseljʊlə'reɪdɪəʊˌnetwɜːk]

mobilisieren mobilize ['məʊbəlaɪz] (*Truppen*, *übertragen auch Kräfte usw.*)

Mobiltelefon mobile phone [ˌməʊbaɪl'fəʊn]

möblieren 1. furnish (*Zimmer usw.*); ***möbliertes Zimmer*** furnished room **2.** ***neu möblieren*** refurnish [riː'fɜːnɪʃ] (*Zimmer*)

möchte(n) → ***mögen***

Mode fashion; ***die neueste Mode*** the latest fashion; ***sie geht mit der Mode*** she follows (*oder* keeps up with) the fashions (△ *Pl.*); ***aus der Mode kommen*** go* out of fashion; (***in***) ***Mode sein*** *umg.* be* 'in

modebewusst fashion-conscious, trendy

Modell 1. (≈ *Muster*, *Nachbildung*) model

['mɒdl] **2.** *Kunst*: model; ***jemandem Modell stehen*** sit* (*oder* pose) for someone **3.** *Auto usw.*: model

Modelleisenbahn model railway [ˌmɒdl'reɪlweɪ], *AE* model railroad

Modellflugzeug model aircraft [ˌmɒdl'eəkrɑːft] (*oder* aeroplane ['eərəpleɪn]), *AE* model airplane [ˌmɒdl'eəpleɪn]

Modem *Computer*: modem ['məʊdem]

Modenschau fashion show

Moderator(in) presenter [prɪ'zentə], *bes. AE* host [həʊst], *AE auch* (news) anchor, *Mann*: anchorman, *Frau*: anchorwoman

moderig *Keller*, *Geruch usw.*: mouldy ['məʊldɪ], musty

modern¹ 1. *allg.*: modern ['mɒdn]; ***die moderne Kunst*** (***Musik*** *usw.*) modern art (music *usw.*) (△ *ohne* the) **2.** (≈ *modisch*) fashionable; ***Hosenträger sind wieder modern*** braces are in again

modern² (≈ *faulen*) rot (away)

modernisieren modernize ['mɒdənaɪz] (*Firma usw.*)

Modernisierung modernization [ˌmɒdənaɪ'zeɪʃn]

Modeschöpfer(in) fashion designer

modisch fashionable, stylish

Modul *Technik*, *Computer usw.*: module ['mɒdjuːl]

Mofa moped ['məʊped]

mogeln cheat

mögen 1. (≈ *wollen*) want; ***ich mag nicht*** I don't want to, (≈ *ich hab keine Lust*) I don't feel like it; ***ich möchte, dass dus weißt*** I'd like you to know **2.** (≈ *wünschen*) want; ***was möchten Sie*** (***bitte***)**?** what would you like? **3.** (≈ *gern mögen*) like, be* fond of; ***sie mag ihn nicht*** she doesn't like him; ***wir mögen ihn sehr*** we're very fond of him; ***ich mag Spinnen*** (***überhaupt***) ***nicht*** I don't like spiders (at all) **4.** ***ich möchte wissen*** I'd like to know, (≈ *ich frage mich*) I wonder ['wʌndə] **5.** ***etwas lieber mögen*** like something better, prefer [prɪ'fɜː] something; ***sie mag dich lieber als mich*** she likes you better than me, she prefers you to me; ***ich möchte lieber bleiben*** I'd rather stay; ***möchtest du lieber Kaffee*** (***als Tee***)**?** would you prefer coffee (to tea)?

möglich 1. *allg.*: possible **2.** (≈ *durchführbar*) doable ['duːəbl] **3.** *Folgen usw.*: potential **4.** ***es ist möglich, dass sie kommt*** she may (*oder* might) come **5.** *Wendungen*: ***so bald*** (***schnell*** *usw.*) ***wie möglich*** as soon (quickly *usw.*) as possible; ***nicht möglich!*** *überrascht*: no kidding!; ***alles Mögliche*** all sorts of things; ***alles Mögliche tun*** do everything possible; *ich hab mein Möglichstes getan* I've done my best

möglicherweise 1. *allg*: possibly **2.** *möglicherweise ist sie schon da* she may (*oder* might) be here already

Möglichkeit 1. *allg*.: possibility **2.** (≈ *Gelegenheit*) opportunity **3.** (≈ *Aussicht, Chance*) chance, possibility **4.** *nach Möglichkeit* as far as possible

möglichst 1. *möglichst bald* (*wenig usw.*) as soon (little *usw.*) as possible **2.** *ein möglichst billiges Zimmer* the cheapest possible room

Mohn 1. *Pflanze, Blume*: poppy **2.** *Körner*: poppy seed, *in Kuchen auch*: poppy seeds

Möhre carrot ['kærət]

Mohrenkopf (≈ *Negerkuss*) *etwa*: cream-filled chocolate cake

Mokka *Kaffee*: mocha ['mɒkə]

Molch *Tier*: newt [njuːt]

Mole mole, jetty

Molekül molecule ['mɒlɪkjuːl]

Molke whey [weɪ]

Molkerei dairy ['deərɪ]

Moll 1. minor, minor key; *die Melodie geht in Moll über* the tune changes into minor **2.** *a-Moll* A minor (△ A *usw. wird hier großgeschrieben*); ☞ *Dur*

mollig 1. (≈ *dicklich*) plump **2.** *mollig warm* warm and cosy ['kəʊzɪ]

Moment moment, instant; (*einen*) *Moment bitte!* just a minute!; *Moment mal!* just a moment (*oder* minute)!; *im Moment* at the moment; *sie kann jeden Moment kommen* she could be here any minute (now)

momentan: *ich hab momentan sehr viel zu tun* I'm very busy at the moment

Monaco Monaco (△ ['mɒnəkəʊ]

Monarchie monarchy ['mɒnəkɪ]

Monat 1. *allg*.: month [mʌnθ] **2.** *sie verdient 2500 Euro im Monat* she earns 2,500 euros a month **3.** *sie ist im dritten Monat schwanger*: she's three months pregnant

monatelang 1. *monatelange Diskussionen* months of discussion (△ *Sg*.) **2.** *monatelang warten* wait for months

monatlich 1. *Raten, Zahlung usw.*: monthly **2.** *monatlich 100 Euro zahlen* pay* a hundred euros a month (*oder* every month)

Monatskarte monthly (season) ticket

Mönch monk [mʌŋk]

Mond 1. moon **2.** *du lebst wohl hinter dem Mond!?* where have you been all your life?

Mondfinsternis eclipse [ɪ'klɪps] of the moon, lunar eclipse [ˌluːnər_ɪ'klɪps]

Mondlandefähre lunar module [ˌluːnə'mɒdjuːl]

Mondlandschaft lunar ['luːnə] landscape

Mondschein moonlight

Moneten *salopp* cash, *BE auch* lolly (△ *beide Sg*.)

Mongolei Mongolia [mɒŋ'gəʊlɪə]

Monitor *Computer usw*.: monitor ['mɒnɪtə]

Monolog monologue ['mɒnəlɒg]

Monopol monopoly [mə'nɒpəlɪ] (*auf* on, of)

monoton monotonous [△ mə'nɒtənəs]

Monster monster

Monsun *Wind*: monsoon [mɒn'suːn]

Monsunzeit monsoon season [mɒn'suːnˌsiːzn]

Montag Monday; *wir sehen uns dann* (*am*) *Montag* see you (on) Monday

Montagabend: (*am*) *Montagabend* (on) Monday evening, (on) Monday night

montagabends (on) Monday evenings

Montage 1. (≈ *Aufstellung, Anbringen*) installation [ˌɪnstə'leɪʃn] **2.** (≈ *Zusammenbau*) assembly **3.** *er ist auf Montage* he's away on a (building) job

Montagmorgen: (*am*) *Montagmorgen* (on) Monday morning

Montagnachmittag: (*am*) *Montagnachmittag* (on) Monday afternoon

montags on Monday, on Mondays; *montags abends usw.* (on) Monday evenings *usw.*

Montenegro Montenegro [ˌmɒntɪ'niːgrəʊ]

Monteur(in) 1. *allg*.: fitter **2.** *bei Autos, Flugzeugen usw.*: mechanic [mɪ'kænɪk]

montieren 1. (≈ *zusammenbauen*) assemble **2.** (≈ *anbringen*) fit, attach (*an* to) **3.** (≈ *aufstellen*) set* up **4.** (≈ *einrichten, einbauen*) install [ɪn'stɔːl] (*Heizung usw.*)

Moor 1. *allg*.: bog **2.** (≈ *Hochmoor*) moor [mʊə]

moorig marshy, boggy

Moos 1. *Pflanze*: moss **2.** (≈ *Moorgebiet*) moorland ['mʊələnd] (△ *ohne* a), moorlands (*Pl*.), bog **3.** *salopp* (≈ *Geld*) cash, *BE auch* brass [brɑːs]

Moped moped ['məʊped]

Mops *Hund*: pug, pug dog

Moral 1. (≈ *sittliche Werte*) morals ['mɒrəlz] (△ *Pl*.), moral standards (△ *Pl*.) **2.** *Moral predigen* moralize **3.** *einer Geschichte*: moral **4.** (≈ *Stimmung*) morale [△ mə'rɑːl]; *die Moral der Mannschaft ist gut* (the) morale in the team is high

moralisch 1. *allg*.: moral ['mɒrəl] **2.** *er hat heute einen Moralischen umg*. he's feeling down (*oder* low) today

Moralpredigt: *deine Moralpredigten*

kannst du dir sparen! none of your sermons please!

Mord 1. murder (**an** of); **einen Mord begehen** commit (a) murder **2.** *durch Attentat*: assassination [ə‚sæsɪˈneɪʃn]

Mörder(in) 1. *allg.*: murderer, killer **2.** (≈ *Attentäter, -in*) assassin [əˈsæsɪn]

mörderisch 1. *allg.*: murderous [ˈmɜː- dərəs] **2.** *Kampf usw.*: deadly **3.** *Hitze usw.*: terrible, scorching [ˈskɔːtʃɪŋ] **4.** *Rennen*: gruel(l)ing, *Tempo*: breakneck **5.** *Konkurrenz usw.*: cutthroat

Mordfall murder case

Mordshunger: **ich hab einen Mordshunger** I'm famished [ˈfæmɪʃt]

Mordskerl *umg.* **1.** (≈ *riesenhafter Mann*) great hulk **2.** *bewundernd*: great guy

Mordversuch attempted murder (△ *ohne* an)

Morgen 1. morning; **guten Morgen!** good morning!; **am Morgen** in the morning, (≈ *jeden Morgen*) *auch*: in the mornings (*Pl.*); **heute Morgen** this morning; **gestern Morgen** yesterday morning; **am nächsten Morgen** the next morning **2.** **es wird Morgen** it's getting light

morgen tomorrow; **morgen Abend** tomorrow evening (*bzw.* night); **morgen früh** tomorrow morning; **morgen in acht Tagen** a week (from) tomorrow, tomorrow week; **morgen um diese Zeit** this time tomorrow

Morgenessen ⊕ breakfast [△ ˈbrekfəst]

Morgengrauen: **bei** (*bzw. im*) **Morgengrauen** at dawn, at daybreak [ˈdeɪbreɪk]

Morgenmuffel: **sie ist ein Morgenmuffel** she's not a morning person

Morgenrock dressing gown

Morgenrot red sky, dawn (*Letzteres auch übertragen*)

morgens in the morning, (≈ *jeden Morgen*) *auch*: in the mornings; **um 4 Uhr morgens** at 4 (o'clock) in the morning, at 4 am

Mormone, **Mormonin**, Mormon [ˈmɔːmən]

Morphium morphine [ˈmɔːfiːn]

morsch 1. rotten **2.** **morsch werden** (start to) rot

morsen morse

Morsezeichen Morse signal [ˈmɔːs- ‚sɪɡnəl]

Mörtel mortar [ˈmɔːtə]

Mosaik mosaic [△ məʊˈzeɪɪk]

Moschee mosque [ˈmɒsk]

Mosel *Fluss*: Moselle [məʊˈzel]

mosern *umg.* grumble, gripe (**über** about)

Moskau Moscow [△ ˈmɒskəʊ]

Moskito mosquito [məˈskiːtəʊ]

Moskitonetz mosquito net [mə- ˈskiːtəʊ‿net]

Moslem, Moslemin, moslemisch Moslem [△ ˈmɒzləm]

Most 1. (≈ *Traubenmost*) grape juice [dʒuːs] **2.** (≈ *Apfelmost*) cider, (≈ *unvergorener Apfel- bzw. Birnensaft*) apple (*bzw.* pear) juice **3.** *vergorener*: fruit wine

Motiv 1. (≈ *Grund*) motive [ˈməʊtɪv] **2.** *Kunst usw.*: motif [△ məʊˈtiːf], *Musik auch*: theme [θiːm]

Motivation motivation

motivieren 1. **jemanden motivieren** motivate someone (**zu** to + *Inf.*) **2.** **sehr motiviert** highly motivated

Motor 1. *eines Autos, Flugzeugs usw.*: engine [ˈendʒɪn] **2.** (≈ *Elektromotor, Außenbordmotor usw.*) motor [ˈməʊtə]

Motorboot motorboat

Motorhaube bonnet [ˈbɒnɪt], *AE* hood [hʊd]

Motorrad motorbike, motorcycle [ˈməʊtə- ‚saɪkl]; **Motorrad fahren** ride* a motorbike

Motorradfahrer(in) motorcyclist [ˈməʊtə- ‚saɪklɪst], *umg.* biker

Motorroller scooter, motor scooter

Motorsäge power saw

Motorschaden engine trouble [ˈendʒɪn- ‚trʌbl]; **wir hatten einen Motorschaden** we had (some) engine trouble

Motte moth [mɒθ]

Motto 1. *allg.*: motto; **... steht unter dem Motto ...** ... has as its motto ... **2.** **nach dem Motto ...** according to the principle (that)

motzen *umg.* moan, beef

Mountainbike mountain bike

Möwe gull, seagull

Mücke midge, mosquito [məˈskiːtəʊ]

mucken *umg.* grumble; **ohne zu mucken** without a peep

Mückenstich mosquito bite, midge bite

mucksmäuschenstill: **es war mucksmäuschenstill** you couldn't hear a sound

müde 1. *allg.*: tired; **Schwimmen macht müde** swimming makes you tired **2.** *Lächeln*: weary [ˈwɪərɪ]; **müde lächeln** give* a weary smile **3.** (≈ *schläfrig*) sleepy **4.** **keine müde Mark** *umg.* not a penny

Müdigkeit tiredness

muffelig (≈ *unfreundlich*) grumpy, sullen

muffig 1. *Keller, Luft*: musty **2.** (≈ *mürrisch*) grumpy

Mühe 1. *allg.*: trouble **2.** (≈ *Anstrengung*) effort [ˈefət] **3.** **mit Müh(e) und Not** with great difficulty, (only) just **4.** **sie hat sich**

große Mühe gegeben she's gone to a lot of trouble (**mit** over)

mühelos 1. *allg.*: easy **2. sie hats mühelos geschafft** she managed it without any difficulty

mühevoll difficult ['dɪfɪklt], hard

Mühle 1. *Gebäude*: mill **2.** *für Kaffee*: grinder ['graɪndə] **3.** *für Pfeffer*: mill **4.** *Spiel*: nine men's morris

mühsam 1. (≈ *anstrengend*) strenuous ['strenjʊəs] **2.** (≈ *ermüdend*) tiring

Mulde *im Boden, Gelände*: hollow

Muli mule

Müll 1. (≈ *bes. Hausmüll*) rubbish, *bes. AE* garbage ['gɑːbɪdʒ], trash (*alle auch übertragen*) **2.** *in Massen*: waste

Müllabfuhr 1. refuse [△ 'refjuːs] disposal (*oder* collection), *AE* garbage ['gɑːbɪdʒ] disposal **2.** *als Dienstleistung*: refuse (*AE* garbage) collection service

Müllablageplatz rubbish tip (*oder* dump), *AE* (garbage) dump

Müllberg mountain of rubbish (*AE* garbage)

Müllbeutel (dust)bin liner, *AE* garbage bag

Mullbinde gauze bandage [ˌgɔːz'bændɪdʒ]

Müllcontainer rubbish skip, *AE* garbage bin, Dumpster

Mülldeponie rubbish tip (*oder* dump), *AE* (garbage) dump, landfill

Mülleimer rubbish bin, *AE* garbage can

Müller(in) miller

Mülltonne dustbin, *AE* trashcan, garbage can

Müllschlucker rubbish chute [ʃuːt]

Mülltrennung waste separation

Müllverbrennungsanlage waste incineration [ɪnˌsɪnərˈeɪʃn] plant

Müllwagen dustcart, *AE* garbage truck

mulmig: beim Fliegen wird mir immer mulmig I always feel uneasy when I'm flying

multikulturell multicultural [ˌmʌltɪ-ˈkʌltʃərəl]

multilateral multiteral [ˌmʌltɪˈlætrəl]; **multilaterale Gespräche** multiateral talks

Multimedia... *in Zusammensetzungen*: multimedia … [ˌmʌltɪˈmiːdɪə]

Multimillionär(in) multimillionaire [ˌmʌltɪˌmɪljəˈneə]

Multiplikation multiplication [mʌltɪplɪ-ˈkeɪʃn]

multiplizieren multiply (**mit** by)

Mumie mummy

Mumm *umg.* (≈ *Mut*) guts (△ *Pl.*); **dazu fehlt ihm der Mumm** he hasn't got the guts for it (*oder* to do it)

Mumps mumps [mʌmps] (△ *mit Sg.*); **sie**

hat Mumps she's got (the) mumps

München Munich ['mjuːnɪk]

Mund 1. *allg.*: mouth **2. halt den Mund!** shut up!; **halt bloß deinen Mund!** (≈ *verrate bloß nichts*) just make sure you keep your mouth shut **3. sie ist nicht auf den Mund gefallen** *übertragen* she's got the gift of the gab **4. er hat sie auf den Mund geküsst** he kissed her on the lips

Mundart dialect ['daɪəlekt]

Munddusche dental water jet, *bes. AE* waterpick

münden: der Rhein mündet in die Nordsee the Rhine flows into the North Sea

Mundgeruch bad breath [breθ]

Mundharmonika mouth organ, harmonica

mündig: ein mündiger Bürger a responsible citizen

mündlich 1. *Schilderung, Aussage usw.*: verbal ['vɜːbl] **2. mündliche Prüfung** oral ['ɔːrəl] (exam) **3. alles Weitere mündlich** I'll tell you the rest when I see you

Mundschutz 1. *eines Arztes usw.*: mask **2.** *Boxen*: gumshield

Mundstück 1. *eines Instrumentes*: mouthpiece **2.** *einer Zigarette usw.*: tip

Mündung 1. *eines Flusses*: mouth, *den Gezeiten ausgesetzte*: estuary [△ 'estjʊrɪ] **2.** *eines Gewehrs usw.*: muzzle

Mundwasser mouthwash, gargle

Mund-zu-Mund-Beatmung mouth-to-mouth resuscitation [ˌrɪˌsʌsɪˈteɪʃn], the kiss of life

Munition ammunition [ˌæmjʊˈnɪʃn]

Münster *Kirche*: minster, cathedral [kə-ˈθiːdrəl]

munter 1. *Baby usw.*: happy **2.** (≈ *lebhaft*) lively ['laɪvlɪ] **3. sie ist schon wieder munter** (≈ *aufgestanden*) she's up and about again **4.** (≈ *wach*) awake; **das macht dich wieder munter** *Kaffee usw.*: that'll wake (*oder* perk) you up

muntermachen → **munter** 4

Münze coin

Münztelefon pay phone

mürbe *Kuchen, Gebäck*: crumbly

Mure (≈ *Schlammlawine*) mudflow

Murks *umg.* botch-up; **er hat Murks gemacht** he's botched it (up)

Murmel marble

murmeln murmur ['mɜːmə], mutter

Murmeltier 1. marmot ['mɑːmət], *AE auch* woodchuck **2.** *übertragen, umg.* **schlafen wie ein Murmeltier** sleep* like a top (*bes. AE* log)

mürrisch sullen, grumpy

Mus 1. (≈ *Brei*) mush **2.** *aus Früchten*: puree ['pjʊərei]

Muschel 1. *Tier:* mussel **2.** (≈ *Muschel-schale*) shell, seashell

Museum museum [mjuːˈziːəm]

Musical musical

Musik 1. *allg.:* music **2.** (≈ *Kapelle*) band

musikalisch musical; *er ist sehr musikalisch auch*: he's got musical talent

Musikant(in) musician

Musikbox jukebox (△ *engl.* music box *oder* musical box = *Spieldose*)

Musiker(in) musician [mjuːˈzɪʃn]

Musikinstrument musical instrument

Musikkapelle band

Musikstunde *Unterricht:* music lesson; *ich hab heute Musikstunde* I've got my (*oder* a) music lesson today

musizieren play music

Muskatnuss nutmeg ['nʌtmeg]

Muskel muscle [△ 'mʌsl]; *Muskeln kriegen* develop [dɪˈveləp] muscles

Muskelkater sore (*oder* stiff) muscles (*Pl.*); *ich hab nen Muskelkater in den Beinen* my legs are sore (*oder* stiff)

Muskelriss muscle rupture [△ 'mʌsl-,rʌptʃə], *umg.* torn muscle; *sich einen Muskelriss zuziehen* tear* [teər] a muscle

Muskelzerrung pulled muscle; *sie hat eine Muskelzerrung* she's pulled a muscle

muskulös muscular ['mʌskjʊlə]

Müsli muesli [△ 'mjuːzlɪ], *AE* granola

Muslim, Muslimin, muslimisch Muslim [△ 'mʊzləm]

Muss: *es ist ein Muss* it's a must

müssen 1. *bei Verpflichtung, Notwendigkeit:* have* to, have* got to; *du musst nicht hingehen weil kein Zwang besteht:* you don't have to go, *weil ich es dir sage:* you needn't go (△ you mustn't go = *du darfst nicht hingehen*); *ich muss jetzt meine Hausaufgaben machen* I've got to do my homework now **2.** *bei innerer Überzeugung, sicherer Annahme:* must (△ have to *wird im Futur und im Past Tense als Ersatz für die fehlenden Formen von* must *verwendet*); *du musst den Film sehen!* you must see this film; *ich muss es gesehen haben* I must have seen it; *er muss es gewesen sein*

it must have been him **3.** *sie hätte nicht gehen müssen* (≈ *brauchen*) she needn't have gone **4.** *es müsste sofort gemacht werden* it ought to be done straightaway; *das müsstest du doch wissen* you ought to know that; *sie hätte hier sein müssen* she ought to have been here **5.** *sie müssen bald kommen* they should be here any minute (now); *der Zug müsste längst hier sein* the train should have arrived long ago **6.** *ich musste lachen* I couldn't help laughing **7.** *ich muss!* I've got no choice; *ich muss nach Hause* I have to (*oder* I've got to) go home; *sie muss zur Schule* she has to (*oder* she's got to) go to school; *er muss schnell ins Krankenhaus zur Behandlung:* he has to (*oder* he's got to) be taken to hospital straightaway **8.** *ich muss mal aufs Klo:* I must (*oder* need to) go to the loo, *AE* I have to go to the bathroom (*oder umg.* to the john), *humorvoll* nature calls; ☞ *Info unter Toilette* **9.** *Wendungen: muss das sein?* is that really necessary?, do we (you *usw.*) really have to?, *verärgert:* (≈ *hör auf damit!*) stop it!; *wenn es unbedingt sein muss* (≈ *wenn es getan werden muss*) if there's no other way, (≈ *wenn du es für richtig hältst*) if you insist

Muster 1. *in Stoff usw.:* pattern ['pætn], *bes. unregelmäßiges:* design **2.** (≈ *Probe, Warenmuster*) sample ['sɑːmpl], specimen [△ 'spesəmɪn] **3.** (≈ *Schema*) pattern **4.** *eines Formulars, eines Geschäftsbriefs usw.:* specimen **5.** *zum Stricken usw.:* (≈ *Vorlage*) pattern **6.** (≈ *Beispiel*) example **7.** (≈ *Vorbild*) model ['mɒdl] (*an* of)

Musterbeispiel classic example (*für* of)

mustern 1. *jemanden mustern* (≈ *genau betrachten*) look someone up and down **2.** *etwas mustern* (≈ *genau betrachten*) have* a close look at something **3.** *jemanden mustern vor dem Wehrdienst:* give* someone a medical ['medɪkl]

Musterschüler(in) 1. model pupil [,mɒdl-'pjuːpl] **2.** *abwertend* swot, teacher's pet

Musterung *vor dem Wehrdienst:* medical ['medɪkl], *AE auch* physical ['fɪzɪkl]

---

müssen/sollen	must/should
Ich muss bis 10 Uhr zu Hause sein.	I must be home by ten o'clock.
Wir müssen morgens in die Schule.	We have to go to school in the morning.
Ich muss meinen Eltern schreiben.	I've got to write to my parents.
Du solltest jemandem sagen, dass du erst später kommst.	You should let someone know that you're going to be late.

Mut 1. (≈ *Tapferkeit*) courage [ˈkʌrɪdʒ], bravery (△ *beide ohne* the); **den Mut verlieren** lose* courage (*oder* heart) (△ *ohne* the); **es gehört schon Mut dazu** it takes a fair bit of courage **2. er hat mir Mut gemacht** he bucked up my courage

mutig brave, courageous [△ kəˈreɪdʒəs]

mutlos disheartened [dɪsˈhɑːtnd]

Mutprobe test of courage [ˈkʌrɪdʒ]

Mutter[1] *von Kind*(*ern*): mother; **sie wird Mutter** she's expecting a baby; **sie ist Mutter von zwei Kindern** she's a (*oder* the) mother of two (children)

Mutter[2] (≈ *Schraubenmutter*) nut

Mütterchen: ein altes Mütterchen a little old lady

Muttergottes Virgin Mary, Madonna

mütterlich 1. *Gefühle, Liebe*: maternal **2.** *Fürsorge, Frau, Kuss, Liebe*: motherly

mütterlicherseits: mein Großvater mütterlicherseits my maternal grandfather, my grandfather on my mother's side

Muttermal birthmark

mutterseelenallein all alone

Muttersöhnchen: er ist ein Muttersöhnchen he's (a) mummy's boy, *AE* he's mama's boy, (≈ *ein Weichling*) he's a sissy

Muttersprache mother tongue [△ tʌŋ]

Muttersprachler(in) native speaker

Muttertag Mother's Day; **am Muttertag** on Mother's Day

Mutti mum(my), *AE* mom [mɑːm], mommy

Mütze 1. *allg.*: cap **2.** (≈ *Wollmütze*) woolly hat [ˌwʊlɪˈhæt]

mysteriös mysterious [mɪˈstɪərɪəs]

mystisch 1. *Symbol, Lehre usw.*: mystic [ˈmɪstɪk] **2.** *Handlung usw.*: mystical

Mythologie mythology [△ mɪˈθɒlədʒɪ]

Mythos 1. (≈ *Sage*) myth [mɪθ] (*auch übertragen*) **2.** *Sache, Person*: (≈ *Legende*) legend [ˈledʒənd]

N

na 1. well!; **na, Peter …** well, Peter … **2.** *überrascht, verärgert*: hey! [heɪ] **3. na, na!** come on now **4. na also!, na bitte!** see?, what did I tell you? **5. na ja** well, *verlegen*: well, you know **6. na gut** all right, OK **7. na, ich weiß nicht** I'm not so sure **8. na warte!** just you wait **9. na und?** so (what)? **10. na endlich!** about time too **11. na so was!** well, I'm blowed [bləʊd]!

Nabe hub

Nabel *am Körper*: navel [ˈneɪvl]

nach 1. *räumlich*: to, *als Richtungsangabe auch*: towards; **nach rechts** to the right; **nach vorn** (*bzw.* **hinten**) **gehen** go* to the front (*bzw.* to the back); **nach oben** up, *im Haus*: upstairs; **nach Süden** *usw.* **fahren** go* south *usw.*; **nach Hause** home **2.** (≈ *mit dem Ziel*) for, bound for; **der Zug nach London** the train for (*oder* to) London, the London train; **das Schiff fährt nach Genua** the ship is sailing for Genoa [ˈdʒenəʊə] **3.** *zeitlich*: after, *bei Uhrzeit*: past, *AE* after; **nach zwei Stunden** *zurückliegend*: after two hours, two hours later, *von jetzt an*: in two hours, in two hours' time; **es ist fünf (Minuten) nach sechs** it's five (minutes)

past six (*AE* after six) **4.** *bei Reihenfolge*: after; (*immer*) **der Reihe nach** one after the other **5.** (≈ *entsprechend*) according to; **nach dem, was sie sagt** going by what she says; **seinem Namen** *usw.* **nach** judging by his name *usw.*; **nach Bedarf** as required; **nach Gewicht verkaufen** sell* by weight; **nach 'meiner Uhr ist es zehn** it's ten o'clock by my watch **6. hier riechts nach Rauch** it smells of smoke (*in Zimmer usw.*: in here); **es schmeckt nach Zitrone** it tastes of lemon **7. nach jemandem fragen** (*bzw.* **suchen**) ask (*bzw.* look) for someone **8.** *Wendungen*: **mir nach!** follow me!; **nach und nach** gradually [ˈɡrædʒʊəlɪ]; **ihr gehts nach wie vor gut** she's still doing fine

nachäffen: jemanden nachäffen ape someone

nachahmen 1. imitate (*Person, Stimme usw.*) **2.** *auf komische Weise*: mimic [ˈmɪmɪk], take* off; **sie kann ihre Lehrerin sehr gut nachahmen** she does a good impression of her teacher **3.** copy (*Mode, Verhalten*)

Nachahmung 1. *einer Person usw.*: imitation, mimicking [ˈmɪmɪkɪŋ] **2.** (≈ *Kopie*) imitation, copy ['kɒpɪ]

Nachbar(in) 1. *allg.*: neighbour [△ 'neɪbə]
2. *direkt nebenan*: next-door neighbour
3. mein Nachbar (*bzw. meine Nachbarin*) *auf Sitzplatz*: the man (boy *usw.*)
bzw. woman (girl *usw.*) sitting next to me

Nachbarhaus house next door

Nachbarschaft neighbourhood

nachbauen copy (*Gebäude, Gerät usw.*)

nachbestellen 1. *allg.*: order some more
2. (*Firma*) place a repeat order for

nachbeten parrot ['pærət]

Nachbildung *allg.*: copy, reproduction, *genaue auch*: replica [△ 'replɪkə]

nachblicken: jemandem nachblicken
watch someone go *usw.*

nachdem 1. *zeitlich*: after, when; **nachdem sie das gesagt hatte** having said
that, after saying that, when she had said
that **2.** *begründend*: since, as; **nachdem
du es nicht gewollt hast** since (*oder* as)
you didn't want it **3. je nachdem!** it (all)
depends; **je nachdem, was er sagt** depending on what he says

nachdenken 1. think* (**über** about); **ich
hab darüber nachgedacht, wie …** I was
thinking about how … **3. denk mal
scharf nach** think hard **3. ich brauche
Zeit zum Nachdenken** I need time to
think it (*oder* things) over

nachdenklich 1. jemanden nachdenklich machen set* someone thinking **2.
sie machte ein sehr nachdenkliches
Gesicht** she was looking very thoughtful

nachdrücklich 1. *allg.*: emphatic **2.** (≈
ausdrücklich) explicit ['ɪk'splɪsɪt] **3. ich
habe ihn nachdrücklich davor gewarnt**
I expressly warned him not to do it *usw.*

nacheifern: jemandem nacheifern try to
emulate [△ 'emjʊleɪt] someone

nacheinander 1. *allg.*: one after the other
2. kurz nacheinander in quick succession, at short intervals **3. drei Tage nacheinander** three days running, three days
in a row

nacherzählen: etwas nacherzählen *in
der Schule*: give* a summary of something

Nacherzählung *schriftliche*: reproduction

Nachfahr(e) descendant [dɪ'sendənt]

nachfahren: jemandem nachfahren go*
after someone, *mit Auto auch*: drive* after someone

Nachfolger(in) successor [sək'sesə]

nachforschen investigate, try to find out

Nachforschungen investigations, inquiries, enquiries [△ ɪn'kwaɪərɪz]

Nachfrage *nach Waren*: demand (**nach**
for); **eine starke Nachfrage** a great demand; **eine geringe Nachfrage** little demand (△ *ohne* a)

nachfragen inquire [ɪn'kwaɪə] (**wegen**
about), ask (**bei jemandem** someone;
bei *einem Amt usw.*: at; **wegen** about)

nachfühlen: das kann ich dir nachfühlen I know exactly how you feel

nachfüllen 1. refill (*etwas Leeres*) **2.** top
up, *AE* fill up (*etwas halb Leeres usw.*);
darf ich nachfüllen? may I top up your
glass?

Nachfüllpack *Waschmittel usw.*: refill
['riːfɪl]

nachgeben 1. (*Person*) give* in (**jemandem** to someone); **du gibst immer zu
schnell nach** you always give in too easily **2.** (*Material*) give*; **das Brett gab unter dem Gewicht nach** the board began
to give under the weight

Nachgebühr *für Brief usw.*: excess postage

nachgehen[1]**: die Uhr geht (zehn Minuten) nach** this watch (*bzw.* clock) is (ten
minutes) slow

nachgehen[2] **1. jemandem nachgehen**
follow someone **2. etwas nachgehen** *einem Vorfall usw.*: look into (*oder* investigate) something

nachgemacht 1. (≈ *gefälscht*) forged
[fɔːdʒd] **2.** (≈ *unecht*) fake **3.** (≈ *künstlich*) artificial [ˌɑːtɪ'fɪʃl], imitation (*leather usw.*)

nachgeraten: er gerät (ganz) seinem Vater nach he takes after his father (completely)

Nachgeschmack aftertaste

nachgießen top up (*etwas halb Leeres
usw.*); **darf ich nachgießen?** may I top
up (*AE* fill) up your glass?, may I top (*AE*
fill) you up?

**nachhängen: hängst du immer noch
deiner Freundin nach?** are you still
wishing your girlfriend back?

nachhause → Haus 3

Nachhauseweg way home; **auf dem
Nachhauseweg** on the way home

nachhelfen 1. jemands Gedächtnis etwas nachhelfen jog someone's memory
2. dem Zufall (*bzw. Glück*) **etwas nachhelfen** give* fate (*bzw.* fortune) a helping hand

nachher 1. *allg.*: afterwards ['ɑːftəwədz]
2. (≈ *später*) later (on); **bis nachher!** see
you later

**Nachhilfe 1. sie bekommt Nachhilfe in
Englisch** she gets private lessons in English, she's being coached [kəʊtʃt] (*AE*
tutored) in English **2. sie gibt ihm Nachhilfe in Physik** she coaches (*AE* tutors)
him in physics, she helps him with his
physics

Nachhilfelehrer(in) coach, private tutor

Nachhilfestunde private lesson

Nachholbedarf: *großen Nachholbedarf haben* have* a lot of catching up to do

nachholen 1. catch* up on (*Lernstoff usw.*); *nachholen, was in der Schule durchgenommen wurde* catch* up on what was done at school 2. *sie hat das Abitur mit 30 nachgeholt* she did her A-levels at thirty

nachjagen *jemandem*: chase after (*auch übertragen, dem Glück usw.*)

Nachkomme 1. *allg.*: descendant [dɪ-'sendənt], offspring (△ *das ist auch Pl.*) 2. *ohne Nachkommen sterben förmlich* die without issue ['ɪʃuː]

nachkommen (≈ *später kommen*) follow (on) later

Nachlass¹ (≈ *Preisermäßigung*) discount ['dɪskaʊnt] (*auf* on), reduction (*auf* on)

Nachlass² *bei Todesfall*: estate [ɪ'steɪt]

nachlassen 1. (*Wirkung*) wear* off [ˌweər'ɒf] 2. (*Schmerz*) ease, wear* off 3. (*Gehör, Augen*) get* bad 4. *sein Interesse lässt nach* he's beginning to lose interest 5. (*Konzentration, Leistung, Qualität*) drop (off) 6. (*Regen, Sturm*) let* up 7. *sie hat in letzter Zeit nachgelassen in der Schule*: she's not been doing so well in school recently 8. *allmählich lässt er ganz schön nach aus Altersgründen*: he's slowing down quite a bit now 9. *sie hat mir zwanzig Pfund (vom Preis) nachgelassen* she gave me £20 off (*gesprochen* twenty pounds)

nachlässig 1. *allg.*: careless 2. *nachlässig gekleidet* untidily dressed

Nachlässigkeit *allg.*: carelessness

nachlaufen: *jemandem (bzw. etwas) nachlaufen* run* after someone (*bzw.* something)

nachlesen: *das kannst du im Brockhaus nachlesen* you can read (*oder* look) it up in the Brockhaus (Encyclopaedia [ɪnˌsaɪklə'piːdɪə])

nachlösen: (*eine Fahrkarte) nachlösen* buy* a (*oder* the) ticket on the bus (*oder* train *usw.*) *bzw.* at the other end (*nach Ankunft*)

nachmachen 1. *etwas nachmachen* copy something (*auch Verhalten*) 2. *jemanden nachmachen* (≈ *nachahmen*) imitate someone, *auf komische Art*: mimic someone, take* someone off, *AE* do* a takeoff on someone 3. (≈ *fälschen*) forge (*Unterschrift usw.*) 4. *das soll mir erst mal einer nachmachen!* I'd like to see anyone do better 5. *ich muss die Prüfung nachmachen* I've got to do the exam later

Nachmieter(in) 1. *allg.*: new (*oder* next) tenant ['tenənt] 2. *mein Nachmieter* the person taking over my flat (*AE* apartment)

Nachmittag afternoon [ˌɑːftə'nuːn]; *am Nachmittag* in the afternoon; *heute Nachmittag* this afternoon; *morgen Nachmittag* tomorrow afternoon

nachmittags 1. *bestimmter Tag*: in the afternoon 2. *regelmäßig*: in the afternoons 3. *um 3 Uhr nachmittags* at 3 (o'clock) in the afternoon, at 3 pm [ˌpiː'em]

Nachmittagsvorstellung *Kino usw.*: matinée ['mætɪneɪ] (performance)

Nachnahme cash (*AE* collect) on delivery, COD [ˌsiːəʊ'diː]; *per Nachnahme* COD

Nachname surname, last name

nachplappern parrot ['pærət]

nachprüfen: *etwas nachprüfen* check something

Nachprüfung *in Schule*: re-examination

nachreichen hand in later (*Papiere usw.*)

Nachricht 1. news [njuːz] (△ *Sg.*) (*von* of, about); *eine Nachricht* a piece of news; *ich hab eine gute Nachricht für dich* I've got good news for you (△ *ohne* a) 2. *Nachrichten Radio, Fernsehen*: news (△ *Sg.*); *Nachrichten hören (bzw. sehen)* listen to (*bzw.* watch) the news; *Sie hören jetzt Nachrichten Radio*: here is the news 3. (≈ *Botschaft*) message

Nachrichtensatellit communications satellite ['sætəlaɪt]

Nachrichtensprecher(in) newsreader, *AE* newscaster

Nachruf obituary [ə'bɪtʃʊərɪ] (*auf* on)

nachrufen: *ich hab ihr nachgerufen, dass sie Brot bringen soll* I shouted after her to bring some bread

nachrüsten 1. *militärisch*: close the armament gap 2. *technisch*: retrofit ['retrəʊfɪt] 3. upgrade (*Computer usw.*)

nachsagen (≈ *nachsprechen*) repeat

Nachsaison end of the season

nachschauen 1. *jemandem (bzw. etwas) nachschauen* gaze after someone (*bzw.* something), *jemandem beim Weggehen*: watch someone go 2. *ich schau mal nach* I'll (go and) have a look, *zur Sicherheit*: I'll go and check (*ob* whether)

nachschenken 1. *darf ich (dir) nachschenken?* can I pour you some more coffee (*bzw.* wine *usw.*)? 2. *er hat uns immer wieder nachgeschenkt* he kept on topping us up (*AE* filling up our glasses)

nachschicken: *ich schicks dir nach* I'll send it on to you, I'll forward ['fɔːwəd] it to you

N

nachschlagen 1. look up (*Wort, Stelle*) **2. ich hab in einem Buch nachgeschlagen** I looked it up (*oder* I checked it) in a book

Nachschlagewerk reference book

nachschreiben: eine Arbeit (später) nachschreiben do* (*oder* sit*) a test later

Nachschub 1. *Material für Militär*: supplies (△ *Pl.*) **2.** *übertragen* supply (**an** of)

Nachschuss *Fußball*: follow-up shot

nachsehen 1. jemandem (*bzw.* etwas) **nachsehen** gaze after someone (*bzw.* something), *jemandem beim Weggehen*: watch someone go **2. ich seh mal nach** I'll (go and) have a look, *zur Sicherheit*: I'll go and check (**ob** whether) **3. du hättest ja in einem Wörterbuch nachsehen können** you could have looked it up (*oder* have checked it) in a dictionary

nachsenden 1. bitte nachsenden! *auf Brief usw.*: please forward ['fɔːwəd] **2. wir senden es Ihnen nach** we'll forward it to you

Nachsilbe suffix ['sʌfɪks]

nachsitzen be* kept in, have* detention [dɪ'tenʃn]; **jemanden nachsitzen lassen** keep* someone in; **nachsitzen müssen** be* kept in, have* detention

Nachspeise dessert [△ dɪ'zɜːt], sweet

nachspielen 1. der Schiedsrichter lässt schon fünf Minuten nachspielen the referee has already added on five minutes for injuries and stoppages **2.** *auf Instrument*: play; **ich musste es nachspielen** (then) I had to play it (myself)

Nachspielzeit *beim Fußball usw.*: injury time ['ɪndʒərɪtaɪm], stoppage time ['stɒpɪdʒtaɪm]

nachspionieren: jemandem nachspionieren spy on someone

nachsprechen: sprecht es mir nach! repeat (it) after me

nachspülen 1. rinse [rɪns] (*Gläser usw.*) **2.** *im Abfluss*: run* some water (to wash it down)

nächstbeste(r, -s) 1. wir gingen ins nächstbeste Hotel we went into the first hotel we could find **2. bei der nächstbesten Gelegenheit** as soon as I (*you usw.*) get a chance

nächste(r, -s) 1. *zeitlich*: next; (**am**) **nächsten Sonntag** next Sunday; **am nächsten Tag** the next (*oder* following) day; **in den nächsten Tagen** in the next few days; **nächstes Mal, das nächste Mal** next time **2.** (≈ *nächstgelegen, nächststehend*): nearest; **wo ist das nächste Postamt?** where's the nearest post office?; **meine nächsten Verwand-** ten my nearest relatives ['relətɪvz] **3.** *in der Reihenfolge*: next; **was kommt als Nächstes?** what's next?; **der Nächste, bitte!** next, please!; **du bist als Nächste(r) dran** it's your turn next

nachstellen (re)adjust (*Uhr, Bremsen usw.*)

Nächstenliebe charity ['tʃærətɪ]

Nacht night; **in der Nacht** at night (△ *ohne* the); **heute Nacht** *vergangene*: last night, *kommende*: tonight; **gestern Nacht** last night; **über Nacht** overnight; **Tag und Nacht** night and day (△ *Wortstellung*); **die ganze Nacht** all night (long); **bis tief in die Nacht hinein** till late at night

Nachtdienst night duty; **Nachtdienst haben** *bei Schichtarbeit*: be* on night duty, *Apotheke usw.*: be* open all night

Nachteil 1. *allg.*: disadvantage [ˌdɪsəd'vɑːntɪdʒ]; **sie ist (ihm gegenüber) im Nachteil** she's at a disadvantage (compared with him); **zum Nachteil von** to the disadvantage of **2. er hat sich zu seinem Nachteil verändert** he's changed for the worse

nachteilig 1. disadvantageous [△ ˌdɪsædvən'teɪdʒəs] **2. nachteilige Folgen** negative consequences ['kɒnsɪkwənsɪz]

Nachtessen ⊕ supper

Nachtflug night flight

Nachthemd 1. *für Frauen*: nightdress, *umg.* nightie, *AE* nightgown ['naɪtgaʊn] **2.** *für Männer*: nightshirt

Nachtigall nightingale

nächtigen spend* the night (**in** *Hotel*: at)

Nachtisch 1. dessert [△ dɪ'zɜːt], sweet **2. was gibts zum Nachtisch?** what's for afters (*AE* dessert), *BE auch* what's for pudding [△ 'pʊdɪŋ]?

Nachtisch

Der Gebrauch von **dessert, sweet** bzw. **pudding** ['pʊdɪŋ] ist regional unterschiedlich – aber alle drei Varianten werden überall verstanden!

Nachtleben nightlife

Nachtlokal nightclub, *AE auch* nightspot

Nachtmahl ⊛ supper

nachtragen 1. jemandem etwas nachtragen (≈ *übel nehmen*) hold* something against someone **2. etwas nachtragen** *schriftlich*: add something (later)

nachtragend unforgiving

nachträglich 1. *Änderung usw.*: later (△ *nur vor dem Subst.*) **2. etwas nachträglich ändern** change something later (on)

3. *nachträglich herzlichen Glück-wunsch!* belated [bɪ'leɪtɪd] best wishes

nachtrauern: *dem* (*der usw.*) *trauert kei-ner nach!* nobody'll be sorry to see him (her *usw.*) go

nachts 1. at night, during the night **2.** (*um*) *11 Uhr nachts* at 11 (o'clock) at night, at 11 pm [ˌpiː'em]; *um zwei Uhr nachts* at two o'clock in the morning, at 2 am [ˌeɪ'em]

Nachtschicht night shift; *Nachtschicht haben* be* on night shift

Nachttarif *für Telefon, Strom usw.:* off--peak rate(s *Pl.*)

Nachttisch bedside table, bedside locker

Nachttopf chamber pot ['tʃeɪmbə‿pɒt]

Nachtwächter 1. *Wachperson:* night watchman **2.** *übertragen, umg.* (≈ *träger Mensch*) dope

Nachtzug night train

Nachuntersuchung follow-up check

nachvollziehen understand, comprehend [ˌkɒmprɪ'hend]

nachwachsen grow* (back) again

Nachweis 1. (≈ *Beweis*) proof, evidence ['evɪdəns] (*für* of) **2.** (≈ *Beleg*) certifi-cate

nachweisbar 1. demonstrable [dɪ-'mɒnstrəbl], detectable **2.** *... sind nicht nachweisbar* ... cannot be proved

nachweisen 1. prove [△ pruːv]; *sie konnten ihr nichts nachweisen* they couldn't prove anything (against her) **2.** *chemisch usw.:* detect

Nachwirkung 1. *einer Medizin usw.:* after-effect, aftereffects (*Pl.*) **2.** *Nachwirkun-gen einer Krise usw.:* aftermath ['ɑːftə-mæθ] (△ *Sg.*) **3.** *Nachwirkungen* (≈ *Fol-gen*) consequences ['kɒnsɪkwənsɪz]

Nachwort epilogue ['epɪlɒg]

Nachwuchs 1. *einer Familie:* offspring (△ *mit Sg. oder Pl.*); *sie bekommen Nach-wuchs* they're expecting a baby **2.** *beruf-licher:* new recruits [rɪ'kruːts] (△ *Pl.*) **3.** *der ärztliche* (*bzw.* *wissenschaftliche*) *Nachwuchs* the new generation of doc-tors (*bzw.* academics)

**Nachwuchs... ** *in Zusammensetzungen:* talented ['tæləntɪd], young, up-and-com-ing, junior

Nachwuchstalent promising ['prɒmɪsɪŋ] young talent

nachzahlen pay* extra

nachzählen *allg.:* check

Nachzahlung additional payment

nachziehen 1. trace (*Strich, Linie*) **2.** pen-cil ['pensl] (*Augenbrauen*) **3.** tighten up (*Schraube*) **4.** *mit Preiserhöhung, neuen Produkten usw.:* follow suit [suːt]

Nachzügler(in) straggler, latecomer

Nackedei *umg.* nudie ['njuːdɪ]

Nacken neck, nape (*oder* back) of the neck

Nackenstütze headrest

nackt 1. *allg.:* naked [△ 'neɪkɪd], *bes. in der Kunst:* nude [njuːd]; *völlig nackt* stark naked **2.** *Arme usw.:* bare **3.** *Wand, Boden usw.:* bare **4.** *Wahrheit:* plain **5.** *nackt baden* swim* (*oder* bathe [△ beɪð]) in the nude, *AE umg.* skinny-dip **6.** *mit nacktem Oberkörper* stripped to the waist

Nacktbadestrand nudist ['njuːdɪst] beach

Nadel 1. needle (*auch von Spritze, Nadel-baum*) **2.** (≈ *Steck-, Haar-, Hutnadel*) pin **3.** *eines Plattenspielers:* stylus, needle

Nadelbaum conifer [△ 'kɒnɪfə], conifer-ous [△ kə'nɪfərəs] tree

Nadelöhr 1. eye of a (*bzw.* the) needle **2.** (≈ *Engpass*) bottleneck

Nadelstich 1. *beim Nähen:* stitch **2.** *Stich, als Schmerz:* (pin)prick

Nadelwald coniferous [△ kə'nɪfərəs] for-est

Nagel *allg.:* nail (*auch an Finger, Zehe*); *sie kaut immer an den Nägeln* she's al-ways biting her nails

Nagelfeile nail file

Nagellack nail varnish, *bes. AE* nail polish

Nagellackentferner nail-varnish remover

nageln nail (*an, auf* to)

nagelneu brand-new

Nagelschere (pair of) nail scissors ['sɪzəz]; *wo ist meine Nagelschere?* where are my nail scissors?

nagen gnaw [△ nɔː] (*an* at)

nah 1. *hinter dem Verb:* near, close [△ kləʊs]; *es ist ganz nah Entfernungs-angabe:* it's quite near (*oder* close), it's not very far; *nah bei* (*oder* *an*) near (to), close to; *von Nahem* from close up **2.** *vor dem Subst.:* nearby ['nɪəbaɪ]; *der na-he Park* the nearby park; *der Nahe Os-ten* the Middle East **3.** *zeitlich:* near **4.** *Verwandte:* close; *nah verwandt* closely related **5.** *den Tränen nah* close to tears

Nahaufnahme close-up (shot)

nahe → *nah, naheliegend*

Nähe 1. *in der Nähe* nearby [ˌnɪə'baɪ] **2.** *in der Nähe von* near (to) (△ *nicht* near-by), close [△ kləʊs] to **3.** *der Park in der Nähe* the nearby park **4.** *bei uns in der Nähe* near (to) where we live **5.** *es muss hier in der Nähe sein* it must be some-where around here **6.** *bleib in meiner Nähe* stay near me **7.** *sich etwas aus der Nähe ansehen* take* a closer look at something; ☞ *Info S. 834*

naheliegend *Grund usw.* obvious ['ɒb-vɪəs]

N

Nähe

Beachte:

in der Nähe **nearby**
He lives nearby.

in der Nähe <u>von</u> **near**
It's near the park.

nähen 1. *allg.*: sew [△ səʊ] **2.** make*
(*Kleid*) **3.** stitch up (*Wunde*); *ich musste*
genäht werden bei *Fleischwunde*: I had
to have stitches

näher 1. *es ist näher, als du denkst* it's
closer (*oder* nearer) than you might think
2. *nähere Informationen* further infor-
mation (△ *Sg.*) **3.** *es gibt einen näheren*
Weg there's a shorter way (*oder* route) **4.**
die nähere Umgebung the immediate
[ɪ'miːdɪət] area **5.** *näher herankommen*
(≈ *herantreten*) come* closer, (≈ *sich nä-*
hern) get* closer **6.** *sich etwas näher*
ansehen have* a closer look at some-
thing **7.** *Ostern rückt immer näher*
Easter is getting closer and closer **8.**
kennst du sie näher? do you know her
well?; → *näherkommen*

Nähere(s) (further) details, particulars (△
beide Pl.)

Naherholungsgebiet local (*oder* nearby)
recreational area [rekrɪ,eɪʃnəl'eəriə]

Näherin seamstress ['semstrəs,
'siːmstrəs]

näherkommen: *auf dem Ausflug sind*
sie sich nähergekommen they were
brought together by the outing

nähern: *sich jemandem* (*bzw. etwas*) *nä-*
hern approach someone (*bzw.* some-
thing)

nahezu virtually ['vɜːtʃʊəlɪ], almost; *na-*
hezu unmöglich virtually impossible

Nahkampf 1. *Militär*: close combat
[,kləʊs'kɒmbæt] **2.** *Boxen, Fechten*: in-
fighting

Nähmaschine sewing [△ 'səʊɪŋ] machine

nahrhaft 1. nutritious [njuː'trɪʃəs], nour-
ishing [△ 'nʌrɪʃɪŋ] **2.** *eine nahrhafte*
Mahlzeit a good square meal

Nährstoff nutrient ['njuːtrɪənt]

Nahrung food [fuːd]

Nahrungskette food chain ['fuːd ˌtʃeɪn]

Nahrungsmittel food [fuːd] *Pl.*: food
(△*mit Sg.*), *bestimmte auch*: foods

Nährwert nutritional [njuː'trɪʃnəl] value

Naht 1. *allg.*: seam **2.** *einer Wunde*:
stitches (△*Pl.*)

nahtlos 1. (≈ *ohne Naht*) seamless (*auch*
technisch) **2.** *ein nahtloser Übergang*
übertragen a smooth transition **3.** *eine*

nahtlose Bräune *übertragen* an all-over
tan **4.** *nahtlos ineinander übergehen*
merge into one another

Nahverkehr local traffic

Nahverkehrszug local train

nahverwandt → *nah 4*

Nähseide sewing [△ 'səʊɪŋ] silk

Nähzeug sewing [△ 'səʊɪŋ] kit

naiv naive [naɪ'iːv] (*auch Kunst, Maler*)

Name 1. *allg.*: name; *eine Frau mit Na-*
men Liz a woman by the name of Liz;
ich musste ihm meinen Namen sagen
I had to <u>give</u> him my name; *ich möchte*
jetzt keine Namen nennen I wouldn't
like to <u>mention</u> any names; *ich kenne*
sie usw. nur dem Namen nach I only
know her *usw.* by name **2.** *in Gottes Na-*
men <u>for</u> heaven's sake, for God's sake

namenlos 1. nameless, (≈ *unbekannt*)
auch: anonymous [ə'nɒnɪməs] **2.** *übertra-*
gen Freude, Elend: unspeakable

Namensschild 1. *an Tür, Eingang*: name-
plate **2.** *an Kleidung*: name tag

Namenstag name day; *ich hab morgen*
Namenstag tomorrow's my name day

Namensvetter namesake

nämlich 1. *der Fahrer, nämlich Herr X*
the driver, namely (*oder* that is) Mr X **2.**
sie war nämlich krank she was ill, you
see

**nanu: *nanu, wer kommt denn da?* well,
look who's here!; *nanu, wo ist denn*
mein Schirm geblieben? well, I wonder
what's happened to my umbrella

Narbe scar [skɑː]

Narkose 1. *Mittel*: anaesthetic [,ænəs-
'θetɪk]; *in Narkose* under anaesthetic;
eine Narkose bekommen be* given an
anaesthetic **2.** *als Zustand*: anaesthesia
[,ænəs'θiːzɪə]; *aus der Narkose aufwa-*
chen come* round

Narr 1. *allg.*: fool; *ich lass mich von dir*
nicht zum Narren halten I'm not going
to let you make a fool of me **2.** (≈ *Hof-*
narr) jester

Narrenfreiheit fool's licence (*AE* license);
hier hat er Narrenfreiheit here he can
do just as he pleases

narrensicher foolproof

Närrin fool

närrisch 1. *umg.* crazy (*auf* about) **2.** *när-*
risch vor Freude mad <u>with</u> joy **3.** *närri-*
sches Treiben carnival celebrations (△
Pl.)

Narzisse 1. *allg.*: narcissus *Pl.*: narcissi
[nɑː'sɪsaɪ] **2.** *gelbe*: daffodil ['dæfədɪl]

naschen 1. nibble (between meals) (*an,*
von at), snack; *gern naschen* like to
nibble things, *Süßes*: have* a sweet tooth
2. *wer hat von dem Kuchen genascht?*

who's been at the cake?

Nase 1. *allg.*: nose; **ich muss mir die Nase putzen** I've got to <u>blow</u> my nose; **auf die Nase fallen** *auch übertragen* fall* flat on one's <u>face</u> **2. die Nase voll haben** *übertragen* be* fed up (**von** with) **3. die Amerikaner haben bei Computersoftware meist die Nase vorn** the Americans are usually one step ahead when it comes to computer software

näseln: er näselt he speaks through <u>his</u> nose (*oder* with a nasal twang)

näselnd 1. *Stimme usw.*: nasal **2. er spricht näselnd** he speaks through <u>his</u> nose (*oder* with a nasal twang)

Nasenbluten nosebleed, nosebleeds (*Pl.*); **sie hat Nasenbluten** she's got <u>a</u> nosebleed

Nasenloch nostril ['nɒstrəl]

Nasenring nose ring

Nasenspitze tip of the (*oder* one's) nose

Nasenspray nose spray

Nashorn rhinoceros [raɪ'nɒsərəs], *umg.* rhino ['raɪnəʊ]

nass 1. wet; **triefend nass** dripping wet, soaking; **ich bin ganz nass geworden** I got all wet **2. sich nass rasieren** wet-shave

Nässe 1. wet, wetness **2. vor Nässe schützen!** keep dry, keep in a dry place

nässen (*Wunde*) weep*

nasskalt cold and damp

Nastuch ⊕ (≈ *Taschentuch*) handkerchief [△ 'hæŋkətʃɪf], *umg.* hankie

Nation nation ['neɪʃn]

national national ['næʃnəl]

Nationalfeiertag national holiday

Nationalhymne national anthem ['ænθəm]

Nationalität nationality [ˌnæʃə'nælətɪ]; ☞ *Info S. 836*

Nationalmannschaft national team, *BE auch* national side

Nationalpark national park

Nationalrat Ⓐ, ⓒⓗ **1.** (≈ *gewählte Volksvertretung*) Austrian *bzw.* Swiss Parliament **2.** (≈ *Abgeordneter*) member of the Austrian *bzw.* Swiss Parliament

Nationalrätin Ⓐ, ⓒⓗ (≈ *Abgeordnete*) member of the Austrian *bzw.* Swiss Parliament

Nationalsozialismus National Socialism (△ *ohne* the)

Nationalsozialist(in), nationalsozialistisch National Socialist, Nazi ['nɑːtsɪ]

Nationalspieler(in) international (player)

NATO, Nato: die NATO (*oder* **Nato**) NATO, Nato ['neɪtəʊ] (△ *ohne* the)

Natrium sodium ['səʊdɪəm]

Natter adder, viper ['vaɪpə] (*Letzteres*

auch übertragen)

Natur 1. die Natur nature ['neɪtʃə] (△ *ohne* the) **2.** (≈ *naturbelassene Umgebung*) natural surroundings (△ *Pl.*) **3. in der freien Natur** out in the open, *Tiere*: in their natural habitat ['hæbɪtæt] **4. Eiche** *usw.* **Natur** *bei Möbeln*: natural oak *usw.*

naturbelassen 1. (≈ *im Naturzustand*) natural (*auch Lebensmittel*) **2.** (≈ *unbehandelt*) untreated **3.** *Landschaft*: unspoilt

Naturfreund nature lover

naturgetreu 1. true to nature (△ *nur am Satzende*), realistic, lifelike **2. sie hat es naturgetreu nachgebaut** she made a true-to-life copy of it

Naturheilkunde naturopathy [△ ˌneɪtʃə-'rɒpəθɪ]

Naturkatastrophe natural disaster

Naturkost health food, health foods (*Pl.*)

Naturkostladen health food shop (*oder* store)

Naturlehrpfad nature trail

natürlich 1. *allg.*: natural ['nætʃrəl] **2. natürliche Größe** actual (*oder* full) size **3. sich natürlich verhalten** act natural(ly) **4. aber natürlich!** but of course! **5. er kam natürlich nicht** (≈ *wie zu erwarten*) of course (*oder* needless to say) he didn't come

Natürlichkeit *allg.*: naturalness ['nætʃrəlnəs]

Naturschutz 1. conservation (△ *ohne* the) **2. es steht unter Naturschutz** it's protected by law, *Gebiet*: it's a nature reserve

Naturschützer(in) conservationist

Naturschutzgebiet nature reserve, *AE* nature preserve

Naturtalent 1. er ist ein Naturtalent he's a natural ['nætʃrəl] **2.** *Begabung*: natural talent (*oder* gift)

Naturwissenschaft *einzelne*: (natural) science ['saɪəns]; **die Naturwissenschaften** science (△ *Sg.*; *ohne* the), the (natural) sciences

Naturwissenschaftler(in) scientist ['saɪəntɪst]

naturwissenschaftlich 1. scientific [ˌsaɪən'tɪfɪk] **2. die naturwissenschaftlichen Fächer** the science subjects

Navi *umg.* navigation system

Navigation navigation

Navigationssystem navigation system

n. Chr. AD [ˌeɪ'diː] (*Abk. für* **A**nno **D**omini), in the year of our Lord; **100 n. Chr.** 100 AD (△ *gesprochen* a hundred AD)

Neapel *in Italien*: Naples ['neɪplz]

Nebel 1. *allg.*: fog; **bei dichtem Nebel** <u>in</u>

Nationalitäten

Englische Nationalitätenbezeichnungen, die mit dem unbestimmten Artikel **a, an** verwendet werden, beziehen sich in der Regel ausschließlich auf männliche Personen. Ist nichts Näheres über die Person bekannt, nimmt man in einem Satz wie dem folgenden an, dass ein <u>Mann</u> gemeint ist:

An American asked me the way to the station.	Ein Amerikaner fragte mich nach dem Weg zum Bahnhof.

Wenn es sich um eine Frau gehandelt hätte, hätte es im Englischen geheißen:

An American woman asked me the way to the station.	Eine Amerikanerin fragte mich nach dem Weg zum Bahnhof.

Wird durch das Personalpronomen *he* bzw. *she* klar, dass es sich um einen Mann bzw. eine Frau handelt, genügt die Bezeichnung <u>American</u>, <u>German</u>, *usw*. Du kannst dann sagen:

She's an American (a German).	Sie ist Amerikanerin (Deutsche).

oder

She's American (German).	Sie ist Amerikanerin (Deutsche).

Wenn du selbst englisch schreibst oder sprichst, solltest du an diese Möglichkeit denken. Willst du <u>betonen</u>, dass es sich z. B. um eine Amerikane<u>rin</u> und nicht um einen Amerikane<u>r</u> handelt, dann kannst du das im Englischen durch die Bezeichnungen <u>woman</u> *oder* <u>lady</u> bzw. <u>girl</u> ausdrücken. „Eine Amerikanerin" ist also im Englischen **an American woman** *oder* **an American lady** bzw. – wenn sie jünger ist – **an American girl**, „eine Polin" **a Polish woman, a Polish lady, a Polish girl**, „eine Griechin" **a Greek woman, a Greek lady, a Greek girl** *usw*.

Verschiedene Nationalitätenbezeichnungen gelten im Englischen als unschön, wenn sie nur mit dem unbestimmten Artikel **a, an** verwendet werden. Das gilt insbesondere für solche Wörter, die auf **-ese** enden. So würde man heute statt **a Japanese** *oder* **a Chinese** *oder* **a Dane** eher **a Japanese man** bzw. **woman, a Chinese man** bzw. **woman, a Danish man** bzw. **woman** sagen.
Andererseits sagt man auch heute im modernen Englisch **the Chinese** für „die Chinesen", **the Japanese** für „die Japaner" *usw*.
Insgesamt geht die Tendenz in Richtung *Adjektiv + Personenbezeichnung*. Für die Person kann z. B. *neutral* **woman – man, girl – boy**, *gehoben* **lady – gentleman** oder *umg.* **guy, bloke** *usw*. stehen:

an Italian lady	*statt*	an Italian
a Spanish guy	*statt*	a Spaniard
a Greek bloke	*statt*	a Greek

Solltest du einmal nicht wissen, wie das von einem Ländernamen abgeleitete Adjektiv auf Englisch heißt, kannst du immer auch sagen **he's from China (Portugal, Hong Kong** *usw*.**)**.

---

thick fog **2.** *leichter*: mist
nebelig foggy, misty
Nebelscheinwerfer fog lamp, *AE mst.* fog lights
neben 1. *örtlich*: next to, beside; **setz dich neben mich** (come and) sit next to me; **ich saß neben ihr** I was sitting beside (*oder* next to) her; **neben dem Fenster** <u>by</u> (*oder* next to) the window; **dicht neben ihr** (bzw. **sie**) right next to her **2.** (≈ *verglichen mit*) compared with (*oder* to) **3.** (≈ *zusätzlich zu*) besides, apart (*bes. AE* aside) from; **neben ande-**

ren Dingen among [ə'mʌŋ] other things
nebenan 1. (≈ *im Haus, Zimmer usw.* = *benan*) next door **2. bei uns nebenan** next-door <u>to</u> us
nebenbei 1. (≈ *beiläufig*) in passing; **nebenbei bemerkt** by the way **2.** (≈ *außerdem*) besides **3.** *verdienen*: on the side
Nebenberuf job on the side
nebenberuflich: nebenberuflich ist er Bauer he works as a farmer on the side
Nebenbeschäftigung job on the side
Nebeneffekt side effect
nebeneinander 1. next to each other,

existieren usw.: side by side; → **nebeneinandersitzen** 2. *zeitlich*: at the same time

nebeneinandersitzen sit* next to each other

Nebenfach subsidiary (subject), *AE* minor

Nebenfluss tributary ['trɪbjʊtərɪ], branch

Nebengebäude annexe ['æneks]

Nebengeräusch 1. *allg.*: background noise 2. *Radio, Telefon*: interference [ˌɪntəˈfɪərəns]; **Nebengeräusche** interference (△ *Sg.*)

nebenher 1. *verdienen, arbeiten*: on the side 2. (≈ *gleichzeitig*) at the same time

nebenherlaufen: *sie fährt Rad und ihr Hund läuft nebenher* she cycles and her dog runs along beside her

Nebenjob job on the side, sideline

Nebenkosten *einer Wohnung usw.*: extra costs, extras

Nebenrolle *Theater usw.*: minor part

Nebensache 1. minor consideration, minor point 2. *das ist Nebensache* that's not so important

nebensächlich unimportant, trivial ['trɪvɪəl]

Nebensächlichkeit triviality [ˌtrɪvɪˈælɪtɪ]

Nebensaison low season, off-peak season

Nebensatz subordinate [səˈbɔːdɪnət] clause

Nebenstelle 1. *eines Geschäftes usw.*: branch [brɑːntʃ] (office) 2. *Telefon*: extension

Nebenstraße 1. *in einem Ort*: side street 2. *auf dem Land*: minor road

Nebentisch next table; *am Nebentisch* at the next table

Nebenverdienst extra earnings (△ *Pl.*) (*oder* income)

Nebenwirkung side effect

Nebenzimmer *in Lokal*: side room

neblig foggy, *schwächer*: misty

nee (≈ *nein*) no, *umg.* nope

Neffe nephew ['nefjuː]

negativ 1. *allg.*: negative ['negətɪv] 2. *sie sieht alles nur negativ* she always looks on the negative side of things

Negativ *Foto*: negative ['negətɪv]

Neger *oft abwertend*: Negro ['niːɡrəʊ] *Pl.*: Negroes; → **Schwarze(r)**

Negerin *oft abwertend*: Negro ['niːɡrəʊ], Negress ['niːɡres]; → **Schwarze**

nehmen 1. *allg.*: take* 2. *sich etwas nehmen, etwas an sich nehmen* take* something 3. *nimm dir bitte beim Essen usw.*: please help yourself 4. *jemandem etwas nehmen* take* something away from someone 5. *man nehme Rezept*: take 6. *das nehme ich auf mich* I'll take

responsibility (for that) 7. *sie ließ es sich nicht nehmen, persönlich zu kommen* she insisted on coming herself 8. *wir haben Oma zu uns genommen* we took Granny into our house 9. *wie mans nimmt* it depends

Nehrung spit (of land), sand bar

Neid envy [△ 'envɪ] (*auf jemanden* of someone, *auf etwas* at something)

neidisch envious [△ 'envɪəs], jealous [△ 'dʒeləs] (*auf* of)

neigen 1. bend* (*Kopf*) 2. *sich neigen* (*Gebäude, Person usw.*) lean*, (*Boden*) slope, (*Ebene*) slant [slɑːnt]; *sich nach vorne* (*bzw. hinten*) *neigen* lean* forward (*bzw.* backward)

Neigung 1. *allg.*: inclination 2. *Straße*: gradient ['greɪdɪənt] 3. *übertragen* (≈ *Hang*) inclination (*zu* to, towards) 4. *übertragen* (≈ *Veranlagung*) disposition (*zu* for)

nein 1. no 2. *aber nein!* of course not 3. *„Hast du gerufen?" - „Nein!"* 'Did you call?' - 'No(, I didn't).'

Nein no; *ein klares Nein* a straight no

Neinstimme no *Pl.*: noes, *AE* nay

Nektar *Blüte*: nectar ['nektə]

Nektarine nectarine ['nektəriːn]

Nelke 1. *Blume*: carnation, *rosafarbene auch*: pink 2. *Gewürz*: clove [kləʊv]

nennen 1. *sie hat mich eine Ratte genannt* she called me a rat; *er nennt sich Dagi* he calls himself Dagi 2. *ich musste ihr meinen Namen nennen* I had to give her my name 3. *kannst du mir den höchsten Berg der Welt nennen?* can you name (me) the world's highest mountain? 4. *ich möchte jetzt keine Namen nennen* I wouldn't like to mention any names 5. *das nenne ich eine Überraschung!* that's what I call a surprise 6. *und so etwas nennt sich Lehrer!* and he (*bzw.* she) calls himself (*bzw.* herself) a teacher

nennenswert worth mentioning (△*nur hinter dem Subst.*)

Neonlicht neon ['niːɒn] light

Neonazi neo-Nazi ['niːəʊˌnɑːtsɪ]

Nepal Nepal [nɪˈpɔːl]

Nepp daylight robbery; *das ist der reinste Nepp* it's a complete rip-off

Nepplokal clip (*AE* gyp) joint

Neptun *Planet*: Neptune ['neptjuːn] (△ *ohne* the)

Nerv 1. *allg.*: nerve 2. *du gehst mir auf die Nerven* you're getting on <u>my</u> nerves 3. *sie hat die Nerven verloren* she lost her nerve (△ *Sg.*) *oder* head, *im Zorn*: she lost her temper 4. *es kostet Nerven* it's nerve-racking 5. *die hat vielleicht Nerven!* she's got a nerve (*oder* cheek)!

nerven 1. *der nervt mich vielleicht!* he's really getting on my nerves **2.** *das nervt* it's a pain in the neck

Nervenarzt, Nervenärztin neurologist [njʊˈrɒlədʒɪst]

Nervenbelastung (nervous ['nɜːvəs]) strain

Nervenklinik psychiatric [△ ˌsaɪkiˈætrɪk] hospital, *bes. AE* mental ['mentl] hospital

nervenkrank 1. *nervenkrank sein* have* a nervous disease [ˌnɜːvəs_diˈziːz] **2.** (≈ *geisteskrank*) mentally ill

Nervensache: *das ist reine Nervensache* it's just a question of nerve (△ *Sg.*)

Nervensäge *Person*: pain in the neck

Nervenzusammenbruch nervous breakdown

nervig *umg.* (≈ *lästig*) pesky

nervlich 1. *nervliche Belastung* strain on the (*bzw.* his, her, their) nerves **2.** *sie ist nervlich am Ende* she's a nervous wreck [△ rek]

nervös 1. *allg.*: nervous ['nɜːvəs], twitchy **2.** (≈ *aufgeregt*) tense, on edge (△ *nur nach dem Verb*) **3.** (≈ *unruhig*) fidgety ['fɪdʒətɪ] **4.** (≈ *ängstlich*) nervous

Nervosität 1. *allg.*: nervousness **2.** (≈ *Aufgeregtheit*) tenseness, edginess **3.** (≈ *Ängstlichkeit*) nervousness

nervtötend 1. *Arbeit*: mindless **2.** *Lärm usw.*: nerve-racking

Nerzmantel mink (coat)

Nest 1. *eines Vogels usw.*: nest **2.** *umg.* (≈ *kleiner Ort*) little place, *elendes*: dump

nett 1. *allg.*: nice (*auch ironisch*); *das war sehr nett von dir* that was very nice of you **2.** (≈ *niedlich, hübsch*) sweet, cute **3.** (≈ *freundlich*) kind, nice **4.** *sei so nett und hol mir den Hammer* do me a favour and fetch me the hammer, will you?

netto net; *wie viel verdienst du netto?* what's your take-home salary (*oder* pay)?

Nettogehalt net (*oder* take-home) salary

Nettolohn take-home pay

Netz 1. *allg.*: net (*auch übertragen*) **2.** (≈ *Streckennetz, Telefonnetz usw.*) network **3.** (≈ *Stromnetz*) mains (△ *Pl.*), . *AE* (power) main **4.** (≈ *Einkaufsnetz*) string bag

Netzkarte *für Bahn usw.*: runaround ticket, *AE* (unlimited) rail pass

Netzprovider *Internet*: Internet service provider, ISP

Netzstrumpf net (*oder* mesh) stocking

Netzteil *für Batteriegerät*: mains adapter, *AE* power adapter

Netzwerk *allg.*: network (*auch Computernetzwerk*)

neu 1. *allg.*: new; *das ist neu für mich* that's new to me; *das ist mir neu* that's new (*oder* news) to me **2.** *Entwicklung usw.*: (≈ *vor Kurzem geschehen*) new, recent ['riːsnt] **3.** *Hemd usw.*: (≈ *frisch*) clean **4.** (≈ *neuzeitlich*) modern ['mɒdn]; *die neuere Literatur* modern literature (△ *ohne* the) **5.** *ganz neu* brand-new **6.** *ein neuer Anfang* a fresh start **7.** *die neueste Mode* the latest fashion; *die neuesten Nachrichten* the latest news (△ *Sg.*) **8.** *neue Schwierigkeiten* more difficulties **9.** *die Skier sind noch so gut wie neu* the skis are as good as new **10.** *seit Neuestem gibt es Computer, die sprechen können* the latest thing is computers that can speak **11.** *neu anfangen* make* a fresh start **12.** *wir haben die Diele neu tapeziert* we've redecorated the hall **13.** *was gibts Neues?* what's new?; *das Neue daran ist …* what's new about it is … **14.** *der Neue in der Klasse*: the new boy (*umg.* guy) **15.** *das Neueste* the latest thing; *weißt du schon das Neueste?* have you heard the latest?

Neuankömmling newcomer

neuartig new; *ein neuartiger Treibstoff* a new type (*oder* kind) of fuel

Neubau 1. *Gebäude*: new building **2.** *Vorgang*: reconstruction

Neubaugebiet new housing estate ['haʊzɪŋ_ˌsteɪt], *AE* development

Neubearbeitung 1. *Vorgang*: revision [rɪˈvɪʒn] **2.** *Endprodukt*: revised [rɪˈvaɪzd] version, *Buch auch*: revised edition

neuerdings 1. *neuerdings raucht er wieder* he's recently ['riːsntlɪ] started smoking again **2.** *neuerdings gibt es Direktflüge zum Nordkap* the latest thing is you can fly direct [dəˈrekt] to the North Cape

Neuerscheinung 1. *Buch*: new publication **2.** *CD usw.*: new release [rɪˈliːs]

Neuerung innovation

neugeboren 1. *Kind*: new-born **2.** *ich fühle mich wie neugeboren* I feel a different person

Neugeborene(s) newborn child (*oder* baby), newborn

Neugier, Neugierde curiosity [ˌkjʊərɪˈɒsɪtɪ]; *aus reiner Neugier* out of sheer curiosity

neugierig 1. *allg.*. curious ['kjʊərɪəs] (*auf* about) **2.** *Kind usw.*: inquisitive [ɪnˈkwɪzətɪv]; *sei nicht so neugierig!* don't be so nosy! **3.** *ich bin wahnsinnig neugierig auf den neuen Wagen* I can't wait to see the new car **4.** *ich bin neugierig, ob …* I wonder whether (*oder* if)

... **5. ich bin neugierig, was du dazu sagst** I'll be interested to hear what you have to say about it

Neugierige *Plural*; *umg.* rubberneckers

Neugriechisch, neugriechisch <u>modern</u> Greek

Neuguinea New Guinea [△ ˌnjuːˈgɪnɪ]

Neuheit 1. *allg.*: newness, novelty [ˈnɒvltɪ] **2.** *konkret*: innovation

Neuigkeit piece of news [njuːz]; **Neuigkeiten** news (△ *Sg.*); **ich hab eine Neuigkeit für dich** I've got <u>some</u> news for you

Neujahr 1. *Tag*: New Year's Day **2. prosit Neujahr!** happy New Year!

Neujahrstag New Year's Day

neulich the other day, recently [ˈriːsntlɪ]

Neuling beginner

Neumond new moon

neun nine

Neun 1. *Zahl*: (number) nine **2.** *Bus, Straßenbahn usw.*: <u>number</u> nine <u>bus</u>, number nine <u>tram</u> *usw.*

neunfach 1. die neunfache Menge nine times the amount **2. der neunfache deutsche Meister X** nine times German champion X (△ *ohne* the)

neunmal nine times

neunte(r, -s) ninth [naɪnθ]; **9. April** 9(th) April, April 9(th) (*gesprochen* the ninth of April); **am neunten April** on 9(th) April, on April 9(th) (*gesprochen* on the ninth of April)

Neunte(r) 1. (the) ninth **2. er war Neunter** he was ninth **3. Papst Johannes IX.** Pope John IX (*gesprochen* John the Ninth; IX *ohne Punkt!*) **4. heute ist der Neunte** it's the ninth today

Neuntel ninth [naɪnθ]

neunzehn nineteen [ˌnaɪnˈtiːn]

neunzehnte(r) nineteenth [ˌnaɪnˈtiːnθ]

neunzig ninety [ˈnaɪntɪ]

Neunzigerjahre: in den Neunzigerjahren in the nineties

neunzigjährig: eine neunzigjährige Frau a ninety-year-old woman

neunzigste(r, -s) ninetieth [ˈnaɪntɪəθ]

Neuregelung *von Bestimmung, der Verkehrsführung*: new scheme [skiːm]

Neurose neurosis [njʊˈrəʊsɪs]

neurotisch neurotic [njʊˈrɒtɪk]

Neuschnee fresh snow(fall[s *Pl.*])

Neuseeland New Zealand [ˌnjuːˈziːlənd]; ☞ *Karte S. 296*

Neuseeländer New Zealander [ˌnjuːˈziːləndə]; **er ist Neuseeländer** he's from New Zealand; ☞ *Nationalitäten*

Neuseeländerin New Zealander [ˌnjuːˈziːləndə], woman (*oder* lady *bzw.* girl) from New Zealand; **sie ist Neuseelän-** derin she's from New Zealand; ☞ *Nationalitäten*

neusprachlich: ich bin auf einem neusprachlichen Gymnasium I'm at a grammar school (*AE* high school) which specializes in modern languages

neutral 1. *allg.*: neutral [ˈnjuːtrəl]; **sich neutral verhalten** remain neutral **2.** (≈ *unparteiisch*) impartial [ɪmˈpɑːʃl]

Neutralität neutrality [njuːˈtrælətɪ]

Neutron neutron [ˈnjuːtrɒn]

Neutrum *Grammatik*: neuter [ˈnjuːtə]

Neuverfilmung remake [ˈriːmeɪk]

neuwertig as new, as good as new

Neuzeit *Geschichte*: modern age

nicht 1. *allg.*: not; **sie kommt nicht überhaupt nicht**: she doesn't come, *diesmal*: she isn't coming; **sie wohnen nicht mehr hier** they don't live here <u>any</u> more; **es ist gar nicht schwer** it isn't difficult at all; **überhaupt nicht** not at all; **nicht einmal** not even; **ich kenne sie auch nicht** I don't know her either **2. „Ich kenne ihn nicht." - „Ich auch nicht."** 'I don't know him.' - 'Nor (*oder* Neither) do I.' **3. er ist noch nicht da** he hasn't come (*oder* arrived) yet **4. du bist nicht besser als die anderen!** you're <u>no</u> better than the others! **5. ich glaube nicht** I don't think <u>so</u> **6. bitte nicht!** please don't! **7. was du nicht sagst!** you don't say! **8. du kennst ihn doch, nicht (wahr)?** you know him, don't you?

---

nicht rostend 1. *allg.*: rustproof **2.** *Stahl*: stainless

---

Nichte niece [niːs]

Nichtraucher... *in Zusammensetzungen*: non-smoking ..., no-smoking ...

Nichtraucher(in) 1. nonsmoker (*auch Abteil*) **2. ich bin Nichtraucher** I don't smoke

Nichtraucherabteil non-smoking compartment, *umg.* non-smoker

nichts 1. *allg.*: nothing; **nichts (anderes) als** nothing <u>but</u>; **überhaupt nichts** nothing at all **2.** *mit verneintem englischem Verb*: not <u>anything</u>; **du hast ja gar nichts gekauft!** but you didn't buy <u>anything</u>; **haben Sie nichts anderes?** haven't you got <u>anything</u> else? **3. das ist nichts für mich** that's not my kind of thing **4. nichts ahnend → nichtsahnend 5. nichts sagend → nichtssagend 6.** *Wendungen*: **macht nichts!** never mind; **nichts wie weg!** let's get out of here!; **nichts wie hin!** what are we waiting for?

Nichts: aus dem Nichts from nowhere

nichtsahnend 1. *Person usw.*: unsuspect-

N

ing **2.** *sie ging nichtsahnend die Treppe hoch* she went upstairs not suspecting a thing

Nichtschwimmer non-swimmer; *ich bin Nichtschwimmer* I'm a non-swimmer

nichtssagend 1. *Worte usw.*: empty, meaningless **2.** *Antwort*: vague [veɪɡ]

Nichtstun: *wir haben die meiste Zeit mit Nichtstun verbracht* we spent most of our (*oder* the) time doing nothing

Nickel nickel

Nickelbrille: *eine Nickelbrille* (a pair of) steel-rimmed glasses; *diese Nickelbrille ist schön* these steel-rimmed glasses are nice

nicken nod; *sie nickte mit dem Kopf* she nodded (her head) (△ *ohne* with)

Nidel ⓒⒽ (≈ *Rahm, Sahne*) cream

nie 1. never; *nie wieder* never again; *noch nie* never (before) **2.** *fast nie* hardly ever

nieder down; *auf und nieder* up and down

niederbrüllen: *wir wurden niedergebrüllt* we were shouted down

niedere(r, -s) 1. *Klasse usw.*: lower **2.** *Wert, Rang*: low **3.** *Instinkte, Lebensformen*: primitive ['prɪmətɪv]

niederdrücken press down (*Taste, Hebel*)

Niedergang 1. *allg.*: decline **2.** *eines Reiches usw.*: (decline and) fall

niedergehen 1. *Lawine, Steinschlag usw.*: come* down **2.** *Theatervorhang*: drop, fall*

niedergeschlagen depressed

niederholen haul down, lower (*Flagge, Segel*)

niederknien kneel* [△ niːl] down

Niederlage defeat; *eine Niederlage einstecken müssen* be* defeated; *eine 0:1-Niederlage* a 1-0 defeat (*gesprochen* one-nil (*AE* one-zero) defeat)

Niederlande: *die Niederlande* the Netherlands ['neðələndz]

Niederländer Dutchman ['dʌtʃmən]; *er ist Niederländer* he's Dutch; *die Niederländer* the Dutch; ☞ *Nationalitäten*

Niederländerin Dutchwoman, Dutch lady (*bzw.* girl); *sie ist Niederländerin* she's Dutch; ☞ *Nationalitäten*

niederländisch, Niederländisch Dutch

niederlassen 1. *sich niederlassen um dort zu leben*: settle (down) **2.** *sich als Arzt usw. niederlassen* set* (oneself) up as a doctor *usw.*

niedermachen: *jemanden niedermachen mit Worten*: give* someone a roasting

niedermetzeln slaughter [△ 'slɔːtə]

Niederösterreich Lower Austria ['ɒstrɪə]

niederreißen pull down (*Gebäude usw.*)

Niedersachsen Lower Saxony ['sæksənɪ]

niederschießen: *jemanden niederschießen* shoot* someone down

Niederschlag 1. (≈ *Regen*) rain(fall), (≈ *Schnee*) snow(fall) **2.** *radioaktiver Niederschlag* (nuclear) fallout

niederschlagen 1. *jemanden niederschlagen* knock [△ nɒk] someone down **2.** put* down, crush (*Aufstand usw.*)

niederschmetternd *Ergebnis*: shattering

niedertrampeln: *die Pferde haben alles niedergetrampelt* the horses (have) trampled everything down

Niederung *in der Landschaft*: depression

niederwalzen flatten

niedlich sweet, cute

niedrig 1. *allg.*: low (*auch Preis, Gehalt*), *Qualität auch*: inferior **2.** *etwas niedrig halten* keep* something down

Niedrigenergiehaus low-energy house

Niedrigwasser 1. *des Meeres bei Ebbe*: low tide **2.** *eines Flusses usw.*: low water

niemals 1. *allg.*: never **2.** *als Ausruf*: never!, not on your life!

niemand 1. nobody, no one, no-one; *es war niemand da* there was nobody (*oder* no one) there **2.** *mit Verneinung beim englischen Verb*: not anybody, not anyone; *es war niemand da* there wasn't anybody there **3.** *sie hat niemanden gehört* she didn't hear anybody **4.** *das kann niemand anderer als John* nobody but John can do that

Niemandsland no-man's-land (△ *ohne* the)

Niere 1. *Organ*: kidney ['kɪdnɪ] **2.** *künstliche Niere* kidney machine

nierenförmig kidney-shaped

nierenkrank: *sie ist nierenkrank* she's got kidney trouble, she's got a kidney disease

nieseln: *es nieselt* it's drizzling

Nieselregen drizzle

niesen sneeze

Niespulver sneezing powder

Niete[1] **1.** *umg.* (≈ *Versager, -in*) dead loss **2.** (≈ *Los ohne Gewinn*) blank

Niete[2] *zum Befestigen von Metallteilen*: rivet ['rɪvɪt], *an Kleidungsstücken auch*: stud

Nigeria Nigeria [naɪ'dʒɪərɪə]

Nikolaustag St Nicholas' [snt'nɪkləs] Day

Nikolaustag

Der Nikolaustag wird in den englischsprachigen Ländern nicht gefeiert.

Nikotin nicotine ['nɪkətiːn]

nikotinarm *vor dem Subst.*: low-nicotine, *hinter dem Verb*: low in nicotine ['nɪkəti:n]

Nilpferd hippopotamus [,hɪpə'pɒtəməs] *Pl.*: hippopotamuses *oder* hippopotami [,hɪpə'pɒtəmaɪ], *umg.* hippo ['hɪpəʊ]

nimmer 1. no longer; *ich werds nimmer tun* I won't do it any more 2. *nie und nimmer* never ever

nippen sip (*an* at)

nirgends, **nirgendwo** nowhere ['nəʊweə]

nirgendwohin nowhere; *ein Lehrer kann nirgendwohin gehen, ohne erkannt zu werden* a teacher can't go anywhere without being recognized

Nische 1. *Wand*: niche [ni:ʃ] (*auch übertragen*) 2. *eines Raums*: recess [rɪ'ses, 'ri:ses]

nisten nest

Nitrat nitrate ['naɪtreɪt]

Nitroglyzerin nitroglycerine [,naɪtrəʊ-'glɪsərɪn]

Niveau 1. *allg.*: level (*auch von Preisen*) 2. (≈ *Bildungsniveau*) level, standard 3. *sie hat Niveau* she's got class (*oder* style)

Nixe water nymph [nɪmf], mermaid ['mɜːmeɪd]

nobel 1. (≈ *großzügig*) generous ['dʒenrəs] 2. *umg.* (≈ *luxuriös*) classy ['klɑːsɪ], posh

Nobelpreis Nobel Prize [nəʊ,bel'praɪz]

Nobelpreisträger(in) Nobel prize winner [,nəʊbel praɪz'wɪnə], Nobel laureate [,nəʊbel'lɔːrɪət]

noch 1. still; *immer noch, noch immer* still 2. *noch nicht* not yet; *sie ist noch nicht da* she hasn't arrived yet 3. *noch nie* never (before) 4. *noch besser* even better; *noch mehr* even more; *noch jetzt* even now 5. *noch gestern* only yesterday 6. *ich hab nur noch 10 Dollar* I've only got 10 dollars left 7. *ich hol nur noch (schnell) meine Tasche* I'll just go and get my bag 8. *wie heißt sie noch?* what's her name again? 9. *da haben wir ja noch Glück gehabt* we were lucky there 10. *noch am selben Tag* that (very) same day; *ich werd das noch heute erledigen* I'll do it today 11. *nur noch zwei Tage* only two more days 12. *noch einer* one more, another one; *noch ein Bier, bitte* another beer (*oder* the same again), please 13. *nimmst du noch Tee usw.?* would you like some more tea *usw.?* 14. *noch dazu* on top of it 15. *noch (ein)mal* once more, one more time; *noch einmal so viel* as much again 16. *noch etwas?* anything else?; *wer kommt noch?* who else is coming? 17. *sie ist noch schlauer als du* she's

even smarter than you 18. *nur noch eine Minute* only a minute to go, only another minute

nochmals once more, once again, again

Nockerl *bes.* Ⓐ; *Pl.*; *etwa*: pieces of dough [Δ dəʊ] with pointed ends

Nomade, **Nomadin** nomad ['nəʊmæd]

Nomen (≈ *Substantiv*) noun

Nominativ nominative ['nɒmənətɪv] (case)

Nonne nun

Nonstop-Flug nonstop flight

Nord 1. north; *aus Nord* from the north; *Duisburg Nord* North Duisburg 2. *nach Nord*, northwards ['nɔːθwədz]

Nordafrika North Africa

Nordamerika North America

norddeutsch, **Norddeutsche(r)** North German; ☞ *Nationalitäten*

Norddeutschland North (*oder* Northern ['nɔːðn]) Germany

Norden 1. *Himmelsrichtung*: north; *von Norden* from the north 2. *Landesteil*: North 3. *nach Norden* north, northwards ['nɔːθwədz], *Verkehr usw.*: northbound

Nordeuropa North (*oder* Northern) Europe ['jʊərəp]

Nordeuropäer(in) North (*oder* Northern) European; ☞ *Nationalitäten*

nordeuropäisch North (*oder* Northern) European

Nordirland Northern Ireland [,nɔːðn-'aɪələnd]; ☞ *Karte S. 293*

nordisch 1. (≈ *skandinavisch*) Nordic 2. *die nordische Kombination* Skisport: the Nordic combined

Nordkorea North Korea [kə'rɪə]

nördlich 1. *allg.*: northern ['nɔːðn] (Δ *nur vor dem Subst.*) 2. *Wind, Richtung*: northerly ['nɔːðəlɪ] 3. *in nördlicher Richtung* north, northwards ['nɔːθwədz], *Verkehr usw.*: northbound 4. *nördlich von* (to the) north of 5. *weiter nördlich* further (to the) north

nördlichste(r, -s): *der nördlichste Punkt Irlands* Ireland's northernmost ['nɔːðn-məʊst] point

Nordlicht 1. *das Nordlicht* the northern lights (Δ *Pl.*) 2. *salopp* (≈ *Person aus Norddeutschland*) Northerner

Nordost, **Nordosten** northeast

nordöstlich northeast (*von* of)

Nord-Ostsee-Kanal Kiel Canal [kə'næl]

Nordpol North Pole [,nɔːθ'pəʊl]

Nordrhein-Westfalen North-Rhine/Westphalia [,nɔːθraɪn_west'feɪlɪə]

Nordsee: *die Nordsee* the North Sea [,nɔːθ'siː]

Nordstaaten: *die Nordstaaten der USA*: the Northern ['nɔːðn] States, the North

N

nordwärts north, northwards ['nɔːθwədz]
Nordwest, Nordwesten northwest
nordwestlich northwest (**von** of)
Nordwind north(erly) wind
nörgeln grumble, moan (**über** about)
Nörgler(in) grumbler, niggler
Norm 1. *allg.*: norm, standard **2. technische Normen** technical standards (*oder* specifications) **3.** (≈ *Leistungssoll*) quota
normal 1. *allg.*: normal; **das ist doch ganz normal** that's perfectly normal (*oder* natural) **2.** (≈ *gewöhnlich*) ordinary ['ɔːdnərɪ] **3. er ist nicht ganz normal** he's not quite right in the head
Normalbenzin regular (petrol), *AE* regular (gas)
normalerweise normally
normalisieren 1. sich (wieder) normalisieren return to normal **2.** normalize (*Beziehungen, Situation usw.*)
Normalität normality [nɔːˈmælɪtɪ]
normen standardize ['stændədaɪz]
Norwegen Norway ['nɔːweɪ]
Norweger Norwegian [nɔːˈwiːdʒn]; **er ist Norweger** he's Norwegian; ☞ **Nationalitäten**
Norwegerin Norwegian woman (*oder* lady *bzw.* girl); **sie ist Norwegerin** she's Norwegian; ☞ **Nationalitäten**
norwegisch, Norwegisch Norwegian [nɔːˈwiːdʒn]
Nostalgie nostalgia [nɒˈstældʒə]
Not 1. (≈ *Armut*) poverty [△ 'pɒvətɪ] **2.** (≈ *Notlage*) plight; **in Zeiten der Not** in times of need **3.** (≈ *Schwierigkeiten*) difficulties, trouble (△ *Sg.*); **in Not sein** be* in trouble; **in Not geraten** run* into difficulties **4. seine liebe Not haben mit** have* a hard time with **5. zur Not** if necessary ['nesəsrɪ], if need be
Notar(in) notary ['nəʊtərɪ]
notariell 1. *allg., Aufgaben usw.*: notarial [nəʊˈtæːrɪəl] **2. notariell beglaubigt** attested by a notary ['nəʊtərɪ]
Notarzt 1. doctor on call **2. wir haben den Notarzt holen müssen** we had to call an ambulance ['æmbjələns]
Notärztin doctor on call
Notarztwagen emergency ambulance [ɪˌmɜːdʒənsɪˈæmbjələns]
Notausgang emergency [ɪˈmɜːdʒənsɪ] exit
Notbremse emergency [ɪˈmɜːdʒənsɪ] brake
Notdienst 1. standby duty; **Notdienst haben** be* on standby, *Arzt* be* on call **2.** *einer Apotheke*: out-of-hours service **3.** *eines Handwerksbetriebs*: emergency [ɪˈmɜːdʒənsɪ] call-out service
notdürftig: etwas notdürftig reparieren

patch something up
Note 1. (≈ *Schulnote*) mark, *AE* grade (△ *BE* note = **Geldschein**) **2.** *Musik*: note; **er kann keine Noten lesen** he can't read music

<hr>

Noten

Im Gegensatz zum deutschen Schulnotensystem wird im englischsprachigen Raum nicht mit Nummern, sondern mit Buchstaben benotet:

A	*etwa* **1**
B	*etwa* **2**
C	*etwa* **3**
D	*etwa* **4**
E	*etwa* **5**
F	*etwa* **6**

Ähnlich wie im Deutschen werden die Noten mit + und – näher bestimmt, z. B. **B**+ oder **A**–.

<hr>

Notebook *Computer*: notebook
Notendurchschnitt average mark [ˌævərɪdʒˈmɑːk], *AE* average (grade)
Notepad *Computer*: notepad
Notfall 1. emergency [ɪˈmɜːdʒənsɪ] **2. für den Notfall** just in case
notfalls if necessary ['nesəsrɪ], if need be
notgedrungen: etwas notgedrungen tun be* forced to do something
notieren: (sich) etwas notieren make* a note of something
nötig 1. *Dinge, Personen usw.*: necessary ['nesəsrɪ]; **wenn nötig** if necessary, if need be **2. etwas dringend nötig haben** badly need something
Nötigste 1. das Nötigste the essentials [ɪˈsenʃlz] (△ *Pl.*) **2. nimm nur das Nötigste mit** take only what you absolutely need
Notiz 1. note; **sich Notizen machen** make* notes **2.** *in Zeitung*: item ['aɪtəm]
Notizblock notepad, *AE auch* memo ['meməʊ] pad
Notizbuch notebook
Notlage *allg.*: crisis ['kraɪsɪs] (situation)
notlanden make* a forced landing, force-land
Notlandung emergency [ɪˈmɜːdʒənsɪ] (*oder* forced) landing
Notlösung stopgap (solution)
Notlüge white lie
Notruf 1. emergency [ɪˈmɜːdʒənsɪ] call **2.** (≈ *Notrufnummer*) emergency number
Notrufnummer emergency [ɪˈmɜːdʒənsɪ] number
Notrufsäule emergency [ɪˈmɜːdʒənsɪ] telephone

Notrufnummer

Die Notrufnummer in Großbritannien lässt sich leicht merken: **999** (**nine**, **nine**, **nine**). Wählt man sie, wird man nach der gewünschten Notdienststelle gefragt: **police** (Polizei), **ambulance** (Krankenwagen/Notarzt) oder **fire brigade** (Feuerwehr).

Die entsprechende einheitliche Notrufnummer in den USA ist **911** (**nine**, **one**, **one**).

Notunterkunft 1. emergency accommodation (△ *ohne* an) **2.** *für Obdachlose:* emergency shelter

Notwehr: *aus* (*oder* **in**) *Notwehr handeln* act in self-defence

notwendig 1. *allg.:* necessary ['nesəsrɪ] **2.** (≈ *unausbleiblich*) inevitable [ɪn'evɪtəbl]

Notwendigkeit necessity [nə'sesɪtɪ]

Novelle *Erzählung:* novella [nə'velə]

November November; *im November* in November (△ *ohne* the)

Nr. No., no. *Pl.* Nos., nos. (*Abk. für* number; *oft auch ohne Punkt geschrieben*)

Nu: *im Nu* in no time

nüchtern 1. ↔ *betrunken:* sober; *wieder nüchtern werden* sober up **2.** *auf nüchternen Magen* on an empty stomach **3.** *Urteil usw.:* sober, rational ['ræʃnəl] **4.** *Bau, Einrichtung:* functional **5.** *Tatsachen:* plain, bare

nuckeln suck (*an* at); *er nuckelt immer am Daumen* he's always sucking his thumb

Nudel 1. *zum Essen:* noodle **2.** *Nudeln* pasta ['pæstə] (△ *Sg.*), *bes. in Suppe:* noodles **3.** *eine ulkige Nudel umg.* a funny character

Nudelsuppe noodle soup

Nugat chocolate nut cream [,tʃɒklət-'nʌt kriːm]

null 1. *Zahl:* nought [nɔːt], *AE* zero, *nach Dezimalkomma:* 0 [əʊ]; *fünf Komma null* five point 0 **2.** *null Komma fünf* (nought) point five, *AE* (zero) point five **3.** *beim Wählen am Telefon:* 0 [əʊ], *AE auch* zero **4.** *Spielstand:* nil, *AE* zero, *Tennis:* love [lʌv]; *zwei zu null* two-nil, *AE* two-zero *oder* two-nothing **5.** *null Fehler* no mistakes **6.** *null Grad* zero degrees (*auch im BE*); *zehn Grad unter* (*bzw.* **über**) *null* ten degrees below (*bzw.* above) zero **7.** *um null Uhr zehn* at ten past (*AE auch* after) midnight **8.** *der Zeiger steht auf null* *Messinstrument:* the needle is at zero **9.** *die Chancen sind gleich null* the chances are nil **10.** (*wie-*

der) *bei null anfangen* start from scratch **11.** *sie hat null Bock auf Schule* she has absolutely no interest in school

Null 1. *Ziffer:* nought [nɔːt], *AE* zero; *wie viele Nullen hat 1000?* how many noughts (*AE* zeros) are there in 1,000 (*gesprochen* a thousand)? **2.** *Telefon, beim Wählen:* 0 [əʊ], *bes. AE* zero **3.** (≈ *Versager*) dead loss

Null

„Null" wird im Englischen so ausgedrückt:

beim Rechnen:	**nought** [nɔːt], *bes. AE* **zero**
beim Sport:	**nil**, *AE* **zero**; *Tennis:* **love**
in Telefonnummern:	**0** [əʊ], *bes. AE* **zero**

Nullchecker(in) *umg.* dumbo ['dʌmbəʊ], *AE, Slang* dumbass ['dʌmbæs]

Nullpunkt 1. *allg.:* zero **2.** (≈ *Gefrierpunkt*) freezing point

Nulltarif: *zum Nulltarif* free

Nummer 1. *Zahl:* number (*Abk.* No., no. *Pl.* Nos., nos.; *oft auch ohne Punkt geschrieben*); *sie ist die Nummer eins* she's number one (△ *ohne* the) **2.** (≈ *Größe*) size **3.** *einer Zeitung usw.:* number, issue ['ɪʃuː] **4.** *in Show usw.:* number, routine [ruː'tiːn] **5.** *du erreichst ihn unter der Nummer 15189* you can ring (*bes. AE* call) him on 15189 **6.** *auf Nummer sicher gehen* play it safe

nummerieren number

Nummerierung numbering

Nummernblock *auf Tastatur:* number (*oder* numeric [njuː'merɪk]) keypad ['kiːpæd]

Nummernschild *Auto usw.:* number plate, *AE* license plate

nun 1. now; *von nun an* from now on, (≈ *seitdem*) from that time on; *was nun?* what now?, what next? **2.** *vor einer Äußerung:* (≈ *also*) well **3.** *nun gut!* all right, then **4.** *wenn sie nun nicht kommt?* (and) what if she doesn't come? **5.** *was sagst du nun?* what do you say to that? **6.** *es ist nun mal so* that's the way it is

nur 1. *allg.:* only; *nur wenn* only if; *nicht nur ..., sondern auch ...* not only ..., but also ... **2.** (≈ *bloß*) just; *nur einmal* just once; *nur weil* just because **3.** (≈ *nichts als*) nothing but **4.** *nur Anna nicht* except Anna **5.** *nur so zum Spaß* just

N

for fun; *„Warum hast du das ge-macht?"* - *„Nur so."* 'Why did you do that?' - 'I don't know.', 'I just felt like it.' **6.** *sie tut nur so* she's just pretending **7.** *mach nur!, nur zu!* go on! **8.** *nur für Erwachsene* (for) adults only

Nürnberg Nuremberg ['njʊərəmbɛːg]

nuscheln mumble

Nuss 1. *Frucht:* nut **2.** *das ist eine harte Nuss übertragen* that's a tough [tʌf] one

Nussbaum 1. walnut ['wɔːlnʌt] tree **2.** *Holz:* walnut

Nussknacker nutcracker

Nut *Technik:* groove

Nutte *umg., abwertend* tart, *AE* hooker

nutzbar 1. *allg.:* usable ['juːzəbl] **2.** *Bodenschätze usw.:* exploitable **3.** *etwas nutzbar machen* utilize something **4.** *den Boden nutzbar machen* cultivate the land

nütze: *er ist zu nichts nütze* he's a dead loss

Nutzen 1. (≈ *Wert, Nützlichkeit*) use [△ juːs]; *praktischer Nutzen* practical use **2.** (≈ *Vorteil*) advantage [əd-'vɑːntɪdʒ], benefit ['benɪfɪt]; *zum Nutzen von* <u>for</u> the benefit of **3.** (≈ *Gewinn*)

profit ['prɒfɪt], gain

nutzen, nützen 1. *nützt dir das?* is that (of) any use [juːs] to you? **2.** *das nützt nichts* that's no use, that's no good **3.** *Heulen nützt nichts* it's no use crying **4.** *das nützt nicht viel* that doesn't help much, that's not much help **5.** *etwas nutzen* use [juːz] something, make* use [juːs] of something **6.** *die Gelegenheit nutzen* take* (advantage of) the opportunity

Nutzer(in) *Internet, Computer usw.:* user

nützlich 1. *allg.:* useful [△ 'juːsfl]; *sich nützlich machen* make* oneself useful **2.** *Rat, Person:* helpful **3.** *es (er usw.) könnte dir nützlich sein* it (he usw.) might be of some use [juːs] to you

nutzlos 1. *allg.:* useless [△ 'juːsləs] **2.** *es ist nutzlos, ihr einen Rat zu geben* it's no use [juːs] (*oder* useless) giving her advice

Nutzung 1. (≈ *Verwendung*) use [△ juːs] **2.** *des Bodens usw.:* cultivation **3.** *von Bodenschätzen:* exploitation **4.** *die Nutzung der Sonnenenergie usw.* the utilization of solar energy *usw.* (△ *ohne* the)

Nymphe nymph [nɪmf]

O

o *als Ausruf:* oh! [əʊ]

Oase oasis [△ əʊ'eɪsɪs]

ob 1. whether ['weðə], if **2.** (*so*) *als ob* as if, as though [ðəʊ] **3.** *er tut so, als ob er krank wäre* he's pretending to be sick **4.** *und ob!* *umg.* you bet!

obdachlos homeless

Obdachlose(r) homeless person; *die Obdachlosen* the homeless, homeless people

Obdachlosenasyl shelter for the homeless

O-Beine bandy legs, bow [bəʊ] legs

oben 1. at the top **2.** (≈ *obenauf*) on (the) top; *oben links* on the top left **3.** *da oben* up there; *hier oben* up here; *weiter oben* further up, *in einem Text:* above **4.** *im Haus:* upstairs **5.** *nach oben* up, upwards, *im Haus:* upstairs **6.** *von oben* from above, *im Haus:* from upstairs **7.** *von unten bis oben* from top to bottom **8.** *mit dem Gesicht nach oben* face up **9.** *jetzt ist sie ganz oben beruflich:* she's

made it to the top now **10.** *oben ohne umg.* topless **11.** *siehe oben* (*Abk.* s. o.) *in Büchern usw.:* see above [ə'bʌv] **12.** *von oben herab* (≈ *überheblich*) condescendingly [ˌkɒndɪ'sendɪŋlɪ]

obenauf 1. (≈ *ganz oben*) on top, uppermost, on the surface ['sɜːfɪs] **2.** *übertragen, umg.* *wieder obenauf sein nach Krankheit usw.:* be* fit and well again, be* fighting fit again

obendrein on top of that, to top it all

Oben-ohne-... *in Zusammensetzungen:* topless (*dress, bar usw.*)

Ober 1. *Bedienung:* waiter; *Herr Ober!* waiter! **2.** *Spielkarte:* queen

Oberarm upper arm; *sie hat eine Tätowierung am Oberarm* she's got a tattoo <u>on</u> her upper arm

Oberarzt, Oberärztin assistant medical director

Oberbefehlshaber(in) supreme [sʊ'priːm] commander, commander-in-chief

Oberbürgermeister(in) mayor ['meɪə], *in*

GB Lord Mayor

obere(r, -s) 1. *Ränge, Sitzreihen, Stockwerk, Flussabschnitt usw.*: upper **2.** *ganz oben*: top **3.** *die oberen Zehntausend* the upper crust; → *oberste(r, -s)*

Oberfläche 1. surface ['sɜːfɪs]; *an* (*bzw. unter*) *der Oberfläche* on (*bzw.* below) the surface **2.** *an die Oberfläche steigen* (*Gase, Grundwasser usw.*) surface

oberflächlich 1. superficial, *Mensch auch*: shallow **2.** *ich kenne ihn nur sehr oberflächlich* I don't know him very well at all

Obergeschoss, ⒶⒷ **Obergeschoß: (im) Obergeschoss** (on the) upper floor [ˌʌpəˈflɔː]

oberhalb 1. above [əˈbʌv] **2.** *oberhalb von* (*oder* + *Gen.*) above, *Fluss*: upstream from

Oberhaupt 1. *der Familie usw.*: head **2.** (≈ *Anführer*) leader

Oberhaus *in GB*: House of Lords

Oberhemd shirt

Oberin 1. *im Kloster*: Mother Superior [suˈpɪərɪə] **2.** *im Krankenhaus usw.*: matron ['meɪtrən], *AE* head nurse

oberirdisch 1. *Leitungen*: surface ['sɜːfɪs] (△ *nur vor dem Subst.*); *oberirdische Stromleitung* overhead line **2.** *das Kabel verläuft oberirdisch* the cable runs above ground

Oberkellner(in) head [hed] waiter (waitress)

Oberkiefer upper jaw

Oberkörper 1. upper part of the body, chest **2.** *den Oberkörper frei machen* strip to the waist

Oberleitung *Bahn, O-Bus usw.*: overhead wires (△ *Pl.*)

Oberlicht 1. (≈ *Dach-, Deckenfenster*) skylight **2.** (≈ *kleines Zusatzfenster über großem Fenster*) transom ['trænsəm] window **3.** (≈ *halbkreisförmiges Fenster über einer Tür*) fanlight

Oberliga *Sport*: top amateur league ['tɒpˌæmətəˈliːg]

Oberlippe upper lip

Oberösterreich Upper Austria ['ɒstrɪə]

Obers Ⓐ **1.** (≈ *Sahne, Rahm*) cream **2.** (≈ *Schlagsahne*) whipped cream

Oberschenkel thigh [θaɪ]

Oberschicht *der Gesellschaft*: upper class, upper classes (*Pl.*)

Oberschule secondary school, *AE* high school

Oberschwester senior nurse

Oberseite top (*oder* upper) surface ['sɜːfɪs], top

Oberst colonel [△ 'kɜːnl]

oberste(r, -s) 1. *Teil usw.*: uppermost **2.**

(≈ *ganz oben befindlich*) top, topmost **3.** (≈ *höchstgelegen*) highest **4.** *Behörde usw.*: highest; *das Oberste Gericht* the High (*AE* Supreme [suˈpriːm]) Court **5.** *einer Rangordnung*: chief [tʃiːf]

Oberstudiendirektor *etwa*: headmaster [ˌhedˈmɑːstə], *AE mst.* principal ['prɪnsəpl]

Oberstudiendirektorin *etwa*: headmistress [ˌhedˈmɪstrəs], *AE mst.* principal ['prɪnsəpl]

Oberstufe 1. *in Schule*: upper school, *AE* higher grades (△ *Pl.*), senior high school **2.** *Kurs*: advanced level

Oberteil *das* top (*auch von Bikini usw.*)

Oberweite bust (measurement)

obige(r, -s) 1. (≈ *weiter oben*) above(-mentioned) **2.** *die obige Karte* the above map

Objekt object ['ɒbdʒɪkt] (*auch Satzobjekt*)

Objektiv *einer Kamera*: lens [△ lenz]

objektiv 1. *allg.*: objective [əbˈdʒektɪv] **2.** *Bericht usw.*: (≈ *unparteiisch*) impartial **3.** *Urteil usw.*: unbias(s)ed [ˌʌnˈbaɪəst]

Oblate wafer

Obmann, Obmännin 1. (≈ *Vorsitzende*) chairman, *Frau*: chairwoman, *neutral*: chair, chairperson **2.** *der Gewerkschaft*: union representative [ˌreprɪˈzentətɪv]

Oboe *Instrument*: oboe ['əʊbəʊ]

Observatorium observatory [əbˈzɜːvətrɪ]

Obst fruit [fruːt]; ☞ *Illu S. 883*

Obstbaum fruit tree

Obstgarten orchard ['ɔːtʃəd]

Obsthändler(in) fruiterer, *bes. AE* fruit seller

Obstkuchen fruit flan, *AE* fruit pie

Obstsalat fruit salad

O-Bus trolley bus, *AE* trolley bus, streetcar

obwohl although [ɔːlˈðəʊ], though [ðəʊ]

Occasion Ⓒ⒣ **1.** (≈ *Gebrauchtartikel*) second-hand article **2.** (≈ *Gebrauchtfahrzeug*) second-hand car (*bzw.* motorbike *usw.*) **3.** (≈ *Gelegenheitskauf*) second-hand bargain ['bɑːgɪn]

Ochse 1. *Tier*: bullock [△ 'bʊlək], ox *Pl.*: oxen **2.** *als Schimpfwort*: oaf, dope

Ocker, ockerfarben ochre ['əʊkə], *AE* ocher

öde 1. *Gegend*: desolate ['desələt], deserted [△ dɪˈzɜːtɪd] **2.** (≈ *kahl*) barren [△ 'bærən] **3.** (≈ *eintönig*) dull [dʌl]

oder 1. *allg.*: or; *oder auch* or even; *oder so* or something like that **2.** *oder aber* or else **3.** *du bleibst doch, oder?* you're staying, aren't you?; *sie kommt doch, oder?* she's coming, isn't she?

Ofen 1. *für Holz, Kohle usw.*: stove [stəʊv] **2.** (≈ *Backofen*) oven [△ 'ʌvn] **3.**

(≈ *Brenn-, Dörrofen*) kiln 4. *heißer Ofen Motorrad*: hot rod

Ofenrohr stovepipe ['stəʊvpaɪp]

offen 1. *allg.*: open (*auch Gesicht, Frage, Brief usw.*); *bei offenem Fenster* with the window open; *offen bleiben oder stehen* (*Fenster, Tür usw.*) stay *oder* be* open; (*Frage usw.*) → *offenbleiben, offenlassen usw.* 2. *sie ist für alles offen* (≈ *aufgeschlossen*) she's open to anything 3. *es ist noch alles offen* nothing has been decided yet 4. *ich will ganz offen mit dir sein* I'll be quite frank with you 5. *offen zugeben* openly admit 6. *er hat ganz offen seine Meinung gesagt* he said exactly what he thought; *offen gesagt* to be perfectly honest (*oder* frank)

offenbar 1. *Lüge, Absicht usw.*: obvious [△ 'ɒbvɪəs] 2. *sie ist offenbar krank* she seems to be sick, it seems she's sick

Offenbarung revelation [ˌrevə'leɪʃn]

offenbleiben (*Frage usw.*) remain open

Offenheit 1. frankness 2. (≈ *Ehrlichkeit*) honesty [△ 'ɒnəstɪ]

offenlassen: *etwas offenlassen* leave* something open (*Frage usw.*)

offensichtlich 1. *allg.*: obvious ['ɒbvɪəs] 2. (≈ *klar*) clear, plain 3. *sie ist offensichtlich krank* she's obviously sick

offensiv offensive [ə'fensɪv]

Offensive offensive [ə'fensɪv]; *die Offensive ergreifen, in die Offensive gehen* take* the offensive

Offensivspieler(in) *Fußball usw.*: attacker

offenstehen (*Frage, Möglichkeit*) be* open

öffentlich 1. *allg.*: public 2. *öffentliche Schule* state school, *AE* public school (△ *BE* public school = *private Internatsschule*) 3. *der öffentliche Dienst* the public sector 4. *öffentlich auftreten* appear in public

Öffentlichkeit (general) public; *an die Öffentlichkeit treten* appear (*oder* go*) before the public; *etwas an die Öffentlichkeit bringen* bring* something before the public, make* something public; *in aller Öffentlichkeit* publicly, openly

Öffentlichkeitsarbeit public relations (*Pl.*)

offiziell official [ə'fɪʃl]

Offizier officer ['ɒfɪsə]; *ein hoher Offizier* a high-ranking (*oder* senior) officer

offline *Computer*: offline; *offline arbeiten* work offline

Offlinebetrieb *Computer*: offline operation (*oder* mode)

öffnen 1. (*sich*) *öffnen* open 2. *niemand hat geöffnet* nobody answered (*oder* came to) the door

Öffner opener

Öffnung *allg.*: opening (*auch übertragen*)

Öffnungszeiten *allg.*: opening hours, business hours, *Bank auch*: banking hours

oft 1. often ['ɒfn, 'ɒftn]; *ziemlich oft* quite often 2. *schon oft* many times 3. *das ist mir schon so oft passiert* I don't know how many times that's happened to me

öfter 1. more often ['ɒfn] 2. (≈ *des Öfteren, schon öfter*) quite often

öfters quite often ['ɒfn]

oftmals often ['ɒfn], frequently ['friːkwəntlɪ]

ohne 1. without; *ohne ein Wort zu sagen* without saying a word 2. *ohne mich!* count me out! 3. *ohne Weiteres* just like that, (≈ *mühelos*) easily, *umg.* no problem; *das geht nicht so ohne Weiteres* that's not so easy

Ohnmacht 1. (≈ *Ohnmachtsanfall*) faint, fainting fit 2. *in Ohnmacht fallen* faint, pass out 3. (≈ *Machtlosigkeit*) total helplessness (*gegenüber* in the face of)

ohnmächtig 1. (≈ *bewusstlos*) unconscious [ʌn'kɒnʃəs]; *ohnmächtig werden* faint, pass out 2. (≈ *machtlos*) totally helpless (*gegenüber* in the face of)

Ohr 1. ear 2. *die Ohren aufmachen* *übertragen* listen ['lɪsn] carefully 3. *jemanden übers Ohr hauen* *umg.* rip someone off

ohrenbetäubend deafening ['defnɪŋ]

Ohrenschmerzen: *ich hab Ohrenschmerzen* I've got (an) earache ['ɪəreɪk] (△ *Sg.*)

Ohrenschützer *gegen Kälte*: earmuffs

Ohrfeige 1. clip round the ear, slap in the face 2. *jemandem eine Ohrfeige geben* box someone's ear, slap someone's face

ohrfeigen: *er hat sie geohrfeigt* he slapped her (face)

Ohrhörer earphone

Ohrläppchen earlobe

Ohropax® *etwa*: earplugs (△ *Pl.*)

Ohrring earring ['ɪərɪŋ]

Ohrstecker (ear) stud

Ohrwurm 1. *Tier*: earwig 2. *umg.* (≈ *eingängige Melodie*) catchy tune

oje: *oje!* oh dear!

okay OK, okay

Ökobauer, Ökobäuerin organic farmer

Ökoladen health food shop (*AE* store)

Ökologe ecologist [iː'kɒlədʒɪst]

Ökologie ecology [iː'kɒlədʒɪ]

Ökologin ecologist [iː'kɒlədʒɪst]

ökologisch ecological [ˌiːkə'lɒdʒɪkl]; *das ökologische Gleichgewicht* the ecological balance ['bæləns]

ökonomisch 1. economic [ˌiːkəˈnɒmɪk] **2.**
(≈ *sparsam*) economical

Ökosystem ecosystem ['iːkəʊˌsɪstəm]

Ökotourismus ecotourism ['iːkəʊˌtʊərɪzm]

Oktav(e) *Musik*: octave [△ 'ɒktɪv]

Oktober October; *im Oktober* in October
(△ *ohne* the)

ökumenisch *Gottesdienst usw.*: ecumenical [ˌiːkjʊˈmenɪkl]

Öl 1. *allg.*: oil **2.** (≈ *Erdöl*) petroleum **3.** *in
Öl malen* paint in oils (△ *Pl.*)

Ölbaum (≈ *Olivenbaum*) olive ['ɒlɪv] tree

Oldtimer *Auto*: classic (car), *zwischen
1919 und 1930 gebaut*: vintage car
[ˌvɪntɪdʒˈkɑː], *vor 1905 gebaut*: *BE* veteran car [ˌvetrənˈkɑː] (△ *engl.* oldtimer =
„alter Hase")

ölen 1. oil (*Fahrrad usw.*) **2.** lubricate
['luːbrɪkeɪt] (*Maschine usw.*)

Ölfarbe oil paint; *Ölfarben* oils, oil paints

Ölfeld oilfield

Ölförderland oil-producing country

Ölgemälde oil painting

Ölheizung oil heating

ölig oily (*auch Wein usw.*)

Olive 1. *Frucht*: olive ['ɒlɪv] **2.** *Baum*: olive (tree)

Olivenöl olive ['ɒlɪv] oil

olivgrün olive ['ɒlɪv], olive-green

Ölkonzern oil company ['ɔɪlˌkʌmpəni]

Ölleitung oil pipeline

Ölofen oil stove [stəʊv], oil heater

Ölpest oil spill

Ölquelle oil well

Ölsardinen canned sardines [sɑːˈdiːnz],
BE auch tinned sardines

Öltank oil tank

Öltanker (oil) tanker

Ölteppich *im Meer usw.*: oil slick

Ölvorkommen *einzelnes*: oil deposit
['ɔɪlˌdɪˌpɒzɪt], *mehrere*: oil resources
['ɔɪlˌrɪˌzɔːsɪz] (*Pl.*)

Ölwechsel *Auto usw.*: oil change

Olympiade Olympic Games [əˌlɪmpɪkˈɡeɪmz] (△ *Pl.*), Olympics (△ *Pl.*)

Olympiamannschaft Olympic team

olympisch *Sport*: Olympic [əˈlɪmpɪk];
Olympische Spiele Olympic Games,
Olympics

Oma grandma ['ɡrænmɑː], granny (△ *als
Anrede mit Großschreibung*)

Omelett(e) omelette ['ɒmlət]

Omi granny, *als Anrede*: Granny

Omnibus 1. bus **2.** *BE* (≈ *Reisebus*) coach

onanieren masturbate ['mæstəbeɪt]

Onkel 1. uncle **2.** *der Onkel Doktor* the
(nice) doctor **3.** *sag danke zu dem Onkel* zu *Kind*: say thank you to the nice

man

online *Computer*: online; *online ordern*
order *something* online; *online arbeiten*
work online

Onlinebetrieb *Computer*: online operation (*oder* mode)

Onlinedienst *Internet*: online service

Opa grandpa ['ɡrænpɑː], grandad ['ɡrændæd] (△ *als Anrede großgeschrieben*)

Oper 1. opera [△ 'ɒprə]; *in die Oper gehen* go* to the opera **2.** *Gebäude*: opera
(house)

Operation 1. *medizinische*: operation, surgery ['sɜːdʒəri]; *eine größere Operation*
a major operation, major surgery (△ *ohne* a) **2.** *militärische*: operation

Operationssaal operating theatre (*AE* room)

Operette operetta [△ ˌɒpəˈretə]

operieren 1. *jemanden operieren* operate on someone (*wegen* for) **2.** *sie ist
am Herzen* usw. *operiert worden* she
had a heart usw. operation **3.** *er muss
sofort operiert werden* he needs immediate surgery (△ *ohne* an) **4.** *ich muss
mich operieren lassen* I've got to have
an operation

Opernsänger(in) opera singer

Opfer 1. sacrifice ['sækrɪfaɪs]; *ein Opfer
bringen* make* a sacrifice **2.** *eines Unfalls, Verbrechens, Betrugs usw.*: victim,
(≈ *Unfall-, Kriegsopfer*) *auch*: casualty
['kæʒʊəlti]

opfern 1. sacrifice ['sækrɪfaɪs] (*Dinge,
Tier, seine Gesundheit usw.*) **2.** *er hat
sich geopfert und das Geschirr gespült* he nobly volunteered [ˌvɒlənˈtɪəd]
to do the dishes

Opferstock *in Kirche usw.*: offertory
['ɒfətri]

Opium opium ['əʊpɪəm]

Opportunist(in) opportunist [ˌɒpəˈtjuːnɪst]

opportunistisch opportunist [ˌɒpəˈtjuːnɪst], opportunistic [ˌɒpətjuːˈnɪstɪk]

Opposition opposition

Optiker(in) optician [ɒpˈtɪʃn]

optimal 1. best possible, optimum (△ *beide nur vor dem Subst.*) **2.** *die Mannschaft hat heute optimal gespielt* the
team played brilliantly today

Optimismus optimism ['ɒptɪmɪzm]

Optimist(in) optimist ['ɒptɪmɪst]

optimistisch optimistic [ˌɒptɪˈmɪstɪk]

optisch 1. optical; *eine optische Täuschung* an optical illusion **2.** *ein optisches Signal* a visual sign [ˌvɪʒʊəlˈsaɪn]

Orakel oracle ['ɒrəkl]

oral oral ['ɒrəl]

Orange orange ['ɒrɪndʒ]

orange, orangefarben orange ['ɒrɪndʒ]

Orangensaft orange juice

Orang-Utan orang-utan [ɔːˈræŋətæn, ɔːˌræŋuːˈtæn]

Orchester orchestra ['ɔːkɪstrə]

Orchidee orchid [△ 'ɔːkɪd]

Orden 1. *Auszeichnung:* medal ['medl]; *einen Orden bekommen* receive (*oder* be* given) a medal **2.** *Gemeinschaft:* order

ordentlich 1. *Mensch, Zimmer usw.:* neat, tidy **2.** *das war recht ordentlich* that was pretty good; *seine Sache ordentlich machen* do* a good job (of it) **3.** *Leben usw.:* (≈ *geregelt*) ordered **4.** *eine ordentliche Tracht Prügel* a good old thrashing **5.** *ich mags ordentlich* I like everything neat and tidy **6.** *sich ordentlich benehmen* behave properly **7.** *ich hab erst mal ordentlich gegessen* the first thing I did was have a proper (*AE mst.* decent) meal **8.** *sie hats ihm ordentlich gegeben* umg. she really let him have it

ordinär 1. *Person, Verhalten:* common **2.** *Witz, Lachen:* dirty

Ordination Ⓐ **1.** (≈ *Arztpraxis*) surgery **2.** (≈ *Sprechstunde*) surgery hours (△ *Pl.*)

ordnen 1. (≈ *sortieren*) sort out, arrange (*Bücher usw.*) **2.** *etwas alphabetisch ordnen* arrange something alphabetically

Ordner 1. *bei Veranstaltung:* steward **2.** *für Akten usw.:* file **3.** *Computer:* folder

Ordnung 1. order; *Ordnung halten* keep* things (neat and) tidy **2.** *mit dem Drucker ist was nicht in Ordnung* there's something wrong with the printer **3.** *etwas in Ordnung bringen* (≈ *reparieren*) fix something; *das bring ich schon wieder in Ordnung* nach Streit usw.: don't worry, I'll sort it out **4.** (*geht*) *in Ordnung!* (that's) all right, (that's) okay; *sie ist in Ordnung* she's okay, she's all right **5.** *das finde ich nicht in Ordnung* I don't think that's right **6.** *Ordnung schaffen* sort things out, *in Zimmer:* tidy up

ordnungsgemäß 1. *allg.:* proper, orderly **2.** *sie hat es ordnungsgemäß erledigt* she settled it in accordance with the regulations

ordnungswidrig 1. against the regulations (△ *nur* <u>hinter</u> *dem Verb*) **2.** *Parken, Verhalten:* illegal [ɪˈliːgl] **3.** *sich ordnungswidrig verhalten* act in breach [briːtʃ] of the regulations (*oder* rules)

Ordnungszahl ordinal ['ɔːdɪnl] (number)

ORF Austrian Broadcasting Corporation

Organ *im Körper:* organ ['ɔːgən]

Organbank *für Transplantationen:* organ ['ɔːgən] bank

Organisation organization [ˌɔːgənaɪˈzeɪʃn]

Organisationstalent *er hat* (*oder ist ein*) *Organisationstalent* he's got organizational talent ['tælənt] (△ *ohne* an), he's a great organizer ['ɔːgənaɪzə]

organisatorisch 1. *allg.:* organizational **2.** *organisatorische Fähigkeit(en)* organizational ability [ˌɔːgənaɪˌzeɪʃnəl_əˈbɪlətɪ]

organisch organic

organisieren 1. organize, arrange (*Veranstaltung*) **2.** *etwas organisieren* umg. (≈ *beschaffen*) rustle [△ 'rʌsl] something up

Organismus organism ['ɔːgənɪzm]

Organspender(in) organ donor ['ɔːgənˌdəʊnə]

Organverpflanzung *Operation:* organ transplant ['ɔːgənˌtrænsplɑːnt] (*oder* transplantation)

Orgasmus orgasm ['ɔːgæzm]

Orgel organ ['ɔːgən]

Orgelkonzert organ recital ['ɔːgən_rɪˌsaɪtl]

Orgie orgy [△ 'ɔːdʒɪ]; *Orgien feiern* have* orgies

orientalisch oriental [ˌɔːrɪˈentl]

Orient *im weiteren Sinn:* East, *umg.* Middle East; *der Vordere Orient* the Middle East

orientieren 1. *sich orientieren* in Stadt usw.: find* one's way around **2.** *sich an den Straßennummern orientieren* follow the street numbers

Orientierung 1. orientation **2.** *sie haben im Wald die Orientierung verloren* they lost their bearings (*oder* way) in the forest

Orientierungssinn sense of direction

Original 1. *Bild usw.:* original [əˈrɪdʒnəl] **2.** *sie ist ein Original* Person: she's a real character ['kærəktə], she's quite a character

original: *original Schweizer Käse* genuine ['dʒenjuɪn] Swiss cheese

Originalfassung original [əˈrɪdʒnəl] version; *in der deutschen Originalfassung* in the original German (version)

originalgetreu 1. *eine originalgetreue Nachbildung* a faithful copy **2.** *er hat das Flugzeug originalgetreu nachgebaut* he built an exact replica ['replɪkə] of the plane

originell 1. *Idee, Erfindung usw.:* original [əˈrɪdʒnəl] **2.** (≈ *geistreich*) witty

Orkan hurricane ['hʌrɪkən]

Ort 1. (≈ *Ortschaft*) place, (≈ *Dorf*) auch: village **2.** (≈ *Platz, Stelle*) place **3.** *der Ort der Handlung* (*bzw. des Verbre-*

chens) the scene [siːn] of the action (*bzw.* of the crime) **4. an Ort und Stelle** on the spot

orten locate [ləʊˈkeɪt] (*Flugzeug usw.*)

orthodox orthodox [ˈɔːθədɒks]

Orthografie, Orthographie orthography [ɔːˈθɒɡrəfɪ]

Orthopäde, Orthopädin orthopaedist [ˌɔːθəˈpiːdɪst]

orthopädisch orthop(a)edic [ˌɔːθəˈpiːdɪk]

örtlich 1. *allg.*: local **2. ich bin nur örtlich betäubt worden** I was only given a local anaesthetic [ˌænəsˈθetɪk]

ortsansässig local [ˈləʊkl]

Ortsansässige(r) local resident [ˈrezɪdənt]

Ortschaft 1. place **2.** (≈ *Dorf*) village **3. geschlossene Ortschaft** built-up area

Ortsgespräch *Telefon*: local call

Ortsname place name

Ortsnetz *Telefon*: local exchange network

Ortsschild town sign [saɪn], place-name sign

Ortstarif local rate; **zum Ortstarif** at the local rate, at local rates (*Pl.*)

Ortszeit local time

Ortung *von Schiff usw.*: location

Öse 1. *allg.*: eye **2. am Schuh**: eyelet

Ossi *salopp* Easterner, East German, Ossi

Ost 1. east; **aus Ost** from the east; **München Ost** East Munich **2. nach Ost** east, eastwards [ˈiːstwədz]

ostdeutsch, Ostdeutsche(r) 1. *geografisch*: Eastern German **2.** *politisch*: East German; ☞ **Nationalitäten**

Ostdeutschland 1. *als Landesteil*: Eastern Germany **2.** *politisch*: East Germany

Osten 1. *Himmelsrichtung*: east; **von Osten** from the east; → **fern, mittlere(r, -s) 2.** *Landesteil*: East **3. nach Osten** east, eastwards [ˈiːstwədz], *Verkehr usw.*: eastbound

Osterei Easter egg

Osterglocke daffodil

Osterhase Easter bunny

Ostermontag Easter Monday

Ostern Easter; **an** (*oder* **zu**) **Ostern** at Easter; **frohe Ostern!** Happy Easter!

Österreich Austria [ˈɒstrɪə]

Österreicher Austrian [ˈɒstrɪən]; **er ist Österreicher** he's Austrian, he's from Austria; ☞ **Nationalitäten**

Österreicherin Austrian woman (*oder* lady *bzw.* girl); **sie ist Österreicherin** she's Austrian, she's from Austria; ☞ **Nationalitäten**

österreichisch Austrian [ˈɒstrɪən]

Ostersonntag Easter Sunday

Osteuropa East (*oder* Eastern) Europe [ˈjʊərəp]

Osteuropäer(in) East(ern) European; ☞ **Nationalitäten**

osteuropäisch East(ern) European

östlich 1. *allg.*: eastern (△ *nur vor dem Subst.*) **2.** *Wind, Richtung*: easterly **3. in östlicher Richtung** east, eastwards [ˈiːstwədz], *Verkehr usw.*: eastbound **4. östlich von** (to the) east of **5. weiter östlich** further (to the) east

östlichste(r, -s): der östlichste Punkt von Italien Italy's easternmost point

Ostsee: die Ostsee the Baltic [ˈbɔːltɪk], the Baltic Sea [ˌbɔːltɪkˈsiː]

ostwärts east, eastwards [ˈiːstwədz]

Ostwind east(erly) wind

Otter[1] *die* viper [ˈvaɪpə], adder

Otter[2] *der* (≈ *Fischotter*) otter

out: das ist out *Mode usw.*: that's out

outen out (*prominente Person usw.*)

outsourcen outsource [ˈaʊtsɔːs] (*Arbeiten, Aufträge*)

Ouvertüre *zu Oper*: overture [ˈəʊvətjʊə]

oval, Oval oval [ˈəʊvl]

Ovation ovation [əʊˈveɪʃn]; **jemandem eine stehende Ovation bereiten** give* someone a standing ovation

Overall 1. *normales Kleidungsstück*: jumpsuit [ˈdʒʌmpsuːt] **2.** *als Arbeitshose*: overalls (△ *Pl.*), *AE* overall

Overheadprojektor overhead projector [ˌəʊvəhed_prəˈdʒektə]

oxidieren, oxydieren oxidize [ˈɒksɪdaɪz]

Ozean 1. *allg.*: ocean [ˈəʊʃn] **2. der Stille Ozean** the Pacific [pəˈsɪfɪk]

Ozeandampfer ocean liner

Ozon ozone [ˈəʊzəʊn]

Ozonalarm ozone alert [ˈəʊzəʊn_ˌəˌlɜːt]

Ozonbelastung ozone [ˈəʊzəʊn] level(s *Pl.*); **eine hohe Ozonbelastung** high ozone levels (△ *Pl.*)

ozonhaltig ozonic [əʊˈzɒnɪk]

Ozonloch hole in the ozone [ˈəʊzəʊn] layer, ozone hole

Ozonschicht ozone [ˈəʊzəʊn] layer

Ozonwerte ozone [ˈəʊzəʊn] levels

P

paar 1. *ein paar hundert Leute* a few (*umg.* a couple of) hundred people; *ein paar Äpfel usw.* some [△ sm'æplz] *usw.*, a few (*oder* a couple ['kʌpl] of) apples *usw.*; *die paar Euro wirst du wohl noch ausgeben können* surely you can spare a couple of euros **2.** *alle paar Minuten* every few minutes **3.** *ein paar Mal* a couple ['kʌpl] of times

Paar 1. (≈ *zwei Leute, Tiere oder Dinge*) pair; *ein Paar Socken* a pair of socks **2.** (≈ *Ehepaar, Liebespaar*) couple ['kʌpl] **3.** *ein Paar Frankfurter* Würstchen: two frankfurters **4.** *beim Tanzen*: pair

paaren: *sich paaren Tiere*: mate

Paarlaufen *Eiskunstlauf*: pair skating

paarweise in pairs, in twos

Pacht *Geld*: rent

pachten lease [liːs]

Pächter(in) 1. *allg.*: leaseholder **2.** *eines Bauernhofs*: tenant ['tenənt] (farmer) **3.** *einer Gaststätte*: tenant

Päckchen 1. *zum Verschicken*: parcel ['pɑːsl], *bes. AE auch* package, *kleines*: packet **2.** *ein Päckchen Zigaretten usw.* a packet (*bes. AE* pack) of cigarettes *usw.*

Paarlaufen *Eiskunstlauf*: pair skating

Packeis pack ice

packen¹ 1. pack (*Koffer, Sachen*) **2.** wrap [ræp] up (*Paket usw.*) **3.** *pack es in den Koffer!* pack (*oder* put) it into the suitcase

packen² 1. *jemanden* (*bzw.* *etwas*) *packen* grab (hold of) someone (*bzw.* something) **2.** *der Film hat mich wirklich gepackt* I was totally gripped by the film **3.** *jemanden am Arm packen* grab someone by the arm, grab someone's arm

packen³: *es packen* (≈ *es schaffen*) make* it, do* it; *wir haben es gerade noch gepackt* zeitlich: we just made it (in time)

packen⁴ 1. *packen wirs?* (≈ *sollen wir gehen?*) shall we go?, shall we push off? **2.** *los, packen wirs!* come on, let's go!

Packpapier wrapping ['ræpɪŋ] paper

Packung 1. (≈ *Schachtel*) packet; *eine Packung Zigaretten* a packet (*bes. AE* pack) of cigarettes **2.** *große Packung* large pack **3.** *Kosmetik, Fango usw.*: pack

Packungsbeilage package insert ['pækɪdʒ,ɪnsɜːt], patient information leaflet [,peɪʃnt ˌɪnfə'meɪʃn,liːflət]

Paddel paddle

Paddelboot canoe [kə'nuː]

paddeln paddle

paffen *umg.* (≈ *rauchen*) puff away, smoke

Page 1. *eines Königs usw.*: page [peɪdʒ] **2.** (≈ *Hotelpage*) page (boy), bellboy, *AE* bellhop

Pagenkopf *Frisur*: pageboy cut

Pager *für kurze Textnachrichten*: pager

Paket 1. *zum Verschicken*: parcel, *bes. AE auch* package **2.** (≈ *große Packung*) large pack **3.** *Maßnahmen*: package

Paketbombe parcel bomb

Paketschalter parcel(s) counter

Pakistan Pakistan [,pɑːkɪ'stɑːn]

Pakistani, pakistanisch Pakistani [,pɑːkɪ'stɑːni]; ☞ *Nationalitäten*

Pakt pact; *einen Pakt schließen* make* a deal (*oder* pact) (*mit* with)

Palast palace ['pæləs]

Palästinenser Palestinian [,pælə'stɪnɪən]; *er ist Palästinenser* he's (a) Palestinian; ☞ *Nationalitäten*

Palästinenserin Palestinian woman (*oder* lady *bzw.* girl); *sie ist Palästinenserin* she's (a) Palestinian; ☞ *Nationalitäten*

palästinensisch Palestinian [,pælə'stɪnɪən], *nur vor Subst.*: Palestine ['pæləstaɪn]

Palatschinke ⓐ; *mst. Pl.*: filled pancake

paletti: (*es ist*) *alles paletti* *umg.* everything's just fine (*bes. AE* hunky dory)

Palme 1. *Baum*: palm [△ pɑːm] (tree) **2.** *das bringt mich auf die Palme* it drives me mad

Palmtop *Computer*: palmtop [△ 'pɑːmtɒp]

Pampe *umg., abwertend* stodge

Pampelmuse grapefruit

pampig 1. (≈ *frech*) shirty, stroppy, *AE* fresh **2.** (≈ *breiig*) mushy ['mʌʃi], *BE auch* stodgy ['stɒdʒi]

päng bang!, pow! [paʊ]

paniert *Schnitzel usw.*: breaded ['bredɪd]

Panik 1. panic **2.** *in Panik geraten* start panicking **3.** *keine Panik!* don't panic!

Panikmache 1. scaremongering ['skeə,mʌŋgərɪŋ] **2.** *das ist die reinste Panikmache!* that's just scare tactics

panisch: *er hat (eine) panische Angst vor großen Hunden* he's terrified of big dogs

Panne 1. *technische*: breakdown; *wir haben eine Panne gehabt* mit dem Auto:

our car broke down **2.** (≈ *Reifenpanne*) puncture (*auch bei Fahrrad*), flat tyre, *bes. AE* flat **3.** (≈ *Problem*) hitch

Pannendienst *für Autos*: breakdown service

Panorama panorama [ˌpænəˈrɑːmə]

panschen water down, adulterate [əˈdʌltəreɪt] (*Wein usw.*)

Panter, Panther panther [△ ˈpænθə]

Pantoffel 1. *Schuh*: slipper **2. er steht unter dem Pantoffel** he's a henpecked husband

Pantomime *Theater*: mime, *AE auch* pantomime [ˈpæntəmaɪm]

pantschen water down, adulterate [əˈdʌltəreɪt] (*Wein usw.*)

Panzer 1. *Kettenfahrzeug*: tank **2.** (≈ *Panzerung*) armour [ˈɑːmə] (plating) **3.** *von Schildkröte, Krabbe usw.*: shell

Panzerglas bulletproof [ˈbʊlɪtpruːf] glass

Panzerschrank safe

Papa dad, daddy, *AE auch* pa [pɑː] (△ *als Anrede mit Großschreibung*: Dad *usw.*)

Papagei parrot [ˈpærət]

Papaya *Frucht*: papaya [pəˈpaɪə]

Papier 1. *allg.*: paper **2. Papiere** (≈ *Ausweispapiere*) papers **3. Papiere** (≈ *Urkunden*) papers, documents

Papierkorb wastepaper basket, *AE auch* wastebasket

Papierkram *umg.* (annoying) paperwork

Papiertaschentuch paper tissue [ˈtɪʃuː]

Pappbecher paper cup

Pappdeckel pasteboard

Pappe cardboard

Pappel poplar [ˈpɒplə]

pappen 1. etwas auf etwas pappen stick* something to (*oder* onto) something **2. der Schnee** *usw.* **pappt** the snow *usw.* is sticking

Pappenstiel: das ist kein Pappenstiel it's not chickenfeed

pappig sticky

Pappkarton cardboard box, *kleiner*: carton [ˈkɑːtn]

Pappnase false nose [ˌfɔːlsˈnəʊz]

Pappteller paper plate

Paprika 1. (≈ *Paprikaschote*) (sweet) pepper **2.** *Pulver*: paprika [ˈpæprɪkə]

Paprikaschote (sweet) pepper

Papst pope

päpstlich papal [ˈpeɪpl]

Parabel *Mathematik*: parabola

Parabolantenne parabolic aerial [pærəˌbɒlɪkˈeərɪəl] (*bes. AE* antenna), satellite [ˈsætəlaɪt] dish, *umg.* dish

Parade 1. *Militär usw.*: parade [pəˈreɪd] **2.** *von Torhüter*: save **3.** *Fechten usw.*: parry

Paradeiser Ⓐ tomato *Pl.*: tomatoes

Paradies 1. *allg.*: paradise [ˈpærədaɪs] **2.**

das Paradies auf Erden heaven on earth

paradiesisch 1. paradisiac(al) [ˌpærəˈdɪzɪæk (ˌpærədɪˈsaɪækl)], heavenly **2. hier ist es paradiesisch schön** it's like paradise [ˈpærədaɪs] here

paradox paradoxical

Paragraph *Vertrag usw.*: article [ˈɑːtɪkl], section

parallel 1. parallel [ˈpærəlel] (**zu** to, with) **2. die Bahnlinie läuft parallel zur Straße** the railway runs parallel to the road

Parallele parallel [ˈpærəlel]

Parasit parasite [ˈpærəsaɪt] (*auch übertragen*: *Mensch*)

Pärchen couple [ˈkʌpl]

Parfüm perfume [ˈpɜːfjuːm]

parfümieren 1. sich parfümieren put* (some) perfume on **2. eine parfümierte Seife** a piece of scented [ˈsentɪd] soap

parieren[1] (≈ *gehorchen*) knuckle [ˈnʌkl] under, do* what one is told

parieren[2] (≈ *abwehren*) parry (*Schlag, Stoß, auch Frage usw.*)

Paris Paris [ˈpærɪs]

Pariser *umg.* (≈ *Kondom*) rubber

Pariser(in) *Person*: Parisian [pəˈrɪzɪən]

Park park

Park-and-ride-System park-and-ride; **das Park-and-ride-System** park-and-ride (△ *ohne* the)

Parkbank park bench

parken 1. park (*Auto usw.*) **2. Parken verboten!** no parking

Parkett 1. *Fußboden*: parquet [△ ˈpɑːkeɪ] floor **2.** (≈ *Tanzparkett*) dance floor **3.** *im Theater usw.*: stalls (△ *Pl.*), *AE* orchestra [ˈɔːkɪstrə], parquet [△ pɑːˈkeɪ]

Parkett

Wenn man in Großbritannien Theaterkarten kauft, hat man die Wahl zwischen folgenden Kategorien:

Parkett	stalls
1. Rang	dress circle
2. Rang	upper circle
oberster Rang	balcony [ˈbælkənɪ]
Loge	box

Parkhaus multi-storey car park, *AE* parking garage [ˈgærɑːʒ]

Parkkralle wheel clamp

Parklücke parking space

Parkplatz 1. *größerer*: car park, *AE* parking lot **2.** (≈ *freier Platz zum Parken eines Autos usw.*) parking space

Parkscheibe parking disc (*AE* disk)

Parksünder(in) parking offender

P

Parkuhr parking metre
Parkverbot 1. *hier ist Parkverbot* there's no parking here **2. *mein Wagen steht im Parkverbot*** my car's on a double yellow line, *AE* I parked my car in a no-parking zone
Parlament parliament ['pɑːləmənt] (⚠ *Schreibung mit* i, *Aussprache ohne*)
Parole 1. (≈ *Motto*) motto **2.** *beim Militär*: password
Partei 1. *politisch, vor Gericht, bei Vertragsabschluss*: party **2.** *bei Debatte, Streitgespräch*: side; ***für jemanden Partei ergreifen*** side with someone **3.** (≈ *Mietpartei*) tenant ['tenənt], *bei mehreren Personen pro Wohnung*: tenants (*Pl.*), party; ***hier wohnen acht Parteien*** there are eight (different) tenants living in this house
Parteifreund(in) fellow party member
parteiisch partial, biased ['baɪəst]
parteilos independent
Parteimitglied party member
Parterre *eines Gebäudes*: ground floor, *AE* first floor; *im Parterre* → *parterre*
parterre on the ground floor (*AE* first floor)
Partikel particle ['pɑːtɪkl]
Partisan(in) partisan [ˌpɑːtɪˈzæn]
Partitur *Musik*: score
Partizip participle ['pɑːtɪsɪpl]; ***Partizip Präsens*** present ['preznt] participle; ***Partizip Perfekt*** past participle
Partner(in) partner
Partnerlook matching clothes [kləʊ(ð)z] (⚠ *Pl.*); ***sie tragen Partnerlook*** they're wearing matching clothes
Partnerschaft partnership
Partnerstadt 1. twin town, *AE* sister city **2. *Glasgow ist die Partnerstadt von Nürnberg*** Glasgow is twinned with Nuremberg
Party party; ***auf eine Party gehen*** go* to a party
Partyraum party room
Partyservice catering ['keɪtərɪŋ] service
Partyzelt party tent, *bes. BE* marquee [mɑːˈkiː]
Pass¹ (≈ *Reisepass*) passport ['pɑːspɔːt]
Pass² (≈ *Gebirgspass*) pass [pɑːs]
Pass³ 1. *bei Ballspielen*: pass [pɑːs] **2. *ein langer Pass*** a long ball
passabel 1. *das Hotel war ganz passabel* the hotel wasn't too bad **2. *sie hat es ganz passabel gemacht*** she did a reasonably good job of it
Passage 1. (≈ *Einkaufspassage*) shopping arcade [ɑːˈkeɪd] **2.** (≈ *Durchgang*) passageway ['pæsɪdʒweɪ]
Passagier(in) 1. *allg.*: passenger ['pæ-

sɪndʒə] **2. *blinder Passagier*** stowaway ['stəʊəweɪ]
Passant(in) passerby [ˌpɑːsəˈbaɪ] *Pl.*: passersby
Passat(wind) trade wind
Passbild passport photo(graph)
passen 1. *größenmäßig*: fit; ***es passt genau*** it fits perfectly; ***zu*** (*bzw. auf, für*) ***etwas passen*** fit something **2. *die Hose passt gut zu dir*** the trousers suit [suːt] you, *AE mst.* the trousers look good on you **3.** *farblich, im Stil usw.*: match, go* with; ***die Krawatte passt nicht zur Jacke*** the tie doesn't go with the jacket **4. *der Schlüssel passt nicht*** the key doesn't fit **5. *der Schrank passt nicht ins Zimmer*** (≈ *ist zu groß*) the cupboard won't fit into the room, (≈ *sieht nicht gut aus*) the cupboard doesn't look right in this room **6. *seine Frage hat überhaupt nicht gepasst*** his question was totally out of place **7. *das passt zu ihr*** *Verhalten, Reaktion usw.*: that's just like her **8. *passt (es) dir morgen Abend?*** does tomorrow evening suit you?; ***das passt mir gut*** that suits me fine **9. *das passt ihrem Vater überhaupt nicht*** her father doesn't like it at all; ***das könnte dir so passen!*** you'd like that, wouldn't you? **10. *zueinander passen*** → *zueinanderpassen*
passend 1. *Bemerkung*: apt, fitting **2.** *Worte, Moment*: right **3.** *Frau usw.*: suitable ['suːtəbl] **4. *haben Sies nicht passend?*** *Geld*: have you got the right change at all?
passieren 1. *was ist passiert?* what's happened? **2. *das kann jedem mal passieren*** it happens to the best of us **3. *mir ist nichts passiert*** I'm fine **4. *hör bloß auf (damit), sonst passiert was!*** just stop it, or else!
Passierschein pass [pɑːs], permit ['pɜːmɪt]
passiv 1. *allg.*: passive ['pæsɪv] **2. *sich passiv verhalten*** remain passive
Passiv *Grammatik*: passive, passive voice
Passivrauchen passive smoking, second-hand smoking
Passkontrolle 1. *Stelle*: passport ['pɑːspɔːt] control; ***durch die Passkontrolle gehen*** go* through passport control (⚠ *ohne* the) **2.** *das Kontrollieren*: passport check
Passwort *Computer usw.*: password
Paste paste
Pastellfarbe pastel [⚠ 'pæstl] colour (*oder* shade)
Pastellstift crayon ['kreɪən]
Pastete 1. *aus Teig, gefüllt*: pie **2.** *aus fein

geriebenem Fleisch usw.: pâté [△ 'pæteɪ]
pasteurisieren pasteurize ['pɑːstʃəraɪz]
(*Milch usw.*)
Pastor(in) pastor ['pɑːstə], minister ['mɪnɪstə], *anglikanische Kirche*: vicar ['vɪkə]
Pate godfather ['gɒd,fɑːðə]
Patenkind godchild ['gɒd͡tʃaɪld]
Patenonkel godfather ['gɒd,fɑːðə]
Patenschaft 1. *finanzielle, auch für Kind*: sponsorship **2. die Patenschaft für ein Kind übernehmen** sponsor a child
Patent 1. *für Erfindung*: patent ['peɪtnt, 'pætnt]; **etwas zum Patent anmelden** apply for a patent on something **2.** *für Kapitän, Offizierslaufbahn usw.*: commission
Patentante godmother ['gɒd,mʌðə]
patentieren: (sich) etwas patentieren lassen take* a patent out on something
Patentlösung ready-made solution
Pater father; **Pater Paul** Father Paul
Patient(in) patient ['peɪʃnt]
Patin godmother ['gɒd,mʌðə]
Patriot(in) patriot [△ 'pætrɪət]
patriotisch 1. patriotic [,pætrɪ'ɒtɪk] **2. patriotisch gesinnt** patriotic
Patrone cartridge (*auch für Film*)
Patronenhülse cartridge case
Patsche: sie sitzt ganz schön in der Patsche she's in a real mess
patschnass 1. *Person usw.*: soaked to the skin, drenched [drentʃt] **2.** *Kleidungsstück usw.*: soaking (wet), drenched
Patt *Schach*: stalemate ['steɪlmeɪt] (*auch übertragen, politisch*), *übertragen auch* deadlock ['dedlɒk]
patzen fluff it, *BE auch* make* a boob
Patzer boob, *AE* blooper
patzig (≈ *frech*) snotty
Pauke kettledrum *Pl. auch*: timpani ['tɪmpəni]
pauken 1. *für Schule*: cram, *BE auch* swot, *AE auch* grind* **2. Englisch usw. pauken** swot up on one's English *usw.*
Pauker(in) 1. *Musik*: drummer **2.** *umg.* (≈ *Lehrer*) teacher
pausbackig, pausbäckig chubby-cheeked
Pauschale 1. (≈ *Einmalzahlung*) lump sum **2.** (≈ *Pauschalgebühr*) flat rate **3.** *in Hotel usw.*: all-inclusive price
Pauschalreise package tour
Pause 1. *allg.*: break [breɪk]; **in der Pause** *Schule*: during break (△ *mst. ohne* the); **eine Pause machen** take* (*oder* have*) a break **2.** *Theater, Sport*: interval ['ɪntəvl], *AE* intermission **3.** *beim Reden usw.*: pause [pɔːz]; **eine Pause machen** pause (for a moment) **4.** *Musik*: rest
pausenlos 1. pausenlos auf jemanden

einreden keep* on and on at someone **2. pausenlos arbeiten** work nonstop
pausieren 1. take* a break **2. pausieren müssen** *Sport*: be* out of action, be* laid up
Pavian baboon [bə'buːn]
Pavillon pavilion [pə'vɪlɪən] (*auch Messepavillon*)
Pay-TV pay TV
Pazifik: der Pazifik the Pacific [pə'sɪfɪk] (Ocean)
pazifisch Pacific [pə'sɪfɪk]; **der Pazifische Ozean** the Pacific (Ocean)
Pazifist(in), pazifistisch pacifist ['pæsɪfɪst]
PC PC [,piː'siː] (*Abk. für* **p**ersonal **c**omputer)
PC-Arbeitsplatz computer workplace
Pech¹ (≈ *Missgeschick*) bad luck; **Pech gehabt!** bad luck; **sie hat Pech gehabt** she was unlucky (**mit, bei** with); **so ein Pech!** that's too bad
Pech² *schwarze Masse*: pitch
pechschwarz 1. *Haare*: jet-black **2.** *Nacht*: pitch-dark
Pechsträhne run (*oder* streak [striːk]) of bad luck
Pechvogel unlucky person; **sie** (*bzw.* **er**) **ist ein richtiger Pechvogel** some people are just born unlucky
Pedal pedal ['pedl] (*auch eines Klaviers*)
pedantisch pedantic [pɪ'dæntɪk]
Pegel 1. *allg., auch von Lärm usw.*: level **2.** (≈ *Wasserstand*) water level **3.** (≈ *Wasserstandsmesser*) water gauge [△ geɪdʒ]
Pegelstand *von Wasser*: water level
peilen: die Lage peilen see* how the land lies
peinlich 1. (≈ *unangenehm*) embarrassing, *Situation, Fragen auch*: awkward ['ɔːkwəd] **2. es war mir sehr peinlich** I was (*oder* felt) really embarrassed **3. peinlich genau** very exact (**bei** about)
Peinlichkeit 1. *allg.*: awkwardness ['ɔːkwədnəs] **2.** *bestimmte Situation, Handlung*: awkward situation (*oder* remark *usw.*)
Peitsche whip
Pelikan pelican ['pelɪkən]
Pelle 1. *von Kartoffeln, Orangen, Zitronen, Äpfeln, bes. abgeschält*: peel, *ungeschält auch*: skin **2.** *von Tomaten, Bananen, Zwiebeln und bei den meisten Früchten mit sehr dünner Haut*: skin (*auch von Wurst*) **3. jemandem auf die Pelle rücken** hassle someone
pellen 1. peel (*bes. Kartoffeln, Apfel, Ei*) **2.** skin (*bes. Tomaten*) **3. sich pellen** (*Haut, Rücken usw.*) peel
Pellkartoffeln *Pl.* potatoes [pə'teɪtəuz]

boiled in their skins

Pelz 1. fur [fɜː] **2.** *unbearbeitet*: skin

pelzig 1. *allg.*: furry ['fɜːrɪ] **2.** *Zunge*: furred, *AE* coated

Pelzmantel fur coat [ˌfɜːˈkəʊt]

Pelzmütze fur cap, fur hat

Pelztier fur-bearing animal ['fɜːˌbeərɪŋ ˈænɪml], *umg.* furry animal

Penalty Ⓐ, Ⓝ (≈ *Strafstoß, Elfmeter*) penalty ['penltɪ] (kick)

Pendel pendulum ['pendjʊləm]

pendeln 1. (≈ *langsam hin und her schwingen*) swing* to and fro [frəʊ] **2.** *zwischen Wohnung und Arbeitsplatz*: commute [kəˈmjuːt] (*zwischen X und Y* from X to Y)

Pendler(in) commuter [kəˈmjuːtə]

peng: *peng!* bang!, pow! [paʊ]

penibel *Mensch*: fussy

Penis penis ['piːnɪs] *Pl.*: penises ['piːnɪsɪz]

Penizillin penicillin [ˌpenəˈsɪlɪn]

pennen *umg.* (≈ *schlafen*) kip, have* a kip

Penner(in) 1. (≈ *obdachlose Person*) tramp, dosser, *AE* hobo, bum **2.** *umg.* (≈ *träger Mensch*) dreamer

Pension[1] (≈ *Gästehaus*) boarding house

Pension[2] **1.** (≈ *Ruhegehalt für ehemalige Beamte*) pension ['penʃn] **2.** *in Pension gehen* retire; *in Pension sein* be* retired

Pensionär(in) pensioner ['penʃnə]

pensionieren 1. *sich pensionieren lassen* *vorzeitig*: take* early retirement **2.** *er wurde mit 57 pensioniert* he was pensioned off at 57

pensioniert retired [rɪˈtaɪəd], *nachgestellt*: in retirement

Pensionierung retirement

Pensum quota; *schaffst du dein Pensum?* are you managing your (daily) quota?

Peperoni chilli *Pl.*: chillies (△ *engl.* pepperoni = *Paprikasalami*)

per 1. by; *per Bahn* by train, by rail **2.** *per Luftpost* airmail **3.** *sie sind per du* they're on first-name terms (with each other)

perfekt 1. *allg.*: perfect ['pɜːfɪkt] **2.** *sie spricht perfekt Englisch* she speaks perfect English

Perfekt *Grammatik*: present perfect [ˌpreznt'pɜːfɪkt]

Perfektionist(in) perfectionist [pəˈfekʃənɪst]

Pergamentpapier greaseproof paper

Periode period ['pɪərɪəd] (*auch einer Frau*)

Peripherie 1. *von Stadt*: outskirts (△ *Pl.*)

2. *Computer*: peripherals [pəˈrɪfrəlz] (△ *Pl.*)

Periskop *U-Boot*: periscope ['perɪskəʊp]

Perle 1. *echte*: pearl [pɜːl] (*auch übertragen*) **2.** *aus Glas, Holz usw.*: bead [biːd]

Perlenkette pearl necklace [ˌpɜːlˈnekləs]

Perlmutt mother-of-pearl

Perser 1. (≈ *Bewohner Persiens*) Persian ['pɜːʃn]; *er ist Perser* he's Persian; ☞ *Nationalitäten* **2.** *Teppich*: Persian carpet

persisch, Persisch Persian ['pɜːʃn]

Person 1. *allg.*: person ['pɜːsn] **2.** *zwei usw. Personen* two *usw.* people **3.** *in Theaterstück usw.*: character ['kærəktə] **4.** *ich möchte einen Tisch für drei Personen reservieren lassen* I'd like to book a table for three **5.** *wir sind vier Personen* there are four of us

Personal 1. staff [stɑːf] (△ *mst. mit Pl.*); *das Personal war sehr freundlich* the staff <u>were</u> (*AE* <u>was</u>) very nice **2.** *in größeren Firmen*: personnel [ˌpɜːsəˈnel] **3.** *sie haben viel zu wenig* (*bzw.* *zu viel*) *Personal* they're totally understaffed (*bzw.* overstaffed)

Personalabbau staff cuts (△ *Pl.*)

Personalausweis identity card, ID [ˌaɪˈdiː] (card)

Personalien *Pl.* particulars [pəˈtɪkjʊləz], personal data ['pɜːsnəlˌdeɪtə] (*Pl.*)

Personalpronomen personal pronoun [ˌpɜːsnəlˈprəʊnaʊn]

Personenzug ↔ *Güterzug*: passenger train

persönlich 1. *allg.*: personal ['pɜːsnəl] **2.** *nimm das bitte nicht persönlich* please don't take it personally

Persönlichkeit personality

Peru Peru [pəˈruː]

Peruaner(in), peruanisch Peruvian [pəˈruːvɪən]; ☞ *Nationalitäten*

Perücke wig; *sie trägt eine Perücke* *momentan*: she's wearing a wig, *immer*: she wears a wig

pervers 1. *Verhalten, Idee*: perverse [pəˈvɜːs] **2.** *sexuell*: perverted, *umg.* kinky

Pessimist(in) pessimist ['pesɪmɪst]

pessimistisch pessimistic

Pest: *die Pest* the plague [pleɪɡ] (△ *engl.* pest = *Schädling, Quälgeist*)

Petersilie parsley ['pɑːslɪ]

Petroleum paraffin ['pærəfɪn], *AE* kerosene ['kerəsiːn] (△ *engl.* petroleum = *Erdöl*)

Petroleumlampe paraffin ['pærəfɪn] (*bes. AE* kerosene ['kerəsiːn]) lamp

petzen tell* tales, *AE* tattle; *er petzt immer alles dem Lehrer* he's always telling things to the teacher, *AE* he's always tattling to the teacher

Pfad path (*auch Computer*), track
Pfadfinder boy scout
Pfadfinderin girl guide, *AE* girl scout
Pfahl 1. *allg.:* stake **2.** (≈ *Pfosten*) post **3.** *von Pfahlbauten, einer Brücke:* pile
Pfahlbau pile dwelling (*oder* structure)
Pfalz: *die Pfalz* the Palatinate [pə-ˈlætɪnət]
Pfand 1. *für Flasche:* deposit [dɪˈpɒzɪt]; ***ist auf die Flasche Pfand drauf?*** is there a deposit on the bottle? **2.** *als Sicherheit für Ausgeliehenes:* security
pfänden seize [△ siːz] (*Möbel usw.*)
Pfandflasche deposit [dɪˈpɒzɪt] (*oder* returnable) bottle
Pfanne 1. *zum Braten:* (frying) pan, *AE* skillet **2. *jemanden in die Pfanne hauen*** (≈ *absichtlich Schaden zufügen*) give* someone hell, (≈ *vernichtend kritisieren*) tear* [teə] someone to shreds
Pfannkuchen pancake
Pfarrei (≈ *Pfarrbezirk*) parish [ˈpærɪʃ]
Pfarrer 1. *katholisch, evangelisch:* (parish) priest **2.** *anglikanisch:* vicar [△ ˈvɪkə] **3.** *andere Kirchen und AE:* minister [△ ˈmɪnɪstə]
Pfarrerin 1. *evangelisch:* (woman) parish priest **2.** *anglikanisch:* (woman) vicar **3.** *andere Kirchen und AE:* (woman) minister
Pfarrhaus 1. *katholisch:* presbytery [ˈprezbɪtrɪ] **2.** *bes. anglikanisch:* rectory, vicarage [△ ˈvɪkərɪdʒ] **3.** *in Schottland:* manse **4.** *andere Kirchen in USA:* parsonage
Pfarrkirche parish church
Pfau peacock
Pfeffer pepper
Pfefferminze peppermint [ˈpepəmɪnt]
Pfefferminztee (pepper)mint tea
pfeffern pepper, put pepper in (*bzw.* on)
Pfeife 1. *zum Rauchen:* pipe **2.** (≈ *Trillerpfeife*) whistle [△ ˈwɪsl] **3.** *Orgel:* pipe **4.** *umg.* (≈ *Versager, -in*) dead loss
pfeifen 1. *allg.:* whistle [△ ˈwɪsl] (*auch Lied*) **2.** *ein Spiel als Schiedsrichter:* referee [ˌrefəˈriː]; ***wer pfeift das Spiel?*** who's refereeing? **3. *der Schiedsrichter hat gepfiffen*** the referee has blown the whistle **4.** *Wendungen:* ***ich pfeif drauf!*** I don't give a damn [dæm]; ***ich pfeif aufs Geld!*** to hell with the money
Pfeifenraucher(in) pipe smoker
Pfeil 1. *allg.:* arrow **2. *Pfeil und Bogen*** bow [bəʊ] and arrow (△ *Wortstellung*)
Pfeiler 1. (≈ *Säule*) pillar (*auch übertragen*) **2.** *einer Brücke:* pier [△ pɪə]
pfeilförmig V-shaped [ˈviː_ʃeɪpt], arrow-shaped [ˈærəʊ_ʃeɪpt]

Pfennig 1. *historisch, Münze:* pfennig **2. *sie müssen jeden Pfennig umdrehen*** *umg., übertragen* they have to count every penny **3. *bis auf den letzten Pfennig*** *umg., übertragen* down to the last penny
Pfennigabsatz *an Schuh:* stiletto heel [stɪˌletəʊˈhiːl]
Pferch pen, fold
pferchen: *dreißig Leute in ein Zimmer pferchen* cram thirty people into a room
Pferd 1. horse (*auch Turngerät*) **2. *auf ein Pferd steigen*** mount a horse; ***vom Pferd steigen*** dismount **3. *da bringen mich keine zehn Pferde hin*** wild horses couldn't drag me there
Pferdeäpfel horse droppings
Pferderennbahn racecourse [ˈreɪskɔːs], racetrack
Pferderennen 1. *einzelnes:* horserace **2. *sie liebt Pferderennen*** she loves horseracing
Pferdeschwanz *Frisur:* ponytail
Pferdestall stable
Pferdestärke horsepower (*Abk.* HP, hp), brake horsepower (*Abk.* bhp)
Pferdezucht 1. (≈ *Aufzucht*) horse breeding **2.** (≈ *Gestüt*) stud (farm)
Pfiff 1. *wörtlich* whistle [△ ˈwɪsl] **2. *es gab viele Pfiffe*** there was a lot of whistling **3. *ein Mantel mit Pfiff*** a very stylish coat
Pfifferling *Pilz:* chanterelle [△ ˌʃɒntəˈrel]
pfiffig smart
Pfingsten 1. Whitsun [ˈwɪtsn], *AE* Pentecost [ˈpentɪkɒst]; ***zu*** (*oder* ***an***) ***Pfingsten*** at Whitsun, *AE* at Pentecost **2.** *als kirchlicher Feiertag:* Pentecost
Pfingstmontag Whit Monday
Pfingstsonntag 1. Whit Sunday, *AE* Pentecost [ˈpentɪkɒst] **2.** *als kirchlicher Feiertag:* Pentecost
Pfirsich peach
Pflanz Ⓐ (≈ *Schwindel*) cheat, fake
Pflanze plant
pflanzen 1. plant (*Baum, Salat usw.*) **2.** *Blumen usw.* ***in Töpfe pflanzen*** pot flowers *usw.* **3. *jemanden pflanzen*** Ⓐ (≈ *auf den Arm nehmen*) take* the mickey out of someone, *AE* put someone on
Pflanzenfett vegetable fat [ˌvedʒtəblˈfæt]
Pflanzenfresser *Tier:* herbivore [ˈhɜːbɪvɔː]
Pflanzenkunde botany [ˈbɒtənɪ]
Pflanzenschutzmittel pesticide [ˈpestɪsaɪd]
pflanzlich *Fette, Öle usw.:* vegetable [ˈvedʒtəbl] (△ *nur vor dem Subst.*)
Pflaster[1] *für Wunden:* plaster [ˈplɑːstə], *AE* Band-Aid®

P

Pflaster² 1. (≈ *Straßenpflaster*) road surface, *AE* pavement 2. *auf Bürgersteig usw.*: pavement 3. *Venedig ist ein teures Pflaster* Venice ['venɪs] is an expensive place

pflastern 1. *mit durchgehender Decke*: surface ['sɜːfɪs] 2. *mit einzelnen Platten oder Kopfsteinen*: pave

Pflasterstein paving stone

Pflaume 1. *allg.*: plum 2. *gedörrte*: prune 3. *umg.* (≈ *Dummkopf, Versager, -in*) twit

Pflaumenbaum plum tree

Pflaumenmus plum jam

Pflege 1. *der Haut usw.*: care 2. *von Kranken*: nursing care 3. *eines Kindes*: care 4. *eines Autos, von Maschinen usw.*: maintenance ['meɪntənəns] 5. **Haustiere brauchen viel Pflege** pets need a lot of care and attention

pflegebedürftig in need of (*oder* needing) care (△ *immer hinter dem Subst.*)

Pflegeeltern foster parents

Pflegefall person in need of permanent ['pɜːmənənt] care, invalid ['ɪnvəliːd]; *ein Pflegefall sein* need permanent care; *zum Pflegefall werden* end up needing permanent care, become* an invalid

Pflegeheim nursing home

pflegeleicht 1. *Kleidung*: easy-care (△ *immer vor dem Subst.*) 2. *er ist sehr pflegeleicht* übertragen, *umg.* he's easy to get along with

pflegen 1. *jemanden pflegen* look after someone (*auch Kind*), nurse someone (*Kranken usw.*) 2. take* care of (*Fingernägel, Gesicht usw.*) 3. cultivate (*Beziehungen usw.*) 4. *er pflegt sich nicht besonders* he doesn't bother ['bɒðə] much about his appearance

Pfleger(in) 1. (≈ *Krankenpfleger, -in*) orderly, *staatlich geprüft*; *Frau*: nurse, *Mann*: male nurse 2. (≈ *Tierpfleger, -in*) keeper

Pflegeversicherung long-term care insurance [ɪn'ʃʊərəns]

Pflicht 1. (≈ *Verpflichtung*) duty; *die Pflicht ruft* duty calls (△ *ohne* the) 2. *Sport* ↔ *Kür*: compulsory exercises (△ *Pl.*)

pflichtbewusst conscientious [ˌkɒnʃɪ-'enʃəs]

Pflichtbewusstsein sense of duty

Pflichtfach *in Schule*: compulsory subject

Pflock 1. (≈ *Pfahl*) post, stake 2. (≈ *Zeltpflock*) peg

pflücken pick (*Blumen, Obst usw.*)

Pflug plough [plaʊ], *AE* plow [plaʊ]

pflügen plough [plaʊ], *AE* plow [plaʊ]

Pforte 1. (≈ *Eingang*) entrance ['entrəns]

2. (≈ *Tür*) door

Pförtner(in) 1. doorkeeper, *bes. BE auch* porter 2. *eines Fabriktors usw.*: gatekeeper

Pfosten 1. *allg.*: post (*auch von Tor bei Ballspielen*) 2. *schmaler*: pole

Pfote 1. *Hund usw.*: paw 2. *humorvoll oder abwertend* (≈ *Hand*) mitt, paw; *Pfoten weg!* hands off!, get your dirty mitts off!

Pfropf 1. *in Blutader*: clot 2. *aus Watte*: plug

Pfropfen 1. *auf Flasche*: stopper, cork 2. (≈ *Stöpsel, Wattepfropfen usw.*) plug

pfui 1. *pfui! weil man sich ekelt*: ugh! [ɜːə]; *pfui Teufel!* ugh!, *entrüstet*: that's disgusting! 2. *pfui! zu Hund, Kind*: no! 3. *im Sport usw.*: boo! [buː]

Pfund¹ *Gewicht*: pound (*Abk.* lb *Pl.*: lbs); *drei Pfund Kirschen* three pounds of cherries; *ein halbes Pfund Butter* half a pound of butter (△ *Wortstellung*)

Pfund² *Geld*: pound (*Abk.* £); *zwei Pfund zehn* £2.10 (*gesprochen* two pounds ten)

Pfund

Das Pfundzeichen erscheint im Englischen immer vor der Zahl, und zwar ohne Zwischenraum: **£5, £344** *usw.*

Pfusch Ⓐ (≈ *Schwarzarbeit*) illicit [ɪ'lɪsɪt] work, *umg.* moonlighting

pfuschen 1. *er hat gepfuscht* (≈ *schlecht gearbeitet*) he bungled it, *salopp* he cocked it up, *AE umg.* he messed it up 2. Ⓐ *umg.* (≈ *schwarzarbeiten*) moonlight

Pfuscher(in) *umg.* bungler

Pfuscherei *umg.* 1. *Vorgehensweise*: bungling 2. *Ergebnis*: bad job, *umg.* botch-up

Pfütze puddle

Phantasie *usw.* → **Fantasie** *usw.*

phantastisch → **fantastisch**

Pharmaindustrie pharmaceutical industry [ˌfɑːməˌsjuːtɪkl'ɪndəstrɪ]

Phase 1. phase (*auch des Mondes, in Stromleitung*); *in dieser Phase* during this phase 2. *einer Entwicklung, eines Vorgangs*: stage; *in dieser Phase* at this stage

Philippinen: *die Philippinen* the Philippines ['fɪlɪpiːnz]

Philippiner(in) Filipino [ˌfɪlɪ'piːnəʊ]; *sie ist Philippinerin* she's a Filipino; ☞ *Nationalitäten*

philippinisch Philippine ['fɪlɪpiːn], *bes. bei Menschen*: Filipino [ˌfɪlɪ'piːnəʊ]

Philologe, Philologin language and literature teacher (*bzw.* student *bzw.* expert)

Philosoph philosopher [fɪˈlɒsəfə]

Philosophie philosophy [fɪˈlɒsəfɪ]

Philosophin philosopher [fɪˈlɒsəfə]

philosophisch philosophical [ˌfɪləˈsɒfɪkl]

pH-neutral   pH-balanced   [ˌpiːˈeɪtʃˌbælənst]

Phosphat phosphate [ˈfɒsfeɪt]

phosphatfrei phosphate-free

Phosphor phosphorus [ˈfɒsfərəs]

Photo *usw.* → **Foto** *usw.*

Phrase 1. *allg.*: phrase **2.** *abgedroschene*: cliché [ˈkliːʃeɪ] **3.** *leere Phrasen* claptrap (△ *Sg.*)

pH-Wert pH factor [ˌpiːˈeɪtʃˌfæktə], pH value

Physik physics [ˈfɪzɪks] (△ *mit Sg.*); *Physik ist mein Lieblingsfach* physics is my favourite subject

physikalisch 1. *Vorgang usw.*: physical **2.** *physikalische Therapie* physiotherapy, *AE* physical therapy **3.** *physikalisches Institut* department of physics

Physiker(in) physicist [ˈfɪzɪsɪst] (△ *engl.* physician = *Arzt*)

physisch (≈ *körperlich*) physical

Pianist(in) pianist [ˈpiːənɪst]

Piano 1. *Klavier*: piano [pɪˈænəʊ] **2.** (≈ *leise Stelle in Musikstück*) piano [ˈpjɑːnəʊ]

picheln 1. booze **2.** *wir haben ganz schön gepichelt* we had a bit of a booze-up

Pick ⒶⒶ (≈ *Klebstoff*) glue [gluː]

Pickel¹ (≈ *Pustel*) pimple

Pickel² 1. (≈ *Spitzhacke*) pickaxe, pick, *AE* pickax, pick **2.** (≈ *Eispickel*) ice pick

pickelig *Gesicht usw.*: spotty, pimply

picken 1. (*Vogel*) peck **2.** *etwas aus etwas picken* pick something out of something **3.** ⒶⒶ (≈ *haften*) stick* **4.** *etwas auf etwas picken* ⒶⒶ stick something on something

Pickerl ⒶⒶ (≈ *Aufkleber*) sticker

Picknick picnic; *ein Picknick machen* have* (*oder* go* for) a picnic

picobello 1. perfect [ˈpɜːfɪkt] **2.** *es war alles picobello aufgeräumt* everything was perfectly neat and tidy

Piefke ⒶⒶ *etwa*: arrogant German

pieken *umg.* prick

piekfein 1. smart, *umg.* posh, *bes. Restaurant*: swish **2.** *sie war piekfein angezogen* she'd put some smart gear (*AE* fancy clothes) on

piepen 1. (*bes. Vögel*) chirp, cheep **2.** (*Maus*) squeak **3.** *bei dir piepts wohl!* have you gone mad?

piepsen 1. (*bes. Vögel*) chirp, cheep **2.** (*Maus*) squeak

Pier jetty [ˈdʒetɪ], pier [pɪə]

piercen pierce; *sie hat sich die Zunge piercen lassen* she had her tongue pierced

Piercing body piercing

pieseln *umg.* **1.** have* a pee **2.** *pieseln gehen* go* for a pee **3.** *ich muss pieseln* I need a pee

Pik *Spielkartenfarbe*: spades (△ *Pl.*), *Einzelkarte*: spade

pikant *Essen, Soße usw.*: spicy [ˈspaɪsɪ]

Pikkolo (≈ *kleine Flasche Sekt*) champagne miniature [ʃæm‚peɪnˈmɪnətʃə]

Pilger(in) pilgrim

Pilgerfahrt pilgrimage [ˈpɪlɡrɪmɪdʒ]

pilgern 1. *wörtlich* go* on a pilgrimage (*nach, zu* to) **2.** *pilgern nach* (*oder zu*) *übertragen* (≈ *gehen usw.*) trek off to

Pille pill (*auch Antibabypille*); *sie nimmt die Pille* she's on the pill

Pilot(in) pilot [ˈpaɪlət]

Pilz 1. *essbarer*: mushroom; *Pilze suchen gehen* go* mushrooming **2.** *giftiger*: toadstool **3.** *als Pilzerkrankung*: fungus *Pl.*: fungi [ˈfʌŋɡiː] (*auch bei Pflanzen*)

Pimmel *umg.* willy, *AE* weenie

PIN (≈ *Geheimzahl*) PIN (*Abk. für* **P**ersonal **I**dentification **N**umber)

pingelig fussy

Pinguin penguin [ˈpeŋgwɪn]

Pinie pine

pink, Pink shocking pink (△ *engl.* pink = *rosa*)

pinkeln 1. *umg.* have* a pee **2.** *pinkeln gehen* go* for a pee **3.** *ich muss pinkeln* I need a pee

Pinnwand pinboard

Pinscher *Hund*: pinscher [ˈpɪnʃə]

Pinsel paintbrush, brush

pinseln 1. paint **2.** *Farbe auf etwas pinseln* paint on something

Pinzette: *eine Pinzette* (a pair of) tweezers; *wo ist die Pinzette?* where are the tweezers?

Pionier(in) 1. *bei etwas Neuem*: pioneer [ˌpaɪəˈnɪə] **2.** *Militär*: engineer [ˌendʒɪˈnɪə], *BE auch* sapper

Pipi *umg.*, *Kindersprache* wee-wee(s *Pl.*) [ˈwiːwiː(z)], *AE* pee-pee; *Pipi machen* do* a wee(-wee), *AE* go pee-pee *oder* wee-wee

Pirat(in) pirate [ˈpaɪrət]

Piratensender pirate station

Pistazie pistachio [pɪˈstɑːʃɪəʊ]

Piste 1. *bei Rennen*: track **2.** *Skisport*: ski run, piste [piːst] **3.** *für Flugzeuge*: runway

Pistole pistol [ˈpɪstl], gun

Pizza pizza [△ ˈpiːtsə]

Pizzeria pizza house, *umg.* pizza place

P

Pkw car, *AE auch* auto ['ɔːtəʊ]

Plädoyer *vor Gericht:* (final) speech

Plafond 1. *bes.* Ⓐ (≈ *Zimmerdecke*) ceiling ['siːlɪŋ] **2.** Ⓐ *übertragen* (≈ *Obergrenze*) upper limit, ceiling

Plage 1. (≈ *Ärgernis*) (real) nuisance ['njuːsns] **2.** (≈ *harte Arbeit*) (real) grind

plagen 1. (*Sorgen usw.*) bother ['bɒðə], worry [△ 'wʌrɪ] **2. sich mit etwas plagen** *Arbeit usw.:* slave away at something **3. jemanden mit Fragen** *usw.* **plagen** pester someone with questions *usw.* **4. sie muss sich mit ihren Schülern ganz schön plagen** her pupils give her a pretty hard time

Plakat 1. *angeklebtes:* poster **2.** *bei Demonstrationen usw.:* placard [△ 'plækɑːd]

Plakette 1. (≈ *Abzeichen*) badge **2.** (≈ *Aufkleber*) sticker

Plan 1. *allg.:* plan; **Pläne schmieden** make* plans **2.** (≈ *Entwurf*) plan, (≈ *Zeichnung*) draft **3.** (≈ *Lage-, Stadtplan*) map

Plane 1. tarpaulin [tɑːˈpɔːlɪn] **2.** *als Überdachung:* awning

planen 1. *allg.:* plan **2. ich hab nichts geplant** I haven't made any plans

Planet planet ['plænɪt]

Planeten

Die *Reihenfolge* der Planeten entspricht der Entfernung zur Sonne vom kleinsten zum größten Abstand.

Merkur	**Mercury**
Venus	**Venus**
Erde	**Earth**
Mars	**Mars**
Jupiter	**Jupiter**
Saturn	**Saturn**
Uranus	**Uranus**
Neptun	**Neptune**
Pluto	**Pluto**
(*Zwergplanet*)	

---

planieren level (*Straße, Gelände usw.*)

Planierraupe *Fahrzeug:* bulldozer ['bʊldəʊzə]

Planke plank, board

Plankton plankton ['plæŋktən]

planlos aimless, haphazard [hæpˈhæzəd]

planmäßig 1. planmäßige Ankunft scheduled ['ʃedjuːld] time of arrival; **planmäßige Abfahrt** (*bzw.* **planmäßiger Abflug**) scheduled time of departure **2.** (≈ *nach Plan*) as planned, according to plan **3. planmäßig ankommen** arrive on schedule

Planschbecken paddling pool, *AE* wading pool

planschen splash (around)

Plantage plantation [plɑːnˈteɪʃn]

Plantschbecken paddling pool, *AE* wading pool

Planung 1. *allg.:* planning **2.** *zeitliche:* timing

plappern babble

plärren 1. (*Person*) bawl **2.** (*Radio usw.*) blare

Plastik[1] *Material:* plastic ['plæstɪk]

Plastik[2] *Kunstwerk:* sculpture ['skʌlptʃə]

Plastikbeutel plastic bag

Plastikfolie polythene sheet ['pɒlɪθiːn ʃiːt], *AE* polyethylene sheet [pɒlɪˈeθəliːn ʃiːt]

Plastiktüte plastic bag

plastisch 1. (≈ *räumlich*) three-dimensional **2.** *Schilderung usw.:* vivid ['vɪvɪd], graphic

Platane *Baum:* plane tree, *AE mst.* sycamore ['sɪkəmɔːr]

Platin platinum ['plætɪnəm]

plätschern 1. (*Regen*) patter (**gegen** against) **2.** (*Wellen*) lap (**gegen** against) **3.** (*Bach*) gurgle **4.** (*Brunnen*) splash

platt 1. (≈ *flach*) flat **2.** (≈ *eben*) level **3.** (≈ *nichtssagend*) boring **4.** *vor Staunen:* flabbergasted ['flæbəˌgɑːstɪd]; **na, da bist du platt!** I thought that would surprise you

Platt, Plattdeutsch Low German

Platte 1. (≈ *Schallplatte*) record ['rekɔːd] **2.** (≈ *großer Teller usw.*) dish **3. kalte Platte** *mit Wurst usw.:* cold cuts (△ *Pl.*) **4.** *aus Glas, dünnem Kunststoff usw:* sheet **5.** *aus dickerem Glas, Stahl, Metall usw.:* plate **6.** *aus Stein, Beton:* slab **7.** *aus Holz:* board **8.** (≈ *Herdplatte*) hotplate **9.** (≈ *Tischplatte*) tabletop **10. er hat ne Platte** (≈ *Glatze*) he's bald [bɔːld] **11. die Platte kenn ich!** *übertragen* I've heard that one before

Platten: einen Platten haben have* a flat

Plattenspieler record player ['rekɔːdˌpleɪə]

Plattform platform

Plättli Ⓒ (≈ *Kachel; Fliese*) tile

Platz 1. (≈ *freier Raum*) room, space; **Platz machen** make* room (**für** for), (≈ *jemanden vorbeilassen, den Platz räumen*) make* way (**für** for); **es ist kein Platz mehr** there's no room left; **Platz sparen** save space; **hier ist noch Platz für den Koffer** here's a space for the case **2. in dem Saal ist Platz für 300 Leute** the hall seats 300 people **3.** (≈ *Sitzplatz*) seat; **nehmen Sie doch Platz** please sit down, have (*oder* take) a seat (△ *engl.* take place = **stattfinden**); **ist**

der Platz frei? is this seat taken?; **sind hier noch zwei Plätze frei?** are there two seats free here? **4.** (≈ *richtige oder bestimmte Stelle*) place; **sind die Gläser an ihrem richtigen Platz?** are the glasses in the right place? **5.** *für Picknick, Urlaub usw.*: spot, place **6.** (≈ *Ort, Stadt*) place **7.** (≈ *Lage, Bau-, Zeltplatz usw.*) site **8. ein freier Platz** (≈ *eine unbebaute Fläche*) an open space **9.** *großer Platz in Stadt*: square **10.** (≈ *Spielfeld*) field, *BE auch* pitch, *beim Tennis*: court **11. jemanden vom Platz stellen** *Sport*: send* someone off **12.** (≈ *Rangfolge bei Wettkampf*) place; **sie ist auf Platz drei während eines Rennens usw.*: she's in third place; **sie landete auf Platz drei** she came in third **13. auf die Plätze (- fertig - los)!** on your marks (- get set - go)! **14.** (≈ *Rang, Stellung*) position

Platzangst 1. (≈ *Engegefühl*) claustrophobia [ˌklɔːstrəˈfəʊbɪə] **2.** *auf der Straße, auf Plätzen usw.*: agoraphobia [ˌægərəˈfəʊbɪə]

Platzanweiser *Kino usw.*: usher

Platzanweiserin usherette [ˌʌʃəˈret]

Plätzchen¹ *Gebäck*: biscuit [△ ˈbɪskɪt], *AE* cookie [ˈkʊkɪ]

Plätzchen² 1. *wörtlich*: little place, spot **2. ist hier noch ein Plätzchen frei?** is there room for me here?

platzen 1. (*Naht, Reifen usw.*) burst*; **mir ist eine Ader geplatzt** I burst a blood vessel **2.** (≈ *reißen*) crack, split **3. platzen vor Ungeduld, Neugier**: be* bursting with **4.** *umg.* (*Vorhaben, Plan*) fall* through **5. ich platze fast** (≈ *bin total satt*) I'm ready to burst **6. das Konzert usw. ist geplatzt** (≈ *kann nicht stattfinden*) the concert *usw.* is off **7. vor Wut platzen** *umg.* be* about to explode

platzieren 1. *allg.*: place **2. sich als Dritter usw. platzieren** *Sport*: be* placed third *usw.*

Platzierung *Sport*: placing, *konkret*: place

Platzkarte *im Zug*: reservation (ticket)

Platzpatrone blank (cartridge)

Platzreservierung reservation [ˌrezəˈveɪʃn]

Platzverweis: X erhielt einen Platzverweis X was sent off

Platzwunde laceration [ˌlæsəˈreɪʃn], *umg.* cut

plaudern chat [tʃæt], have* a chat

plausibel 1. *allg.*: plausible [ˈplɔːzəbl] **2. jemandem etwas plausibel machen** make* something clear to someone

Playback miming; **es ist Playback** he's (she's *usw.*) just miming

Pleite 1. (≈ *totaler Misserfolg*) failure, *umg.* flop **2.** (≈ *Bankrott*) bankruptcy; **Pleite machen** go* bankrupt, *umg.* go* bust

pleite 1. ich bin pleite I'm broke **2. er ist total pleite** he's stone broke, *AE* he's flat broke

Plombe *Zahn*: filling; **mir ist eine Plombe rausgefallen** I've lost a filling

plombieren fill (*Zahn*)

plötzlich 1. *Entschluss usw.*: sudden **2. plötzlich ging die Tür auf** suddenly the door opened **3. das kommt mir alles zu plötzlich** it's all happening too fast for me **4. aber ein bisschen plötzlich!** *umg.* and make it snappy!

plump 1. (≈ *unbeholfen, schwerfällig*) clumsy, awkward [ˈɔːkwəd] (△ *engl.* plump = *rundlich, mollig*) **2.** *Person*: (≈ *taktlos*) very direct [dəˈrekt], blunt

Plumps 1. thud **2.** *in Flüssigkeit*: plop

plumpsen (≈ *fallen*) fall* (**auf** on), *ins Wasser auch*: plop (**in** into)

Plunder rubbish, junk, *AE auch* trash

Plünderer looter

plündern 1. *allg.*: loot **2.** *humorvoll* raid (*Kühlschrank, Konto usw.*)

Plural plural

Plus 1. plus; **ein Plus von zehn Stunden** ten hours plus **2.** (≈ *Überschuss*) surplus [ˈsɜːpləs] **3.** (≈ *Gewinn*) profit [ˈprɒfɪt] **4.** (≈ *Vorteil*) advantage [ədˈvɑːntɪdʒ]

plus 1. *allg.*: plus; **fünf plus sieben ist zwölf** five plus seven is (*oder* are) twelve **2. bei zehn Grad plus** at ten degrees above zero

Plüschtier soft (*oder* cuddly) toy

Pluspunkt 1. *für Leistung*: credit point **2.** (≈ *Vorteil*) plus, advantage [ədˈvɑːntɪdʒ]

Plusquamperfekt past perfect, pluperfect

Pluszeichen *Mathematik*: plus sign [ˈplʌs saɪn]

Pluto *Planet*: Pluto [ˈpluːtəʊ] (△ *ohne* the)

Plutonium plutonium [pluːˈtəʊnɪəm]

Pneu ⊕ (≈ *Reifen*) tyre, *AE* tire

Po 1. bottom, backside **2.** *zum Kind*: botty

Pöbel rabble, mob

Podest platform, *bes.* *übertragen* pedestal [ˈpedɪstl]

Podium platform, podium [ˈpəʊdɪəm]

poetisch poetic(al), lyrical [ˈlɪrɪkl]

Pokal 1. *Sport*: cup **2.** *Becher*: goblet

Pokalendspiel *Fußball*: cup final

Pokalsieger(in) cup winner

Pokalspiel *Fußball*: cup tie, cup match

pökeln pickle

pokern 1. play poker **2.** *übertragen* gamble (**um** over)

Pol *allg.*: pole

P

polar polar [ˈpəʊlə], *Kaltluft usw.*: *auch* arctic

Polargebiet polar region *oder* regions (*Pl.*)

Polarkreis 1. *der nördliche Polarkreis* the Arctic Circle **2.** *der südliche Polarkreis* the Antarctic [ˌænt'ɑːktɪk] Circle

Polarlicht: *nördliches (südliches) Polarlicht* northern (southern) lights (△ *Pl.*), aurora borealis [əˌrɔːrə_bɔːriˈeɪlɪs] (australis [ʊ'streɪlɪs])

Polarstern Pole Star

Pole Pole; *er ist Pole* he's Polish; *die Polen* the Polish; ☞ *Nationalitäten*

Polen Poland [ˈpəʊlənd]

polieren polish [ˈpɒlɪʃ] (*Auto, Spiegel usw.*)

Polin Pole, Polish [ˈpəʊlɪʃ] woman (*oder* lady *bzw.* girl); *sie ist Polin* she's Polish; ☞ *Nationalitäten*

Politesse traffic warden, *AE* meter maid

Politik 1. *allg.*: politics (△ *mst. mit Sg.*); *ich finde Politik langweilig* I think politics is boring **2.** *bestimmte Linie*: policy [ˈpɒləsɪ] (*gegenüber* towards)

Politiker(in) politician [ˌpɒləˈtɪʃn]

politisch political [pəˈlɪtɪkl]; *politisch korrekt* politically correct [pəˌlɪtɪkliˈkɒrekt]; ☞ *Info unter engl.* **political correctness**

Polizei 1. police [pəˈliːs] (△ *mit Pl.*); *die Polizei hat ihn gefasst* the police have caught him **2.** *er ist bei der Polizei* he's in the police force

Polizeiauto police car, patrol [pəˈtrəʊl] car

Polizeibeamte(r), Polizeibeamtin police officer

Polizeifunk police radio

polizeilich 1. *allg.*: police …, by the police; *polizeiliche Ermittlungen* police investigations **2.** *sie wird polizeilich gesucht* the police are looking for her **3.** *sich polizeilich anmelden* register [ˈredʒɪstə] with the authorities; *sich polizeilich abmelden* inform the authorities that one is moving

Polizeipräsidium police headquarters (△ *mit Sg. oder Pl.*)

Polizeirevier 1. *Dienststelle*: police station **2.** *Bezirk*: district, *AE* precinct [ˈpriːsɪŋkt]

Polizeistunde closing time

Polizist policeman [pəˈliːsmən]

Polizistin policewoman [pəˈliːsˌwʊmən]

Pollen (≈ *Blütenpollen*) pollen [ˈpɒlən]

Pollenflug pollen count

polnisch, Polnisch Polish [ˈpəʊlɪʃ]

Polo *Sport*: polo

Polster 1. (≈ *Kissen*) cushion [ˈkʊʃn] **2.** *in*

Kleidung: padding, *für Schultern*: pad **3.** *auf Sessel usw.*: upholstery [ʌpˈhəʊlstərɪ] **4.** *finanzielles*: reserves (△ *Pl.*)

Polstergarnitur living room suite [swiːt]

Polstermöbel *Pl.* upholstered furniture (△ *nur im Sg. verwendet*)

Polterabend *vor Hochzeit*: eve-of-the--wedding party

poltern 1. (≈ *herumlärmen*) make* a racket **2.** *zu Boden poltern* crash to the floor **3.** *es hat gepoltert* *gerade*: something's fallen down **4.** (≈ *schimpfen*) rant [rænt] and rave

Polyester polyester [ˌpɒlɪˈestə]

Polyp *Wucherung*: polyp [ˈpɒlɪp]; *Polypen* *Pl.* *in der Nase*: adenoids [ˈædɪnɔɪdz]

Pomade pomade [pəˈmeɪd]

Pommern Pomerania [ˌpɒməˈreɪnɪə]

Pommes frites chips, *AE* (French) fries

Ponton pontoon [pɒnˈtuːn]

Pony¹ *Pferd*: pony [ˈpəʊnɪ]

Pony² *Frisur*: fringe, *AE* bangs (△ *Pl.*)

Popcorn popcorn

Popel *umg.* bog(e)y, *AE* booger

popelig *umg.* **1.** (≈ *armselig, lausig*) miserable [ˈmɪzrəbl], lousy [ˈlaʊzɪ] **2.** (≈ *ganz gewöhnlich*) *Kleinigkeit, Erkältung usw.*: lousy, piffling

popeln: *hör auf, in der Nase zu popeln* stop picking your nose

Popmusik pop music

Popo 1. *allg.*: bottom **2.** *zum Kind*: botty

populär popular [ˈpɒpjʊlə]

Pop-Up-Fenster *Computer*: pop-up window

Pop-Up-Menü *Computer*: pop-up menu [ˌpɒpʌpˈmenjuː]

Pore pore

Porno 1. *Heft*: porn magazine **2.** *Film*: porn film, *AE mst.* porn movie

Pornoheft porn (*oder* girlie) magazine

porös porous [ˈpɔːrəs]

Porree 1. leek **2.** *als Essen*: leeks (△ *Pl.*)

Portal *im Internet*: portal [ˈpɔːtl], *von Gebäude auch*: main entrance

Portemonnaie purse, *AE* change purse

Portier porter, doorman

Portion 1. *Essen*: helping **2.** *im Restaurant*: portion [ˈpɔːʃn] **3.** *eine Portion Kaffee* a pot of coffee **4.** *dazu gehört eine gehörige Portion Mut (Frechheit usw.)* it takes some courage [ˈkʌrɪdʒ] (cheek *usw.*)

Portmonee purse, *AE* change purse

Porto postage (*für* on, for)

Porträt portrait [ˈpɔːtrət]

porträtieren: *jemanden porträtieren* paint someone's portrait [ˈpɔːtrət], *übertragen* portray [pɔːˈtreɪ] someone

Portugal Portugal ['pɔːtʃʊgl]

Portugiese Portuguese [ˌpɔːtʃʊ'giːz]; *er ist Portugiese* he's Portuguese; ☞ *Nationalitäten*

Portugiesin Portuguese woman (*oder* lady *bzw.* girl); *sie ist Portugiesin* she's Portuguese; ☞ *Nationalitäten*

portugiesisch, **Portugiesisch** Portuguese [ˌpɔːtʃʊ'giːz]

Porzellan 1. *Material*: porcelain ['pɔːslɪn], china ['tʃaɪnə] **2.** *Geschirr*: china

Posaune trombone [trɒm'bəʊn]

Position position [pə'zɪʃn] (*auch berufliche*)

positiv 1. *allg.*: positive ['pɒzətɪv] **2.** *sie hat nur Positives über dich erzählt* she only had nice things to say about you **3.** *sich positiv auf etwas auswirken* have* a positive effect on something

Possessivpronomen possessive pronoun [pəˌzesɪv'prəʊnaʊn]

Post 1. *als Organisation*: postal system, post, *AE* mail **2.** (≈ *Postamt*) post office **3.** (≈ *Postdienst*) postal service **4.** *mit der Post* by mail, by post **5.** *jemandem etwas mit der Post schicken* post (*oder* mail) something to someone **6.** *ist Post für mich da?* is there any mail for me?; *ich warte auf die Post* I'm waiting for the mail to come; *ich lese gerade meine Post* I'm just going through my mail **7.** *elektronische Post* e-mail **8.** *sie arbeitet bei der Post* she works for the post office

Postamt post office; ☞ *Illu S. 884*

Postanweisung postal ['pəʊstl] (*oder* money) order

Postbank post office girobank ['dʒaɪrəʊbæŋk]

Postbote postman ['pəʊstmən] *Pl.*: postmen, *AE mst.* mailman, mail carrier

Postbotin postwoman ['pəʊst‚wʊmən] *Pl.*: postwomen ['pəʊst‚wɪmɪn], *AE* mail carrier

Posten¹ (≈ *Arbeitsstelle*) post, job

Posten² (≈ *Wache*) guard [gɑːd]

Poster poster

Postfach post office box, PO box ['piːəʊ‚bɒks]

postieren 1. *allg.*: position [pə'zɪʃn], place, station **2.** *sie hatten sich auf dem Dach postiert* they had positioned themselves (*oder* taken up their positions) on the roof

Postkarte postcard

Postkasten letterbox, postbox, *AE* mailbox

Postkutsche *in Western usw.*: stagecoach

postlagernd *schicken*: poste restante [△ ‚pəʊst'restɒnt], *AE* general delivery

Postleitzahl postcode, *AE* zip code

postmodern postmodern(ist) [ˌpəʊst'mɒdn(ɪst)]

Poststempel postmark

Potenz 1. *eines Mannes*: potency ['pəʊtnsɪ] **2.** *Mathematik*: power; *zweite Potenz* square; *dritte Potenz* cube; *acht in die zweite* (*bzw.* *dritte*) *Potenz erheben* square (*bzw.* cube) eight; *die zweite* (*bzw.* *dritte*) *Potenz zu vier* four squared (*bzw.* cubed)

potenzieren: *acht mit zwei* (*bzw.* *drei*) *potenzieren* square (*bzw.* cube) eight; *acht mit vier* (*fünf usw.*) *potenzieren* raise eight to the power of four (five *usw.*)

Potpourri *Musik*: potpourri [△ 'pəʊ‚pʊri], medley

Power 1. *allg.*: power ['paʊə] **2.** *ihm fehlt* (*die richtige*) *Power umg.* he's got no oomph [ʊmf]

Powidl Ⓐ plum jam

Pracht 1. *allg.*: splendour ['splendə] **2.** *von Farben*: richness

Prachtexemplar (real) beauty

prächtig 1. *allg.*: splendid (*auch Wetter*) **2.** (≈ *großartig*) brilliant, great (*beide auch Wetter, Leistung usw.*) **3.** *Person*: great **4.** *sie verstehen sich prächtig umg.* they get on like a 'house on fire

Prädikat *Grammatik*: predicate ['predɪkət]

Präfekt(in) *Internat usw.*: prefect ['priːfekt]

Prag Prague [prɑːg]

prägen 1. *Indien hat ihn sehr stark geprägt* India had a deep influence on him **2.** mint (*Münzen*) **3.** emboss (*Leder, Metall usw.*)

pragmatisch 1. pragmatic **2.** *wir müssen hier ganz pragmatisch vorgehen* we've got to be pragmatic here

prähistorisch prehistoric [ˌpriːhɪ'stɒrɪk]

prahlen boast, brag (*mit* about)

Prahler(in) boaster

Prahlerei showing-off, boasting ['bəʊstɪŋ], *konkrete Äußerung*: boast(s *Pl.*)

Praktikant(in) trainee [ˌtreɪ'niː], *AE mst.* intern ['ɪntɜːn]

Praktiker(in) practical person, expert ['ekspɜːt]

Praktikum practical training, *AE mst.* internship ['ɪntɜːnʃɪp]; *sie macht ein Praktikum an unserer Schule* she's doing (her) practical training at our school

praktisch 1. *allg.*: practical (*auch: praktisch veranlagt*); *diese Schuhe sind sehr praktisch zum Wandern* these shoes are very practical for hiking **2.** *Tipps, Gerät usw.*: handy **3.** *praktischer Arzt, prakti-*

sche Ärztin general practitioner 4. *prak-tisches Beispiel* concrete ['kɒŋkriːt] example 5. *praktische Ausbildung* on--the-job training 6. (≈ *so gut wie*) practically, virtually; *praktisch nichts auch*: next to nothing; *praktisch nie* very rarely, hardly ever

Praline 1. chocolate ['tʃɒklət] 2. *Pralinen* chocolates, a box of chocolates

prall 1. *Schenkel usw.*: firm 2. *Brüste*: full 3. *Hintern*: well-rounded 4. *in der prallen Sonne* in the blazing sun 5. *prall gefüllt* bulging (*mit* with)

prallen 1. *gegen* (*oder auf*) *etwas prallen* bang (*stärker*: crash) into something 2. *gegen die Wand prallen* hit* the wall

prallgefüllt → *prall 5*

Prämie 1. *für Leistung*: bonus (*auch für Sparer*) 2. *für Werbung eines neuen Lesers usw.*: reward [rɪ'wɔːd] 3. (≈ *Versicherungsprämie*) premium 4. *Lotterie*: prize

prämieren 1. award [ə'wɔːd] a prize to (*Film usw.*) 2. *der Film wurde prämiert* the film won an award

Pranke paw (*auch übertragen für Hand*)

Präparat 1. *Medikament*: preparation 2. *für Mikroskop*: slide preparation

Präposition preposition [ˌprepə'zɪʃn]; ☞ *Illu S. 784, 785*

Präsens present ['preznt], present tense

Präsenzdiener Ⓐ military service recruit

Präsenzdienst Ⓐ military service

Präser, **Präservativ** condom ['kɒndəm] (△ *engl.* preservative = **Konservierungsmittel**)

Präsident(in) 1. *eines Staates*: president ['prezɪdənt] 2. (≈ *Vorsitzender*) chairman ['tʃeəmən], *Frau*: chairwoman, *neutral*: chairperson, chair 3. *eines Gerichts*: presiding [prɪ'zaɪdɪŋ] judge

Präsidium *Polizei*: police headquarters (△ *mit Sg. oder Pl.*)

prasseln 1. (*Regen*) patter, *stärker*: hammer (*auf* on; *gegen* against) 2. (*Feuer*) crackle

prassen: *sie prassen ganz schön allg.*: they're really living it up

Präteritum *Grammatik*: past tense

Praxis¹ 1. ↔ *Theorie*: practice; *in der Praxis* in practice (△ *ohne* the) 2. (≈ *Erfahrung*) experience; *die Praxis zeigt ...* experience shows ... (△ *ohne* the)

Praxis² 1. *eines Arztes, Rechtsanwalts usw.*: practice 2. (≈ *Behandlungsräume eines Arztes*) surgery, *AE* (doctor's) office

Praxisgebühr *beim Arzt* practice fee, *AE* office fee

präzise precise [prɪ'saɪs], exact [ɪg'zækt]

Präzision precision [prɪ'sɪʒn], accuracy ['ækjərəsɪ]

predigen *in Kirche*: preach, give* a sermon

Predigt sermon ['sɜːmən]; *eine Predigt halten* give* a sermon (*über* on)

Preis¹ 1. *zu zahlender*: price (*für* of); *die Preise vergleichen* compare prices (△ *ohne* the) 2. *ich mach dir einen guten Preis* I'll make you a good offer 3. *zum halben Preis verkaufen* sell* (at) half--price 4. *weit unter Preis verkaufen* sell* (at) cut-price 5. *um keinen Preis* übertragen not for anything in the world 6. *um jeden Preis* übertragen at all costs, come what may

Preis² 1. *in Wettbewerb*: prize [praɪz] (△ *Schreibung mit* z); *den ersten Preis gewinnen* win* first prize (△ *ohne* the) 2. *für Film usw.*: award [ə'wɔːd] 3. (≈ *Belohnung*) reward [rɪ'wɔːd]

Preisangabe price quote; *ohne Preisangabe* not priced, not marked

Preisanstieg rise in prices

Preisausschreiben competition

Preiselbeere cranberry ['krænbərɪ]

preisen 1. praise (*auch Gott*) 2. *etwas in den höchsten Tönen preisen* praise something to the skies

Preiserhöhung price increase ['ɪŋkriːs]

preisgekrönt prize-winning (△ *immer vor dem Subst.*)

preisgünstig 1. very reasonable 2. *sie kauft immer sehr preisgünstig ein* she always manages to find bargains

Preis-Leistungs-Verhältnis price-performance ratio ['reɪʃɪəʊ], *umg.* value for money

Preisliste price list

Preisnachlass discount ['dɪskaʊnt]

Preisrichter(in) 1. judge 2. *die Preisrichter* the jury (△ *mit Sg. oder Pl.*)

Preisschild price tag

Preissenkung price cut

Preissteigerung rise in prices; *Preissteigerungen* rising prices; *es gab Preissteigerungen von zehn Prozent* there was a ten per cent increase ['ɪŋkriːs] in prices

Preisträger(in) prize [praɪz] winner

Preisverteilung presentation (of prizes) [ˌprezn'teɪʃn(ˌəv'praɪzɪz)]

preiswert 1. very reasonable 2. *das ist preiswert* that's good value (for money) 3. *dort kann man preiswert übernachten* (*bzw.* essen) they have rooms (*bzw.* you can eat) at reasonable prices there

Prellbock 1. *Eisenbahn*: buffers (*Pl.*), buffer stop 2. *übertragen* buffer

prellen 1. *jemanden um etwas prellen*

cheat someone <u>out</u> <u>of</u> something **2.** *die Zeche prellen* go* off without paying

Prellung *Verletzung*: bruise [bruːz]

Premiere first night [ˌfɜːstˈnaɪt], opening night [ˈəʊpənɪŋ ˌnaɪt]; *der Film hat im Juli Premiere* the film will be released (*oder* is opening) in July

Premierminister(in) prime minister

Presse[1] (≈ *Zeitungen usw.*) press (△ *im BE auch mit Pl.*)

Presse[2] *für Obst, Säfte usw.*: squeezer

Pressefreiheit freedom of the press

Pressekonferenz press conference [ˈkɒnfrəns]

Pressemitteilung press release [ˈpresˌriːliːs]

pressen 1. *allg.*: press (*auch CDs, Blumen, Trauben*) **2.** *etwas an sich pressen* hold* something tightly **3.** *sie presste sich an die Wand* she pressed herself <u>against</u> the wall **4.** *Luft durch etwas pressen* force air through something

Pressesprecher(in) press spokesman (spokeswoman)

pressieren *bes.* Ⓐ, ⒸⒽ **1.** *es pressiert* it's urgent **2.** *mir pressierts* I'm in a hurry

Pressluftbohrer pneumatic [△ njuːˈmætɪk] drill

Presslufthammer pneumatic [△ njuːˈmætɪk] hammer

Pressung *CD usw.*: pressing

Preuße Prussian [ˈprʌʃn]

Preußen Prussia [ˈprʌʃə]

Preußin Prussian [ˈprʌʃn] (woman)

preußisch Prussian [ˈprʌʃn]

prickeln 1. (*Haut usw.*) tingle **2.** (*Sekt usw.*) sparkle **3.** *ein prickelndes Gefühl bei Erregung*: a tingling, a tingle down the (*bzw.* my, your *usw.*) spine

Priester priest

Priesterin 1. *christliche Religionen*: priest **2.** *frühere Kulturen und andere Religionen*: priestess

prima 1. *umg.* super, great **2.** *„Wie gehts?" - „Prima!"* 'How are things?' - 'Really good.' **3.** *man kann dort prima essen* they have great food there

Primararzt, Primarärztin, Primaria, Primarius Ⓐ (senior) consultant, *AE* medical director

primitiv primitive [ˈprɪmətɪv]

Primzahl *Mathematik*: prime number

Prinz prince; *Prinz Albert* Prince Albert

Prinzessin princess [ˌprɪnˈses]; *Prinzessin Anne* Princess Anne [△ ˌprɪnsesˈæn]

Prinzip 1. principle [ˈprɪnsəpl] **2.** *Wendungen*: *im Prinzip* basically [ˈbeɪsɪklɪ], in principle; *aus Prinzip* <u>on</u> principle

Priorität priority [praɪˈɒrətɪ] (*über, vor* over); *Prioritäten setzen* establish prior-

ities

Prise: *eine Prise Salz* a pinch <u>of</u> salt

Prisma prism [ˈprɪzm]

Pritsche *zum Liegen*: wooden bed

privat 1. *allg.*: private [ˈpraɪvət] **2.** (≈ *Meinung usw.*: personal [ˈpɜːsnəl] **3.** (≈ *in Privatbesitz*) privately owned **4.** *wir sind privat versichert* we're privately insured **5.** *privat ist unser Lehrer ja ganz nett* our teacher seems quite a nice person <u>in</u> private

Privatangelegenheit 1. private matter **2.** *das ist meine Privatangelegenheit* that's my affair, that's my own business

Privatbesitz, Privateigentum private property

Privatgespräch *Telefon*: private call

privatisieren privatize [ˈpraɪvətaɪz] (*Firma usw.*)

Privatleben private life

Privatlehrer(in) private tutor

Privatpatient(in) private patient

Privatschule private [ˈpraɪvət] school, *BE* (≈ *Eliteschule*) *auch* public school

Privileg privilege [ˈprɪvəlɪdʒ]

pro 1. *allg.*: per **2.** *pro Tag* (*Woche usw.*) a (*oder* per) day (week *usw.*); *pro Jahr* a year, *förmlicher* per annum; *10 Euro pro Stunde* ten euros an hour **3.** *100 Euro pro Stück* a hundred euro<u>s</u> each **4.** *5 Euro pro Person* five euro<u>s</u> each (*oder* per person)

Pro: *das Pro und Kontra* the pros and cons (△ *Pl.*)

Probe 1. *Theater, Musik usw.*: rehearsal [rɪˈhɜːsl]; *zur Probe gehen* go* to rehearsal<u>s</u> **2.** *Chor*: choir [△ ˈkwaɪə] practice **3.** (≈ *Test*) test, trial; *eine Probe machen* do* a <u>test</u>, *mit Maschine usw.*: do* a trial run; *die Probe bestehen* pass the test **4.** (≈ *Muster, Beispiel, auch Blutprobe usw.*) sample [ˈsɑːmpl] **5.** (≈ *Kostprobe*) taste

Probefahrt *Auto usw.*: test drive; *eine Probefahrt machen* go* <u>for</u> a test drive

Probelauf *Technik*: test run

proben 1. rehearse [rɪˈhɜːs] (*Theater-, Musikstück*) **2.** practise [△ ˈpræktɪs], *AE* practice (*Einsatz, Notfall usw.*)

Probezeit 1. trial period **2.** *in der Probezeit sein* be* <u>on</u> probation

probieren 1. *etwas probieren allg.*: try something; *probiers noch mal* try again (△ *ohne it*); *ich probiers noch mal* I'll try again **2.** *ich probiers mal* (≈ *versuche es zu tun*) I'll have a try **3.** *probiers mal mit einem Hammer* (*bzw.* *Trick*) try a hammer (*bzw.* try using a trick) **4.** (≈ *kosten*) try, taste (*Speise, Getränk*); *kann ich mal probieren?* can I have a taste?

Problem problem; *kein Problem!* no problem

problematisch problematic

problemlos 1. *allg.*: unproblematic [ˌʌnprɒbləˈmætɪk] **2.** *das lässt sich problemlos erledigen* it can be done without difficulty [ˈdɪfɪkltɪ]

Produkt product [ˈprɒdʌkt]

Produktion 1. *allg.*: production [prəˈdʌkʃn] **2.** (≈ *produzierte Menge*) output

produktiv *allg.*: productive [prəˈdʌktɪv]

Produzent(in) producer [prəˈdjuːsə]

produzieren produce [prəˈdjuːs]

professionell professional [prəˈfeʃnəl]

Professor(in) professor; *sie ist Professorin für Geographie* she's Professor of Geography, she's a geography professor

Profi *umg.* pro [prəʊ]

Profi... *in Zusammensetzungen*: ... pro, professional ...; *Profiboxer(in)* professional boxer, boxing pro; *Profifußballer(in)* professional footballer, football pro, *AE* professional soccer player, soccer pro

...profi *in Zusammensetzungen*: ... pro, professional ...; *Boxprofi* professional boxer, boxing pro; *Fußballprofi* professional footballer, football pro, *AE* professional soccer player, soccer pro; *Tennisprofi* professional tennis player, tennis pro

Profil 1. (≈ *Seitenansicht*) profile [ˈprəʊfaɪl] **2.** *Reifen, auch Schuhsole*: tread [tred]

profilieren: *sie muss sich noch profilieren* she's still got to make her mark

Profit profit [ˈprɒfɪt]; *Profit machen* make* a profit

profitieren profit [ˈprɒfɪt] (*von* from)

pro forma as a matter of form

Prognose 1. *allg.*: prediction **2.** *bes. Wetter*: forecast [ˈfɔːkɑːst]

Programm 1. *allg.*: programme [ˈprəʊgræm], *AE* program **2.** *Computer*: program **3.** (≈ *Fernsehkanal*) channel [ˈtʃænl]; *der Film kommt im ersten Programm* the film's on (channel) one

Programmänderung change of program(me *BE*)

Programmheft program(me *BE*)

programmieren program [ˈprəʊgræm] (*Computer*)

Programmierer(in) programmer

Programmierfehler bug

Programmiersprache programming language [ˈprəʊgræmɪŋ,læŋgwɪdʒ]

progressiv progressive [prəʊˈgresɪv]

Projekt project [ˈprɒdʒekt]

Projektor (slide) projector [prəˈdʒektə]

Prolet(in) *abwertend* pleb, prole

Proletarier(in) proletarian [ˌprəʊləˈteərɪən]

Promenadenmischung *Hund*: mongrel [△ ˈmʌŋgrəl]

Promille: *er ist mit zu viel Promille erwischt worden* *umg.* he was done for drink-driving

prominent prominent [ˈprɒmɪnənt]; *prominente Persönlichkeit* well-known personality, prominent figure

Prominente(r) 1. public figure, VIP [ˌviːaɪˈpiː] **2.** *bes. Film usw.*: celebrity [səˈlebrətɪ]

Prominenz VIPs [ˌviːaɪˈpiːz], big names, *umg.* top nobs (*alle Pl.*); *die gesamte Prominenz* *auch*: all the important people

prompt 1. prompt, *Antwort auch*: quick **2.** *er ist prompt darauf hereingefallen* of course he fell for it straightaway (*AE mst.* rightaway) **3.** *sie hats prompt vergessen* she went and forgot (△ *ohne* it)

Pronomen pronoun [ˈprəʊnaʊn]

Propaganda propaganda [ˌprɒpəˈgændə]

Propan(gas) propane [ˈprəʊpeɪn]

Propeller propeller [prəˈpelə], *umg.* prop

Prophet(in) 1. prophet [ˈprɒfɪt] **2.** *ich bin doch kein Prophet!* I can't see into the future

Prosa prose

prosit 1. *beim Anstoßen*: your health!, *umg.* cheers! **2.** *prosit Neujahr!* happy New Year!; → *prost*

Prospekt brochure [ˈbrəʊʃə], (≈ *Faltblatt*) *auch*: leaflet (△ engl. prospect = *Aussicht, Zukunftsaussichten*)

prost 1. *beim Anstoßen*: cheers! **2.** *na denn prost!* *ironisch* that's just great; → *prosit*

Prostituierte prostitute [ˈprɒstɪtjuːt]

Prostitution prostitution [ˌprɒstɪˈtjuːʃn]

Protein protein [ˈprəʊtiːn]

Protest protest [ˈprəʊtest]; *aus Protest* in (*oder* as a) protest (*gegen* against)

Protestant(in) Protestant [ˈprɒtɪstənt]

protestantisch Protestant [ˈprɒtɪstənt]

protestieren protest [prəˈtest]; *sie protestieren dagegen, dass die Fahrpreise erhöht werden* they're protesting against an increase in fares

Prothese 1. *an Arm, Bein*: artificial arm (*bzw.* leg) **2.** *Gebiss*: dentures (△ *Pl.*)

Protokoll 1. *einer Sitzung usw.*: minutes [ˈmɪnɪts] (△ *Pl.*); *wer macht Protokoll?* who's taking the minutes?; *etwas ins Protokoll aufnehmen* put* something into the minutes **2.** *bei Gericht*: record [ˈrekɔːd], transcript [ˈtrænskrɪpt]

Protz *umg.* show-off

protzen *umg.* show off; *er protzt immer*

mit seinem Wissen usw. he's always showing off (with) his knowledge *usw.*

protzig 1. *Auto*: flash(y) **2.** *Haus*: posh

Proviant food

Provider *Internet*: (access ['ækses]) provider

Provinz 1. *die Provinz* ↔ *Hauptstadt*: the provinces ['prɒvɪnsɪz] (△ *Pl.*); *das ist hier* (*ja*) *tiefste Provinz* umg. we're really out in the sticks here **2.** *Verwaltungsgebiet*: province ['prɒvɪns]

provinziell provincial [prə'vɪnʃl]

Provinzler(in) *abwertend* provincial

Provision commission (△ *engl.* provision = *Vorkehrung, Bereitstellung*; *engl.* provisions = *Nahrungsmittelvorräte*)

provisorisch 1. *Regierung usw.*: provisional **2.** (≈ *vorübergehend*) temporary **3.** (≈ *behelfsmäßig*) makeshift **4.** *ich habs provisorisch repariert* I've just patched it up

provozieren provoke [prə'vəʊk]

Prozedur procedure [prə'siːdʒə]; *das war vielleicht eine Prozedur!* umg. what a rigmarole ['rɪgmərəʊl] (that was)

Prozent 1. *zehn Prozent* ten per cent [pə-'sent] (*AE* percent) **2.** *ich kriege sechs Prozent Zinsen* I get six per cent interest **3.** (≈ *prozentualer Anteil*) percentage; *wie viel Prozent der Bevölkerung haben ein Auto?* what percentage of the population has (*oder* have) a car? **4.** *der Wein hat zwölf Prozent* this wine contains twelve per cent alcohol **5.** *ich krieg Prozente* (≈ *einen Preisnachlass*) I get a discount; *er hat mir zehn Prozent nachgelassen* he gave me a ten per cent discount **6.** *die Verkäufer kriegen Prozente* (≈ *eine Gewinnbeteiligung*) the salespeople get a share of the profits

Prozess¹ 1. (≈ *Rechtsstreit*) lawsuit ['lɔːsuːt] **2.** (≈ *Strafverfahren*) trial **3.** *einen Prozess gegen jemanden führen* take* legal action against someone, sue [suː] someone **4.** *sie hat den Prozess gewonnen* (*bzw. verloren*) she won (*bzw.* lost) her case

Prozess² (≈ *Vorgang*) process ['prəʊses]

prozessieren 1. go* to court [kɔːt] **2.** *gegen jemanden prozessieren* take* someone to court; → *Prozess¹ 3*

Prozession procession [prə'seʃn]

Prozessor *Computer*: processor ['prəʊsesə]

prüde 1. *allg.*: prudish ['pruːdɪʃ] **2.** *tu doch nicht so prüde* don't be such a prude

prüfen 1. examine (△ ɪg'zæmɪn], test (*Bewerber, Schüler usw.*) **2.** (≈ *kontrollieren*) check (*Ölstand usw.*) **3.** *etwas prüfen* (≈

erproben) test something, (≈ *untersuchen, genau betrachten*) examine (*oder* study) something **4.** consider (*Vorschlag, Angebot*) **5.** investigate, look into (*Beschwerde usw.*) **6.** *auf Richtigkeit*: check (*Behauptung, Angaben usw.*)

Prüfer(in) 1. *bei Examen*: examiner [ɪg-'zæmɪnə] **2.** *technisch*: tester **3.** (≈ *Buchprüfer*) auditor ['ɔːdɪtə]

Prüfling examinee [ɪg,zæmɪ'niː], exam candidate [ɪg'zæm,kændɪdət, -deɪt]

Prüfung 1. *von Kenntnissen*: exam [△ ɪg-'zæm], test, *förmlich* examination; *schriftliche* (*bzw. mündliche*) *Prüfung* written (*bzw.* oral) exam; *eine Prüfung machen* take* an exam; *eine Prüfung bestehen* (*bzw. nicht bestehen*) pass (*bzw.* fail) an exam **2.** (≈ *Untersuchung*) examination, investigation **3.** (≈ *Überprüfung*) checking **4.** (≈ *Erprobung*) trial, test

Prüfungsaufgabe examination (*oder* test) paper

Prügel 1. *Prügel bekommen* get* a thrashing **2.** (≈ *Knüppel*) club

Prügelei fight

prügeln 1. *jemanden prügeln* beat* someone up **2.** *sich* (*mit jemandem*) *prügeln* have* a fight (with someone) (*um* over)

Prunk 1. splendour **2.** *bei Feier usw.*: pomp

Prunkstück showpiece

prusten snort (*vor* with)

PS¹ (≈ *Pferdestärke, -n*) HP, hp (*Abk. für* horsepower), bhp (*Abk. für* brake horsepower)

PS² *am Briefende*: PS (*Abk. für* postscript)

Pseudonym pseudonym [△ 'sjuːdənɪm], *von Schriftsteller*: pen name

Psychiater(in) psychiatrist [△ saɪ-'kaɪətrɪst]

psychisch 1. *Belastung, Krankheit*: mental ['mentl] (△ *engl.* psychic = *übersinnlich*) **2.** *Probleme usw.*: (≈ *psychisch bedingt*) psychological [△ ,saɪkə'lɒdʒɪkl] **3.** *psychisch krank* mentally disturbed

Psychologe, Psychologin psychologist [△ saɪ'kɒlədʒɪst]

Psychologie psychology [saɪ'kɒlədʒɪ]

psychologisch psychological [△ ,saɪkə-'lɒdʒɪkl]

Psychopath(in) psychopath ['saɪkəpæθ]

Psychoterror psychological blackmail

Psychotherapeut(in) psychotherapist [,saɪkəʊ'θerəpɪst]

Pubertät puberty ['pjuːbətɪ]; *in die Pubertät kommen* <u>reach</u> puberty (△ *ohne* the)

Publikum 1. (≈ *Zuschauer, Zuhörer*) audience ['ɔːdɪəns] (△ *mit Sg. oder Pl.*), *Fernsehen auch*: viewers (△ *Pl.*), *Radio auch*: listeners [△ 'lɪsnəz] (△ *Pl.*) **2.** *Sport*: spectators [spek'teɪtəz] (△ *Pl.*), crowd **3.** *in Gaststätte usw.*: clientele [△ ˌkliːɒn'tel] **4.** (≈ *Interessenten usw.*) public (△ *mit Sg. oder Pl.*)

Publikumsliebling everybody's darling; *sie ist ein Publikumsliebling* she's everybody's darling (△ *ohne* an)

Pudding *etwa*: blancmange [△ blə-'mɒndʒ], *AE* pudding ['pʊdɪŋ] (△ *BE* pudding = *süße Nachspeise - auch Mehlspeise oder mit Brot, Reis, Obst usw.*)

Pudel poodle

Puder powder

Puderdose powder compact ['kɒmpækt]

pudern 1. powder (*Nase, Wunde usw.*) **2.** *sich pudern* powder one's face (*oder nose*)

Puderzucker icing sugar, *AE* confectioner's sugar

Puff¹ (≈ *Bordell*) brothel ['brɒθl]

Puff² 1. (≈ *Stoß*) thump **2.** *in die Rippen*: poke, dig, *vertraulicher*: nudge

Puffer 1. *allg.*: buffer **2.** (≈ *Kartoffelpuffer*) potato fritter

Pull-down-Menü *Computer*: pull-down menu [ˌpʊldaʊn'menjuː]

Pulle 1. *umg.* (≈ *Flasche*) bottle **2.** *volle Pulle fahren umg.* drive flat out; (*die Anlage*) *volle Pulle aufdrehen umg.* turn the stereo ['sterɪəʊ] up full blast

Pulli, Pullover sweater [△ 'swetə], pullover ['pʊlˌəʊvə], *BE auch* jumper

Puls 1. pulse; *der Doktor hat mir den Puls gefühlt* the doctor felt (*oder took*) my pulse **2.** *ein hoher* (*bzw. niedriger*) *Puls* a high (*bzw.* low) pulse rate

Pulsader artery ['ɑːtərɪ]

Pult 1. *allg.*: desk **2.** (≈ *Lese-, Rednerpult*) lectern ['lektən]

Pulver 1. powder **2.** *umg.* (≈ *Geld*) cash, dough [△ dəʊ]

pulverig powdery

Pulverschnee powder snow

Puma puma ['pjuːmə], *AE* cougar ['kuːgə]

pummelig *umg.* dumpy, chubby

Pump: *auf Pump kaufen* buy* on credit, *BE umg.* buy* on tick

Pumpe pump

pumpen¹ pump (*in* into)

pumpen² (≈ *leihen*) lend*, *bes. AE* loan; *kannst du mir etwas Geld pumpen?* can you lend me a bit of cash?

Pumps *Pl.* (≈ *Stöckelschuhe*) court shoes ['kɔːt_ʃuːz]

Punker(in) punk (△ *engl. ohne* -er)

Punkt 1. (≈ *runder Fleck*) dot, spot **2.** *am Satzende*: full stop, *AE* period; *einen Punkt machen* (*oder setzen*) put* (*oder* add) a full stop **3.** *in Internetadressen*: dot **4.** (≈ *Ort, Stelle*) point, place, spot **5.** (≈ *Stelle, Zeitpunkt in einer Entwicklung, einem Vorgang usw.*) point **6.** (≈ *Thema*) point, subject **7.** *Wettbewerb, Sport*: point; *nach Punkten siegen* (*bzw. verlieren*) win* (*bzw.* lose*) on points **8.** *nun mach aber nen Punkt! umg.* give it a break

Pünktchen 1. *allg.*: little dot (*bzw. Pl.* dots) **2.** *auf Buchstaben wie i usw. oder hinter einem Wort oder Wortteil*: dot; *Pünktchen Pl.*: *als Anweisung beim Diktat usw.*: three dots, *umg.* dot, dot, dot

punkten *Sport*: score (points)

punktieren 1. puncture (*Rückenmark usw.*) **2.** dot; *eine punktierte Linie* a dotted line

pünktlich 1. *Mensch, Beginn usw.*: punctual **2.** *pünktlich ankommen* arrive on time; *er war pünktlich* he was on time; *sie ist nicht pünktlich* she's late **3.** *pünktlich um 10 Uhr* at ten o'clock sharp

Pünktlichkeit punctuality

Punktrichter(in) *Sport*: judge [dʒʌdʒ]

Punktzahl *Sport, Wettbewerb*: score

Punsch punch

Pupille pupil (△ 'pjuːpl]

Puppe 1. *zum Spielen*: doll **2.** (≈ *Marionette*) puppet ['pʌpɪt] **3.** *umg.* (≈ *Mädchen*) doll **4.** *von Insekten*: pupa ['pjuːpə] *Pl.*: pupae ['pjuːpiː], *von Schmetterling usw.*: chrysalis ['krɪsəlɪs] *Pl.*: chrysalises

pur *1. purer Zufall* sheer (*oder* pure) coincidence [kəʊ'ɪnsɪdəns] **2.** *aus purer Bosheit* out of sheer nastiness **3.** *ein Whisky pur* a neat (*bes. AE* straight) whisk(e)y

Püree puree [△ 'pjʊəreɪ], mash

Purpur, purpurrot *etwa*: crimson ['krɪmzn]

Purzelbaum somersault ['sʌməsɔːlt]; *einen Purzelbaum machen* <u>do</u>* a somersault

purzeln fall*, tumble (*auch Preise*)

Puste breath [△ breθ], *umg.* puff; *außer Puste sein* be* out of breath, *umg.* be* puffed; *mir ging die Puste aus* I ran out of breath

Pustel pimple

pusten 1. (≈ *blasen*) blow* **2.** (≈ *keuchen*) puff **3.** *er musste pusten bei Alkoholtest*: he was breathalyzed [△ 'breθəlaɪzd]

Pute 1. *allg.*: turkey **2.** *weibliches Tier*: turkey hen

Puter turkey (cock)

Putsch (≈ *politischer Umsturz*) putsch [pʊtʃ], coup [kuː]

putschen stage a coup [kuː]

Putz 1. *einer Wand*: plaster 2. **auf den Putz hauen** (≈ *sich beschweren*) kick up a row [△ raʊ], *AE* kick up a fuss, (≈ *ausgelassen feiern*) have* a fling

putzen 1. *allg.*: clean (*auch Fenster, Gemüse usw.*) 2. clean, polish, *AE* shine (*Schuhe*) 3. **ich muss mir die Zähne putzen** I've got to brush my teeth 4. **du solltest dir die Nase putzen** you should blow (*oder* wipe) your nose 5. **er putzt gerade** he's doing the cleaning 6. **sie geht putzen** *regelmäßig*: she works as a cleaner

Putzfrau cleaning lady, cleaner

putzig *Tier*: cute, funny

Putzlappen, Putzlumpen cloth, rag, *AE auch* cleaning rag

Putzmittel 1. *allg.*: cleaning agent ['eɪdʒnt] 2. (≈ *Poliermittel*) polish ['pɒlɪʃ]

Putzzeug cleaning things (*Pl.*)

Puzzle jigsaw ['dʒɪɡsɔː] (puzzle) (△ *engl.* puzzle = **Rätsel**); **ein Puzzle machen** do* a jigsaw

Pyjama pyjamas [pə'dʒɑːməz] (△ *Pl.*); *AE* pajamas (△ *Pl.*); **ein Pyjama** a pair of pyjamas; **wo ist mein Pyjama?** where are my pyjamas?

Pyramide pyramid ['pɪrəmɪd]

Pyrenäen *Pl.*: **die Pyrenäen** the Pyrenees [ˌpɪrə'niːz]

Q

Quadrat, quadratisch square

Quadratkilometer square kilometre

Quadratmeter square metre

Quadratzentimeter square centimetre

Quai ⓔ (≈ *Uferstraße*) riverside (*bzw. an See*: lakeside) road

quaken 1. (*Ente*) quack 2. (*Frosch*) croak

quäken 1. (*Lautsprecher usw.*) squawk 2. (*Kind*) whine

Qual 1. *allg., auch seelische*: torture ['tɔːtʃə], agony ['æɡənɪ]; **es ist eine Qual** it's torture (*oder* agony) (△ *ohne a bzw.* an) 2. **ihr Leben war eine einzige Qual** life was unbearable [ʌn'beərəbl] for her 3. **wir haben die Qual der Wahl** we're spoilt for choice

quälen 1. **jemanden quälen** torment [tɔː-'ment] someone, *mit Fragen, etwas Unangenehmem*: pester (*oder* plague [△ pleɪɡ]) someone (**mit** with); **quäl sie nicht so!** stop tormenting her 2. **jemanden zu Tode quälen** torture someone to death 3. **sich mit etwas quälen** (≈ *abmühen*) struggle with something

quälend 1. *Schmerz*: excruciating [ɪk-'skruːʃɪeɪtɪŋ] 2. *Hitze*: unbearable [ʌn-'beərəbl] 3. *Gedanke*: agonizing ['æɡənaɪzɪŋ]

Quälerei 1. **das Halten von Tieren in Käfigen ist für mich eine Quälerei** I think keeping animals in cages is really cruel 2. **Radrennen sind eine echte Quälerei**

cycle races are absolute torture

Qualifikation 1. (≈ *erworbene Fähigkeiten*) qualifications (△ *Pl.*) 2. **sie haben die Qualifikation für die WM geschafft** *Fußball*: they've made it into (*oder* they've qualified for) the World Cup

qualifizieren: **sie haben sich für die Europameisterschaft qualifiziert** they've qualified for the European championship

Qualität 1. *allg.*: quality; **schlechte Qualität** poor quality 2. **sie hat auch ihre Qualitäten** she's got her good points

Qualle jellyfish

Qualm (thick) smoke

qualmen 1. (*Schornstein, Feuer, Motor usw.*) smoke, give* off smoke 2. **aus dem Auspuff qualmt es!** there's thick smoke coming out of the exhaust! [ɪɡ'zɔːst] 3. *umg.* (≈ *Zigaretten usw. rauchen*) smoke

Quarantäne quarantine [△ 'kwɒrəntiːn]; **der Hund kommt ein halbes Jahr in Quarantäne** the dog will be put into quarantine for half a year

Quark 1. *Milchprodukt*: curd, curds (*Pl.*), *auch* quark [kwɑːk] 2. *umg.* (≈ *Unsinn*) rubbish, *bes. AE* garbage

Quartal (≈ *Vierteljahr*) quarter

Quartett 1. *Musik*: quartet [ˌkwɔː'tet] 2. *übertragen* (≈ *vier Personen*) group of four, foursome ['fɔːsəm] 3. *Kartenspiel*: happy families (△ *nur im Sg. verwendet*),

Q

AE go fish

Quartier 1. (≈ *Unterkunft*) accommodation (△ *BE nur im Sg.*) **2.** ⓖⒷ (≈ *Stadtviertel*) quarter

Quarz quartz [kwɔːts]

quasseln 1. *umg.* yak; *hör auf zu quasseln!* stop yakking **2.** *er quasselt nur dummes Zeug immer*: he talks a lot of drivel ['drɪvl]

Quaste (≈ *Troddel*) tassel

Quatsch 1. *umg.* rubbish, *bes. AE* garbage, trash **2.** *Wendungen*: *so ein Quatsch!* what a load of rubbish (*AE* garbage); *lass den Quatsch!* stop it!, cut it out!; *mach bloß keinen Quatsch!* don't try anything silly!

quatschen 1. (≈ *dumm daherreden*) talk rubbish; *quatsch doch keinen Blödsinn!* stop talking rubbish (*AE* nonsense) **2.** (≈ *über Unwichtiges plaudern*) chat, *BE auch* natter **3.** (≈ *klatschen, tratschen*) gossip **4.** (≈ *etwas ausplaudern*) talk; *er hat wieder mal gequatscht* he's been talking again

Quatschkopf *umg., abwertend* waffler ['wɒflə], windbag

Quecksilber mercury ['mɜːkjʊrɪ]

Quelldatei *Computer*: source file ['sɔːs_-faɪl]

Quelle 1. *kleine*: spring **2.** *eines Flusses*: source [sɔːs] **3.** (≈ *Ursprung, Informationsquelle*) source **4.** *eines Zitats*: source **5.** *du sitzt doch an der Quelle* you're in the right place (for that)

quellen 1. pour [pɔː], (*Blut*) *auch*: gush (*aus* out of, from) **2.** (*Rauch*) billow (*aus* from, out from) **3.** (≈ *anschwellen*) swell **4.** *quellen lassen* soak (*Bohnen, Erbsen*)

Quelltext source text

Quengelei *umg.* whing(e)ing ['wɪŋʒɪŋ], *AE* grousing ['graʊsɪŋ], *eines Kindes*: whining, niggling

quengelig *Kind*: whining, niggly

quengeln 1. (≈ *klagen*) whine, *bes. BE auch* whinge [wɪndʒ] (*über* about) **2.** (*Kleinkind*) whine

quer 1. *quer durch den Garten* straight [streɪt] through the garden; *quer über den Rasen* straight across the lawn **2.** *die Balken laufen quer über die Decke* the beams run at right angles across the ceiling **3.** *kreuz und quer durch die Stadt* all over town (△ *ohne* the)

Quere: *jemandem in die Quere kommen* get* in someone's way

querfeldein across country

Querflöte flute; *Querflöte spielen* play the flute

Querlatte *Fußball usw.*: crossbar

Querpass *Fußball*: cross pass

Querschiff *Kirche*: transept ['trænsept]

Querschnitt 1. *allg.*: cross-section (*durch* of) (*auch übertragen*) **2.** *eines Musicals usw.*: highlights (△ *Pl.*)

querschnittsgelähmt paraplegic [ˌpærə-'pliːdʒɪk], *umg.* paralyzed ['pærəlaɪzd] from the waist (*oder* neck) down

Querstraße 1. side street; *eine Querstraße zur Bahnhofstraße* a road (*oder* side street) off Station Road **2.** *zweite Querstraße rechts* second turning right

Quertreiber(in) *umg.* obstructionist [əb-'strʌkʃnɪst]

quetschen 1. *ich hab mir den Finger gequetscht* I squashed my finger **2.** *wir haben uns zu acht ins Auto gequetscht* eight of us squeezed into the car

Quetschung *Verletzung*: bruise [bruːz], *förmlich* contusion [kən'tjuːʒn]

quieken, quieksen (*Schwein*) squeal (*auch vor Vergnügen*), (*Maus*) squeak

quietschen 1. (*Tür usw.*) squeak **2.** (*Reifen, Bremsen*) squeal **3.** *vor Freude, Vergnügen usw.*: squeal (*vor* with)

quietschvergnügt *umg.* happy as Larry

Quinte *Tonintervall*: fifth

Quintett *Musik*: quintet [kwɪn'tet]

Quirl *Küchengerät*: whisk

quirlen *v/t* whisk, beat* (*Eier usw.*)

quirlig 1. *Mensch*: bubbly **2.** *Kind*: very lively

quitt: *jetzt sind wir quitt* now we're even (*oder* quits)

Quittung *Bescheinigung*: receipt [rɪ'siːt] (*über* for)

Quiz quiz [kwɪz] *Pl.*: quizzes

Quizsendung 1. quiz show **2.** *mit Spielen*: game show

Quote 1. (≈ *zulässige bzw. zu erzielende Menge*) quota **2.** (≈ *Anteil*) share **3.** (≈ *verhältnismäßiger Anteil*) proportion

Quotient *Mathematik*: quotient ['kwəʊʃnt]

R

Rabatt discount ['dɪskaʊnt] (*auf* on); *Rabatt kriegen* get* a discount; *mit 10 Prozent Rabatt* at ten per cent (*AE* percent) discount

Rabbi, Rabbiner rabbi [△ 'ræbaɪ]

Rabe raven ['reɪvn]

rabiat 1. (≈ *grob*) rough [rʌf], brutal ['bruːtl] **2. *rabiat werden*** go* wild

Rache revenge [rɪ'vendʒ]; *Rache nehmen* take* revenge (*an* on); *aus Rache* out of (*oder* in) revenge

Rachen 1. *Mensch*: throat **2.** *Tier*: mouth, jaws (△ *Pl.*)

rächen 1. *sich rächen* get* one's revenge [rɪ'vendʒ] (*an jemandem* on someone) **2. *sich an jemandem für etwas rächen*** take* one's revenge on someone for something **3. *jemanden rächen*** avenge [ə'vendʒ] someone

Rächer(in) avenger [ə'vendʒə]

rachsüchtig revengeful [rɪ'vendʒfʊl]

Rad 1. *allg.*: wheel (*auch übertragen*) **2.** (≈ *Fahrrad*) bicycle ['baɪsɪkl], *umg.* bike; *Rad fahren* cycle; *sie fährt gern Rad* she likes to go cycling; *ich fahr mit dem Rad* I'll go by bike (△ *ohne* the) **3. *ein Rad machen*** *Turnen*: do* a cartwheel

Radar, Radargerät radar [△ 'reɪdɑː]

Radarkontrolle radar ['reɪdɑː] speed check

Radarschirm radar ['reɪdɑː] screen

Radau row [△ raʊ], racket; *Radau machen* make* a racket (*oder* row)

Raddampfer paddle steamer, *AE auch* side-wheeler

radeln cycle; *wir radeln gern* we like to go cycling

Radeln cycling

Radfahrer(in) 1. cyclist **2.** (≈ *Speichellecker, -in*) toady, *AE* apple polisher

Radfahrweg cycle track, cycle path, cycleway, *AE* bikepath, bikeway

radieren rub out, erase [rɪ'reɪz]

Radiergummi rubber, *bes. AE* eraser [ɪ'reɪzə] (△ *AE* rubber = *Präservativ*)

Radierung *Kunst*: etching ['etʃɪŋ]

Radieschen radish ['rædɪʃ]; *ein Bund Radieschen* a bunch of radishes

radikal 1. *allg.*: radical **2. *radikal vorgehen gegen*** take* radical steps against

Radikalismus radicalism ['rædɪkəlɪzm]

Radio 1. *Gerät*: radio **2.** (≈ *Rundfunk*) radio, broadcasting ['brɔːdkɑːstɪŋ]; *im Radio* on the radio; *Radio hören* listen to the radio **3. *es wird im Radio übertra-**

gen* it's going to be (*gerade*: it's being) broadcast on the radio

radioaktiv 1. *allg.*: radioactive **2. *radioaktive Strahlung*** radiation [ˌreɪdɪ'eɪʃn] **3. *radioaktiver Müll*** radioactive waste **4. *radioaktiver Niederschlag*** fallout

Radioaktivität radioactivity

Radiowecker radio alarm

Radius radius ['reɪdɪəs] (*auch übertragen*)

Radkappe hubcap

Radler *Getränk*: shandy

Radler(in) cyclist ['saɪklɪst]

Radrennbahn cycling track

Radrennen cycle race

Radrennfahrer(in) racing cyclist

Radtour cycling tour ['saɪklɪŋ_tʊə]

Radweg cycle track, cycle path, *AE* bikepath, bikeway

raffen 1. *etwas an sich raffen* snatch (*oder* grab) something **2.** *umg.* (≈ *verstehen*) get*; *sie hat es immer noch nicht gerafft* she still hasn't got it

raffgierig greedy

Raffinerie refinery [rɪ'faɪnərɪ]

raffiniert 1. (≈ *geschickt*) clever; *raffiniert!* very clever **2.** (≈ *schlau*) crafty ['krɑːftɪ]

ragen 1. tower (*über* above) **2.** rise* (*aus* from), *horizontal, z.B. Latte*: jut [dʒʌt] (*aus* from, out of)

Rahm cream

rahmen 1. frame (*Bild*) **2.** mount (*Dias*)

Rahmen 1. *Bild, Spiegel, Tür, Bett, Fahrrad usw.*: frame **2.** *Auto*: chassis ['ʃæsɪ] *Pl.*: chassis ['ʃæsɪz, 'ʃæsɪ] **3. *im Rahmen der Fimfestspiele usw.*** as part of the film festival *usw.* **4. *aus dem Rahmen fallen*** *übertragen* (≈ *sehr ungewöhnlich sein*) be* unusual, (≈ *sich schlecht benehmen*) step out of line

Rahmkäse cream cheese

Rakete 1. *Raumfahrt*: rocket **2.** *Militär* (≈ *Lenkflugkörper*) missile ['mɪsaɪl] **3. *wie eine Rakete davonrasen usw.*:** like a shot

Rallye *Sport*: (motor *oder* car) rally

RAM RAM (*Abk. für* random access memory)

rammen 1. ram (*Auto, Schiff usw.*) **2. *er hat ein Verkehrsschild gerammt*** he hit (*oder* drove into) a road sign **3. *Pfähle usw. in den Boden rammen*** ram (*oder* drive*) stakes *usw.* into the ground

Rampe 1. *schräge*: ramp **2.** (≈ *Laderampe*) loading ramp

ramponiert 1. *allg.*: battered **2.** *Haus,*

Wohnung: run-down **3. er hat ziemlich ramponiert ausgesehen** he looked pretty rough

Ramsch junk, trash

ran 1. ran an up (*oder* close) to **2. mehr links ran** more (*oder* closer) to the left **3. ran!** let's go!

Rand 1. *eines Tisches, des Wassers, einer Schlucht, des Waldes, eines Feldes usw.*: edge **2.** *auf Blatt Papier*: margin ['mɑːdʒɪn]; **einen Rand lassen** leave* a margin; **sie hat es an den Rand geschrieben** she wrote it in the margin **3.** *eines runden Gegenstands, z.B. Brille, Teller, Tasse*: rim; **am Rand** on the rim **4. das Glas war bis an den Rand gefüllt** the glass was filled to the top (*oder* brim) **5.** *Straße usw.*: side, verge; **am Rand** on the side (*oder* verge) **6.** *einer Stadt*: outskirts (△ *Pl.*); **am Rand der Stadt** on the outskirts of town (△ *ohne* the) **7. am Rand des Ruins** *usw.* on the verge (*oder* brink) of ruin *usw.* **8.** *Briefpapier mit Rand* edged notepaper **9. ohne Rand** *Fotos*: without borders (△ *Pl.*)

randalieren riot ['raɪət], go* on the rampage ['ræmpeɪdʒ]

Randalierer(in) hooligan ['huːlɪɡən], rioter ['raɪətə]

Randgebiet 1. *eines Staates, einer Region*: borderland, border region (*auch übertragen*) **2.** *einer Stadt*: outskirts ['aʊtskɜːts] (*Pl.*) **3.** *übertragen* fringe area, *eines Fachgebiets, einer Wissenschaft*: fringe subject ['sʌbdʒekt]

Randgruppe *soziale*: fringe group

Randstein kerb, *AE* curb

Rang 1. *allg.*: rank **2.** (≈ *gesellschaftliche Stellung*) status ['steɪtəs] **3.** *Theater usw.*: circle, *bes. AE* balcony ['bælkənɪ]; **auf dem obersten Rang** in the gallery **4. auf den Rängen** *Sportstadion*: in the stands, *BE auch* on the terraces ['terəsɪz]

rangehen 1. der geht aber ran! *bei Frau*: he's a fast worker **2. gehst du mal ran?** *ans Telefon*: can you get that?

Rangelei wrangling ['ræŋlɪŋ] (**um** over)

Rangierbahnhof shunting yard, *AE* switchyard

rangieren 1. manoeuvre, *AE* maneuver [△ mə'nuːvə] (*Auto in Parklücke usw.*) **2.** shunt, *AE* switch (*Waggons, Züge*) **3. der Urlaub rangiert bei uns ganz oben** holidays have top priority with us

Rangordnung hierarchy ['haɪrɑːkɪ]

ranhalten 1. sich ranhalten *zeitlich*: get* a move on, (≈ *nicht nachlassen, etwas zu erreichen*) keep* at it **2. haltet euch ordentlich ran!** *beim Essen*: dig in!, tuck in!

ranklotzen *beim Arbeiten*: work like mad

ranlassen *umg.* **1. er lässt niemanden an sein Auto usw. ran** he won't let anybody toch (*oder* get at) his car *usw.* **2. lass mich mal ran!** let me have a go! **3. sie lässt ihn nicht an sich ran** she won't let him (come) near her

rannehmen: unser Trainer nimmt uns ganz schön hart ran our coach makes us work really hard

Ranzen 1. (≈ *Schulranzen*) schoolbag, satchel ['sætʃl] **2.** (≈ *Bauch*) paunch [pɔːntʃ]

ranzig *Butter, Öl*: rancid ['rænsɪd]

rappelvoll *umg.* jam-packed [,dʒæm-'pækt]

Rap *Popmusik*: rap

rappen *Popmusik*: rap

Rappen ⊛ *Geldstück*: centime ['sɒntiːm]

Raps 1. *Pflanze*: rape **2.** *Samen*: rapeseed

rar rare, scarce [△ skeəs]

rasant *Entwicklung usw.*: rapid ['ræpɪd]

rasch 1. *Fortschritte, Entscheidung usw.*: quick **2.** *Antwort*: swift, prompt **3. ich geh nur rasch zum Bäcker** I'm just going to pop round to the baker's, *AE* I'm just going to run down to the bakery **4. rasch!** quick!

rascheln rustle [△ 'rʌsl]

Rascheln *kurzes*: rustle [△ 'rʌsl], *anhaltendes*: rustling [△ 'rʌslɪŋ]

rasen 1. *mit Auto, Fahrrad usw.*: race (along), speed* (along) **2.** *zu Fuß*: dash (along), rush (along) **3. gegen einen Baum rasen** *mit Auto usw.*: crash into a tree **4.** *vor Zorn usw.*: rave

Rasen lawn

rasend 1. mit rasender Geschwindigkeit at breakneck speed, at a terrific speed **2. rasende Kopfschmerzen** a splitting headache ['hedeɪk] (△ *Sg.*) **3. sie war rasend vor Wut**: she was wild with rage

Rasenmäher lawnmower ['lɔːn,məʊə]

Raser(in) *mit Auto usw.*: speeder

Raserei *umg.* **1.** *mit Auto usw.*: speeding **2.** (≈ *Wut*) fury ['fjʊərɪ] **3.** (≈ *Wahnsinn*) frenzy ['frenzɪ], madness

Rasierapparat (electric) shaver (*oder* razor)

rasieren 1. sich rasieren shave; **rasierst du dich nass oder trocken?** do you shave wet or do you use an electric shaver? **2. sich rasieren lassen** have* a shave **3. sie rasiert sich die Beine** (*bzw.* **unter den Armen**) she shaves her legs (*bzw.* armpits)

Rasierklinge razor blade

Rasiermesser (cutthroat ['kʌtθrəʊt]) razor, *AE* (straight) razor

Rasierschaum shaving foam

Rasierwasser 1. *vor Rasur:* pre-shave lotion **2.** *nach Rasur:* aftershave (lotion)

raspeln grate (*Äpfel, Käse, Nüsse usw.*)

Rasse 1. *bei Menschen:* race **2.** *bei Tieren:* breed

Rassehund pedigree dog [ˌpedɪɡriːˈdɒɡ]

Rassel rattle

rasseln 1. (*Kette usw.*) rattle **2. *er rasselt mit dem Schlüsselbund*** he's rattling his bunch of keys **3. *er ist durch die Prüfung gerasselt*** he flunked the exam

Rassenhass racial hatred [ˈheɪtrɪd]

Rassismus racism [ˈreɪsɪzm]

Rassist(in), rassistisch racist [ˈreɪsɪst]

Rast 1. rest; ***Rast machen*** *beim Wandern usw.:* have* a rest **2.** (≈ *Pause*) break; ***Rast machen*** *beim Autofahren usw.:* stop for (*oder* have*) a break

Rastalocken *Pl. Frisur:* dreadlocks [ˈdredlɒks]

rasten rest, take* (*oder* have*) a break

Raster 1. *Foto, Buchdruck:* screen **2.** *TV, Computer:* raster [ˈræstə] **3.** *übertragen* (≈ *Muster*) pattern [△ ˈpætn], scheme [△ ˈskiːm]

Rasthaus motorway restaurant

Rastplatz *an Straße:* lay-by, *AE* rest area

Raststätte 1. *allg.:* service area **2.** *Gaststätte:* motorway restaurant, *AE* highway (*oder* roadside) restaurant

Raststätte

An britischen Autobahnen gibt es keine Rastplätze, sondern große Raststätten, die manchmal sehr weit voneinander entfernt sind.

Rasur shave

Rat (≈ *Ratschlag*) advice (△ *immer im Sg., niemals mit* an); ***sie hat mir einen Rat gegeben*** she gave me some (*oder* a piece of) advice; ***ich möchte dir einen guten Rat geben*** let me give you some (good) advice; ***er hat mich um Rat gefragt*** he asked me for advice

Rate[1] *bei Teilzahlung:* instalment; ***etwas auf Raten kaufen*** buy* something in instalments (*oder* on hire purchase [ˈpɜːtʃəs] *oder AE* on the installment plan)

Rate[2] *Wachstum, Inflation usw.:* rate

raten[1] **1. *jemandem raten, etwas zu tun*** advise someone to do something **2. *er hat mir zu einer Diät geraten*** he recommended [ˌrekəˈmendɪd] a diet [ˈdaɪət], he advised me to go on a diet

raten[2] (≈ *erraten*) guess [ges]; ***da muss ich raten*** I'd have to guess; ***rate mal!***

(have a) guess!; ***dreimal darfst du raten*** I'll give you three guesses

Ratespiel guessing [ˈɡesɪŋ] game

Rathaus town hall, *AE auch* city hall

Ration ration [△ ˈræʃn]

rational rational [ˈræʃnəl]

rationalisieren rationalize [ˈræʃnəlaɪz]

rationell *Arbeitsweise, Methode usw.:* efficient [ɪˈfɪʃnt], economical [ˌiːkəˈnɒmɪkl]

rationieren ration [△ ˈræʃn] (*Benzin usw.*)

ratlos 1. *allg., auch Blick:* helpless **2. *ziemlich ratlos dastehen*** be* at a complete loss

ratsam 1. *allg.:* advisable [ədˈvaɪzəbl] **2. *das halte ich nicht für ratsam*** I don't think that would be a good idea

ratschen (≈ *sich unterhalten*) have* a chat

Rätsel 1. (≈ *unerklärliche Sache*) mystery [ˈmɪstrɪ]; ***es ist mir ein Rätsel, wie sie sich so ein Auto leisten kann*** it's a mystery to me how she can afford a car like that **2.** (≈ *Kreuzworträtsel*) crossword (puzzle [ˈpʌzl]) **3.** (≈ *Bilderrätsel*) (picture) puzzle **4.** *Denkaufgabe:* riddle

rätselhaft (≈ *geheimnisvoll*) mysterious [mɪˈstɪərɪəs]

rätseln puzzle [ˈpʌzl] (***über*** over), speculate [ˈspekjʊleɪt] (***über*** about, on)

Ratte rat (*auch übertragen*)

rattern rattle, clatter

rau 1. *allg., auch Haut, See, Wetter, Ton, Sitten usw.:* rough [rʌf] **2.** *Klima:* harsh **3.** *Stimme:* harsh, (≈ *heiser*) hoarse [hɔːs] **4. *ein rauer Hals*** a sore throat **5.** *Hände:* chapped **6. *es gab Steaks* (*bzw.* *Wein*) *in rauen Mengen*** there were masses (*AE mst.* tons) of steaks (*bzw.* there was masses of wine)

Raub 1. *Tat:* robbery **2.** *Beute:* booty, loot

rauben 1. steal* (*Geld usw.*) **2. *jemandem etwas rauben*** rob someone of something **3.** kidnap (*Kind usw.*)

Räuber(in) robber

Raubfisch predatory [△ ˈpredətrɪ] fish

Raubkopie pirate [ˈpaɪrət] copy, bootleg [ˈbuːtleɡ]

Raubtier predator [△ ˈpredətə]

Raubüberfall 1. *in Bank usw.:* armed robbery, holdup **2.** *auf Einzelperson:* mugging

Raubvogel bird of prey [preɪ]

Rauch 1. *allg.:* smoke **2.** *von Abgasen:* fumes (△ *Pl.*)

rauchen 1. *allg.:* smoke **2. *er raucht Zigaretten*** he smokes cigarettes **3. *zu rauchen anfangen*** start smoking; ***sie raucht viel*** she's a heavy smoker; ***ich rauche wenig*** I don't smoke very much **4. *das Rauchen aufgeben*** stop (*oder* quit*) smoking **5. Rauchen verboten!** no smoking

Raucher(abteil *im Zug*: smoking compartment, *umg.* smoker

Raucher(in) smoker; **eine starke Raucherin** a heavy smoker

Raucherabteil smoking compartment

Räucherlachs smoked salmon [△ 'sæmən]

räuchern smoke (*Fleisch, Fisch*)

rauchig 1. *allg.*: smoky **2.** *Stimme*: husky

Rauchverbot ban on smoking; **hier ist Rauchverbot!** there's no smoking here

Rauchwolke cloud of smoke

rauf *allg.*: up; **da rauf** up there, up here; **bis rauf zu** up to; **den Berg rauf** up the hill; **die Treppe rauf** up the stairs, upstairs

rauf... *umg.* → **herauf** *usw.*, **hinauf** *usw.*

raufen: (sich) raufen scuffle, fight* (**um** over)

Rauferei fight, scuffle

Raum 1. (≈ *Zimmer*) room **2.** (≈ *Platz für Gepäck usw.*) space, room **3.** (≈ *Gebiet*) area ['eəriə], region ['riːdʒən]; **im Raum Zürich** in the Zurich ['zʊərɪk] area **4.** *als Dimension*: space **5.** *als Fläche*: space; **ein freier** (*oder* **offener**) **Raum** an open space

Raumanzug spacesuit ['speɪs‿suːt]

räumen 1. etwas vom Tisch usw. räumen clear something off the table *usw.* **2. sie räumt ihre Wäsche in den Schrank** she's putting her underwear away in the cupboard (*AE* closet) **3.** clear (*Saal, Straße usw., auch Lager*) (**von** of) **4.** move out of (*Wohnung usw.*) **5.** check out of (*Hotelzimmer*) **6.** evacuate [ɪˈvækjʊeɪt] (*Gebiet*) **7.** (*Militär*) leave*, retreat from (*Stellung usw.*) **8.** clear (*Minen*)

Raumfähre space shuttle

Raumfahrt: die Raumfahrt space travel (△ *ohne* the)

Räumfahrzeug 1. *für Erdmassen*: bulldozer ['bʊldəʊzə] **2.** *für Schnee*: snow clearer

Raumkapsel space capsule ['speɪs‿ˌkæpsjuːl]

Raumlabor space lab

räumlich 1. etwas räumlich sehen see* something three-dimensionally **2. das Bild hat eine räumliche Wirkung** the picture has a three-dimensional effect

Raumschiff spacecraft ['speɪskrɑːft] *Pl.*: spacecraft, *bes. im Roman usw.*: spaceship

Raumsonde space probe

Raumstation space station

Raumtemperatur room temperature

Räumung 1. (≈ *Leermachen*) clearing **2.** *von Wohnung, Haus*: vacating [vəˈkeɪtɪŋ], *zwangsweise*: eviction **3.** *von Lagerbeständen*: clearance **4.** *eines Gebiets*: evacuation

Räumungsverkauf *bei Geschäftsaufgabe*: clearance sale, closing-down sale

raunzen *bes.* ⒶⒺ (≈ *nörgeln*) grouch

Raupe 1. *Schmetterling*: caterpillar ['kætəpɪlə] **2.** (≈ *Planierraupe*) caterpillar®

Raureif white frost, hoarfrost

raus 1. raus! (get) out! **2. (so,) raus mit euch!** *in den Garten usw.*: out you go!, *aus dem Auto usw.*: out you get!

raus... *umg.* → **heraus** *usw*, **hinaus** *usw*

Rausch 1. *von Alkohol*: (state of) drunkenness **2. einen Rausch haben** (*bzw.* **kriegen**) be* (*bzw.* get*) drunk

rauscharm low-noise (△ *nur vor dem Subst.*)

rauschen 1. (*Blätter, Seide usw.*) rustle [△ 'rʌsl] **2.** (*Wasser*) rush **3.** (*Bach*) murmur ['mɜːmə] **4.** (*Brandung, Wind*) roar

Rauschgift 1. *allg.*: drugs (△ *Pl.*); **Rauschgift nehmen** take* drugs, be* on drugs **2.** *einzelne Droge*: drug

Rauschgiftsüchtige(r) drug addict ['ædɪkt]

rausfliegen *umg.* be* kicked (*oder salopp* booted, chucked) out, *bes. aus einer Stellung*: get* the sack (*bes. AE* boot)

raushalten: du hältst dich da raus! *drohend*: you (just) keep out of it!

rauskriegen 1. (≈ *herausbekommen*) find* out **2. ich krieg die Aufgabe nicht raus** *Mathe usw.*: I can't do this problem

räuspern: er räusperte sich he cleared his throat

rausschmeißen 1. jemanden rausschmeißen *aus Restaurant usw.*: throw* (*umg.* chuck) someone out (**aus** of) **2. jemanden rausschmeißen** (≈ *entlassen*) kick someone out (**aus** of), give* someone the sack (*bes. AE* boot)

Raute 1. *als Teil eines Musters, auch auf Spielkarten*: diamond ['daɪəmənd] **2.** *geometrische Figur*: rhombus ['rɒmbəs] *Pl.*: rhombi ['rɒmbaɪ], rhombuses

Razzia (police) raid, police roundup; **hier gibts oft Razzien** the police often raid this place

Reagenzglas test tube ['test‿tjuːb]

reagieren 1. react (**auf** to); **sie hat blitzschnell reagiert** she reacted instantly **2. sie haben überhaupt nicht reagiert** there was no reaction (from them) **3.** *auf Behandlung, Medizin*: respond (**auf** to)

Reaktion 1. reaction (**auf** to) **2.** *auf Behandlung, Medizin*: response [rɪˈspɒns] (**auf** to), *negative*: reaction (**auf** to)

Reaktionsfähigkeit 1. *allg.*: reactions (*Pl.*)
2. *Chemie*: reactivity [ˌriːækˈtɪvətɪ]
Reaktor reactor [rɪˈæktə]
real 1. real [rɪəl] **2.** (≈ *realistisch*) realistic [rɪəˈlɪstɪk]
realisieren realize
Realist(in) realist [ˈrɪəlɪst]
realistisch *Schilderung usw.*: realistic
Realität reality [rɪˈælətɪ], (≈ *Tatsachen*) facts (*Pl.*); *in der Realität* in real life
Realschule *etwa*: secondary school, *AE etwa*: junior high school (△ *eine Entsprechung zur Realschule gibt es weder in GB noch in den USA*)
Rebe 1. (≈ *Weinranke*) shoot **2.** (≈ *Weinstock*) vine [vaɪn]
rebellieren rebel [rɪˈbel] (*gegen* against)
rebellisch 1. *sie wurden rebellisch* (≈ *haben sich lautstark aufgeregt*) they were up in arms **2.** *die Leute usw. rebellisch machen* cause an uproar [ˈʌprɔː]
Rebhuhn partridge
Rechen, rechen rake
Rechenaufgabe *einfache*: sum, *schwierigere*: problem [ˈprɒbləm]; *eine Rechenaufgabe machen* do* a sum (*bzw.* solve a problem)
rechnen 1. *mit Zahlen*: calculate [ˈkælkjuleɪt] **2.** *in der Schule*: do* sums, *schwierigere Aufgaben*: do* arithmetic [əˈrɪθmətɪk] **3.** *er kann gut rechnen* he's good at figures [ˈfɪgəz] **4.** *wir rechnen mit 20 Leuten als Gäste*: we're expecting twenty people; *damit hab ich nicht gerechnet* I wasn't expecting that **5.** *mit mir brauchst du nicht zu rechnen!* count me out
Rechnen *Schulfach*: arithmetic [əˈrɪθmətɪk]
Rechner 1. *Gerät*: calculator **2.** (≈ *Computer*) computer
Rechnung 1. *in Restaurant*: bill, *AE mst.* check; *die Rechnung, bitte!* can I (*bzw.* we) have the bill, please?; *das geht auf meine Rechnung* that's on me **2.** *bei Kauf, von Handwerker usw.*: invoice [ˈɪnvɔɪs] **3.** (≈ *Rechnen, Berechnung*) calculation
recht¹ 1. *Ort, Zeitpunkt usw.*: (≈ *richtig, passend*) right; *am rechten Ort* in the right place **2.** *ist es dir recht, wenn er kommt?* do you mind if he comes?; *mir ists recht* it's all right with me, I don't mind; *es war ihr nicht recht* she didn't seem very pleased **3.** *schon recht!* it's all right **4.** *nach dem Rechten sehen* look after things
recht² 1. (≈ *sehr*) very **2.** (≈ *ziemlich*) quite; *es gefällt mir recht gut* I quite like it **3.** *dem kann man nichts recht*

machen you can't do anything right for him **4.** *du kommst mir gerade recht* (you're) just the person I want; *der kommt mir gerade recht! ironisch* he's the last person I wanted (to see) **5.** *das geschieht dir recht!* it serves you right **6.** *Wendungen: ich weiß nicht recht* I'm not sure; *ich seh wohl nicht recht!* am I seeing things?; *dann war sie erst recht sauer* then she really 'did get angry; *dann macht sies erst recht nicht* then she really 'won't do it
recht³ 1. *recht haben* be* right **2.** *da muss ich ihr recht geben* I agree with her there
Recht 1. (≈ *Rechtsanspruch, Berechtigung*) right; *im Recht sein* be* in the right; *ich hab doch wohl ein Recht darauf, meine Meinung zu äußern* don't I have the right to express my opinion? **2.** *gleiches Recht für alle* equal [ˈiːkwəl] rights for all **3.** (≈ *die Gesetze*) law; *nach deutschem Recht* under German law
Rechte 1. *Hand*: right hand, *Boxen*: right **2.** *politisch*: right, *einer Partei*: right wing
Rechteck rectangle [ˈrektæŋgl]
rechteckig rectangular [rekˈtæŋgjulə]
Rechte(r) *politisch*: rightist, right-winger
rechte(r, -s) 1. ↔ *linke(r, -s)*: right; *am rechten Ufer* on the right bank **2.** *auf der rechten Seite* on the right, on the right-hand side **3.** *Partei usw.*: right-wing **4.** (≈ *richtig, passend*) right, proper [ˈprɒpə], suitable [ˈsuːtəbl]
rechtfertigen 1. justify (*Verhalten, Tat usw.*) (*vor* to) **2.** *sich rechtfertigen* justify oneself; *du brauchst dich nicht dafür zu rechtfertigen, dass du einen behinderten Bruder hast* you don't have to justify the fact that you've got a disabled brother
rechthaberisch: *er ist sehr rechthaberisch* he thinks he knows it all
rechtlich *Folgen usw.*: legal [ˈliːgl]
rechtlos without rights (△ *nur hinter dem Subst. oder Verb*)
rechtmäßig *Erbe, Erbin, Besitzer, -in*: legitimate [△ lɪˈdʒɪtəmət], rightful
rechts 1. on the right (*auch politisch*), on the right-hand side **2.** *nach rechts* right, to the right; *rechts abbiegen* turn right **3.** *rechts von* to the right of; *rechts von ihr* to her right **4.** *rechts oben* on the top right (*in* of); *rechts unten* on the bottom right (*in* of) **5.** *sich rechts halten* keep* to the right **6.** *rechts der Donau* on the right bank of the Danube
Rechtsanwalt, Rechtsanwältin 1. *allg.*: lawyer, *BE auch* solicitor [səˈlɪsɪtə], *AE auch* attorney [△ əˈtɜːnɪ] **2.** *bei Gericht*:

R

barrister ['bærɪstə], *AE* attorney

Rechtsaußen *Fußball*: right wing(er)

rechtsbündig *Textverarbeitung*: flush right

Rechtschreiben spelling

Rechtschreibfehler spelling mistake

Rechtschreibprogramm *Computer*: spell-checker

Rechtschreibreform spelling reform

Rechtschreibung spelling, orthography [△ ɔː'θɒɡrəfɪ]; *sie ist gut* (*bzw. schlecht*) *in Rechtschreibung* she's good (*bzw.* bad) at spelling

Rechtshänder(in) right-hander; *sie ist Rechtshänderin* she's right-handed

rechtsherum *drehen usw.*: to the right, clockwise

rechtsradikal 1. extreme right-wing (△ *nur vor dem Subst.*) **2.** *er ist rechtsradikal* he's a right-wing extremist [ɪk-'striːmɪst]

Rechtsradikale(r) right-wing extremist

Rechtsverkehr: *in der Schweiz ist Rechtsverkehr* in Switzerland they drive on the right(-hand side)

rechtswidrig illegal [ɪ'liːɡl], unlawful

rechtwinklig right-angled ['raɪt,æŋɡld]

rechtzeitig 1. *zu bestimmtem Ereignis*: in time; *gerade rechtzeitig zu Ostern* just in time for Easter **2.** *wir sollten rechtzeitig dort sein* (≈ *früh genug*) we should try to get there in good time **3.** (≈ *pünktlich*) on time, punctually

Reck *Turnen*: horizontal ['hɒrɪzɒntl] bar

recken: *sich recken und strecken* have* a good stretch

recycelbar recyclable [ˌriː'saɪkləbl]

recyceln recycle [ˌriː'saɪkl]

Recycling recycling [ˌriː'saɪklɪŋ]

Redakteur(in) editor ['edɪtə]

Redaktion 1. *Personen*: editorial staff (△ *mst. mit Pl.*) **2.** *Büroräume*: editorial office (*oder* department) **3.** *die politische Redaktion* *Abteilung*: the politics department **4.** *Tätigkeit*: editing, editorial work

Rede 1. (≈ *Ansprache*) speech; *eine Rede halten* make* a speech **2.** *das ist doch nicht der Rede wert* it's not worth mentioning **3.** *in der direkten* (*bzw. indirekten*) *Rede* *Grammatik*: in direct ['daɪrekt] (*bzw.* indirect ['ɪndərekt] *oder* reported) speech (△ *ohne the*)

reden 1. *allg.*: speak* (*mit* to, with) **2.** (≈ *sich unterhalten*) talk (*mit* to, with; *über* about); *er möchte mit dir reden* he'd like to talk to you; *über Fußball reden* talk (about) football **3.** *sie hat kein Wort geredet* she didn't say a word **4.** *sie reden nicht miteinander* they're not on speaking terms **5.** *sie lässt nicht mit*

sich reden she won't listen ['lɪsn] **6.** *kannst 'du mal mit ihr reden?* can 'you have a word with her? **7.** *er kann gut reden* he's a good speaker **8.** *du hast gut reden!* 'you can talk

Reden talking; *sie haben ihn zum Reden gebracht* they made him talk

Redensart saying

Redewendung *idiomatische*: idiom ['ɪdɪəm]

Redner(in) speaker

Rednerpult lectern ['lektən]

redselig talkative ['tɔːkətɪv]

reduzieren 1. reduce (*auf* to) **2.** *sich reduzieren* decrease [ˌdiː'kriːs] (*auf* to)

Reeder(in) shipowner

Reederei shipping company ['kʌmpənɪ]

Referat paper; *ein Referat halten* give* a paper (*über* on)

Referendar(in) *in Schule*: trainee teacher [ˌtreɪnɪ'tiːtʃə], *AE auch* intern ['ɪntɜːn]

Referent(in) (≈ *Sprecher, -in*) speaker

reflektieren 1. reflect (*Licht, Strahlen usw.*) **2.** *ein reflektierendes Nummernschild* a light-reflecting number plate

Reflektor reflector [rɪ'flektə]

Reflex 1. *körperlich, psychisch*: reflex [△ 'riːfleks] **2.** *von Licht*: reflection

Reflexivpronomen reflexive (pronoun)

Reform reform

Reformator(in) reformer

Reformhaus health food shop

Reformkost health food(s *Pl.*)

reformieren reform

Refrain refrain [rɪ'freɪn], chorus ['kɔːrəs]

Regal 1. shelves (△ *Pl.*) **2.** *etwas ins Regal stellen* put* something on the shelf (△ *Sg.*)

Regatta regatta, boat race

rege 1. *Fantasie*: vivid ['vɪvɪd] **2.** *Interesse*: lively ['laɪvlɪ], keen **3.** *Verkehr*: busy ['bɪzɪ]

Regel 1. (≈ *Vorschrift*) rule **2.** (≈ *Normalfall*) rule; *in der Regel* as a rule **3.** (≈ *Monatsblutung*) period; *wann kriegst du deine Regel?* when's your period (due)?

regelbar adjustable [ə'dʒʌstəbl]

regelmäßig 1. regular; *in regelmäßigen Abständen* at regular intervals (*zeitlich und räumlich*); *wir treffen uns regelmäßig* we meet regularly **2.** (≈ *immer*) always; *der Bus kommt regelmäßig zu spät* the bus is always late

regeln 1. regulate (*Temperatur usw.*) **2.** control (*Verkehr*) **3.** settle (*Angelegenheit*) **4.** *das wird sich schon regeln* it'll sort itself out

Regelung 1. (≈ *Regulierung*) regulation **2.** (≈ *Vereinbarung*) arrangement **3.** (≈

Richtlinie) rule

regelwidrig *Sport*: against the rules; **sich regelwidrig verhalten** *Sport*: act (*oder* play *usw.*) against the rules, *im Verkehr*: break* (*AE mst.* violate) the traffic regulations, *BE auch* breach [briːtʃ] the Highway Code

regen: **sich regen** *allg.*: move [muːv], stir, (*Gefühle usw.*) stir, arise

Regen 1. rain; **bei strömendem Regen** in (the) pouring rain **2. es wird heute noch Regen geben** it's going to rain today **3. ein warmer Regen** *übertragen* a windfall **4. vom Regen in die Traufe kommen** jump out of the frying pan into the fire

Regenbogen rainbow ['reɪnbəʊ]

regenerieren: **sich regenerieren** *allg.*: regenerate [rɪ'dʒenəreɪt], (≈ *sich erholen*) recover [rɪ'kʌvə]

Regenfälle *Pl.*: **starke Regenfälle** heavy rain(fall) (△ *Sg.*)

Regenhaut waterproof(s *Pl.*)

Regenmantel raincoat, *BE umg.* mac

Regenrinne gutter

Regenschauer shower

Regenschirm umbrella

Regentag rainy day

Regentropfen raindrop

Regenwald rainforest

Regenwurm earthworm ['ɜːθwɜːm]

Regenzeit rainy season, *tropische auch*: the rains (*Pl.*)

Reggae *Musik*: reggae [△ 'regeɪ]

Regie 1. *Film, Theater usw.*: direction [də'rekʃn] **2. unter der Regie von …** directed by …; **Regie: …** *im Vorspann usw.*: Directed by …

regieren 1. (≈ *herrschen*) rule **2.** govern ['gʌvn], rule over (*Staat*)

Regierung 1. *eines Staates*: government ['gʌvnmənt]; **die Regierung plant neue Steuererhöhungen** the Government is (*oder* are) planning new tax increases **2.** (≈ *Amtszeit*) term of office **3. an der Regierung sein** be* in government (*oder* office)

Regierungsbezirk administrative district [əd,mɪnɪstrətɪv'dɪstrɪkt]

Regierungschef(in) head of government [,hedəv'gʌvnmənt]

Regierungserklärung 1. statement of government policy **2.** *GB*: Queen's (*bzw.* King's) Speech, *USA*: State of the Union Address

Regierungssprecher government spokesman (*oder* spokesperson)

Regierungssprecherin government spokeswoman (*oder* spokesperson)

Regierungswechsel change of government

Regime regime [reɪ'ʒiːm]

Regiment 1. (≈ *Herrschaft*) rule, government **2. das Regiment führen** *übertragen* be* the boss **3.** *Truppenverband*: regiment

Region region ['riːdʒən]

regional regional ['riːdʒnəl]

Regional… *in Zusammensetzungen*: regional ['riːdʒnəl]

Regionalliga *Sport*: regional league [,riːdʒnəl'liːg]

Regisseur(in) 1. *beim Film*: director [də'rektə] **2.** *im Theater, Fernsehen*: director, producer

Register 1. *eines Buchs*: index **2.** (≈ *Verzeichnis*) register ['redʒɪstə] **3.** *bei Musikinstrument*: register

registrieren 1. *allg.*: register ['redʒɪstə] **2.** (≈ *bemerken*) notice

Regler *Technik*: regulator, *Elektrotechnik*: control (knob [△ nɒb])

reglos motionless, (completely) still

regnen rain; **es regnet in Strömen** it's pouring ['pɔːrɪŋ] (with rain)

regnerisch rainy

regulär 1. *allg.*: regular **2.** (≈ *üblich*) usual ['juːʒʊəl], normal

regulieren 1. (≈ *regeln*) regulate **2.** settle (*Schaden usw.*)

regungslos motionless, (completely) still

Reh 1. *Tier*: deer **2.** *Fleisch*: venison ['venɪsən]

Rehabilitation *allg.*: rehabilitation [,riː(h)əbɪlɪ'teɪʃn]

Rehbraten roast venison ['venɪsən]

Rehkeule leg of venison ['venɪsən]

Rehkitz fawn

Reibach: **einen (kräftigen) Reibach machen** *umg.* make* a killing

Reibeisen grater

reiben 1. rub; **sich die Augen reiben** rub one's eyes **2.** grate (*Käse, Obst, Gemüse*)

Reibereien *Pl.* (constant) friction (△ *Sg.*)

Reibung 1. rubbing **2.** *Physik*: friction

reibungslos smooth [smuːð]; **alles ist reibungslos verlaufen** everything went off smoothly

reich 1. (≈ *vermögend*) rich, wealthy ['welθɪ] **2. reich heiraten** *umg.* marry (into) money **3. in reichem Maße** in abundance **4. das Land ist reich an Bodenschätzen** the country is rich in minerals

Reich 1. empire (*auch übertragen*) **2.** *eines Königs*: kingdom **3.** *Wendungen*: **das Arbeitszimmer ist 'mein Reich** the study is 'my place; **das gehört ins Reich der Fantasie** that belongs to the realm [△ relm] of fantasy

Reiche rich woman

reichen 1. *räumlich*: reach (**bis** to); *sie reicht mir gerade bis an die Schulter* she just about comes up to my shoulder **2.** *zeitlich*: last (**von ... bis** from ... till) **3.** (≈ *ausreichen*) be* enough; *es reicht für alle* there's enough for everyone **4.** *das reicht!* that'll do!, *ärgerlich*: that's enough! **5.** *mir reichts!* *umg.* I've had enough **6.** (≈ *geben*) give*, hand; *reichst du mir bitte das Salz* could you pass (me) the salt, please

Reicher 1. rich man **2.** *die Reichen* the rich

reichlich 1. (≈ *sehr viel, genügend*) plenty of; *es gab reichlich Kuchen* there was plenty of cake **2.** *ein reichliches Trinkgeld* a generous tip **3.** *du kommst reichlich spät!* *umg.* you're rather late(, aren't you?)

Reichtum 1. (≈ *Vermögen*) wealth [welθ]; *zu Reichtum kommen* become* rich **2.** *Reichtümer* riches **3.** (≈ *Überfluss*) abundance [əˈbʌndəns] (*an* of)

Reichweite 1. *in Reichweite* within reach; *außer Reichweite* out of reach **2.** *eines Senders*: range

reif 1. *Obst, Getreide*: ripe **2.** *Käse*: ripe, mature [məˈtʃʊə] **3.** *Mensch*: mature **4.** *reif sein für* *übertragen* be* ready for **5.** *reife Leistung!* *umg.* good show!, *AE* great job!

Reife 1. *von Obst usw.*: ripeness **2.** *eines Menschen, Plans usw.*: maturity [məˈtʃʊərətɪ] **3.** *mittlere Reife* intermediate [ˌɪntəˈmiːdɪət] high school certificate [səˈtɪfɪkət]; *in GB etwa* GCSEs [ˌdʒiːsiːesˈiːz] (△ *Pl.*)

reifen 1. (*Obst usw.*) ripen **2.** (*Mensch, Plan usw.*) mature [məˈtʃʊə]

Reifen *beim Fahrrad usw.*: tyre, *AE* tire

Reifenpanne flat tyre (*AE* tire), *umg.* flat

Reifeprüfung school leaving exam(s *Pl.*)

Reifglätte *auf Straßen*: slippery frost

Reihe 1. *allg.*: row [rəʊ], line; *sich in einer Reihe aufstellen* stand* in a line, line up; *in der ersten* (*bzw. letzten*) *Reihe* in the front (*bzw.* back) row **2.** (≈ *Reihenfolge*) series [ˈsɪəriːz]; *wer ist an der Reihe?* whose turn is it?; *immer der Reihe nach* one after the other **3.** (≈ *Anzahl*) number; *eine ganze Reihe von jungen Leuten* a whole lot of young people **4.** *etwas auf die Reihe kriegen* *umg.* get* something sorted out

Reihenfolge order; *in alphabetischer Reihenfolge* in alphabetical order

Reihenhaus terrace(d) house, *AE* row [rəʊ] house

reihenweise 1. *allg.*: in rows [rəʊz] **2.**

umg. (≈ *in großer Zahl*) by the dozen

Reiher *Vogel*: heron [ˈherən]

Reim 1. rhyme [raɪm] **2.** *kannst du dir darauf einen Reim machen?* *übertragen* does it make any sense to you?

reimen (*auch sich reimen*) rhyme [raɪm]

rein 1. (≈ *pur, unverfälscht*) pure **2.** *reine Baumwolle* pure cotton **3.** *Wäsche usw.* (≈ *sauber*) clean **4.** *verstärkend*: pure, sheer; *das ist die reine Wahrheit* that's the plain truth; *es war der reinste Wahnsinn* *umg.* it was sheer madness; *reiner Zufall* pure coincidence [kəʊˈɪnsɪdəns]; *rein zufällig* purely by chance; *rein gar nichts* absolutely nothing **5.** *etwas ins Reine bringen* sort something out; *mit jemandem ins Reine kommen* get* things straightened [ˈstreɪtnd] out with someone

rein... *umg.* → **herein** *usw.*, **hinein** *usw.*

Rein Ⓐ(≈ *flacher Topf*) casserole [ˈkæsərəʊl]

Reindl Ⓐ small casserole [ˈkæsərəʊl]

Reinfall *umg.* flop, washout

reinfallen *umg.*: *wir sind darauf reingefallen* we fell for it

reinhängen *umg.*: *sich* (*voll*) *reinhängen* go* flat out

reinhauen *umg.* **1.** *bei Essen, Arbeit*: get* stuck in **2.** *ich hab ihm eine reingehauen* I hit (*oder* punched) him in the face

Reinheit 1. *der Luft usw.*: purity **2.** (≈ *Unverfälschtheit*) pureness, purity **3.** (≈ *Sauberkeit*) cleanness

reinigen 1. *allg.*: clean **2.** (≈ *waschen*) clean, wash

Reiniger cleaner, cleaning agent

Reinigung 1. cleaning **2.** *Firma*: (dry) cleaners (△ *mit Sg.*)

Reinigungsmittel detergent [dɪˈtɜːdʒənt]

reinlegen *umg.*: *sie hat mich ganz schön reingelegt* (≈ *an der Nase herumgeführt*) she's really taken me for a ride, *finanziell*: she's really taken me to the cleaner's

reinlich 1. (≈ *sauber*) clean (*auch Person, Haustier*) **2.** (≈ *schmuck, ordentlich*) neat, tidy

reinrassig 1. *Hund usw.*: pedigree [ˈpedɪgriː] **2.** *Pferd*: thoroughbred [△ ˈθʌrəbred]

Reis rice

Reise 1. journey [ˈdʒɜːnɪ], *AE mst.* trip **2.** *kürzere Urlaubs- oder Geschäftsreise*: trip **3.** *mit dem Schiff*: voyage [ˈvɔɪɪdʒ] **4.** *gute Reise!* have a good trip! **5.** *wohin geht die Reise?* where are you off to? **6.** *er ist auf Reisen* he's travelling, *abwesend*: he's away

Reiseandenken souvenir [ˌsuːvəˈnɪə]

Reiseapotheke first-aid kit

Reisebericht *Buch, Film, Vortrag*: travelog(ue *BE*) ['trævəlɒg]

Reisebüro travel agency, travel agent('s)

Reiseführer *Buch*: guide [gaɪd], guidebook

Reisegepäck luggage, *bes. AE* baggage

Reisegeschwindigkeit *bes. Flugzeug, Schiff*: cruising ['kruːzɪŋ] speed

Reiseleiter(in) courier [△ 'kʊrɪə], *AE* tour guide (*oder* manager)

reisen 1. travel (*nach* to) **2. *ins Ausland reisen*** go* abroad [ə'brɔːd]

Reisen 1. *als konkrete Reise*: travel ['trævl] **2.** *als Vorgang*: travelling, *AE* traveling

Reisende(r) 1. (≈ *Person auf Reisen*) traveller, *AE* traveler, *im weiteren Sinn*: tourist ['tʊərɪst] **2.** (≈ *Fahrgast*) passenger ['pæsɪndʒə]

Reisepass passport ['pɑːspɔːt]

Reiseroute route [ruːt], itinerary [aɪ'tɪnərərɪ]

Reisescheck traveller's cheque [tʃek], *AE* traveler's check

Reisetasche travel bag

Reiseveranstalter(in) tour operator ['tʊər͵ɒpəreɪtə]

Reiseziel destination [͵destɪ'neɪʃn]

reißen 1. (≈ *zerreißen*) tear* [teə], rip; *eine Seite aus einem Buch reißen* tear (*oder* rip) a page out of a book; ***sich die Kleider vom Leibe reißen*** tear* (*oder* rip) one's clothes off **2.** (*Seil, Kette, Saite*) break* **3. *wenn alle Stricke reißen*** *übertragen* if the worst comes to the worst **4.** (≈ *ziehen, zerren*) pull, drag; ***jemanden zu Boden reißen*** pull (*oder* drag) someone to the ground **5.** kill (*Tier*) **6. *sich um etwas reißen*** *übertragen* fight* over something **7. *sie hat die 2,02 Meter gerissen*** *Hochsprung*: she failed to clear 2.02 metres

reißend 1. *Fluss usw.*: torrential [tə'renʃl] **2. *reißenden Absatz finden*** sell* like hot cakes

Reißer *umg.* **1.** *Film usw.*: thriller **2.** (≈ *Verkaufsschlager*) big (*oder* top) seller, *BE auch* money-spinner, *AE auch* moneymaker

reißerisch 1. *Schlagzeilen*: sensational **2. *reißerische Werbung*** hype

Reißnagel drawing pin, *AE* thumbtack [△ 'θʌmtæk]

Reißverschluss zip, *AE* zipper; ***mach den Reißverschluss an deiner Jacke zu*** (*bzw.* ***auf***) zip up (*bzw.* unzip) your jacket ['dʒækɪt]

Reißzwecke drawing pin, *AE* thumbtack [△ 'θʌmtæk]

reiten ride*; *gut* (*bzw.* *schlecht*) *reiten* be* a good (*bzw.* bad) rider

Reiten: (*das*) *Reiten* riding (△ *ohne* the)

Reiter rider, horseman ['hɔːsmən]

Reiterin rider, horsewoman ['hɔːs͵wʊmən]

Reithose: *eine Reithose* (riding) breeches [△ 'brɪtʃɪz] (△ *Pl.*, *ohne* a)

Reitpferd saddle (*oder* riding) horse

Reitschule riding school

Reitsport riding

Reitturnier horse show

Reitunterricht riding lessons (△ *Pl.*)

Reiz 1. *körperlicher, optischer*: stimulus *Pl.*: stimuli ['stɪmjʊlaɪ] (*auch übertragen*) **2.** (≈ *Anziehungskraft*) appeal, attraction, charm; *ihre weiblichen Reize* her female charms **3.** *der Reiz des Neuen* the novelty (appeal)

reizbar irritable ['ɪrɪtəbl], touchy ['tʌtʃɪ]

reizen 1. (≈ *ärgern*) annoy [ə'nɔɪ], tease **2.** (≈ *provozieren*) provoke **3. *jemanden bis aufs Blut*** (*oder* ***bis zur Weißglut***) *reizen* make* somebody's blood boil **4.** (≈ *verlocken*) tempt, appeal to; *reizt es dich, im Ausland zu arbeiten?* does the idea of working abroad appeal to you?; *es reizt mich, was ganz Neues zu machen* I'm tempted to do something completely different

reizend 1. charming **2. *das ist ja reizend!*** *ironisch* charming!

reizlos uninteresting, boring

Reizung 1. *allg. und medizinisch*: (≈ *Verärgerung, Irritation*; *leichte Beeinträchtigung*) irritation **2.** (≈ *Anregung*) stimulation

reizvoll 1. (≈ *hübsch*) charming **2.** (≈ *interessant*) attractive; *eine reizvolle Aufgabe* a challenging ['tʃæləndʒɪŋ] task

Reizwäsche sexy underwear ['ʌndəweə]

rekeln: *sich rekeln* (≈ *sich strecken*) stretch, have* a stretch

Reklame 1. (≈ *Werbung*) advertising ['ædvətaɪzɪŋ]; *für etwas Reklame machen* advertise something **2.** (≈ *Anzeige*) advertisement [əd'vɜːtɪsmənt], *umg.* ad, *BE auch* advert ['ædvɜːt] **3.** *im Fernsehen*: commercials (*Pl.*), *einzelne*: commercial

reklamieren 1. complain **2. *ich habs reklamiert*** (*Ware*) I took (*bzw.* sent) it back and complained

rekonstruieren reconstruct [͵riːkən'strʌkt]

Rekord record ['rekɔːd]; *einen Rekord aufstellen* (*bzw.* ***brechen***) set* up (*bzw.* break*) a record

Rekordzeit record time [͵rekɔːd'taɪm]

Rekrut(in) recruit [rɪ'kruːt]

Rektor(in) 1. *an Schule*: headmaster [ˌhed'mɑːstə], *Frau*: headmistress [ˌhed'mɪstrəs], *AE für Mann und Frau*: principal ['prɪnsəpl] 2. *an Universität*: vice-chancellor, principal, *AE* president

Relais *Elektrotechnik*: relay ['riːleɪ]

relativ 1. *allg.*: relative ['relətɪv] 2. *es ging* (*oder* **verlief**) *relativ gut* it went reasonably (*oder* relatively) well

Relativitätstheorie *von Einstein*: theory of relativity ['θɪərɪ ˌəv‚relə'tɪvəti]

Relativsatz relative clause [ˌrelətɪv'klɔːz]

relaxen relax, take* it easy, *bei Party*, *Rave auch*: chill (out)

Relief relief [rɪ'liːf]

Religion 1. *allg.*: religion [rɪ'lɪdʒən] 2. *Glaube*: faith 3. *Schulfach*: religious instruction, religious education

Religionsunterricht religious [rɪ'lɪdʒəs] instruction

religiös religious [rɪ'lɪdʒəs]

Reling (≈ *Schiffsgeländer*) railing

Reliquie relic ['relɪk]

Remis *Schach*: (≈ *Unentschieden*) draw

Remoulade tartar sauce [ˌtɑːtə'sɔːs]

rempeln 1. (≈ *schubsen*) jostle [⚠ 'dʒɒsl] 2. *Sport*: push

Renaissance 1. *historisch*: Renaissance [rɪ'neɪsns] 2. *übertragen* renaissance, revival

Rendezvous 1. date, rendezvous [⚠ 'rɒndɪvuː] 2. *Raumfahrt*: docking

Rendite (≈ *Ertrag*) (net) yield

Rennbahn 1. (≈ *Pferderennbahn*) racecourse, turf, *AE* racetrack 2. (≈ *Radrennbahn*) (cycling) track 3. *Laufsport*: track 4. (≈ *Autorennbahn*) racetrack, circuit ['sɜːkɪt], *bes. für Motorräder*: speedway

Rennboot speedboat

rennen 1. (≈ *schnell laufen*) run* 2. *gegen etwas rennen* run* (*oder* bump) into something 3. *um die Wette rennen* have* a race 4. *er rennt wegen jeder Kleinigkeit zum Chef* he goes running to the boss for every little thing 5. *jemanden über den Haufen rennen* knock someone over

Rennen 1. *allg.*: running 2. *Sport*: race 3. *totes Rennen* dead heat 4. *Wendungen*: *das Rennen machen übertragen* come* out on top; *das Rennen ist gelaufen übertragen* it's all over; *er ist aus dem Rennen übertragen* he's out of the running

Renner *umg.* (≈ *Erfolg*) hit, winner

Rennpferd racehorse

Rennfahrer(in) racing driver

Rennrad racing bike

Rennsport racing

renommiert famous ['feɪməs], noted (*wegen*, *für* for)

renovieren 1. renovate ['renəveɪt], *umg.* do* up (*Gebäude*) 2. (≈ *streichen, tapezieren*) redecorate [riː'dekəreɪt] (*Zimmer*)

Renovierung 1. renovation [ˌrenə'veɪʃn] 2. *von Zimmer*: redecorating [riː'dekəreɪtɪŋ]; *die Renovierung des Zimmers war teuer* redecorating the room was expensive

rentabel *Geschäft usw.*: profitable ['prɒfɪtəbl]

Rente 1. pension ['penʃn] (⚠ *engl.* rent = *Miete*) 2. *in Rente gehen* retire

Rentenversicherung pension scheme ['penʃn‚skiːm], *AE* pension plan

Rentier reindeer ['reɪndɪə]

rentieren: *sich rentieren* be* profitable ['prɒfɪtəbl], *auch im weiteren Sinn*: pay*, be* worthwhile [ˌwɜːθ'waɪl]

Rentner(in) pensioner, senior citizen

Reparatur repair (*oft Pl.*); *etwas in Reparatur geben* have* something repaired

Reparaturwerkstatt 1. *für Autos*: garage ['gærɑːʒ] 2. *für Fahrräder usw.*: workshop, *AE* repair shop

reparieren repair, mend, *umg.* fix

Reportage report

Reporter(in) reporter

repräsentativ 1. (≈ *typisch*) representative [ˌreprɪ'zentətɪv] (*für* of) 2. *Auto, Haus usw.*: prestige … [pre'stiːʒ] (⚠ *nur vor dem Subst.*)

reprivatisieren denationalize [ˌdiː'næʃnəlaɪz]

Reproduktion 1. *allg.*: (≈ *Nachbildung*) reproduction [ˌriːprə'dʌkʃn] 2. (≈ *Bild*) *auch* print

Reptil reptile ['reptaɪl]

Republik republic [rɪ'pʌblɪk]

Republikaner(in) 1. *allg.*: republican [rɪ'pʌblɪkən] 2. *die Republikaner Pl., als Partei*: the Republicans

republikanisch republican

resch *bes.* ⒶA (≈ *knusprig*) crunchy, crisp

Reservat 1. (≈ *Naturschutzgebiet*) nature reserve (*AE mst.* preserve) 2. *für Ureinwohner*: reservation

Reserve 1. (≈ *Vorrat*) reserve supply; *etwas in Reserve haben* have* something in reserve 2. *Sport*: reserve team, reserves (⚠ *Pl.*) 3. (≈ *Zurückhaltung*) reserve; *jemanden aus der Reserve locken* bring* someone out of his (*bzw.* her) shell

Reservebank *Sport*: substitutes' bench

Reservekanister spare can, jerrycan, *AE* gas can

Reserverad spare wheel

Reservespieler(in) *Sport*: reserve, substitute

reservieren reserve

reserviert reserved (*auch übertragen*)

Residenz (≈ *Wohnsitz eines Staatsoberhauptes usw.*) residence ['rezɪdəns]

Resignation resignation [,rezɪg'neɪʃn]

resignieren give* up

resolut resolute ['rezəlu:t], determined [dɪ'tɜ:mɪnd], *Persönlichkeit*: forceful

Resonanz 1. *Musik usw.*: resonance ['rezənəns] **2.** *übertragen* response [rɪ'spɒns]

resozialisieren rehabilitate [,ri:(h)ə-'bɪlɪteɪt] (*einen Straffälligen, Alkoholiker usw.*)

Respekt 1. respect (*vor* for) **2. *vor jemandem Respekt haben*** respect someone **3. *jemandem Respekt einflößen*** teach* someone a bit of respect **4. *bei allem Respekt*** with all due respect

respektabel respectable [rɪ'spektəbl]

respektieren respect

respektlos disrespectful [,dɪsrɪ'spektfl]

Respektsperson figure of authority

respektvoll respectful [rɪ'spektfl]

Rest 1. rest **2. *der letzte Rest*** the last bit *bzw.* bits (*Pl.*) **3. *der Rest ist für Sie*** *zu Bedienung*: keep the change **4. *das gab ihm den Rest*** *umg.* that finished him off **5. *Reste*** *von Bauwerk, Kultur usw.*: remains [rɪ'meɪnz] **6. *Reste*** *von Essen*: leftovers ['left,əʊvəz] **7.** *Mathematik*: remainder

Restaurant restaurant ['restərɒnt]

restaurieren restore

Restaurierung restoration [,restə'reɪʃn]

restlich 1. remaining **2. *der restliche Zucker*** (*bzw.* ***Abend*** *usw.*) the rest of the sugar (*bzw.* evening *usw.*)

restlos 1. complete, total **2. *restlos zufrieden*** completely (*oder* perfectly) satisfied **3. *restlos ausverkauft*** completely sold out **4. *restlos erledigt*** *umg.* done for, *körperlich*: absolutely whacked [wækt], *AE* absolutely wrecked *oder* wiped (out)

Resultat result

resultieren result (***aus*** from)

Retortenbaby test-tube baby

retour: *einmal Wien und retour* a return to Vienna, *AE* a round trip to Vienna

retten 1. save, *bes. aus Gefahr*: rescue ['reskju:] (*beide* ***aus, vor*** from) **2. *jemandem das Leben retten*** save someone's life; ***jemanden vor dem Ertrinken retten*** save someone from drowning **3. *sich retten*** escape (***vor*** from) **4. *ich kann mich vor Arbeit nicht mehr retten*** I'm snowed under with work

Rettich radish ['rædɪʃ]

Rettung 1. *aus Gefahr*: rescue ['reskju:] **2.** Ⓐ (≈ *Rettungsdienst*) ambulance service **3.** Ⓐ (≈ *Rettungswagen*) ambulance

Rettungsaktion rescue ['reskju:] operation (*auch übertragen*)

Rettungsboot lifeboat

Rettungshubschrauber rescue helicopter ['reskju:_helɪ,kɒptə]

rettungslos hopeless; ***er ist rettungslos in sie verliebt*** he's hopelessly in love with her

Rettungsmannschaft rescue ['reskju:] party (*oder* team)

Rettungsring lifebelt, *AE mst.* life preserver

Rettungsschwimmer(in) lifeguard

Rettungswagen ambulance ['æmbjələns]

Return-Taste *Computer*: return key

retuschieren touch up [,tʌtʃ'ʌp] (*Foto usw.*)

Reue 1. remorse [rɪ'mɔ:s] (*über* for) **2.** *religiös*: repentance [rɪ'pentəns] (*über* for)

reuen 1. *seine Tat* (***das Geld***) ***reute ihn*** he regretted what he had done (the money wasted) **2. *es reut mich, dass ich es nicht getan habe*** I'm sorry (that) I didn't do it

reuevoll, reumütig repentant [rɪ'pentənt]

Revanche revenge [rɪ'vendʒ]

revanchieren 1. *sich revanchieren* *als Rache*: take* revenge **2. *ich werde mich revanchieren*** *als Dank*: I'll pay you back

Revier 1. (≈ *Polizeibezirk*) district ['dɪstrɪkt] **2.** (≈ *Polizeiwache*) police station **3.** *eines Tiers*: territory **4.** (≈ *Waldgebiet*) district, range

Revolution revolution [,revə'lu:ʃn]

revolutionär revolutionary [,revə-'lu:ʃənrɪ]

Revolutionär(in) revolutionary [,revə-'lu:ʃənrɪ]

revolutionieren (≈ *grundlegend umgestalten*) revolutionize [,revə'lu:ʃnaɪz]

Revolver revolver, *umg.* gun

Revue 1. *im Theater*: revue [rɪ'vju:] **2.** (≈ *Zeitschrift*) review [rɪ'vju:]

Rezept 1. *vom Arzt*: prescription [prɪ-'skrɪpʃn] (△ *engl.* receipt = ***Quittung***); ***das gibts nur auf Rezept*** you can only get that on prescription **2.** (≈ *Kochrezept*) recipe [△ 'resəpɪ] **3.** *übertragen* remedy ['remədɪ], cure; ☞ *Zeichnung S. 880*; ☞ *Info S, 880*

rezeptfrei 1. *rezeptfreies Medikament* over-the-counter (*oder* non-prescription) medicine ['medsn] **2. *es ist rezeptfrei*** you can get it without a prescription

Rezeption *in Hotel usw.*: reception (desk)

rezeptpflichtig prescription-only (△ *mst.*

vor dem Subst.); **es ist rezeptpflichtig** *auch* it's only available on prescription

Rezept

recipe

prescription

Rezept	**recipe/ prescription**

Mach bitte nicht den Fehler, „Rezept" mit **receipt** gleichzusetzen: Letzteres ist die Quittung bzw. der Kassenbon.

Die richtigen Übersetzungen für Rezept sind:

1. **recipe**
ein Rezept für einen Kuchen	**a recipe for a cake**

2. **prescription**
Der Arzt stellte ein Rezept aus.	**The doctor wrote out a prescription.**

Rezession (≈ *Konjunkturabschwung*) recession, economic downturn; **das Land steckt in einer Rezession** the country is in recession (△ *ohne a*)
Rhabarber rhubarb ['ruːbɑːb]
Rhein: *der Rhein* the Rhine [raɪn]
Rheinländer(in) Rhinelander
Rheinland-Pfalz Rhineland-Palatinate [ˌraɪnlænd ˈpəˈlætɪnət]
rhetorisch rhetorical
Rheuma rheumatism ['ruːmətɪzm]
Rhinozeros *Tier:* rhinoceros [raɪˈnɒsərəs], *umg.* rhino ['raɪnəʊ]
rhythmisch rhythmic(al) ['rɪðmɪk(l)];

rhythmische Gymnastik rhythmic gymnastics [dʒɪmˈnæstɪks] (△ *nur im Sg. verwendet*); **rhythmische Bewegungen** rhythmic(al) movements
Rhythmus rhythm ['rɪðəm]
Ribisel Ⓐ (≈ *Johannisbeere*) redcurrant [ˌredˈkʌrənt] *bzw.* blackcurrant
richten¹ 1. (≈ *lenken*) direct [dəˈrekt] (**auf** at, towards); **eine Frage an jemanden richten** put* a question to someone **2.** point (*Waffe, Kamera*) (**auf** at) **3.** (≈ *adressieren*) address (*Brief, Anfrage usw.*) (**an** to) **4.** *umg.* (≈ *reparieren*) repair, fix **5. sich richten nach** (*Regel, Bestimmungen usw.*) keep* to; **sich nach der Mode richten** follow the fashion(s); **ich richte mich ganz nach dir** whatever suits you best, *AE* whatever works best for you **6. sich nach etwas richten** (≈ *abhängen von etwas*) depend on **7. sich an jemanden richten** (≈ *wenden*) turn to someone
richten² ** (≈ *ein Urteil fällen*) judge [dʒʌdʒ] (über** on); **über jemanden richten** *auch* pass judgment on someone
Richter(in) judge [dʒʌdʒ]
Richter-Skala Richter scale; **das Beben erreichte Stärke acht auf der Richter-Skala** the earthquake registered eight on the Richter scale
Richtgeschwindigkeit *im Verkehr:* recommended speed [ˌrekəmendɪdˈspiːd]
richtig 1. *allg.:* right; **sehe ich das richtig?** am I right?; **du kommst gerade richtig** (≈ *zum richtigen Zeitpunkt*) you've come just at the right moment, *ironisch* you're the last thing I need **2.** (≈ *fehlerfrei*) correct **3. mach es richtig!** do it properly! **4.** (≈ *echt, wirklich*) genuine ['dʒenjʊɪn], true **5. er ist richtig nett** he's really nice **6.** (≈ *gerecht*) fair; **ich finde das nicht richtig** I don't think it's right; → **richtigstellen**
Richtige(r, -s) 1. er ist der Richtige he's the right man **2. du bist mir der Richtige!** you're a fine one! **3. ich habe seit Tagen nichts Richtiges gegessen** I haven't eaten properly for days
richtigstellen: **etwas richtigstellen** put something right, correct something
Richtlinie guideline ['gaɪdlaɪn]
Richtung 1. direction [dəˈrekʃn]; **aus allen Richtungen** from all directions; **in Richtung auf** in the direction of, towards; **ich ging in südlicher Richtung** I was walking south **2.** (≈ *Trend, Tendenz*) trend, tendency ['tendənsɪ]; **ein Schritt in die richtige Richtung** a step in the right direction
Richtwert 1. *allg.:* index, *Zahlenwert:* guide [gaɪd] number(s *Pl.*) **2.** *übertragen*

guideline

riechen 1. smell* (*nach* of); *es riecht nach Brathähnchen auch:* I can smell roast chicken; *du riechst aus dem Mund* your breath smells **2.** *an etwas riechen* smell* (*oder* sniff) at something **3.** *riech mal!* smell this **4.** *ich kann ihn nicht riechen übertragen* I can't stand him **5.** *das konnte ich nicht riechen* how was I to know?

Riecher *umg.* nose; *einen guten Riecher für etwas haben* have* a good nose for something

Riege *beim Turnen:* squad [skwɒd] (*auch übertragen*)

Riegel 1. *an Tür:* bolt; *den Riegel vorlegen* bolt the door **2.** *einer Sache einen Riegel vorschieben übertragen* put* a stop to something **3.** *Schokoriegel usw.:* bar

Riemen 1. *aus Leder usw.:* strap **2.** *in Motor, Maschine:* belt

Riese giant ['dʒaɪənt] (*auch übertragen*)

rieseln 1. (*Wasser, Sand*) trickle **2.** (*Schnee*) fall* softly

Riesen... *in Zusammensetzungen:* giant ['dʒaɪənt] ..., gigantic [dʒaɪ'gæntɪk] ..., huge [hjuːdʒ] ..., tremendous [trə'mendəs] ...; *Riesenappetit* huge appetite; *Riesenerfolg* huge success; *Riesenfehler* huge blunder; *Riesenslalom* giant slalom

riesengroß gigantic [dʒaɪ'gæntɪk], enormous [ɪ'nɔːməs], huge [hjuːdʒ] (*alle auch übertragen*)

Riesenrad Ferris wheel ['ferɪs ˌwiːl], big wheel

Riesenschlange boa (constrictor) ['bəʊə (ˌbəʊə kən'strɪktə)]

riesig 1. gigantic [dʒaɪ'gæntɪk], enormous, huge [hjuːdʒ] (*alle auch übertragen*) **2.** *sich riesig freuen* be* delighted **3.** *das ist ja riesig! umg.* that's tremendous [trə'mendəs]!, *BE auch* that's brilliant!

Riff *im Meer:* reef

Rille groove

Rind 1. *Kuh:* cow **2.** *Stier:* bull [△ bʊl] **3.** *Fleisch:* beef **4.** *Rinder* cattle (△ *mit Pl.*)

Rinde 1. (≈ *Baumrinde*) bark **2.** (≈ *Brotrinde*) crust **3.** (≈ *Käserinde*) rind [raɪnd]

Rinderbraten roast beef [ˌrəʊst'biːf]

Rinderwahn(sinn) *Krankheit:* mad cow disease [ˌmæd'kaʊ dɪˌziːz]; ☞ *BSE*

Rindfleisch beef

Rindsuppe Ⓐ (≈ *Fleischbrühe*) broth, consommé [kɒn'sɒmeɪ]

Rindvieh 1. cattle (△ *mit Pl.*) **2.** *umg.* (≈ *Idiot*) blockhead, stupid ass, idiot

Ring 1. *allg.:* ring **2.** *Straße:* ring road

Ringbuch ring binder ['rɪŋˌbaɪndə]

ringeln 1. curl (*Haare, Schwanz*) **2.** coil, twine (*um* around) **3.** *sich ringeln* curl, coil oneself, (≈ *sich schlängeln*) wind [waɪnd], meander [mɪ'ændə]

Ringelspiel Ⓐ (≈ *Karussell*) merry-go--round ['merɪgəʊˌraʊnd], *BE auch* round-about, *AE auch* carousel [ˌkærə'sel]

ringen 1. *Sport:* wrestle [△ 'resl] **2.** *ringen mit übertragen* wrestle with, grapple with; *mit sich ringen* wrestle with oneself; *nach Atem ringen* gasp [gɑːsp] for breath [breθ]; *nach Worten ringen* struggle for words

Ringen *Sport:* wrestling [△ 'reslɪŋ]

Ringer(in) *Sport:* wrestler [△ 'reslə]

ringförmig ring-shaped, *förmlich* annular ['ænjʊlə]

Ringkampf wrestling [△ 'reslɪŋ] (match)

Ringrichter(in) *Boxen:* referee [ˌrefə'riː]

rings: *rings um* all around, all the way round

ringsum 1. round about; *ein Tümpel mit einem Zaun ringsum* a pond surrounded by a fence **2.** (≈ *überall*) everywhere

rinnen 1. *allg.:* run*, flow **2.** (≈ *tröpfeln*) drip, trickle **3.** (≈ *lecken*) leak

Rippe rib

Rippenfellentzündung *Krankheit:* pleurisy ['plʊərəsɪ]

Risiko risk; *ein Risiko eingehen* take* a risk; *auf dein eigenes Risiko* at your own risk

risikofreudig venturesome, prepared to take a risk (*oder* risks) (△ *Letzteres immer hinter dem Subst.*)

Risikogruppe high-risk group

riskant risky

riskieren risk; *etwas riskieren* take* a risk; *riskiers!* go on, risk it!; *er riskiert seinen Job* he risks losing his job

Riss 1. *in Papier, Stoff usw.:* tear [△ teə] **2.** (≈ *Sprung*) crack **3.** *übertragen; in Freundschaft usw.:* rift

rissig *allg.:* cracked, *Haut:* chapped [tʃæpt]; *rissig werden* crack, *Haut:* chap; *rissige Hände* chapped hands

Ritt ride (on horseback)

Ritter knight [△ naɪt]

ritterlich 1. knightly [△ 'naɪtlɪ] **2.** *übertragen* chivalrous ['ʃɪvlrəs]

Ritual ritual ['rɪtʃʊəl]

Ritze crack, gap, chink

Ritzel (≈ *Zahnkranz in Fahrradschaltung*) sprocket wheel ['sprɒkɪt ˌwiːl]

ritzen carve (*Buchstaben in Baum usw.*)

Rivale, Rivalin rival ['raɪvl]

rivalisieren: *mit jemandem rivalisieren* compete with someone

Rivalität rivalry ['raɪvlrɪ]

Robbe seal

Roboter robot ['rəʊbɒt]

robust 1. *allg.*: robust [rəʊ'bʌst], *Person auch*: sturdy **2.** *Schuhe*: stout, sturdy **3.** *Gerät, Maschine, Fahrzeug, Flugzeug usw.*: rugged [△ 'rʌgɪd]

röcheln 1. *allg.*: breathe [briːð] noisily (*förmlich* stertorously ['stɜːtərəslɪ]) **2.** *Sterbender*: give* the death rattle

Rochen *Fisch*: ray

Rock[1] *Kleidungsstück*: skirt [skɜːt]

Rock[2] *Musikrichtung*: rock, rock music

Rodel toboggan [tə'bɒgən], sledge

Rodelbahn toboggan run [tə'bɒgən‿rʌn]

rodeln toboggan [tə'bɒgən], go* tobogganing, go* sledging, *AE* go sledding

roden clear (*Wald, Land*)

Rogen *einesFisches*: roe [rəʊ]

Roggen rye [raɪ]

Roggenbrot rye bread ['raɪ‿bred]

roh 1. *Lebensmittel*: raw [rɔː]; **roher Schinken** uncooked ham **2.** *Entwurf usw.*: rough [rʌf] **3.** *Person*: rough, coarse [kɔːs]; **mit roher Gewalt** with brute force

Rohbau *von Gebäude*: shell; **im Rohbau fertig** structurally complete

Rohentwurf, Rohfassung rough draft [ˌrʌf'drɑːft]

Rohheit 1. *Art, Charakter*: roughness ['rʌfnəs], *stärker*: brutality [brʊ'tælətɪ] **2.** *Tat*: brutal act [ˌbruːtl'ækt]

Rohkost raw vegetables and fruit (△ *Pl.*)

Rohling 1. *aus Holz oder Metall*: blank **2.** *CD*: blank CD [ˌblæŋk‿siː'diː]

Rohmaterial raw material

Rohöl crude oil

Rohr 1. (≈ *Leitungsrohr*) pipe **2.** *bes.* Ⓐ (≈ *Backofen*) oven ['ʌvn]

Röhrchen *ins Röhrchen blasen* (*müssen*) *umg.* be* breathalyzed [△ 'breθə-laɪzd]

Röhre 1. tube **2.** (≈ *Leitungsröhre*) pipe **3.** (≈ *Bratröhre*) oven [△ 'ʌvn] **4.** *in die Röhre gucken umg.* (≈ *fernsehen*) sit* in front of the box (*AE* tube) **5.** *in die Röhre gucken umg.* (≈ *leer ausgehen*) be* left high and dry

Rohrzange pipe wrench [△ 'paɪp‿rentʃ]

Rohstoff raw [rɔː] material

Rollbahn *auf Flughafen*: taxiway

Rolle 1. *in Film, Theaterstück*: role, part; **er lernt seine Rolle** he's learning his lines (*Pl.*) *oder* part **2.** *eine Rolle spielen übertragen* play a part (*oder* role) (*bei, in* in); *das spielt keine Rolle* it doesn't matter, it doesn't make any difference; *aus der Rolle fallen* forget* oneself **3.** (≈ *Walze*) roller, cylinder ['sɪlɪndə] **4.** *etwas Zusammengerolltes*: roll **5.** *Turnen*: roll; *eine Rolle rückwärts* a backward roll

rollen 1. *allg.*: roll; *sie rollte die Augen* she rolled her eyes **2.** (*Flugzeug zum Start usw.*) taxi **3.** (*Donner*) rumble

Rollen 1. *allg.*: rolling **2.** *die Sache ins Rollen bringen übertragen* get* the ball rolling

Rollenspiel *im Unterricht usw.* **1.** *konkretes Spiel*: role play **2.** *das Rollenspiel als Methode*: role playing (△ *ohne* the)

Roller scooter; *Roller fahren* ride* a scooter

Rollkragenpullover polo neck, polo-neck sweater (*oder* pullover), *AE* turtleneck (sweater)

Rollladen shutters (△ *Pl.*)

Rollo blind, *AE* shade

Rollschuh roller skate; *Rollschuh laufen* roller-skate, go* roller-skating

Rollschuhläufer(in) roller-skater

Rollstuhl wheelchair

Rollstuhlfahrer(in) wheelchair user; *er ist Rollstuhlfahrer* he's in a wheelchair

Rolltreppe escalator ['eskəleɪtə]

Fruit and Vegetables   Obst und Gemüse

1	apples	Äpfel	8	cucumbers	Gurken
2	bananas	Bananen	9	grapes	Trauben
3	cabbages	Weißkohl	10	kiwi fruit	Kiwis
4	carrots	Karotten	11	oranges	Orangen
5	celery	(Stangen)Sellerie	12	pineapples	Ananas
6	cherries	Kirschen	13	plums	Pflaumen
7	courgettes, *AE* zucchini	Zucchini	14	potatoes	Kartoffeln
			15	tomatoes	Tomaten

How much **are** these apples?
1.60 **a** kilo.

Wie viel kosten diese Äpfel?
1.60 das Kilo.

Rom *in Italien*: Rome [rəʊm]
ROM *Computer*: ROM, read only memory
Roman novel ['nɒvl]
romanisch 1. *Sprache, Literatur*: Romance [rəʊ'mæns] **2.** *Stil*: Romanesque [ˌrəʊmə'nesk]
Romantik 1. *Kunstepoche*: Romanticism [rəʊ'mæntɪsɪzm] **2.** *Stimmung usw.*: romantic atmosphere, romance [rəʊ'mæns]
romantisch 1. Romantic **2.** *Stimmung, Person usw.*: romantic
Römer *historisch*: Roman ['rəʊmən]
Römerin Roman (woman *bzw.* girl)
römisch Roman ['rəʊmən]; *römische Ziffer* Roman numeral ['njuːmrəl]
Rommé, **Rommee** *Kartenspiel*: rummy
röntgen X-ray ['eksreɪ]
Röntgenaufnahme, **Röntgenbild** X-ray
Röntgenstrahlen X-rays ['eksreɪz]
Rosa pink (△ *deutsch* **Pink** = shocking pink)
rosa, **rosafarben**, **rosarot 1.** pink **2.** *die Dinge durch eine rosarote Brille sehen* see* the world through rose-tinted spectacles (*AE* rose-colored glasses) ['spektəklz]
Rose rose
Rosenkohl Brussels sprouts (△ *Pl.*)
rosig 1. *Wangen usw.*: rosy **2.** *übertragen* rosy; *es sieht nicht gerade rosig aus* things look pretty grim
Rosine 1. raisin **2.** *sich die Rosinen herauspicken* *umg.* take* the pick of the bunch
Rosmarin *Gewürzpflanze*: rosemary ['rəʊzmərɪ]
Rost[1] *an Metall*: rust; *Rost ansetzen auch übertragen* get* rusty
Rost[2] **1.** (≈ *Feuerrost*) grate **2.** (≈ *Gitterrost*) grille, grating **3.** (≈ *Bratrost*) grill
Rostbraten *bes.* ⓐ side of beef
rosten 1. rust, go* (*oder* get*) rusty **2.** *übertragen* get* rusty

rösten 1. roast, grill (*Fleisch*) **2.** toast (*Brot*) **3.** fry (*Kartoffeln*)
rostfrei 1. rustproof **2.** *Stahl*: stainless
Rösti *Pl.* Ⓢ fried shredded potatoes with onion ['anjən], roesti potatoes
rostig rusty
Röstkartoffeln fried potatoes
rot 1. red; *rot werden vor Verlegenheit* blush, go* red **2.** *Rote Karte Sport*: red card **3.** *das Rote Kreuz* the Red Cross
Rot 1. *allg.*: red **2.** *an Verkehrsampel*: red, red light; *bei Rot über die Ampel fahren* jump the lights, *AE* run a red light
Rotation rotation
Rote(r) *politisch*: Red, *umg.* commie
Röteln *Pl.* German measles ['miːzlz] (△ *mit Verb im Singular*); *sie hat Röteln* she's got German measles
röten 1. (≈ *rot machen*) redden **2.** *sich röten* redden, turn red
rothaarig red-haired
Rothaarige(r) redhead
rotieren 1. (≈ *sich drehen*) rotate, revolve **2.** *umg.* (≈ *durchdrehen*) get* into a flap; *ich bin voll am Rotieren* *umg.* I don't know whether I'm coming or going
Rotkohl, **Rotkraut** red cabbage ['kæbɪdʒ]
rötlich reddish
rotsehen *umg.* see* red
Rotstift 1. *Malstift*: red pencil **2.** *Kugelschreiber usw.*: red pen **3.** *Wendungen*: *den Rotstift ansetzen* make* cuts
Rötung reddening
Rotwein red wine
Rotz 1. *vulgär* snot **2.** *er hat Rotz und Wasser geheult* *umg.* he bawled his eyes out
rotzfrech *umg.* cheeky, cocky
Rouge rouge [ruːʒ]
Roulade (≈ *Fleischrolle*) etwa beef (pork usw.) olive ['ɒlɪv]
Route route [ruːt]; *wir nehmen immer die Route über den Brenner* we always go via the Brenner Pass

R

At the Post Office   Auf der Post

1	(parcels) counter	(Paket)Schalter
2	customer	Kundin, Kunde
3	form(s)	Formular(e)
4	letterbox, *AE* mailbox	Briefkasten
5	post office clerk	Postangestellte(r)
6	stamp	Briefmarke
7	telephone directory	Telefonbuch

How much is a letter to Germany?

Wie viel kostet ein Brief nach Deutschland?

Routine 1. routine (*auch in der EDV*) **2.** (≈ *Erfahrung, Übung*) practice, experience

routiniert experienced

Rowdy lout [laʊt], hooligan, *BE auch* yob

Rubbellos scratchcard

rubbeln 1. (≈ *reiben*) rub **2.** *Lotterie*: scratch, buy* scratchcards

Rübe 1. *Pflanze*: turnip **2. *Rote Rübe*** beetroot **3. *Gelbe Rübe*** carrot ['kærət] **4.** *umg.* (≈ *Kopf*) nut; ***eins auf die Rübe kriegen*** get* bashed on the nut

Rubel 1. rouble ['ru:bl] **2. *der Rubel rollt*** *umg.* the money's rolling in

rüber *umg.* **1.** → *herüber* **2.** → *hinüber*

rüberkommen *umg.* **1.** (≈ *herüberkommen*) come* over **2.** *übertragen* (≈ *verstanden werden*) come* across

Rubin ruby ['ru:bɪ]

Rubrik 1. *in Zeitung*: heading ['hedɪŋ], (≈ *Spalte*) column [△ 'kɒləm] **2.** (≈ *Klasse, Kategorie*) category ['kætəgərɪ]

Ruck 1. jerk [dʒɜːk] **2. *sich einen Ruck geben*** *übertragen* pull oneself together

ruckartig 1. jerky ['dʒɜːkɪ] **2. *er blieb ruckartig stehen*** he stopped with a jerk

Rückblende *Film usw.*: flashback (*auf* to)

rücken 1. move [muːv], shift (*Tisch, Stuhl usw.*); ***das Bett an die Wand rücken*** move the bed against the wall **2.** (≈ *Platz machen*) move over; ***könntest du bitte ein bisschen rücken?*** could you move over a bit, please? **3. *er ist nicht von der Stelle gerückt*** he wouldn't budge

Rücken 1. back **2. *jemandem in den Rücken fallen*** *übertragen* stab someone in the back **3. *es lief ihr (heiß und) kalt über den Rücken*** it sent shivers down her spine

Rückendeckung *übertragen* backing, support [sə'pɔːt]

rückenfrei *Shirt usw.*: backless, halterneck ['hɔːltənek]

Rückenlehne back, backrest

Rückenmark spinal cord [ˌspaɪnl'kɔːd] (*oder* marrow)

Rückenschmerzen backache ['bækeɪk] (△ *Sg.*); ***ich habe Rückenschmerzen*** I've got (a) backache

Rückenschwimmen backstroke

Rückenwind tailwind; ***wir hatten Rückenwind*** we had the wind behind us

Rückfahrkarte return ticket, *AE* round--trip ticket

Rückfahrt return journey, *bes. AE* return trip; ***auf der Rückfahrt*** on the way back

rückfällig relapsing [rɪ'læpsɪŋ], *förmlich* recidivist [rɪ'sɪdɪvɪst] (△ *beide nur vor dem Subst.*); ***rückfällig werden*** relapse [rɪ'læps]

Rückfenster rear window

Rückflug return flight

Rückfrage further inquiry [ɪn'kwaɪrɪ]; ***bitte wenden Sie sich bei Rückfragen an ...*** if you have any queries, please contact ...

Rückgabe 1. (≈ *das Zurückgeben*) return **2.** *Fußball*: back pass

Rückgang decline, drop; ***ein Rückgang der Arbeitslosenzahlen*** a drop in unemployment figures (△ *ohne* the)

Rückgrat 1. (≈ *Wirbelsäule*) spine, vertebral column [ˌvɜːtɪbrəl'kɒləm] **2. *er hat kein Rückgrat*** *übertragen* he's got no backbone

Rückhand *im Tennis usw.*: backhand

Rückkehr return; ***bei ihrer Rückkehr*** on her return, when she got back (*Vergangenheit*), when she gets back (*Zukunft*)

Rückkopp(e)lung *zwischen Mikro und Lautsprecher*: feedback (*auch übertragen*)

rückläufig falling, declining; ***rückläufige Tendenz*** downward tendency ['tendənsɪ]

Rücklicht *bei Auto usw.*: rear light, *bes. AE* taillight

rücklings 1. (≈ *auf dem Rücken*) on one's back **2.** (≈ *mit dem Gesicht nach hinten*) facing backwards ['bækwədz] **3.** (≈ *nach hinten*) backwards **4.** (≈ *von hinten*) from behind

Rückporto return postage ['pəʊstɪdʒ]

Rückreise return journey, return trip; ***auf der Rückreise*** on the way back

Rucksack rucksack [△ 'rʌksæk], *bes. AE* backpack

Rucksacktourist(in) backpacker

Rückschlag 1. (≈ *Misserfolg*) setback **2.** *nach Krankheit*: relapse [rɪ'læps] **3.** *im Tennis usw.*: return

Rückschritt step back(ward ['bækwəd])

Rückseite 1. ↔ *Vorderseite*: back; ***bitte unterschreiben Sie auf der Rückseite des Schecks*** please sign (on) the back of the cheque **2.** *hinterer Teil eines Autos usw.*: rear ['rɪə] **3. *siehe Rückseite!*** see overleaf (△ *engl.* backside = *umg.* **Hintern**)

Rücksicht consideration; ***aus*** (*oder* ***mit***) ***Rücksicht auf*** out of consideration for; ***auf jemanden Rücksicht nehmen*** show consideration for someone

rücksichtslos 1. inconsiderate [ˌɪnkən'sɪdərət], thoughtless **2. *ein rücksichtsloser Autofahrer*** a reckless driver

Rücksichtslosigkeit lack of consideration

rücksichtsvoll considerate [kən'sɪdərət] (*gegen* to, towards)

Rücksitz 1. *im Auto*: back seat **2.** *von Motorrad*: pillion ['pɪljən] (seat)

Rückspiegel 1. *innen*: (rear-view) mirror

2. *außen*: (wing) mirror

Rückspiel *Sport*: return match

Rückstand 1. *von chemischen Stoffen*: residue ['rezıdjuː] **2.** *sie sind zwei Tore im Rückstand* they're two goals <u>down</u> **3.** *im Rückstand sein mit* (*Arbeit, Miete usw.*) be* behind with **4.** *einen Rückstand wieder aufholen* *Sport*: catch* up (with someone)

rückständig *allg.*: backward ['bækwəd], *Land auch*: underdeveloped

Rückstoß *einer Schusswaffe*: recoil ['riː-kɔıl]

Rückstrahler *an Fahrzeug*: reflector [rı-'flektə]

Rücktaste 1. *Computer*: backspace key, backspacer **2.** *Tonbandgerät usw.*: rewind key ['riːwaınd_kiː]

Rücktritt *vom Amt*: resignation [ˌrezıg-'neıʃn]; *er erklärte seinen Rücktritt* he handed in his resignation

Rücktrittbremse *am Fahrrad*: backpedal ['bæk͵pedl] brake, *AE* coaster brake

rückwärts 1. backwards ['bækwədz] **2.** *rückwärts einparken* reverse (*oder* back) into a parking space

Rückwärtsgang *im Auto*: reverse [rı-'vɜːs], reverse gear; *im Rückwärtsgang* in reverse (△ *ohne* the)

Rückweg way back (*oder* home); *auf dem Rückweg* on the way back (*oder* home)

rückwirkend *Steuererhöhung usw.*: retrospective [ˌretrəʊ'spektıv] **2.** *... gilt rückwirkend ab* will be (*bzw.* has been) backdated to ...

Rückzieher 1. *im Fußball*: overhead kick **2.** *er hatte versprochen zu helfen, doch dann machte er einen Rückzieher* he had promised to help, but then he backed out

Rückzug retreat [rı'triːt] (*auch übertragen*)

Rüde 1. *Hund*: dog **2.** *Wolf, Fuchs*: male (wolf [wʊlf] *bzw.* fox)

Rudel 1. *Hirsche*: herd [hɜːd] **2.** *Wölfe*: pack **3.** *übertragen* swarm [swɔːm], horde [hɔːd]

Ruder 1. (≈ *Paddel*) oar [ɔː] **2.** (≈ *Steuerruder*) helm, wheel

Ruderboot rowing boat, *AE* rowboat

Ruderer rower, oarsman ['ɔːzmən]

Ruderin rower, oarswoman ['ɔːz͵wʊmən]

rudern row [rəʊ]

Rudern rowing ['rəʊıŋ]

Ruderregatta boat race, (rowing) regatta [rı'gætə ('rəʊıŋ ͵rı͵gætə)]

Ruf 1. (≈ *Schrei*) shout, cry **2.** *von Tier*: call **3.** *übertragen* call; *der Ruf nach Frieden* the call <u>for</u> peace **4.** (≈ *Ansehen*) reputation; *er ist besser als sein Ruf* he's better than people make him out to be

rufen 1. shout; *um Hilfe rufen* call (*oder* cry) for help **2.** (*Vögel usw.*) call **3.** *die Pflicht* (*bzw.* *die Arbeit*) *ruft* duty calls (△ *ohne* the) **4.** *jemanden rufen lassen* send* for, call (*Arzt usw.*)

Rufnummer telephone number

Rufzeichen ⓐ exclamation mark

rügen 1. (≈ *tadeln*) reprimand ['reprı-maːnd], rebuke [rı'bjuːk] (*wegen* for) **2.** (≈ *kritisieren*) criticize ['krıtısaız], *öffentlich*: censure ['senʃə]

Ruhe 1. (≈ *Stille*) silence ['saıləns]; *Ruhe, bitte!* quiet, please!; *im Klassenzimmer herrschte absolute Ruhe* there was total silence in the classroom **2.** (≈ *wohltuende Ruhe*) peace and quiet **3.** (≈ *Frieden, Beschaulichkeit*) peace, quiet, peacefulness **4.** *Ruhe und Ordnung* law and order **5.** (≈ *Gelassenheit*) calm [kaːm], composure; *Ruhe bewahren* keep* calm; *immer mit der Ruhe!* relax!, *umg.* (take it) easy! **6.** *lass mich in Ruhe!* leave me alone! **7.** (≈ *Erholung*) rest; *er gönnt mir keine Ruhe* he doesn't give me a minute's rest

ruhelos restless

ruhen 1. *allg.*: rest **2.** *die Arbeit ruht* work has come to a standstill

Ruhepause rest, *umg.* breather ['briːðə]; *eine Ruhepause einlegen* have* (*oder* take*) a break

Ruhestand: *der Ruhestand* retirement (△ *ohne* the); *sie sind im Ruhestand* they've retired; *in den Ruhestand treten* retire

Ruhestörung disturbance of the peace

Ruhetag: *Dienstag Ruhetag* closed (on) Tuesdays

ruhig¹ **1.** (≈ *leise*) quiet; *ruhig werden* quieten down; *wir wohnen sehr ruhig* we live in a very quiet area **2.** *Wetter, Meer*: calm [kaːm] **3.** (≈ *gelassen*) calm; *sei ganz ruhig* (≈ *unbesorgt*) there's no need to worry ['wʌrı] **4.** (≈ *friedlich*) quiet, peaceful **5.** *ein ruhiges Gewissen* a <u>clear</u> conscience

ruhig² *verstärkend*: *das kannst du mir ruhig glauben* you can take my word for it; *du kannst ruhig dableiben* you can stay if you like

Ruhm 1. (≈ *Glanz, Ehre*) glory **2.** (≈ *Ansehen*) fame

rühmen 1. praise (*wegen* for), *stärker*: extol [ık'stəʊl] **2.** *sich rühmen* (+ *Gen.*) pride oneself (on), boast (*something*)

Ruhr *Krankheit*: dysentery [△ 'dısntrı]

Rühreier scrambled eggs

rühren 1. (≈ *umrühren*) stir [stɜː] **2.** *sich*

rühren (≈ *sich bewegen*) stir, move; **er rührte sich nicht vom Fleck** he didn't budge **3. sich rühren** (≈ *sich bemerkbar machen*) say* (*oder* do*) something; **wenn du was willst, musst du dich rühren** if you want anything, let me know; **sie hat sich seit einem Jahr nicht mehr gerührt** *umg.* I haven't heard from her for a year **4.** *gefühlsmäßig*: touch, move; **der Film rührte mich zu Tränen** the film moved me to tears

rührend 1. *Film, Buch, Szene*: touching, moving **2. das ist ja rührend!** that's really nice (of you, them *usw.*), *auch ironisch* that's absolutely charming!

rührig *Person*: active ['æktɪv], busy ['bɪzɪ], (≈ *engagiert*) enterprising ['entəpraɪzɪŋ]

rührselig sentimental [ˌsentɪ'mentəl], maudlin ['mɔːdlɪn]; **rührselige Geschichte** *umg.* sob story

Rührung emotion; **vor Rührung konnte er nichts sagen** he was choked (with emotion)

Ruin ruin ['ruːɪn]; **du bist noch mein Ruin** you'll be the ruin of me

Ruine ruin ['ruːɪn], ruins (*Pl.*)

ruinieren ruin ['ruːɪn]

ruinös *Wettbewerb usw.*: ruinous ['ruːɪnəs]

rülpsen, Rülpser *umg.* burp

Rum *Branntwein*: rum

rum... *umg.* → *herum usw.*

Rumäne Romanian [△ ruː'meɪnɪən]; **er ist Rumäne** he's Romanian; ☞ *Nationalitäten*

Rumänien Romania [△ ruː'meɪnɪə]

Rumänin Romanian [△ ruː'meɪnɪən] woman (*oder* lady *bzw.* girl); **sie ist Rumänin** she's Romanian; ☞ *Nationalitäten*

rumänisch, Rumänisch Romanian [△ ruː'meɪnɪən]

Rummel 1. (≈ *Trubel*) hustle and bustle [ˌhʌsl_ən'bʌsl] **2.** (≈ *Aufheben*) fuss, *umg.* to-do [tə'duː]; **einen großen Rummel um etwas machen** make* a big fuss (*oder* to-do) about something **3.** (≈ *Jahrmarkt*) fair

Rummelplatz fairground, amusement park [ə'mjuːzmənt_pɑːk]

rumoren 1. *Person*: bang (around) **2. es rumort in meinem Bauch** (*Kopf*) my stomach ['stʌmək] is rumbling (my head is spinning)

rumpeln rumble

Rumpf 1. *des Körpers*: trunk **2.** *einer Statue und übertragen*: torso **3.** (≈ *Schiffsrumpf*) hull **4.** (≈ *Flugzeugrumpf*) fuselage ['fjuːzəlɑːʒ], body

rümpfen: die Nase rümpfen turn one's nose up (*über* at)

Run *salopp* run (*auf* on)

rund 1. *Summe, Zahl, Form*: round **2. ein rundes Dutzend** a dozen ['dʌzn] or so **3.** (≈ *ungefähr*) about, around; **es kostete rund 50 Euro** it cost about 50 euros **4. rund um** round, around; **rund um die Welt** round (*oder* around) the world

Runde 1. *Sport*: lap (*eines Rennens*) **2.** *Sport*: round (*eines Boxkampfs*) **3.** *Getränke*: round; **die Runde geht auf mich** this round's on me **4.** (≈ *Rundgang*) walk, *dienstlich*: round; **eine Runde ums Haus machen** go* for a walk round the house **5. wir kommen gerade über die Runden** *übertragen* we're just about surviving

Rundfahrt tour (*durch* of)

Rundfunk 1. radio, broadcasting ['brɔːdkɑːstɪŋ]; **im Rundfunk** on the radio **2. im Rundfunk übertragen** broadcast*

Rundfunksender radio station

Rundgang round, tour (*durch* of)

rundgehen *umg.* **1. heute gehts wieder rund** it's all go again today **2. auf der Party gings rund** it was some party!

rundherum round about, all around

rundlich *Figur*: plump [plʌmp], chubby

Rundreise tour (*durch* of)

rundum 1. (≈ *ringsum*) all (a)round **2.** (≈ *vollkommen, ganz*) completely; **rundum glücklich** perfectly ['pɜːfɪktlɪ] happy, happy as can be

runter *umg.* (≈ *herunter, hinunter*) down

runter... *umg.* → *herunter usw.*, *hinunter usw.*

runterhauen: jemandem eine runterhauen *umg.* give* someone a clip round (*AE* on) the ear

runz(e)lig *Gesicht*: wrinkled [△ 'rɪŋkld], wrinkly

Rüpel lout, *umg.* yob

ruppig (≈ *grob*) gruff

Rüsche *an Kleid*: frill

Ruß soot [△ sʊt]

Russe Russian ['rʌʃn]; **er ist Russe** he's Russian; ☞ *Nationalitäten*

Rüssel 1. *von Elefant*: trunk **2.** *umg.* (≈ *Nase*) conk, hooter

rußig sooty [△ 'sʊtɪ]

Russin Russian ['rʌʃn] woman (*oder* lady *bzw.* girl); **sie ist Russin** she's Russian; ☞ *Nationalitäten*

russisch, Russisch Russian ['rʌʃn]

Russland Russia ['rʌʃə]

rüstig *alter Mensch*: sprightly, fit

Rüstung 1. *eines Ritters*: armour ['ɑːmə] **2.** *Vorgang*: arming **3.** *Waffen usw.*: armaments (△ *Pl.*)

Rüstungswettlauf arms race
Rute 1. (≈ *Stock*) switch, rod **2.** (≈ *Angelrute*) fishing rod **3.** *Jägersprache:* (≈ *Schwanz*) tail, *bes. des Fuchses:* brush
Rutsch: guten Rutsch (ins neue Jahr)! Happy New Year!
rutschen 1. (≈ *gleiten*) slide* **2.** (≈ *ausrutschen*) slip **3.** (*Hose, Rock*) be* slipping **4. rutsch mal ein Stück!** *umg.* can you move up a bit?

Rutscher Ⓐ **1.** (≈ *kurzer Ausflug, Abstecher*) short trip; **einen Rutscher zu jemandem machen** pop over to someone's (house) **2. zu euch ist es ja nur ein Rutscher** you're just a stone's throw away
rutschig slippery
rütteln 1. shake* **2. an der Tür rütteln** rattle at the door **3. daran ist nicht zu rütteln** *übertragen* that's the way it is

S

Saal 1. *allg.:* hall **2.** *für Konferenz:* room **3. der Saal tobte** *umg.* the audience went wild
Saarland: das Saarland the Saarland ['saːlænd]
Saat 1. (≈ *Säen*) sowing ['saʊɪŋ] **2.** (≈ *Samen*) seed, seeds (*Pl.*) **3.** *von Getreide:* crops (△ *Pl.*)
Sabbat Sabbath ['sæbəθ]
Säbel sabre, *AE* saber ['seɪbə]
sabbern *umg.* dribble
Sabotage sabotage ['sæbətɑːʒ]
Sachbuch non-fiction book
Sache 1. (≈ *Gegenstand*) thing; **sind das deine Sachen?** are these your things? **2. Sachen gibts, die gibts gar nicht** *umg.* would you credit it **3.** (≈ *Angelegenheit*) affair, matter **4. für eine gute Sache** for a good cause **5. bei der Sache bleiben** keep* to the point **6. das ist nicht jedermanns Sache** it's not everybody's cup of tea **7.** (≈ *Aufgabe*) job; **seine Sache gut** (*bzw.* **schlecht) machen** do* a good (*bzw.* bad) job; **er versteht seine Sache** he knows his stuff **8. was machst du denn für Sachen?** *umg.* what have you been up to then? **9. mach keine Sachen!** *umg.* you're kidding!, *warnend:* no funny business now! **10. mit 200 Sachen** *umg.* at 125 (miles an hour)
Sachgebiet subject ['sʌbdʒekt], field
Sachkenntnis expert ['ekspɜːt] knowledge
sachkundig 1. *Person:* competent ['kɒmpɪtənt], well-informed **2. sich sachkundig machen** inform oneself **3. sachkundiges Urteil** expert ['ekspɜːt] opinion
sachlich 1. (≈ *objektiv*) objective [əb'dʒektɪv] **2.** (≈ *nüchtern*) matter-of-fact, down-to-earth; **nun bleib mal sachlich!**

don't get carried away! **3. aus sachlichen Gründen** for practical reasons **4. das ist sachlich falsch** that's factually wrong
sächlich *Sprache:* neuter ['njuːtə]
Sachregister *eines Buchs:* (subject) index
Sachschaden material damage; **es entstand nur geringer Sachschaden** only slight damage (to property) was caused
Sachse Saxon ['sæksn]; **er ist Sachse** he's (a) Saxon; ☞ **Nationalitäten**
Sachsen Saxony ['sæksənɪ]
Sachsen-Anhalt Saxony-Anhalt [,sæksənɪ'ænhælt]
Sächsin Saxon ['sæksn]; **sie ist Sächsin** she's (a) Saxon; ☞ **Nationalitäten**
sächsisch, Sächsisch Saxon ['sæksn]
sacht 1. (≈ *behutsam*) gently **2. immer sachte!** *umg.* easy does it!
Sachverhalt facts (△ *Pl.*), circumstances ['sɜːkəmstənsɪz] (△ *Pl.*)
Sachverständige(r) 1. expert ['ekspɜːt] **2.** *vor Gericht:* expert witness
Sack 1. sack **2. mit Sack und Pack** bag and baggage (△ *ohne* with) **3. etwas im Sack haben** *übertragen, umg.* have* something in the bag
Sackgasse 1. dead-end street, cul-de-sac ['kʌldəsæk] **2. in eine Sackgasse geraten** *übertragen* reach a dead end, (*Gespräche*) reach deadlock (△ *ohne* the)
Sadist(in) sadist ['seɪdɪst]
sadistisch sadistic [sə'dɪstɪk]
säen 1. sow* [səʊ] **2. dünn gesät sein** *übertragen* be* few and far between
Safari safari [sə'fɑːrɪ]
Safe (≈ *Geldschrank*) safe
Saft *allg.:* juice [dʒuːs] (*auch übertragen*); **jemanden im eigenen Saft schmoren lassen** *übertragen* let* someone stew in

his (*bzw.* her) own juice

saftig 1. *Obst*: juicy **2.** *umg.*; *Rechnung, Preise*: steep **3.** *eine saftige Niederlage umg.* a crushing defeat **4.** *eine saftige Ohrfeige umg.* a real thump on the ear

Saftladen *umg.* hopeless setup; *das ist ja ein Saftladen hier!* *auch*: what a (hopeless) place this is

Sage legend ['leʤənd]

Säge saw [sɔː]

Sägemehl sawdust

sägen 1. saw* [sɔː] **2.** *umg.* (≈ *schnarchen*) saw* wood

sagen 1. (≈ *äußern*) say*; *jemandem etwas sagen* say* something to someone; *da sage ich nicht Nein* I won't say no; *das kann man wohl sagen* you can say that again; *du sagst es* you said it; *wie sagt man ... auf Englisch?* what's ... in English?, how do you say ... in English?; *sag bloß!* you don't say! **2.** (≈ *ausrichten, mitteilen*) *jemandem etwas sagen* tell* someone something; *sag mir die Wahrheit* tell me the truth; *ich will dir mal was sagen* let me tell you something; *das sag ich deinem Lehrer* I'll tell your teacher; *ich habe mir sagen lassen, ...* I've been told ...; *ich habs dir ja gleich gesagt* I told you so **3.** *eine Meinung äußern*: say*; *was sagst du dazu?* what do you say?, what do you think about it? **4.** (≈ *befehlen*) *du hast mir nichts zu sagen* you can't tell me what to do; *hat er hier etwas zu sagen?* does he have a say around here? **5.** *aber dann hab ich mir gesagt ...* but then I said to myself ... **6.** *das sagt sich so leicht* it's easier said than done

Sagen: *das Sagen haben* have* the (final) say (*bei, in* in)

sagenhaft 1. legendary ['leʤəndrɪ], mythical ['mɪθɪkl] **2.** *umg.* incredible, fantastic **3.** *sagenhaft teuer* incredibly expensive

Sägespäne wood shavings

Sägewerk sawmill

Sahara: *die Sahara* the Sahara [sə'hɑːrə]

Sahne cream

Sahnetorte cream gateau [ˌkriːm'gætəʊ]

Saison season; *außerhalb der Saison* out of season (△ *ohne* the)

Saite 1. *von Geige usw.*: string **2.** *andere Saiten aufziehen umg.* take* a tougher line

Saiteninstrument string(ed [strɪŋd]) instrument ['ɪnstrəmənt]; *die Saiteninstrumente im Orchester*: the strings, the string section

Sakko (*sportlich*: sports) jacket ['ʤækɪt]

Sakrament *religiös*: sacrament ['sækrə-

 mənt]

Sakristei vestry ['vestrɪ]

Salami salami [sə'lɑːmɪ]

Salär *bes.* Ⓐ, ⒸⒽ (≈ *Gehalt*) salary

Salat 1. *Gericht*: salad ['sæləd] **2.** (≈ *Kopfsalat*) lettuce ['letɪs] **3.** *da haben wir den Salat umg.* we're in a right (*AE* total) mess now

---

Salat

als Speise:

mixed salad, fruit salad, tomato salad, potato salad, chicken salad

aber:

I've planted some <u>lettuce</u> in the garden. Don't forget to put some <u>lettuce</u> in the salad.

Salatsoße salad dressing

Salbe ointment

Salbei *Gewürzpflanze*: sage [seɪʤ]

Salmonellen salmonella [ˌsælmə'nelə] (△ *Sg.*)

Salon 1. (≈ *Raum für Empfänge*) drawing room, *AE* parlor ['pɑːlə] **2.** *auf Schiff*: saloon [sə'luːn] **3.** (≈ *Kosmetiksalon usw.*) salon ['sælɒn]

salopp 1. *Kleidung*: casual ['kæʒʊəl] **2.** *Ausdrucksweise*: very colloquial, slangy

Salsa *Musik*: salsa ['sælsə]

Salto somersault [△ 'sʌməsɔːlt]

salü ⒸⒽ **1.** *Begrüßung*: hi, hello **2.** *Abschied*: bye, see you

Salve 1. (≈ *Gewehrsalve*) volley ['vɒlɪ] (*auch übertragen*) **2.** (≈ *Geschützsalve*) salvo ['sælvəʊ] **3.** (≈ *Ehrensalve*) salute [sə'luːt]

Salz salt [sɔːlt]

salzarm: *salzarme Kost* low-salt diet ['daɪət]

salzen salt [sɔːlt]

salzig salty ['sɔːltɪ]

Salzkartoffeln boiled potatoes

Salzstreuer salt cellar ['sɔːlt,selə], *AE* salt shaker

Salzwasser 1. (≈ *Meerwasser*) salt [sɔːlt] water **2.** *zum Kochen*: salted water

Samariter: *barmherziger Samariter* good Samaritan [sə'mærɪtən]

Samba *Musik*: samba

Samen 1. *von Pflanzen*: seed **2.** *von Mensch, Tier*: sperm [spɜːm], semen ['siːmən]

Samenerguss ejaculation [ɪˌʤækjʊ-'leɪʃn]

Sammelband *Buch*: anthology [æn-'θɒləʤɪ]

sammeln 1. collect (*Briefmarken usw.*) **2.** gather (*Erfahrungen, Informationen*) **3.** pick (*Beeren, Pilze*) **4.** *sich sammeln* (≈ *konzentrieren*) collect one's thoughts **5.** *für wohltätige Zwecke sammeln* collect for charity

Sammler(in) collector

Sammlung collection

Samstag 1. Saturday ['sætədei]; *wir sehen uns dann* (*am*) *Samstag* see you (on) Saturday **2.** *diese Woche ist langer Samstag* the shops are open all day this Saturday

Samstagabend: (*am*) *Samstagabend* (on) Saturday evening, (on) Saturday night

samstagabends (on) Saturday evenings

Samstagmorgen: (*am*) *Samstagmorgen* (on) Saturday morning

Samstagnachmittag: (*am*) *Samstagnachmittag* (on) Saturday afternoon

samstags on Saturday, on Saturdays; *samstags abends usw.* on Saturday evenings *usw.*

Samt velvet ['velvɪt]

samt 1. (≈ *zusammen mit*) together with, along with; *300 Schüler samt Eltern kamen zum Schulfest* 300 students along with their parents turned up for the school fete [feɪt] **2.** *samt und sonders* each and every one of them, *umg.* the whole lot

Samthandschuh: *jemanden mit Samthandschuhen anfassen übertragen* handle someone with kid gloves [△ glʌvz]

sämtlich all; *sämtliche Dateien waren zerstört* all the files were destroyed

Sanatorium sanatorium [ˌsænəˈtɔːrɪəm], *AE auch* sanitarium [ˌsænəˈteərɪəm]

Sand 1. sand **2.** *er hat CDs wie Sand am Meer* he's got masses (*AE* tons) of CDs **3.** *jemandem Sand in die Augen streuen übertragen* throw* dust in someone's eyes

Sandale sandal ['sændl]

Sandalette (high-heeled) sandal ['sændl]

Sandbank sandbank

sandig sandy

Sandkasten sandpit, *AE* sandbox

Sandpapier *zum Schleifen:* sandpaper

Sandplatz *Tennis:* clay court

Sandsack 1. sandbag **2.** *zum Boxtraining:* punching bag

Sandstein sandstone

Sandstrand sandy beach

sanft 1. *allg.* gentle; *mit sanfter Gewalt* gently but firmly **2.** *Stimme, Musik:* soft; *mit sanfter Stimme* softly, in a soft voice **3.** *dann versuchte ich es auf die sanfte Tour umg.* then I tried a more gentle approach

Sänger(in) singer

sang- und klanglos quietly, without any fuss; *er ist sang- und klanglos verschwunden* he disappeared without a word

sanieren 1. redevelop [ˌriːdɪˈveləp] (*Stadtteil*) **2.** renovate ['renəveɪt], *umg.* do* up (*Gebäude*) **3.** clean up (*Umwelt*)

Sanierung 1. *eines Stadtteils:* redevelopment **2.** *eines Gebäudes:* renovation [ˌrenəˈveɪʃn] **3.** *der Umwelt:* cleaning up

Sanierungsgebiet redevelopment area [ˌriːdɪˈveləpmənt‚eərɪə]

sanitär sanitary ['sænətrɪ]; *sanitäre Anlagen* sanitary facilities

Sanitäter ambulance man, *bes. AE* paramedic [ˌpærəˈmedɪk]

Sanitäterin ambulance woman, *bes. AE* paramedic [ˌpærəˈmedɪk]

Sankt Saint [seɪnt] (*Abk.* St); *Sankt Petrus* Saint [snt] Peter

Sardelle anchovy [△ ˈæntʃəvɪ]

Sardine sardine [sɑːˈdiːn]

Sardinien *Insel:* Sardinia [sɑːˈdɪnɪə]

Sarg coffin

sarkastisch sarcastic

Satan Satan ['seɪtn]; *der Satan* Satan (△ *ohne* the)

Satellit satellite ['sætəlaɪt]; *über Satellit* by (*oder* via) satellite

Satellitenbild satellite ['sætəlaɪt] picture

Satellitenfernsehen satellite TV

Satellitenschüssel satellite dish

Satire satire ['sætaɪə] (*auf* on)

satirisch satirical [səˈtɪrɪkl]

satt 1. (≈ *gesättigt*) full; *bist du satt geworden?* have you had enough?; *ich bin davon nicht satt geworden* that wasn't enough for me; *das macht satt* it's very filling **2.** *Farben:* rich **3.** *das war eine satte Leistung* that was quite a feat **4.** *satte Preise umg.* steep prices → *satthaben*

Sattel saddle

satteln saddle (*Pferd usw.*)

Sattelschlepper 1. (≈ *Zugfahrzeug*) (road) tractor **2.** (≈ *Sattelzug*) articulated [ɑːˈtɪkjʊleɪtɪd] lorry, *umg.* artic [ɑːˈtɪk], *AE* tractor-trailer, semitrailer (truck), *umg.* semi ['semɪ]

Satteltasche *für Fahrrad usw.:* saddlebag

satthaben: *ich habe es satt! umg.* I'm sick and tired of it

sättigen 1. (*Nahrung, Essen*) be* filling **2.** *Chemie, Wirtschaft:* saturate ['sætʃəreɪt]; *gesättigt sein* (*Markt, chemische Lösung usw.*) be* saturated

sättigend filling

sattmachen → *satt I*

Saturn *Planet*: Saturn ['sætɜːn] (△ *ohne* the)

Satz 1. *Sprache*: sentence; **in einem Satz zusammenfassen** *usw.*: in one sentence, briefly **2.** *Tennis usw.*: set; **Graf gewinnt mit 2:1 Sätzen** Graf wins 2 sets to 1 **3.** (≈ *Sprung*) leap; **einen Satz machen** take* a (*oder* one) leap **4.** *Briefmarken usw.*: set

Satzball 1. *Tennis, Volleyball*: set point **2.** *Tischtennis, Badminton*: game point

Satzbau syntax

Satzung statute ['stætʃuːt]; **Satzungen** *eines Vereins usw.*: statutes and articles [ˌstætʃuːts_ənd'ɑːtɪklz]

Satzzeichen punctuation mark

Satzzeichen – punctuation marks

Anführungs-striche	quotation marks, inverted commas
Ausrufezeichen	exclamation mark
Bindestrich	hyphen
Doppelpunkt	colon
Fragezeichen	question mark
Gedankenstrich	dash
Komma	comma
Punkt	full stop, *Am* period
Semikolon	semicolon

Sau 1. *Tier*: sow [saʊ] **2.** *umg. als Schimpfwort*: swine, *Frau*: bitch **3.** *Wendungen*: **unter aller Sau** lousy ['laʊzɪ]; **jemanden zur Sau machen** tear* a strip off someone; **die Sau rauslassen** let* one's hair down; **keine Sau war da** not one lousy person was there; **er fährt wie eine gesengte Sau** he drives like a maniac ['meɪnɪæk]

sauber 1. *allg.* clean **2.** *Luft,Wasser*: clean, unpolluted [ˌʌnpə'luːtɪd] **3.** **sauber machen** clean, clean up **4.** **er ist nicht ganz sauber** *umg.* he isn't quite kosher ['kəʊʃə], *BE auch* he's a bit dodgy, *AE* he's kind of a shady character

sauber halten keep* clean (*auch Umwelt*)

Sauberkeit cleanliness [△ 'klenlɪnəs]

säuberlich neatly; **alles fein säuberlich ordnen** put* everything in its right place

saubermachen → **sauber** *3*

säubern clean

saublöd *umg.* **1.** **er ist saublöd** he's really (*oder* incredibly) stupid **2.** **es war saublöd** it was really stupid

Sauce → **Soße**

Saudi-Arabien Saudi Arabia [ˌsaʊdɪ_ə'reɪbɪə]

sauer 1. sour ['saʊə]; **sauer werden** turn sour **2.** *Chemie*: acid ['æsɪd]; **saurer Regen** acid rain **3.** *umg.* (≈ *verärgert*) mad (**auf** at, with); **sauer werden** get* annoyed (*oder* cross) **4.** **sauer verdientes Geld** hard-earned money

Sauerei → **Schweinerei**

Sauerkirsche sour cherry [ˌsaʊə'tʃerɪ]

Sauerkraut sauerkraut ['saʊəkraʊt]

säuerlich (a bit *oder* slightly) sour (*auch* übertragen) *oder* acidic [ə'sɪdɪk]

Sauerstoff oxygen ['ɒksɪdʒən]

Sauerstoffflasche oxygen cylinder ['ɒksɪdʒənˌsɪlɪndə]

saufen 1. (*Tier*) drink* **2.** *umg.* (*Person*) drink*, booze; **sie säuft wie ein Loch** she drinks like a fish

Säufer(in) (heavy) drinker, *umg.* boozer

Sauferei *umg.* **1.** *Gewohnheit, Sucht*: boozing **2.** (≈ *Saufgelage*) booze-up, *AE* drunken bash

saugen 1. suck; **saugen an** suck **2.** *mit Staubsauger*: vacuum ['vækjʊəm], *umg.* hoover®

säugen breastfeed ['brestfiːd]

Säugetier mammal ['mæml]

saugfähig absorbent [əb'zɔːbənt]

Säugling baby, infant ['ɪnfənt]

Säuglingsnahrung baby food

Sauhaufen *umg.*; *Personen*: bunch of no-goods

saukalt *umg.* damn [dæm] (*BE auch* bloody ['blʌdɪ]) cold

Saukerl *umg.* swine, bastard ['bɑːstəd]

Säule column [△ 'kɒləm], pillar

Saum 1. *allg.*: hem(line) **2.** (≈ *Naht*) seam **3.** *auch* übertragen (≈ *Rand*) border, edge

saumäßig *umg.* **1.** (≈ *sehr schlecht*) lousy ['laʊzɪ] **2.** **saumäßiges Glück haben** be* damn [dæm] lucky **3.** **es tut saumäßig weh** it hurts like hell

säumen 1. *durch Nähen*: hem **2.** übertragen line, (≈ *umgeben*) skirt

Sauna sauna ['sɔːnə]

Säure *Chemie*: acid ['æsɪd]

Saure-Gurken-Zeit 1. *allg.*: off season **2.** *Journalismus*: silly season

Saurier dinosaur [△ 'daɪnəsɔː]

sausen 1. (≈ *sich schnell bewegen*) rush, *umg.* whizz; **ich saus mal schnell zum Supermarkt!** I'll just pop (*AE* run) down to the supermarket **2.** **durch eine Prüfung sausen** fail (*oder umg.* flunk) an exam

Saustall 1. pigsty ['pɪgstaɪ] (*auch umg. für Zimmer*) **2.** (≈ *Unordnung*) absolute mess

Sauwetter: **so ein Sauwetter!** *umg.* what lousy weather! (△ *ohne* a)

sauwohl: *ich fühl mich sauwohl umg.* I feel really great

Saxofon, Saxophon saxophone ['sæksə-fəʊn]

S-Bahn 1. *System:* suburban railway **2.** *Zug:* suburban train

S-Bahnhof, S-Bahn-Station suburban (train) station

scannen *Computer:* scan

Scanner 1. *Computer:* scanner **2.** *von Strichkodes auch:* bar-code reader

schaben scrape

schäbig 1. (≈ *abgenutzt*) shabby **2.** (≈ *geizig*) mean, stingy ['stɪndʒɪ] **3.** (≈ *gemein*) mean **4.** *sich schäbig verhalten* act shamefully (*oder* shabbily)

Schach 1. *Spiel:* chess **2.** *Spielsituation:* check; *Schach!* check!; *Schach und matt!* checkmate! **3.** *jemanden in Schach halten* *übertragen* hold* someone in check

Schachfigur 1. chess piece, chessman **2.** *übertragen* pawn

Schachfiguren

Bauer	**pawn**
Springer, Pferd	**knight**
Läufer	**bishop**
Turm	**castle / rook**
König	**king**
Dame	**queen**

schachmatt 1. checkmate; *jemanden schachmatt setzen* checkmate someone (*auch übertragen*) **2.** (≈ *erschöpft*) exhausted [ɪgˈzɔːstɪd], shattered

Schacht 1. *allg.:* shaft [ʃɑːft] (*auch im Bergbau*) **2.** *Kopierer, Drucker:* (≈ *Papierschacht*) (paper) tray

Schachtel 1. box; *eine Schachtel Zigaretten* a packet (*AE* pack) *of* cigarettes **2.** *alte Schachtel* *umg., abwertend* old bag

Schachzug: *ein geschickter Schachzug* *übertragen* a clever move

schade 1. *es ist sehr schade* it's a real pity (*oder* shame) **2.** *wie schade!* what a pity! **3.** *schade, dass du schon gehen musst* (it's a) pity you have to go so soon

Schädel 1. *von Skelett:* skull **2.** *umg.* (≈ *Kopf*) head; *jemandem eins über den Schädel geben* hit* someone over the head; *geht das nicht in deinen Schädel hinein?* can't you get it into your head?

schaden 1. damage, harm **2.** *das schadet deiner Gesundheit* it's bad for your health **3.** *ein Versuch kann nicht schaden* there's no harm in trying **4.** *das*

schadet nichts (≈ *macht nichts*) it doesn't matter

Schaden 1. *allg.:* damage (*an* to); *einen Schaden verursachen* cause damage (△ *ohne* a) **2.** *körperlich:* injury ['ɪndʒərɪ], harm; *zu Schaden kommen* be* injured, be* hurt **3.** *aus Schaden wird man klug* you learn from your mistakes

Schadenersatz 1. compensation **2.** *Geldbetrag:* damages (△ *Pl.*)

Schadenfreude 1. malicious glee, gloating **2.** *voller Schadenfreude* gloatingly

schadenfroh: *sie lachte schadenfroh* she laughed with malicious glee

schadhaft 1. *allg.:* (≈ *beschädigt*) damaged ['dæmɪdʒd], faulty, defective [dɪˈfektɪv] **2.** *Zähne:* decayed [dɪˈkeɪd] **3.** *Rohr usw.:* leaking

schädigen 1. *allg.:* damage (*Gesundheit, Ruf usw.*), *gesundheitlich auch:* harm, injure ['ɪndʒə] **2.** *jemanden schädigen wollen* try to harm (*oder* hurt) someone **3.** cause losses to (*Firma usw.*); *wir sind schwer geschädigt worden* we have suffered heavy losses **4.** impair [ɪmˈpeə] (*Ruf, Ohren, Augen usw.*)

Schädigung (+ *Gen.*) **1.** *der Gesundheit, des guten Rufes usw.:* damage (to) **2.** *des Gehörs usw.:* impairment (of) **3.** *gesundheitliche:* injury (to), harm (to)

schädlich harmful; *es ist schädlich für die Gesundheit* it's harmful <u>to</u> your health

Schädling *bes. von Pflanzen:* pest

Schädlingsbekämpfung *in der Landwirtschaft:* pest control

Schadstoff harmful substance ['sʌb-stəns], pollutant [pəˈluːtnt]

schadstoffarm *Auto:* low-emission (△ *nur vor dem Subst.*), clean

Schadstoffbelastung level of pollution

schadstofffrei emission-free

Schaf sheep *Pl.:* sheep

Schäfer(in) shepherd [△ ˈʃepəd]

Schäferhund Alsatian [ælˈseɪʃn], German shepherd [△ ˈʃepəd]

schaffen 1. create (*Arbeitsplätze usw.*) **2.** *er ist für den Posten wie geschaffen* he's perfect for the job **3.** (≈ *verursachen*) cause (*Ärger, Probleme*) **4.** (≈ *bringen*) take*; *ich schaff den Koffer auf den Dachboden* I'll take the suitcase up into the loft; *schaff die Katze aus dem Zimmer!* get that cat out of the room! **5.** (≈ *bewältigen*) manage; *eine Prüfung schaffen* pass an exam; *wir haben es geschafft!* we made it!; *das ist nicht zu schaffen* it can't be done **6.** *Wendungen:* *jemandem zu schaffen machen* give* someone a hard time; *was hast du hier*

zu schaffen? what d'you think you're doing here?; **er schafft mich** umg. he's getting me down; **damit habe ich nichts zu schaffen** I've got nothing to do with it

Schaffner(in) 1. im Bus: conductor **2.** im Zug: guard [gɑːd], AE conductor

Schafherde flock of sheep

Schafskäse feta (cheese), sheep's milk cheese

Schaft 1. allg.: shaft [ʃɑːft] **2.** eines Gewehrs: stock **3.** eines Stiefels: leg

Schafwolle sheep's wool [△ 'ʃiːps wʊl]

Schakal jackal [△ 'dʒækɔːl, 'dʒækl]

schal 1. Getränk: flat **2.** Gerede, Witz: stale

Schal scarf Pl.: scarfs oder scarves

Schale 1. von Eiern, Nüssen: shell **2.** von Obst: skin, abgeschält: peel **3.** Gefäß: bowl [bəʊl], flacher: dish **4. sich in Schale werfen** umg. dress up, Frau auch: doll oneself up

Einige wichtige Schalentiere

Schalentier	**crustacean** [krʌ'steɪʃn]
Auster	**oyster**
Garnele	**prawn, shrimp**
Hummer	**lobster**
Jakobsmuschel	**scallop** ['skɒləp]
(Klaff)Muschel	**clam**
Krabbe	**crab**
Languste	**crayfish**, AE **crawfish**
(Mies)Muschel	**mussel**

schälen 1. peel (Obst, Kartoffeln, Eier usw.) **2. sich schälen** (Haut, Lack) peel, peel off

Schall sound

Schalldämpfer 1. an Waffe: silencer **2.** am Auto: silencer, AE muffler

schalldicht soundproof

schallend 1. schallend lachen roar with laughter; **schallendes Gelächter** loud laughter **2. eine schallende Ohrfeige** übertragen a slap in the face

Schallgeschwindigkeit speed of sound

Schallmauer: die Schallmauer durchbrechen break* the sound barrier ['saʊnd͵bærɪə]

Schallplatte record ['rekɔːd]

schalten 1. mit einem Schalter: switch **2. die Ampel schaltete auf Rot** the traffic lights changed to red **3.** beim Autofahren: change gears, AE mst. shift gears; **in den 3. Gang schalten** change (oder shift) into third gear **4.** umg. (≈ begreifen) catch* on; **ich hab zu spät geschal-**

tet I didn't react quickly enough; **er schaltet schnell** he's quick on the uptake

Schalter 1. Hebel, Knopf: switch **2.** in Post, Bank: counter

Schalterhalle Post, Bank usw.: main hall, Bahnhof auch: booking hall

Schalterstunden in Bank usw.: business hours

Schalthebel im Auto: gear lever ['gɪə͵liːvə], AE gear shift

Schaltjahr leap year

Schaltknüppel im Auto: gear lever ['gɪə͵liːvə], AE gear shift

Schaltkreis elektrischer: circuit [△ 'sɜːkɪt]

Schalttag leap day

Schaltung im Auto: gearchange, gearshift

Scham 1. shame; **vor Scham erröten** blush (oder go* red) with shame **2.** (≈ Genitalien) genitals ['dʒenɪtlz] (△ Pl.), private parts (△ Pl.)

schämen 1. sich schämen be* ashamed, feel* ashamed (**wegen** of) **2. schäm dich!** shame on you!

Schamgefühl sense of shame

Schamhaare pubic ['pjuːbɪk] hair (△ Sg.)

schamlos (≈ frech, dreist) shameless

Schande 1. disgrace; **mach uns keine Schande** umg. try not to disgrace us **2. zu meiner Schande muss ich gestehen, dass ...** I'm ashamed to admit that ...

Schandfleck Gebäude usw.: eyesore

schändlich 1. (≈ niederträchtig) shameful, disgraceful **2.** Lüge: scandalous ['skændələs]

Schandtat: er ist zu jeder Schandtat bereit umg., humorvoll he's game for anything

Schanze (≈ Sprungschanze) ski jump

Schar 1. Menschenmenge: crowd [kraʊd], horde **2. die Fans kamen in Scharen** thousands of fans flocked there **3.** Vögel: flock

scharf 1. allg.: sharp (auch übertragen Kritik, Protest usw.) **2.** (≈ genau, deutlich) sharp; **scharf sehen** have* sharp eyes **3. scharf einstellen** focus (Bild, Kamera) **4. denk mal scharf nach!** put your thinking cap on! **5.** (≈ hart, schonungslos) fierce [fɪəs], tough [tʌf]; **jemanden scharf anfassen** be* strict with someone; **der neue Lehrer ist ein ganz scharfer** umg. (≈ ist sehr streng) the new teacher is a really tough sort, AE the new teacher is really strict **6.** Gewürz: hot; **das ist ja ein scharfes Zeug** that really burns your throat; **etwas scharf würzen** make* something hot **7. scharfe**

Sachen *Alkohol*: hard stuff ['hɑːd‿stʌf] (△ *Sg.*) **8.** *umg.* (≈ *großartig*) great; **das ist ja scharf** get a load of that! **9.** *umg.* (≈ *geil*) randy, horny; **auf jemanden scharf sein** be* keen on (*oder* hot for) someone; → **scharfmachen 10.** *umg.*; *Bilder, Film, Video*: sexy, hot **11.** *umg.*, *Person* (≈ *sexy*) fit (*BE, Slang*)

Schärfe 1. *eines Messers usw.*: sharpness **2.** (≈ *Genauigkeit, Klarheit*) sharpness, clarity **3.** (≈ *Härte*) toughness ['tʌfnəs], strictness **4.** *von Gewürz*: hotness

Scharfeinstellung *bei optischem Gerät* **1.** *Vorgang*: focus(s)ing ['fəʊkəsɪŋ] **2.** *Vorrichtung*: focus(s)ing ring (*oder* control)

schärfen sharpen (*Messer, Blick usw.*)

Schärfentiefe *bei Foto usw.*: depth of focus

scharfmachen: **er macht mich richtig scharf** he really turns me on

Scharfmacher(in) *umg.* (≈ *Demagoge, Demagogin*) rabble-rouser

Scharfschütze sharpshooter, marksman, sniper

Scharfsinn astuteness, shrewdness

scharfsinnig astute [ə'stjuːt], shrewd

Scharlach *Krankheit*: scarlet fever; **ich habe Scharlach** I've got scarlet fever

Scharnier hinge

scharren 1. scrape; **mit den Füßen scharren** scrape one's feet (△ *ohne* with) **2.** (*Huhn*) scratch **3.** (*Hund, Pferd usw.*) paw the ground

Schaschlik shish kebab ['ʃɪʃ‿kəˌbæb]

Schatten 1. *schattige Stelle*: shade; **30 Grad im Schatten** 30 degrees in the shade **2.** *Wendungen*: *Licht und Schatten* light and shade; **das stellt alles bisher Dagewesene in den Schatten** that puts everything in the shade **3.** *Schattenbild*: shadow; **einen Schatten auf etwas werfen** *auch übertragen* cast* a shadow on something **4.** *Wendungen*: **in jemandes Schatten stehen** live in someone's shadow; **über seinen eigenen Schatten springen** overcome* oneself

Schattenkabinett *Politik*: shadow cabinet [ˌʃædəʊˈkæbɪnət]

Schattenseite 1. shady side **2.** (≈ *Nachteil*) drawback **3.** **die Schattenseiten des Lebens** the dark side of life

schattig shady

Schatz 1. (≈ *Kostbarkeiten*) treasure ['treʒə] **2.** **ein Schatz an Erfahrungen** a wealth [welθ] of experience (△ *Sg.*) **3.** (≈ *Liebling*) sweetheart **4.** *Anrede*: love, darling

schätzen 1. (≈ *grob berechnen*) estimate ['estɪmeɪt], guess [ges]; **wie alt schätzt du sie?** how old do you think she is?;

ich hätte sie älter geschätzt I'd have said she's older; **grob geschätzt** at a rough guess **2.** (≈ *vermuten*) reckon, think*; **ich schätze, es dauert zwei Tage** I reckon (*oder* I'd say) it's going to take two days **3.** (≈ *mögen*) think* highly of **4.** **ich weiß es zu schätzen** I appreciate [ə'priːʃɪeɪt] it **5.** **du kannst dich glücklich schätzen** you can think yourself lucky **6.** value ['væljuː], assess [ə'ses] (*Schmuck, Auto usw.*) (**auf** at)

Schätzung 1. (≈ *grobe Berechnung*) estimate ['estɪmət], guess [ges] **2.** **nach meiner Schätzung …** I reckon (that) … **3.** *eines Wertgegenstands, Gebäudes*: valuation **4.** (≈ *Hochachtung*) esteem [ɪ'stiːm]

schätzungsweise 1. roughly ['rʌflɪ], approximately [ə'prɒksɪmətlɪ] **2.** **schätzungsweise zwei Millionen Deutsche** an estimated two million Germans **3.** **sie hat schätzungsweise 300 CDs** I reckon she's got about 300 CDs

Schau 1. (≈ *Ausstellung*) exhibition [△ ˌeksɪ'bɪʃn] **2.** *zur Unterhaltung*: show **3.** *Wendungen*: **nur zur Schau** just for show; **eine Schau abziehen** *umg.* put* on a show; **er macht nur auf Schau** *umg.* he's just out to pull off a show; **er hat mir die Schau gestohlen** *umg.* he stole the show from me

schauen 1. (≈ *blicken*) look (**auf** at); **was schaust du so?** why are you looking like that? **2.** (≈ *nachsehen*) have* a look; **ich schau mal, ob …** I'll go and have a look whether … **3.** **schau, dass …** see

Schatten

shade

shadow

(to it) that

Schauer shower ['ʃaʊə]; **vereinzelt(e) Schauer** scattered showers

Schauermärchen horror story

Schaufel 1. shovel [△ 'ʃʌvl] **2.** *für Zucker usw.*: scoop **3. Schaufel und Besen** dustpan and brush

schaufeln 1. *allg.*: shovel [△ 'ʃʌvl] **2. Schnee schaufeln** clear the snow away **3.** dig* (*Loch, Grube usw.*)

Schaufenster shop window

Schaufensterbummel: einen Schaufensterbummel machen go* window-shopping

Schaufensterpuppe shop-window dummy, mannequin ['mænəkɪn]

Schaukasten showcase

Schaukel 1. swing **2.** (≈ *Wippe*) seesaw

schaukeln 1. *mit Schaukel*: swing* **2.** *Schiff, (mit) Schaukelstuhl*: rock **3. wir werden die Sache (oder das Kind) schon schaukeln** *umg.* we'll manage it somehow

Schaukelstuhl rocking chair, *AE auch* rocker

Schaulaufen exhibition [△ ,eksɪ'bɪʃn] skating

Schaulustige(r) gawper ['gɔːpə], *bes. AE* rubbernecker, *AE* gawker

Schaum 1. *allg.*: foam **2.** *von Seife usw.*: lather ['lɑːðə] **3.** *von Bier usw.*: froth

Schaumbad bubble bath

schäumen 1. foam, froth **2.** (*Seife*) lather ['lɑːðə] **3.** (*Bier usw.*) froth (up) **4. er schäumte vor Wut** *umg.* he was foaming

Schaumgummi foam rubber

schaumig 1. *allg.*: frothy ['frɒθɪ] (*auch Bier*) **2.** *Seife etc.*: lathery ['lɑːðərɪ] **3.** *nach Quirlen usw.*: fluffy

Schaumstoff foam (rubber)

Schauplatz scene [△ siːn]; **am Schauplatz** at the scene

Schauspiel 1. *im Theater*: drama, play **2.** *übertragen* spectacle ['spektəkl], sight

Schauspieler actor

Schauspielerin actress

schauspielern *übertragen* put* on an act

Schausteller(in) *auf Jahrmärkten usw.*: (fairground) showman (showwoman)

Scheck cheque [tʃek], *AE* check; **einen Scheck auf jemanden ausstellen** make* a cheque out to someone

scheckig 1. *Pferd*: piebald ['paɪbɔːld], dappled **2.** *Kuh*: spotted **3.** *Haut*: blotchy

Scheckkarte cheque [tʃek] card, *AE* check cashing card

Scheibe 1. disc (*auch CD, Schallplatte*) **2.** *aus Glas*: pane **3.** *von Wurst, Käse usw.*: slice **4. von ihm kannst du dir eine Scheibe abschneiden** *umg.* you could

learn a thing or two from him

Scheibenbremse *Auto usw.*: disc brake ['dɪsk_breɪk]

Scheibenwaschanlage *Auto*: windscreen (*AE* windshield) washer system *oder* washers (*Pl.*)

Scheibenwischer windscreen wiper, *AE* windshield wiper

Scheich sheik(h) [△ ʃeɪk]

Scheide 1. *einer Waffe*: sheath [ʃiːθ] *Pl.*: sheaths [△ ʃiːðz] **2.** *der Frau*: vagina [△ və'dʒaɪnə]

scheiden 1. sich scheiden lassen get* a divorce [dɪ'vɔːs], get* divorced; **sie will sich scheiden lassen** she wants a divorce; **sie hat sich von ihm scheiden lassen** she divorced him **2. hier scheiden sich die Geister** opinions are divided on that

Scheidung divorce [dɪ'vɔːs]; **wir leben in Scheidung** we're getting a divorce

Schein¹ (≈ *Geldschein*) note, *AE* bill

Schein² (≈ *Anschein*) appearance [ə'pɪərəns]; **dem Schein nach** to all appearances; **er hat es zum Schein getan** he pretended to do it; **der Schein trügt** appearances are deceptive [dɪ'septɪv]

Schein³ (≈ *Lichtschein*) light

scheinbar 1. *Widerspruch usw.*: seeming, apparent **2. es hat ihn scheinbar nicht berührt** it didn't seem to bother him **3. er gab nur scheinbar nach** he only pretended to give in

scheinen 1. (*Sonne*) shine* **2.** (≈ *den Anschein haben*) seem, appear; **es scheint nur so** it only seems like it; **er scheint da zu sein** it looks as if he's there

scheinheilig hypocritical [,hɪpə'krɪtɪkl]; **scheinheilig tun** act the innocent

scheintot seemingly dead

Scheinwerfer 1. *allg.*: floodlight ['flʌdlaɪt] **2.** *am Auto*: headlight

Scheinwerferlicht 1. spotlight **2. im Scheinwerferlicht der Öffentlichkeit stehen** be* very much in the public eye

Scheiß... *vulgär; in Zusammensetzungen*: bloody … ['blʌdɪ], fucking …

Scheiße *vulgär* **1.** (≈ *Kot*) shit **2.** (≈ *Mist*) crap **3. Scheiße!** shit!, *BE auch* bloody hell!

scheißegal: das ist mir scheißegal! *umg.* I don't give a damn [△ dæm]!

scheißen *vulgär* shit*

Scheitel *von Frisur*: parting, *AE* part

Scheiterhaufen (funeral ['fjuːnrəl]) pyre; **auf dem Scheiterhaufen verbrannt werden** be* burnt at the stake

scheitern 1. fail (**an** because of) **2.** (*Ehe, Verhandlungen*) break* down **3.** (*Plan, Projekt*) fail, fall* through **4. es war zum**

Scheitern verurteilt it was doomed <u>to</u> <u>fail</u>; ***zum Scheitern bringen*** frustrate [frʌˈstreɪt], thwart [θwɔːt] (*Plan, Vorhaben*)

Scheitern failure [ˈfeɪljə], breakdown

schellen 1. ring* (the bell) **2.** *es hat geschellt* there's someone at the door

Schellfisch haddock [ˈhædək]

Schelm rogue [ˈrəʊg], *bes. Kind*: rascal [ˈrɑːskl]

schelten *allg.*: scold (***wegen*** for)

Schema 1. (≈ *System*) pattern [ˈpætn], system; ***er lässt sich in kein Schema pressen*** he doesn't fit into any pattern **2.** *nach Schema F* without putting any real thought into it **3.** (≈ *Entwurf*) sketch, plan **4.** (≈ *Grafik*) diagram

schematisch 1. *Zeichnung*: schematic [skɪˈmætɪk] **2.** *etwas schematisch darstellen* illustrate something in a diagram **3.** *Arbeit usw.*: mechanical **4.** *schematisch arbeiten* work by rote

Schemel (foot)stool

Schenkel 1. (≈ *Oberschenkel*) thigh [θaɪ]; ***er schlug sich vor Vergnügen auf die Schenkel*** he slapped <u>his</u> thighs <u>with</u> delight **2.** *eines Winkels*: side

schenken 1. (≈ *geben*) give*; ***er hats mir geschenkt*** he gave it to me (as a present [ˈpreznt]); ***ich muss ihr was zum Geburtstag schenken*** I've got to get her a birthday present; ***wir schenken uns nichts zu Weihnachten*** we don't give each other Christmas presents **2.** *jemandem Aufmerksamkeit schenken* pay* attention to someone **3.** *umg. das können wir uns schenken* (≈ *weglassen*) we can give that a miss; ***den Film kannst du dir schenken*** you can forget that film; ***deine Ausreden kannst du dir schenken*** you can keep your excuses **4.** *geschenkt! nach Entschuldigung usw.*: forget it!

Schenkung donation (***an*** to)

scheppern *umg.* **1.** *allg.*: rattle **2.** *da hats gescheppert* (*Auto*)*Unfall*: there's been a bit of a smash (*umg.* prang) there, *AE* there's been some kind of crash there

Scherbe *Glas*: piece of (broken) glass, *Porzellan*: piece of (broken) china [ˈtʃaɪnə]; ***in Scherben schlagen*** smash to pieces; ***in Scherben gehen*** get* smashed, *übertragen* (*Beziehung, Ehe*) break* up

Schere scissors [ˈsɪzəz] (⚠ *Pl.*); ***ist das deine Schere?*** <u>are</u> <u>those</u> your scissors?

Schereien *umg.* trouble (⚠ *Sg.*); ***jemandem Schererein machen*** give* someone trouble

Schermaus ⓖⒽ, Ⓐ (≈ *Maulwurf*) mole

Scherz 1. joke **2.** *Wendungen*: ***mach keine Scherze!*** you're kidding!; ***Scherz beiseite*** seriously though; ***ich habs doch nur als Scherz gemeint*** I was only joking

scherzen joke, make* jokes; ***ich scherze nicht*** I'm not joking, I'm not kidding

scheu 1. (≈ *schüchtern*) shy **2.** *Tier*: timid [ˈtɪmɪd] **3.** *mach mir nicht die Pferde scheu! übertragen* keep your shirt on!

Scheu shyness, timidity [tɪˈmɪdətɪ]

scheuen 1. (*Pferd usw.*) shy, take* fright (***vor*** at) **2.** shun, avoid, shy away from (*etwas Unangenehmes*); ***keine Kosten*** (***Mühe***) ***scheuen*** spare no expense (⚠ *Sg.*) (pains *Pl.*) **3.** *sich scheuen, etwas zu tun* be* afraid <u>of</u> (*oder* shrink* <u>from</u>) doing something; ***sie scheut sich nicht davor, zu*** (+ *Inf.*) she's not afraid to (+ *Inf.*), *abwertend, umg.* she has the nerve to (+ *Inf.*)

scheuern 1. scrub (*Topf, Boden usw.*) **2.** *sie hat ihm eine gescheuert umg.* she socked him one

scheumachen → *scheu*

Scheune barn

Scheunendrescher: ***er isst wie ein Scheunendrescher*** *umg.* he eats like a horse

Scheusal 1. monster (*auch übertragen*) **2.** *übertragen* (≈ *Ekel*) beast, *bes. Kind*: horror [ˈhɒrə], little beast

scheußlich *allg.*: horrible [ˈhɒrəbl]

Schi → *Ski*

Schicht 1. (≈ *Lage*) layer **2.** *der Gesellschaft*: class **3.** *bei der Arbeit*: shift; ***Schicht arbeiten*** work shifts (⚠ *Pl.*); ***er hat Schicht*** he's on shift

Schichtarbeit, **Schichtdienst** shift work

schick 1. (≈ *elegant*) smart, *AE* sharp; ***sich schick anziehen*** dress smartly (*AE* sharply) **2.** (≈ *modisch, beliebt*) trendy

schicken 1. (≈ *versenden*) send* (***an, nach*** to) **2.** *jemanden ins Bett schicken* send* someone <u>to</u> bed **3.** *sich schicken umg.* hurry up; ***schick dich!*** get a move on!

Schickimicki *umg.*; *Person*: trendy

Schicksal fate, destiny [ˈdestənɪ]; ***das Schicksal herausfordern*** tempt fate; (***das ist***) ***Schicksal*** that's the luck of the draw

Schicksalsschlag (bad *oder* tragic *oder* terrible) blow, stroke of fate

Schiebedach *Auto*: sliding roof, sunroof

Schiebefenster sliding (*nach oben verschiebbar*: sash) window

schieben 1. push (*Auto, Fahrrad usw.*); ***wir mussten den Wagen schieben*** we had to push the car, we had to give the

S

car a push **2. kannst du mal schieben?**
will you have a push? **3. den Ball ins Tor
schieben** slip the ball into the net **4. et-
was auf jemanden schieben** *übertragen*
(try to) blame someone for something **5.
sich nach vorn schieben** *in Menschen-
menge*: push (one's way) to the front, *in
Tabelle*: move to the top **6.** push (*Drogen
usw.*)

Schieber 1. *Vorrichtung*: slide **2.** *Tanz*:
one-step **3.** (≈ *Schwarzhändler*) black
marketeer [ˌmɑːkɪˈtɪə] **4.** (≈ *Drogen-
händler*) pusher

Schiebetür sliding door

Schiebung: das war Schiebung it was
all rigged [rɪgd], *Sport*: it was a fix

schiech *bes.* Ⓐ (≈ *hässlich*) ugly

Schiedsgericht 1. court of arbitration
[ˌkɔːtˌəvˌɑːbɪˈtreɪʃn] **2. internationales
Schiedsgericht** international tribunal
[traɪˈbjuːnl] **3.** *Sport usw.*: jury [ˈdʒʊərɪ]

Schiedsrichter(in) 1. *Fußball, Basketball
usw.*: referee [ˌrefəˈriː] **2.** *Tennis, Tisch-
tennis usw.*: umpire [ˈʌmpaɪə] **3.** (≈ *Preis-
richter, -in*) judge

Schiedsspruch (arbitral [ˈɑːbɪtrəl])
award [əˈwɔːd], arbitration; **einen
Schiedsspruch fällen** make* an award

schief 1. ↔ *gerade*: crooked [Δ ˈkrʊkɪd],
not straight [streɪt]; **schiefe Absätze**
worn-down heels; **das Bild hängt schief**
the picture isn't hanging straight **2. der
Schiefe Turm von Pisa** the Leaning
Tower of Pisa **3.** *übertragen* (≈ *verzerrt*)
distorted; **schiefes Bild** false [fɔːls] im-
pression; **schiefer Vergleich** false com-
parison **4. jemanden schief ansehen**
umg. look askance [əˈskæns] at some-
one; → **schiefgehen**

Schiefer 1. *Gestein*: slate **2.** *Dialekt*: (≈
Splitter) splinter

schiefgehen go* wrong [Δ rɒŋ]; **wird
schon schiefgehen!** you'll be all right

**schieflachen: ich habe mich schiefge-
lacht** *umg.* I was laughing my head off

schielen 1. squint, have* a squint **2.
schielen auf** (≈ *heimlich blicken*) squint
at **3. auf diesen Job schielt er schon
lange** he's had his eye on this job for
some time

Schienbein shin(bone)

Schiene 1. *Eisenbahn usw.*: rail; **aus den
Schienen springen** come* off the rails
2. *bei Knochenbruch usw.*: splint

schienen put* in a splint (*oder* in splints)
(*Bein, Arm*)

schier 1. es ist schier unmöglich it's vir-
tually impossible **2. es ist schierer
Wahnsinn** (*bzw.* **Unsinn** *usw.*) it's sheer
madness (*bzw.* nonsense *usw.*)

Schießbude shooting gallery [ˈgælərɪ]

schießen 1. *mit Schusswaffe*: shoot*, fire
(**auf** at); *gut* (*bzw.* **schlecht**) *schießen*
be* a good (*bzw.* bad) shot; **er hat sich
eine Kugel durch den Kopf geschos-
sen** he put a bullet through his head **2.**
Fußball usw.: shoot* **3. den Ball ins
Netz schießen** put* the ball in the net **4.
gegen jemanden schießen** *übertragen*
have* a go at someone **5.** *umg.* (≈ *foto-
grafieren*) shoot* **6. eine Aufnahme
schießen** take* a shot **7. ein Gedanke
schoss mir durch den Kopf** a thought
suddenly occurred to me **8. in die Höhe
schießen** (*Pflanze, Kind*) shoot* up

Schießen 1. shooting **2. es ist zum
Schießen** *umg.* it's a real scream

Schießerei 1. (≈ *das Schießen*) shooting
2. *Kampf*: shootout, *bes. AE auch* gun-
fight

Schiff ship; **auf dem Schiff** on board ship
(Δ *ohne* of the)

schiffbar *Fluss usw.*: navigable [ˈnævɪ-
gəbl]

Schiffbau shipbuilding

Schiffbruch shipwreck [Δ ˈʃɪprek]; **sie
haben Schiffbruch erlitten** they were
shipwrecked

Schiffbrüchige(r) shipwrecked [Δ ˈʃɪp-
rekt] person, *auf einsamer Insel auch*:
castaway [ˈkɑːstəweɪ]

Schifffahrt: die Schifffahrt shipping (Δ
ohne the)

Schikane 1. harassment [ˈhærəsmənt] **2.
aus reiner Schikane** out of sheer spite
3. mit allen Schikanen *übertragen* with
all the trimmings, *Haus, Küche*: with all
the mod cons **4.** *Motorsport*: chicane [ʃɪ-
ˈkeɪn]

schikanieren jemanden schikanieren
mess someone about (*AE* around), bully
[Δ ˈbʊlɪ] someone about (*Schüler usw.*)

Schikoree chicory [ˈtʃɪkərɪ], *AE* endive(s
Pl.) [ˈendaɪv(z), ˈɑːndiːv(z)]

Schild[1] *das* **1.** *allg.*: sign [saɪn]; **was steht
auf dem Schild?** what does the sign
say? **2.** (≈ *Wegweiser*) signpost **3.** (≈ *Ver-
kehrsschild*) road (*oder* traffic) sign **4.** (≈
Namensschild) nameplate

Schild[2] *der* **1.** shield [ʃiːld] **2. etwas im
Schilde führen** be* up to something

Schilddrüse thyroid gland [ˈθaɪrɔɪd ˌg-
lænd]

schildern 1. (≈ *beschreiben*) describe; **et-
was detailliert schildern** give* a
detailed description of something **2.** (≈
skizzieren) outline, sketch **3.** (≈ *erzählen*)
tell*; **er schilderte sein Erlebnis** he told
us *usw.* about his experience

Schilderung 1. description **2.** (≈ *Bericht*)

account

Schildkröte 1. (≈ *Landschildkröte*) tortoise [△ 'tɔːtəs], *AE auch* (land) turtle **2.** (≈ *Meeresschildkröte*) turtle, *AE auch* sea turtle (*oder* tortoise)

Schilf 1. *einzelne Pflanze:* reed **2.** *als Gürtel am Wasser:* reeds (*Pl.*)

Schilling Ⓐ *ehemalige Währung:* schilling

Schimmel[1] *Pferd:* white horse

Schimmel[2] *Belag:* mould [məʊld]

schimm(e)lig 1. *Lebensmittel, Wand:* mouldy ['məʊldɪ] **2.** *Leder, Bucheinband, Papier usw.:* mildewy ['mɪldjuːɪ]

schimmeln go* mouldy ['məʊldɪ]

Schimmelpilz mould [məʊld]

Schimmer 1. (≈ *Glanz*) gleam **2.** *ich habe keinen blassen Schimmer umg.* I haven't got a clue

Schimpanse chimpanzee [ˌtʃɪmpænˈziː], *umg.* chimp

schimpfen 1. *jemanden* (*oder* *mit jemandem*) *schimpfen* tell* someone off **2.** (≈ *sich beklagen*) grumble, *bes. BE* moan, *bes. AE* grouse, complain; *über etwas schimpfen* complain about something **3.** *und so was schimpft sich Lehrer umg.* and he calls himself a teacher

Schimpfwort (≈ *Fluch*) swearword ['sweəwɜːd]

Schindeldach shingle roof

schinden 1. drive* *someone* hard **2.** (≈ *quälen*) maltreat [ˌmælˈtriːt] *someone* **3.** (≈ *herausschinden*) *umg., übertragen* wangle; *Eindruck schinden* (*wollen*) try* to impress, show off; *Zeit schinden Sport:* play for time **4.** *sich schinden* slave away

Schinken 1. *Wurstart:* ham **2.** *umg.* (≈ *dickes Buch*) fat tome

Schiri *umg.* (≈ *Schiedsrichter*) ref

Schirm 1. (≈ *Regenschirm*) umbrella **2.** (≈ *Bildschirm*) screen **3.** (≈ *Fallschirm*) parachute ['pærəʃuːt], *umg.* chute [ʃuːt]

Schirmherr(in) patron(ess) ['peɪtrən (ˌpeɪtrəˈnes)]

Schiss: *Schiss haben umg.* be* scared stiff

schizophren 1. *Person:* (≈ *geisteskrank*) schizophrenic [ˌskɪtsəˈfrenɪk] **2.** *Sache:* (≈ *absurd, total verrückt*) absurd [əbˈsɜːd], *umg.* crazy

schlabbern slobber

Schlacht battle (*bei* of)

schlachten 1. slaughter ['slɔːtə] (*Kuh, Schwein*) **2.** kill (*Huhn, Hase*) **3.** (≈ *niedermetzeln*) massacre ['mæsəkə], slaughter

Schlachtenbummler(in) *Sport:* fan, supporter

Schlachthof abattoir [△ 'æbətwɑː],

slaughterhouse ['slɔːtəhaʊs]

Schlachtfeld 1. battlefield **2.** *hier siehts ja aus wie auf einem Schlachtfeld* this place looks as if it's been hit by a bomb

Schlachtschiff battleship

Schlacke 1. *von Erzen, Vulkangestein:* slag **2.** *von Kohle:* cinders (△ *Pl.*), *größer:* clinker **3.** *Schlacken Pl.* (≈ *Ballaststoffe*) roughage ['rʌfɪdʒ] (△ *Sg.*), fibre, *AE* fiber ['faɪbə] (△ *Sg.*) **4.** *Schlacken Pl.* (≈ *Abfallstoffe des Körpers*) waste products

Schlaf 1. sleep; *einen leichten* (*bzw. festen*) *Schlaf haben* be* a light (*bzw.* sound) sleeper; *aus dem Schlaf gerissen werden* be* rudely awakened **2.** *das mach ich doch im Schlaf umg.* I can do that with my eyes closed

Schlafanzug pyjamas, *AE* pajamas [pəˈdʒɑːməz] (△ *Pl.*); *wo ist mein Schlafanzug?* where <u>are</u> my pyjamas?

Schlafcouch bed settee ['bed_seˌtiː], *AE* sofa bed

Schläfe temple

schlafen 1. sleep*, be* asleep; *schlaf gut!* sleep well!; *hast du gut geschlafen?* did you sleep all right?; *sie schläft fest* she's fast asleep **2.** *schlafen gehen* go* to bed (△ *engl.* go to sleep = *einschlafen*) **3.** *in der Schule schläft er immer* he never pays attention at school **4.** *mit offenen Augen schlafen* daydream* **5.** *Entschuldigung, jetzt habe ich geschlafen* sorry, I was miles away **6.** *mit jemandem schlafen* sleep* with someone

Schläfer 1. (≈ *Schlafender*) sleeper **2.** *übertragen* (≈ *Agent, Terrorist, der auf seinen Einsatz wartet*) sleeper

schlaff 1. *Haut, Muskeln:* flabby **2.** *Körper, Händedruck:* weak, limp **3.** *Moral, Disziplin:* lax **4.** (≈ *träge*) sluggish **5.** *so ein schlaffer Typ!* what a wimp!

schlaflos *Nächte:* sleepless

Schlaflosigkeit sleeplessness

Schlafmittel sleeping pill

Schlafmütze *umg.* **1.** *allg.:* sleepyhead **2.** (≈ *träger Typ*) dope; *he, du Schlafmütze!* hey, dozy!

schläfrig sleepy, drowsy ['draʊzɪ]

Schlafsack sleeping bag

Schlafstörungen *Pl.* disturbed sleep (*Sg.*), sleep disorder(s *Pl.*) *Sg.*; *an Schlafstörungen leiden* suffer <u>from</u> disturbed sleep, *umg.* have* trouble sleeping

Schlaftablette sleeping pill

Schlafwagen sleeper, sleeping car

schlafwandeln sleepwalk

Schlafwandler(in) sleepwalker, *förmlich* somnambulist [sɒmˈnæmbjʊlɪst]

Schlafzimmer bedroom

Schlag¹ 1. (≈ *Faustschlag*) punch, blow; *Schläge bekommen* get* a good hiding **2.** (≈ *Klaps*) smack **3.** (≈ *Stromschlag*) electric shock **4.** *Tennis usw.*: shot **5.** (≈ *Unglück*) blow; *das war ein schwerer Schlag für sie* it was a real blow to her **6.** (≈ *Schlaganfall*) stroke; *mich trifft der Schlag!* umg. don't give me a heart attack! **7.** *Wendungen*: *sie hat einen Schlag* umg. she's got a screw loose somewhere; *dann ging es Schlag auf Schlag* then things really got moving; *auf einen Schlag* (≈ *plötzlich*) suddenly, from one minute to the next; *es war ein Schlag ins Wasser* it was a flop (*oder* washout)

Schlag² Ⓐ (≈ *Schlagsahne*) whipped cream [ˌwɪptˈkriːm]

Schlaganfall (≈ *Gehirnschlag*) stroke

schlagartig from one minute to the next

Schlagbohrer (≈ *Bohrgerät*) percussion drill

schlagen 1. *allg.*: hit* **2.** *gegen die Tür schlagen* hammer at the door; *einen Nagel in die Wand schlagen* hammer a nail into the wall **3.** (≈ *verprügeln*) beat*; *sie schlugen sich* they had a fight **4.** *mit der Faust*: hit*, punch **5.** *jemanden zu Boden schlagen* knock [nɒk] someone down **6.** (≈ *besiegen*) beat*, defeat; *sich geschlagen geben* admit defeat; *ich gebe mich geschlagen* okay, you win **7.** (*Herz, Puls*) beat* **8.** *Wendungen*: *schlag dir das aus dem Kopf!* forget it!; *Stress schlägt mir auf den Magen* stress is making me ill; *du hast dich gut geschlagen* you did well

Schlager 1. *Lied*: pop song **2.** (≈ *Hit*) hit **3.** *Buch*: bestseller **4.** *Ware*: winner, sales hit

Schläger 1. *Tennis, Squash*: racket **2.** *Golf*: club **3.** *Tischtennis, Baseball, Cricket*: bat

Schläger(in) (≈ *Raufbold*) thug

Schlägerei fight

Schlagersänger(in) pop singer

schlagfertig 1. *Person*: quick off the mark **2.** *schlagfertige Antwort* good answer

Schlagfertigkeit quick wit

Schlaginstrument percussion instrument [ˈɪnstrəmənt], *Pl. auch* percussion (*anschließendes Verb auch im Pl.*)

Schlagloch *in Straße*: pothole

Schlagobers Ⓐ, Schlagsahne (whipped) cream

Schlagwort 1. *in Katalog, für Suchmaschine usw.*: catchword **2.** (≈ *Parole*) slogan

Schlagzeile headline [ˈhedlaɪn]; *Schlagzeilen machen* make* (*oder* hit*) the headlines

Schlagzeug 1. *in einer Band*: drums (△ *Pl.*); *Schlagzeug spielen* play (the) drums **2.** *im Orchester*: percussion [pəˈkʌʃn]; *Schlagzeug spielen* play percussion

Schlagzeuger(in) 1. *in einer Band*: drummer **2.** *in einem Orchester*: percussionist

Schlamm mud

schlammig muddy

Schlammschlacht *Fußballspiel*: mudbath

schlampen 1. be* sloppy **2.** *du hast bei den Hausaufgaben geschlampt* you've done a sloppy job of your homework

Schlamperei 1. (≈ *das Schlampen*) sloppiness **2.** (≈ *schlechte Arbeit*) mess

schlampert Ⓐ, schlampig sloppy

Schlange 1. *Tier*: snake **2.** (≈ *Menschenschlange*) line, *BE auch* queue [kjuː]; *Schlange stehen* line up, *BE auch* queue (up) (*um, nach*)

schlängeln: sich schlängeln 1. (*Schlange usw.*) snake (its *usw.* way), wriggle [△ ˈrɪgl] **2.** (*Weg, Fluss usw.*) wind [waɪnd], (*Fluss*) *auch*: meander [mɪˈændə]

Schlangenlinie wavy line; *in Schlangenlinien fahren* zigzag (along the road)

schlank 1. *allg.*: slim; *das Kleid macht dich schlank* that dress makes you look slim **2.** *ich muss auf meine schlanke Linie achten* I've got to watch what I eat

schlankmachen → schlank *1*

schlapp 1. (≈ *erschöpft*) washed out **2.** *ohne Schwung*: listless

Schlappe setback; *eine Schlappe erleiden* (*oder* *einstecken*) suffer a setback

schlappmachen 1. *körperlich*: flake out **2.** (≈ *aufgeben*) give* up

Schlappschwanz umg. wimp, drip

schlau 1. (≈ *klug*) clever, smart; *das hast du dir schlau ausgedacht* very clever indeed **2.** *ich werde aus ihm nicht schlau* I can't make him out **3.** (≈ *raffiniert*) crafty

Schlauberger umg. smart aleck [ˈælɪk], *BE auch* clever dick

Schlauch 1. *von Autoreifen usw.*: tube **2.** (≈ *Gartenschlauch*) hose **3.** umg. (≈ *Strapaze*) hard slog; *das war ein Schlauch!* that was tough going! **4.** *auf dem Schlauch stehen* umg. be* completely clueless

Schlauchboot rubber dinghy [ˈdɪŋɪ]

schlauchen: das hat mich ganz schön geschlaucht that really took it out of me, that was tough [tʌf] going; *das schlaucht (ganz schön)* it's tough going

Schlaukopf, Schlaumeier → Schlauberger

schlecht 1. *allg.*: bad (△ *schlechter* worse, *schlechtest-* worst); *nicht schlecht!* not bad!; *ich habe eine schlechte Nachricht* I've got bad news (△ *Sg.*) **2.** *schlechte Zeiten* hard times **3.** *Leistung, Qualität*: bad, poor; *in Sport ist sie schlechter als ich* she's worse at sports than I am **4.** *Luft*: stale **5.** (≈ *böse*) bad, wicked [△ 'wɪkɪd]; *er ist kein schlechter Kerl* he's not a bad sort (*AE mst.* person); *das war schlecht von dir umg.* that was rotten of you **6.** *Lebensmittel*: bad, *BE auch* off; *schlecht werden* go* bad (*BE auch* off); *die Milch ist schlecht* the milk has gone off **7.** *mir ist schlecht* I feel sick; *mir wird schlecht* I think I'm going to be sick **8.** *du siehst schlecht aus* you don't look too good **9.** *es geht ihm schlecht* he's having a hard time, *gesundheitlich*: he's in a bad way, *finanziell*: he's pretty hard up; *wenn er das erfährt, gehts dir schlecht* if he finds out, you'll be 'in for it **10.** *schlecht gelaunt* grumpy; *ich bin schlecht gelaunt* I'm in a bad mood **11.** *Wendungen*: *ich kann schlecht Nein sagen* I can't really say no; *das kann ich schlecht sagen* I can't really say; *ich habe nicht schlecht gestaunt* I wasn't half surprised; *im Moment geht es schlecht* (≈ *passt es nicht*) it's a bit awkward at the moment; → *schlechtmachen*

schlechtgehen → *schlecht* 9

schlechtgelaunt → *schlecht* 10

schlechtmachen: *mach ihn nicht dauernd schlecht!* stop knocking him!

schlecken lick (*Eis usw.*); *schlecken an* lick

schleichen 1. creep*, sneak **2.** (≈ *langsam fahren*) crawl **3.** *schleich dich! umg.* get lost!, get out of here!

Schleichwerbung surreptitious advertising [sʌrəp,tɪʃəs'ædvətaɪzɪŋ], product ['prɒdʌkt] placement, *umg.* plug(ging); *Schleichwerbung machen für ein Produkt usw.* plug

Schleier *aus Stoff*: veil [veɪl]

schleierhaft 1. (≈ *rätselhaft*) mysterious [mɪˈstɪərɪəs]; *das ist mir völlig schleierhaft* it's a complete mystery to me **2.** (≈ *unbegreiflich*) incomprehensible

Schleife 1. *im Haar*: ribbon **2.** *von Band*: bow [bəʊ] **3.** *Kurve*: loop

schleifen¹ 1. (≈ *schärfen*) sharpen **2.** (≈ *glätten*) grind* [graɪnd] **3.** *mit Sandpapier*: sand, sandpaper

schleifen² 1. (≈ *ziehen*) drag **2.** *sie schleifte mich ins Kino* she dragged me along to the cinema (*AE* movie theater *oder* movies)

Schleim 1. *von Schnecken usw.*: slime **2.** *im Hals*: phlegm [△ flem]

Schleimer(in) *umg.* toady ['təʊdɪ]

Schleimhaut mucous membrane [,mjuːkəs'membreɪn]

schleimig *auch übertragen* slimy ['slaɪmɪ]

Schlemmer(in) (≈ *Feinschmecker, -in*) gourmet ['gʊəmeɪ]

schlendern stroll [strəʊl]

Schlendrian 1. (*das ist*) *der alte Schlendrian* it's back to the the same old ways (△ *Pl.*) **2.** (≈ *Bummelei*) dawdling

Schlenker 1. *von Auto usw.*: swerve **2.** *umg.* (≈ *Abstecher*) detour ['diːtʊə]

schlenkern swing*, dangle ['dæŋgl]; *sie schlenkerte mit den Armen* (*bzw. Beinen*) she swung her arms (*bzw.* legs)

schlenzen *Sport*: scoop (*den Ball, Puck*)

schleppen 1. drag (*Last*) **2.** (≈ *mühsam tragen*) lug (*Koffer usw.*) **3.** *sie schleppte mich mit ins Kino übertragen* she dragged me along to the cinema (*AE* movie theater *oder* movies **4.** (≈ *abschleppen*) tow [təʊ] **5.** *sich schleppen* (*Person*) drag oneself along

schleppend 1. *Gang, Tempo*: sluggish, slow **2.** *Sprache*: slow, drawling **3.** *die Arbeit geht nur schleppend voran* work is making very slow progress

Schlepper 1. *Schiff*: tug **2.** (≈ *Traktor*) tractor

Schlepper(in) 1. (≈ *Flüchtlingsschleuser[in]*) people smuggler **2.** (≈ *Kundenwerber[in]*) tout [taʊt]

Schlepplift T-bar lift, ski tow ['skiː‿təʊ]

Schlesier(in), schlesisch Silesian [saɪˈliːzɪən]

Schleswig-Holstein Schleswig-Holstein [,ʃlezvɪɡˈhɒlstaɪn]

Schleuder 1. (≈ *Wäscheschleuder*) spin-dryer [,spɪnˈdraɪə] **2.** *mit Gummizug*: catapult ['kætəpʌlt], *AE* slingshot

schleudern 1. (*Fahrzeug*) skid, swerve [swɜːv]; *ins Schleudern kommen* go* into a skid, start skidding **2.** *sie gerieten ins Schleudern übertragen* they ran into trouble **3.** spin-dry (*Wäsche*) **4.** (≈ *werfen*) sling*; *er schleuderte es in die Ecke* he slung it into the corner

Schleuderpreis give-away price; *sie verkaufen es zu Schleuderpreisen umg.* they're selling it dirt cheap

Schleudersitz 1. *in Flugzeug*: ejection [ɪˈdʒekʃn] (*oder* ejector) seat **2.** *umg., übertragen* (≈ *unsichere Arbeitsstelle*) hot seat

schleunigst 1. at once **2.** *aber schleunigst!* and be quick about it!

Schleuse 1. *in kleinerem Fluss*: sluice

S

[sluːs], floodgate ['flʌdgeɪt] (*auch über-tragen*) 2. (≈ *Kanalschleuse*) lock

schleusen 1. *Flüchtlinge über die Gren-ze schleusen* smuggle refugees [ˌrefjʊ-ˈdʒiːz] across the border **2.** *eine Reise-gruppe durch den Zoll schleusen* lang-sam: filter a tour group through customs (*Pl.*)

schlicht 1. (≈ *einfach*) simple, plain **2.** (≈ *bescheiden*) modest ['mɒdɪst] **3.** *schlicht und einfach* (*oder* *ergreifend*) purely and simply

schlichten 1. settle (*Streit*) **2.** mediate ['miːdɪeɪt] (*zwischen* between)

Schlichter(in) mediator ['miːdɪeɪtə]

Schlick sludge

Schließe 1. *von Gürtel usw.*: fastening [△ 'fɑːsnɪŋ] **2.** *von Kleid, Handtasche, altem Buch usw.*: clasp [klɑːsp]

schließen 1. close [kləʊz], shut* (*Tür, Fenster usw.*) **2.** (≈ *zumachen*) close; *das Büro schließt um 16 Uhr* the office closes at 4 p.m. **3.** (≈ *stilllegen*) close down, shut* down (*Firma*) **4.** end (*Brief, Rede*) **5.** (≈ *folgern*) conclude (*aus* from); *von sich auf andere schließen* judge others by oneself **6.** *Frieden schließen* make* peace **7.** *sich schließen* (*Tür, Fenster*) close, shut*

Schließfach locker

schließlich 1. (≈ *zuletzt*) finally ['faɪnəlɪ], in the end **2.** (≈ *immerhin*) after all

Schließung *eines Betriebs usw.*: closure ['kləʊʒə], shutdown

Schliff: *einem Aufsatz den letzten Schliff geben* put* the finishing touches (△ *Pl.*) to an essay

schlimm 1. *allg.*: bad (△ *schlimmer* worse, *schlimmst-* worst) **2.** (≈ *böse*) evil ['iːvl], wicked [△ 'wɪkɪd]; *er ist ein ganz Schlimmer* he's really wicked (*auch scherzhaft*) **3.** (≈ *schwer wiegend*) bad, serious ['sɪərɪəs]; *das ist ja eine schlimme Sache* that's awful (*oder* terri-ble ['terəbl]) **4.** *es wird immer schlim-mer* things are going from bad to worse **5.** *auf das Schlimmste gefasst sein* be* prepared for the worst **6.** *Wunde, Krankheit:* bad, nasty; *schlimmer Hus-ten* bad (*oder* nasty) cough [kɒf]; ☞ *schlecht*

Schlinge 1. (≈ *Schlaufe*) loop **2.** *am Gal-gen:* noose [nuːs] **3.** (≈ *Armbinde*) sling; *er trägt den rechten Arm in einer Schlinge* he's got his right arm in a sling

Schlingel rascal ['rɑːskl]

schlingen 1. *sich einen Schal um den Hals schlingen* wrap [△ ræp] a scarf around one's neck **2.** *sich um etwas schlingen* (*Schlange usw.*) wind*

[waɪnd] (*oder* coil) itself round some-thing **3.** (≈ *gierig essen*) bolt one's food, gobble **4.** gobble (*Essen*)

schlingern (*Schiff*) roll, lurch ['lɜːtʃ]

Schlips 1. tie **2.** *jemandem auf den Schlips treten* umg. tread* [tred] on someone's toes

schlitteln ⓒⒽ (≈ *rodeln*) toboggan [tə-ˈbɒgən], go* sledging (*oder* toboggan-ing), *AE* go* sledding

Schlitten 1. sledge, sled **2.** (≈ *Rodelschlit-ten*) sledge, toboggan [təˈbɒgən], *AE auch* sled; *Schlitten fahren* go* sledging, go* toboganing, *AE* go* sledding **3.** (≈ *Pferdeschlitten*) sleigh [△ sleɪ] **4.** *toller Schlitten* umg. (≈ *Auto*) (really) flash car

schlittern 1. slide (*in* into *auch übertra-gen*) **2.** (≈ *ausgleiten*) *auch* slip, (*Auto*) skid; *ins Schlittern kommen* start to slip, (*Auto*) start skidding, go* into a skid

Schlittschuh ice skate; *Schlittschuh lau-fen* ice-skate, go* (ice-)skating

Schlittschuhlaufen (ice) skating

Schlittschuhläufer(in) (ice) skater

Schlitz 1. *in Kleid usw.*: slit **2.** (≈ *Hosen-schlitz*) flies (△ *Pl.*), *bes. AE* fly; *dein Schlitz ist offen* your flies are undone, *bes. AE* your fly is open **3.** (≈ *Münzein-wurf*) slot

Schlitzohr umg. **1.** sly dog **2.** (≈ *Betrüger, -in*) crook [krʊk]

Schloss¹ 1. *an Tür usw.*: lock **2.** *hinter Schloss und Riegel sitzen* be* (sitting) behind bars

Schloss² 1. castle [△ 'kɑːsl] **2.** (≈ *Palast*) palace ['pæləs]

Schlosser(in) mechanic, fitter

Schlot 1. chimney ['tʃɪmnɪ], smokestack **2.** *rauchen wie ein Schlot* umg. smoke like a chimney

schlottern 1. (≈ *zittern*) shake*, tremble; *vor Angst schlottern* tremble with fear **2.** *vor Kälte:* shake*, shiver

schlotternd *Hose usw.*: loose-hanging

Schlucht 1. gorge [gɔːdʒ], ravine [△ rə-ˈviːn] **2.** *große:* canyon

schluchzen 1. sob **2.** *schluchz!* umg. sniff!

Schluchzen sobbing, sobs (*Pl.*)

Schluck 1. gulp [gʌlp], mouthful **2.** *ich möchte einen Schluck trinken* I'd like something to drink

Schluckauf: *ich hab Schluckauf* I've got (the) hiccups ['hɪkʌps] (△ *Pl.*)

schlucken 1. swallow ['swɒləʊ] (*auch umg. glauben*) **2.** absorb (*Schall, Licht*)

schlud(e)rig 1. (≈ *nachlässig*) sloppy, *Ar-beit auch*: slipshod ['slɪpʃɒd] **2.** *dem Aus-*

sehen nach: slovenly ['slʌvnlɪ], scruffy **3.**
schludrig arbeiten work sloppily, *stän-dig*: be* a sloppy worker

schlüpfen 1. slip (**aus** out of, **in** into) **2.**
(*Vögel*) hatch, hatch out

Schlüpfer (≈ *Damenunterhose*) briefs (△
Pl.), panties ['pæntɪz] (△ *Pl.*)

Schlupfloch 1. *in Mauer usw.*: gap **2.** (≈
Versteck) hideout **3.** *übertragen* loophole

schlüpfrig 1. *Straße usw.*: slippery **2.** *Witz
usw.*: risqué ['rɪskeɪ]

schlurfen (≈ *schlurfend gehen*) shuffle
along, drag one's feet

schlürfen slurp

Schluss 1. (≈ *Ende*) end; **am Schluss** at
the end; **zum Schluss** finally, in the end
2. Schluss machen *mit der Arbeit*: fin-
ish work; **machen wir Schluss für heu-
te** let's call it a day; **mit dem Rauchen
Schluss machen** stop smoking; **mit je-
mandem Schluss machen** finish with
someone; **ich muss jetzt Schluss ma-
chen** *am Telefon*: I'll have to go now **3.**
(≈ *Folgerung*) conclusion; **einen
Schluss ziehen** draw* a conclusion,
conclude (**aus** from); **zu dem Schluss
kommen, dass ...** come* to the conclu-
sion that ...

yet

Schlusslicht 1. *an Fahrzeug*: tail light **2.**
umg. Sport: tail-ender, *Mannschaft*: bot-
tom-of-the-table team

Schlusspfiff *Sport*: final whistle [ˌfaɪnl-
'wɪsl]

Schlussverkauf (end-of-season) sale; **es
ist Schlussverkauf** the sales (△ *Pl.*) are
on

schmächtig frail

schmackhaft 1. tasty **2. wir müssen ihm
die Idee schmackhaft machen** we've
got to make the idea sound appealing to
him

Schmäh ⓐ **1.** (≈ *Trick*) con **2. Wiener
Schmäh** Viennese patter

schmal 1. *allg.*: narrow **2.** (≈ *dünn*) thin,
slim; **er ist schmal geworden** he's lost
weight [weɪt], he's gone (*AE* gotten) thin

schmälern 1. (≈ *einschränken, verringern*)
curtail [kɜː'teɪl], cut* (*Gewinne usw.*) **2.**
(≈ *beeinträchtigen*) impair [ɪm'peə]
(*Rechte usw.*) **3.** detract from, belittle
(*Verdienste usw.*)

Schmalspurbahn narrow gauge
[△ geɪdʒ] railway (*AE* railroad)

Schmalz 1. (≈ *Fett*) lard **2. Schmalz in
den Knochen haben** *umg.* (≈ *kräftig*

Schluss in Briefen

Schreibt man in der Anrede **Dear Sir**, **Dear Madam** usw., so endet der Brief mit:	**Yours faithfully**, *häufig auch:* **Yours sincerely** + *Unterschrift*
Redet man die Person im Brief mit Namen an, z. B. **Dear Mr Smith**, so endet der Brief mit:	**Yours sincerely** + *Unterschrift*
Im amerikanischen Englisch findet man für beide Fälle aber auch oft:	**Sincerely yours** oder **Yours (very) truly**

Schlüssel key (*auch übertragen*); **der
Schlüssel zum Erfolg** the key to success

Schlüsselbein collarbone

Schlüsselbund bunch of keys

Schlüsselloch keyhole; **durchs Schlüs-
selloch gucken** peep (*AE mst* peek)
through the keyhole

Schlussfolgerung conclusion

schlüssig 1. *Argument, Folgerung*: logical
['lɒdʒɪkl] **2.** *Beweis*: conclusive **3. sich
schlüssig werden** make* up one's mind
(**über** about); **ich bin mir noch nicht
schlüssig** I haven't made up my mind

Schluss in E-Mails

Der Schluss kann in einer E-Mail durchaus lockerer sein als in einem Brief, z. B.:	**Regards** **Best regards** **Kind regards**
Folgende Floskeln sollten aber nur verwendet werden, wenn man sich schon gut kennt:	**Warm regards** **All the best** **(Best) Wishes** **With best wishes** **Rgds** (Kurzform für **Regards**)
Diese Grüße sind jedoch nur Freunden vorbehalten: **Take care**, **All for now**, **Cheers**, **Enjoy**, **Love**, **Ciao** und **TTFN** (**ta-ta for now**).	

sein) have* plenty of brawn [brɔːn] **3.**
umg. (≈ *Sentimentalitäten*) schmaltz
[△ ʃmɒlts]

schmalzig *umg., übertragen* schmaltzy
['ʃmɔːltsɪ]

schmarotzen scrounge (**von jemandem
etwas** something off *oder* from some-
one), sponge [spʌndʒ] (**bei** off)

Schmarotzer(in) 1. *Tier, Pflanze*: parasite
['pærəsaɪt] **2.** *umg.; Person*: scrounger
['skraʊndʒə], sponger [△ 'spʌndʒə]

Schmarren, Schmarrn 1. *bes.* ⓐ *etwa*:

S

chopped-up pancake **2.** *umg.* (≈ *Unsinn*) rubbish; *so ein Schmarrn!* what a load of rubbish! **3.** *das geht dich einen Schmarrn an!* *umg.* that's none of your business

schmatzen: *er schmatzt* he's a noisy eater; *schmatz nicht so!* close your mouth when you're eating

schmecken 1. *schmecken nach* taste of; *gut schmecken* taste good **2.** *lass es dir schmecken* enjoy it; *schmeckt es dir?* do you like it?; *also dann - lassen wirs uns schmecken!* right then - let's tuck in!, *AE* okay, let's eat! **3.** (≈ *kosten*) taste, try **4.** *ich schmecke gar nichts* I can't taste a thing

Schmeichelei flattery

schmeichelhaft flattering

schmeicheln 1. *jemandem schmeicheln* flatter someone **2.** *das Foto ist aber geschmeichelt* that's a very flattering photo

Schmeichler(in) flatterer

schmeißen *umg.* **1.** (≈ *werfen*) throw*; *mit Steinen nach jemandem schmeißen* throw* stones at someone; *mit Geld um sich schmeißen* throw* one's money around **2.** *eine Runde schmeißen* *umg.* (≈ *spendieren*) stand* a round **3.** *den Laden schmeißen* *umg.* run* the show

schmelzen 1. (*Eis, Metall usw.*) melt **2.** melt, smelt (*Erz, Metalle*)

Schmelzkäse cheese spread [spred], soft cheese

Schmelzpunkt melting point

Schmerz 1. pain; *Schmerzen haben* be* in pain; *Schmerzen im Rücken haben* have* a pain in one's back, have* (a) backache **2.** (≈ *Kummer*) pain, grief; *jemandem Schmerzen bereiten* cause someone pain

schmerzen 1. hurt* **2.** (*Magen, Kopf*) ache [eɪk]; *mir schmerzen alle Glieder* all my limbs [lɪmz] are aching **3.** *seelisch*: hurt*; *es schmerzt mich, das zu hören* it hurts (me) to hear that

Schmerzensgeld compensation (for injuries ['ɪndʒərɪz] suffered), *AE* smart money

schmerzhaft painful ['peɪnfl]

schmerzlich painful; *ein schmerzlicher Verlust* a sad loss; *jemanden schmerzlich vermissen* miss someone badly

schmerzlos 1. painless **2.** *mach es kurz und schmerzlos* get it over and done with

Schmerzmittel painkiller

Schmerztablette painkiller

Schmetterling butterfly (*auch Schwimmstil*)

schmettern 1. *etwas in Stücke schmettern* smash something to pieces **2.** *Tennis, Volleyball usw.*: smash **3.** *umg.* belt out (*Lied*)

Schmied(in) (black)smith

Schmiedeeisen *als Geländer, Gitter, Tor:* wrought iron [△ ˌrɔːtˈaɪən]

schmiegen: *sich an jemanden schmiegen* cling* (*zärtlich*: cuddle up) to someone

schmieren 1. *mit Schmiermittel*: lubricate ['luːbrɪkeɪt], grease; *das läuft ja wie geschmiert* *umg.* it's going like clockwork **2.** (≈ *verstreichen*) spread* [spred] (*Brotaufstrich*); *Butterbrote schmieren* butter slices of bread **3.** (≈ *unsauber schreiben*) scribble, scrawl [skrɔːl] **4.** *jemanden schmieren* *umg.* (≈ *bestechen*) grease someone's palm [pɑːm] **5.** *soll ich dir eine schmieren?* *umg.* do you want my fist in your face?

Schmiererei (≈ *Gekritzel*) scribble, scrawl

Schmierereien *an Wänden usw.*: graffiti [grəˈfiːtɪ] (△ *Pl.*)

Schmiergeld bribe money

schmierig 1. (≈ *fettig*) greasy ['griːsɪ] **2.** (≈ *schmutzig*) grubby, *Küche usw.*: grimy **3.** *übertragen* (≈ *unanständig*) smutty **4.** *übertragen*; *Typ, Charakter*: smarmy

Schmierpapier scrap paper

Schmierzettel piece of scrap paper

Schminke makeup ['meɪkʌp]

schminken 1. *sich schminken* put* one's makeup on; *sie schminkt sich nie* she never wears makeup **2.** make* up (*Gesicht*)

Schmirgelpapier sandpaper

Schmöker: *ein dicker Schmöker* *umg.* a thick tome

schmökern: *in einem Buch schmökern* browse [braʊz] through a book

schmollen sulk

schmoren 1. braise, stew (*Bratenfleisch*) **2.** *in der Sonne schmoren* roast in the sun **3.** *jemanden schmoren lassen* *umg.* let* someone stew in his (*oder* her) own juice

schmorenlassen → schmoren 3

Schmuck 1. *allg.* jewellery ['dʒuːəlrɪ], *bes. AE* jewelry **2.** *Verzierung*: ornamentation, decoration

schmücken 1. decorate ['dekəreɪt] (*Wohnung, Weihnachtsbaum usw.*) **2.** *sich schmücken* (≈ *fein anziehen*) dress up

Schmuckstück 1. (≈ *Schmuck*) piece of jewellery (*AE* jewelry) ['dʒuːəlrɪ] **2.** *übertragen* gem [dʒem]

schmuddelig *umg.* grubby

Schmuggel smuggling
schmuggeln smuggle
Schmuggler(in) smuggler
schmunzeln smile (to oneself)
schmusen 1. (≈ *zärtlich sein*) cuddle **2.** (*Liebespaar*) kiss and cuddle, smooch
Schmutz 1. *allg.*: dirt **2. in den Schmutz ziehen** *übertragen* drag through the mud
schmutzig 1. (≈ *unsauber*) dirty; *sich schmutzig machen* get* dirty **2.** (≈ *unanständig*) dirty, smutty; *er hat eine schmutzige Fantasie* he's got a dirty mind
Schnabel 1. *eines Vogels*: beak **2.** *umg.* (≈ *Mund*) mouth; *halt den Schnabel!* shut up!; *sie spricht, wie ihr der Schnabel gewachsen ist* she says whatever comes into her head
Schnake mosquito [mə'skiːtəʊ]
Schnalle 1. *am Gürtel*: buckle **2.** Ⓐ (≈ *Türklinke*) door-handle
schnallen¹ 1. *mit einem Riemen*: strap (*auf* onto) **2. enger schnallen** tighten
schnallen² 2. *umg.* (≈ *begreifen*) get*; *hast dus immer noch nicht geschnallt?* you still don't get it?
schnalzen 1. *sie schnalzte mit der Zunge* she clicked her tongue **2.** *er schnalzte mit den Fingern* he snapped his fingers
Schnäppchen snip, (real)bargain ['baːgɪn]; *ein Schnäppchen machen* get* a real snip (*oder* bargain)
schnappen 1. (≈ *erwischen*) catch* **2.** *der Hund schnappte nach ihr* the dog snapped at her **3. nach etwas schnappen** (≈ *greifen*) grab at something **4. nach Luft schnappen** gasp for breath [breθ] **5. gehen wir ein bisschen frische Luft schnappen** let's go and get some fresh air
Schnappschuss (≈ *Foto*) snapshot
Schnaps 1. *als Sammelbegriff*: spirits (*Pl.*) **2.** *einzelner*: (≈ *Klarer*) schnapps [ʃnæps]; *ich nehme einen Schnaps BE umg.* I'll have a short
Schnapsidee *umg.* crazy idea
schnarchen snore
schnattern 1. (*Gans*) cackle **2.** (*Ente*) quack [kwæk] **3.** *umg.* (≈ *reden*) gabble (away)
schnaufen 1. *umg.* (≈ *atmen*) breathe [briːð] **2.** *vor Anstrengung*: pant, puff
Schnauz *bes.* Ⓒ, **Schnauzbart** → **Schnauzer**
Schnauze 1. *eines Tiers*: snout [snaʊt], *von Hund, Katze auch*: nose **2.** *vulgär* (≈ *Mund*) snout, trap; *halt die Schnauze!* shut your trap!; *auf die Schnauze fallen* fall* flat on one's face (*auch übertragen*)

schnäuzen: sich schnäuzen blow* one's nose
Schnauzer *umg.* (≈ *Schnurrbart*) moustache [△ mə'staːʃ], *AE auch* mustache ['mʌstæʃ]
Schnecke 1. *mit Haus*: snail (△ *engl.* snake = **Schlange**) **2.** *ohne Haus*: slug **3.** *jemanden zur Schnecke machen* *umg.* have* a real go at someone
Schneckenpost *humorvoll, im Gegensatz zu E-Mail*: snail mail ['sneɪl_meɪl]
Schneckentempo: im Schneckentempo fahren crawl [krɔːl] along
Schnee 1. snow **2.** *das ist Schnee von gestern* *umg.* that's ancient ['eɪnʃənt] history
Schneeball snowball
Schneeballschlacht snowball fight
Schneeflocke snowflake
schneefrei free (*oder* clear) of snow (△ *immer* hinter *dem Subst.*)
Schneegestöber snow flurry ['snəʊˌflʌrɪ]
Schneekette snow chain
Schneemann snowman
Schneematsch slush
Schneepflug snowplough ['snəʊplaʊ], *AE* snowplow
Schneeregen sleet
Schneeschmelze thaw [θɔː]
Schneesturm snowstorm, blizzard ['blɪzəd]
schneeweiß 1. *allg.*: snow-white **2.** *im Gesicht*: (as) white as a sheet
Schneide (cutting) edge, blade
schneiden 1. cut*; *in Stücke schneiden* cut* up; *ich habe mich in den Finger geschnitten* I've cut my finger **2.** *jemanden schneiden* (≈ *nicht beachten*) cut* someone dead **3.** *da hast du dich geschnitten* *umg.* you're very much mistaken there
schneidend 1. *Schmerz*: sharp **2.** *Kälte, Wind*: biting **3.** *Stimme, Ton*: shrill
Schneider 1. tailor **2.** *für Damenmode*: dressmaker **3.** *aus dem Schneider sein* *umg.* be* out of the wood(s)
Schneiderin dressmaker
Schneidezahn incisor [ɪn'saɪzə]
schneien snow
Schneise 1. *im Wald*: open strip **2.** (≈ *Flugschneise*) approach corridor
schnell 1. *allg.*: quick; *auf schnellstem Weg* as quickly as possible; *das ging ja schnell* that was quick **2. mach schnell!** hurry up! [ˌhʌrɪ'ʌp] **3.** *Auto, Läufer*: fast [faːst] **4. schneller werden** speed* up **5.** *Erwiderung, Erledigung*: prompt; *danke für Ihre schnelle Antwort* thanks for replying so promptly; *das habe ich schnell erledigt* I'll have that done in no

time **6.** (≈ *plötzlich*) sudden, abrupt **7.** *die Lage kann sich sehr schnell ändern* things could suddenly change **8.** (≈ *hastig*) rushed; *auf die schnelle Tour* in a rush

Schnellboot speedboat

Schnelle: *etwas auf die Schnelle machen* (≈ *hastig*) do* something in a hurry ['hʌrɪ]; *das geht nicht auf die Schnelle* it takes time

Schnellhefter folder, ring binder

Schnelligkeit 1. *allg.*: speed **2.** *von Antwort usw.*: promptness

Schnellimbiss snack bar, fast-food place

Schnellkochtopf pressure cooker ['preʃə-ˌkʊkə]

schnelllebig 1. *Zeit*: fast-moving **2.** (≈ *kurzlebig*) *Mode usw.*: short-lived

schnellstens as quickly (*oder* as soon) as possible

schniefen *umg.* sniff, sniffle

Schnippchen: *jemandem ein Schnippchen schlagen umg.* get* the better of someone

schnippisch pert, saucy ['sɔːsɪ]; *schnippisch antworten* give* a saucy reply

Schnipsel 1. *allg.*: piece, bit **2.** (≈ *Papierschnipsel*) bit, scrap

Schnitt 1. *Wunde*: cut **2.** *eines Kleides*: style **3.** (≈ *Durchschnitt*) average ['ævərɪdʒ]; *im Schnitt* <u>on</u> average **4.** *Film, TV*: editing, cutting **5.** *umg.* (≈ *Gewinn*) profit; *einen guten Schnitt machen* make* a packet, *AE* make a bundle

Schnitte 1. *Brot, Fleisch, Kuchen usw.*: slice **2.** (≈ *belegtes Brot*) open (*AE* open-faced) sandwich

Schnittkäse cheese slices *Pl.*

Schnittlauch chives [tʃaɪvz] (△ *Pl.*)

Schnittpunkt (point of) intersection

Schnittstelle *Computer*: interface

Schnittwunde 1. cut **2.** *größere*: gash

Schnitzel 1. *vom Schwein*: pork cutlet **2.** *vom Kalb*: veal cutlet **3.** *Wiener Schnitzel* Wiener schnitzel [ˌwiːnəˈʃnɪtsl]

schnitzen carve

Schnitzer 1. *Künstler*: wood carver **2.** *umg.* (≈ *Fehler*) howler ['haʊlə]

Schnitzerin wood carver

schnodd(e)rig *umg.* snotty

Schnorchel snorkel

schnorcheln snorkel, go* snorkelling

schnorren *umg.* scrounge (*bei* off, from), sponge [△ spʌndʒ] (*bei* on, off)

Schnorrer(in) *umg., abwertend* scrounger ['skraʊndʒə], sponger [△ 'spʌndʒə]

Schnösel *umg.* prig, snot-nose, *AE* snot

schnuckelig *umg.* **1.** *Person*: cute, sweet **2.** (≈ *gemütlich*) cosy ['kəʊzɪ]

Schnüffelei *umg.* snooping

schnüffeln 1. (≈ *riechen*) sniff **2.** *umg.* (≈ *spionieren*) snoop around

Schnüffler(in) *umg.* snoop, snooper

Schnuller dummy, *AE* pacifier ['pæsɪfaɪə]

Schnulze 1. *Film, Buch*: tearjerker ['tɪəˌdʒɜːkə] **2.** *Lied*: soppy song

Schnupfen cold

schnuppe: *das ist mir schnuppe umg.* I couldn't care less

schnuppern sniff (*an* at)

Schnur 1. *zum Binden*: (piece of) string; *eine Schnur* some string, a piece of string **2.** *umg.* (≈ *Kabel*) lead [liːd]

schnüren 1. tie up (*Paket*) **2.** lace (up) (*Schuhe*)

schnurgerade straight [streɪt] as a die, dead straight

Schnürl Ⓐ (piece of) string

schnurlos: *schnurloses Telefon* cordless phone

Schnürlregen *bes.* Ⓐ pouring ['pɔːrɪŋ] rain

Schnurrbart moustache [△ məˈstɑːʃ], *AE auch* mustache ['mʌstæʃ]

schnurren (*Katze, Motor usw.*) purr, (≈ *surren*) *auch* whirr

Schnürsenkel 1. *für Schuhe*: shoelace **2.** *für Stiefel*: bootlace

Schock shock; *einen Schock bekommen* get* a shock; *unter Schock stehen* be* in a state of shock

schocken *umg.* → *schockieren*

schockieren shock; *über etwas schockiert sein* be* shocked <u>at</u> something

Schöffe, Schöffin *bei Gericht*: lay assessor [ˌleɪˌəˈsesə]

Schokolade chocolate ['tʃɒklət]; *eine Tafel Schokolade* a <u>bar</u> of chocolate

Schokolade

Bei Schokolade wird grundsätzlich nur zwischen **milk chocolate** (Vollmilchschokolade) und **dark** *bzw.* **plain chocolate** ((Halb)Bitterschokolade) unterschieden.

Schokoriegel chocolate ['tʃɒklət] bar

Scholle¹ 1. (≈ *Erdscholle*) clod (of earth) **2.** (≈ *Eisscholle*) (ice) floe [fləʊ]

Scholle² *Fisch*: plaice [pleɪs] (*auch als Pl. verwendet*)

schon 1. (≈ *bereits*) already [ɔːlˈredɪ]; *ich hab schon eins* I've already got one; *es ist schon 1 Uhr* it's one o'clock already; *oft unübersetzt*: *werden Sie schon bedient?* are you being served?; *da du schon mal da bist* since you're here;

wartest du schon lange? have you been waiting long? **2.** (≈ *jemals*) ever; **bist du schon einmal in England gewesen?** have you ever been to England? **3.** *in Fragen oft*: yet; **ist er schon da?** is he here yet? **4.** (≈ *sogar*) even; **schon damals** even then **5.** *positiv verstärkend*: **sie wird es schon schaffen** she'll make it all right; **das ist schon möglich** that's quite possible **6.** *auffordernd*: **mach schon!** *umg.* get a move on!; **nun sag schon!** come on, tell me! **7.** (≈ *allein*) **schon der Anblick** just to see it; **schon der Gedanke** the very idea **8.** *als rhetorische Floskel*: **na wenn schon!** so what?; **was macht das schon?** what does it matter? **9.** **wenn schon, denn schon** *umg.* in for a penny, in for a pound

schön 1. (≈ *ansehnlich*) nice [naɪs], *stärker*: lovely ['lʌvlɪ]; **eine schöne Jacke** a nice (*oder* lovely) jacket **2.** *Mädchen, Frau*: pretty ['prɪtɪ], beautiful ['bjuːtəfl]; **das schöne Geschlecht** the fair sex **3.** *Junge, Mann*: handsome ['hænsəm], good-looking **4.** (≈ *angenehm*) nice; **schönes Wochenende!** have a nice weekend!; **schöner, heißer Tee** nice hot tea, a nice hot cup of tea; **schön warm** nice <u>and</u> warm **5.** *Wetter*: fine; **bei schönem Wetter frühstücken wir draußen** if the weather's fine, we'll have breakfast outside **6.** *umg.* (≈ *beträchtlich*) **wir sind ein schönes Stück gelaufen** we walked quite a way; **wir sind ein schönes Stück vorangekommen** we've made a fair bit (*AE* amount) of progress; **es kostet eine schöne Stange Geld** it costs a fair bit (*AE* amount) of **7.** **es kommt noch schöner** *umg.* there's more to come **8.** *umg.; verstärkend*: **das sind mir schöne Sachen!** that's a fine kettle of fish!; **du bist mir ein schöner Freund!** a fine friend you are!; **der Test war ganz schön schwer** the test was pretty tough [tʌf]; **ich hab mich schön gelangweilt** I was bored stiff **9.** *umg.* **wie man so schön sagt** as <u>they</u> say; **wie es so schön heißt** as the saying goes **10.** **sich schön machen** (≈ *fein machen*) dress up, get* done up; (≈ *schminken*) put* one's makeup on

schonen 1. (≈ *pfleglich behandeln*) look after, *AE* take care of (*Bücher, Kleider, Gesundheit, Augen usw.*) **2.** **jemanden schonen** (≈ *nachsichtig behandeln*) be* easy <u>on</u> someone; **ich wollte dich schonen** I didn't want you to get upset **3.** **sich schonen** take* it easy; **du musst dich schonen** you must look after (*AE* take care of) yourself

schön

pretty   handsome

schönen dress up (*Bericht, Tatsachen, Zahlen*)

schonend 1. **etwas schonend behandeln** treat something with care **2.** **jemanden schonend auf etwas vorbereiten** prepare someone gently for something

Schönheit beauty ['bjuːtɪ]

Schönheitsfleck beauty spot

Schönheitskönigin beauty queen, Miss America *usw.*

Schonkost 1. *als Essen*: light food (*oder* diet ['daɪət]) **2.** *als Diät*: special diet

schönmachen: **sich schönmachen** → **schön** 10

Schonung 1. *von Sachen*: care, careful treatment **2.** (≈ *Ruhe*) rest; **er braucht Schonung** he needs to take things easy

schonungslos 1. *Kritik usw.*: merciless **2.** **jemandem schonungslos die Wahrheit sagen** tell* someone the truth straight out

Schonzeit *Jagd*: close season ['kləusˌsiːzn]

Schopf 1. *Haare*: mop of hair **2.** **die Gelegenheit beim Schopf packen** seize [siːz] the opportunity, jump at the chance

schöpfen 1. *allg.*: scoop, *mit einer Kelle*: ladle **2.** draw* (*Wasser*), *aus dem Boot*: bale out **3.** *übertragen* draw*, derive (*Kraft, Mut*) (**aus** from); **neue Kräfte schöpfen** build* up one's strength again **4.** **Verdacht schöpfen** become* suspicious [sə'spɪʃəs] (**gegen** of)

Schöpfer 1. (≈ *Kelle*) ladle **2.** (≈ *Erschaffer*) creator [kriː'eɪtə] **3.** **der Schöpfer** (≈ *Gott*) the Creator (△ *Großschrei-*

S

bung)
Schöpferin creator [kriːˈeɪtə]
schöpferisch 1. *allg.:* creative [kriːˈeɪtɪv] **2. schöpferisch tätig sein** do* creative work
Schöpflöffel ladle [ˈleɪdl]
Schöpfung 1. *Kunstwerk usw.:* creation, work (**von** by) **2. die Schöpfung** *biblisch:* the Creation (△ *Großschreibung*)
Schorf *auf Wunde:* scab, crust
Schornstein chimney [ˈtʃɪmnɪ], *einer Fabrik auch:* smokestack
Schornsteinfeger(in) chimney [ˈtʃɪmnɪ] sweep
Schoß 1. lap; **auf jemandes Schoß sitzen** sit* on someone's knee (*oder* lap) **2. die Hände in den Schoß legen** *übertragen* sit* back and take* things easy
Schotte Scot, Scotsman; **er ist Schotte** he's Scots, he's a Scot; **die Schotten** the Scots; ☞ **Nationalitäten**
Schotter 1. *allg.:* gravel [ˈgrævl], (≈ *Straßenschotter*) *auch* (road) metal [ˈmetl] **2.** *Geologie:* detritus [dɪˈtraɪtəs]
Schottin Scotswoman, Scottish lady (*bzw.* girl); **sie ist Schottin** she's Scots, she's a Scot; ☞ **Nationalitäten**
schottisch Scottish, Scots (△ *engl.* Scotch meint den Whisky)
Schottland Scotland [ˈskɒtlənd]; ☞ *Karte S. 293*
schräg 1. *Dach:* sloping **2.** *Linie:* diagonal [daɪˈægnəl] **3. jemanden schräg ansehen** *übertragen* look askance [əˈskæns] at someone
Schrägstrich slash
Schramme scratch (*auch an Möbelstück, Auto usw.*)
Schrank 1. *allg., bes. für Sachen, Geschirr und Lebensmittel:* cupboard [△ ˈkʌbəd] **2.** (≈ *Kleiderschrank*) wardrobe [ˈwɔːdrəʊb], *AE* closet [△ ˈklɒzɪt] **3.** *umg.; Person:* great hulk
Schranke *auch übertragen* barrier [ˈbærɪə]
Schrankwand (large) wall unit [ˈwɔːlˌjuːnɪt]
Schraube 1. screw **2. die Schrauben anziehen** *übertragen* put* the screws on **3. bei ihm ist eine Schraube locker** *umg.* he's got a screw loose somewhere **4.** *am Schiff:* propeller
schrauben screw; → **höherschrauben**
Schraubendreher screwdriver
Schraubenschlüssel spanner, *AE* wrench
Schraubenzieher *umg.* screwdriver
Schreck fright [fraɪt], *AE mst.* scare; **er hat einen Schreck bekommen** he got (*oder* it gave him) a fright (*AE mst.*

scare); **jemandem einen Schreck einjagen** give* someone a fright (*AE mst.* scare)
Schrecken 1. *plötzlicher:* fright; **ich bin mit dem Schrecken davongekommen** I got a fright, that was all **2. zu meinem Schrecken hörte ich …** I was shocked to hear … **3. der Hund ist der Schrecken der ganzen Nachbarschaft** that dog terrorizes the whole neighbourhood
schreckhaft nervous, jumpy
schrecklich 1. *allg.:* terrible **2. es tut mir schrecklich leid** I'm really sorry
Schrei 1. *freudig, warnend:* shout, cry **2.** *brüllend:* yell **3.** *durchdringend:* scream **4.** *von Vögeln, wilden Tieren:* cry, call **5. es ist der letzte Schrei** *Mode:* it's all the rage
Schreibblock writing pad [ˈraɪtɪŋˌpæd]
schreiben 1. write* [raɪt] (**über** on, about); **jemandem schreiben** write* to someone, drop someone a line; **wir schreiben uns seit Jahren** we've been writing to each other for years **2.** write* out (*Rechnung, Scheck*) **3. richtig schreiben** *ein Wort:* spell* right; **falsch schreiben** misspell*; **wie schreibt er sich?** how do you (*oder* does he) spell his name? **4. eine Klassenarbeit schreiben** do* a class test **5. einen Aufsatz ins Reine schreiben** write* an essay out in neat
Schreiben 1. writing [ˈraɪtɪŋ] **2.** (≈ *Brief*) letter; **Ihr Schreiben vom …** your letter of … **3.** (≈ *kurze Notiz*) note
Schreibfehler spelling mistake
schreibgeschützt *Computer:* write-protected, read-only …
Schreibmaschine typewriter [ˈtaɪpˌraɪtə]; **mit der Schreibmaschine schreiben** type; **mit der Schreibmaschine geschrieben** typewritten (△ *mst. vor dem Subst.*), typed
Schreibschutz *Computer:* write protection
Schreibtisch desk; ☞ *Illu S. 539*
Schreibung *eines Wortes:* spelling; **falsche Schreibung** misspelling [ˌmɪsˈspelɪŋ]
Schreibwarengeschäft stationery shop [ˈsteɪʃnərɪˌʃɒp], *AE* stationery store [ˈsteɪʃnərɪˌstɔː]
schreien 1. shout; **sich heiser schreien** shout oneself hoarse [hɔːs]; **schrei nicht so, ich bin nicht taub** no need to shout, I'm not deaf **2.** *gellend:* yell **3.** *kreischend:* scream, shriek [ʃriːk] **4.** (*kleines Kind*) howl [haʊl], *stärker:* scream **5.** (≈ *brüllen*) roar **6.** (*Vögel usw.*) call
Schreiner(in) joiner, carpenter

Schreinerei joiner's workshop, carpenter's workshop

Schrift 1. (≈ *Handschrift*) writing ['raɪtɪŋ], handwriting; *eine miserable Schrift* awful handwriting (△ *ohne* an) **2.** *in lateinischer Schrift* in Roman characters **3.** (≈ *Veröffentlichung*) publication **4.** *die Heilige Schrift* the Bible

schriftlich 1. written ['rɪtn]; *eine schriftliche Prüfung* a written exam **2.** *würden Sie uns das bitte schriftlich geben?* could we have that in writing, please? **3.** *das kann ich dir schriftlich geben* übertragen, *umg.* I'll tell you that for nothing

Schriftsprache 1. written language [△ 'rɪtnˌlæŋgwɪdʒ] **2.** (≈ *Hochsprache*) standard ['stændəd] language

Schriftsteller(in) author ['ɔːθə], writer [△ 'raɪtə]

schrill 1. *Stimme*: shrill **2.** *Farbe*: garish ['geərɪʃ] **3.** *salopp* (≈ *ausgefallen, aber gut*) wiz, ace, *Kleidung usw.*: flashy

Schritt 1. *allg.*: step **2.** *als er 12 Monate alt war, machte er die ersten Schritte* he first started walking at the age of 12 months **3.** *es sind nur ein paar Schritte* it's not far, it's just a few steps from here **4.** *in Maßangaben*: pace, step **5.** *Schritt für Schritt* step by step; *der erste Schritt zum Erfolg* the first step to success (△ *ohne* the) **6.** *Schritte gegen etwas unternehmen* take* measures ['meʒəz] against something

schroff 1. *Felsen*: jagged [△ 'dʒægɪd] **2.** *Person, Verhalten*: gruff, brusque [△ bruːsk] **3.** *eine schroffe Ablehnung* a flat refusal [rɪ'fjuːzl]

schröpfen: *jemanden schröpfen* übertragen fleece (*oder* milk) someone (*um* for)

Schrott 1. scrap metal **2.** *ein Auto zu Schrott fahren* wreck [△ rek] a car **3.** *umg.* (≈ *Ramsch*) junk **4.** *umg.* (≈ *Blödsinn*) rubbish, nonsense, *bes. AE* garbage ['gɑːbɪdʒ]; *red keinen Schrott!* don't talk rubbish (*oder* nonsense (*bes. AE* garbage)!

Schrotthändler(in) scrap dealer (*oder* merchant ['mɜːtʃnt])

schrottreif: *ihr Auto ist schrottreif* her car's ready for the scrapheap

schrubben scrub

Schrubber scrubbing brush

schrumpfen shrink*; *es ist geschrumpft* it's (= it has) shrunk

Schub 1. *eines Triebwerks usw.*: (≈ *Schubkraft*) thrust [θrʌst] **2.** *einer Krankheit*: phase, (≈ *Anfall*) attack **3.** *von Adrenalin usw.*: rush **4.** *in Schüben* intermittent(ly) [ˌɪntə'mɪtnt(lɪ)] (*auch übertragen*)

Schubkarre(n) wheelbarrow ['wiːlˌbærəʊ]

Schublade drawer [△ drɔː]

Schubs push [pʊʃ]

schubsen *umg.* push [pʊʃ], shove [△ ʃʌv]

schüchtern 1. shy **2.** (≈ *zaghaft*) timid ['tɪmɪd]

Schüchternheit shyness

schuften *umg.* slave away, sweat [swet] away

Schuh 1. shoe [ʃuː] **2.** *er versuchte, es mir in die Schuhe zu schieben* übertragen he tried to put the blame on me **3.** *wo drückt der Schuh?* übertragen what's the trouble?

Schuhcreme shoe cream, shoe polish

Schuhgröße shoe size

Schuhmacher(in) shoemaker, cobbler

Schulabgänger(in) school leaver, *AE etwa* high school graduate

Schulabschluss school-leaving qualifications (△ *Pl.*), *AE etwa* high school diploma

Schularbeit 1. *Schularbeiten* homework (△ *Sg.*); *sie macht gerade Schularbeiten* she's doing her homework **2.** *bes.* Ⓐ (≈ *Klassenarbeit*) (class) test

Schulaufgabe 1. *Schulaufgaben* (≈ *Hausaufgaben*) homework **2.** (≈ *Klassenarbeit*) (class) test

Schulausflug school outing

Schulbank desk

Schulbuch (school) textbook

Schulbus school bus

schuld: *du bist schuld* it's your fault [fɔːlt]; *wer ist daran schuld?* whose fault is it?

Schuld 1. (≈ *Verantwortung*) blame; *sie gibt mir die Schuld an dem Unfall* she blames me for the accident **2.** *es ist deine Schuld* it's your fault

schuldbewusst *Miene, Blick usw.*: guilty ['gɪltɪ]

Schuldgefühle *Pl.*: *Schuldgefühle haben* have* a guilty conscience [ˌgɪltɪ'kɒnʃəns] (△ *Sg.*), have* a feeling (△ *Sg.*) of guilt

Schulden debts [△ dets]; *Schulden haben* be* in debt (△ *Sg.*); *Schulden machen* run* into debt (△ *Sg.*); *seine Schulden bezahlen* pay* (off) one's debts

schulden owe [əʊ]; *wie viel schulde ich dir?* how much do I owe you?

Schuldienst: *der Schuldienst* teaching; *sie ist im Schuldienst* she's a teacher

schuldig 1. *moralisch, juristisch*: guilty ['gɪltɪ]; *jemanden schuldig sprechen* pronounce (*AE* find) someone guilty; *sich schuldig bekennen* plead* guilty

2. *das bist du ihr schuldig* you owe it to her; *du bist mir noch eine Antwort schuldig* I'm still waiting for an answer **3.** *was bin ich Ihnen schuldig?* *beim Bezahlen*: how much do I owe you?

schuldigsprechen → schuldig 1

Schule school [skuːl]; *auf* (*oder* *in*) *der Schule* at school (△ *ohne* the); *zur Schule gehen* go* to school (△ *ohne* the); *in welche Schule gehst du?* which school do you go to?; *die höhere Schule* secondary school, *AE auch* senior high school (△ *beide ohne* the)

schulen train (*auch Auge, Gedächtnis usw.*); *wir wurden in WORD geschult* we were taught (*oder* trained) to use WORD

Schulenglisch school English; *dazu reicht mein Schulenglisch* the English I learnt at school is good enough for that

Schüler pupil ['pjuːpl], schoolboy, *AE mst.* student ['stjuːdnt]

Schüleraustausch school exchange, student exchange

Schülerin pupil ['pjuːpl], schoolgirl, *AE mst.* student ['stjuːdnt]

Schülerzeitung school magazine

Schulfach subject ['sʌbdʒekt]

Schulferien school holidays, *AE* vacation [veɪ'keɪʃn] (△ *Sg.*)

schulfrei: *schulfrei haben* have* the (*oder* a) day off; *morgen ist schulfrei* there's no school tomorrow

Schulfreund(in) schoolmate, friend from school

Schulheft exercise book, *AE* notebook

schulisch: *ihre schulischen Leistungen* her performance (△ *Sg.*) at school

Schuljahr school year

Schulkamerad(in) schoolmate, school friend ['skuːlfrend]

Schulkenntnisse *Pl.*: *Schulkenntnisse in Französisch usw.* school(-level) French (*Sg.*) *usw.*

Schulklasse class, form, *AE* grade

Schulleiter headmaster [ˌhed'mɑːstə], *AE mst.* principal ['prɪnsəpl]

Schulleiterin headmistress [ˌhed'mɪstrəs], *AE* principal ['prɪnsəpl]

Schulranzen satchel ['sætʃl], schoolbag

Schulsachen school things; *pack deine Schulsachen* get your things ready for school

Schulschluss *allg.*: end of school (*vor den Ferien*: of term); *nach Schulschluss* after school; *wann ist heute Schulschluss?* when does school finish today?

Schulstress school stress, pressures (△ *Pl.*) of school

Schultasche 1. *allg.*: schoolbag **2.** *Schultertasche*: satchel ['sætʃl], shoulder bag

Schulter shoulder ['ʃəʊldə]; *sie zuckte mit den Schultern* she shrugged her shoulders

schulterlang *Haar*: shoulder-length ['ʃəʊldəleŋθ]

Schulung 1. (≈ *Lehrgang*) training **2.** (≈ *Übung*) practice ['præktɪs] **3.** *politische*: indoctrination [ɪnˌdɒktrɪ'neɪʃn]

Schulweg: *auf dem Schulweg* on the way to school; *er hat einen langen Schulweg* he's got a long way to school

Schulwörterbuch school dictionary

Schulzeugnis school report, *AE* report card

schummeln 1. cheat **2.** *das ist geschummelt!* that's cheating; *es wird nicht ge-*

Schule, Kirche, Universität usw.

Wenn du mit **school** die **Schule als Gebäude** meinst, dann sage oder schreibe **the school**:

Wir treffen uns vor der Schule.	**We'll meet in front of the school.**

Meinst du mit **school** den **Schulunterricht**, darfst du den bestimmten Artikel **the** nicht verwenden.

Macht dir die Schule Spaß?	**Do you like school?**
in die Schule (= zum Unterricht) gehen	**go to school**
in die Schule (= das Gebäude) (hinein)gehen	**go into the school**
in der Schule (= beim Unterricht)	**at school**
in der Schule (= in dem Gebäude)	**in the school**

So ähnlich wie bei **school** ist es – zumindest im britischen Englisch – mit einer Reihe anderer Ausdrücke, z. B. **church, college, university, hospital, prison**: Gebäude – **mit Artikel**, Funktion der Einrichtung – **ohne Artikel**.

schummelt! no cheating!

schunkeln *zur Musik*: sway to the music (with arms linked)

Schuppe 1. *von Fisch usw.*: scale **2. Schuppen** *auf der Kopfhaut* dandruff ['dændrʌf] (△ *Sg.*); **ein Shampoo gegen Schuppen** a shampoo for dandruff

Schuppen 1. *Gebäude*: shed, *AE auch* shack **2.** *umg.* (≈ *Lokal*) joint; **ein vornehmer Schuppen** *umg.* a fancy joint **3. ein hässlicher Schuppen** *umg.* a real eyesore

schüren stir up (*Unruhe, Hass usw.*)

schürfen 1. (≈ *graben*) dig* (**nach** for) **2. ich hab mir das Knie geschürft** I've scraped (*oder* grazed) my knee

Schurke *bes. im Film usw.*: villain [△ 'vɪlən]

Schürze apron ['eɪprən]

Schuss 1. *allg.*: shot; **einen Schuss abgeben** fire (a shot), shoot*; **ein Schuss vor den Bug** *übertragen* a warning shot **2.** *im Fußball*: shot, strike **3.** (≈ *Drogeninjektion*) shot, fix **4. mit einem Schuss Wodka** with a dash of vodka **5. gut in Schuss sein** be* in good shape

Schüssel 1. bowl [△ 'bəʊl] **2.** *zum Servieren*: dish, bowl

Schuster(in) shoemaker, cobbler

Schutt rubble, debris [△ 'debriː]

schütteln 1. shake*; **sie schüttelte den Kopf** she shook her head; **er schüttelte ihr die Hand** he shook her hand, he shook hands with her **2. sich vor Kälte schütteln** shiver with cold

schütten 1. (≈ *gießen*) pour [pɔː] **2. es schüttet** it's pouring

Schüttstein ⓔ (≈ *Ausguss*) sink

Schutz 1. protection (**gegen, vor** against, from) **2. in Schutz nehmen** protect; **da muss ich ihn in Schutz nehmen** I have to take his side there **3.** *Obdach, Zuflucht*: shelter, refuge [△ 'refjuːdʒ]; **Schutz suchen** *vor Regen*: look for shelter

Schutzanzug protective suit [suːt]

Schutzbrille (safety) goggles (△ *Pl.*)

Schütze 1. ein guter Schütze a good shot **2.** *Fußball usw.*: scorer **3.** *Sternzeichen*: Sagitarius [ˌsædʒɪ'teərɪəs]; **sie ist (ein) Schütze** she's (a) Sagittarius

schützen 1. jemanden gegen (*oder* **vor**) **etwas schützen** protect (someone) against (*oder* from) something; **sich vor etwas schützen** protect oneself from something **2. ein Sturzhelm schützt vor schwereren Verletzungen** a crash helmet protects (you) against serious injuries; **diese Vitamintabletten schützen vor Erkältungen** these vitamin pills will

protect you against colds **3.** protect, preserve (*Umwelt*) **4. geschützte Tiere** protected animals

Schutzengel guardian angel [ˌgɑːdɪən-'eɪndʒəl]

Schutzimpfung 1. inoculation [ɪˌnɒkjʊ-'leɪʃn] **2.** *bes. gegen Pocken, Kinderlähmung*: vaccination [ˌvæksɪ'neɪʃn]

Schützin 1. eine gute Schützin a good shot **2.** *Fußball usw.*: scorer **3.** *Sternzeichen*: Sagittarius [ˌsædʒɪ'teərɪəs]; **sie ist (eine) Schützin** she's (a) Sagittarius

schutzlos 1. defenceless; **ich war ihm schutzlos ausgeliefert** I was completely at his mercy **2.** *der Witterung gegenüber*: without shelter

Schutzumschlag *von Buch*: dust cover ['kʌvə]

schwabb(e)lig 1. *Person, Körperteil*: flabby **2.** *Pudding usw.*: wobbly

Schwabe Swabian ['sweɪbɪən]

Schwaben Swabia ['sweɪbɪə]

Schwäbin Swabian ['sweɪbɪən] (girl *bzw.* woman)

schwäbisch Swabian ['sweɪbɪən]

schwach 1. *allg.*: weak; **das schwache Geschlecht** the weaker sex; **schwächer werden** grow* weak*; **die Zahl der Geburten wird schwächer** the birthrate is decreasing **2. schwache Augen** poor eyesight (*Sg.*) **3.** (≈ *nachgiebig*) soft; **sie hat einen schwachen Willen** she's weak-willed; **bei dem Anblick wurde ich schwach** *umg.* I melted at the sight; **Schokolade ist eine meiner schwachen Seiten** chocolate is one of my weaknesses **4. schwach in** *einem Fach usw.*: poor in; **er ist in Englisch sehr schwach** *auch*: he's very bad at English **5. die Mannschaft spielte schwach** the team played badly **6. das ist ein schwaches Bild** that's a poor show, *AE* that's a bad job **7.** *Wendungen*: **mir wird ganz schwach, wenn ich daran denke** I go weak in the knees just at the thought of it; **etwas schwach auf der Brust** *umg.* a bit short; → **schwachmachen**

Schwäche *allg.* weakness

schwächen weaken

Schwachheit 1. weakness **2. bilde dir bloß keine Schwachheiten ein** *umg.* don't kid yourself

Schwachkopf *umg.* idiot ['ɪdɪət], twit

Schwächling weakling

schwachmachen: mach mich nicht schwach! *umg.* don't say things like that!

Schwachsinn 1. *umg.* (≈ *Blödsinn*) nonsense **2.** *Krankheit*: feeble-mindedness

schwachsinnig 1. *umg.* (≈ *blödsinnig*) id-

S

iotic, crazy **2.** *geisteskrank*: feeble-minded

Schwachstelle weak spot

schwafeln waffle ['wɒfl], go on (**von, über** about)

Schwager brother-in-law *Pl.*: brothers-in-law

Schwägerin sister-in-law *Pl.*: sisters-in-law

Schwalbe 1. *Vogel*: swallow ['swɒləʊ]; *eine Schwalbe macht noch keinen Sommer* one swallow doesn't make a summer **2.** *Fußball*: dive

Schwamm 1. sponge [△ spʌndʒ] **2. Schwamm drüber!** *umg.* let's forget it

Schwammerl *bes.* Ⓐ (≈ *Pilz*) mushroom

Schwan swan [swɒn]

schwanger pregnant ['pregnənt]; *im dritten Monat schwanger* three months pregnant

schwängern: *er hat sie geschwängert* he made (*oder* got) her pregnant

Schwangerschaft pregnancy ['pregnənsɪ]

Schwangerschaftsabbruch abortion

Schwangerschaftstest pregnancy ['pregnənsɪ] test

schwanken 1. (*Boden*) sway, shake* **2.** (*Boot, Schiff*) rock; *das Schiff geriet ins Schwanken* the ship started to rock **3.** (≈ *unsicher gehen*) stagger, totter; *ein Betrunkener schwankte um die Ecke* a drunk staggered round the corner **4.** (≈ *zögern*) hesitate ['hezɪteɪt]; *ich schwanke noch* I'm still undecided **5.** (*Temperatur usw.*) fluctuate ['flʌktʃʊeɪt]

Schwankung fluctuation [ˌflʌktʃʊ'eɪʃn] (*auch im Ertrag, der Konjunktur, des Klimas*), variation (*beide +Gen.* **in**)

Schwanz 1. *von Tier, Flugzeug usw.*: tail **2.** *vulgär* (≈ *Penis*) prick, cock **3.** *kein Schwanz war da* *salopp* not one lousy person was there

schwänzen 1. (*die Schule*) *schwänzen* play truant ['truːənt], *AE* play hooky **2.** *die Sportstunde schwänzen* skip sports

Schwarm 1. *Insekten*: swarm [swɔːm] **2.** *Vögel*: flock **3.** *Fische*: shoal **4.** *umg.* (≈ *angehimmelte Person*) heartthrob ['hɑːtθrɒb]

schwärmen 1. (*Insekten, Menschen*) swarm [swɔːm] **2.** *schwärmen von* (≈ *begeistert sein*) rave <u>about</u> **3.** *für etwas schwärmen* be* mad (*oder* crazy) <u>about</u> something **4.** *für jemanden schwärmen* *umg.* (≈ *verliebt sein*) have* a crush <u>on</u> someone

schwarz 1. *Farbe, Kaffee, Tee usw.*: black **2.** *mir wurde es schwarz vor den Augen* everything went black **3.** *da hast dus schwarz auf weiß* there it is in

black and white **4.** *da kannst du warten, bis du schwarz bist* *umg.* you can wait till the cows come home **5.** *es steht auf dem Schwarzen Brett* it's up on the notice board **6.** *schwarzer Humor* black humour **7.** (≈ *ungesetzlich*) illegal [ɪ'liːgl]; *der schwarze Markt* the black market **8.** *in ein Land schwarz einreisen* enter a country illegally **9.** *umg.* (≈ *konservativ*) conservative [kən'sɜːvətɪv]; → *schwarzsehen*

Schwarzarbeit illicit [ɪ'lɪsɪt] work, *umg.* moonlighting

Schwarze *das*: *ins Schwarze treffen* hit* the bull's eye (*auch übertragen*)

Schwarze(r) 1. black, black man (*bzw.* boy), *Frau*: black, black woman (*oder* lady *bzw.* girl); *die Schwarzen* the Blacks **2.** *umg.* (≈ *konservativer Mensch*) conservative [kən'sɜːvətɪv] **3.** Ⓐ black coffee

schwarzfahren 1. *im Bus usw.*: travel without a ticket, dodge the fare; *sie haben mich beim Schwarzfahren erwischt* I was caught fare-dodging **2.** *ohne Führerschein*: drive* without a licence

Schwarzfahrer(in) fare-dodger

schwarzhaarig black-haired

Schwarzmarkt black market

schwarzsehen (≈ *pessimistisch sein*) be* pessimistic (*für* about); *sie sieht immer schwarz* she always looks on the dark side of things

schwarzweiß black <u>and</u> white

Schwarzweiß... *in Zusammensetzungen*: black-and-white (*Film usw.*)

schwatzen 1. (≈ *plaudern*) chat **2.** (≈ *klatschen*) gossip **3.** *im Unterricht*: talk; *hört auf zu schwatzen!* stop talking!

schwätzen → *schwatzen*

Schwätzer(in) 1. *umg.* gasbag **2.** (≈ *Klatschtante*) gossip

schweben 1. *an Seil*: hang*, be* suspended (*an* on) **2.** *frei in Luft oder Wasser*: float **3.** *über etwas*: hover [△ 'hɒvə] **4.** *in Gefahr schweben* be* in danger **5.** *zwischen Leben und Tod schweben* hover between life and death **6.** *er schwebt in höheren Sphären* he's got his head in the clouds

Schwede Swede [swiːd]; *er ist Schwede* he's a Swede, he's Swedish; *die Schweden* the Swedish; ☞ *Nationalitäten*

Schweden Sweden ['swiːdn]

Schwedin Swedish woman (*oder* lady *bzw.* girl); *sie ist Schwedin* she's a Swede, she's Swedish; ☞ *Nationalitäten*

schwedisch 1. Swedish ['swiːdɪʃ] **2.** *hinter schwedischen Gardinen* behind bars

Schwefel sulphur ['sʌlfə], *AE* sulfur
Schwefeldioxid sulphur (*AE* sulfur) dioxide [ˌsʌlfə_daɪ'ɒksaɪd]
Schweigeminute: *eine Schweigeminute* one (*oder* a) minute's silence
schweigen 1. (≈ *still sein*) be* silent ['saɪlənt]; ***schweig!*** be quiet! **2.** (≈ *nicht antworten*) say* nothing; ***sie schwieg auf die Frage*** she didn't answer **3.** (≈ *etwas für sich behalten*) keep* mum; ***darüber sollten wir lieber schweigen*** we'd better keep quiet about it
Schweigen silence ['saɪləns]; ***jemanden zum Schweigen bringen*** silence someone
schweigend 1. silent ['saɪlənt] **2. *sie hörte schweigend zu*** she listened in silence **3. *schweigende Mehrheit*** silent majority
schweigsam 1. *allg.*: quiet; ***du bist heute aber schweigsam*** you're not saying much today **2.** (≈ *nicht gesprächig*) quiet, uncommunicative [ˌʌnkə'mjuːnɪkətɪv]
Schwein 1. *Tier*: pig; ***bluten wie ein Schwein*** umg. bleed* like a stuck pig **2.** (≈ *Schweinefleisch*) pork **3.** umg. (≈ *Schmutzfink*) (filthy) pig **4.** (≈ *Lump*) swine, bastard ['bɑːstəd] **5.** *Wendungen:* ***kein Schwein war da*** not one lousy person was there; ***das glaubt dir kein Schwein*** you don't think anyone's going to buy that, do you?; ***Schwein gehabt!*** that was a stroke of luck
Schweinebraten roast pork
Schweinefleisch pork
Schweinerei 1. (≈ *Unordnung*) mess **2. *so eine Schweinerei!*** (≈ *Gemeinheit*) that's really rotten
Schweineschmalz lard, dripping
schweinisch 1. (≈ *schmutzig*) filthy **2.** *Witz usw.*: dirty **3.** *Benehmen*: disgusting
Schweiß sweat [△ swet]; ***ihm stand der Schweiß auf der Stirn*** there were beads of sweat on his forehead [△ 'fɒrɪd]; ***nach Schweiß riechen*** smell* of sweat, have* BO [ˌbiː'əʊ] (*Abk. für* **b**ody **o**dour)
Schweißbrenner *Gerät*: welding torch [tɔːtʃ]
Schweißfüße sweaty ['swetɪ] (*oder* smelly) feet
Schweiz: *die Schweiz* Switzerland ['swɪtsələnd] (△ *ohne* the)
Schweizer Swiss; ***er ist Schweizer*** he's Swiss; ***die Schweizer*** the Swiss; ☞ ***Nationalitäten***
Schweizerdeutsch Swiss German
Schweizerin Swiss woman (*oder* lady *bzw.* girl); ***sie ist Schweizerin*** she's Swiss; ☞ ***Nationalitäten***

schweizerisch Swiss
schwelen smoulder (*auch übertragen*)
Schwelle threshold ['θreʃhəʊld]; ***an der Schwelle des neuen Jahrtausends*** on the threshold of the new millennium
schwellen (*Hand, Wange usw.*) swell* (up)
Schwellung swelling
Schwemme (≈ *Überangebot*) glut (**an** of)
schwenken 1. wave (*Fahne, Taschentuch, Hut*) **2.** *beim Kochen*: toss **3. *nach links*** (*bzw.* **rechts**) **schwenken** (*Auto usw.*) turn left (*bzw.* right)
schwer 1. *gewichtsmäßig*: heavy ['hevɪ] (*auch übertragen Musik, Parfüm usw.*); ***wie schwer bist du?*** how much do you weigh? [△ weɪ] **2.** (≈ *anstrengend*) hard, tough [△ tʌf]; ***es war ein schwerer Tag*** it was hard going today **3.** (≈ *schwierig*) difficult, hard, tough; ***schwer zu sagen*** it's hard to say; ***er ist schwer zu verstehen*** it's difficult to hear what he's saying **4.** (≈ *ernst*) *Unfall, Verletzung, Problem usw.*: serious ['sɪərɪəs]; ***schwer krank*** seriously ill, very ill **5. *jemandem das Leben schwer machen*** give* someone a hard time **6.** umg.; *verstärkend*: ***ich bin schwer erkältet*** I've got a bad cold; ***ich bin schwer enttäuscht*** I'm really (*oder* deeply) disappointed; ***das will ich schwer hoffen!*** I jolly well hope so!; → ***schwerbehindert, schwerfallen*** usw.
schwerbehindert severely disabled [sɪ'vɪəlɪ dɪs'eɪbld]
Schwerbehinderte(r) severely disabled person
Schwere 1. (≈ *Gewicht*) weight [weɪt] **2.** *von Verletzung, Straftat usw.*: seriousness ['sɪərɪəsnəs] **3.** *von Strafe, Unwetter usw.*: severity [sɪ'verətɪ]
schwerelos weightless ['weɪtləs]
Schwerelosigkeit weightlessness ['weɪtləsnəs]
schwerfallen 1. *es fällt ihm schwer* he finds it difficult, it isn't easy for him **2. *es fällt mir schwer, das zu glauben*** I find it hard to believe that **3. *auch wenns dir schwerfällt*** whether you like it or not
schwerfällig 1. (≈ *langsam*) slow, lumbering (△ *nur vor dem Subst.*) **2.** (≈ *unbeholfen*) clumsy ['klʌmzɪ], awkward ['ɔːkwəd]
Schwergewicht, Schwergewichtler heavyweight [△ 'hevɪweɪt]
schwerhörig 1. hard of hearing **2. *auf 'dem Ohr ist er schwerhörig*** übertragen he doesn't want to know about it
Schwerkraft (force of) gravity ['grævətɪ]
schwerkrank → ***schwer*** 4

S

schwermachen → *schwer* 5

schwernehmen: *nimms nicht so schwer*
don't take it to heart [hɑːt]

Schwerpunkt 1. *Physik*: centre of gravity
['grævətɪ] 2. *der Schwerpunkt ihrer Ar-*
beit liegt auf ... the main focus of her
work is ...

Schwert sword [△ sɔːd]

schwertun: *sich mit etwas schwertun*
have* a hard time with something, find*
something difficult; *mit Latein tu ich*
mich schwer auch: I'm not very good at
Latin

Schwerverletzte(r) seriously injured per-
son [ˌsɪərɪəslɪˌɪndʒəd'pɜːsn], serious cas-
ualty ['kæʃʊəltɪ]

schwerwiegend 1. *Angelegenheit, Prob-*
lem: serious ['sɪərɪəs] 2. *Entscheidung*:
momentous [məʊ'mentəs]

Schwester 1. sister 2. (≈ *Krankenschwes-*
ter) nurse 3. (≈ *Nonne*) nun, *in Anrede*:
Sister

Schwiegereltern parents-in-law

Schwiegermutter mother-in-law *Pl.*:
mothers-in-law

Schwiegersohn son-in-law *Pl.*: sons-in-
-law

Schwiegertochter daughter-in-law *Pl.*:
daughters-in-law

Schwiegervater father-in-law *Pl.*: fathers-
-in-law

schwierig 1. *allg.*: difficult (*auch Person*)
2. *Problem, Aufgabe*: difficult, hard,
tough [△ tʌf] 3. (≈ *unangenehm*) diffi-
cult, awkward ['ɔːkwəd]

Schwierigkeit 1. difficulty 2. *in Schwie-*
rigkeiten kommen run* into trouble (△
Sg.) 3. *jemandem Schwierigkeiten ma-*
chen (*Person*) make* things difficult for
someone

Schwimmbad (swimming) pool

Schwimmbecken (swimming) pool

schwimmen 1. swim*; *schwimmen ge-*
hen go* swimming, go* for a swim 2. (≈
treiben) float 3. *im Geld schwimmen*
umg. be* rolling in money

Schwimmen 1. *allg.*: swimming 2. *ins*
Schwimmen kommen übertragen (be-
gin* to) flounder

Schwimmer(in) swimmer

Schwimmflosse *Sportgerät*: flipper

Schwimmreifen 1. rubber ring 2. *umg.* (≈
Hüftspeck) spare tyre

Schwimmweste life jacket

Schwindel 1. (≈ *Schwindelgefühl*) dizzi-
ness 2. (≈ *Schwindelanfall*) dizzy spell 3.
umg. (≈ *Betrug*) swindle 4. *umg.* (≈ *Lü-*
ge) lie, fib

schwindelfrei: *schwindelfrei sein* have*
a good head for heights [△ haɪts], *AE*

Schwimmstile

Schwimmstil	(**swimming**) style
Brustschwimmen	**breaststroke**
Delphin	**butterfly**
Kraulen	**crawl**
Rückenschwimmen	**backstroke**

have* no fear of heights; *nicht schwin-*
delfrei sein be* afraid of heights

schwindeln 1. (≈ *lügen*) fib, lie, tell* a fib
(*oder* lie) 2. *das ist geschwindelt* that's
a lie 3. *sich durch eine Prüfung*
schwindeln bluff one's way through an
exam

Schwindler(in) 1. swindler, *umg.* con man
(woman) 2. (≈ *Lügner*) liar ['laɪə]

schwindlig dizzy; *mir wird* (*bzw.* *ist*)
schwindlig I feel dizzy

schwingen 1. wave (*Fahne, Tuch, Axt*
usw.) 2. (≈ *pendeln*) swing* 3. (*Ton*) vi-
brate [vaɪ'breɪt] 4. *sie schwang sich*
aufs Fahrrad she jumped onto her bicy-
cle

Schwingung 1. *Technik, Akustik*: vibra-
tion; *etwas in Schwingungen verset-*
zen set* something vibrating 2. *Physik,*
Elektrotechnik: oscillation [△ ˌɒsɪ'leɪʃn]

Schwips: *einen Schwips haben umg.*
be* tipsy

schwirren 1. (*Insekten*) buzz 2. *in der*
Schule schwirrt es nur so von Gerüch-
ten the school's buzzing with rumours 3.
mir schwirrte der Kopf my head was
spinning

schwitzen 1. sweat [△ swet]; *ich schwit-*
ze am ganzen Körper I'm sweating all
over; *ins Schwitzen kommen* start
sweating, *übertragen* get* into a sweat 2.
er schwitzt über seinen Hausaufgaben
übertragen he's sweating over his home-
work

schwören 1. swear* [sweə] (*Freund-*
schaft, Treue, Rache); *ich habe mir ge-*
schworen, ihm nie wieder zu glauben
I've sworn never to believe him again 2.
vor Gericht: take* the oath [əʊθ]; *einen*
Eid schwören take* an oath

schwul *umg.* gay, *abwertend* queer

schwül *Klima*: close [kləʊs], muggy,
sticky

Schwuler *umg.* gay, *abwertend* queer;
zwei Schwule two gay men

Schwung 1. *Bewegung*: swing (*auch beim*
Turnen, Skifahren usw.) 2. (≈ *Elan, Ener-*
gie) energy ['enədʒɪ], drive; *in Schwung*
kommen get* going; *eine Tasse Tee*
bringt dich wieder in Schwung a cup
of tea will get you going again; *jetzt brin-*
gen wir den Laden in Schwung! let's

get things going! **3. *ein Schwung neuer CDs*** *usw.* a batch of new CDs *usw.*

schwungvoll 1. (≈ *lebhaft*) lively ['laɪvlɪ] **2.** (≈ *energisch*) full of drive (*oder* go); ***schwungvoll sein*** have* plenty of drive

Schwur oath [əʊθ]; ***einen Schwur leisten*** take* an oath

scrollen *Computer*: scroll

sechs six [sɪks]

Sechs 1. *Zahl*: (number) six **2. *eine Sechs schreiben*** *etwa*: get* an <u>F</u> **3.** *Bus, Straßenbahn usw.*: <u>number</u> six <u>bus</u>, <u>number</u> six <u>tram</u> *usw.*

Sechseck hexagon ['heksəgən]

sechsfach 1. *die sechsfache Menge* six times the amount **2. *der sechsfache deutsche Meister X*** six times German champion X (△ *ohne* the) **3. *ein Formular in sechsfacher Ausfertigung*** six copies of a form

Sechstel sixth [sɪksθ]

sechste(r, -s) sixth [sɪksθ]; ***6. April*** 6(th) April, April 6(th) (*gesprochen* the sixth of April); ***am 6. April*** on 6(th) April, on April 6(th) (*gesprochen* on the sixth of April)

Sechste(r, -s) 1. (the) sixth; ***sie war Sechste*** she was sixth **2. *Heinrich VI.*** Henry VI (*gesprochen* Henry the Sixth; VI *ohne Punkt!*) **3. *heute ist der Sechste*** it's the sixth today

sechzehn sixteen [,sɪks'tiːn]

sechzehnte(r, -s) sixteenth [,sɪks'tiːnθ]

sechzig sixty

Sechzigerjahre: *in den Sechzigerjahren* in the sixties

sechzigste(r, -s) sixtieth ['sɪkstɪəθ]

See¹ *die* (≈ *Meer*) sea, *AE mst.* ocean; ***an die See fahren*** go* to the seaside; ***die Stadt liegt an der See*** the town is on the sea

See² *der* lake; ***ein Haus am See*** a house <u>by</u> the lake; ***wir haben ein Ferienhaus am See*** we've got a lakeside cottage

Seefahrt 1. (≈ *einzelne Seereise*) sea journey ['dʒɜːnɪ] (*oder* voyage ['vɔɪɪdʒ]), (≈ *Kreuzfahrt*) cruise **2. *die Seefahrt* als** *Beruf usw.*: seafaring (△ *ohne* the)

Seegang waves (△ *Pl.*); ***hoher Seegang*** <u>rough</u> seas (△ *Pl.*); ***schwerer Seegang*** heavy seas (△ *Pl.*); ***leichter Seegang*** light seas (△ *Pl.*)

Seehafen seaport

Seehund 1. *Tier*: seal **2.** *Fell*: sealskin

Seeigel sea urchin ['siː,ɜːtʃɪn]

seekrank seasick; ***ich werde leicht seekrank*** I get seasick easily, I'm a bad sailor

Seekrankheit seasickness

Seele 1. *allg.*: soul [səʊl] (*auch im religiö-*

sen Sinn) **2. *du sprichst mir aus der Seele*** that's exactly how I feel (about it) **3.** (≈ *Mensch*) soul; ***sie ist eine Seele von Mensch*** she's a good soul; ***er ist die Seele der Mannschaft*** he's the life and soul of the team

Seelenruhe: *in aller Seelenruhe* → **seelenruhig**

seelenruhig 1. *positiv*: calmly [△ 'kɑːmlɪ] **2.** (≈ *ungerührt*) without batting an eyelid

Seeleute seamen ['siːmən], sailors

seelisch 1. (≈ *psychisch*) mental, psychological [△ ,saɪkə'lɒdʒɪkl]; ***eine seelische Belastung*** a mental strain; ***ich bin gerade an einem seelischen Tiefpunkt*** I'm feeling very low at the moment **2.** *im religiösen Sinn*: spiritual ['spɪrɪtʃʊəl]

Seelöwe sea lion

Seemann sailor, seaman ['siːmən] *Pl.*: seamen

Seemeile nautical mile

Seemöwe seagull ['siːgʌl]

Seepferdchen sea horse

Seeräuber(in) pirate ['paɪrət]

Seestern *Tier*: starfish

Seerose water lily ['wɔːtə,lɪlɪ]

Seetang seaweed

seetüchtig seaworthy ['siː,wɜːðɪ]

Seeufer: *am Seeufer* on the lakeside

Seevogel sea bird

Segel sail **2. *jemandem den Wind aus den Segeln nehmen*** take* the wind out of someone's sails

Segelboot sailing boat, *AE* sailboat, *größer*: yacht [△ jɒt]

Segelfliegen gliding

Segelflugzeug glider

segeln 1. (*Schiff, Boot*) sail **2.** (*Flugzeug*) glide **3.** (*Vogel*) glide, soar [sɔː] **4. *er ist durch die Fahrprüfung gesegelt*** *umg.* he flunked his driving test

Segelohren *umg.* bat ears

Segelschiff sailing ship

Segen 1. *religiös*: blessing **2. *er hat seinen Segen zu dem Projekt gegeben*** *umg.* (≈ *Zustimmung*) he's given the project his blessing; ***meinen Segen hast du!*** I've got no objections **3.** (≈ *Wohltat*) blessing; ***ein wahrer Segen*** a real blessing

segnen 1. bless; ***Gott segne dich*** God bless you **2. *mein Fernseher hat das Zeitliche gesegnet*** *ironisch* my TV has given up the ghost

Segnung *allg.* blessing

sehbehindert partially sighted, visually handicapped

sehen 1. *allg.*: see*; ***wenn ich recht gesehen habe, ...*** if I saw right ...; ***siehe***

oben (*bzw.* **unten**) see above (*bzw.* below) **2. gut** (*bzw.* **schlecht**) **sehen** have* good (*bzw.* bad) eyesight; **ich sehe nicht gut** I <u>can't</u> see very well **3.** (≈ *hinsehen*) look; **auf die Uhr sehen** look at <u>one's</u> watch; **sieh mal!** look! **4. kann ich das mal sehen?** can I have a look at it? **5.** (≈ *sich ansehen, zuschauen bei*) **hast du gestern den Film gesehen?** did you watch (*oder* see) the film yesterday? **6.** (≈ *beurteilen*) see*; **das sehe ich anders** I see it differently; **du siehst es falsch** you've got it wrong; **wie ich die Sache sehe** as I see it **7.** (≈ *treffen*) **wir sehen uns morgen!** see you tomorrow!; **wir sehen uns zum ersten Mal** we've never met before **8. lass dich mal wieder sehen** come and see me again some time **9.** *Wendungen:* **sieh mal einer an!** well, what do you know!; **das werden wir schon sehen** let's wait and see; **wie seh ich denn das!** what's that supposed to mean!; **na siehst du!** there you are!, what did I tell you?; **da sieht mans mal wieder!** it's the same old story; ☞ **Sehen**

Sehen: ich kenne sie nur vom Sehen I only know her by sight, I've never actually spoken to her

sehenswert worth seeing, *Stadt usw.*: worth a visit

Sehenswürdigkeit sight; (**die**) **Sehenswürdigkeiten besichtigen** go* sightseeing

sehnen: sich sehnen nach long for, *stärker:* yearn [jɜːn] for

Sehnsucht longing, yearning ['jɜːnɪŋ]; **Sehnsucht haben nach jemandem** long (*oder* yearn) to see someone

sehnsüchtig *Blick usw.*: longing, yearning

sehr 1. *allg.*: very; **sehr bald** very soon; **er ist sehr beliebt** he's very popular **2. sehr viel** a lot; **nicht sehr viel** not very much **3.** *mit Verben:* **ich liebe sie sehr** I love her very much; **ich freue mich sehr** I'm very glad; **ich habe mich sehr geärgert** I was very annoyed; **danke sehr!** thank you very much, thanks very much

Sehtest <u>eye</u> test

seicht shallow

Seide silk; **reine Seide** pure silk

Seife soap

Seifenoper soap opera, soap

Seil 1. rope **2.** *aus Draht:* cable **3. in den Seilen hängen** *übertragen, umg.* be* knackered [△ 'næked], *AE* be* pooped

Seilbahn 1. cable-car system, *bes. auf Schienen:* cable railway **2. mit der Seilbahn fahren** go* by cable-car

Seilspringen skipping, *AE* jumping rope

sein¹ 1. be*; **ich bin müde** I'm (*oder* I am) tired; **du bist doof** you're (*oder* you are) stupid; **er ist alt** he's (*oder* he is) old; **sie ist krank** she's (*oder* she is) ill; **es ist kalt** it's (*oder* it is) cold; **wir sind zu Hause** we're (*oder* we are) at home; **ihr seid eingeladen** you're (*oder* you are) invited; **sie sind hier** they're (*oder* they are) here **2. wie ist es mit dir?** what about you? **3. was ist mit ihr?** what's the matter with her? **4. lass das sein!** stop it! **5. was soll das sein?** what's that supposed to be? **6. das kann sein** that's possible **7. 5 und 3 ist 8** five and three are (*oder* make *oder* makes) eight, *AE* five plus three is eight **8. mit** *Vergangenheitsform anderer Verben:* **er ist gegangen** he's (*oder* he has) gone; **ich bin ihm schon begegnet** I've (*oder* I have) met him before; **die Sonne ist untergegangen** the sun's (*oder* sun has) gone down

sein² *besitzanzeigend* **1.** *bei Männern:* his **2.** *bei Mädchen:* her **3.** *bei Sachen:* its **4.** *bei Tieren:* its, *oft auch* her *bzw.* his **5.** *bei Schiffen oft:* her **6.** *unbestimmt:* one's (△ *mit Apostroph*), *auch:* their; **sein Glück machen** make* one's fortune; **jeder hat seine Sorgen** everybody's got their (*oder* his or her) problems (△ *trotz Verb im Sg. wird oft Pl.* their *verwendet*)

seinetwegen 1. (≈ *wegen ihm*) because of him **2.** (≈ *ihm zuliebe*) for his sake

seinlassen → **sein¹ 4**

seit 1. *bei Zeitpunkt:* since; **seit 1990** since 1990; **seit sie wegging** since she left **2.** *bei Zeitraum:* for; **ich warte seit zwei Stunden** I've <u>been</u> waiting for two hours **3.** (≈ *seitdem*) since; **es ist ein Jahr her, seit er gegangen ist** it's (been) a year since he left

seitdem 1. since then; **seitdem hab ich ihn nicht gesehen** I haven't seen him since **2. seitdem ich jogge, gehts mir besser** since I've been jogging (△ *Zeitform beachten*) I feel better

Seite 1. *im Buch usw.*: page **2.** *Aspekt, Eigenschaft usw.*: side; **er hat eine großzügige Seite** he's got a generous side (to him) **3. die Seiten wechseln** *Sport:* change <u>ends</u>, *übertragen* change sides (△ *ohne* the) **4. zur Seite gehen** step aside **5. von meiner Seite gibt es keine Bedenken** there are no objections <u>on</u> my part

Seitenfenster side window

seitenlang *Bericht usw.*: long; **sie schreibt seitenlange Briefe** she writes pages and pages

seit	since/for
seit = for	bei Zeitdauer; meist Konstruktion mit **a/an** bzw. mit Zeitangabe im Plural (**-s**):
seit einem Monat	**for a month**
seit anderthalb Stunden	**for an hour and a half**
seit einigen Wochen	**for several weeks**
seit Jahren	**for years**
seit = since	bei Zeitpunkt; genaue Angabe der Zeit, des Tages *usw.* oder eines Ereignisses *usw.*:
seit gestern	**since yesterday**
seit 8 Uhr	**since 8 o'clock**
seit ich aus Irland weg bin	**since I left Ireland**
seit 1999	**since 1999**

Seitenlinie *Sport*: sideline

Seitenschiff *Kirche*: (side) aisle [△ aɪl]

Seitensprung *eines Ehepartners*: extramarital affair [ˌekstrəˌmærɪtl̩ əˈfeə], *salopp* bit on the side; *einen Seitensprung machen* have* a bit on the side

Seitenstraße side street; *eine Seitenstraße der Manzostraße* a side street off Manzostraße

Seitenstreifen *einer Straße*: (hard) shoulder, *BE auch* verge

seitenverkehrt the wrong way round (△ *nur hinter dem Subst.*)

Seitenzahl 1. *einzelne*: page number 2. *Gesamtzahl*: number of pages

seither since then, since that time (△ *meist am Satzanfang*); *ich habe ihn seither nicht gesehen* I haven't seen him since; *seither geht es mir besser* since that time I've been feeling better

Sekretär 1. male secretary 2. (≈ *Schreibtisch*) bureau [ˈbjʊərəʊ] *Pl.*: bureaux [ˈbjʊərəʊ]

Sekretariat (secretary's) office

Sekretärin secretary [ˈsekrətrɪ]

Sekt 1. (≈ *Schaumwein*) sparkling wine, *umg.* champagne [ˌʃæmˈpeɪn] 2. (≈ *Champagner*) champagne

Sekte sect

Sektor 1. *allg.*: sector 2. *übertragen*: area, field

Sekunde 1. second [ˈsekənd] (*auch Tonintervall*) 2. (*eine*) *Sekunde!* *umg.* just a sec! 3. *zehn Uhr auf die Sekunde* ten o'clock on the dot

Sekundenkleber superglue® [ˈsuːpəgluː]

Sekundenschnelle: *es geschah alles in Sekundenschnelle* it was all over in a matter of seconds

Sekundenzeiger second hand

selbe same; *zur selben Zeit* at the same time

selber → *selbst¹*

selbst¹ 1. *ich selbst* I myself [maɪˈself]; *er selbst* he himself; *sie selbst* she herself; *wir möchten es selbst machen* we want to do it ourselves; *mach es selbst!* do it yourself!; *selbst gemacht* homemade; *das muss ich mir selbst ansehen* I'll have to see that for myself; *sie spricht oft mit sich selbst* she often talks to herself; *ich habe ihn nicht selbst gesprochen* I didn't talk to him personally 2. *Wendungen*: *das versteht sich von selbst* that goes without saying; *er ist die Ruhe selbst* he's unflappable; *selbst ist der Mann* (*bzw.* *die Frau*) there's nothing like doing it yourself

selbst² (≈ *sogar*) even; *selbst meinen Eltern gefiel der Film* even my parents enjoyed the film

selbständig → *selbstständig*

Selbstbedienung self-service

Selbstbedienungsrestaurant cafeteria [ˌkæfəˈtɪərɪə]

Selbstbefriedigung masturbation [ˌmæstəˈbeɪʃn]

Selbstbeherrschung self-control; *sie verlor die Selbstbeherrschung auch* she lost her temper (*umg.* cool)

selbstbewusst self-confident [ˌselfˈkɒnfɪdənt]

Selbstbewusstsein self-confidence [ˌselfˈkɒnfɪdns]

Selbstdisziplin self-discipline [ˌselfˈdɪsəplɪn]

Selbsterhaltungstrieb survival instinct

Selbstgespräch: *sie führt Selbstgespräche* she talks to herself

Selbstkritik self-criticism [ˌselfˈkrɪtɪsɪzm]

selbstkritisch self-critical

Selbstlaut vowel [ˈvaʊəl]

selbstlos selfless

Selbstmitleid self-pity [ˌselfˈpɪtɪ]

Selbstmord suicide [ˈsuːɪsaɪd]; *Selbstmord begehen* commit suicide; *Rauchen ist Selbstmord auf Raten* smoking is a form of slow suicide

Selbstmordanschlag, **Selbstmordattentat** suicide attack [ˈsuːɪsaɪd əˌtæk]

Selbstmordattentäter(in) suicide bomber [△ ˌsuːɪsaɪdˈbɒmə], suicide attacker

Selbstmörder(in) suicide (victim)

S

Selbstmordversuch suicide attempt
selbstsicher self-confident [ˌself-
ˈkɒnfɪdənt]; *sie wirkt sehr selbstsicher*
she seems very sure of herself
Selbstsicherheit self-confidence [ˌself-
ˈkɒnfɪdəns]
selbstständig 1. (≈ *unabhängig*) inde-
pendent; *sie ist an selbstständiges Ar-
beiten gewöhnt* she's used to working
on her own **2.** *beruflich*: self-employed;
er will sich selbstständig machen he
wants to start up his own business **3.**
Journalist, -in usw.: (≈ *freiberuflich*) free-
lance [ˈfriːlɑːns]; *er ist selbstständig*
he's a freelance(r)
Selbstständigkeit independence, *eines
Landes auch*: autonomy [ɔːˈtɒnəmɪ]
Selbststudium self-study; *sie hats im
Selbststudium gelernt* she taught her-
self
selbsttätig 1. automatic **2.** *die Tür
schließt selbsttätig* the door closes au-
tomatically
Selbstverpflegung *im Urlaub*: self-cater-
ing
selbstverständlich 1. (≈ *natürlich*) (per-
fectly) natural [ˈnætʃrəl] **2.** *das ist doch
selbstverständlich* (≈ *nicht der Rede
wert*) that goes without saying
Selbstverständlichkeit: *das war doch ei-
ne Selbstverständlichkeit!* not at all!
Selbstverteidigung self-defence
Selbstvertrauen self-confidence [ˌself-
ˈkɒnfɪdəns]
Selbstwertgefühl self-esteem [ˌself-
ɪˈstiːm], ego [ˈiːɡəʊ]
selig 1. *im religiösen Sinn*: blessed
[△ ˈblesɪd] **2.** *wers glaubt, wird selig!*
tell me another! **3.** (≈ *überglücklich*)
overjoyed **4.** *sie lächelte selig* she
smiled happily
Sellerie 1. *als Staude*: celery [ˈselərɪ] **2.** *als
Knolle*: celeriac [səˈlerɪæk]
selten 1. *Pflanzen, Tiere usw.*: rare **2.** *in
den seltensten Fällen* very rarely **3.** *wir
sehen uns nur noch selten* we hardly
ever see each other these days; *zum
Frühstück esse ich nur sehr selten et-
was* I rarely have any breakfast
Seltenheit 1. *Eigenschaft*: rareness; *es ist
eine Seltenheit, dass …* it's rare that …
2. *Sache*: rarity [ˈreərətɪ]
Selters, Selterswasser mineral water
seltsam 1. strange, peculiar [pɪˈkjuːlɪə];
es ist schon seltsam it's very strange **2.**
*das Fleisch schmeckt irgendwie selt-
sam* somehow this meat tastes peculiar
(*AE mst.* strange)
seltsamerweise strangely enough [ɪˈnʌf]
Semester semester; *er ist im dritten Se-*

mester he's in his third semester; *wäh-
rend des Semesters* during term-time,
AE during the semester
Semesterferien vacation (△ *Sg.*)
Semifinale *Sport*: semifinal [ˌsemɪˈfaɪnl]
Semikolon semicolon [ˌsemɪˈkəʊlən]
Seminar 1. *Lehrveranstaltung*: seminar
[ˈsemɪnɑː] *zur Fortbildung*: workshop **2.**
Institut: department, institute [ˈɪn-
stɪtjuːt]
Semmel 1. (≈ *Brötchen*) roll [rəʊl] **2.** *das
Buch ging weg wie warme Semmeln*
the book sold like hot cakes
Semmelbrösel *Pl.* breadcrumbs
[△ ˈbredkrʌmz]
sempern ⊛ (≈ *nörgeln*) moan, grumble
senden 1. *Radio, TV*: broadcast* [ˈbrɔːd-
kɑːst] **2.** *über Funk*: transmit [trænzˈmɪt]
3. (≈ *übermitteln*) send*, forward
[ˈfɔːwəd] (*Brief usw.*)
Sendepause 1. *Radio, TV*: intermission
2. *du hast jetzt mal Sendepause!* *umg.*
put a sock in it, will you?
Sender 1. *Anlage, Gerät*: transmitter
[trænzˈmɪtə] **2.** (≈ *Radiosender*) radio
station **3.** (≈ *Fernsehsender*) television
station
Sendung 1. (≈ *Programm*) programme
[ˈprəʊɡræm], *AE* program **2.** *auf Sen-
dung sein* be* on the air **3.** (≈ *Paket*)
parcel [ˈpɑːsl], *AE mst.* package
Senf 1. mustard [ˈmʌstəd] **2.** *er muss im-
mer seinen Senf dazugeben* *umg.* he
always has to have his say
senil senile [ˈsiːnaɪl]
Senior 1. *Senioren* (≈ *Rentner*) senior
[ˈsiːnɪə] citizens **2.** *im Sport*: senior
[ˈsiːnɪə]
senior: *John F. Kennedy senior* (*Abk.
sen. oder sr.*) John F. Kennedy Senior
(*Abk. Sr oder Snr oder Sen.*)
Seniorenheim home for the elderly, re-
tirement home
senken 1. lower [ˈləʊə] (*Stimme, Blut-
druck usw.*) **2.** lower, reduce, cut* (*Preise,
Steuern*) **3.** *sich senken* (*Stimme, Tem-
peratur*) drop
senkrecht 1. vertical [ˈvɜːtɪkl] **2.** *im
Kreuzworträtsel*: down
Senkrechtstarter 1. *Flugzeug*: vertical
takeoff plane **2.** *umg., übertragen* whizz-
-kid [ˈwɪzkɪd]
Senkung *von Blutdruck, Preisen, Stimme
usw.*: lowering [ˈləʊərɪŋ]
Sensation sensation [senˈseɪʃn]
sensationell sensational [senˈseɪʃnəl]
Sense *Gerät*: scythe [△ saɪð]
sensibel sensitive (△ *engl.* sensible = *ver-
nünftig*)
sentimental sentimental; *nun werd nicht*

sich

gleich sentimental! don't get soppy!
September September; *im September* in
September (△ *ohne* the)
Serbe Serbian ['sɜːbɪən]; *er ist Serbe*
he's a (a) Serbian; ☞ *Nationalitäten*
Serbien Serbia ['sɜːbɪə]
Serbin Serbian woman (*oder* lady *bzw.*
girl); *sie ist Serbin* she's a (a) Serbian; ☞
Nationalitäten
serbisch, Serbisch Serbian ['sɜːbɪən]
Serie 1. *allg.*: series ['sɪərɪːz] (△ *Sg. und
Pl. gleiche Form*) **2.** *in Serie hergestellt
werden* be* mass-produced **3.** *Radio,
TV*: series, serial ['sɪərɪəl] **4.** *Briefmarken, Münzen usw.*: set
Serienbrief standard letter
seriös 1. (≈ *ernsthaft*) serious ['sɪərɪəs] **2.**
(≈ *anständig*) respectable **3.** *Firma*: reputable [△ 'repjutəbl]
Serpentine (≈ *scharfe Kurve*) double
bend, hairpin bend, *AE mst.* hairpin turn
Server *für Computernetzwerk*: server
Service¹ *das* (≈ *Satz Geschirr*) dinner
(*bzw.* tea *bzw.* coffee) service ['sɜːvɪs]
Service² *der, das* **1.** (≈ *Bedienung*) service
2. (≈ *Kundendienst*) after-sales service **3.**
Tennis usw.: service, serve
servieren 1. serve; *etwas zum Frühstück
servieren* serve something for breakfast;
Wein zum Essen servieren serve wine
with the meal **2.** *Tennis usw.*: serve
Serviertochter ⒸⒽ (≈ *Kellnerin*) waitress
Serviette napkin, *BE auch* serviette
[ˌsɜːvɪ'et]
Servolenkung power steering
servus *bes.* Ⓐ **1.** *Begrüßung*: hello, *umg.*
hi **2.** *Abschied*: bye, see you, *BE auch*
cheers
Sesam: *Sesam öffne dich!* open sesame
[△ 'sesəmɪ]
Sessel 1. easy chair **2.** *mit Armlehne*:
armchair **3.** Ⓐ (≈ *Stuhl*) chair
Sessellift chair lift
sesshaft 1. *Bauern, Völker usw.*: settled
2. (≈ *ansässig*) resident ['rezɪdənt] **3.**
sesshaft werden settle (down)
setzen 1. *sich setzen* sit* down; *setz
dich!* sit down!, have a seat!; *sich ans
Fenster setzen* sit* down a (*oder* next
to) the window; *komm, setz dich zu mir*
come and sit next to me **2.** *sich setzen
auf* get* on, *förmlicher*: mount (*Pferd,
Rad*); *sich setzen in* get* into (*Auto
usw.*) **3.** *sich setzen* (≈ *einen Bodensatz
bilden*) settle **4.** (≈ *legen, hintun*) put*; *er
setzte es auf den Tisch* he put it on the
table **5.** *setzen Sie mich bitte auf die
Liste* could you put me (*oder* my name)
down on the list, please; *etwas in die
Zeitung setzen* put* something in the

paper **6.** (≈ *einpflanzen*) plant [plɑːnt]
(*Tomaten, Zwiebeln usw.*) **7.** (≈ *wetten*)
bet* (*auf* on); *Geld auf ein Pferd setzen*
bet* on a horse; *wir setzen auf dich!*
übertragen we're relying on you **8.** *jemandem ein Denkmal setzen* set* up a
monument to someone **9.** *seinen Namen unter einen Brief setzen* sign a letter
Seuche epidemic [ˌepɪ'demɪk]
seufzen sigh [saɪ]; (≈ *über* at, over)
Seufzer sigh [saɪ]; *einen Seufzer der Erleichterung ausstoßen* heave a sigh of
relief
Sex sex; *Sex haben* (*oder* *machen*) have*
sex
Sexualität sexuality [ˌseksʃʊ'æləti]
Sexualkunde sex education
sexuell sexual ['seksʃʊəl]
Shorts (a pair of) shorts (*Pl.*)
Showmaster(in) *im Fernsehen*: host, compere ['kɒmpeə], *AE* emcee [ˌem'siː]
Sibirien Siberia [saɪ'bɪərɪə]
sich 1. *je nach Geschlecht und Zahl*: oneself, yourself, *männlich*: himself, *weiblich*: herself, *sächlich*: itself, *Mehrzahl*:
themselves; *er* (*bzw.* *sie*) *nahm die
Schuld auf sich* he (*bzw.* she) took the
blame (on himself *bzw.* herself); *er
denkt nur an sich* he only thinks of himself **2.** him, her, it, *Mehrzahl* them; *sie
blickte um sich* she looked around
(her); *hat er die Tür hinter sich zugemacht?* did he shut the door behind
him? **3.** (≈ *einander*) each other, one another; *sie kennen sich* they know each
other

---

sich

Es gibt eine Reihe von Verben im Deutschen mit „sich", die im Englischen
ohne Reflexivpronomen (**himself, myself, ourselves** *usw.*) wiedergegeben
werden. Hier eine Auswahl der wichtigsten Verben in alphabetischer Reihenfolge:

sich ändern	**change**
sich anziehen	**get dressed**
sich ärgern	**be annoyed, get annoyed**
sich ausziehen	**get undressed**
sich beeilen	**hurry up**
sich beschweren	**complain**
sich (ver)bessern	**improve**
sich bewegen	**move**
sich entspannen	**relax**
sich entwickeln	**develop**
sich erinnern (an)	**remember**

sich freuen	be pleased
sich freuen auf	look forward to
sich hinlegen	lie down
sich hinsetzen	sit down
sich interessieren für	be interested in
sich konzentrieren	concentrate
sich rasieren	shave, get shaved
sich treffen (mit)	meet
sich trennen	split up, separate
sich verlaufen	get lost
sich verstecken	hide
sich waschen	wash, get washed

sicher 1. (≈ *geschützt, geborgen*) safe, secure (**vor** from); **sich sicher fühlen** feel* safe **2.** (≈ *gewiss*) certain, sure; **so viel ist sicher** one thing is certain; **ein sicherer Sieg** certain victory (△ *ohne* a) **3. sicher ist sicher!** better safe than sorry **4.** (≈ *überzeugt, wissend*) sure, certain; **einer Sache sicher sein** be* sure of something; *„Bist du sicher?" - „Ganz sicher!"* 'Are you sure?' - 'I'm positive!' **5.** (≈ *gesichert*) secure (*auch Einkommen, Existenz usw.*) **6.** (≈ *geübt*) good; **ein sicherer Fahrer** a good (*oder* safe) driver **7. aber sicher!** of course!, *bes. AE* sure!

sichergehen: um sicherzugehen to be on the safe side, to make sure

Sicherheit 1. (≈ *Sichersein, Schutz*) safety; **die öffentliche Sicherheit** public safety (△ *ohne* the) **2. sich in Sicherheit bringen** get* out of danger **3. in Sicherheit sein** be* safe (and sound) **4. die innere Sicherheit** *politisch*: internal security (△ *ohne* the) **5.** (≈ *Gewissheit*) certainty ['sɜːtntɪ]; **mit Sicherheit** definitely; **ich weiß es mit Sicherheit** I know it for sure (*oder* for a fact); **mit ziemlicher Sicherheit** almost certainly **6.** (≈ *Selbstvertrauen*) (self-) confidence [(ˌself-)ˈkɒnfɪdəns] **7.** (≈ *Bürgschaft, Pfand*) security

Sicherheitsabstand safe distance; **den Sicherheitsabstand einhalten** keep* a safe distance

Sicherheitsgurt seat belt

sicherheitshalber (≈ *um sicherzugehen*) just to be on the safe side

Sicherheitsnadel safety pin

sicherlich: sie wird sicherlich kommen I'm sure she'll come; *„Schaffst dus?" - „Sicherlich!"* 'Can you manage?' - 'Of course I can.'

sichern 1. secure [sɪˈkjʊə] (*Tür, Auto usw.*) (**gegen** against) **2.** save (*Daten*) **3.**

sich vor (*oder* **gegen**) **etwas sichern** protect oneself against something **4.** lock, put* the safety catch on (*Schusswaffe*)

Sicherung 1. *Strom*: fuse [fjuːz]; **die Sicherung ist durchgebrannt** the fuse has blown **2. bei ihr ist die Sicherung durchgebrannt** *umg.* she blew a fuse **3.** *von Daten*: saving

Sicherungskopie *Computer*: backup, backup copy

Sicht 1. visibility [ˌvɪzəˈbɪlətɪ]; **die Sicht war schlecht** visibility was bad (*oder* poor) (△ *ohne* the) **2. in Sicht kommen** come* into view **3. außer Sicht** out of sight **4. auf lange Sicht** (≈ *auf Dauer*) in the long run

sichtbar visible [ˈvɪzəbl] (*auch übertragen*); **sichtbar werden** *übertragen* become* apparent

sichtlich 1. *Freude, Trauer*: visible [ˈvɪzəbl] **2. er war sichtlich nervös** he was clearly (*oder* obviously) nervous

sie¹ 1. *für eine Frau*: she, *als Objekt*: her; **da ist sie** there she is; **wir müssen sie finden** we've got to find her; **er weiß mehr als sie** he knows more than she does, he knows more than her **2.** *für eine Sache*: it, *für englische Pluralformen wie* glasses *usw.*: they; **da ist sie** there it is (*die Uhr usw.*), there they are (*die Brille, Badehose usw.*); **wir müssen sie finden** we've got to find it (*die Uhr usw.*), we've got to find them (*die Brille, Badehose usw.*)

sie² 1. *für mehrere Personen*: they, *als Objekt*: them; **da sind sie** there they are; **wir müssen sie finden** we've got to find them; **wir arbeiten länger als sie** we work longer than they do, we work longer than them **2.** *für Sachen*: they, *als Objekt*: them; **wir müssen sie finden** we've got to find them **3.** (≈ *man*) they; **sie haben ihn gefragt, ob …** they asked him whether …

Sie 1. *Anrede*: you; **was glauben Sie?** what do you think? **2.** △ *in der Befehlsform unübersetzt*: **hören Sie!** listen!; **machen Sie schnell!** hurry up!

Sieb sieve [△ sɪv]; **ein Gedächtnis wie ein Sieb** a memory like a sieve

sieben¹ *Zahl*: seven [ˈsevn]

sieben² sieve [△ sɪv], pass through a sieve

Sieben 1. *Zahl*: (number) seven [ˈsevn] **2.** *Bus, Straßenbahn usw.*: number seven bus, number seven tram *usw.*

siebenfach 1. die siebenfache Menge seven times the amount **2. die siebenfache deutsche Meisterin X** seven-times German champion X (△ *ohne* the)

siebente(r, -s) → **siebte(r, -s)**
Siebente(r, -s) → **Siebte(r, -s)**
Siebentel seventh ['sevnθ]
siebte(r, -s) seventh ['sevnθ]; **7. April**
7(th) April, April 7(th) (△ *gesprochen*
the seventh of April); **am 7. April** on
7(th) April, on April 7(th) (△ *gesprochen*
on the seventh of April)
Siebte(r, -s) 1. (the) seventh ['sevnθ]; **er
war Siebter** he was seventh **2. Heinrich
VII.** Henry VII (*gesprochen* Henry the
Seventh; VII *ohne Punkt!*) **3. heute ist
der Siebte** it's the seventh today
Siebtel seventh ['sevnθ]
siebzehn seventeen [,sevn'tiːn]
siebzehnte(r, -s) seventeenth [,sevn-
'tiːnθ]
siebzig seventy ['sevntɪ]
Siebzigerjahre: in den Siebzigerjahren
in the seventies
siebzigste(r, -s) seventieth ['sevntɪəθ]
Siedepunkt boiling point (*auch übertra-
gen*)
Siedler(in) settler
Siedlung 1. (≈ *Wohngebiet*) housing es-
tate ['haʊzɪŋ ɪˌsteɪt], *bes. AE* develop-
ment **2.** (≈ *Niederlassung*) settlement
Sieg 1. *auch übertragen* victory; **ein Sieg
der Vernunft** a victory for common
sense **2.** *Sport:* win, victory; **ein leichter
Sieg** a walkover, *AE auch* a walkaway
siegen 1. *allg.:* win*; **Hamburg siegte mit
3:1** Hamburg won by three goals to one
2. siegen über defeat, *bes. im Sport:*
beat*
Sieger(in) 1. *in einem Kampf usw.:* victor
2. *Sport:* winner; **Sieger nach Punkten**
winner on points **3. zweiter Sieger** run-
ner-up
Siegerehrung *Sport:* presentation cere-
mony ['serəmənɪ]
siegessicher 1. confident ['kɒnfɪdənt] of
victory **2.** *übertragen* sure of one's suc-
cess
siegreich: die siegreiche Mannschaft
usw. the winning team *usw.*
siezen 1. jemanden siezen use the for-
mal 'Sie' with someone **2. sie siezen
sich** they are on 'Sie' terms
Signal 1. (≈ *Alarmsignal usw.*) signal
['sɪgnəl]; **das Signal stand auf „Halt"**
the signal was at 'stop' **2.** *übertragen* sign
[saɪn]; **das war das Signal zum Auf-
bruch** that was the sign to leave
Silbe 1. syllable ['sɪləbl] **2. er sagte keine
Silbe** he didn't say a word; **sie erwähnte
ihn mit keiner Silbe** she didn't even
mention him
Silbentrennung *am Zeilenende:* word di-
vision, hyphenation [,haɪfə'neɪʃn]

Silber 1. *Metall:* silver **2.** *Sport:* (≈ *Silber-
medaille*) silver, silver medal; **er hat Sil-
ber geholt** he won the silver medal
Silberhochzeit silver wedding, *AE* silver
(wedding) anniversary
Silbermedaille silver medal [,sɪlvə'medl]
Silbermedaillengewinner(in) silver-med-
allist [,sɪlvə'medlɪst]
**Silberstreifen: ein Silberstreifen am Ho-
rizont** *übertragen* a ray of hope
Silikon silicone ['sɪlɪkəʊn]
Silizium silicon ['sɪlɪkən]
Silvester New Year's Eve; **an** (*oder* **zu**)
Silvester on New Year's Eve

Silvester

Silvester wird in Schottland mit beson-
derer Begeisterung gefeiert und dort
Hogmanay [,hɒgmə'neɪ] genannt.

simpel 1. (≈ *einfach*) simple **2.** *in Wen-
dungen:* **es fehlt an den simpelsten
Dingen** some of the most basic things
are missing; **er ist nur ein simpler An-
gestellter** *abwertend* he's just a lowly
clerk [,ləʊlɪ'klɑːk]
simsen *Handy:* text; **ich werd dir simsen**
I'll text you

Simsen statt Telefonieren

Mittlerweile benutzen schon mehr
Handybesitzer ihre Geräte, um SMS-
Nachrichten zu versenden als zum Tele-
fonieren. „SMS" ist eine Abkürzung aus
dem Englischen und bedeutet **short
message service** oder **short messag-
ing system**. Im Deutschen werden für
den Vorgang, eine Textnachricht per
Handy zu verschicken, „eine SMS schi-
cken", „SiMSen" oder „simsen" ver-
wendet. Im Englischen dagegen
spricht man von **to text**:

I'll text you the exact title of the novel.
(Ich schicke dir den genauen Titel des
Romans als SMS.)

Simulant(in) malingerer [mə'lɪŋgərə]
simulieren 1. sham, feign [△ feɪn]
(*Krankheit*) **2.** simulate (*Vorgang, Situati-
on, Ablauf*) **3.** (≈ *Krankheit vortäuschen*)
malinger [mə'lɪŋgə], sham, *umg.* put* it
on, *AE* fake it; **sie simuliert nur** she's
just putting it on, *AE* she's just faking it
Sinfonie symphony ['sɪmfənɪ]
Singapur Singapore [,sɪŋə'pɔː]
singen 1. sing*; **richtig singen** sing* in
tune; **falsch singen** sing* out of tune **2.**

umg. (≈ _bei der Polizei auspacken_)
squeal [skwiːl]

Single (≈ _einzeln lebende Person_) single
(person)

Singular singular [ˈsɪŋgjʊlə]

Singvogel songbird

sinken 1. _allg.:_ sink*; **zu Boden sinken**
sink* (_oder_ drop) to the ground **2.**
(_Schiff_) sink*, go* down **3.** (_Aktien, Tem-
peratur usw._) fall*, drop, go* down; **das
Thermometer sinkt** the temperature is
falling **4. er ist tief gesunken** _moralisch:_
he has sunk very low

Sinn 1. _zur Wahrnehmung:_ sense; **die fünf
Sinne** the five senses; **den** (_oder_ **einen**)
sechsten Sinn haben have* **a** sixth
sense **2.** (≈ _Denken, Gemüt_) mind; **aus
den Augen, aus dem Sinn** out of sight,
out of mind **3.** (≈ _Verständnis, Empfäng-

lichkeit) sense (**für** of), feeling (**für** for);
Sinn für Humor a sense of humour; **sie
hat keinen Sinn für gute Musik** she
can't appreciate [əˈpriːʃreɪt] good music
4. (≈ _Bedeutung_) meaning; **das ergibt
keinen Sinn** it doesn't make sense; **im
wahrsten Sinne des Wortes** in the true
sense of the word, (≈ _buchstäblich_) liter-
ally **5.** (≈ _Zweck_) point; **das ist nicht
der Sinn der Sache** that's not the point;
das hat keinen Sinn it's no use [juːs] **6.**
(≈ _tiefere Bedeutung_) meaning; **der Sinn
des Lebens** the meaning of life **7. in
diesem Sinne, tschüs!** _umg._ on that
note I'll be off

Sinnestäuschung hallucination [hə,luːsɪ-
ˈneɪʃn]

Sinneswandel change of heart

sinngemäß 1. eine sinngemäße Wieder-

Singular im Englischen – Plural im Deutschen

Im Englischen gibt es einige Ausdrücke, die du nicht im Plural gebrauchen kannst,
obwohl sie im Deutschen auch im Plural vorkommen. Das heißt, du darfst sie auch
nicht mit dem unbestimmten Artikel **a** bzw. **an** benutzen. Statt dessen kannst du, wo
angebracht, **some** oder **any** einfügen. Hier die wichtigsten Beispiele:

advice	Rat(schlag), Ratschläge
He gave me <u>some</u> **very useful advice.**	Er gab mir einen guten Rat / einige gute Ratschläge.
information	Information, Informationen
Have you got <u>any</u> **information on the Edinburgh Festival?**	Haben Sie Informationen zum „Edinburgh Festival"?
knowledge	Kenntnis, Kenntnisse, Wissen
My knowledge of Latin isn't very good.	Meine Lateinkenntnisse sind nicht sehr gut.
news	Nachricht, Nachrichten (trotz **-s** am Ende verlangt **news** den Singular)
The news <u>is</u> **on in two minutes.**	In zwei Minuten kommen die Nachrichten.
I've got <u>some</u> **good news for you.**	Ich habe eine gute Nachricht für dich.
progress	Fortschritt, Fortschritte
She's making (some) progress.	Sie macht Fortschritte.
furniture	Möbel
My parents gave me this furniture.	Diese Möbel stammen von meinen Eltern.

Einigen dieser Substantive kann man auch **a piece of** voranstellen, um den Singular
auszudrücken:

a piece of advice	ein Ratschlag
a piece of information	eine Information
a piece of news	eine Nachricht
a piece of furniture	ein Möbelstück

S

gabe des Romans a rough [rʌf] summary of the novel **2.** *sinngemäß übersetzt* roughly translated **3.** *sinngemäß schreibt er: ...* the gist [dʒɪst] of what he writes is: ...

sinnlich 1. *die sinnliche Wahrnehmung* sensory ['sensərı] perception (△ *ohne* the) **2.** (≈ *sinnenfroh*) sensuous ['senʃʊəs] **3.** (≈ *erotisch*) sensual ['senʃʊəl]

sinnlos 1. (≈ *zwecklos*) pointless, useless ['juːsləs]; *es ist sinnlos, länger zu warten auch*: there's no point in waiting any longer **2.** (≈ *unsinnig*) stupid **3.** *sinnlose Gewalt* mindless violence **4.** *es ist alles so sinnlos* (≈ *bedeutungslos*) it's all so meaningless **5.** *sinnlos betrunken* blind drunk

sinnvoll 1. (≈ *vernünftig*) sensible ['sensəbl]; *es wäre sinnvoll, jetzt aufzupassen* it would be a good idea to pay attention now **2.** (≈ *nützlich*) useful ['juːsfl] **3.** *Satz, Aussage*: meaningful; *diese Übersetzung ist nur sinnvoll, wenn ...* this translation only makes sense if ...

Sintflut 1. *die Sintflut biblisch*: the Flood [flʌd] **2.** (≈ *starke Regenfälle*) torrential [təˈrenʃl] rain(fall) (△ *ohne* a)

sintflutartig: *sintflutartige Regenfälle* torrential [təˈrenʃl] rain(fall) (△ *Sg.*)

Sinuskurve *Mathematik*: sine [saɪn] curve

Siphon *unter Waschbecken*: siphon ['saɪfn]

Sirene siren ['saɪrən]

Sirup treacle ['triːkl], *AE* molasses (△ *Sg.*), (≈ *Fruchtsirup*) syrup ['sɪrəp]

Sitte 1. (≈ *Brauch*) custom ['kʌstəm]; *das ist bei uns nicht Sitte* we don't do that around here **2.** *was sind das für neue Sitten?* who taught you that? **3.** *Sitten* (≈ *Moral*) morals ['mɒrəlz]; *lockere Sitten* loose [luːs] morals

Situation *allg.*: situation [ˌsɪtʃʊˈeɪʃn]

Sitz 1. *allg.*: seat (*auch übertragen Amtssitz, Parlamentssitz usw.*) **2.** *es hat die Zuschauer von den Sitzen gerissen* the audience were swept off their feet **3.** *eines Unternehmens*: seat, head office; *der Sitz der Firma ist in München auch*: the company is (*oder* are) based in Munich

sitzen 1. (≈ *dasitzen*) sit*; *bleib sitzen!* don't get up; *wir sitzen gerade beim Frühstück* we're just having breakfast **2.** *die Bank sitzt in Luxemburg* the bank has its head office in Luxembourg **3.** *umg.*; *im Gefängnis*: do* time; *er saß sechs Monate* he did six months **4.** *sie sitzt im Parlament* she has a seat in Parliament (△ *ohne* the) **5.** (*Kleidung*) fit;

der Rock sitzt gut the skirt is a good fit **6.** *in Wendungen*: *er hat einen sitzen umg.* he's had one too many; *das hat gesessen!* that hit home; *das lasse ich nicht auf mir sitzen* I'm not just going to sit here and take that

> **sitzen bleiben:** *er ist sitzen geblieben Schule*: he's got to repeat a year
> **sitzen lassen:** *sie hat ihn sitzen lassen* (≈ *verlassen*) she walked out on him

sitzenbleiben → *sitzen bleiben*

sitzenlassen → *sitzen lassen*

Sitzgelegenheit seat, place to sit

Sitzordnung seating plan

Sitzplatz seat; *das Stadion hat 10 000 Sitzplätze* the stadium seats 10,000

Sitzung 1. (≈ *Besprechung*) meeting; *bei* (*oder auf*) *einer Sitzung* at a meeting **2.** *des Parlaments*: session

Sizilien Sicily ['sɪsəlɪ]

Skala *allg.*: scale [skeɪl]

Skandal scandal ['skændl]

skandalös scandalous ['skændləs]

Skandalpresse gutter press

Skandinavien Scandinavia [ˌskændɪˈneɪvɪə]

Skateboard skateboard

Skateboarder(in) skateboarder

Skatepark skatepark ['skeɪtpɑːk]

Skelett skeleton ['skelɪtən]

skeptisch sceptical ['skeptɪkl]; *ich bin da skeptisch auch*: I'm not so sure (about it)

Ski ski [skiː]; *Ski laufen* (*oder fahren*) ski, go* skiing

Skianzug ski suit ['skiː ˌsuːt]

Skifahren skiing ['skiːɪŋ]

Skifahrer(in) skier ['skiːə]

Rund ums Skifahren

Bindung	**(safety) binding**
Buckel	**mogul** ['məʊgl]
Idiotenhügel	**nursery slope**
Kehre	**turn**
Langlauf	**cross-country skiing**
Loipe	**course, trail**
Sessellift	**chair lift**
Skianzug	**ski suit**
Skibrille	**(ski) goggles**
Skier	**skis**
Skilift	**ski lift**
Skimütze	**skiing hat**
Skistiefel	**ski boots**
Skistöcke	**(ski) poles**
Tiefschnee	**deep powder snow**

S

| Tiefschnee-fahren | **deep snow skiing, deep powder skiing** |
| Wedeln | **wedel** ['wedl, 'veɪdl] |

Skigebiet skiing area ['skiːɪŋ,eərɪə]
Skihang ski [skiː] slope
Skikurs skiing course ['skiːɪŋ_kɔːs]
Skilanglauf cross-country skiing ['skiːɪŋ]
Skilehrer(in) skiing ['skiːɪŋ] instructor
Skilift ski lift ['skiː_lɪft]
Skischanze ski jump ['skiː_dʒʌmp]
Skispringen ski [skiː] jumping
Skistiefel ski [skiː] boot
Skizze 1. (≈ *Zeichnung*) sketch 2. (≈ *Entwurf*) outline
skizzieren 1. (≈ *zeichnen*) sketch 2. (≈ *kurz darstellen*) outline; **könnten Sie das kurz skizzieren?** could you give me a brief outline (of it)?
Sklave slave (*auch übertragen*)
Sklaventreiber(in) *auch übertragen* slavedriver
Sklavin slave
Skorpion 1. *Tier*: scorpion ['skɔːpɪən] 2. *Sternzeichen*: Scorpio ['skɔːpɪəʊ]; **ich bin** (**ein**) **Skorpion** I'm a) Scorpio
Skrupel scruple ['skruːpl], **ich habe Skrupel, es zu tun** I have scruples <u>about</u> do<u>ing</u> it; **er hat** (*oder* **kennt**) **keine Skrupel** he has no scruples
skrupellos unscrupulous [ʌn'skruːpjʊləs]
Slalom *Skisport*: slalom ['slɑːləm]
Slawe Slav [slɑːv]
Slawin Slav [slɑːv]
slawisch Slav [slɑːv], Slavic ['slɑːvɪk]
Slip 1. (≈ *Unterhose*) briefs (△ *Pl.*) 2. *für Frauen*: knickers ['nɪkəz] (△ *Pl.*), *AE* panties ['pæntɪz] (△ *Pl.*); **ist das dein Slip?** <u>are</u> <u>those</u> your panties? (△ *engl.* slip = **Unterrock**)
Slipeinlage panty ['pæntɪ] liner
Slowake Slovak ['sləʊvæk]; ☞ **Nationalitäten**
Slowakei Slovakia [sləʊ'vækɪə]
Slowakin, slowakisch, Slowakisch Slovak ['sləʊvæk]; ☞ **Nationalitäten**
Slowene Slovene ['sləʊviːn]; ☞ **Nationalitäten**
Slowenien Slovenia [sləʊ'viːnɪə]
Slowenin, slowenisch, Slowenisch Slovene ['sləʊviːn]; ☞ **Nationalitäten**
Small Talk (≈ *unverbindliche Unterhaltung*) small talk
Smiley *Internet, E-Mail*: smiley ['smaɪlɪ]
Smog smog [smɒg]
Smogalarm smog alert ['smɒg_ə,lɜːt]
Smogwarnung smog warning

Small Talk

Beim **Small Talk** macht man oft Komplimente. Hier ein paar Hilfsmittel, die du öfter mal einsetzen kannst:

angenehm	**pleasant**
unglaublich, toll	**amazing**
das ist geil	**it's fab, really hot,** *AE* **awesome,** *AE auch* **the bomb**
gut	**good,** *Wetter auch*: **fine**
hübsch	*Ding*: **pretty,** *Frau*: **pretty, good-looking,** *Mann*: **good-looking, handsome**
interessant	**interesting**
sympathisch	**nice, pleasant**
toll	**great**
fantastisch	**brilliant, fantastic**
spitze!	**great,** *BE auch* **brilliant, fab**
echt cool!	**really** (*AE* **real**) **cool**

Smoking dinner jacket, *AE* tuxedo [tʌk'siːdəʊ], tux
SMS 1. *System*: text messaging, SMS (*Abk. für* **S**hort **M**essage **S**ervice) 2. *Nachricht*: SMS, text message; **ich schicke dir eine SMS** I'll <u>text</u> you (something)
SMS-Nachricht SMS (message), text message; **ich schicke dir eine SMS-Nachricht** I'll <u>text</u> you (something)
Snowboard snowboard
Snowboarder(in) snowboarder
so 1. *allg.*: so; **und so weiter** and 'so on 2. (≈ *auf diese Weise*) like this, like that; **nun sei doch nicht so!** don't be like 'that!; **so geht es nicht** it doesn't work like that, *übertragen*; *als Tadel*: that's just not on 3. **so** (**et**)**was** something like that; **sie ist einkaufen oder so** (**was**) *umg.* she's gone shopping or something (like that); **so etwas hatte ich noch nie gesehen** I'd never seen <u>anything</u> like it 4. **oder so** *bei Mengenangaben usw.*: or so; **fünf Euro oder so** five euros or so 5. *vergleichend*: **so ... wie** as ... as; **es ist**

Smog

Das aus dem Englischen übernommene „Smog" ist eine Zusammensetzung aus **smoke** (Rauch) und **fog** (Nebel).

S

nicht so kalt wie gestern it's not as cold as yesterday **6.** *verstärkend:* **es ist so kalt!** it's so cold!; **er ist so was von blöd!** he's so stupid! **7. so ein Idiot!** what an idiot!; **so ein schönes Geschenk!** what a lovely present! **8. so ein ...** such a(n) ...; **er ist so ein strenger Lehrer** he's such a strict teacher **9. er ist nicht so dumm, das öffentlich zu sagen** he's not so stupid <u>as</u> to say that in public **10. so genannt** so-called **11.** (≈ *ungefähr*) about, around; **sie kommt so in einer Stunde** she'll be here in an hour or so (*oder* in about an hour) **12.** *Wendungen:* **so ist das Leben** that's life; **wie du mir, so ich dir** tit for tat; **was treibst du denn so?** what are you up to these days?

---

so viel 1. so much; **red nicht so viel** don't talk so much **2. so viel wie** as much as; **doppelt** (*bzw.* **halb**) **so viel** twice (*bzw.* half) as much **3. so viel für heute** that's it for today; → **soviel**
so weit 1. (≈ *bis jetzt, bis hierher*) so far; **so weit ging alles gut** *auch:* up to now everything's gone well **2. es geht mir so weit gut** I'm doing all right on the whole **3. wir sind so weit** (≈ *bereit*) we're ready ['redɪ]; **es ist so weit, wir können reingehen** they're *usw.* ready now, so we can go in; **es ist so weit, wir können essen** dinner's (*bzw.* lunch is) ready; → **soweit**

---

sobald: ich komme, sobald ich kann I'll come as soon as I can (△ *Zukunftsform im Hauptsatz bei* as soon as)
Socke 1. sock **2. ich muss mich auf die Socken machen** *umg.* I'd better get a move on
Sofa sofa, *BE auch* settee [se'tiː], *AE auch* couch [kaʊtʃ]
sofort 1. straightaway ['streɪtəˌweɪ], immediately [ɪ'miːdɪətlɪ], at once [ət-'wʌns]; **er ging sofort ins Bett** *auch:* he went straight to bed **2. ich komme sofort!** I'll be with you right away
Software software
Softwarepaket software pack<u>age</u>
sogar 1. even; **sogar** (**der**) **Peter war da** even Peter was there **2. das ist billig, sogar sehr billig** it's cheap - very cheap, in fact
sogenannt so-called
Sohle sole
Sohn son [sʌn]
Soja soy, soya ['sɔɪə]
solang(e) 1. as long as; **das vergesse ich nicht solange ich lebe** I won't forget

that for the rest of my life **2.** (≈ *während*) as long as, while; **solange er schläft, ist es ruhig** it's quiet as long as (*oder* while) he's asleep **3.** (≈ *vorausgesetzt*) as long as; **ich machs, solange du mir dabei hilfst** I'll do it as long as you help me
Solarenergie solar energy [ˌsəʊlər-'enədʒɪ]
Solarzelle solar cell [ˌsəʊlə'sel]
solch 1. that kind of; **ich mag solchen Käse** I don't like that kind of cheese **2.** *Plural:* those kind of (△ *mst. im gesprochenen Englisch*); **solche Leute** *auch:* people like that, people of that kind **3.** *verstärkend:* **solch ein(e)** such a, such an; **es war solch ein schönes Fest** it was such a nice party **4.** *Plural:* such; **es sind solch nette Leute** they're such nice people; **ich habe solche Kopfschmerzen** I've got <u>such</u> a headache (△ *Sg.*) **5. ich habe solchen Hunger** I'm <u>so</u> hungry
Soldat 1. soldier ['səʊldʒə], serviceman ['sɜːvɪsmən] **2. er ist Soldat** he's in the army **3. Soldat werden** join the army
Soldatin (woman) soldier
Solidarität solidarity
solide 1. *Haus, Bauweise, Möbel:* solid **2. solide gebaut** well-built [ˌwel'bɪlt] **3.** *Person, Firma:* respectable [rɪ'spektəbl]; **er ist solide geworden** he's settled down **4. solide Kenntnisse in Wirtschaft** <u>a</u> sound knowledge <u>of</u> economics **5. eine solide Arbeit** a sound <u>piece</u> of work
sollen 1. *bei Anordnung, Anweisung, Auftrag:* be* to, be* supposed to; **du sollst nach Hause kommen** you're to come home; **du solltest längst im Bett sein** you're supposed to be in bed, you should have been in bed long ago; **ich soll dir ausrichten, dass ...** I'm to tell you that ... **2. soll ich mitkommen?** shall I come?, do you want me to come? **3.** *bei Absicht, Vorhaben:* **hier soll eine Straße gebaut werden** they're planning to build a street here; **was soll das sein?** what's that supposed to be?; **das sollte ein Witz sein** it was meant as a joke; **das sollst du mir büßen!** you'll pay for that! **4.** *bei Ratschlag, Vorwurf usw.:* should, ought [ɔːt] to; **du solltest das Buch mal lesen** you should (*oder* ought to) read the book; **man hätte es ihm sagen sollen** he ought to (*oder* should) have been told; **ich hätte es wissen sollen** I should have known; **du solltest lieber nach Hause gehen** I think you'd better go home **5.** *bei Unentschlossenheit:* **was soll ich tun?** what

S

shall (*oder* should) I do?; **was soll ich sagen?** what can I say?, *ratlos*: what am I supposed to say? **6.** *bei Gerüchten*: be* supposed to, be* said to; **sie soll sehr reich sein** she's said (*oder* supposed) to be very rich, they say she's very rich **7.** *bei Schicksal, Bestimmung*: **sie sollte einmal eine berühmte Sängerin werden** she was to become a famous singer; **es hat nicht sein sollen** it wasn't meant to be **8.** *in Fragen*: **was soll das?** what's all this about?, *verärgert*: what's the idea?; **was soll ich damit?** what am I supposed to do with it?; **was solls** *umg.* who cares

Solo 1. *Musik*: solo **2.** *Sport*: solo run

solo 1. *Musik*: solo **2. ich lebe solo** *umg.* I live alone

somit 1. (≈ *also*) therefore; **sie ist älter und somit vernünftiger** she's older and therefore more sensible **2.** (≈ *hiermit*) so; **..., und somit komme ich zum Ende** ... and that brings me to the end

Sommer summer (*der Sommer* summer (△ *ohne* the); **im Sommer** in (the) summer

Sommerferien summer holidays, *AE* summer vacation [veɪˈkeɪʃn] (△ *Sg.*)

sommerlich 1. summery **2. sich sommerlich anziehen** put* on one's summer clothes [kləʊ(ð)z]

Sommerloch *in der Presse usw.*: silly season

Sommermode summer fashions (△ *Pl.*)

Sommersachen *Kleidung*: summer clothes [kləʊ(ð)z]

Sommerschlussverkauf summer sales (△ *Pl.*), July sales (△ *Pl.*); **es ist Sommerschlussverkauf** the July sales are on

Sommerspiele: die Olympischen Sommerspiele the Summer Olympics [əˈlɪmpɪks]

Sommersprossen freckles

Sommerzeit 1. *Jahreszeit*: summertime (△ *ohne* the) **2.** *Uhrzeit*: daylight saving time, *BE auch* summer time (△ *zwei Wörter*)

Sonderangebot special offer

sonderbar strange, odd

Sondermüll hazardous [△ ˈhæzədəs] waste, toxic waste

sondern but; **nicht nur ..., sondern auch ...** not only ..., but also ...

Sonderpreis special price; **ich habs zum Sonderpreis bekommen** I got it <u>on</u> special offer

Sonderschule special school (**für Behinderte** *usw.* for the handicapped *usw.*)

Sondersendung special broadcast

Sonderzeichen *für Computer*: special character [ˈkærəktə], symbol [ˈsɪmbl]

Sonnabend Saturday [ˈsætədeɪ]; **am Sonnabend** (on) Saturday; → **Samstag**

sonnabends on Saturday, on Saturdays; → **samstags**

Sonne 1. sun; **an der Sonne** in the sun **2.** (≈ *Sonnenlicht*) sun, sunlight; **die Wohnung hat wenig Sonne** the flat doesn't get much sun (*oder* sunlight)

sonnen: sich sonnen lie* in the sun, sunbathe [ˈsʌnbeɪð]

Sonnenanbeter(in) *umg.* sun-worshipper

Sonnenaufgang sunrise; **bei Sonnenaufgang** at sunrise, when the sun comes up

Sonnenblume sunflower

Sonnenbrand 1. sunburn; **sie hat einen Sonnenbrand** she's got sunburn (△ *ohne* a) **2. einen Sonnenbrand bekommen, sich einen Sonnenbrand holen** get* sunburnt

Sonnenbrille sunglasses (△ *Pl.*); **wo ist meine Sonnenbrille?** where <u>are</u> my sunglasses?

Sonnencreme suncream

Sonnenenergie solar energy [ˌsəʊlərˈenədʒɪ]

Sonnenfinsternis eclipse [ɪˈklɪps] of the sun, solar eclipse

sonnenklar *umg.* crystal-clear [ˌkrɪstlˈklɪə]

Sonnenlicht sunlight

Sonnenmilch suntan lotion

Sonnenöl suntan oil

Sonnenschein sunshine

Sonnenschirm sunshade

Sonnenschutzmittel suntan lotion (*bzw.* cream), sun cream

Sonnenstich sunstroke; **sie hat einen Sonnenstich** she's got (*oder* she's suffering from) sunstroke (△ *ohne* a)

Sonnensystem solar [ˈsəʊlə] system

Sonnenuhr sundial [ˈsʌndaɪəl]

Sonnenuntergang sunset; **bei Sonnenuntergang** at sunset, when the sun goes down

sonnig sunny

Sonntag Sunday; **wir sehen uns dann (am) Sonntag** see you (on) Sunday

Sonntagabend: (am) Sonntagabend (on) Sunday evening, (on) Sunday night

sonntagabends (on) Sunday evenings

Sonntagmorgen: (am) Sonntagmorgen (on) Sunday morning

Sonntagnachmittag: (am) Sonntagnachmittag (on) Sunday afternoon

sonntags on Sunday, on Sundays; **sonntags abends** *usw.* (on) Sunday evenings *usw.*

Sonntagsfahrer(in) *im negativen Sinn*

Sunday driver

sonst 1. (≈ *andernfalls*) otherwise, or (else); ***beeil dich, sonst kommen wir zu spät*** hurry up or we'll be late; ***benimm dich, sonst setzt es was!*** behave yourself, or else! **2. *sonst noch etwas?*** anything else?; ***war außer dir sonst noch jemand da?*** was there anyone (else) there apart from you?; ***sonst noch Fragen?*** any more questions? **3.** (≈ *für gewöhnlich*) usually ['juːʒʊəlɪ], normally; ***sonst ist er nicht so*** he isn't usually like that

sooft 1. (≈ *jedesmal wenn*) whenever **2.** (≈ *wann auch immer*) whenever, as often as; ***sooft du willst*** as often as you like

Sopran 1. *Stimmlage, Sängerin*: soprano [sə'prɑːnəʊ] **2.** *Teil eines Chors*: soprano section, sopranos (△ *Pl.*)

Sorge 1. (≈ *Besorgnis, innere Unruhe*) worry [△ 'wʌrɪ], concern (**um** about, over); ***sich um jemanden Sorgen machen*** be* worried about someone; ***er macht mir Sorgen*** I'm worried about him; ***das lass mal meine Sorge sein*** leave that to me **2. *Sorgen*** (≈ *Probleme*) worries, problems; ***finanzielle Sorgen*** financial worries, money problems **3.** *Wendungen*: ***keine Sorge!*** don't worry!; ***deine Sorgen möchte ich haben!*** if that's all you've got to worry about

sorgen 1. *sich sorgen* be* worried [△ 'wʌrɪd], worry (**um, wegen** about) **2. *für jemanden sorgen*** look after someone, take* care of someone **3. *ich sorge für die Getränke*** I'll see to the drinks **4. *dafür sorgen, dass*** make* sure that, see* to it that; ***dafür werd ich sorgen*** I'll see to it, *drohend*: I'll make sure of that

Sorgenkind problem child

Sorgfalt care; ***mit der größten Sorgfalt*** with the utmost ['ʌtməʊst] care

sorgfältig 1. *allg.*: careful ['keəfl] **2.** (≈ *gründlich*) thorough [△ 'θʌrə]

sorglos 1. (≈ *sorgenfrei*) free from worries, carefree **2.** (≈ *nachlässig*) careless

Sorte sort, kind; ***welche Sorten Käse haben Sie?*** what kinds of cheese have you got?

sortieren 1. *allg.*: sort (**nach** according to) (*auch Computer*) **2.** *nach Qualität*: grade **3.** (≈ *ordnen*) arrange

Soße 1. *allg.*: sauce [sɔːs] **2.** *zum Braten*: gravy ['greɪvɪ] **3.** *zum Salat*: dressing

Soundkarte *Computer*: sound card

Souvenir souvenir [,suːvə'nɪə]

souverän 1. (≈ *überlegen*) superior [suː'pɪərɪə]; ***ein souveräner Sieg*** a convincing victory **2.** *Staat*: sovereign

[△ 'sɒvrɪn]

soviel 1. *soviel ich weiß* as far as I know **2. *soviel ich gehört habe*** from what I've heard; → *so*

soweit: *soweit ich es beurteilen kann* as far as I can judge; → *so*

sowie 1. (≈ *wie auch*) as well as **2.** (≈ *sobald*) as soon as

sowieso anyway; ***sie kommt sowieso nicht*** she isn't coming anyway

sowohl: *er kann sowohl Englisch als auch Russisch* he knows English <u>as well as</u> Russian, he can speak <u>both</u> English <u>and</u> Russian

sozial social ['səʊʃl]

Sozialabbau social cuts (△ *Pl.*)

Sozialamt social security office, welfare office

Sozialdemokrat(in) social democrat ['deməkræt]

sozialdemokratisch social democratic

Sozialhilfe *BE* social security, income support, *AE* welfare; ***Sozialhilfe beziehen*** be* on social security, *AE* be* on welfare

Sozialismus socialism ['səʊʃəlɪzm]

Sozialist(in) socialist ['səʊʃəlɪst]

sozialistisch socialist

Sozialkunde social studies (△ *Pl.*)

Sozialstaat welfare state

Sozialwohnung *BE etwa*: council flat, *AE* public housing unit

sozusagen so to speak

Spachtel *zum Gipsen usw.*: spatula ['spætʃʊlə]

Spagetti, Spaghetti spaghetti (△ *Sg.*); ***meine Spaghetti werden kalt*** my spaghetti's getting cold

Spalt 1. (≈ *Öffnung*) gap, opening **2. *die Tür einen Spalt offen lassen*** leave* the door open slightly

Spalte *in der Zeitung*: column [△ 'kɒləm]

spalten 1. split* (*auch Atome*) **2. *sich spalten*** (*Gruppe, Partei usw.*) split*, split* up

Spaltung 1. *allg.*: splitting **2.** *von Atomen*: splitting, fission **3.** *von Partei usw.*: split

Spange (≈ *Haarspange*) slide

Spanien Spain [speɪn]

Spanier 1. Spaniard ['spænjəd]; ***er ist Spanier*** he's Spanish; ***die Spanier*** the Spanish; ☞ ***Nationalitäten 2.** umg.* (≈ *spanisches Lokal*) Spanish place, Spanish restaurant ['restərɒnt]

Spanierin Spanish woman (*oder* lady *bzw.* girl); ***sie ist Spanierin*** she's Spanish; ☞ ***Nationalitäten***

spanisch 1. Spanish ['spænɪʃ] **2. *das kommt mir spanisch vor*** that's (very) strange

S

Spanisch Spanish ['spænɪʃ]

spannen 1. stretch (*Stoff, Plane usw.*) **2.** tighten (*Saite, Seil*) **3.** draw* (*Bogen*) **4.** *das Hemd spannt* the shirt's too tight **5.** *umg.* (≈ *verstehen*) *er hats endlich gespannt* the penny's dropped at last, *AE* he finally gets it

spannend 1. exciting [ɪk'saɪtɪŋ] **2.** *das Buch ist spannend geschrieben* it's an exciting book **3.** *machs nicht so spannend! umg.* come on, get on with it!

Spanner *umg.* (≈ *Voyeur*) peeping Tom

Spannung 1. (≈ *gespannte Stimmung*) excitement, tension **2.** *nervlich*: tension **3.** *in Film, Roman*: suspense [sə'spens] **4.** *Spannungen* (≈ *Konflikt*) tension (△ *Sg.*) **5.** *elektrisch*: voltage ['vəʊltɪdʒ]; *unter Spannung stehen* (*Leitung*) be* live

Sparbuch savings book

Sparbüchse moneybox

sparen 1. save (*Geld, Kosten, Zeit usw.*); *ich habe mir einiges gespart* I've managed to save (up) a bit **2.** *spar dir deine Worte!* save your breath; *das hättest du dir sparen können* you could have saved yourself the trouble **3.** *für* (*oder* *auf*) *etwas sparen* save up for something **4.** (≈ *sich einschränken*) economize [ɪ'kɒnəmaɪz] (*mit* on); *wir müssen sehr sparen* we have to save hard

Spargel asparagus [△ ə'spærəgəs]

Sparkasse savings bank

Sparkonto savings account

spärlich 1. *Beleuchtung, Mahlzeit, Vorrat usw.*: scanty ['skæntɪ] **2.** *spärliche Kenntnisse* scant [skænt] knowledge (△ *Sg.*) (*in* of) **3.** *er hat einen spärlichen Haarwuchs* he's got thinning hair **4.** *spärlich bekleidet* scantily dressed

sparsam 1. *Person*: thrifty ['θrɪftɪ]; *er ist sehr sparsam meist* he's very careful ['keəfl] with his money **2.** *sparsam leben* live economically [ˌiːkə'nɒmɪklɪ] **3.** *Auto, Motor, Verbrauch*: economical **4.** *sparsam mit etwas umgehen* go* easy on something

Sparsamkeit 1. *einer Person*: thrift [θrɪft], thriftiness **2.** *eines Autos usw.*: economy [ɪ'kɒnəmɪ]

Sparschwein piggy bank

Spaß, ⓐ **Spass 1.** (≈ *Scherz*) joke; *ich mach nur Spaß* I'm only joking; *sie versteht keinen Spaß* she can't take a joke **2.** (≈ *Vergnügen*) fun; *das hat Spaß gemacht* that was fun; *es macht mir keinen Spaß mehr* I'm fed up with it; *viel Spaß!* have fun!, enjoy yourself (*bzw.* yourselves)! **3.** *was kostet der Spaß? umg.* how much is that going to set me back? **4.** *ein teurer Spaß umg.* an expen-

sive business

spaßen 1. joke **2.** *damit ist nicht zu spaßen* it's no joking matter **3.** *mit ihm ist nicht zu spaßen* he won't stand for any nonsense

Spaßverderber(in) spoilsport

spät 1. late; *spät am Abend* late in the evening; *es wird spät* it's getting late **2.** *zu spät kommen* be* late; *sie kam fünf Minuten zu spät* she was five minutes late (△ *ohne* too) **3.** *von früh bis spät* from morning till night **4.** *wie spät ist es?* what time is it?

Spaten spade

später 1. later; *früher oder später* sooner or later; *bis später!* see you later; *ich habs erst später gemerkt* I only realized later (on) **2.** (≈ *zukünftig*) future ['fjuːtʃə]; *ihr späterer Mann* her future husband **3.** *an später denken* think* of the future

spätestens at the latest (△ *am Satzende*); *der Aufsatz muss bis spätestens Freitag fertig sein* the essay has to be ready by Friday at the latest

Spätsommer late summer, Indian summer

Spätvorstellung late-night performance

Spatz 1. *Vogel*: sparrow **2.** *das pfeifen die Spatzen von den Dächern* it's all over town, everybody knows about it **3.** *Kosewort*: darling

spazieren 1. walk **2.** *spazieren gehen* go* for a walk; *ich war spazieren* I went for a walk

Spaziergang 1. walk, stroll [strəʊl]; *einen Spaziergang machen* go* for a walk **2.** *die Matheprüfung war der reinste Spaziergang umg.* the maths exam was a cinch [sɪntʃ] *oder BE* pushover

Specht woodpecker

Speck 1. *vom Schwein*: bacon ['beɪkən] fat **2.** *durchwachsener Schinkenspeck*: bacon ['beɪkən] **3.** *beim Menschen*: fat, flab; *Speck ansetzen umg.* put* it on, get* fat

Spedition 1. (≈ *Transportfirma*) forwarding (*oder* shipping) agency, haulage company ['hɔːlɪdʒˌkʌmpənɪ] **2.** (≈ *Möbelspedition*) removal firm [rɪ'muːvl̩ ˌfɜːm]

Speer 1. *Waffe*: spear [△ spɪə] **2.** *Sportgerät*: javelin ['dʒævəlɪn]

Speerwerfen *Sport*: (throwing the) javelin ['dʒævəlɪn], the javelin; *er wurde Zweiter beim Speerwerfen* he came second in the javelin

Speiche *am Fahrrad usw.*: spoke

Speichel saliva [sə'laɪvə]

Speicher[1] *Computer*: memory

Speicher[2] (≈ *Dachboden*) attic ['ætɪk],

loft

Speicherkapazität *Computer*: memory; *was hat dein PC für eine Speicherkapazität?* how much memory has your PC got?

speichern 1. store (*Ware usw.*) **2.** *Computer*: save (*auf* onto, to)

Speise: *Speisen und Getränke* food and drink (△ *beide Sg.*); *warme und kalte Speisen* hot and cold dishes

Speisekammer pantry ['pæntrɪ]

Speisekarte menu ['menjuː] (△ *Menü* = set meal)

Speisesaal 1. *allg.*: dining hall **2.** *im Hotel*: dining room **3.** *auf Schiff*: dining saloon **4.** *in College, Kloster*: refectory [rɪ-'fektərɪ]

Speisewagen dining car, *BE auch* restaurant ['restərɒnt] car

spektakulär spectacular [spek'tækjʊlə]

Spekulation (≈ *Vermutung*) speculation [ˌspekjʊ'leɪʃn]; *das ist reine Spekulation, das sind reine Spekulationen* that's pure speculation (△ *Sg.*)

spekulieren 1. speculate ['spekjʊleɪt] (*über* on) **2.** *an der Börse*: play the stock market

spendabel *umg.* generous ['dʒenrəs]

Spende 1. (≈ *Gabe*) donation [dəʊ'neɪʃn]; *bitte eine kleine Spende!* would you like to give something to charity? **2.** (≈ *Beitrag*) contribution [ˌkɒntrɪ'bjuːʃn]

spenden 1. give*, donate [dəʊ'neɪt] (*Lebensmittel, Geld usw.*); *großzügig spenden* give* generously **2.** *Blut spenden* give* blood **3.** give* (*Licht usw.*) (△ *engl.* spend = *ausgeben*)

Spender(in) 1. (≈ *Blut-, Organspender, -in*) donor ['dəʊnə] **2.** (≈ *Wohltäter, -in*) donator [dəʊ'neɪtə]

Spenderausweis donor card

spendieren: *jemandem ein Bier spendieren* buy* someone a beer

sperrangelweit: *sperrangelweit offen* wide open

Sperre 1. (≈ *Schranke*) barrier ['bærɪə] **2.** (≈ *Straßensperre*) road block **3.** *Sport*: suspension; *er erhielt eine dreiwöchige Sperre* he was suspended for three weeks

sperren 1. cut* off (*Gas, Strom, Telefon*) **2.** block, freeze* (*Konto*) **3.** stop (*Scheck*) **4.** *Sport*: suspend [sə'spend] (*Spieler*) **5.** close [kləʊz] (*Straße*)

Sperrholz plywood

Sperrmüll bulk(y) waste, *AE* heavy trash

Sperrstunde closing time

Sperrung *einer Straße*: closing (off)

Spesen expenses

Spezi 1. *bes.* ⓐ (≈ *Freund*) pal, *AE* bud-

dy **2.** *Getränk*: cola and lemonade mix

spezialisieren: *sich auf etwas spezialisieren* specialize ['speʃəlaɪz] in something; *wir sind auf Wörterbücher spezialisiert* we specialize in dictionaries

Spezialist(in) specialist ['speʃlɪst]

Spezialität speciality [ˌspeʃɪ'ælətɪ], *AE* specialty ['speʃltɪ]

speziell 1. *allg.*: special **2.** *Frage, Problem*: specific [spə'sɪfɪk]; *in diesem speziellen Fall* in this particular case **3.** *speziell angefertigt Anzug usw.*: made-to-measure, *AE mst.* custom-made

spicken *umg.* (≈ *abschreiben*) cheat

Spicker, Spickzettel *umg.*; *etwa*: crib

Spiegel mirror ['mɪrə] (*auch übertragen*)

Spiegelbild 1. mirror image [ˌmɪrə'ɪmɪdʒ] **2.** *übertragen* mirror, reflection

Spiegelei fried egg [ˌfraɪd'eg]

spiegelglatt *Straße, Fußboden*: very slippery

spiegeln 1. (≈ *reflektieren*) reflect (*auch übertragen*) **2.** *sich spiegeln* be* reflected

Spiel 1. (≈ *das Spielen*) play, playing; *den Kindern bei ihrem Spiel zuschauen* watch the children play(ing) **2.** *Schach, Dame, Mühle usw.*: game **3.** *Sport*: (≈ *Partie*) game, match; *wie steht das Spiel?* what's the score? **4.** *Wendungen*: *auf dem Spiel stehen* be* at stake; *etwas aufs Spiel setzen* risk something; *lass mich aus dem Spiel* count me out; *die Hand im Spiel haben* have* a finger in the pie

Spielautomat 1. *ohne Geldgewinn*: gaming (*oder* amusement) machine **2.** *mit Geldgewinn*: slot machine, *umg.* one-armed bandit ['bændɪt]

Spielball 1. *Ball*: ball [bɔːl] **2.** *Billardkugel*: cue ball ['kjuː‿bɔːl] **3.** *beim Tennis*: game point **4.** *beim Volleyball*: match ball

spielen 1. *allg.*: play (*Schach, Karten, Fußball usw.*) **2.** *um Geld*: gamble; → *falschspielen* **3.** *Sport*: *gut* (*bzw.* *schlecht*) *spielen* play well (*bzw.* badly); *wir haben unentschieden gespielt* the match ended in a draw **4.** *Musik*: *Klavier spielen* play the piano; *sie spielt hervorragend Geige* she's an outstanding violinist **5.** *Theater*: play, act; *er spielt den Hamlet* he plays (the part of) Hamlet; *den Beleidigten spielen übertragen* act offended **6.** *der Roman spielt um die Jahrhundertwende* the novel is set at the turn of the century **7.** *Wendungen*: *mit dem Feuer spielen* play with fire (△ *ohne* the); *seine Beziehungen spielen lassen* pull a few strings; *seinen*

Charme spielen lassen turn on the charm

spielend 1. *wir haben es spielend leicht geschafft* we managed it very easily **2.** *es ist spielend leicht* it's child's play

spielenlassen → *spielen* 7

Spieler(in) 1. *Sport:* player **2.** *Glücksspiel:* gambler

Spielfeld 1. *Fußball, Hockey usw.:* field, pitch **2.** *Basketball, Tennis, Squash usw.:* court [kɔːt]

Spielfilm feature ['fiːtʃə] film

Spielkamerad(in) playmate

Spielkasino casino, gambling casino

Spielmacher(in) *Sport:* key player

Spielplatz playground

Spielregel rule; *sich an die Spielregeln halten* auch übertragen stick* to the rules

Spielsachen toys

Spielsalon amusement arcade [ə'mjuːzmənt‿ɑː,keɪd], gaming room

Spielverderber(in) spoilsport

Spielverlängerung *Sport:* extra time

Spielzeit 1. *Sport, Theater:* (≈ *Saison*) season ['siːzn] **2.** *eines einzelnen Spiels:* playing time **3.** *eines Films usw.:* (≈ *Laufzeit*) run, (≈ *zeitliche Länge*) duration [dju'reɪʃn]

Spielzeug 1. toy; *die Fernbedienung ist kein Spielzeug!* the remote control isn't meant for playing with **2.** (≈ *Spielsachen*) toys (△ *Pl.*)

Spieß 1. (≈ *Bratspieß*) spit; *am Spieß braten* roast on the spit **2.** (≈ *Fleischspieß*) skewer ['skjuːə] **3.** *umg., übertragen den Spieß umdrehen* turn the tables (△ *Pl.*) (*gegen* on) **4.** *umg.* *schreien wie am Spieß* scream blue (*AE* bloody) murder

Spießer(in) 1. petty bourgeois [△ ,petɪ-'buəʒwaː]; *mein Vater ist ein Spießer* my father is very middle-class **2.** *die Spießer* the petty bourgeoisie [,buəʒwaː'ziː]

spießig petty bourgeois [△ ,petɪ-'buəʒwaː], very middle-class

Spikes *Pl.* **1.** *Sport:* (≈ *Metallstifte in Laufschuh*) spikes **2.** *in Autoreifen:* studs **3.** (≈ *Autoreifen Pl. mit Spikes*) studded tyres (*AE* tires)

Spinat spinach [△ 'spɪnɪdʒ]

Spinne spider

spinnen¹ 1. *umg.* (≈ *verrückt sein*) be* mad, be* crazy; *du spinnst wohl!* have you gone mad? **2.** *umg.* (≈ *Unsinn reden*) talk rubbish, *AE* talk garbage ['gɑːbɪdʒ]; *hör auf zu spinnen!* stop talking rubbish (*oder AE* garbage)!

spinnen² spin* (*Garn, Netz*)

Spinner(in) *umg., im negativen Sinn* nutcase, loony, *BE auch* nutter

Spinnwebe cobweb

Spion 1. (≈ *Spitzel*) spy **2.** (≈ *Guckloch*) spyhole, peephole

Spionage spying, espionage [△ 'espɪɑnɑːʒ]

spionieren 1. *als Spion:* spy **2.** *übertragen* snoop around

Spionin spy

Spirale 1. *Linie, Form:* spiral ['spaɪrəl] **2.** *zur Empfängnisverhütung:* coil, IUD [,aɪjuːˈdiː] (*Abk. für* intrauterine device)

Spirituosen spirits, *AE* liquor ['lɪkə] (△ *Sg.*)

Spiritus spirit

Spital △, ⊗ hospital ['hɒspɪtl]

spitz 1. *Nase, Kinn usw.:* pointed **2.** *Bleistift:* sharp **3.** *spitze Bemerkung* cutting remark **4.** *sie hat eine spitze Zunge* she's got a sharp tongue **5.** *er ist spitz drauf* umg. he's got his eye on it **6.** *er ist spitz wie Nachbars Lumpi* umg. he's a randy (*AE* horny) old goat

spitzbekommen → *spitzkriegen*

Spitze 1. *eines Pfeils, Messers usw.:* point **2.** *eines Berges:* peak, top, summit **3.** *die Spitze des Eisbergs* auch übertragen the tip of the iceberg **4.** *eines Turms:* spire **5.** *Sport:* (≈ *Führung*) lead; *sich an die Spitze setzen* take* the lead **6.** *Fußball:* (≈ *Stürmer, -in*) striker **7.** *eines Unternehmens usw.:* top position; *an der Spitze* in top position (△ *ohne* of) **8.** (≈ *Höchstwert*) maximum, peak **9.** *das Auto macht 160 Spitze* the car has a top speed of 100 miles per hour **10.** *das ist einsame Spitze* umg. that's absolutely brilliant **11.** (≈ *Stichelei*) dig (*gegen* at) **12.** *Gewebe:* lace

spitze *umg.* great, *BE auch* magic, ace

Spitzel 1. (≈ *Informant, -in*) informer **2.** (≈ *Spion, -in*) spy

spitzen 1. sharpen (*Bleistift*) **2.** *die Ohren spitzen* prick up one's ears

Spitzengeschwindigkeit top speed

Spitzenpolitiker(in) leading (*oder* top) politician

Spitzenposition top position

Spitzenreiter(in) *Sport:* front runner

Spitzer pencil sharpener ['ʃɑːpnə]

spitzfindig 1. (≈ *kleinlich*) pedantic **2.** (≈ *haarspalterisch*) hair-splitting

Spitzhacke pickaxe ['pɪkæks], *AE* pickax

Spitzkehre 1. *Kurve:* hairpin bend (*AE mst.* turn) **2.** *Skisport:* kick turn

spitzkriegen: *spitzkriegen, dass ...* umg. get* wise to the fact that ...

Spitzname nickname

Spleen 1. *umg.; Idee:* cranky idea **2.** *Ge-*

wohnheit: strange habit **3. *du hast wohl einen Spleen!*** you must be off your nut! (*AE* rocker) (△ *engl.* spleen = **Milz**)

Splitter 1. *aus Holz*: splinter **2.** *aus Glas, Porzellan*: fragment ['frægmənt], splinter

splitternackt *umg.* stark naked

sponsern sponsor ['spɒnsə]

Sponsor(in) sponsor ['spɒnsə]

spontan spontaneous [spɒn'teɪnɪəs]

Spontaneität spontaneity [ˌspɒntə'neɪətɪ]

sporadisch 1. sporadic **2. *ich sehe ihn nur sporadisch*** I only see him once in a while

Sport 1. *allg.*: sport; ***ich treibe viel Sport*** I do a lot of sport (*oder* sports) **2.** *als Schulfach*: physical education, PE [ˌpiː'iː] (*Abk. für* **p**hysical **e**ducation), *BE auch* sport, *umg.* gym [dʒɪm], games (△ *mit Verb im Sg.*)

Sportart sport; ***er hat alle möglichen Sportarten betrieben*** he did all kinds of sports

sportbegeistert keen on sports, *AE* into sports, *stärker*: sports-mad, *AE* sports crazy

Sportbekleidung sportswear ['spɔːtsweə]

Sportfest 1. *einer Schule*: sports day, *bes. AE* field day **2.** *eines Vereins*: sports (*oder* athletics) meet, *AE* track meet

Sporthalle gymnasium [dʒɪm'neɪzɪəm], gym [dʒɪm] (△ ***Gymnasium*** = *etwa*: grammar school, *AE* high school)

Sportlehrer(in) 1. *Schule*: PE [ˌpiː'iː] teacher (*Abk. für* **p**hysical **e**ducation), games teacher **2.** *im Verein*: sports instructor

Sportler athlete ['æθliːt], *BE auch* sportsman ['spɔːtsmən]

Sportlerin athlete ['æθliːt], *BE auch* sportswoman ['spɔːts,wʊmən]

sportlich 1. *Erfolg, Leistung usw.*: sporting **2. *auf sportlichem Gebiet*** in the field of sport **3. *sportlich sein*** do* a lot of sports, be* keenon (*AE* into) sports; ***sich sportlich betätigen*** do* sport(s) **4.** *Verhalten*: sportsmanlike, sporting **5.** *Figur*: athletic [æθ'letɪk]

Sportplatz sports grounds (△ *Pl.*), sports field

Sportreporter(in) sports reporter, *AE auch* sportscaster

Sportverein sports club

Sportzentrum sports centre

Spott 1. ridicule ['rɪdɪkjuːl] **2.** *bes. in der Schule*: teasing ['tiːzɪŋ]

spottbillig *umg.* dirt cheap

spotten 1. laugh [△ lɑːf] (***über*** at) **2.** (≈ *sich lustig machen*) make* fun (***über*** of) **3. *es spottet jeder Beschreibung*** I can't find words to describe it

spöttisch 1. *Bemerkung usw.*: mocking **2.** (≈ *höhnisch*) sneering

Sprachausgabe *Computer*: speech output, voice output

Sprache 1. *eines Volkes*: language ['læŋgwɪdʒ]; ***die gleiche Sprache sprechen*** speak* the same language (*auch übertragen*) **2. *in englischer Sprache*** in English **3.** *Sprechfähigkeit, Sprechen*: speech; ***die Sprache verlieren*** lose* one's speech **4. *mir blieb die Sprache weg*** I was speechless

Sprachenschule language school

Sprachfehler speech defect ['spiːtʃ ˌdiːˌfekt]

Sprachführer phrasebook

Sprachgefühl feel(ing) for (the) language, linguistic instinct [lɪŋˌgwɪstɪk'ɪnstɪŋkt]

Sprachgemeinschaft speech community

Sprachkenntnisse 1. knowledge [△ 'nɒlɪdʒ] (△ *Sg.*) of languages **2. *er hat gute englische Sprachkenntnisse*** he has a good knowledge (*oder* command) of English

Sprachkurs language course

Sprachlabor language laboratory [lə'brɒtrɪ], language lab

sprachlich 1. *sprachlicher Fehler* language mistake **2.** (≈ *stilistisch*) stylistic; ***sprachlich ist der Aufsatz gut*** the essay is written in good style

sprachlos speechless (***vor*** *Wut, Überraschung* with) **2. *ich bin sprachlos!*** I don't know what to say

Sprachunterricht language teaching

Spray spray

Spraydose spray can, aerosol ['eərəsɒl]

Sprayer(in) graffiti [grə'fiːtɪ] artist

sprechen 1. *allg.*: speak* (***mit*** to, with; ***über*** about); ***sprechen Sie Englisch?*** do you speak English?; ***das spricht für sich selbst*** it speaks for itself **2.** (≈ *sich unterhalten*) talk; ***sie sprechen nicht miteinander*** they're not talking (*oder* speaking) to each other **3.** (≈ *sagen*) say*; ***er spricht nicht viel*** he doesn't say much **4.** (≈ *eine Rede halten*) speak*, give* a talk (***über*** on); ***im Fernsehen sprechen*** speak* on television **5.** (≈ *sprechen mit*) see*, talk to; ***kann ich bitte Herrn X sprechen?*** may I speak to Mr X, please?; ***kann ich dich kurz sprechen?*** can I have a quick word with you? **6. *wir sprechen uns noch*** *drohend*: you haven't heard the last of this **7. *schlecht auf jemanden zu sprechen sein*** be* on bad terms with someone

Sprechen 1. speaking, talking **2. *jemanden zum Sprechen bringen*** get* someone to talk, *mit Zwang*: make* someone

S

talk

Sprecher(in) 1. (≈ *Redner, -in*) speaker **2.** (≈ *Ansager, -in*) announcer **3.** (≈ *Nachrichtensprecher, -in*) newsreader, *AE* newscaster **4.** *einer Gruppe, Partei usw.*: spokesman ['spəʊksmən], *Frau*: spokeswoman ['spəʊks,wʊmən], *Mann oder Frau*: spokesperson

Sprechstunde 1. *einer Behörde usw.*: office hours (△ *Pl.*) **2.** *beim Arzt*: surgery ['sɜːdʒərɪ] hours (△ *Pl.*), *AE* office hours

Sprechzimmer surgery ['sɜːdʒərɪ], *AE* (doctor's) office

sprengen 1. *mit Sprengstoff*: blow* up; *etwas in die Luft sprengen* blow* something up **2.** blast (*Fels, Gestein*) **3.** *die Spielbank sprengen* break* the bank **4.** break* up (*Versammlung*) **5.** sprinkle (*Wäsche*) **6.** water (*Rasen, Beet*)

Sprengkopf *an Rakete*: warhead ['wɔːhed]

Sprengladung explosive charge [ɪk-,spləʊsɪv'tʃɑːdʒ]

Sprengstoff 1. explosive [ɪk'spləʊsɪv] **2.** *übertragen* dynamite ['daɪnəmaɪt]

Sprengung 1. blowing up **2.** *die Terroristen drohten mit der Sprengung des Flugzeugs* the terrorists threatened to blow up the aircraft **3.** *im Steinbruch*: blasting **4.** *einer Versammlung*: breaking up

Sprichwort proverb [△ 'prɒvɜːb]

Springbrunnen fountain ['faʊntɪn]

springen 1. *allg.* jump (*auch im Sport, bei Brettspielen usw.*); *Schwimmsport*: dive*; *er sprang einen Salto* he did (*oder* performed) a somersault ['sʌməsɔːlt] **2.** (*Glas, Porzellan*) crack **3.** (*Saite*) break* **4.** (*Ball*) bounce; *der Ball sprang ins Aus* the ball went out **5.** *wenn sie ruft, springt er übertragen* he's at her beck and call **6.** *eine Runde springen lassen umg.* stand* a round **7.** *er ließ tausend Euro springen umg.* he coughed [kɒft] up a thousand euros

springenlassen → *springen* 6, 7

Springer *Schach*: knight [△ naɪt]

Springer(in) *Sport*: jumper

Springreiten show jumping

sprinten sprint

Sprinter(in) sprinter

Sprit *umg.* (≈ *Benzin*) petrol ['petrəl], *salopp* juice [dʒuːs], *AE* gas

Spritze 1. *zum Spritzen einer Medizin*: syringe [sɪ'rɪndʒ] **2.** (≈ *Injektion*) injection [ɪn'dʒekʃn], *umg.* shot; *eine Spritze bekommen* get* (*oder* have*) an injection

spritzen 1. squirt [skwɜːt], spray (*Flüssig-*

---

keit) (*auf* at, on) **2.** spray (*Parfüm, Pflanzenmittel usw.*) **3.** water (*Garten*) **4.** *Medizin*: inject [ɪn'dʒekt] (*Mittel*); *jemanden spritzen* give* someone an injection **5.** (*Wasser, Fett*) splash, spray

Spritzer 1. splash **2.** *kleiner*: drop

Spritzmittel *Landwirtschaft*: spray

Spritztour 1. *umg.* spin, jaunt; *eine Spritztour machen* go* for a spin

spröde 1. *allg.*: brittle **2.** *Haut*: rough [△ rʌf], chapped **3.** *Mädchen*: demure [dɪ'mjʊə], standoffish [,stænd'ɒfɪʃ]

Spross (≈ *Nachkomme*) offspring; *das ist unser jüngster Spross* he's our youngest

Spruch 1. saying **2.** *alles Sprüche!* it's all talk; *Sprüche machen* talk big

Sprudel 1. (mineral) water **2.** *gesüßt*: lemonade, *AE* lemon soda

sprudeln 1. bubble; (*Getränk*) fizz **2.** *vor Begeisterung sprudeln übertragen* bubble (over) with enthusiasm [ɪn-'θjuːzɪæzm]

Sprühdose spray can, aerosol ['eərəsɒl]

sprühen 1. spray **2.** (*Funken*) fly* **3.** *er sprüht vor Witz* he's incredibly witty

Sprühregen drizzle

Sprung 1. jump; *Wendungen*: *es ist nur ein Sprung* it's only a stone's throw away; *komm doch (mal) auf einen Sprung vorbei* why don't you drop by (some time)?; *jemandem auf die Sprünge helfen* give* someone a helping hand; *damit kann ich keine großen Sprünge machen* I won't get very far on that **2.** (≈ *Riss*) crack

Sprungbecken diving pool

Sprungbrett diving board

Sprungschanze ski jump ['skiː dʒʌmp]

Sprungturm diving platforms (△ *Pl.*)

Spucke *umg.* spit; *da blieb ihm die Spucke weg umg.* he was flabbergasted ['flæbəgɑːstɪd] (*BE auch* gobsmacked)

spucken 1. spit* (*nach* at); *große Töne spucken übertragen* talk big; *du spuckst drauf! übertragen* to hell with it! **2.** cough up [△ ,kɒf'ʌp] (*Blut*) **3.** *umg.* (≈ *sich erbrechen*) throw* up

Spucktüte sick bag

Spuk 1. (≈ *Geistererscheinung*) apparition [,æpə'rɪʃn], ghost **2.** *nächtlicher Spuk humorvoll* things that go bump in the night

spuken 1. *hier spukt es* this place is haunted **2.** *der Gedanke spukt ihr immer noch im Kopf* she's still obsessed with it

Spukgeschichte ghost story

Spülbecken sink

Spule 1. spool, reel **2.** *elektrische*: coil

Spüle sink unit

spulen spool, wind* [waɪnd] (*auf* onto)

spülen 1. rinse [rɪns] (*Wäsche usw.*) **2.** (≈ *abwaschen*) do* the dishes **3.** *Toilette*: flush the toilet

Spülkasten cistern ['sɪstən]

Spülmaschine dishwasher

Spülmittel washing-up liquid, *AE* dishwashing liquid

Spülung *WC allg.*: flush, *Spülkasten*: cistern ['sɪstən]

Spülwasser 1. *für Geschirr*: washing-up water **2.** *schmutziges*: dishwater

Spur 1. *im Schnee usw.*: track, tracks (*Pl.*) **2.** (≈ *Fährte, Blutspur usw.*) trail **3.** (≈ *Fahrspur*) lane; *in der Spur bleiben* keep* in lane; *die Spur wechseln* switch lanes, *AE mst.* change lanes (△ *Pl.*) **4.** *Magnetband, EDV*: track **5.** (≈ *kleine Menge*) trace (*auch übertragen Anzeichen*) **6.** *Wendungen*: *jemandem auf der Spur sein* be* after someone; *auf der falschen Spur sein* be* on the wrong track; *keine Spur! umg.* not a bit!

spürbar 1. (≈ *merklich*) noticeable ['nəʊtɪsəbl] **2.** (≈ *deutlich*) distinct [dɪ'stɪŋkt] **3.** *es wird spürbar kälter* it's definitely getting colder

spüren 1. feel*; *ich spüre nichts* I can't feel a thing; *ich spürs wieder im Rücken* my back's playing me up (*AE* bothering me) again **2.** (≈ *merken*) notice ['nəʊtɪs], *intuitiv*: sense; *von Begeisterung war nichts zu spüren* there was no sign of enthusiasm [ɪn'θjuːzɪæzm]

Spürhund sniffer dog

spurlos: *spurlos verschwinden* disappear without (a) trace

Spürsinn 1. *eines Tiers*: sense of smell **2.** *übertragen* nose, instinct ['ɪnstɪŋkt]

Spurt 1. sprint **2.** *zum Spurt ansetzen* make* a dash for it

spurten 1. *Sport*: sprint **2.** (≈ *schnell laufen*) run*, dash; *ich bin ganz schön gespurtet* you should have seen me run*

Squash *Sport*: squash

Squashschläger squash racket

SRG Swiss Broadcasting Corporation

Sri Lanka Sri Lanka [ˌsriː'læŋkə]

st! 1. psst! **2.** (≈ *Ruhe!*) ssh! [ʃ]

Staat 1. (≈ *Institution*) state **2.** (≈ *Land*) country ['kʌntrɪ], nation **3.** (≈ *Regierung*) government ['gʌvnmənt] **4.** *großen Staat machen* lay* on the whole works

staatlich 1. state …, government …, national ['næʃnəl] **2.** *Industrie usw.*: nationalized **3.** *staatlich geprüft* certified, qualified

Staatsangehörige(r) citizen ['sɪtɪzn]

Staatsangehörigkeit nationality [ˌnæʃə'næləti], citizenship ['sɪtɪznʃɪp]

Staatsanwalt, Staatsanwältin public prosecutor ['prɒsɪkjuːtə], *AE* district attorney [ˌdɪstrɪkt_ə'tɜːnɪ]

Staatsbesuch state visit

Staatsbürger(in) citizen ['sɪtɪzn]

Staatsbürgerkunde civics ['sɪvɪks] (△ *Sg.*)

Staatsdienst civil ['sɪvl] (*AE auch* public) service

Staatseigentum state property ['prɒpəti]

Staatsexamen state exam, state exams (*Pl.*); *er macht im Mai sein Staatsexamen auch*: he's taking his finals in May

Staatsgeheimnis 1. state secret ['siːkrɪt] **2.** *das ist kein Staatsgeheimnis übertragen* it's no secret

Staatsgrenze border, *BE auch* frontier [△ 'frʌntɪə]

Staatshoheit sovereignty [△ 'sɒvrənti]

Staatsmann statesman ['steɪtsmən]

Staatsoberhaupt head of state

Staatszugehörigkeit nationality [ˌnæʃə'næləti]

Stab 1. (≈ *Stange*) rod **2.** (≈ *Gitterstab*) bar **3.** (≈ *Hirtenstab*) staff [staːf] **4.** *des Dirigenten und beim Staffellauf*: baton ['bætɒn] **5.** *Stabhochsprung*: pole **6.** (≈ *Mitarbeiterstab*) staff (△ *mit Sg. oder Pl.*)

Stäbchen (≈ *Essstäbchen*) chopstick

Stabhochsprung pole vault ['pəʊl_vɔːlt]

Stabhochspringer(in) pole vaulter

stabil 1. *allg.*: stable **2.** (≈ *robust*) sturdy **3.** *stabil gebaut* solidly built [ˌsɒlɪdlɪ'bɪlt]

stabilisieren 1. stabilize ['steɪbəlaɪz] (*Gerüst, die Preise usw.*) **2.** *ihr Gesundheitszustand hat sich stabilisiert* her condition has stabilized

Stabilität stability [stə'bɪlətɪ]

Stachel 1. *einer Pflanze*: prickle **2.** (≈ *Dorn*) thorn **3.** *eines Insekts*: sting **4.** *eines Tiers*: spine

Stachelbeere gooseberry ['gʊzbəri]

Stacheldraht barbed wire

stachelig prickly

Stachelschwein porcupine ['pɔːkjʊpaɪn]

Stadel *bes.* Ⓐ, Ⓑ (≈ *Scheune*) barn

Stadion stadium ['steɪdɪəm] *Pl.*: stadiums *oder* stadia ['steɪdɪə]

Stadium stage, phase; *in diesem Stadium* at this stage, during this phase (△ *engl.* stadium = *Stadion*)

Stadt 1. town; *in der Stadt* in town (△ *ohne* the) **2.** (≈ *größere Stadt, Großstadt*) city; *die Stadt Dresden* the city of Dresden **3.** *bei der Stadt arbeiten* work for the (city) council (*bzw. bei Großstadt*: the corporation); ☞ *Info S. 934*

Städte

Manche europäische Städtenamen lauten im Englischen ganz anders als im Deutschen. Hier einige Beispiele:

Athen	**Athens** ['æθɪnz]
Brügge	**Bruges** [bruːʒ]
Brüssel	**Brussels** ['brʌslz]
Den Haag	**The Hague** [ðə'heɪg]
Lissabon	**Lisbon** ['lɪzbən]
Genf	**Geneva** [dʒɪ'niːvə]
Lüttich	**Liège** [lɪ'eɪʒ]
Mailand	**Milan** [mɪ'læn]
Moskau	**Moscow** ['mɒskəʊ]
München	**Munich** ['mjuːnɪk]
Nürnberg	**Nuremberg** ['njʊərəmbɜːg]
Sevilla	**Seville** [sə'vɪl]
Venedig	**Venice** ['venɪs]
Warschau	**Warsaw** ['wɔːsɔː]
Wien	**Vienna** [vɪ'enə]

Stadtbevölkerung: *die Stadtbevölkerung* the city's (*oder* town's) inhabitants (*Pl.*)

Städtebau 1. urban development **2.** *Planung*: town planning

Städtepartnerschaft town twinning; *zwischen München und Edinburgh besteht eine Städtepartnerschaft* Munich ['mjuːnɪk] and Edinburgh [⚠ 'edɪnbrə] are twinned (*oder* twin towns)

Städter(in) city dweller, *umg.* city slicker, *BE auch* townie

Stadtflucht exodus ['eksədəs] to the country

Stadtführer *Buch*: city guide

städtisch town …, city … (⚠ *beide nur vor dem Subst.*)

Stadtmauer city wall

Stadtmitte city centre, town centre, *AE auch* downtown; *es liegt in der Stadtmitte* it's in the city centre, *AE* it's downtown

Stadtplan (city) map, map of the city

Stadtplanung town (*oder* urban) planning

Stadtrand outskirts (⚠ *Pl.*) of town (*oder* of the city); *am Stadtrand leben* live on the outskirts of town *oder* of the city, live in the suburbs ['sʌbɜːbz]

Stadtrat[1] *gesamte Ratsversammlung*: municipal council [mjuː‚nɪsɪpl'kaʊnsl]

Stadtrat[2] *einzelnes Mitglied*: town councillor, *AE* city council member

Stadträtin town councillor, *AE* city councillor member

Stadtrundfahrt city sightseeing tour

Stadtteil 1. *allg.*: part of town **2.** *Verwaltungsbezirk*: district ['dɪstrɪkt]

Stadtviertel → *Stadtteil*

Stadtwerke utilities [juː'tɪlətɪz]

Stadtzentrum → *Stadtmitte*

Staffelei easel ['iːzl]

Staffellauf relay ['riːleɪ] (race)

Staffelläufer(in) relay ['riːleɪ] runner

Staffelmiete staggered rent

staffeln 1. scale (*Löhne, Steuern*) **2.** stagger (*Miete, Arbeitszeit*)

Stahl steel; *Nerven aus Stahl* nerves of steel

Stahlbeton reinforced concrete [‚riːɪnfɔːst'kɒŋkriːt]

staksen 1. walk like a stork **2.** *unsicher*: totter

staksig gawky ['gɔːkɪ]

Stalagmit stalagmite ['stæləgmaɪt]

Stalaktit stalactite ['stæləktaɪt]

Stall 1. (≈ *Pferdestall*) stable **2.** (≈ *Kuhstall*) cowshed ['kaʊʃed] **3.** (≈ *Schweinestall*) pigsty ['pɪgstaɪ] **4.** *ein ganzer Stall voll Kinder* a house full of kids

Stamm 1. (≈ *Volksstamm*) tribe **2.** (≈ *Baumstamm*) trunk **3.** (≈ *Wortstamm*) root

Stammbaum 1. *eines Menschen*: family tree **2.** *eines Tieres*: pedigree ['pedɪgriː]

stammeln stammer

stammen 1. *stammen von* (*bzw. aus*) come* from **2.** *zeitlich*: date (*oder* go*) back to **3.** *das Bild stammt von Picasso* the picture is by Picasso **4.** *das stammt nicht von mir!* I'm innocent ['ɪnəsnt]!, don't look at me!

stämmig 1. *Person*: stocky **2.** *Beine*: sturdy

Stammkneipe favourite haunt [hɔːnt], *BE auch* local ['ləʊkl]

Stammkunde, Stammkundin regular customer ['kʌstəmə]

Stammplatz: *das ist sein Stammplatz* that's his seat, that's where he always sits

Stammtisch 1. table reserved for regulars **2.** *freitags ist Stammtisch* we all meet at the pub on Fridays

Stammzelle *Biologie*: stem cell

Stammzellenforschung *Biologie*: stem-cell research

stampfen 1. stamp (*Erde, Lehm usw.*) **2.** *mit dem Fuß auf den Boden stampfen* stamp one's foot **3.** mash (*Kartoffeln usw.*) **4.** (*Maschine*) pound **5.** (*Schiff*) pitch **6.** *ich kanns doch nicht aus dem Boden stampfen* I can't just produce it out of thin air

Stand 1. (≈ *Verkaufsstand*) stand, (≈ *Bude*) stall [stɔːl] **2.** (≈ *Entwicklungsstufe*) stage; *was ist der neueste Stand der Dinge?* what's the latest?; *etwas auf den neuesten Stand bringen* bring*

something up to date **3.** *eines Wett-
kampfs*: score; **beim Stand von 3:1 wur-
de das Spiel abgebrochen** the game
was abandoned with X leading 3-1 (*ge-
sprochen*: three-one) **4.** (≈ *das Stehen*)
standing position; **aus dem Stand** from
standing, *übertragen* off the cuff **5.** (≈ *so-
ziale Stellung*) social standing, status
['steɪtəs] **6. einen schweren Stand ha-
ben** be* in a difficult position

Standard standard, (≈ *Niveau*) *auch*: level
['levl]; **einen hohen Standard aufwei-
sen** be* of a high standard

Standardausführung basic model
['mɒdl]

standardisieren standardize

Standardwerk standard textbook

Standbein standing leg

Ständer 1. *Gestell*: stand **2.** *vulgär* (≈
Erektion) hard-on

Ständerat Ⓗ *etwa*: Federal Cantonal
Chamber [ˌfedərəlˌkæntənl'tʃeɪmbə]

Standesamt registry ['redʒɪstrɪ] office,
AE marriage license bureau ['bjʊərəʊ]

**standesamtlich: standesamtliche Trau-
ung** civil ['sɪvl] marriage, *BE auch* regis-
try-office wedding

Standfußball: Standfußball spielen play
at a walking pace

standhalten 1. *einer Kritik, schwierigen
Situation usw.*: stand* up to **2.** *einer Ver-
suchung*: resist [rɪ'zɪst]

ständig 1. (≈ *fortwährend*) constant **2. er
macht ständig irgendwas kaputt** he's
always (*oder* constantly) breaking things
3. (≈ *dauerhaft, fest*) permanent ['pɜːmə-
nənt]

Standl Ⓐ (≈ *Verkaufsstand*) stand

Standlicht parking light

Standort position, location

**Standpauke: jemandem eine Standpau-
ke halten** give* someone a lecture

Standplatz 1. *allg.*: stand **2.** *für Taxis*: *BE
auch* (taxi) rank

Standpunkt point of view [vjuː], stand-
point

Standspur hard shoulder ['ʃəʊldə]

Standuhr grandfather clock

Stange 1. pole **2.** (≈ *Leiste*) rod **3.** (≈ *lan-
ges Stück Lakritz usw.*) stick **4. eine
Stange Zigaretten** a carton ['kɑːtn] of
cigarettes **5. eine Stange Geld** *umg.* a
fair bit of money **6. von der Stange**
Kleidung: off the peg, *AE* off the rack

Stängel stem, stalk [stɔːk]

Stangenbrot French stick

stänkern stir [stɜː] things up, make* trou-
ble

Stanniol tin foil

stanzen punch, stamp

Stapel 1. stack, pile **2. vom Stapel lassen**
Bemerkung usw.: come* out with

stapeln 1. stack, pile up **2. sich stapeln**
pile up

stapelweise: sie hat stapelweise CDs
umg. she's got piles (*oder* stacks) of CDs

stapfen: durch den Schnee stapfen
trudge through the snow

Star 1. (≈ *Filmstar usw.*) star **2.** *Vogel*: star-
ling **3. grauer Star** *Augenkrankheit*: cat-
aract, cataracts (*Pl.*) **4. grüner Star** *Au-
genkrankheit*: glaucoma [glɔː'kəʊmə]

Starautor(in) best-selling author ['ɔːθə]

Starbesetzung star cast [kɑːst]

Stargast celebrity guest [səˌlebrətɪ'gest]

stark 1. *allg.*: strong (*auch Kaffee, Tabak
usw.*) **2.** (≈ *mächtig*) powerful **3.** *Mauer
usw.*: (≈ *dick*) thick **4.** *Frost, Regen,
Sturm, Verkehr, Raucher, -in usw.*: heavy
['hevɪ] **5.** *umg.* (≈ *großartig*) great, *sa-
lopp* cool, *AE* neat

Stärke 1. (≈ *Kraft*) strength **2.** *einer Trup-
pe usw.*: strength, size **3.** (≈ *starke Seite*)
strong point, strength, *AE auch* forte
[fɔːt]; **es gehört nicht zu ihren Stär-
ken** it's not one of her strong points **4.**
(≈ *Wäschestärke, Speisestärke*) starch
[stɑːtʃ]

stärken 1. strengthen ['streŋθn] **2. ich
muss mich unbedingt stärken** I'm des-
perate ['desprət] for something to eat

Starkstrom high-voltage [ˌhaɪ'vəʊltɪdʒ]
(*oder* heavy) current ['kʌrənt]

starr 1. (≈ *steif*) stiff **2. starrer Blick** fixed
gaze

starren stare (**auf** at)

starrsinnig stubborn ['stʌbən]

Start 1. *allg.*: start (*auch im Sport, beim
Autofahren usw.*); **einen guten Start ha-
ben** get* off to a good start **2.** *eines Flug-
zeugs*: takeoff ['teɪkɒf] **3.** *einer Rakete*:
lift-off ['lɪftɒf] **4. ein guter Start ins Le-
ben** a good start in life (△ *ohne* the)

Startbahn runway

startbereit 1. *Flugzeug*: ready ['redɪ] for
takeoff ['teɪkɒf] **2. ich bin startbereit**
übertragen I'm ready to go

starten 1. (*Flugzeug*) take* off **2.** (*Rakete*)
lift off **3.** launch [lɔːntʃ] (*Rakete, Satelli-
ten*) **4.** *im Sport*: (≈ *teilnehmen*) take*
part (**bei** in); **drei Läufer starten für
China** there are three runners competing
[kəm'piːtɪŋ] for China **5.** (*Motor, Auto*)
start; **der Motor startet nicht** the engine
won't start **6. morgen starten wir nach
Nairobi** tomorrow we set off for Nairobi
7. start (*Veranstaltung usw.*)

Starterlaubnis 1. *im Sport*: permission to
enter the race (△ permission *immer ohne*
the) **2.** *zum Fliegen*: takeoff clearance

S

Startlinie starting line

Startpistole starting pistol ['pɪstl]

Startschuss 1. starting signal ['sɪgnl] **2. den Startschuss geben** fire the gun, *übertragen* give* the green light

Start-up-Unternehmen *Wirtschaft*: start-up business, (≈ *Firma*) start-up company, *umg.* start-up ['stɑːtʌp]

Stasi *DDR*: Stasi, (East German) secret police (△ *beide mit Pl.*)

Stasi-Mitarbeiter(in) member of the Stasi

Station 1. (≈ *Haltestelle*) stop; **das ist drei Stationen von hier** that's three stops further on **2.** (≈ *kleiner Bahnhof*) station **3.** (≈ *Krankenhausstation*) ward [wɔːd]; **auf welcher Station liegt er?** which ward is he in? **4. wir machen in Rom Station** we're stopping over in Rome

stationär 1. *allg.*: stationary **2.** *Medizin*: **stationäre Behandlung** inpatient treatment; **stationärer Patient** inpatient; **jemanden stationär behandeln** treat someone as an inpatient

stationieren 1. *allg.*: station (*auch Soldaten*) **2.** deploy [dɪ'plɔɪ] (*Raketen, Waffen usw.*)

Statist(in) *im Film usw.*: extra

Statistik statistics (△ *Pl.*)

statistisch 1. *allg.*: statistical **2. statistische Erhebung** survey ['sɜːveɪ]

Stativ tripod ['traɪpɒd]

statt instead of [ɪn'stedʌəv]; **statt zu schreiben, rief er an** instead of writing, he rang up

stattfinden 1. das Konzert findet am 13. statt the concert will be (*oder* will take place *oder* will be held) on the 13th **2. das Spiel gegen Irland findet nicht statt** the game with Ireland has been cancelled

Statue statue ['stætʃuː]

Statur (≈ *Körperbau*) build [bɪld]

Status status ['steɪtəs]

Statussymbol status symbol ['steɪtəsˌsɪmbl]

Statuszeile *Computer*: status bar ['steɪtəsˌbɑː]

Stau traffic jam; **ein zehn Kilometer langer Stau** a ten-kilometre tailback (*AE* backup); **im Stau stehen** be* stuck in a traffic jam

Staub 1. dust; **Staub wischen** dust, do* the dusting; **Staub saugen** → **staubsaugen 2. sich aus dem Staub machen** *umg.* run* for it

staubig dusty

staubsaugen hoover®, do* the hoovering, vacuum ['vækjʊəm], do* the vacuuming

Staubsauger hoover®, vacuum ['vækjʊəm] cleaner

Staubtuch duster

Staubwolke cloud of dust

Staudamm dam

stauen 1. sich stauen (*Wasser, Verkehr, usw.*) build* up [ˌbɪld'ʌp] **2. die Fans stauten sich am Eingang** the fans were crowding the entrance **3.** dam up (*Wasser*)

staunen 1. be* amazed (**über** at) **2. da kann man nur noch staunen** it's absolutely amazing **3. da staunst du, was?** what do you say to that, then?

Staunen 1. amazement **2. sie sind aus dem Staunen nicht mehr herausgekommen** they couldn't believe their eyes (*bzw.* ears)

Stausee reservoir ['rezəvwɑː], artificial lake

stechen 1. (*Nadel, Dorn usw.*) prick **2.** (*Wespe usw.*) sting*, (*Mücke*) bite* **3.** *mit einem Messer*: stab **4. ich hab mich in den Finger gestochen** I've pricked my finger **5. mich stichts im Arm** I've got a sharp (*oder* stabbing) pain in my arm **6.** *Kartenspiel*: trump, play a trump; **mit dem König den Buben stechen** take* (*oder* trump) the jack with the king

Stechen sharp pain, stabbing pain

Stechmücke midge, mosquito [məˈskiːtəʊ]

Stechpalme holly

Stechzirkel dividers [dɪ'vaɪdəz] (△ *Pl.*)

Steckbrief 1. 'wanted' poster **2.** (≈ *Beschreibung*) description

Steckdose socket ['sɒkɪt]

stecken 1. *in die Hose, durch eine Öffnung usw.*: put*; **er hat sich eine Feder ins Haar gesteckt** he put a feather in his hair; **den Kopf aus dem Fenster stecken** pop one's head out of the window **2.** (≈ *festsitzen*) be* stuck **3. mitten in den Hausaufgaben stecken** be* in the middle of (doing) one's homework **4. wo steckst du denn wieder?** where have you been hiding away again? **5. dahinter steckt etwas** there's something behind it **6. es steckt viel Arbeit darin** a lot of work has gone into it **7. der Schlüssel steckt** the key's in the door **8. stecken bleiben** get* stuck

Stecken (≈ *Stock*) stick

steckenbleiben get* stuck

Stecker plug

Stecknadel pin

Steg 1. (≈ *Brücke*) bridge **2.** (≈ *Brett*) plank **3.** (≈ *Landesteg*) jetty ['dʒetɪ] **4.** (≈ *Brillensteg*) bridge **5. am Musikinstrument**: bridge

Stegreif 1. aus dem Stegreif off the cuff **2. aus dem Stegreif spielen** (*bzw.* **dich-**

ten *usw.*) improvise ['ɪmprəvaɪz] **3. *aus dem Stegreif reden*** ad-lib [ˌæd'lɪb]

Stehen **1. *etwas im Stehen machen*** do* something standing (up) **2. *zum Stehen bringen*** bring* to a standstill

stehen **1.** *allg.*: stand*, (≈ *sich befinden*) *auch*: be* **2.** (≈ *aufrecht stehen*) stand* up **3. *was steht im Brief?*** what does it say in the letter? **4. *da muss ein Komma stehen*** there should be a comma there **5. *die Küche steht voll Wasser*** the kitchen has flooded ['flʌdɪd] **6. *hier steht die Luft*** it's very stuffy in here **7. *wie steht es?*** *in Spiel*: what's the score?; **es steht drei zu eins für Italien** Italy are (*oder* is) leading three-one **8. *er steht auf null*** *Zähler usw.*: it's on zero **9. *stehen auf*** (≈ *mögen*) like, fancy ['fænsɪ] (*jemanden*), be* into (*Techno, moderne Kunst usw.*) **10. *stehen für*** stand* for **11. *hinter etwas* (*bzw.* *jemandem*) *stehen*** übertragen be* behind something (*bzw.* someone) **12. *ich stehe zu ihm*** I'm standing by him **13. *wie stehst du dazu?*** what do you think? **14. *ich stehe dazu*** I'm sticking by it **15. *sie steht über solchen Dingen*** she's above [ə'bʌv] that kind of thing **16. *die Sache steht gut*** it's looking good **17. *sich gut mit jemandem stehen*** get* on well with someone **18.** (*Kleidung usw.*) suit [suːt], *AE mst.* look good on; **die Jacke steht dir** that jacket suits you; **die Farbe steht dir nicht** that colour doesn't suit you, it's not your colour

---

stehen bleiben **1.** *allg.*: stop **2.** (*Herz*) stop beating; **mir ist das Herz fast stehen geblieben** my heart [hɑːt] skipped a beat **3. *es ist, als ob die Zeit stehen geblieben wäre*** it's as if time (△ *ohne* the) had stood still **4. *soll das so stehen bleiben?*** is it supposed to stay like that? **5. *wo war ich stehen geblieben?*** where was I?, what was I saying?

stehen lassen **1.** (≈ *nicht wegnehmen*) leave* (*das Geschirr usw.*) **2. *ohne es anzurühren*:** leave* (*Essen usw.*) **3.** (≈ *vergessen*) leave* (*Schirm usw.*) **4. *alles stehen und liegen lassen*** drop everything **5. *sie hat ihn einfach stehen lassen*** she just left him standing **6.** (≈ *übersehen*) miss, overlook (*Fehler usw.*) **7. *sich einen Bart stehen lassen*** grow* a beard [bɪəd]

---

stehenbleiben → **stehen bleiben** 2 − 5
stehenlassen → **stehen lassen** 2 − 7
Stehimbiss stand-up snack bar
Stehlampe standard lamp (△ *nicht* stand-

ing), *AE* floor lamp

stehlen **1.** steal*; **sie haben mir meine Uhr gestohlen** they stole my watch **2. *sich aus dem Haus stehlen*** sneak out of the house

Stehplatz *im Konzert usw.*: standing ticket; (**nur noch**) **Stehplätze** *auch im Bus usw.*: standing room (only) (△ *nicht* place; room *im Sg.*)

Steiermark: **die Steiermark** Styria ['stɪrɪə] (△ *ohne* the)

steif **1.** *allg.*: stiff **2. *steif gefroren*** frozen stiff **3. *er behauptet steif und fest, dass*** he swears [sweəz] that

Steigeisen **1.** *für Baumklettern, Gletscherwandern*: climbing iron [△ 'klaɪmɪŋˌaɪən] **2.** *für Bergsteiger*: crampon ['kræmpɒn]

steigen **1. *auf etwas steigen*** climb [klaɪm] onto something; **auf einen Baum steigen** climb (up) a tree **2. *auf ein Motorrad* (*bzw.* *Pferd) steigen*** get* on a motorbike (*bzw.* horse) **3. *aus dem Bett steigen*** *umg.* get* out of bed **4. *auf die Bremse steigen*** slam on the brakes (△ *Pl.*) **5. *Treppen steigen*** climb stairs **6.** *in die Luft*: go* up, (*Flugzeug*) climb (*auf* to) **7. *einen Ballon steigen lassen*** send* a balloon up **8.** (*Preise, Temperatur usw.*) go* up, rise* **9. *die Spannung steigt*** (the) tension is mounting

steigend *Preise, Inflation usw.*: rising

steigern **1.** *allg.*: increase [ɪn'kriːs] **2.** give* the comparative and superlative (forms) of (*Adjektiv, Adverb*) **3. *sich steigern*** increase, (*Spannung*) mount **4. *er kann sich noch steigern*** there's room for improvement yet

Steigerung **1.** (≈ *Zunahme*) rise, increase ['ɪŋkriːs] (+ *Gen.* in) **2.** (≈ *Verbesserung, Leistungssteigerung*) improvement (+ *Gen.* in) **3.** *eines Adjektivs*: comparison [kəm'pærɪsn]

Steigung **1.** *allg.*: rise, ascent [ə'sent] **2.** *einer Bahnstrecke, Strasse*: gradient ['greɪdɪənt] **3.** *eines Hanges*: slope

steil **1.** steep; **steiler Hang** steep slope **2. *steil abfallen*** drop sharply

Steilpass *Fußball*: through pass ['θruːˌpɑːs]

Stein **1.** stone **2.** *kleiner, glatter*: pebble **3.** *im Obst*: stone **4.** *beim Brettspiel*: piece **5. *mir fällt ein Stein vom Herzen*** that's a load off my mind **6. *den Stein ins Rollen bringen*** get* the ball rolling

Steinbock **1.** *Sternzeichen*: Capricorn ['kæprɪkɔːn]; **ich bin (ein) Steinbock** I'm (a) Capricorn **2.** *Tier*: ibex ['aɪbeks]

Steinbruch quarry ['kwɒrɪ]

steinhart (as) hard as rock

S

steinreich *umg.* filthy rich, loaded (△ *nur hinter dem Verb*)

Steinschlag falling rocks (△ *Pl.*)

Steinzeit Stone Age

Steinzeitmensch: *der Steinzeitmensch* Stone Age man (△ *ohne* the)

Steißbein coccyx [△ 'kɒksɪks]

Stellage *bes.* Ⓐ (≈ *Regal, Gestell*) shelves [ʃelvz] (△ *Pl.*), shelving

Stelle 1. place, *genauer.* spot; *an dieser Stelle* right here, at this spot, *zeitlich:* at this point 2. *schmutzige usw.:* patch 3. *wunde Stelle* sore, (≈ *Schnitt*) cut 4. *im Buch usw.:* place, (≈ *Passage*) passage ['pæsɪdʒ] 5. *in einer Rangordnung:* position, place 6. (≈ *Arbeitsstelle*) job; *freie Stelle* vacancy ['veɪkənsɪ] 7. (≈ *Dienststelle, Beratungsstelle usw.*) office, department; *an welche Stelle soll ich mich wenden?* where should I go? 8. *in einer Zahl:* place; *bis auf drei Stellen nach dem Komma ausrechnen* work out to three decimal places 9. *Wendungen:* **an erster Stelle** firstly; *an Stelle von* instead of; *ich an deiner Stelle* if I were you; *auf der Stelle* straightaway; *sie war auf der Stelle tot* she died on the spot; *er war sofort zur Stelle* he was there like a shot; *ich komm nicht von der Stelle* I'm getting nowhere

stellen 1. *irgendwohin:* put*, place, set* 2. (≈ *einstellen*) set* (*auf* to); *den Wecker auf sieben stellen* set* the alarm for seven; *leiser* (*bzw.* *lauter*) *stellen* turn down (*bzw.* up) 3. *kalt stellen* put* in the fridge (*Getränk usw.*) 4. *sich in die Ecke usw. stellen* (go* and) stand* in the corner *usw.* 5. *er hat sich der Polizei gestellt* he's given himself up to the police 6. *sich gut mit jemandem stellen* keep* in with someone, be *oder* stay in someone's good books 7. *sich krank* (*bzw.* *tot*) *stellen* pretend to be ill (*bzw.* dead); *stell dich nicht so dumm!* stop pretending you don't know

Stellenabbau *in Firma:* reduction in staff, staff reductions (△ *Pl.*), downsizing

Stellenangebot 1. *allg.:* job offer 2. *Stellenangebote* Pl., *als Überschrift in der Zeitung:* vacancies ['veɪkənsɪz], situations vacant

Stellenanzeige job ad

Stellensuche: *auf Stellensuche sein* be* looking for a job, be* job-hunting

stellenweise in places, in parts; *stellenweise Regen* rain in places

Stellenwert 1. (relative) importance 2. *es nimmt einen hohen Stellenwert ein* it plays an important role

Stellplatz parking space

Stellung 1. *allg.:* position; *eine Stellung einnehmen* take* up a position 2. *soziale Stellung* social standing 3. (≈ *berufliche Stelle, Posten*) position, post, job 4. *möchtest du dazu Stellung nehmen?* would you like to comment ['kɒment] on that?

Stellungnahme (≈ *Meinung*) opinion [ə'pɪnjən], (≈ *Erklärung*) comment ['kɒment], statement; *eine Stellungnahme abgeben* make* a statement (*über* on)

stellvertretend 1. acting …, deputy … ['depjʊtɪ] (△ *beide nur vor dem Subst.*) 2. *stellvertretend für* (≈ *anstelle von*) in place of, (≈ *im Namen von*) on behalf [bɪ'hɑːf] of

Stellvertreter(in) 1. representative [,reprɪ'zentətɪv] 2. *amtliche(r):* deputy ['depjʊtɪ]

Stelzen 1. stilts 2. *umg.* (≈ *Beine*) pins

Stemmeisen crowbar ['krəʊbɑː]

stemmen: *sich gegen etwas stemmen* brace oneself against something, *übertragen* oppose something

Stempel 1. *allg.:* stamp 2. (≈ *Poststempel*) postmark

stempeln 1. *allg.:* stamp 2. cancel ['kænsl] (*Fahrkarte*) 3. *stempeln gehen* (≈ *arbeitslos sein*) be* on the dole

Steno *umg.* (≈ *Stenografie*) shorthand

Stenotypistin shorthand typist

Steppdecke duvet [△ 'duːveɪ], quilt [kwɪlt]

Steppe (≈ *Trockenlandschaft*) steppe [△ step]

steppen[1] *beim Nähen:* backstitch

steppen[2] (≈ *Stepp tanzen*) tap-dance

Stepptanz tap dancing

Sterbehilfe euthanasia [,juːθə'neɪzɪə]; *bei jemandem Sterbehilfe leisten* carry out euthanasia on someone

sterben 1. die (*an* of) 2. *Wendungen:* *vor Neugier usw. sterben* die of curiosity *usw.*; *ich bin vor Langeweile fast gestorben* I was bored to tears [tɪəz]; *davon wirst du nicht gleich sterben!* it won't kill you; *der ist für mich gestorben* I just don't want to know about him

Sterben 1. *allg.:* dying, death [deθ] 2. *im Sterben liegen* be* dying

sterbenskrank: *ich fühl mich sterbenskrank* I feel like death warmed up (*AE* over)

Sterbeurkunde death certificate [sə'tɪfɪkət]

sterblich mortal ['mɔːtl]; *seine sterblichen Überreste* his mortal remains

Sterbliche(r) mortal ['mɔːtl]; *wir gewöhnlichen Sterblichen* we lesser mortals

Sterblichkeit mortality (△ *immer ohne* the)

Sterblichkeitsrate mortality rate

Stereo stereo ['sterɪəʊ]

Stereoanlage hi-fi ['haɪfaɪ] (system), stereo ['sterɪəʊ] (system)

steril sterile ['steraɪl] (*auch übertragen*)

sterilisieren sterilize ['sterəlaɪz]

Stern 1. *allg.:* star; *mein guter Stern* my lucky star; *das steht noch in den Sternen* that's still (written) in the stars; *Sterne sehen umg.* see* stars **2.** *ein Hotel mit vier Sternen* a four-star hotel

Sternbild 1. constellation **2.** → *Sternzeichen*

Sternchen *im Text:* asterisk ['æstərɪsk]

Sternenbanner *der USA:* Star-Spangled Banner, Stars and Stripes (△ *mit Sg.*)

sternförmig star-shaped

sternhagelvoll *umg.* plastered ['plɑːstəd], *BE auch* paralytic [ˌpærə'lɪtɪk]

sternklar: *sternklarer Himmel* starry ['stɑːrɪ] (*oder* starlit) sky

Sternmarsch protest ['prəʊtest] march

Sternschnuppe shooting star

Sternsingen carol ['kærəl] singing (at Epiphany [ɪ'pɪfənɪ])

Sternstunde 1. *eine Sternstunde der Menschheit* a turning point in the history of mankind [mæn'kaɪnd] **2.** *das war ihre Sternstunde* that was her great moment (in life)

Sternwarte observatory [əb'zɜːvətrɪ]

Sternzeichen 1. (star) sign, sign of the zodiac ['zəʊdɪæk]; *was hast du für ein Sternzeichen* what's your star sign? **2.** *er ist im Sternzeichen der Waage geboren* he was born under Libra [△ 'liːbrə]

Stethoskop stethoscope ['steθəskəʊp]

stets always

Steuer¹ *das* **1.** *im Auto:* (steering) wheel, *im Flugzeug:* controls (△ *Pl.*); *am Steuer sitzen* be* at (*oder* behind) the wheel **2.** *das Steuer fest in der Hand haben übertragen* be* firmly in control

Steuer² *die* tax; *Steuern zahlen* pay* tax (△ *mst. Sg.*)

Steuerberater(in) tax adviser (*oder* consultant)

Steuererklärung tax return

Steuerhinterziehung tax evasion

Steuerklasse *bei Einkommensteuer:* tax bracket

Steuermann 1. helmsman ['helmzmən] **2.** *beim Rudern:* cox

steuern 1. *allg.:* steer **2.** drive*, steer (*Auto*) **3.** (≈ *leiten*) control, run*

Steueroase, Steuerparadies tax haven ['heɪvn]

Sternzeichen	
Widder	**Aries** ['eərɪːz], **Ram**
Stier	**Taurus, Bull** [bʊl]
Zwillinge	**Gemini** ['dʒemɪnaɪ, 'dʒemɪniː], **Twins**
Krebs	**Cancer, Crab**
Löwe	**Leo** ['liːəʊ], **Lion**
Jungfrau	**Virgo, Virgin**
Waage	**Libra** ['liːbrə, 'laɪbrə], **Scales**
Skorpion	**Scorpio, Scorpion**
Schütze	**Sagittarius** [ˌsædʒɪ'teərɪəs], **Archer** ['ɑːtʃə]
Steinbock	**Capricorn** ['kæprɪkɔːn], **Goat**
Wassermann	**Aquarius** [ə'kweərɪəs], **Water Bearer**
Fische	**Pisces** ['paɪsiːz, 'pɪsiːz], **Fish**

Steuerung *Vorrichtung:* controls (△ *Pl.*)

Steuerungstaste *Computer:* control key

Steuerzahler(in) tax payer

stibitzen *umg.* pinch, snitch

Stich 1. (≈ *Wespenstich usw.*) sting **2.** (≈ *Mückenstich*) bite **3.** (≈ *Nadelstich*) prick **4.** (≈ *Messerstich*) stab **5.** (≈ *Stichwunde*) stab wound [wuːnd] **6.** (≈ *Nähstich*) stitch **7.** *Schmerz:* sharp (*oder* stabbing) pain; *Stiche in der Seite haben* have* a stitch **8.** *ein Stich ins Grüne usw.* a tinge [tɪndʒ] of green *usw.* **9.** *jemanden im Stich lassen* leave* someone in the lurch [lɜːtʃ] **10.** *du hast wohl einen Stich!* have you gone mad?

sticheln: *gegen jemanden sticheln* make* digs at someone

Stichfrage tiebreaker

stichhaltig 1. *allg.:* sound **2.** *die Theorie ist nicht stichhaltig* that theory doesn't hold water

Stichprobe: *eine Stichprobe machen* take* a sample, *bei Kontrolle:* do* a spot check

Stichtag 1. date **2.** (≈ *Termin*) deadline

Stichwahl runoff, deciding ballot [dɪ'saɪdɪŋ'bælət]

Stichwort 1. *im Wörterbuch:* entry **2.** *sich ein paar Stichworte aufschreiben* jot down a few notes

Stichwunde stab wound [wuːnd]

sticken embroider [ɪm'brɔɪdə]

Sticker (≈ *Aufkleber*) sticker

stickig stuffy, *Außenluft:* sticky, close [△ kləʊs]

Stickstoff nitrogen ['naɪtrədʒən]

Stiefbruder stepbrother

Stiefel 1. boot 2. *das sind doch zwei Paar Stiefel* *übertragen* they're two completely different things

Stiefelette ankle boot

stiefeln *umg.* foot it; *zuerst bin ich in die falsche Richtung gestiefelt* first I walked the wrong direction

Stiefeltern stepparents ['step,peərənts]

Stiefkind stepchild

Stiefmutter stepmother

Stiefmütterchen *Blume*: pansy ['pænzı]

Stiefschwester stepsister

Stiefsohn stepson

Stieftochter stepdaughter ['step,dɔːtə]

Stiefvater stepfather

Stiege 1. *allg.*: steps (△ *Pl.*) 2. *mst. im Freien*: stairs (△ *Pl.*), staircase

Stiel 1. (≈ *Griff*) handle 2. *eines Glases*: stem 3. *einer Blume*: stalk [stɔːk] 4. *ein Eis am Stiel* an ice lolly, *AE* a Popsicle® ['pɒpsıkl], an ice pop

Stielaugen: *die hat vielleicht Stielaugen gemacht!* *umg.* she just goggled, her eyes nearly popped out of her head

Stier 1. *Tier*: bull (△ bʊl] 2. *Sternzeichen*: Taurus ['tɔːrəs]; *ich bin (ein) Stier* I'm (a) Taurus

stieren stare (*auf* at)

Stierkampf bullfight [△ 'bʊlfaıt]

Stierkämpfer(in) bullfighter [△ 'bʊl,faıtə]

Stift 1. *zum Schreiben*: pen; *hast du einen Stift?* *auch*: have you got something to write with? 2. *längliches Metallstück*: pin 3. *längliches Holzstück*: peg 4. (≈ *Malstift*) crayon ['kreıən]

stiften 1. donate [dəʊ'neıt] (*Geld*) 2. found (*Kirche*)

Stifter(in) *einer Kirche usw.*: founder

Stil style

stilistisch 1. stylistic 2. *es ist stilistisch gut* *Aufsatz usw.*: it's written in good style

still 1. (≈ *ruhig*) quiet ['kwaıət] 2. (≈ *bewegungslos*) still 3. *der Stille Ozean* the Pacific [pə'sıfık] (Ocean)

> still bleiben 1. *ruhig*: keep* quiet ['kwaıət] 2. *bewegungslos*: keep* still
> still sitzen sit* still

Stille 1. (≈ *Ruhe*) peace 2. *absolute*: silence ['saıləns] 3. *in aller Stille* (≈ *heimlich*) on the quiet ['kwaıət]

stillen 1. breastfeed* ['brestfiːd] (*Baby*) 2. quench [kwentʃ] (*Durst*) 3. satisfy (*Hunger, Neugier, Verlangen usw.*)

stillhalten 1. *wörtlich*: keep* still 2. *übertragen* (≈ *nicht reagieren*) keep* quiet

Stillleben still life *Pl.*: still lifes

stilllegen close down (*Fabrik usw.*)

Stilllegung closure ['klɔʊʒə], shutdown

stillsitzen sit* still

Stillstand standstill; *zum Stillstand bringen* bring* to a halt, stop (*auch Blutung*), bring* to a standstill (*Verkehr, Produktion usw.*)

stillstehen 1. (≈ *stehen bleiben*) stop 2. (*Verkehr usw.*) be* at a standstill 3. *die Zeit schien stillzustehen* time seemed to be standing still

Stimmbänder vocal cords [,vəʊkl'kɔːdz]

Stimmbruch: *er ist im Stimmbruch* his voice is breaking

Stimme 1. *allg.*: voice 2. (≈ *Wahlstimme*) vote; *seine Stimme abgeben* cast* one's vote

stimmen 1. (≈ *richtig sein*) be* right; *stimmts?* is that right?; *stimmt!* that's right; *stimmts, oder hab ich recht?* am I right or am I right? 2. (≈ *wahr sein*) be* true 3. *hier stimmt was nicht* there's something wrong [rɒŋ] here 4. *das stimmt ja hinten und vorne nicht!* *umg.* it's completely up the creek, (≈ *ist gelogen*) it's a pack of lies 5. *stimmt so!* *beim Bezahlen*: keep the change 6. *bei dir stimmts wohl nicht!* *umg.* have you gone completely mad? 7. (≈ *wählen*) vote (*für* for; *gegen* against); *mit Ja* (*bzw. Nein*) *stimmen* vote for (*bzw.* against) 8. tune (*Instrument*)

Stimmenmehrheit: *die Stimmenmehrheit erzielen* gain a majority of votes

Stimmgabel tuning fork

stimmhaft *Konsonant*: voiced [vɔıst]

stimmlos *Konsonant*: voiceless

Stimmung 1. (≈ *Atmosphäre*) atmosphere ['ætməsfıə], mood; *es herrschte eine gute Stimmung* it was a good atmosphere; *Stimmung machen* *auf einer Feier*: get* things going 2. (≈ *Laune*) mood; *in guter* (*bzw. schlechter*) *Stimmung* in a good (*bzw.* bad) mood; *ich bin nicht so in Stimmung* I'm not really in the mood (for it) 3. *von Truppen usw.*: morale [△ mə'rɑːl]

Stimmungskanone: *sie ist eine richtige Stimmungskanone* she's always the life and soul of the party

Stimmzettel ballot (paper)

stinkbesoffen *umg.* (absolutely) sloshed, plastered ['plɑːstəd]

Stinkbombe stink bomb [△ bɒm]

stinken 1. *allg.*: stink*, smell* (*nach* of); *das stinkt aber!* *umg.* what a stink (*BE auch* pong)! 2. *mir stinkts!* *salopp* I'm pissed off with it; *was mir am meisten stinkt* *umg.* what really gets up my nose 3. *irgendwas stinkt an der Sache* there's something fishy about it

stinkfaul *umg.* bone-idle, bone-lazy

stinkig 1. (≈ *übel riechend*) smelly, *stärker*: stinking **2.** *umg.* (≈ *verärgert*) pissed off

stinklangweilig *umg.* dead boring, *AE* totally boring

stinknormal *umg.* dead ordinary ['ɔːdnrɪ], *AE* totally ordinary

stinkreich *umg.* stinking rich, *AE* filthy rich

stinksauer *umg.* fuming

Stinktier skunk

stinkvornehm *umg.* dead posh

Stinkwut: *eine Stinkwut haben* *umg.* be* really mad (*auf* at)

Stipendium 1. *allg.*: grant [grɑːnt] **2.** *für Begabte*: scholarship ['skɒləʃɪp]

Stirn 1. forehead [△ 'fɒrɪd, *auch*: 'fɔːhed] **2. *die Stirn über etwas runzeln*** frown [fraʊn] at something

Stirnband headband

stöbern rummage ['rʌmɪdʒ] around (*nach* for)

stochern 1. *im Essen stochern* pick at one's food **2. *in den Zähnen stochern*** pick one's teeth **3. *im Feuer stochern*** poke the fire

Stock 1. stick; ***er geht am Stock*** he walks with a stick, *übertragen* (≈ *ist am Ende*) he's on his last legs **2.** (≈ *Stockwerk*) floor, storey, *AE* story; ***im ersten* (*bzw. zweiten usw.*) *Stock*** on the first (*bzw.* second *usw.*) floor, *AE* on the second (*bzw.* third *usw.*) floor *oder* story

Stockbett bunk bed

stockblind (as) blind as a bat

stockdunkel *umg.* pitch dark

stockduster *umg.* pitch dark

Stöckelschuhe high-heeled shoes

stocken 1. (≈ *zögern*) hesitate ['hezɪteɪt] **2.** (≈ *innehalten*) stop short **3. *der Verkehr stockte*** there was congestion on the roads; ***stockender Verkehr*** stop-go traffic **4. *mir stockte das Herz*** my heart skipped a beat

Stockerl Ⓐ (≈ *Hocker*) stool

stockfinster pitch dark

Stockfisch dried cod

stockkonservativ ultra-conservative

stocknüchtern *umg.* stone-cold sober

stocksauer fuming, furious ['fjʊərɪəs]

Stockwerk → Stock 2

Stockzahn *bes.* Ⓐ, Ⓒ molar ['məʊlə], back tooth

Stoff 1. (≈ *Textilstoff*) material, fabric ['fæbrɪk] **2.** *in der Schule*: subject ['sʌbdʒekt] matter, (≈ *Thema*) topic **3.** (≈ *Substanz*) substance ['sʌbstəns]

Stoffwechsel metabolism [mə'tæbəlɪzm]

stöhnen 1. *allg.*: groan (***vor*** with) **2.** *lustvoll*: moan **3.** (≈ *sich beklagen*) moan (*AE* groan) (***über*** about)

Stöhnen 1. *allg.*: groaning **2.** *vor Lust*: moaning **3.** *als Klage*: moaning, complaining

Stollen 1. *Bergbau*: tunnel ['tʌnl], gallery ['gælərɪ] **2.** *am Schuh*: stud **3.** *Gebäck*: stollen ['stɒlən], fruit loaf

stolpern 1. trip; ***über etwas stolpern*** trip over something **2. *über etwas stolpern*** *übertragen* (≈ *etwas entdecken*) stumble across something

stolz proud (***auf*** of)

Stolz 1. *allg.*: pride **2. *es ist ihr ganzer Stolz*** it's her pride and joy

stopfen 1. darn (*Strümpfe usw.*) **2.** fill, plug (*Loch, Lücke*) **3.** (≈ *hineinstopfen*) stuff (***in*** into) **4. *das stopft*** (≈ *verstopft*) that gives you constipation **5. *jemandem den Mund stopfen*** *umg.* shut* someone up

Stopp 1. (≈ *Anhalten*) stop **2.** (≈ *Pause*) stop **3.** (≈ *Verbot*) ban, freeze (***für*** on) **4.** (≈ *Stoppball*) drop shot

stopp! 1. (≈ *halt!*) hold it! **2.** (≈ *Moment mal!*) hang on a minute!

Stoppelbart stubbly beard [bɪəd]

stoppelig stubbly

stoppen 1. *allg.*: stop **2.** *mit der Stoppuhr*: time, do* the timing; ***kannst du* (*für*) *mich stoppen?*** could you time me?

Stopplicht *am Auto*: brake light, *AE* stoplight

Stoppschild stop sign

Stopptaste stop button

Stoppuhr stopwatch

Stöpsel 1. *allg.*: stopper **2.** *im Waschbecken usw.*: plug **3.** (≈ *Stecker*) plug

Storch stork

stören 1. *allg.*: disturb [dɪ'stɜːb], (≈ *ablenken*) distract, bother ['bɒðə]; ***stört es dich, wenn ich fernsehe?*** will it disturb (*oder* bother) you if I watch TV?; ***das stört mich nicht*** that doesn't bother me, I don't mind; (***bitte*) *nicht stören!*** *auf Schild*: (please) do not disturb **2.** (≈ *unterbrechen*) interrupt; ***darf ich kurz stören?*** can I interrupt (*oder* can I bother you) for a minute? **3.** disrupt (*den Unterricht usw.*) **4.** spoil* (*den Effekt usw.*) **5. *was stört dich daran?*** what don't you like about it?

Störenfried troublemaker

Störfall 1. *technischer*: fault [fɔːlt] **2.** (≈ *Zwischenfall*) incident ['ɪnsɪdənt]

stornieren cancel ['kænsl]

Störung 1. (≈ *Ruhestörung usw.*) disturbance [dɪ'stɜːbəns] **2.** (≈ *Unterbrechung*) interruption; ***entschuldigen Sie die***

S

Störung! (I'm) sorry to bother ['bɒðə] you 3. *des Unterrichts usw.*: disruption 4. *im Radio usw.*: interference [,ɪntə-'fɪərəns] 5. *in Gerät usw.*: (≈ *Fehler*) fault [fɔːlt]

Stoß 1. (≈ *Schubser*) push 2. *in die Rippen*: dig 3. (≈ *Stich*) stab 4. (≈ *Stapel*) pile, (≈ *größere Menge*) *auch*: stack

Stoßdämpfer shock absorber

stoßen 1. *allg.*: push 2. *jemanden in die Rippen stoßen* dig* someone in the ribs 3. *gegen etwas stoßen* bump into something 4. *sich stoßen* knock [Δ nɒk] oneself; *er hat sich am Kopf gestoßen* he knocked (*oder* bumped) his head 5. *stoßen auf zufällig*: come* across

Stoßgebet quick prayer

stoßsicher shockproof

Stoßstange bumper

Stoßverkehr rush-hour traffic

Stoßzahn *von Elefant usw.*: tusk

Stoßzeit 1. *allg.*: peak period ['pɪərɪəd] (*oder* hours *Pl.*) 2. *Verkehr*: rush hour

Stövchen *zum Warmhalten*: warmer

stottern 1. stutter, stammer 2. *sie stottert immer*: she's got a stutter

Strafarbeit 1. extra work 2. *als Hausaufgabe*: extra homework (Δ *ohne a und nur im Sg.*)

Strafbank 1. *Fußball usw.*: penalty ['penltɪ] bench 2. *Eishockey*: penalty box 3. *er muss zwei Minuten auf die Strafbank* he's been sent off for two minutes

strafbar 1. *strafbare Handlung* (criminal *oder* punishable) offence [ə'fens] 2. *sich strafbar machen* commit an offence

Strafe 1. *allg.*: punishment; *zur Strafe* as a punishment 2. *das ist die Strafe dafür* that's what you get 3. *Strafe muss sein!* there's nothing like a bit of discipline ['dɪsəplɪn] 4. *das ist für mich eine Strafe übertragen* it's a real pain 5. (≈ *Geldstrafe*) fine; *Strafe zahlen* pay* a fine 6. *Sport*: penalty ['penltɪ]

strafen 1. punish 2. *mit dieser Klasse ist sie wirklich gestraft* she couldn't have picked a worse class

Strafentlassene(r) ex-convict [,eks-'kɒnvɪkt], ex-prisoner [,eks'prɪznə]

straff 1. *allg.*: (≈ *gespannt*) tight 2. *Seil, Muskel*: taut [tɔːt] 3. *Haut*: firm, taut 4. *Disziplin, Kontrolle usw.*: tight

straffällig: *straffällig werden* commit an offence [ə'fens]

straffen 1. tighten, pull tight (*Seil usw.*) 2. streamline (*Organisation usw.*) 3. *sich die Gesichtshaut straffen lassen* have* a facelift

Strafgefangene(r) prisoner ['prɪznə]

sträflich: *sträflich vernachlässigt werden* be* badly neglected

Sträfling prisoner ['prɪznə], convict ['kɒnvɪkt]

Strafminute: *er erhielt zwei Strafminuten* he was sent off for two minutes

Strafpredigt: *jemandem eine Strafpredigt halten* give* someone a lecture

Strafprozess trial, criminal case

Strafpunkt *Sport*: penalty ['penltɪ] point

Strafraum *Sport*: penalty ['penltɪ] area

Strafstoß *Fußball*: penalty ['penltɪ] kick

Straftat (criminal) offence [ə'fens]

Straftäter(in) offender

Strafverfahren criminal proceedings (Δ *Pl.*)

Strafzettel ticket ['tɪkɪt]

Strahl 1. (≈ *Lichtstrahl*) beam 2. (≈ *Sonnenstrahl*) ray 3. *von Flüssigkeit oder Gas*: jet 4. *kosmische Strahlen* cosmic rays *oder* radiation (Δ *Sg.*)

Strahlemann *umg.* smiley ['smaɪlɪ]

strahlen 1. (≈ *glänzen*) gleam 2. (*Person*) beam; *er strahlte übers ganze Gesicht* he was beaming from ear to ear 3. (*Uran usw.*) be* radioactive 4. *strahlender Sonnenschein* bright sunshine 5. *strahlendes Wetter* glorious weather 6. *strahlend weiße Zähne* pearly ['pɜːlɪ] white teeth

Strahlenbelastung 1. *als Messgröße*: radiation level 2. *als Vorgang*: exposure to radiation 3. *die natürliche Strahlenbelastung* natural (background) radiation (Δ *ohne the*)

Strahlung radiation

Strähne 1. (≈ *Haarsträhne*) strand (of hair) 2. *blonde Strähne* blond streak [striːk] 3. *sich Strähnen ins Haar machen lassen* have* highlights put in(to one's hair)

stramm 1. *Figur, Beine usw.*: sturdy 2. *Disziplin usw.*: strict 3. *stramm sitzen Kleidung*: fit tightly 4. *stramm ziehen* pull tight

strammziehen pull tight

Strampelhose rompers (Δ *Pl.*), stretchsuit ['stretʃsuːt]

strampeln 1. (*Baby*) kick its legs, *auf dem Schoß*: jump up and down 2. *mit dem Fahrrad*: pedal ['pedl]

Strand beach; *am Strand* on the beach

Strandcafé seaside café ['kæfeɪ]

stranden (*Schiff*) run* aground

Strapaze strain; *Strapazen* strain (Δ *Sg.*)

strapazieren 1. strain (*Augen, Nerven usw.*); *du strapazierst allmählich meine Geduld* you're testing my patience to the limit 2. be* hard on (*Haare, Haut usw.*) 3. *der Tisch ist arg strapaziert worden* that table has had some rough [rʌf] treatment

strapazierfähig 1. *allg.*: tough [tʌf] **2.** *Kleidung*: hardwearing [ˌhɑːdˈweərɪŋ]

strapaziert 1. *Haar, Haut*: mistreated (△ *nur vor dem Subst.*) **2.** *Nerven, Beziehung usw.*: strained **3.** *Kleidung, Teppich usw.*: worn **4. er ist ganz schön strapaziert** he's pretty worn out

Straps suspender belt, *AE* garter belt

Straße[1] **1.** *mit Betonung auf dem Verkehr*: road **2.** *mit Betonung auf den Gebäuden, Betonung auf dem Straßenleben*: street **3. jemanden auf die Straße setzen** throw* someone out onto the street **4. auf offener Straße** in broad daylight; ☞ *Info S. 946*

Straße[2] (≈ *Meeresenge*) strait, straits (*Pl.*); **die Straße von Dover** the Straits of Dover

Straßenarbeiten roadworks, *AE* road construction (△ *Sg.*) *oder* repairs

Straßenarbeiter(in) roadworker

Straßenbahn tram, *AE* streetcar

Straßencafé pavement café [ˈkæfeɪ], *AE* sidewalk café

Straßenecke 1. street corner **2. wir wohnen drei Straßenecken weiter** we live three blocks further up

Straßenfeger(in) street cleaner

Straßengraben (roadside) ditch

Straßenkarte road map

Straßenkehrer(in) street cleaner

Straßenrand: am Straßenrand at the roadside, on the kerb, *AE* on the curb

Straßenräuber(in) mugger

Straßenschlacht street riot

Straßensperre road block

Straßenverhältnisse road conditions

Straßenverkehrsordnung traffic regulations (△ *Pl.*)

Strategie strategy [ˈstrætədʒɪ]

sträuben 1. sich sträuben (≈ *sich widersetzen*) resist [rɪˈzɪst]; **sich sträuben gegen** resist, fight* (against) **2. sich sträuben, etwas zu tun** refuse to do something **3. sich sträuben** (*Haare, Fell usw.*) stand* on end

Strauch shrub, bush [bʊʃ]

straucheln (≈ *stolpern*) stumble

Strauß[1] *Blumen*: bunch of flowers

Strauß[2] *Vogel*: ostrich [ˈɒstrɪtʃ]

strawanzen *bes.* Ⓐ hang* around, bum around

streben: streben nach strive* for

Streber(in) swot, *AE* grind [graɪnd]

strebsam hardworking, ambitious

Strecke 1. (≈ *Route*) route [ruːt]; **die Strecke Brüssel-Paris** the Brussels-Paris route **2.** (≈ *Entfernung*) distance [ˈdɪstəns]; **es ist noch eine ganze Strecke** it's still quite a way (*oder* distance) **3.** *ei-*

Straße

Achte auf den unterschiedlichen Gebrauch von **road** und **street**:

road

1. Straße mit Betonung auf der <u>Fahrbahn</u> und was sich dort abspielt. Im Vordergrund stehen der Verkehr, das Fahren, die Straßenverhältnisse, die Straßenverkehrsordnung usw.

eine verkehrsreiche Straße	**a busy road**
eine holperige Straße	**a bumpy road**
Straßenverhältnisse	**road conditions**
Straßenarbeiten	**roadworks**
Glatteis auf der Straße	**ice on the road**

2. Straße als Verbindung zwischen zwei Punkten, egal ob innerhalb oder außerhalb einer Ortschaft. Der <u>Weg</u> nach/zum/zur ...

die Straße zum Bahnhof	**the road to the station**
die wichtigste Straße nach Köln	**the main road to Cologne**

street

Nur in einer <u>geschlossenen</u> Ortschaft, mit Betonung auf den Gebäuden, dem Bürgersteig, den Fußgängern, dem menschlichen Treiben auf der Straße:

auf der Straße spielen	**to play in the streets**
Er wohnt in der nächsten Straße.	**He lives in** (*AE* **on**) **the next street.**
die Straßen von San Francisco	**the streets of San Francisco**
durch die Straßen fahren	**to drive through the streets**

S

ner *Bahnlinie*: section; **auf freier Strecke stehen bleiben** stop between stations 4. *Geometrie*: line 5. **auf der Strecke bleiben** *übertragen* come* to grief, *BE auch* come* a cropper

strecken 1. *allg.*: stretch 2. **er streckte die Beine** he stretched his legs 3. **sich strecken** stretch, have* a stretch

streckenweise 1. (≈ *teilweise*) in parts 2. (≈ *zeitweise*) at times

Streetworker(in) community worker

Streich 1. trick, practical joke; **sie spielten ihr einen Streich** they played a trick on her 2. **das Wetter spielte uns einen Streich** *übertragen* the weather let us down 3. **auf einen Streich** in one go

Streicheleinheit stroke, (≈ *Lob*) pat on the back; **jeder braucht seine Streicheleinheiten** everyone needs a little stroke (*bzw.* a pat on the back) once in a while

streicheln stroke; **sie streichelte ihm über den Kopf** she stroked his head

streichen 1. *mit Farbe*: paint; → **gestrichen** 2. spread* (*Butter usw.*) 3. **die Salbe auf die Wunde streichen** rub the ointment gently into the wound [wuːnd] 4. **er strich sich die Haare aus der Stirn** he brushed his hair out of his face 5. (≈ *ausstreichen*) cross out; **von der Liste streichen** cross off the list 6. cut* (*Gelder usw.*) 7. cancel ['kænsl] (*Flug, Programm usw.*)

Streicher *Pl.*: **die Streicher im Orchester**: the strings

Streichholz match

Streichholzschachtel matchbox

Streichinstrument string(ed) instrument ['ɪnstrəmənt]

Streifen 1. *allg.*: stripe 2. (≈ *schmales Stück*) strip 3. **weißer Streifen** white line

streifen 1. (≈ *leicht berühren*) brush against 2. *mit dem Auto*: scrape (*Mauer usw.*) 3. touch (*Person*) 4. **die Kugel hat sie am Kopf gestreift** the bullet ['bʊlɪt] grazed her head 5. touch on (*Thema*)

Streifendienst patrol [pə'trəʊl] duty

Streifenwagen patrol [pə'trəʊl] car, *BE umg. auch* panda car

Streik strike; **wilder Streik** wildcat strike

streiken 1. strike (△ *die Vergangenheitsform* struck *ist hier nicht gebräuchlich, stattdessen weicht man auf Umschreibungen wie* they went on strike *aus*), go* on strike (**über** over) 2. **der CD-Spieler streikt mal wieder** *umg.* the CD player has gone wrong again 3. **ich streike!** *umg.* I'm going on strike!

Streit 1. *allg.*: argument ['ɑːgjʊmənt] (**um, wegen** about, over); **ich hab mit meinem Vater Streit** *umg.* I'm having a row [raʊ] with my dad 2. *heftiger, auch handgreiflich*: fight 3. **suchst du Streit?** are you looking for trouble?

streiten 1. **streiten, sich streiten** argue ['ɑːgjuː] (**über, wegen** about, over) 2. **sich um etwas streiten** fight* for (*oder* over) something 3. **die zwei streiten sich andauernd** those two are always arguing (*oder* fighting) 4. **hört auf zu streiten!** stop arguing!

Streitigkeiten quarrelling ['kwɒrəlɪŋ] (△ *nur im Sg.*)

streitsüchtig 1. aggressive [ə'gresɪv] 2. **sie ist sehr streitsüchtig** she's always looking for trouble

streng 1. *Eltern, Lehrer, Regeln, Disziplin usw.*: strict 2. *Blick, Aussehen, Haarschnitt usw.*: severe [sɪ'vɪə] 3. *Winter*: severe, harsh 4. **er bekam eine strenge Strafe** he was severely punished 5. **strenge Worte** harsh words 6. **streng(stens) verboten** strictly forbidden 7. **streng geheim** top secret ['siːkrət] 8. **streng genommen** strictly speaking

---

streng

strict	strenge Disziplin verlangend:

a strict teacher, strict parents, strict rules, a strict diet

severe	hart:

a severe look, a severe winter, severe punishment, severe criticism

---

strenggläubig (very) orthodox ['ɔːθədɒks]; **ein strenggläubiger Muslim** a strict (*oder* orthodox) Muslim ['mʊzlɪm]

Stress 1. stress 2. **es ist ein furchtbarer Stress** it's really stressful 3. **sie ist schwer im Stress** she's under real pressure ['preʃə]

stressen: **die Schule stresst mich zurzeit** school is stressing me out (*oder* is getting to me) at the moment

stressig stressful ['stresfl]

streuen 1. *allg.*: scatter 2. sprinkle (*Zucker, Salz usw.*) 3. (≈ *die Straßen streuen*) sand (*BE auch* grit) the roads, *mit Salz*: put* salt down on the roads

Streufahrzeug gritter lorry, *AE* salt truck

streunend: **streunender Hund** stray dog

Strich 1. (≈ *Linie*) line 2. **auf einer Waage usw.**: mark 3. **er macht keinen Strich** *umg.* he doesn't lift a finger 4. **das geht mir gegen den Strich** it goes against the grain (for me) 5. **unter dem Strich** *übertragen* all in all 6. **auf den Strich gehen** *umg.* be* on the game, *AE* hustle [hʌsl]

Strichcode bar code
Strichmännchen stick figure ['stɪkˌfɪgə]
Strichpunkt semicolon [ˌsemɪ'kəʊlən]
Strick 1. rope; *wir brauchen einen Strick* we need some rope (*oder* a piece of rope) **2.** *dünner:* cord **3.** *wenn alle Stricke reißen* if the worst comes to the worst
stricken knit [△ nɪt]
Strickjacke cardigan ['kɑːdɪgən]
Strickleiter rope ladder
Stricknadel knitting [△ 'nɪtɪŋ] needle
Strickzeug knitting [△ 'nɪtɪŋ] things (△ *Pl.*)
Striemen *auf der Haut:* weal [wiːl], welt
strikt 1. *allg.:* strict **2.** *die Regeln usw. strikt befolgen* stick* closely to the rules *usw.*
Strippe 1. (≈ *Kabel*) cord **2.** (≈ *Schnur*) (piece of) string **3.** *er hängt dauernd an der Strippe umg.* he's never off the phone
strippen strip, do* a strip
Stripper(in) stripper
Stripteaselokal *umg.* strip club
Stroh 1. straw **2.** *er hat nur Stroh im Kopf umg.* he's got sawdust between his ears
strohblond *Haar:* straw-coloured
Strohdach thatched roof
strohdumm *umg.* as thick as two short planks, *AE* as dumb [△ dʌm] as a box of rocks
Strohhalm straw
Strohhut straw hat
Strolch (≈ *Schlingel*) rascal ['rɑːskl]
Strolchenfahrt ⊛ *mit gestohlenem Auto usw.:* joyride
Strom¹ 1. (≈ *Elektrizität*) electricity [ɪˌlek-'trɪsətɪ] **2.** *es steht unter Strom* it's live [laɪv]
Strom² 1. (≈ *Fluss*) river (△ *engl.* stream = *Bach*) **2.** (≈ *Strömung*) current ['kʌrənt] **3.** *ein endloser Strom von Touristen usw.* an endless stream of tourists *usw.* **4.** *es gießt in Strömen* it's pouring ['pɔːrɪŋ] (with rain) **5.** *mit dem (bzw. gegen den) Strom schwimmen übertragen* swim* with (*bzw.* against) the tide [taɪd]
Stromausfall power cut, blackout
strömen 1. (*Flüssigkeit, Blut, Tränen, Gas usw.*) stream, pour [pɔː] (*aus* out of, from); *das Blut strömte ihr übers Gesicht* the blood was streaming down her face **2.** *die Leute strömten ins (bzw. aus dem) Stadion* people were streaming *oder* pouring into (*bzw.* out of) the stadium
strömend: *strömender Regen* pouring rain

stromlinienförmig streamlined
Strömung 1. *im Wasser, in der Luft:* current ['kʌrənt] **2.** *politische usw.:* movement
Stromverbrauch power consumption
Stromversorgung power supply [sə'plaɪ]
strotzen 1. *sein Aufsatz usw. strotzt vor Fehlern* his essay *usw.* is full of mistakes **2.** *du strotzt ja vor Dreck!* you're covered in muck!
strubbelig *Haar, Fell:* tousled ['taʊzld]
Strudel 1. *in Fluss usw.:* whirlpool, *größerer:* maelstrom [△ 'meɪlstrɒm] **2.** *Gebäck:* strudel ['struːdl]
Struktur structure ['strʌktʃə]
Strumpf 1. (≈ *Socke*) sock; *sie läuft in Strümpfen herum* she walks around in socks **2.** (≈ *Damenstrumpf*) stocking
Strumpfhose tights (△ *Pl.*), *AE* pantyhose (△ *Pl.*); *eine Strumpfhose* a pair of tights, *AE* a pair of pantyhose
Stube (≈ *Wohnzimmer*) living room
Stubenhocker(in) stay-at-home ['steɪ ˌətˌhəʊm]
stubenrein *Hund usw.:* house-trained
Stück¹ 1. *allg.:* piece; *ein Stück Käse* a piece of cheese; *zwei Stück Kuchen* two pieces of cake **2.** *ein Stück Zucker* a lump of sugar **3.** *ein Stück Seife* a bar of soap **4.** *ich nehme zehn Stück* I'll have ten (of them); *sie kosten 5 Euro das Stück* they're 5 euros each **5.** *in einer Sammlung:* piece; *ein seltenes Stück* a rare specimen ['spesəmɪn] **6.** (≈ *Teil*) part, *eines Textes auch:* passage ['pæsɪdʒ] **7.** *in Stücke schlagen* smash to pieces **8.** *ein ganzes Stück größer usw.* quite a bit bigger *usw.* **9.** *er hält große Stücke auf seinen Bruder* he thinks the world of his brother
Stück² 1. (≈ *Theaterstück*) (stage) play **2.** (≈ *Musikstück*) piece; *ein Stück von Mozart* a piece by Mozart
Stückchen 1. little piece (*oder* bit) **2.** *ich begleite dich ein Stückchen* I'll walk part of the way with you
Student student ['stjuːdnt]
Studentenfutter nuts and raisins ['reɪznz] (*Pl.*)
Studentenheim 1. *allg.:* student(s') hostel ['hɒstl] **2.** *auf dem Universitätsgelände:* hall of residence ['rezɪdəns], *AE mst.* dormitory ['dɔːmɪtrɪ]
Studentin (female) student ['stjuːdnt]
Studienabschluss degree [dɪ'griː]
Studienfach subject ['sʌbdʒekt]; ☞ *Info S. 946*
Studiengebühren tuition fees [tjuː-'ɪʃniːz]
Studienplatz place at university, *AE* ad-

mission (as a student in college *usw.*)

Studienfächer

Architektur	architecture
Betriebswirtschaft	business administration
Biochemie	biochemistry
Biologie	biology
Chemie	chemistry
Erdkunde	geography
Geisteswissenschaften	arts, humanities
Geowissenschaften	earth sciences
Geschichte	history
Grafik	graphic design
Informatik	computer science
Jura	law
Kunst	art
Kunstgeschichte	art history
Maschinenbau	engineering
Mathematik	mathematics, maths, *AE* math
Medienwissenschaften	media studies
Medizin	medicine ['medsn]
Musikwissenschaft	musicology
Naturwissenschaften	science *Sg.*
Pädagogik	education
Physik	physics ['fızıks]
Sportwissenschaft	sports science
Theaterwissenschaften	theory of drama, theatre studies
Wirtschaft(swissenschaften)	economics

Studienrat, **Studienrätin** *etwa*: secondary school teacher, *AE mst.* high school teacher

studieren 1. (≈ *an der Uni usw. sein*) study; *sie studiert an der Uni Köln* she's (studying) at Cologne University **2.** study (*Fach, Thema usw., auch Fahrplan usw.*)

Studio studio ['stjuːdɪəʊ]

Studium 1. *allg.*: studies (△ *Pl.*) **2.** *während seines Studiums* Gegenwart: while he's studying, *Vergangenheit*: while he was studying (*oder* a student) **3.** *er hat sein Studium der Biologie im vorigen Jahr abgeschlossen* he finished (*oder* got) his degree in biology last year **4.** *was macht dein Studium?* how are you getting on at university *bzw.* college?, *AE* how are you getting along in college **5.** *das Studium der Pflanzen usw.* the study of plants *usw.*

Stufe 1. *einer Treppe*: step **2.** (≈ *Ebene im Gelände usw.*) level **3.** (≈ *Niveau*) level **4.** *einer Entwicklung*: stage **5.** (≈ *Schritt*) step; *die nächste Stufe* the next step

stufenlos: *stufenlos verstellbar* infinitely variable [‚ɪnfɪnətlɪ'veərɪəbl]

stufenweise step by step

Stuhl¹ 1. chair **2.** *der elektrische Stuhl* the electric chair **3.** *mich hats fast vom Stuhl gehauen* umg. I nearly fell over backwards **4.** *es hat uns nicht gerade vom Stuhl gerissen* it wasn't exactly scintillating ['sɪntɪleɪtɪŋ]

Stuhl² (≈ *Kot*) stool, stools (*Pl.*) (△ *mst. wird die Pluralform verwendet*)

Stuhlgang bowel ['baʊəl] movement; *Stuhlgang haben* have* a bowel movement

Stulle piece of bread and butter (*oder* cheese *usw.*), sandwich [△ 'sænwɪdʒ]

stülpen 1. *ein Glas usw. über etwas stülpen* put* a glass *usw.* over something **2.** *eine Tasche usw. nach außen stülpen* turn a pocket *usw.* inside out

stumm 1. (≈ *unfähig zu sprechen*) dumb [△ dʌm] **2.** *sie blieb stumm* she remained silent ['saɪlənt] **3.** *stumm dasitzen* sit* in silence ['saɪləns]

Stummel 1. *von Zigarette, Bleistift*: stub **2.** *von Zahn*: stump

Stumme(r) mute [mjuːt]

Stummfilm silent ['saɪlənt] movie

Stümper(in) bungler ['bʌŋglə]

stümperhaft 1. bungling, incompetent [ɪn'kɒmpɪtənt] **2.** *stümperhafte Arbeit* umg. botch(-up), botched(-up) job **3.** *etwas stümperhaft erledigen* umg. botch something up

stumpf *Bleistift, Messer usw.*: blunt

Stumpfsinn: *das ist der reinste Stumpfsinn* Arbeit: it's completely mindless ['maɪndləs] work

stumpfsinnig dull, mindless ['maɪndləs]

Stunde 1. (≈ *60 Minuten*) hour [△ 'aʊə]; *eine halbe Stunde* half an hour (△ *Wortstellung*); *wir verdienen 15 Euro die Stunde* we earn [ɜːn] 15 euros an hour **2.** (≈ *Unterrichtsstunde*) lesson; *was habt ihr in der ersten Stunde?* what's your first lesson? **3.** *die Stunde der Wahrheit ist gekommen* the moment of truth has come

Stundenkilometer: *80 Stundenkilometer* (*besser*: *80 Kilometer pro Stunde*) 80 kilometres an hour, *umg.* 80 k [keɪ]

stundenlang: *sie sitzt stundenlang am Computer* she sits in front of the computer for hours (on end)

Stundenplan timetable, *AE* schedule

['skedʒuːl]; *ein voller Stundenplan* a heavy timetable; *wie sieht dein Stundenplan aus?* what's your timetable like?

Stundenkilometer

Bei Geschwindigkeiten wird noch vorwiegend in „Meilen pro Stunde" gerechnet. Hier eine Übersicht als grobe Orientierung:

50 km/h =	**30 mph**	[ˌempiːˈeɪtʃ] **(miles per hour)**
80 km/h =	**50 mph**	
100 km/h =	**62 mph** usw.	

Stundenzeiger hour hand
stündlich: *der Bus fährt stündlich* the bus runs every hour
Stunk: *Stunk machen* kick up a row [△ raʊ] *oder* stink; *es gab großen Stunk* there was a big row [raʊ] *oder* a real stink
stupid, stupide 1. *Arbeit*: mindless ['maɪndləs] **2.** *Person*: very dull
stupsen nudge
Stupsnase snub nose
stur 1. stubborn ['stʌbən], *stärker*: pigheaded [ˌpɪgˈhedɪd] **2.** *das ist ein sturer Bock* he's so pigheaded
Sturheit stubbornness ['stʌbənnəs]
Sturm 1. (≈ *starker Wind*) gale, gale-force wind; *starker Sturm* heavy gale **2.** *ein Sturm der Begeisterung* a wave of enthusiasm [ɪnˈθjuːzɪæzm] **3.** *ein Sturm des Protests* a storm of protest ['prəʊtest]
stürmen 1. *die Bühne stürmen* storm the stage **2.** *die Geschäfte stürmen* invade the shops (*AE* stores) **3.** storm (*eine Stellung usw.*) **4.** *Sport*: attack
Stürmer(in) *Fußball usw.*: striker, forward
sturmfrei: *heute Abend hab ich sturmfreie Bude* I've got the place to myself tonight
stürmisch 1. *Wetter, Überfahrt*: stormy **2.** *ein stürmischer Liebhaber* a passionate ['pæʃnət] lover
Sturmschaden storm damage ['dæmɪdʒ]
Sturz 1. *allg.*: fall **2.** *eines Politikers usw.*: downfall, *gewaltsamer*: overthrow **3.** *der Sturz des Dollars* the collapse [kəˈlæps] of the dollar
stürzen 1. *allg.*: fall* [fɔːl]; *er ist schwer gestürzt* he had a bad fall **2.** *das Flugzeug ist ins Meer gestürzt* the aircraft crashed into the sea **3.** *er kam ins Zimmer gestürzt* he burst into the room **4.** *sich aufs Essen stürzen* attack the food

5. *sie stürzte sich in die Arbeit* she threw herself into the (*oder* her) work
Sturzhelm crash helmet
Stuss *umg.*: rubbish, *AE* bull; *so ein Stuss!* what a load of rubbish (*AE* bull)!
Stute mare
Stutz ⊕ (≈ *steiler Hang*) steep slope
Stütze 1. *allg.*: support **2.** *umg.* (≈ *Arbeitslosengeld*) dole money, *AE* welfare; *er lebt von der Stütze* he's on the dole
stutzen 1. (≈ *zögern*) hesitate ['hezɪteɪt] **2.** *vor Schreck usw.*: stop short **3.** (≈ *zweimal hingucken*) do* a double take
stützen 1. *allg.*: support **2.** *er stützte die Arme auf den Tisch* he rested his arms on the table **3.** *sie stützte sich auf ihren Stock* she leaned on her stick **4.** *sich auf etwas stützen* *Verdacht, Theorie usw*: be* based on something
stutzig: *ich wurde ganz stutzig* I couldn't figure it out [ˌfɪgər_ɪtˈaʊt]
Stützpunkt *militärisch usw.*: base (*auch übertragen*)
Styropor® polystyrene [ˌpɒlɪˈstaɪriːn], *AE* styrofoam® ['staɪrəfəʊm]
Subjekt subject ['sʌbdʒekt]
subjektiv subjective [səbˈdʒektɪv]
subpolar subpolar [ˌsʌbˈpəʊlə]
Substantiv noun
Substanz 1. *allg.*: substance ['sʌbstəns] **2.** *es geht allmählich an die Substanz* it's beginning to get to me (him, her, us *usw.*)
subtrahieren *Mathematik*: subtract [səbˈtrækt]
Subtraktion *Mathematik*: subtraction [səbˈtrækʃn]
subtropisch subtropical [ˌsʌbˈtrɒpɪkl]
subventionieren subsidize ['sʌbsɪdaɪz]
Suchaktion search [sɜːtʃ]; *eine Suchaktion durchführen* carry out *oder* conduct a search
Suche search [sɜːtʃ] (*nach* for); *auf der Suche nach etwas sein* be* in search of something, be* looking for something; *sich auf die Suche nach etwas machen* start looking for something
suchen 1. *auch*: *suchen nach* look for **2.** *er sucht Streit* he's looking for trouble **3.** *du wirst gesucht* you're wanted **4.** *da kannst du lange suchen* you won't find it (in) there **5.** *was hast du hier zu suchen?* what are you after?; *du hast hier nichts zu suchen* you've got no business ['bɪznəs] being here **6.** *suche und ersetze* *Computer*: find and replace
Sucher *einer Kamera*: viewfinder
Suchlauf *Video usw.*: search (function)
Suchmaschine *Internet*: search engine ['sɜːtʃˌendʒɪn]
Sucht 1. addiction (*nach* to) **2.** *es wird*

bei ihr zur Sucht übertragen it's becoming an obsession [əb'seʃn] with her

süchtig addicted [ə'dɪktɪd]; *nach etwas* **süchtig werden** become* addicted to something, *umg.* get* hooked on something; *das macht süchtig* it's addictive (*auch* übertragen)

Süchtige(r) addict ['ædɪkt]

Suchtklinik drug abuse [ə'bjuːs] clinic

Suchtmittel addictive substance ['sʌbstəns]

Süd 1. south; *aus Süd* from the south; *München Süd* South Munich **2.** *nach Süd* south, southwards ['saʊθwədz]

Südafrika 1. *die Republik*: South Africa **2.** *das Gebiet*: southern [△ 'sʌðn] Africa

Südafrikaner South African; *er ist Südafrikaner* he's South African; ☞ *Nationalitäten*

Südafrikanerin South African woman (*oder* lady *bzw.* girl); *sie ist Südafrikanerin* she's South African; ☞ *Nationalitäten*

südafrikanisch South African

Südamerika South America

südamerikanisch South American

süddeutsch, Süddeutsche(r) South German; ☞ *Nationalitäten*

Süddeutschland South (*oder* Southern [△ 'sʌðn]) Germany

Süden 1. *Himmelsrichtung*: south; *von Süden* from the south **2.** *Landesteil*: South **3.** *nach Süden* south, southwards ['saʊθwədz], *Verkehr usw.*: southbound

Südeuropa South (*oder* Southern [△ 'sʌðn]) Europe ['jʊərəp]

Südeuropäer(in) South (*oder* Southern [△ 'sʌðn]) European; ☞ *Nationalitäten*

südeuropäisch South (*oder* Southern [△ 'sʌðn]) European

Südkorea South Korea [kə'rɪə]

Südküste south coast

südlich 1. *allg.*: southern [△ 'sʌðn] (△ *nur vor dem Subst.*) **2.** *Wind, Richtung*: southerly [△ 'sʌðəlɪ] **3.** *in südlicher Richtung* south, southwards ['saʊθwədz], *Verkehr usw.*: southbound **4.** *südlich von* (to the) south of **5.** *weiter südlich* further (to the) south

südlichste(r, -s): *der südlichste Punkt Europas* Europe's southernmost ['sʌðnməʊst] point

Südost southeast

Südostasien Southeast Asia

Südosten southeast

südöstlich southeast (*von* of)

Südpol South Pole [,saʊθ'pəʊl]

Südsee South Pacific [pə'sɪfɪk]

Südstaaten: *die Südstaaten der USA*: the Southern [△ 'sʌðn] States, the South

(*Sg.*)

Südtirol South Tyrol [tɪ'rəʊl]

Südtiroler(in) man (*bzw.* woman *oder* lady *bzw.* girl) from South Tyrol [tɪ'rəʊl], South Tyrolean [,tɪrə'liːən]; *sie ist Südtirolerin* she's from South Tyrol; ☞ *Nationalitäten*

südwärts south, southwards ['saʊθwədz]

Südwest, Südwesten southwest

südwestlich southwest (*von* of)

Südwind south wind, southerly ['sʌðəlɪ] wind

Suff *umg.* **1.** boozing **2.** *er hat es im Suff gesagt* he was drunk when he said it

süffeln 1. *allg.*: sip **2.** *umg.* tipple (*Alkohol*)

Sülze 1. jellied ['dʒelɪd] meat **2.** (≈ *Aspik*) meat in aspic ['æspɪk]

Sümmchen: *ein hübsches Sümmchen* *umg.* a tidy little sum

Summe 1. *beim Rechnen*: sum, (≈ *Gesamtsumme*) *auch*: total ['təʊtl] **2.** (≈ *Betrag*) amount

summen 1. (*Person*) hum; *er summte vor sich hin* he was humming (away) to himself **2.** (*Insekt*) buzz **3.** (*Gerät usw.*) hum

summieren: *es summiert sich* it all adds up

Sumpf 1. *allg.*: marsh **2.** *subtropischer*: swamp [swɒmp]

sumpfig 1. *allg.*: marshy **2.** *weitläufiger*: swampy ['swɒmpɪ]

Sünde 1. sin; *eine schwere Sünde* a serious ['sɪərɪəs] sin **2.** *das ist doch keine Sünde* übertragen it's no crime

Sündenbock scapegoat ['skeɪpgəʊt]; *sie wurde zum Sündenbock gemacht* she was used as a scapegoat

Sünder(in) sinner

sündhaft 1. sinful, wicked [△ 'wɪkɪd] **2.** *sündhaft teuer* incredibly expensive

sündigen 1. *allg.*: sin (*gegen* against) **2.** *humorvoll* (≈ *zu viel essen usw.*) indulge, *umg.* sin

super *umg.* great, fantastic, *BE auch* ace, *AE auch* cool

Super *Benzin*: four-star, *AE* premium

Superding: *es ist ein Superding* *umg.* it's really amazing

Supergescheite(r): *das ist so 'n Supergescheiter* *umg.* he's a real know-all

superleicht *umg.* (≈ *sehr einfach*) dead easy

Supermann *umg.* superman; *ich bin doch kein Supermann* I'm not Superman (△ *ohne* a)

Supermarkt supermarket ['suːpə,mɑːkɪt]; *er kauft gerade im Supermarkt ein* he's shopping at the supermarket

superschick *umg.* dead smart, *AE* super
smart

superschnell *umg.* incredibly fast

Suppe 1. *allg.*: soup 2. (≈ *dicker Nebel*)
umg. peasouper [ˌpiːˈsuːpə], *AE* peasoup
3. *da hast du dir eine schöne Suppe
eingebrockt* you've got yourself into a
nice little mess there 4. *du musst jetzt
die Suppe auslöffeln* you'll have to face
the music 5. *er hat mir die Suppe ver-
salzen* he's spoilt things for me

Surfbrett surfboard

surfen 1. *mit Segel*: go* windsurfing 2. *oh-
ne Segel*: go* surfing 3. *im Internet sur-
fen* surf the Internet

Surfer(in) surfer (*auch im Internet*)

suspekt 1. *mst. von Dingen*: suspect ['sʌs-
pekt]; *das ist mir etwas suspekt* it
seems a bit suspect to me 2. *er kam mir
etwas suspekt vor* he seemed a bit sus-
picious [səˈspɪʃəs] to me

suspendieren suspend [səˈspend]

süß 1. *allg.* sweet 2. *übertragen*; *Baby,
Kleid usw.*: sweet, *AE auch* cute [kjuːt];
oh wie süß! oh, isn't it sweet! 3. *ich es-
se gern süße Sachen* I've got a sweet
tooth 4. *ein süßes Lächeln im negativen
Sinn* a sugary smile 5. *träum süß!* sweet
dreams!

Süße(r) *umg.* sweetie(-pie)

süßen sweeten, put* sugar (*oder* sweeten-
er ['swiːtnə]) in

Süßigkeiten sweets, *AE* candy (*mst. Sg.*)

süßlich 1. sweet, (≈ *unangenehm süß*)
sickly (sweet) 2. (≈ *kitschig*) sickly
(sweet) 3. *Lächeln usw.*: sugary ['ʃʊgərɪ]

süßsauer 1. *Gericht*: sweet-and-sour 2.
süßsaure Gurken pickled cucumbers
['kjuːkʌmbəz], *AE mst.* sweet pickles 3.
süßsaures Lächeln forced smile

Süßspeise dessert [Δ dɪˈzɜːt], sweet

Süßstoff sweetener ['swiːtnə]

Süßwasser fresh (*oder* sweet) water

Sweatshirt sweatshirt ['swetʃɜːt]

Swimmingpool (swimming) pool; *am
Swimmingpool* by the pool

Symbol symbol ['sɪmbl] (*für* of)

symbolisch symbolic [sɪmˈbɒlɪk] (*für* of)

Symbolleiste *Computer*: toolbar

Symmetrie symmetry ['sɪmətrɪ]

symmetrisch symmetrical [sɪˈmetrɪkl]

sympathisch 1. pleasant ['pleznt], nice 2.
er ist mir sehr sympathisch I really like
him, I think he's really nice; *er ist mir
überhaupt nicht sympathisch* I just
don't like him (Δ *engl.* sympathetic =
mitleidsvoll)

Symptom symptom ['sɪmptəm] (*für* of)

Synagoge synagogue ['sɪnəgɒg]

synchronisiert *Film*: dubbed

Synchronsprecher(in) dubber

Synchronstimme dubbing voice

Synonym synonym ['sɪnənɪm]

Synthese synthesis ['sɪnθəsɪs] *Pl.*: synthe-
ses ['sɪnθəsiːz]

Synthetik synthetic (fibre ['faɪbə])

synthetisch synthetic [sɪnˈθetɪk]

Syrien Syria ['sɪrɪə]

System 1. system ['sɪstəm] 2. (≈ *Metho-
de*) method ['meθəd] 3. *es steckt über-
haupt kein System drin* there's no sys-
tem to it

systematisch 1. systematic 2. *systema-
tisch zerstören* systematically destroy

Systemsteuerung *Computer*: system con-
trol ['sɪstəmˌkənˈtrəʊl]

Szene 1. *allg., auch politische usw.*: scene
[siːn] 2. *sich in der Szene auskennen*
know* the scene 3. *jemandem eine Sze-
ne machen* make* a scene (Δ *ohne*
someone) 4. *sie hat sich wieder in Sze-
ne gesetzt* she had to be the centre of
attention again

Szenenwechsel 1. *im Theater*: scene
change 2. *übertragen* change of scene

T

Tabak tobacco [təˈbækəʊ]

Tabakladen tobacconist's [təˈbækənɪsts],
AE cigar [sɪˈgɑː] store

Tabelle 1. *allg.*: table 2. (≈ *Diagramm*)
chart [tʃɑːt] 3. *Sport*: league [liːg] table,
AE standings (Δ *Pl.*)

Tabellenerster: *sie sind Tabellenerster*
they're top of the league [liːg]

Tabellenletzter: *sie sind Tabellenletzter*
they're bottom of the league [liːg]

Tablett tray

Tablette tablet ['tæblət], pill

tabu 1. taboo [təˈbuː]; *das ist tabu* it's a
taboo 2. *das Thema ist für ihn tabu* it's

a taboo topic with him

Tabu taboo [təˈbuː]; *ein Tabu brechen* break* a taboo

Tabulator tabulator [ˈtæbjʊleɪtə], *umg.* tab stop

Tabuwort taboo word (*oder* expression)

Tacho(meter) speedo, speedometer [spɪˈdɒmɪtə]

tadellos 1. perfect [ˈpɜːfɪkt] **2.** *das ist doch tadellos umg.* what's wrong [rɒŋ] with it?

Tafel 1. (≈ *Schultafel*) board, *schwarze*: board, blackboard [ˈblækbɔːd]; *etwas an die Tafel schreiben* write* [△ raɪt] something (up) on the board **2.** *eine Tafel Schokolade* a bar of chocolate [ˈtʃɒklət]

Tafeldienst: *wer hat Tafeldienst?* who's the blackboard monitor?

Tafelrunde: *König Artus und die Tafelrunde* King Arthur and the Knights [naɪts] of the Round Table

Tag 1. day; *dreimal am Tag* three times a day; *am Tag* (≈ *tagsüber*) during the day; *den ganzen Tag* all day long; *was haben wir heute für einen Tag?* what day is it today?; *von einem Tag auf den andern* from one day to the next; *auf den Tag genau* to the day; *es müsste jeden Tag da sein* it should be here any day; *heute in acht Tagen* a week from today **2.** (*guten*) *Tag!* hello!, *umg.* hi!, *morgens auch*: (good) morning!, *nachmittags auch*: (good) afternoon!; *jemandem Guten Tag sagen* say* hello to someone **3.** *er hat seinen guten* (*bzw.* *schlechten*) *Tag* he's in a good (*bzw.* bad) mood today; *heute habe ich keinen guten Tag* it's not my day today **4.** *sie hat ihre Tage* she's got her period [ˈpɪəriəd] **5.** *Tag der offenen Tür* open day, *AE* open house **6.** *Tag der deutschen Einheit* German Unity Day **7.** *eines Tages* one day **8.** *es ist ein Unterschied wie Tag und Nacht* there's no comparison **9.** *man soll den Tag nicht vor dem Abend loben* don't count your chickens before they're hatched

tagaus: *tagaus, tagein* day in, day out

Tagebau *Bergbau*: opencast mining, *AE* strip mining

Tagebuch diary [ˈdaɪəri]

tagelang for days (on end)

Tagesablauf daily routine [ˌruːˈtiːn]

Tagesausflug day trip

Tageskarte 1. (≈ *Fahrkarte*) day ticket **2.** *die Tageskarte im Restaurant*: today's menu [ˈmenjuː]

Tageslicht 1. daylight; *bei Tageslicht* in the daylight **2.** *etwas ans Tageslicht*

bringen *übertragen* bring* something to light

Tagesmutter childminder [ˈtʃaɪldˌmaɪndə], *AE* childcare worker

Tagesordnung agenda [əˈdʒendə]

Tagesschau (television) news (△ *Sg.*)

Tagesstätte daycare centre

Tagestemperatur daytime temperature [ˈtemprətʃə]

Tagestour 1. day trip **2.** *bei Betonung der Länge*: day's journey [ˈdʒɜːnɪ]

Tageszeit time of (the) day; *zu jeder Tageszeit* any time of the day; *um diese Tageszeit* at this time of day (△ *ohne* the)

Tageszeitung daily (news)paper

täglich 1. (≈ *jeden Tag*) every day; *zweimal täglich* twice [twaɪs] a day **2.** *die täglichen Pflichten usw.* the daily chores [△ tʃɔːz] *usw.*

tags, tagsüber during the day

tagtäglich (≈ *jeden Tag*) every day

Tagung conference [ˈkɒnfrəns], convention

Taifun typhoon [taɪˈfuːn]

Taille waist

tailliert *Hemd usw.*: waisted

Takt¹ 1. (≈ *Rhythmus*) beat **2.** *eines Walzers usw.*: time; *im Takt bleiben* keep* in time (△ *ohne* the); *im 3/4-Takt* in 3-4 (*gesprochen* three-four) time **3.** (≈ *Takteinheit*) bar; *ein paar Takte spielen* play a couple [ˈkʌpl] of bars

Takt², Taktgefühl tact, tactfulness

Taktik tactics (△ *Pl.*); *das war eine gute Taktik* that was good tactics

Taktiker(in) *auch im Sport*: tactician [tækˈtɪʃn]

taktisch 1. tactical **2.** *du musst taktisch vorgehen* you've got to use tactics

taktlos tactless; *er ist total taktlos* he's got no sense of tact

Taktlosigkeit 1. *allg.*: tactlessness **2.** *das war aber eine Taktlosigkeit* that was a tactless thing to say (*bzw.* do)

Taktstock baton [△ ˈbætɒn]

taktvoll tactful [ˈtæktfl]

Tal valley [ˈvælɪ]

Talent 1. (≈ *Begabung*) talent [ˈtælənt] **2.** *Person*: talented person; *er ist ein echtes Talent* he's got real talent

talentiert talented [ˈtæləntɪd]

Talfahrt *Skifahren*: descent [dɪˈsent]

Talisman lucky charm

Talkmaster chat show host [həʊst], *AE* talk show host (△ *das Wort Talkmaster gibt es im Englischen nicht*)

Talkshow chat show, *AE* talk show

Tampon tampon

Tandem tandem; *Tandem fahren* ride*

tandem

Tandler(in) *bes.* Ⓐ (≈ *Trödler, -in*) junk dealer

tangieren: *das tangiert mich nicht* that's got nothing to do with me

Tank *allg.*: tank

tanken 1. (≈ *Benzin tanken*) get* some petrol ['petrəl] (*AE* gas) **2. *er hat ganz schön getankt*** *umg.* (≈ *zu viel getrunken*) he's had too much to drink

Tanker *Schiff*: (oil) tanker

Tanklastzug tanker (lorry, *AE* truck)

Tankstelle petrol ['petrəl] station, *AE* gas station

Tankwart(in) petrol ['petrəl] pump (*AE* gas station) attendant

Tanne fir [fɜ:] tree

Tannenbaum 1. fir [fɜ:] tree **2.** (≈ *Weihnachtsbaum*) Christmas ['krɪsməs] tree

Tannenbaum

Der Tannenbaum wurde von Prince Albert, dem Gemahl Königin Victorias, im 19. Jahrhundert in Großbritannien eingeführt.

Tante 1. aunt [ɑ:nt], *umg.* auntie **2. *was wollte die Tante?*** *umg.* what did 'she want?

Tante-Emma-Laden corner shop, *AE* corner store, mom-and-pop store

Tanz dance [dɑ:ns]

tanzen dance; ***tanzen gehen*** go* dancing

Tänzer(in) dancer ['dɑ:nsə]

Tanzkurs: *einen Tanzkurs machen* do* a dancing ['dɑ:nsɪŋ] course

Tanzmusik dance [dɑ:ns] music

Tanzpartner(in) (dancing) partner

Tanzschule dance [dɑ:ns] school

Tanzstunde dancing ['dɑ:nsɪŋ] lesson; ***ich muss zur Tanzstunde gehen*** I've got to go to my dancing ['dɑ:nsɪŋ] class

Tapete wallpaper

Tapetenwechsel change of scenery ['si:-nərɪ]

tapezieren wallpaper (*Wände*)

tapfer 1. *allg.*: brave **2. *er hat es tapfer ertragen*** he put on a brave front [frʌnt]

Tapferkeit (≈ *Mut*) courage ['kʌrɪdʒ]

tappen 1. *nach etwas tappen* grope around for something **2. *im Dunkeln tappen*** *übertragen* grope in the dark

tapsig clumsy

Tarantel tarantula [təˈræntjʊlə]

Tarif 1. *allg.*: rate **2. *über Tarif*** above the standard rate

tarnen *bes. militärisch*: camouflage ['kæməflɑːʒ]; ***sich tarnen*** camouflage oneself

Tasche 1. *allg.*: bag **2.** (≈ *Hosentasche usw.*) pocket; ***sie hat es in die Tasche gesteckt*** she put it in her pocket **3. *ich habs aus eigener Tasche bezahlt*** I paid for it out of my own pocket **4. *er musste tief in die Tasche greifen*** he had to dig deep into his pockets (△ *Pl.*) **5. *sie steckt alle in die Tasche*** she's head and shoulders ['ʃəʊldəz] above [əˈbʌv] everyone else **6. *du lügst dir in die eigene Tasche*** *umg.* stop kidding yourself

Taschenbuch paperback

Taschendieb(in) pickpocket ['pɪk͵pɒkɪt]

Taschengeld pocket money, *AE* allowance; ***ich krieg dreißig Euro Taschengeld*** I get thirty euros pocket money, *AE* my allowance is thirty euros

Taschenlampe torch [tɔ:tʃ], *AE* flashlight

Taschenmesser pocketknife ['pɒkɪtnaɪf], penknife ['pennaɪf]

Taschenrechner (pocket) calculator ['kælkjʊleɪtə]

Taschentuch handkerchief [△ 'hæŋkətʃɪf], *umg.* hankie

Taschenuhr fob watch

Taschenwörterbuch pocket dictionary ['dɪkʃənrɪ]

Tasse 1. *allg.*: cup; ***eine Tasse Kaffee*** a cup of coffee **2. *sie hat nicht alle Tassen im Schrank*** *umg.* she's got a screw [skru:] loose [lu:s]

Tastatur *allg.*: keyboard

Taste *allg.*: key; ***eine Taste drücken*** press a key

tasten 1. grope (*nach* for) **2. *sich tasten*** feel* (*oder* grope) one's way

Tasteninstrument keyboard instrument ['ɪnstrəmənt]

Tastentelefon pushbutton (tele)phone

Tat: *eine gute Tat vollbringen* do* a good deed

Täter(in) 1. *allg.*: culprit ['kʌlprɪt] **2.** (≈ *Straftäter, -in*) offender [əˈfendə]

tätig 1. *als Schauspieler usw. tätig sein* work as an actor *usw.* **2.** *Vulkan*: active

Tätigkeit 1. (≈ *Arbeit*) job **2.** (≈ *Beschäftigung*) occupation

Tatort scene [si:n] of the crime

tätowieren: *sie hat sich am Arm tätowieren lassen* she's had (*AE* she got) her arm tattooed

Tätowierung tattoo [tæˈtuː] (*an* on)

Tatsache fact; ***Tatsache ist, dass*** the fact is (that)

tatsächlich 1. *er schläft tatsächlich* he really is asleep **2. *tatsächlich?*** really?

tätscheln pat

tatt(e)rig *umg.*; *Greis*: doddery

Tattoo (≈ *Tätowierung*) tattoo [tæˈtuː]

Tatze *allg.*: paw [pɔ:]

Tau¹ (≈ *Morgentau*) dew [djuː]

Tau² (≈ *Strick*) rope

taub 1. deaf [def]; ***taub werden*** go* deaf; ***sie ist auf dem linken Ohr taub*** she's deaf in her left ear **2.** ***er stellt sich einfach taub*** he just pretends not to hear **3.** *Füße usw.*: numb [△ nʌm] (*vor Kälte* with cold)

Taube 1. pigeon ['pɪdʒən] **2.** *als Symbol des Friedens usw.*: dove [△ dʌv]

Taubenschlag 1. dovecote [△ 'dʌvkəʊt, 'dʌvkɒt] **2.** ***hier gehts zu wie im Taubenschlag*** it's like Piccadilly Circus (*AE* Times Square) around (*bzw.* in) here, *AE auch* it's like Grand Central Station around here

Taubheit deafness ['defnəs]

taubstumm deaf and dumb [△ ˌdef_ən-'dʌm]

Taubstumme(r) deaf-mute [ˌdef'mjuːt]

tauchen 1. *allg.*: dive* (*in* into; *nach* for), *als Sport auch*: skin-dive* **2.** *mit Gerät*: scuba-dive* ['skuːbədaɪv] **3.** ***sie tauchte den Fuß in den Pool*** she dipped her foot in the pool

Taucher(in) (skin) diver

Taucheranzug diving suit [suːt], wetsuit

Taucherbrille diving goggles (△ *Pl.*)

Tauchsieder immersion heater

tauen thaw [θɔː], melt; ***es taut*** it's thawing

Taufe 1. *allg.*: baptism **2.** (≈ *christliche Namenstaufe*) christening [△ 'krɪsnɪŋ]

taufen 1. *in Kirche*: baptize [bæp'taɪz], christen [△ 'krɪsn] (*auch Schiff usw.*) **2.** (≈ *nennen*) call

Taufpate 1. godfather **2.** ***meine Taufpaten*** my godparents

Taufpatin godmother

taugen 1. ***es taugt nichts*** it's no good *oder* use [juːs] **2.** ***taugt es was?*** is it any use? **3.** ***es taugt nicht für Kinder*** it isn't meant for children **4.** ***wenns dir nicht taugt*** *bes.* ⒶⒸ if you don't like it

Taugenichts good-for-nothing

tauglich 1. *allg.*: suitable ['suːtəbl] (*für, zu* for) **2.** *fürs Militär*: fit (for service)

taumeln reel, stagger

Tausch 1. *allg.*: exchange, *umg.* swap [swɒp] **2.** ***das war ein guter Tausch*** that was a good deal

tauschen 1. *allg.*: exchange, *umg.* swap [swɒp] **2.** exchange (*Worte, Blicke*) **3.** ***mit ihr möchte ich nicht tauschen*** I wouldn't like to be in her shoes

täuschen 1. (≈ *irreführen*) deceive [dɪ-'siːv] **2.** ***es täuscht*** it's deceptive [dɪ-'septɪv] **3.** ***wenn mich nicht alles täuscht*** if I'm not very much mistaken **4.** ***da täuschst du dich*** you're wrong

[rɒŋ] there

täuschend: ***er sieht ihm täuschend ähnlich*** he looks just like him

Täuschung 1. *allg.*: deception [dɪ'sepʃn] **2.** (≈ *bes. Selbsttäuschung*) delusion [dɪ-'luːʒn] **3.** (≈ *Irrtum*) mistake **4.** ***optische Täuschung*** optical illusion

tausend 1. *allg.*: a thousand, *betont*: one thousand; ***tausend Euro*** a thousand euros (△ *Pl.*) **2.** (≈ *sehr viele*) thousands of **3.** ***tausend Dank!*** thanks a million!

tausendmal a thousand times

tausendste(r, -s) thousandth ['θaʊznθ]

tausendstel thousandth; ***eine tausendstel Sekunde*** a thousandth of a second

Tausendstel thousandth ['θaʊznθ]

Tauwetter thaw [θɔː]

Tauziehen tug-of-war [ˌtʌɡəv'wɔː]

Taxi taxi; ***mit dem Taxi fahren*** go* by taxi

Taxi

Die großen schwarzen Taxis, die man in London und anderen Großstädten sieht, heißen **black cabs**. Sie dürfen nur von ausgebildeten Taxifahrern (umgangssprachlich **cabbies** genannt) gefahren werden, die besonders in London für ihre Fahrkunst und detaillierten Kenntnisse der Hauptstadt bekannt sind.

Taxifahrer taxi (*oder* cab) driver

Taxistand cab *oder* taxi rank, *AE* taxi stand, cabstand

Team team; ***im Team arbeiten*** work in a team, work as part of a team

Teamarbeit teamwork

Technik¹ 1. ***die Technik*** technology [tek-'nɒlədʒɪ] (△ *ohne* the) **2.** *als Fach mst*: engineering [ˌendʒɪ'nɪərɪŋ] **3.** (≈ *Maschinen, Geräte*) technology, equipment [ɪ'kwɪpmənt] **4.** *eines Geräts usw.*: mechanics [mɪ'kæniks] (△ *Pl.*) **5.** ***ich verstehe nichts von der Technik*** I'm hopeless when it comes to technical matters **6.** (≈ *Verfahren, Methode*) technique [tek'niːk]

Technik

„Technik" übersetzt man mit **technique**, wenn es um ein Verfahren oder eine Methode/Vorgehensweise geht, mit der etwas ausgeführt wird:

a good skiing / singing / selling technique

Technik² *im Sport, in der Kunst usw.*: technique [tek'niːk]

Techniker(in) technician [tek'nɪʃn]

technisch 1. *allg.*: technical ['tek…nɪkl] **2.** *Fortschritt, Wandel usw.*: technological

Techno *Musikstil*: techno ['teknəʊ]

Technologie technology [tek'nɒlədʒɪ]

technologisch technological [ˌteknə'lɒdʒɪkl]

Techno-Party rave

Tee tea; *möchtest du einen Tee trinken?* would you like a cup of tea?

Tee oder Kaffee?

Ob in Krisenzeiten oder in der Hochkonjunktur – Tee ist und bleibt das Nationalgetränk Nr. 1 Großbritanniens, das in allen Lebenslagen getrunken wird, und zwar mit Milch und eventuell mit Zucker. Im Vergleich zum Tee auf dem europäischen Festland ist der britische Tee relativ stark. Tee mit Zitrone ist in Großbritannien nicht sehr üblich. Und falls du mal Briten zu Besuch haben solltest: In den Tee gehört auf keinen Fall Kondensmilch oder Kaffeesahne, sondern Frischmilch!

Kaffee ist längst auch sehr beliebt. Der Kaffee, wie man ihn in Großbritannien und in den USA kennt, ist meist nicht so stark wie in den deutschsprachigen Ländern. Wenn du im Restaurant einen Kaffee bestellst, wird man dich fragen: „Black or white" (**black** = ohne Milch; **white** = mit Milch). Zum Frühstück bekommst du in den meisten amerikanischen Restaurants für einen bezahlten Kaffee so viel nachgeschenkt wie du willst.

Teebeutel teabag

Teekanne teapot

Teelöffel teaspoon; *zwei Teelöffel Honig* two teaspoons of honey

Teepause tea break

Teer tar

teeren tar (*Straße usw.*)

Teetasse teacup

Teich pond

Teig dough [△ dəʊ]

Teil¹ 1. *eines Ganzen*: part; *ein Teil davon* part of it (△ *ohne* a), some of it **2.** (≈ *Stück*) piece **3.** *zum Teil* partly; *er war zum Teil schuld* it was partly his fault; *es war zum Teil langweilig* there were some boring bits **4.** *der größte Teil des Films* most of the film **5.** *ich habs zum größten Teil gelesen* I've read most of it; *es war zum größten Teil gut* it was mostly good

Teil² *einer Maschine usw.*: part

Teil³ 1. (≈ *Anteil*) share **2.** *ich hab meinen Teil beigetragen* I've done my bit (*AE mst.* part)

Teilchen 1. *allg.* particle (*auch Physik*) **2.** *bes. norddeutsch* (≈ *Gebäckstück*) pastry ['peɪstrɪ], tart

teilen 1. *in Teile*: divide (up) (*in* into) **2.** *sich etwas mit jemandem teilen* share something with someone **3.** *er teilt nicht gern* he doesn't like sharing **4.** share (*eine Meinung, Gefühle*) **5.** *20 durch 4 teilen* divide 20 by 4 **6.** *sich teilen* divide, (*Straße*) fork

Teilnahme participation [pɑːˌtɪsɪ'peɪʃn] (*an* in)

teilnehmen 1. *allg.*: take* part (*an* in) **2.** *am Unterricht teilnehmen* attend class(es)

Teilnehmer(in) participant [pɑː'tɪsɪpənt]

teils 1. *es war teils gut, teils schlecht* it was partly good, partly bad **2.** „*Hat es dir gefallen?*" - „*Teils, teils.*" 'Did you like it?' - 'It was all right in parts.'

Teilstück section

Teilung division [dɪ'vɪʒn]

teilweise partly

Teilzeit part-time: *Teilzeit arbeiten* work part-time, do* part-time work

Teilzeitarbeit part-time work

Teint complexion, skin

Tele telephoto [ˌtelɪ'fəʊtəʊ], telephoto lens [△ ˌtelɪfəʊtəʊ'lenz]

Telearbeit teleworking, telecommuting [ˌtelɪkə'mjuːtɪŋ]

Telefon telephone, phone; *er ist am Telefon* he's on the phone; *ans Telefon gehen* answer the phone; ☞ *Info S. 954*

Telefonauskunft directory enquiries [də'rektərɪ ˌɪnˌkwaɪərɪz] (△ *Pl.*), *AE* directory assistance (△ *beide ohne* the), information

Telefonbuch phone book, telephone directory [də'rektrɪ]

Telefongebühren telephone charges (*oder* rates)

Telefongespräch: *ein Telefongespräch führen* make* a (tele)phone call

telefonieren 1. *ich telefoniere gerade* I'm on the phone **2.** *sie telefoniert mit Martin* she's on the phone to Martin **3.** *ich geh eben telefonieren* I'm just going to make a phone call

Telefonkarte phonecard, *in Irland auch*: callcard

Telefonleitung telephone line

Telefonnummer phone number

Telefonrechnung phone bill

Telefonseelsorge crisis ['kraɪsɪs] line, *in GB auch*: Samaritans [sə'mærɪtənz] (△ *Pl.*), *AE auch* (advice) hotline

T

Rund ums Telefon

(den Hörer) abnehmen	**lift / pick up (the receiver)**
Auslandsgespräch	**international call**
Ferngespräch	**long-distance call**
Gespräch auf Kreditkarte	**credit card call**
Hörer	**receiver**
Kartentelefon	**cardphone**
Landeskennzahl	**country code**
Ortsgespräch	**local call**
R-Gespräch	**reverse charge call**, *AE* **collect call**
Rufnummer	**phone number**
Telefon	**telephone, phone**
Telefonbuch	**phone book, telephone directory**
Telefonkarte	**phonecard**
Telefonnummer	**phone number**
Vorwahl/Ortsnetzkennzahl	*BE* **dialling code**, *AE* **area code**
(eine Nummer) wählen	**dial (a number)**
Weckruf (für morgen früh 6.30 Uhr)	**alarm call (for 6.30 tomorrow morning)**

Telefonieren

Wenn du mal mit deinem Freund oder deiner Freundin in Großbritannien telefonierst, wird er/sie sich vielleicht so melden:

Hello? (mit Betonung auf der zweiten Silbe)

Erwachsene melden sich entweder auch so oder mit der Telefonnummer, z. B. 72814 (gesprochen **seven two / eight one / four**) bzw. mit dem Ortsnamen und der Telefonnummer, z. B. **Wheatley 54132**.

Ähnlich wie in Deutschland, ist es auch möglich, dass jemand nur seinen Namen sagt:

Thomas Miller. *oder* **Thomas Miller speaking.**

Antworten könntest du so:

Hi, it's Martin. *bzw.* **Hello, it's Martin.**

Möchtest du mit jemand anderem sprechen, dann sagst du:

Could I speak to Julie / Mr Bradshaw, please?

Beenden kannst du dann dein Telefongespräch etwa so:

**I'll have to go now / I must go now, I'm meeting Peter in town /
There's somebody at the door** *usw.*
I'll ring you on Monday / I'll talk to you soon / See you tomorrow *usw.*

Ganz zum Schluss sagt man einfach **Bye!** Es gibt im Englischen keine Entsprechung für *auf Wiederhören*!

Übrigens: Vom Rhythmus der Aussprache her werden die Ziffern meist in Zweiergruppen zusammengefasst. Die „Null" heißt **oh** (in Amerika **zero**) und zwei gleiche Ziffern werden **double-two, double-three** *usw.* ausgesprochen.

01976 54197 gesprochen **oh one / nine seven / six // five four / one nine / seven**
01228 36641 gesprochen **oh one / double-two / eight // three / double-six /
four one**

Telefonterror malicious [mə'lɪʃəs] phone calls (△ *Pl*.), telephone harassment ['hærəsmənt]
Telefonzelle phone box, *AE* phone booth
Telefonzentrale switchboard; *über die Te-lefonzentrale* through the switchboard
Telegramm telegram ['telɪɡræm]
Teleobjektiv telephoto lens [△ ˌtelɪfəʊtəʊ'lenz]
Telepathie telepathy [tə'lepəθɪ]

Teleprompter® *TV*, *bes. BE*: Autocue® ['ɔːtəʊkjuː], *AE* teleprompter

Teleshopping teleshopping ['telɪˌʃhɒpɪŋ]

Teleskop telescope ['telɪskəʊp]

Teller 1. plate **2. zwei Teller Suppe** two plates of soup **3. drei Teller voll Spaghetti** three platefuls of spaghetti!

Tempel temple

Temperament 1. (≈ *Wesensart*) temperament ['temprəmənt] **2. sie hat kein Temperament** there's no life in her **3. er hat Temperament** he's very lively **4. sein Temperament ging mit ihm durch** he lost control

temperamentvoll lively ['laɪvlɪ]

Temperatur temperature ['temprətʃə]; **bei Temperaturen von 30 Grad** at a temperature of 30 degrees

Tempo[1] **1.** (≈ *Geschwindigkeit*) speed **2. in der Musik**: tempo

Tempo®[2] *umg.* (paper) tissue ['tɪʃuː]

Tempolimit speed limit

Tendenz 1. (≈ *Neigung*) tendency ['tendənsɪ]; **die Tendenz haben zu** have* a tendency to; **die Tendenz zur Übertreibung** a tendency to exaggerate **2. wirtschaftliche usw.**: trend (**zu** towards)

tendieren tend (**zu** towards)

Teneriffa Tenerife [ˌtenə'riːf]

Tennis tennis

Tennisplatz tennis court

Tennisschläger tennis racket

Tenor tenor [△ 'tenə]

Teppich 1. carpet **2. fliegender Teppich** magic carpet **3. bleib auf dem Teppich!** keep your feet on the ground

Teppichboden fitted carpet (*oder* carpets *Pl.*), wall-to-wall carpeting

Termin 1. (≈ *vereinbarter Tag*) date **2. ich habe einen Termin beim Arzt** I've got an appointment with the doctor, I've got a doctor's appointment **3.** (≈ *Abgabetermin usw.*) deadline ['dedlaɪn]

Terminkalender diary ['daɪərɪ]

Terminplaner 1. *in Buchform*: personal organizer, Filofax® ['faɪləfæks] **2.** *Computer*: personal digital assistant [ə'sɪstənt] (*Abk.* PDA [ˌpiːdiː'eɪ])

Terpentin turpentine ['tɜːpəntaɪn]

Terrasse patio [△ 'pætɪəʊ], terrace ['terəs]

Terror 1. *allg.*: terror **2.** (≈ *Terrorismus*) terrorism **3. mach keinen Terror!** *umg.* don't make such a fuss

Terroranschlag terrorist attack

terrorisieren terrorize

Terrorismus terrorism

Terrorist(in) terrorist

Tesafilm® *etwa*: Sellotape®, *AE etwa*: Scotch tape®

Test test, *AE Schule*: test, quiz *Pl.*: quizzes

Testament 1. will; **sein Testament machen** make* a will **2. da kannst du gleich dein Testament machen!** *umg.* you may as well sign your own death certificate ['deθˌsəˌtɪfɪkət] **3. Altes** (*bzw. Neues*) **Testament** Old (*bzw.* New) Testament ['testəmənt]

Testbild *TV*: test card, *AE* test pattern

testen test; **eine Uhr auf Wasserfestigkeit testen** test whether a watch is waterproof

Testergebnis test results (△ *Pl.*)

Tetanusschutzimpfung tetanus injection

teuer 1. *Preis*: expensive; **wie teuer ist es?** how much 'is it?; **ganz schön teuer!** pretty expensive **2. es kam ihn teuer zu stehen** *übertragen* he had to pay dearly for it

Teufel 1. devil ['devl] **2. der Teufel** the Devil, Satan ['seɪtn] **3. du kleiner Teufel!** you little devil **4. Wendungen**: **was** (*bzw. wo usw.*) **zum Teufel** what (*bzw.* where *usw.*) the devil (*oder* hell); **weiß der Teufel** God knows; **den Teufel werd ich tun** the hell I will; **dort ist der Teufel los** it's like all hell let loose there; **er übt auf Teufel komm raus** he's practising ['præktɪsɪŋ] like mad; **wenn man vom Teufel spricht** speak of the devil

Teufelskreis vicious circle [ˌvɪʃəs'sɜːkl]

teuflisch 1. es ist teuflisch kalt it's bitterly cold; **es tut teuflisch weh** it hurts like hell **2.** *Plan usw.*: devilish ['devlɪʃ]

Text 1. *allg.*: text **2.** (≈ *Liedertext*) lyrics ['lɪrɪks], words (△ *beide Pl.*) **3. eines Schauspielers*: part, lines (△ *Pl.*) **4. weiter im Text!** go on!

Textbaustein *Computer*: text module ['tekstˌmɒdjuːl]

Texter(in) (≈ *Schlagertexter, -in*) lyricist ['lɪrɪsɪst]; **er ist der Texter** he writes the lyrics

Textilien textiles ['tekstaɪlz]

Textverarbeitung *Computer*: word processing ['wɜːdˌprəʊsesɪŋ]

Thailand Thailand ['taɪlænd]

Thailänder(in) Thai [taɪ]; ☞ **Nationalitäten**

thailändisch, Thailändisch Thai [taɪ]

Theater 1. *allg.*: theatre ['θɪətə]; **ins Theater gehen** go* to the theatre; **im Theater** at **the theatre 2. er ist beim Theater** he works for the theatre **3. mach kein Theater!** don't make (such) a fuss!; **es ist immer das gleiche Theater** it's always the same carry-on (*AE* drama)

Theaterstück (stage) play

Theke 1. *in einer Gaststätte usw.*: bar **2.** *im Laden*: counter

T

Thema 1. *allg.*: subject ['sʌbdʒekt] **2.** (≈ *Gesprächsthema*) subject, topic; **wechseln wir das Thema** let's change the subject; **er kommt nie zum Thema** he never gets to the point **3. Thema Nummer eins** <u>the</u> number one topic **4. das ist für mich kein Thema mehr** I don't want to hear any more about it **5.** *Musik*: theme [θiːm]

Thematik subject ['sʌbdʒekt] (matter)

Themaverfehlung: er fiel wegen Themaverfehlung durch he was failed for not answering the question

Themse: die Themse the Th<u>ames</u> [△ temz]

Theologie theology [θɪ'ɒlədʒɪ]

theoretisch 1. theoretically [ˌθɪə'retɪklɪ] **2. theoretisch stimmt das** that's right in theory ['θɪərɪ]

Theorie theory ['θɪərɪ] (**über** on); **in der Theorie** in theory (△ *ohne* the)

Therapeut(in) therapist ['θerəpɪst]

Therapie therapy ['θerəpɪ]

Thermalquelle thermal spring [ˌθɜːml-'sprɪŋ]

Therme 1. (≈ *Thermalquelle*) thermal spring [ˌθɜːml'sprɪŋ] **2.** *für Heizung und Warmwasser*: gas heater, *BE auch* geyser ['giːzə]

Thermometer thermometer [θə'mɒmɪtə]

Thermosflasche® thermos® flask ['θɜːməs_flɑːsk], *AE* thermos® bottle

Thermoskanne® thermos® jug (*oder* can)

Thermostat thermostat ['θɜːməstæt]

These thesis ['θiːsɪs] *Pl.*: theses [△ 'θiːsiːz]

Thon ⓦ (≈ *Thunfisch*) tuna ['tuːnə] (fish)

Thron throne

Thronfolger(in) successor <u>to</u> the throne

Thunfisch tuna ['tjuːnə] (fish)

Thüringen Thuringia [θjʊ'rɪndʒɪə]

Thymian *Gewürzpflanze*: thyme [△ taɪm]

Tibet Tibet [tɪ'bet]

Tick 1. (≈ *Angewohnheit*) (strange) quirk [kwɜːk] **2. er hat einen Tick** *umg.* he's a bit mad, *AE* he's a little crazy **3. sie hat einen Tick mit Vitaminen** she's got a thing about vitamins ['vɪtəmɪnz]

ticken 1. tick **2. bei dir tickts nicht richtig** you've got a screw loose (somewhere)

Tide tide [taɪd]

Tiebreak *Tennis*: tiebreak ['taɪbreɪk], tiebreaker

tief 1. *allg.*: deep; **2 Meter tief** 2 metres (△ *Pl.*) deep **2.** *auch Ton, Sonne*: (≈ *niedrig*) low **3.** *Stimme*: deep **4. ein Stockwerk tiefer** one floor (lower) down **5. tief atmen** take* a deep breath [breθ] **6. bis tief in die Nacht** till the small (*AE* wee) hours **7. tief in Gedanken** deep in

thought (△ *Sg.*) **8. das lässt tief blicken** that's very revealing

Tief 1. *im Wetter*: low, low-pressure area **2. sie hat ein seelisches Tief** she's feeling pretty low (at the moment)

tiefblau deep blue

Tiefe *allg.*: depth [depθ]; **in hundert Meter Tiefe** <u>at</u> a depth of <u>a</u> hundred metr<u>es</u>

Tiefenregler *Radio usw.*: bass [△ beɪs] control

Tiefenschärfe *Fotografie*: depth of field (*oder* focus)

Tiefgarage underground car park, *AE* underground (parking) garage

tiefgekühlt frozen

Tiefkühlkost frozen foods (△ *Pl.*)

Tiefkühltruhe freezer

Tiefpunkt low; **wir sind zurzeit auf einem Tiefpunkt** we've reached a low

Tiefschnee deep (powder) snow

Tiefschneefahren deep powder skiing, off-piste skiing [ˌɒfpiːst'skiːɪŋ]

tiefschwarz deep black, jet-black

Tiefsee deep sea

Tiefsttemperatur lowest temperature ['temprətʃə] (**um** around)

Tier 1. animal ['ænɪml], (≈ *wildes Tier*) animal, beast **2. er ist ein Tier** *übertragen* he's a real brute

Tierart animal species [△ 'spiːʃiːz]

Tierarzt, Tierärztin vet

Tierasyl animal shelter

Tierfreund(in) animal lover; **bist du ein Tierfreund?** *auch*: do you like animals?

Tierhandlung pet shop

Tierheim animal shelter

tierisch¹ *umg.* **1. tierisch ernst** deadly serious **2. ich hatte tierisch Angst** I was dead scared **3. es hat tierisch weh getan** it hurt like hell **4. echt tierisch** brilliant, *AE* awesome ['ɔːsəm]

tierisch² *allg.*: animal (*nur vor dem Subst.*); **tierische Fette** animal fats

Tierklinik veterinary ['vetrənərɪ] clinic

Tierkreiszeichen sign of the zodiac ['zəʊdɪæk]

Tierkunde zoology [zəʊ'ɒlədʒɪ]

tierlieb (very) fond of animals

Tiermedizin veterinary medicine [ˌvetrənərɪ'medsn]

Tierpark zoo [zuː]

Tierquälerei cruelty to animals

Tierschützer(in) animal rights activist

Tierschutzverein society for the prevention of cruelty to animals, *in GB*: RSPCA [ˌɑːrespiːsiː'eɪ] (R *steht für* Royal)

Tierversuch animal experiment

Tiger tiger ['taɪgə]

Tigerin tigress ['taɪgrəs]

tigern: *durch die Straßen tigern ziellos:* mooch (*AE* knock) around town

timen time: *gut* (*schlecht*) *getimt* well--timed (badly timed)

Tinte 1. ink **2.** *jetzt sitzt du aber in der Tinte* now you're in the soup

Tintenfisch 1. *kleiner:* squid **2.** (≈ *Krake*) octopus ['ɒktəpəs]

Tintenfleck 1. *auf Papier:* ink blot **2.** *auf Kleidung usw.:* ink stain

Tintenkiller correction pen

Tipp 1. (≈ *Rat*) tip **2.** *an die Polizei:* tip-off **3.** *Lotto usw.:* bet; *ein sicherer Tipp* a sure bet

Tippelbruder tramp

tippen 1. type (*Brief usw.*) **2.** *tippen an* (*oder auf*) (≈ *berühren*) tap (on) **3.** *Lotto:* do* (*oder* play) the lotto, *in GB:* do* (*oder* play) the national lottery **4.** *Toto:* do* the pools **5.** *ich tippe auf Italien* I fancy Italy

Tippfehler typing error, typo ['taɪpəʊ]

tipptopp 1. (≈ *ausgezeichnet*) first-rate **2.** *tipptopp sauber* spotless

Tipse *abwertend* typist

Tirol Tyrol [tɪˈrəʊl]

Tiroler(in) Tyrolean [ˌtɪrəˈliːən]; ☞ *Nationalitäten*

Tisch 1. table; *sich an den Tisch setzen* sit* down at the table **2.** *vom Tisch aufstehen* leave* the table **3.** *den Tisch decken* lay* (*AE* set*) the table **4.** *du isst, was auf den Tisch kommt!* you'll eat what's on your plate **5.** *unter den Tisch fallen* *übertragen* go* by the board

Tischdecke tablecloth ['teɪblklɒθ]

Tischgebet grace; *das Tischgebet sprechen* say* grace

Tischlampe table lamp

Tischler(in) carpenter

Tischtennis table tennis, *AE mst.* Ping--Pong®

Tischtennisschläger table tennis bat (*AE* paddle)

Tischtuch tablecloth ['teɪblklɒθ]

Titel *allg.:* title; ☞ *Info unter Anrede*

Titelbild cover picture (*oder* photo)

Titelblatt cover ['kʌvə]

Titelmusik theme ['θiːm] music

Titelrolle title role

Titelsong title song, title track

Titelstory cover story

Titelverteidiger(in) defending champion, *Team:* defending champions (△ *Pl.*)

Titten *vulgär* tits, boobs

tja hm, well

Toast *allg.:* toast

toasten *allg.:* toast

Toaster toaster

Tobel *bes.* Ⓐ, ⒸⒽ (≈ *enge Waldschlucht*) ra-

vine [△ rəˈviːn]

toben 1. (*Kinder*) jump around, *wild:* run* wild **2.** *vor Wut, Freude usw.:* go* wild

tobsüchtig raving mad

Tobsuchtsanfall tantrum ['tæntrəm]; *einen Tobsuchtsanfall bekommen* throw* a tantrum

Tochter daughter ['dɔːtə]

Tod 1. *allg.:* death [deθ] **2.** *bei einem Unfall usw. zu Tode kommen* die (*oder* be* killed) in an accident *usw.* **3.** *ich hab mich zu Tode erschrocken* I got the fright of my life

todernst 1. dead serious ['sɪərɪəs] **2.** *ich meine es todernst* I'm dead serious (about it)

Todesangst 1. fear of death **2.** *ich hab Todesängste ausgestanden* I was frightened out of my mind (*oder* wits)

Todesfall death [deθ]

Todesgefahr: *sie hat sich in Todesgefahr begeben* she put her life at risk

Todesopfer 1. casualty ['kæʒʊəltɪ] **2.** *Zahl der Todesopfer* death toll ['deθ ˌtəʊl]

Todesstrafe capital punishment (△ *immer ohne* the), *bes. als Urteil:* death penalty

Todesurteil death sentence

Todfeind(in) deadly (*oder* mortal) enemy ['enəmɪ]

todkrank seriously ill, terminally ill

todlangweilig deadly ['dedlɪ] boring

tödlich 1. *Krankheit, Unfall, Verletzung:* fatal ['feɪtl] **2.** *Waffe, Gift, Wirkung:* lethal ['liːθl], deadly ['dedlɪ] **3.** *er ist tödlich verunglückt* he was killed in an accident **4.** *es war tödlich* *übertragen* it was deadly

todmüde shattered, dog-tired

todsicher 1. dead certain ['sɜːtn] **2.** *todsichere Sache* dead certainty, *BE umg. auch* dead cert

Todsünde deadly ['dedlɪ] sin, mortal sin

todtraurig really unhappy

Töff ⒸⒽ (≈ *Motorrad*) motorbike, motorcycle ['məʊtəˌsaɪkl]

Toilette 1. toilet ['tɔɪlət], bathroom, *BE auch* lavatory ['lævətrɪ], *BE umg.* loo, *AE umg.* john; *er ist auf der Toilette* he's gone to the toilet *usw.* **2.** *BE; öffentliche:* public convenience [kənˈviːnɪəns], *AE; öffentliche:* restroom; ☞ *Info S. 958*

Toilettenpapier toilet paper ['tɔɪlətˌpeɪpə]

toi-toi-toi 1. *toi-toi-toi!* (≈ *viel Glück*) good luck! **2.** (≈ *hoffen wirs*) let's hope so, touch wood, *AE* knock on wood

tolerant tolerant ['tɒlərənt] (*gegen* towards, about)

Toleranz tolerance (*gegen* towards, of)

toll 1. great, fantastic **2.** *es war nicht so*

Toilette

In den Tabubereichen der Sprache gibt es traditionell eine große Auswahl an Ausdrücken, aber es gilt, den richtigen Ton zu treffen! Dies trifft auch für den Bereich Toilette/WC zu. Da solltest du dir im britischen Englisch folgender Unterscheidungen bewusst sein. (Zum amerikanischen Englisch kommen wir am Schluss.)

neutral:	**toilet** ['tɔɪlət]
umgangssprachlich:	**loo** [luː]
förmlich:	**lavatory** ['lævətrɪ]

Dies sind grobe Unterscheidungen der Stilebene, denn manche Leute empfinden **toilet** als salopp, für andere dagegen ist **loo** durchaus „salonfähig".

Wenn du bei einer britischen Familie zu Besuch bist und mal verschwinden möchtest, sagst du am besten:

Could I use your toilet, please?	Dürfte ich bitte Ihre Toilette benutzen?

Falls die Familie eine andere Beschreibung bevorzugt (etwa **loo**), wirst du das ohnehin bald erfahren.

Wenn du schon weißt, wo sich die Toilette befindet, kannst du dein Vorhaben so ankündigen:

Excuse me, I've just got to disappear for a minute.	Entschuldigung, ich muss mal kurz verschwinden.

oder etwas humorvoller:

Excuse me, I've got to spend a penny.	Entschuldigung, ich muss mal „einen Penny ausgeben".

(*Früher kostete die Benutzung einer öffentlichen Toilette einen Penny.*)

In einem Lokal usw. fragt man so:

Where's the gents? *bzw.* **Where's the ladies?**	Wo ist die Herrentoilette? Wo ist die Damentoilette?

Wenn man draußen unterwegs ist, fragt man etwa:

Could you tell me where the nearest public toilets (*bzw.* **public lavatories**) **are?**	Können Sie mir sagen, wo die nächste öffentliche Toilette ist?

Im amerikanischen Englisch drückt man sich bei diesem Thema etwas indirekter aus. Da heißt das WC **bathroom** *oder* **restroom** *bzw.* bei Frauen auch **powder room** *oder* **cloakroom**, wobei beide Begriffe von jungen Leuten kaum noch verwendet werden.

---

toll it wasn't all that good
tollpatschig clumsy ['klʌmzɪ]
Tollwut rabies [⚠ 'reɪbiːz]
Tölpel silly oaf [əʊf]
Tomate 1. tomato [tə'mɑːtəʊ] *Pl.*: tomatoes **2. er wurde rot wie eine Tomate** he went red <u>as</u> a beetroot (*AE* beet)
Tomatenmark tomato purée [tə,mɑːtəʊ-'pjʊəreɪ] (*AE* paste)
Tomatensaft tomato juice [tə-'mɑːtəʊ_dʒuːs]
Tombola raffle ['ræfl]
Ton¹ 1. *allg.*: sound **2.** *in der Musik*: note **3.** (≈ *Sprechweise*) tone **4. er hat keinen Ton rausgebracht** he didn't say a word **5. er hat in den höchsten Tönen von**

dir geredet he praised you to the skies
Ton² (≈ *Farbton*) shade, tone
Ton³ (≈ *Erde*) clay
Tonart key [kiː]
Tonbandgerät tape recorder
tönen (≈ *färben*) tint
Tonleiter scale
Tonne¹ 1. (≈ *Fass*) barrel ['bærəl] **2.** (≈ *Mülltonne*) dustbin, *AE* trashcan
Tonne² *Gewicht*: ton<u>ne</u> [tʌn], metric ton [,metrɪk'tʌn]
Tontechniker(in) sound engineer ['saʊnd_endʒɪ,nɪə], sound technician ['saʊnd_tek,nɪʃn]
Tönung 1. (≈ *Farbton*) hue [hjuː], shade, tint **2.** (≈ *Tönungsmittel*) *für Haar*: rinse,

T

AE haircolor **3.** *Vorgang:* tinting

Topf 1. pot, *zum Kochen auch:* saucepan ['sɔːspən] **2.** *alles in einen Topf werfen* übertragen lump everything together

Topfen *bes.* Ⓐ (≈ *Quark*) curd, curds (*Pl.*), *BE auch* quark [kwɑːk]

Töpferei 1. *Handwerk:* pottery **2.** (≈ *Töpferwerkstatt*) potter's workshop

töpfern do* pottery

topfit: *ich bin topfit* I'm in top form (*AE* shape)

Topfpflanze potted plant

Tor¹ 1. *Sport:* goal [gəʊl] **2.** *im Tor stehen* be* in goal (△ *ohne* the) **3.** *ein Tor schießen* score a goal **4.** *immer noch kein Tor* no score yet

Tor² 1. *allg.:* gate **2.** *einer Garage:* door **3.** (≈ *Torbogen*) archway ['ɑːtʃweɪ]

Torchance chance [tʃɑːns] to score

Torf peat; *Torf stechen* cut* peat

Torhüter(in) goalkeeper, goalie ['gəʊlɪ]

Torjäger(in) striker, goalscorer

torkeln stagger, reel

Torlatte crossbar

Torlinie goal line

torlos: *das Spiel endete torlos* the game ended in a goalless draw (*AE* tie)

Tornado tornado [△ tɔːˈneɪdəʊ], *AE umg. auch* twister

Torpfosten goalpost

Torraum goal area

Torschlusspanik: *er heiratete sie aus Torschlusspanik* he married her because he was afraid of being left on the shelf

Torschuss shot (at goal)

Torschütze, Torschützin (goal)scorer

Torte cake, (≈ *Sahnetorte*) *auch:* gateau ['gætəʊ], (≈ *Obsttorte*) *auch:* (fruit) flan

Torverhältnis *Sport:* goal difference

Torwart(in) goalkeeper, *umg.* goalie ['gəʊlɪ]

tot 1. *allg.:* dead [ded] (*auch Telefonleitung, Sprache, Saison, Vulkan*) **2.** *er war sofort tot* he died instantly ['ɪnstəntlɪ] **3.** *tot umfallen* drop dead **4.** *toter Winkel* blind spot **5.** *tot geboren* stillborn

total 1. complete, total ['təʊtl] **2.** *ich war total überrascht* it came as a complete surprise **3.** *du machst es total falsch* you're doing it all wrong **4.** *total besoffen umg.* plastered, *BE auch* completely pissed **5.** *total pleite umg.* completely broke

Totalschaden: *er hatte Totalschaden* his car was a (complete) write-off ['raɪtɒf], *AE* his car was totaled ['təʊtəld]

totarbeiten: *sich totarbeiten* work oneself to death [deθ]

totärgern: *ich hab mich totgeärgert* I

was hopping mad, *über mich selbst:* I could have kicked myself

Tote(r) 1. dead man (*bzw.* woman) **2.** (≈ *Leiche*) corpse [kɔːps], dead body **3.** *es gab 7 Tote* 7 people were killed **4.** *die Toten* the dead (△ *Pl., ohne* -s)

töten kill

Totenkopf 1. skull [skʌl] **2.** *als Giftzeichen usw.:* skull and crossbones (△ *Sg.*)

totkriegen: *er ist nicht totzukriegen umg.* you can't keep him down

totlachen: *wir haben uns totgelacht* we (nearly) killed ourselves laughing

Toto (football) pools (△ *Pl.*); *im Toto gewinnen* win* the pools

totschießen: *jemanden totschießen* shoot* someone dead

totschlagen 1. *jemanden totschlagen* beat* someone to death **2.** *die Zeit totschlagen* kill time (△ *ohne* the)

totschweigen: *etwas totschweigen* hush something up

Touch: *er hat einen philosophischen Touch* he's got a philosophical touch

Toupet toupee ['tuːpeɪ]

toupieren backcomb [△ 'bæk_kəʊm]

Tour¹ 1. trip, *längere:* tour; *eine Tour nach York machen* go* on a trip to York; *eine Tour durch Italien machen* tour (around) Italy **2.** *auf Tour* on the road

Tour²: *komm mir nicht auf diese Tour! umg.* don't try that one on me

Tour³ 1. *auf vollen Touren laufen* übertragen be* in full swing **2.** *jemanden* (*bzw.* etwas) *auf Touren bringen* get* someone (*bzw.* something) going **3.** *in einer Tour* incessantly [ɪnˈsesntlɪ]

Tourismus tourism ['tʊərɪzm]

Tourist tourist ['tʊərɪst]

Touristenstrom 1. stream of tourists **2.** *abseits vom Touristenstrom* off the tourist track

Touristin (female) tourist ['tʊərɪst]

Tournee tour; *auf Tournee sein* be* on tour

Trab 1. *jemanden auf Trab bringen* get* someone moving **2.** *sie ist immer auf Trab* she's always on the go

Tracht¹ national (*oder* traditional) costume ['kɒstjuːm]

Tracht²: *eine Tracht Prügel* a good hiding

trächtig *Tier:* pregnant ['pregnənt]

Trackball *Computer:* trackball

Tradition tradition

traditionell traditional [trəˈdɪʃnəl]

Trafik Ⓐ tobacconist's [təˈbækənɪsts] shop; *AE* cigar store

Trafikant(in) Ⓐ tobacconist [təˈbækənɪst]

Tragbahre stretcher

tragbar portable ['pɔːtəbl]

T

träge *Person*: lethargic [lə'θɑːdʒɪk]

tragen 1. *allg.*: carry; *sie trug es in der Hand* (*bzw.* *auf dem Rücken usw.*) she carried it in her hand (*bzw.* on her back *usw.*) **2.** *ich trage meinen Ausweis immer bei mir* I always have my ID [,aɪ'diː] on me **3.** *das trägt sich leicht* it's very light (to carry) **4.** wear* [weə] (*Kleidung, Schmuck, Brille usw.*); *sie trägt die Haare lang* she wears her hair (△ *Sg.*) long **5.** *er trägt einen Bart* he's got a beard **6.** *die Verantwortung tragen* take* responsibility (△ *ohne* the)

tragen

wear	carry
a ring	an umbrella
a skirt	a case
glasses	a child
a beard	a laptop

Tragetasche carrier ['kærɪə] bag, *AE* plastic bag

Tragfläche wing

Tragflächenboot hydrofoil ['haɪdrəfɔɪl]

tragisch 1. tragic ['trædʒɪk] **2.** *nimms nicht so tragisch!* don't take it to heart [hɑːt]

Tragödie 1. *allg.*: tragedy ['trædʒədɪ] **2.** *mach nicht gleich eine Tragödie draus* no need to make a major drama out of it

Trainer(in) 1. coach, trainer **2.** *Fußball*: manager

trainieren 1. train (*auf* for), *AE auch* practice **2.** coach (*jemanden*) (*auf* for) **3.** *Diskuswerfen usw.* *trainieren* practise ['præktɪs] the discus *usw.*

Training 1. training, *AE* practice ['præktɪs] **2.** *er ist beim Training* he's gone (*AE* out) training

Trainingsanzug tracksuit ['træksuːt], *AE* sweatsuit

Trainingshose tracksuit trousers (△ *Pl.*), *AE* sweats (△ *Pl.*)

Trainingsjacke tracksuit top, *AE* sweatjacket

Traktor tractor

Tram, Trambahn tram, *AE* streetcar

trampeln 1. *allg.*: trample **2.** *er trampelte vor Wut usw.*: he stamped (his feet)

Trampeltier: *pass auf, du Trampeltier!* look out, clumsy ['klʌmzɪ]!

trampen hitchhike ['hɪtʃhaɪk], hitch it

Tramper(in) hitchhiker

Trampolin trampoline ['træmpəliːn]

Trance trance [trɑːns]; *in Trance fallen* go* into a trance

Träne 1. tear [tɪə]; *in Tränen ausbrechen* burst* into tears; *den Tränen nah* on the

verge of tears **2.** *ich hab Tränen gelacht* I laughed till I cried **3.** *mir kommen die Tränen humorvoll* don't make me weep

tränen: *mir tränen die Augen* my eyes are watering

Tränengas tear [tɪə] gas

Transfersumme transfer fee ['trænsfɜː_fiː]

Transformator *Elektrotechnik*: transformer

transitiv transitive ['trænsətɪv]

transparent transparent [△ træns-'pærənt]

transplantieren transplant [,træns'plɑːnt]

Transport 1. *Vorgang*: transport(ation) ['trænspɔːt (,trænspɔː'teɪʃn], *bes AE*, *Wirtschaft*: shipment **2.** (≈ *Straßentransport*) haulage ['hɔːlɪdʒ]: *während des Transports* in transit ['trænzɪt] **3.** (≈ *Filmtransport*) winding (mechanism) ['waɪndɪŋ(,mekənɪzm)]

Transportflugzeug 1. transport ['trænspɔːt] plane, *AE* cargo plane **2.** (≈ *Truppentransporter*) troop carrier

transportieren 1. *allg.*: transport [træns-'pɔːt] **2.** *der Film transportiert nicht* the film won't wind [waɪnd] on

Transportmittel means (△ *Sg. und Pl.*) of transport ['trænspɔːt]

Transuse slowcoach, *AE auch* slowpoke

Trapez 1. *Zirkus*: trapeze [trə'piːz] **2.** *Geometrie*: trapezium [trə'piːzɪəm], *AE* trapezoid ['træpɪzɔɪd]

Tratsch (≈ *Klatsch*) gossip ['gɒsɪp]

tratschen *umg.* gossip ['gɒsɪp]

Traube 1. *einzelne Beere*: grape **2.** *mehrere am Stiel*: bunch of grapes

Traubensaft grape juice ['greɪp_dʒuːs]

Traubenzucker glucose ['gluːkəʊz]

trauen[1] 1. *allg.*: trust; *ich trau ihr nicht* I don't trust her **2.** *ich traute meinen Ohren* (*bzw.* *Augen*) *nicht* I couldn't believe my ears (*bzw.* eyes) **3.** *ich trau mich nicht (raus)* I'm scared (to go out) **4.** *die traut sich was! bewundernd*: she's got nerve!, *im negativen Sinn* she's got a nerve!

trauen[2] 1. marry (*Brautpaar*) **2.** *sich trauen lassen* get* married

Trauer sorrow, grief (*um, wegen* at, over)

Trauerkloß *umg.* wet blanket ['blæŋkɪt]

trauern 1. be* in mourning ['mɔːnɪŋ] **2.** *sie trauert um ihre Mutter* she's mourning for her mother

Traum 1. *allg.*: dream; *ein böser Traum* a bad dream **2.** *übertragen* dream; *mein Traum ist es, Schauspieler zu werden* it's my dream to be an actor **3.** *aus der Traum!* well, that's the end of that **4.** *das fällt mir nicht im Traum ein* I wouldn't dream of doing it

traumatisch traumatic [trɔː'mætɪk]

Traumauto dream car

Traumberuf dream job [ˌdriːm'dʒɒb]

träumen 1. *allg.*: dream* (*von* of, about) **2. *ich hab schlecht geträumt*** I had a bad dream **3. *sie träumt davon, Dirigentin zu werden*** it's her dream is to be a conductor **4.** *beim Unterricht usw.*: daydream*

Träumer(in) dreamer

Traumfrau dream girl; *meine Traumfrau* *auch*: the woman of my dreams

traumhaft 1. (≈ *wunderbar*) fantastic **2. *traumhaft schön*** absolutely beautiful

Traummann: *mein Traummann* the man of my dreams

Traumnote 1. *Schule*: perfect mark (*AE* grade) **2.** *Turnen, Eiskunstlauf usw.*: perfect score *oder* mark

traurig *allg.*: sad (*über* about, at)

Trauung 1. marriage ceremony ['serəmənɪ] **2. *kirchliche Trauung*** church wedding; ☞ *standesamtlich*

Trauzeuge, Trauzeugin witness (to a marriage)

Treff place to meet

treffen¹ 1. meet* (*jemanden*) **2. *wo treffen wir uns?*** where shall we meet? **3. *das trifft sich gut*** that fits in well

treffen² 1. (*Schuss usw.*) hit* (*jemanden, etwas*) **2. *nicht treffen beim Schießen usw.*** miss **3. *da hast du genau das Richtige getroffen*** *übertragen* you've picked just the right thing **4. *du hast sie gut getroffen*** *auf Foto*: that's a really good photo of her **5. *es hat ihn schwer getroffen*** he took it quite badly

Treffen 1. meeting **2.** *geselliges*: get-together **3. *wir haben ein Treffen ausgemacht*** we've arranged to meet

Treffer 1. (≈ *Tor*) goal **2.** *Boxen usw.*: hit

Treffpunkt 1. meeting place **2. *einen Treffpunkt ausmachen*** arrange a place to meet

treiben¹ 1. *Sport treiben* do* sport **2. *was treibst du (denn so)?*** what are you up to (these days)? **3. *treibs nicht zu toll!*** don't overdo it! **4. *er treibts mit ihr*** *salopp* he's having it off with her, *AE* he's getting off with her

treiben² 1. *ich lass mich nicht treiben* I'm not going to be pushed **2. *was hat ihn dazu getrieben?*** what made him do it?

treiben³ 1. *im Wasser*: float, drift **2. *sich treiben lassen*** drift (*auch übertragen*) **3. *die Dinge treiben lassen*** *übertragen* let* things drift

Treiben 1. activity **2.** *im negativen Sinn* goings-on (△ *Pl.*)

treibenlassen → *treiben³ 2, 3*

Treiber *für Computermaus usw.*: driver

Treibhaus hothouse, greenhouse

Treibhauseffekt greenhouse effect

Treibhausgas greenhouse gas

Treibstoff fuel ['fjuːəl]

Trend trend (*zu* towards); *der Trend zum Sparen* the trend towards saving

trendig *umg.* trendy

Trendwende change in trend, trend reversal

trennen 1. *allg.*: separate ['sepəreɪt] **2. *sich trennen*** split* up, separate **3. *sich von jemandem trennen*** split* up with someone **4. *sich von etwas trennen*** give* something up **5. *er kann sich von seinem Computer usw. nicht trennen*** he can't tear [teə] himself away from his computer *usw.* **6. *trennen zwischen*** (≈ *unterscheiden*) distinguish [dɪ'stɪŋgwɪʃ] between

Trennung 1. *allg.*: separation **2. *seit der Trennung*** since they (*bzw.* we) split up

Trennungszeichen hyphen ['haɪfn]

Treppe 1. stairs (△ *Pl.*), staircase **2.** *aus Stein*: steps (△ *Pl.*) **3. *eine Treppe*** a flight of stairs (*bzw.* steps) **4.** (≈ *einzelne Stufe*) stair, *aus Stein*: step **5. *sie wohnen zwei Treppen höher*** they live two floors (higher) up

Treppenhaus staircase; *im Treppenhaus* on the staircase, *am Eingang*: in the hall (-way)

Tresor 1. *allg.*: safe **2.** *einer Bank*: bank vault

Tretboot pedal boat ['pedlbəʊt], pedalo ['pedələʊ]

treten 1. *allg.*: step; *auf etwas treten* step (*oder* tread* [△ tred]) on something **2.** *mit dem Fuß*: kick; *nach jemandem* (*bzw.* *etwas*) *treten* kick (out) at someone (*bzw.* something) **3. *aufs Gas treten*** *umg.* step on the gas

Tretmühle *übertragen* treadmill ['tredmɪl]

Tretroller *aus Leichtmetall*: (skate) scooter

treu 1. *gegenüber dem Partner*: faithful ['feɪθfl] **2.** *Freund, Kunde usw.*: loyal ['lɔɪəl]

Treue 1. *allg.*: loyalty ['lɔɪəltɪ] **2.** *eheliche usw.*: faithfulness

treulos 1. disloyal **2. *du treulose Tomate!*** *umg.* what kind of friend are you?

Triangel triangle ['traɪæŋgl]

Triathlon triathlon [traɪ'æθlɒn]

Tribüne *für Zuschauer*: stand

Tribünenplatz seat in the stand, stand seat

Trichter funnel

Trick 1. *allg.*: trick; *fauler Trick* dirty trick **2. *das ist der ganze Trick dabei*** that's

all there is to it **3.** *im Film*: special effect
Trickfilm 1. animated film **2.** (≈ *Zeichen-trickfilm*) cartoon
Trickfilmzeichner(in) cartoonist
Trickkiste box of tricks
trickreich artful, *bes. im negativen Sinn*: wily ['waɪlɪ]
tricksen 1. *im Sport*: swerve **2.** *das werden wir schon tricksen* umg. we'll fix it (*durch Mogelei*: wangle ['wæŋgl] it) somehow
Trickskilauf freestyle skiing, hotdogging
Trieb 1. (≈ *Instinkt*) drive **2.** (≈ *Geschlechtstrieb*) sex drive **3.** (≈ *Drang*) urge
Triebtäter sex offender
Triebwerk engine ['endʒɪn]
triefen 1. *allg.*: drip (*vor* with) **2.** *mir trieft die Nase* my nose keeps running **3.** *vor Charme usw.* *triefen* ooze charm *usw.*
Trikot 1. (≈ *Sporthemd*) shirt, jersey; *das Gelbe Trikot* Tour de France: the yellow jersey **2.** *beim Ballett*: leotard ['liːətɑːd]
Trimm-dich-Pfad fitness trail
trimmen 1. *sich trimmen* keep* fit **2.** *sie trimmt sich auf jugendlich* she's trying to (make herself) look young
trinken 1. drink* (*auch übermäßig Alkohol*) **2.** *einen Saft trinken* have* a (glass of) juice; *einen Tee trinken* have* a cup of tea
Trinkgeld tip

Trinkgeld

Im Allgemeinen hinterlässt man in Restaurants in Großbritannien ein Trinkgeld (**tip**) von ca. 10 %. Steht auf der Rechnung bzw. Speisekarte **Service included** (inkl. Bedienung), würde man nur bei besonders gutem Service ein zusätzliches Trinkgeld geben.

In den USA ist das anders. Dort lebt die Bedienung fast ausschließlich von den Trinkgeldern, und 15 % der Rechnungssumme werden mehr oder weniger automatisch draufgeschlagen.

Trinkwasser drinking water
Tritt 1. kick; *ein Tritt in den Hintern* umg. a kick up the backside; *ich hab ihm einen Tritt versetzt* I gave him a kick **2.** (≈ *Schritt*) step, *hörbar auch*: footstep
Trittleiter stepladder, steps (△ *Pl.*)
Triumph triumph ['traɪʌmf]
trivial trivial ['trɪvɪəl]
trocken 1. *allg.*: dry **2.** *trockener Humor* dry sense of humour **3.** *da blieb kein Auge trocken* we (*bzw.* they) just

couldn't stop laughing **4.** *auf dem Trockenen sitzen* (≈ *kein Geld haben*) be* on the rocks **5.** *sich trocken rasieren* dry-shave
Trockenheit dryness
trockenlegen: *ein Baby trockenlegen* change a baby's nappy (*AE* diaper ['daɪəpə])
Trockenobst dried fruit [fruːt]
Trockenzeit dry season
trocknen dry
Trockner (≈ *Wäschetrockner*) drier
Trödelmarkt flea market
trödeln dawdle ['dɔːdl]
Trödler(in) 1. junk dealer **2.** umg. (≈ *langsamer Mensch*) slowcoach, *AE* slowpoke
Trog trough [△ trɒf]
Trommel drum; *Trommel spielen* play (the) drums, play the drum
Trommelbremse *Auto usw.*: drum brake
Trommelfell *im Ohr*: eardrum
trommeln *allg.*: drum
Trommler(in) drummer
Trompete trumpet ['trʌmpɪt]; *Trompete spielen* play (the) trumpet (△ *meist mit* the)
Trompeter(in) trumpet player
Tropen tropics
Tropf *Medizin*: drip; *am Tropf hängen* be* on the drip
tröpfeln 1. *allg.*: trickle, (*auch Wasserhahn*) drip **2.** *es tröpfelt* (≈ *regnet leicht*) it's drizzling (*BE auch* spitting)
Tropfen 1. *allg.*: drop **2.** *Pl.*, *Medizin*: drops **3.** *es ist ein Tropfen auf den heißen Stein* it's a drop in the ocean ['əʊʃn]
tropfen drip
tropfnass dripping wet
Tropfsteinhöhle stalactite ['stæləktaɪt] cave
Trophäe trophy ['trəʊfɪ], cup
tropisch tropical ['trɒpɪkl]
Trost 1. *allg.*: consolation [ˌkɒnsə'leɪʃn], comfort [△ 'kʌmfət]; *zum Trost* as a consolation **2.** *er sucht Trost* he's looking for a shoulder ['ʃəʊldə] to cry on **3.** *das ist ein schöner Trost!* some consolation! **4.** *du bist wohl nicht ganz bei Trost!* umg. have you gone mad?
trösten 1. *allg.*: console [kən'səʊl], comfort [△ 'kʌmfət] **2.** (≈ *aufmuntern*) cheer up **3.** *tröste dich, ich hab noch weniger bekommen* if it's any consolation, I got even less **4.** *das tröstet mich aber* that's some consolation (at least)
trostlos 1. *allg.*: depressing, *Aussicht auch*: hopeless **2.** *Wetter*: miserable ['mɪzrəbl]
Trott: *es ist wieder der alte Trott* it's back

to the same old rut

Trottel idiot ['ɪdɪət], dope

trotten trot (along)

Trottinett ⊕ (≈ *Kinderroller*) scooter

trotz in spite of, despite (△ *ohne* of)

Trotz 1. stubbornness ['stʌbənnəs] **2. *aus Trotz*** just to be stubborn

trotzdem still; ***er ist trotzdem gekommen*** he still came, he came anyway

trotzig stubborn ['stʌbən]

Trotzkopf: *er ist ein Trotzkopf* he's just stubborn ['stʌbən]

trüb 1. *Wetter, Tag, Farben usw.*: dull [dʌl] **2.** *Flüssigkeit*: cloudy **3. *du trübe Tasse!*** *umg.* you're a wet blanket ['blæŋkɪt]

Trubel (≈ *Gewirr*) chaos ['keɪps]

trüben: *sich trüben* (*Flüssigkeit*) go* cloudy

Trüffel *allg.*: truffle

trügerisch 1. *allg.*: deceptive [dɪ'septɪv] **2.** (≈ *irreführend*) misleading **3.** (*Hoffnung usw.*) vain, illusory [ɪ'luːsərɪ]

Truhe chest [tʃest]

Trümmer 1. *allg.*: ruins (△ *Pl.*) **2.** *eines Flugzeugs usw.*: wreckage [△ 'rekɪdʒ]

Trümmerfeld: *es sieht wie ein Trümmerfeld aus* it looks as if a bomb [△ bɒm] has hit the place

Trumpf 1. trump (card) **2. *was ist Trumpf?*** what's trumps?

Trunkenheit 1. drunkenness **2. *Trunkenheit am Steuer*** drink-driving, *bes. AE* drunk driving

Trupp 1. *allg.*: troop, gang **2.** *Militär*: detachment **3.** *Polizei*: squad [skwɒd]

Truppe 1. troops (△ *Pl.*) **2.** (≈ *Einheit*) unit ['juːnɪt] **3.** *Theater usw.*: company [△ 'kʌmpənɪ]

Truthahn turkey

Tscheche Czech [tʃek]; ***er ist Tscheche*** he's Czech; ***die Tschechen*** the Czechs; ☞ *Nationalitäten*

Tschechien Czechia ['tʃekɪə], *the* Czech [tʃek] Republic

Tschechin Czech [tʃek] woman (*oder* lady *bzw.* girl); ***sie ist Tschechin*** she's Czech; ☞ *Nationalitäten*

tschechisch, Tschechisch Czech [tʃek]

tschüs(s) bye, see you

T-Shirt T-shirt, tee-shirt

Tube 1. tube [tjuːb]; ***eine Tube Zahnpasta*** a tube of toothpaste **2. *drück mal auf die Tube!*** *umg.* put your foot down!

Tuberkulose tuberculosis [tjuːˌbɜːkjʊ-ˈləʊsɪs], TB [ˌtiːˈbiː]

Tuch 1. (≈ *Kopftuch*) scarf *Pl.*: scarfs *oder*, *bes. BE*, scarves [skaːvz] **2.** (≈ *Stoff*) cloth [klɒθ] **3. *das ist für sie ein rotes Tuch*** übertragen it's like a red rag (*AE* flag) to a bull for her

tüchtig 1. (≈ *fleißig*) hard-working **2. *die haben tüchtig zugelangt*** *beim Essen*: they had a real go at the food

Tücke: *es hat so seine Tücken* *Gerät usw.*: it's a bit tricky (to work)

tuckern 1. (*Fahrzeug*) chug along **2.** (*Motor*) put-put ['pʌtpʌt]

tückisch 1. malicious [mə'lɪʃəs], spiteful **2.** (≈ *hinterlistig*) insidious [ɪn'sɪdɪəs] (*auch Krankheit usw.*) **3.** (≈ *gefährlich*) dangerous ['deɪndʒərəs], treacherous ['tretʃərəs]

Tüftelei 1. fiddly (*AE* finicky) work (△ *ohne* a) **2.** (≈ *Denkarbeit*) tricky problem, brainteaser

tüfteln: *an etwas tüfteln* work on something, *einer Denkaufgabe*: try to work something out

Tüftler(in) tinkerer; ***er ist ein Tüftler*** *auch*: he likes to fiddle about with things

Tugend virtue ['vɜːtʃuː]

Tulpe tulip ['tjuːlɪp]

tummeln: *sich tummeln* romp around, *im Wasser*: splash around

Tummelplatz playground

Tumor tumour ['tjuːmə]

Tümpel 1. pond **2.** *kleiner*: puddle

tun¹ 1. *allg.*: do*; ***was tust du da?*** what are you doing?; ***das tut man nicht*** you don't do that; ***es gibt viel zu tun*** there's lots to do; ***ich hab noch zu tun*** I'm still busy ['bɪzɪ]; ***man tut, was man kann*** I (*oder* we) do our best **2. *sie kann tun und lassen was sie will*** she can do whatever she likes **3. *ein Bleistift*** *usw.* ***tuts auch*** a pencil *usw.* will do **4. *ich hab ihr nichts getan*** I didn't touch her; ***er tut dir schon nichts*** he won't hurt you **5.** *umg.* (≈ *stellen, legen usw.*) put*; ***tus da hin*** put it there

tun² 1. *vortäuschend*: ***er tut nur so*** he's just pretending; ***tu doch nicht so!*** stop pretending, (≈ *mach kein Aufhebens*) don't make (such) a fuss **2. *sie tut sehr selbstsicher*** *usw.* she acts very confident ['kɒnfɪdənt] *usw.* **3. *das hat damit nichts zu tun*** that has nothing to do with it **4. *es tut sich was*** things are happening

tünchen whitewash

Tunesien Tunisia [tjuː'nɪzɪə]

Tunesier Tunisian [tjuː'nɪzɪən]; ***er ist Tunesier*** he's Tunisian; ☞ *Nationalitäten*

Tunesierin Tunisian [tjuː'nɪzɪən] woman (*oder* lady *bzw.* girl); ***sie ist Tunesierin*** she's Tunisian; ☞ *Nationalitäten*

tunesisch Tunisian [tjuː'nɪzɪən]

Tunfisch tuna ['tuːnə] (fish)

tunken dip (*in* in, into)

Tunnel tunnel ['tʌnl]

Tunte *im negativen Sinn* **1.** (≈ *Homosexueller*) fairy **2.** (≈ *Frau*) bitch

Tüpfelchen: *das ist das Tüpfelchen auf dem i* that's the icing ['aısıŋ] on the cake

tupfen *allg.:* dab

Tupfen dot

Tür 1. *allg.:* door; *vor der Tür* at the door; *es ist jemand an der Tür* there's somebody at the door; *an die Tür gehen* answer ['ɑːnsə] the door; *ich bin gerade zur Tür rein* I've just this minute come in **2.** *sie wohnen zwei Türen weiter* they live two doors along **3.** *Tag der offenen Tür* open day, *AE* open house **4.** *Weihnachten steht vor der Tür* Christmas is just round the corner **5.** *mit der Tür ins Haus fallen* blurt it out

Turbine turbine ['tɜːbaın]

turbulent turbulent ['tɜːbjʊlənt]; *es ging turbulent zu* things got quite hectic (*oder* heated)

Turbulenzen turbulence ['tɜːbjʊləns] (△ *nur im Sg. verwendet*)

Türfalle ⓒ (≈ *Türklinke*) doorhandle

Türgriff doorhandle, doorknob [△ 'dɔːnɒb]

Türke 1. Turk [tɜːk]; *er ist Türke* he's Turkish; ☞ *Nationalitäten* **2.** *umg.* (≈ *türkisches Lokal*) Turkish place, Turkish restaurant ['restərɒnt]

Türkei Turkey ['tɜːkı]

türken (≈ *fälschen*) fake, fiddle (*Zahlen*)

Türkin Turkish woman (*oder* lady *bzw.* girl); *sie ist Türkin* she's Turkish; ☞ *Nationalitäten*

Türkis, türkis, Türkisblau, türkisblau turquoise ['tɜːkwɔız]

türkisch, Türkisch Turkish

Türklinke doorhandle

Turm 1. *allg.:* tower ['taʊə] **2.** *Schach:* castle [△ 'kɑːsl], rook [rʊk]

türmen[1]: *sich türmen* (*Hefte usw.*) pile up

türmen[2] *umg.* (≈ *ausreißen*) skedaddle [skı'dædl], *BE auch* do* a bunk

turnen do* gymnastics [dʒım'næstıks]

Turnen 1. *allg.:* gymnastics [dʒım'næstıks] (△ *mit Sg.*) **2.** *in der Schule:* gym [dʒım], PE [ˌpiː'iː] (*Abk. für* **p**hysical **e**ducation)

Turner(in) gymnast ['dʒımnæst]

Turnhalle gym [dʒım], gymnasium [dʒım-'neızıəm] (△ *dt.* **Gymnasium** = grammar school, *AE* high school)

Turnhemd gym [dʒım] shirt

Turnhose gym [dʒım] shorts (△ *Pl.*); *meine Turnhose ist dreckig* my gym shorts

are dirty

Turnier tournament ['tʊənəmənt]

Turnlehrer(in) gym [dʒım] teacher

Turnschuhe 1. *stabile, auch für Straße:* trainers, *AE* tennis shoes **2.** *aus Segeltuch:* plimsolls ['plımslz], *AE* sneakers

Turnverein gymnastics [dʒım'næstıks] club, *AE* athletic club

Turnzeug gym [dʒım] kit, *AE* gym gear

Türschild doorplate

Tusche 1. Indian (*AE* India) ink **2.** (≈ *Wasserfarbe*) watercolour ['wɔːtəˌkʌlə]

tuscheln whisper; *über jemanden tuscheln* gossip behind someone's back

Tuschkasten paintbox

Tussi *abwertend* chick, *bes. BE* bird

tut! *Hupe usw.:* beep-beep!, toot-toot!

Tüte 1. (plastic *oder* paper) bag **2.** *aus Karton:* carton ['kɑːtn]; *eine Tüte Milch* a milk carton **3.** *kommt nicht in die Tüte!* *umg.* no way!

tuten toot, blow* one's horn

TÜV: *er muss zum TÜV* *BE* he's got to go for an MOT [ˌeməʊ'tiː]

TÜV

MOT ist die Abkürzung für **Ministry of Transport** (= Verkehrsministerium), das für die Sicherheitsprüfung von Kraftfahrzeugen zuständig ist.

Typ[1] **1.** (≈ *Menschentyp*) type; *ein ruhiger Typ* a quiet sort (of person) **2.** *sie ist nicht der Typ dafür* she's not the right kind of person (for it) **3.** *er ist nicht mein Typ* he's not my type **4.** *sie sind vom Typ her völlig unterschiedlich* they are totally different types of person **5.** *umg.* (≈ *Mann*) guy [gaı], *BE auch* bloke **6.** *umg.* (≈ *Freund*) man, *BE auch* bloke; *das ist ihr neuester Typ* he's her latest man **7.** *dein Typ wird verlangt* *umg.* you're wanted

Typ[2] (≈ *Modell*) model ['mɒdl]

Typhus typhoid ['taıfɔıd]

typisch 1. *allg.:* typical ['tıpıkl] **2.** *ein typischer Fehler* a common mistake **3.** *das ist wieder mal typisch!* that's just typical **4.** *typisch Markus!* that's just like Markus; *typisch amerikanisch!* that's typically (*oder* so) American

Tyrann tyrant ['taırənt]

tyrannisieren (≈ *quälen*) tyrannize [△ 'tırənaız], bully [△ 'bʊlı] (about)

U

U-Bahn 1. *als Transportmittel*: underground, *in London auch*: Tube, *AE* subway; *mit der U-Bahn fahren* go* by (*oder* take* the) underground *usw.* **2.** (≈ *Zug*) (underground) train, *AE* (subway) train

übel 1. (≈ *widerlich*) horrible ['hɒrəbl] **2.** *mir ist übel* I feel sick; *dabei kann einem übel werden* it's enough to make you sick **3.** *nicht übel umg.* not bad **4.** *er ist ein übler Kerl umg.* he's a nasty customer **5.** *sie ist übel dran umg.* she's in a bad way **6.** *du nimmst es mir doch nicht übel, oder?* you're not offended, are you?

Übel: *ein notwendiges Übel* a necessary evil [,nesəsrɪ'i:vl]; *das kleinere Übel* the lesser of (the) two evils

Übelkeit sick feeling, nausea ['nɔːsɪə]

übelnehmen → *übel 6*

Übeltäter(in) *mst. humorvoll* offender

üben practise [△ 'præktɪs], *AE* practice; *Klavier üben* practise the piano; *fleißig üben* practise hard

über¹ 1. (≈ *oberhalb von*) above [ə'bʌv], over **2.** *werfen, springen usw.*: over **3.** (≈ *quer über*) across; *über den Ärmelkanal* across the Channel; *über die Straße gehen* cross the road

**über² **(≈ *mehr als*) over, more than; *sie ist über vierzig* she's over forty

über³ 1. *ein Buch usw. über Eisbären* a book *usw.* about polar bears **2.** *ein Scheck über 3000 Euro* a cheque for 3,000 euros **3.** *wir haben über dich geredet* we were talking about you **4.** *er ist über seinen Hausaufgaben eingeschlafen* he fell asleep over his homework **5.** *übers Wochenende usw.* over the weekend *usw.* **6.** *wir sind über Frankfurt gefahren* we went via ['vaɪə] Frankfurt **7.** *es geht nichts über ein Schokoladeneis* there's nothing like a choc-ice (*AE* Fudgesicle® ['fʌdʒsɪkəl] **8.** *sie hat Freunde über Freunde* she's got masses ['mæsɪz] of friends

überall 1. *allg.*: everywhere **2.** *überall in der Stadt usw.* all over town *usw.*

überallher: *sie kamen von überallher* they came from all over the place

überängstlich 1. overly concerned **2.** *sie ist überängstlich von Natur aus*: she's always worried ['wʌrɪd] about things

überanstrengen: *sie hat sich überanstrengt* she's been overdoing it

Überanstrengung overexertion [,əʊvərɪg-'zɜːʃn]

überarbeiten 1. *einen Aufsatz usw. überarbeiten* go* over an essay *usw.* again **2.** *sich überarbeiten* overwork [,əʊvə-'wɜːk]

überbelichten overexpose (*Film, Foto*)

überbevölkert overpopulated [,əʊvə-,pɒpjʊleɪtɪd]

Überbevölkerung overpopulation [,əʊvə-,pɒpjʊ'leɪʃn]

überbezahlt overpaid

überbieten 1. *bei Auktion*: outbid [,aʊt-'bɪd] **2.** *an Frechheit ist er kaum zu überbieten* when it comes to cheek, he's hard to beat

Überbleibsel *Pl.* (≈ *Essensreste*) leftovers

Überblick 1. *allg.*: overview (*über* of) **2.** *den Überblick behalten* keep* track; *ich hab den Überblick verloren* I've lost track (of things) **3.** *mir fehlt der Überblick* I don't know what's going on

überborden *bes.* ⓖ **1.** (*Freude, Erregung, Temperament*) be* exuberant [ɪg-'zjuːbrənt] **2.** (*Fluss*) break* its banks **3.** *überbordender Verkehr* excessive [ɪk-'sesɪv] (*oder* ever-increasing) traffic

überbrücken: *er überbrückte die Zeit mit Lesen* he filled in the time by reading

überbuchen overbook (*Flug, Hotel usw.*)

überdacht covered ['kʌvəd]

überdehnen stretch, pull (*Muskel usw.*)

überdenken: *etwas überdenken* think* something over

überdimensional outsized, *AE* oversized

Überdosis overdose ['əʊvədəʊs]; *an einer Überdosis Schlaftabletten sterben* die of an overdose of sleeping tablets (*AE* pills)

überdreht wound [waʊnd] up, overexcited [,əʊvərɪk'saɪtɪd]

überdurchschnittlich above average [ə-,bʌv'ævərɪdʒ]

übereifrig overkeen, *AE* overeager

übereinander on top of each other; → *übereinanderstapeln*

übereinanderstapeln pile (up) on top of each other

übereinstimmen 1. *mit jemandem übereinstimmen* agree with someone (*über* on); *wir stimmen überein* we agree, we're in agreement **2.** (*Aussagen usw.*) agree

überempfindlich hypersensitive (*gegen*

to)

Überempfindlichkeit hypersensitivity [ˌhaɪpəˌsensəˈtɪvətɪ]

überessen: *sich überessen* overeat*

überfahren 1. knock [nɒk] down, run* over (*Tier, Person*) **2.** *die Ampel überfahren* shoot* the lights (△ *Pl.*)

Überfahrt crossing

Überfall 1. *allg.:* attack (*auf* on) **2.** *auf der Straße:* mugging **3.** *mit Waffe:* holdup **4.** *ein Überfall auf eine Bank* a bank robbery

überfallen 1. *allg.:* attack **2.** *auf der Straße:* mug **3.** raid (*Bank*) **4.** invade (*Land, auch übertragen: Freunde usw.*) **5.** *mit Fragen usw.:* bombard [bɒmˈbɑːd]

überfällig overdue [ˌəʊvəˈdjuː]; *längst überfällig* long overdue; *das ist seit einer Woche überfällig* it's a week overdue

überfliegen 1. (≈ *schnell lesen*) skim (through) **2.** (*Flugzeug*) fly* over, *tief:* buzz

überfließen overflow

überflüssig 1. *allg.:* superfluous [△ suːˈpɜːfluəs] **2.** (≈ *unnötig*) unnecessary

überfluten flood [flʌd] (*auch übertragen*)

überfordern: *sie überfordern ihn* they expect too much of him

überfordert 1. *damit ist sie überfordert* it's too much for her **2.** *ich fühle mich überfordert* I don't think I can manage

überfragt: *da bin ich überfragt* you've got me there

überfressen: *überfriss dich nicht!* don't stuff yourself!

überführen 1. (≈ *bringen, transportieren*) take*, transport [trænˈspɔːt] (*beide auch Toten*) **2.** (≈ *als schuldig erweisen*) find* *someone* guilty [ˈɡɪltɪ], convict *someone* [kənˈvɪkt] (*beide + Gen.* of)

Überführung (≈ *Brücke*) flyover [ˈflaɪˌəʊvə], *bes. AE* overpass

überfüllt 1. *Bus usw.:* (over)crowded **2.** *Regale usw:* crammed

Übergangslösung temporary solution

Übergangszeit transition(al period [ˈpɪərɪəd])

übergeben¹ 1. hand over (*an* to) **2.** *feierlich:* present [prɪˈzent] (*an* to)

übergeben²: *sich übergeben* be* sick, *AE* throw* up; *ich muss mich übergeben* I'm going to be sick (*bzw.* throw up)

übergehen 1. (≈ *ignorieren*) ignore **2.** (≈ *auslassen*) leave* out **3.** *ich fühlte mich übergangen* I felt left out

übergenau picky

Übergepäck excess [△ ˈekses] baggage

übergeschnappt *umg.* cracked (up), crazy

Übergewicht: (*10 Kilo*) *Übergewicht haben* be* (10 kilograms) overweight [ˌəʊvəˈweɪt]

überglücklich over the moon (*über* about)

Übergröße outsize; *Kleidung in Übergröße* outsize clothes [kləʊ(ð)z] (△ *Pl.*)

überhaben: *ich hab die Sache über* I'm sick and tired of it

überhäufen: *er überhäuft sie mit Geschenken* he showers her with presents

überhaupt 1. *überhaupt nicht* not at all; *das interessiert mich überhaupt nicht* I'm not in the least bit interested **2.** *sie hat überhaupt keine Interessen* she hasn't got any interests at all **3.** *überhaupt nichts* nothing at all, not a thing **4.** *hast du ihn überhaupt gesehen?* did you actually see him? **5.** *wo wohnt sie überhaupt?* where does she live anyway?

überheblich overbearing [ˌəʊvəˈbeərɪŋ], arrogant [ˈærəɡənt]

überheizt *Zimmer usw.:* overheated

überhitzen overheat (*auch übertragen*); *sich überhitzen* overheat

überhöht 1. *Preise usw.:* excessive [ɪkˈsesɪv] **2.** *mit überhöhter Geschwindigkeit fahren* speed*, break* the speed limit

überholen 1. *im Auto usw.:* overtake* [ˌəʊvəˈteɪk], pass **2.** *leistungsmäßig:* overtake* **3.** overhaul [ˌəʊvəˈhɔːl] (*Maschine usw.*)

Überholspur overtaking (*AE* passing) lane; *auf der Überholspur* in the overtaking (*AE* passing) lane

überholt 1. (≈ *veraltet*) outdated **2.** *das ist längst überholt* that's ancient [ˈeɪnʃənt]

überhören 1. *den Satz hab ich überhört* I didn't catch (*oder* I missed) that sentence (△ *engl.* overhear = *zufällig mitbekommen*) **2.** *absichtlich:* ignore **3.** *das will ich überhört haben!* I didn't hear that

überirdisch supernatural; *ein überirdisches Wesen* a supernatural being

überkandidelt over the top, over-the-top (△ *Letzteres nur vor dem Subst.*)

überkleben *etwas überkleben* stick (*oder* paste) something on (*oder* over) something; *er hat das Loch mit einem Poster überklebt* he's stuck a poster over the hole

überklug too clever by half

überkochen 1. (*Milch usw.*) boil over **2.** *er kochte vor Wut über* he blew his top

überkommen: *Mitleid usw. überkam ihn* he was overcome by sympathy *usw.*

überkreuzen: *sich überkreuzen* (*Termine usw.*) clash

überkriegen: *etwas überkriegen* *umg.* (≈ *satthaben*) get* fed up with something

überkritisch overcritical [,əʊvə'krɪtɪkl]

überladen¹ overload [,əʊvə'ləʊd] (*Auto usw.*)

überladen² 1. (≈ *übermäßig verziert*) cluttered 2. *Schreibstil*: flowery

überlappen overlap [,əʊvə'læp]

überlassen 1. *überlass das mir* leave that to me; *das überlass ich dir* that's up to you, I'll leave that to you 2. *jemandem etwas überlassen* let* someone have something 3. *dem Zufall überlassen* leave* to chance (△ *ohne* the)

überlastet 1. *überlastet sein* *Person*: be* under strain, *durch Arbeit*: be* overworked 2. *Gerät usw.*: overloaded

Überlastung 1. *einer Person*: strain 2. *eines Geräts usw.*: overloading

Überlauf *im Becken usw.*: overflow

überlaufen¹ 1. *Flüssigkeit*: run* over, *Kochendes*: boil over 2. *das brachte das Fass zum Überlaufen* that was the last straw

überlaufen² *Ort*: (over)crowded; *mit Touristen überlaufen* overrun with tourists

überleben 1. *allg.*: survive [sə'vaɪv] 2. *das überlebe ich nicht* *umg.* that'll be the death of me; *du wirst es schon überleben* you'll survive

Überleben survival [sə'vaɪvl]

Überlebende(r) survivor [sə'vaɪvə]

überlebensgroß larger than life, larger-than-life (△ *nur vor dem Subst.*)

überlegen¹ 1. *sich etwas (genau) überlegen* think* (carefully) about something; *ich überlegs mir* I'll think about it 2. *er hat sichs anders überlegt* he's changed his mind 3. *das würde ich mir zweimal überlegen* I'd think twice about that 4. *das hättest du dir vorher überlegen sollen* you should have thought about that before 5. *er sagte zu, ohne lange zu überlegen* he accepted without thinking twice

überlegen²: *jemandem überlegen sein* be* superior [suː'pɪərɪə] to someone (*an, in* in)

Überlegenheitsgefühl sense of superiority

Überlegung: *ohne Überlegung* without thinking

überlesen 1. (≈ *übersehen*) overlook [,əʊvə'lʊk] 2. *ein Heft usw. überlesen* skim through a magazine *usw.*

überliefert 1. *Bräuche, Kenntnisse usw.*: traditional; *überlieferte Bräuche* *auch* customs which have been passed down 2.

aus dieser Zeit ist nichts überliefert no records ['rekɔːdz] of this period have survived 3. *es ist überliefert, dass ...* records indicate that

übermitteln 1. transmit, send* (*Daten usw.*) (+ *Dativ* to) 2. convey [kən'veɪ] (*Grüße usw.*) (+ *Dativ* to)

übermorgen the day after tomorrow

übermüdet overtired [,əʊvə'taɪəd]

übermütig 1. high-spirited; *die Kinder waren übermütig* the children were in high spirits 2. *übermütig herumtollen* romp around in high spirits

übernächste(r, -s): *übernächste Woche* *usw.* the week *usw.* after next

übernachten 1. stay overnight 2. *ich übernachte bei Bernd* I'm staying (*AE mst.* spending) the night at Bernd's (place)

übernächtigt tired (from lack of sleep)

Übernachtung overnight stay; *zwei Übernachtungen* (*mit Frühstück*) two nights (with breakfast)

übernehmen 1. *allg.*: take* over (△ overtake = *überholen*) 2. take* on (*Arbeit usw.*) 3. *sich übernehmen* *mit Arbeit*: take* on too much 4. (≈ *sich überanstrengen*) overdo* it; *sich beim Joggen übernehmen* do* too much jogging

überprüfen check; *er überprüfte, ob alles in Ordnung sei* he checked to see whether everything was okay

Überprüfung 1. *allg.*: check(up) 2. *genaue*: scrutiny ['skruːtɪnɪ] 3. *einer Entscheidung*: reconsideration [,riːkənsɪdə-'reɪʃn], review [rɪ'vjuː] 4. *von Projektentwürfen, Ausgaben usw.*: revision, *AE* review

überqualifiziert overqualified [,əʊvə-'kwɒlɪfaɪd]

überqueren cross

überraschen 1. surprise [sə'praɪz] 2. *er wurde beim Klauen überrascht* he was caught stealing 3. *wir wurden vom Regen überrascht* we were caught in the rain 4. *lassen wir uns überraschen* let's wait and see

überraschend 1. *allg.*: surprising [sə-'praɪzɪŋ] 2. (≈ *unerwartet*) unexpected 3. *es kam für uns ganz überraschend* it took us completely by surprise

überrascht surprised [sə'praɪzd] (*von* by); *er war ganz überrascht* it was a complete surprise (for him)

Überraschung 1. surprise [sə'praɪz]; *so eine Überraschung!* what a surprise! 2. *eine kleine Überraschung* (≈ *Geschenk*) a little something

überreagieren overreact (*auf* to)

überreden persuade [pə'sweɪd]; *ich überredete ihn (dazu,) mitzukommen* I persuaded him to come; *er lässt sich nicht überreden* he won't be persuaded

Überredungskünste powers of persuasion

überreichen: *jemandem etwas überreichen* present [prɪ'zent] someone with something

überreif overripe

überrumpeln: *jemanden überrumpeln* take* someone by surprise

überrunden *im Sport:* lap

Überschallflugzeug supersonic aircraft [,su:pəsɒnɪk'eəkrɑːft]

Überschallgeschwindigkeit supersonic speed [,su:pəsɒnɪk'spiːd]

überschattet: *überschattet von übertragen* overshadowed [,əʊvə'ʃædəʊd] by

überschätzen **1.** overestimate [,əʊvə(r)-'estɪmeɪt] **2.** *er überschätzt sich* he's not as good as he thinks

überschaubar **1.** clear **2.** *Folgen, Risiko usw.:* calculable ['kælkjʊləbl]

überschlafen: *ich werds überschlafen* I'll sleep on it

Überschlag **1.** *Turnen:* somersault [△ 'sʌməsɔːlt] **2.** *eines Flugzeugs usw.:* loop

überschlagen[1] **1.** *sich überschlagen* do* a somersault [△ 'sʌməsɔːlt], *(Auto)* overturn [,əʊvə'tɜːn] **2.** *seine Stimme überschlug sich* his voice cracked **3.** *er überschlug sich vor Freundlichkeit usw.* he was falling over himself to be friendly *usw.* **4.** *ich muss das kurz überschlagen* let me do a quick calculation

überschlagen[2]**:** *mit übergeschlagenen Beinen* with her (his, my *usw.*) legs crossed

überschnappen *umg.* flip, crack up

überschneiden **1.** *sich überschneiden* *(Linien usw.)* intersect [,ɪntə'sekt] **2.** *sich überschneiden (Termine)* clash

Überschreibemodus *Computer:* overwrite [△ 'əʊvəraɪt] *(oder* overstrike) mode

Überschrift **1.** heading **2.** *(≈ Zeitungsüberschrift)* headline

Überschuss **1.** *allg.:* surplus ['sɜːpləs] *(an* of) **2.** *(≈ Gewinn)* profit ['prɒfɪt]

überschütten: *sie überschüttet ihn mit Geschenken* she showers him with presents

überschwappen **1.** *(Flüssigkeit)* slop over (the edge) **2.** *(Glas usw.)* slop over

überschwemmen flood [flʌd] *(auch übertragen)*

Überschwemmung flooding ['flʌdɪŋ], floods [flʌdz] (△ *Pl.*)

übersehen **1.** overlook [,əʊvə'lʊk] *(Fehler usw.)* **2.** *ich hab dich übersehen* I didn't see you **3.** *(≈ ignorieren)* ignore

übersetzen translate [træns'leɪt] *(aus* from, *in* into); *falsch übersetzen* translate wrong(ly); *es soll ins Englische übersetzt werden* it's to be translated into English (△ *ohne* the)

Übersetzer(in) translator [træns'leɪtə]

Übersetzung translation [træns'leɪʃn]; *eine Übersetzung aus dem Deutschen ins Englische* a translation from German into English (△ *ohne* the)

Übersicht **1.** *allg.:* overview ['əʊvəvjuː] **2.** *(≈ Tabelle)* chart [tʃɑːt] **3.** *die Übersicht verlieren* lose* [luːz] track

übersichtlich clear

übersiedeln *bes.* ⓐ *(≈ umziehen)* move *(nach* to)

überspannt **1.** *(≈ übertrieben)* over the top, over-the-top (△ *nur vor dem Subst.)* **2.** *(≈ hysterisch)* hysterical [hɪ'sterɪkl]

überspielen **1.** *(≈ verdecken)* cover up **2.** *eine Kassette überspielen* record over a cassette

überspitzt **1.** exaggerated [ɪg-'zædʒəreɪtɪd] **2.** *überspitzt formulieren* overstate [,əʊvə'steɪt]

überspringen **1.** *eine Pfütze usw. überspringen* jump over a puddle *usw.* **2.** *(≈ auslassen)* skip

überstehen **1.** get* over *(Krankheit usw.)* **2.** *er hat das Schlimmste überstanden* he's over the worst **3.** *(≈ überleben)* survive *(auch übertragen)* **4.** *das wäre überstanden!* thank goodness that's out of the way

übersteigen: *das übersteigt meine Kräfte (bzw. Fähigkeiten usw.)* that's beyond me

übersteigert exaggerated [ɪg-'zædʒəreɪtɪd]

überstimmen outvote [,aʊt'vəʊt] *(jemanden)*

überstrapazieren: *sich überstrapazieren* wear* [weə] oneself out

überstreichen: *eine Wand usw. überstreichen* paint over a wall *usw.*

Überstunden overtime ['əʊvətaɪm] (△ *Sg.);* *Überstunden machen* do* *(oder* work) overtime

überstürzen: *etwas überstürzen* rush things

überstürzt *Entscheidung usw.:* rash

übertölpeln: *jemanden übertölpeln* take* someone in

übertönen drown out

übertragen[1] **1.** *allg.:* transfer [træns'fɜː] *(in, auf* to) **2.** *eine Krankheit auf jemanden übertragen* pass a disease on to someone **3.** *TV, Radio*: broadcast* ['brɔːdkɑːst]; **live übertragen** broadcast* live [⚠ laɪv] **4. ins Englische übertragen** translate into English (⚠ *ohne* the) **5. das kann man nicht auf alle übertragen** you can't apply it to everyone

übertragen²: **in übertragener Bedeutung** in the figurative ['fɪgərətɪv] sense

Übertragung 1. *allg.*: transfer ['trænsfɜː] (*auf* to) **2.** *TV, Radio*: broadcast ['brɔːdkɑːst]

übertreffen 1. *allg.*: excel [ɪk'sel]; **sich selbst übertreffen** excel oneself **2. sie ist nicht zu übertreffen** she's unbeatable **3. es übertraf alle Erwartungen** it exceeded [ɪk'siːdɪd] all expectations

übertreiben 1. exaggerate [ɪg'zædʒəreɪt]; **übertreib nicht so!** stop exaggerating **2.** overdo* [ˌəʊvə'duː] (*Tätigkeit*); **er hats mit dem Tennis übertrieben** he's been overdoing the tennis **3. sie übertreibts mit ihren Witzen** she goes too far with her jokes **4. man kanns auch übertreiben** you can take things too far

Übertreibung exaggeration [ɪgˌzædʒə'reɪʃn]

übertrieben 1. exaggerated [ɪg'zædʒəreɪtɪd] **2.** *Verhalten*: over the top, over-the-top (*Letzteres nur vor dem Subst.*)

übervorsichtig overcautious [ˌəʊvə'kɔːʃəs]

überwachen 1. *Polizei*: keep* under surveillance [⚠ sə'veɪləns] **2.** *über Video usw.*: monitor ['mɒnɪtə] **3.** control (*Verkehr*)

Überwachungsanlage *im Geschäft usw.*: closed-circuit [ˌkləʊzd'sɜːkɪt] television

überwältigen 1. overpower (*Dieb usw.*) **2. überwältigt werden von** *einem Gefühl usw.*: be* overwhelmed [ˌəʊvə'welmd] by

überwältigend 1. *allg.*: overwhelming **2. es war nicht gerade überwältigend** it was nothing to write home about

überweisen 1. transfer [træns'fɜː] (*Geld*); **er hat ihr das Geld überwiesen** he transferred the money to her account **2.** refer (*Patienten*) (*an* to)

Überweisung 1. *von Geld*: transfer ['trænsfɜː], *per Post*: remittance [rɪ'mɪtns] (*beide*: **an** to) **2.** *eines Falles, Patienten usw.*: referral [rɪ'fɜːrəl] (*an* to)

Überweisungsschein referral [rɪ'fɜːrəl] slip

überwiegend 1. es waren überwiegend Frauen it was mainly women **2. die überwiegende Mehrheit** the vast majority

überwinden 1. overcome* (*Hindernis usw.*) **2. ich musste mich dazu überwinden** I had to force myself to do it **3. er konnte sich nicht überwinden, es zu tun** he couldn't bring himself to do it

überwintern 1. spend* the winter (*in* in, at) **2.** (*Tier*) hibernate ['haɪbəneɪt]

überwuchert overgrown

überzeugen 1. convince [kən'vɪns] (*von* of); **jemanden davon überzeugen, dass** convince (*oder* persuade [pə'sweɪd]) someone that; **sie lässt sich nicht überzeugen** she won't be persuaded **2. ich will mich selbst überzeugen** I want to see for myself

überzeugend convincing, *Argument auch*: persuasive [pə'sweɪsɪv]

überzeugt 1. sie ist sehr von sich selbst überzeugt she has a high opinion of herself **2. ich bin noch nicht ganz überzeugt** I'm not completely persuaded [pə'sweɪdɪd] (*oder* convinced) yet

überzeugte(r, -s) convinced [kən'vɪnst], *stärker*: ardent ['ɑːdnt] (*Sozialist usw.*)

Überzeugung 1. ich bin der (festen) Überzeugung, dass I'm (firmly) convinced that **2. aus Überzeugung** out of conviction

überziehen¹ 1. overdraw* [ˌəʊvə'drɔː] (*Konto*) (*um* by); **er hat sein Konto um 100 Euro überzogen** he's overdrawn his account by 100 euros **2. es überzieht sich** it's clouding over

überziehen² 1. put* on (*Jacke usw.*) **2. er hat ihm eins übergezogen** *umg.* he landed him one

Überziehungskredit overdraft facility ['əʊvədrɑːft fəˌsɪlətɪ]

überzogen: total überzogen completely over the top

Überzug 1. *allg.*: cover ['kʌvə] **2.** *von Kissen*: pillowcase, pillowslip **3.** (≈ *dünne Schicht*) coat(ing) **4.** (≈ *Schokoladenüberzug usw.*) coating

üblich 1. (≈ *gewöhnlich*) usual ['juːʒʊəl]; **wie üblich** as usual **2.** (≈ *normal*) normal ['nɔːml]; **es ist ganz üblich, dass alle kommen** it's quite normal for everyone to come **3. es ist bei ihm so üblich** that's his way of doing it

Übliche: das Übliche the usual ['juːʒʊəl] thing

üblicherweise usually ['juːʒʊəlɪ], normally

U-Boot submarine [ˌsʌbmə'riːn], *deutsches auch*: U-boat ['juːbəʊt]

übrig 1. ist noch Saft übrig? is there any juice left? **2. alles** (*oder das*) **Übrige** the rest (of it) **3. alle** (*oder die*) **Übrigen** the rest (of them); → **übrighaben**

übrig bleiben 1. be* left **2. *es blieb mir nichts anderes übrig* (*,als zu*)** I had no choice (*but* to); ***was blieb mir anderes übrig?*** what else could I do?
übrig lassen 1. *jemandem etwas übrig lassen* leave* something for someone **2. *ein paar Kartoffeln* (*bzw. etwas Wein usw.*) *übrig lassen für später*:** leave* a few potatoes (*bzw.* some wine *usw.*)

übrigbleiben → **übrig bleiben** 2
übrigens by the way (*mst. am Satzanfang*)
übrighaben: *er hat nichts für Tiere übrig* he doesn't like animals
Übung 1. (≈ *das Üben bzw. Geübtsein*) practice ['præktɪs] (△ *ohne the*); ***ich bin aus der Übung*** I'm out of practice; ***aus der Übung kommen*** get out of practice; ***Übung macht den Meister*** practice makes perfect **2.** *Turnen*: exercise ['eksəsaɪz]
Übungsbuch book of exercises (△ exercise book = **Schulheft**)
Übungsplatz *Sport*: training ground
Übungssache: *das ist reine Übungssache!* it's all a matter of practice (*oder* training)
UEFA-Pokal UEFA [ju:'eɪfə] Cup
Ufer 1. (≈ *Flussufer*) bank **2.** (≈ *Meeresufer*) shore, (≈ *Seeufer*) *auch*: shores (△ *Pl.*) **3. *am Ufer*** on the riverbank *bzw.* on the edge of the lake *bzw.* on the shore
Ufo UFO [ˌjuːefˈəʊ, ˈjuːfəʊ], unidentified flying object
Uhr 1. *allg.*: clock **2.** (≈ *Armbanduhr*) watch [wɒtʃ] **3. *wie viel Uhr ist es?*** what time is it?; ***um wie viel Uhr?*** what time? **4. *rund um die Uhr*** around the clock; ***rund um die Uhr geöffnet*** open 24 hours
Uhrzeiger (clock *oder* watch) hand
Uhrzeigersinn 1. *im Uhrzeigersinn* clockwise **2. *entgegen dem Uhrzeigersinn*** anticlockwise [ˌæntɪˈklɒkwaɪz], *AE* counterclockwise
Uhrzeit time
Uhu *Vogel*: eagle-owl ['i:gl‿aʊl]
UKW FM [ˌefˈem] (*Abk. für* **f**requency **m**odulation)
ulkig funny
Ulme elm
Ultimatum ultimatum [ˌʌltɪˈmeɪtəm]; ***jemandem ein Ultimatum stellen*** give* someone an ultimatum, *Militär auch*: deliver [dɪˈlɪvə] an ultimatum to someone
ultrahocherhitzt *bes. BE*; *Milch*: long-life (△ *nur vor dem Subst.*)
Ultraschall ultrasound ['ʌltrəsaʊnd]

um 1. *räumlich*: around, round **2. *um zehn* (*Uhr*)** at ten (o'clock); ***um zehn* (*herum*)** around ten **3. *es stieg um zwölf Euro*** it went up by twelve euros **4. *um drei Meter länger*** three metres longer **5. *es waren um die 50 da*** there were around 50 people there **6.** (≈ *in Bezug auf*) ***es geht um ...*** it's about ... **7. *um ehrlich zu sein*** to be honest **8. *um sein*** (≈ *zu Ende sein*) be* over; ***die Zeit ist um*** time's up (△ *ohne the*)
umarmen: (*sich*) *umarmen* embrace [ɪmˈbreɪs], hug (each other)
Umbau conversion
umbauen 1. *allg.*: (≈ *ändern*) alter ['ɔːltə], *völlig*: rebuild [riːˈbɪld] **2. *umbauen zu oder in*** turn into **3.** redesign [ˌriːdɪˈzaɪn] (*Maschine usw.*) **4.** (≈ *neu gestalten*) remodel [ˌriːˈmɒdl], convert (*auch Wohnung*) (***in, zu*** into) **5.** *übertragen* reorganize [riːˈɔːɡənaɪz] **6.** *im Theater, auf Bühne*: change the set
umbenennen rename [riːˈneɪm]
umbiegen 1. bend* (*Rohr usw.*) **2.** *im Au-*

Uhrzeit

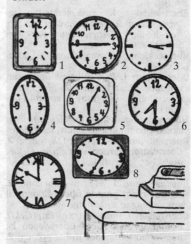

1 twelve (o'clock), noon, midnight
2 (a) quarter to (*AE auch* of) three
3 (a) quarter past (*AE mst.* after) three
4 five (minutes) to six
5 five (minutes) past (*AE mst.* after) six
6 half past seven, *AE mst.* seven thirty
7 ten (o'clock)
8 twenty-five to ten, nine thirty-five

to: turn round

umbilden reshuffle [riː'ʃʌfl] (*Kabinett, Regierung usw.*)

Umbildung *von Kabinett, Regierung usw.*: reshuffle ['riː.ʃʌfl]

umblättern turn (over) the page

umbringen 1. kill, murder **2. sich umbringen** kill oneself, commit suicide ['suːɪsaɪd] **3. du wirst dich noch umbringen** *umg.* you'll kill yourself

umbuchen change (*Flug usw.*)

umdrehen 1. *allg.*: turn round **2.** turn (*Schlüssel usw.*) **3. jemandem den Arm umdrehen** twist someone's arm **4. er dreht jede Mark um** *umg.* he counts every penny **5. sich nach jemandem umdrehen** turn round to look at someone **6.** (≈ *umkehren*) turn back

Umdrehung 1. *einer Schraube usw.*: turn **2.** *technisch, eines Motors usw.*: revolution [ˌrevə'luːʃn]; **1000 Umdrehungen pro Minute** 1,000 revolutions per minute (*Abk.* rpm) **3.** *eines Planeten*: rotation

umfahren knock [nɒk] down

Umfahrung Ⓐ **1.** (≈ *Umgehungsstraße*) bypass **2.** (≈ *Umleitung*) detour ['diːtʊə]

umfallen 1. *allg.*: fall* over **2.** (≈ *zusammenbrechen*) collapse [kə'læps] **3. tot umfallen** drop dead **4. ich bin zum Umfallen müde** I'm ready to drop

Umfang 1. *eines Kreises, der Erde*: circumference [sə'kʌmfrəns] **2.** (≈ *Größe*) size **3.** *eines Schadens usw.*: extent [ɪk'stent]

umfangreich extensive [ɪk'stensɪv]

umfassen (*Werk usw.*) comprise, consist of

umfassend comprehensive, extensive

Umfeld environment [ɪn'vaɪrənmənt]

umformatieren *Computer*: reformat [ˌriː-'fɔːmæt]

umformulieren reword, rephrase

Umfrage survey ['sɜːveɪ], poll [pəʊl]

Umgang 1. (≈ *Bekanntenkreis*) friends (△ *Pl.*) **2. er ist kein Umgang für dich** he's no fit company ['kʌmfrəns] for you **3. der Umgang mit jemandem** (*bzw. etwas*) dealing with someone (*bzw.* something); **im Umgang mit** (in) dealing with

umgänglich easy to get along with

Umgangsformen 1. manners **2. sie hat keine Umgangsformen** she doesn't know how to behave

Umgangssprache colloquial [kə-'ləʊkwɪəl] language; **die englische Umgangssprache** colloquial English (△ *ohne* the)

umgangssprachlich colloquial [kə-'ləʊkwɪəl]

umgeben¹ surround [sə'raʊnd] (*ein Haus mit einer Hecke usw.*)

umgeben² surrounded [sə'raʊndɪd] (**von** by)

Umgebung surroundings (△ *Pl.*)

umgehen¹ 1. go* round (*Hindernis usw.*) **2.** bypass ['baɪpɑːs] (*Stadt*) **3.** get* round (*Schwierigkeit usw.*)

umgehen²: umgehen mit handle (*Ding, Maschine, Person, Tier*), use (*Maschine usw.*); **sie weiß mit ihnen umzugehen** she knows <u>how</u> to handle them

Umgehungsstraße 1. bypass ['baɪpɑːs] **2.** (≈ *Ringstraße*) ring road

umgekehrt 1. the other way round **2. und umgekehrt** and vice versa [ˌvaɪs(ɪ)-'vɜːsə]

umgestürzt *Lastwagen usw.*: overturned

umgucken 1. sich umgucken (≈ *sich umsehen*) look round, have* a look round **2. du wirst dich noch umgucken!** you're in for a surprise or two!

umhaben have* on, wear* [weə]

Umhang cape

umhängen put* on (*Schal usw.*)

umhauen 1. jemanden umhauen knock [nɒk] someone flying **2. es hat mich fast umgehauen** *Alkohol, Gestank usw.*: it knocked me out, *Nachricht usw.*: I was floored ['flɔːd]

umhinkönnen: ich kann nicht umhin, es zu tun I can't help doing it

umhören: ich werd mich umhören I'll keep my ears open, I'll ask around

umkehren (≈ *zurückkehren*) turn back

umkippen 1. (*Vase usw.*) tip over **2.** (*Boot*) overturn **3.** (≈ *ohnmächtig werden*) faint, keel over **4.** (≈ *umstoßen*) knock [nɒk] over **5.** (*Gewässer*) die

umklammern 1. (≈ *festhalten*) cling* onto **2. mit den Fingern**: clutch

umklappen fold (back)

Umkleide(raum) changing room, *bes. Sport und AE*: locker room

Umkleidekabine cubicle ['kjuːbɪkl], *AE* dressing room

umknicken 1. (≈ *brechen*) snap **2.** (≈ *biegen*) bend* **3. ich bin (mit dem Fuß) umgeknickt** I twisted <u>my</u> ankle

umkommen 1. die, be* killed **2. wir sind vor Hunger** *usw.* **fast umgekommen** we nearly died <u>of</u> hunger *usw.*

Umkreis: im Umkreis von 10 Kilometern within a radius ['reɪdɪəs] of 10 kilometres

umkreisen circle (round), orbit ['ɔːbɪt]

umkrempeln 1. turn up (*Ärmel usw.*) **2. einen Strumpf** *usw.* **umkrempeln** turn a sock inside out **3. du kannst ihn nicht völlig umkrempeln** *umg.* you can't make a new person out of him

Umlaufbahn *eines Planeten, Satelliten*: orbit; **auf seine Umlaufbahn bringen** (*bzw.* **gelangen**) put* (*bzw.* enter) <u>into</u> orbit

Umlaut umlaut ['ʊmlaʊt]

umlegen *umg.* (≈ *töten*) bump off

umleiten divert [daɪ'vɜːt]

Umleitung diversion, *AE* detour ['diːtʊə]

umlernen 1. (≈ *umschulen*) retrain **2. umlernen müssen** (≈ *umdenken müssen*) have* to change one's ideas

umliegend surrounding [sə'raʊndɪŋ]

ummelden: sich ummelden register ['redʒɪstə] one's change of address

ummodeln (≈ *umgestalten*) revamp [riː-'væmp]

umorganisieren reorganize [riː'ɔːgənaɪz]

umpacken repack

umquartieren *umg.* shift

umräumen 1. (≈ *woanders hintun*) move **2.** rearrange (*Zimmer, Möbel usw.*)

umrechnen 1. convert [kən'vɜːt] (**in** into) **2. in Pfund umgerechnet** in (terms of) pounds

Umrechnung *von Währungen usw.*: conversion

Umrechnungskurs exchange rate

Umrechnungstabelle conversion table

umreißen 1. (≈ *niederreißen*) pull down **2.** (≈ *umstoßen*) knock [nɒk] down

umrennen knock [nɒk] down

Umriss, Umrisse **1.** outline (*Sg.*) **2. in groben Umrissen** in rough outline (△ *Sg.*)

umrühren stir [stɜː]

umrüsten adapt (*Computer, Gerät usw.*) (**auf** to)

umsatteln 1. *im Studium*: switch subjects **2.** *im Beruf*: change jobs **3. umsatteln auf** switch to

Umsatz *Wirtschaft*: turnover

umschalten 1. switch (**auf** to) **2.** *beim Fernsehen*: switch over, switch channels

Umschalttaste *Computer*: shift key

umschauen → **umsehen**

Umschlag **1.** (≈ *Briefumschlag*) envelope ['envələʊp] **2.** (≈ *Buchumschlag*) cover **3. kalter Umschlag** cold compress ['kɒmpres]

umschlagen (*Wetter*) turn, change

umschmeißen 1. *allg.*: knock [nɒk] down **2.** upset* (*Pläne*) **3. das hat mich total umgeschmissen** *übertragen* it really threw me

umschnallen 1. strap on (*Rucksack usw.*) **2.** put* on (*Gürtel*)

umschulen 1. er wird umgeschult he's being sent to another school **2.** (≈ *einen anderen Beruf lernen*) retrain [ˌriː'treɪn]

Umschulung **1.** transfer ['trænsfɜː] (to another school) **2.** *berufliche*: retraining [ˌriː'treɪnɪŋ]

Umschulungskurs retraining course

umschütten spill*, knock [nɒk] over (*Glas usw.*)

Umschwung sudden change

umsegeln sail round

umsehen 1. sich umsehen look round, have* a look round; **sie sah sich im Zimmer um** she looked round the room **2. er hat sich nach dem Mädchen umgesehen** he looked round at (*suchend*: for) the girl **3. er sieht sich nach Arbeit um** he's looking for work **4. du wirst dich noch umsehen!** you're in for a surprise or two!

umsetzen: etwas in die Praxis umsetzen put* something into practice

Umsiedler(in) resettler [riː'setlə]

umso 1. je später *usw.*, **umso schlechter** *usw.* <u>the</u> later *usw.* the worse *usw.* **2. umso besser** so much the better

umsonst 1. (≈ *kostenlos*) free; **er macht es umsonst** he does it for nothing (*oder* for free) **2. es war umsonst** (≈ *vergeblich*) it was <u>all</u> for nothing

umspringen 1. (*Ampel usw.*) change (**auf** to) **2. mit jemandem grob** *usw.* **umspringen** treat someone roughly *usw.*

Umstände **1.** circumstances ['sɜːkəmstənsɪz]; **unter diesen** (*bzw.* **keinen**) **Umständen** under <u>the</u> (*bzw.* no) circumstances **2. unter Umständen geht das** it might (possibly) work **3. mach dir keine Umstände!** it was all to go to any trouble

umständlich 1. (≈ *ungeschickt*) awkward ['ɔːkwəd] **2.** (≈ *verwickelt*) complicated **3.** (≈ *langatmig*) longwinded [△ ˌlɒŋ-'wɪndɪd] **4. umständlicher gehts wohl nicht!** *umg.* you can't get much more complicated than that!

Umstandswort adverb ['ædvɜːb]

umsteigen 1. change (trains *bzw.* buses *usw.*); **Sie müssen auf die 19 umsteigen** you've got to change <u>to</u> the 19 **2.** (≈ *wechseln*) switch (**auf** to) (*Fach, Diät usw.*)

umstellen 1. sich umstellen adjust [ə'dʒʌst] (**auf** to); **man muss sich umstellen** you've got to get used to it **2.** adjust (*Gerät usw.*)

Umstellung adjustment [ə'dʒʌstmənt]

umstimmen: kannst du ihn nicht umstimmen? can't you change his mind?, can't you talk him out of it?

umstoßen knock [nɒk] down (*oder* over)

umstritten controversial [ˌkɒntrə'vɜːʃl]

umstülpen 1. turn upside down (*Glas usw.*) **2.** turn inside out (*Tasche usw.*)

Umsturz *einer Regierung usw.*: overthrow ['əʊvəθrəʊ]

umstürzen 1. fall* over **2.** (≈ *umwerfen*)

knock [nɒk] over **3.** overthrow* [ˌəʊvə-ˈθrəʊ] (*Regierung usw.*)

umtauschen 1. exchange (*gegen* for), take* back to the shop (*AE* store) **2.** exchange (*Währung*) (*in* into, for)

umtun 1. (≈ *umbinden*) put* on **2.** *sich nach etwas umtun* look round for something

U-Musik light (*oder* popular [ˈpɒpjʊlə]) music

Umwälzung *politische usw.*: upheaval [ʌp-ˈhiːvl]

umwandeln 1. convert, transform [trænsˈfɔːm] (*in, zu* into) **2.** *sie ist wie umgewandelt* she's a different person

Umwandlung conversion (*in* into), transformation [ˌtrænsfəˈmeɪʃn] (*in* into)

umwechseln exchange (*Währung*) (*in* into, for)

Umweg 1. detour [ˈdiːtʊə] (*über* via [ˈvaɪə]); *einen Umweg machen* (*oder fahren*) make* a detour **2.** *ich habs auf Umwegen erfahren* I found out in a roundabout way

Umwelt environment [ɪnˈvaɪrənmənt]

Umwelt: einige Begriffe

Abfall	**waste**
Abfallbeseitigung	**waste disposal**
abgasarmes Auto	**low-emission car**
Abwasser	**sewage**
Abwasseraufbereitung	**sewage treatment**
Autoabgase	**(car) exhaust fumes/emissions**
Bodenerosion	**soil erosion**
Brandrodung	**fire clearance**
Düngemittel	**fertilizer**
Erderwärmung	**global warming**
erneuerbare	**renewable**
Energie	**energy**
FCKW	**CFC**
Kläranlage	**sewage plant**
krebserregend	**carcinogenic**
Luftverschmutzung	**air pollution**
Mülldeponie	**waste disposal site**, *AE* **sanitary (land)fill**
Ozonloch	**ozone hole**
Ozonwerte	**ozone levels**
Pestizide	**pesticides**
Regenwald	**rainforest**
saurer Regen	**acid rain**
Treibhauseffekt	**greenhouse effect**
Treibhausgas	**greenhouse gas**
umkippen (*Gewässer*)	**die**
umweltbewusst	**environmentally aware**
umweltfreundlich	**environmentally friendly, eco-friendly**
Umweltverschmutzung	**(environmental) pollution**
Waldsterben	**forest deaths, dying forests**
wiederverwertbar	**recyclable**
Wiederverwertung	**recycling**

---

umweltbelastend environmentally [ɪnˌvaɪrənˈmentəlɪ] (*oder* ecologically [ˌiːkəˈlɒdʒɪklɪ]) harmful, harmful to the environment

Umweltbelastung environmental pollution [ɪnˌvaɪrənmentəlpəˈluːʃn]

umweltbewusst environmentally [ɪnˌvaɪrənˈmentəlɪ] aware, environment-conscious [ɪnˈvaɪrənmənt‿kɒnʃəs]

umweltfreundlich environment(ally)-friendly, eco-friendly [ˈiːkəʊˌfrendlɪ]

Umweltkatastrophe environmental disaster [ɪnˌvaɪrənmentl‿dɪˈzɑːstə]

Umweltpolitik environmental policy [ˈpɒləsɪ]

umweltschädlich harmful to the environment, environmentally (*oder* ecologically [ˌiːkəˈlɒdʒɪklɪ]) harmful, polluting [pəˈluːtɪŋ]

Umweltschutz conservation, care of the environment, environmentalism

Umweltschützer(in) environmentalist [ɪnˌvaɪrənˈmentlɪst], conservationist

Umweltsünder(in) (environmental) polluter [pəˈluːtə]

Umweltverschmutzung (environmental) pollution [pəˈluːʃn]

umweltverträglich environment(ally)-friendly, environmentally compatible [kəmˈpætəbl], eco-friendly [ˈiːkəʊˌfrendlɪ]

Umweltzerstörung destruction of the environment, *völlige*: ecocide [ˈiːkəʊsaɪd]

umwerfen 1. (≈ *umstoßen*) knock [nɒk] over **2.** *er warf sich eine Jacke um* he threw a jacket over his shoulders [ˈʃəʊldəz] **3.** throw* (*Pläne usw.*) **4.** *es hat ihn umgeworfen* übertragen it threw him

umwerfend 1. (≈ *sehr beeindruckend*) incredible [ɪnˈkredəbl] **2.** *es war umwerfend komisch* it was hilarious [hɪˈleərɪəs]

umwickeln: *etwas mit Draht usw. umwickeln* wind* [waɪnd] wire *usw.* round something

umziehen¹: *sich umziehen* get* changed

umziehen² move [muːv] (*nach* to)

Umzug 1. (≈ *Wohnungswechsel*) move (*nach* to) **2.** (≈ *Straßenumzug*) parade, *feierlicher*: procession

unabhängig 1. independent [ˌɪndɪ-'pendənt] (*von* of) **2. unabhängig voneinander** independently of one another **3. unabhängig davon, ob …** regardless of whether …

Unabhängigkeit independence (*von* of)

Unabhängigkeitstag *USA*: Independence Day (△ *ohne* the), Fourth of July (△ *mit* the)

unabsichtlich 1. unintentionally [ˌʌnɪn-'tenʃnəlɪ] **2. es war unabsichtlich** it wasn't intentional, it wasn't done deliberately

unachtsam careless

unangemeldet: unangemeldet aufkreuzen turn up without warning

unangenehm 1. *allg.*: unpleasant [ʌn-'pleznt] **2. es ist mir unangenehm** I feel awkward ['ɔːkwəd] about it **3. unangenehm auffallen** make* a bad impression

Unannehmlichkeiten 1. *allg.*: trouble ['trʌbl] (△ *Sg.*); **jemandem Unannehmlichkeiten bereiten** cause someone (a lot of) trouble **2. Unannehmlichkeiten bekommen** run* into difficulties

unansehnlich ugly

unanständig obscene [əb'siːn], *bes. Witz*: dirty; **unanständiges Wort** *auch*: four--letter word

Unanständigkeit obscenity [△ əb'senətɪ]

unappetitlich 1. *Essen usw.*: unappetizing **2.** (≈ *abstoßend*) off-putting

unartig naughty ['nɔːtɪ]

unaufdringlich unobtrusive [ˌʌnəb-'truːsɪv]

unauffällig 1. (≈ *unbemerkt*) inconspicuously [ˌɪnkən'spɪkjʊəslɪ] **2. sich unauffällig verhalten** keep* a low profile ['prəʊfaɪl] **3.** *Signal usw.*: discreet [dɪ-'skriːt] **4.** *Farbe, Kleidung usw.*: discreet

unaufgefordert without being asked

unaufgeschlossen narrow-minded [ˌnærəʊ'maɪndɪd]

unaufhörlich 1. incessant [ɪn'sesnt] **2. es regnete unaufhörlich** it wouldn't stop raining

unaufmerksam 1. *allg.*: inattentive **2.** (≈ *gedankenlos*) thoughtless

unausstehlich unbearable [ʌn'beərəbl]

unbarmherzig merciless, pitiless, relentless [rɪ'lentləs]

unbeabsichtigt unintentional

unbeachtet unnoticed [ʌn'nəʊtɪst]

unbedarft (≈ *naiv*) naive [naɪ'iːv]

unbedenklich 1. (≈ *sicher, risikolos*) safe, harmless **2. sein Zustand ist unbedenk-**

lich his condition gives no cause for concern [kən'sɜːn]

unbedeutend insignificant [ˌɪnsɪg-'nɪfɪkənt]

unbedingt 1. du musst unbedingt kommen *usw.* you've got to come *usw.* **2. ich brauch es unbedingt** I need it very badly **3. er will es unbedingt wissen** he's desperate ['despərət] to know **4. du musstest ja unbedingt den Mund aufmachen** of course you had to open your mouth, didn't you? **5. unbedingt!** absolutely! [ˌæbsə'luːtlɪ] **6. nicht unbedingt** not necessarily [ˌnesə'serəlɪ] **7.** Ⓐ, Ⓒⓗ *Strafe*: (≈ *ohne Bewährung*) unconditional; **er wurde zu zwei Jahren Gefängnis unbedingt verurteilt** he was sentenced to two years in prison

unbeeindruckt unimpressed

unbefangen (≈ *ungehemmt*) uninhibited [ˌʌnɪn'hɪbɪtɪd]

unbefriedigend unsatisfactory [ˌʌnsætɪs-'fæktərɪ]

unbefriedigt dissatisfied [ˌdɪs'sætɪsfaɪd]

unbefristet unlimited

Unbefugte(r) unauthorized [ʌn'ɔːθəraɪzd] person

unbegabt untalented [ʌn'tæləntɪd]; **er ist total unbegabt** he's got no talent (at all)

unbegreiflich: es ist mir unbegreiflich I can't understand it; **es ist mir unbegreiflich, dass …** I can't understand why (*oder* how) …

unbegrenzt 1. unlimited [ʌn'lɪmɪtɪd] **2. es ist zeitlich unbegrenzt** there's no time limit

unbegründet unfounded [ʌn'faʊndɪd]

unbehaglich: mir war ganz unbehaglich zumute I felt very uneasy [ʌn'iːzɪ]

unbehandelt *Obst usw.*: untreated

unbeherrscht 1. *Reaktion*: uncontrolled **2. er ist so unbeherrscht** he has no self--control [ˌself_kən'trəʊl]

Unbeherrschtheit lack of (self-)control

unbeholfen 1. (≈ *ungeschickt*) clumsy ['klʌmzɪ] **2.** (≈ *hilflos*) helpless

unbekannt 1. *allg.*: unknown; **sie ist mir unbekannt** I don't know her **2.** (≈ *nicht vertraut*) unfamiliar [ˌʌnfə'mɪlɪə]; **das ist mir unbekannt** I'm not familiar with that **3. eine unbekannte Größe** an unknown quantity [ˌʌnnəʊn'kwɒntətɪ]

unbekannterweise: grüß ihn von mir unbekannterweise say hello to him from me, even though we haven't met

unbekümmert (≈ *sorglos*) carefree

unbeleckt 1. *umg.* clueless **2. von der Kultur unbeleckt** untouched by civilization

unbeliebt unpopular [ʌn'pɒpjʊlə] (*bei*

with); **sich bei jemandem unbeliebt machen** make* oneself unpopular <u>with</u> someone

unbemannt: unbemanntes Raumschiff unmanned spacecraft

unbemerkt unnoticed [ʌnˈnəʊtɪst]

unbenutzt *Handtuch usw.*: clean

unbeobachtet: ich fühlte mich unbeobachtet I didn't think anyone was looking

unbequem 1. *allg.*: uncomfortable [△ ʌnˈkʌmftəbl] **2.** *Frage usw.*: awkward [ˈɔːkwəd]

unberechenbar unpredictable [ˌʌnprɪˈdɪktəbl]

unberechtigt *Kritik usw.*: unjustified

unberufen: unberufen! touch wood!, *AE* knock on wood

unberührt 1. *allg.*: untouched **2. die unberührte Natur** unspoilt nature (△ *ohne* the) **3. es ließ mich unberührt** it left me cold

unbeschädigt undamaged

unbeschränkt unlimited [ʌnˈlɪmɪtɪd]

unbeschreiblich 1. indescribable [ˌɪndɪˈskraɪbəbl] **2. unbeschreiblich gut** (*bzw.* **langweilig** *usw.*) incredibly [ɪnˈkredəblɪ] good (*bzw.* boring *usw.*)

unbeschwert 1. carefree **2. unbeschwert leben** live a carefree life

unbesiegt undefeated [ˌʌndɪˈfiːtɪd]

unbespielt *Kassette usw.*: blank, empty

unbestimmt 1. (≈ *vage*) vague [veɪɡ] **2.** (≈ *ungewiss*) uncertain **3. auf unbestimmte Zeit** indefinitely [ɪnˈdefənətlɪ]

unbestraft: er blieb unbestraft he got away with it

unbestritten: es ist unbestritten, dass ... nobody denies [dɪˈnaɪz] the fact that ...

unbeteiligt 1. (≈ *nicht dazugehörig*) uninvolved **2.** (≈ *innerlich unbeteiligt*) indifferent, unconcerned

Unbeteiligte(r) innocent [ˈɪnəsnt] bystander

unbetont unstressed

unbewaffnet unarmed

unbeweglich 1. (≈ *regungslos*) motionless **2.** *Gelenk usw.*: stiff **3.** (≈ *geistig unflexibel*) rigid [ˈrɪdʒɪd], inflexible

unbewohnbar uninhabitable [ˌʌnɪnˈhæbɪtəbl], unfit for human [ˈhjuːmən] habitation

unbewohnt unoccupied, empty

unbewusst 1. *allg.*: unconscious [ʌnˈkɒnʃəs] **2.** *Bewegung usw.*: involuntary **3. jemanden unbewusst beleidigen** *usw.* offend someone *usw.* without realizing it

Unbewusste: das Unbewusste the unconscious [ʌnˈkɒnʃəs] (mind)

unbezahlbar 1. (≈ *zu teuer*) unaffordable **2.** (≈ *nicht mit Geld zu bezahlen*) priceless **3.** *Humor, witzige Person usw.*: priceless

unbezahlt unpaid

unbrauchbar *allg.*: useless [ˈjuːsləs]

unbürokratisch 1. unbureaucratic [ˌʌnbjʊərəʊˈkrætɪk] **2. eine Angelegenheit unbürokratisch beilegen** settle a matter unbureaucratically

und 1. *allg.*: and **2. und?** well? **3. na und?** so what? **4. und und und** I could go on **5. wir überlegten und überlegten** we racked our brains; **ich suchte und suchte** I searched high and low **6. du und Kochen** (*bzw.* **Joggen** *usw.*)**?** you do the cooking (*bzw.* go jogging *usw.*)?; **der und hilfreich?** him helpful?

undankbar 1. *Person*: ungrateful **2. undankbare Aufgabe** thankless task

undatiert undated

undefinierbar <u>in</u>definable [ˌɪndɪˈfaɪnəbl]

undemokratisch undemocratic

undenkbar unthinkable

undeutlich 1. *Schrift*: illegible [ɪˈledʒəbl] **2.** (≈ *vage*) vague [△ veɪɡ] **3.** (≈ *verschwommen*) blurred [blɜːd] **4. undeutlich sprechen** mumble

undicht 1. *Leitung, Dach usw.*: leaking; **das Dach** *usw.* **ist undicht** the roof *usw.* leaks **2. die Uhr ist undicht** the watch isn't waterproof (*oder* watertight) **3. die Verpackung** *usw.* **ist undicht** the packaging *usw.* isn't airtight

Unding: das ist ein Unding that's absurd

undiszipliniert undisciplined [ʌnˈdɪsɪplɪnd]

undurchdringlich 1. *allg.*: impenetrable [ɪmˈpenɪtrəbl] **2.** *Miene*: inscrutable [ɪnˈskruːtəbl]

undurchsichtig 1. der Stoff *usw.* **ist undurchsichtig** you can't see through the material *usw.* **2. undurchsichtiger Mensch** shady character [ˈkærəktə] **3.** *Pläne usw.*: obscure [əbˈskjʊə]

uneben uneven, *Straße, Weg auch*: bumpy

Unebenheit *in der Straße usw.*: bump

unecht 1. *Schmuck usw.*: fake **2. es ist unecht** *Haar usw.*: it's not real **3.** (≈ *nicht ehrlich*) insincere [ˌɪnsɪnˈsɪə]

unehelich *Kind*: illegitimate [ˌɪləˈdʒɪtəmət]

unehrlich dishonest [△ dɪsˈɒnɪst]

Unehrlichkeit dishonesty [△ dɪsˈɒnəstɪ]

uneinig 1. sie sind (sich) uneinig they disagree (**über** on) **2. ich bin mit mir selbst noch uneinig** I'm still undecided

Uneinigkeit disagreement; **es herrscht Uneinigkeit zwischen ...** there's disagreement between ...

U

uneinsichtig stubborn ['stʌbən]

unempfindlich 1. *allg.*: insensitive (*gegen, für* to) 2. (≈ *abgehärtet*) hardened (*gegen* to) 3. (≈ *strapazierfähig*) tough [tʌf]

unendlich 1. *allg.*: endless, *zeitlich auch*: never-ending 2. *das Warten schien unendlich* the waiting seemed to go on forever 3. *unendlich lang* endless 4. *unendlich viele Leute usw.* countless people *usw.* 5. *unendlich viel Arbeit usw.* no end of work *usw.* 6. *unendlich glücklich* (*bzw.* wütend *usw.*) incredibly [ɪn'kredəblɪ] happy (*bzw.* angry *usw.*) 7. *unendliche Zahl* infinite ['ɪnfɪnət] number 8. *auf unendlich einstellen Kamera*: focus on infinity [ɪn'fɪnətɪ]

Unendlichkeit: *die Unendlichkeit* infinity [ɪn'fɪnətɪ] (△ *ohne* the)

unentbehrlich indispensable [ˌɪndɪ'spensəbl] (*für* to)

unentschieden 1. *unentschieden enden* end in a draw (*AE mst.* tie) 2. *Frage*: open

Unentschieden *Sport*: draw, *AE mst.* tie

unentschlossen 1. undecided [ˌʌndɪ'saɪdɪd] (*ob* as to whether) 2. *er ist so unentschlossen* he can never make up his mind

Unentschlossenheit indecisiveness

unerfahren 1. inexperienced 2. *da bin ich unerfahren* I don't know anything about that

Unerfahrenheit lack of experience

unerfreulich unpleasant [ʌn'pleznt]

unerhört 1. *Frechheit usw.*: incredible [ɪn'kredəbl] 2. *er hatte unerhörtes Glück* he was incredibly lucky 3. (≈ *empörend*) outrageous [aʊt'reɪdʒəs], scandalous ['skændləs] 4. *unerhört!* what a cheek!

unerklärlich 1. inexplicable [ˌɪnɪk'splɪkəbl] 2. *es ist (mir) unerklärlich* it's a mystery ['mɪstrɪ] (to me)

unerlaubt without permission

unermüdlich untiring [ʌn'taɪərɪŋ]

unerreichbar 1. *Ziel usw.*: unattainable, out of reach (△ *nur nach dem Verb*) 2. *sie ist unerreichbar* I can't get hold of her

unerreicht *Rekord, Leistung*: unequalled [ʌn'iːkwəld]

unersättlich *allg.*: insatiable [△ ɪn'seɪʃəbl]

unerschwinglich beyond my *usw.* means

unersetzlich irreplaceable [ˌɪrɪ'pleɪsəbl]

unerträglich unbearable [ʌn'beərəbl]

unerwartet unexpected; *es kam ganz unerwartet auch*: it took us all *usw.* by surprise

unerwünscht 1. undesirable [ˌʌndɪ'zaɪərəbl], unwelcome 2. *du bist hier unerwünscht* you're not welcome around here

unfähig 1. *er ist unfähig, still zu sitzen* he's incapable of sitting still 2. *Schüler, Mitarbeiter usw.*: incompetent [ɪn'kɒmpɪtənt]

Unfähigkeit incompetence [ɪn'kɒmpɪtəns]

unfair 1. unfair [ˌʌn'feə] 2. *das ist unfair* that's not fair

Unfall accident ['æksɪdənt]; *einen Unfall bauen* cause an accident; *bei einem Unfall verletzt werden* be* hurt in an accident

unfallfrei 1. accident-free ['æksɪdənt ˌfriː] 2. *er ist jetzt zwanzig Jahre lang unfallfrei gefahren* he's been driving for twenty years now without a single accident

Unfallstation casualty ['kæʒʊəltɪ] (ward)

Unfallstelle scene of the (*oder* an) accident

unfassbar: *das ist für mich unfassbar* I just can't believe (*oder* grasp) it

unfrankiert unstamped; *es war unfrankiert auch*: it didn't have a stamp

unfreiwillig 1. (≈ *gezwungen*) forced 2. *er musste unfreiwillig gehen* he was forced to go 3. *Witz usw.*: unintentional

unfreundlich unfriendly (*auch Wetter usw.*)

Unfreundlichkeit 1. *allg.*: unfriendliness 2. (≈ *Unhöflichkeit*) rudeness

unfrisiert *Haar, Person*: unkempt

unfruchtbar 1. *Boden*: barren ['bærən], infertile 2. *Diskussion, Bemühungen usw.*: fruitless ['fruːtləs]

Unfug 1. (≈ *Unsinn*) nonsense, *BE auch* rubbish 2. *Unfug treiben* get* up to mischief [△ 'mɪstʃɪf]

Ungar Hungarian [hʌŋ'geərɪən]; *er ist Ungar* he's Hungarian, he's from Hungary ['hʌŋgərɪ]; ☞ *Nationalitäten*

Ungarin Hungarian [hʌŋ'geərɪən] woman (*oder* lady *bzw.* girl); *sie ist Ungarin* she's Hungarian, she's from Hungary ['hʌŋgərɪ]; ☞ *Nationalitäten*

ungarisch, Ungarisch Hungarian

Ungarn Hungary ['hʌŋgərɪ]

ungebildet uneducated [ʌn'edjʊkeɪtɪd]

ungeboren unborn

ungebräuchlich uncommon, unusual [ʌn'juːʒʊəl]

ungebraucht 1. *allg.*: unused [ˌʌn'juːzd] 2. *Handtuch usw.*: clean

ungedeckt 1. *Scheck*: uncovered [ʌn'kʌvəd] 2. *Spieler im Sport*: unmarked

Ungeduld impatience [ɪm'peɪʃns]; *voller Ungeduld* impatiently

ungeduldig impatient [ɪm'peɪʃnt]

ungeeignet 1. *Bewerber, Buch, Auto usw.*:

unsuitable [ʌnˈsuːtəbl] (*für, zu* for) **2. er ist fürs Studium** (*denkbar*) *ungeeignet* he's (totally) unsuited [ʌnˈsuːtɪd] to studying

ungefähr **1.** (≈ *in etwa*) approximately [əˈprɒksɪmətlɪ] **2. wo ungefähr?** whereabouts? **3. wann ungefähr?** what sort of time? **4. ungefähr um neun** around nine **5. kannst du es ungefähr beschreiben?** can you give a rough [rʌf] description? **6. es kommt nicht von ungefähr** (**, dass ...**) it's no accident [ˈæksɪdənt] (that ...)

ungefährlich **1.** harmless, not dangerous [ˈdeɪndʒərəs] **2. es ist nicht ganz ungefährlich** it's not without its dangers

ungefragt: **sie tat es ungefragt** she did it unasked (*oder* without being asked)

ungehalten annoyed (*über* about)

ungeheizt unheated

ungehemmt uninhibited, unrestrained

ungeheuer **1.** (≈ *enorm, riesig*) incredible [ɪnˈkredəbl]; **ungeheure Schmerzen** *usw.* incredible pain (△ *Sg.*) *usw.* **2. ungeheuer wichtig** *usw.* incredibly important *usw.*

Ungeheuer monster (*auch übertragen*)

ungehorsam disobedient [ˌdɪsəˈbiːdɪənt] (*gegenüber* to)

Ungehorsam disobedience (*gegenüber* to)

ungekämmt uncombed [△ ʌnˈkəʊmd]

ungeklärt **1.** *Problem usw.*: unsolved **2. die Ursache ist noch ungeklärt** we *usw.* still don't know the reason (why)

ungekocht raw, uncooked

ungekürzt **1.** *Roman usw.*: unabridged **2. ungekürzte Fassung** *Film*: uncut version

ungelenkig awkward [ˈɔːkwəd]

ungelernt *Arbeiter(in)*: unskilled

ungeliebt unloved [ˌʌnˈlʌvd]

ungelogen **1. ungelogen!** *umg.* I'm not kidding! **2. ich bin ungelogen den ganzen Weg gerannt** I ran the whole way, no kidding

ungemacht *Bett*: unmade

ungemütlich **1.** *allg.*: uncomfortable [ʌnˈkʌmftəbl] **2. langsam wirds mir ungemütlich** *übertragen* I'm beginning to feel a bit uncomfortable **3. er kann schon ungemütlich werden** he can get nasty [ˈnɑːstɪ]

ungenannt unnamed, nameless

ungenau **1.** (≈ *nicht exakt*) imprecise [ˌɪmprɪˈsaɪs], inaccurate [ɪnˈækjərət] **2.** (≈ *schlampig*) careless

Ungenauigkeit inaccuracy [ɪnˈækjərəsɪ] (*auch konkret*)

ungeniert **1.** uninhibited **2. sie fragte**

mich ganz ungeniert she asked me quite openly

ungenießbar **1.** inedible [ɪnˈedəbl] (*auch übertragen*) **2. er ist ungenießbar** he's hard to take

ungenügend **1.** *allg.*: insufficient [ˌɪnsəˈfɪʃnt] **2.** *Note, Leistung*: unsatisfactory [ˌʌnsætɪsˈfæktərɪ]

ungenutzt, ungenützt unused [ˌʌnˈjuːzd]

ungepflegt untidy, *stärker*: scruffy

ungerade *Zahl*: odd (△ *nur vor dem Subst.*)

ungerecht unjust (*gegen* towards)

ungerechtfertigt unjustified

Ungerechtigkeit injustice [ɪnˈdʒʌstɪs]

ungern **1. er macht es ungern** he's not very keen to do it **2. „Machst dus also?" - „Ungern."** 'Will you do it then?' - 'I'd rather not.'

ungesalzen unsalted [ʌnˈsɔːltɪd]

ungeschehen: **du kannst es nicht ungeschehen machen** it can't be undone [ʌnˈdʌn]

ungeschickt **1.** *allg.*: clumsy [ˈklʌmzɪ] **2.** (≈ *taktlos*) tactless

ungeschlagen unbeaten; **ungeschlagen bleiben** remain unbeaten

ungeschliffen *Person*: uncouth [△ ʌnˈkuːθ]

ungeschminkt **1.** without makeup [ˈmeɪkʌp]; **ich bin noch ungeschminkt** I haven't put my makeup on yet **2. die ungeschminkte Wahrheit** the plain truth

ungeschoren: **ungeschoren davonkommen** (≈ *straffrei*) get* off scot-free [ˌskɒtˈfriː], (≈ *unverletzt*) escape unscathed [ʌnˈskeɪðd]

ungeschult *auch Ohr*: untrained

ungeschützt unprotected

ungesellig unsociable [ʌnˈsəʊʃəbl]

ungestört **1.** undisturbed **2.** *Ort*: peaceful

ungestraft: **er ist ungestraft davongekommen** he went unpunished

ungesund unhealthy [ʌnˈhelθɪ]

ungesüßt unsweetened

ungewaschen unwashed

ungewiss **1.** uncertain **2. jemanden im Ungewissen lassen** keep* someone in the dark

Ungewissheit uncertainty [ʌnˈsɜːtntɪ]

ungewöhnlich unusual [ʌnˈjuːʒʊəl]

ungewohnt **1.** unfamiliar **2. es ist noch alles ungewohnt** I haven't got used to it yet

ungewollt **1.** unintentional **2. ungewollte Schwangerschaft** unwanted pregnancy

Ungeziefer vermin [ˈvɜːmɪn] (△ *Pl.*)

ungezogen naughty [ˈnɔːtɪ]

U

ungezwungen relaxed
ungiftig non-toxic
unglaublich incredible [ɪn'kredəbl]
unglaubwürdig implausible [ɪm'plɔːzəbl]
ungleich 1. *Socken usw.*: odd (⚠ *nur vor dem Subst.*) **2. ungleiches Paar Menschen**: odd match **3. sie sind ungleich lang** *usw.* they're a different length *usw.*
ungleichmäßig 1. *allg.*: irregular **2. ungleichmäßig verteilen** divide unevenly
Unglück 1. (≈ *Unfall*) accident ['æksɪdənt], (≈ *Katastrophe*) disaster [dɪ'zɑːstə] **2.** (≈ *Unheil*) misfortune [mɪs'fɔːtʃən] **3.** (≈ *Pech*) bad luck; **das bringt Unglück!** that's unlucky **4. zu allem Unglück** to crown it all **5. ein Unglück kommt selten allein** it never rains but it pours [pɔːz]
unglücklich 1. (≈ *traurig*) unhappy **2. du machst aber ein unglückliches Gesicht!** you don't look too happy **3.** *Zufall, Bewegung usw.*: unfortunate [ʌn'fɔːtʃənət] **4. unglücklich stürzen** have* a bad fall
unglücklicherweise unfortunately [ʌn'fɔːtʃənətlɪ]
Unglücksrabe unlucky person
ungrammatisch ungrammatical
ungültig invalid [ɪn'vælɪd]; **es ist ungültig** *auch*: it's no longer valid, it has run out
ungünstig 1. *Termin usw.*: inconvenient; *Zeitpunkt auch*: bad **2.** *Bedingungen usw.*: unfavourable [ʌn'feɪvrəbl] **3.** *Wetter*: bad
ungut: ungutes Gefühl funny feeling
unhaltbar *Schuss*: unstoppable
unhandlich unwieldy [ʌn'wiːldɪ]
unheilbar 1. incurable [ɪn'kjʊərəbl] **2. unheilbarer Krebs** terminal cancer ['kænsə] **3. unheilbar krank sein** be* terminally ill
unheimlich 1. *allg.*: weird [wɪəd], scary ['skeərɪ] **2. es** *usw.* **ist mir unheimlich** it *usw.* scares me **3. ich hatte unheimlich Angst** *usw.* I was incredibly [ɪn'kredəblɪ] scared *usw.* **4. ich hab einen unheimlichen Hunger** (*bzw.* **Durst**) I'm dying of hunger (*bzw.* thirst) **5. er hat sich unheimlich gefreut** he was tickled to death, *BE auch* he was over the moon
unhöflich 1. impolite **2.** *stärker*: rude
Unhöflichkeit 1. impoliteness [ˌɪmpə'laɪtnəs] **2.** *stärker*: rudeness
unhygienisch unhygienic [ˌʌnhaɪ'dʒiːnɪk]
Uni university; **an der Uni** at university (⚠ *ohne* the); **er geht auf die Uni** he goes to university (⚠ *ohne* the)
uni plain; → **einfarbig**
Uniform uniform ['juːnɪfɔːm]

Unikum 1. *Person*: original [ə'rɪdʒnəl], real character ['kærəktə] **2.** *Gegenstand*: unique specimen [juː'niːk'spesəmɪn]
uninteressant 1. uninteresting **2. es ist für mich uninteressant** it doesn't interest me
uninteressiert uninterested (**an** in); **sie ist uninteressiert** *auch*: she lacks interest
Union union ['juːnɪən]
Universität university [ˌjuːnɪ'vɜːsətɪ]; → **Uni**
Universum universe ['juːnɪvɜːs]
unkaputtbar *umg.* indestructible
Unkenntlichkeit: bis zur Unkenntlichkeit entstellt disfigured [dɪs'fɪgəd] beyond recognition [ˌrekəg'nɪʃn]
unklar 1. *allg.*: unclear; **es war unklar** *auch*: it wasn't clear **2. es ist mir völlig unklar, wie** *usw.* I've no idea how *usw.* **3.** (≈ *ungewiss*) uncertain **4. ich bin mir noch im Unklaren, ob** *usw.* I haven't yet decided whether *usw.* (⚠ *ohne Komma*)
unklug unwise
unkompliziert uncomplicated
unkontrollierbar uncontrollable
unkontrolliert uncontrolled
unkonventionell unconventional
unkonzentriert: er ist unkonzentriert he lacks concentration
Unkosten costs, expense (⚠ *nur Sg.*); **sich in Unkosten stürzen** go* to great expense
Unkostenbeitrag contribution (towards expenses)
Unkraut 1. weeds (⚠ *mst. Pl.*) **2. Unkraut vergeht nicht!** *umg.* you can't keep a good man (*bzw.* woman) down
unkritisch uncritical (**gegenüber** of)
unkultiviert uncultured [ʌn'kʌltʃəd]
unkündbar 1. *Stellung*: permanent ['pɜːmənənt] **2.** *Vertrag usw.*: irrevocable [ɪ'revəkəbl], binding **3. sie ist unkündbar** *umg.* she can't be sacked (*AE* fired), they can't sack (*AE* fire) her
unleserlich illegible [ɪ'ledʒəbl]
unliniert, unliniert *Papier*: plain, unruled
unlogisch illogical
unlösbar *Problem*: insoluble [ɪn'sɒljʊbl]
unlöslich insoluble [ɪn'sɒljʊbl]
Unmenge 1. eine Unmenge von a huge number of **2. es gab Eis** *usw.* **in Unmengen** there were vast amounts of ice cream *usw.*
Unmensch 1. brute, monster **2. sei kein Unmensch!** *umg.* have a heart!
Unmenschlichkeit inhumanity [ˌɪnhjuː'mænətɪ]
unmissverständlich 1. unmistakable **2. ich hab ihm unmissverständlich die**

Meinung gesagt I told him exactly what I thought

unmittelbar 1. *allg.*: immediate [ɪ'miːdɪət] **2.** *unmittelbar darauf* immediately afterwards **3.** *in unmittelbarer Nähe von* right next to

unmöbliert unfurnished

unmodern old-fashioned

unmöglich 1. *allg.*: impossible; *das geht unmöglich* that's impossible **2.** *wir können ihn unmöglich einladen* we can't possibly invite him **3.** *sie kleidet sich unmöglich* she wears [weəz] such impossible clothes **4.** *er hat sich (vor ihr) unmöglich gemacht* he made a fool of himself (in front of her)

unmoralisch immoral [ɪ'mɒrəl]

unmündig under-age

unmusikalisch unmusical [ʌn'mjuːzɪkl]

unnachsichtig severe [sɪ'vɪə] (*gegenüber* towards)

unnahbar unapproachable [ˌʌnə'prəʊtʃəbl]

unnatürlich unnatural [ʌn'nætʃrəl]

unnötig 1. unnecessary [ʌn'nesəsərɪ] **2.** *sich unnötig Sorgen machen* worry needlessly

unnütz 1. useless ['juːsləs] **2.** *unnützes Zeug* rubbish

UNO UN [ˌjuː'en] (*Abk. für* United Nations)

unökonomisch uneconomical

unordentlich untidy [ʌn'taɪdɪ]

Unordentlichkeit untidiness

unorganisiert disorganized [dɪs'ɔːgənaɪzd]

unparfümiert fragrance-free [ˌfreɪgrəns'friː]

unparteiisch impartial [ɪm'pɑːʃl]

unpassend unsuitable [ʌn'suːtəbl]

unpersönlich impersonal [ɪm'pɜːsnl]

unpopulär unpopular (*bei* with)

unpraktisch 1. impractical **2.** *er ist ziemlich unpraktisch* he isn't very practical

unproblematisch unproblematical

unpünktlich 1. *allg.*: unpunctual [ˌʌn'pʌŋktʃʊəl] **2.** *du kommst unpünktlich* you're late **3.** *der Flug ist unpünktlich* the flight has been delayed

Unpünktlichkeit 1. unpunctuality [ˌʌnpʌŋktʃʊ'ælətɪ] **2.** *diese Unpünktlichkeit!* he *usw.* never turns up on time

unqualifiziert unqualified [ˌʌn'kwɒlɪfaɪd]

unrasiert unshaven

unrealistisch unrealistic

unrecht wrong [△ rɒŋ]; *zur unrechten Zeit* at the wrong moment ['məʊmənt] (*oder* time); *unrecht haben* be* wrong; *etwas Unrechtes tun* do* something wrong; *jemandem unrecht tun* do* someone wrong, do* someone an injustice [ɪn'dʒʌstɪs]

Unrecht 1. *im Unrecht sein* be* (in the) wrong [rɒŋ] **2.** *zu Unrecht* wrongly

unregelmäßig irregular [ɪ'regjʊlə]

unreif 1. *allg.*: unripe **2.** *Person*: immature

unrein 1. *allg.*: impure [ˌɪm'pjʊə], *Luft*: polluted [pə'luːtɪd] **2.** *eine unreine Haut haben* have* bad skin (△ *ohne* a) **3.** *etwas ins Unreine schreiben* make* a rough [rʌf] copy of something

unrichtig incorrect, wrong [△ rɒŋ]

Unruhe 1. (≈ *Nervosität*) restlessness **2.** (≈ *Besorgnis*) anxiety [æŋ'zaɪətɪ] **3.** (≈ *Lärm*) noise; *ich kann bei dieser Unruhe nicht schlafen usw.* I can't sleep *usw.* with all this noise going on **4.** *politische Unruhen* political unrest [ʌn'rest] (△ *Sg.*)

Unruheherd *bes. Politik*: trouble spot

Unruhestifter(in) troublemaker

unruhig 1. *Person*: restless **2.** (≈ *besorgt*) worried ['wʌrɪd] (*wegen* about) **3.** (≈ *laut*) noisy

uns 1. (to) us; *lass uns in Ruhe* leave us alone; *er schickte es uns* he sent it to us **2.** *bei uns* at our place **3.** *unter uns gesagt* between you and me **4.** *ourselves; wir haben uns amüsiert* we enjoyed ourselves **5.** (≈ *einander*) each other

unsauber 1. *allg.*: dirty **2.** (≈ *unordentlich*) messy **3.** *im Sport*: unfair

unschädlich harmless (*für* to)

unscharf *Foto*: blurred [blɜːd], out of focus

unscheinbar (≈ *unauffällig*) inconspicuous [ˌɪnkən'spɪkjʊəs]

unschlagbar unbeatable (*in* at)

unschlüssig undecided (*über* about)

unschuldig innocent ['ɪnəsnt] (*an* of)

Unschuldige(r) innocent ['ɪnəsnt] person

Unschuldsengel *humorvoll* innocent little angel ['eɪndʒəl]

unselbständig, unselbstständig (≈ *hilflos*) helpless

unser our

unsereiner, unsereins people like us

unsertwegen 1. (≈ *uns zuliebe*) for our sake **2.** (≈ *wegen uns*) because of us

unseriös dubious ['djuːbɪəs]

unsicher 1. (≈ *ungewiss*) uncertain **2.** (≈ *nicht sicher*) unsafe, not safe **3.** (≈ *gehemmt*) self-conscious [ˌself'kɒnʃəs] **4.** *ich bin mir unsicher, ob usw.* I'm not sure whether *usw.* (△ *ohne Komma*) **5.** *unsicher auf den Beinen* be* shaky **6.** *die Gegend unsicher machen* *humorvoll* terrorize the neighbourhood

Unsicherheit 1. *allg.*: uncertainty [ʌn-

'sɜːtntɪ] 2. *einer Person*: self-consciousness [ˌselfˈkɒnʃəsnəs]

unsichtbar invisible [ɪnˈvɪzəbl]

Unsinn 1. nonsense [ˈnɒnsəns]; *Unsinn!* nonsense!, *BE auch* rubbish!; *red keinen Unsinn!* stop talking nonsense (*oder* rubbish) 2. *Unsinn machen* fool around

unsinnig silly, *stärker*: ridiculous [rɪˈdɪkjʊləs]

unsozial *Verhalten usw.*: antisocial

unsportlich 1. *ich bin total unsportlich* I'm not the sporting type 2. (≈ *unfair*) unfair

unsterblich 1. *allg.*: immortal 2. *unsterblich verliebt* hopelessly in love (*in* with)

Unsterblichkeit immortality [ˌɪmɔːˈtælətɪ]

Unstimmigkeit 1. *Unstimmigkeit, Unstimmigkeiten* disagreement, disagreements (*Pl.*) 2. (≈ *Fehler*) inconsistency [ˌɪnkənˈsɪstənsɪ]

unsympathisch 1. unpleasant [ʌnˈpleznt] 2. *er ist mir unsympathisch* I don't like him

untätig 1. *allg.*: inactive [ɪnˈæktɪv], *Vulkan auch*: dormant [ˈdɔːmənt] 2. (≈ *müßig, träge*) idle 3. *untätig herumstehen* stand* aroung doing nothing

untauglich unsuitable [ʌnˈsuːtəbl] (*für, zu* for)

unten 1. down below; *da unten* down there 2. *in einer Kiste usw.*: at the bottom 3. *im Haus*: downstairs [ˌdaʊnˈsteəz]; *nach unten gehen* go* downstairs 4. *der ist bei mir unten durch* umg. I'm through with him

unter 1. *allg.*: under, *räumlich auch*: underneath [ˌʌndəˈniːθ]; *unter der Erde* under the earth; *unter Wasser stehen* be* flooded [ˈflʌdɪd] 2. *unter 16 Jahren* under 16 (years of age); *unter 10 Euro* under (*oder* less than) 10 euros 3. (≈ *bei, zwischen*) among [əˈmʌŋ]; *es waren einige gute unter ihnen* there were a few good ones among them 4. *unter der Woche* during the week 5. *was verstehst du unter …?* what do you understand by …? 6. *er ist unter der Nummer … erreichbar* you can call (*oder* ring) him on …

Unter *Spielkarte*: jack

Unterarm forearm [ˈfɔːrɑːm]

unterbelichtet 1. *Foto*: underexposed [ˌʌndərɪkˈspəʊzd] 2. *ein bisschen unterbelichtet* übertragen, umg. a bit dim

Unterbewusstsein the subconscious [sʌbˈkɒnʃəs]: *im Unterbewusstsein* subconsciously

unterbezahlt underpaid

unterbrechen 1. *allg.*: interrupt [ˌɪntəˈrʌpt] 2. cut* off (*Telefonleitung, Stromversorgung usw.*)

Unterbrechung 1. interruption 2. (≈ *Pause*) break 3. *ohne Unterbrechung* nonstop

unterbringen 1. find* a place for, put* (*Dinge*) 2. *jemanden unterbringen* put* someone up, *bes. im Hotel usw.*: accommodate [əˈkɒmədeɪt] someone

Unterbringung (≈ *Unterkunft*) accommodation

unterbuttern: *lass dich nicht unterbuttern* don't let them *usw.* mess you about

unterdrücken 1. suppress [səˈpres], stifle

At the Railway Station   Am Bahnhof

1	arrivals	Ankunft (= *ankommende Züge*)
2	compartment	Abteil
3	departures	Abfahrt (= *abfahrende Züge*)
4	(British Rail) employees	Bahnangestellte (der British Rail)
5	luggage, baggage	Gepäck
6	luggage trolley, *AE* baggage cart	Kofferkuli
7	newsstand	Zeitungsstand
8	platform	Bahnsteig
9	ticket office	Fahrkartenschalter
10	train	Zug
11	travellers, *AE* travelers	Reisende
12	uniform	Uniform

U

I'd like a return to Edinburgh, please.

Ich möchte gerne eine Rückfahrkarte nach Edinburg.

['staɪfl] (*Lachen usw.*) **2.** oppress (*Volk*)

unterdurchschnittlich below average ['ævərɪdʒ]

untere(r, -s) 1. *Ränge, Sitzreihen, Stockwerk, Flussabschnitt usw.*: lower **2.** *ganz unten*: bottom; → **unterste(r, -s)**

untereinander 1. (≈ *miteinander*) among themselves (*bzw.* yourselves *usw.*), together; **sie verstehen sich gut untereinander** they get along well together **2.** ↔ *übereinander*: one below [bɪ'ləʊ] the other

unterentwickelt underdeveloped [ˌʌndədɪ'veləpt]

unterernährt malnourished [ˌmæl'nʌrɪʃt]

Unterernährung malnutrition [ˌmælnjʊ'trɪʃn]

unterfordert: ich fühl mich unterfordert I'm not being challenged (enough)

Unterführung 1. *für Fußgänger*: subway, *bes. AE*: pedestrian [pə'destrɪən] underpass (△ *AE* subway = **U-Bahn**) **2.** *für den Verkehr*: underpass

Untergang 1. *eines Reichs*: fall **2.** *einer Kultur*: extinction **3.** *einer Person*: ruin ['ruːɪn], downfall

untergehen 1. (*Sonne usw.*) go* down, set* **2.** (*Schiff*) sink*, go* down **3.** (*Reich*) fall*, (*Kultur*) die out **4. es ging im Lärm völlig unter** it was drowned out by the noise **5. in der Menge untergehen** be* lost in the crowd

Untergeschoss, Ⓐ Untergeschoß basement

Untergewicht: (3 Kilo) Untergewicht haben be* (3 kilograms) underweight [ˌʌndə'weɪt]

Untergrund *politisch usw.*: underground

Untergrundbahn underground, *AE* subway

unterhalb 1. below **2. unterhalb von** (*oder + Gen.*) below, *Fluss*: downstream from

Unterhalt 1. support, maintenance **2.** *eines Gebäudes*: upkeep, maintenance

unterhalten 1. sich unterhalten talk, chat [tʃæt] (**mit jemandem über etwas** to someone about something) **2. sich gut unterhalten** (≈ *amüsieren*) have* a good time

unterhaltsam entertaining [ˌentə'teɪnɪŋ]

Unterhaltskosten maintenance ['meɪntənəns] costs

Unterhaltung 1. (≈ *Gespräch*) conversation **2.** (≈ *Vergnügen*) entertainment

Unterhaltungssendung (TV) show

Unterhaus *in GB*: House of Commons (*Sg.*), Commons (△ *Pl.*); **das Unterhaus debattiert heute ...** the Commons are debating ... today

Unterhemd vest, *AE* undershirt

Unterholz *im Wald*: undergrowth ['ʌndəgrəʊθ]

Unterhose 1. underpants (△ *Pl.*); **meine Unterhose hat ein Loch** my underpants have got a hole in them **2.** (≈ *Damenunterhose*) pants, *AE auch* panties (△ *Pl.*)

unterirdisch 1. underground; **unterirdischer Gang** *usw.* underground passageway ['pæsɪdʒweɪ] *usw.* **2. das Kabel verläuft unterirdisch** the cable runs underground [ˌʌndə'graʊnd]

unterjubeln: jemandem etwas unterjubeln land someone with something

Unterkiefer lower jaw [dʒɔː]

Unterkleidung underwear ['ʌndəweə]

unterkommen: wir sind bei Bekannten untergekommen friends of ours put us up

Unterkörper lower part of the body

unterkriegen: lass dich nicht unterkriegen! don't let it (*bzw.* them *usw.*) get you down

Unterkunft: (eine) Unterkunft accommo-

At the Airport   Am Flughafen

1	baggage claim	Gepäck(ausgabe)
2	escalator	Rolltreppe
3	hand luggage, hand baggage	Handgepäck
4	plane, aircraft	Flugzeug
5	public phone	öffentliches Telefon
6	signposts	Wegweiser
	car rental	Autovermietung

	connections	Anschlüsse, Zu den Zügen
	costums	Zoll
	exit	Ausgang
	passport control	Passkontrolle
	taxis	Taxis
	toilets	Toiletten
7	suitcase	Koffer

U

How long will you be staying in Britain?   Wie lange bleibst du in Großbritannien?

dation [əˌkɔməˈdeɪʃn] (△ ohne an), a place to stay, für länger: a place to live

Unterlage 1. für Schreibmaschine usw.: mat **2.** zum Schreiben: something to rest on **3. Unterlagen** papers, documents [ˈdɔkjʊmənts]

unterlassen: das unterlässt du sofort stop it this minute

unterlaufen: mir ist ein Fehler unterlaufen I've made a mistake

unterlegen 1. allg.: inferior (auch Technik usw.) **2. er ist dir unterlegen** he isn't up to you (oder your skills)

Unterleib abdomen [ˈæbdəmən]

Unterleibchen Ⓐ vest, AE undershirt

Unterleibsschmerzen 1. abdominal [æbˈdɔmɪnl] pains **2.** bei der Menstruation: period [ˈpɪərɪəd] pains

Unterlippe lower lip

Untermiete: er wohnt in Untermiete he lives in lodgings, he rents a room

Untermieter(in) subtenant [ˌsʌbˈtenənt], lodger

unternehmen: etwas unternehmen allg.: do* something (**gegen** about)

Unternehmen 1. (≈ Firma) company [△ ˈkʌmpəni] **2.** (≈ Vorhaben) venture, (≈ Projekt) project [ˈprɔdʒekt]

Unternehmensberater(in) management consultant [ˈmænɪdʒmənt_kənˌsʌltənt]

Unternehmer businessman [ˈbɪznəsmæn] (△ undertaker = **Leichenbestatter**)

Unternehmerin businesswoman [ˈbɪznəsˌwʊmən]

unternehmungslustig active [ˈæktɪv], stärker: adventurous [ədˈventʃərəs]

Unteroffizier(in) 1. allg.: non-commissioned officer **2.** Dienstgrad: sergeant [ˈsɑːdʒnt]

unterordnen 1. subordinate [səˈbɔːdɪneɪt] (eine Sache einer anderen) (+ Dativ to) **2. sich unterordnen** submit [səbˈmɪt] (+ Dativ to); **er kann sich nicht unterordnen** he can't take a subordinate [△ səˈbɔːdɪnət] role

unterprivilegiert underprivileged [ˌʌndəˈprɪvəlɪdʒd]

Unterprivilegierte(r) underprivileged [ˌʌndəˈprɪvəlɪdʒd] person; **die Unterprivilegierten** the underprivileged (△ mit Pl.)

Unterricht 1. classes, lessons (△ beide Pl.); **was hast du heute für Unterricht?** what classes have you got today?; **der Unterricht fällt aus** classes are cancelled; **während des Unterrichts** (≈ einzelne Stunde) during class (△ hier Sg. und ohne the) **2. er gibt mir Unterricht in Englisch** he's giving me English lessons [ˈɪŋglɪʃˌləsnz]

unterrichten 1. an der Schule usw.: teach*, be* a teacher **2.** (≈ informieren) inform

unterrichtsfrei 1. unterrichtsfreie Stunde free period **2. morgen haben wir unterrichtsfrei** there are no lessons tomorrow

Unterrichtsstunde lesson, class [klɑːs]

Unterrock slip (△ dt. **Slip** = engl. pants)

Untersatz 1. für Gläser: coaster **2. fahrbarer Untersatz** humorv. wheels (△ Pl.)

unterschätzen underestimate [ˌʌndə(r)ˈestɪmeɪt]

unterscheiden 1. distinguish [dɪˈstɪŋgwɪʃ] (**von** from, **zwischen** between) **2. er kann Rot und Grün nicht unterscheiden** he can't tell the difference [ˈdɪfrəns] between red and green; **sie sind kaum zu unterscheiden** you can hardly tell the difference **3. sich unterscheiden von** differ from **4. sie unterscheiden sich dadurch, dass ...** the difference is that ...

Unterscheidungsmerkmal distinguishing [dɪˈstɪŋgwɪʃɪŋ] mark

Unterschenkel lower leg

Unterschicht der Gesellschaft: lower class, lower classes (Pl.)

unterschieben: jemandem etwas unterschieben accuse [əˈkjuːz] someone of (doing) something

Unterschied 1. difference [ˈdɪfrəns] (**zwischen** between) **2. im Unterschied zu dir** unlike you **3. einen Unterschied machen** make* a distinction (**zwischen** between) **4. es ist ein Unterschied wie Tag und Nacht** there's no comparison

unterschiedlich 1. Meinungen usw.: differing **2. sie sind unterschiedlich** (**groß** usw.) they vary (in size usw.) **3. er behandelt sie unterschiedlich** he treats them differently

unterschlagen 1. embezzle [ɪmˈbezl] (Geld) **2.** (≈ verheimlichen) hold* back (Fakten usw.)

unterschreiben sign [saɪn]

Unterschrift signature [△ ˈsɪgnətʃə]

Unterschriftensammlung petition [pəˈtɪʃn]

Unterseeboot submarine [ˌsʌbməˈriːn], deutsches auch: U-boat [ˈjuːbəʊt]

Unterseite bottom (oder under) surface [ˈsɜːfɪs], bottom

Untersetzer für Gläser: coaster

unterste(r, -s) 1. Teil, Ebene usw.: bottom (△ nur hinter dem Subst.), lowest **2.** Dienstgrad usw.: lowest

Unterste: das Unterste zuoberst kehren turn everything upside down

unterstellen¹ 1. stells im Keller usw. **un-**

ter put it in the cellar ['selə] *usw*. **2.** *sich* *unterstellen zum Schutz*: shelter (*vor* from)

unterstellen²: *willst du mir eine Lüge unterstellen?* are you saying I lied?

unterstreichen *allg*.: underline

Unterstufe lower grades (△ *Pl*.)

unterstützen support [sə'pɔːt] (*bei* in)

Unterstützung support [sə'pɔːt]; *zur Unterstützung von* in support of

untersuchen 1. *allg*.: examine [ɪg'zæmɪn] (*auch Patienten*) **2.** *sich untersuchen lassen* have* a checkup ['tʃekʌp] **3.** investigate (*Kriminalfall usw*.) **4.** (≈ *testen*) test (*auf* for)

Untersuchung 1. *allg*.: examination [ɪg-ˌzæmɪ'neɪʃn] **2.** *medizinische*: checkup ['tʃekʌp] **3.** *polizeiliche*: investigation **4.** (≈ *Probe, Test*) test

untertags during the day

Untertasse saucer ['sɔːsə]; *fliegende Untertasse* flying saucer

untertauchen 1. dive **2.** *U-Boot*: submerge [səb'mɜːdʒ] **3.** *übertragen* (*Verbrecher, politisch Verfolgter usw*.) disappear [ˌdɪsə'pɪə], go* into hiding, go* underground **4.** *jemanden untertauchen ins Wasser*: duck someone

Unterteil lower part, bottom

Untertitel subtitle ['sʌbˌtaɪtl]

untertreiben play down

Untertreibung understatement

untervermieten sublet [ˌsʌb'let]

Unterwäsche underwear ['ʌndəweə]

Unterwasser... *in Zusammensetzungen*: underwater (*camera, massage usw*.)

unterwegs 1. on the way (*nach, zu* to); *unterwegs sah ich ...* on the way there I saw ... **2.** (≈ *außer Haus*) out (and about) **3.** *er ist* (*geschäftlich*) *viel unterwegs* he's away a lot (on business) **4.** *bei ihr ist was Kleines unterwegs* *umg*. she's expecting

Unterwelt underworld (*auch übertragen*)

unterzeichnen sign [saɪn]

Untiefe (≈ *seichte Stelle*) shallow

Untier monster (*auch übertragen*)

untrennbar inseparable [ɪn'seprəbl]

untreu: *er war ihr untreu* he was unfaithful [ʌn'feɪθfl] to her

Untreue unfaithfulness, *bes. in der Ehe*: infidelity (*gegenüber* to, towards)

untröstlich inconsolable [ˌɪnkən'səʊləbl] (*über* about)

untypisch atypical [eɪ'tɪpɪkl] (*für* of)

unüberhörbar unmistakable; *es war unüberhörbar auch*: you couldn't miss it

unüberlegt 1. rash **2.** *unüberlegt handeln* behave rashly

unübersehbar 1. *Menschenmenge usw*.:

vast **2.** *unübersehbarer Fehler* glaring mistake **3.** *die Folgen sind noch unübersehbar* we can't foresee the consequences

unübersetzbar untranslatable

unübersichtlich 1. (≈ *verwirrt*) confused **2.** *unübersichtliche Kurve* blind [blaɪnd] corner

unübertrefflich, unübertroffen unmatched

unüblich unusual [ʌn'juːʒʊəl]

ununterbrochen 1. *allg*.: uninterrupted **2.** (≈ *ständig*) continuous [kən'tɪnjʊəs] **3.** *es regnete ununterbrochen* it wouldn't stop raining; *er redet ununterbrochen* he never stops talking

unverantwortlich irresponsible [ˌɪrɪ'spɒnsəbl]

unverbesserlich incorrigible [ɪn'kɒrɪdʒəbl]

unverbindlich 1. *Angebot usw*.: without obligation (△ *immer hinter dem Subst. oder Verb*) **2.** *Auskunft usw*.: without guarantee [ˌgærən'tiː] (as to correctness) (△ *immer hinter dem Subst. oder Verb*) **3.** *er hat nur ganz unverbindlich geantwortet* he gave a rather non-committal answer

unverblümt: *ich hab ihm unverblümt meine Meinung gesagt* I told him exactly [ɪg'zæktlɪ] what I thought

unverdaulich indigestible [△ ˌɪndɪ'dʒestəbl]

unverdaut undigested [ˌʌndaɪ'dʒestɪd]

unverdient undeserved

unverdorben *allg*.: unspoilt

unverdünnt undiluted [ˌʌndaɪ'luːtɪd]

unverfroren brazen ['breɪzn]

Unverfrorenheit 1. brazenness ['breɪznnəs] **2.** *diese Unverfrorenheit!* the nerve!

unvergesslich unforgettable [ˌʌnfə'getəbl]

unvergleichlich incomparable [△ ɪn'kɒmprəbl]

unverhältnismäßig *groß usw*.: disproportionately; *es war unverhältnismäßig viel* it was a disproportionately large amount

unverheiratet unmarried, single

unverhofft 1. unexpected **2.** *es kam ganz unverhofft* I just wasn't expecting it

unverkäuflich: *es ist unverkäuflich* it's not for sale

unverletzt unhurt

unvermeidbar, unvermeidlich unavoidable

unvernünftig silly

unveröffentlicht unpublished

unverschämt 1. *allg*.: impudent ['ɪmpjʊdənt]; **sie ist unverschämt** *auch*: she's got some nerve **2. wir hatten unverschämtes Glück** we were incredibly [ɪn-'kredəblɪ] lucky **3.** *unverschämt teuer* incredibly expensive **4. er sieht unverschämt gut aus** he's brutally handsome [△ 'hænsəm]

Unverschämtheit: **sie hatte die Unverschämtheit, zu ...** she had the nerve to ...

unverschuldet through no fault of their (my, her *usw.*) own

unversehens suddenly

unversöhnlich irreconcilable [ˌɪrekən-'saɪləbl]

unverstanden: ich fühl mich unverstanden they don't (*bzw.* he, she doesn't) understand (my problem)

unverständlich 1. (≈ *unbegreiflich*) incomprehensible [ɪnˌkɒmprɪ'hensəbl]; **es ist mir unverständlich** I can't understand it **2. er murmelt so unverständlich vor sich hin** you can't understand a word he's saying

unversucht: wir ließen nichts unversucht we left no stone unturned (**um zu** in our attempt to)

unverträglich 1. *Person*: quarrelsome ['kwɒrəlsəm] **2.** *Essen*: indigestible [ˌɪndɪ'dʒestəbl]

Unverträglichkeit 1. quarrelsomeness **2.** *von Medizin*: intolerance [ɪn'tɒlərəns]

unvertretbar unacceptable [ˌʌnək-'septəbl]

unverwechselbar unmistakable

unverwundbar invulnerable

unverwüstlich *allg.*: indestructible

unverzeihlich inexcusable [ˌɪnɪk-'skjuːzəbl]

unvollendet unfinished

unvollständig incomplete

Unvollständigkeit incompleteness

unvorbereitet unprepared; **unvorbereitet in die Prüfung gehen** go* into the exam unprepared (*oder* without any preparation [ˌprepə'reɪʃn])

unvoreingenommen unbiased [ʌn-'baɪəst]

Unvoreingenommenheit impartiality [ˌɪmpɑː'ʃɪ'æləti]

unvorhergesehen unforeseen, unexpected

unvorsichtig careless

Unvorsichtigkeit carelessness

unvorstellbar unimaginable

unvorteilhaft *Kleidung usw.*: unbecoming

unwahr untrue

Unwahrheit 1. *allg.*: untruth [ʌn'truːθ] **2. er sagt die Unwahrheit** there's no truth in what he says

unwahrscheinlich 1. unlikely; **ich halte es für unwahrscheinlich** I think it's unlikely **2. wir hatten unwahrscheinliches Glück** we were incredibly lucky **3. es war unwahrscheinlich gut** it was incredibly good

Unwahrscheinlichkeit unlikelihood

Unwesen: sein Unwesen treiben be* on the rampage ['ræmpeɪdʒ]

unwesentlich irrelevant, unimportant

Unwetter storm, storms (*Pl.*)

unwichtig 1. *Detail usw.*: unimportant **2. es ist unwichtig** it's not important

unwiderstehlich irresistible [ˌɪrɪ'zɪstəbl]

unwillkommen unwelcome [ʌn'welkəm]

unwillkürlich 1. involuntary [ɪn'vɒləntrɪ] **2. ich musste unwillkürlich lachen** *usw.* I couldn't help laughing *usw.*

unwirklich unreal [ʌn'rɪəl]

Unwirklichkeit unreality [ˌʌnrɪ'æləti]

unwirksam ineffective [ˌɪnɪ'fektɪv]

unwirtschaftlich uneconomical

unwissend ignorant ['ɪgnərənt]

Unwissenheit ignorance ['ɪgnərəns]

unwissentlich unknowingly [ʌn'nəʊɪŋlɪ]

unwohl 1. mir ist unwohl I don't feel well **2. mir war dabei ganz unwohl** I felt very uneasy (about it) **3. ich fühl mich bei ihr unwohl** I don't feel comfortable [△ 'kʌmftəbl] with her

Unzahl: eine Unzahl von a huge number of

unzählbar, unzählige countless, innumerable [ɪ'njuːmərəbl]

Unze ounce

unzerbrechlich unbreakable [ʌn-'breɪkəbl]

unzerstörbar indestructible [ˌʌndɪ-'strʌktəbl]

unzertrennlich inseparable [ɪn'seprəbl]

unzivilisiert uncivilized [ʌn'sɪvəlaɪzd]

unzufrieden dissatisfied [ˌdɪs'sætɪsfaɪd]

Unzufriedenheit dissatisfaction

unzugänglich *Gelände usw.*: inaccessible [ˌɪnək'sesəbl]

unzumutbar unacceptable [ˌʌnək-'septəbl]

unzurechnungsfähig: für unzurechnungsfähig erklärt werden be* certified (insane)

unzusammenhängend disjointed

unzustellbar: falls unzustellbar, bitte zurück an Absender if undelivered please return to sender

unzuverlässig unreliable [ˌʌnrɪ'laɪəbl]

Unzuverlässigkeit unreliability [ˌʌnrɪlaɪə-'bɪlɪtɪ]

unzweideutig unambiguous [ˌʌnæm-'bɪgjuəs]

Update *für Software usw.*: update

üppig 1. *Vegetation, Wachstum*: lush, luxuriant [lʌgˈzjʊərɪənt] **2. üppige Mahlzeit** sumptuous [ˈsʌmptʃʊəs] meal **3.** *Lebensstil*: luxurious [lʌgˈzjʊərɪəs] *Frau*: buxom [ˈbʌksəm], voluptuous [vəˈlʌptʃʊəs]

Urabstimmung strike ballot [ˈstraɪkˌbælət]

Urahn, Urahne (earliest) ancestor [ˈænsestə]; **unsere Urahnen** *auch*: our forefathers

uralt 1. ancient [ˈeɪnʃənt] **2. seit uralten Zeiten** since time immemorial [ˌɪməˈmɔːrɪəl]

Uran uranium [jʊˈreɪnɪəm]

Uranus *Planet*: Uranus [ˈjʊərənəs] (△ *ohne* the)

uraufführen: es wurde 1953 uraufgeführt it was first performed in 1953

Uraufführung premiere [ˈpremɪeə]

urchig ⌾ **1.** *Mensch*: unspoilt, rugged [△ ˈrʌgɪd], (≈ *bodenständig*) earthy [ˈɜːθɪ]; **ein urchiger Typ** a real original [əˈrɪdʒnəl] **2.** *Essen*: traditional **3.** *Lokal usw.*: rustic

Ureinwohner 1. *Pl.*: native [ˈneɪtɪv] inhabitants **2. die Ureinwohner Australiens** the Australian aborigines [ˌæbəˈrɪdʒiniːz], aboriginal Australians

Urenkel \1. great-grandson [ˌgreɪtˈgrænsʌn] **2.** *Pl.*: great-grandchildren [ˌgreɪtˈgræn‚tʃɪldrən]

Urenkelin great-granddaughter

Urgeschichte: die Urgeschichte prehistory [ˌpriːˈhɪstrɪ] (△ *ohne* the)

urgeschichtlich prehistoric [ˌpriːhɪˈstɒrɪk]

Urgroßeltern great-grandparents

Urgroßmutter great-grandmother

Urgroßvater great-grandfather

urig 1. *Mensch*: unspoilt, rugged [ˈrʌgɪd], (≈ *bodenständig*) earthy; **ein uriger Typ** a real original [əˈrɪdʒnəl] **2.** *Essen*: traditional **3.** *Lokal usw.*: rustic

Urin urine [ˈjʊərɪn]

Urinprobe urine specimen [ˈjʊərɪnˌspesəmɪn]

Urknall big bang, Big Bang

Urkunde 1. document [ˈdɒkjʊmənt] **2.** (≈ *Siegerurkunde*) certificate [səˈtɪfɪkət]

Urlaub 1. (≈ *Ferien*) holidays [ˈhɒlədeɪz] (△ *Pl.*), *AE* vacation **2. im Urlaub** on holiday, *bes. AE* on vacation (△ *beide ohne* the); **in Urlaub gehen** (*oder* **fahren**) go* on holiday, *bes. AE* go* on vacation

Urlauber(in) holidaymaker, *AE* vacationer

Urlaubsfoto holiday (*AE* vacation) snap

Urlaubspläne holiday (*AE* vacation) plans

Urlaubszeit holiday season, *bes. AE* vacation period

Uroma great-granny [ˌgreɪtˈgrænɪ], *AE* great-grandma

Uropa great-grandad [ˌgreɪtˈgrændæd], *AE* great-grandpa

urplötzlich (completely) out of the blue

Ursache 1. cause, reason; **die Ursache des Streiks** the cause of the strike, the reason for the strike **2. Ursache und Wirkung** cause and effect **3. keine Ursache!** not at all, you're welcome, *bei Entschuldigung*: that's all right

Ursprung 1. origin [ˈɒrɪdʒɪn], origins (*Pl.*) **2. wir sind türkischen Ursprungs** we're of Turkish origin; **das Wort ist russischen Ursprungs** the word goes back to Russian

ursprünglich 1. original [əˈrɪdʒnəl] **2. die ursprüngliche Begeisterung** *usw.* the initial enthusiasm [ɪˌnɪʃl ˌɪnˈθjuːzɪæzm] *usw.* **3. ursprünglich wollte ich nicht** at first I didn't want to **4.** *Natur*: unspoilt

Ursprünglichkeit 1. *einer Landschaft usw.*: unspoilt state **2.** *von Lebensweise usw.*: naturalness [ˈnætʃrəlnəs]

Urteil 1. (≈ *Strafurteil*) sentence [ˈsentəns] **2.** (≈ *Bewertung*) judgement [ˈdʒʌdʒmənt] **3.** (≈ *Meinung*) opinion (**über** *on*)

urteilen 1. *allg.*: judge [dʒʌdʒ]; **über jemanden** (**etwas**) **urteilen** judge someone (something); **über etwas urteilen** *auch* give* one's opinion on something; **darüber kannst du nicht urteilen!** you're no judge of that **2. urteilen Sie selbst!** see for yourself **3. nach seinem Aussehen** (**seinen Worten**) **zu urteilen** judging by his looks (by what he says)

urtümlich 1. (≈ *ursprünglich*) original [əˈrɪdʒnəl] **2.** *Landschaft usw.*: unspoilt

Urtümlichkeit 1. (≈ *Ursprünglichkeit*) original [əˈrɪdʒnəl] state **2.** *einer Landschaft usw.*: unspoilt state

Urwald jungle

urwüchsig 1. (≈ *ursprünglich*) original [əˈrɪdʒnəl] **2.** (≈ *natürlich*) natural [ˈnætʃrəl]

Urzeit: die Urzeit primeval [praɪˈmiːvl] times (△ *Pl.*)

USA USA [ˌjuːesˈeɪ] (*Abk. für* **U**nited **S**tates of **A**merica), US [ˌjuːˈes] (*Abk. für* **U**nited **S**tates); **die USA sind Mitglied der Vereinten Nationen** the US is a member of the United Nations; ☞ *Karte S. 294, 295*

US-Amerikaner(in) American (citizen)

US-Dollar U.S. dollar

User(in) *Computer, Internet*: user

Utopie impossible dream

U

V

vage vague [△ veɪg]

Vagina vagina [△ vəˈdʒaɪnə]

Vakuum vacuum [ˈvækjuəm] (*auch übertragen*)

Valentinstag St Valentine's [sntˈvæləntaɪnz] Day (△ *ohne* the)

Vampir vampire [ˈvæmpaɪə]

Vandale vandal [ˈvændl]; *wie die Vandalen* like vandals (△ *ohne* the)

Vandalismus vandalism [ˈvændəlɪzm]

Vanille vanilla [vəˈnɪlə]

Vanilleeis vanilla ice cream

variabel variable [ˈveərɪəbl]

Variable *Mathematik*: variable [ˈveərɪəbl]

variieren vary [ˈveərɪ]

Vase vase [△ vɑːz]

Vater 1. *allg.*: father [ˈfɑːðə]; *wie der Vater, so der Sohn* like father, like son (△ *ohne* the) **2.** *Anrede für Priester*: Father **3.** *Vater Staat* the State

Vaterfigur father figure [ˈfɑːðəˌfɪgə]

Vaterland home (*oder* native) country

väterlicherseits: *mein Großvater väterlicherseits* my paternal grandfather, my grandfather on my father's side

Vaterschaft 1. *allg.*: fatherhood **2.** *juristisch*: paternity [pəˈtɜːnətɪ]

Vaterschaftsurlaub paternity leave

Vaterunser: *das Vaterunser* (*beten*) (say*) the Lord's Prayer [ˌlɔːdzˈpreə]

Vati Daddy, Dad, *AE auch*: Pa [pɑː]

V-Ausschnitt V-neck; *Pullover mit V-Ausschnitt* V-neck sweater [ˌviːnekˈsweɪə]

v. Chr. BC [ˌbiːˈsiː] (*Abk. für* **B**efore **C**hrist); *100 v. Chr.* 100 BC (△ *gesprochen* a hundred BC [əˈhʌndrɪdˌbiːˈsiː])

Veganer(in) vegan [ˈviːgən]

Vegetarier(in) vegetarian [ˌvedʒəˈteərɪən], *umg.* veggie [ˈvedʒɪ]

vegetarisch vegetarian [ˌvedʒəˈteərɪən]; *vegetarische Kost* vegetarian food

Vegetation vegetation [ˌvedʒəˈteɪʃn]

vegetieren vegetate [ˈvedʒəteɪt]

Veilchen violet [ˈvaɪələt]

Velo ⓢ bicycle [ˈbaɪsɪkl], *umg.* bike

Velours velour [vəˈluə]

Vene vein [veɪn]

Venedig Venice [ˈvenɪs]

Ventil valve **2.** *für Aggressionen*: outlet

Ventilator fan

Venus *Planet*: Venus [ˈviːnəs] (△ *ohne* the)

verabreden 1. *ich hab mich mit Peter verabredet* I'm meeting Peter, *zum Aus-*

gehen: I've got a date with Peter; *ich bin schon verabredet* I'm already meeting someone (*oder* a friend *bzw.* some friends) **2.** *verabreden, etwas zu tun* arrange (*oder* agree) to do something

Verabredung 1. (≈ *Termin*) appointment **2.** *zum Ausgehen*: date

verabschieden 1. *sich (von jemandem) verabschieden* say* goodbye (to someone) **2.** *ich muss mich leider verabschieden* I'm afraid I've got to go now

verachten 1. despise [dɪˈspaɪz] **2.** *nicht zu verachten* not to be sneezed at; *ein Eis wäre nicht zu verachten* I won't say no to an ice cream

Verachtung contempt [kənˈtempt]

veralbern: *jemanden veralbern* pull someone's leg

verallgemeinern generalize [ˈdʒenrəlaɪz]

Verallgemeinerung generalization

veralten 1. *allg.*: become* (out)dated (*oder* obsolete [ˈɒbsəliːt]) **2.** (*Ansichten usw.*) become* antiquated [ˈæntɪkweɪtɪd]

veraltet out-of-date; *es ist veraltet* it's out of date (*nach dem Verb ohne Bindestriche*)

Veranda veranda [vəˈrændə], *AE auch*: porch

veränderlich 1. *allg.*: changeable (*auch Wetter usw.*) **2.** *Mathematik, Sprachwissenschaft*: variable [ˈveərɪəbl]; *veränderliche Größe* variable

verändern: (sich) verändern change

Veränderung change

verängstigt frightened [ˈfraɪtnd]

veranlagt 1. *musikalisch usw. veranlagt* musically *usw.* talented [ˈtæləntɪd] **2.** *praktisch usw. veranlagt* practically *usw.* minded

Veranlagung: *es ist Veranlagung* it's in the genes [dʒiːnz]

veranlassen: *was hat ihn wohl dazu veranlasst?* I wonder [ˈwʌndə] what made him do it

veranschaulichen illustrate [ˈɪləstreɪt]

Veranschaulichung: *zur Veranschaulichung* by way of illustration [ˌɪləˈstreɪʃn]

veranstalten organize [ˈɔːgənaɪz]

Veranstalter(in) organizer

Veranstaltung *sportliche usw.*: event

verantworten 1. *etwas verantworten* be* responsible [rɪˈspɒnsəbl] for something **2.** *du hast einiges zu verantworten* you've got a lot to answer [ˈɑːnsə] for

verantwortlich responsible [rɪˈspɒnsəbl] (**für** for)

Verantwortung 1. responsibility (**für** for); **die Verantwortung übernehmen** take responsibility (△ *ohne* the) **2. auf eigene Verantwortung** at your *usw.* own risk

verantwortungsbewusst responsible

verantwortungslos irresponsible

Verantwortungslosigkeit irresponsibility

verantwortungsvoll responsible [rɪˈspɒnsəbl]

veräppeln *umg.* **1. jemanden veräppeln** pull someone's leg **2.** (≈ *verspotten*) kid someone, *BE auch* take* the mickey out of someone, *AE auch* put* someone on

verarbeiten 1. process [ˈprəʊses] (*auch Daten*) **2. Abfallprodukte zu Baustoffen verarbeiten** make* (*oder* turn) waste products into building materials **3.** digest [daɪˈdʒest] (*Lehrstoff usw.*)

verärgern annoy [əˈnɔɪ], *stärker*: upset* [ʌpˈset]

verärgert annoyed [əˈnɔɪd], *stärker*: upset

verarmen grow* poor

verarmt penniless, impoverished [ɪmˈpɒvərɪʃt]

verarschen *salopp* take* the piss out of, *AE* make* a sucker out of; **willst du mich verarschen?** are you taking the piss?

verarzten see* to, fix up

verätzen *durch Säure usw.*: burn*

Verätzung (≈ *Wunde*) burn

Verb verb [vɜːb]

Verband[1] bandage [ˈbændɪdʒ]; **einen Verband anlegen** put* a bandage on

Verband[2] (≈ *Vereinigung*) association

Verbandkasten first-aid box

Verbandszeug 1. first-aid kit **2.** (≈ *Binde*) a bandage [ˈbændɪdʒ]

verbannen exile [ˈeksaɪl] (**nach** to)

verbarrikadieren 1. barricade [ˌbærɪˈkeɪd] **2. sich verbarrikadieren** barricade oneself (**in** in)

verbauen 1. ruin [ˈruːɪn], spoil* (*Gegend*) **2. ich hab mir die Sache verbaut** *übertragen* I've spoilt my chances

verbeißen 1. ich konnte mir das Lachen nicht verbeißen I couldn't keep a straight face **2. er hat sich in seine Arbeit verbissen** he's become obsessed with his work

verbergen hide* (**vor** from)

verbessern 1. (**sich**) **verbessern** improve [ɪmˈpruːv] **2.** correct (*Fehler*) **3. sich verbessern** *beim Sprechen*: correct oneself

Verbesserung improvement [ɪmˈpruːvmənt]

Verbesserungsvorschlag suggestion [səˈdʒestʃən] for improvement

verbeugen: sich verbeugen bow [△ baʊ]

verbeulen dent

verbiegen: (**sich**) **verbiegen** bend*

verbieten 1. forbid*, *amtlich auch*: prohibit [prəˈhɪbɪt] **2. sie hats mir verboten** she won't let me (do it)

verbilligen 1. lower the price of **2. sich verbilligen** go* down (in price)

verbilligt reduced [rɪˈdjuːst]

verbinden 1. connect (*Kabel usw.*) **2.** link (*Orte usw.*) **3. jemandem die Augen verbinden** blindfold [ˈblaɪndfəʊld] someone **4.** combine (*Ausflug mit Besuch usw.*) **5. womit verbindest du das?** what do you associate [əˈsəʊʃɪeɪt] it with? **6. ich verbinde** *Telefon*: I'm putting you through, *AE mst.* I'll connect you **7.** (**sich**) **verbinden** (*Substanzen*) combine

verbindlich 1. *Worte usw.*: friendly **2.** (≈ *verpflichtend*) binding [ˈbaɪndɪŋ]

Verbindung 1. *zwischen Orten, Personen usw.*: link **2.** *telefonische usw.*: connection **3.** (≈ *Zusammenhang*) connection; **in Verbindung mit** in connection with **4.** *chemische usw.*: compound [ˈkɒmpaʊnd] **5. in Verbindung bleiben** keep* in touch

Verbindungstür connecting door

verbissen 1. (≈ *hartnäckig*) dogged [△ ˈdɒɡɪd] **2. ein verbissenes Gesicht machen** have* a look of determination

verbittert bitter, embittered

verblassen 1. *allg.*: turn (*oder* grow*) pale **2.** (*Farbe usw.*) fade

verbleit *Benzin*: leaded [△ ˈledɪd]

verblöden 1. *umg.* **1.** (≈ *senil werden*) go* gaga [ˈɡɑːɡɑː] **2. dabei verblödet man ja** it's totally moronic [məˈrɒnɪk]

verblödet 1. demented [dɪˈmentɪd] **2.** (≈ *senil*) senile [ˈsiːnaɪl]

verblüffen 1. *allg.*: amaze, astound [əˈstaʊnd] **2.** (≈ *verwirren*) baffle, bewilder [bɪˈwɪldə] **3.** (≈ *sprachlos machen*) dumbfound [△ ˌdʌmˈfaʊnd], stupefy [ˈstjuːpɪfaɪ], *umg.* flabbergast [ˈflæbəɡɑːst]

verblüffend amazing [əˈmeɪzɪŋ]; **sie sind sich verblüffend ähnlich** they're amazingly alike

verblüfft amazed [əˈmeɪzd]; **ich war ganz verblüfft** *auch*: I was completely taken aback [əˈbæk]

verblühen wither [ˈwɪðə], fade (away) (*auch übertragen*)

verbluten bleed* to death

verbocken: etwas verbocken *umg.* bungle something, botch something (up)

verbohrt pigheaded [ˌpɪɡˈhedɪd]

Verbohrtheit pigheadedness

V

verborgen hidden

Verbot *offizielles*: ban (**für** *oder* **von etwas** on something)

verboten 1. *es ist verboten* it's not allowed; *es ist verboten zu …* you're not allowed to … **2.** *Rauchen usw.* **verboten** no smoking *usw.* **3.** *du siehst ja verboten aus! umg.* you look a real sight!

verbrannt 1. burnt **2.** *von der Sonne*: sunburnt

verbraten *umg.* blow* (*Geld*)

Verbrauch consumption (**von, an** of)

verbrauchen use (up)

Verbraucher(in) consumer [kən'sjuːmə]

verbraucherfreundlich consumer-friendly

verbraucht 1. *allg.*: used up **2.** *Batterie*: flat **3.** *übertragen; Person*: worn out

Verbrechen 1. crime **2.** *das ist doch kein Verbrechen!* it's not a crime(, is it?)

verbrechen 1. *was hab ich denn verbrochen?* what have I done (wrong)? **2.** *was hast du wieder verbrochen?* what have you been up to this time? **3.** *wer hat diesen Aufsatz verbrochen?* who cooked up this essay?

Verbrecher(in) criminal ['krɪmɪnl]

verbreiten: (sich) verbreiten spread* [spred] (*auch Nachricht, Angst usw.*)

verbreitet widespread ['waɪdspred]

verbrennen 1. *allg.*: burn*; *ich hab mir die Zunge verbrannt* I've burnt my tongue **2.** cremate [krə'meɪt] (*Leiche*) **3.** *sich verbrennen aus Unachtsamkeit*: burn* oneself, get* burnt

Verbrennung (≈ *Wunde*) burn (**an** on)

verbringen *allg.*: spend*; *ich hab den ganzen Tag mit Einkaufen verbracht* I spent the whole day shopping

verbrühen: sich die Hand *usw.* **verbrühen** scald [skɔːld] one's hand *usw.*

Verbrühung (≈ *Wunde*) scald [skɔːld]

verbummeln *umg.* **1.** *den Morgen usw.* **verbummeln** waste the (whole) morning *usw.* **2.** *ich habs total verbummelt Verabredung usw.*: I completely forgot [fə'gɒt] about it

verbummelt *umg.* **1.** (≈ *faul*) lazy, idle ['aɪdl] **2.** *Zeit usw.*: wasted

verbunden: (Sie sind) falsch verbunden I'm afraid you've got the wrong [rɒŋ] number

verbünden: sich verbünden (mit) ally [ə'laɪ] oneself (with, to), form an alliance [ə'laɪəns] (with)

Verbündete(r) ally [△ 'ælaɪ] *Pl.*: allies; *Amerika und seine Verbündeten* America and her allies

Verdacht 1. suspicion; *ich habe den (starken) Verdacht, dass …* I have a (strong) suspicion that …; *Verdacht erregen* arouse suspicion **2.** *etwas auf Verdacht tun umg.* do* something on spec [spek]

verdächtig 1. suspicious [sə'spɪʃəs]; *es kommt mir etwas verdächtig vor* it seems a bit suspicious to me **2.** *wenn ihr etwas Verdächtiges seht* if you see anything suspicious

Verdächtige(r) suspect [△ 'sʌspekt]

verdächtigen suspect [sə'spekt]; *sie verdächtigen ihn, es gestohlen zu haben* they suspect him of having stolen it

verdammt *umg.* **1.** *verdammt (nochmal)!* damn it! [△ 'dæm_ɪt] **2.** *verdammte Scheiße! salopp* bloody hell [ˌblʌdɪ'hel]!, *AE* holy shit! **3.** *es tut verdammt weh!* it hurts like hell **4.** *du hattest verdammtes Glück* you were damn lucky [ˌdæm'lʌkɪ]

verdampfen evaporate [ɪ'væpəreɪt]

verdanken 1. *dir hab ich es zu verdanken, dass … auch kritisch* it's thanks to you that … **2.** *das hast du mir zu verdanken* you can thank me for it **3.** *das hast du dir selber zu verdanken!* it's your own fault

verdattert *umg.* flabbergasted ['flæbəgɑːstɪd]

verdauen 1. digest [daɪ'dʒest] (*Essen*) **2.** *emotional*: digest, come* to terms with

verdaulich 1. *schwer verdaulich* hard to digest [daɪ'dʒest] **2.** *schwer verdaulich übertragen; Buch usw.*: heavy-going [ˌhevɪ'gəʊɪŋ]; *leicht verdaulich übertragen; Buch usw.*: light

Verdauung digestion [daɪ'dʒestʃn]

verdecken cover up [ˌkʌvər'ʌp]

verderben 1. *allg.*: spoil*; *es hat mir den Tag verdorben* it spoilt my day **2.** *das hat mir die Laune verdorben* that's put me in a bad mood **3.** *ich hab mir den Magen verdorben* I've got an upset stomach [ˌʌpset'stʌmək] **4.** *du wirst dir die Augen verderben* you'll ruin your eyes **5.** *mit mir hat er sichs verdorben* I'm through with him **6.** (*Lebensmittel*) go* bad, (*Milch, Fleisch*) go* off

verdeutlichen (≈ *erklären*) explain

verdienen 1. earn [ɜːn] (*Geld*) **2.** deserve (*Lob, Strafe usw.*); *womit hab ich das verdient?* what did I do to deserve that?

Verdienst¹ 1. earnings (△ *Pl.*) **2.** (≈ *Gewinn*) profit

Verdienst² achievement; *es ist sein Verdienst, dass …* it's thanks to him that …

verdonnern: jemanden dazu verdonnern, etwas zu tun make* someone do something

verdoppeln 1. *allg.*: double ['dʌbl] (*auch Preis*) **2.** redouble (*Anstrengungen usw.*)

3. sich verdoppeln double
Verdopplung doubling ['dʌblɪŋ]
verdorben **1.** allg.: spoilt **2.** Magen: upset **3. der Reissalat** usw. **ist verdorben** the rice salad usw. has gone off
verdorren dry up, wither ['wɪðə]
verdrängen **1.** psychisch: suppress [sə-'pres] **2.** push out (jemanden) (**aus** of)
verdreckt filthy
verdrehen **1.** allg.: twist (auch die Wahrheit usw.) **2. er hat die Augen verdreht** he rolled his eyes **3. sie hat ihm den Kopf verdreht** umg. she's turned his head
verdreht umg. (≈ durcheinander) mixed up
Verdrehung der Tatsachen usw.: twisting
verdreifachen **1.** treble ['trebl], triple ['trɪpl] **2. sich verdreifachen** treble, triple
verdreschen: **jemanden verdreschen** umg. give* someone a thrashing
verdrücken umg. **1.** polish off (Essen) **2. sich verdrücken** sneak off
Verdruss **1.** allg.: annoyance [ə'nɔɪəns], displeasure [dɪs'pleʒə] **2. er hat ihr viel Verdruss bereitet** he caused her a lot of trouble ['trʌbl]
verduften umg. clear off
verdummen: **zu viel Fernsehen verdummt** too much television dulls the mind
verdunkeln **1.** darken (Zimmer usw.) **2. der Himmel verdunkelt sich** the sky's getting dark
verdünnen **1.** allg.: dilute [daɪ'luːt] **2.** thin (down) (Farbe, Lack usw.)
Verdünnungsmittel thinner
verdunsten evaporate [ɪ'væpəreɪt]
Verdunstung evaporation [ɪˌvæpə'reɪʃn]
verdursten die of thirst
verdutzt: **sie war ganz verdutzt** she was completely taken aback
verehren **1.** admire **2.** (≈ anbeten) worship
Verehrer(in) **1.** allg.: admirer [əd'maɪrə] **2.** eines Stars: fan
Verein **1.** association [əˌsəʊsɪ'eɪʃn] **2.** (≈ Klub) club **3. das ist ein seltsamer Verein** they're a funny lot
vereinbaren arrange (Treffen, Zeit usw.)
Vereinbarung agreement
vereinfachen simplify
vereinfacht: **vereinfacht ausgedrückt** put simply
vereinheitlichen standardize ['stændədaɪz]
vereinigen **1.** unite **2. sich vereinigen** unite
vereinigt united [juː'naɪtɪd]; **die Vereinig-**

ten Staaten (von Amerika) the United States (of America) (△ mit Sg.); ☞ Karte S. 294, 295
vereinsamen become* isolated (oder lonely)
vereinsamt lonely (and isolated)
Vereinskamerad(in) clubmate; **sie sind Vereinskameraden** auch they belong to the same club
vereint: **die Vereinten Nationen** the United Nations (△ meist mit Sg.); **das vereinte Europa** united Europe (△ ohne the)
vereinzelt **1.** (≈ gelegentlich) occasional [ə'keɪʒnəl] (△ nur vor dem Subst.) **2.** (≈ hin und wieder) now and then
vereisen **1.** (Straße usw.) freeze* over **2.** (Fenster, Flugzeugflügel usw.) ice up **3.** örtliche Betäubung: freeze* (Körperstelle)
vereist **1.** (≈ zugefroren) frozen over **2.** Fenster usw.: iced up
vereitern go* septic
vereitert septic
verenden (Tier) perish ['perɪʃ], die
verengen: **sich verengen** narrow
vererben **1. jemandem etwas vererben** leave* something to someone **2.** pass on (Krankheit usw.) (**auf** to) **3. es vererbt sich** Krankheit, Eigenschaft usw.: it's hereditary [hə'redətrɪ]
vererbt Eigenschaft usw.: hereditary [hə'redətrɪ]
verewigen: **sich verewigen in** Baumstamm usw.: carve one's name into
verfahren: **sich verfahren** get* lost, lose* one's way
Verfahren **1.** technisches: process ['prəʊses] **2.** (≈ Methode) method [△ 'meθəd]
verfallen[1] (Fahrkarte usw.) expire [ɪk-'spaɪə]
verfallen[2] Gebäude usw.: dilapidated [dɪ-'læpɪdeɪtɪd]
Verfallsdatum **1.** allg.: expiry [ɪk'spaɪərɪ] date, AE expiration [ˌekspə'reɪʃn] date **2.** von Gütern: sell-by date, von Lebensmitteln auch: best-before date
verfälschen distort (Wahrheit usw.)
verfärben **1. sich verfärben** change colour **2. die Wäsche hat sich verfärbt** the washing has been dyed **3. deine Socken haben die Wäsche verfärbt** the dye from your socks has come off onto all the washing
verfassen **1.** write* [△ raɪt], compose (beide auch Gedicht usw.) **2.** draw* up (Resolution usw.)
Verfasser(in) author ['ɔːθə]
Verfassung staatliche: constitution
verfassungswidrig unconstitutional ['ʌn-

V

ˌkɒnstɪˈtjuːʃnəl]
verfaulen rot (away)
verfault *Lebensmittel, Zähne usw.*: rotten
verfehlen: *sich verfehlen* miss each other
verfeinden 1. *sich verfeinden* become* enemies 2. *sich mit jemandem verfeinden* make* an enemy of someone
verfeindet: *sie sind* (*vollkommen*) *verfeindet* they're (sworn) enemies
verfeinern 1. *allg.*: refine 2. round off (*Soße usw.*)
verfilmen: *die Geschichte wurde verfilmt* they made a film out of the story
Verfilmung screen version
verfilzt *Haar*: matted
verflixt *umg.* 1. *verflixt!* darn! 2. *diese verflixte Katze usw.!* that darn cat *usw.!*
Verflossene *umg.* ex, ex-girlfriend *bzw.* ex-wife, *länger zurückliegend*: old flame
Verflossener *umg.* ex, ex-boyfriend *bzw.* ex-husband, *länger zurückliegend*: old flame
verfluchen curse
verflucht 1. *verflucht!* damn [⚠ dæm]! 2. *diese verfluchte Arbeit!* this damn work!
verfolgen 1. pursue [pəˈsjuː] (*Person*) 2. hunt (*Kriminellen*) 3. *politisch usw.*: persecute [ˈpɜːsɪkjuːt] 4. follow (*Nachrichten, Spiel usw.*) 5. *der Gedanke usw. verfolgt mich* I'm haunted [ˈhɔːntɪd] by the thought *usw.*
Verfolgungsjagd 1. *allg.*: wild chase 2. *im Auto*: car chase
Verfolgungswahn: *an Verfolgungswahn leiden* suffer from a persecution complex
verformen 1. *unabsichtlich*: deform 2. *technisch, durch Bearbeitung*: form, shape 3. *sich verformen* deform, go* out of shape, (*Metall*) *auch* buckle, (*Holz*) warp [wɔːp]
verfressen greedy
Verfressenheit greediness
verfügbar available [əˈveɪləbl]
Verfügung 1. *zur Verfügung stehen* be* available 2. *ich stelle mich zur Verfügung!* at your service!
verführen 1. *sexuell*: seduce [sɪˈdjuːs] 2. *jemanden zu etwas verführen* tempt someone to do something, *zu Drogen usw.*: lead* someone into (doing) something
verführerisch 1. *Frau usw.*: seductive [sɪˈdʌktɪv] 2. *Angebot usw.*: tempting
vergaffen: *sich in jemanden vergaffen umg.* fall* for someone
vergammelt 1. *Person*: scruffy 2. *vergammelter Typ* scruff, *stärker*: slob
vergangen 1. *am vergangenen Wochen-*

ende *usw.* last weekend *usw.* 2. *in vergangenen Zeiten* in times past (⚠ *Wortstellung*)
Vergangenheit *allg.*: past
Vergangenheitsform past tense
vergänglich 1. passing, transient [ˈtrænzɪənt] 2. *alles ist vergänglich* nothing lasts forever
vergasen gas
Vergasung (≈ *Tötung*) gassing
vergeben¹ (≈ *verzeihen*) forgive* [fəˈgɪv]; *jemandem etwas vergeben* forgive someone for something
vergeben² 1. give* away (*Stelle usw.*); *ist die Stelle schon vergeben?* has the vacancy been filled already? 2. award [əˈwɔːd] (*Preis, Stipendium usw.*) (*an* to) 3. *eine Chance vergeben* miss an opportunity
vergeben³ 1. *vergeben sein* be* taken 2. *er* (*bzw. sie*) *ist schon vergeben* he's (*bzw.* she's) already spoken for
vergeblich 1. (≈ *umsonst*) in vain 2. *es war vergeblich* (≈ *sinnlos*) it was no use [juːs]
vergehen 1. (*Zeit*) pass; *wie die Zeit vergeht!* time flies! 2. (*Schmerzen*) pass, go* away 3. *dabei vergeht einem der Appetit* it's enough to make you lose your appetite 4. *dir wird das Lachen bald vergehen!* you'll soon be laughing on the other side of your face 5. *ich vergehe* (*fast*) *vor Hunger usw.* I'm dying of hunger *usw.*
Vergehen offence, *AE* offense [əˈfens]
Vergeltung retaliation [rɪˌtælɪˈeɪʃn], retribution [ˌretrɪˈbjuːʃn]; *als Vergeltung für* in retaliation for; *Vergeltung üben* retaliate, take* revenge [rɪˈvendʒ] (*beide*: *an* on)
vergessen 1. *allg.*: forget*; *ich hab meinen Schirm vergessen auch*: I've left my umbrella behind 2. *er vergisst leicht* he's very forgetful [fəˈgetfl] 3. *Wendungen*: *das kannst du vergessen!* forget it; *den kannst du vergessen!* he's useless [ˈjuːsləs]; *das werd ich dir nie vergessen* I won't ever forget that
vergesslich forgetful [fəˈgetfl]
Vergesslichkeit forgetfulness [fəˈgetflnəs]
vergewaltigen rape (*eine Frau*)
Vergewaltigung rape
vergewissern: *sich vergewissern* make* sure, check (*ob* that)
vergiften poison [ˈpɔɪzn]
Vergiftung poisoning [ˈpɔɪznɪŋ]
Vergissmeinnicht forget-me-not
Vergleich 1. comparison [kəmˈpærɪsn] 2. *im Vergleich zu* compared with (*oder* to)

3. *das ist ja überhaupt kein Vergleich!*
there's no comparison
vergleichbar 1. comparable [△ 'kɒm-pərəbl] (*mit* to, with) **2.** *das ist überhaupt nicht vergleichbar* you can't compare (the two)
vergleichen 1. compare (*mit* to, with); *die Preise vergleichen* compare prices (△ *ohne* the) **2.** *er ist mit Peter nicht zu vergleichen* he and Peter are completely different
vergleichsweise relatively ['relətɪvlɪ]
verglühen 1. *allg.:* die out **2.** (*Rakete usw.*) burn* up **3.** (*Meteor*) burn* out
vergnügen: *sich vergnügen* enjoy oneself
Vergnügen 1. pleasure ['pleʒə], enjoyment; *mit (dem größten) Vergnügen!* with (the greatest) pleasure!; *vor Vergnügen lachen usw.* laugh *usw.* with pleasure **2.** (≈ *Spaß*) fun; *viel Vergnügen!* have fun! (*auch ironisch*) **3.** *es war kein reines Vergnügen* it was no picnic **4.** *ein teures Vergnügen* an expensive business
Vergnügungspark 1. *allg.:* amusement park **2.** *mit einem Thema, z. B. Raumfahrt:* theme [θiːm] park
Vergnügungsviertel 1. entertainments district ['dɪstrɪkt] **2.** *mit Bordellen:* red--light district
vergolden 1. *allg.:* gild [△ gɪld] (*auch übertragen*) **2.** gold-plate (*Metall, Schmuck usw.*)
vergoldet gold-plated, gilt [gɪlt]
vergönnen 1. *allg.:* grant [grɑːnt]; *es war ihr nicht vergönnt, zu* (+ *Inf.*) it was not granted to her to (+*Inf.*) **2.** *er vergönnt es ihr nicht* he begrudges [bɪ'grʌdʒɪz] her it
vergraben 1. bury [△ 'berɪ] **2.** *sie hat sich in ihre Bücher vergraben* she's buried herself in her books
vergraulen 1. put* off (*Leute*) **2.** *vergrauls mir doch nicht* don't spoil it for me
vergriffen *Buch:* out of print
vergrößern 1. *allg.:* enlarge (*auch Foto, Kopie*) **2.** *ein Foto vergrößern lassen* get* an enlargement of a photo **3.** extend (*Raum, Fläche usw.*) **4.** *mit einer Lupe:* magnify ['mægnɪfaɪ] **5.** *sich vergrößern* grow*
Vergrößerung *Foto:* enlargement
Vergrößerungsglas magnifying glass
vergucken: *sich in jemanden vergucken* *umg.* fall* for someone
verhaften arrest
Verhaftung arrest
verhaken: *sich an etwas verhaken* get*

caught [kɔːt] on something
verhalten 1. *sich verhalten* act, behave, be*; *er verhielt sich etwas merkwürdig* he was acting (*oder* behaving) a bit strange (△ *hier nicht* strangely) **2.** *ich weiß nicht, wie ich mich verhalten soll* I'm not sure what to do
Verhalten behaviour [bɪ'heɪvjə]
verhaltensgestört maladjusted [,mælə-'dʒʌstɪd]
Verhältnis¹ 1. (≈ *Beziehung*) relationship (*zu* with) **2.** (≈ *Affäre*) affair; *er hat mit ihr ein Verhältnis* he's having an affair with her
Verhältnis² 1. *im Verhältnis von 1:2* in a ratio ['reɪʃɪəʊ] of 1:2 (*gesprochen* one to two) **2.** *im Verhältnis zu dir usw.* compared with you *usw.*
verhältnismäßig relatively ['relətɪvlɪ]
Verhältnisse 1. (≈ *Umstände*) circumstances ['sɜːkəmstənsɪz] **2.** *sie leben über ihre Verhältnisse* they're living beyond their means
verhandeln negotiate [nɪ'gəʊʃɪeɪt]
Verhandlungen negotiations [nɪ,gəʊʃɪ-'eɪʃnz]
verharmlosen play down
verhärten: *sich verhärten* *allg.:* harden
verhaspeln: *sie hat sich verhaspelt* *umg.* she got her words muddled
verhasst hated
verhätscheln coddle, pamper
verhätschelt pampered, spoilt
Verhau *umg.* mess; *das ist ja ein Verhau!* what a mess!
verhauen¹ (≈ *verprügeln*) beat* up
verhauen² 1. *umg.* fluff (*Test usw.*) **2.** *sich verhauen* get* it wrong [rɒŋ]
verheddern 1. *sich verheddern* get* tangled up **2.** *sich verheddern beim Sprechen:* get* in a muddle
verheerend 1. *umg.* (≈ *scheußlich*) dreadful ['dredfl] **2.** *Folgen usw.:* disastrous [dɪ'zɑːstrəs]
verheilen heal (up) (completely); *die Wunde verheilt schlecht* the wound isn't healing very well
verheimlichen: *er hat es (mir) verheimlicht* he kept it a secret (from me)
verheiratet married (*mit* to); *glücklich verheiratet* happily married
verheult 1. *Augen:* red (from crying) **2.** *Gesicht:* tear-stained ['tɪə_steɪnd]
verhext: *es ist wie verhext* it's jinxed [dʒɪŋkst]
verhindern 1. prevent [prɪ'vent] **2.** *wir konnten nicht verhindern, dass sie wegging* we couldn't stop her from leaving
verhindert 1. *sie ist leider verhindert* un-

fortunately she's unable to come (**wegen** due to) **2. *ein verhinderter Maler*** *umg*; *negativ*: (≈ *Möchtegernmaler*) a would--be painter, *positiv, der seinen Beruf verfehlte*: a painter manqué ['mɒŋkeɪ]

verhöhnen: *jemanden verhöhnen* deride someone, jeer at someone

verhohnepipeln *umg*. make* fun of

verhökern *umg*. flog (off)

Verhör interrogation [ɪn,terə'geɪʃn]

verhören 1. *jemanden verhören* interrogate [ɪn'terəgeɪt] (*oder* question) someone **2. *sich verhören*** mishear* [,mɪs-'hɪə]

verhungern 1. die of starvation **2. *ich bin am Verhungern*** *umg*. I'm starved

verhunzen *umg*. make* a botch of

verhüten prevent [prɪ'vent]

Verhüterli *umg*. rubber

Verhütung 1. *allg.*: prevention [prɪ'venʃn] (*auch von Verbrechen, Krankheiten usw.*) **2.** (≈ *Empfängnisverhütung*) contraception [,kɒntrə'sepʃn]

Verhütungsmittel contraceptive [,kɒntrə-'septɪv]

verhutzelt shrivelled ['ʃrɪvld]

verirren: *sich verirren* get* lost

verjagen chase away

verjähren (*Vergehen, Verbrechen*) come* under the statute ['stætʃuːt] of limitations

verjubeln *umg*. blow* (*Geld*)

Verjüngungskur rejuvenation cure [rɪ-,dʒuːvə'neɪʃn kjʊə]

verkabeln *für Fernsehen*: cable up

verkabelt: *seid ihr verkabelt?* have you got cable TV [,tiː'viː]?

verkalken 1. (*Leitung, Kaffeemaschine usw.*) fur up, *bes. AE* clog up **2.** (*Arterien*) harden, *förmlich* calcify ['kælsɪfaɪ] **3.** (*Person*) go* senile ['siːnaɪl]

verkalkt 1. *Kessel usw.*: furred, *bes. AE* clogged **2.** *umg*. senile ['siːnaɪl]; *er ist verkalkt* he's (going) senile

verkalkulieren: *sich verkalkulieren* miscalculate [,mɪs'kælkjʊleɪt]

Verkalkung *umg.*; *bei älterer Person*: senility [sə'nɪlətɪ]

Verkalkungserscheinung sign [saɪn] of old age

verkappt: *ein verkappter Nazi* *usw.* a closet Nazi [,klɒzɪt'naːtsɪ] *usw.*

verkatert *umg*. hung over

Verkauf 1. sale; *zum Verkauf* for sale **2.** (≈ *Verkaufsabteilung*) sales department

verkaufen 1. *allg.*: sell*; *er hat es mir verkauft* he sold it to me **2. *es verkauft sich gut*** it's selling well **3. *er verkauft sich gut*** *übertragen* he's good at selling himself

Verkäufer(in) shop assistant, *AE* salesclerk

verkäuflich for sale

Verkehr 1. *auf Straße*: traffic **2.** (≈ *Geschlechtsverkehr*) intercourse ['ɪntəkɔːs]

Verkehrsberuhigung traffic calming [△ 'træfɪk,kɑːmɪŋ]

Verkehrschaos traffic chaos ['keɪɒs]

verkehrsfrei: *verkehrsfreie Zone* traffic--free area, *BE auch* pedestrian precinct ['priːsɪŋkt], *AE auch* pedestrian mall [mɔːl]

Verkehrsfunk travel news (△ *Sg.*)

Verkehrsinsel traffic island ['aɪlənd]

Verkehrsmeldung traffic report

Verkehrsmittel 1. *ein Verkehrsmittel* a means of transport ['trænspɔːt] (*AE* transportation [,trænspɔː'teɪʃn]) **2. *öffentliche Verkehrsmittel*** public transport, *AE* public transportation (△ *beide Sg.*)

Verkehrsschild traffic sign [saɪn]

verkehrssicher *Auto*: roadworthy ['rəʊd-,wɜːðɪ]

Verkehrssünder(in) traffic offender

Verkehrstote(r) 1. road casualty ['kæʒʊəltɪ] **2. *Verkehrstote*** *Pl.*; *Statistik*: road deaths

Verkehrsunfall traffic (*oder* road) accident

Verkehrszeichen traffic sign [saɪn]

verkehrt 1. wrong [△ rɒŋ]; *du machst es verkehrt* you're doing it wrong; *da liegst du verkehrt* you're wrong there **2. *meine Uhr geht verkehrt*** my watch is wrong **3. *wir sind hier verkehrt*** we've come to the wrong place, *im Auto*: we've come the wrong way **4. *das ist gar nicht verkehrt*** that's not such a bad idea **5. *verkehrt herum*** the wrong way round, (≈ *mit der Innenseite nach außen*) inside out

verklagen 1. *jemanden verklagen* sue [suː] someone, take* someone to court (**wegen** for) **2. *jemanden auf Schadenersatz*** *usw.***verklagen** sue someone for damages *usw.*

Verklappung *von Gift ins Meer*: marine [mə'riːn] (*oder* ocean ['əʊʃn]) dumping

verklebt 1. *allg.*: sticky **2.** *Haar*: matted

verkleckern spill* (*Essen usw.*)

verkleiden¹: *sich verkleiden* dress up; *sich als Cowboy* *usw.* *verkleiden* dress up as a cowboy *usw.*; *sie haben sich verkleidet* they're dressed up, they're in fancy dress (△ *ohne* a)

verkleiden² 1. *an Außenseite*: (en)case (*Wand usw.*) **2.** *innen*: line **3.** (≈ *vertäfeln*) panel ['pænl] **4.** face (*Fassade*)

Verkleidung¹ 1. *um nicht erkannt zu werden*: disguise [dɪs'gaɪz] **2.** *Kostüm für*

Karneval usw.: fancy dress [ˌfænsɪ'dres], *AE* costume

Verkleidung² **1.** *an Außenseite*: casing **2.** (≈ *Innenverkleidung*) lining **3.** (≈ *Holzverkleidung*) panelling, *AE* paneling ['pænlɪŋ] **4.** (≈ *Fassadenverkleidung*) facing

verkleinern **1.** reduce [rɪ'djuːs] (in size) (*auch Fotokopie usw.*) **2.** *einen Raum verkleinern* make* a room smaller **3.** *sich verkleinern* *allg.*: grow* smaller **4.** *dadurch verkleinert sich das Zimmer* it makes the room look smaller

verkleinert reduced

Verkleinerung *allg.*: reduction

verklemmen: *das Fenster usw. hat sich verklemmt* the window *usw.* is stuck

verklemmt *Person*: inhibited [ɪn'hɪbɪtɪd]

verklickern: *jemandem etwas verklickern* *umg.* put* someone straight on something

verknacken: *er wurde* (*zu 3 Jahren*) *verknackt* *umg.* he was done (for 3 years)

verknacksen: *ich hab mir den Fuß verknackst* I've sprained my ankle

verknallen: *sich in jemanden verknallen* *umg.* fall* for someone

verknallt: *sie ist in ihn verknallt* *umg.* she's got a crush on him

verknautscht crumpled

verkneifen: *ich konnte mir das Lachen nicht verkneifen* I couldn't keep a straight face

verkniffen *Gesicht*: pinched; *verkniffener Mund* pinched lips

verknöchert: *verknöcherter Kerl* *umg.* old fossil ['fɒsl]

verknüpfen **1.** (≈ *zusammenbinden*) tie (*oder* knot [△ nɒt]) together **2.** *übertragen* connect (*mit* to, with), link (*mit* to, with), combine (*mit* with) **3.** *EDV*: link (*mit* to, with), integrate ['ɪntɪgreɪt] (*mit* with) **4.** *übertragen* *mit Kosten* (*Schwierigkeiten usw.*)*verknüpft sein* involve costs (difficulties *usw.*) **5.** *übertragen* *eng verknüpft sein mit* be* (closely) bound up with

verknusen: *ich kann ihn nicht verknusen* *umg.* I can't stomach [△ 'stʌmək] him

verkochen overboil (*Gemüse usw.*)

verkohlen: *er verkohlt dich* he's having you on

verkommen **1.** *Haus usw.*: dilapidated [dɪ'læpɪdeɪtɪd] **2.** *Person*: seedy **3.** *moralisch*: depraved [dɪ'preɪvd]

verkomplizieren: *das verkompliziert die Sache nur* that just makes things more complicated

verkorksen: *ich hab mir den Magen ver-*

korkst *umg.* I've got an upset stomach [△ ˌʌpset'stʌmək]

verkorkst *umg.*; *Mensch*: screwed up

verköstigen **1.** *jemanden verköstigen* feed* someone, cater ['keɪtə] for someone **2.** *Wein usw. verköstigen* taste some wine *usw.*

verkrachen: *sie haben sich verkracht* *umg.* they've fallen out (with each other)

verkracht *umg.* **1.** *Politiker usw.*: failed **2.** *eine verkrachte Existenz* *Mensch*: a human wreck [△ ˌhjuːmən'rek]

verkraften **1.** (≈ *bewältigen*) cope with **2.** *sie hat es nur schwer verkraftet* she took it very hard **3.** *das wirst du schon noch verkraften!* you'll manage (all right)

verkrampfen **1.** *die Muskeln haben sich verkrampft* the muscles ['mʌslz] are cramped **2.** *sich verkrampfen* (*Person*) tense up

verkrampft **1.** *Person, innerlich*: uptight ['ʌptaɪt] **2.** *Lächeln*: forced

verkratzt: *verkratzt* scratched; *völlig verkratzt* covered in scratches

verkriechen **1.** *sich verkriechen* disappear **2.** *sich ins Bett verkriechen* creep* away into bed **3.** *sie verkriecht sich hinter ihren Büchern* she hides away behind her books

verkrümeln: *sich verkrümeln* *umg.* sneak off

verkrümmt bent

verkrüppelt crippled

verkühlen: *sich verkühlen* catch* a chill (*oder* cold) (*beim Schwimmen usw.* [while] swimming *usw.*)

verkünden **1.** *allg.*: announce [ə'naʊns] **2.** *feierlich*: proclaim **3.** pronounce [prə'naʊns] (*Urteil*)

verkürzen **1.** *allg.*: shorten **2.** reduce (*Arbeitszeit usw.*) **3.** *sich die Zeit mit Kartenspielen verkürzen* while away the time (by) playing cards

verkürzt **1.** *allg.*: shortened **2.** *verkürzte Arbeitszeit* reduced working hours (△ *Pl.*)

verladen **1.** load (*Güter*) (*auf* onto, *in* into) **2.** *jemanden verladen* *umg.* (≈ *verschaukeln*) take* someone for a ride, (≈ *sitzen lassen*) leave* someone in the lurch [lɜːtʃ]

Verlag publishing company; *er arbeitet in einem Verlag* *auch*: he works in publishing

verlangen **1.** *allg.*: demand [dɪ'mɑːnd] **2.** *sie haben meinen Ausweis verlangt* they asked to see my ID [ˌaɪ'diː] **3.** *wie viel verlangen Sie?* *als Bezahlung*: how much do you charge? **4.** *das ist zu viel*

verlangt that's asking too much **5. du wirst am Telefon verlangt** you're wanted on the phone **6. sie verlangte nach meinem Vater** she asked to speak to my father

Verlangen 1. (≈ *Begierde*) desire (**nach** for) **2. auf Verlangen des Rektors** at the headmaster's request [rɪ'kwest]

verlängern 1. extend (*Urlaub, Pass, Spielzeit usw.*) (**um** by) **2.** lengthen (*Rock usw.*)

verlängert 1. *allg.*: extended **2. verlängertes Wochenende** long weekend, *mit Feiertag, in GB*: bank holiday weekend

Verlängerung *Sport*: extra time

Verlängerungsschnur extension cord

Verlass: auf sie ist kein Verlass you can't rely [rɪ'laɪ] on her

verlassen¹ *allg.*: leave*

verlassen² 1. sich verlassen auf rely [rɪ-'laɪ] on; **ich verlass mich auf dich!** I'm relying on you **2. worauf du dich verlassen kannst** you can take my word for it

verlassen³ 1. (≈ *einsam*) lonely **2.** (≈ *menschenleer*) deserted [dɪ'zɜːtɪd] (*auch Haus*)

verlässlich dependable [dɪ'pendəbl]

Verlauf 1. *einer Straße, eines Flusses usw.*: course [kɔːs] **2.** (≈ *Ablauf*) course, run; **im Verlauf von** in the course of **3.** (≈ *Entwicklung*) progress ['prəʊgres], development [dɪ'veləpmənt]

verlaufen¹ 1. (*Weg, Grenze usw.*) run* (**entlang** along) **2.** (*Ereignis usw.*) go*; **es verlief alles glatt** everything went smoothly

verlaufen² 1. (*Farbe usw.*) run* **2.** (*Butter usw.*) melt, run*

verlaufen³: sich verlaufen get* lost

verlegen¹ 1. embarrassed [ɪm'bærəst] **2. sie sah verlegen weg** she looked away in embarrassment **3. verlegen machen** embarrass

verlegen² 1. mislay* [mɪs'leɪ] (*Schlüssel usw.*) **2.** lay* down (*Kabel, Teppichboden usw.*) **3. das Spiel wurde auf morgen verlegt** the game has been postponed to (*oder* until) tomorrow

Verlegenheit 1. embarrassment [ɪm-'bærəsmənt]; **er wurde rot vor Verlegenheit** he went red with embarrassment **2. du bringst mich in Verlegenheit** you're embarrassing me

verleiden: jemandem etwas verleiden spoil* something for someone

verleihen (≈ *vermieten*) hire (out), *bes. AE* rent (out); ☞ *auch Info unter* **leihen**

verleiten: du hast ihn dazu verleitet, das Zeug zu nehmen you talked him into taking the stuff

verlernen: hast du dein Englisch verlernt? have you forgotten how to speak English?

verletzen 1. (≈ *verwunden*) hurt*, injure ['ɪndʒə]; **sie wurde tödlich verletzt** she was fatally ['feɪtlɪ] injured **2. sie hat sich verletzt** she's hurt (*oder* injured) herself **3. ich hab mich am Finger verletzt** I've hurt my finger **4.** hurt* (*jemandes Gefühle, Stolz usw.*); **das hat sie sehr verletzt** she was very hurt (by it)

verletzlich very sensitive ['sensətɪv]

Verletzte(r) injured ['ɪndʒəd] person, casualty ['kæʒʊəltɪ]

Verletzung injury ['ɪndʒərɪ]; **es ist nur eine leichte Verletzung** it's not a serious injury

verleumden slander ['slɑːndə]

Verleumdung slander ['slɑːndə]

verlieben 1. sich verlieben fall* in love (**in** with) **2. sich** (**ineinander**) **verlieben** fall* in love (with each other)

verliebt: er ist verliebt he's in love (**in** with)

verlieren 1. *allg.*: lose* (△ luːz) (△ *Schreibung mit* einem o) **2. die Geduld usw. verlieren** lose* patience *usw.* (△ *ohne* the) **3. du hast hier nichts verloren** *umg.* you've got no business being here

Verlierer(in) loser (△ 'luːzə)

verloben: sich verloben get* engaged [ɪn'geɪdʒd] (**mit** to)

verlobt engaged [ɪn'geɪdʒd] (**mit** to)

Verlobte *Frau*: fiancée (△ fɪ'ɒnseɪ)

Verlobte(r) *Mann*: fiancé (△ fɪ'ɒnseɪ)

Verlobung engagement [ɪn'geɪdʒmənt]

verlockend tempting, enticing [ɪn'taɪsɪŋ]

verlogen 1. sie ist verlogen she's a liar ['laɪə] **2. ein verlogener Typ** a (real) liar

Verlogenheit 1. lying **2. diese Verlogenheit!** he's *usw.* such a liar

verloren 1. *allg.*: lost **2. ohne ihre Brille ist sie verloren** she's lost without her glasses **3. der verlorene Sohn** the prodigal son [ˌprɒdɪgl'sʌn] **4. verloren gehen** get* lost, be* lost

verlorengehen get* lost, be* lost

verlosen: etwas verlosen draw* lots for something, *in e-r Tombola*: raffle something (off)

Verlosung (≈ *Lotterie*) raffle

verlottert *Person, Aussehen*: scruffy

Verlust loss (**an** of)

vermanscht *umg.* squashed

vermasseln *umg.* mess up

vermehren 1. sich vermehren (≈ *sich fortpflanzen*) reproduce [ˌriːprə'djuːs], breed* **2. sich vermehren** (≈ *zunehmen, anwachsen*) increase [ɪn'kriːs]

vermeiden avoid (**etwas zu tun** doing

something); **es lässt sich nicht vermeiden** it can't be avoided

Vermerk note

vermerken note, make* a note of

Vermesser(in) surveyor [sə'veɪə]

vermiesen: jemandem etwas vermiesen *umg.* spoil* something for someone

vermieten 1. rent (out) (*Wohnung usw.*) **2.** hire (out), *bes. AE* rent (out) (*Fahrrad usw.*)

Vermieter(in) owner (of the flat *usw.*)

verminen mine, lay* mines in

vermischen 1. mix **2. sich vermischen** mix

vermischt mixed

Vermischtes *als Aufschrift*: miscellaneous [△ ˌmɪsə'leɪnɪəs] (*Abk.* misc.)

vermissen 1. miss (*Person usw.*) **2. ich vermisse meinen Schal** I can't find my scarf

vermisst missing; **jemanden als vermisst melden** report someone missing

Vermisste(r) 1. missing person **2. die Vermisste** the missing woman (*bzw.* girl); **der Vermisste** the missing man (*bzw.* boy)

Vermittler(in) 1. (≈ *Schlichter*) mediator ['miːdɪeɪtə], arbitrator ['ɑːbɪtreɪtə] **2.** (≈ *Mittelsmann*) intermediary [ˌɪntə'miːdɪərɪ], go-between ['gəʊˌbɪˌtwiːn] **3.** *Wirtschaft*: agent ['eɪdʒənt], *von Aufträgen*: negotiator [nɪ'gəʊʃɪeɪtə]

Vermittlungsgebühr commission

vermöbeln *umg.* clobber

vermodern decay [dɪ'keɪ]

Vermögen 1. fortune ['fɔːtʃən] **2. ein Vermögen an Münzen** *usw.* a fortune in coins *usw.* **3. es hat mich ein Vermögen gekostet** *umg.* it cost me a (small) fortune

vermummt *Demonstrant*: masked [mɑːskt]

vermurksen *umg.* make* a hash of

vermuten 1. *allg.*: suppose [sə'pəʊz], presume [prɪ'zjuːm], (≈ *argwöhnen*) suspect [sə'spekt] **2. ich vermute, dass er krank**

ist I imagine [ɪ'mædʒɪn] (*oder* suspect) he's ill; **ich vermute: ja** I imagine so, I would think so **3. das habe ich fast vermutet** I had an idea that would happen (*oder* that was the case *usw.*)

vermutlich: vermutlich war sie es it was probably her

Vermutung 1. meine Vermutung ist, dass my guess [ges] is that **2.** (≈ *Verdacht*) suspicion [sə'spɪʃn]

vernachlässigen neglect [nɪ'glekt]

Vernachlässigung neglect [nɪ'glekt]

vernagelt: er ist total vernagelt *umg.* he's a complete blockhead

vernarbt 1. scarred [skɑːd] **2.** *durch Akne, Pocken usw.*: pockmarked ['pɒkmɑːkt]

Vernarbung (≈ *Narbe*) scar

vernarrt: vernarrt in *umg.* crazy about

vernaschen 1. *umg.* lay* (*Mädchen*) **2. er will sie** (*oder* **dich**) **doch nur vernaschen** all he wants is to get a leg over, *AE* all he wants is a roll in the hay **3. er vernascht sein ganzes Taschengeld** he spends all his pocket money (*AE* allowance) on sweets (*AE* candy)

verneigen: sich verneigen bow [baʊ] (**vor** to), (*Dame*) curtsey ['kɜːtsɪ] (**vor** to)

verneinen: sie verneinte die Frage she answered no (to the question)

vernetzen 1. *allg.*: link up **2.** network (*Computer*)

vernetzt 1. *allg.*: linked-up **2.** *Computer*: networked; **nicht vernetzt** stand-alone **3. ein eng vernetztes System** a closely linked-up (*oder* connected) system ['sɪstəm]

vernichten destroy [dɪ'strɔɪ]

vernichtend 1. *Blick, Antwort*: withering ['wɪðərɪŋ] **2. vernichtender Schlag** crushing blow **3. vernichtende Kritik** damning criticism [ˌdæmɪŋ'krɪtɪsɪzm]

Vernichtung destruction

verniedlichen play down

Vernunft: ich kann ihn nicht zur Vernunft bringen I can't bring him to his senses

---

Verneinen

Ich glaube nicht, dass das eine gute Idee ist.	I don't think that's a very good idea.
Ich habe jetzt keine Lust mehr schwimmen zu gehen.	I've gone off the idea of going swimming.
Vielleicht sollten wir das einfach vergessen.	Maybe we should just forget it.
Nein, ich glaube nicht, danke.	No, I don't think so, thank you.
Das ist nicht unbedingt mein Fall.	I'm not really into that.
Das ist eigentlich nicht so mein Ding.	It's not really my kind of thing.
Snowboarden? Kannst du vergessen!	Snowboarding? No way!

V

vernünftig 1. sensible ['sensəbl] (△ *dt.* **sensibel** = *engl.* sensitive) **2. jeder vernünftige Mensch** anyone with a bit of sense **3.** *Preis usw.*: reasonable **4.** (≈ *ordentlich*) decent ['diːsnt]; **ich will was Vernünftiges essen** I want something decent to eat

veröden 1. (*Land usw.*) become* desolate ['desələt] **2.** (*Dorf usw.*) become* deserted [dɪ'zɜːtɪd] **3.** *Medizin*: treat by injection, obliterate [ə'blɪtəreɪt], sclerose ['sklɪərəʊs] (*Blutgefäße usw.*)

veröffentlichen publish

Veröffentlichung publication

verpachten lease [liːs] (**an** to)

verpacken 1. *in Karton usw.*: pack **2.** (≈ *einwickeln*) wrap up [△ ‚ræp'ʌp]

Verpackung packaging ['pækɪdʒɪŋ]; **eine hübsche Verpackung** attractive packaging (△ *ohne* an)

Verpackungskosten packing charges

Verpackungsmüll packaging waste

verpäppeln *umg.* pamper

verpassen¹ miss (*Bus, Chance usw.*)

verpassen²: ich hab ihm eine verpasst *umg.* I landed him one

verpatzen *umg.* mess up, make* a botch of

verpennen *umg.* **1.** (≈ *verschlafen*) oversleep* **2.** forget* (*Verabredung usw.*); **ich habs total verpennt** *auch*: I clean forgot

verpesten 1. pollute [pə'luːt] (*die Umwelt usw.*) **2. die Luft im Zmmer usw. verpesten** *umg.* stink* the place out

verpetzen: jemanden verpetzen *umg.* tell* on (*BE auch* sneak on) someone

verpfeifen: jemanden verpfeifen *umg.*; *bei der Polizei*: blow* the whistle on someone

verpflanzen transplant [‚træns'plɑːnt] (*Pflanze, Organ*)

verpflegen feed* **2. er verpflegt sich selbst** he cooks for himself

Verpflegung food (and drink)

verpflichten: sich zu etwas verpflichten commit oneself to (do)ing something

verpflichtet: ich fühl mich verpflichtet I feel obliged [ə'blaɪdʒd]

Verpflichtung 1. commitment **2.** *moralische*: obligation [‚ɒblɪ'geɪʃn]

verpfuschen *umg.* **1.** bungle **2. er hat sein Leben verpfuscht** he's wrecked [△ rekt] his life

verpissen: verpiss dich! *salopp* piss off!

verplant: nächste Woche ist schon verplant I'm already fixed up for next week

verplappern: sich verplappern *umg.* blab

verplempern waste (*Zeit, Geld*)

verpönt: das ist verpönt it's frowned on

verprassen *umg.* blow* (*Geld usw.*) (**mit** on)

verprügeln beat* up

verpulvern *umg.* blow* (*Geld usw.*)

verpuppen: sich verpuppen pupate [pjuː'peɪt], turn* into a chrysalis [△ 'krɪsəlɪs]

verputzen *umg.* polish off [‚pɒlɪʃ'ɒf] (*Essen*)

verqualmen *umg.* **1.** smoke up (*Zimmer usw.*) **2.** spend* on cigarettes (*Geld*)

verqualmt *umg.* **1.** smoky **2. der Saal war total verqualmt** the hall was filled with smoke

verquollen *Gesicht usw.*: swollen ['swəʊlən]

verrammeln *umg.* barricade [‚bærɪ'keɪd] (*Tür usw.*)

verramschen: er verramscht seine CDs *umg.* he's flogging his CDs (dirt cheap)

verraten 1. give* away (*Geheimnis usw.*) **2. du darfst es keinem verraten** you mustn't tell anyone **3. soll ich dir was verraten?** shall I tell you a secret? **4. kannst du mir verraten, wie das geht?** can you tell me how it's supposed to work? **5.** betray (*Person*)

Verräter(in) traitor (**an** to)

verratzt: wir sind verratzt *umg.* we've had it

verräuchert, verraucht → **verqualmt**

verrechnen 1. sich verrechnen miscalculate (**um** by) **2. das verrechnen wir mit den anderen Sachen** we'll settle it all together

Verrechnungsscheck crossed cheque [tʃek], *AE* check for deposit [dɪ'pɒzɪt] only

verrecken *salopp* **1.** (*Tier*) perish **2.** (*Mensch*) kick the bucket, *BE auch* snuff it **3.** (*Auto usw.*) conk out **4. nicht ums Verrecken!** not on your life!

verregnet rainy

verreisen 1. go* away **2. sie ist nach Berlin verreist** she's gone to Berlin

verreißen (≈ *vernichtend kritisieren*) tear* [teə] to pieces (*Roman usw.*)

verreist away

verrenken 1. ich hab mir den Arm verrenkt I've twisted my arm **2. sich den Hals verrenken** crane one's neck (**nach** to see)

Verrenkung 1. dislocation **2.** (≈ *Verstauchung*) sprain

verriegeln bolt [bəʊlt]

verringern 1. *allg.*: reduce [rɪ'djuːs] **2. das Tempo verringern** slow down **3. sich verringern** diminish [dɪ'mɪnɪʃ], decrease [‚diː'kriːs], go* down

Verriss *umg.* scathing ['skeɪðɪŋ] review

verrosten rust

verrostet rusty

verrotten rot (*auch übertragen*)

verrückt *umg.* **1.** *allg.*: mad, crazy **2. *verrückt nach*** (*oder* ***auf***) crazy about **3. *wie verrückt*** like crazy **4. *es macht mich allmählich verrückt*** it's driving me mad (*oder* crazy) **5. *mach dich nicht verrückt!*** don't get into a state **6. *ich werd verrückt!*** well, I'll be damned [dæmd], *BE auch* well blow me!; → ***verrücktspielen***

Verrückte madwoman ['mæd,wʊmən], maniac ['meɪnɪæk]

Verrückter madman ['mædmən], maniac ['meɪnɪæk]

verrücktspielen act up

verrühren mix

verrutschen slip

Vers verse [vɜːs], (≈ *Zeile*) *auch*: line

versagen **1.** *allg.*: fail **2. *seine Stimme versagte*** his voice failed <u>him</u>

Versagen **1.** *allg.*: failure ['feɪljə] **2. *das Unglück ging auf menschliches Versagen zurück*** the accident was caused by human error [ˌhjuːmənˈerə]

Versager(in) failure ['feɪljə]

versalzen[1] Essen: too salty ['sɔːltɪ]

versalzen[2]: ***jemandem etwas versalzen*** spoil* something for someone

versammeln: *sich versammeln* meet*

Versammlung meeting, assembly [əˈsemblɪ]

Versand **1.** (≈ *das Versenden*) dispatch, forwarding ['fɔːwədɪŋ], shipment **2.** (≈ *Versandhaus, Versandhandel*) mail-order business

Versandhaus mail-order company ['kʌmpənɪ], *AE* mail-order house

Versandhauskatalog mail-order catalogue

versauen *umg.* **1.** *allg.*: mess up **2. *er hat mir den Tag versaut*** he ruined my day

versaufen *umg.* booze away

versäumen **1.** *allg.*: miss **2. *da hast du nichts versäumt*** you didn't miss much; ***da hast du was versäumt*** you really missed something

verschachern *umg.* sell* off

verschaffen **1. *sich etwas verschaffen*** get* hold of something **2. *was verschafft mir die Ehre?*** *humorvoll* what have I done to deserve this honour?

verschämt bashful ['bæʃfl]

verschärfen **1.** tighten up (*Gesetze, Kontrollen, Maßnahmen usw.*) **2.** aggravate ['ægrəveɪt] (*die Lage, Spannungen usw.*) **3.** stiffen (*Strafe*) **4. *das Tempo verschärfen*** increase ['ɪnˈkriːs] the pace **5. *sich verschärfen*** (*Lage*) become* tens-

er, *umg.* hot up, *AE* heat up, (*Rezession usw.*) aggravate, tighten its grip, (*Spannungen*) mount, increase; ***die Spannungen verschärfen sich*** tension <u>is</u> mounting

verschätzen: *sich verschätzen* misjudge (***um*** by)

verschaukeln: *jemanden verschaukeln* *umg.* take* someone for a ride

verscheißern: *jemanden verscheißern* *salopp* take* the mickey out of someone, *AE* make a sucker out of someone; → ***verarschen***

verschenken give* away

verscherbeln *umg.* flog

verscherzen **1. *sich eine Chance usw. verscherzen*** throw* away a chance *usw.* **2. *bei ihm hast dus dir verscherzt*** you've spoilt your chances with him

verscheuchen scare off

verscheuern *umg.* flog

verschieben **1.** *zeitlich*: postpone (***auf*** to, till) **2. *die Feier hat sich verschoben*** the party has been postponed (***auf*** to, till) **3.** move (*Möbel usw.*)

verschieden **1.** *allg.*: different ['dɪfrənt] (***von*** from, *bes. AE* to, than) **2. *verschiedener Meinung sein*** disagree (***über*** on, about) **3. *die Schuhe usw. sind verschieden groß*** the shoes *usw.* are a different size **4. *das ist von Tag zu Tag verschieden*** that varies ['veərɪz] from day to day

Verschiedenes **1.** various things (△ *Pl.*) **2.** *als Überschrift*: miscellaneous [ˌmɪsəˈleɪnɪəs] (*Abk.* misc.)

verschießen: *einen Elfmeter verschießen* miss a penalty ['penltɪ]

verschimmeln go* mouldy ['məʊldɪ]

Verschiss: *in Verschiss sein* *salopp* be* in the doghouse (*bei* with)

verschlafen[1] **1.** oversleep* **2.** (≈ *versäumen*) miss, (≈ *vergessen*) *auch*: forget*

verschlafen[2] (≈ *schläfrig*) sleepy

verschlampen *umg.* **1.** (≈ *verlegen*) mislay* **2. *ich habs total verschlampt*** (≈ *vergessen*) I clean forgot

verschlampt scruffy

verschlechtern: *sich verschlechtern* get* worse

Verschlechterung deterioration [dɪˌtɪərɪəˈreɪʃn], worsening ['wɜːsnɪŋ]

Verschleiß **1.** wear and tear [ˌweər_ənˈteə] **2. *einen großen Verschleiß an Schuhen usw. haben*** get* through a lot of shoes *usw.*

verschleißen wear* out [ˌweərˈaʊt]

verschleißfest, verschleißfrei wear-resistant ['weə_rɪˌzɪstənt]

verschleudern: *etwas verschleudern*

sell* something off cheap

verschließen 1. close **2.** *mit Schlüssel:* lock

verschlimmbessern *humorvoll* **1.** disimprove [ˌdɪsɪm'pruːv] **2. er hat es nur verschlimmbessert** he's made it even worse than it was

verschlimmern: sich verschlimmern get* worse [wɜːs]

verschlingen 1. gobble up (*auch übertragen Geld*) **2.** *übertragen* devour [dɪ'vaʊə] (*Buch usw.*)

verschlissen *Kleidung:* shabby, *BE auch* tatty, *AE auch* ratty

verschlossen 1. *Raum usw.:* locked **2.** *Person:* withdrawn

verschlucken 1. swallow ['swɒləʊ] **2. sich verschlucken** choke (**an** on)

verschlungen: ineinander verschlungen entwined [ɪn'twaɪnd]

Verschluss 1. *mit Schloss:* lock **2.** *für Flasche:* stopper **3.** *einer Kamera:* shutter

verschlüsselt coded

verschmerzen: das wirst du noch verschmerzen *umg.* you'll get over it

verschmieren 1. (≈ *verstreichen*) spread* (**auf** over) **2.** *aus Versehen:* smear [smɪə]

verschmiert smeared [smɪəd] (**mit** with)

verschmitzt mischievous [△ 'mɪstʃɪvəs]

verschmust: er ist verschmust he likes cuddling

verschmutzen 1. *allg.:* (≈ *schmutzig machen*) dirty, soil **2.** pollute [pə'luːt] (*Wasser, Luft*) **3.** (≈ *schmutzig werden*) get* dirty **4.** (*Wasser, Luft*) become* polluted

verschmutzt 1. *allg.:* dirty **2.** *Luft:* polluted [pə'luːtɪd]

verschnaufen: ich muss mal verschnaufen *umg.* I need to get my breath [breθ] back

Verschnaufpause *umg.* breather ['briːðə]

verschneit 1. *allg.:* snowy **2. es ist alles verschneit** everything's covered in snow

verschnörkelt *Schrift:* fancy ['fænsɪ]

verschnupft 1. ich bin verschnupft I've got a cold **2.** *umg.* (≈ *beleidigt*) miffed

verschonen: verschone mich! spare me!

verschönern 1. etwas verschönern make* something look nicer **2.** (≈ *verzieren*) embellish [ɪm'belɪʃ] **3. sich verschönern** (≈ *schöner werden*) improve [ɪm'pruːv] in appearance, (≈ *sich schöner machen*) prettify ['prɪtɪfaɪ] oneself

verschossen 1. *Farbe:* faded **2. sie ist in ihn verschossen** *umg.* she's fallen for him

verschränken 1. die Arme verschränken fold one's arms **2. die Beine verschränken** cross one's legs

verschrecken scare, frighten

verschreckt frightened

verschreiben 1. jemandem etwas verschreiben prescribe something for someone **2. sich verschreiben** make* a mistake

verschreibungspflichtig: das ist verschreibungspflichtig you need a prescription for it

verschrien: sie ist als Lügnerin verschrien she's a notorious liar [nəʊˌtɔːrɪəs'laɪə]

verschroben strange

verschrotten scrap

verschulden: sich verschulden run* into debt [△ det]

verschuldet: er ist (hoch) verschuldet he's got (huge) debts [△ dets]

verschütten 1. spill* **2. verschüttet werden** be* buried [△ 'berɪd] (**von** under)

verschwägert related by marriage (**mit** to)

verschweigen: etwas verschweigen keep* something a secret

verschwenden waste

verschwenderisch 1. wasteful **2.** *Lebensstil usw.:* extravagant [ɪk'strævəgənt]

Verschwendung waste

verschwiegen 1. *Mensch:* discreet [dɪ'skriːt] **2. verschwiegener Ort** secluded place [sɪˌkluːdɪd'pleɪs]

Verschwiegenheit discretion [△ dɪ'skreʃn], secrecy ['siːkrəsɪ]

verschwinden 1. disappear [ˌdɪsə'pɪə] **2. ich muss mal verschwinden** *umg.* I'm just going to pay a visit, *AE* I'm just going to check the plumbing [△ 'plʌmɪŋ] **3. verschwinden lassen** *umg.* walk off with **4. verschwinde!** *umg.* get lost!

verschwistert: sie sind verschwistert (≈ *Bruder und Schwester*) they're brother and sister, (≈ *Schwestern*) they're sisters, (≈ *Brüder*) they're brothers

verschwitzen: ich habs total verschwitzt *umg.* I clean forgot

verschwitzt 1. sweaty ['swetɪ] **2. total verschwitzt** soaked in sweat [swet]

verschwollen swollen ['swəʊlən]

verschwommen 1. *Foto, Sicht:* blurred [blɜːd] **2.** *Vorstellung, Erinnerung:* hazy

Verschwörung conspiracy [kən'spɪrəsɪ]

verschwunden missing

Versehen: aus Versehen accidentally [ˌæksɪ'dentlɪ]

versehentlich by mistake

versenden send*, dispatch [dɪ'spætʃ], *Wirtschaft auch:* ship

versengen 1. *allg.:* scorch **2.** singe [sɪndʒ] (*Haare*)

versenken 1. sink* (*Schiff, Schatz usw.*) **2.** *in die Erde:* lower ['ləʊə] **3.** dump (*Ab-*

fall, Giftmüll) (*im Meer* into the sea, *at* sea) 4. *sich versenken in übertragen* immerse oneself in, become* absorbed in

versessen 1. *versessen auf* mad about 2. *darauf versessen, zu ...* desperate ['desprət] to ...

versetzen 1. *versetzt werden als Schüler*: be* moved up (a class), *AE* be* promoted, *beruflich*: be* transferred (*nach* to) 2. *er hat mich versetzt* (≈ *ist nicht gekommen*) he stood me up 3. *jemandem einen Tritt versetzen* give* someone a kick 4. *versetz dich mal in ihre Lage* try to put yourself in her shoes (*oder* position)

Versetzung 1. *in der Schule*: moving up, *AE* promotion [prə'məʊʃn] 2. *dienstlich*: transfer

verseucht contaminated [kən-'tæmɪneɪtɪd]

versichern 1. *ich kann dir versichern, dass ...* I can assure [ə'ʃʊə] you that ... 2. *ich möchte mich bloß versichern* I just want to make sure 3. insure [ɪn'ʃʊə] (*Eigentum*) (*bei* with)

versichert insured [ɪn'ʃʊəd]

Versicherung 1. insurance [ɪn'ʃʊərəns] 2. *Firma*: insurance company

versickern seep away (*im Sand* into the sand)

versieben: *ich habs versiebt umg.* (≈ *verpatzt*) I've blown it

versilbern 1. *Technik*: silver-plate 2. *umg., übertragen etwas versilbern* turn something into cash

versilbert silver-plated

versinken *allg.*: sink* (*in* into)

Version version (*von* of)

versklaven enslave [ɪn'sleɪv] (*auch übertragen*)

versoffen *salopp*: boozy 2. *versoffener Typ* boozer, dipso ['dɪpsəʊ], *AE auch* wino ['waɪnəʊ]

versöhnen: *sich versöhnen* make* (it) up

Versöhnung reconciliation [ˌrekənsɪlɪ-'eɪʃn]

versorgen 1. take* care of (*Familie, Kranken usw.*) 2. provide, supply (*mit* with)

verspannen: *sich verspannen* tense up

verspannt *allg.*: tense, tensed up

verspäten: *sich verspäten* be* late; *sie hat sich um eine halbe Stunde verspätet* she was half an hour late

verspätet 1. *allg.*: late 2. *Glückwünsche usw.*: belated [bɪ'leɪtɪd] 3. (*um zwei Stunden*) *verspätet ankommen* be* (two hours) late

Verspätung delay [dɪ'leɪ]; *Verspätung ha-*

ben be* (running) late; *eine Stunde Verspätung haben* be* an hour late (*oder* behind schedule ['ʃedjuːl]); *bitte entschuldigen Sie meine Verspätung* please excuse my being late (*oder* my lateness)

versperren: *sie haben uns den Weg versperrt* they blocked our way

verspielen 1. gamble away (*Geld*) 2. *er hat bei mir verspielt umg.* I'm through with him 3. *sich verspielen am Klavier usw.*: make* a mistake

verspielt *Tier, Kind usw.*: playful ['pleɪfl]

verspotten make* fun of, ridicule ['rɪdɪ-kjuːl]

versprechen[1] 1. promise ['prɒmɪs]; *du hast es mir versprochen* you promised (me), *bei Geschenk usw.*: you promised it to me; *versprichst dus mir?* will you promise (to do it)? 2. *ich versprech mir nicht viel davon* I'm not very hopeful

versprechen[2]: *ich hab mich usw. versprochen* it was a slip of the tongue [tʌŋ]

Versprechen promise ['prɒmɪs]

Versprecher slip of the tongue [tʌŋ]

Versprechung promise ['prɒmɪs]; *alles Versprechungen!* promises, promises!

verstaatlichen nationalize ['næʃnəlaɪz]

Verstand 1. (≈ *Vernunft*) common sense; *der Verstand* common sense (△ *ohne* the) 2. (≈ *Denkkraft*) mind [maɪnd] 3. *den Verstand verlieren* go* mad, lose* [luːz] one's mind; *hast du den Verstand verloren? umg.* are you out of your mind? 4. *er ist nicht ganz bei Verstand umg.* he's not all there 5. *mit Verstand tun usw.*: intelligently [ɪn'telɪdʒəntlɪ] 6. *ohne Verstand* mindlessly

verständigen 1. *sich verständigen* communicate (*durch* through) 2. *wir konnten uns nicht verständigen* (≈ *verstehen*) we couldn't get through to each other 3. *jemanden verständigen* let* someone know

Verständigungsschwierigkeiten: *wir hatten Verständigungsschwierigkeiten* we had difficulty communicating

verständlich 1. (≈ *einsichtig*) understandable; *vollkommen verständlich* perfectly understandable 2. *Aussprache usw.*: intelligible [ɪn'telɪdʒəbl]; *es war kaum verständlich* you could hardly understand a word 3. *ich konnte mich kaum verständlich machen wegen Lärm*: I could hardly make myself heard 4. (≈ *bedeutungsmäßig zu verstehen*) comprehensible; *schwer verständlich* difficult to understand (*oder* grasp)

verständlicherweise understandably

V

Verständnis 1. *allg.*: understanding (*für* of) 2. (≈ *Mitgefühl*) sympathy ['sɪmpəθɪ]; *ich hab Verständnis für dein Problem* I can appreciate [ə'priːʃɪeɪt] (*oder* sympathize with) your problem 3. *für solche Leute usw. hab ich kein Verständnis* I have no time for people *usw.* like that

verständnisvoll understanding

verstärken 1. *zahlenmäßig, materialmäßig*: reinforce [,riːɪn'fɔːs] (*Truppen, Konstruktion usw.*) (*um* by) 2. enlarge (*Chor, Orchester usw.*) (*um* by) 3. (≈ *steigern*) increase [ɪn'kriːs], intensify [ɪn'tensɪfaɪ], step up (*Bemühungen usw.*) 4. add to (*Eindruck usw.*) 5. *durch elektronischen Verstärker*: amplify ['æmplɪfaɪ] 6. *sich verstärken* increase, (*Verdacht*) grow*

Verstärker amplifier ['æmplɪfaɪə]

verstaubt 1. dusty 2. *Ideen usw.*: ancient ['eɪnʃənt]

verstauchen sprain; *ich hab mir den Fuß verstaucht* I've sprained my ankle

verstauen stow [stəʊ] away, *umg.* stash away

Versteck 1. hiding place 2. *Versteck spielen* play hide-and-seek

verstecken 1. hide* 2. *sich verstecken* hide* (*vor* from)

verstehen 1. understand*; *was verstehst du unter …?* what do you understand by …?; *verstanden?* understand? 2. *falsch verstehen* misunderstand* 3. (≈ *hören*) hear*; *ich versteh kein Wort wegen Lärm*: I can't hear a word 4. *ich kann es gut verstehen* I can understand it (*Verhalten usw.*) 5. *sie versteht was davon* she knows a thing or two about it; *was verstehst du schon davon?* what do 'you know about it? 6. *sich mit jemandem verstehen* get* on with someone 7. *wir verstehen uns schon* drohend: we understand each other 8. *das versteht sich von selbst* that goes without saying

versteifen 1. *sich versteifen* (*Gelenk usw.*) stiffen ['stɪfn] 2. *er hat sich darauf versteift* he's set on (doing) it

versteigern auction ['ɔːkʃn]

Versteigerung auction ['ɔːkʃn]; *auf einer Versteigerung* at an auction

versteinert 1. fossilized 2. *er stand wie versteinert da* he was rooted to the spot

verstellbar adjustable [ə'dʒʌstəbl]

verstellen 1. adjust [ə'dʒʌst] (*Stuhl, Gerät usw.*) 2. *der Kleine hat das Video verstellt* the little one's been playing around with the video 3. disguise [dɪs'gaɪz] (*Stimme usw.*) 4. *sich verstellen* (*Person*) put* on an act

versteuern pay* tax on

verstimmt 1. *Instrument*: out of tune, out-of-tune (△ *Letzteres nur vor dem Subst.*) 2. *Person*: peeved 3. *Magen*: upset

verstohlen 1. *Blick usw.*: furtive ['fɜːtɪv] 2. *verstohlen anblicken* sneak a look at

verstopft 1. *Nase*: blocked (up) 2. *Abfluss, Straße*: clogged up 3. *Person*: constipated

Verstopfung 1. *des Darms*: constipation [,kɒnstɪ'peɪʃn] 2. *Verstopfung haben* be* constipated ['kɒnstɪpeɪtɪd]

verstört distraught [dɪ'strɔːt]; *einen verstörten Eindruck machen* look distraught

verstoßen 1. *verstoßen gegen* offend against (*die Ordnung, die guten Sitten usw.*), infringe [ɪn'frɪndʒ] (*Letzteres auch das Gesetz*); *das verstößt gegen die Regeln (die Gesetze)* that's against the rules (the law △ *Sg.*) 2. disown [dɪs'əʊn] (*Kind, Ehegatten*) 3. *jemanden verstoßen aus* expel [ɪk'spel] someone from, cast* someone out of

verstrahlt (radioactively) contaminated [kən'tæmɪneɪtɪd]

verstreichen spread* [spred] (*Salbe usw.*)

verstricken: *sich in Lügen usw. verstricken* get* caught up in a web of lies *usw.*

verstümmelt 1. *Arm usw.*: mutilated ['mjuːtɪleɪtɪd] 2. *Nachricht usw.*: garbled

verstummen: *plötzlich verstummte alles* suddenly everything went quiet

Versuch 1. attempt 2. *es ist einen Versuch wert* it's worth a try 3. *im Labor usw.*: experiment [ɪk'sperɪmənt] (*an* on)

versuchen 1. try 2. *versuchs doch mal!* have a go, give it a try; *versuchs mal mit Öl* try some oil; *lass mich mal versuchen!* let me try, let me have a go 3. (≈ *kosten*) try (*ein Gericht, Getränk*); ☞ *Info unter engl.* **try**

Versuchskaninchen guinea pig ['gɪnɪ pɪg]

Versuchsperson 1. test person 2. *Versuchspersonen* (a) test group (△ *Sg.*)

Versuchstier laboratory [lə'bɒrətrɪ] animal

versucht: *versucht sein zu …* be* tempted to …

Versuchung 1. temptation 2. *in Versuchung kommen* be* tempted

versumpfen *umg.* end up boozing

versunken: *in Gedanken versunken* lost in thought (△ *Sg.*)

versüßen sweeten

vertauschen *aus Versehen*: mix up; *du hast unsere Mäntel vertauscht* auch: you've got our coats mixed up

verteidigen 1. defend (*auch im Sport*) 2.

sich verteidigen defend oneself
Verteidiger(in) 1. defender (*auch im Sport*) **2.** *bei Gericht*: defence counsel
Verteidigung 1. *allg.*: defence **2. zu meiner Verteidigung** in my defence
verteilen 1. hand out (*Geschenke usw.*) (**an** to) **2.** *gleichmäßig*: share out (**an** to) **3.** distribute [dɪ'strɪbjuːt] (*Flugblätter usw.*) **4.** *räumlich*: spread* [spred] out **5.** spread* (*Farbe usw.*) **6. sich verteilen** spread* out
vertelefonieren: ein Vermögen vertelefonieren spend* a fortune on phone calls
verteuern 1. raise the price of **2. sich verteuern** go* up (in price)
vertiefen: er hat sich in seine Arbeit vertieft he's totally absorbed in his work
vertikal vertical ['vɜːtɪkl]
vertippen: sich vertippen make* a mistake, *auch am Computer usw.*: hit* the wrong key
vertrackt *umg.* **1.** *Situation*: tricky **2.** (≈ *kompliziert*) complicated
Vertrag contract ['kɒntrækt]; **es steht im Vertrag** it's in the contract
vertragen[1] 1. ich vertrag die Sonne *usw.* **nicht** I can't take the sun *usw.*, (≈ *bin allergisch dagegen*) I'm allergic [ə'lɜːdʒɪk] to the sun *usw.* **2. er verträgt keinen Spaß** he can't take a joke **3. sie verträgt nichts** she can't take any alcohol
vertragen[2] 1. sie vertragen sich nicht they don't get on (with each other) **2. sie vertragen sich wieder** they've made (it) up **3. die Farben** *usw.* **vertragen sich nicht** the colours *usw.* don't go together
verträglich *Person*: easy-going
vertrauen 1. jemandem vertrauen trust someone **2. auf die Zukunft vertrauen** have* faith in the future
Vertrauen 1. trust (**zu, in** in) **2. ich hab kein Vertrauen zu ihm** I don't trust him **3. Vertrauen in die Technologie** *usw.* faith in technology *usw.* **4. ich habs ihm im Vertrauen gesagt** I told him in confidence ['kɒnfɪdəns] **5. Vertrauen erweckend → vertrauenerweckend**
vertrauenerweckend: es ist nicht gerade vertrauenerweckend it doesn't exactly inspire confidence ['kɒnfɪdəns]
vertrauensvoll 1. trusting **2.** (≈ *zuversichtlich*) confidently ['kɒnfɪdəntlɪ]
vertraulich 1. confidential [ˌkɒnfɪ'denʃl]; **streng vertraulich** strictly confidential **2. vertraulich werden** (≈ *zudringlich*) get* familiar [fə'mɪlɪə]
verträumen dream* away (*den Tag usw.*)
verträumt 1. er ist verträumt he's a dreamer **2.** *Ort*: sleepy
vertraut 1. sich mit etwas vertraut ma-

chen familiarize [fə'mɪlɪəraɪz] oneself with something **2. sich mit dem Gedanken vertraut machen, dass ...** get* used to the thought that ...
Vertrautheit familiarity [fəˌmɪlɪ'ærətɪ]
vertreiben 1. jemanden vertreiben drive* (*oder* chase) someone away; **sie ist aus ihrer Heimat vertrieben worden** she was driven ['drɪvn] out of her home country **2. sich die Zeit mit Fernsehen vertreiben** pass the time watching TV [ˌtiː'viː]
Vertreibung expulsion [ɪk'spʌlʃn] (**aus** from)
vertreten[1] 1. stand* in for (*Kollegen usw.*) **2.** represent [ˌreprɪ'zent] (*Interessen usw.*)
vertreten[2]: sich die Beine vertreten stretch one's legs
Vertreter(in) *einer Firma*: sales rep
Vertretung *in der Schule*: supply teacher, *AE* substitute ['sʌbstɪtjuːt] (teacher)
Vertriebene(r) displaced person, exile ['eksaɪl]
vertrocknen dry up
vertrocknet dried up, dry
vertrödeln dawdle away, waste
vertrösten 1. jemanden vertrösten feed* someone with hopes (**auf** of) **2. jemanden auf später vertrösten** put* someone off until later
vertrottelt 1. dopey ['dəʊpɪ] **2. er ist ziemlich vertrottelt** *älterer Mensch*: he's past it
vertun: sich (schwer) vertun make* a (big) mistake (**bei** with)
vertuschen cover up
verübeln 1. er hats mir verübelt, dass ich kam he took offence at my coming **2. ich kanns ihr nicht verübeln** I can't blame her
verulken *umg.* make* fun of
verunglücken 1. have* an accident ['æksɪdənt] **2. sie ist tödlich verunglückt** she died in an accident
verunsichern 1. jemanden verunsichern (≈ *verwirren*) throw* someone **2. du hast mich verunsichert** I don't know what to think now **3.** (≈ *Angst machen*) unnerve
verunsichert: ich bin total verunsichert that's really thrown me
verursachen cause [kɔːz]
verurteilen 1. *gerichtlich*: sentence ['sentəns] (**zu** to) **2.** (≈ *scharf kritisieren*) condemn [△ kən'dem]
verurteilt: zum Scheitern verurteilt doomed to fail
Verurteilte(r) convict ['kɒnvɪkt]
vervielfältigen copy (*Text usw.*)

V

vervollständigen complete

verwackelt *Foto*: blurred [blɜːd]

verwählen 1. *sich verwählen* misdial [ˌmɪsˈdaɪəl], dial [ˈdaɪəl] the wrong number 2. *Sie müssen sich verwählt haben* I think you've got the wrong number

verwahrlost 1. *Haus usw.*: neglected, *Garten auch*: overgrown 2. *Person*: scruffy

verwalten 1. *allg.*: administer [ədˈmɪnɪstə] (*auch Nachlass, Konkursmasse*) 2. manage, run* (*Firma usw.*)

Verwaltung administration [ədˌmɪnɪˈstreɪʃn]

verwandeln 1. transform (*in* into); *verwandeln in auch*: turn into 2. *sich verwandeln* change 3. *sich verwandeln in* turn into 4. *den Elfmeter usw. verwandeln* score (*zum 1:0* to make it 1-0; *in GB gesprochen* one-nil, *in den USA gesprochen* one to nothing)

verwandt *allg.*: related (*mit* to)

Verwandte(r) relative [ˈrelətɪv], relation

Verwandtschaft 1. *meine Verwandtschaft* (≈ *Verwandten*) my relations (△ *Pl.*) 2. *die ganze Verwandtschaft* the whole clan

verwarnen 1. *allg.*: warn, give* *someone* a warning 2. *Sport*: caution [ˈkɔːʃn], book 3. *Polizei*: caution

Verwarnung 1. *allg.*: warning 2. *im Sport*: caution, *bes. Fußball*: yellow card; *eine Verwarnung bekommen bes. Fußball*: get* a yellow card, be* booked 3. *Polizei*: caution [ˈkɔːʃn]

verwaschen *Jeans usw.*: faded

verwechseln 1. confuse (*Personen*), mix up (*auch Jacken usw.*); *ich hab sie verwechselt auch*: I got them mixed up 2. *ich hab ihn mit jemand anderem verwechselt* I mistook him <u>for</u> someone else; *sie hat das Salz mit dem Zucker verwechselt* she mistook the salt <u>for</u> the sugar

Verwechseln: *sie sehen sich zum Verwechseln ähnlich* they look incredibly alike

Verwechslung mistake; *es gab eine Verwechslung auch*: there's been a mix-up

verwehen blow* away (*Blätter, Papier usw.*)

verweichlicht 1. *sie sind verweichlicht* they've grown soft 2. *verweichlichter Typ* wimp, softie

verweigern 1. *allg.*: refuse [rɪˈfjuːz] 2. *jemandem seine Hilfe verweigern* refuse to help someone 3. *die Nahrung verweigern* refuse to eat 4. *er hat den Kriegsdienst verweigert* he refused to do his military service

verweint 1. *Gesicht*: tear-stained [ˈtɪəsteɪnd] 2. *er hatte verweinte Augen* his eyes were red from crying

verweisen 1. expel; *von der Schule verwiesen werden* be* expelled from school (△ *ohne* the) 2. *des Platzes verwiesen werden* be* sent off

verwelken (*Blumen*) wilt

verwelkt *Blumen*: wilted

verwenden 1. use [juːz] (*für* for) 2. *ich habs zum Putzen verwendet* I used it to clean with (*oder* for cleaning)

Verwendung 1. use [△ juːs] 2. *dafür hab ich keine Verwendung* it's no use to me 3. *es wird schon irgendwo eine Verwendung finden* we'll find a use for it somewhere

verwertbar 1. *allg.*: usable [ˈjuːzəbl] 2. *Wirtschaft*: (≈ *veräußerbar*) realizable [ˈrɪəlaɪzəbl]

verwerten 1. use [juːz] 2. *kannst du es irgendwie verwerten?* can you make any use [△ juːs] of it?

verwest 1. rotted, decayed [dɪˈkeɪd] 2. *halb verwest* rotting, decaying

Verwesung decay [dɪˈkeɪ]

verwickeln 1. *sich verwickeln* (*Schnur usw.*) get* tangled (up) 2. *in etwas verwickelt werden* get* involved in something

verwickelt (≈ *kompliziert*) complicated

verwirklichen 1. realize (*Idee usw.*) 2. *sich verwirklichen* (*Person*) fulfil oneself

Verwirklichung realization, fulfilment

verwirren confuse [kənˈfjuːz]

verwirrend confusing

verwirrt confused

Verwirrung confusion [kənˈfjuːʒn]

verwischen 1. (≈ *verschmieren*) smear [smɪə], smudge (*Schrift*) 2. cover up (*Spuren*)

verwitwet widowed [ˈwɪdəud]

verwöhnen 1. spoil* 2. *er lässt sich gern verwöhnen* he likes to be spoilt

verwöhnt spoilt

verworren (*Situation, Idee usw.*) confused, muddled

verwundbar vulnerable (*auch übertragen*)

verwunden wound [△ wuːnd]

verwundet wounded; *er war am Bein usw. verwundet* he had a wounded leg *usw.*

Verwundete(r) *im Kampf*: casualty [ˈkæʒʊəltɪ], *präziser*: wounded [ˈwuːndɪd] (person) (△ casualties *sind auch die tödlich Verwundeten, die Gefallenen*)

verwunschen *Schloss usw.*: enchanted [ɪnˈtʃɑːntɪd]

verwurschteln *umg.* mess up

verwüsten: *etwas verwüsten* devastate

['devəsteɪt] something, lay* waste to something

verzählen: *sich verzählen* miscount

verzahnt: (*ineinander*) *verzahnt* interlocked

verzapfen: *er hat wieder einen Unsinn verzapft* *umg.* he came up with a lot of nonsense again

verzaubern cast* a spell on

verzaubert enchanted [ɪn'tʃɑːntɪd]

Verzeichnis list

verzeihen 1. forgive*; ***er wird dir nicht verzeihen, dass du gelogen hast*** he won't forgive you for lying **2. *verzeihen Sie bitte, ...*** *vor Frage usw.*: excuse me, ... **3. *verzeihen Sie die Störung*** sorry to disturb you

Verzeihung 1. *Verzeihung!* (≈ *es tut mir leid*) (I'm) sorry!, *AE auch* excuse me! **2. *Verzeihung, ...*** *vor Frage usw.*: excuse me, ... **3. *um Verzeihung bitten*** apologize [ə'pɒlədʒaɪz] (***jemanden*** to someone)

verzerren distort (*Gesicht, Klang, Tatsachen usw.*)

verzerrt *Gesicht, Klang usw.*: distorted

Verzerrung distortion

verzichten 1. *auf etwas verzichten* do* without something **2. *danke, ich verzichte*** thanks, but `no thanks

verziehen 1. *das Gesicht verziehen* pull a face **2. *er verzog den Mund*** he twisted his mouth **3. *sie verzog keine Miene*** she didn't bat an eyelid **4. *sich verziehen*** *umg.* (≈ *verschwinden*) disappear [ˌdɪsə'pɪə] (***in*** into); ***verzieh dich!*** push off! **5. *sich verziehen*** (*Wolken usw.*) pass over, (*Gewitter*) blow* over

verzieren decorate ['dekəreɪt]

Verzierung decoration [ˌdekə'reɪʃn], *in der Architektur auch*: ornamentation; ***Verzierungen*** decoration *bzw.* ornamentation (△ *Sg.*)

verzogen *Kind*: spoilt

verzögern 1. delay [dɪ'leɪ] **2. *sich verzögern*** be* delayed

Verzögerung delay [dɪ'leɪ]

verzollen 1. *etwas verzollen* pay* duty on something **2. *haben Sie etwas zu verzollen?*** have you anything to declare?

verzweifeln 1. despair [dɪ'speə] **2. *nur nicht verzweifeln!*** don't give up!

Verzweifeln: *ich bin am Verzweifeln* I just don't know what to do

verzweifelt 1. desperate ['desprət] **2. *ich bin total verzweifelt*** I just don't know what to do

Verzweiflung desperation; ***aus Verzweiflung*** in (*oder* out of) desperation

verzweigen: *sich verzweigen* branch out [ˌbrɑːntʃ'aʊt], *bes. übertragen* ramify ['ræmɪfaɪ]

verzwickt *umg.*; *Problem usw.*: tricky

Veteran 1. *militärisch*: ex-serviceman [ˌeks'sɜːvɪsmən], *AE und übertragen* veteran ['vetərən] **2.** (≈ *Oldtimerwagen*) vintage car ['vɪntɪdʒ'kɑː]

Veterinärmedizin veterinary medicine [ˌvetrənərɪ'medsn]

Vetter cousin [△ 'kʌzn]

VHS → ***Volkshochschule***

vibrieren vibrate [vaɪ'breɪt]

Video 1. *allg.*: video ['vɪdɪəʊ] **2. *auf Video aufnehmen*** videotape ['vɪdɪəʊteɪp], *umg.* video

Videoclip video clip ['vɪdɪəʊˌklɪp]

Videokamera camcorder, video camera

Videokassette video cassette ['vɪdɪəʊˌkə,set]

Videokonferenz videoconference ['vɪdɪəʊˌkɒnfrəns]

Videorekorder video ['vɪdɪəʊ] recorder, VCR [ˌviːsiː'ɑː], *umg.* video

Videothek video hire (shop), *AE* video store

Vieh 1. (≈ *Nutztiere*) livestock (△ *mit Sg. oder Pl.*) **2.** (≈ *Rinder*) cattle (△ *Pl.*) **3.** *umg.* (≈ *Tier*) creature ['kriːtʃə] **4. *er behandelt sie wie ein Stück Vieh*** he treats her like dirt

Viehzeug *umg.* creatures ['kriːtʃəz] (△ *Pl.*)

Viehzucht stock farming (*oder* breeding), cattle breeding

viel 1. a lot of (△ *mehr* more, *meist-* most), lots of (△ *beide nur vor einem Subst.*); ***viel Arbeit*** a lot of work, lots of work; ***viele Autos*** a lot of cars, lots of cars **2.** a lot (△ *ohne Subst.*); ***sie liest viel*** she reads a lot **3.** *bei Frage und Verneinung im Sg.*: much (△ *mehr* more, *meist-* most); ***nicht viel*** not much; ***sie hat nicht viel Geld*** she hasn't got much money; ***hast du viel Geld?*** have you got much money? **4.** *bei Frage und Verneinung im Pl.*: many (△ *mehr* more, *meist-* most); ***nicht viele*** not many; ***er hat nicht viele Freunde*** he hasn't got many friends; ***hast du viele Freunde?*** have you got many friends? **5. *zu viel*** too much; ***so viel*** so much **6. *zu viele*** too many; ***so viele*** so many **7. *viel besser*** much better; ***viel zu klein*** much too small **8. *viele*** (≈ *viele Leute*) a lot of people, lots of people, many people **9. *es war alles ein bisschen viel*** it was all a bit too much **10. *viel sagend*** → ***vielsagend***

Vielfalt (great) variety [və'raɪətɪ], diversity

[daɪ'vɜːsətɪ]

Vielfraß *umg.* glutton ['glʌtn]

vielleicht 1. maybe, perhaps [pə'hæps]; *vielleicht ist sie krank* maybe (*oder* perhaps) she's ill, she might be ill **2.** *weißt du vielleicht, wo er ist?* do you know where he is (by any chance)? **3.** *sie war vielleicht 16* she would have been about sixteen **4.** *glaubst du vielleicht, dass ich es war?* you don't think it was me, do you? **5.** *die hat vielleicht geguckt!* you should have seen her face!; *die haben vielleicht gelacht!* you should have heard them laugh!; *das war vielleicht peinlich!* it was so embarrassing **6.** *kannst du vielleicht mal ruhig sein?* do you think you could be quiet?

vielmehr rather; *er war schlank, oder vielmehr mager auch*: he was slim, or I should say thin

vielsagend *Blick usw.*: meaningful

vielseitig 1. (≈ *abwechslungsreich*) very varied ['veərɪd] **2.** *Mensch, Gerät usw.*: versatile ['vɜːsətaɪl]

vier 1. four **2.** *vor vier Tagen* four days ago **3.** *alle vier Tage* (once) every four days **4.** *auf allen vieren (kriechen) umg.* (crawl) on all fours **5.** *alle viere von sich strecken umg.* flop onto the bed *usw.* **6.** *er will dich unter vier Augen sprechen* he wants to talk to you privately

Vier 1. *Zahl*: (number) four **2.** *eine Vier schreiben etwa*: get a D **3.** *Bus, Straßenbahn usw.*: number four bus, number four tram *usw.*

Vierbettzimmer four-bed room

vierblättrig: *vierblättriges Kleeblatt* four--leaf clover ['kləʊvə]

Viereck quadrangle ['kwɒdræŋgl]

viereckig quadrangular [kwɒ'dræŋgjʊlə]

Vierer *Rudern*: four

vierfach 1. *die vierfache Menge* four times the amount **2.** *der vierfache deutsche Meister X* four times (*AE* four--time) German champion X (△ *ohne the*) **3.** *ein Formular in vierfacher Ausfertigung* four copies of a form

Vierfüßer quadruped ['kwɒdrʊped]

vierhändig: *vierhändig Klavier spielen* play duets, play pieces for four hands

Vierlinge quadruplets ['kwɒdrʊpləts], quads

viermal four times; *viermal am Tag (bzw. im Monat)* four times a day (*bzw.* a month)

viermotorig four-engine(d) [ˌfɔːr'endʒɪn(d)]

vierspurig *Straße*: four-lane

viert: *wir waren zu viert* there were four of us

vierte(r, -s) fourth; *4. März* 4(th) March, March 4(th) (△ *gesprochen* the fourth of March); *am 4. März* on 4(th) March, on March 4(th) (△ *gesprochen* on the fourth of March)

Vierte(r) 1. fourth **2.** *er wurde Vierter* he was fourth, *bei Rennen*: he came in fourth **3.** *Heinrich IV.* Henry IV (*gesprochen* Henry the Fourth; IV *ohne Punkt!*) **4.** *heute ist der Vierte* it's the fourth today

viertel 1. *ein viertel Liter* (a) quarter of a litre **2.** *viertel acht* (a) quarter past (*AE* after) seven; *drei viertel acht* (a) quarter to (*AE* of) eight

Viertel 1. quarter ['kwɔːtə] (△ *wenn man Wein bestellt, sagt man im Englischen* a glass of white wine *usw., also nicht* 'a quarter' *usw.*) **2.** *es ist Viertel vor acht* it's (a) quarter to (*AE auch* of) eight

Viertelfinale *Sport*: quarter-final [ˌkwɔːtə-'faɪnl]

Vierteljahr three months (*Pl.*), quarter

Viertelstunde quarter of an hour

vierzehn 1. fourteen [ˌfɔː'tiːn] **2.** *in vierzehn Tagen* in two weeks(' time), *BE auch* in a fortnight('s time)

vierzehnte(r, -s) fourteenth [ˌfɔː'tiːnθ]

vierzig forty ['fɔːtɪ]

Vierzigerjahre: *in den Vierzigerjahren* in the forties

vierzigste(r, -s) fortieth ['fɔːtɪəθ]

Vierzimmerwohnung three-bedroom flat (*AE* apartment)

Vietnam Vietnam [ˌviːet'næm]

Vietnamese Vietnamese [vɪˌetnə'miːz]; *er ist Vietnamese* he's (a) Vietnamese; *die Vietnamesen* the Vietnamese; ☞ *Nationalitäten*

Vietnamesin Vietnamese [vɪˌetnə'miːz] woman (*oder* lady *bzw.* girl); *sie ist Vietnamesin* she's (a) Vietnamese; ☞ *Nationalitäten*

vietnamesisch Vietnamese [vɪˌetnə'miːz]

Vignette (≈ *Gebührenmarke für Autobahn*) motorway sticker (*oder* permit ['pɜːmɪt])

Villa 1. villa **2.** *bes. auf dem Land*: mansion

Violett, violett purple ['pɜːpl], *heller*: violet ['vaɪələt]

Violett, Lila, Purpur

Zwischen Violett, Lila und Purpur(rot) gibt es fließende Übergänge. Im Farbenkreis hat Violett einen größeren Blauanteil als das ins Rot gehende Purpur. Lila hingegen ist ein mit Weiß oder hellem Grau aufgehelltes Violett. Die Wahrnehmung für diese Farbnuancen ist zwischen einzelnen Personen oft unterschiedlich. Will man übersetzen, kommt erschwerend hinzu, dass diese Farben im Englischen anders eingeteilt werden als im Deutschen. Scheinbare Entsprechungen zwischen dem Deutschen und Englischen erweisen sich also als trügerisch. Hier soll es aber leichter gemacht und deshalb etwas geordnet werden:

Englisch	Deutsch
crimson	purpur(rot)
lilac	lila, fliederfarben
purple	violett, *heller*: lila
violet	lila, *dunkler*: violett

Deutsch	Englisch
lila	**lilac**, *dunkler*: **mauve**
purpur(rot)	**crimson**
violett	**purple**, *heller*: **violet**

☞ *Illu S. 786*

Violine violin [ˌvaɪəˈlɪn]
Viper viper [ˈvaɪpə]
Virenschutzprogramm *Computer*: anti-virus program [ˌæntɪˈvaɪrəsˌprəʊgræm]
Virensuchprogramm *Computer*: virus [ˈvaɪrəs] scanner
virtuell *Computer*: virtual [ˈvɜːtʃʊəl]; ***virtuelle Realität*** virtual reality [rɪˈælətɪ]
Virus virus [ˈvaɪrəs]
Visage *umg.* mug
visieren ⓐ (≈ *beglaubigen, abzeichnen*) certify [ˈsɜːtɪfaɪ] (*Dokument usw.*)
Vision vision [ˈvɪʒn]
Visitenkarte 1. business card **2.** *bes. übertragen* *BE* visiting card, *AE* calling card
visuell visual [ˈvɪʒʊəl]
Visum 1. *für Reise*: visa [ˈviːzə] **2.** ⓐ (≈ *Unterschrift*) signature [ˈsɪgnətʃə]
vital 1. (≈ *tatkräftig, voller Energie*) vigorous [ˈvɪgərəs], energetic [ˌenəˈdʒetɪk] **2.** (≈ *rüstig*) spry **3.** (≈ *lebenswichtig*) vital [ˈvaɪtl], essential [ɪˈsenʃl]
Vitamin 1. vitamin [ˈvɪtəmɪn] **2. *Vitamin B*** *umg.* (≈ *Beziehungen*) connections (△ *Pl.*)
Vitamintablette vitamin pill [ˈvɪtəmɪnˌpɪl]
Vitrine 1. (≈ *Schrank*) glass cabinet [ˈkæbɪnət] **2.** *im Museum*: showcase, display cabinet [dɪˈspleɪˌkæbɪnət]
Vize *umg.* **1.** *allg.*: number two **2.** *Sport*: runner-up, *Team*: runners-up (△ *Pl.*)
Vizekanzler(in) vice-chancellor [ˌvaɪsˈtʃɑːnsələ]

Vizemeister(in) runner-up, *Team*: runners-up (△ *Pl.*)
Vizepräsident(in) vice president [ˌvaɪsˈprezɪdənt]
Vizeweltmeister(in) runner-up (*bzw., falls Team*: runners-up *Pl.*) in the World Cup
Vogel 1. *allg.*: bird **2. *komischer Vogel*** *umg.* strange character [ˈkærəktə] **3. *du hast einen Vogel*** *umg.* you've got a screw loose [luːs] **4. *er hat ihr den Vogel gezeigt*** *umg.* he tapped his forehead [△ ˈfɒrɪd] at her **5. *da hast du den Vogel abgeschossen!*** *umg.* that really takes the cake!
Vogeldreck bird droppings (△ *Pl.*)
Vogelgrippe bird flu [ˈbɜːdfluː]
Vogelkäfig birdcage
vögeln *salopp* screw [skruː]; ***mit jemandem vögeln*** screw someone
Vogelnest bird's nest
Vogelperspektive: ***etwas aus der Vogelperspektive sehen*** have* a bird's-eye view of something
Vogelscheuche 1. scarecrow [ˈskeəkrəʊ] **2.** *abwertend; Frau*: frump
Vogelsalat ⓐ (≈ *Feldsalat*) lamb's lettuce [△ ˈlæmzˌletɪs], corn salad
Vokabel word (△ *engl.* vocabulary = ***Wortschatz***)
Vokabelheft vocabulary book
Vokal vowel [ˈvaʊəl]
Volk 1. (≈ *Nation*) people [ˈpiːpl] (△ *meist Pl.*), nation; ***das deutsche Volk*** the German people, the Germans (△ *beide Pl.*); ***ein freies Volk*** a free people, a free nation; ***die Völker Asiens*** the people(s) of Asia **2. *das Volk*** (≈ *die Masse*) the people (△ *mit Pl.*) **3. *das ist ein komisches Volk*** *umg.* they're a strange lot
Völkermord genocide [ˈdʒenəsaɪd]
Völkerverständigung understanding among (the) nations
Volksabstimmung referendum [ˌrefəˈrendəm]
Volksbegehren petition [pɪˈtɪʃn] for a referendum [ˌrefəˈrendəm]
Volksfest 1. public festival **2.** (≈ *Rummel*) funfair
Volkshochschule 1. *Institution*: adult education institute **2.** *Kurse*: (adult) evening classes (△ *Pl.*); ***in die Volkshochschule gehen*** go* to evening classes
Volkslied folk [△ fəʊk] song
Volksmusik folk [△ fəʊk] music, traditional music
Volksrepublik people's republic; ***die Volksrepublik China*** the People's Republic of China
volkstümlich 1. *Musik, Politiker usw.*: (≈ *einfach und beliebt*) popular [ˈpɒpjʊlə];

sich volkstümlich geben act folksy [△ 'fəʊksɪ], act the man of the people **2.** (≈ *herkömmlich*) traditional **3.** *Gegenstände, Kunst*: folk [fəʊk] ʐ (△ *immer* <u>vor</u> *dem Subst.*), *abwertend* folksy

Volkswirtschaft, Volkswirtschaftslehre economics [ˌiːkə'nɒmɪks] (△ *mit Sg.*)

voll 1. *allg.*: full; *voller, voll von* full of; *ein Koffer voll(er) Schuhe* a case full of shoes; *red nicht mit vollem Mund!* don't speak with your mouth full! **2.** *vier volle Wochen* four whole weeks **3.** *umg.* (≈ *satt*) full **4.** *umg.* (≈ *betrunken*) plastered ['plɑːstəd] **5.** *den kannste nicht für voll nehmen umg.* you can't take him seriously **6.** *voll bepackt* loaded (down with luggage); *voll besetzt* (completely) full; → *vollfressen*, *vollgefressen*, *vollgestopft usw.*

vollautomatisch fully automatic

vollbepackt → *voll* 6

vollbesetzt → *voll* 6

Vollbremsung: *eine Vollbremsung machen* slam on the brakes

Volldampf: *mit Volldampf voraus umg.* full steam ahead [ə'hed]

voller: *voller Wasser usw.* full of water *usw.*

Volleyball(spiel) volleyball ['vɒlibɔːl] (match)

vollfressen: *sich vollfressen umg.* stuff oneself, *salopp* stuff one's face

Vollgas 1. *Vollgas geben* step on it, *BE auch* put* one's foot down **2.** *mit Vollgas fahren* drive* full tilt

vollgefressen *umg.* completely stuffed

vollgestopft crammed, packed

Vollglatze: *er hat eine Vollglatze* he's completely bald [bɔːld]

vollhauen: *sich den Bauch vollhauen umg.* pig out (*mit* on), make* a pig of oneself

Vollidiot(in) *umg.* complete idiot

völlig 1. complete, total **2.** *völlig unmöglich usw.* absolutely impossible *usw.*

volljährig: *sie ist volljährig* she's of age; *volljährig werden* <u>come</u>* of age

vollkommen 1. *vollkommener Unsinn usw.* complete nonsense *usw.* **2.** *das ist vollkommen irrelevant usw.* that's completely irrelevant [ɪ'reləvənt] *usw.* **3.** (≈ *perfekt*) perfect ['pɜːfɪkt]

Vollkornbrot wholemeal (*AE* wholegrain) bread [bred]

vollkotzen: *etwas vollkotzen salopp* spew all over something

vollkriegen: *sie kriegt den Hals nicht voll umg.* she just can't get enough

vollladen load up

volllaufen: *sich volllaufen lassen umg.*

get* tanked up

vollmachen 1. fill (up) (*Eimer usw.*) **2.** *umg.* (≈ *beschmutzen*) mess up **3.** *umg.* *ich hab mich mit Öl vollgemacht* I've got oil all over me **4.** *umg.* *sich (die Hosen) vollmachen* fill one's pants

Vollmacht 1. full power(s *Pl.*), authority [ɔː'θɒrətɪ], *juristisch*: power of attorney [ə'tɜːnɪ] **2.** (≈ *Urkunde*) proxy ['prɒksɪ] **3.** *Vollmacht haben* be* authorized; *jemandem Vollmacht erteilen* authorize someone

Vollmilch full-cream milk, *AE* whole milk

Vollmilchschokolade milk chocolate

Vollmond full moon; *heute ist Vollmond* there's <u>a</u> full moon tonight

Vollnarkose general anaesthetic [ˌænəs-'θetɪk]; *in* (*oder unter*) *Vollnarkose* under <u>a</u> general anaesthetic

vollpacken: *etwas vollpacken* pack something full (*mit* of)

Vollpension full board and lodging

Vollrausch: *einen Vollrausch haben* be* blind drunk

vollsaufen: *sich vollsaufen umg.* get* tight

vollschlagen: *sich den Bauch vollschlagen umg.* pig out (*mit* on), make* a pig of oneself

vollschmieren 1. smear [smɪə] all over (*Wand usw.*) **2.** *du hast dich mit Farbe vollgeschmiert* you're covered <u>in</u> paint

vollschreiben: *er hat sechs Seiten vollgeschrieben* he wrote six whole pages

vollständig 1. complete **2.** *vollständig zerstört usw.* completely destroyed *usw.*

Vollständigkeit: *der Vollständigkeit halber* for the sake of completeness

vollstopfen 1. stuff (*mit* full of) **2.** *sich (den Bauch) vollstopfen umg.* stuff oneself

volltanken 1. *allg.*: fill up **2.** *umg.* (≈ *sich betrinken*) get* tanked up

Volltextsuche *Computer*: full-text search

Volltreffer 1. *beim Schießen usw.*: direct hit **2.** *umg.* (≈ *Hit*) (absolute) hit

Vollwertkost wholefood, wholefoods (*Pl.*)

vollzählig 1. (≈ *vollständig*) complete **2.** *vollzählig sein* be* present ['preznt] in full number **3.** *vollzählig erscheinen* turn out (*oder* up) in full strength

Volontär(in) unpaid trainee [ˌtreɪ'niː]

Volontariat 1. (unpaid) traineeship, *AE mst.* internship **2.** *er macht ein Volontariat* he's on work experience, *AE* he's doing an internship (△ *ohne* a)

Volt (≈ *elektrische Spannung*) volt [vəʊlt]

Volumen 1. *allg.*: volume ['vɒljuːm] **2.** (≈ *Größe*) size **3.** (≈ *Inhalt*) *auch* capacity [kə'pæsətɪ]

vom 1. *räumlich, örtlich*: from; *sie ist vom Land* she's from the country; *der Wind weht vom Meer her* the wind is blowing from the sea **2.** *zeitlich*: from; *vom 1. bis zum 10. Januar* from 1 - 10 January (*gesprochen* from the first to the tenth of January) **3.** *Ursache, Grund*: from; *das kommt vom vielen Arbeiten* that's from working too much, that's because I've (you've *usw.*) been working so much **4.** *er hat keine Ahnung vom Segeln* he doesn't know the first thing about sailing **5.** *ich kenne sie nur vom Sehen* I only know them by sight **6.** *links vom Bahnhof* to the left of the (train) station

von 1. *räumlich und zeitlich*: from; *von rechts* from the right; *von hinten* from the back; *von oben* from above; *von wo (-her) kommt das?* where does that come from?; *von zehn bis drei* from ten till three **2.** *zwei von ihnen* two of them; *ein Freund von mir* a friend of mine; *das ist nett von ihr* that's nice of her **3.** *ein Film von Hitchcock* a film by Hitchcock **4.** *das Haus von meiner Tante* my aunt's [ɑːnts] house

voneinander from each other

vor 1. *zeitlich*: before; *vor zehn Uhr* before ten o'clock; *fünf vor drei* five to three **2.** *vor zwei Tagen* two days ago; *heute vor acht Tagen* a week ago today **3.** *räumlich*: in front [frʌnt] of; *stells vors Bett* put it in front of the bed; *er steht vor der Tür* he's at the door **4.** *er hats vor uns gesagt* he said it in front of us **5.** *vor Angst zittern* shake* with fear; *ich konnte vor Lachen kaum sprechen* I could hardly talk for laughing; *vor lauter Arbeit komm ich zu nichts* I can't do anything with all this work

vorab 1. (≈ *zunächst*) first, to begin with (△ *immer am Satzanfang*) **2.** (*im Voraus*) in advance [əd'vɑːns]

Vorahnung [ˌpriːməˈnɪʃn], *schlimme*: *auch* foreboding [fɔːˈbəʊdɪŋ]

vorangehen 1. (*Person*) lead* the way **2.** (*Projekt usw.*) make* progress ['prəʊgres]; *es geht gut* (*bzw.* *schlecht*) *voran* things are going well (*bzw.* things aren't going too well)

vorankommen 1. (*gut*) *vorankommen* make* progress; *wie kommst du voran?* how are you getting on (*AE* along)? **2.** *im Leben* (*bzw.* *im Beruf*) *vorankommen* get* on in life (*bzw.* in one's career)

voraus: *jemandem weit voraus sein* be* streets ahead [ə'hed] of someone

Voraus: *im Voraus* in advance [əd'vɑːns]

vorausdenken think* (*oder* look) ahead [ə'hed]

vorausfahren drive* (on) ahead [ə'hed]

vorausgesetzt: *vorausgesetzt, dass* provided (that)

vorauslaufen run* (on) ahead [ə'hed]

Voraussage 1. *allg.*: prediction **2.** *bei Wetter, Wirtschaft*: forecast* ['fɔːkɑːst]

voraussagen 1. *allg.*: predict [prɪ'dɪkt] **2.** forecast* ['fɔːkɑːst] (*Wetter, Wahlergebnis usw.*)

vorausschauend 1. *Mensch, Planung usw.*: foresighted ['fɔːsaɪtɪd] **2.** *vorausschauend handeln* *usw.* act *usw.* with foresight

voraussehen 1. foresee* [fɔː'siː] **2.** *es war vorauszusehen* you could see it coming

voraussetzen 1. (≈ *annehmen*) assume [ə'sjuːm] (*dass* that) **2.** (≈ *erwarten*) expect; *sie setzt gute Englischkenntnisse voraus* she expects a good knowledge of English **3.** require [rɪ'kwaɪə] (*Qualifikationen usw.*)

Voraussetzung 1. condition (*für* of, for); *unter der Voraussetzung, dass* on condition that (△ *ohne* the) **2.** *die Voraussetzungen erfüllen* meet* the requirements

voraussichtlich probably; *er kommt voraussichtlich morgen* he'll probably come tomorrow, he's expected to come tomorrow

vorauszahlen: *hundert Euro vorauszahlen* pay* a hundred euros in advance [əd'vɑːns]

Vorauszahlung advance payment, advance

vorbei 1. *zeitlich*: over; *es ist vorbei* it's all over; *vorbei ist vorbei* what's past is past **2.** *die Schmerzen sind vorbei* the pain has gone **3.** *es ist sechs Uhr vorbei* it's past (*BE auch* gone) six **4.** *vorbei (an)* past

vorbeibringen: *etwas vorbeibringen* drop something by (*oder* in)

vorbeidürfen: *darf ich mal vorbei?* could I get past, please?, excuse me, please

vorbeifahren 1. drive* past **2.** *vorbeifahren an* pass, *auch absichtlich*: drive* past

vorbeigehen 1. pass, *go past; *vorbeigehen an* pass, go* past **2.** *im Vorbeigehen* in passing **3.** (*Schuss usw.*) miss **4.** (≈ *aufhören*) pass, (*Schmerzen*) *auch*: go* away

vorbeikommen 1. *zu Besuch*: drop by; *bei jemandem vorbeikommen* drop in on someone; *komm doch mal vorbei* why don't you drop by some time? **2.** *vorbeikommen an* pass, *Hindernis*: get*

V

past; *ich komm nicht vorbei* I can't get past

vorbeilassen 1. *kannst du mal eben die Leute vorbeilassen?* would you let these people pass (*AE mst.*) get by), please? **2.** *lässt du mich bitte mal vorbei?* can I get past, please?

vorbeimüssen 1. *du musst am Bahnhof vorbei* you have to go past the station **2.** *ich muss sowieso an der Post vorbei* I'll be passing the post office anyway

vorbeireden: *aneinander vorbeireden* talk at cross-purposes

vorbeischauen 1. drop by **2.** *bei jemandem vorbeischauen* drop in on someone

vorbeischießen 1. *mit Schusswaffe:* miss; *vorbeischießen an* miss **2.** (≈ *vorbeisausen*) shoot* past

vorbelastet 1. *Person; allg.:* with a past (△ *nur hinter dem Subst.*) **2.** *erblich vorbelastet sein* have* a hereditary [he-'redətrɪ] condition; *da ist sie usw. erblich vorbelastet* it runs in the family **3.** *kriminell usw. vorbelastet* with a criminal ['krɪmɪnl] *usw.* past (*oder* background)

Vorbemerkung preliminary remark [prɪ-ˌlɪmɪnərɪ ˌrɪ'mɑːk]

vorbereiten 1. *etwas vorbereiten* prepare something, get* something ready ['redɪ] **2.** *sich vorbereiten* get* ready, prepare oneself (*auf, für* for) **3.** *sich auf eine Prüfung vorbereiten* revise [rɪ'vaɪz] for an exam

vorbereitet: *vorbereitet sein auf* be* ready ['redɪ] (*oder* prepared) for

Vorbereitung preparation (*auf, für, zu* for)

vorbestellen 1. book ahead [ə'hed] **2.** *einen Platz usw. vorbestellen* book a seat *usw.* in advance [əd'vɑːns], reserve a seat *usw.*

Vorbestellung booking, reservation

vorbestraft: *vorbestraft sein* have* a criminal record ['rekɔːd]

vorbeugen¹ 1. prevent [prɪ'vent] **2.** *vorbeugen ist besser als heilen* prevention is better than cure

vorbeugen²: *sich vorbeugen* bend* forward

Vorbeugung prevention [prɪ'venʃn]

Vorbeugungsmaßnahme preventative measure [prɪˌventətɪv'meʒə]

Vorbild 1. model ['mɒdl] **2.** (≈ *Beispiel*) example [ɪg'zɑːmpl]

vorbildlich 1. exemplary [ɪg'zemplərɪ] **2.** *ein vorbildlicher Schüler usw.* a model pupil [ˌmɒdl'pjuːpl] *usw.*

Vorderachse *Auto:* front axle [△ ˌfrʌnt-

'æksl]

Vorderbein front leg [ˌfrʌnt'leg]

vordere(r, -s) 1. front [frʌnt]; *die vorderen Wagen Eisenbahn:* the front coaches (*AE* cars) **2.** *die vorderen Zimmer* the rooms at the front

Vordereingang front [frʌnt] entrance

Vordergrund 1. *von Bild usw.:* foreground **2.** *im Vordergrund stehen* (≈ *im Blickpunkt*) be* in the limelight

Vordermann 1. *mein Vordermann* the person (*bzw.* driver *oder* car *usw.*) in front of me **2.** *etwas auf Vordermann bringen* get* something shipshape

Vorderrad front wheel [ˌfrʌnt'wiːl]

Vorderradantrieb *Auto:* front-wheel drive [△ ˌfrʌntwiːl'draɪv]

Vorderseite front [frʌnt]

Vordersitz front [frʌnt] seat

vorderste(r, -s) front [frʌnt], first; *die vorderste Reihe* the front row

Vorderteil front [frʌnt], front part

Vorderzahn front [frʌnt] tooth

vordrängeln 1. *sich vordrängeln* push (forward) **2.** *in einer Schlange:* push in

vordrängen: *sich vordrängen* → *vordrängeln*

voreilig: *voreilige Schlüsse ziehen* jump to conclusions

voreinander: *sie haben Angst voreinander* they're scared of each other

voreingenommen prejudiced ['predʒʊdɪst]

vorerst for the time being

vorexerzieren: *jemandem etwas vorexerzieren* demonstrate ['demənstreɪt] something to someone

Vorfahre ancestor ['ænsestə]

vorfahren 1. *vor das Haus usw. vorfahren* drive* up to the house *usw.* **2.** *fahren Sie bis zur Ampel vor* drive as far as the traffic lights **3.** (≈ *vorausfahren*) drive* on ahead [ə'hed]

Vorfahrt: *er hat die Vorfahrt* he has (the) right of way

Vorfall 1. (≈ *Ereignis*) incident ['ɪnsɪdənt], occurrence [ə'kʌrəns] **2.** *einer Bandscheibe usw.:* prolapse ['prəʊlæps]

vorfinden find*

vorflunkern: *er hat dir was vorgeflunkert umg.* he's been telling you fibs

Vorfreude anticipation [ænˌtɪsɪ'peɪʃn] (*auf* of)

vorführen 1. (*jemandem*) *etwas vorführen* demonstrate ['demənstreɪt] something (to someone) (*Gerät usw.*) **2.** show (*Film usw.*) **3.** perform [pə'fɔːm] (*Theaterstück, Trick usw.*)

Vorführung 1. *eines Geräts usw.:* demonstration **2.** *eines Stücks usw.:* performance

Vorgabe 1. *Sport*: handicap, start **2.** (≈ *Richtlinie*) guideline ['gaɪdlaɪn], instructions (*Pl.*)

Vorgang 1. (≈ *Ablauf, Hergang*) proceedings [prə'siːdɪŋz] (△ *Pl.*) **2.** *Biologie, Chemie, Technik*: (≈ *Prozess*) process ['prəʊses] **3.** (≈ *Ereignis*) event, occurrence [ə'kʌrəns]

Vorgänger(in) predecessor ['priːdɪsesə]

Vorgarten front garden, *AE* front yard

vorgehen¹ 1. *meine Uhr geht fünf Minuten vor* my watch is five minutes fast **2.** (≈ *Vorrang haben*) have* priority [praɪ'ɒrɪtɪ] **3.** *er ging zum Lehrer vor* he went up to the teacher

vorgehen² 1. *was geht hier vor?* what's going on here? **2.** *was ging wohl in ihr vor?* I wonder what came over her

Vorgesetzte(r) superior [sʊ'pɪərɪə], *umg.* boss

Vorgeschmack foretaste (*von, auf* of)

vorgestern 1. the day before yesterday **2.** *er ist von vorgestern* he's behind the times

vorhaben 1. *was hast du heute vor?* what are you doing today? **2.** *ich hab einiges vor* I've got quite a lot planned **3.** *ich hab vor, nach Rom zu gehen* I'm planning to go to Rome **4.** *was hast du damit vor?* what are you going to do with that? **5.** *was hat er wieder vor?* what's he up to now?

Vorhaben 1. *allg.*: intention, plan(s *Pl.*); *sein Vorhaben durchführen* carry out one's plans **2.** (≈ *Projekt usw.*) project ['prɒdʒekt]

vorhalten¹: *halt beim Gähnen die Hand vor!* put your hand in front of your mouth when you're yawning

vorhalten²: *jemandem etwas vorhalten* accuse [ə'kjuːz] someone of something

Vorhand *Tennis*: forehand

vorhanden available

Vorhang curtain ['kɜːtn]

Vorhaut foreskin

vorher 1. before; *zwei Tage vorher* two days before **2.** (≈ *zuerst*) first; *vorher essen wir* first we eat

vorherbestimmen 1. *allg.*: determine [dɪ-'tɜːmɪn] in advance, predetermine [ˌpriːdɪ'tɜːmɪn] **2.** (*Schicksal usw.*) predestine [ˌpriː'destɪn]

vorherig previous ['priːvɪəs]

Vorherrschaft predominance [prɪ-'dɒmɪnəns], *politische auch*: supremacy [sʊ'preməsɪ]

Vorhersage 1. *allg.*: prediction **2.** *Wetter, Wirtschaft*: forecast ['fɔːkɑːst]

vorhersagen predict [prɪ'dɪkt]

vorhersehen 1. foresee* [fɔː'siː] **2.** *wie vorherzusehen* as expected **3.** *es war vorherzusehen* you could see it coming

vorheucheln: *sie heuchelt euch doch nur was vor* she's just putting on an act

vorheulen: *jemandem etwas vorheulen* *umg.* give* someone a sob story

vorhin 1. earlier on **2.** (≈ *gerade*) just now

vorige(r, -s) 1. previous ['priːvɪəs] **2.** *vorige Woche usw.* last week *usw.*

vorjammern: *jemandem etwas vorjammern* moan (*AE mst.* grumble) about something to someone

vorkauen: *jemandem etwas vorkauen* *umg.* give* someone a long, boring description (*oder* explanation) of something

Vorkenntnisse 1. previous knowledge [ˌpriːvɪəs'nɒlɪdʒ] (△ *Sg.*) (*in* of) **2.** (≈ *Erfahrung*) previous experience [ɪk-'spɪərɪəns] (△ *Sg.*) (*in* of)

vorknöpfen: *sich jemanden vorknöpfen* *umg.* take* someone to task

vorkommen¹ 1. (≈ *geschehen*) happen; *sowas ist mir noch nie vorgekommen* that's never happened to me before **2.** (≈ *existieren*) be* found; *sie kommen nur in Europa vor* they're only found in Europe **3.** (*Wort usw.*) appear [ə'pɪə], crop up **4.** *es kam mir komisch usw. vor* it seemed strange *usw.* to me; *es kam mir vor, als ob* it seemed as if; *es kommt dir nur so vor* you're just imagining [ɪ'mædʒɪnɪŋ] it; *ich kam mir ziemlich dumm vor* I felt pretty stupid **6.** *er kommt sich klug vor* he thinks he's clever

vorkommen²: *nach vorn*: come* forward **2.** *in der Klasse*: come* to the front of the class

Vorlage 1. (≈ *Muster*) pattern ['pætn] **2.** *etwas als Vorlage nehmen* copy from something

vorlassen: *jemanden vorlassen* let* someone go first, let* someone in front

Vorläufer *übertragen* precursor [prɪ'kɜːsə]

vorläufig 1. (≈ *vorerst*) for the time being **2.** *Maßnahme usw.*: temporary ['temprərɪ]

vorlaut cheeky

vorlesen read* out; *jemandem etwas vorlesen* read* something out to someone

Vorlesung lecture (*über* on)

vorletzte(r, -s) 1. last but one, *AE mst.* next to last **2.** *am vorletzten Samstag* (on the) Saturday before last; *vorletzte Nacht* the night before last

Vorliebe 1. preference ['prefrəns] **2.** *eine Vorliebe für etwas haben* be* very fond of something; ☞ *Info S. 1012*

Vorlieben / Dinge, die man mag · Likes

Blau ist meine Lieblingsfarbe.	**Blue is my favourite colour.**
Ich mag Pommes mit Ketschup.	**I love French fries with ketchup.**
Ich gehe gern Skilaufen.	**I like going skiing.**
Ich fand die Szene mit dem Clown gut.	**I liked the scene with the clown.**
Ich spiele an den Wochenenden gern Hockey.	**I enjoy playing hockey at the weekends.**
Ich würde lieber in das Café da drüben gehen.	**I'd rather go to the café over there.**
Mir wäre es lieber, wenn ich nicht stehen müsste.	**I'd prefer not to have to stand.**
Mir sind Hunde lieber als Katzen.	**I like dogs more than cats.**
Ich hab nichts dagegen, in der Ecke zu sitzen.	**I don't mind sitting in the corner.**

vorlügen: *jemandem etwas vorlügen* tell* someone (a pack of) lies

vorm → *vor*

vormachen 1. *jemandem etwas vormachen* (≈ *zeigen*) show someone how to do something **2.** *er macht dir was vor zur Täuschung*: he's fooling you **3.** *ich lass mir nichts vormachen* he's (they're *usw.*) not going to make a fool of me **4.** *machen wir uns nichts vor* let's not kid ourselves

Vormarsch *militärisch*: advance [əd'vɑːns] (*auch übertragen*); *auf dem Vormarsch sein* be* on the advance, be* advancing (*auf* on), *übertragen*: be* gaining ground, be* spreading ['spredɪŋ]

vormerken 1. *sich etwas vormerken* make* a note of something **2.** *sich vormerken lassen* put* one's name down (*für* for)

Vormieter(in) 1. *allg.*: previous ['priːvɪəs] (*oder* last) tenant ['tenənt] **2.** *mein Vormieter* the tenant before me

Vormittag morning; *am Vormittag* in the morning; *heute Vormittag* this morning; *gestern Vormittag* yesterday morning

vormittags 1. *bestimmter Tag*: in the morning **2.** *regelmäßig*: in the mornings **3.** *um 9 Uhr vormittags* at 9 (o'clock) in the morning, at 9 am [ˌeɪ'em]

vorn 1. *allg.*: at the front [△ frʌnt], in front; *nach vorn* to the front, *fallen usw.*: forward ['fɔːwəd]; *von vorn* from the front **2.** *weiter vorn* further up, *im Buch usw.*: further back **3.** *wieder von vorn anfangen* start (all over) again **4.** *von vorn bis hinten* from beginning to end; *das ist von vorn bis hinten erlogen* it's a pack of lies **5.** *vorn liegen im Rennen*: be* in front

Vorname first name; *wie heißt du mit Vornamen?* what's your first name?

vorne → *vorn*

vornehm posh

vornehmen 1. *sich vornehmen zu …* decide to … **2.** tackle (*Aufgabe, Buch usw.*) **3.** *nimm dir nicht zu viel vor!* don't take on too much **4.** *sich jemanden vornehmen umg.* have* a word with someone

vornherein: *von vornherein* from the start

Vorort 1. suburb ['sʌbɜːb] **2.** *er wohnt in einem Vorort* he lives in the suburbs (△ *Pl.*)

vorprogrammieren preprogram(me) (*Videorecorder*)

Vorrang: *Vorrang haben* have* priority [praɪ'ɒrətɪ] (*vor* over)

vorrangig priority (△ *nur vor dem Subst.*)

Vorrat 1. supply [sə'plaɪ] (*an* of) **2.** *etwas auf Vorrat kaufen* stock up on something

vorrätig 1. available [ə'veɪləbl] **2.** *nicht mehr vorrätig* out of stock

Vorratskammer pantry ['pæntrɪ]

Vorraum 1. *allg.*: anteroom ['æntɪruːm] **2.** *Theater usw.*: foyer ['fɔɪeɪ], *bes. AE* lobby

Vorrichtung device [dɪ'vaɪs]

vorrücken 1. move [muːv] forward **2.** *auf den zweiten Platz vorrücken* move up to second place (△ *ohne* the)

Vorrunde qualifying round

vors → *vor*

vorsagen 1. *jemandem vorsagen* whisper the answer to someone **2.** *sie sagt das Wort vor, und wir sagen es nach* she says the word first and we repeat it

Vorsaison start (*oder* beginning) of the season

Vorsatz resolution [ˌrezə'luːʃn]; *einen (guten) Vorsatz fassen* make* a (good) resolution; *bei seinem Vorsatz bleiben* stick* to one's resolution

vorsätzlich 1. *allg.*: intentional, deliberate [dɪ'lɪbərət] **2.** *juristisch*: wilful, *AE* will-

Vorschläge unterbreiten

Warum fragst du ihn nicht?	**Why don't you ask him?**
Soll ich das für dich tun?	**Shall I do it for you?**
Möchtest du, dass ich mir das mal anschaue?	**Do you want me to have a look?**
Wie wärs, wenn wir in die Stadt gehen/fahren?	**How about/What about going into town?**
Hättest du Lust zum Abendessen zu kommen?	**Would you like to come round for dinner?**
Hast du Lust ins Kino zu gehen?	**How do you fancy going to see a film?**
Ich würde gern ein Eis essen. Du auch?	**I feel like an ice cream. How about you?**
Ich könnte dich hinbringen, wenn du willst.	**I could take you if you like.**

---

ful; *vorsätzlicher Mord* premeditated [ˌpriːˈmedɪteɪtɪd] murder **3.** *er hat es vorsätzlich getan* he did it intentionally (*oder* deliberately)

Vorschau preview [ˈpriːvjuː] (*auf* of)

vorschicken 1. send* ahead (*Koffer usw.*) **2.** *warum werd ich immer vorgeschickt?* why do I always have to go?

vorschieben 1. *nach vorn*: push forward **2.** stick* out (*Kopf, Kinn usw.*) **3.** *sich vorschieben in der Schlange*: push in

Vorschlag suggestion [səˈdʒestʃən], proposal [prəˈpəʊzl] (*Letzteres auch geschäftlich*)

vorschlagen 1. suggest [səˈdʒest]; *ich schlage vor, dass wir gehen* I suggest we go (△ *meist ohne* that); *er schlug vor, zu warten* he suggested waiting **2.** *ich möchte dir etwas vorschlagen* I'd like to propose [prəˈpəʊz] (*oder* suggest) something to you **3.** nominate (*jemanden als Kandidaten*)

vorschreiben: *ich lass mir nichts vorschreiben* nobody's going to tell me what to do

Vorschrift rule, regulation; *sich an die Vorschriften halten* stick* to the rules

Vorschule nursery school, *AE* preschool

Vorschuss advance [ədˈvɑːns] (*auf* on)

vorschwärmen: *jemandem von etwas vorschwärmen* rave (on) about something to someone; *jemandem vorschwärmen, wie …* rave (on) about how …

vorschweben: *mir schwebt … vor* umg. I'm thinking of …

vorschwindeln 1. *jemandem etwas vorschwindeln* tell* someone lies **2.** *er hat mir vorgeschwindelt, dass er sie besucht hat* he lied to me about visiting her

vorsehen: *das war nicht vorgesehen* that wasn't planned

vorsetzen¹ 1. *er hat uns wieder Nudeln vorgesetzt* he served up noodles again **2.** *was haben die uns diesmal vorgesetzt? übertragen* what have they cooked up for us this time?

vorsetzen²: *sich vorsetzen* move up to the front [frʌnt], go* and sit* at the front

Vorsicht 1. care, caution **2.** *Vorsicht!* careful!, look out! **3.** *es ist mit Vorsicht zu genießen* it has to be taken with a pinch of salt **4.** *er ist mit Vorsicht zu genießen* you have to watch him

vorsichtig 1. careful [ˈkeəfl]; *sei vorsichtig, dass du nicht fällst* be careful you don't fall (△ *ohne* that) **2.** *vorsichtig fahren* usw. drive* usw. carefully

vorsichtshalber to be on the 'safe side

vorsingen 1. *kannst du uns das Lied vorsingen?* can you sing the song to us? **2.** *morgen muss sie bei der Oper vorsingen* she's got an audition [ɔːˈdɪʃn] with the opera [ˈɒprə] tomorrow

Vorsitzende(r) chairperson, *Mann auch*: chairman [ˈtʃeəmən], *Frau auch*: chairwoman

---

Vorsitzende(r)

Da **chairman** von Frauen oft als diskriminierend empfunden wurde, hat sich auch die geschlechtsneutrale Bezeichnung **chair** (eigentlich „Stuhl") für den Vorsitzenden oder die Vorsitzende etabliert.

---

vorsorgen 1. *allg.*: make* provisions, provide [prəˈvaɪd] (*beide*: *für* for) **2.** *vorsorgen, dass …* see* to it that

Vorspann *Film*: credits [ˈkredɪts] (△ *Pl.*)

Vorspeise appetizer, *BE auch* starter

Vorspiel 1. *im Theater*: prologue [ˈprəʊlɒg] **2.** *sexuelles*: foreplay

V

vorspielen 1. play (*Musikstück*); *jemandem etwas vorspielen* play something to someone 2. *er spielt (dir) das nur vor übertragen* he's just putting on an act

vorsprechen: *sie hat uns den Satz vorgesprochen* she said the sentence for us to repeat

vorspringen (*Balkon, Erker usw.*) jut out

Vorsprung 1. *einen Vorsprung von 15 Sekunden haben* lead* by 15 seconds 2. *sie haben ein Tor Vorsprung* they're one goal ahead [ə'hed] 3. *jemandem 20 Meter Vorsprung geben* give* someone a 20-metre start

vorspulen wind* [waɪnd] (the tape) forward

Vorstand 1. *Wirtschaft*: board of management (*oder* directors); *im Vorstand sitzen* be* on the board 2. *eines Vereins*: managing (*oder* executive [ɪɡ'zekjʊtɪv]) committee [kə'mɪtɪ] 3. *einer Partei*: executive 4. *eines Instituts*: board of governors ['ɡʌvnəz] (*oder* trustees [ˌtrʌs'tiːz]) 5. *einer Kirche*: (church) council ['kaʊnsl] 6. (≈ *Person*) *Wirtschaft*: director, board member, *einer Gesellschaft*: chairman, *Frau*: chairwoman, *AE* chief executive, CEO (*Abk. für* chief executive officer), *eines Instituts*: trustee, (≈ *Kirchenvorstand*) councillor, *AE auch* council member, *einer Partei*: member of the executive

vorstehend: *vorstehende Zähne* protruding teeth [prə,truːdɪŋ'tiː θ], buck teeth

vorstellen[1] 1. introduce [ˌɪntrə'djuːs]; *sie hat uns den neuen Lehrer vorgestellt* she introduced the new teacher to us 2. *sich vorstellen* introduce oneself 3. *sich etwas vorstellen* imagine [ɪ'mædʒɪn] something; *stell dir vor, ...* just imagine, ...; *stell dir das mal vor!* can you imagine it? 4. *wie stellst du dir das vor?* how do you think that's going to work? 5. *so stelle ich mir eine Party usw. vor* that's my idea of a party usw. 6. *was stellst du dir darunter vor?* what does it mean to you?; *ich kann mir nichts darunter vorstellen* it doesn't mean a thing to me

vorstellen[2] put* forward (*Uhr*) (*um* by)

Vorstellung 1. (≈ *Begriff*) idea [aɪ'dɪə]; *du hast manchmal komische Vorstellungen* you 'do have some strange ideas; *du machst dir keine Vorstellung* you've no idea 2. *bei Bewerbung*: interview (*bei* with) 3. *Film*: showing 4. *Theater usw.*: performance

Vorstellungsgespräch interview (*bei* with); *zu einem Vorstellungsgespräch gehen* go* for an interview

Vorstellungskraft imagination [ɪˌmædʒɪ'neɪʃn], powers (△ *Pl.*) of imagination

vorstoßen 1. *militärisch usw.*: push ahead (*auch übertragen*), advance [əd'vɑːns] 2. *Sport*: attack 3. *übertragen* **vorstoßen in** venture (*oder* penetrate ['penɪtreɪt]) into; *vorstoßen nach* (*oder* **zu**) press on as far as; *vorstoßen bis* advance as far as, reach

Vorstrafe previous ['priːvɪəs] conviction

vorstrecken 1. stretch out (*Arme usw.*) 2. stick* out (*Hals, Kopf usw.*) 3. *er hat mir das Geld vorgestreckt* he advanced me the money

Vortag: *am Vortag* the day before; *am Vortag des Spiels* the day before the match

vortasten: *sich vortasten* grope one's way forward; *sich bis zur Tür vortasten* grope one's way to the door

vortäuschen fake (*Krankheit usw.*)

Vorteil 1. advantage [əd'vɑːntɪdʒ]; *es hat den Vorteil, dass es klein ist* it has the advantage of being small; *er ist der gegenüber im Vorteil* he has the advantage over you 2. *die Vor- und Nachteile* the pros and cons [ˌprəʊz_ən'kɒnz] 3. *sie ist nur auf den eigenen Vorteil bedacht* she only thinks of her own interests (△ *Pl.*)

vorteilhaft 1. advantageous [△ ˌædvən'teɪdʒəs] (*für* to) 2. *Kleid usw.*: flattering

Vortrag 1. (≈ *Rede*) talk, lecture (*über* on); *einen Vortrag halten* give* a talk (*oder* lecture) 2. *Musik usw.*: recital [rɪ'saɪtl]

vortragen 1. recite (*Gedicht*) 2. perform [pə'fɔːm] (*Musik-, Theaterstück usw.*)

Vortragssaal lecture hall

vortreten step forward, come* forward

Vortritt 1. *jemandem den Vortritt lassen* let* someone go first 2. ⓒⓗ (≈ *Vorfahrt*) right of way; *er hat den Vortritt nicht beachtet* ⓒⓗ he failed to give way

vorüber: *vorüber sein* be* over

vorübergehen (*Schmerzen usw.*) pass

vorübergehend temporary ['temprərɪ]

Vorurteil prejudice [△ 'predʒʊdɪs]; *voller Vorurteile* full of prejudice (△ *Sg.*)

Vorväter forefathers

Vorverkauf: *Karten im Vorverkauf besorgen* buy* tickets in advance, book ahead

vorverlegen bring* forward

vorvorgestern three days ago

Vorwahl *Telefon*: dialling code, *AE* area code

Vorwand excuse [ɪk'skjuːs]; *unter dem Vorwand, dass ...* with the excuse that ...

vorwärmen warm up
vorwarnen: *jemanden vorwarnen* warn someone (in advance)
Vorwarnung (advance) warning
vorwärts forward; → *vorwärtskommen*
vorwärtskommen 1. (*langsam*) *vorwärtskommen* make* (slow) progress ['prəʊgres] 2. *im Leben vorwärtskommen* get* on in life
Vorweihnachtszeit pre-Christmas period [ˌpriːˈkrɪsməsˌpɪərɪəd], *BE auch* run-up ['rʌn_ʌp] to Christmas
vorwerfen: *er warf ihr vor, dass sie faul sei* he accused her of being lazy
vorwiegend mainly
vorwitzig cheeky
Vorwort preface [△ 'prefəs]
Vorwurf 1. reproach 2. *er macht sich Vorwürfe* he blames himself (*wegen* for) 3. (≈ *Beschuldigung*) accusation
vorwurfsvoll reproachful

Vorzeichen omen ['əʊmen]
vorzeichnen: *kannst du es mir vorzeichnen?* can you draw it for me?
vorzeigbar presentable [prɪˈzentəbl]
vorzeigen show
Vorzeitmensch: *der Vorzeitmensch* prehistoric man [ˌpriːhɪstɒrɪkˈmæn] (△ *ohne* the)
vorziehen 1. pull forward (*Gegenstand*) 2. *zeitlich:* bring* forward 3. (≈ *bevorzugen*) prefer [prɪˈfɜː] 4. *er wird immer vorgezogen* he always gets special treatment
Vorzimmer *Büro:* outer office
Vorzugsbehandlung special treatment
Voyeur(in) voyeur [vwaɪˈɜː], peeping Tom
vulgär vulgar ['vʌlgə]
Vulkan volcano [vɒlˈkeɪnəʊ]
Vulkanausbruch volcanic eruption [vɒlˌkænɪkˌɪˈrʌpʃn]

W

Waage 1. scales (△ *Pl.*), *bes. AE* scale (△ *Sg.*); *eine Waage* a pair of scales; *sich auf die Waage stellen* step on the scales 2. *Sternzeichen:* Libra ['liːbrə]; *ich bin (eine) Waage* I'm (a) Libra
waagerecht 1. horizontal [ˌhɒrɪˈzɒntl] 2. *im Kreuzworträtsel:* across
wabbelig wobbly
Wabe honeycomb [△ 'hʌnɪkəʊm]
wach 1. awake; *die ganze Nacht wach liegen* lie* awake all night 2. *wach werden* wake* up; *ist er schon wach?* has he woken up yet?; *sie ist morgens nicht wach zu kriegen* you can't wake her up in the mornings 3. (≈ *aufgeweckt*) alert
Wachablösung changing of the guard [gɑːd]
Wache guard [gɑːd]
wachen 1. *bei jemandem wachen* sit* up with someone 2. *sie wachte an seinem Bett* she sat at his bedside
Wachhund watchdog
wachkriegen → *wach 2*
wachliegen → *wach 1*
Wachmann 1. watchman ['wɒtʃmən] 2. Ⓐ (≈ *Polizist*) policeman [pəˈliːsmən]
Wacholder juniper ['dʒuːnɪpə]
Wachs 1. wax [wæks] 2. *er ist weich wie Wachs* he's like putty ['pʌtɪ]

wachsen[1] (≈ *größer werden*) grow* [grəʊ]
wachsen[2] wax (*Boden, Skier usw.*)
Wachsfigur wax figure [ˌwæksˈfɪgə], waxwork
Wachsfigurenkabinett waxworks ['wæksˌwɜːks] (△ *mst. mit Sg.*)
Wachstum growth [grəʊθ]
Wachtel 1. quail [kweɪl] 2. *alte Wachtel* *umg.* old crow [krəʊ]
Wächter 1. *allg.:* guard [gɑːd] 2. (≈ *Parkwächter usw.*) attendant
Wachtmeister(in) constable ['kʌnstəbl]
Wach- und Schließgesellschaft *etwa:* security company
Wachzimmer Ⓐ (≈ *Wache*) police station
Wackelkontakt loose contact [ˌluːsˈkɒntækt]
wackeln 1. (*Stuhl usw.*) be* wobbly 2. (*Zahn, Schraube*) be* loose [luːs] 3. (*Haus usw.*) shake* 4. *mit dem Kopf* (*bzw. den Ohren*) *wackeln* waggle one's head (*bzw.* one's ears) 5. *der Hund wackelte mit dem Schwanz* the dog wagged its tail
wacklig 1. *Stuhl usw.:* wobbly 2. *Zahn, Schraube:* loose [luːs] 3. *er ist ein bisschen wacklig auf den Beinen* he's a bit unsteady [ʌnˈstedɪ] on his feet
Wade calf [kɑːf] *Pl.:* calves [kɑːvz]

W

Waffe 1. weapon ['wepən] **2. *Waffen*** weapons, *von Streitkräften mst.*: arms

Waffel 1. waffle ['wɒfl] **2.** (≈ *Eiswaffel*) wafer ['weɪfə]

Waffeleisen waffle iron ['wɒfl,aɪən]

Waffenstillstand armistice ['ɑːmɪstɪs], ceasefire ['siːs,faɪə], truce [truːs]

wagen 1. (≈ *sich getrauen*) dare; *er wagt es nicht, sie anzurufen* he daren't ['deənt] (*AE* doesn't dare to) ring her up (△ *BE ohne* to); *er wagte es, nicht sie anzurufen* he didn't dare (to) ring her up; *wie kannst du es wagen, das zu sagen?* how dare you say that? **2. *er hat es nicht gewagt*** he didn't have the nerve **3. *sie wagt sich nicht aus dem Haus*** she daren't (*AE* doesn't dare to) leave the house **4.** (≈ *riskieren*) risk; *ich wags* I'll risk it, I'll take the risk

Wagen 1. (≈ *Auto*) car **2.** (≈ *Kinderwagen*) pram, *AE* baby carriage ['kærɪdʒ] **3.** *eines Zugs*: carriage **4.** *einer Straßenbahn*: car **5. *der Große Wagen*** *Sternbild*: the Plough [plaʊ], the Big Dipper; *der Kleine Wagen* the Little Dipper

Wagenheber jack

Waggon 1. carriage ['kærɪdʒ], *AE* car **2.** (≈ *Güterwaggon*) (goods) waggon ['wægən], *AE* (freight) car

waghalsig daredevil … ['deə,devl] (△ *immer vor dem Subst.*), risky

Wagon → *Waggon*

Wähe (CH) (≈ *dünner, flacher Kuchen*) (Swiss) flan

Wahl¹ 1. choice; *ich hab keine andere Wahl* I have no choice; *wenn ich die Wahl hätte* if I could choose; *es stehen vier Kuchen zur Wahl* there's a choice of four cakes **2. *er ist in die engere Wahl gekommen*** he made it onto the shortlist

Wahl² 1. *politische usw.*: election, elections (*Pl.*) **2. *zur Wahl gehen*** (go* to) vote

Wahlbeteiligung 1. (voter) turnout **2. *eine hohe* (*geringe*) *Wahlbeteiligung*** heavy (poor *oder* light) polling (△ *ohne* a)

wählen¹ 1. choose* [tʃuːz] **2. *hast du schon gewählt?*** *bei Essen*: have you decided yet?

wählen² *Telefon*: dial ['daɪəl]

wählen³ 1. (≈ *seine Stimme abgeben*) vote **2. *jemanden*** (*bzw. eine Partei*) ***wählen*** vote *for* someone (*bzw.* for a party) **3. *sie wählten ihn zum Präsidenten*** they elected him President

Wähler(in) voter

wählerisch choosy ['tʃuːzɪ]

Wahlfach optional subject, *AE* elective

Wahlkampf election campaign [kæm-'peɪn]

Wahllokal polling ['pəʊlɪŋ] station

Wahlrecht 1. *der Wähler*: right to vote **2.** *System*: electoral law

wahlweise *es gibt wahlweise Eis oder Obst* there's a choice of ice cream or fruit

Wahlwiederholung redial [,riː'daɪəl]

Wahnsinn 1. madness **2. *das ist der reinste Wahnsinn!*** *umg.* it's absolutely crazy **3. *ja Wahnsinn!*** *umg.* incredible [ɪn'kredəbl] **4. *jemanden zum Wahnsinn treiben*** *umg.* drive* someone mad (*oder* potty, *bes. AE* crazy)

wahnsinnig 1. mad; *wahnsinnig werden* go* mad (*vor* with) **2. *es macht mich wahnsinnig*** it's driving me mad **3. *wahnsinnige Schmerzen usw.*** incredible pain (△ *Sg.*) *usw.* **4. *es ist wahnsinnig heiß usw.*** it's incredibly hot *usw.* **5. *sie hat sich wahnsinnig gefreut*** she was really pleased

Wahnsinnige 1. madwoman **2. *wie eine Wahnsinnige*** like a maniac ['meɪnɪæk]

Wahnsinniger 1. madman ['mædmən], lunatic ['luːnətɪk] **2. *wie ein Wahnsinniger*** like a maniac ['meɪnɪæk]

Wahnsinnsidee *umg.* crazy idea

Wahnsinnspreis ridiculous price

wahr 1. true [truː], (≈ *wirklich*) *auch*: real [rɪəl]; *der wahre Grund* the real reason; *davon ist kein Wort wahr* it's completely untrue; *da hast du ein wahres Wort gesprochen* *umg.* that's very true **2. *wahr werden*** come* true **3. *das darf doch nicht wahr sein!*** *umg.* I don't believe it **4. *nicht wahr?*** that's right, isn't it? **5. *so wahr ich hier stehe!*** *umg.* I swear it ['sweər‿ɪt]

während 1. *vor Subst.*: during; *während des Spiels* during the match **2.** *vor Nebensatz*: while; *während wir spielten* while we were playing **3.** *bei Gegensatz*: whereas, while; *er ging, während ich zu Hause blieb* he went whereas I stayed at home

---

während   while / during

while + Verb

> **while we were watching TV,
> while he fed the baby, while you
> work**

during + Substantiv

> **during the programme,
> during school, during the night,
> during winter**

wahrhaben: *sie wollte es nicht wahrha-*

ben she refused to believe it
Wahrheit 1. truth [tru:θ]; *die Wahrheit sagen* tell* the truth **2. er nimmts mit der Wahrheit nicht so genau** he's not the most honest ['ɒnɪst] of persons
wahrnehmbar perceptible [pə'septəbl], noticeable ['nəʊtɪsəbl]
wahrsagen 1. prophesy ['prɒfəsaɪ] (*die Zukunft usw.*) **2.** tell (people's) fortunes ['fɔ:tʃənz]; *jemandem wahrsagen* tell* someone's fortune; *er hat sich von ihr wahrsagen lassen* he had his fortune told by her
Wahrsager(in) fortune-teller ['fɔ:tʃən-,telə]
währschaft ⓖ **1.** *Bauer usw.*, *Mensch*: hard-working, reliable **2.** *Essen*: hearty ['hɑ:tɪ], substantial **3. einen währschaften Hunger haben** be* very hungry **4.** *Haus usw.*: (≈ *gediegen aussehend*) solidly built
wahrscheinlich 1. probably ['prɒbəblɪ]; *wahrscheinlich sind sie verreist* they're probably away **2. das ist sehr wahrscheinlich** that's very likely
Wahrscheinlichkeit probability, likelihood; *aller Wahrscheinlichkeit nach* in all probability (*oder* likelihood)
Währung currency ['kʌrənsɪ]

Währung

Für einige **Währungen** gibt es umgangssprachliche Bezeichnungen, z. B.

nickel	(*USA und Kanada*) 5-Cent-Stück
dime	(*USA und Kanada*) 10-Cent-Stück
quarter	(*USA und Kanada*) 25-Cent-Stück
buck	*amerikanischer oder australischer* Dollar
quid	*britisches* Pfund

Währungsumstellung currency ['kʌrənsɪ] changeover (*oder* conversion)
Wahrzeichen symbol ['sɪmbl]
Waise orphan ['ɔ:fn]
Waisenhaus orphanage ['ɔ:fənɪdʒ]
Waisenkind orphan ['ɔ:fn]
Wal whale [weɪl]
Wald 1. woods (*Pl.*), wood **2.** *großer*: forest ['fɒrɪst] **3. ich seh den Wald vor lauter Bäumen nicht** I can't see the wood (*AE* forest) for the trees
Waldbrand forest fire
Waldgebiet wooded area, woodland
Waldhorn French horn; *ich spiele Waldhorn* I play (the) French horn

waldig wooded
Waldlehrpfad nature trail
Waldorfschule Rudolf Steiner school
Waldschäden *Pl.* forest damage (△ *Sg.*)
Waldsterben dying of forests
Wales Wales [weɪlz]; ☞ *Karte S. 245*
Walfang whaling ['weɪlɪŋ]
Waliser Welshman ['welʃmən]
Waliserin Welsh woman *bzw.* girl
walisisch, **Walisisch** Welsh
Walkman® Walkman® ['wɔ:kmən] (△ *Pl.* Walkmans® ['wɔ:kmənz]), personal stereo [,pɜ:snəl'sterɪəʊ]

Walkman

Als Pluralform hört man auch **Walkmen** nach dem Muster **man** *Plural*: **men**.

Wall 1. (≈ *Damm*) dam, embankment **2.** *militärisch*: rampart ['ræmpɑ:t] **3.** *übertragen* bulwark [△ 'bʊlwək]
Wallfahrer(in) pilgrim
Wallfahrt pilgrimage ['pɪlgrɪmɪdʒ]
Wallfahrtsort place of pilgrimage
Walnuss walnut ['wɔ:lnʌt]
Walross walrus ['wɔ:lrəs]
wälzen 1. (≈ *rollen*) roll **2. sich wälzen** roll **3. sich wälzen** *vor Schmerz*: writhe [△ raɪð] (*vor* with) **4. sich im Dreck wälzen** wallow ['wɒləʊ] in the dirt **5. sich im Bett wälzen** toss and turn (in bed) **6. Bücher wälzen** pore over books **7. die Schuld auf jemanden wälzen** shift the blame onto someone
Walzer waltz [wɔ:ls]; *Walzer tanzen* dance the (*oder* a) waltz, waltz
Wampe *umg.* paunch [pɔ:ntʃ]
Wand 1. *allg.*: wall [wɔ:l] **2.** *Wendungen*: *in meinen eigenen vier Wänden* within my own four walls; *da redet man gegen eine Wand* it's like talking to a brick wall
wandelnd: ein wandelndes Lexikon a walking encyclop(a)edia [ɪn,saɪklə-'pi:dɪə]
Wanderer, **Wanderin 1.** *allg.*: wanderer ['wɒndərə] **2.** *bes. sportlich*: hiker, rambler
wandern 1. walk, go* on a walk (*oder* hike); *wir wandern gern* we like walking, we like going on walks (*oder* hikes) **2.** (*Gedanken*, *Blick*) wander ['wɒndə] **3. es ist in den Müll usw. gewandert** it ended up in the dustbin (*AE* garbage can) *usw.*
Wanderpokal challenge ['tʃælɪndʒ] cup
Wanderstiefel hiking (*oder* walking) boots
Wanderung 1. walk, hike **2. eine Wande-**

W

rung machen go* on a walk (*oder* hike)

Wanderweg walking trail, hiking trail

Wandschrank built-in cupboard [△ ˌbɪltɪnˈkʌbəd], *AE* closet [△ ˈklɒzɪt]

Wange cheek

wann when; *seit wann ist sie da?* since when (*oder* how long) has she been here?; *bis wann bleibt ihr?* when are you staying till?, how long are you staying?

Wanne (≈ *Badewanne*) bath [bɑːθ] tub; *er sitzt in der Wanne* he's in the bath

Wanze 1. *Insekt*: bug, *AE* bedbug **2.** (≈ *Abhörgerät*) bugging device, bug

Wappen coat of arms, arms (*Pl.*)

Ware 1. product [ˈprɒdʌkt] **2.** *Waren* goods

Warenhaus department store (△ warehouse = *Lagerhaus*)

Warenzeichen trademark

warm 1. *allg.*: warm [wɔːm]; *mir ist zu warm* I'm too warm; *sich warm anziehen* dress warmly **2.** *warm werden* warm up, get* warm **3.** *Essen, Getränk*: hot; *das Essen warm stellen* keep* the food hot **4.** *warm machen* heat up (*Essen usw.*) **5.** *ich kann mit ihr nicht warm werden* I can't warm to her

---

warm laufen: *sich warm laufen* warm up, do* a warm-up run

Wärme 1. *allg.*: warmth **2.** *Physik*: heat

wärmen 1. warm up (*jemanden, die Hände usw.*) **2.** heat up (*Essen, Getränk*) **3.** *sich wärmen* warm up **4.** *ich wärm mir die Füße* I'm warming my feet

Wärmflasche hot-water bottle

warmhalten *du solltest ihn dir warmhalten* you should keep in with him

warmherzig warm-hearted [ˌwɔːmˈhɑːtɪd]

Warmluft warm air; *subtropische Warmluft* subtropical air

warmmachen → *warm 4*

Warmmiete rent including heating

Warmstart *Computer*: warm start [ˌwɔːmˈstɑːt]

warmstellen → *warm 3*

Warmwasserhahn hot-water tap (*AE auch* faucet [ˈfɔːsɪt])

warmwerden → *warm 5*

Warndreieck warning triangle [ˈtraɪæŋgl]

warnen 1. *allg.*: warn [wɔːn] (*vor* about, of); *ich warnte ihn davor, rauszugehen* I warned him not to go out; *ich warne dich* I'm warning you; *du bist gewarnt* you've been warned **2.** *kannst du mich rechtzeitig warnen?* (≈ *Bescheid geben*) can you give me plenty of warning?

Warnung warning [ˈwɔːnɪŋ]; *lass dir das*

eine Warnung sein let that be a warning to you

Warschau Warsaw [ˈwɔːsɔː]

Wartehäuschen shelter, *für Bus*: bus shelter

Warteliste waiting list; *auf der Warteliste stehen* be* on the waiting list

warten 1. *allg.*: wait (*auf* for); *ich warte schon seit einer Stunde* I've been waiting for an hour; *jemanden warten lassen* keep* someone waiting; *warte mal!* wait a minute! **2.** *das Essen wartet* (*auf euch*) dinner's ready. **3.** *worauf wartest du noch?* what are you waiting for? **4.** *da kannst du lange warten* you could be in for a long wait **5.** *darauf hab ich schon lange gewartet* I've been waiting for that to happen **6.** *na warte!* just you wait!

Wärter(in) 1. *allg.*: attendant [əˈtendənt] **2.** *im Gefängnis*: warder, *AE* guard [gɑːd]

Wartesaal, Wartezimmer waiting room

Wartung *einer Maschine usw.*: maintenance [ˈmeɪntənəns], servicing

warum 1. why; *warum* (*auch*) *nicht?* why not? **2.** *warum nicht gleich so?* that's it!

Warze wart [wɔːt]

was¹ 1. *allg.*: what **2.** *was?* what? **3.** *was für ein Auto ist das?* what kind of car is that? **4.** *was kostet das?* how much is it? **5.** *was weiß ich* how should I know? **6.** *das war toll, was?* it was great, wasn't it?; *es schmeckt gut, was?* it tastes good, doesn't it? **7.** *was, du kennst ihn nicht?* what, you (mean you) don't know him? **8.** *was musst du auch plappern!* why do you have to blab?

was² 1. *du weißt, was ich meine* you know what I mean (△ *ohne Komma*) **2.** *alles, was er hat* everything he's got (△ *ohne what*); *das Beste, was ich kenne* the best I know (△ *ohne what*) **3.** *das, was du gelernt hast* what you learnt (△ *ohne that*) **4.** *was auch immer* whatever

was³ (≈ *etwas*) something; *ich will dir mal was sagen* let me tell you something

Waschbär raccoon, racoon [rəˈkuːn], *AE auch* coon

Waschbecken washbasin [ˈwɒʃˌbeɪsn]

Waschbrett *auch als Musikinstrument*: washboard [ˈwɒʃbɔːd]

Waschbrettbauch washboard stomach [△ ˌwɒʃbɔːdˈstʌmək], *umg.* washboard abs [ˈæbz] (△ *Pl.*), *umg.* six-pack

Wäsche 1. (≈ *Schmutzwäsche*) laundry [ˈlɔːndrɪ], *BE mst.* washing; *es ist in der Wäsche* it's in the wash **2.** (≈ *Tisch-,*

Bettwäsche) linen [△ 'lɪnɪn] **3.** (≈ *Unterwäsche*) underwear ['ʌndəweə]; *die Wäsche wechseln* change one's underwear **4.** *da hat sie dumm aus der Wäsche geguckt* umg. you should have seen her face

Waschbrettbauch

Manch einer, der sich im Fitnessstudio abmüht, träumt von einem Bauch, bei dem sich die Muskeln abzeichnen – dem Waschbrettbauch. Leicht ist dieses Ziel nicht zu erreichen, doch hier sind schon mal die verschiedenen Begriffe im Englischen: **washboard stomach, washboard belly, washboard abs** (**abs** steht für **abdominal muscles** = Bauchmuskeln) und **rippling abs**. Man sagt auch **six-pack** (eigentlich ein Sechserpack Getränke) dazu und spielt damit auf die dann sichtbaren sechs Bauchmuskeln an.

Wäscheklammer clothes [kləʊ(ð)z] peg (*AE* pin)
Wäscheleine clothes line; *es hängt an der Wäscheleine* it's hanging on the line
waschen 1. wash **2.** *sich waschen* wash, get* washed **3.** *sie wäscht sich die Haare* usw. she's washing her hair usw.
Wäscherei laundry ['lɔːndrɪ]
Wäscheständer clothes [kləʊ(ð)z] horse
Wäschetrockner tumble drier ['draɪə]
Waschlappen 1. flannel ['flænl], *AE* washcloth ['wɒʃklɒθ] **2.** umg. (≈ *Weichling*) wimp
Waschmaschine washing machine
Waschmittel washing powder, *AE* (laundry) detergent
Waschpulver washing powder, *AE* (laundry) detergent
Waschraum washroom
Waschsalon launderette [ˌlɔːndə'ret], *AE* laundromat ['lɔːndrəmæt]
Wasser 1. water; *unter Wasser stehen* be* flooded **2.** *ins Wasser fallen* übertragen fall* through **3.** *er kann ihr das Wasser nicht reichen* he can't hold a candle to her
Wasserball *Sport*: water polo
Wässerchen: *er sieht aus, als könne er kein Wässerchen trüben* he looks as if butter wouldn't melt in his mouth
wasserdicht waterproof, *Schiff, Technik auch*: watertight
Wasserfall 1. waterfall **2.** *wie ein Wasserfall reden* talk nineteen to the dozen ['dʌzn]

Wasserfarbe water colour
wasserfest waterproof
Wasserhahn tap, *AE auch* faucet ['fɔːsɪt]
wässerig 1. watery **2.** *du machst mir den Mund wässerig!* you're making my mouth water!
Wasserkessel kettle
Wasserkraftwerk hydroelectric ['haɪdrəʊɪˌlektrɪk] power plant
Wasserleitung water pipe, water pipes (*Pl.*)
Wassermann *Sternzeichen*: Aquarius [ə'kweərɪəs]; *ich bin (ein) Wassermann* I'm an Aquarius, I'm an Aquarian
Wassermelone water melon ['wɔːtəˌmelən]
Wasserpistole water pistol ['wɔːtəˌpɪstl]
Wasserratte 1. *sie ist eine Wasserratte* umg. she loves the water **2.** *Tier*: water rat
Wasserrutsche water slide
wasserscheu scared of water
Wasserski 1. *Sport*: water-skiing ['wɔːtəˌskiːɪŋ] **2.** *Wasserski fahren* water-ski, go* water-skiing

Einige Wassersportarten

Gerätetauchen	**scuba diving** ['skuːbə]
Kanufahren	**canoeing** [kə'nuːɪŋ]
Kunstspringen	**diving**
Rudern	**rowing**
Schnorcheln	**snorkelling**
Schwimmen	**swimming**
Surfen, Wellenreiten	**surfing**
Synchronschwimmen	**synchronized swimming**
Wasserball	**water polo**
Wasserskilaufen	**water skiing**
Wildwassersport	**white water canoeing** ['waɪtˌwɔːtəkə'nuːɪŋ]
Windsurfen	**windsurfing**

Wasserstand water level
Wasserstoff hydrogen ['haɪdrədʒən]
Wasserverbrauch water consumption
Wasserverschmutzung water pollution
Wasserwaage spirit level ['spɪrɪtˌlevl], *AE* level
Wasserzeichen watermark
waten wade
Watsche bes. ⒶⒹ umg. clip round (*AE* on) the ear
watscheln waddle [△ 'wɒdl]
Watschen bes. Ⓐ; → *Watsche*
watschen: *jemanden watschen* bes. Ⓐ slap someone's face

W

Watt¹ *elektrische Leistung*: watt [wɒt]; *1000 Watt* 1,000 watts

Watt² (≈ *Wattenmeer*) mud flats (△ *Pl.*)

Watte 1. cotton wool [ˌkɒtnˈwʊl], *AE* cotton 2. *jemanden in Watte packen* *übertragen* handle someone with kid gloves [glʌvz]

Wattestäbchen cotton bud, *AE* Q-tip® [ˈkjuːtɪp]

WC toilet [ˈtɔɪlət], *AE* bathroom, restroom

Web Web; *im Web* on the Web; *im Web surfen* surf the Web

Webadresse web address

weben weave*

Webseite web page

Website website, site

Webstuhl loom

Wechsel 1. *allg.*: change 2. (≈ *Stabwechsel*) baton [ˈbætn] change 3. (≈ *Spielerwechsel*) substitution

Wechselautomat change dispenser, *AE* change machine

Wechselgeld change

wechselhaft changeable [ˈtʃeɪndʒəbl]

Wechselkurs exchange rate, rate of exchange

wechseln 1. *allg.*: change 2. *das Zimmer* (*bzw.* *die Schule usw.*) *wechseln* change rooms (*bzw.* schools *usw.*) (△ *mit Pl. und ohne* the) 3. *die Wohnung wechseln* move house (△ *ohne* the) 4. *das Thema wechseln* change the subject 5. *das Hemd usw. wechseln* put* on a clean shirt *usw.* 6. *Geld wechseln* *in andere Währung*: change some money, *in Kleingeld*: get* some change; *kannst du wechseln?* can you change this? 7. *Euro in Pfund wechseln* change euros into pounds 8. *sie hat den Freund gewechselt* she's got a new boyfriend

Wechselstrom alternating current [ˈɔːltəneɪtɪŋ ˌkʌrənt] (*Abk.* AC)

Wechselstube bureau de change [ˌbjʊərəʊ dəˈʃɒndʒ], currency exchange office, *kleiner*: exchange booth

---

Wechselstube

Beim Geldtausch in einer Wechselstube sollte man beachten, dass meistens eine saftige Gebühr verlangt wird. Günstiger ist es, bei einer Bank zu tauschen bzw. mit der EC-Karte einen Geldautomaten zu benutzen.

Weckdienst *in Hotel*: alarm call service, *bes. AE* wake-up service

wecken wake* (up)

Wecken *bes.* ⒶⒹ **1.** (≈ *längliches Brot*) loaf

Pl.: loaves [ləʊvz] **2.** (≈ *kleines längliches Gebäck*) *etwa*: Viennese roll [ˌviːəniːzˈrəʊl]

Wecker 1. alarm clock 2. *er geht mir auf den Wecker* *umg.* he gets on my wick, *AE* he's a pain in the ass

Weckruf alarm call, wake-up call

wedeln 1. *der Hund wedelte mit dem Schwanz* the dog wagged its tail 2. *Skisport*: wedel [ˈveɪdl], do* parallel turns

weder 1. *weder ... noch ...* neither ... nor ...; *er kann weder Englisch noch Französisch* he speaks neither English nor French, he doesn't speak either English or French 2. *weder noch* *als Antwort auf Frage*: neither(, I'm afraid)

Weg 1. *allg.*: way (*auch Richtung und übertragen*); *es ist ein langer Weg* it's a long way; *auf dem Weg sein* be* on the way; *ich muss mich auf den Weg machen* I must be on my way; *jemanden nach dem Weg fragen* ask someone the way; *im Weg sein* be* in the way; *geh mir aus dem Weg!* get out of my way! 2. (≈ *Pfad*) path [pɑːθ] 3. *befahrbarer*: road 4. *Wendungen*: *jemandem über den Weg laufen* bump into someone; *er geht mir aus dem Weg* he's trying to avoid me; *ich trau ihm nicht über den Weg* I don't trust him an inch

weg 1. (≈ *nicht mehr da*) gone [gɒn]; *meine Schuhe sind weg* my shoes have gone; *er ist schon weg* he's already gone (*oder* left) 2. *nichts wie weg!* let's get out of here! 3. *Hände* (*oder* *Finger*) *weg!* hands off! 4. *weit weg* a long way away 5. *sie war ganz weg* (≈ *begeistert*) she was tickled pink 6. *er ist weg* *umg.* (≈ *weggetreten*) he's away with the fairies, *nach Alkohol usw.*: he's out for the count 7. *ich bin darüber weg* I've got (*oder* I'm) over it

wegbleiben stay away

wegbringen take* away

wegdürfen: *ich darf nicht weg* I'm not allowed out

wegen 1. because of 2. *von wegen!* *umg.* you must be joking!

wegfahren 1. (*Auto*) drive* off 2. (*Person*) leave* 3. *in Urlaub usw.*: go* away

wegfressen: *er hat mir alles weggefressen* *umg.* he's scoffed (*AE* scarfed) everything up

weggeben give* away

weggehen 1. *allg.*: go* away 2. *der Fleck geht nicht weg* the stain won't come out

weggetreten *umg.* away with the fairies, *AE* he's off in la-la land

weggucken look away

weghaben 1. *er hat einen weg* *umg.* (≈

ist betrunken) he's had one too many **2. er hat einen (Knacks) weg** *umg.* he's a bit screwy

weghören 1. try not to listen **2. könnt ihr mal weghören?** could you shut your ears for a minute?

wegjagen chase away

wegkommen 1. get* away **2. gut** (*bzw.* **schlecht**) **wegkommen** *übertragen* come* off well (*bzw.* badly) **3. mach, dass du wegkommst!** *umg.* get out of here!

wegkriegen 1. get* rid of (*Fleck usw.*) **2. eine Grippe** *usw.* **wegkriegen** (≈ *bekommen*) get* the flu *usw.*

weglassen leave* out

weglaufen run* away

weglegen put* *something* aside

wegmachen 1. (≈ *entfernen*) remove [rɪ-ˈmuːv] **2.** get* rid of (*auch Baby*) **3. sich wegmachen** *umg.* clear off

wegmüssen: ich muss weg I've got to go

wegnehmen take* away

wegräumen clear away

wegrennen run* away

wegschicken send* away

wegschließen lock *something* away

wegschmeißen throw* away

wegschnappen 1. jemandem etwas wegschnappen snatch something away from someone **2. sie hat mir den Freund weggeschnappt** she pinched my boyfriend

wegschütten pour away [ˌpɔːr_əˈweɪ]

wegsehen look away

wegstecken 1. put* away **2. sie kann einiges wegstecken** *umg.* she can take a lot

wegtun put* away

Wegweiser signpost [ˈsaɪnpəʊst], (road) sign

wegwerfen throw* away

Wegwerfflasche non-returnable bottle

Wegwerfgesellschaft throwaway society

wegziehen 1. (≈ *umziehen*) move [muːv], leave* **2. etwas wegziehen** pull something away

weh: weh tun → **wehtun**

wehe: wehe dir, wenn du es ihm sagst! if you tell him you'll be sorry!

wehen 1. (*Wind*) blow*; **es weht ein kalter Wind** there's a cold wind blowing **2.** (*Fahne*) flutter

Wehen *vor Geburt:* labour pains

wehleidig 1. self-pitying **2. sei nicht so wehleidig!** stop feeling so sorry for yourself

wehmütig 1. melancholy [ˈmelənkəlɪ], (≈ *sehnsüchtig*) wistful **2. wehmütig an et-**

was zurückdenken have* wistful memories of something, remember something with nostalgia [nɒˈstældʒə]

Wehr *in Fluss usw.:* weir [wɪə], dam

Wehrdienst military [ˈmɪlɪtrɪ] service

Wehrdienstverweigerer conscientious objector [△ kɒnʃɪˌenʃəs_əbˈdʒektə]

wehren 1. sich wehren defend oneself (**gegen** against) **2. sich mit Händen und Füßen wehren** put* up a real struggle

wehrlos defenceless

Wehrpflicht: die Wehrpflicht compulsory [kəmˈpʌlsrɪ] military service

wehrpflichtig liable for military service

wehtun 1. es tut weh it hurts; **mir tut der Fuß weh** my foot hurts **2. ich hab mir wehgetan** I've hurt myself **3. du tust mir weh!** you're hurting me!

Wehwehchen: sie rennt wegen jedem Wehwehchen zum Arzt she runs to the doctor for every little thing

Weib woman [ˈwʊmən] *Pl.:* women [ˈwɪmɪn]

Weibchen *Tier:* female [ˈfiːmeɪl]; **es ist ein Weibchen** it's a she

Weiberheld lady-killer

weibisch effeminate [ɪˈfemɪnət]

weiblich 1. *allg.:* female [ˈfiːmeɪl] **2.** *Grammatik:* feminine [ˈfemənɪn]

weich 1. *allg.:* soft **2.** *Ei:* soft-boiled **3. weich werden** (≈ *nachgeben*) give* in **4. mir wurden die Knie ganz weich** I went all weak in the knees

Weiche 1. *einer Gleisanlage:* points *Pl.*, *AE* switch **2. die Weichen stellen** *übertragen* set* the course [kɔːs] (**für** for)

Weichkäse 1. *allg.:* cheese **2.** (≈ *Streichkäse*) cheese spread [ˈtʃiːzˌspred]

weichlich *Person:* soft, weak

Weichling *abwertend* weakling, *umg.* softie, sissy

weichwerden → **weich** 3, 4

Weide¹ *Grasfläche:* meadow [ˈmedəʊ]

Weide² *Baum:* willow

weigern: sich weigern refuse [rɪˈfjuːz]

Weiher pond

Weihnachten Christmas [△ ˈkrɪsməs]; **frohe Weihnachten!** merry Christmas!; **an** (*oder* **zu**) **Weihnachten** at (*oder* over) Christmas; **was möchtest du zu Weihnachten?** what would you like for Christmas?

weihnachtlich *Atmosphäre usw.:* Christmassy [△ ˈkrɪsməsɪ]

Weihnachtsbaum Christmas tree [ˈkrɪsməsˌtriː]

Weihnachtsfeier Christmas party

Weihnachtsferien Christmas holidays (△ *Pl.*), *AE* Christmas vacation [veɪˈkeɪʃn]

Weihnachtsgeschenk Christmas present

W

['krɪsməs‚preznt]

Weihnachtskarte Christmas card ['krɪsməs‚ka:d]

Weihnachtslied Christmas carol ['krɪsməs‚kærəl]

Weihnachtsmann: *der Weihnachtsmann* Father Christmas [△ 'krɪsməs], Santa Claus ['sæntə‚klɔ:z]

Weihnachtsmann

In den englischsprachigen Ländern kommt der Weihnachtsmann in der Nacht vom 24. zum 25. Dezember, sodass man seine Geschenke erst am 1. Weihnachtstag erhält.

Weihnachtsmarkt Christmas fair [‚krɪsməs'feə]

Weihnachtstag 1. *der erste Weihnachtstag* Christmas Day [‚krɪsməs'deɪ] **2.** *der zweite Weihnachtstag* Boxing Day ['bɒksɪŋ‚deɪ], *AE* the day after Christmas

Weihrauch incense ['ɪnsens]; *in der Bibel*: frankincense ['fræŋkɪn‚sens]

weil because [bɪ'kɒz] (△ while = *während*)

Weilchen: *es dauert noch ein Weilchen* it'll take a little while (yet)

Weile 1. while; *eine Weile* for a while; *vor einer Weile* a while ago **2.** *es kann noch eine Weile dauern* it could take some time

Wein wine; *ein Glas Wein* a glass of wine

Weinberg vineyard [△ 'vɪnjəd]

weinen 1. cry **2.** *er hat sie zum Weinen gebracht* he made her cry

weinerlich *Kind, Stimme usw.*: whining

Weingummi wine gum

Weinhauer(in) Ⓐ (≈ *Winzer*) wine grower, vintner ['vɪntnə]

Weinkeller wine cellar ['waɪn‚selə]

Weintrauben grapes

weise wise

Weise 1. *auf diese Weise* this way **2.** *in gewisser Weise* in a way **3.** *in keinster Weise!* *umg.* no way!

weisen: *weisen auf* point to

Weise(r) wise man

Weisheit 1. wisdom ['wɪzdəm]; *ich bin mit meiner Weisheit am Ende* I'm at my wits' end **2.** (≈ *Spruch*) saying

Weisheitszahn wisdom ['wɪzdəm] tooth

weismachen: *willst du mir weismachen, dass ...?* are you trying to tell me (that) ...?

weiß 1. *allg.*: white **2.** *er wurde ganz weiß* he turned white as a sheet **3.** *das Weiße vom Ei* the white of an egg **4.** *das*

Weiße im Auge the whites of one's eyes

weissagen prophesy ['prɒfəsaɪ], foretell [fɔ:'tel]

Weißbier weissbier, wheat beer

weißblond *Haar*: ash-blond(e)

Weißbrot 1. white bread [bred] **2.** *ein Weißbrot* a white loaf

Weiße(r) white, white man (*bzw.* boy), *Frau*: white, white woman (*oder* lady *bzw.* girl); *die Weißen* the whites

weißen 1. *allg.*: paint white **2.** (≈ *tünchen*) whitewash (*Wände*)

weißhaarig white-haired

Weißrussland Belarus [‚belə'ru:s]

Weißwein white wine

Weißwurst veal sausage ['sɒsɪdʒ]

weit 1. far; *weit weg* far away **2.** *ich sah ihn von Weitem kommen* I could see him coming in the distance **3.** *fünf Meter weit springen* jump five metres **4.** *ein weiter Weg* a long way **5.** *Kleid usw.*: wide, loose [lu:s] **6.** *weit offen* wide open **7.** *so weit, so gut* so far so good **8.** *das geht zu weit* that's going too far **9.** *die große weite Welt* the big wide world **10.** *es war weit und breit keiner zu sehen* there was nobody in sight **11.** *er ist bei Weitem der Beste* he's by far the best **12.** *wie weit bist du?* how far have you got? **13.** *ich bin so weit* I'm ready **14.** *weit gefehlt!* far from it **15.** *weit gereist* widely-travelled **16.** *weit verbreitet* widespread ['waɪdspred]

weitaus: *weitaus besser usw.* far (*oder* much) better *usw.*; *die weitaus schlimmsten usw.* the worst *usw.* by far

Weite 1. *allg.*: width [wɪdθ] **2.** (≈ *Durchmesser*) diameter [daɪ'æmɪtə]

weiter 1. *weiter!* (≈ *weitermachen!*) go on!, (≈ *weitergehen!*) keep moving! **2.** *es ging immer weiter* it just went on and on **3.** *und so weiter* and so on **4.** *weiter nichts?* is that all?; *wenns weiter nichts ist* if that's all **5.** *ein weiteres Problem usw.* another problem *usw.*; → *Weitere(s)*

weiterarbeiten carry on (working)

Weiterbildung 1. *allg.*: further education **2.** *berufliche*: further training

weiterbringen: *das bringt uns nicht weiter* that doesn't help us at all

Weitere(s) 1. *allg.*: *das* (*oder* alles) *Weitere* the rest, further information *usw.*; *alles Weitere später* I'll tell you the rest later **2.** *bis auf Weiteres* for the time being, *offiziell*: until further notice **3.** *ohne Weiteres* without further ado [ə'du:], *umg.* just like that; *das kann ich ohne Weiteres machen* I can do that 'no problem

weitererzählen: *nicht weitererzählen!* don't tell anyone!

weiterfahren go* on, drive* on (*nach* to; *bis* as far as)

weitergeben pass on

weitergehen 1. go* on, walk on **2.** *weitergehen!* keep moving! **3.** *wie soll es weitergehen?* where do we go from here?

weiterhelfen: *jemandem weiterhelfen* help someone (along)

weiterkämpfen continue fighting, fight* on (*beide auch übertragen*)

weiterkommen get* ahead; *ich komm nicht weiter* I'm not getting anywhere

weiterleiten 1. *allg.:* pass *something* on (*an* to) **2.** forward (*Brief usw.*) (*an* to) **3.** refer (*Antrag usw.*)

weiterlesen carry on reading; *lies weiter!* go on!

weitermachen 1. carry on (*mit* with) **2.** *mach nur so weiter!* see where it gets you

weiters Ⓐ (≈ *ferner*, *weiterhin*) furthermore

weitersagen 1. pass on **2.** *nicht weitersagen!* don't tell anyone!

weiterschlafen sleep* on (*bis* till)

weitersehen: *dann sehen wir weiter* and we'll take it from there

weiterverarbeiten process ['prɔʊses]

weiterwissen: *ich weiß nicht mehr weiter* I don't know what to do (now)

weiterwollen: *sie wollte nicht weiter* she didn't want to go on

weiterwursteln *umg.* muddle on

weitgereist → *weit 15*

weither: (*von*) *weither* from far away, *förmlich* from afar [ə'fɑː]

weitsichtig 1. *Augendefekt:* longsighted, *bes. AE* farsighted **2.** *übertragen* (≈ *vorausschauend*) farsighted

Weitspringer(in) long jumper

Weitsprung long jump

weitverbreitet → *weit 16*

Weitwinkel(objektiv) wide-angle lens ['waɪd,æŋɡl,lenz]

Weizen wheat [wiːt]

Weizenbier wheat beer, weissbier

welch 1. (≈ *was für*) what; *welche Farbe?* what colour?; *welch ein Anblick usw.!* what a sight *usw.!* **2.** *auswählend:* which; *welchen Mann meinst du?* which man do you mean?; *welchen hättest du gern?* which one would you like? **3.** *ich hab welches* I've got some; *hast du welches?* have you got any? (△ in Fragen any)

welken (*Blume*) wilt

Wellblech corrugated iron [ˌkɒrʊɡeɪtɪd'aɪən]

Welle 1. *allg.:* wave **2.** *im Stadion:* Mexican wave **3.** *wir haben grüne* (*bzw. rote*) *Welle* we've caught the green (*bzw.* red) phase

wellen: *mein Haar wellt sich* my hair's gone wavy

Wellenbad wave pool

Wellenlänge wavelength; *wir haben die gleiche Wellenlänge* we're on the same wavelength

Wellenlinie wavy line

Wellensittich budgerigar ['bʌdʒərɪɡɑː], *umg.* budgie ['bʌdʒɪ], *AE* parakeet

wellig wavy

Welpe puppy

Welt 1. *allg.:* world; *auf der Welt* <u>in</u> the world; *die schönste Frau der Welt* the most beautiful woman <u>in</u> the world **2.** *auf die Welt kommen* be* born **3.** *er ist in der Welt herumgekommen* he's been around **4.** *er wohnt am Ende der Welt* he lives at the back of beyond **5.** *nicht um alles in der Welt!* not on your life! **6.** *es kostet doch nicht die Welt* it won't break the bank

Weltall universe ['juːnɪvɜːs]; *das Weltall auch:* space (△ *ohne* the)

Weltanschauung philosophy (of life), outlook <u>on</u> life, world view

Weltausstellung world exhibition

weltbekannt, weltberühmt world-famous

weltbewegend: *es war nichts Weltbewegendes* it was nothing to write home about

weltfremd *Ansichten usw.:* out-of-touch …, out of touch (△ *Letzteres nur <u>hinter</u> dem Verb*), unworldly, naive [naɪ'iːv]; *Gelehrter usw.: auch* ivory-tower …

Weltfriede(n) world peace

Weltkarte map of the world

Weltklasse: *sie gehören zur Weltklasse* they're world class players *usw.*

Weltkrieg 1. world war **2.** *der Zweite Weltkrieg* World War II (*gesprochen* World War Two), the Second World War

weltlich 1. *Freuden usw.:* (≈ *irdisch, sinnlich*) worldly **2.** (↔ *geistlich*) secular ['sekjʊlə]

Weltmacht superpower, world power

Weltmeister(in) world champion; *sie ist Weltmeisterin im Fechten* she's <u>the</u> world fencing champion

Weltmeisterschaft 1. *allg.:* world championship, world championships (*Pl.*) **2.** *Fußball:* World Cup

Weltraum: *der Weltraum* (outer) space (△ *ohne* the)

Weltraummüll space debris ['speɪs,debriː, *AE* 'speɪs‿də,briː], space junk

Weltreich (world) empire ['empaɪə]

Weltreise round-the-world trip; *eine Weltreise machen* go* on a round-the--world trip

Weltrekord world record ['rekɔːd]

Weltrekordler(in) world record holder

Weltsprache world language

weltumspannend global ['gləʊbl], worldwide

Weltuntergang end of the world

weltweit worldwide, global ['gləʊbl]

Weltwunder: *die sieben Weltwunder* the Seven Wonders ['wʌndəz] of the World

Weltzeit Greenwich [△ 'grenɪtʃ] Mean Time

wem → *wer¹*

wen → *wer¹, wer³*

Wende 1. (≈ *Wendepunkt*) turning point **2.** *die Wende* the fall of Communism in Eastern Europe, *im engeren Sinn*: the opening of the Berlin Wall [ˌbɜːlɪn'wɔːl]

Wendekreis 1. *Auto*: turning circle **2.** *Breitengrad*: tropic

Wendeltreppe spiral ['spaɪrəl] staircase

wenden¹ 1. *allg.*: turn **2.** turn over (*Seite, Laken usw.*); *bitte wenden!* PTO (*Abk. für p*lease **t**urn **o**ver) **3.** *mit Auto usw.*: turn round, *um 180°* : make a U-turn ['juːtɜːn]

wenden²: *an wen soll ich mich wenden?* who should I ask (*oder* get in touch with)?

wendig 1. *Person*: agile ['ædʒaɪl] **2.** *Auto usw.*: manoeuvrable [məˈnuːvrəbl], *AE* maneuverable [məˈnuːvərəbl], agile

Wendung (≈ *Redewendung*) expression

wenig 1. little (△ *weniger* less, *wenigst*-least), not much; *wir haben wenig Zeit* (*bzw. Chancen usw.*) we haven't got much time (*bzw.* chance *Sg. usw.*) **2.** *zu wenig* not enough [ɪˈnʌf] **3.** *wenige* few, not many; *nur wenige sind gekommen* not many (people) came, only a few (people) came **4.** *ein wenig* a little **5.** *nur ein wenig Zucker* just a little sugar **6.** *mit weniger auskommen* get* by on less **7.** *du wirst immer weniger humorvoll* you're fading away

wenigstens at least; *du hättest wenigstens was sagen können* you could at least have said something; *glaube ich wenigstens* at least I think so

wenn 1. (≈ *falls*) if; *wenn er fragt, sag nichts* if he asks don't say anything; *wenn du meinst* if you say so **2.** *zeitlich*: when; *wenn du zurück bist, ruf mich an* when you're back give me a call **3.** *immer wenn* whenever, every time

Wenn: *ohne Wenn und Aber!* no ifs and buts!, *AE* no ifs, ands, or buts

wennschon: *und wennschon!* so what

---

wenn   when / if

wenn = when

Es steht fest, oder es wird als sicher angenommen, dass etwas geschehen wird:

> when I die …

> when you get here …

wenn, falls = if

Es ist nicht sicher, ob etwas geschehen wird:

> if you decide to go …

> if he rings …

---

wer¹ *in Fragen* **1.** who; *wer war das?* who was that? **2.** (≈ *welcher?*) which (one); *wer von euch?* which of you? **3.** *wen meinst du?* who do you mean? **4.** *an wen hast du es geschickt?* who did you send it to? **5.** *wem hast dus gegeben?* who did you give it to?; *wem hat ers gesagt?* who did he tell? **6.** *von wem hast du das?* who gave you that? **7.** *von wem redest du?* who are you talking about?

wer² 1. *ich weiß nicht, wer das ist* I don't know who it is **2.** *wer so was glaubt, ist dumm* anyone who believes that is stupid

wer³ *umg.* (≈ *jemand*) **1.** somebody ['sʌmbədɪ], someone; *da ist wer für dich* there's somebody to see you **2.** *in Fragen*: anybody ['enɪˌbɒdɪ], anyone; *hast du wen gesehen?* did you see anybody? **3.** *sie ist wer* she's not just anybody

Werbefernsehen TV commercials (△ *Pl.*)

werben 1. advertise ['ædvətaɪz] **2.** *sie werben für Käse* they're advertising cheese

Werbespot *Radio, TV*: commercial [kəˈmɜːʃl], *umg. auch* promo ['prəʊməʊ]

Werbung 1. advertising ['ædvətaɪzɪŋ] **2.** *im Fernsehen usw.*: commercials (△ *Pl.*) **3.** *im Internet*: banner ad, banner ads (*Pl.*) **4.** *das ist eine gute Werbung für … übertragen* that's good publicity for … (△ *ohne a*)

werden¹ 1. *allg.*: get*, become*; *alt* (*bzw. müde, reich usw.*) *werden* get* old (*bzw.* tired, rich *usw.*); *es wird immer schlimmer usw.* it's getting worse and worse *usw.* **2.** (≈ *sich wandeln*) *blind* (*bzw. grau, verrückt usw.*) *werden* go* blind (*bzw.* grey, mad *usw.*) **3.** *sie wurde Erste* she came (in) first **4.** *mir wird kalt* I feel cold; *mir wird schlecht* I feel sick, I'm going to be sick **5.** *was willst du* *werden?* what do you want to be? (△ *nicht* become); *er wird Lehrer* he's going to be a teacher 6. *ich werde 15* I'll be 15 in May *bzw.* August *usw.* (△ *meistens wird das aktuelle Alter angegeben, also* I'm 14 *usw.*) 7. *das wird doch nichts!* that's not going to work

werden² 1. *allgemeine Vorhersage:* 'll (*Abk. für* will); *es wird schon klappen* it'll work out; *er wird uns fahren* he'll drive us 2. *in der Verneinung:* **er wird nicht da sein** he <u>won't</u> be there 3. *bei spontaner Entscheidung:* 'll (*Abk. für* will); *ich werde kommen* I'll come; *wir werden warten* we'll wait 4. *in der Verneinung:* **ich werde nichts essen** I <u>won't</u> eat anything 5. *bei feststehendem Entschluss:* going to; *wir werden siegen!* we're going to win!; *er wird uns abholen* he's going to pick us up

werden³ 1. *wir werden dafür bezahlt* we're paid for it; *er wird geprüft jetzt gerade*: he's being tested 2. *es wird jeden Tag geduscht* we (*bzw.* they) have a shower every day

werfen 1. throw* (*nach* at) 2. *sie haben mit Steinen nach uns geworfen* they threw stones <u>at</u> us 3. *sie werfen mit Geld um sich* they throw their money about

Werft 1. *für Schiffe*: shipyard 2. *für Flugzeuge*: hangar [△ 'hæŋə]

Werk (≈ *Kunstwerk, Buch usw.*) work

werkeln *umg.* potter about (*an* with)

Werkstatt 1. *allg.*: workshop, *für Reparaturen auch*: repair shop 2. (≈ *Autowerkstatt*) garage ['gærɑːʒ, *bes. AE* gə'rɑːʒ]

Werktag working day, *bes. AE* workday

werktags on weekdays, during the week

Werkzeug 1. tool 2. *mein Werkzeug insgesamt*: my tools (△ *Pl.*)

Werkzeugkasten toolbox

Wermut 1. *Wein*: vermouth ['vɜːməθ, *bes. AE* vɜːˈmuːθ] 2. *Pflanze*: wormwood ['wɜːmwʊd]

Wert 1. value ['væljuː] 2. *Schuhe im Wert von 1000 Euro* 1000 euros worth of shoes 3. *das hat keinen Wert* (≈ *Sinn*) that's pointless

wert 1. *es ist etwa 50 Euro wert* it's worth about 50 euro<u>s</u>; *es ist nicht viel wert* it isn't worth much; *es ist viel wert* it's worth a lot, it's very valuable [△ 'væljʊbl] 2. *das ist nichts wert* it's worthless

...wert *in Zusammensetzungen, nur im positiven Sinn*: worth ...; *besuchenswert* worth visiting; *lesenswert* worth read<u>ing</u>

wertlos 1. worthless ['wɜːθləs] 2. (≈ *nutz-*

los) useless [△ 'juːsləs]

Wertpaket insured package

Wertsachen valuables [△ 'væljʊblz]

Wertstoff recyclable [ˌriːˈsaɪkləbl] material

Wertstoffhof *für Sondermüll*: recycling [ˌriːˈsaɪklɪŋ] centre (*AE* center)

Wertung 1. (≈ *Bewertung*) assessment [əˈsesmənt], evaluation [ɪˌvæljuˈeɪʃn] 2. (≈ *Beurteilung*) judg(e)ment ['dʒʌdʒmənt] 3. (≈ *Güteklassifizierung*) rating *AE Sport*: (≈ *Punktezahl*) score, points (*Pl.*), (≈ *Wettbewerb*) competition [ˌkɒmpəˈtɪʃn]

wertvoll valuable [△ 'væljʊbl]

Wertzuwachs 1. *allg.*: increase in value [ˌɪŋkriːs_ɪnˈvæljuː] 2. *von Kapital*: appreciation [əˌpriːʃɪˈeɪʃn]

Werwolf werewolf [△ 'weəwʊlf]

wesentlich 1. *das ist ein wesentlicher Unterschied* that's a big difference 2. *nichts Wesentliches* nothing important

weshalb 1. (≈ *warum*) why 2. *..., weshalb er dann auch zustimmte* which is why he finally agreed

Wespe wasp ['wɒsp]

Wespenstich wasp ['wɒsp] sting

Wespentaille wasp ['wɒsp] waist

wessen *Person*: whose [huːz]; *wessen Geld ist das?* whose money is this?

West 1. west; *aus West* from <u>the</u> west; *München West* West Munich 2. *nach West* west, westwards ['westwədz]

westdeutsch, Westdeutsche(r) 1. *geografisch*: Western German 2. *politisch*: West German; ☞ *Nationalitäten*

Westdeutschland 1. *als Landesteil*: Western Germany 2. *politisch*: West Germany

Weste waistcoat [△ 'weɪskəʊt], *AE* vest (△ *BE* vest, *AE* undershirt = *Unterhemd*)

Westen 1. *Himmelsrichtung*: west; *von Westen* from <u>the</u> west 2. *Landesteil*: West 3. *nach Westen* west, westwards ['westwədz], *Verkehr usw.*: westbound 4. *der Wilde Westen* the Wild West

Westentasche: *er kennt es wie seine Westentasche übertragen* he knows it like the back of his hand

Westeuropa West (*oder* Western) Europe ['jʊərəp]

Westeuropäer(in) West(ern) European; ☞ *Nationalitäten*

westeuropäisch West(ern) European

Westfalen Westphalia [westˈfeɪlɪə]

westlich 1. *allg.*: western (△ *nur vor dem Subst.*) 2. *Wind, Richtung*: westerly 3. *in westlicher Richtung* west, westwards ['westwədz], *Verkehr usw.*: westbound 4.

W

westlich von (to the) west of 5. **weiter westlich** further (to the) west

westlichste(r, -s): *der westlichste Punkt von Irland* Ireland's westernmost point

westwärts west, westwards ['westwədz]

Westwind west(erly) wind

Wettbewerb competition [ˌkɒmpə'tɪʃn]

wettbewerbsfähig competitive [kəm-'petətɪv]

Wette 1. bet; *eine Wette abschließen* make* a bet 2. *die Wette gilt!* you're on! 3. *wir sind um die Wette gerannt* we raced each other, we had a race

wetten bet* (*auf* on); *ich hab mit ihm gewettet, dass ...* I bet him that ...; *was wettest du?* how much do you (want to) bet?; *ich wette (mit dir um) 50 Euro* I'll bet you 50 euros; *ich wette, es regnet* I bet it's going to rain; *wetten, dass?* wanna ['wɒnə] bet?

Wetter weather ['weðə]; *bei diesem Wetter* in this sort of weather; *bei gutem Wetter gehen wir* we'll go if the weather's good

Wetter

Zum Wetter sollte man sich in Großbritannien stets äußern können, denn es ist und bleibt das Thema Nr. 1. Hier einige nützliche Phrasen:

Isn't it a nice day? / Nice day, isn't it?
Schönes Wetter, nicht wahr?

What a lovely/beautiful day!
Tolles Wetter, nicht wahr?

Terrible/Awful/Dreadful weather, isn't it?
Scheußliches Wetter, nicht wahr?

Wetteraussichten weather outlook (△ *Sg.*)

Wetterbericht weather report

Wetterfrosch *umg.*; *Person:* weatherman

Wetterkarte weather map

Wettervorhersage weather forecast

Wettkampf contest ['kɒntest] (*gegen* against; *um* for)

Wettlauf 1. race 2. *ein Wettlauf mit der Zeit* a race against the clock

wettmachen make* up for (*durch* with, by)

Wettrennen race

Wettstreit 1. contest ['kɒntest] (*um* for) 2. (≈ *Wettbewerb*) competition

wetzen 1. sharpen (*Messer usw.*) 2. (≈ *schleifen*) grind* [graɪnd] 3. (*Vogel*) scratch, rub (*Schnabel*)

Whisky *schottischer:* whisky ['wɪskɪ], *irischer, amerikanischer:* whiskey ['wɪskɪ]

wichsen 1. *vulgär* (≈ *onanieren*) (have* a) wank [wæŋk], *bes. AE* jerk off 2. (≈ *polieren*) polish ['pɒlɪʃ]

Wichser *vulgär, auch Schimpfwort:* wanker

wichtig 1. important [ɪm'pɔːtnt]; *es ist mir sehr wichtig* it's very important to me 2. *sich* (*bzw.* *etwas*) *sehr wichtig nehmen* take* oneself (*bzw.* something) very seriously 3. *hast du nichts Wichtigeres zu tun* (*, als es allen zu sagen*)? haven't you got anything better to do (than tell everybody)?; → *wichtigmachen*

Wichtigkeit importance [ɪm'pɔːtns]

wichtigmachen: *sie macht sich gern wichtig* she likes to think she's somebody special

Wichtigtuer(in) pompous ass [ˌpɒmpəs-'æs]

wickeln 1. wind* [waɪnd] (*Schnur usw.*) (*um* round) 2. wrap [△ ræp] (*Papier, Schal, Decke*); *einen Schal um den Hals wickeln* wrap a scarf round one's neck 3. *sich in eine Decke wickeln* wrap oneself up in a blanket 4. *ein Baby wickeln* change a baby's nappy (*bzw. AE* diaper ['daɪəpə])

Widder 1. *Tier:* ram 2. *Sternzeichen:* Aries ['eəriːz]; *ich bin (ein) Widder* I'm (an) Aries

wider: *sie hat es wider Willen getan* she did it against her will

Widerhaken 1. *allg.:* barbed hook 2. *an Pfeil usw.:* barb

widerlich revolting, sickening

Widerling *umg.* creep

widerrufen 1. *allg.:* (≈ *zurücknehmen*) withdraw* 2. cancel ['kænsl] (*Auftrag, Vertrag, Befehl*) 3. retract (*Äußerung*) 4. *gesetzlich:* annul [ə'nʌl]

widerspiegeln *auch übertragen* 1. reflect 2. *sich widerspiegeln* be* reflected

widersprechen contradict [ˌkɒntrə'dɪkt]; *jemandem* (*bzw.* *sich*) *widersprechen* contradict someone (*bzw.* oneself)

Widerspruch 1. contradiction (*in sich* in terms) 2. *kein Widerspruch!* no arguments!

widersprüchlich 1. *allg.:* contradictory [ˌkɒntrə'dɪktərɪ], inconsistent [ˌɪnkən-'sɪstənt] 2. *Gefühle usw.:* conflicting [kən'flɪktɪŋ]

Widerstand resistance [rɪ'zɪstəns]

widerstandsfähig resistant [rɪ'zɪstənt] (*gegen* to), robust [rəʊ'bʌst]

widerstehen 1. resist [rɪ'zɪst] 2. *bei Kuchen kann ich nicht widerstehen* I can't resist when it comes to cakes

widerstreben: *es widerstrebt mir* I hate

to have to do it

widerwillig (≈ *ungern*) reluctantly

widmen: jemandem etwas widmen dedicate ['dedɪkeɪt] something to someone

Widmung dedication [ˌdedɪ'keɪʃn]

wie[1] *in Fragen* **1.** how; **wie gehts?** how are you? **2. wie ist er so?** *als Typ:* what's he like?; **wie ist die neue Schule?** what's the new school like? **3. wie nennt man …?** what do you call …? **4. wie das?** how come? **5. wie, du kommst nicht?** what, (you mean) you're not coming? **6. wie bitte?** sorry?, pardon?, *AE* excuse me?, *überrascht:* say that again! **7. das war klasse, wie?** that was great, wasn't it?; **er ist nett, wie?** he's nice, isn't he?

---

wie viel 1. how much **2.** (≈ *wie viele*) how many? **3. wie viel wiegst du?** how much do you weigh? **4. wie viel Uhr ist es?** what's the time? **5. wie viel größer** *usw.?* how much bigger *usw.?*

---

wie

Bei Personen sollte man auf folgenden Unterschied achten:

How
fragt nach dem Wohlbefinden:

How are you?
How is your mother?

What … like?
fragt nach dem Typ, der Persönlichkeit:

What's the new teacher like?
What are your neighbours like?

---

wie[2] **1.** *in Vergleichen:* as; **so … wie** as … as; **du bist so alt wie ich** you're as old as me (*oder* as I am) **2. in Ländern wie Belgien** *usw.* in countries like Belgium *usw.* **3. wie gesagt** as I was saying **4. Fremdsprachen, wie z. B. …** foreign languages, such as …

wie[3] **1.** (≈ *als*) when; **wie ich das hörte** when I heard that **2.** (≈ *während*) as, when; **wie sie den Wagen parkte, lief er weg** as she was parking the car, he ran away **3. ich sah, wie er rauskam** I saw him coming out **4. wie er auch heißt** whatever he's called **5. wie du mir, so ich dir** two can play at that game

wieder 1. again [ə'gen]; **sie ist wieder da** she's back again **2. immer wieder** again and again **3. schon wieder!** not again! **4. was hast du wieder angestellt?** what

---

have you been up to this time? → **wiederauftauchen**, **wiederentdecken** *usw.*

---

wieder beleben (*Wirtschaft*) revive [rɪ-'vaɪv]; ☞ **wiederbeleben**

wieder herstellen 1. re-establish (*Verbindung*) **2.** (≈ *erneut produzieren*) produce [prə'djuːs] again; ☞ **wiederherstellen**

Wiederaufbau 1. *allg.:* reconstruction **2.** *wirtschaftlicher:* recovery [rɪ'kʌvərɪ]

Wiederaufbereitungsanlage *für abgebrannte atomare Brennstäbe:* reprocessing plant [riː'prəʊsesɪŋˌplɑːnt]

wiederauftauchen (*Person*) turn up again

wiederbekommen get* *something* back

wiederbeleben (*Person*) revive [rɪ'vaɪv]; ☞ **wieder beleben**

Wiederbelebungsversuch attempt at resuscitation [⚠ rɪˌsʌsɪ'teɪʃn]

wiederbringen bring* back

wiederentdecken rediscover [ˌriːdɪ'skʌvə]

wiedererkennen recognize [⚠ 're-kəgnaɪz]; **es ist nicht wiederzuerkennen** you won't recognize it

wiederfinden: etwas wiederfinden find* something again

Wiedergabe 1. *von Ton:* sound (quality) **2.** *von Bild:* picture (quality)

wiedergeben give* back

wiedergewinnen win* back

wiedergutmachen 1. etwas wiedergutmachen make* up for something **2. wie kann ich dir das wiedergutmachen?** how can I make it up to you?

wiederhaben: ich habs wieder I've got it back

wiederherstellen 1. *allg.:* restore, *gesundheitlich auch:* cure **2.** *Computer:* undelete [ˌʌndɪ'liːt] (*Text, Datei usw.*); ☞ **wieder herstellen**

wiederholen 1. repeat (*auch Prüfung usw.*) **2.** revise (*Lernstoff*) **3. sich wiederholen** repeat oneself (*bzw.* itself)

wiederholt repeated

Wiederholung 1. *allg.:* repetition [ˌrepə-'tɪʃn] **2.** *einer Sendung:* repeat **3.** *von Lernstoff:* revision **4.** *in Zeitlupe:* replay ['riːpleɪ]

Wiederholungsspiel replay ['riːpleɪ]

Wiederhören: auf Wiederhören bye [baɪ]

Wiederkäuer *Tier:* ruminant ['ruːmɪnənt]

wiederkommen come* back

wiedersehen 1. jemanden wiedersehen see* someone again **2. wann sehen wir uns wieder?** when can we meet up again?

Wiedersehen: (auf) Wiedersehen! goodbye!, bye!

Wiedervereinigung reunification [ˌriː-ˌjuːnɪfɪˈkeɪʃn]; *seit der Wiedervereinigung* since reunification (△ *ohne* the)

wiederverkaufen resell [ˌriːˈsel]

Wiege cradle [ˈkreɪdl]

wiegen¹ 1. *allg.:* weigh [△ weɪ] **2.** *was wiegst du?* how much do you weigh?

wiegen² rock (*Baby*)

wiehern (*Pferd*) neigh [△ neɪ]

Wien Vienna [vɪˈenə]

Wiener(in) Viennese [ˌviːəˈniːz]; *sie ist Wienerin* she's from Vienna

wienerisch Viennese [ˌviːəˈniːz]

Wiese meadow [ˈmedəʊ]

Wiesel weasel

wieso 1. *allg.:* why **2.** *umg.; bei Fragen:* how come?

wievielt 1. *zum wievielten Mal?* how many times? **2.** *zu wievielt wart ihr?* how many of you were there? **3.** *den Wievielten haben wir heute?* what's the date today?; *am Wievielten hast du Geburtstag?* which day is your birthday? **4.** *der wievielte Wagen ist das?* how many cars is that (now)?

wieweit (≈ *inwieweit*) to what extent

Wikinger(in) Viking [ˈvaɪkɪŋ]

wild 1. *allg.:* wild [waɪld] **2.** *das macht sie wild* (≈ *wütend*) it drives her wild **3.** *wild sein auf etwas* be* crazy about something **4.** *wie wild schreien usw.* scream *usw.* like crazy **5.** *es ist halb so wild* not to worry

Wild 1. game (*auch Fleisch*) **2.** (≈ *Reh, Rehe*) deer **3.** (≈ *Fleisch von Rotwild*) venison [ˈvenɪsən]

Wilde(r) savage [ˈsævɪdʒ]

Wilderer poacher [ˈpəʊtʃə]

wildfremd: *ein wildfremder Mensch* a complete stranger

Wildleder suede [△ sweɪd], suede leather

wildmachen → *wild 2*

Wildnis wilderness [△ ˈwɪldənəs]

Wildpark 1. game park **2.** *mit Rotwild:* deer park

Wildschwein wild boar [ˌwaɪldˈbɔː]

Wille 1. will; *ein eiserner Wille* an iron will **2.** *er setzt immer seinen Willen durch* he always gets his own way **3.** *es war kein böser Wille* it wasn't deliberate [dɪˈlɪbərət] **4.** *beim besten Willen nicht* not with the best will in the world **5.** *Letzter Wille* will

willen 1. *um seiner Mutter willen* for his mother's sake **2.** *um Gottes willen!* *vorwurfsvoll:* for heaven's sake!, *betroffen:* goodness me!

willig willing

willkommen 1. *willkommen!* welcome!;

willkommen in Österreich welcome to Austria **2.** *du bist immer willkommen* you're always welcome

wimmeln: *es wimmelte von Fliegen* (*bzw.* *Menschen usw.*) the place was swarming with flies (*bzw.* people *usw.*)

Wimmerl *bes.* Ⓐ (≈ *Pickel*) spot, pimple

Wimpel pennant [ˈpenənt]

Wimper 1. eyelash **2.** *ohne mit der Wimper zu zucken* without batting an eyelid

Wimperntusche mascara [mæˈskɑːrə]

Wind 1. *allg.:* wind **2.** *viel Wind um etwas machen* make* a big fuss about something

Windel nappy, *AE* diaper [ˈdaɪpə]

windelweich: *er schlug ihn windelweich* he made mincemeat out of him

winden 1. *sich vor Schmerz winden* writhe [△ ˈraɪð] with pain (△ *Sg.*) **2.** *sich vor Scham winden* squirm with embarrassment

Windenergie wind power

windgeschützt wind-sheltered [ˈwɪndˌʃeltəd], sheltered, *hinter dem Verb:* sheltered from the wind

Windhund greyhound

windig windy

Windjacke windcheater [ˈwɪndˌtʃiːtə], *AE* windbreaker

Windkraft 1. *allg.:* wind power **2.** *mit Windkraft betrieben* wind-powered

Windkraftanlage wind power station

Windmühle windmill

Windpocken chickenpox (△ *Sg.*); *sie hat Windpocken* she's got chickenpox

Windschatten 1. *Sport usw.:* slipstream **2.** *Schifffahrt:* lee **3.** *Luftfahrt:* sheltered zone **4.** *im Windschatten von etwas* in (*oder* under) the lee of something

Windschutzscheibe windscreen, *AE* windshield [ˈwɪndʃiːld]

Windsurfen windsurfing

Windsurfer(in) windsurfer

Windung 1. *eines Weges, Flusses usw.:* bend; *die Windungen des Weges auch* the winding (△ *Sg.*) of the path **2.** *einer Spirale, Schnecke:* whorl [wɜːl] **3.** *einer Schraube:* worm [wɜːm], thread [θred] **4.** *des Darms usw.:* convolution [ˌkɒnvəˈluːʃn]

Winkel 1. angle; *ein Winkel von 60°* a 60° (*gesprochen* sixty-degree) angle; *im rechten Winkel zu* at right angles to **2.** *Instrument:* square **3.** (≈ *Ecke*) corner

Winkelmesser protractor [prəˈtræktə]

winken 1. wave **2.** *sie winkte mit dem Schal* she waved her scarf **3.** *dem Kellner winken* attract the waiter's attention

winklig 1. *Wohnung:* full of nooks [nʊks] and crannies **2.** *Altstadt:* full of winding

['waɪndɪŋ] streets **3.** *Gasse:* winding
winseln whine
Winter winter; *der Winter* winter (△ *ohne*
the); *im Winter* in (the) winter
Winterferien winter holidays, *AE* winter
vacation [veɪˈkeɪʃn] (△ *Sg.*)
winterlich 1. wintery **2.** *sich winterlich
anziehen* put* on one's winter clothes
[kləʊ(ð)z]
Wintermode winter fashions (△ *Pl.*)
Winterreifen winter tyre, *AE* snow tire
Wintersachen *Kleidung:* winter things,
winter clothes [kləʊ(ð)z]
Winterschlaf hibernation [ˌhaɪbəˈneɪʃn]
(△ *ohne* the); *Winterschlaf halten* hiber-
nate
Winterschlussverkauf winter sales (△
Pl.), January sales (△ *Pl.*); *es ist Winter-
schlussverkauf* the January sales are on
Winterspiele: *die Olympischen Winter-
spiele* the Winter Olympics [əˈlɪmpɪks]
Wintersport 1. winter sport **2.** (≈ *Winter-
sportarten*) winter sports (△ *Pl.*)

Einige Wintersportarten

Abfahrtslauf	**downhill skiing**
Bobrennen	**bob(sleigh)** [sleɪ] **racing**
Eishockey	**ice hockey**
Eiskunstlauf	**figure skating**
Eisschnelllauf	**speed skating**
Eisstockschießen	**curling**
Rodeln	**tobogganing** [təˈbɒɡənɪŋ]
Schlittschuhlaufen	**ice skating**
Skifahren, Skilaufen	**skiing**
Skifahren abseits der Piste	**off-piste skiing** [ˌɒfpiːstˈskiːɪŋ]
Skilanglauf	**cross-country skiing**
Skispringen	**ski jumping**
Tiefschneefahren	**deep snow ski-ing, deep powder skiing**

Winterzeit 1. *Jahreszeit:* wintertime (△
ohne the) **2.** *Uhrzeit:* winter time (△ *zwei
Wörter*), *AE* standard time
Winzer(in) wine grower, vintner [ˈvɪntnə]
winzig tiny [ˈtaɪnɪ]
Winzling tiny man (*bzw.* woman)
Wippe seesaw [ˈsiːsɔː]
wippen 1. *auf und ab:* jig up and down **2.**
(≈ *schaukeln*) rock
wir 1. we **2.** *wir beide* both of us; *wir drei*
the three of us; *wir alle* all of us
Wirbel[1] *der Wirbelsäule:* vertebra [ˈvɜː-
tɪbrə] *Pl.:* vertebrae [ˈvɜːtɪbreɪ]

Wirbel[2]: *mach keinen solchen Wirbel
um …!* don't make such a fuss about …
Wirbel[3] *im Haar:* crown
Wirbel[4] *in Fluss usw.:* eddy, *größerer:*
whirlpool
wirbeln (*Schnee, Blätter usw.*) whirl [wɜːl]
Wirbelsäule spine
Wirbelsturm whirlwind
Wirbeltier vertebrate [ˈvɜːtɪbrət]
wirken 1. *beruhigend usw. wirken* have*
a calming *usw.* effect **2.** *wirkt es?* is it
working? **3.** *es wirkt schnell* it takes ef-
fect quickly **4.** *das hat gewirkt!* that did
the trick (*oder* job)! **5.** *sie wirkt schüch-
tern* (*bzw.* *älter usw.*) she seems shy
(*bzw.* older *usw.*) **6.** *es wirkt Wunder* it
works wonders
wirklich 1. *wirklich?* really? [ˈrɪəlɪ] **2.** *sie
hat es wirklich gesagt* she really 'did
say it **3.** *ich weiß es wirklich nicht* I re-
ally don't know; *es tut mir wirklich leid*
I'm really sorry **4.** (≈ *echt, wahr*) real
[rɪəl]; *der wirkliche Grund* the real rea-
son
Wirklichkeit 1. *die Wirklichkeit* reality (△
ohne the) **2.** *in Wirklichkeit* in actual fact
wirksam 1. effective **2.** *es ist wirksam
gegen …* it's good for …
Wirksamkeit effectiveness
Wirkung effect
wirkungslos: *es war (total) wirkungslos*
it had no effect (at all)
wirr 1. confused **2.** *sie redete wirres
Zeug* she was talking gibberish
Wirrwarr confusion; *es war ein totaler
Wirrwarr* it was complete chaos [ˈkeɪɒs]
(△ *ohne* a)
Wirsing(kohl) savoy [səˈvɔɪ] (cabbage [sə-
ˌvɔɪˈkæbɪdʒ])
Wirt (≈ *Gastwirt*) landlord
Wirtin (≈ *Gastwirtin*) landlady
Wirtschaft 1. economy **2.** (≈ *Wirtshaus*)
pub
wirtschaften 1. *allg.:* manage (one's af-
fairs) **2.** *sparsam wirtschaften* econo-
mize [ˈɪˈkɒnəmaɪz], be* economical (*mit*
with) **3.** *gut wirtschaften* be* economi-
cal; *schlecht wirtschaften* mismanage
[ˌmɪsˈmænɪdʒ]
wirtschaftlich economical [ˌiːkəˈnɒmɪkl]
Wirtshaus pub
Wisch *umg.* bumf
wischen 1. wipe **2.** (≈ *aufwischen*) mop
up **3.** *wisch dir die Milch vom Mund*
wipe that milk off your mouth **4.** *sie hat
ihm eine gewischt umg.* she landed him
one **5.** ⊕ (≈ *fegen, kehren*) sweep* (the
floor)
Wischer (≈ *Scheibenwischer*) wiper
Wischiwaschi *umg.* blah-blah

W

wissen 1. know* (*von* about) **2. *ich weiß schon*** I know, you don't have to tell me; ***weißt du schon, ...?*** did you know ...? **3. *woher weißt du das?*** how do you know that? **4. *weißt du, ...*** *als Satzeinleitung*: you know, ... **5. *ich weiß genau, dass ...*** I know for a fact that ... **6. *sie weiß immer alles besser*** she always knows best **7. *was weiß ich!*** how should I know? **8. *das musst du selbst wissen*** that's up to you **9. *nicht, dass ich wüsste*** not that I know of **10. *soviel ich weiß*** as far as I know **11. *man kann nie wissen*** you never know **12. *weißt du noch?*** can you remember? **13. *ich will von ihm nichts mehr wissen*** I don't want anything more to do with him

Wissen 1. knowledge [△ 'nɒlɪdʒ] (*über* of) **2. *meines Wissens*** as far as I know

Wissenschaft 1. *die Wissenschaft* (≈ *Forschung*) research ['riːsɜːtʃ, rɪ'sɜːtʃ], *naturwissenschaftliche*: science [△ 'saɪəns] (△ *beide ohne* the); ***die Wissenschaft hat bewiesen ...*** research has proved ... **2.** (≈ *einzelne Disziplin, z.B. Biologie*) science

Wissenschaftler(in) 1. *allg.*: academic [ˌækə'demɪk] **2.** (≈ *Naturwissenschaftler, -in*) scientist [△ 'saɪəntɪst] **3.** (≈ *Forscher, -in*) researcher [rɪ'sɜːtʃə]

wissenschaftlich 1. (≈ *naturwissenschaftlich*) scientific [ˌsaɪən'tɪfɪk] **2.** (≈ *akademisch, geisteswissenschaftlich*) academic [ˌækə'demɪk]; ***wissenschaftliche Laufbahn*** academic career **3.** (≈ *gelehrt-wissenschaftlich*) scholarly ['skɒləlɪ] **4.** *Arbeitsweise*: methodical [mɪ'θɒdɪkl] **5. *wissenschafeliche(r) Assistent(in)*** *etwa*: assistant lecturer [əˌsɪstənt-'lektʃərə] **6. *das ist wissenschaftlich nicht haltbar*** that isn't scientifically tenable ['tenəbl]

Wissensgebiet field of knowledge [△ 'nɒlɪdʒ]

Wissenswertes useful ['juːsfl] facts (*über* about)

wittern 1. scent [sent], smell, get* wind of (*jemanden, ein Tier usw.*) **2.** *übertragen* (≈ *ahnen*) sense (*Gefahr, Verrat usw.*), see* (*eine Chance*) **3.** (≈ *Witterung aufnehmen*) (*Tier*) sniff the air

Witwe widow; ***sie ist Witwe*** she's a widow

Witwer widower ['wɪdəʊə]

Witz 1. joke **2. *Witze machen*** crack jokes **3. *mach keine Witze!*** you're kidding! **4. *das soll wohl ein Witz sein*** is that supposed to be some kind of joke? **5. *das ist ja wohl ein Witz*** it's ridiculous [rɪ-'dɪkjʊləs] **6. *der Witz an der Sache ist*** ... the funny thing about it is ...

Witzbold 1. joker **2.** *abwertend* wise guy ['waɪz‿gaɪ] **3. *der ist vielleicht ein Witzbold!*** *ironisch* he's a joke

witzig 1. *allg.*: funny **2.** (≈ *geistreich*) witty

witzlos: *es ist (total) witzlos* it's useless

wo¹ 1. where; ***wo bist du?*** where are you? **2. *ich weiß, wo er ist*** I know where he is **3. *zu einer Zeit, wo ich kommen kann*** at a time when I can come **4. *wo ich dich gerade spreche*** while I'm talking to you **5. *jetzt, wo er zu Hause ist*** now that he's at home

wo²: *ach wo!* *umg.* oh no, no no

woanders, woandershin somewhere else

wobei 1. *wobei mir einfällt* which reminds me **2. *wobei du schauen musst, dass ...*** but you've got to watch that ...

Woche week; ***während (*oder* unter) der Woche*** during the week; ***zweimal die Woche*** twice a week

Wochenende weekend; ***am Wochenende*** on (*BE auch* at) the weekend; ***wir fahren übers Wochende weg*** we're going away for the weekend

Wochenkarte weekly (season) ticket

wochenlang *warten usw.*: for weeks

Wochentag weekday; ***an einem Wochentag*** on a weekday

wöchentlich 1. *Aufsatz usw.*: weekly **2.** *schwimmen usw.*: every week, once a week

Wochenzeitung weekly (paper *oder* newspaper)

Wodka vodka ['vɒdkə]

wodurch 1. how; ***wodurch kam das?*** how did it happen? **2. *wodurch er gewann*** by which he won

wofür 1. *wofür ich ihm dankte* for which I thanked him **2. *wofür ich mich interessiere*** what I'm interested in **3. *wofür macht er das?*** what's he doing it for? **4. *wofür hältst du mich?*** who do you think I am?

woher 1. *woher hast du das?* where did you get it from? **2. *woher weiß sie das?*** how does she know (that)?

wohin 1. *wohin geht er?* where's he going? **2. *wohin damit?*** where does this go?

wohl¹ 1. *mir ist nicht wohl dabei* I don't feel happy about it **2. *sich wohl fühlen*** → *wohlfühlen* **3. *wohl oder übel*** whether we *bzw.* you *usw.* like it or not; → *wohltun*

wohl² 1. *das kann man wohl sagen!* you can say that again **2. *du weißt sehr wohl, was ich meine*** you know very well what I mean **3. *das ist wohl das Beste*** I suppose that's the best thing **4. *er kommt wohl nicht*** I don't suppose he'll come **5. *was wohl?*** *ungeduldig:* what do you think?

Wohl: *zum Wohl!* cheers!

Wohlfahrtsmarke charity ['tʃærətı] stamp

wohlfühlen 1. *ich fühl mich nicht wohl* I don't feel well **2. *ich fühl mich hier sehr wohl*** I feel quite happy here

wohlgemerkt mind you (△ *nur am Satzanfang oder -ende*)

wohlig 1. *Gefühl usw.:* pleasant ['pleznt] **2.** (≈ *behaglich, gemütlich*) cosy, *AE* cozy ['kəʊzı]

Wohlstand 1. *der Wohlstand* prosperity [prɒ'sperətı] (△ *ohne* the) **2. *ist bei dir der Wohlstand ausgebrochen?*** *umg.* have you won the lottery or what?

Wohltat: *das ist eine Wohltat!* ooh [uː], thatʂs good!

Wohltäter(in) benefactor ['benıfæktə], *Frau auch:* förmlich benefactress ['benıfæktrəs]

wohltätig: *für einen wohltätigen Zweck* for a good cause, for charity ['tʃærətı]

Wohltätigkeitsspiel charity ['tʃærətı] match

wohltun: *das wird dir wohltun* it'll do you good

Wohnblock block of flats, *AE* apartment house

wohnen 1. live; ***ich wohne in der Schillerstraße*** I live in Schillerstraße (*ohne* the) **2.** *vorübergehend:* stay (*bei* with)

Wohngemeinschaft: *in einer Wohngemeinschaft leben* share a flat (*bzw. AE* an apartment) *bzw.* a house with other people

Wohnheim 1. *für Studenten:* hall (of residence ['rezıdəns]), *AE* dormitory ['dɔːmətrı], *umg.* dorm **2.** *für Flüchtlinge, Obdachlose:* hostel ['hɒstl], shelter

Wohnküche kitchen-cum-living room, *bes. AE* combined kitchen and living room

Wohnmobil 1. camper, *AE auch* RV [ˌɑːʹviː] (*Abk. für* recreational vehicle) **2.** *größeres:* mobile home, *AE auch* motorhome

Wohnung flat, *AE* apartment; ☞ *Info unter* **Häuser**

Wohnungsnot housing ['haʊzıŋ] shortage

Wohnungssuche house-hunting, *BE auch* flat-hunting

Wohnviertel residential area [ˌrezı'denʃlˌeərıə]

Wohnwagen 1. caravan ['kærəvæn], *AE* trailer **2.** *zum Dauerwohnen:* mobile home

Wohnzimmer living room, sitting room

wölben 1. *technisch:* curve **2.** *Architektur:* vault [vɔːlt] **3. *sich wölben*** arch [ɑːtʃ], (*Bauch, Stirn usw.*) bulge [bʌldʒ], (≈ *sich verbiegen*) bend*

Wolf 1. wolf [△ wʊlf] *Pl.:* wolves [wʊlvz] **2. *ein Wolf im Schafspelz*** *übertragen* a wolf in sheep's clothing ['kləʊðıŋ]

Wölfin she-wolf [△ ʹʃiːwʊlf] *Pl.:* she-wolves

Wolke 1. cloud **2. *ich bin aus allen Wolken gefallen*** *umg.* it knocked me sideways

Wolkenbruch cloudburst

Wolkenkratzer skyscraper

wolkenlos: *ein wolkenloser Himmel* a cloudless sky, clear skies (△ *Pl.*)

wolkig cloudy

Wolldecke (woollen) blanket, *AE mst.* wool blanket

Wolle 1. wool [wʊl] **2. *sie hat sich mit ihm in die Wolle gekriegt*** *umg.* she's got into an argument with him

wollen¹ 1. (≈ *beabsichtigen*) want; ***ich will in England studieren*** I want to study in England (△ I will = *ich werde*); ***ich will sie nicht sehen*** I don't want to see her **2. *ich wollte mal fragen, ...*** I just wanted to ask ... **3. *was ich sagen wollte*** what I was going to say, *berichtigend:* what I meant to say **4. *was willst du damit sagen?*** what do you mean by that? **5. *und du willst Griechisch können?*** and you think you know Greek? **6. *willst du aufhören?*** will you stop it! **7. *es will nicht aufgehen*** it won't open

wollen² 1. (≈ *wünschen*) want; ***er will eine Katze*** he wants a cat **2. *ich will nach Hause*** I want to go home **3. *wo willst du hin?*** *jetzt gerade:* where are you going? **4. *sie will, dass ich es mache*** she wants me to do it **5. *was wollt ihr von uns?*** what do you want? **6. *mach, was du willst*** do what you like **7. *es will nicht mehr*** it won't work

wollen³ (≈ *aus Wolle*) woollen [△ ʹwʊlən], *AE mst.* woolen *oder* wool

Wolljacke cardigan [△ dıgən]

Wollmütze woolly hat [△ ˌwʊlı'hæt]

womit 1. what ... with; ***womit hast du das gemacht?*** what did you do it with? **2. *womit hab ich das verdient?*** what did I do to deserve that?

womöglich: *womöglich ist er verreist* he may (possibly) be away

wonach 1. *wonach ist dir?* what do you feel like? **2. *wonach hat er gefragt?*** what was he asking about?

woran 1. *woran denkst du?* what are you thinking about?; ***woran arbeitest du gerade?*** what are you working on right now?; ***woran ist er gestorben?*** what did he die of? **2. *woran sieht man das?***

how can you tell?; *woran hast du sie erkannt?* how did you recognize her? 3. *ich weiß nicht, woran ich (mit ihm) bin* I don't know where I stand (with him)

worauf 1. *worauf wartest du (noch)?* what are you waiting for? 2. *worauf du dich verlassen kannst* just wait and see

woraus: *woraus ist es (gemacht)?* what's it made of?

Wort 1. *allg.:* word 2. *mit anderen Worten* <u>in</u> other words 3. *eine Zahl in Worten schreiben* write* a figure <u>out</u> in words 4. *kein Wort drüber!* don't breathe [briːð] a word! 5. *mir fehlen die Worte* words fail me (△ *ohne* the) 6. *ich leg für dich ein gutes Wort ein* I'll put in a good word for you 7. *ich glaub ihm kein Wort* I don't believe a word he says 8. *du nimmst mir das Wort aus dem Mund* you've taken the words right out of my mouth 9. *er dreht mir das Wort im Mund um* he's twisted <u>my</u> words 10. *hast du Worte!* would you believe it? 11. *sie brachte kein Wort raus* she was completely tongue-tied ['tʌŋtaɪd]

Wortart part of speech, word class

Wörterbuch dictionary ['dɪkʃənrɪ]; *schau im Wörterbuch nach* look <u>it</u> up in the dictionary

wörtlich 1. *Übersetzung usw.:* literal ['lɪtrəl] 2. → *wortwörtlich*

Wortschatz vocabulary [və'kæbjʊlərɪ]

Wortspiel play on words, pun

wortwörtlich 1. *das hat er wortwörtlich gesagt* those were his exact words 2. *nimm nicht alles wortwörtlich* don't take everything literally

worüber: *worüber redet (bzw. lacht) sie?* what's she talking (bzw. laughing) about?

worum: *worum gehts?* what's it about?, *bei einem Problem:* what's the problem?

worunter: *worunter leidet er?* what's he suffering <u>from</u>?

wovon 1. *wovon redest du?* what are you talking about? 2. *wovon leben sie?* what do they live <u>on</u>?

wozu: *wozu?* what for?; *wozu brauchst du das?* what do you need it for?; *wozu soll das gut sein?* what's it for?

Wrack wreck [△ rek] *(auch übertragen)*

Wucher 1. profiteering [ˌprɒfɪ'tɪərɪŋ] 2. *bei Schuldzinsen:* usury ['juːʒərɪ]

Wucherpreis exorbitant [ɪg'zɔːbɪtənt] *(oder* extortionate [ɪk'stɔːʃnət]) price; *das sind ja Wucherpreise! umg.* it's daylight robbery! [ˌdeɪlaɪt'rɒbərɪ]

Wucht 1. *sie ist mit voller Wucht aufs Gesicht gefallen* she fell flat on her face 2. *mit voller Wucht gegen eine Mauer*

rennen run* smack into a wall 3. *das ist ne Wucht! umg.* it's brilliant!

wuchtig (≈ *sehr groß*) massive ['mæsɪv]

wühlen 1. *(Person)* rummage ['rʌmɪdʒ] 2. *in der Schublade usw. wühlen* rummage around in the drawer *usw.* (*nach* for) 3. *im Dreck wühlen* mess around in the dirt 4. *(Tier)* burrow ['bʌrəʊ]

Wühltisch bargain ['bɑːgɪn] counter

Wulst 1. (≈ *Verdickung*) bulge 2. (≈ *Fettwulst*) roll of fat 3. *an Flasche, Reifen:* bead [biːd]

wulstig *Lippen:* thick

wund 1. sore; *ich hab mir die Füße wund gelaufen* my feet are sore from all that walking 2. (≈ *offen*) raw [rɔː]; *ich hab mir (beim Waschen) die Hände wund gerieben* I've rubbed my hands raw (doing the washing)

Wunde 1. wound [wuːnd] 2. (≈ *Schnitt*) cut

Wunder 1. miracle ['mɪrəkl] 2. *kein Wunder!* no wonder; *es ist doch kein Wunder, dass er abhaut* it's no wonder he's leaving 3. *du wirst noch dein blaues Wunder erleben umg.* you're in for a surprise 4. *er glaubt, er sei wunder wer umg.* he thinks he's it

wunderbar wonderful ['wʌndəfl]

Wunderkerze sparkler

Wunderkind child prodigy ['prɒdədʒɪ]

Wundermittel miracle cure ['mɪrəkəl ˌkjʊə]

wundern 1. *es wundert mich* I'm surprised [sə'praɪzd]; *es würde mich wundern, wenn ...* I'd be surprised if ...; *mich wundert gar nichts mehr* nothing surprises me any more 2. *ich hab mich gewundert, wer das war* I wondered who that was 3. *du wirst dich noch wundern* you're in for a surprise

wunderschön wonderful ['wʌndəfl], beautiful ['bjuːtəfl]

Wundertüte lucky bag [ˌlʌkɪ'bæg]

wundlaufen → *wund 1*

wundreiben → *wund 2*

Wunsch 1. wish (*nach* for) 2. *das war schon immer mein Wunsch* that's what I've always wanted 3. *hast du 'noch einen Wunsch?* anything else? 4. *die besten Wünsche zum Geburtstag* best wishes for your birthday (△ *ohne* the)

Wunschdenken wishful thinking

wünschen 1. *ich wünsche mir* I would like, I want; *was wünschst du dir zum Geburtstag?* what do you want <u>for</u> your birthday? 2. *ich wünsch dir alles Gute* I wish you all the best 3. *alles, was man sich wünschen kann* everything you could wish for 4. *das wünsche ich meinem schlimmsten Feind nicht* I wouldn't wish that on my worst enemy 5. *es lässt viel zu wünschen übrig* it leaves much to be desired

wünschenswert desirable [dɪˈzaɪrəbl]

Wunschliste wish list

wunschlos: *wunschlos glücklich* perfectly happy

Wunschzettel Christmas [△ ˈkrɪsməs] list

Würde 1. dignity 2. *unter aller Würde* beneath contempt [kənˈtempt]

würdevoll dignified [ˈdɪɡnɪfaɪd]

würdigen: *er würdigte mich keines Blickes* he didn't even look at me

Wurf¹ 1. *allg.:* throw 2. *es ist dein Wurf bei Brettspiel:* it's your go, it's your throw

Wurf²: *ein Wurf Katzen* (*bzw.* **Hunde**) a litter of cats (*bzw.* dogs)

Würfel 1. (≈ *Spielwürfel*) dice *Pl.:* dice 2. *aus Eis, auch Geometrie:* cube

Würfelbecher (dice) shaker, *AE* dice cup

würfeln 1. throw*; *hast du schon gewürfelt?* have you thrown yet? 2. (≈ *Würfel spielen*) play dice 3. *um Geld usw.:* throw* dice (*um* for)

Würfelspiel 1. (≈ *Spiel mit Würfeln*) dice game 2. *Partie:* game of dice 3. (≈ *Brettspiel mit Würfeln*) (board) game with dice

Würfelzucker lump sugar, *AE* sugar cubes

Wurfsendung 1. circular [ˈsɜːkjʊlə] 2. *Wurfsendungen* junk mail (△ *Sg.*)

würgen 1. strangle [ˈstræŋgl] (*zu Tode* to death) 2. *der Kragen würgt mich* this collar is choking [ˈtʃəʊkɪŋ] me 3. *beim Essen:* choke 4. *beim Erbrechen:* retch

Wurm 1. worm [△ wɜːm] 2. *kleiner Wurm* umg. (≈ *kleines Kind*) little mite, *AE* little tyke

wurmen: *es wurmt mich* umg. it gets to me

wurmstichig worm-eaten [△ ˈwɜːmˌiːtn]

Wurscht umg. 1. *es ist mir Wurscht* I couldn't care less 2. *jetzt gehts um die Wurscht!* this is it!

Wurst 1. sausage [ˈsɒsɪdʒ] 2. → *Wurscht*

Würstchen 1. (small) sausage [ˈsɒsɪdʒ] 2. *Frankfurter Würstchen* frankfurter [ˈfræŋkfɜːtə] 3. *Wiener Würstchen* wiener [ˈwiːnə], vienna [vɪˈenə] (sausage) 4. *ein armes Würstchen* umg. a poor soul [səʊl]

Würstchenbude *etwa* hot dog (*oder* sausage [ˈsɒsɪdʒ]) stand

wursteln umg. muddle through

Wurstfinger podgy (*AE* pudgy) fingers

Würze 1. (≈ *Gewürz*) spice, seasoning (△ *nur im Sg. verwendet*) 2. (≈ *Gewürzmischung*) seasoning, spices (*Pl.*) 3. (≈ *Geschmack*) flavour [ˈfleɪvə], aroma

Wurzel 1. *allg.:* root 2. *Wurzeln schlagen* take* root (△ *Sg.*) (*auch übertragen*) 3. *willst du hier Wurzeln schlagen?* umg. are you going to stand around here all day?

würzen spice, season [ˈsiːzn]

wuschelig *Haar:* curly, (≈ *kraus*) fuzzy

Wuschelkopf 1. *Haar:* fuzz [fʌz], mop of curly (*oder* fuzzy [ˈfʌzɪ]) hair 2. *Person:* curlyhead [ˈkɜːlihed]

Wust (≈ *Riesenmenge*) pile (*an, von* of)

wüst 1. (≈ *wirr*) chaotic [keɪˈɒtɪk] 2. *es war ein wüstes Durcheinander* it was complete chaos [ˈkeɪɒs] (△ *ohne* a) 3. *du siehst ja wüst aus!* you look a real fright

Wüste desert [△ ˈdezət]

Wut 1. fury [ˈfjʊərɪ] 2. *sie platzt vor Wut* she's hitting the roof 3. *ich hab eine Wut auf ihn* I'm really mad at him 4. *ich krieg die Wut, wenn ich so was sehe* it makes me mad to see it 5. *ich hab eine Wut im Bauch!* I'm absolutely furious

Wutanfall fit of rage (*oder* anger); *einen Wutanfall bekommen* blow* one's top

wütend furious [ˈfjʊərɪəs], mad (*auf* at)

X

x 1. *x Leute haben angerufen* umpteen people have called 2. *Herr X* Mr X [eks]

X-Beine 1. knock-knees [△ ˌnɒkˈniːz] 2. *sie hat X-Beine* she's knock-kneed

x-beliebig 1. any (… you like); *du kannst eine x-beliebige Farbe auswählen* you can choose any colour (you like) 2. *nenn mir eine x-beliebige Zahl* give me a number - any number 3. *an einem x-beliebigen Ort* anywhere

x-fach 1. *die x-fache Menge* n [en] times the amount 2. *es ist x-fach geprüft wor-*

den it's been tested umpteen times **3.**
das x-fache umpteen times the amount
x-mal 1. umpteen times **2. ich habs dir**
doch schon x-mal gesagt I've told you

a hundred times
x-te: zum x-ten Mal for the hundredth
time
Xylophon xylophone [△ 'zaɪləfəʊn]

Yacht yacht [△ jɒt]
Yeti: der Yeti yeti ['jetɪ] (△ ohne the), the
Abominable [ə'bɒmɪnəbl] Snowman

Yoga yoga
Ypsilon Y [waɪ], the letter Y
Yuppie yuppie ['jʌpɪ]

zack umg. **1. zack, wars weg** it was gone
just like that **2. zack, zack!** chop-chop!
Zack umg. **1. er ist auf Zack** he's on the
ball **2. jemanden** (bzw. **etwas**) **auf Zack**
bringen knock [nɒk] someone (bzw.
something) into shape
zackig 1. jagged [△ 'dʒægɪd] **2. ein biss-**
chen zackig! umg. and make it snappy!
zaghaft 1. (≈ ängstlich) timid ['tɪmɪd] **2.**
(≈ vorsichtig) cautious ['kɔːʃəs] **3.** (≈ zö-
gernd) hesitant ['hezɪtənt], slow **4.** (≈
auf zaghafte Weise) gingerly '[dʒɪndʒəlɪ],
timidly, cautiously, hesitantly
zäh 1. Fleisch: tough [△ tʌf]; **zäh wie Le-**
der tough as leather **2. er ist ziemlich**
zäh he's pretty tough
Zahl 1. (≈ Nummer) number; **achtstellige**
Zahl eight-figure number **2.** (≈ Ziffer)
figure
zahlen 1. pay* (Summe, Preis) **2.** pay* for
(Ware, Dienstleistung) **3. zahlen, bitte!**
could I (bzw. we) have the bill (AE mst.
check), please? **4. sie zahlen gut** (bzw.
schlecht) they pay well (bzw. badly) **5.**
was hast du dafür gezahlt? what did
you pay for it? **6. bar zahlen** pay* cash
zählen 1. allg.: count; **bis hundert zählen**
count to a hundred **2. das zählt nicht** im
Spiel: that doesn't count **3. die Dame**
zählt drei Punkte beim Kartenspiel: the
queen counts as three points **4.** im Sport:
keep* score **5. für ihn zählt nur noch**
Geld all he cares about is money **6. bei**

dieser Arbeit zählt Schnelligkeit what
counts in this job is speed **7. kann ich**
auf dich zählen? can I count on you? **8.**
es zählt zu den Säugetieren it belongs
to the class of mammals ['mæmlz] **9. er**
zählt zu den besten Rockgitarristen
he's one of the best rock guitarists
around
Zahlengedächtnis: du hast ein gutes
(bzw. **schlechtes**) **Zahlengedächtnis**
you're good (bzw. bad) at remembering
figures
Zahlenschloss combination lock
Zähler Gerät: counter, meter
zahlreich 1. numerous ['njuːmərəs], a
large number of **2. um zahlreiches Er-**
scheinen wird gebeten we usw. hope to
see as many of you as possible
Zahltag pay day
Zahlung 1. payment **2. etwas in Zahlung**
geben trade something in, BE auch
give* something in part exchange
Zählung 1. allg.: count **2.** Vorgang: count-
ing **3.** (≈ Volkszählung) census ['sensəs]
4. (≈ Verkehrszählung) (traffic) census
zahlungskräftig Kunden, Publikum usw.:
solvent ['sɒlvənt]
Zahlwort numeral ['njuːmrəl]
zahm tame (auch übertragen)
zähmen tame (Tier)
Zähmung taming (auch übertragen)
Zahn 1. allg.: tooth Pl.: teeth **2. er hat**
schon die dritten Zähne he's got false

teeth already **3.** *sie hatte einen irren* *Zahn drauf* *umg.* she was going at some lick, *AE* she was balling the jack

Zahnarzt, Zahnärztin dentist; *beim Zahnarzt* at the dentist

Zahnbürste toothbrush

Zahncreme toothpaste ['tu:θpeɪst]

zähneknirschend: *sie hat zähneknirschend zugesagt* she grudgingly agreed

Zahnfleisch 1. gums (△ *Pl.*) **2.** *er geht auf dem Zahnfleisch* *umg.* he's on his last legs

Zahnfleischbluten bleeding gums (△ *Pl.*)

Zahnpasta toothpaste

Zahnradbahn rack (*oder* cog) railway (*AE* railroad)

Zahnschmerzen toothache ['tu:θeɪk] (△ *Sg.*); *ich hab Zahnschmerzen* I've got (a) toothache

Zahnseide *zum Reinigen der Zwischenräume:* dental floss [ˌdentl'flɒs]

Zahnspange brace

Zahnstein tartar ['tɑːtə]

Zahnstocher toothpick

Zahnweh → *Zahnschmerzen*

Zange pliers (△ *Pl.*); *hast du eine Zange?* have you got a pair of pliers?

zanken (*auch* *sich zanken*) fight*, argue ['ɑːɡjuː] (*über, um* about)

Zäpfchen suppository [sə'pɒzɪtrɪ]

zapfen tap, draw* (*Bier usw.*)

Zapfen (≈ *Tannenzapfen usw.*) cone

Zapfenstreich 1. *militärisch, Signal:* tattoo [tæ'tuː], *BE auch* last post, *AE auch* taps (*Pl.*) **2.** *der große Zapfenstreich* *Zeremonie:* the ceremonial tattoo **3.** (≈ *Ende der Ausgehzeit*) curfew ['kɜːfjuː]

Zapfsäule *an Tankstelle:* petrol ['petrəl] (*AE* gas) pump

zappelig fidgety ['fɪdʒətɪ]

zappeln 1. wriggle [△ 'rɪɡl] (around); *hör auf zu zappeln!* keep still! **2.** *jemanden zappeln lassen* keep* someone guessing

Zappelphilipp *umg.* fidget ['fɪdʒɪt]

zappen: *sie zappt immer durch die Fernsehkanäle* she's always hopping (*oder* zapping ['zæpɪŋ]) from one channel to another

zappenduster *umg.* **1.** pitch-dark **2.** *es sieht zappenduster aus* things look pretty grim

zart 1. *Haut:* soft **2.** *Fleisch usw.:* tender **3.** *ein zarter Kuss* *usw.* a gentle kiss *usw.*

zartbitter *Schokolade:* plain, dark

zärtlich 1. *Kuss, Berührung usw.:* tender **2.** *Mutter usw.:* affectionate **3.** *zärtlich werden* start getting intimate ['ɪntɪmət]

Zärtlichkeit 1. (≈ *liebevolles Gefühl*) affection **2.** (≈ *Sanftheit*) tenderness **3.** *Zärtlichkeiten austauschen* become*

intimate

Zauber 1. magic ['mædʒɪk] (*auch übertragen*) **2.** (≈ *Bann*) (magic) spell

Zauberei magic ['mædʒɪk]

Zauberer 1. *im Märchen:* magician [mə'dʒɪʃn] **2.** → *Zauberkünstler(in)*

Zauberformel 1. *eines Zauberers:* (magic) spell, charm [tʃɑːm] **2.** *übertragen* magic formula [ˌmædʒɪk'fɔːmjʊlə]

Zauberin *im Märchen:* sorceress ['sɔːsərəs]

Zauberkünstler(in)   conjurer [△ 'kʌndʒərə]

Zaubermittel magic cure

zaubern 1. do* magic **2.** *ich kann doch nicht zaubern!* I'm not a magician **3.** *ein leckeres Essen zaubern* conjure up [ˌkʌndʒər'ʌp] a delicious meal (*aus* out of)

Zauberspruch (magic) spell

Zaum, Zaumzeug bridle ['braɪdl]

Zaun fence

z. B. (*Abk. für* *zum Beispiel*) eg, e.g. [ˌiː'dʒiː] (*Abk. für lateinisch* exempli gratia = for example)

Zebra zebra ['zebrə, 'ziːbrə]

Zebrastreifen zebra crossing, *AE* crosswalk

Zecke tick

Zeh, Zehe 1. toe [təʊ] **2.** *jemandem auf die Zehen treten* tread* [△ tred] (*AE mst.*) step on someone's toes

Zehennagel toenail ['təʊneɪl]

Zehenspitze 1. tip of one's toe **2.** *auf Zehenspitzen gehen* *übertragen* tiptoe

zehn 1. ten **2.** *vor zehn Tagen* ten days ago **3.** *alle zehn Tage* (once) every ten days

Zehn 1. (number) ten **2.** *Bus, Straßenbahn usw.:* number ten bus, number ten tram *usw.*

Zehncentstück ten-cent piece, *in den USA:* dime

Zehneuroschein ten-euro note, *AE* ten-euro bill

zehnfach 1. *die zehnfache Menge* ten times the amount **2.** *der zehnfache deutsche Meister X* ten times German champion X (△ *ohne* the)

Zehnfingersystem: *das Zehnfingersystem* touch-typing (△ *ohne* the)

Zehnkampf decathlon [△ dɪ'kæθlɒn]

Zehnkämpfer(in)   decathlete [△ dɪ'kæθliːt]

zehntausend 1. ten thousand **2.** *die oberen zehntausend* the upper crust

zehnte(r, -s) tenth; *10. Juni* 10(th) June, June 10(th) (*gesprochen* the tenth of June); *am 10. Juni* on 10(th) June, on June 10(th) (*gesprochen* on the tenth of

June)

Zehnte(r, -s) 1. tenth **2. *er war Zehnter*** he was tenth **3.** *Pius X.* Pius ['paɪəs] X (*gesprochen* Pius the Tenth; X *ohne Punkt!*) **4. *heute ist der Zehnte*** it's the tenth today

Zehntel tenth

Zehntelsekunde tenth of a second

Zeichen 1. *allg.*: sign [saɪn] **2. *als Zeichen der Freundschaft*** as a mark of friendship **3.** (≈ *Symptom*) symptom ['sɪmptəm] **4.** (≈ *Schriftzeichen*) character ['kærəktə]

Zeichenblock sketch pad

Zeichenlehrer(in) art teacher

Zeichensetzung: *die Zeichensetzung* punctuation (△ *ohne* the)

Zeichensprache sign language ['saɪn-ˌlæŋgwɪdʒ]

Zeichentrickfilm cartoon

zeichnen draw*

Zeichner(in) 1. *Kunst:* draughtsman ['drɑːftsmən] *Pl.* draughtsmen ['drɑːftsmən], *AE* draftsman ['drɑːftsmən] *Pl.* draftsmen ['drɑːftsmən], *Frau:* draughtswoman ['drɑːftsˌwʊmən] *Pl.* draughtswomen ['drɑːftsˌwɪmɪn], *AE* draftswoman ['drɑːftsˌwʊmən] *Pl.* draftswomen ['drɑːftsˌwɪmɪn] **2.** *von Aktien, Anleihen:* subscriber [səb'skraɪbə] (+ *Gen.* for, to)

Zeichnung drawing

Zeigefinger forefinger, index finger

zeigen 1. show; ***jemandem etwas zeigen*** show someone something **2. *sie zeigte uns die Stadt*** she showed us <u>around</u> town **3. *zeig mal!*** let me see **4. *zeig mal, was du kannst!*** show <u>us</u> what you can do **5. *dem werd ichs zeigen!*** *umg.* I'll show him! **6. *ich zeigte ihm, wie man den Drucker benutzt*** I showed him how <u>to</u> <u>use</u> the printer **7. *es zeigt die Temperatur usw.*** it shows (*oder* gives) you the temperature *usw.* **8. *die Uhr zeigte zehn nach zwei*** the clock <u>said</u> ten past two **9. *auf etwas zeigen*** point <u>at</u> something **10. *es zeigte sich, dass ...*** it turned out that ... **11. *es wird sich schon zeigen*** we'll see **12. *so kann ich mich nicht zeigen*** I can't go out like that

Zeiger 1. *von Uhr:* hand **2.** *von Messinstrument:* needle

Zeile 1. line; ***ich hab jede Zeile gelesen*** I read [red] every <u>word</u> **2. *ich muss ihr ein paar Zeilen schreiben*** I must <u>drop</u> her <u>a</u> <u>line</u> **3. *zwischen den Zeilen lesen*** *übertragen* read* between the lines

Zeilenabstand *beim Schreiben, Eintippen:* (line) spacing

Zeit¹ 1. *allg.*: time; ***ich hab keine Zeit*** I haven't got time; ***das kostet Zeit*** it <u>takes</u> time; ***mir fehlt die Zeit*** I haven't got the time; ***lass dir Zeit!*** take <u>your</u> time; ***vor langer Zeit*** a long time ago **2. *das hat Zeit*** there's no rush; ***das hat bis morgen Zeit*** that can wait till tomorrow **3. *hast du ein paar Stunden Zeit?*** can you spare a couple of hours? **4. *Zeit zum Essen*** time to eat **5. *es ist höchste Zeit, dass er anruft*** it's high time he <u>rang</u> (△ *Vergangenheitsform*) **6. *er ist in letzter Zeit krank gewesen*** he's been ill lately **7. *seit ewigen Zeiten*** for ages **8. *Zeit raubend* → *zeitraubend*** **9. *Zeit sparend* → *zeitsparend*** **10. *eine Zeit lang*** for a while; → *zurzeit*

Zeit

Nach folgenden Zeitausdrücken folgt, im Gegensatz zum Deutschen, die Vergangenheitsform:

es ist Zeit, dass du gehst	**it's time you went** (= **it's time for you to go**)
es ist höchste Zeit, dass du gehst	**it's high time you went**
es wird Zeit, dass du gehst	**it's about time you went** (= **it's about time for you to go**)

Zeit² 1. (≈ *Epoche*) time, age; ***eine Zeit der Armut*** a time of poverty; ***in der heutigen Zeit*** these <u>days</u>; ***zu Mozarts Zeit*** in Mozart's <u>day</u>; ***die Zeit des Barock*** the baroque [bə'rɒk] age (*oder* era ['ɪərə])

Zeitalter age, era ['ɪərə]; ***in unserem Zeitalter*** in our <u>day</u> <u>and</u> age

Zeitansage 1. time check, *AE* correct time **2.** *telefonische:* speaking clock, *AE* dial-up time service

Zeitarbeit temporary ['temprəri] work

zeitaufwendig time-consuming

Zeitbombe time bomb [△ bɒm] (*auch übertragen*)

Zeitdruck 1. time pressure **2. *ich steh unter Zeitdruck*** I'm under pressure (to get this done)

Zeitfrage: *es ist eine reine Zeitfrage* it's just a question of time

Zeitgeist: *der Zeitgeist* the spirit of the times, the zeitgeist ['zaɪtgaɪst]

zeitgemäß 1. *allg.*: in keeping with the times, *bei Handlung in der Vergangenheit auch*: in keeping with the period ['pɪərɪəd] (△ *beide: immer* <u>hinter</u> *dem Verb*) **2.** (≈ *modern*) modern ['mɒdn], up-to-date, <u>hinter</u> *dem Verb*: up to date **3.**

(≈ *aktuell*) current ['kʌrənt], topical ['tɒpɪkl] **4. *eine Barockoper zeitgemäß aufführen*** *auf die Gegenwart bezogen*: give* an up-to-date interpretation [ɪn-ˌtɜːprɪ'teɪʃn] of a baroque opera [bə,rɒk-'ɒprə], *auf die historische Epoche bezogen*: give* a period performance [ˌpɪərɪəd_pə'fɔːməns] of a baroque opera

Zeitgenosse, **Zeitgenossin** contemporary [kən'temprərɪ]

zeitgenössisch contemporary [kən-'temprərɪ]

zeitgleich 1. *allg.*; *Abläufe usw.*: simultaneous [ˌsɪml'teɪnɪəs] **2.** *Sport*: with the same time; ***zeitgleich ins Ziel kommen*** be* clocked at the same time **3.** *ablaufen, sich ereignen usw.*: simultaneously, at the same time

zeitig early ['ɜːlɪ]

Zeitkarte season ticket ['siːzn,tɪkɪt]

Zeitlang → **Zeit¹** 10

zeitlich 1. *es passt zeitlich nicht* it doesn't fit in (timewise) **2. *ich schaff es zeitlich nicht*** I can't fit it in, *bei Termin*: I'm not going to make it

Zeitlupe: *in Zeitlupe* in slow motion

Zeitlupentempo: *im Zeitlupentempo* in slow motion (△ *ohne* the)

Zeitlupenwiederholung *einer Spielszene*: *BE* action replay [ˌæk ʃn'riːpleɪ]

Zeitplan timetable, *bes. AE* schedule ['skedʒuːl]

Zeitpunkt 1. *zu dem Zeitpunkt* at that (point in) time **2. *jetzt ist nicht der richtige Zeitpunkt*** this isn't the right moment ['məʊmənt]

zeitraubend time-consuming

Zeitraum period ['pɪərɪəd] (of time)

Zeitrechnung calender [ˈkæləndə]; ***unserer Zeitrechnung*** of our time; ***vor unserer Zeitrechnung*** before the Christian era [ˌkrɪstʃən'ɪərə], BC [ˌbiː'siː] (= **B**efore **C**hrist); ***nach unserer Zeitrechnung*** after the birth of Christ, AD [ˌeɪ-'diː] (= **A**nno **D**omini)

Zeitschrift magazine [ˌmægə'ziːn]

zeitsparend time-saving

Zeitung paper, newspaper ['njuːs,peɪpə]; ***die Zeitung lesen*** read* the paper(s); ***es steht in der Zeitung*** it's in the paper(s)

Zeitungsanzeige (newspaper) advertisement [əd'vɜːtɪsmənt], *umg.* (newspaper) ad [æd]

Zeitungsartikel newspaper article ['ɑːtɪkl]

Zeitungsausschnitt newspaper cutting (*oder* clipping)

Zeitungsbericht newspaper report

Zeitungskiosk newsstand

Zeitungspapier *altes*: newspaper

Zeitunterschied time difference

Zeitverschwendung waste of time

Zeitvertreib: *zum Zeitvertreib* to pass the time

Zeitwort verb

Zeitzeichen time signal

Zeitzone time zone

Zeitzünder time fuse

Zelle 1. *allg.*: cell [sel] **2.** (≈ *Telefonzelle*) telephone box, *AE* (telephone) booth

Zellophan® cellophane® ['seləfeɪn]

Zellteilung cell division ['sel_dɪ,vɪʒn]

Zellulose cellulose ['seljuləʊs]

Zelt 1. tent, (≈ *Festzelt*) marquee [mɑː'kiː] **2. *seine Zelte abbrechen*** *übertragen*: pack one's bags and leave*

zelten camp, go* camping

Zelten camping

Zeltplatz campsite, camping site

Zement cement [sə'ment]

Zenit zenith ['zenɪθ]; ***die Sonne steht im Zenit*** the sun is <u>at</u> <u>its</u> zenith

zensieren 1. censor ['sensə] (*Film usw.*) **2.** grade (*Schularbeit usw.*)

Zensur 1. (≈ *Note*) mark, *bes. AE* grade **2.** censorship ['sensəʃɪp]; ***die Zensur*** censorship (△ *ohne* the); ***die Zensur der Presse*** press censorship

Zentimeter centimetre ['sentɪ,miːtə]; ***zwanzig Zentimeter*** twenty centimetres

Zentimetermaß tape measure ['teɪp-,meʒə]

Zentner metric hundredweight [ˌmetrɪk-'hʌndrədweɪt], *AE* 50 *bzw.* 100 kilograms (△ *ein Zentner hat in Deutschland 50 kg, in Österreich und der Schweiz 100 kg*)

zentnerschwer: *das ist ja zentnerschwer!* *umg.* it weighs [weɪz] a ton [tʌn]

zentral 1. *allg.*: central **2. *wir wohnen sehr zentral*** we're very central

Zentrale 1. *einer Firma*: head office **2.** *Telefon*: exchange, *einer Firma*: switchboard

Zentraleinheit *Computer*: CPU [ˌsiːpiː-'juː] (*Abk. für* **c**entral **p**rocessing **u**nit)

Zentralheizung central heating

zentrieren centre (*Zeile usw.*)

Zentrum *allg.*: centre ['sentə]

Zepter sceptre, *AE* scepter [△ 'septə]

zerbeißen: *etwas zerbeißen* bite* something to pieces

zerbeult battered

zerbomben bomb [△ bɒm] (to pieces)

zerbombt bombed-out [△ 'bɒmd_aʊt], *hinter dem Verb*: bombed out [△ ,bɒmd-'aʊt]

zerbrechen 1. *allg.*: break* **2. *sich den Kopf zerbrechen*** rack <u>one's</u> brains

Z

(*über* over)

zerbrechlich fragile ['frædʒaɪl]; *„Vorsicht, zerbrechlich!"* 'fragile, handle with care'

zerbröckeln crumble

zerdeppern *umg.* smash

zerdrücken 1. *allg.:* squash [skwɒʃ] **2.** mash (*Kartoffeln*)

Zeremonie ceremony ['serəmənɪ]

zerfallen (*Bauwerk usw.*) fall* apart

zerfetzt *Kleidung usw.:* tattered

zerfleischen: *etwas zerfleischen* tear* [teə] something to pieces

zerfranst frayed

zerfressen 1. *von Motten:* moth-eaten **2.** *von Würmern:* worm-eaten [△ 'wɜːm-ˌiːtn]

zergehen melt; *es zergeht auf der Zunge* it melts in your mouth

zerhacken chop (up)

zerkleinern 1. (≈ *zerhacken*) chop up **2.** (≈ *zermahlen*) grind* [graɪnd]

zerklüftet *Berge, Küste usw.:* jagged [△ 'dʒægɪd], rugged [△ 'rʌgɪd]

zerknautschen crumple, squash [skwɒʃ]

zerknirscht remorseful [rɪ'mɔːsfl]

zerknittert crumpled, creased [kriːst]

zerknüllen crumple up (*Papier usw.*)

zerkratzen scratch

zerkrümeln crumble

zerlegen: *etwas zerlegen* take* something apart

zerlumpt *Kleider:* tattered

zermalmen crush

zermanschen *umg.* mash (*Bananen usw.*)

zermanscht 1. *Bananen usw.:* mashed **2.** *im negativen Sinn:* squashed [skwɒʃt]

zermürben: *jemanden zermürben* wear* [weə] someone down

zermürbend wearing ['weərɪŋ], *stärker:* nerve-racking

zerplatzen burst*

zerquetschen crush

Zerquetschte: *80 Euro und ein paar Zerquetschte* *umg.* just over 80 euros

zerrauft *Haar:* ruffled

zerreiben 1. *allg.:* grind*, crush **2.** *zu Pulver:* pulverize **3.** *etwas mit* (*oder zwischen*) *zwischen den Fingern zerreiben* rub something with (*oder* between) one's fingers

zerreißen 1. tear* up [ˌteər'ʌp] (*Brief usw.*) **2.** *ich hab nur mein Rock zerrissen* I've torn my skirt **3.** *etwas zerreißen umg.* (≈ *kritisieren*) tear* something to pieces **4.** *da hätts mich fast zerrissen umg.; vor Lachen:* I nearly ruptured myself **5.** *ich kann mich doch nicht zerreißen! umg.* I can't be in two places at the same time

zerren 1. *sich einen Muskel usw. zerren* pull a muscle [△ 'mʌsl] *usw.* **2.** *zerren an* pull at

Zerrung 1. *Muskel:* pulled muscle [△ 'mʌsl] **2.** *Sehne:* pulled tendon ['tendən]

zerrupft: *du siehst aus wie ein zerrupftes Huhn! umg.* you look as if you've been dragged through a hedge backwards

zersägen saw* up

zerschellen 1. *allg.:* be* smashed (to pieces) **2.** (*Flugzeug*) crash; *an einem Berg zerschellen* crash into a mountainside **3.** (*Schiff*) be* wrecked [△ rekt]

zerschlagen smash (to pieces)

zerschlissen *Kleider usw.:* worn-out

zerschmettern smash (to pieces), shatter

zerschmettert: *ich war am Boden zerschmettert umg.* I was absolutely crushed

zerschneiden cut* up

zerschnippeln cut* up into little pieces

zersetzen: *sich zersetzen* decompose

zersiedeln overdevelop [ˌəʊvədɪ'veləp] (*eine Gegend usw.*)

zersplittern (*Holz usw.*) splinter

zerspringen (*Glas, Tasse usw.*) crack

zerstampfen 1. (≈ *zertreten*) trample on **2.** mash (*Kartoffeln*)

Zerstäuber 1. *allg.:* spray **2.** *für Parfüm:* atomizer ['ætəmaɪzə]

zerstochen *von Insekten:* covered in bites

zerstören destroy; *durch Feuer usw. zerstört werden* be* destroyed by fire *usw.*

Zerstörung destruction

zerstreiten 1. *sich zerstreiten* fall* out (with each other) **2.** *sich mit jemandem zerstreiten* fall* out with someone

zerstreuen 1. scatter (*Asche usw.*) **2.** *sich zerstreuen* (*Menge*) disperse, break* up

zerstreut 1. *ständig:* absent-minded, scatterbrained **2.** *vorübergehend:* distracted

zerstückeln cut* up (into pieces)

zerteilen split* up (*in* into)

Zertifikat certificate [sə'tɪfɪkət]

zertrampeln: *etwas zertrampeln* trample all over something

zertrümmern smash (up)

zerwühlt 1. *Bett:* rumpled **2.** *dein Haar ist ganz zerwühlt* your hair's all messed up

zerzaust *Haar:* dishevelled [dɪ'ʃevld]

Zettel 1. piece of paper **2.** *beschrieben:* note

Zeug *umg.* **1.** *allg.:* stuff **2.** *dummes Zeug reden* talk rubbish, talk nonsense **3.** *sie hat das Zeug dazu* she's got what it takes

Zeuge 1. witness **2.** *er war Zeuge eines Unfalls* he witnessed an accident

zeugen¹: *ein Kind zeugen* father a child

zeugen²: *zeugen von* testify ['testɪfaɪ] to; *das zeugt nicht gerade von Takt* that isn't exactly the height [⚠ haɪt] of tact

Zeugin witness

Zeugnis 1. (≈ *Schulzeugnis*) report, *AE* report card **2.** (≈ *Arbeitszeugnis*) reference ['refrəns]

Zicke *um.* **1.** *blöde Zicke* silly cow **2.** *mach keine Zicken!* no nonsense!

zickig * um.* **1.** (≈ *launisch*) bitchy **2.** (≈ *prüde*) prim, prudish

Zicklein kid

Zickzack: *im Zickzack fahren* zigzag ['zɪgzæg] (across the road)

Zickzacklinie zigzag ['zɪgzæg] (line)

Ziege 1. goat, *weibliche auch:* nanny goat **2.** * um. Frau:* cow; *blöde Ziege* silly old cow

Ziegel 1. *allg.:* brick **2.** (≈ *Dachziegel*) tile

Ziegenbock billy goat

Ziegenpeter mumps [mʌmps] (⚠ *Sg.*)

ziehen¹ **1.** *allg.:* pull (*aus* out of) **2.** *ziehen an* pull (at); *jemanden an den Haaren ziehen* pull someone's hair (⚠ *Sg.*) **3.** draw* (*Los*) **4.** take* (*Karte*) **5.** pull (*Messer usw.*) **6.** *eine Linie ziehen* draw* a line **7.** *er hat mir zwei Zähne gezogen* he pulled two (of my) teeth out **8.** *zieh dir diesen Pulli übers T-Shirt* put this jumper on over your T-shirt **9.** *ein Gesicht ziehen* pull a face **10.** *einen ziehen lassen* salopp fart, *BE auch* let* off, *AE auch* let one

ziehen²: *ziehen nach* move to

ziehen³: *hier ziehts* there's a draught [⚠ drɑːft] (here)

Ziehharmonika concertina [ˌkɒnsəˈtiːnə], accordion [əˈkɔːdɪən] (⚠ *Schreibung*)

Ziehung *Lotterie:* draw

Ziel 1. *Sport:* finish, finishing line; *als Zweiter durchs Ziel gehen* finish second **2.** (≈ *Reiseziel usw.*) destination **3.** (≈ *Zielscheibe*) target ['tɑːgɪt] **4.** (≈ *Absicht usw.*) aim, goal; *sich ein Ziel setzen* set* oneself a goal; *mein Ziel ist es, zu ...* it's my aim (*oder* goal) to ...; *wir haben unser Ziel erreicht* we've reached our goal

zielen 1. aim (*auf* at) **2.** *er kann gut zielen* he's got a good aim

Zielgerade home straight, *AE* home stretch

Zielgruppe target ['tɑːgɪt] group

Ziellinie *Sport:* finishing line

ziellos *umherirren usw.:* aimlessly

Zielscheibe target ['tɑːgɪt]

zielstrebig 1. purposeful ['pɜːpəsfl], single-minded, determined [dɪˈtɜːmɪnd] **2.** *er kümmert sich zielstrebig um seine*

Karriere he's pursuing [pəˈsjuːɪŋ] his career with determination, he's very single-minded [ˌsɪŋglˈmaɪndɪd] about his career

ziemlich 1. quite [kwaɪt]; *ziemlich klein usw.* quite small *usw.* **2.** *ziemlich viel* quite a lot **3.** *ziemlich viele* quite a few **4.** *ein ziemliches Durcheinander* quite a mess **5.** *ich weiß es mit ziemlicher Sicherheit* I'm pretty sure about it **6.** *so ziemlich um.* pretty well; *ich bin so ziemlich kaputt* I'm pretty well shattered (*AE* worn out)

ziepen 1. *jemanden an den Haaren ziepen* tug at someone's hair **2.** *es ziept! beim Kämmen:* it's pulling

zieren: *zier dich nicht!* don't be shy!

Zierfisch ornamental fish

zierlich 1. *Finger usw.:* delicate ['delɪkət] **2.** *Mädchen:* dainty, *Frau auch:* petite [pəˈtiːt]

Zierpflanze ornamental [ˌɔːnəˈmentl] plant

Ziffer 1. figure ['fɪgə] **2.** *eine Zahl mit fünf Ziffern* a five-figure number **3.** *arabische* (*bzw. römische*) *Ziffern* Arabic ['ærəbɪk] (*bzw.* Roman) numerals ['njuːmrəlz]

Zifferblatt 1. (clock)face **2.** *einer Armbanduhr:* (watch)face

zig *um.* umpteen; *ich habs in zig Geschäften versucht* I tried umpteen shops

Zigarette cigarette [ˌsɪgəˈret]

Zigarettenautomat cigarette machine

Zigarettenschachtel cigarette packet, *AE* cigarette pack

Zigarettenstummel cigarette end, *AE* cigarette butt

Zigarre cigar [sɪˈgɑː]

Zigfache: *das Zigfache um.* umpteen times [ˌʌmptiːnˈtaɪmz] the amount

zigmal *um.* umpteen times

zigtausend: *zigtausend Leute usw. um.* tens of thousands of people *usw.*

Zimmer 1. room; *sie ist auf ihrem Zimmer* she's in her room **2.** *Zimmer mit Frühstück* bed and breakfast [ˌbed_ənˈbrekfəst] (*Abk.* B & B [ˌbiː_ənˈbiː]])

Zimmerantenne indoor aerial ['eərɪəl], *bes. AE* indoor antenna

Zimmereinrichtung 1. furnishings (⚠ *Pl.*), (≈ *Möbel*) furniture ['fɜːnɪtʃə] **2.** (≈ *Innenausstattung*) interior [ɪnˈtɪərɪə], décor ['deɪkɔː]

Zimmermädchen chambermaid ['tʃeɪmbəmeɪd], room maid

Zimmermann carpenter

Zimmerpflanze indoor plant, houseplant

zimperlich: *sei nicht so zimperlich!* don't make such a fuss!

Z

Zimt cinnamon ['sɪnəmən]

Zink zinc [zɪŋk]

Zinken *umg.* (≈ *Nase*) conk, *AE* schnozzle

zinken mark (*Karten*)

Zinn 1. tin **2.** *Becher usw.*: pewter ['pjuːtə]

Zinne 1. *einzelne*: merlon ['mɜːlən] **2. *die Zinnen der Burg*** the battlements of the castle

Zinnsoldat tin soldier [ˌtɪn'səʊldʒə]

Zins[1] *für geliehenes Geld*: interest ['ɪntrəst]; *die Zinsen* the interest (△ *Sg.*)

Zins[2] Ⓐ, *auch* ⒼⒷ (≈ *Miete*) rent

Zip-Datei *Computer*: zip file ['zɪp_faɪl]

Zipfel 1. *eines Tuchs usw.*: corner **2.** *umg.* (≈ *Penis*) willy

Zipfelmütze pointed hat

zippen zip (*Datei*)

zirka about, approximately (*Abk.* c.)

Zirkel 1. *mit einer Bleistiftspitze*: (pair of) compasses [△ 'kʌmpəsɪz] (△ *Pl.*), *AE auch* compass; *dieser Zirkel ist kaputt* these compasses are broken **2.** *mit zwei Metallspitzen*: (pair of) dividers [dɪ'vaɪdəz] (△ *Pl.*)

Zirkumflex circumflex ['sɜːkəmfleks]

Zirkus 1. circus ['sɜːkəs] **2. *so ein Zirkus!*** *übertragen* what a circus! **3. *mach keinen Zirkus!*** don't make such a fuss!

Zirkuszelt big top

zirpen chirp

zischeln whisper, *zornig*: hiss

zischen 1. (*Sprudel*) fizz **2.** (*Fett*) sizzle **3.** *beim Sprechen*: hiss **4. *durch die Luft zischen*** whizz through the air **5. *einen zischen*** *umg.* (≈ *trinken*) knock one back

Zitat quotation, quote (*aus* from)

Zither zither ['zɪðə]

zitieren quote (*aus* from)

Zitrone lemon ['lemən]

Zitronensaft lemon juice ['lemən_dʒuːs]

Zitronenscheibe slice of lemon

zittern 1. (*auch Stimme*) tremble, *stärker*: shake* (*vor Angst usw.* with fear *usw.*); *er zitterte am ganzen Körper* he was trembling (*oder* shaking) all over **2. *ich hab ganz schön gezittert*** *umg.* I was scared as anything **3. *vor jemandem zittern*** be* scared of someone

zittrig shaky; *er hat eine zittrige Schrift* he's got shaky handwriting (△ *ohne* a)

Zitze teat

Zivi *umg.* → **Zivildienstleistender**

zivil 1. (↔ *militärisch*) civilian **2. *die zivile Luftfahrt*** civil aviation [ˌsɪvl,eɪvɪ'eɪʃn] (△ *ohne* the) **3.** *Preise*: (≈ *annehmbar*) reasonable

Zivil 1. *in Zivil* in plain clothes [kləʊ(ð)z] **2. *ein Polizist in Zivil*** a plainclothes policeman

Zivilbevölkerung civilian population

Zivildienst community service (for conscientious [ˌkɒnʃɪ'enʃəs] objectors); *Zivildienst leisten* do* (one's) community service

---

Zivildienst

Da es in Großbritannien keine Wehrpflicht gibt, gibt es auch keinen Zivildienst in unserem Sinne. **Community service** bedeutet (hauptsächlich als Alternative zu einer Haftstrafe ausgeführter) Sozialdienst.

Zivildienstleistender conscientious [ˌkɒnʃɪ'enʃəs] objector doing community service

Zivilisation civilization [ˌsɪvəlaɪ'zeɪʃn]

zivilisiert civilized ['sɪvəlaɪzd]

Zivilist civilian [sə'vɪlɪən]

Znüni ⒼⒷ (≈ *Vormittagsimbiss*) mid-morning snack, *BE* elevenses [ɪ'levnzɪz]

zocken *umg.* gamble ['gæmbl]

Zocker(in) *umg.* gambler

Zoff *umg.* trouble ['trʌbl], strife; *er hat mit ihr Zoff* he's having a bit of a row [raʊ] with her

zögern hesitate ['hezɪteɪt]; *ohne zu zögern* without hesitating

zögernd 1. *allg.*: hesitating ['hezɪteɪtɪŋ] **2.** *Worte, Schritte, Fortschritt, Geständnis usw.*: halting ['hɔːltɪŋ] **3. *nur zögernd über etwas reden*** be* reluctant [rɪ'lʌktənt] to talk about something

Zölibat 1. celibacy ['seləbəsɪ] **2. *im Zölibat leben*** be* celibate ['seləbət]

Zoll[1] **1.** (≈ *Steuer*) (customs) duty **2.** *Stelle*: customs (△ *mit Sg.*); *etwas durch den Zoll bringen* get* something through customs (△ *ohne* the)

Zoll[2] *Maßeinheit*: inch

zollfrei duty-free

Zollkontrolle customs check

Zollstock folding rule

Zone zone

Zoo zoo [zuː]

Zoohandlung pet shop (*AE* store)

Zoologie zoology [zəʊ'ɒlədʒɪ]

Zoomobjektiv zoom lens [lenz]

Zopf 1. plait [△ plæt], *bes. AE* braid **2.** *Zöpfe* pigtails **3. *das ist doch ein alter Zopf*** *umg.* that's old hat (△ *ohne* an)

Zorn anger, rage

zornig 1. angry (*über etwas* at *oder* about something; *auf jemanden* with someone), furious ['fjʊərɪəs] (*über etwas* about something; *auf jemanden* with someone) **2. *sie wird immer gleich***

zornig she loses [△ 'luːzɪz] her temper easily, she's quick to lose her temper
Zote: *Zoten reißen* tell* dirty jokes
zottelig, zottig *Haare:* shaggy, straggly
zu[1] **1.** to; *zur Post gehen* go* to the post office; *zur Schule gehen* go* to school (△ *ohne* the); *zu einem Konzert gehen* go* to a concert; *er ist zu Stefan gegangen* he's gone to Stefan's (place) **2.** *zum Schwimmen gehen* go* swimming **3.** *zu Hause* at home **4.** *zu Fuß* on foot, *AE auch* by foot **5.** *zu Weihnachten usw.* at Christmas *usw.* **6.** *zu Beginn* at the beginning **7.** *sie haben zwei zu eins gewonnen* they won two to one (*oder* two-one) **8.** *wir waren zu dritt* there were three of us **9.** *CDs zu fünf Euro* CDs for five euros **10.** *was möchtest du zum Geburtstag?* what would you like for your birthday? **11.** *zum Braten brauchst du Fett* you need fat for frying **12.** *setz dich zu ihr* go and sit with (*oder* next to) her
zu[2] (≈ *übermäßig*) too; *zu sehr* too much

---

zu viel 1. too much; *viel zu viel* far too much **2.** *es war einer zu viel* there was one too many **3.** *es war des Guten zu viel* it was too much of a good thing **4.** *es wurde mir zu viel* it got too much for me **5.** *ich krieg zu viel!* *umg.* well blow me!, *AE* I'll be darned [dɑːrnd]!
zu wenig 1. *allg.:* not enough [ɪ'nʌf]; *viel zu wenig* not nearly enough; *du isst zu wenig* you don't eat enough **2.** *es war einer zu wenig* we *usw.* were one short

---

zu[3] ↔ *offen:* shut; *Tür zu!* shut the door!; *zu sein* be* closed, be* shut
zu[4]: *nur zu!* go on!
zuallererst first of all
zubauen 1. build* up (*Gelände, Grundstück*) **2.** (≈ *versperren*) block, obstruct (*Blick, Aussicht*)
Zubehör accessories [ək'sesərɪz] (△ *Pl.*)
zubeißen 1. (*Tier*) bite* **2.** (≈ *die Zähne zusammenbeißen*) bite* hard
zubereiten 1. *allg.:* prepare **2.** *das Essen zubereiten* make* lunch (*bzw.* dinner)
Zubereitung *allg.:* preparation [ˌprepə'reɪʃn], *eines Essens auch:* cooking; *die Zubereitung dauert ...* (the) preparation time is ...
zubleiben stay closed, stay shut
Zubringerbus 1. *allg.:* shuttle bus **2.** *zum Flughafen:* airport bus, shuttle bus
Zucchini courgettes [kʊə'ʒet] (△ *Pl.*), *AE* zucchini [zʊ'kiːnɪ] (△ *Sg. und Pl.*)
Zucht 1. (≈ *Züchten*) breeding, *von Tieren*

auch: rearing ['rɪərɪŋ], raising ['reɪzɪŋ] **2.** *von Pflanzen:* cultivation, growing **3.** *von Bienen, Bakterien usw.:* culture **4.** (≈ *Zuchtergebnis*) *von Tieren:* breed, stock, *von Pflanzen:* variety [və'raɪətɪ], *von Bienen, Bakterien:* culture **5.** *Zucht und Ordnung* strict discipline ['dɪsəplɪn], law and order
züchten 1. breed* (*Tiere*) **2.** grow* (*Pflanzen*)
Züchter(in) 1. *von Vieh:* breeder **2.** *von Pflanzen:* grower **3.** *von Bienen:* keeper
zuckeln *umg.* **1.** (*Auto*) chug [tʃʌg] along **2.** (*Person*) trundle along
zucken 1. *nervös:* twitch **2.** *vor Schmerz:* wince **3.** *sie zuckte mit den Schultern* she shrugged her shoulders ['ʃəʊldəz]
zücken 1. pull out (*Messer usw.*) **2.** *umg.* whip out (*Kuli, Geldbeutel usw.*)
Zucker 1. sugar ['ʃʊgə]; *ein Löffel Zucker* one teaspoon of sugar **2.** *sie hat* (*oder leidet an*) *Zucker* she's got diabetes [ˌdaɪə'biːtiːz]
Zuckerhut 1. *allg.:* sugar loaf **2.** *der Zuckerhut in Rio de Janeiro:* Sugarloaf Mountain (△ *ohne* the)
zuckerkrank: *sie ist zuckerkrank* she's got diabetes [ˌdaɪə'biːtiːz], she's (a) diabetic [ˌdaɪə'betɪk]
Zuckerkrankheit diabetes [ˌdaɪə'biːtiːz]
Zuckerl *bes.* ⒶⒽ **1.** (≈ *Bonbon*) sweet, *AE* candy **2.** (≈ *zusätzlich Gebotenes*) goody
Zuckerlecken: *das ist kein Zuckerlecken* *umg.* it's no fun and games
Zuckerrübe sugar beet
Zuckerwatte candy floss, *AE* cotton candy
Zuckung 1. *allg.:* twitch(ing), jerk [dʒɜːk] **2.** *krampfhafte:* convulsion [kən'vʌlʃn], spasm ['spæzm] **3.** *eines Muskels:* twitch; *nervöse Zuckungen* a nervous twitch (△ *Sg.*)
zudecken cover up
zudrehen 1. turn off (*Hahn, Wasser*) **2.** *jemandem den Rücken zudrehen* *abweisend:* turn one's back on someone
zudringlich 1. pushy **2.** *er wurde zudringlich einer Frau gegenüber:* he started making passes
zudrücken: *ein Auge zudrücken* turn a blind eye
zueinander to each other, to one another; → *zueinanderpassen, zueinanderstehen*
zueinanderpassen: *die beiden passen gut zueinander* they suit each other
zueinanderstehen stick by each other
zuerst 1. (≈ *als erste, -r, -s*) first; *geh du zuerst* you go first **2.** (≈ *anfangs*) at first; *zuerst klappte es nicht* at first it didn't

work

Zufahrt 1. access ['ækses] **2.** (≈ *Zufahrts-straße*) access road, *zu Haus*: drive(way)

Zufahrtsstraße 1. *allg.*: access ['ækses] road **2.** *zu Haus*: drive(way)

Zufall 1. coincidence [kəʊ'ɪnsɪdəns]; *so ein Zufall!* what a coincidence!; *es war reiner Zufall* it was pure coincidence (*oder* chance) **2.** *durch Zufall* by chance; *wie es der Zufall wollte* as chance would have it (△ *ohne* the)

zufallen 1. (*Tür*) slam shut **2.** *mir fallen die Augen zu* I can't keep my eyes open

zufällig 1. by chance; *zufällig sah ich ihn* by chance I saw him, I (just) happened to see him **2.** *weißt du zufällig, ob usw.?* do you happen to know whether *usw.?* **3.** *es war rein zufällig* it was pure coincidence [kəʊ'ɪnsɪdəns]

Zufallsgenerator random generator

Zufallstreffer 1. *Sport usw.*: fluke **2.** (≈ *Erfolg*) lucky strike

zufliegen (*Tür usw.*) slam shut

Zufluss 1. influx ['ɪnflʌks] (*auch übertragen: von Leuten, Kapital usw.*) **2.** (≈ *Nebenfluss*) tributary ['trɪbjʊtrɪ]

zuflüstern: *jemandem etwas zuflüstern* whisper something to someone

zufrieden 1. satisfied; *sie ist mit nichts zufrieden* she's never satisfied; *bist du jetzt endlich zufrieden?* are you quite satisfied (*oder* happy) now? **2.** *ich bin damit zufrieden* I'm happy with it; → *zufriedengeben, zufriedenlassen usw.*

zufriedengeben: *sich mit etwas zufriedengeben* settle for something

Zufriedenheit satisfaction; *zur vollsten Zufriedenheit* to our *usw.* full satisfaction

zufriedenlassen: *lass sie zufrieden* leave her alone (*oder* in peace)

zufriedenstellen 1. satisfy **2.** *sie ist schwer zufriedenzustellen* she's hard to please

zufriedenstellend satisfactory

zufrieren freeze* over

zufügen add; *dem Essen etwas Salz zufügen* add some salt to the food

Zug¹ 1. train; *mit dem Zug* by train (△ *ohne* the); *im Zug* on the train **2.** *Peter bringt mich zum Zug* Peter's seeing me off at the station **3.** *du sitzt im falschen Zug* *übertragen* you're barking up the wrong tree **4.** *der Zug ist abgefahren* *übertragen* you've *usw.* missed the boat

Zug² 1. (≈ *Luftzug*) draught [△ drɑːft]; *im Zug sitzen* sit* in a draught **2.** *er nahm einen Zug an der Zigarette* he took a drag on the cigarette **3.** (≈ *Schluck*) gulp (*aus* from); *sein Glas auf*

einen Zug leeren empty one's glass in one go **4.** *in einem Zug* (≈ *ohne Unterbrechung*) at one stroke, *BE auch* in one go **5.** *Schach usw.*: move (*auch übertragen*) **6.** *ich kam nicht zum Zug(e)* I never got a chance **7.** *ein paar Züge schwimmen* do* a few strokes (in the pool) **8.** *etwas in groben Zügen beschreiben* give* a rough [rʌf] description of something

Zugabe encore ['ɒŋkɔː]; *Zugabe!* encore!

Zugabteil train compartment

Zugang 1. *allg.*: access ['ækses] (*zu* to) **2.** *kein Zugang!* no entry, no admittance

zugänglich: *es ist nicht zugänglich* it's not open to the public

zugeben admit; *gibs doch zu!* go on, admit it!; *er gab zu, es getan zu haben* he admitted having done it

zugefroren 1. *See usw.*: frozen over **2.** *Tür, Deckel usw.*: frozen shut

zugegeben: *zugegeben, es war nichts Besonderes* okay, it wasn't anything special

zugehen 1. (*Fenster usw.*) shut*; *es geht nicht zu* it won't shut **2.** *es ging sehr laut usw. zu* it was very noisy *usw.* **3.** *sie ging geradewegs auf ihn zu* she went straight up to him **4.** *geh zu!* *umg.* get a move on!

zugehörig 1. (≈ *dazugehörend*) *allg.*: accompanying [ə'kʌmpənɪŋ] **2.** *zugehörige Teile* accessory [ək'sesərɪ] parts **3.** *bei Kleidungsstücken, in Farbe, Form*: matching **4.** *er fühlt sich uns nicht mehr zugehörig* he doesn't feel he belongs to us any longer

zugeknöpft *Person*: uncommunicative [ˌʌnkə'mjuːnɪkətɪv]

Zügel 1. *an Pferd*: rein [reɪn] **2.** *übertragen die Zügel (fest) in der Hand haben* have* things (firmly) under control; *die Zügel lockern* loosen ['luːsn] the reins

zugelassen: *für Jugendliche nicht zugelassen* (for) adults only

zugelaufen: *zugelaufener Hund* stray dog

Im Zug

| Ist das der Zug nach Glasgow? | **Is this the train to Glasgow?** |
| Ist der Platz hier frei? | **Is this seat taken?** |

In Großbritannien fragt man meist, ob der Platz besetzt ist, nicht ob er frei ist. Wenn er frei ist, antwortet man demzufolge mit „no", wenn er besetzt ist mit „yes".

zügeln 1. (≈ *zurückhalten, beherrschen*) control (*Eifer, Wut usw.*) **2.** ⊕ (≈ *umziehen*) move (house)

zugeparkt *Straße*: lined with parked cars

zugerichtet: *er war ziemlich übel zugerichtet* he was in a pretty bad way

zugeschneit snowed in

Zugeständnis 1. concession (+ *Dativ* to) **2. *Zugeständnisse machen*** *übertragen* make* allowances (**an** for)

zugetan: *sie ist Schokolade ziemlich zugetan* she's very partial to chocolate

zugewachsen completely overgrown

zugig draughty [△ 'drɑːftɪ], *AE* drafty [△ 'drɑːftɪ]

zügig 1. *wir sind zügig vorangekommen* we made fast progress ['prəʊgres] **2.** ⊕ *Schlagwort, Kandidat usw.*: (≈ *zugkräftig*) persuasive [pə'sweɪsɪv]

Zugluft draught [△ 'drɑːft]

zugreifen 1. *greift zu!* help yourselves! **2.** (≈ *die Gelegenheit ergreifen*) go* for it; ***ich hab sofort zugegriffen*** I didn't wait to be asked twice **3. *zugreifen auf*** *Computer*: access ['ækses]

Zugrestaurant dining car, *AE auch* diner

Zugriff *auch Computer*: access (**auf, zu** to)

Zugriffszeit access ['ækses] time

zugrunde 1. *zugrunde gehen* (*Person*) go* to rack and ruin, (≈ *sterben*) die (**an** of) **2. *er ist an Drogen zugrunde gegangen*** his life was ruined by drugs

zugucken → **zusehen**

Zugunglück train crash

zugunsten: *zugunsten der Obdachlosen* *usw.* in aid of the homeless *usw.*

zugutekommen: *es kommt dem Kinderheim zugute* it'll go to the children's home

Zugverbindung train connection

Zugvogel migratory ['maɪgrətrɪ] bird

zuhaben 1. *sie haben zu* they're closed **2. *sie hat die Tür zu*** she's shut the door

zuhalten 1. *halt dir die Nase zu!* hold your nose!; ***er hielt sich die Ohren zu*** he held his hands over his ears **2. *die Tür usw. zuhalten*** hold* the door *usw.* shut

Zuhälter pimp

Zuhause: *er hat kein Zuhause* he hasn't got a home, he hasn't got anywhere to live

zuhause → **Haus** *3*

zuhören listen [△ 'lɪsn]; ***hör mir mal zu*** listen to me; ***genau zuhören*** listen carefully; ***du hast nicht zugehört*** you weren't listening

Zuhörer(in) listener [△ 'lɪsnə]

zuklappen 1. (*Tür, Deckel usw.*) fall* shut **2. *ein Buch zuklappen*** shut* a book

zukleben seal (*Umschlag usw.*)

zuknallen 1. (*Tür usw.*) slam shut **2. *er knallte die Tür zu*** he slammed the door

zukneifen: *er kniff die Augen zu* he narrowed his eyes

zuknöpfen button up (*Mantel usw.*)

zukommen 1. *es kam direkt auf mich zu* *Auto usw.*: it came straight towards me **2. *es kommt einiges auf uns zu*** *an Arbeit*: we're in for quite a bit of work **3. *er hatte keine Ahnung, was auf ihn zukam*** he had no idea what was coming his way

zukriegen 1. *ich krieg den Koffer usw. nicht zu* I can't shut the case *usw.* **2. *ich krieg die Hose usw. nicht zu*** I can't do these trousers *usw.* up

Zukunft 1. future ['fjuːtʃə]; ***in Zukunft*** in future **2. *ein Beruf mit Zukunft*** a job with a future; ***die Arbeit hat keine Zukunft*** there's no future in that kind of work

zukünftig 1. (≈ *in Zukunft*) in future **2. *ihr zukünftiger Mann*** her future husband

Zukunftsaussichten future prospects

Zukunftsmusik: *das ist alles noch Zukunftsmusik* that's all still up in the air

Zukunftspläne plans for the future

Zulage 1. *allg.*: allowance, extra pay (△ *Letzteres immer* <u>ohne</u> an) **2.** (≈ *Prämie*) bonus **3.** (≈ *Gehaltszulage im Sinne von Gehaltserhöhung*) increase ['ɪŋkriːs]

zulangen 1. *langt zu!* *beim Essen*: help yourselves!; ***er hat kräftig zugelangt*** he really tucked (*AE* dived) in **2.** (≈ *mithelfen*) lend* a hand **3. *jemand, der zulangen kann*** someone who's not afraid of hard work

zulassen: *zum Studium zugelassen werden* get* a place at university, *AE* be* admitted to a college *usw.*

zulässig 1. *allg.*: permissible [pə'mɪsəbl]; ***zulässige (Höchst)Belastung*** maximum permissible (*oder* safe) load; ***zulässige Höchstgeschwindigkeit*** maximum (permissible) speed **2.** *amtlich*: authorized ['ɔːθəraɪzd] **3. *das ist (nicht) zulässig*** that is (not) allowed (*oder* permitted, permissible)

Zulassungsprüfung entrance exam

Zulauf: *es hat großen Zulauf* it's very popular

zulaufen: *uns ist ein Hund zugelaufen* we've got a stray dog

zulegen 1. *er hat sich ein Handy zugelegt* he's got himself a mobile phone **2. *er hat sich einen Bart zugelegt*** he's grown a beard **3. *ich hab mir eine Erkältung zugelegt*** I've landed myself with a cold **4.** *umg.* (≈ *schneller laufen usw.*)

Z

step on it **5. *er hat ziemlich zugelegt*** *umg.* (≈ *zugenommen*) he's been putting the pounds on

zuleide: *er würde niemandem was zuleide tun* he wouldn't hurt anyone

zuletzt 1. last; ***wir machen das zuletzt*** we'll do that last **2. *sie kommt immer zuletzt*** she's always the last to arrive **3. *wann warst du zuletzt da?*** when were you last there?; ***ich hab ihn zuletzt am Freitag gesehen*** I last saw him on Friday (△ *Wortstellung*) **4. *bis zuletzt*** till the (very) end

zuliebe: *ihr zuliebe* for her sake

Zulieferer *von Bauteilen usw.*: (outside) supplier [səˈplaɪə]

zum → *zu¹*

zumachen 1. shut*, close (*Tür, Geschäft usw.*) **2.** do* up (*Mantel usw.*) **3.** put* down (*Schirm*) **4. *ich hab kein Auge zugemacht*** I didn't sleep a wink **5. *mach zu!*** *umg.* (≈ *beeil dich*) get a move on!

zumindest at least; ***er ist krank - glaube ich zumindest*** he's ill - at least I think he is

zumute 1. *mir ist nicht wohl zumute* I don't feel good **2. *mir ist nicht nach Tennis zumute*** I don't feel like (playing) tennis

zumuten 1. *das kannst du ihm nicht zumuten* you can't expect him to do that **2. *sich zu viel zumuten*** take* on too much

Zumutung: *das ist eine Zumutung!* it's a damn [dæm] cheek!, it's a bit much!

zunächst 1. (≈ *anfangs*) at first **2.** (≈ *als erstes*) first (of all)

zunähen sew up [△ ˌsəʊˈʌp]

Zunahme increase [ˈɪŋkriːs] (+ *Gen. oder an* in)

Zuname ↔ *Vorname*: surname [ˈsɜːneɪm], last (*oder* second) name

zündeln *bes.* Ⓐ play with matches, play with fire

zünden 1. (*Motor*) ignite, fire **2. *das Streichholz zündet nicht*** the match won't light **3. *hats bei dir endlich gezündet?*** *umg.* has the penny finally dropped?

Zunder 1. *brennen wie Zunder* burn* like tinder **2. *es gibt Zunder*** *umg.* she's (*oder* they're *usw.*) in for it

Zünder *Bombe, Mine*: detonator [ˈdetəneɪtə]

Zündholz match

Zündholzschachtel matchbox

Zündkerze spark plug

Zündung ignition

zunehmen 1. *an Gewicht*: put* on weight **2.** (*Zahl, Probleme usw.*) increase, grow*

Zuneigung affection (*für, zu* for)

Zunge 1. tongue [△ tʌŋ]; ***er streckte (mir) die Zunge raus*** he poked his tongue out (at me) **2. *sie hat eine spitze Zunge*** *übertragen* she's got a sharp tongue **3. *es liegt mir auf der Zunge*** *Wort*: it's on the tip of my tongue

Zungenbrecher tongue-twister

Zungenkuss French kiss

zunicken 1. *jemandem zunicken* nod at someone **2. *sie nickte uns freundlich zu*** she gave us a friendly nod

zuordnen 1. *den Bildern die richtigen Begriffe zuordnen* match the right words up with the pictures **2. *die Eidechse wird den Reptilien zugeordnet*** the lizard is classified [ˈlɪzəd] as a reptile [ˈreptaɪl] **3. *sie lässt sich schwer zuordnen*** in eine bestimmte *Kunstrichtung usw.*: (≈ *schwer einordnen*) she's hard to place (*oder* categorize [ˈkætɪgəraɪz])

zupacken 1. grab hold of it (*oder* him *usw.*) **2. *wir haben alle zugepackt*** we all rolled up our sleeves (and helped)

zuparken block (*Eingang usw.*)

zupfen 1. *sie zupfte mich am Ärmel* she tugged at my sleeve **2.** pluck (*Saite, Instrument, Augenbrauen*)

Zupfinstrument plucked instrument [ˈɪnstrəmənt]

zuprosten: *sie haben mir zugeprostet* they raised their glasses to me

zur → *zu¹*

zurechnungsfähig (≈ *bei klarem Verstand*) accountable, of sound mind

zurechtbiegen 1. bend* into shape **2. *er hat die Sache wieder zurechtgebogen*** he got things straightened out again

zurechtfinden 1. *ich hab mich schnell zurechtgefunden* in einer Stadt *usw.*: I found my way around quickly **2. *findest du dich zurecht?*** bei Arbeit *usw.*: are you managing all right?; ***ich find mich überhaupt nicht mehr zurecht*** I don't know what's going on any more

zurechtkommen 1. *mit einer Sache*: manage, cope (*mit* with) **2. *mit jemandem (gut) zurechtkommen*** get* on (well) with someone

zurechtmachen 1. *sich zurechtmachen* (≈ *sich herausputzen*) do* oneself up **2.** do* up (*Zimmer*)

zureden: *kannst du ihm nicht gut zureden?* can't you persuade [pəˈsweɪd] him?

zurichten: *sie haben ihn übel zugerichtet* they really made a mess of him

zurück 1. *allg.*: back **2. *London und zurück, bitte*** a return (*AE* a round trip) to

London, please **3. *zurück!*** get back! **4. *fünf Punkte zurück sein*** be* five points behind **5. *zurück sein* in *der Schule*:** be* behind

Zurück: *es gibt kein Zurück* (*mehr*) there's no turning back (now)

zurückbekommen get* back

zurückbilden: *sich zurückbilden* (*Geschwulst usw.*) recede [rɪ'siːd], (*Muskeln*) atrophy ['ætrəfɪ], (*Körper- oder Pflanzenmerkmale usw.*) regress [rɪ'gres]

zurückbinden tie back

zurückbleiben 1. stay behind **2.** (≈ *nicht mithalten*) be* lagging behind

zurückblenden flash back (*auf* to)

zurückblicken look back (*auf* to)

zurückbringen 1. *hierher*: bring* back **2.** *woandershin*: take* back

zurückdenken think* back (*an* to)

zurückdrehen 1. turn back (*Zeiger, Hahn usw.*) **2.** turn down (*Lautstärke*)

zurückerinnern: *sich zurückerinnern* (*an*) remember

zurückerstatten refund [rɪ'fʌnd]; ***haben sie dir das Geld zurückerstattet?*** did they refund you the money?

zurückfahren 1. go* back, *mit dem Auto auch*: drive* back **2. *jemanden zurückfahren*** drive* someone back

zurückfallen 1. (≈ *umfallen*) fall* back **2.** *im Rennen usw.*: fall* behind, drop back

zurückfinden: *findest du den Weg zurück?* will you find your way back?

zurückfliegen fly* back

zurückgeben give* back, return

zurückgeblieben backward ['bækwəd]

zurückgehen 1. go* back **2. *zwei Schritte zurückgehen*** take* two steps back **3. *es geht aufs Mittelalter zurück*** it goes back to the Middle Ages (△ *Pl.*)

zurückgewinnen win* back

zurückgezogen 1. *Dasein, Leben*: secluded [sɪ'kluːdɪd] **2. *zurückgezogen leben*** lead* a secluded life, live in seclusion

zurückhalten 1. *sich zurückhalten* hold* back **2. *sich mit dem Essen usw. zurückhalten*** go* easy on the food *usw.* **3.** (≈ *nicht freigeben*) hold* onto

zurückhaltend reserved

zurückholen fetch back, retrieve

zurückkaufen buy* back

zurückkehren go* (*bzw.* come*) back, return

zurückkommen 1. come* back **2. *zurückkommen auf*** come* back to (*ein Thema*)

zurückkönnen: *wir konnten nicht zurück* we couldn't get back

zurückkriegen get* back

zurücklassen 1. leave* behind **2. *lass ihn zurück*** (≈ *zurückgehen*) let him go

back

zurücklaufen run* back

zurücklegen 1. *an seinen Platz*: put* back **2.** *für jemanden*: put* aside, keep* **3. *leg den Kopf zurück*** put your head back **4. *fünf Kilometer zurücklegen*** walk (*bzw.* run*) five kilometres

zurücklehnen: *sich zurücklehnen* lean* back

zurückliegen 1. *das liegt weit* (*bzw. zwei Jahre*) *zurück* that was a long time (*bzw.* two years) ago **2. *sie liegen 5:3 zurück*** they're 5-3 (*gesprochen* five-three) down

zurückmelden: *sich zurückmelden* report back (*bei* to)

zurückmüssen 1. *ich muss zurück* I've got to go back **2. *das Fahrrad muss zurück*** the bicycle's got to be taken back

zurücknehmen take* back (*auch Gesagtes*)

zurückrufen call back; ***ich ruf* (*dich*) *zurück*** I'll call (you) back

zurückschauen look back (*auf* at)

zurückscheuen: *er scheut vor nichts zurück* he'll stop at nothing

zurückschicken send* back

zurückschieben push back

zurückschlagen 1. *nach einem Schlag*: hit* (someone) back **2.** *übertragen* fight* back **3. *den Ball zurückschlagen*** hit* the ball back

zurückschrecken: *er schreckt vor nichts zurück* he'll stop at nothing

zurückschreiben write* back; ***hast du ihr zurückgeschrieben?*** did you write back to her?

zurückspielen *Sport*: play the ball back

zurückspringen 1. jump back **2.** (*Ball*) bounce back

zurückspulen rewind* [riː'waɪnd]

zurückstehen 1. *das Haus steht zehn Meter von der Straße zurück* the house is set back ten metres from the road **2. *er steht hinter den anderen zurück*** he's lagging behind the others, (≈ *hintanstehen*) he takes second place

zurückstellen 1. put* back (*Gegenstand*) **2.** put* aside (*Ware*) **3. *seine Uhr zurückstellen*** put* one's watch back

zurückstoßen 1. *allg.*: push back **2.** *übertragen* reject [rɪ'dʒekt] (*Person*)

zurücktreten 1. step back **2.** *von einem Amt*: resign [rɪ'zaɪn]

zurückweichen step back (*vor* from)

zurückweisen reject [rɪ'dʒekt]

zurückwerfen throw* back

zurückwollen want to go back

zurückzahlen pay* back; ***ich zahls dir zurück*** I'll pay you back

zurückziehen 1. *allg.:* pull back (*auch Vorhänge*) **2.** withdraw* (*Antrag, Versprechen usw.*) **3.** *sich zurückziehen allg.:* withdraw* **4. er hat sich auf sein Zimmer zurückgezogen** he's disappeared into his room

Zuruf 1. *allg.:* shout **2. Zurufe anfeuernde:** cheers, cheering (△ *Sg.*)

zurufen: jemandem zurufen call someone, call out to someone

zurzeit at the moment

Zusage 1. (≈ *Versprechen*) promise [△ 'prɒmɪs] **2.** (≈ *Annahme*) acceptance

zusagen 1. *bei Einladung:* accept [ək-'sept]; **alle haben zugesagt** they've all said they'll come **2. jemandem zusagen** (≈ *gefallen*) appeal to someone; **wird es ihr zusagen?** *auch:* will she like it?; **das würde ihr eher zusagen** she'd prefer that

zusammen 1. *allg.:* together; **wir waren zusammen in Italien** we went to Italy together **2. das macht zusammen 35 Euro** that's 35 euros all together **3. bestellen wir die gemischte Grillplatte zusammen** let's order the mixed grill between us **4. Morgen zusammen!** *Gruß:* morning everyone! **5. zusammen sein** be* together; **sie sind wieder zusammen** they're back together again

Zusammenarbeit 1. cooperation [kəʊˌɒpə'reɪʃn] **2.** *im Team:* teamwork

zusammenarbeiten work together; **ich kann mit ihm nicht zusammenarbeiten** I can't work with him

zusammenballen: die Hände zusammenballen clench one's fists

zusammenbauen put* together, assemble

zusammenbeißen: die Zähne zusammenbeißen clench one's teeth, *übertragen* grit one's teeth

zusammenbekommen 1. get* together (*eine Mannschaft usw.*) **2.** raise, *umg.* scrape together (*Geld*)

zusammenbleiben stay together

zusammenbrechen 1. (*Person, Gebäude usw.*) collapse **2.** *psychisch:* break* down

zusammenbringen 1. er brachte die beiden zusammen he brought the two of them together **2.** raise (*Geld*) **3. er bringt keinen Satz zusammen** he can't string a sentence together

Zusammenbruch collapse [kə'læps]

zusammenfahren 1. *umg.* smash into (*Ampel usw.*) **2.** run* over, drive* into (*Person*) **3.** (*zwei Autos, Züge usw.*) collide **4.** *erschrocken:* jump, start (**vor** *vor*)

zusammenfallen 1. (≈ *einstürzen*) collapse **2.** *zeitlich:* coincide [ˌkəʊɪn'saɪd]

zusammenfalten 1. fold up **2. die Hände zusammenfalten** fold one's hands

zusammenfassen summarize, sum up

Zusammenfassung summary ['sʌmərɪ]

zusammenflicken *umg.* **1.** patch up (*Kleidung und übertragen Person*) **2.** cobble together (*Aufsatz, Arbeit usw.*)

zusammenfügen 1. *allg.:* join (together), fit together **2.** *Technik:* assemble [ə'sembl]

zusammengedrängt crowded together

zusammengehören belong together

zusammengerechnet: alles zusammengerechnet all in all

zusammengeschustert *umg.* thrown together

zusammengesetzt 1. zusammengesetzt aus made up of **2. zusammengesetztes Wort** compound ['kɒmpaʊnd] (word)

zusammenhaben: wir haben eine Mannschaft (*bzw. das Geld*) **zusammen** we've got a team (*bzw.* the money) together

zusammenhalten 1. (*zwei Teile usw.*) hold* together **2.** (*Gruppe usw.*) stick* together

Zusammenhang 1. connection; **im Zusammenhang mit** in connection with (△ *ohne* the) **2. etwas im Zusammenhang sehen** see* something in context

zusammenhängen: es hängt damit zusammen, dass … it's to do with the fact that …

zusammenhauen 1. jemanden zusammenhauen beat* someone up **2. etwas zusammenhauen** smash something to pieces

zusammenklappen 1. fold up (*Stuhl usw.*) **2. ein Buch zusammenklappen** clap a book shut **3.** *umg.* (*Person*) collapse

zusammenkleben 1. stick* together **2. die Seiten kleben zusammen** the pages are stuck together

zusammenknüllen screw up (*Papier usw.*)

zusammenkommen 1. (*Personen*) get* together **2. es kam alles zusammen** everything happened at the same time **3. es ist eine Menge Geld zusammengekommen** quite a bit of money came in

zusammenkrachen *umg.* **1.** (*Gebäude usw.*) collapse [kə'læps] **2.** (*Autos*) crash

zusammenkratzen scrape together (*Geld*)

zusammenläppern: es läppert sich zusammen it all adds up

zusammenleben 1. live together **2. sie lebt mit ihm zusammen** she lives with him

zusammenlegen 1. (≈ *falten*) fold up **2.** (≈ *Geld sammeln*) club together

zusammennehmen 1. *ich musste meinen ganzen Mut zusammennehmen* I had to muster (up) all my courage **2.** *nimm dich zusammen!* pull yourself together!

zusammenpacken pack (one's things) up

zusammenpassen 1. (*Kleider usw.*) go* together **2.** *sie passen nicht zusammen Personen*: they aren't suited ['suːtɪd], *AE* they aren't right for each other **3.** *es passt alles zusammen* ins *Bild*: it all adds up

zusammenpferchen 1. herd together (*auch übertragen*) **2.** *zusammenpferchen in* übertragen crowd into, coop up [ˌkuːpˈʌp] in

zusammenprallen 1. (*Autos usw.*) crash **2.** (*Personen*) run* into each other **3.** *zusammenprallen mit* (*Auto usw.*) crash into, (*Person*) run* into

zusammenpressen press together; *die Lippen zusammenpressen* press one's lips together

zusammenquetschen 1. squeeze together **2.** (≈ *zerquetschen*) squeeze

zusammenrechnen add up

zusammenreißen: *reiß dich zusammen!* pull yourself together!

zusammenrollen roll up

zusamenrotten: *sich zusammenrotten* gang up, (*Aufrührer*) form a mob

zusammenrücken 1. *rücken wir die Tische zusammen* let's move the tables together **2.** (*Personen*) move up, make* room

zusammenrufen: *alle zusammenrufen* call everyone together

zusammenscheißen: *er hat sie zusammengeschissen salopp* he gave her a rocket, *AE* he chewed her ass out

zusammenschlagen: *jemanden zusammenschlagen umg.* clobber someone

zusammenschließen: *sich zusammenschließen* (≈ *sich vereinigen*) unite [juːˈnaɪt], *um etwas zu erreichen*: join forces, *zu einer Gruppe*: team up

zusammenschreiben 1. *das wird zusammengeschrieben* it's (written as) one word **2.** *einen Unsinn zusammenschreiben* write* a lot of nonsense **3.** *das hat er aus anderen Aufsätzen zusammengeschrieben* he's pinched that from other essays

zusammenschrumpfen shrivel ['ʃrɪvl] up

zusammenschustern *umg.* cobble together

zusammensetzen 1. *sich zusammensetzen* sit* together **2.** *sie hat uns zusammengesetzt* she put us next to each other

Zusammensetzung *Wort*: compound ['kɒmpaʊnd]

zusammensitzen sit* together

zusammenstauchen: *ich hab ihn zusammengestaucht umg.* I gave him a roasting, *AE* I gave him a talking-to

zusammenstecken 1. *die Haare zusammenstecken* put* one's hair up **2.** *dauernd zusammenstecken* be* inseparable

zusammenstellen arrange (*Reise usw.*)

Zusammenstellung 1. arrangement **2.** *von Berichten, Aufsätzen usw.*: compilation [ˌkɒmpɪˈleɪʃn] **3.** (≈ *Übersicht*) survey ['sɜːveɪ], synopsis [sɪˈnɒpsɪs] **4.** (≈ *Tabelle*) table **5.** (≈ *Liste*) list

Zusammenstoß 1. *allg.*: crash **2.** *Zusammenstöße von Personen*: clashes

zusammenstoßen 1. crash (into each other) **2.** *zusammenstoßen mit* crash into

zusammenströmen flock together

zusammenstürzen collapse [kəˈlæps]

zusammentreiben round up

zusammentrommeln *umg.* round up

zusammentun: *sich zusammentun* team up, get* together

zusammenwachsen 1. grow* together **2.** (*Knochen*) knit [△ nɪt] (together), *AE* heal up

zusammenwerfen *unterschiedslos*: lump together

zusammenwirken 1. (*Kräfte, Faktoren usw.*) combine **2.** (*Menschen*) cooperate [kəʊˈɒpəreɪt], collaborate [kəˈlæbəreɪt], work together

zusammenzählen add up

zusammenziehen 1. *in eine Wohnung*: move in together **2.** *sich zusammenziehen* (*Muskeln usw.*) contract [kənˈtrækt]

zusammenzucken 1. *vor Schreck*: start, jump **2.** *vor Schmerz*: wince [wɪns]

Zusatz 1. *allg.*: addition **2.** *zu Nahrungsmitteln usw.*: additive ['ædətɪv], (≈ *Beimischung*) admixture [ədˈmɪkstʃə]; *Wein mit einem Zusatz von Glykol* wine with added glycol ['glaɪkɒl] **3.** *schriftlicher*: addendum, *Pl.* addenda

Zusatzgerät *für Computer*: add-on ['ædɒn]

zusätzlich 1. additional, extra; *zusätzliche Arbeit* extra work **2.** (≈ *außerdem*) in addition **3.** *zusätzlich etwas verdienen* earn [ɜːn] a bit extra

Zusatzspeicher extended memory

zuschauen → *zusehen*

Zuschauer(in) 1. *Sport*: spectator; *die Zuschauer* the spectators, the crowd (△ *mit Verb im Sg. oder Pl.*) **2.** *TV*: viewer ['vjuːə] **3.** *die Zuschauer Kino, Theater usw.*: the audience ['ɔːdɪəns] (△ *mit Sg.*

Zustimmen

Das ist eine tolle Idee!	**That's a great idea.**
Ich bin ganz deiner Meinung.	**I totally agree with you.**
Ich glaube, du hast recht.	**I think you're right.**
Ich glaube, es war richtig, dass du das gesagt hast.	**I think you were right to say that.**
Ich fand es gut, wie du es gesagt hast.	**I liked the way you put it.**

oder Pl.); *ein Zuschauer* somebody in the audience

Zuschauerraum auditorium [ˌɔːdɪ-ˈtɔːrɪəm]

zuschieben: *jemandem die Schuld zuschieben* put* the blame on someone

zuschießen: *sie haben mir 200 Euro zum Fahrrad zugeschossen* they gave me 200 euros towards the bike

Zuschlag *zur Fahrkarte*: supplement [ˈsʌplɪmənt]

zuschlagen 1. *die Tür zuschlagen* slam the door **2.** *die Tür ist zugeschlagen* the door slammed (shut) **3.** *plötzlich schlug er zu* suddenly he hit out **4.** *ich hab sofort zugeschlagen* bei Angebot *usw.*: I grabbed it *usw.* straightaway

zuschließen 1. lock up **2.** *den Koffer usw. zuschließen* lock the case *usw.* (up)

zuschnüren 1. lace up (*Schuhe*) **2.** tie up (*Paket usw.*)

Zuschrift letter, *als Antwort auch*: reply [rɪˈplaɪ]

Zuschuss 1. *allg.*: subsidy [ˈsʌbsədɪ] **2.** *von Eltern usw.*: contribution (*zu* towards)

zuschütten 1. fill *something* up (*oder* in) (*Graben usw.*) **2.** fill in, close (*Grab*)

zusehen 1. watch **2.** *wir sahen ihm bei der Arbeit zu* we watched him working; *ich sah zu, wie er es machte* I watched how he did it **3.** *ich kann nicht mehr zusehen* I can't look any more **4.** *sieh zu, dass dus nicht vergisst!* make sure you don't forget!

Zusehen: *allein vom Zusehen wird mir schlecht* I feel sick just watching

zusperren 1. lock (*Tür usw.*) **2.** *hast du zugesperrt?* have you locked up?

zuspielen: *jemandem den Ball zuspielen* pass the ball to someone

zuspitzen: *sich zuspitzen* (*Lage*) come* to a head [hed]

Zustand 1. condition; *in was für einem Zustand ist es?* what sort of condition is it in? **2.** *in was für einem Zustand ist sie?* what sort of state is she in? **3.** *umg.* *da kriegt man ja Zustände!* it's enough to drive you nuts (*BE auch* spare), *er kriegt Zustände, wenn er das sieht!*

he'll have a fit if he sees that

zustande: *wie hast du das zustande gebracht?* how did you manage that?

zuständig: *ich bin dafür nicht zuständig* it's not my job (*oder* responsibility)

zustecken: *er steckte mir einen Zettel zu* he slipped me a note

zusteigen get* on

zustellen 1. deliver [dɪˈlɪvə] (*Waren, eine Sendung usw.*) **2.** (≈ *blockieren*) block (*den Eingang usw.*)

Zustellung *von Waren usw.*: delivery [dɪˈlɪvərɪ]

zustimmen: *jemandem zustimmen* agree with someone

zustopfen 1. plug up (*Loch usw.*) **2.** *sich die Ohren zustopfen* plug one's ears

zustoßen 1. push *something* shut, *laut*: slam *something* (shut) (*Tür usw.*) **2.** *mit einem Messer usw.*: thrust, stab **3.** *ihr muss etwas zugestoßen sein* something must have happened to her, *Unfall*: she must have had an accident; *falls mir etwas zustoßen sollte* if anything should happen to me

Zustrom 1. *von Besuchern, Käufern*: stream, (≈ *Andrang*) rush **2.** *von Flüchtlingen, Touristen, Kapital*: influx [ˈɪnflʌks] **3.** *Zustrom kühler Meeresluft* inflow of fresh sea air

Zutaten ingredients [ɪnˈɡriːdɪənts]

zuteilen 1. give*, *förmlicher*: assign [əˈsaɪn], allot [əˈlɒt] (*alle*: + *Dativ* to) (*eine Arbeit, Aufgabe, Rolle*) **2.** allocate [ˈæləkeɪt] (+ *Dativ* to) (*Geld, eine Wohnung*) **3.** *sie ist einer anderen Abteilung zugeteilt worden* im Vergleich *zu bisher*: she's been moved [muːvd] to a different department

zutexten *umg.* *jemanden zutexten* go* on and on at someone

zutrauen 1. *traust du ihm das zu?* do you think he can do it? **2.** *ich traus ihr glatt zu* I wouldn't put it past her **3.** *das hätte ich ihm nicht zugetraut* bei etwas *Negativem*: I didn't think he was like that, *anerkennend*: I didn't think he had it in him

Zutrauen 1. confidence [ˈkɒnfɪdəns], trust (*zu* in) **2.** *ich hab kein Zutrauen zu ihm*

I don't trust him

zutraulich 1. trusting **2.** *Tier*: friendly

zutreffen 1. zutreffen auf apply to **2. das trifft genau auf ihn zu** that's him exactly

zutrinken: jemandem zutrinken drink* to someone

Zutritt 1. *allg.*: access ['ækses] **2. Zutritt verboten!** no entry

zutun: ich hab kein Auge zugetan I didn't sleep a wink

zuverlässig 1. reliable [rɪ'laɪəbl] **2. sie sind absolut zuverlässig** you can rely on them totally

Zuverlässigkeit reliability [rɪ,laɪə'bɪlətɪ]

Zuversicht confidence ['kɒnfɪdəns]; **er ist voller Zuversicht** he's quite confident (**dass**) that)

zuversichtlich confident ['kɒnfɪdənt], optimistic

zuvor 1. before; **nie zuvor** never before; **besser als je zuvor** better than ever before **2. am Tag zuvor** the day before, the previous ['priːvɪəs] day

zuvorkommen: sie ist mir zuvorgekommen she beat me 'to it (△ *betont ist* to)

zuvorkommend 1. *allg.*: (very) obliging [ə'blaɪdʒɪŋ], accommodating **2.** (≈ *höflich*) courteous [△ 'kɜːtɪəs]

Zuwachs: sie haben Zuwachs bekommen *umg.* they've had a new arrival

zuwachsen (*Wunde usw.*) heal up, close

Zuwanderung immigration [,ɪmɪ'greɪʃn], influx ['ɪnflʌks]

zuwenden 1. jemandem den Rücken zuwenden turn one's back to (*bewusst abweisend*: on) someone **2. jemandem das Gesicht zuwenden** turn round to face (*oder* look at) someone **3.** *übertragen* **sich jemandem zuwenden** turn to someone **4.** *übertragen* **sich e-r Aufgabe** *usw.* **zuwenden** devote oneself to *a task usw.*

zuwerfen 1. wirf mir den Ball zu! throw me the ball! **2.** slam (*Tür*)

zuwider: es ist mir zuwider I find it revolting

zuwinken: jemandem zuwinken wave at (*oder* to) someone

zuzahlen: ich musste 20 Euro zuzahlen I had to pay an extra 20 euros

zuzeln *bes.* ⒶⒽ **1.** (≈ *lutschen, saugen*) suck **2. er zuzelte stundenlang an einem Glas Wein** he sipped away at his glass of wine for hours

zuziehen: er hat sich eine Erkältung zugezogen he's come down with a cold

Zuzüger(in) ⒸⒽ **1.** (≈ *neues Mitglied*) newcomer **2.** (≈ *Zuwanderer*) incomer

Zuzügler(in) (≈ *Zuwanderer*) incomer

zuzüglich plus, not including

zuzwinkern: jemandem zuzwinkern wink at someone

Zvieri ⒸⒽ (≈ *Nachmittagsimbiss*) afternoon snack

Zwang 1. pressure; **etwas unter Zwang tun** do* something under pressure **2. innerer Zwang** inner compulsion **3. tu dir nur keinen Zwang an!** be my guest!, *bes. BE auch* don't mind me!

zwängen: sich in (*bzw.* **durch**) **etwas zwängen** squeeze into (*bzw.* through) something

zwanghaft compulsive

zwanglos *Treffen usw.*: relaxed

Zwangsernährung force-feeding

Zwangsidee obsession

Zwangsjacke straitjacket (*auch übertragen*)

zwangsläufig 1. *Ergebnis usw.*: inevitable [ɪn'evɪtəbl] **2. es musste zwangsläufig so kommen** it was bound to happen

zwanzig twenty

Zwanzigcentstück twenty-cent piece

Zwanzigerjahre: in den Zwanzigerjahren in the twenties

Zwanzigeuroschein twenty-euro note, *AE* twenty-euro bill

zwanzigste(r, -s) twentieth; **20. April** 20(th) April, April 20(th) (*gesprochen* the twentieth of April); **am 20. April** on 20(th) April, on April 20(th) (*gesprochen* on the twentieth of April)

zwar (△ *wird oft nicht übersetzt und durch Wortbetonung wiedergegeben*) **1. ich bin zwar müde, aber …** I 'am tired, but …; **sie hat zwar gegessen, aber …** she 'did eat, but … **2. er kommt morgen, und zwar um sieben** he's coming tomorrow - he'll be here at seven; **sie will essen, und zwar sofort** she wants to eat – right now

Zweck 1. purpose ['pɜːpəs]; **seinen Zweck erfüllen** (*Gerät usw.*) serve its purpose **2. für private** *usw.* **Zwecke** for private *usw.* use [juːs] (△ *Sg.*) **3. das hat wenig Zweck** that won't be much good; **was hat es für einen Zweck?** what's the point?; **was hat es für einen Zweck, mit ihr zu reden?** what's the point of talking to her?

zwecklos 1. es ist zwecklos it's useless ['juːsləs], it's no use **2. es ist zwecklos, ihn zu fragen** there's no point in asking him

zwei 1. two; **vor zwei Tagen** two days ago **2. wir zwei** the two of us **3. dazu gehören zwei** you need two people for that

Zwei 1. *Zahl*: (number) two **2. eine Zwei schreiben** *etwa*: get a B **3.** *Bus, Straßenbahn usw.*: number two bus, number two tram *usw.*

Zweibettzimmer twin-bed<u>ded</u> room

Zweicentstück two-cent piece

zweideutig ambiguous [æm'bɪgjuəs]

zweieinhalb two and a half

Zweier *Rudern*: two [tuː]

zweierlei: *das ist zweierlei* they're two completely different things

Zweieurostück two-euro piece

zweifach 1. *die zweifache Menge* double the amount, twice as much **2.** *der zweifache deutsche Meister X* two-times German champion X (△ *ohne* the) **3.** *ein Formular in zweifacher Ausfertigung* two copies of a form

Zweifamilienhaus two-family house, *AE auch* duplex ['duːpleks]

Zweifel 1. doubt [daʊt] **2.** *ohne Zweifel* undoubtedly **3.** *ich hab da meine Zweifel* I've got my doubts **4.** *ich bin mir noch im Zweifel, ob ...* I'm still not sure whether ...

zweifelhaft 1. *allg.*: doubtful ['daʊtfl] **2.** (≈ *verdächtig*) dubious ['djuːbɪəs]

zweifellos undoubtedly [ʌn'daʊtɪdlɪ], no doubt

zweifeln 1. *an etwas zweifeln* have* one's doubts <u>about</u> something **2.** *er zweifelt an sich selbst* he's lost faith in himself

Zweifelsfall: *im Zweifelsfall* if there's any doubt, if you're not sure

Zweig 1. branch **2.** *kleiner*: twig **3.** *übertragen* (≈ *Bereich*) branch

zweigleisig *Bahnstrecke*: double-track ..., *hinter dem Verb*: double-track<u>ed</u>

Zweigstelle branch [brɑːntʃ] (office)

Zweihunderteuroschein two-hundred--euro note, *AE* two-hundred-euro bill

Zweikampf 1. *allg.*: duel ['djuːəl] **2.** *Fußball*: *einen Zweikampf gewinnen* win* a tackle; *der Zweikampf ist nicht seine Stärke* he's not much of a tackler, he's not very good at tackling

zweimal 1. twice; *zweimal am Tag* twice <u>a</u> day **2.** *das würd ich mir zweimal überlegen* I'd think twice about it **3.** *ich habs mir nicht zweimal sagen lassen* I didn't wait to be asked twice

Zweieurostück two-euro piece

zweimotorig twin-engine(d) [ˌtwɪn-'endʒɪn(d)]

Zweireiher double-breasted jacket [ˌdʌblbrestɪd'dʒækɪt]

zweiseitig *Fotokopie*: double-sided

zweisprachig 1. bilingual [baɪ'lɪŋgwəl] **2.** *ich bin zweisprachig aufgewachsen* I grew up bilingually

zweistellig 1. *zweistellige Ziffer* two-digit number ['tuːˌdɪdʒɪt'nʌmbə]; *zweistelli-*

ge Inflation double-digit inflation **2.** *zweistelliger Dezimalbruch* two-place decimal [ˌtuːpleɪs'desəml]

zweit: *wir waren zu zweit* there were two <u>of</u> us **2.** *wir gingen zu zweit hin* we went there together

Zweitälteste(r) second eldest (*oder* oldest)

Zweitbeste(r) second best

zweitbeste(r, -s): *der zweitbeste Schüler* the second best pupil

zweite(r, -s) second; *2. April* 2(nd) April, April 2(nd) (△ *gesprochen* the second of April); *am 2. April* on 2(nd) April, on April 2(nd) (△ *gesprochen* on the second of April)

Zweite(r, -s) 1. second **2.** *er wurde Zweiter* he was second, *bei Rennen*: he came in second **3.** *jeder Zweite* every other person **4.** *Elizabeth II.* Elizabeth II (*gesprochen* Elizabeth the Second; II *ohne Punkt!*) **5.** *heute ist der Zweite* it's the second today

zweitens secondly

zweitgrößte(r, -s) second largest (*bzw.* biggest, tallest)

zweitrangig second-rate

Zweitschlüssel spare key

Zweizimmerwohnung one-bedroom flat (*AE* apartment)

Zweizimmerwohnung

Im Englischen bestimmt man – besonders in einem eigenen Haus – die Größe der Wohnung oft nach der Anzahl der Schlafzimmer:

Zweizimmerwohnung	**one-bedroom flat** (*AE* **apartment**)
Dreizimmerwohnung *usw.*	**two-bedroom flat** (*AE* **apartment**)
Einzimmerwohnung	**one-room flat** (*AE* **apartment**)

Zwerchfell diaphragm [△ 'daɪəfræm]

Zwerg 1. dwarf [dwɔːf] *Pl.*: dwarfs *oder* dwarves [dwɔːvz] **2.** (≈ *kleiner Mensch*) midget ['mɪdʒɪt]

Zwetsche, Zwetschge plum

Zwetschke Ⓐ plum

zwicken 1. pinch; *er zwickte mich in den Arm* he pinched <u>my</u> arm **2.** *das Hemd zwickt mich* the shirt <u>is</u> pinching me **3.** *bes.* Ⓐ (≈ *entwerten*) punch (*Fahrkarte*)

Zwickmühle: *in einer Zwickmühle sein* be* in a fix

Zwieback rusk, *AE auch* zwieback ['zwiːbæk, 'zwaɪbæk]

Zwiebel 1. onion [△ 'ʌnjən] **2.** (≈ *Blumenzwiebel*) bulb

Zwiebelsuppe onion [△ 'ʌnjən] soup

Zwielicht twilight ['twaɪlaɪt]

zwielichtig: *eine zwielichtige Gestalt* a shady character ['kærəktə]

Zwilling[1] twin; *eineiige Zwillinge* identical twins; *zweieiige Zwillinge* fraternal twins

Zwilling[2]: *Zwillinge Sternzeichen*: Gemini ['dʒemɪnaɪ]; *ich bin (ein) Zwilling* I'm (a) Gemini

Zwillingsbruder twin brother

Zwillingsschwester twin sister

zwingen 1. force; *jemanden zwingen, etwas zu tun* force someone to do something, make* someone do something (△ *ohne* to); *jemanden zum Reden zwingen* force someone to talk **2.** *ich lass mich nicht zwingen* I won't be forced **3.** *ich musste mich zwingen* I had to force myself

Zwinger (≈ *Hundezwinger*) kennel ['kenl]

zwinkern 1. *zum Zeichen*: wink **2.** *nervös usw.*: blink

zwischen 1. *allg.*: between **2.** (≈ *mitten unter*) among; *ich fands zwischen den Zeitungen* I found it among the papers

Zwischenablage *Computer*: clipboard

Zwischenblutung irregular bleeding; *Zwischenblutungen* irregular bleeding (△ *Sg.*, *ohne* an)

Zwischending 1. *es ist so ein Zwischending* it's a bit of both **2.** *es ist ein Zwischending zwischen einem Löwen und einem Tiger* it's somewhere between a lion and a tiger

zwischendrin (≈ *dazwischen*) right in the middle, in amongst them (*oder* it)

zwischendurch in between

Zwischenfall 1. incident [△ 'ɪnsɪdənt] **2.** *es verlief ohne Zwischenfälle* it went off smoothly [△ 'smuːðlɪ]

Zwischenfrage: *darf ich eine Zwischenfrage stellen?* can I throw in a question?

Zwischenlager(stätte) temporary (*oder* interim ['ɪntərɪm]) storage site

zwischenlagern: *radioaktive Abfälle zwischenlagern* store radioactive waste temporarily

Zwischenlagerung: *Zwischenlagerung von radioaktivem Material* temporary storage of nuclear waste

zwischenlanden stop over

Zwischenlandung 1. stopover **2.** *ohne Zwischenlandung* nonstop

Zwischenlösung temporary ['temprərɪ] solution

Zwischenmahlzeit 1. snack (between meals) **2.** *du musst mit diesen Zwischenmahlzeiten aufhören* you must stop eating between meals

zwischenmenschlich: *zwischenmenschliche Beziehungen* human relations

Zwischenprüfung intermediate [ˌɪntə-'diːət] exam; *wann machst du die Zwischenprüfung?* when are you taking your intermediate exam?

Zwischenraum space

Zwischenruf (loud) interruption; *Zwischenrufe* heckling (△ *Sg.*)

Zwischenrunde intermediate round

Zwischenstadium intermediate stage [ˌɪntə'miːdɪət ˌsteɪdʒ]

Zwischenstation 1. stop **2.** *wir haben in Berlin Zwischenstation gemacht* we stopped over in Berlin

Zwischenzeit 1. *in der Zwischenzeit* in the meantime **2.** *Sport*: intermediate time

Zwischenzeugnis end-of-term report, *AE* report card

zwitschern (*Vogel*) chirp [tʃɜːp]

Zwitter hermaphrodite [hɜː'mæfrədaɪt]

zwölf *Zahl*: twelve [twelv]

Zwölf 1. (number) twelve **2.** *Bus, Straßenbahn usw.*: number twelve bus, number twelve tram *usw.*

zwölfte(r, -s) twelfth [twelfθ]; *12. April* 12(th) April, April 12(th) (△ *gesprochen* the twelfth of April); *am 12. April* on 12(th) April, on April 12(th) (△ *gesprochen* on the twelfth of April)

Zwölfte(r, -s) 1. twelfth [twelfθ] **2.** *Gustav XII.* Gustav XII (*gesprochen* Gustav the Twelfth; XII *ohne Punkt!*) **3.** *heute ist der Zwölfte* it's the twelfth today

Zyankali potassium cyanide [pə,tæsɪəm-'saɪənaɪd]

Zyklus cycle ['saɪkl]

Zylinder 1. *allg.*: cylinder ['sɪlɪndə] **2.** *Hut*: top hat

zylindrisch cylindrical [sə'lɪndrɪkl]

zynisch cynical ['sɪnɪkl]

Zypern Cyprus ['saɪprəs]

Zypresse *Baum*: cypress ['saɪprəs] (tree)

Zypriot(in), zypriotisch Cypriot [△ 'sɪprɪət]; ☞ *Nationalitäten*

Zyste cyst [sɪst]

Z

Geografische Namen (Englisch – Deutsch)

Die folgende Tabelle beinhaltet wichtige Ländernamen und einige andere wissenswerte geografische Bezeichnungen. Wo die Kurzform für einen Ländernamen in der Alltagssprache häufiger anzutreffen ist als die amtliche Vollform, wurde die Kurzform gewählt. Kursives the bzw. der, die, das deutet darauf hin, dass die geografische Bezeichnung immer oder meist mit dem bestimmten Artikel verwendet wird.

A

Afghanistan [æf'gænɪstæn] Afghanistan
Africa ['æfrɪkə] Afrika
Albania [æl'beɪnɪə] Albanien
Algeria [æl'dʒɪərɪə] Algerien
America [ə'merɪkə] Amerika
Andorra [æn'dɔːrə] Andorra
Angola [æŋ'gəʊlə] Angola
Antarctica [ænt'ɑːktɪkə] *die* Antarktis
the **Arctic (Ocean)** ['ɑːktɪk (ˌɑːktɪk'əʊʃn)] *die* Arktis, *das* Nordpolarmeer
Argentina [ˌɑːdʒən'tiːnə] Argentinien
Armenia [ɑː'miːnɪə] Armenien
Asia ['eɪʃə] Asien
the **Atlantic (Ocean)** [ət'læntɪk (ət,læntɪk'əʊʃn)] *der* Atlantik, *der* Atlantische Ozean
Australia [ɒ'streɪlɪə] Australien
Austria ['ɒstrɪə] Österreich
Azerbaijan [ˌæzəbaɪ'dʒɑːn] Aserbaidschan
the **Azores** [ə'zɔːz] *Pl. die* Azoren

B

the **Bahamas** [bə'hɑːməz] *Pl. die* Bahamas
Bahrain [bɑː'reɪn] Bahrain
the **Balkans** ['bɔːlkənz] *Pl. der* Balkan
the **Baltic Sea** [ˌbɔːltɪk'siː] *die* Ostsee
Bangladesh [ˌbæŋglə'deʃ] Bangladesch
Barbados [bɑː'beɪdɒs] Barbados
Belgium ['beldʒəm] Belgien
Belize [be'liːz] Belize
Benin [be'nɪn] Benin
Bhutan [buː'tɑːn] Bhutan
Bolivia [bə'lɪvɪə] Bolivien
Bosnia ['bɒznɪə] Bosnien
Bosnia-Herzegovina ['bɒznɪə,hɜːtsə-'gɒvɪnə] Bosnien-Herzegowina
Botswana [bɒ'tswɑːnə] Botsuana
Brazil [brə'zɪl] Brasilien
Britain ['brɪtn] Großbritannien
Bulgaria [bʌl'geərɪə] Bulgarien
Burkina Faso [bʊə,kiːnə'fæsəʊ] Burkina Faso
Burma ['bɜːmə] Birma
Burundi [bʊ'rʊndɪ] Burundi
Byelorussia [bɪ,eləʊ'rʌʃə] Weißrussland

C

Cambodia [kæm'bəʊdɪə] Kambodscha
Cameroon [ˌkæmə'ruːn] Kamerun
Canada ['kænədə] Kanada
(the) **Cape Verde (Islands** *Pl.*) [ˌkeɪp-'vɜːd('aɪləndz)] Kap Verde, *die* Kapverden
the **Caribbean (Sea)** [ˌkærə'biːən('siː)] *die* Karibik, *das* Karibische Meer
the **Central African Republic** ['sentrəl-ˌæfrɪkənrɪ'pʌblɪk] *die* Zentralafrikanische Republik
Chad [tʃæd] Tschad
Chechnia ['tʃetʃnɪə] Tschetschenien
Chile ['tʃɪlɪ] Chile
China ['tʃaɪnə] China
Colombia [kə'lɒmbɪə] Kolumbien
the **Comoros** ['kɒmərəʊz] *Pl. die* Komoren
Congo ['kɒŋgəʊ] Kongo
Costa Rica [ˌkɒstə'riːkə] Costa Rica
Côte d'Ivoire [ˌkəʊtdiː'vwɑː] Côte d'Ivoire, *die* Elfenbeinküste
Croatia [krəʊ'eɪʃə] Kroatien
Cuba ['kjuːbə] Kuba
Cyprus ['saɪprəs] Zypern
the **Czech Republic** [ˌtʃekrɪ'pʌblɪk] *die* Tschechische Republik, Tschechien

D

Denmark ['denmɑːk] Dänemark
Djibouti [dʒɪ'buːtɪ] Dschibuti
Dominica [ˌdɒmɪ'niːkə] Dominica
the **Dominican Republic** [də,mɪnɪkənrɪ-'pʌblɪk] *die* Dominikanische Republik

E

Ecuador ['ekwədɔ:] Ecuador
Egypt ['i:dʒɪpt] Ägypten
Eire ['eərə] *gälischer Name für die Republik Irland*
El Salvador [el'sælvədɔ:] El Salvador
England ['ɪŋglənd] England
Equatorial Guinea [,ekwə'tɔ:rɪəl'gɪnɪ] Äquatorialguinea
Eritrea [,erɪ'treɪə] Eritrea
Estonia [e'stəʊnɪə] Estland
Ethiopia [,i:θɪ'əʊpɪə] Äthiopien
Europe ['jʊərəp] Europa

F

the Falkland Islands [,fɔ:klənd'aɪləndz] *Pl. die* Falklandinseln
the Federal Republic of Germany [,fedərəlrɪ,pʌblɪkəv'dʒɜ:mənɪ] *die* Bundesrepublik Deutschland
Fiji ['fi:dʒi:] Fidschi
Finland ['fɪnlənd] Finnland
France [frɑ:ns] Frankreich

G

Gabon [gæ'bɒn] Gabun
the Gambia ['gæmbɪə] Gambia
Georgia ['dʒɔ:dʒə] Georgien
Germany ['dʒɜ:mənɪ] Deutschland
Ghana ['gɑ:nə] Ghana
Gibraltar [dʒɪ'brɔ:ltə] Gibraltar
Great Britain [,greɪt'brɪtn] Großbritannien
Greece [gri:s] Griechenland
Greenland ['gri:nlənd] Grönland
Grenada [gre'neɪdə] Grenada
Guatemala [,gwɑ:tə'mɑ:lə] Guatemala
Guernsey ['gɜ:nzɪ] *britische Kanalinsel*
Guinea ['gɪnɪ] Guinea
Guyana [gaɪ'ænə] Guyana

H

Holland ['hɒlənd] Holland
Honduras [hɒn'djuərəs] Honduras
Hong Kong [,hɒŋ'kɒŋ] Hongkong
Hungary ['hʌŋgərɪ] Ungarn

I

Iceland ['aɪslənd] Island
India ['ɪndɪə] Indien

the Indian Ocean [,ɪndɪən'əʊʃn] *der* Indische Ozean
Indonesia [,ɪndəʊ'ni:zɪə] Indonesien
Iran [ɪ'rɑ:n] *der* Iran
Iraq [ɪ'rɑ:k] *der* Irak
Ireland ['aɪələnd] Irland
Isle of Man [,aɪləv'mæn] *Insel in der Irischen See, die unmittelbar der englischen Krone untersteht, aber nicht zum Vereinigten Königreich gehört*
Isle of Wight [,aɪləv'waɪt] *englische Grafschaft, Insel im Ärmelkanal*
Israel ['ɪzreɪəl] Israel
Italy ['ɪtəlɪ] Italien

J

Jamaica [dʒə'meɪkə] Jamaika
Japan [dʒə'pæn] Japan
Jersey ['dʒɜ:zɪ] *britische Kanalinsel*
Jordan ['dʒɔ:dn] Jordanien

K

Kashmir [,kæʃ'mɪə] Kaschmir
Kazakhstan [,kæzæk'stɑ:n] Kasachstan
Kenya ['kenjə] Kenia
Kiribati [,kɪrɪ'bɑ:tɪ] Kiribati
Korea [kə'rɪə] Korea
Kosovo ['kɒsəvəʊ] *der oder das* Kosovo
Kuwait [kʊ'weɪt] Kuwait
Kyrgyzstan [,kɜ:gɪz'stɑ:n] Kirgisistan

L

Laos [laʊs] Laos
Latvia ['lætvɪə] Lettland
Lebanon ['lebənən] *der* Libanon
Lesotho [lə'su:tu:] Lesotho
Liberia [laɪ'bɪərɪə] Liberia
Libya ['lɪbɪə] Libyen
Liechtenstein ['lɪktənstaɪn] Liechtenstein
Lithuania [,lɪθjuː'eɪnɪə] Litauen
Luxembourg ['lʌksəmbɜ:g] Luxemburg

M

Macedonia [,mæsɪ'dəʊnɪə] Mazedonien
Madagascar [,mædə'gæskə] Madagaskar
Madeira [mə'dɪərə] Madeira
Majorca [mə'dʒɔ:kə] Mallorca
Malawi [mə'lɑ:wɪ] Malawi
Malaysia [mə'leɪzɪə] Malaysia

the **Maldives** ['mɔːldɪvz] *Pl. die* Malediven
Mali ['maːlɪ] Mali
Malta ['mɔːltə] Malta
the **Marshall Islands** ['maːʃl‚aɪləndz] *die* Marshallinseln
Mauritania [‚mɒrɪ'teɪnɪə] Mauretanien
Mauritius [mə'rɪʃəs] Mauritius
the **Mediterranean (Sea)** [‚medɪtə'reɪnjən('siː)] *das* Mittelmeer
Mexico ['meksɪkəʊ] Mexiko
the **Middle East** [‚mɪdl'iːst] *der* Nahe Osten
Moldova [mɒl'dəʊvə] Moldau
Monaco ['mɒnəkəʊ] Monaco
Mongolia [mɒŋ'gəʊlɪə] *die* Mongolei
Montenegro [‚mɒntɪ'niːgrəʊ] Montenegro
Morocco [mə'rɒkəʊ] Marokko
Mozambique [‚məʊzæm'biːk] Mosambik
Myanmar ['mjænmaː] Myanmar

N

Namibia [nə'mɪbɪə] Namibia
Nauru [naː'uːruː] Nauru
Nepal [nɪ'pɔːl] Nepal
the **Netherlands** ['neðələndz] *Pl. die* Niederlande
New Zealand [‚njuː'ziːlənd] Neuseeland
Nicaragua [‚nɪkə'rægjʊə] Nicaragua
Niger ['naɪdʒə] *der* Niger (*Fluss in Westafrika*); [niː'ʒeə] Niger (*Republik in Westafrika*)
Nigeria [naɪ'dʒɪərɪə] Nigeria
Northern Ireland [‚nɔːðn'aɪələnd] Nordirland
the **North Sea** [‚nɔːθ'siː] *die* Nordsee
Norway ['nɔːweɪ] Norwegen

O

Oman [əʊ'maːn] Oman
the **Orkney Islands** [‚ɔːknɪ'aɪləndz] *Pl. die* Orkneyinseln

P

the **Pacific (Ocean)** [pə'sɪfɪk (pə‚sɪfɪk-'əʊʃn)] *der* Pazifik, *der* Pazifische (*oder* Stille) Ozean
Pakistan [‚paːkɪ'staːn] Pakistan
Panama ['pænəmaː] Panama
Papua New Guinea ['pæpʊə‚njuː'gɪnɪ] Papua-Neuguinea
Paraguay ['pærəgwaɪ] Paraguay
Peru [pə'ruː] Peru
the **Philippines** ['fɪlɪpiːnz] *Pl. die* Philippinen
Poland ['pəʊlənd] Polen

Portugal ['pɔːtʃʊgl] Portugal
Puerto Rico [‚pwɜːtəʊ'riːkəʊ] Puerto Rico

Q

Qatar ['kʌtaː] Katar
Quebec [kwɪ'bek] *Provinz und Stadt in Kanada*

R

Romania [ru'meɪnɪə] Rumänien
Russia ['rʌʃə] Russland
Rwanda [rʊ'ændə] Ruanda

S

Samoa [sə'məʊə] Samoa
San Marino [‚sænmə'riːnəʊ] San Marino
Saudi Arabia [‚saʊdɪə'reɪbɪə] Saudi-Arabien
Scandinavia [‚skændɪ'neɪvɪə] Skandinavien
Scotland ['skɒtlənd] Schottland
Senegal [‚senɪ'gɔːl] Senegal
Serbia ['sɜːbɪə] Serbien
the **Seychelles** [seɪ'ʃelz] *Pl. die* Seychellen
the **Shetland Islands** [‚ʃetlənd'aɪləndz] *Pl. die* Shetlandinseln
Siberia [saɪ'bɪərɪə] Sibirien
Sierra Leone [sɪ‚erəlɪ'əʊn] Sierra Leone
Singapore [‚sɪŋə'pɔː] Singapur
Slovakia [slə'vækɪə] *die* Slowakei
Slovenia [sləʊ'viːnɪə] Slowenien
Somalia [sə'maːlɪə] Somalia
South Africa [‚saʊθ'æfrɪkə] Südafrika
Spain [speɪn] Spanien
Sri Lanka [‚sriː'læŋkə] Sri Lanka
St Lucia [‚snt'luːʃə] St. Lucia
St Vincent and the Grenadines [snt‚vɪnsnt‚ən‚ðə'grenədiːnz] St. Vincent und die Grenadinen
Sudan [suː'daːn] *der* Sudan
Suriname [‚sʊərɪ'næm] Surinam
Swaziland ['swaːzɪlænd] Swasiland
Sweden ['swiːdn] Schweden
Switzerland ['swɪtsələnd] *die* Schweiz
Syria ['sɪrɪə] Syrien

T

Tajikistan [taː‚dʒiːkɪ'staːn] Tadschikistan

Taiwan [ˌtaɪ'wɑːn] Taiwan
Tanzania [ˌtænzə'niːə] Tansania
Thailand ['taɪlænd] Thailand
Togo ['təʊgəʊ] Togo
Trinidad and Tobago [ˌtrɪnɪdædn-təʊ'beɪgəʊ] Trinidad und Tobago
Tunisia [tjuː'nɪzɪə] Tunesien
Turkey ['tɜːkɪ] *die* Türkei
Turkmenistan [tɜːkˌmenɪ'stɑːn] Turkmenistan

U

Uganda [juː'gændə] Uganda
Ukraine [juː'kreɪn] *die* Ukraine
the **United Arab Emirates** [juː'naɪtɪd-ˌærəbe'mɪərəts] *Pl. die* Vereinigten Arabischen Emirate
the **United Kingdom (of Great Britain and Northern Ireland)** [juːˌnaɪtɪd'kɪŋdəm(ˌəvˌgreɪt'brɪtn̩ˌəˌnɔːðn̩'aɪələnd)] *das* Vereinigte Königreich (von Großbritannien und Nordirland)
the **United States (of America)** [juːˌnaɪtɪd'steɪts (juːˌnaɪtɪdˌsteɪtsəvə'merɪkə)] *Pl. die* Vereinigten Staaten (von Amerika)
Uruguay ['jʊərəgwaɪ] Uruguay
Uzbekistan [ʊzˌbekɪ'stɑːn] Usbekistan

V

the **Vatican City** [ˌvætɪkən'sɪtɪ] *die* Vatikanstadt
Venezuela [ˌvenɪ'zweɪlə] Venezuela
Vietnam [ˌvjet'næm] Vietnam

W

Wales [weɪlz] Wales

Y

Yemen ['jemən] *der* Jemen

Z

Zambia ['zæmbɪə] Sambia
Zimbabwe [zɪm'bɑːbwɪ] Simbabwe

Geografische Namen (Deutsch – Englisch)

A

Afghanistan Afghanistan [æf'gænɪstæn]
Afrika Africa ['æfrɪkə]
Ägypten Egypt ['iːdʒɪpt]
Albanien Albania [æl'beɪnɪə]
Algerien Algeria [æl'dʒɪərɪə]
Amerika America [ə'merɪkə]
Andorra Andorra [æn'dɔːrə]
Angola Angola [æŋ'gəʊlə]
die **Antarktis** Antarctica [ænt'ɑːktɪkə]
Äquatorialguinea Equatorial Guinea [ˌekwə'tɔːrɪəl'gɪnɪ]
Argentinien Argentina [ˌɑːdʒən'tiːnə]
die **Arktis** *the* Arctic (Ocean) ['ɑːktɪk (ˌɑːktɪk'əʊʃn)]
der **Ärmelkanal** *the* English Channel [ˌɪŋglɪʃ'tʃænl]
Armenien Armenia [ɑː'miːnɪə]
Aserbaidschan Azerbaijan [ˌæzəbaɪ'dʒɑːn]
Asien Asia ['eɪʃə]
Äthiopien Ethiopia [ˌiːθɪ'əʊpɪə]
der **Atlantik**, *der* **Atlantische Ozean** *the* Atlantic (Ocean) [ət'læntɪk (ət,læntɪk'əʊʃn)]
Australien Australia [ɒ'streɪlɪə]
die **Azoren** *the* Azores [ə'zɔːz]

B

die **Bahamas** *the* Bahamas [bə'hɑːməz]
Bahrain Bahrain [baː'reɪn]
die **Balearen** *the* Balearic Islands [bælɪˌærɪk'aɪləndz]
der **Balkan** *the* Balkan States [ˌbɔːlkən'steɪts], *the* Balkans ['bɔːlkənz]
das **Baltikum** *the* Baltic States [ˌbɔːltɪk'steɪts]
Bangladesch Bangladesh [ˌbæŋglə'deʃ]
Barbados Barbados [baː'beɪdɒs]
Belgien Belgium ['beldʒəm]
Belize Belize [be'liːz]
die **Beneluxstaaten** *the* Benelux countries ['benɪlʌksˌkʌntrɪz]
Benin Benin [be'nɪn]
Bhutan Bhutan [buː'tɑːn]
Birma Burma ['bɜːmə]
Bolivien Bolivia [bə'lɪvɪə]
Bosnien Bosnia ['bɒznɪə]
Bosnien-Herzegowina Bosnia-Herzegovina ['bɒznɪəˌhɜːtsə'gɒvɪnə]
Botsuana Botswana [bɒ'tswɑːnə]

Brasilien Brazil [brə'zɪl]
Bulgarien Bulgaria [bʌl'geərɪə]
die **Bundesrepublik Deutschland** *the* Federal Republic of Germany [ˌfedərəlrɪˌpʌblɪkəv'dʒɜːmənɪ]
Burkina Faso Burkina Faso [buəˌkiːnə'fæsəʊ]
Burundi Burundi [bʊ'rʊndɪ]

C

Chile Chile ['tʃɪlɪ]
China China ['tʃaɪnə]
Costa Rica Costa Rica [ˌkɒstə'riːkə]
Côte d'Ivoire Côte d'Ivoire [ˌkəʊtdiː'vwaː]

D

Dänemark Denmark ['denmɑːk]
Deutschland Germany ['dʒɜːmənɪ]
Dominica Dominica [ˌdɒmɪ'niːkə]
Dschibuti Djibouti [dʒɪ'buːtɪ]
die **Dominikanische Republik** *the* Dominican Republic [dəˌmɪnɪkənrɪ'pʌblɪk]

E

Ecuador Ecuador ['ekwədɔː]
die **Elfenbeinküste** Côte d'Ivoire [ˌkəʊtdiː'vwaː], *the* Ivory Coast [ˌaɪvə-rɪ'kəʊst]
El Salvador El Salvador [el'sælvədɔː]
England England ['ɪŋglənd]
Eritrea Eritrea [ˌerɪ'treɪə]
Estland Estonia [e'stəʊnɪə]
Europa Europe ['jʊərəp]

F

die **Falklandinseln** *the* Falkland Islands [ˌfɔːklənd'aɪləndz]
Fidschi Fiji ['fiːdʒiː]
die **Fidschiinseln** *the* Fiji Islands [ˌfiːdʒiː'aɪləndz]
Finnland Finland ['fɪnlənd]
Frankreich France [frɑːns]

G

Gabun Gabon [gæ'bɒn]
Gambia *the* Gambia ['gæmbɪə]
Georgien Georgia ['dʒɔːdʒə]
Ghana Ghana ['gɑːnə]
Gibraltar Gibraltar [dʒɪ'brɔːltə]
Grenada Grenada [gre'neɪdə]
Griechenland Greece [griːs]
Grönland Greenland ['griːnlənd]
Großbritannien Great Britain [,greɪt-'brɪtn], Britain ['brɪtn]
Guatemala Guatemala [,gwɑːtə'mɑːlə]
Guayana Guayana [gaɪ'ænə]
Guinea Guinea ['gɪnɪ]

H

Holland Holland ['hɒlənd]
Honduras Honduras [hɒn'djʊərəs]
Hongkong Hong Kong [,hɒŋ'kɒŋ]

I

Indien India ['ɪndɪə]
der **Indische Ozean** *the* Indian Ocean [,ɪndɪən'əʊʃn]
Indonesien Indonesia [,ɪndəʊ'niːzɪə]
der **Irak** Iraq [ɪ'rɑːk]
der **Iran** Iran [ɪ'rɑːn]
Irland Ireland ['aɪələnd]
Island Iceland ['aɪslənd]
Israel Israel ['ɪzreɪəl]
Italien Italy ['ɪtəlɪ]

J

Jamaika Jamaica [dʒə'meɪkə]
Japan Japan [dʒə'pæn]
der **Jemen** Yemen ['jemən]
Jordanien Jordan ['dʒɔːdn]

K

Kambodscha Cambodia [kæm'bəʊdɪə]
Kamerun Cameroon [,kæmə'ruːn]
Kanada Canada ['kænədə]
die **Kanalinseln** *the* Channel Islands ['tʃænl,aɪləndz]
die **Kanaren**, *die* **Kanarischen Inseln** *the* Canaries [kə'neərɪz], *the* Canary Islands [kə'neərɪ,aɪləndz]
Kap Verde, *die* **Kapverden** (*the*) Cape Verde (Islands) [,keɪp'vɜːd('aɪləndz)]

die **Karibik** *the* Caribbean (Sea) [,kærə-'biːən('siː)]
Kasachstan Kazakhstan [,kæzæk'stɑːn]
Kaschmir Kashmir [,kæʃ'mɪə]
Katar Qatar ['kʌtɑː]
Kenia Kenya ['kenjə]
Kirgisistan Kirgyzstan [,kɜːgɪz'stɑːn]
Kiribati Kiribati [,kɪrɪ'bɑːtɪ]
Kolumbien Colombia [kə'lɒmbɪə]
die **Komoren** *the* Comoros ['kɒmərəʊz]
der **Kongo** Congo ['kɒŋgəʊ]
Korea Korea [kə'rɪə]
der oder *das* **Kosovo** Kosovo ['kɒsəvəʊ]
Kroatien Croatia [krəʊ'eɪʃə]
Kuba Cuba ['kjuːbə]
Kuwait Kuwait [kʊ'weɪt]

L

Laos Laos [laʊs]
Lesotho Lesotho [lə'suːtuː]
Lettland Latvia ['lætvɪə]
der **Libanon** (*the*) Lebanon (*meist ohne bestimmten Artikel gebraucht*) ['lebənən]
Liberia Liberia [laɪ'bɪərɪə]
Libyen Libya ['lɪbɪə]
Liechtenstein Liechtenstein ['lɪktənstaɪn]
Litauen Lithuania [,lɪθjuː'eɪnɪə]
Luxemburg Luxembourg ['lʌksəmbɜːg]

M

Madagaskar Madagascar [,mædə'gæskə]
Madeira Madeira [mə'dɪərə]
Malawi Malawi [mə'lɑːwɪ]
Malaysia Malaysia [mə'leɪzɪə]
die **Malediven** *the* Maldives ['mɔːldɪvz]
Mali Mali ['mɑːlɪ]
Mallorca Majorca [mə'dʒɔːkə]
Malta Malta ['mɔːltə]
Marokko Morocco [mə'rɒkəʊ]
Mauretanien Mauritania [,mɒrɪ'teɪnɪə]
Mauritius Mauritius [mə'rɪʃəs]
Mazedonien Macedonia [,mæsɪ'dəʊnɪə]
Mexiko Mexico ['meksɪkəʊ]
das **Mittelmeer** *the* Mediterranean (Sea) [,medɪtə'reɪnjən('siː)]
Moldau Moldova [mɒl'dəʊvə]
Monaco Monaco ['mɒnəkəʊ]
die **Mongolei** Mongolia [mɒŋ'gəʊlɪə]
Montenegro Montenegro [,mɒntɪ'niːgrəʊ]
Mosambik Mozambique [,məʊzæm-'biːk]
Myanmar Myanmar ['mjænmɑː]

N

der **Nahe Osten** *the* Middle East [ˌmɪdl'iːst]
Namibia Namibia [nə'mɪbɪə]
Nauru Nauru [nɑː'uːruː]
Nepal Nepal [nɪ'pɔːl]
Neuseeland New Zealand [ˌnjuː'ziːlənd]
Nicaragua Nicaragua [ˌnɪkə'rægjʊə]
die **Niederlande** *the* Netherlands ['neðələndz]
Niger Niger [niː'ʒeə]
Nigeria Nigeria [naɪ'dʒɪərɪə]
Nordirland Northern Ireland [ˌnɔːðn'aɪələnd]
das **Nordpolarmeer** *the* Arctic (Ocean) ['ɑːktɪk (ˌɑːktɪk'əʊʃn)]
die **Nordsee** *the* North Sea [ˌnɔː'θ'siː]
Norwegen Norway ['nɔːweɪ]

O

Oman Oman [əʊ'mɑːn]
Österreich Austria ['ɒstrɪə]
die **Ostsee** *the* Baltic Sea [ˌbɔːltɪk'siː]

P

Pakistan Pakistan [ˌpɑːkɪ'stɑːn]
Panama Panama ['pænəmɑː]
Papua-Neuguinea Papua New Guinea ['pæpʊəˌnjuː'gɪnɪ]
Paraguay Paraguay ['pærəgwaɪ]
der **Pazifik**, *der* **Pazifische Ozean** *the* Pacific (Ocean) [pə'sɪfɪk (pəˌsɪfɪk'əʊʃn)]
Peru Peru [pə'ruː]
die **Philippinen** *the* Philippines ['fɪlɪpiːnz]
Polen Poland ['pəʊlənd]
Portugal Portugal ['pɔːtʃʊgl]
Puerto Rico Puerto Rico [ˌpwɜːtəʊ'riːkəʊ]

R

Ruanda Rwanda [rʊ'ændə]
Rumänien Romania [ruː'meɪnɪə]
Russland Russia ['rʌʃə]

S

Sambia Zambia ['zæmbɪə]
Samoa Samoa [sə'məʊə]
San Marino San Marino [ˌsænmə'riːnəʊ]
Saudi-Arabien Saudi Arabia [ˌsaʊdɪə'reɪbɪə]
Schottland Scotland ['skɒtlənd]
Schweden Sweden ['swiːdn]

die **Schweiz** Switzerland ['swɪtsələnd]
der **Senegal** Senegal [ˌsenɪ'gɔːl]
Serbien Serbia ['sɜːbɪə]
die **Seychellen** *the* Seychelles [seɪ'ʃelz]
die **Shetland-Inseln** *the* Shetland Islands [ˌʃetlənd'aɪləndz]
Sibirien Siberia [saɪ'bɪərɪə]
Sierra Leone Sierra Leone [sɪˌerəlɪ'əʊn]
Simbabwe Zimbabwe [zɪm'bɑːbwɪ]
Singapur Singapore [ˌsɪŋə'pɔː]
Skandinavien Scandinavia [ˌskændɪ'neɪvɪə]
die **Slowakei** Slovakia [slə'vækɪə]
Slowenien Slovenia [sləʊ'viːnɪə]
Somalia Somalia [sə'mɑːlɪə]
Spanien Spain [speɪn]
Sri Lanka Sri Lanka [ˌsriː'læŋkə]
der **Stille Ozean** *the* Pacific (Ocean) [pə'sɪfɪk (pəˌsɪfɪk'əʊʃn)]
St. Lucia St Lucia [ˌsnt'luːʃə]
St. Vincent und die Grenadinen St Vincent and the Grenadines [sntˌvɪnsntən ˌðə'grenədiːnz]
Südafrika South Africa [ˌsaʊθ'æfrɪkə]
der **Sudan** Sudan [suː'dɑːn]
Surinam Suriname [ˌsʊərɪ'næm]
Swasiland Swaziland ['swɑːzɪlænd]
Syrien Syria ['sɪrɪə]

T

Tadschikistan Tajikistan [tɑːˌdʒiːkɪ'stɑːn]
Taiwan Taiwan [ˌtaɪ'wɑːn]
Tansania Tanzania [ˌtænzə'niːə]
Thailand Thailand ['taɪlænd]
Togo Togo ['təʊgəʊ]
Trinidad und Tobago Trinidad and Tobago [ˌtrɪnɪdædntəʊ'beɪgəʊ]
Tschad Chad [tʃæd]
Tschechien, *die* **Tschechische Republik** *the* Czech Republic [ˌtʃekrɪ'pʌblɪk]
Tschetschenien Chechnia ['tʃetʃnɪə]
Tunesien Tunisia [tjuː'nɪzɪə]
die **Türkei** Turkey ['tɜːkɪ]
Turkmenistan Turkmenistan [tɜːkˌmenɪ'stɑːn]

U

Uganda Uganda [juː'gændə]
die **Ukraine** Ukraine [juː'kreɪn]
Ungarn Hungary ['hʌŋgərɪ]
Uruguay Uruguay ['jʊərəgwaɪ]
Usbekistan Uzbekistan [ʊzˌbekɪ'stɑːn]

V

die **Vatikanstadt** *the* Vatican City [ˌvætɪ-kənˈsɪtɪ]
Venezuela Venezuela [ˌvenɪˈzweɪlə]
das **Vereinigte Königreich (von Großbritannien und Nordirland)** *the* United Kingdom (of Great Britain and Northern Ireland) [juːˌnaɪtɪdˈkɪŋdəm-(ˌəv ˌgreɪtˈbrɪtn̩ ˌə ˌnɔːðnˈaɪələnd)]
die **Vereinigten Arabischen Emirate** *the* United Arab Emirates [juːˈnaɪtɪdˌærəbe-ˈmɪərəts]
die **Vereinigten Staaten (von Amerika)** *the* United States (of America) [juːˌnaɪt-ɪdˈsteɪts (juːˌnaɪtɪdˌsteɪtsəvəˈmerɪkə)]
Vietnam Vietnam [ˌvjetˈnæm]

W

Wales Wales [weɪlz]
Weißrussland White Russia [waɪtˈrʌʃə], Byelorussia [bɪˌeləʊˈrʌʃə]

Z

die **Zentralafrikanische Republik** *the* Central African Republic [ˈsentrəl-ˌæfrɪkənrɪˈpʌblɪk]
Zypern Cyprus [ˈsaɪprəs]

Zahlen

Cardinal Numbers		Kardinalzahlen
nought, *bes. AE* zero	0	null
one	1	eins
two	2	zwei
three	3	drei
four	4	vier
five	5	fünf
six	6	sechs
seven	7	sieben
eight	8	acht
nine	9	neun
ten	10	zehn
eleven	11	elf
twelve	12	zwölf
thirteen	13	dreizehn
fourteen	14	vierzehn
fifteen	15	fünfzehn
sixteen	16	sechzehn
seventeen	17	siebzehn
eighteen	18	achtzehn
nineteen	19	neunzehn
twenty	20	zwanzig
twenty-one	21	einundzwanzig
twenty-two	22	zweiundzwanzig
thirty	30	dreißig
thirty-one	31	einunddreißig
forty	40	vierzig
fifty	50	fünfzig
sixty	60	sechzig
seventy	70	siebzig
eighty	80	achtzig
ninety	90	neunzig
a *oder* one hundred	100	hundert
a hundred and one	101	hundert(und)eins
two hundred	200	zweihundert
three hundred	300	dreihundert
five hundred and seventy-two	572	fünfhundert(und)- zweiundsiebzig
a *oder* one thousand	1000	(ein)tausend
a *oder* one thousand and two	1002	(ein)tausend(und)zwei

1,000,000 a *oder* one million		**1 000 000** eine Million
2,000,000 two million		**2 000 000** zwei Millionen
1,000,000,000 a *oder* one billion		**1 000 000 000** eine Milliarde

NB: Das *and* in Zahlen über hundert kann im amerikanischen Englisch entfallen: *five hundred (and) twenty*.

Years		Jahreszahlen
ten sixty-six	1066	tausendsechsundsechzig
two thousand	2000	zweitausend
two thousand and eight	2008	zweitausend(und)acht

Ordinal Numbers

first	1st	erste
second	2nd	zweite
third	3rd	dritte
fourth	4th	vierte
fifth	5th	fünfte
sixth	6th	sechste
seventh	7th	siebte
eighth	8th	achte
ninth	9th	neunte
tenth	10th	zehnte
eleventh	11th	elfte
twelfth	12th	zwölfte
thirteenth	13th	dreizehnte
fourteenth	14th	vierzehnte
fifteenth	15th	fünfzehnte
sixteenth	16th	sechzehnte
seventeenth	17th	siebzehnte
eighteenth	18th	achtzehnte
nineteenth	19th	neunzehnte
twentieth	20th	zwanzigste
twenty-first	21st	einundzwanzigste
twenty-second	22nd	zweiundzwanzigste
twenty-third	23rd	dreiundzwanzigste
thirtieth	30th	dreißigste
thirty-first	31st	einunddreißigste
fortieth	40th	vierzigste
fiftieth	50th	fünfzigste
sixtieth	60th	sechzigste
seventieth	70th	siebzigste
eightieth	80th	achtzigste
ninetieth	90th	neunzigste
(one) hundredth	100th	hundertste
hundred and first	101st	hundertunderste
two hundredth	200th	zweihundertste
three hundredth	300th	dreihundertste
(one) thousandth	1000th	tausendste
nineteen hundred and fiftieth	1950th	(ein)tausendneunhundertfünfzigste
two thousandth	2000th	zweitausendste

Ordinalzahlen

Fractions and other Mathematical Functions

one _oder_ a half	$\frac{1}{2}$	ein halb
one and a half	$1\frac{1}{2}$	anderthalb
two and a half	$2\frac{1}{2}$	zweieinhalb
one _oder_ a third	$\frac{1}{3}$	ein Drittel
two thirds	$\frac{2}{3}$	zwei Drittel
one _oder_ a quarter, one fourth	$\frac{1}{4}$	ein Viertel
three quarters, three fourths	$\frac{3}{4}$	drei Viertel
one _oder_ a fifth	$\frac{1}{5}$	ein Fünftel
three and four fifths	$3\frac{4}{5}$	drei vier Fünftel
five eighths	$\frac{5}{8}$	fünf Achtel
seventy-five per cent, _AE_ percent	75%	fünfundsiebzig Prozent

Bruchzahlen und Rechenvorgänge

(nought [nɔːt]) point four five	**0.45**	null Komma vier fünf
two point five	**2.5**	zwei Komma fünf
seven <u>and</u> *oder* <u>plus</u> eight are fifteen	**7 + 8 = 15**	sieben <u>und</u> *oder* <u>plus</u> acht ist fünfzehn
nine <u>minus</u> *oder* <u>less</u> four is five	**9 – 4 = 5**	neun <u>minus</u> *oder* <u>weniger</u> vier ist fünf
twice three <u>is</u> *oder* <u>makes</u> six	**2 × 3 = 6**	zwei mal drei ist sechs
twenty divided by five is four	**20 : 5 = 4**	zwanzig <u>dividiert</u> *oder* <u>geteilt</u> durch fünf ist vier

Bei Rechenaufgaben:

once	**1 ×**	ein mal
twice	**2 ×**	zwei mal
three times	**3 ×**	drei mal
four times	**4 ×**	vier mal
firstly, in the first place	**1.**	erstens
secondly, in the second place	**2.**	zweitens
thirdly, in the third place	**3.**	drittens

Temperature Conversion

Celsius – Fahrenheit

°C	°F
100	212
60	140
40	104
30	86
20	68
10	50
0	32
– 10	14
– 15	5
– 20	– 4

Temperaturumrechnung

Fahrenheit – Celsius

°F	°C
200	93
140	60
100	38
80	27
60	16
50	10
32	0
0	– 18
– 4	– 20
– 15	– 26

Die Umrechnungswerte sind gerundet. Die exakte Umrechnungsformel lautet:

von Fahrenheit nach Celsius: $(°F - 32) × 5/9 = °C$
von Celsius nach Fahrenheit: $(9/5 × °C) + 32 = °F$

Britische und amerikanische Maße und Gewichte

Längenmaße

1 inch (in)	= 2,54 cm
1 foot (ft)	= 12 inches = 30,48 cm
1 yard (yd)	= 3 feet = 91,44 cm
1 (statute) mile	= 1760 yards
	= 1,609 km
1 nautical mile	= 1,852 km

Flächenmaße

1 square inch (sg in)	= 6,452 cm²
1 square foot (sg ft)	= 144 square inches
	= 929,029 cm²
1 square yard (sg yd)	= 9 square feet
	= 8361,26 cm²
1 acre	= 4840 square yards
	= 4046,8 cm²
1 square mile	= 640 acres
	= 259 ha = 2,59 km²

Handelsgewichte

1 ounce (oz)		= 28,35 g
1 pound (lb)		= 16 ounces
		= 453,59 g
1 stone (st)		= 14 pounds
		= 6,35 kg
1 hundredweight		= 1 quintal
(cwt)	*BE*	= 112 pounds
		= 50,802 kg
	AE	= 100 pounds
		= 45,359 kg
1 long ton	*BE*	= 20 hundredweights
		= 1016,05 kg
1 short ton	*AE*	= 20 hundredweights
		= 907,185 kg
1 metric ton		= 1000 kg

Raummaße

1 cubic inch (cu in)	= 16,387 cm³
1 cubic foot (cu ft)	= 1728 cubic inches
	= 0,02832 m³
1 cubic yard (cu yd)	= 27 cubic feet
	= 0,7646 m³

Britische Flüssigkeitsmaße

1 pint (pt)	= 0,568 l
1 quart (qt)	= 2 pints
	= 1,136 l
1 gallon (gall)	= 4 quarts
	= 4,5459 l

Amerikanische Flüssigkeitsmaße

1 pint (pt)	= 0,4732 l
1 quart (qt)	= 2 pints
	= 0,9464 l
1 gallon (gall)	= 4 quarts
	= 3,7853 l
1 barrel **petroleum**	= 42 gallons
	= 158,97 l

Unregelmäßige englische Verben

Infinitiv	*Übersetzung*	past tense	past participle
arise	*entstehen*	arose	arisen
awake	*aufwecken/aufwachen*	awoke	awoken
be	*sein*	was *bzw.* were	been
bear	*tragen/gebären*	bore	borne
beat	*schlagen*	beat	beaten
become	*werden*	became	become
begin	*anfangen*	began	begun
bend	*biegen*	bent	bent
bet	*wetten*	bet *oder* betted	bet *oder* betted
bid[1]	*bieten (bei Versteigerungen)*	bid	bid
bid[2]	*sagen (Lebewohl)*	bade *oder* bid	bidden
bind	*binden*	bound	bound
bite	*beißen*	bit	bitten
bleed	*bluten*	bled	bled
blow	*blasen, wehen*	blew	blown
break	*brechen*	broke	broken
breed	*züchten*	bred	bred
bring	*bringen*	brought	brought
broadcast	*TV usw.: senden*	broadcast	broadcast
build	*bauen*	built	built
burn	*brennen*	burnt *oder* burned	burnt *oder* burned
burst	*platzen*	burst	burst
bust	*kaputt machen*	bust *oder* busted	bust *oder* busted
buy	*kaufen*	bought [bɔːt]	bought [bɔːt]
cast	*werfen*	cast	cast
catch	*fangen*	caught [kɔːt]	caught [kɔːt]
choose	*(aus)wählen*	chose	chosen
cling	*festhalten*	clung	clung
come	*kommen*	came	come
cost	*kosten*	cost	cost
creep	*schleichen*	crept	crept
cut	*schneiden*	cut	cut
deal	*handeln*	dealt [delt]	dealt [delt]

Infinitiv	*Übersetzung*	past tense	past participle
dig	*graben*	dug	dug
dive	*tauchen*	dived; *AE* dove	dived
do	*tun*	did	done
draw	*ziehen/zeichnen*	drew	drawn
dream	*träumen*	dreamt [dremt] *oder* dreamed	dreamt [dremt] *oder* dreamed
drink	*trinken*	drank	drunk
drive	*fahren*	drove	driven
dwell	*wohnen*	dwelt *oder* dwelled	dwelt *oder* dwelled
eat	*essen*	ate [et, eɪt]	eaten
fall	*fallen*	fell	fallen
feed	*füttern*	fed	fed
feel	*fühlen*	felt	felt
fight	*kämpfen*	fought	fought
find	*finden*	found	found
fit	*passen*	fitted, *AE auch* fit	fitted, *AE auch* fit
flee	*fliehen*	fled	fled
fling	*werfen*	flung	flung
fly	*fliegen*	flew	flown
forbid	*verbieten*	forbade [fə'bæd]	forbidden
forecast	*vorhersagen*	forecast *oder* forecasted	forecast *oder* forecasted
forsee	*vorhersehen*	foresaw	foreseen
forget	*vergessen*	forgot	forgotten
forgive	*vergeben*	forgave	forgiven
freeze	*gefrieren*	froze	frozen
get	*bekommen*	got	got, *AE* gotten
give	*geben*	gave	given
go	*gehen*	went	gone
grind	*schleifen/mahlen*	ground	ground
grow	*wachsen*	grew	grown
hang[1]	*(auf)hängen (Bild usw.)*	hung	hung
aber: **hang**[2]	*(auf)hängen (≈ töten)*	hanged	hanged
have	*haben*	had	had
hear	*hören*	heard [hɜːd]	heard [hɜːd]
hide	*verstecken*	hid	hidden
hit	*schlagen*	hit	hit

Infinitiv	*Übersetzung*	past tense	past participle
hold	*halten*	held	held
hurt	*verletzen*	hurt	hurt
keep	*behalten*	kept	kept
kneel	*knien*	knelt, *bes. AE* kneeled	knelt, *bes. AE* kneeled
knit	*stricken*	knitted *oder* knit	knitted *oder* knit
know	*wissen*	knew	known
lay	*legen*	laid	laid
lead	*führen*	led	led
lean	*sich neigen/lehnen*	leant [lent] *oder* leaned	leant [lent] *oder* leaned
leap	*springen*	leapt [lept] *oder* leaped	leapt [lept] *oder* leaped
learn	*lernen*	learnt *oder* learned	learnt *oder* learned
leave	*verlassen*	left	left
lend	*verleihen*	lent	lent
let	*lassen*	let	let
lie	*liegen*	lay	lain
light	*anzünden*	lit *oder* lighted	lit *oder* lighted
lose	*verlieren*	lost	lost
make	*machen*	made	made
mean	*bedeuten/meinen*	meant [ment]	meant [ment]
meet	*treffen*	met	met
mistake	*verwechseln*	mistook	mistaken
misunderstand	*missverstehen*	misunderstood	misunderstood
mow	*mähen*	mowed	mown *oder* mowed
overcome	*überwältigen*	overcame	overcome
overdo	*übertreiben*	overdid	overdone
overeat	*sich überessen*	overate [ˌəʊvərˈet]	overeaten
overhear	*mit anhören*	overheard [ˌəʊvəˈhɜːd]	overheard [ˌəʊvəˈhɜːd]
overrun	*über'laufen, herfallen über*	overran	overrun
oversleep	*verschlafen*	overslept	overslept
overtake	*überholen*	overtook	overtaken
overthrow	*stürzen (Regierung usw.)*	overthrew	overthrown
pay	*(be)zahlen*	paid	paid
plead	*bitten*	pleaded, *bes. AE* pled	pleaded, *bes. AE* pled

Infinitiv	*Übersetzung*	past tense	past participle
prove	*beweisen*	proved	proved, *AE* proven
put	*setzen, stellen, legen*	put	put
quit	*aufhören*	quit, *BE auch* quitted	quit, *BE auch* quitted
read	*lesen*	read [red]	read [red]
rebuild	*wieder aufbauen*	rebuilt	rebuilt
redo	*nochmals machen*	redid	redone
repay	*zurückzahlen*	repaid	repaid
rerun	*wiederholen*	reran	rerun
reset	*umstellen (Uhr)*	reset	reset
retell	*nacherzählen*	retold	retold
rewind	*zurückspulen*	rewound	rewound
rewrite	*umschreiben*	rewrote	rewritten
ride	*reiten, fahren*	rode	ridden
ring	*läuten*	rang	rung
rise	*aufsteigen/aufstehen*	rose	risen ['rɪzn]
run	*laufen*	ran	run
saw	*sägen*	sawed	sawn, *AE* sawed
say	*sagen*	said [sed]	said [sed]
see	*sehen*	saw	seen
seek	*suchen*	sought	sought
sell	*verkaufen*	sold	sold
send	*schicken*	sent	sent
set	*stellen, setzen, legen*	set	set
sew [səʊ]	*nähen*	sewed	sewn *oder* sewed
shake	*wackeln/schütteln*	shook	shaken
shear [ʃɪə]	*scheren*	sheared	shorn *oder* sheared
shed	*vergießen*	shed	shed
shine[1]	*scheinen, glänzen*	shone [ʃɒn]	shone [ʃɒn]
aber: **shine**[2]	*putzen (Schuhe)*	shined	shined
shit	*scheißen*	shit *oder* shat	shit *oder* shat
shoot	*schießen*	shot	shot
show	*zeigen*	showed	shown
shrink	*schrumpfen*	shrank *oder* shrunk	shrunk
shut	*schließen*	shut	shut
sing	*singen*	sang	sung
sink	*sinken*	sank *oder* sunk	sunk
sit	*sitzen/sich setzen*	sat	sat
slay	*ermorden*	slew	slain

Infinitiv	*Übersetzung*	past tense	past participle
sleep	*schlafen*	slept	slept
slide	*gleiten*	slid	slid
sling	*aufhängen/ schleudern*	slung	slung
slit	*aufschlitzen*	slit	slit
smell	*riechen*	smelt *oder* smelled	smelt *oder* smelled
sow	*säen*	sowed	sown *oder* sowed
speak	*sprechen*	spoke	spoken
speed	*schnell fahren*	sped *bzw.* (≈ *beschleunigen*) speeded	sped *bzw.* speeded
spell	*buchstabieren*	spelt, *bes. AE* spelled	spelt, *bes. AE* spelled
spend	*ausgeben/verbringen*	spent	spent
spill	*ausschütten*	spilt, *bes. AE* spilled	spilt, *bes. AE* spilled
spin	*(sich) drehen*	spun	spun
spit	*spucken*	spat, *bes. AE* spit	spat, *bes. AE* spit
split	*(zer)spalten*	split	split
spoil	*verderben*	spoilt *oder* spoiled	spoilt *oder* spoiled
spread	*ausbreiten*	spread	spread
spring	*springen*	sprang, *AE auch* sprung	sprung
stand	*stehen*	stood	stood
steal	*stehlen*	stole	stolen
stick	*stecken/kleben*	stuck	stuck
sting	*stechen*	stung	stung
stink	*stinken*	stank *oder* stunk	stunk
stride	*schreiten*	strode	stridden
strike	*schlagen*	struck	struck
string	*aufreihen/besaiten*	strung	strung
strive	*sich bemühen*	strove	striven
swear	*fluchen/schwören*	swore	sworn
sweep	*kehren*	swept	swept
swell	*(an)schwellen*	swelled	swollen *oder* swelled
swim	*schwimmen*	swam	swum
swing	*schwingen*	swung	swung
take	*nehmen*	took	taken
teach	*lehren*	taught	taught
tear [teə]	*zerreißen*	tore	torn
tell	*erzählen*	told	told

Infinitiv	Übersetzung	past tense	past participle
think	*denken*	thought	thought
thrive	*gedeihen*	thrived *oder* throve	thrived *oder* thriven
throw	*werfen*	threw	thrown
thrust	*stoßen*	thrust	thrust
tread [tred]	*treten*	trod	trodden
unbend	*gerade biegen*	unbent	unbent
undercut	*unterbieten*	undercut	undercut
undergo	*erleben*	underwent	undergone
underlie	*zugrunde liegen*	underlay	underlain
underpay	*unterbezahlen*	underpaid	underpaid
understand	*verstehen*	understood	understood
undertake	*übernehmen*	undertook	undertaken
undo	*aufmachen*	undid	undone
unwind [ˌʌnˈwaɪnd]	*(sich) abwickeln*	unwound	unwound
upset	*ärgern/umkippen*	upset	upset
wake	*(auf)wecken/ aufwachen*	woke, *AE* waked	woken, *AE* waked
wear	*tragen, anhaben*	wore	worn
weave	*weben*	wove	woven
wed	*heiraten*	wedded *oder* wed	wedded *oder* wed
weep	*weinen*	wept	wept
wet	*nass machen*	wet *oder* wetted	wet *oder* wetted
win	*gewinnen*	won	won
wind [waɪnd]	*drehen*	wound	wound
withdraw	*abheben (Geld)/ (sich) zurückziehen*	withdrew	withdrawn
withstand	*standhalten*	withstood	withstood
wring	*auswringen*	wrung	wrung
write	*schreiben*	wrote	written

Lösungen der Übungen und Rätsel:

Lösung 1 a:

Argument	kaltblütig	Luftballon
Befreiung	Kammer	luftdicht
fundamental	Kampf	Luftfahrt
hetzen	Kämpfer(in)	Luftkissenfahrzeug
Kren	kanadisch	Luftkurort
Luftzug	Kanal	Luftmatratze
rot	Kandidat(in)	Luftpumpe
schulden	Känguru	Luftröhre
sinnlos	kapieren	Lüftung
Überfall	karo	Luftverschmutzung

Lösung 1 b:

anniversary	dog	jungle
background	glorious	pharmacy
capable	jingle	unfair

Lösung 2 a:

authorities	inevitable
avoid	local
bother	obvious
deep	part
dig	peak
extend	play
fine	pocket
increase	truant

Lösung 2 b:

play truant	truant
on the increase	increase
on the part of	part of
can't be bothered	bother
dig deep in their pockets	dig; *Verweis* bei pocket

Lösung 3 a:

Wort	Lautschrift
hardly	'hɑːdlɪ
sadness	'sædnəs
puppet	'pʌpɪt
female	'fiːmeɪl
bright	braɪt
helmet	'helmɪt
visa	'viːzə
written	'rɪtn
highway	'haɪweɪ

Lösung 3 b:

Lautschrift	Wort
ʃeɪv	shave
dɒg	dog
'lɪvə	liver
'sjuːdəʊ	pseudo
'θɪŋkə	thinker
'æpɪtaɪt	appetite
nɔːθ'iːst	northeast

Lösung 4 a:

dicht	1. *Nebel, Haar, Gestrüpp*
	2. *Wald*
	3. *Verkehr*
	6. (= *geschlossen*)
	7. (= *luftdicht*)
	8. (= *wasserdicht*)
einstellen	1. (*Sender*)
	2. (= *beenden*). *förmlicher*
	3. (= *Arbeitskräfte*)
	4. (*Uhr, Wecker*)
	6. (= *sich anpassen an*), (*sich vorbereiten auf*)
	7. (= *daran gewöhnen*)
Pass¹	(= *Reisepass*)
Pass²	(= *Gebirgspass*)
Pass³	*bei Ballspielen*
Pause	1. *allg., Schule*:
	2. *Theater, Sport*:
	3. *beim Reden usw.*
Raum	1. (= *Zimmer*)
	2. (= *Platz für Gepäck usw.*)
	3. (= *Gebiet*)
	4. *als Dimension*:
	5. *als Fläche*:

Scheibe	1. (auch CD, Schallplatte)
	2. aus Glas:
	3. von Wurst, Käse usw.:
	4. umg.

Lösung 4 b:

Deutsch	Stilangabe(n)	Englisch	Stilangabe(n)
Karfiol	A	trucker	*AE*
Kartoffelstock	CH	loony bin	*umg.*
klauen	*umg.*	banger	*BE, umg.*
Knast	*salopp*	pee	*umg.*
Knete 2.	*salopp*	o.n.o.	*Abk.*
krass 4.	*salopp*	shit²	*vulgär, salopp*
Kulturbanause	*abwertend*	thru	*AE, umg.*
Kumpel 1.	*umg.*	sitcom	*TV*

Lösung 5:

Englisches Stichwort	Übersetzung(en)	Deutsches Stichwort	Übersetzung(en)
alley	Gasse	**brav**	good, well-behaved
barracks	Kaserne	**Handy**	mobile (phone), cell (phone)
become	werden	**Rente**	pension
tramp (Verb)	(zer)trampeln	**spenden**	give, donate
undertaker	Leichenbestatter	**Warenhaus**	department store

Lösung 6 a:

bekannt	I'm sure I've seen her before, she looks familiar
besetzt	is anyone sitting there?
Bessere(s)	she thinks she's somebody special
Besuch	my uncle's staying with us
biologisch	organic farming

Lösung 6 b:

catch	den Zug erreichen
charge	kostenlos, gratis
exchange	einen Wortwechsel haben
increase	sich verdreifachen
smile[1]	(übers ganze Gesicht) strahlen

Lösung 7:

1.			Y	O	U		
2.	O	X	F	O	R	D	
3.		E	N	G	L	A	N	D
4.		M	U	T	T	O	N
5.		S	C	R	I	P	T
6.	B	R	E	T	T		

Lösung 8:

The Body	arm
Clothes	bra
Containers	colander
At the Breakfast Table	cornflakes
In the Bathroom	dental water jet
In the Living Room	mantlepiece
At my Desk	mouse pad
In the Classroom	overhead projector
Bicycle	saddle
Car	seatbelt
At the Railway Station	ticket office
Verbs of Motion	walking

Verzeichnis der Info-Fenster

Englisch-Deutsch

Deutsch-Englisch

Leitwort in Blau hilft beim Suchen

Jedes Stichwort in Blau auf einer neuen Zeile

Fehlerquellen und Besonderheiten in der Aussprache

Lautschrift bei Übersetzungen mit schwieriger Aussprache

Verweise auf Stichwörter in neuester Rechtschreibung

Neueste deutsche Rechtschreibung

Wendungen mit übertragener Bedeutung

Hochgestellte Ziffern für gleich aussehende Stichwörter unterschiedlicher Bedeutung

work

Zufahrt 1. access ['ækses] **2.** (≈ *Zufahrtsstraße*) access road, *zu Haus*: drive(way)

Zufahrtsstraße 1. *allg.*: access ['ækses] road **2.** *zu Haus*: drive(way)

Zufall 1. coincidence [kəʊ'ɪnsɪdəns]; *so ein Zufall!* what a coincidence!; *es war reiner Zufall* it was pure coincidence (*oder chance*) **2.** *durch Zufall* by chance; *wie es der Zufall wollte* as chance would have it (△ *ohne* the)

zufallen 1. (*Tür*) slam shut **2.** *mir fallen die Augen zu* I can't keep my eyes open

zufällig 1. by chance; *zufällig sah ich ihn* by chance I saw him, I (just) happened to see him **2.** *weißt du zufällig, ob usw.?* do you happen to know whether *usw.?* **3.** *es war rein zufällig* it was pure coincidence [kəʊ'ɪnsɪdəns]

Zufallsgenerator random generator

Zufallstreffer 1. *Sport usw.*: fluke **2.** (≈ *Erfolg*) lucky strike

zufliegen (*Tür usw.*) slam shut

Zufluss 1. influx ['ɪnflʌks] (*auch übertragen: von Leuten, Kapital usw.*) **2.** (≈ *Nebenfluss*) tributary ['trɪbjʊtrɪ]

zuflüstern: *jemandem etwas zuflüstern* whisper something to someone

zufrieden 1. satisfied; *sie ist mit nichts zufrieden* she's never satisfied; *bist du jetzt endlich zufrieden?* are you quite satisfied (*oder happy*) now? **2.** *ich bin damit zufrieden* I'm happy with it; → **zufriedengeben**, **zufriedenlassen** *usw.*

zufriedengeben: *sich mit etwas zufriedengeben* settle for something

Zufriedenheit satisfaction; *zur vollsten Zufriedenheit* to our *usw.* full satisfaction

zufriedenlassen: *lass sie zufrieden* leave her alone (*oder in peace*)

zufriedenstellen 1. satisfy **2.** *sie ist schwer zufriedenzustellen* she's hard to please

zufriedenstellend satisfactory

zufrieren freeze* over

zufügen add; *dem Essen etwas Salz zufügen* add some salt to the food

Zug¹ 1. train; *mit dem Zug* by train (△ *ohne* the); *im Zug* on the train **2.** *Peter bringt mich zum Zug* Peter's seeing me off at the station **3.** *du sitzt im falschen Zug übertragen* you're barking up the wrong tree **4.** *der Zug ist abgefahren übertragen* you've *usw.* missed the boat

Zug² 1. (≈ *Luftzug*) draught [△ drɑːft]; *im Zug sitzen* sit* in a draught **2.** *er nahm einen Zug an der Zigarette* he took a drag on the cigarette **3.** (≈ *Schluck*) gulp (*aus* from); *sein Glas auf*